O PETRÓLEO

O PETRÓLEO

Uma história mundial de conquistas, poder e dinheiro

Daniel Yergin

14ª edição

Paz & Terra
Rio de Janeiro
2025

© 1991, 1992, 2009 by Daniel Yergin
Traduzido do original em inglês *The prize, the epic quest for oil, money & power*

Tradução: Leila Marina U. Di Natale
           Maria Cristina Guimarães
           Maria Christina L. de Góes
Edição: Max Altman

Foram feitos todos os esforços para contatar Maria Cristina Guimarães e Maria Christina L. de Góes. A editora Paz e Terra coloca-se à disposição das tradutoras e compromete-se a reparar erros ou omissões não intencionais, retificando-os, sempre que notificada.

Produção gráfica: Katia Halbe
Tradução epílogo: Luciene Sommer
Preparação de originais: Gabriela Delgado
Revisão: Pedro Paulo da Silva
Índice remissivo: Silvana Gouveia
Projeto gráfico e diagramação: Join Bureau
Capa: Miriam Lerner
Imagem de capa: © Philips Petroleum – Primeiro posto de gasolina da Phillips em Wichita, no Kansas, 1927

CIP-Brasil. Catalogação na Fonte
Sindicato Nacional dos Editores de Livros, RJ

Y48p
Yergin, Daniel,
    O petróleo: Uma história mundial de conquistas, poder e dinheiro / Daniel Yergin ; tradução Leila Marina U. Di Natale, Maria Cristina Guimarães, Maria Christina L. de Góes; edição Max Altman – 14ª ed. – Rio de Janeiro: Paz e Terra, 2025.
    1080 p. : II

    Tradução de: The prize: the epic quest for oil, money, and power
    Inclui bibliografia e índice
    ISBN 978-85-775-3129-5

    1. Indústria petrolífera – Aspectos políticos – História – Séc. XX. 2. Indústria petrlífera – Aspectos militares - – História – Séc. XX. 3. Guerra Mundial, 1914-1918 – Causa 4. Guerra Mundial, 1939-1945 – Causas 5. Política internacional – Séc. XX. I. Título.

10-3070

CDD: 338.272820904
CDU: 330.123.7(09)
020114

EDITORA PAZ E TERRA LTDA.
Rua Argentina, 171 – 3º andar – São Cristóvão
20921-380 – Rio de Janeiro – RJ
http://www.record.com.br

Seja um leitor preferencial Record.
Cadastre-se e receba informações sobre nossos lançamentos e nossas promoções.

Atendimento e venda direta ao leitor:
sac@record.com.br

Texto revisado segundo o novo Acordo Ortográfico da Língua Portuguesa.

2025
Impresso no Brasil / *Printed in Brazil*

Para Angela, Alexander e Rebecca

Sumário

Lista de mapas		9
Prólogo		11

PARTE I — Os fundadores

CAPÍTULO I	Obsessão pelo petróleo: o começo	19
CAPÍTULO II	O "nosso plano": John D. Rockefeller e a integração do petróleo americano	37
CAPÍTULO III	O comércio competitivo	61
CAPÍTULO IV	O novo século	86
CAPÍTULO V	O dragão assassinado	107
CAPÍTULO VI	As guerras do petróleo: a ascensão da Royal Dutch, a queda da Rússia imperial	127
CAPÍTULO VII	"Boa vida" na Pérsia	150
CAPÍTULO VIII	O mergulho do destino	168

PARTE II — O conflito global

CAPÍTULO IX	O sangue da vitória: a Primeira Guerra Mundial	187
CAPÍTULO X	Abrindo a porta do Oriente Médio: a Companhia Turca de Petróleo	206
CAPÍTULO XI	Da escassez ao excedente: a era da gasolina	231
CAPÍTULO XII	A batalha por uma nova produção	257
CAPÍTULO XIII	A inundação	273
CAPÍTULO XIV	"Amigos" — e inimigos	291
CAPÍTULO XV	As concessões árabes: o mundo que Frank Holmes fez	313

PARTE III — Guerra e estratégia

CAPÍTULO XVI	O caminho do Japão para a guerra	341
CAPÍTULO XVII	A fórmula alemã para a guerra	366
CAPÍTULO XVIII	O calcanhar de aquiles do Japão	392
CAPÍTULO XIX	A guerra dos Aliados	411

PARTE IV — A Era do Hidrocarboneto

CAPÍTULO XX	O novo centro de gravidade	439
CAPÍTULO XXI	O pós-guerra e a ordem do petróleo	459
CAPÍTULO XXII	Fifty-fifty: o New Deal do petróleo	485
CAPÍTULO XXIII	O "velho Mossy" e a luta pelo Irã	507
CAPÍTULO XXIV	A crise do Suez	539
CAPÍTULO XXV	Os elefantes	562
CAPÍTULO XXVI	A OPEP e o caldeirão borbulhante	585
CAPÍTULO XXVII	O Homem Hidrocarboneto	610

PARTE V — A batalha pela hegemonia mundial

CAPÍTULO XXVIII	Os anos críticos: países *versus* companhias	635
CAPÍTULO XXIX	A arma do petróleo	665
CAPÍTULO XXX	"Lances pela nossa vida"	694
CAPÍTULO XXXI	O império da OPEP	717
CAPÍTULO XXXII	O ajuste	740
CAPÍTULO XXXIII	Um segundo choque: o grande pânico	763
CAPÍTULO XXXIV	"Estamos afundando"	792
CAPÍTULO XXXV	Apenas outra mercadoria qualquer	810
CAPÍTULO XXXVI	Um bom suadouro: até onde o preço vai baixar?	843
CAPÍTULO XXXVII	Crise no Golfo	872

Epílogo: A nova era do petróleo	887
Cronologia	901
Notas	911
Bibliografia	997
Agradecimentos	1031
Agradecimentos à nova edição	1035
Créditos fotográficos	1036
Índice remissivo	1039

Lista de mapas

A invasão dos independentes: o primeiro oleoduto de longa distância,
Tidewater, 1879 47

O golpe de Marcus Samuel: a Viagem do Murex, 1892 76

O início da exploração no Oriente Médio: petróleo na Pérsia, 1901 162

O Acordo da Linha Vermelha, 1º de julho, 1928 229

A grande migração dos anos 1920: do caminho dourado no México
para Lago de Maracaibo na Venezuela 263

Guerra na Europa e no norte da África 378

Guerra no Pacífico 402

Os grandes acordos do petróleo: consórcio do Oriente Médio, 1951 475

Oleoduto no Alasca e rotas alternativas, início da década 1970 647

Prólogo

WINSTON CHURCHILL mudava de ideia quase da noite para o dia. Até o verão de 1911, o jovem Churchill, secretário do Interior, era um dos líderes dos "economistas", grupo de membros do Gabinete que criticava o aumento dos gastos militares promovido por alguns para manter a dianteira na corrida naval anglo-germânica. Essa competição havia se convertido no elemento mais rancoroso do crescente antagonismo entre as duas nações. Churchill colocava, porém, toda a ênfase em seu argumento de que a guerra com a Alemanha não era inevitável e que as intenções germânicas não eram forçosamente agressivas. Ele afirmava sempre que o dinheiro poderia ser gasto de forma melhor se fosse empregado em programas sociais e não em mais navios de guerra.

Entretanto, no dia 1º de julho de 1911, o *kaiser* Guilherme mandou um navio alemão, o Panther, para o porto de Agadir, na costa atlântica do Marrocos. Seu objetivo era conter a influência francesa na África e fincar uma posição para a Alemanha. Mesmo sendo o Panther nada mais que uma canhoneira e Agadir apenas uma cidade portuária de importância secundária, a chegada do navio precipitou uma grave crise internacional. O fortalecimento do exército germânico já vinha sendo motivo de mal-estar entre os vizinhos europeus; agora a Alemanha, a caminho de seu "lugar ao sol", parecia estar desafiando diretamente as posições globais da França e da Inglaterra. Por várias semanas o temor da guerra se apoderou da Europa. No final de julho, entretanto, a tensão havia se atenuado — segundo as palavras de Churchill, "o valentão está recuando". Mas a crise transformou o seu ponto de vista. Ao contrário do que pensava antes sobre as intenções da Alemanha, agora estava convencido de que ela almejava a hegemonia e empregaria a força militar para alcançá-la. A guerra, ele então concluía, tornara-se virtualmente inevitável; era apenas uma questão de tempo.

Nomeado Primeiro Lorde do Almirantado logo depois de Agadir, Churchill prometeu fazer tudo o que pudesse para preparar militarmente a Grã-Bretanha para o inevitável dia do ajuste de contas. Sua incumbência era garantir que a Marinha Real, símbolo e a própria encarnação do poderio imperial britânico, estivesse pronta para enfrentar o desafio alemão em alto-mar. Uma das questões mais importantes e controversas enfrentadas por ele era de natureza aparentemente técnica, mas na realidade teria amplas implicações para o século XX. Debatia-se a conveniência de adaptar a marinha britânica para o uso do petróleo como fonte de energia no lugar do carvão, o combustível tradicional. Muitos pensavam que tal conversão era pura loucura, pois significaria que a marinha não mais poderia confiar no carvão galês, e em vez disso teria de depender da oferta distante e instável do petróleo da Pérsia, como então se chamava o Irã. "Entregar irreversivelmente a marinha ao petróleo era na verdade 'preparar-se para enfrentar um mar de problemas'", disse Churchill. Porém os benefícios estratégicos — maior velocidade e um uso mais eficiente da energia humana – lhe pareciam tão óbvios que ele não perdeu tempo. Decidiu que a Inglaterra teria de basear a sua "supremacia naval no petróleo" e a partir daí se empenhou, com todo o entusiasmo e a poderosa energia que lhe era própria, em atingir esse objetivo.

Não havia escolha — segundo suas palavras, "A própria hegemonia era o prêmio para o risco".[1]

Com isso, Churchill, às vésperas da I Guerra Mundial, captou uma verdade fundamental, aplicável não somente à conflagração que se seguiria como também às muitas décadas subsequentes. Pois por todo o século XX o petróleo significou hegemonia. E a busca da hegemonia é o assunto deste livro.

No início da década de 1990 — quase oitenta anos após a rendição de Churchill ao petróleo, depois de duas guerras mundiais e de uma longa Guerra Fria, e no que se supunha ser o começo de uma nova era, mais pacífica — o petróleo voltou a se converter no foco do conflito mundial. No dia 2 de agosto de 1990, um outro ditador do século XX, Saddam Hussein, do Iraque, invadiu o Kuait, país vizinho. Tinha como objetivo não apenas a conquista de um Estado soberano mas também a captura de suas riquezas. O prêmio era enorme. Se bem-sucedido, o Iraque se converteria na maior potência petrolífera do mundo e dominaria tanto o mundo árabe quanto o Golfo Pérsico, onde se concentra a maior parte das reservas de petróleo existentes. Sua nova força e riqueza, assim como o controle do petróleo, forçariam o resto do mundo a cortejar o ambicioso Saddam Hussein. O resultado disso seria uma transformação dramática no equilíbrio internacional do poder. Em resumo, mais uma vez, a hegemonia como prêmio.

Por vários anos antes desse conflito era quase moda dizer que o petróleo não era mais "importante". Na verdade, na primavera de 1990, poucos meses antes da invasão do Iraque, os oficiais superiores do Comando Central dos Estados Unidos — que seriam o eixo da mobilização americana — eram instruídos no sentido de que o petróleo tinha perdido sua importância estratégica. Mas a invasão do Kuait fez evanescer a ilusão.

No fim do século XX, o petróleo ainda era fundamental para a segurança, a prosperidade e a própria natureza da civilização.

Apesar de a moderna história do petróleo ter começado na última metade do século XIX, foi o século XX que sofreu uma transformação completa com o seu advento. O papel do petróleo — e a ansiedade com relação a seu fornecimento — é um assunto de importância primordial na internet e na era da globalização que caracteriza as primeiras décadas do século XXI. Em particular, três grandes temas são subjacentes a essa história.

O primeiro é a ascensão e o desenvolvimento do capitalismo e dos negócios modernos. Em todo o mundo, o petróleo é o maior negócio e o mais difundido, a maior entre as maiores indústrias que se desenvolveram nas últimas décadas do século XIX. A Standard Oil, que dominou completamente a indústria petrolífera americana no fim daquele século, ocupava um dos primeiros lugares entre as maiores empresas multinacionais. A expansão dos negócios depois disso — abrangendo tudo, desde perfuração de poços petrolíferos em áreas pouco exploradas até vendedores com boa lábia e diretores tirânicos da burocracia da grande empresa e das companhias estatais — encarna o modo como eles evoluíram, a estratégia conjunta, a mudança tecnológica, o desenvolvimento do mercado e, é claro, a economia nacional e internacional. Ao longo da história do petróleo firmaram-se acordos e tomaram-se decisões momentosas — envolvendo homens, companhias e nações —, algumas vezes muito planejadas e algumas vezes por acaso. Nenhum outro negócio define de forma tão completa e radical o significado do risco e da recompensa — e o profundo impacto da oportunidade e do destino.

Quando olhamos adiante, fica claro que certamente um chip de computador propiciará a hegemonia tanto quanto o petróleo. Mesmo assim, a indústria petrolífera continua a ter um impacto enorme. Entre as dez primeiras das quinhentas empresas relacionadas pela revista *Fortune* em 2008, seis são companhias de petróleo. Enquanto não se encontrar alguma fonte alternativa de energia, o petróleo continuará a ter efeitos de longo alcance sobre a economia global; a elevação do seu preço pode estimular o crescimento econômico ou, ao contrário, desencadear a recessão. Hoje, o petróleo é o único produto cujas notícias são encontradas regularmente não apenas na página de negócios como também na primeira página. E, da mesma forma como no passado, ele é um gerador maciço de riquezas — para os indivíduos, as companhias e as nações como um todo. Nas palavras de um magnata, "Petróleo é quase dinheiro".[2]

O segundo tema é o do petróleo como um produto intimamente imbricado nas estratégias nacionais e no poder e política globais. Os campos de batalha da I Guerra Mundial estabeleceram a sua relevância como elemento do poder nacional no momento em que a máquina de combustão interna superou o cavalo e a locomotiva a carvão. Ele era de importância fundamental para o rumo e as consequências da II Guerra Mundial tanto no Extremo Oriente quanto na Europa. Os japoneses atacaram Pearl Harbor para proteger seu flanco enquanto se apropriavam das fontes de petróleo das Índias Orientais. Um dos objetivos estratégicos mais importantes de Hitler ao invadir a União Soviética era a tomada dos campos petrolíferos do Cáucaso.

No entanto, o predomínio do petróleo americano se revelou decisivo, e no final da guerra os reservatórios de combustível alemães e japoneses estavam vazios. Durante a Guerra Fria a batalha pelo controle do petróleo, travada entre as companhias internacionais e os países desenvolvidos, constituiu uma peça importante do drama da descolonização e do nacionalismo emergente. Em 1956, a crise de Suez, que na verdade marcou o fim da estrada para os velhos poderes imperiais da Europa, deveu-se muito mais ao petróleo que a qualquer outra coisa. O "poder do petróleo" agigantou-se bastante na década de 1970, fazendo com que países até então periféricos à política internacional assumissem subitamente uma posição de grande riqueza e influência, e gerando uma profunda crise de confiança nas nações industriais que haviam baseado seu crescimento econômico nesse mineral. E era ele que estava no centro da primeira crise pós-Guerra Fria, na década de 1990 — a invasão do Kuait pelo Iraque. E o petróleo desempenhou um papel muito importante na reconfiguração das relações internacionais que surgiram com o aumento drástico do preço do produto, de 2004 a 2008, com o reaparecimento da políticas de recursos energéticos e com a nova relevância da China e da Índia no mercado global.

Contudo, o petróleo também demonstrou que pode ser o ouro dos tolos. Ao xá do Irã foi-lhe concedido o seu mais fervoroso desejo, a riqueza do petróleo, que acabou por destruí-lo. O petróleo promoveu a economia do México apenas para solapá-la. A União Soviética — o segundo maior exportador do mundo — esbanjou as enormes somas que ganhou com o petróleo nos anos 1970 e 1980 numa escalada militar e numa série de aventuras internacionais inúteis e em alguns casos desastrosas. E os Estados Unidos, outrora o maior produtor mundial e até hoje o maior consumidor, têm de importar entre 55% e 60% do suprimento de petróleo de que necessitam, enfraquecendo a sua posição estratégica global e aumentando bastante um déficit de comércio que já é incômodo — uma situação precária para um grande poder.

Finda a Guerra Fria, uma nova ordem mundial começa a tomar forma. A competição econômica, as lutas regionais e as rivalidades étnicas podem substituir a ideologia como foco do conflito internacional — e nacional —, ajudadas e instigadas pela proliferação dos armamentos modernos. Um novo tipo de ideologia — extremismo religioso e *jihad* — passaram para o primeiro plano. Qualquer que seja a evolução dessa nova ordem mundial, o petróleo continuará, no entanto, a ser o produto estratégico, de importância crítica para as estratégias nacionais e para a política internacional.

Um terceiro tema da história do petróleo mostra como a nossa sociedade se tornou uma "Sociedade do Hidrocarboneto", e nós, na linguagem dos antropólogos, "o Homem do Hidrocarboneto". Em suas primeiras décadas, o negócio do petróleo forneceu a um mundo que se industrializava um produto ao qual se deu o nome inventado de "querosene", conhecido como a "nova luz" que fazia recuar a noite, estendendo assim o dia de trabalho. No final do século XIX, John D. Rockefeller tornou-se o homem mais rico dos Estados Unidos graças sobretudo à venda do querosene. Por essa época, a gasolina era apenas um subproduto inútil pelo qual às vezes se obtinham dois centavos por galão, sendo despejada nos rios à noite quando era absolutamente impossível vendê-la. Quando a invenção da lâmpada incandescente parecia indicar a obsolescência da indústria do petróleo, uma nova era se inaugurou com o desenvolvimento da máquina de combustão interna provida de energia pela gasolina. A indústria do petróleo tinha um novo mercado, uma nova civilização nascia.

No século XX, o petróleo, suplementado pelo gás natural, derrubou o rei carvão do trono que ocupava como fonte de energia para o mundo industrial. O petróleo constituiu a base do grande movimento de suburbanização do pós-guerra, que transformou a paisagem contemporânea e o modo de vida moderno. No século XXI, somos tão dependentes desse mineral e ele está tão embutido nas nossas atividades diárias que dificilmente paramos para nos dar conta de seu penetrante significado. É ele que torna possível nosso local de moradia, nosso modo de vida, o meio de transporte que adotamos nos deslocamentos diários de casa para o trabalho, a maneira como viajamos — e até mesmo para onde levamos quem estamos cortejando. Ele é o sangue vital das comunidades suburbanas. É (junto com o gás natural) o componente fundamental da fertilização, da qual depende a agricultura; possibilita o transporte de alimentos para as megacidades do mundo, totalmente não autossuficientes. Também fornece os plásticos e os elementos químicos, que são os tijolos e a argamassa da civilização contemporânea, uma civilização que desmoronaria caso os poços de petróleo secassem subitamente.

Na maior parte do século XX, crescer dependendo do petróleo era quase universalmente considerado uma vantagem, um símbolo do progresso humano. No século XXI não é mais. Com o crescimento do movimento ecológico, os princípios básicos da sociedade industrial estão sendo desafiados e a indústria do petróleo, em todas as suas dimensões, está no alto da lista das que devem ser investigadas, criticadas e contestadas. No mundo inteiro aumentam os esforços para reduzir a queima de todos os combustíveis fósseis — o petróleo, o carvão e o gás natural — devido às suas consequências: a neblina enfumaçada e a poluição do ar, a chuva ácida e a destruição da camada de ozônio, e finalmente o espectro da mudança climática. Esta tornou-se, nos dias de hoje, um dos focos das políticas nacionais e dos negócios internacionais. O petróleo, um traço tão fundamental do mundo tal qual o conhecemos, agora é acusado de alimentar a deterioração do meio ambiente e a indústria petrolífera, orgulhosa de seu avanço tecnológico e de ter contribuído para a formação do mundo moderno, encontra-se na defensiva, acusada de ser uma ameaça para a geração presente e as futuras. Isso tornou obrigatória a implementação de inovações tecnológicas que minimizem os desafios ambientais.

No entanto, o "Homem Hidrocarboneto" demonstra ter pouca disposição de desistir do carro, do lar nos arredores da cidade e do que considera não apenas comodidades mas elementos essenciais de seu modo de vida. Os povos do mundo subdesenvolvido não dão sinal de quererem se negar os benefícios de uma economia que, independentemente das questões ambientais, usa o petróleo como fonte de energia. E qualquer ideia de redução do consumo de petróleo será influenciada pelo fantástico crescimento previsto da população — com cada vez mais pessoas no mundo reclamando o "direito" aos benefícios decorrentes do consumo. O consumo mundial do petróleo cresceu quase 30% entre 1990 e 2008 — de 67 milhões para 86 milhões de barris por dia. No mesmo período, a demanda por petróleo na Índia mais do que dobrou e, na China, mais do que triplicou. Entrementes o palco foi montado para um dos maiores e difíceis embates entre a defesa poderosa e crescente da maior proteção ambiental, por um lado, e, por outro, o compromisso com o crescimento econômico e com os benefícios da Sociedade do Hidrocarboneto, aliado às apreensões quanto à segurança energética.

Esses três temas animam o relato que se desdobra nestas páginas. A tela é global. A história é uma crônica de acontecimentos épicos que dizem respeito à vida de todos nós. Ocupa-se das forças poderosas e impessoais da economia e da tecnologia, assim como das estratégias e habilidades dos homens de negócios e dos políticos. Suas páginas são povoadas pelos magnatas e empresários — Rockefeller, obviamente, mas também Henry Deterding, Calouste Gulbenkian, J. Paul Getty, Armand Hammer, T. Boone Pickens e muitos outros. Não menos importantes para a história, no entanto, são gente como Churchill, Adolf Hitler, Joseph Stálin, Ibn Saud, Mohammed Mossadegh, Dwight Eisenhower, Anthony Eden, Henry Kissinger, George Bush e Saddam Hussein.

Por todo o seu conflito e complexidade, houve muitas vezes uma "unidade" na história do petróleo, uma sensação contemporânea até para fatos ocorridos há muito tempo e profundos ecos do passado em acontecimentos recentes. Esta é ao mesmo tempo uma história de indivíduos, de forças econômicas poderosas, de mudança tecnológica, de lutas políticas, de conflito internacional e, na verdade, de transformação épica. O autor espera que essa exploração das consequências econômicas, sociais, políticas e estratégicas da nossa dependência mundial do petróleo ilumine o passado, habilite-nos a compreender melhor o presente e ajude-nos a antecipar o futuro.

Parte I

Os fundadores

CAPÍTULO I

Obsessão pelo petróleo:
o começo

HAVIA A QUESTÃO DOS 526,08 DÓLARES que estavam faltando.

Na década de 1850, o salário de um professor dificilmente era generoso, e, estando à procura de um rendimento extra, Benjamin Silliman Jr., filho de um grande químico americano e ele próprio um eminente professor de química da Universidade de Yale, encarregou-se de um projeto de pesquisa fora da escola, pelo qual receberia um total de 526,08 dólares. Ele foi contratado em 1854 por um grupo de fundadores de sociedades comerciais e de homens de negócios, mas apesar de ter concluído o projeto não conseguia pôr a mão no dinheiro que fora prometido. Silliman, cada vez mais colérico, queria saber onde estava o dinheiro. O alvo de sua fúria eram os líderes do grupo de investidores, sobretudo George Bissell, um advogado de Nova York, e James Townsend, presidente de um banco em New Haven. Townsend, por seu lado, procurava não aparecer muito, temendo que os depositantes achassem absolutamente inadequado o seu envolvimento numa aventura tão arriscada.

Pois o que Bissell, Townsend e os outros membros do grupo tinham em mente era algo simplesmente arrogante, uma visão grandiosa para o futuro de uma substância conhecida como "óleo de pedra" — nome que a distinguia dos óleos vegetais e das gorduras animais. Eles sabiam que o óleo de pedra borbulhava nos mananciais ou vazava nas minas de sal da área ao redor do córrego Oil, nas isoladas colinas cobertas de bosques do noroeste da Pensilvânia. Lá onde o Judas perdeu as botas, uns poucos barris dessa substância escura e de cheiro forte eram obtidos por meios primitivos — seja escumando-a da superfície dos mananciais e dos córregos, seja torcendo trapos ou cobertores embebidos em água oleosa. A maior parte desse minguado suprimento era usada na feitura de remédios.

O grupo acreditava que o óleo de pedra poderia ser exportado em quantidade bem maior e processado para se converter num fluido que seria queimado em lampiões como iluminante. Tinham certeza de que esse novo iluminante competiria em ótimas condições com os "óleos de carvão", que estavam ganhando os mercados na década de 1850. Em resumo, achavam que se conseguissem obtê-lo em quantidade suficiente poderiam trazer para o mercado o iluminante barato e de alta qualidade que o homem de meados do século XIX tão desesperadamente necessitava. Estavam convencidos de que poderiam iluminar as cidades e fazendas dos Estados Unidos e da Europa. E, quase tão importante, poderiam usar o óleo de pedra para lubrificar as peças móveis da nascente era mecânica. Como todos os empresários que foram persuadidos por seus próprios sonhos, mais tarde se convenceram de que fazendo tudo isso ficariam realmente riquíssimos. Muitos os ridicularizaram. Entretanto, com perseverança, tiveram sucesso ao criar a base de uma era inteiramente nova da história da humanidade: a era do petróleo.

Para "mitigar os nossos infortúnios"

A aventura teve origem numa série de lampejos acidentais — e na determinação de um homem, George Bissell, que, mais que qualquer outra pessoa, foi responsável pela criação da indústria do petróleo. Com seu rosto comprido e a testa larga, ele transmitia uma impressão de vigor intelectual. Contudo, forçado pela experiência, era também astuto e sensível à oportunidade para negócios. Sustentando-se desde os doze anos, Bissell trabalhou enquanto cursava o Dartmouth College, lecionando e escrevendo artigos. Uma vez diplomado, ensinou latim e grego, depois foi para Washington, D.C., trabalhar como jornalista. Acabou indo parar em New Orleans, onde se tornou diretor de uma escola secundária e depois superintendente de escolas públicas. Em seu tempo livre, estudava para se tornar advogado e aprendia sozinho muitos idiomas. Adquiriu fluência em francês, espanhol e português, e era capaz de ler e escrever hebraico, sânscrito, grego antigo e moderno, latim e alemão. Em 1853, a saúde precária o forçou a regressar ao norte. No caminho de volta ao lar, ao atravessar o oeste da Pensilvânia, ele viu algo da primitiva indústria de coleta de óleo, com suas escumadeiras e seus trapos encharcados. Logo depois, ao visitar a mãe em Hanover, no estado de New Hampshire, ele deu um pulo até a sua faculdade, o Dartmouth College. Descobriu então na sala de um professor uma garrafa com uma amostra daquele mesmo óleo de pedra da Pensilvânia, que fora levado para ali algumas semanas antes por um outro ex-aluno de Dartmouth, um médico do oeste da Pensilvânia que clinicava na zona rural.

Bissell sabia que o óleo de pedra estava sendo usado como remédio, registrado ou caseiro, para aliviar tudo, desde dor de cabeça, dor de dente e surdez até perturbações estomacais, vermes, reumatismo e hidropisia — e para tratar ferimentos nas costas de cavalos e mulas. Chamavam-no "óleo de sêneca", em homenagem aos índios do lugar e ao chefe deles, Red Jacket, que supostamente revelou ao homem branco os efeitos curativos do mineral. Um fornecedor do óleo de sêneca proclamava os seus "maravilhosos poderes curativos" num poema:

O bálsamo Saudável, vindo da fonte secreta da Natureza,
Trará ao homem o viço da saúde, a vida;
Pois das profundezas o líquido mágico flui,
Para acalmar nossos sofrimentos e mitigar nossos infortúnios.

Bissell sabia que o líquido negro e viscoso era inflamável. Ao ver a amostra de óleo de pedra em Dartmouth concebeu, num lampejo, a ideia de que ele poderia ser usado não como remédio, mas como iluminante — e que isso, com muita probabilidade, iria mitigar os infortúnios de seu porta-notas. Ele poderia deixar para trás o espectro da pobreza e ficar rico lançando essa novidade. Tal intuição iria se tornar seu princípio diretor e sua fé, ambos testados ao extremo nos seis anos seguintes, quando o desapontamento iria constantemente esmagar a esperança.[1]

O professor desaparecido

O óleo de pedra poderia realmente ser usado como iluminante? Bissell despertou o interesse de outros investidores, e no fim de 1854 o grupo contratou o professor Silliman, da Universidade de Yale, para analisar as propriedades do óleo como iluminante e como lubrificante. Talvez mais importante, eles queriam que Silliman pusesse o seu *imprimatur* no projeto, o que possibilitaria a venda de ações, que levantaria o capital para começar os trabalhos. Não poderiam ter escolhido um homem melhor para seus objetivos. Atarracado e vigoroso, com uma "cara boa e alegre", Silliman era um dos nomes mais conhecidos e respeitados do mundo científico do século XIX. Filho do fundador da química americana, ele próprio era um dos mais ilustres cientistas de seu tempo, além de autor dos mais populares livros didáticos de física e química. Yale era a capital científica da América em meados do século XIX, e os Sillimans, pai e filho, estavam no centro dessa universidade.

No entanto, Silliman se interessava menos pelo abstrato que pelo decididamente prático, o que o levou para o mundo dos negócios. Além disso, mesmo sendo a ciência pura e a reputação coisas magníficas, estava eternamente precisando de uma renda suplementar. Os salários acadêmicos eram baixos e sua família aumentava; assim, ele costumava pegar trabalhos de consultoria fora da universidade, fazendo avaliação geológica e química para diversos clientes. Sua propensão para o prático também o encaminharia para a participação direta no risco de negócios especulativos cujo sucesso, ele explicava, lhe daria "bastante espaço de manobra... para a ciência". Um cunhado seu era mais cético: afirmou que Benjamin Silliman Jr. estava "sempre em grande atividade, promovendo uma coisa ou outra, em prejuízo da ciência".

Ao empreender a análise do óleo de pedra, Silliman deu a seus novos clientes boas razões para eles nutrirem esperanças de receber a notícia almejada. "Posso prometer a vocês", declarou logo no início da pesquisa, "que o resultado atenderá às suas expectativas quanto ao valor desse material." Três meses depois, perto do fim da pesquisa, ele estava ainda mais entusiasmado, relatando "um sucesso surpreendente no uso do produto destilado do óleo de pedra como iluminante". Os investidores esperavam ansiosamente pelo relatório final. Mas aí aconteceu o grande transtorno. Eles deviam os 526,08 dólares (o equivalente a cinco mil dólares de hoje) a Silliman, que insistia num depósito de cem dólares como pagamento inicial em sua conta bancária em Nova York. O montante devido ao cientista contratado era muito maior do que eles haviam imaginado. O depósito não foi feito e o professor ficou preocupado e zangado. Afinal de contas, ele não havia se engajado no projeto apenas por curiosidade intelectual. Precisava de dinheiro, muito, e o queria logo. Deixou bem claro que interromperia o estudo até ser pago. Na verdade, para provar o que afirmava, entregou secretamente o relatório a um amigo para que o guardasse até que se fizesse um acerto satisfatório e em seguida saiu para uma viagem ao sul, onde seria difícil encontrá-lo.

Os investidores ficaram desesperados. O relatório final era absolutamente essencial caso quisessem atrair mais capital. Eles juntaram o que puderam, daqui e dali, tentando obter o dinheiro, mas sem sucesso. Finalmente, um dos sócios de Bissell, embora se lamentando de que "estes são os tempos mais duros de que jamais ouvi falar", pensando na sua própria tranquilidade, levantou o dinheiro. O relatório, datado de 16 de abril de 1855, foi liberado para os investidores, que rapidamente o levaram para imprimir. O montante devido ainda a Silliman apavorava o grupo, mas na realidade com o dinheiro obtido eles podiam acabar de pagar-lhe e ainda ficariam com algum dinheiro. O estudo de Silliman, como afirmou um historiador, era nada mais que um "momento decisivo no estabelecimento do negócio do petróleo". Ele afastou todas as dúvidas sobre os novos usos potenciais do óleo de pedra. Informou a seus clientes que o óleo podia ser levado a vários níveis de ebulição e com isso ser refinado de modo a resultar em muitas frações, todas compostas de carbono e hidrogênio. Um desses subprodutos era um óleo iluminante de altíssima qualidade. "Senhores", escreveu ele a seus clientes, "parece-me que há muitas razões para o encorajamento da crença de que sua companhia tem em mãos uma matéria-prima da qual, por processos simples e nada caros, será possível fabricar produtos muito valiosos." E, satisfeito com aquela relação de negócios que afinal havia sido resolvida, pôs-se à disposição para os projetos seguintes.

De posse do relatório de Silliman, que se revelaria uma propaganda altamente persuasiva, o grupo não teve problemas para levantar com outros investidores os fundos necessários. O próprio Silliman comprou duzentas ações; isso contribuiu para a respeitabilidade do empreendimento, que se tornou conhecido como Pennsylvania Rock Oil Company. Entretanto, ainda foi preciso um ano e meio de dificuldades para que os investidores estivessem em condições de dar o próximo e arriscado passo.

Agora eles sabiam, graças ao estudo de Silliman, que um fluido iluminante aceitável podia ser extraído do óleo de pedra. Mas havia bastante óleo de pedra à disposição? Alguns diziam que esse mineral era apenas o "gotejamento" das fendas subterrâneas do carvão. Obviamente um negócio jamais poderia ser desenvolvido escumando-se a superfície dos córregos para retirar as manchas de óleo ou torcendo-se trapos encharcados de óleo. A questão de importância crítica, e que envolvia toda a empresa, era a comprovação da existência de um suprimento suficiente e obtenível de óleo de pedra, que viabilizasse uma proposta substancial de pagamento.[2]

Preço e inovação

As esperanças depositadas nas propriedades do óleo, ainda bastante misteriosas, surgiram da própria necessidade. A explosão populacional e a transformação econômica que a Revolução Industrial disseminava por toda parte intensificaram a demanda por uma iluminação artificial superior ao simples pavio impregnado de alguma gordura animal ou óleo vegetal, que ao longo dos séculos havia sido o melhor iluminante acessível ao bolso da maioria, se é que esta podia pagar alguma coisa. Para os que tinham dinheiro, o óleo de cachalote constituiu o padrão de iluminação de alta qualidade; mas com o crescimento da demanda os cardumes de cachalotes do Atlântico foram dizimados, e os barcos de pesca eram forçados a ir cada vez mais longe, até as vizinhanças do cabo Horn e nos confins do Pacífico. Para os negociantes de baleias essa foi a época de ouro, com os preços se elevando, mas o mesmo não se pode dizer com relação aos seus clientes, que não queriam pagar dois dólares e meio por um galão — preço que certamente iria subir ainda mais. Descobriram-se fluidos iluminantes mais baratos, mas infelizmente todos eram de qualidade inferior. O mais popular era o canfeno, um derivado da terebintina, que produzia uma boa luz, mas tinha a lamentável desvantagem de ser altamente inflamável, aliada a uma tendência, ainda mais desagradável, de explodir nas casas das pessoas. Havia também o "gás urbano", destilado do carvão, que era colocado nos lampiões das ruas das cidades e com o qual se supriam os lares de um número crescente de famílias de classe média e alta. Contudo, o "gás urbano" era caro, e a necessidade de um iluminante confiável e relativamente barato crescia bem rápido. Havia também uma segunda necessidade: a lubrificação. Os progressos na produção mecânica levaram a máquinas tais como os teares mecânicos e a impressora a vapor, onde a fricção era demasiada para os lubrificantes comuns, como a gordura.

A inovação empresarial já havia começado a responder a essas necessidades no fim da década de 1840 e no começo da seguinte, extraindo do carvão e de outros hidrocarbonetos os óleos iluminantes e os lubrificantes. Um ativo conjunto de personalidades, na Grã-Bretanha e nos Estados Unidos, levava adiante a pesquisa, definindo o mercado e desenvolvendo a tecnologia do refino sobre a qual posteriormente se basearia a indústria de petróleo. Um almirante britânico que já fora submetido à corte marcial, Thomas Cochrane — segundo se dizia, fora ele o modelo para o *Don Juan* de Lorde Byron —, ficou obcecado com o potencial do asfalto, procurou promovê-lo e acabou por adquirir uma enorme mina de alcatrão em Trinidad. Por algum tempo Cochrane colaborou com um canadense, o doutor Abraham Gesner. Quando jovem, Gesner pretendia começar um negócio de exportação de cavalos para as Índias Ocidentais, mas, depois de ter naufragado duas vezes, desistiu do projeto e foi para o

Guy's Hospital em Londres para estudar medicina. Voltando ao Canadá mudou novamente de carreira e tornou-se geólogo provincial em New Brunswick. Desenvolveu um processo para extrair óleo do asfalto ou de substâncias similares e para refiná-lo de forma a convertê-lo num óleo iluminante de boa qualidade. Chamou-o de "querosene" — de *keros* e *elaion*, palavras gregas que designam, respectivamente, cera e óleo; o elaion virou "ene" para que o produto tivesse um som parecido com o do familiar canfeno. Em 1854, ele requereu ao governo americano patente para a fabricação de "um novo hidrocarboneto líquido, que denominou querosene, e que pôde ser usado para iluminação e outros propósitos".

Gesner ajudou a instalar uma produção de querosene em Nova York; em 1859, ela estava produzindo cinco mil galões diários. Um estabelecimento semelhante funcionava em Boston. O químico escocês James Young foi pioneiro na instalação de uma indústria paralela de refinação na Grã-Bretanha, baseada na hulha gorda, e também uma na França, que usava argila xistosa. Por volta de 1859, estimava-se que nos Estados Unidos 34 companhias estavam produzindo anualmente cinco milhões de dólares em querosene ou "óleo de carvão", como de modo geral o produto era conhecido. Segundo o editor de um jornal mercantil, o crescimento do negócio de óleo de carvão era a prova da "impetuosa energia com que a mente americana se dedica a qualquer ramo da indústria que prometa render bem". Uma pequena parte do querosene era extraída do óleo de pedra da Pensilvânia, obtido pelos métodos tradicionais e que, de tempos em tempos, apareceria nas refinarias de Nova York.[3]

Não se pode dizer que a humanidade desconhecesse o petróleo. Em várias regiões do Oriente Médio uma substância lodosa semissólida chamada betume assomava à superfície nas fendas e fissuras, e tais vazamentos já eram mencionados na Antiguidade — na Mesopotâmia, três mil anos antes de Cristo. O manancial mais famoso ficava em Hit, no Eufrates, não muito distante da Babilônia (onde hoje fica Bagdá). No primeiro século antes de Cristo, o historiador grego Diodoro escreveu entusiasticamente sobre a indústria do betume: "Muitos milagres inacreditáveis ocorrem na Babilônia, mas não há nenhum igual à grande quantidade de asfalto lá existente". Alguns desses vazamentos, assim como os gases emanados pelo petróleo, queimavam continuamente, fornecendo a base para a adoração do fogo no Oriente Médio.

O betume se constituía em artigo de comércio no antigo Oriente Médio. Era usado como argamassa nas construções. Estava nas muralhas de Jericó e da Babilônia. A arca de Noé e a cesta de Moisés provavelmente foram revestidas, à moda da época, de betume, para se tornarem impermeáveis. Ele era usado também na construção de estradas e, de um modo limitado e geralmente insatisfatório, na iluminação. Servia também como remédio. A descrição de seu valor farmacêutico feita pelo naturalista romano Plínio no primeiro século depois de Cristo é semelhante à registrada nos Estados Unidos durante a década de 1850. Segundo Plínio, o betume estancava as hemorragias, curava as feridas, tratava a catarata, fornecia um linimento para a gota, curava a dor de dente, diminuía a tosse crônica assim como a falta de ar, fazia cessar a diarreia, religava músculos rompidos, aliviava o reumatismo e baixava a febre. Também era "útil para desvirar cílios que incomodavam os olhos".

Havia ainda um outro uso para o petróleo; o produto dos vazamentos, convertido em chama, teve um papel amplo e algumas vezes decisivo na guerra. Na *Ilíada*, Homero registrou que "os troianos lançaram no veloz barco um fogo incessante, e imediatamente pairou sobre a embarcação uma chama que não podia ser apagada". Quando Ciro, o rei persa, se preparava para tomar a Babilônia, foi advertido do perigo dos combates de rua. Respondeu falando em atear fogo e declarou: "Nós também temos muito breu e estopa, que logo espalharão as chamas em todas as direções, fazendo com que aqueles que estiverem nos telhados deixem incontinente seu posto, do contrário serão rapidamente consumidos". Do século VII em diante os bizantinos fizeram uso do *oleo incendiarum* — o fogo grego. Era uma mistura de petróleo e cal que em contato com a umidade pegava fogo; a receita era um segredo de Estado guardado a sete chaves. Os bizantinos o atiravam em navios atacantes, disparavam-no na ponta de flechas ou o arremessavam em granadas primitivas. Por séculos ele era considerado uma arma mais terrível que a pólvora.[4]

O uso do petróleo teve uma história longa e variada no Oriente Médio. Contudo, de modo muito misterioso, o conhecimento de sua aplicação perdeu-se para o Ocidente por vários séculos, talvez devido ao fato de as principais fontes conhecidas de betume e a noção dos usos desse mineral estarem além das fronteiras do Império Romano, não tendo havido transmissão direta daquele conhecimento para o Ocidente. Mesmo assim, em muitas regiões da Europa — Baviera, Sicília, o vale do Pó, Alsácia, Hannover e Galícia, para falar de apenas umas poucas — os vazamentos de petróleo foram observados e comentados da Idade Média em diante. E a tecnologia de refinação foi transmitida para a Europa por intermédio dos árabes. Na maioria dos casos, porém, o petróleo foi utilizado apenas como panaceia, reforçada por investigações sobre suas propriedades curativas feitas por monges e antigos médicos. No entanto, bem antes da visão empresarial de George Bissell e do relatório de Benjamin Silliman uma pequena indústria de petróleo tinha se desenvolvido na Europa ocidental – primeiro na Galícia (que variavelmente pertenceu à Polônia, à Áustria e à Rússia) e depois na Romênia. Os camponeses cavavam poços manualmente para obter petróleo em estado natural, que refinado redundava no querosene. Um farmacêutico de Lvov, com a ajuda de um encanador, inventou um lampião barato adaptado para a queima de querosene. Em 1854, o querosene era um produto de comércio em Viena e, em 1859, a Galícia tinha um negócio florescente de querosene, com mais de 150 cidades envolvidas na mineração de petróleo. Ao todo, a produção aproximada da Europa em 1859 foi estimada em 36 mil barris, sobretudo da Galícia e da Romênia. O que faltava à indústria da Europa ocidental, mais que qualquer outra coisa, era a tecnologia de perfuração.

Na década de 1850, a disseminação do querosene pelos Estados Unidos se defrontou com duas barreiras significativas: até então inexistia uma fonte substancial de oferta e não havia um lampião barato bem adaptado para a queima do querosene disponível. Os lampiões existentes tendiam a se tornar enfumaçados e o querosene queimado desprendia um cheiro ácido. Um vendedor de querosene soube que um lampião com uma chaminezinha de vidro estava sendo produzido em Viena para queimar o querosene da Galícia. Baseado no projeto do farmacêutico e do encanador de Lvov, o lampião superou os problemas da fumaça e do cheiro. O vendedor nova-iorquino começou a importá-lo, e logo o artigo encontrou mercado. Apesar de seu design ter sofrido sucessivas alterações, que o melhoraram bastante, o lampião vienense constituiu a base do comércio de lampiões dos Estados Unidos, posteriormente reexportado para todo o mundo.[5]

Assim, à época em que Bissell estava deslanchando sua aventura, um óleo iluminante mais barato — o querosene — já havia sido introduzido em alguns lares. As técnicas requeridas para a refinação do petróleo de modo que ele se transformasse em querosene já tinham sido comercializadas junto com os óleos de carvão. E conseguira-se um lampião barato que podia queimar satisfatoriamente o querosene. No fundo o que Bissell e seus colegas investidores da Pennsylvania Rock Oil Company estavam tentando fazer era descobrir uma nova fonte para a matéria-prima que começava a ter um processamento definido. O único problema era o preço. Se fosse possível encontrar o óleo de pedra — o petróleo — em abundância suficiente, ele poderia ser vendido barato, e com isso tomaria o lugar, no mercado de óleos iluminantes, de produtos muito mais caros ou muito menos satisfatórios.

Não se conseguiria isso cavando à busca de petróleo, mas talvez houvesse uma alternativa. A sondagem ou perfuração dos poços de sal haviam sido desenvolvidas há mais de um século e meio na China, onde desciam até quase um quilômetro de profundidade. Por volta de 1830, o método chinês foi importado pela Europa e copiado. Isso, por sua vez, deve ter influenciado a perfuração de poços de sal nos Estados Unidos. George Bissell ainda estava lutando para manter de pé a sua aventura quando num dia quente em Nova York, no ano de 1856, para se proteger do sol escaldante, refugiou-se sob o toldo de uma farmácia da Broadway. Ali viu pela janela a propaganda de um remédio à base de petróleo que mostrava várias torres de perfuração, do tipo usado para perfurar poços de sal. O óleo de pedra para o remédio patenteado era obtido como subproduto da perfuração de poços de sal. Com este coincidente lampejo de Bissell — os dois primeiros ocorridos no oeste da Pensilvânia e no Dartmouth College — a última peça do quebra-cabeça tomou o devido lugar em sua cabeça. Essa técnica de perfuração não poderia ser usada para a obtenção do petróleo? Se a resposta fosse "sim", ali estava, enfim, o meio para alcançar fortuna.

A ideia fundamental de Bissell — e também de seus colegas investidores na Pensylvannia Rock Oil Company — foi a adaptação da técnica de perfuração de poços de sal diretamente para o petróleo. Em vez de escavar seria possível perfurar para obter o óleo de pedra. Eles não estavam sozinhos; outros, nos Estados Unidos e em Ontário, no Canadá, faziam experiências a partir da mesma ideia; mas Bissell e seu grupo estavam prontos para a ação. Tinham o relatório do professor Silliman, que lhes garantira o capital. Não eram, porém, levados muito a sério. Quando o banqueiro James Townsend discutiu a ideia da perfuração, muitas pessoas em New Haven zombaram dela: "Ora, Townsend, óleo subindo até o chão, bombear o óleo para fora da terra como se bombeia a água? Bobagem! Você ficou louco!" Porém, os investidores estavam decididos a prosseguir. Estavam convencidos da necessidade e da oportunidade. Mas a quem iriam agora confiar esse projeto lunático?[6]

O "coronel"

Seu candidato era um certo Edwin L. Drake, escolhido sobretudo por coincidência. Seguramente ele não apresentava nenhuma qualificação apreciável ou óbvia para a tarefa. Era um homem dos sete instrumentos e antigo maquinista de trem de ferro que havia sido afastado do trabalho por razões de saúde e estava vivendo com a filha no velho hotel Tontine de New Haven. Por acaso, o banqueiro James Townsend, morava no mesmo lugar. Era o tipo de hotel onde os homens se reúnem para saber das novidades e bater papo, um cenário perfeito para Drake, que aos 38 anos era amigável, jovial e loquaz, e não tinha nada para fazer. Assim, ele passava as tardes entretendo os companheiros com histórias tiradas de sua vida tão matizada. Tinha uma imaginação brilhante, e seus casos tendiam a ser dramáticos, exagerados; neles, o próprio Drake desempenhava sempre um papel central e heroico. Ele e Townsend frequentemente conversavam sobre a aventura do óleo de pedra. Townsend até persuadiu Drake a comprar algumas ações da companhia. Depois o recrutou para o esquema. Ele não estava trabalhando, o que o tornava disponível, e uma vez que havia se licenciado como maquinista tinha um passe da ferrovia e podia viajar de graça, o que representava uma grande ajuda para aquela arriscada aventura financeiramente apertada. Além disso ele tinha um atributo que seria de grande valia: era muito tenaz.

Ao despachar Drake para a Pensilvânia, Townsend lhe deu o que se revelou um valioso bota-fora. Preocupado com as condições daquela região tão remota e com a necessidade de impressionar os "caipiras", o banqueiro enviou várias cartas endereçadas ao "coronel" E. L. Drake. E assim foi inventado o "coronel" Drake, que certamente "coronel" ele não era. O estratagema funcionou. Pois o "coronel" E. L. Drake recebeu boas-vindas calorosas e hospitaleiras quando em dezembro de 1857, depois de uma viagem extenuante através de um mar de barro, acomodado no fundo do trem do correio que duas vezes por semana fazia aquele percurso, chegou à minúscula e empobrecida cidade de Titusville, com 125 habitantes, enfiada nas colinas do noroeste da Pensilvânia. Titusville era um vilarejo de lenhadores cujos habitantes estavam altamente endividados no armazém da companhia. De modo geral, havia uma expectativa de que o povoado morresse quando as árvores das colinas à volta fossem todas derrubadas, e o local se tornasse ermo.

O primeiro trabalho de Drake foi simplesmente o de regularizar o título da área de prospecção do petróleo, que ficava numa fazenda. Ele fez isso rapidamente. Voltou então para New Haven, preocupado com o passo seguinte, muito mais atemorizante: a perfuração para chegar ao petróleo. Mais tarde, afirmou ter decidido que o petróleo "podia ser obtido em grande quantidade com perfurações, como se faz para obter-se água salgada. Também decidi que devia ser eu a pessoa a fazê-lo, mas descobri que ninguém com quem eu conversasse sobre o assunto concordava comigo, todos sustentando que o óleo era o gotejamento de um extenso campo ou camada de carvão".

Entretanto Drake não era de ser dissuadido ou desviado de rumo. Na primavera de 1858 ele estava de volta a Titusville para começar a trabalhar. Os investidores haviam fundado uma nova companhia, a Seneca Oil Company, cujo agente geral era Drake. Partindo de Titusville ele organizou operações por cerca de três quilômetros córrego Oil abaixo, numa fazenda que continha um manancial de petróleo de onde se coletavam diariamente de três a seis galões, usando os métodos tradicionais. Estando em Titusville já há vários meses ele escreveu a Townsend: "Não devo mais escavar manualmente, pois estou convencido de que é a perfuração que sai mais barato". Mas implorou ao banqueiro de New Haven que lhe mandasse imediatamente recursos adicionais. "Precisamos de dinheiro se for para fazer alguma coisa (...) Por favor, mande-me logo uma resposta. O dinheiro é muito escasso aqui." Depois de uma certa demora, Townsend conseguiu mandar mil dólares, e com eles Drake tentou empregar os homens que seriam os seus "perfuradores de poços de sal", indispensáveis caso quisessem prosseguir. Contudo, os perfuradores de poços de sal tinham a fama de ser grandes adeptos do uísque e de se embebedarem frequentemente, e Drake queria escolher com muito cuidado seus empregados. Assim, ele recompensaria o trabalho bem-sucedido à razão de um dólar a cada trinta centímetros perfurados. A primeira dupla de perfuradores contratada simplesmente desapareceu ou se demitiu. Na verdade, embora não tenham ousado dizer isso na cara de Drake, eles acharam que seu patrão era louco. Drake sabia apenas que nada tinha para mostrar como resultado de seu primeiro ano em Titusville, e o inverno gelado já estava chegando. Assim, ele se dedicou a criar a máquina a vapor que proveria de energia a broca. Enquanto isso, em New Haven, os investidores se irritavam e esperavam.

Na primavera de 1859, Drake finalmente achou seu perfurador, um ferreiro chamado William A. Smith — "tio Billy" Smith —, que veio com os dois filhos. Smith tinha alguma noção do que precisava ser feito, pois fabricara as ferramentas para os perfuradores de poços de sal, e a pequena equipe agora começava a erguer a torre de sondagem e a reunir o equipamento requerido. Eles supunham que teriam de penetrar mais de cem metros na terra. O trabalho era lento, e os investidores de New Haven estavam ficando cada vez mais nervosos com aquele ritmo. Mas Drake perseverava em seu plano. Não desistia. No final, Townsend era o único dos responsáveis que ainda acreditava no projeto, e quando o grupo ficou sem dinheiro ele começou a pagar as contas com as suas reservas particulares. Desesperado, acabou por mandar a Drake uma ordem de pagamento como remessa final, instruindo-o a pagar as dívidas, encerrar a operação e voltar para New Haven. Isso foi por volta do fim de agosto de 1859.

Drake não tinha ainda recebido a carta quando, na tarde do sábado, 27 de agosto de 1859, a 21 metros de profundidade a broca atingiu uma fenda e deslizou mais uns quinze centímetros. O trabalho foi suspenso pelo resto do fim de semana. No dia seguinte, domingo, tio Billy foi ver o poço. Examinou o que havia na vasilha. Viu um fluido escuro boiando na água. Usou um buzinote de zinco para retirar uma amostra. Enquanto observava o pesado líquido foi sendo tomado por um alvoroço. Na segunda-feira, quando Drake chegou, encontrou tio Billy e seus filhos de guarda ao lado das tinas, bacias e barricas, todas repletas de óleo. Drake acoplou uma bomba comum e começou a fazer exatamente o que fora motivo de tanta zombaria: bombear o líquido. Nesse mesmo dia, recebeu o dinheiro de Townsend e a ordem de fechar o boteco. Uma semana antes, com os últimos recursos na mão, ele teria feito isso. Mas agora não. A simplicidade de Drake tinha liquidado todas as dívidas. Na hora certa. Ele havia encontrado petróleo. Fazendeiros das terras ao longo do córrego Creek afluíram para Titusville gritando: "O *yankee* descobriu óleo". A notícia se espalhou como rastilho de pólvora e desencadeou uma corrida para aquisição de terras e perfuração de poços. A população da minúscula Titusville se multiplicou da noite para o dia e o preço das terras disparou instantaneamente.

Entretanto o êxito da perfuração não garantiu o sucesso financeiro do projeto. E significou novos problemas. O que Drake e tio Billy deviam fazer com o fluxo do petróleo? Eles açambarcaram todos os barris de uísque que puderam surrupiar na área e, uma vez repletos, fizeram muitos outros tonéis de madeira e os encheram. Desafortunadamente, certa noite a chama de uma lanterna inflamou os gases do petróleo e fez explodir toda a área de estocagem, que ardeu em chamas aterradoras. Enquanto isso outros poços foram perfurados na vizinhança e mais óleo de pedra se tornou disponível. A oferta superou de longe a demanda, e o preço despencou. Com o advento da perfuração não havia escassez de petróleo. Agora a única escassez era de barricas de uísque, e logo elas passaram a custar quase o dobro do óleo que continham.[7]

"A luz da Era"

Não foi preciso muito tempo para que, refinado como querosene, o óleo de pedra da Pensilvânia abrisse caminho no mercado. Seus méritos imediatamente se revelaram. "Como iluminante, o petróleo é indescritível: ele é a luz da era", escreveu o autor do primeiro manual americano sobre petróleo, menos de um ano depois da descoberta de Drake. "Os que não o viram queimar podem ter certeza de que a sua luz não é nenhum brilho de lua, mas sim algo mais próximo da luz clara, forte e brilhante do dia, onde a escuridão não tem lugar... o óleo de pedra emite uma luz requintada; a mais brilhante e ao mesmo tempo a mais barata do mundo; uma luz à altura de reis e realistas, que não é inadequada para republicanos e democratas."

George Bissell, o promotor original, estava entre os que não perderam tempo e logo foram para Titusville. Gastou centenas de milhares de dólares num frenesi de arrendamento e compra de fazendas na vizinhança do córrego Oil. "Encontramos aqui um alvoroço sem paralelo", escreveu ele à mulher. "A população inteira está à beira da loucura... Nunca vi tanta agitação. Toda a região do oeste está se aglomerando por aqui e preços fabulosos são oferecidos pelas terras da vizinhança onde há perspectiva de encontrar óleo." Bissell levou seis anos para chegar onde queria, e os altos e baixos de sua jornada lhe deram razão para considerar: "Estou muito bem mas bastante esgotado. Temos passado por dificuldades muito grandes. É verdade que nossas perspectivas são as mais brilhantes... Devemos fazer uma imensa fortuna".

De fato, Bissell ficou muito rico. E, entre suas inúmeras obras filantrópicas, ele doou o dinheiro para um ginásio em Dartmouth, onde viu pela primeira vez a garrafa de óleo de pedra que inspirou a sua visão. Insistiu em que o ginásio fosse equipado com seis canchas de boliche "para lembrar os problemas disciplinares pelos quais passou quando ainda não tinha colado grau, devido ao seu deleite com esse desgraçado esporte". Afirmou-se que nos últimos anos da vida de Bissell "seu nome e fama eram um tema familiar entre os homens do petróleo de um extremo ao outro do continente". A James Townsend, o banqueiro que assumiu o maior risco, negou-se o crédito de que ele se julgava merecedor. "Todo o plano foi sugerido por mim, e minhas sugestões foram postas em prática", escreveu ele mais tarde, amargurado. "Fui eu quem levantou o dinheiro e o remeteu. Não digo isso egoisticamente, mas apenas por uma questão de coerência com a verdade: se eu não tivesse feito o que fiz em prol da descoberta do petróleo ele nunca teria sido descoberto." E acrescentou: "Nem por uma fortuna eu repetiria o sofrimento e a ansiedade que experimentei".

Quanto a Drake, as coisas não correram nada bem. Ele se tornou comerciante de petróleo, depois sócio de uma empresa de Wall Street especializada em ações de petróleo. Era imprevidente, um negociante medíocre, na verdade, um jogador sofrível, quando ingressou no comércio. Por volta de 1866, tinha perdido todo o seu dinheiro, ficou semi-inválido, atormentado pela dor, vivendo na pobreza. "Se em seu peito restou para mim e minha família um mínimo do sumo da bondade humana, mande-me algum dinheiro", escreveu ele a um amigo. "Preciso tristemente dele e estou doente." Finalmente, em 1873, o estado da Pensilvânia lhe concedeu uma pequena pensão vitalícia por seus serviços, o que lhe deu um pouco de alívio das dificuldades financeiras, se não da dor física, nos últimos anos de vida.

Nessa época, Drake tentou assinalar seu lugar na história. "Afirmo que fui eu quem inventou o tubo escavador e o fez abrir caminho na terra, e sem ele não teria sido possível perfurar mais profundamente em solo cheio de água. E afirmo que perfurei o primeiro poço de petróleo jamais perfurado nos Estados Unidos, e posso prová-lo." Ele foi enfático: "Se não o tivesse feito, nada teria acontecido até hoje".[8]

O primeiro *boom*

Na verdade todos os demais elementos — a refinação, a experiência com o querosene e o tipo certo de lampião — já estavam a postos quando Drake testou, com a perfuração, o requisito final para uma nova indústria: a disponibilidade do suprimento. E com isso o homem teve subitamente condição de encurtar a noite. O processo havia apenas começado. A descoberta de Drake iria, em seu devido tempo, legar à população mundial a mobilidade e o poder, desempenhar um papel central na ascensão e queda de nações e impérios, e se tornar um elemento fundamental na transformação da sociedade humana. Entretanto, tudo isso, obviamente, ainda estava para acontecer.

O que ocorreu logo a seguir foi uma espécie de corrida do ouro. As planícies do estreito vale do córrego Oil foram rapidamente arrendadas, e em novembro de 1860, quinze meses depois da descoberta de Drake, cerca de 75 poços estavam em produção e muitos outros buracos vazios eram como ferimentos cicatrizados da terra. Titusville "agora é o ponto de encontro de forasteiros ansiosos por especular", observou já em 1860 um escritor. "Eles negociam preços de concessões e ações; compram e vendem sítios, informando a profundidade, a produção estimada ou efetiva dos poços etc. Os que vão embora hoje contam para outros que viram um poço produzir cinquenta barris diários de puro óleo (...) Amanhã a história traz de volta ainda mais pessoas (...) Nunca uma colmeia enxameou com tanta agitação ou zumbido."

Junto ao leito do córrego Oil, perto do local onde desemboca no rio Allegheny, uma cidadezinha chamada Cornplanter, em homenagem a um chefe indígena dos sênecas, foi rebatizada com o nome de Oil City e se converteu no principal centro, junto com Titusville, da área que agora era conhecida como Oil Regions. As refinarias que transformavam o óleo bruto em querosene eram de construção barata, e em 1860 pelo menos 15 delas estavam em operação em Oil Regions, além de mais cinco em Pittsburgh. Um refinador de óleo de carvão visitou os campos petrolíferos em 1860 para ver com seus próprios olhos seu concorrente. "Se esse negócio for bem-sucedido", disse ele, "o meu está arruinado." Ele tinha razão; no final de 1860, os refinadores de óleo de carvão ou tinham se retirado dos negócios ou haviam se transformado rapidamente em refinadores de petróleo bruto.

No entanto, até então todos os poços eram produtores modestos e tinham de ser bombeados. Isso mudou em abril de 1861, quando os perfuradores descobriram o primeiro poço contínuo, de onde jorrava a espantosa quantidade de três mil barris por dia. Quando o petróleo desse poço disparou para o ar algo inflamou os gases liberados, causando uma grande explosão e criando uma parede de fogo que matou 19 pessoas e ardeu por três dias. Apesar de temporariamente eclipsada pelas ribombantes notícias da semana anterior — o Sul disparara contra Fort Sumter, dando os tiros inaugurais da Guerra Civil — a explosão anunciou ao mundo que amplos suprimentos para a nova indústria estavam disponíveis.

A produção do oeste da Pensilvânia elevou-se subitamente — de cerca de 450 mil barris em 1860 para três milhões em 1862. O mercado não tinha como crescer na mesma velocidade, de forma a acompanhar tamanha expansão do petróleo. Os preços, que haviam chegado a dez dólares por barril em janeiro de 1861, despencaram para cinquenta centavos em junho, e no final do ano caíram até dez centavos. Muitos produtores se arruinaram. Porém, os preços baixos deram ao petróleo da Pensilvânia uma vitória rápida e decisiva no mercado, captando prontamente os consumidores e expulsando o óleo de carvão e outros iluminantes. A procura logo alcançou o suprimento disponível, e no final de 1862 os preços se elevaram para quatro dólares o barril e, em setembro de 1863, para 7,25 dólares. Apesar da feroz flutuação de preços, as histórias de enriquecimento súbito continuavam a atrair as multidões para Oil Regions. Em menos de dois anos um poço memorável gerou 15 mil dólares de lucro para cada dólar investido.[9]

Não se pode dizer que a Guerra Civil tenha feito cessar o frenético *boom* que vinha ocorrendo em Oil Regions; pelo contrário, na realidade ela deu um grande estímulo ao desenvolvimento do negócio, pois, ao provocar a cessação do embarque de terebintina no Sul, a guerra criou uma grande escassez de canfeno, o óleo iluminante de baixo preço, derivado da terebintina. O querosene obtido do petróleo da Pensilvânia logo preencheu a lacuna, ganhando mercados do Norte de modo muito mais rápido do que ocorreria se o processo se desse em outras circunstâncias. A guerra teve um outro impacto significativo. Com a secessão do Sul, o Norte não mais se beneficiou das rendas externas geradas pelo algodão, um dos maiores itens de exportação dos Estados Unidos. O súbito crescimento da exportação do petróleo para a Europa ajudou a compensar essa perda e forneceu uma nova e significativa fonte de receita.

O fim da guerra, com todo o seu transtorno e turbulência, liberou milhares e milhares de veteranos que se dirigiram em profusão a Oil Regions para recomeçar a vida e procurar a fortuna num novo *boom* especulativo, alimentado pelo incentivo dos preços, que se elevaram até 13,75 dólares por barril. Os efeitos do frenesi se fizeram sentir em toda a Costa Leste, com a entrada em funcionamento de centenas de novas companhias de petróleo. No bairro financeiro de Nova York, o espaço para os escritórios dessas novas companhias tornou-se pequeno, e as ações eram tão rapidamente vendidas que uma empresa nova se livrou de toda a sua emissão em apenas quatro horas. Um banqueiro inglês se admirou com "os milhares de trabalhadores previdentes que preferem os lucros do petróleo às baixas taxas de juros pagas pelos bancos". Washington não estava mais imune à mania do que Nova York. O congressista James Garfield, que se tornou um importante investidor em terras petrolíferas (e mais tarde presidente dos Estados Unidos), contou a um negociante de arrendamento petrolífero ter conversado sobre petróleo com vários outros membros do Congresso "que estavam no negócio, pois você deve saber que a febre assolou o Congresso de uma forma nada branda".[10]

O que melhor demonstra o nível febril de atividade da especulação é o caso estranho da cidade de Pithole, na margem do córrego Pithole, a uns 24 quilômetros de Titusville. Um primeiro poço foi descoberto ali, numa área onde havia uma densa floresta, em janeiro de 1865; em junho, quatro poços contínuos já produziam dois mil barris por dia — um terço da produção total de Oil Regions —, e as pessoas abriam caminho à força nas ruas já atravancadas de vagões carregados de barris. "O lugar todo", disse um visitante, "cheira a uma unidade de soldados com diarreia." A especulação imobiliária não tinha limites. Uma fazenda que poucos meses antes quase não tinha valor era vendida por 1,3 milhão de dólares em julho de 1865, e depois revendida por 2 milhões de dólares em setembro. Nesse mesmo mês, a produção em torno do córrego Pithole chegou a 6 mil barris diários — dois terços da produção total de Oil Regions. E ainda nesse setembro o que havia sido um ponto indefinido no ermo tinha se transformado numa cidade de 15 mil pessoas. *O New York Herald* informava que os principais negócios de Pithole eram "bebidas alcoólicas e arrendamentos"; e *The Nation* acrescentava: "Pode-se afirmar com segurança que há mais bebida alcoólica nesta cidade do que em qualquer outra do mesmo tamanho em todo o mundo". Entretanto Pithole já estava a caminho da respeitabilidade, com dois bancos, dois escritórios de telégrafo, um jornal, um chafariz, corpo de bombeiros, certa quantidade de casas de pasto e de comércio, mais de cinquenta hotéis — pelo menos três deles com o mesmo padrão de seus elegantes congêneres metropolitanos — e uma agência de correio pela qual passavam diariamente mais de cinco mil cartas.

Poucos meses mais tarde, a produção de petróleo esgotou-se abruptamente — quase tão rápido quanto começara. Para os habitantes de Pithole isso era uma calamidade, algo como uma praga bíblica, e em janeiro de 1866, apenas um ano depois da primeira descoberta, milhares de pessoas já tinham abandonado o local à procura de novas esperanças e oportunidades. A cidade que brotara da noite para o dia numa região inculta estava totalmente deserta. Incêndios destruíram os prédios, e os esqueletos de madeira que subsistiram foram derrubados pelos fazendeiros das colinas vizinhas para serem usados em novas construções longe dali ou para se converterem em lenha. A cidade voltou ao silêncio e à solidão. Um lote de terra em Pithole, que em 1865 fora vendido por dois milhões de dólares, foi leiloado por 4,37 em 1878.

Enquanto Pithole morria, o *boom* especulativo explodia em outro lugar e engolfava as áreas adjacentes. A produção de Oil Regions saltou para 3,6 milhões de barris em 1866. O entusiasmo com o petróleo parecia não ter limites, tornando-se não apenas fonte de iluminação e de lubrificação mas também parte da cultura popular. Os americanos dançavam ao som da "Polca americana do petróleo" e do "Galope da febre do petróleo" e as músicas que cantavam tinham títulos como *Companhias de petróleo famosas* e *Obsessão pelo petróleo*.

> Há muitos tipos de óleo boiando: de fígado de bacalhau, de rícino e azeite.
> Todos eles ajudam os homens a ficar sãos e fortes.
> Mas nenhum consegue fazer o que o nosso óleo faz:
> Se aparece um poço o povo enlouquece com "Obsessão pelo petróleo".

> O vizinho Smith, um pobre rapaz, não podia arrumar um níquel;
> Suas roupas eram furadas. E na hora certa sua mão era leve.
> Mas agora ele se veste com elegância, ostenta diamantes, luvas de pelica e bengala;
> E deve seu sucesso à "obsessão pelo petróleo".[11]

Boom e malogro

A corrida em busca do petróleo foi logo seguida por outra: para produzi-lo o mais rapidamente e na maior quantidade possível. A exigência de um aumento súbito da produção muitas vezes danificava os reservatórios, levando à exaustão prematura da pressão do gás e com isso a uma recuperação bem menor do que a que se daria em outras circunstâncias. Contudo, houve várias razões para essa prática ser o padrão. Uma delas era a falta de conhecimento geológico. Outra eram as altas e rápidas recompensas esperadas. A terceira era a natureza dos termos dos arrendamentos, que estabeleciam um prêmio para a produção mais rápida possível.

No entanto, o fator mais importante na determinação do contexto legal da produção americana de petróleo e da própria estrutura da indústria desde seus primórdios foi a "regra de captura", uma doutrina baseada na lei comum britânica. Se um animal ou ave de caça migrasse de uma propriedade para outra, o proprietário desta última estava rigorosamente no direito de matar a caça que encontrasse em sua terra. Do mesmo modo, os proprietários de terra tinham o direito de extrair qualquer riqueza que houvesse sob ela; pois, como decretou um juiz inglês, ninguém podia ter certeza do que realmente estava acontecendo "nesses veios ocultos da terra".

Aplicada à produção do petróleo, a regra de captura significava que os vários proprietários da superfície sobre um poço qualquer tinham permissão de extrair todo o petróleo que pudessem, mesmo que drenassem desproporcionalmente o poço ou reduzissem o rendimento dos poços adjacentes e dos produtores vizinhos. Portanto, era inevitável que os donos dos poços de uma área se empenhassem numa acirrada competição para produzir o mais que pudessem e no menor tempo possível, para evitar que seu poço fosse drenado por um outro. O incentivo para a produção rápida contribuiu para a instabilidade tanto da produção quanto dos preços. O petróleo não era o mesmo que a ave de caça, e a regra de captura levou a consideráveis desperdícios e prejuízos, em detrimento da produção posterior de um dado poço. Mas havia um outro lado dos efeitos da regra: ela criou espaço para muito mais pessoas entrarem na indústria e dominar a prática requerida do que as que estariam qualificadas para fazê-lo caso as regras fossem mais restritivas. Ao estabelecer uma produção mais rápida, a regra também ajudou a tornar possível um mercado mais amplo.[12]

Estimulado pela regra da captura — e pela busca de riquezas —, o esforço feroz de produção criou em Oil Regions uma cena caótica de populações se deslocando em ondas, de barracos e prédios de madeira construídos às pressas, de hotéis com quatro, cinco ou até seis colchões de palha entulhados no mesmo quarto, de torres e tanques de armazenamento, com todo mundo animado pela esperança, pelo rumor e pelo cheiro ácido do petróleo. E por todo lado havia um fator inescapável — o eterno barro. "A fama adquirida pelo barro do córrego Oil nos primeiros anos e nos subsequentes ficará sempre fresca na memória daqueles que o viram e que foram forçados a vadear em meio a ele", observaram dois escritores da época. "Na época das chuvas, a lama, profunda e incrivelmente repugnante, cobria toda a estrada principal e também as secundárias, ao passo que as ruas das cidades que constituíam os principais pontos de embarque tinham a aparência de lagos ou pistas de lama."

Alguns olhavam para todo o *boom* e para aquela agitação, para os vigaristas à procura de dinheiro fácil, e se lembravam das tranquilas colinas e cidadezinhas da Pensilvânia de antes da entrada em cena do petróleo. Perguntavam-se o que tinha acontecido e se maravilhavam com a constatação de que a natureza humana pode ser tão transformada — e degradada — pelo espectro das riquezas. "Nesta região a perturbação que o óleo e a terra causam nas pessoas já se tornou uma espécie de epidemia", escreveu um editor da cidade em 1865. "Ela atinge todas as classes e idades e condições de homens, que não mais falam, olham ou agem como há seis meses. Terra, arrendamentos, contratos, opções, escrituras, lucros e todo esse tipo de conversa é a única coisa que eles podem compreender. Encontramos caras estranhas a cada esquina, e metade dos nossos habitantes pode mais facilmente ser encontrada em Nova York ou na Filadélfia do que em casa (...) O tribunal está em recesso; o bar está desmoralizado; o círculo social se rompeu; o templo foi abandonado; e todos os nossos hábitos, ideias e associações de meio século foram virados de pernas para o ar na precipitada corrida para as riquezas. Alguns homens pobres enriquecem; alguns ricos enriquecem mais ainda; alguns homens pobres e alguns ricos perdem tudo o que investem. E assim vamos nós."

E o editor tinha um pensamento final: "Cedo ou tarde a grande bolha explodirá".[13]

A bolha explodiu — inevitável reação à especulação e à frenética superprodução. A depressão engolfou a indústria em 1866 e 1867; o preço do petróleo baixou até 2,40 dólares o barril. Entretanto, enquanto muitos pararam de perfurar, alguns não o fizeram, e novos campos foram abertos para além do córrego Oil. De mais a mais, a inovação e a organização estavam sendo introduzidas na indústria.

Desde as primeiras descobertas, os carroceiros, chicoteando os cavalos, entulhavam as estradas de Oil Regions com sua carga de barris. Eles eram mais do que um fator de estrangulamento físico. Tendo uma condição monopolística, cobravam uma exorbitância; saía mais caro deslocar um barril por uns poucos quilômetros de estrada enlameada até uma estação de trem do que transportá-lo por ferrovia desde o oeste da Pensilvânia até Nova York. O poder dos carroceiros levou a um esforço para desenvolver uma engenhosa alternativa: o transporte por oleodutos. Entre 1863 e 1865, apesar de muita zombaria e escárnio público, os oleodutos de madeira provaram que poderiam transportar o óleo de modo muito mais eficiente e barato. Os carroceiros, vendo sua posição ameaçada, responderam com ameaças, ataques armados, incêndios criminosos e sabotagem. Mas já era tarde demais. Em 1866, a maioria dos poços em Oil Regions estava acoplada a oleodutos que desembocavam no sistema de coleta de um oleoduto maior, ligado às ferrovias.

Os refinadores precisavam adquirir petróleo, e também isso era caótico. A compra do minério era feita de qualquer jeito, os compradores indo de poço em poço no lombo do cavalo. Com o crescimento da indústria, porém, surgiu um sistema de mercado mais organizado. Trocas informais de petróleo, em que compradores e vendedores podiam se encontrar e chegar a um entendimento quanto ao preço, se desenvolveram num hotel de Titusville, em Oil City — na calçada, perto dos trilhos da ferrovia. Tendo início no começo dos anos 1870, câmaras de troca mais formais surgem em Titusville, em Oil City, aqui e acolá em Oil Regions e em Nova York. Vendia-se e comprava-se petróleo de três maneiras. Nas vendas "no ato", o pagamento e a entrega eram imediatos. Numa venda "regular", a transação era completada em dez dias. E a venda "futura" estabelecia que uma certa quantidade seria vendida a um determinado preço dentro de um prazo especificado. Os preços futuros eram o foco da especulação, e o petróleo se tornou "o artigo de especulação predileto do momento". Seu comprador era obrigado a ficar com o óleo e pagar o preço combinado — ou a pagar ou receber a diferença entre o preço combinado e o preço "regular" do momento da entrega da mercadoria. Assim, os compradores podiam ter um belo ganho, ou sofrer uma perda devastadora, sem nem sequer ter tomado posse do petróleo.

Na época da entrada em funcionamento da Titusville Oil Exchange, em 1871, o petróleo já estava a caminho de se tornar um negócio muito grande, que poderia transformar a vida cotidiana de milhões de pessoas. De modo geral, a década de 1860 tinha sido de avanço vertiginoso desde a experiência lunática de Drake. Ele foi na verdade a prova permanente da "impetuosa energia com que a mente americana leva adiante qualquer ramo da indústria que prometa retribuir bem". A intuição de George Bissell, a descoberta de Edwin Drake e a perseverança de ambos deram início a uma nova era — uma época de engenho e inovação, de transações e fraudes, de enriquecimentos e empobrecimentos, de enriquecimentos sonhados mas nunca concretizados, de estafa devida ao trabalho extenuante, de amargo desapontamento e de crescimento espantoso.[14]

E o que se podia esperar do futuro do petróleo? Havia quem olhasse para o que acontecera tão vertiginosamente no oeste da Pensilvânia e visse à frente oportunidades bem maiores. Previa-se para a indústria uma escala que poucos em Oil Regions eram capazes de imaginar, mas ao mesmo tempo rejeitavam e se repugnavam com o caos e a desordem, o vaivém e o frenesi. Tinham ideias próprias sobre como o negócio do petróleo devia ser organizado e implementado. E já estavam a campo, de acordo com seus próprios planos.

CAPÍTULO II

O "nosso plano": John D. Rockefeller e a integração do petróleo americano

UM CURIOSO LEILÃO TEVE LUGAR NUM DIA DE FEVEREIRO de 1865 em Cleveland, no estado de Ohio, àquela época uma cidade agitada que se beneficiara tanto da Guerra Civil quanto do *boom* do petróleo e que agora estava preparada para prosperar com a grande era da expansão industrial americana. Os dois sócios majoritários de uma das mais bem-sucedidas refinarias de petróleo da cidade abriram-se a outra de suas crônicas disputas a respeito de velocidade da expansão. Maurice Clark, o sócio mais cauteloso, ameaçava com a dissolução. Dessa vez, o outro sócio, John D. Rockefeller, surpreendeu-o aceitando-a. Em seguida os dois concordaram em que um leilão privado deveria ser feito entre eles, ficando a companhia com aquele que a arrematasse; e decidiram começar imediatamente o leilão, ali mesmo no escritório.

A primeira oferta foi de quinhentos dólares, mas os lances subiram rápido. Maurice Clark logo propôs 72 mil. Rockefeller calmamente foi para 72,5 mil. Clark desistiu. "Eu não vou além disso, John", disse ele. "O negócio é seu." Rockefeller propôs preencher um cheque ali mesmo; Clark disse-lhe que não havia necessidade disso, podendo ele pagar como melhor lhe conviesse. Com um aperto de mãos os dois se separaram.

"Sempre aponto esse dia", disse Rockefeller meio século depois, "como o começo do sucesso que tive na vida."

Aquele aperto de mão também assinalou o início da moderna indústria de petróleo, que ordenou o caos do selvagem *boom* que tivera lugar na Pensilvânia. A ordem assumiria a forma da Standard Oil, que, pretendendo ter a hegemonia e o total controle sobre o comércio mundial do petróleo, evoluiu para uma empresa global complexa que levava a iluminação barata, a "nova luz", até os locais mais remotos da terra. A companhia operava segundo os métodos impiedosos e a ganância desenfreada do capitalismo do final do século passado; mas a par disso ela abriu uma nova era, pois se transformou numa das primeiras e maiores corporações multinacionais do mundo.[1]

"Metódico ao extremo"

O cabeça da Standard Oil era o jovem que em 1865 ganhara o leilão em Cleveland. Mesmo nessa época, com 26 anos, John D. Rockefeller tinha um aspecto intimidador. Alto e magro, parecia solitário, taciturno, distante e contemplativo. Sua inabalável tranquilidade — aliada aos frios e penetrantes olhos azuis cravados num rosto anguloso e de queixo pontudo — deixava as pessoas constrangidas e temerosas. Elas acreditavam que de algum modo aquele homem conseguia saber o que lhes ia pela cabeça.

Rockefeller foi a figura mais importante da formação da indústria do petróleo. O mesmo pode ser dito com relação ao seu lugar na história do desenvolvimento industrial dos Estados Unidos e da ascensão da moderna corporação. Admirado por alguns como um gênio da administração e da organização, ele também chegou a ser o homem de negócios mais odiado e insultado dos Estados Unidos — em parte por ser tão implacável e em parte por ter alcançado tanto sucesso. O duradouro legado seria intensamente reconhecido, por sua profunda influência sobre a indústria do petróleo e sobre o próprio capitalismo, do permanente impacto de sua vasta filantropia — mas também em termos das obscuríssimas imagens e das sombras que ele sempre projetou na mente do público.

Rockefeller nasceu em 1839 na zona rural do estado de Nova York e viveu quase um século inteiro, até 1937. Seu pai, William Rockefeller, comercializava madeira e sal, e um dia, mudando com a família para Ohio, tornou-se o "dr. William Rockefeller" e passou a viver da venda de medicina caseira e de remédios patenteados. O pai frequentemente viajava sozinho, ausentando-se por muito tempo; a razão disso, insinuaram alguns, era a existência de outra família no Canadá.

O caráter do filho já estava formado desde jovem — devoto, simples, persistente, meticuloso, detalhista, com vocação e fascinação pelos números, sobretudo os que envolviam dinheiro. Aos sete anos ele começou a sua primeira aventura bem-sucedida — a venda de perus. Cedo o pai procurou ensinar-lhe, e também a seus irmãos, as habilidades mercantis. "Eu faço negócios com os meninos", jactava-se o pai, segundo se dizia, "e depeno e tapeio eles sempre que dá pra fazer isso. Quero eles bem afiados." No curso secundário, o melhor desempenho do jovem Rockefeller era em matemática. A escola dava ênfase ao cálculo mental — a capacidade de fazer contas rápidas de cabeça — e ele era excelente nisso.

Decidido a chegar a "algo grande", com dezesseis anos, Rockefeller foi trabalhar em Cleveland numa empresa de transporte de mercadorias. Em 1859, formou com Maurice Clark sua própria sociedade; eles iriam atuar na comercialização de produtos. A empresa prosperou com a demanda gerada pela Guerra Civil e pela abertura do oeste. Mais tarde, Maurice Clark lembraria mal-humorado que Rockefeller era "metódico ao extremo". Com o crescimento da empresa, Rockefeller se aferrou a alguns hábitos: as "conversas íntimas" consigo mesmo, o autoaconselhamento, a repetição de homilias, as advertências que fazia a si mesmo para acautelar-se contra armadilhas, tanto morais quanto práticas. A empresa lidava com trigo do Ohio, sal de Michigan e porcos de Illinois. Poucos anos depois da descoberta do coronel Drake, Clark e Rockefeller também estavam lidando, e lucrando, com o petróleo da Pensilvânia.

O petróleo e as histórias de rápido enriquecimento tinham arrebatado a imaginação dos empresários de Cleveland quando em 1863 uma nova ligação ferroviária fez com que essa cidade se colocasse em situação de competir nos negócios. Uma refinaria atrás da outra brotou em Cleveland ao longo dos trilhos da ferrovia. Muitas delas eram desesperadamente descapitalizadas, mas esse nunca foi o caso da que Rockefeller e Clark possuíam. No início, Rockefeller pensou que o refino seria apenas uma atividade secundária em relação à das cargas, mas dentro de um ano, à medida que a refinaria se tornou muito lucrativa, ele se convenceu do contrário. Em 1865, com o leilão e Clark fora do negócio, Rockefeller, que a essa altura já era um jovem moderadamente rico, controlava sozinho seu próprio negócio, a maior das trinta refinarias de Cleveland.[2]

O grande jogo

Rockefeller ganhou essa sua primeira vitória na refinação no momento exato. Pois o fim da Guerra Civil, naquele mesmo ano de 1865, havia inaugurado nos Estados Unidos uma era de expansão econômica maciça e de rápido desenvolvimento, de especulação ardente e de competição feroz, de integração e monopólio. Empresas de larga escala surgiram conjuntamente com os avanços tecnológicos de indústrias tão diversas quanto as de aço, embalagem de carne e comunicação. Uma intensa imigração e a abertura do oeste favoreceram o rápido crescimento do mercado. Nos últimos 35 anos do século XIX, os negócios americanos foram, como em nenhuma outra época da história dos Estados Unidos, negócios de verdade, e era para esse ímã que as energias, ambições e cérebros dos jovens eram irresistivelmente atraídos. Eles se enredavam no que Rockefeller chamou "o Grande Jogo" — a luta para realizar e construir, paralela ao esforço para fazer dinheiro, ambos resultando no bem do próprio jogo e num registro de progresso. Esse jogo, do qual se participava com novas invenções e novas técnicas de organização, transformou uma república agrária, dilacerada há tão pouco tempo por uma sangrenta guerra civil, na maior potência industrial do mundo.

À medida que evoluía o *boom* do petróleo, Rockefeller, atirando-se de peito aberto no Grande Jogo, continuava a fazer maciças aplicações de dinheiro — tanto o dos lucros quanto o que tomava emprestado — na refinaria. Construiu uma segunda. Precisava de novos mercados para a sua crescente capacidade, e em 1866 organizou outra empresa em Nova York para administrar o comércio da costa atlântica e a exportação de querosene. Pôs o irmão William na direção dela. Nesse ano, suas vendas foram além de dois milhões de dólares.

No entanto, apesar de o mercado de querosene e de lubrificantes ter crescido, sua expansão não estava sendo rápida o suficiente para acompanhar o aumento da capacidade das refinarias. Havia empresas em excesso competindo para atender aos mesmos consumidores. Não se exigia muito em termos de capital ou de habilidades para que um indivíduo se estabelecesse como refinador. Como mais tarde lembraria Rockefeller: "Todos os tipos de pessoas entravam no negócio: o açougueiro, o padeiro e o fabricante de castiçais começaram a refinar petróleo". De fato, Rockefeller e seus colegas começaram a ficar muito preocupados quando souberam que um padeiro alemão, de quem eles gostavam, tinha cometido a asneira de trocar sua padaria por uma refinaria de segunda. Eles se associaram ao padeiro para que este pudesse voltar ao seu lugar.

Rockefeller se dedicou ao fortalecimento de seu negócio — ampliando o equipamento e empenhando-se para manter e melhorar a qualidade ao mesmo tempo em que controlava os custos. Deu os primeiros passos para a integração, o processo de trazer as funções de suprimento e de distribuição para dentro da organização, visando a um só tempo isolar a operação como um todo da instabilidade do mercado e melhorar a competitividade do produto. A empresa de Rockefeller adquiriu suas próprias extensões de terra, onde cresciam os carvalhos com que eram feitos os barris; comprou também carros-tanques, assim como depósitos em Nova York e seus próprios barcos para navegar no rio Hudson. No início, Rockefeller firmou também um outro princípio, a que mais tarde se aferrou religiosamente — conseguir e manter uma boa reserva de dinheiro. Antes mesmo do final da década de 1860, ele tinha acumulado recursos financeiros suficientes para que sua empresa não precisasse depender dos banqueiros, financistas e especuladores, a quem as ferrovias e outras indústrias maiores tinham de recorrer. Além de proteger a empresa dos violentos fiascos e depressões que levavam ao desespero os concorrentes, a reserva de dinheiro também a capacitava a tirar vantagem dessas quedas.

Um dos grandes talentos de Rockefeller podia ser logo percebido: ele tinha uma visão de para onde sua empresa e a indústria de modo geral estavam indo, mas ao mesmo tempo insistia em comandar os detalhes diários de maior importância em suas operações. "Ao começar como contador minha vida de negócios", disse ele mais tarde, "aprendi a ter um grande respeito pelos números e pelos fatos, pequenos que fossem." Rockefeller literalmente mergulhava em todos os detalhes e aspectos do negócio, mesmo os desagradáveis. Tinha um terno velho que usava em Oil Regions sempre que ia perambular nos campos lamacentos à procura de óleo para comprar. O resultado de seu persistente espírito empreendedor foi que no final da década de 1860, a refinaria de Rockefeller era provavelmente a maior do mundo.[3]

Em 1867, juntou-se a ele um jovem, Henry Flagler, cuja influência na criação da Standard Oil foi quase tão grande quanto a sua. Começando a trabalhar aos catorze anos como escriturário de uma loja que vendia de tudo, Flagler com vinte e poucos anos já conseguira fazer uma pequena fortuna destilando uísque em Ohio. Em 1858, vendeu seu estabelecimento devido aos escrúpulos morais em relação ao álcool se não os dele, pelo menos os do vigário da paróquia. Partiu então para a produção de sal em Michigan. No entanto, as circunstâncias de competição caótica e de excesso de oferta levaram-no à bancarrota. Foi uma experiência esplêndida para alguém que inicialmente ganhara dinheiro com tanta facilidade.

Entretanto, Flagler era um homem eternamente esperançoso, determinado a retomar, apesar de estar agora amadurecido pelas lições duramente aprendidas. Sua falência lhe deixara a convicção profunda do valor da "cooperação" entre os produtores e uma aversão não menos profunda pelo que mais tarde qualificou de "competição desenfreada". A cooperação e a integração, concluiu ele, eram necessárias para minimizar os riscos no mundo incerto do capitalismo. E aprendeu também uma outra lição, que resumia assim: "Mantenha a cabeça fora d'água e aposte que seu país irá crescer". Flagler estava pronto e ansioso em apostar nos Estados Unidos pós-Guerra Civil.

Flager viria a se tornar o colega mais próximo que Rockefeller jamais teve e um de seus amigos mais íntimos. Seu relacionamento com o distante Rockefeller o levaria a outro adágio: "Uma amizade baseada nos negócios é melhor que a assentada na amizade". Ativo e lutador, Flagler era um bom par para o taciturno e cauteloso Rockefeller, que se deliciava por ter arranjado um sócio "tão cheio de energia e dinamismo". Para alguém mais crítico, entretanto, Flagler parecia um tanto diferente — "Um egoísta impudente, inescrupuloso, [para quem] a consciência não precisava ser consultada. Fazia o que quer que fosse necessário para ser bem-sucedido". Muitos anos depois, após ter acumulado uma grande fortuna junto com Rockefeller, Flagler partiu para uma segunda conquista, o desenvolvimento do estado da Flórida. Ali construiria as ferrovias da Costa Leste da Flórida, na direção dos Keys, com o fim de abrir o que chamava de "Riviera americana", e de fundar Miami e West Palm Beach.

Mas tudo isso ainda estava por acontecer. Agora, nesses anos de construção, Rockefeller e Flagler trabalhavam numa parceria muito próxima. Ficavam na mesma sala, as escrivaninhas encostadas frente a frente, cuidando da correspondência para os clientes e fornecedores; as propostas ou cartas iam e vinham, submetidas à apreciação de um e de outro, até dizerem exatamente o que ambos queriam. Sua amizade consistia nos negócios, que eles discutiam constante e obsessivamente — no escritório, durante o almoço no Union Club ou enquanto andavam do escritório para suas casas situadas na vizinhança. "Nessas caminhadas", dizia Rockefeller, "quando estávamos longe das interrupções do escritório, costumávamos pensar, falar e planejar a dois".

Flagler idealizou e implementou as providências para o transporte, que se revelaria de importância central para o sucesso da Standard Oil. Ele deu à companhia um poder decisivo contra todos os concorrentes, e foi com base no transporte que a posição da empresa e sua formidável coragem se firmaram. Sem a perícia de Flagler e sua agressividade nesse campo, é bem provável que não houvesse nenhuma Standard Oil com as características com que o mundo veio a conhecê-la.

O tamanho, a eficiência e as economias de escala da organização de Rockefeller permitiram-lhe obter abatimentos nos fretes do transporte ferroviário; isso tornou seus custos de transporte inferiores aos dos concorrentes, dando à companhia uma grande vantagem em termos de preço e de lucro. Mais tarde esses abatimentos seriam uma fonte de grande controvérsia. Muitos acusavam a Standard Oil de reforçar os abatimentos para deslealmente vender a um preço inferior ao dos competidores. Entretanto, as companhias ferroviárias competiam com tanta intensidade em termos de preço que os abatimentos e descontos de um tipo ou de outro se tornaram uma prática comum em todo o país, sobretudo para quem pudesse garantir embarques grandes e regulares. Flagler, com a força da organização Standard Oil atrás de si, era muito bom para negociar o melhor acordo possível.

Os abatimentos concedidos pela Standard Oil não pararam por aí. Ela usou sua intrepidez para receber também "reembolsos de direitos aduaneiros". Uma empresa de transporte concorrente podia pagar um dólar por barril para mandar seu petróleo a Nova York por trem. A ferrovia fazia uma jogada para devolver 25 centavos desse dólar não à mesma empresa, e sim à sua rival, a Standard Oil. Esta, que já estava pagando um preço mais baixo por seu próprio petróleo, obviamente ficava, graças a isso, em posição de enorme vantagem financeira perante seus concorrentes. Essa medida significava que os concorrentes estavam, involuntariamente, subsidiando a Standard Oil. Poucas práticas de negócio despertaram tanta antipatia pública contra a Standard Oil quanto esses reembolsos — quando afinal foram revelados.[4]

"Agora tentem o nosso plano"

Enquanto o mercado de petróleo crescia a uma taxa extraordinária, a quantidade de petróleo em busca de mercado crescia num ritmo ainda maior, o que levava a ferozes flutuações de preço e frequentes colapsos. No final da década de 1860, com a superprodução novamente levando os preços a despencar, a nova indústria entrou em depressão. A razão era simples — muitos poços e muito petróleo. Os refinadores foram tão atingidos quanto os produtores. Entre 1865 e 1870, o preço a varejo do querosene caiu para menos da metade. Calculou-se que a capacidade do refino era três vezes maior que as necessidades do mercado.

Para Rockefeller os custos da superprodução eram óbvios, e foi nessas circunstâncias, com a maioria dos refinadores perdendo dinheiro, que ele começou a consolidar a indústria sob seu controle. Ele e Flager queriam capitalizá-la, porém sem pôr em risco o controle. A técnica usada foi transformá-la numa sociedade por ações. No dia 10 de janeiro de 1870, cinco homens, liderados por Rockefeller, fundaram a Standard Oil Company. O nome foi escolhido para indicar "qualidade padrão de produto", no qual o cliente pudesse confiar. Naquela época o querosene vendido tinha qualidade altamente irregular. Caso contivesse muita nafta ou gasolina inflamáveis, como às vezes ocorria, a tentativa do comprador de acendê-lo poderia ser seu último ato neste mundo. Rockefeller ficou com um quarto das ações da nova empresa, que naquele tempo já controlava um décimo da indústria refinadora dos Estados Unidos. No entanto, isso foi só o começo. Muitos anos depois ele olharia retrospectivamente para os primeiros tempos e refletiria: "Quem imaginaria que a Standard Oil chegasse a tais dimensões?"

Recém-fundada, dotada de mais capital, a Standard usou sua força para lutar com mais vigor ainda pelas reduções de preço no transporte ferroviário, que lhe deram uma vantagem adicional na competição. Entretanto, as condições gerais do negócio continuavam a se deteriorar, e, em 1871, o pânico tomara conta da indústria de refinação. As margens de lucro estavam desaparecendo inteiramente e a maioria das refinarias perdia dinheiro. A preocupação atingira até mesmo Rockefeller, diretor da maior companhia. Por essa época ele era uma personalidade dominante no mundo dos negócios de Cleveland e um pilar da Igreja Batista da Euclid Avenue. Casara-se em 1864 com Laura Celestia Spelman. No trabalho de formatura no curso secundário, "Posso remar minha própria canoa", Laura havia escrito: "A independência da mulher no pensamento, nas realizações e na vontade é um dos problemas da nossa época". Ao desistir do sonho de remar a própria canoa quando se casou com Rockefeller, ela se tornou sua confidente mais chegada e até mesmo revia a importante correspondência dos negócios do marido. Certa feita, no quarto do casal, ele prometeu-lhe seriamente que se alguma vez tivesse receio sobre o andamento dos negócios, ela seria a primeira a saber. Agora, em 1872, em meio à depressão do refino, estava suficientemente preocupado para sentir que devia confirmar: "Você sabe", tranquilizou-a, "à parte os investimentos em petróleo, nós somos suficientemente ricos".

Foi nessa época de apreensões que Rockefeller concebeu a audaciosa visão de consolidar quase toda a refinação de petróleo numa integração gigantesca. "Era desejável fazer algo que salvasse o negócio", diria mais tarde. Uma integração efetiva faria o que um simples *pool* ou uma associação não conseguiriam: eliminar a capacidade excedente, suprimir as ferozes flutuações de preço — e de fato, salvar o negócio. Era isso o que Rockefeller e seus colegas queriam dizer quando falavam do "nosso plano". Mas o plano era de Rockefeller, e ele dirigiu a sua execução. "A ideia era minha", disse ele bem mais tarde. "A ideia era também perseverar, apesar da oposição de alguns que se acovardaram em face da magnitude do empreendimento, na medida em que ele assumia proporções maiores."

A Standard Oil se armou para a campanha: aumentou sua capitalização para facilitar as aquisições. No entanto, os acontecimentos tomavam também outra direção. Em fevereiro de 1872, uma ferrovia pública da Pensilvânia desorientou-se e elevou abruptamente os preços, dobrando repentinamente o custo do transporte do petróleo bruto de Oil Regions para Nova York. Vazou uma informação de que o aumento se devera à ação de uma entidade desconhecida chamada South Improvement Company. Que empresa misteriosa era essa? Quem estava por detrás? Os produtores e refinadores independentes de Oil Regions estavam intrigados e alarmados.[5]

A South Improvement Company era a encarnação de um outro esquema de estabilização da indústria de petróleo que se tornaria o símbolo do esforço para obter o controle monopolista. O nome de Rockefeller iria ficar cada vez mais associado à South Improvement, mas apesar de ser um dos principais implementadores do plano, a ideia na realidade pertencia às ferrovias, que estavam tentando encontrar um jeito de sair da difícil guerra dos preços. Por esse esquema as ferrovias e as refinarias se coligariam em cartéis e dividiriam o mercado. Além dos descontos nos embarques, os refinadores receberiam o reembolso — descontados dos preços integrais pagos pelos refinadores não membros. "De todos os expedientes para a eliminação da competição", escreveu um dos biógrafos de Rockefeller, "esse foi o mais cruel e o mais mortal concebido até agora por qualquer grupo de industriais americanos".

Envolta ainda em mistério, a South Improvement Company encolerizou Oil Regions. Um jornal de Pittsburgh advertiu que ela criaria "um único comprador de petróleo em toda a região", ao passo que o periódico de Titusville disse que se tratava simplesmente de uma ameaça para "esvaziar Titusville". No final de fevereiro, três mil homens furiosos marcharam com bandeiras para adentrar Titusville Opera House e denunciar a South Improvement Company. Lançou-se assim o que ficou conhecido como a Guerra do Petróleo. As ferrovias, Rockefeller, os outros refinadores — esses eram o inimigo. Os produtores iam de cidade em cidade para denunciar "o Monstro" e "os Quarenta Ladrões". Unidos contra o monopólio, boicotaram tão eficazmente os refinadores e as ferrovias que as refinarias da Standard em Cleveland chegaram a dispor de petróleo bruto para ocupar apenas setenta homens, quando em condições normais elas empregavam mais de 1200. Rockefeller, porém, não tinha nenhuma dúvida sobre o que estava fazendo. "É fácil escrever artigos no jornal, mas nós temos outras ocupações", disse ele à mulher durante a Guerra do Petróleo. "Faremos o que for certo e não ficaremos nervosos ou preocupados com o que os jornais escrevem." Num outro ponto da batalha, escrevendo para a mulher, firmou um dos seus princípios duradouros: "Não cabe ao público mudar nossos contratos privados".

Em abril de 1872, entretanto, as ferrovias e os refinadores, inclusive Rockefeller, decidiram que já era hora de repudiar e abandonar a South Improvement Company. A Guerra do Petróleo tinha acabado, aparentemente ganha pelos produtores. Contudo, tarde, Rockefeller diria que sempre achara que a South Improvement Company fracassaria, mas tinha permanecido em função de objetivos próprios. "Quando ela fracassasse nós estaríamos em posição de dizer: 'Agora tentem o nosso plano'". Contudo, Rockefeller nem mesmo esperou que a South Improvement Company fracassasse. Na primavera de 1872 ele já tinha ganho o controle da maioria do refino de Cleveland e de muitas das mais importantes refinadoras da cidade de Nova York — convertendo-se no chefe do maior grupo de refinarias do mundo. Estava pronto para assumir toda a indústria do petróleo.

A década de 1870 seria marcada pela produção sempre crescente. Os produtores tentaram repetidamente limitá-la, mas sem sucesso. Os tanques de estocagem transbordavam, cobrindo a terra de espuma negra. A superabundância foi tanta e os preços caíram a tal ponto que o petróleo bruto era derramado em regatos e despejado nas fazendas por não haver outro lugar onde estocá-lo. O preço chegou a cair até 48 centavos o barril — três centavos a menos do que as donas de casa estavam pagando pelo barril de água potável em Oil Regions. Os repetidos esforços para organizar movimentos de paralisação sempre falhavam. A perfuração avançava sobre novos territórios, o que solapava a estabilidade da indústria do refino. Além disso, havia produtores em demasia, e isso inviabilizava a organização de qualquer medida limitativa eficaz. No último quartel do século XIX, estimava-se que as empresas produtoras em Oil Regions chegavam a 16 mil. Muitos dos produtores eram especuladores, outros eram fazendeiros, e muitos, independentemente de seu ramo de origem, eram bastante individualistas e pouco afeitos à "visão de futuro" e a pensar em termos do bem comum, mesmo que se tivesse apresentado um plano viável. Rockefeller, com sua paixão pela ordem, olhava chocado para o caos e a competição entre os produtores. "Oil Regions", disse ele mais tarde com um ácido desdém, "era um campo minado." Seu alvo eram os refinadores.[6]

"Guerra ou paz"

O objetivo do audacioso plano de batalha de Rockefeller era, segundo suas próprias palavras, acabar com a "política assassina de não se ter lucros" e "tornar o negócio do petróleo seguro e vantajoso" — sob o seu controle. Rockefeller era o estrategista e o comandante supremo, levando os tenentes a agir com discrição, presteza e perícia. Não é de estranhar que seu irmão William classificasse as relações com outros refinadores em termos de "guerra ou paz".

A Standard começou, em cada região, por tentar comprar entre as maiores refinarias, as empresas dominantes. Rockefeller e seus sócios aproximavam-se do alvo visado com deferência, polidez e bajulação. Demonstravam como a Standard Oil era mais lucrativa que as outras refinarias, muitas das quais estavam em dificuldade, enfrentando tempos adversos. O próprio Rockefeller usaria seu considerável talento para a persuasão tentando conseguir uma compra amigável. Se tudo isso falhasse, a Standard dobrava o concorrente irredutível fazendo-o "se sentir mal" ou, como dizia Rockefeller, dando-lhe "um bom suadouro". A Standard baixava os preços naquele mercado específico, forçando o concorrente a operar com prejuízo. Num determinado momento orquestrava-se uma "escassez de barris" para exercer pressão sobre os refinadores recalcitrantes. Em outra batalha, procurando colocar o adversário de joelhos, Henry Flagler instruiu: "Se você acha que o suor não está saindo em bicas empilhe cobertores sobre ele. Eu preferiria perder dinheiro do que ceder-lhe um centímetro agora".

Os homens da Standard, movendo-se com grande sigilo, operavam dentro de empresas que o mundo externo julgava independentes mas que de fato tinham se tornado parte da Standard Group. Muitos refinadores nunca souberam que seus concorrentes locais, que estavam baixando preços e exercendo outras pressões sobre eles, eram, na verdade, integrantes do crescente império de Rockefeller. Em todas as fases da campanha, os homens da Standard comunicavam-se por código — a própria Standard era "Morose" ["Taciturno"]. Rockefeller nunca hesitou em defender o sigilo de suas operações. "Isso é bem verdade!", disse certa vez. "Fico imaginando um general dos aliados mandando à frente uma banda de música com ordens de notificar o inimigo de que num determinado dia vamos desencadear um ataque."

Em 1879, a guerra tinha virtualmente acabado. A Standard Oil saíra vencedora. Controlava 90% da capacidade de refino dos Estados Unidos. Controlava também os oleodutos e o sistema de coleta de Oil Regions e dominava o transporte. Rockefeller via a vitória com frieza. Não tinha ressentimentos. Na verdade alguns dos conquistados foram levados para os conselhos internos da administração, tornando-se dedicados aliados nos estágios subsequentes da campanha. No entanto, quando a Standard Oil chegava à posição de comando, no final da década de 1870, desafios inesperados apareceram.[7]

Novas ameaças

Bem no final da década de 1870, justo quando Rockefeller pensava ter tudo virtualmente amarrado, os produtores da Pensilvânia fizeram um último esforço para afrouxar o abraço sufocante da Standard com uma tentativa ousada — a primeira experiência mundial de um oleoduto de longa distância. O projeto, que levou o nome de Tidewater Pipeline [Oleoduto da Costa Marítima], não tinha precedente e nem oferecia qualquer garantia de ser tecnicamente viável. O petróleo percorreria 176 quilômetros, de Oil Regions até uma integração com a Pennsylvania and Reading Railroad. Sua construção foi empreendida tanto com rapidez quanto fraude. Foram até feitos levantamentos topográficos falseados para despistar a Standard. Até o último momento muitos duvidavam que o oleoduto funcionasse, porém, em maio de 1879, o petróleo estava correndo por ele. Foi uma importante conquista tecnológica, comparável à Ponte de Brooklin, quatro anos antes. E também iniciou uma nova etapa da história do petróleo. O oleoduto se tornaria um grande concorrente da ferrovia no transporte a longa distância.

O evidente sucesso da Tidewater Pipeline e a revolução que o oleoduto provocou no transporte não apenas pegaram a Standard de surpresa como também significaram que seu controle sobre a indústria estava novamente em perigo. Os produtores tinham uma alternativa para a Standard Oil. A companhia pôs-se logo em ação, construindo em pouquíssimo tempo quatro oleodutos de longa distância, de Oil Regions para Cleveland, Nova York, Filadélfia e Buffalo. Em dois anos a Standard era acionista minoritária da própria Tidewater e fez com ela um acordo para bombearem conjuntamente o petróleo através da nova companhia de oleodutos, numa tentativa de controlar a competição, apesar de a Tidewater conservar alguma independência operativa. Completada a consolidação do refino, esses aperfeiçoamentos dos oleodutos marcaram a importante etapa seguinte da integração da indústria de petróleo pela Standard. A empresa controlou muito facilmente, com a exceção parcial da Tidewater, quase cada centímetro de oleoduto dentro e fora de Oil Regions.[8]

Restava apenas um meio de manter esse gigante sob controle: o recurso ao poder político e aos tribunais. No final da década de 1870, os produtores de Oil Regions ingressaram na Pensilvânia com uma série de investidas legais contra os preços discriminatórios. Denunciando "o arrogante controle do negócio do petróleo pela Standard Oil Company", qualificando-a de "autocrata" e se referindo ao grupo como "essa gan-

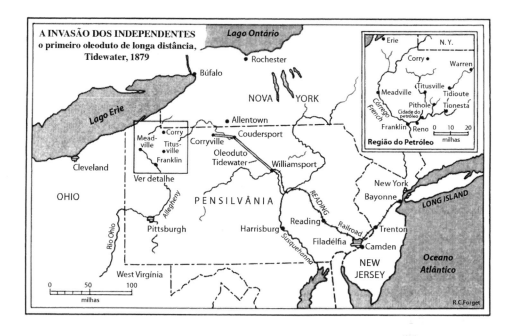

gue de ladrões" eles pediam a indiciação de seus principais diretores por conspiração criminosa. Enquanto isso, audiências com membros do poder legislativo do estado de Nova York dedicadas à questão das ferrovias examinavam o sistema de descontos da Standard Oil. As investigações e os procedimentos legais efetuados simultaneamente nos dois estados assinalaram a primeira revelação pública das atividades da companhia, seu alcance e extensão, e a manipulação de abatimentos e reembolsos. Um júri de instrução da Pensilvânia indiciou Rockefeller, Flagler e muitos sócios por conspiração, por criar um monopólio e lesar os competidores. Fez-se um esforço vigoroso para extraditar Rockefeller para a Pensilvânia. Rockefeller estava alarmado a ponto de obter do governador de Nova York uma promessa de que não aprovaria uma ordem de extradição — recurso que veio a malograr.

Todavia, o efeito cumulativo que as diversas revelações tiveram sobre o público foi devastador — e duradouro. O véu fora levantado e o povo estava indignado com o que via. As acusações contra a Standard foram reunidas pela primeira vez por Henry Demarest Lloyd numa série de editoriais do *Chicago Tribune* e posteriormente num artigo intitulado "A história de um grande monopólio", publicado no *Atlantic Monthly* em 1881. A atenção e o interesse foram tão grandes que o artigo precisou ser reeditado sete vezes. Lloyd declarou que a Standard Oil Company tinha feito de tudo para a Assembleia Legislativa do Estado da Pensilvânia, menos refiná-la. O impacto imediato do artigo sobre os negócios da Standard, porém, foi pequeno. A revelação de Lloyd constituiu o primeiro grande vazamento da Standard Oil, mas longe de ser o último. A misteriosa figura de John D. Rockefeller já não podia mais conservar a sua invisibilidade. Em Oil Regions as mães ameaçavam os filhos: "Rockefeller vai te pegar se você não obedecer".[9]

O truste

Enquanto os tribunais e a opinião pública tinham de ser enfrentados, uma ordem e um controle engenhosos eram criados no vasto império que Rockefeller tinha conquistado. Para começar, não havia nenhuma base legal clara para a associação dessas várias refinarias em todo o país. Assim, numa declaração escrita e juramentada, Rockefeller mais tarde poderia dizer, com a cara mais séria e sem cometer perjúrio contra si mesmo, que a Standard Oil não adquiriu ou controlou um grande número de empresas que ela evidentemente controlava. Um executivo do grupo explicou para um comitê da Assembleia Legislativa do estado de Nova York que as relações com cerca de 90% das refinarias do país eram "cordiais" e que foi por acaso que vieram trabalhar juntos "em harmonia". E um outro garantiu ao mesmo comitê que sua empresa não tinha ligação com a Standard Oil, com a qual a sua única relação pessoal era como "reclamante de dividendos". Essa foi a verdadeira solução para a organização. Eram os acionistas da Standard Oil, e não ela própria, que tinham ações de outras empresas. As ações eram compradas em "confiança", não pela Standard Oil Company of Ohio, mas em nome dos acionistas daquela corporação.

O conceito legal de *trust* foi aperfeiçoado e formalizado no Acordo da Standard Oil Trust, assinado em 2 de janeiro de 1882. Esse acordo era uma resposta aos ataques judiciais e políticos do final da década de 1870 e começo da de 1880. Havia também uma razão mais pessoal. Rockefeller e outros sócios tinham começado a pensar em morte e herança, e concluíram que sob o sistema existente a morte de um deles provavelmente levaria à confusão, controvérsia quanto a valores, litígio e rancor. Um truste daria organização e clareza à propriedade, restando pouca coisa que pudesse constituir motivo para disputas futuras.

Na preparação do truste "cada centímetro de oleoduto foi medido, cada pedacinho de construção foi avaliado". Instituiu-se um conselho de detentores de ações, e nas mãos de tais detentores colocaram-se as ações de todas as entidades controladas pela Standard Oil. Foram sucessivamente emitidas ações do truste; do total de setecentas mil ações Rockefeller detinha 191,7 mil e Flagler, o primeiro abaixo dele, sessenta mil. Os detentores conservavam as ações das empresas individuais em nome dos 41 acionistas da Standard Oil e eram encarregados da "supervisão geral" das 14 empresas sobre as quais detinham a propriedade integral e das 26 que eles haviam adquirido parcialmente. Suas responsabilidades abrangiam a seleção dos diretores e funcionários graduados — entre os quais podiam se incluir. Foi o primeiro grande truste, e era perfeitamente legal. Mas é também por isso que o truste, antes um estratagema para proteger as viúvas e os órfãos, se converteu num termo depreciativo e odiado. Entrementes, organizações separadas da Standard Oil foram implantadas em cada estado para controlar as entidades. O acordo do truste possibilitou o estabelecimento de um escritório central que coordenava e racionalizava as atividades das várias entidades em funcionamento — uma tarefa agora mais urgente devido à escala crescente dos negócios. E o truste deu a Rockefeller e a seus sócios "um anteparo de legalidade e a flexibilidade administrativa requerida para operar com eficiência o que já se havia tornado virtualmente propriedades globais".

Isso resolveu o aspecto legal; mas e quanto ao problema prático de administrar a nova entidade? Como integrar no novo truste tantos empresários independentes e tantas empresas responsáveis por uma quantidade tão grande de produtos — querosene, óleo combustível e mais três mil subprodutos? O que resultou foi um sistema de gerenciamento e coordenação por comitê. Havia um Comitê de Comércio Interno, um Comitê de Comércio Exterior, um Comitê Industrial, um Comitê de Barris, um Comitê de Oleodutos, um Comitê de Embalagens, um Comitê de Lubrificantes e posteriormente um Comitê de Produção. Relatórios diários circulavam pelos comitês dispersos pelo país. No alto de tudo isso ficava o Comitê Executivo, composto de gerentes gerais, que estabelecia as políticas e diretrizes gerais. O Comitê Executivo não emitia tantas ordens quanto solicitações, sugestões e recomendações. Contudo, ninguém tinha dúvidas quanto à sua autoridade ou controle. A relação entre os quartéis-generais e o campo foi sugerida por um comentário de Rockefeller em carta: "Os senhores, que estão em campo, podem melhor avaliar a questão, mas não nos tragam acordos que nos inviabilizem controlar a política".[10]

Uma estratégia básica que orientou a Standard na década de 1870 tornou-se ainda mais explícita durante a década de 1880 — ela devia ser o produtor de baixo custo. Isso exigia eficiência nas operações, domínio dos custos, propensão à escala e ao volume, atenção constante para a tecnologia e luta incessante por mercados cada vez maiores. As operações de refino se consolidaram com as pesquisas que buscavam maior eficiência; em meados da década de 1880 três refinarias da Standard apenas — a de Cleveland, a de Filadélfia e a de Bayonne, em New Jersey — até aí haviam produzido mais de um quarto do suprimento total de querosene do mundo inteiro. A ênfase nos custos, algumas vezes calculados até a terceira casa decimal, nunca oscilava. "Sempre tive como regra nos negócios fazer com que tudo conte", disse certa feita Rockefeller. Usando seu excelente esquema de comunicações, a companhia tirou vantagem da arbitragem de câmbio e fez a diferença reverter em favor do preço em Oil Regions, Cleveland, Nova York e Filadélfia tanto quanto em Antuérpia e outros lugares da Europa. A empresa também usou um extraordinário sistema de espionagem e inteligência industrial para rastrear as condições do mercado e os concorrentes. Ela mantinha um fichário de catálogos de quase todos os compradores de petróleo do país, mostrando para onde realmente ia cada barril embarcado por distribuidores independentes — e onde cada dono de armazém, do Maine à Califórnia, obtinha seu querosene.

Um tema central sempre esteve subjacente à administração de Rockefeller: ele *acreditava* no petróleo, e sua fé nunca se abalou. A queda do preço do petróleo bruto não era razão para ansiedade, mas uma oportunidade para a compra. "Espero que se o petróleo bruto vier a baixar novamente (...) nosso Comitê Executivo não permita que por mais estatística ou informação de que se disponha (...) sua compra não seja realizada", instruiu ele em 1884. "Devemos tentar não nos descontrolar, como frequentemente fazem alguns, quando o mercado cai até o fundo." Logo depois acrescentou: *"Nós certamente cometeremos um grande erro se não comprarmos".*

A alta direção era constituída por Rockefeller, seu irmão William, Henry Flagler e dois outros, que juntos todos controlavam quatro sétimos das ações. Também incluía talvez outros doze indivíduos, quase todos obstinados, com um passado de sucesso empresarial — e originalmente concorrentes de Rockefeller. "Nem sempre é uma tarefa das mais fáceis induzir ao acordo homens de peso e convictos", disse ele mais tarde. A única maneira de tal agrupamento funcionar era pelo consenso. As escolhas e decisões eram debatidas e contestadas, mas, como insistiu Rockefeller, só se adotava uma ação após um exame exaustivo dos problemas, a antecipação de vários possíveis e, finalmente, um acordo formado sobre o rumo certo. "Sempre é um problema em qualquer negócio, assim presumo, a velocidade exata que é sensato desenvolver, e nós fomos bem rápido naqueles dias, construindo e expandindo em todas as direções" — lembrou Rockefeller. "Estávamos sempre nos confrontando com emergências diversas... Com que frequência discutíamos essas difíceis questões! Alguns de nós queriam logo se lançar em grandes gastos, outros se aferravam a uma posição de mais moderação. Via de regra se chegava a um compromisso, mas uma a uma considerávamos todas essas questões, nunca indo tão rápido quanto o desejado pelos mais progressistas e nem tão cautelosamente quanto queriam os moderados." Ele acrescentou que o grupo "no fim sempre votava unanimemente".

Os administradores seniores eram encontrados com grande frequência indo o voltando em viagens de trem diurnas ou noturnas entre Cleveland e Nova York, Pittsburgh e Buffalo ou Baltimore e Filadélfia. Em 1885, o próprio truste mudou para uma nova sede, um edifício de nove andares no número 26 da Broadway, que logo se tornou um ponto de referência para todos. Dali era dirigida a empresa inteira, começando pelo Comitê Executivo, cujos membros eram os que estivessem na cidade naquele dia. Os executivos almoçavam juntos diariamente numa sala de jantar reservada, no alto do edifício. Durante a refeição, trocavam-se informações vitais, examinavam-se ideias e criava-se o consenso. E sob a liderança de Rockefeller esses ex-concorrentes erigiram uma empresa cujas atividades e escala não tinham precedente — um novo tipo de organização, que evoluiu com uma rapidez espantosa. Os homens que ficavam à volta da mesa no número 26 da Broadway eram um grupo de raro talento. "Esses homens são muitíssimo mais espertos do que eu", disse William Vanderbilt, da New York Central Railroad, à Assembleia Legislativa de Nova York. "São bastante espertos e empreendedores. Eu nunca tive contato com nenhum tipo de homens tão espertos e capazes nos negócios quanto eles."[11]

"Uma velha e sábia coruja"

No entanto, certamente o mais esperto era John D. Rockefeller. Na época da formação do truste, ele tinha quarenta e poucos anos e já era um dos seis homens mais ricos da América. Era a força guia da companhia, sincero na devoção ao seu crescimento e à causa da integração, contundente no desdenho pelo "desperdício" da competição desenfreada — e cheio em hipocrisia com relação a seus propósitos. Era também estranho e deliberadamente inacessível. Mais tarde ele recitaria uma estrofe de cor:

> Uma velha e sábia coruja, vivia num carvalho
> Quanto mais via menos falava,
> Quanto menos falava mais ouvia,
> Por que não somos todos como essa velha coruja?

Ele tinha resolvido desde o início de sua carreira nos negócios "expor-se o mínimo possível". Era analítico e desconfiado, e mantinha-se sempre distante. As pessoas se enervavam com esse afastamento e com a frieza e a penetração do olhar de Rockefeller. Uma ocasião ele se reuniu em Pittsburgh com um grupo de refinadores. Depois do encontro, muitos dos refinadores saíram para jantar. A conversa girou em torno do homem de Cleveland, misantropo, taciturno e ameaçador. "Que idade terá ele?", perguntou um refinador. Muitos arriscaram um palpite. "Tenho estado observando-o", disse outro finalmente. "Ele deixa todo mundo falar e enquanto isso fica sentado sem abrir a boca. Mas parece se lembrar de cada coisa dita, e quando de fato começa a falar, põe tudo no seu devido lugar (...) Acho que ele tem 140 anos — pois deve ter nascido com cem anos."

Muitos anos mais tarde, alguém que trabalhou com Rockefeller descreveu-o como "o homem mais frio que eu jamais conheci". Mas obviamente por trás da máscara havia um homem. As décadas de 1870 e 1880 foram o período durante o qual fruiu o "nosso plano". Entretanto, os anos de consolidação e integração, de ataques inesperados por parte de políticos e da imprensa, foram também anos de grande esforço e tensão. "Toda a fortuna que fiz não compensou a ansiedade daquele período", disse uma vez Rockefeller. Também sua mulher se lembraria daquela época como "dias de preocupação", e ele recordaria que raramente tinha "uma noite contínua de sono".

Rockefeller procurava alívio e relaxamento de vários modos. No fim da tarde, durante encontros de negócios, deitava-se de costas num divã, pedia aos colegas que prosseguissem e dali participava das discussões. Mantinha no escritório um alongador de músculos rudimentar. Tinha um amor especial por cavalos, cavalos velozes, e os levava a passear de carruagem no fim do dia. Uma corrida de uma hora — "trote, a passo, galope, tudo" — seguida de um descanso e do jantar o rejuvenescia. "Isso me dava disposição para pegar o correio da tarde e escrever dez cartas."[12]

Em Cleveland, desligado dos negócios, sua vida se concentrava na Igreja Batista. Ele supervisionava a escola dominical, onde deixou uma impressão indelével numa estudante, amiga de seus filhos. Muitos anos depois ela evocou: "Posso ver o sr. Rocke-feller dirigindo os exercícios da escola dominical, o longo nariz afilado e o grande queixo pontudo apontando a audiência infantil, os pálidos olhos azuis cuja expressão nunca mudava. Falava com muita determinação embora parecesse arrastar as palavras, mas ninguém duvidava que ele realmente gostasse de sua posição. Tire-lhe a devoção e você lhe terá roubado seu melhor passatempo".

Rockefeller amava a fazenda que tinha em Forest Hill, nos arredores de Cleve-land, e se dedicava aos seus detalhes — a construção da lareira, feita de uma especialíssima cerâmica vitrificada vermelha; a plantação de árvores; a abertura de novos caminhos nos bosques. Ele continuou seu hobby numa escala maior quando mudou para a enorme fazenda que adquiriu nas colinas de Pocantico, ao norte da cidade de Nova York. Lá ele modelou a paisagem, criou panoramas e trabalhou na construção de novas vias, ele próprio fazendo o serviço, com estacas e lajes, às vezes até ficar completamente extenuado. Sua paixão pela paisagem lançava mão dos mesmos talentos usados na organização e conceituação, e que tanto o distinguiram nos negócios.

Contudo, apesar de ter se tornado o homem mais rico da América ele mantinha uma curiosa frugalidade. Insistia, para o constrangimento da família, em usar os mesmos ternos velhos até eles ficarem tão lustrosos que precisavam ser substituídos. Um de seus pratos prediletos continuava a ser pão com leite. Certa vez, em Cleveland, ele convidou um destacado homem de negócios da cidade e sua mulher para ficarem em Forest Hill durante o verão. O casal passou uma prazerosa temporada de seis semanas na fazenda. Entretanto se surpreenderam posteriormente ao receber de Rockefeller uma conta de 600 dólares pelas refeições.

Ele não era desprovido de senso de humor, chegando até mesmo a ser brincalhão, embora só mostrasse esse traço nos círculos mais íntimos. "Estive na cadeira do dentista", comentou certa vez com seu colega Henry Flagler. "Acho que teria preferido escrever para você ou mesmo ler suas cartas, mas não pude evitar!" Durante o jantar ele distraía a família cantando ou pondo uma bolacha no nariz para em seguida abocanhá-la, ou então balançando um prato no nariz. Adorava sentar com os filhos e os amigos deles na porta da frente para se divertirem com um jogo chamado "bzzz...". Começava-se a contar e cada vez que se chegava a um número com um sete devia-se dizer "bzzz..." no lugar do número; esquecida essa regra o participante estava eliminado do jogo. Rockefeller, apesar de seu talento para a matemática, nunca era capaz de ir além de 71. As crianças sempre achavam isso hilariante.

Logo que começou a ganhar dinheiro, Rockefeller passou a fazer pequenas doações à sua igreja. Com o tempo as quantias engordaram e ele se empenhou cada vez mais em distribuir uma parcela significativa da riqueza que havia acumulado. Aplicou à filantropia o mesmo tipo de investigação metódica e cuidadosa consideração que empregava nos negócios; mais tarde, as doações se estenderiam para o campo da ciência, da medicina e da educação. No século XIX, entretanto, grande parte dessa filantropia ia para a Igreja Batista, da qual havia se tornado o mais poderoso leigo.

No final da década de 1880 ele se dedicou à criação de uma grande universidade batista, e nesse sentido forneceu a dotação e também o enfoque organizacional para o estabelecimento da Universidade de Chicago. Continuou sendo, de longe, seu maior doador. Acompanhou o desenvolvimento da instituição com uma atenção zelosa, mas não interferiu nos trabalhos acadêmicos a não ser para insistir que eles devessem ficar dentro do orçamento. Enquanto esteve vivo não consentiu que qualquer prédio tivesse o seu nome, e nos dez primeiros anos da universidade visitou-a apenas duas vezes. A primeira visita foi em 1896, no quinto aniversário da instituição. "Acredito no trabalho", disse numa assembleia convocada pela universidade. "É o melhor investimento que sempre fiz na minha vida (...) O bom Deus me deu o dinheiro, e como poderia eu recusá-lo a Chicago?" Ouviu um grupo de estudantes cantar uma serenata à sua janela:

John D. Rockefeller, que homem maravilhoso!
Guardou todos os trocados e os deu para a universidade.

Em 1910, os "trocados guardados" por Rockefeller significaram uma doação de 35 milhões de dólares, quando as doações de todas as demais fontes somavam sete milhões. E no total, para todas as suas causas, distribuiu cerca de 550 milhões de dólares.

Ele levava para casa seus hábitos de trabalho. Nos anos dourados, quando os "barões ladrões" fizeram imensas fortunas e criaram estilos de vida extravagantes e turbulentos, sua casa na cidade e a propriedade de Pocantico eram de fato opulentas, mas Rockefeller e a família ficaram longe do espalhafato, da ostentação e da vulgaridade da época. O casal queria inculcar nos filhos seus valores de probidade e com isso evitar que eles se arruinassem com a riqueza herdada. Assim, as crianças teriam um único velocípede, para aprenderem a dividir. Na cidade de Nova York, o jovem John D. Rockefeller Jr. ia e voltava da escola a pé, mesmo que outros filhos de gente rica fossem trazidos e levados de carruagem, acompanhados por criados, e conseguia uns trocados trabalhando nas propriedades do pai, onde ganhava o mesmo salário que os empregados.

Em 1888, Rockefeller passou três meses na Europa com a família e dois ministros da Igreja Batista. Apesar de não saber francês, examinava com cuidado cada item de todas as contas. "*Poulets!*", exclamava. "O que são *poulets?*", perguntava ao filho, John Junior. Informado de que eram galinhas, ele prosseguia, lendo o item seguinte e perguntando de que se tratava. Mais tarde John Junior recordaria: "Papai nunca se dispunha a pagar uma conta antes de verificar se ela estava certa, item por item. Tanto cuidado com pequenas coisas pode parecer sovinice para alguns, mas para ele isso era a manifestação de um princípio orientador de vida".[13]

Maravilha para os olhos

A empresa que Rockefeller fundou, e levou a uma prosperidade sem paralelo, continuou a se expandir durante as décadas de 1880 e 1890. A pesquisa científica foi incorporada à companhia. Dedicou-se grande atenção à qualidade do produto e ao esmero e correção das operações, da refinaria ao distribuidor local. O crescimento do sistema de mercado — até o consumidor final — era um imperativo do negócio. A companhia precisava de mercados para colocar sua imensa capacidade, o que a forçou a procurar agressivamente "o maior mercado possível em todos os países", como disse Rockefeller. "Precisamos de grandes quantidades." E a empresa, evidente e perseverantemente, produzia grandes quantidades, cada vez maiores. O crescimento do uso do petróleo, sobretudo sob a forma de querosene, era estupendo.

O petróleo e o lampião de querosene estavam mudando a vida dos Estados Unidos — e o relógio que a regulava. Quer morando nas cidades e metrópoles do Leste ou nas fazendas do Meio-Oeste, os consumidores normalmente compravam o querosene no armazém ou na farmácia, ambos supridos por um atacadista, que por sua vez quase sempre era suprido pela Standard Oil. Já em 1864 um farmacêutico de Nova York descreveu o impacto desse novo óleo iluminante. "O querosene tem, num certo sentido, aumentado a extensão da vida da população rural", escreveu ele. "Aqueles que, devido ao alto preço e à precariedade da iluminação do óleo de baleia, estavam acostumados a ir para a cama logo depois do crepúsculo e a passar quase metade do tempo dormindo, ocupam agora uma parte da noite lendo e com outras distrações; e isso é verdade sobretudo com relação às noites de inverno."

Informações práticas sobre o uso do querosene, mostrando sua rápida e ampla aceitação, foram dadas, em 1869, pela autora de *A cabana do Pai Tomás*, Harriet Beecher Stowe, que ajudou a irmã num livro chamado *O lar da mulher americana ou os princípios da ciência doméstica*. "O bom querosene dá uma luz que pouco deixa a desejar", escreveram elas ao aconselhar suas leitoras quanto ao tipo de lampião que deveria ser comprado. Mas advertiam-nas dos perigos do querosene impuro ou de baixa qualidade, responsável por "terríveis explosões". Em meados da década de 1870, cinco a seis mil mortes anuais eram atribuídas a tais acidentes. A regulamentação caminhava num ritmo instável e lento, e por isso Rockefeller insistia em que o produto devia ser sempre o mesmo, o que seria garantido pelo controle de qualidade; por isso também escolheu o nome Standard.[14]

Nas áreas urbanas maiores, o querosene enfrentava ainda a competição do gás manufaturado, ou "gás urbano", extraído agora do carvão e da nafta, outro derivado de óleo cru. O querosene, porém, era consideravelmente mais vantajoso em termos de preço. Segundo uma publicação, em Nova York, em 1885, o querosene podia suprir as necessidades de uma família por cerca de dez dólares anuais, ao passo que "não era pouco comum que a conta de gás das donas de casa mais abastadas chegasse a essa quantia num mês". No meio rural não havia tal competição: "Uma olhada no estoque de uma boa e animada loja do meio rural ao tempo do centenário da Filadélfia, em 1876, teria sido o suficiente para converter qualquer cidadão à crença no progresso", disse um estudioso do abastecimento do interior. "Lampiões e mangas para lampiões, e todo tipo de mercadorias chamadas de artigos para lampiões parecem maravilhar os olhos que se esforçavam para enxergar à noite com a ajuda de um trapo aceso impregnado de sebo e colocado dobrado na borda de uma travessa."

O querosene era, de longe, o produto mais importante que saía das refinarias, mas não o único. Os demais incluíam a nafta, a gasolina, usada como solvente ou transformada num gás que iluminava residências, o óleo combustível e os lubrificantes para as peças móveis de locomotivas e vagões, dos implementos agrícolas, das rocas de fiar algodão e, mais tarde, das bicicletas. Outros produtos eram a geleia de petróleo, que recebeu a marca registrada de "Vaselina" e era empregada como base de produtos farmacêuticos, e a parafina, usada não só no fabrico de velas e na preservação dos alimentos como também na "goma de mascar à base de parafina", que era "altamente recomendada para o uso constante das senhoras nos grupos de costura beneficente".

Na sua determinação de chegar até o consumidor, a Standard Oil se pôs em marcha para ganhar o controle da parte mercadológica do negócio. Em meados da década de 1880, seu controle do mercado deve ter sido quase equivalente ao controle do refino — da ordem de 80%. E as táticas usadas para adquirir essa imensa parcela do mercado foram igualmente implacáveis. Seus vendedores deviam "dar duro" e tentar intimidar tanto os rivais quanto os varejistas ambulantes que ousassem comercializar produtos dos concorrentes. A Standard lançou uma série de inovações para tornar o seu marketing mais eficaz e baixar os custos. Houve grandes esforços para abolir aquele barril pesado, mal vedado, desajeitado e caro. Uma inovação era o vagão-tanque, que eliminava a necessidade de empilhar os barris no vagão fechado. A Standard também tirou os barris das ruas americanas e os substituiu por carros-tanques puxados por cavalos, que podiam fornecer aos varejistas qualquer quantidade entre meio litro e cinco galões de querosene. Os barris de madeira — apesar de continuarem a definir a medida de volume do petróleo — eram usados apenas no interior, de onde já se sabia que não voltariam.[15]

"Comprem tudo o que pudermos"

A Standard, porém, tinha ficado fora de uma parte importantíssima do negócio: a produção do petróleo, considerada muito arriscada, muito instável e muito especulativa. Quem podia saber quando qualquer posto específico iria secar? Antes deixar aos produtores esse risco e expandir o que pode ser racionalmente organizado e administrado — o refino, o transporte e a colocação no mercado. Como, em 1885, escreveu a Rockefeller um dos membros do Comitê Executivo: "Nosso negócio é industrial, e a meu ver é uma infelicidade para qualquer industrial ou vendedor permitir que sua mente tenha a preocupação e o desentendimento implícitos aos riscos especulativos".

Entretanto, uma impressão de precariedade pairava na base de todo o grande sistema internacional da Standard. Havia sempre o temor de que o petróleo acabasse. Esse presente vindo da terra poderia desaparecer do mesmo modo súbito como aparecera. A atividade contínua exauria rapidamente a capacidade de produção dos poços. No que dizia respeito à produção americana de petróleo, a Pensilvânia era tudo, e única; e talvez o que tinha acontecido em diferentes áreas do estado fosse o destino de toda Oil Regions. A ascensão e queda de Pithole era uma violenta advertência do que poderia ocorrer. E quem sabia quando isso se daria? A indústria sobreviveria mais uma década? E sem o petróleo bruto, que valor teriam toda a maquinaria e o investimento em capital — refinarias, oleodutos, tanques, navios, sistemas de colocação no mercado? Vários especialistas advertiam que Oil Regions logo se esgotaria. Em 1885, o geólogo do estado da Pensilvânia avisou que "a espantosa exibição de petróleo" era apenas "um fenômeno temporário e evanescente — cujo fim natural ainda será visto pelos jovens".

Naquele mesmo ano John Archbold, um alto executivo da Standard, foi informado por um dos especialistas da companhia que o declínio da produção americana era quase inevitável e que as chances de encontrar outro grande campo "são no máximo uma em cem". Essa advertência foi tão convincente para Archbold que ele vendeu parte de suas ações da Standard Oil de 75 a 80 centavos por dólar. Por essa mesma época disseram-lhe que havia sinais de petróleo em Oklahoma. "Você está louco?", foi sua resposta. "Pois bem, vou beber todos os galões produzidos a oeste do Mississípi!"

Naquele exato momento a indústria estava prestes a fugir da Pensilvânia — e com dramática rapidez. O cenário era o noroeste do estado de Ohio, onde desde os primeiros tempos da colonização já se sabia da existência de mananciais de gás ardendo nas vizinhanças de Findlay. Em meados da década de 1880, descobriu-se petróleo no local. Houve então um grande *boom* na região, que com a ampliação da fronteira petrolífera até o estado de Indiana passou a ser conhecida como os campos de Lima-Indiana. Os mananciais recém-descobertos eram tão copiosos que em 1890 representavam um terço da produção dos Estados Unidos.[16]

Rockefeller estava pronto para concretizar a sua última grande decisão estratégica: entrar diretamente na produção do petróleo. Não menos que seus colegas, tinha uma grande antipatia pelos produtores de petróleo. Sim, eles especulavam, não eram confiáveis, comportavam-se como mineiros gananciosos numa corrida do ouro. Mas ali em Lima estava a oportunidade de a Standard adquirir o controle da matéria-prima numa escala bastante grande, de aplicar a administração racional à produção de petróleo, de conseguir que suprimentos e estoques se equilibrassem com as suas necessidades de mercado. Em suma, a Standard estaria em condições de manter um considerável grau de isolamento em relação às flutuações e à instabilidade do mercado de petróleo — e em relação à desordem da "área de mineração". E era nessa direção que Rockefeller muito determinadamente queria que a Standard seguisse.

Os sinais de esgotamento na Pensilvânia advertiam de que já era época de ousar, e Lima oferecia a indiscutível prova de que a indústria petrolífera tinha um futuro para além da Pensilvânia. No entanto, havia dois grandes obstáculos. Um era a qualidade do petróleo. Suas propriedades eram bem diferentes das do petróleo da Pensilvânia, e ele tinha um desagradabilíssimo cheiro sulfúrico, de ovo podre. Alguns chamavam o petróleo bruto de Lima de "suco de gambá".Como não se conhecia nenhum meio de eliminar o cheiro, enquanto não se conseguisse isso, o mercado do petróleo de Ohio permaneceria bastante limitado.

O segundo obstáculo situava-se no número 26 da Broadway: a inflexibilidade dos colegas mais cautelosos de Rockefeller. Eles achavam que o risco era grande demais. Como ponto de partida, Rockefeller argumentava que a companhia devia comprar todo o petróleo que pudesse e guardá-lo em tanques pela região inteira. O petróleo estava jorrando em tão grande quantidade no solo de Ohio, que entre 1886 e 1887, o preço do barril caiu de 40 centavos para 15. Porém muitos dos colegas de Rockefeller se opunham fortemente à política de comprar um petróleo para o qual ainda não havia nenhum uso que valesse a pena. "Nossos cautelosos confrades do Conselho", como Rockefeller a eles se referia, "ergueram as mãos no mais sagrado terror e se opuseram desesperadamente a alguns de nós." Entretanto, a sua opinião acabou por prevalecer, e a Standard Oil armazenou mais de quarenta milhões de barris de petróleo de Lima. Então, em 1888 e 1889, Herman Frasch, um químico alemão empregado pela Standard, imaginou que se o óxido de cobre estivesse presente na refinação do petróleo bruto, o enxofre seria eliminado, o que resolveria o problema do cheiro de ovo podre e faria com que o petróleo de Lima passasse a se constituir numa fonte aceitável de querosene. O jogo do petróleo de Lima se revelou bastante compensador para Rockefeller; depois que Frasch abriu o caminho, o preço do petróleo de Lima imediatamente dobrou dos 15 centavos por barril pelos quais a Standard o adquirira até 30 centavos, e continuou a subir.

Rockefeller impeliu a companhia na direção do passo final, a compra de um grande número de propriedades onde o petróleo estivesse sendo extraído. Os produtores eram, dentre todos os participantes da nova indústria, os mais desordenados e brigões, tanto no modo de administrar seus campos quanto nas relações de trabalho. Estava ali uma oportunidade de impor uma estrutura mais metódica e estável. Como antes, seus colegas relutavam, até mesmo se opunham. Rockefeller era insistente. E acabou por vencer. Com relação aos arrendamentos disponíveis para compra, ele simplesmente ordenou: "Comprem tudo o que pudermos". Em 1891, apesar de sua virtual ausência da produção uns poucos anos antes, a Standard sozinha era responsável por um quarto do total de petróleo bruto extraído nos Estados Unidos.[17]

Para processar esse petróleo bruto de Lima, a Standard se dedicou a construir num lugar chamado Whiting, entre as desoladas dunas de areia às margens do lago Michigan, no estado de Indiana, a maior refinaria do mundo. Lá, como por toda parte, observava-se o culto da Standard ao sigilo — que em última análise iria ajudar a enfraquecer toda a organização. Era absolutamente óbvio que a Standard estava construindo uma refinaria. No entanto, um repórter do *Chicago Tribune* não conseguiu obter qualquer informação do sr. Marshall, o lacônico administrador do projeto de construção. "Ele ignorava completamente o que estava sendo feito em Whiting", escreveu o repórter. "O que está sendo construído lá tanto pode ser uma refinaria de petróleo de cinco milhões de dólares quanto um prédio para embalar carne de porco. Ele não achava que a última hipótese fosse a verdadeira, mas não tinha certeza disso."

Contudo, havia a questão do preço em si. Por muitos anos os preços tinham refletido sempre febril comércio de certificados de petróleo nas várias bolsas de petróleo em Oil Regions e em Nova York. Como qualquer um, durante toda a década de 1880, a Joseph Seep Agency, o braço comercial da Standard Oil, comprou petróleo no mercado aberto, adquirindo "certificados" em tais trocas. Quando a Seep Agency passou a comprar diretamente da fonte, ela calculava o valor médio entre o preço mais alto e o mais baixo registrados nas bolsas naquele dia. Entretanto a Seep comprava cada vez mais diretamente dos produtores, e os refinadores independentes seguiram o seu exemplo. As transações nas bolsas caíram sistematicamente em todo o início da década de 1890.

Finalmente, em janeiro de 1895, Joseph Seep encerrou a era das bolsas de petróleo com um histórico "Aviso aos produtores de petróleo". Ele anunciou que "o comportamento" das bolsas "já não é mais uma indicação confiável do valor do produto". Declarou que a partir daquele momento em todas as compras "o preço pago será tão alto quanto o legitimado pelos mercados internacionais, mas não será necessariamente aquele que os certificados de petróleo alcançarem na bolsa". E acrescentou: "Este escritório fornecerá aos senhores as cotações diárias". Como compradoras e proprietárias de 85% a 90% do petróleo da Pensilvânia e da Lima-Indiana, a Seep e a Standard Oil agora determinavam efetivamente o preço de compra do petróleo bruto americano, apesar de estarem sempre limitadas pela oferta e procura. Um dos colegas de Rockefeller disse: "Diariamente, temos diante de nós as mais precisas informações que se pode obter dos mercados mundiais. A partir delas chegamos ao melhor consenso possível quanto ao preço, e é essa a nossa base para obtermos o preço corrente".[18]

O edificador

Sob todos os aspectos, a escala de operações da Standard era impressionante. Contudo, a empresa não constituía um perfeito monopólio, nem sequer no refino. Algo em torno de 15% a 20% do petróleo era vendido pelos concorrentes, e os diretores da Standard queriam que assim ficasse. O controle de mais de 85% do mercado era suficiente para que a companhia mantivesse a estabilidade acalentada. Já na velhice, ponderando sobre a sua paisagem e o crescimento das árvores, Rockefeller observou: "No estoque de sementes, como em outras coisas, revela-se a vantagem de fazer as coisas em larga escala". Certamente a Standard Oil poderia ser colocada no alto da lista das "outras coisas". Rockefeller criou a companhia de petróleo verticalmente integrada. Muitos anos depois, um de seus sucessores na Standard Oil de Ohio, que tinha, quando jovem, trabalhado com ele como advogado, refletiu sobre um dos grandes feitos de Rockefeller: "Ele sabia instintivamente que uma boa organização só seria possível se houvesse um controle centralizado de grandes conjuntos de instalações e capital, com o objetivo único de um fluxo ordenado de artigos do produtor ao consumidor. Esse fluxo ordenado, econômico e eficiente é o que hoje, muitos anos depois, se chama 'integração vertical'". Ele acrescentou: "Não sei se o sr. Rockefeller alguma vez usou a palavra 'integração'. Só sei que foi quem concebeu a ideia".

Alguns comentaristas se admiravam com as realizações de Rockefeller. Mineral Resources, o autoritário órgão do governo dos Estados Unidos, declarou em 1881: "Parece haver poucas dúvidas de que a companhia fez um grande trabalho, de que com ela a refinação do petróleo se reduziu a um negócio e de que o transporte ficou bem mais simples; mas não é possível fazer um balanço definitivo da quantidade de coisas negativas que se misturam a esse lado positivo".

Para outros — os concorrentes da Standard e uma boa parte do público — o julgamento era incontestável e absolutamente negativo. Muitos produtores e refinadores independentes viam a Standard Oil como um polvo, pronto a agarrar "o corpo e a alma" de todos os concorrentes. E para aqueles que ao longo da história foram vítimas das maquinações de Rockefeller — que incluíam incessantes pressões comerciais e salários de fome, fraudes e acordos secretos — ele era um monstro cruel, que hipocritamente invocava o Senhor enquanto com todo o método se ocupava em destruir o ganha-pão das pessoas e até mesmo a sua vida para obter dinheiro e hegemonia.

Alguns colegas de Rockefeller se afligiam com o rufar da crítica. "Conseguimos um sucesso sem paralelo na história comercial e temos um nome conhecido em todo o mundo, mas nossa imagem pública não é nada invejável", escreveu um deles a Rockefeller em 1887. "Somos citados representando tudo o que é mau, insensível, opressivo, cruel (injustamente, pensamos nós)... Não é agradável escrever isso, pois eu ansiava por uma posição honrada na vida comercial."[19]

Mas o próprio Rockefeller não se preocupava tanto assim. Ele estava apenas, pensava, agindo no espírito do capitalismo. Até mesmo procurou arregimentar para a defesa da Standard Oil evangelizadores protestantes e ministros do Evangelho Social. Acima de tudo ignorava as críticas; continuava confiante e absolutamente convencido de que a Standard Oil era um instrumento para o aperfeiçoamento humano, de que ela estava colocando a estabilidade no lugar do caos e do volátil, possibilitando à sociedade um grande avanço e dando ao mundo da escuridão o presente da "nova luz". A empresa fornecera o capital, a organização e a tecnologia, e assumira os grandes riscos exigidos para criar e atender a um grande mercado. "Senhores, deem ao pobre a sua luz barata", diria Rockefeller aos colegas do Comitê Executivo. Via o sucesso da Standard Oil como um passo audacioso em direção ao futuro. "O dia da integração chegou para ficar", disse Rockefeller após ter se retirado da administração ativa da companhia. "O individualismo se foi e nunca mais voltará." E acrescentou que a Standard Oil era um dos maiores edificadores talvez até mesmo o maior, "que jamais tivemos neste país".

Mark Twain e Charles Dudley Warner em seu romance *Os anos dourados* captaram o caráter das décadas que se seguiram à Guerra Civil — uma época de "produção com esquemas gigantescos, de especulação de todos os tipos (...) [e de] ardente desejo de riqueza súbita". Em alguns aspectos Rockefeller era a própria encarnação da sua época. A Standard Oil era uma concorrente impiedosa que "cortava para matar", e se tornou a mais rica de todas. Porém, enquanto muitos outros "barões ladrões" acumularam riqueza especulando, manipulando ações e finanças e lançando mão de recursos claramente fraudulentos — enganando os acionistas —, Rockefeller construiu a sua fortuna tornando uma indústria jovem, rudimentar, imprevisível, não confiável, e agindo de modo a transformá-la, segundo a sua própria lógica, num negócio altamente organizado, extenso, que satisfazia a fome primária de luz existente no mundo.[20]

O "nosso plano" viria a ser um sucesso até mesmo maior que as visões mais ousadas de Rockefeller, mas no final acabaria por fracassar. Nos Estados Unidos, a opinião pública e o processo político se revoltariam contra a integração e o monopólio, e também contra o que veio a ser considerado arrogância inaceitável e comportamento imoral nos negócios. Paralelamente, novos indivíduos e novas companhias — que operavam fora do alcance de Rockefeller nos Estados Unidos e em locais distantes como Baku, Sumatra, Burmah e, mais tarde, Pérsia — se ergueriam para se revelar concorrentes vigorosos e persistentes. E alguns deles iriam além da mera sobrevivência: prosperariam.

CAPÍTULO III

O comércio competitivo

APESAR DE O RESTO DO MUNDO ESTAR ESPERANDO A chegada da "nova luz" dos Estados Unidos, não foi nada fácil mandar para a Europa a primeira remessa de querosene. Os marinheiros estavam apavorados com a possibilidade de que a carga provocasse explosões e incêndios. Finalmente, em 1861, uma empresa de transporte de mercadorias da Filadélfia conseguiu formar uma tripulação embebedando os recrutas potenciais e virtualmente coagindo-os a entrar no navio que estava de partida. Aquela carga chegou em Londres sem nenhum acidente. Estava aberta a porta do comércio internacional, e o petróleo americano ganhou mercados no mundo inteiro. Por toda parte, as pessoas começariam a apreciar os benefícios do querosene. Assim, quase desde os seus primeiros dias, o petróleo foi um negócio internacional. Sem o mercado externo, a indústria de petróleo americana não poderia ter crescido como cresceu e se tornado o que se tornou. Na Europa, a industrialização, o crescimento econômico e a urbanização, além de uma escassez de gordura e *óleos* que afligiu o continente por mais de uma geração, estimularam o rápido crescimento da demanda de produtos derivados do petróleo americano. O desenvolvimento dos vários mercados foi acelerado pelos cônsules americanos na Europa, ansiosos por impingir essa nova "invenção *yankee*", como se dizia, e alguns deles chegando até a comprar petróleo com seu próprio dinheiro para presentear clientes potenciais.

Considerem o que a demanda internacional significava. A substância para o meio popular de iluminação em todo o mundo não era fornecida apenas por um país, mas, de modo geral, por um único estado, a Pensilvânia. Nunca uma região teve um domínio tão absoluto do suprimento de matéria-prima. Quase do dia para a noite o negócio da exportação tornou-se enormemente importante para a nova indústria de petróleo americana e para a economia nacional. Nas décadas de 1870 e 1880, a exportação de querosene era responsável por mais da metade de toda a produção americana. Em termos de valor, ele era o quarto artigo de exportação; o primeiro entre os manufaturados. E a Europa era de longe o maior mercado.

No final da década de 1870, o domínio, que já era exercido por apenas um Estado, passou a ser também de uma única companhia: a Standard Oil. Com o tempo, pelo menos 90% do querosene exportado passava pelas mãos da Standard. A companhia se satisfazia com um sistema em que o seu papel terminava num porto americano. Tinha confiança em sua posição esmagadora e estava preparada para conquistar o planeta a partir de sua base americana. John D. Rockefeller na verdade estaria em condições de impor o "nosso plano" ao mundo inteiro. Ao mesmo tempo, a companhia tinha um imenso orgulho de seu produto. "Na história dos negócios", disse o principal representante da Standard Oil no exterior, "o número de cantos e recantos de países civilizados e não civilizados até os quais o petróleo abriu caminho é maior do que o de qualquer outro produto proveniente de uma única fonte".

Certamente havia um perigo: o potencial da competição externa. Porém, os homens do número 26 da Broadway não faziam caso dessa possibilidade. Tal competição só se manifestaria caso aparecesse uma nova fonte de petróleo bruto barato e abundante. Em 1874, o Relatório Geológico da Pensilvânia comentou com orgulho que o petróleo do Estado dominava completamente o mercado mundial. Mencionava de passagem uma indagação que por vezes se ouvia: "A perfuração em outros países... encontrará petróleo?" Entretanto, dizia ser essa uma questão que apenas "algum dia poderá vir a nos interessar". Os autores do relatório estavam tão seguros do papel dominante dos Estados Unidos que naquele momento não viam propósito em continuar a investigar o assunto. Mas estavam errados.[1]

"O dinheiro das nogueiras"

Entre os mercados mais promissores da "nova luz" figurava o vasto Império Russo, que estava começando a se industrializar e para o qual a luz artificial tinha uma importância especial. Sua capital, São Petersburgo, ficava tão ao norte que no inverno o dia tinha, quando muito, seis horas. Já em 1862, o querosene americano chegou à Rússia e logo ganhou uma ampla aceitação em São Petersburgo: os lampiões a querosene rapidamente substituíram as velas de sebo das quais o populacho dependia quase por completo. Em dezembro de 1863, o cônsul americano em São Petersburgo informava alegre ser "seguro calcular que por muitos anos ainda haveria um grande aumento anual da demanda dos Estados Unidos". Todavia, seus cálculos não podiam levar em conta acontecimentos futuros numa região distante e inacessível do império, que não apenas retiraria a Rússia do mercado americano de petróleo como também implicaria o desabamento dos planos mundiais de Rockefeller.

Por muitos séculos haviam-se notado vazamentos de petróleo na árida península de Aspheron, uma excrescência das montanhas do Cáucaso que se projetava no fechado mar Cáspio. No século XIII, Marco Polo mencionou informações chegadas até ele sobre um manancial de petróleo na região de Baku; informaram-no de que "apesar de não servir para cozinhar" o óleo era "bom para queimar" e útil para curar sarna de camelo. Baku era o território das "eternas colunas de fogo" adoradas pelos zoroastrianos. Essas colunas eram, mais prosaicamente, o resultado da associação dos depósitos de petróleo com o gás inflamável que escapava das fendas do calcário poroso.

Baku era parte de um ducado independente, anexado ao Império Russo apenas no início do século XIX. Por essa época já existia uma incipiente indústria primitiva de petróleo e em 1829 havia 82 fossos cavados manualmente. A produção, porém, era exígua. O desenvolvimento da indústria era duramente contido tanto pelo atraso e distância da região como pela administração corrupta, opressiva e incompetente do *czar*, que tocava a minúscula indústria de petróleo como um monopólio do Estado. Finalmente, no início da década de 1870, o governo russo aboliu o sistema de monopólio e abriu a região para a empresa privada competitiva. O resultado foi uma explosão de empreendimentos. Os dias dos fossos cavados manualmente haviam se acabado. Os primeiros poços foram perfurados em 1871-1872 e em 1873 mais de vinte pequenas refinarias estavam funcionando.

Logo depois, um químico chamado Robert Nobel chegou a Baku. Era o filho mais velho de Immanuel Nobel, um inteligente inventor sueco que em 1837 emigrara para a Rússia, onde as instituições militares adotaram entusiasticamente a sua invenção da mina submarina. Immanuel construiu uma considerável empresa industrial para vê-la fracassar quando o governo da Rússia, como era seu hábito de tempos em tempos, deixou de comprar no país e passou a importar. Por sobre esse negócio arruinado, seu filho Ludwig erigiu uma nova empresa, uma grande fábrica de armamentos; ele criou também a "roda de Nobel", que só podia servir para as terríveis estradas russas. Outro filho, Alfred, com talentos tanto para a química quanto para as finanças e aceitando um palpite de seu preceptor em São Petersburgo, que lhe falara sobre nitroglicerina, criou um império de dinamite de amplitude mundial, administrado por ele em Paris. Já o filho mais velho, Robert, não teve tanta sorte; de volta a São Petersburgo, depois de muitos malogros nos negócios, foi trabalhar para Ludwig.

Ludwig conseguiu firmar com o governo russo um extraordinário contrato para o fornecimento de espingardas. Ele precisava de madeira para fabricar a coronha e, pensando ter um suprimento no próprio país, despachou Robert para o Cáucaso, no sul, com a incumbência de procurar bosques de nogueiras russas. Em março de 1873, a viagem de Robert o levou a Baku. Embora grande entreposto poliglota de comércio entre o Ocidente e o Oriente, Baku ainda era muito asiática, com os minaretes, a velha mesquita dos xás da Pérsia e a sua população de tártaros, persas e armênios. No entanto, o recente desenvolvimento do petróleo estava começando a trazer uma grande mudança; e Robert, imediatamente ao chegar a Baku, foi tomado pela febre. Sem consultar o irmão — afinal era o mais velho e por isso tinha certas prerrogativas —, pegou os 25 mil rublos que lhe haviam sido confiados para a compra da madeira (o "dinheiro das nogueiras") e no lugar dela comprou uma pequena refinaria. Os Nobel estavam no negócio do petróleo.[2]

A ascensão do petróleo russo

Robert logo se pôs a modernizar e a tornar mais eficiente a refinaria comprada com o dinheiro de Ludwig. Com fundos adicionais mandados pelo irmão, estabeleceu-se como o mais competente refinador de Baku. Em outubro de 1876, o primeiro embarque do óleo iluminante de Nobel chegou a São Petersburgo. Nesse mesmo ano, Ludwig foi até Baku para ver com seus próprios olhos. Treinado no trato com o sistema imperial, ele ganhou as bênçãos do grão-duque, irmão do *czar* e vice-rei do Cáucaso. Mas Ludwig Nobel era também um grande capitão de indústria, capaz de conceber um plano na escala de Rockefeller. Começou a analisar todas as fases do negócio do petróleo; aprendeu o que podia sobre a experiência americana no negócio; usou a ciência, a inovação e o planejamento dos negócios para obter eficiência e lucro; e deu a todo o empreendimento sua liderança pessoal e atenção. Em pouquíssimos anos, o petróleo da Rússia iria alcançar e até mesmo ultrapassar o americano, pelo menos por algum tempo; e esse sueco, Ludwig Nobel, se tornaria "o Rei do Petróleo de Baku".

O transporte por longas distâncias era um grande problema. Em Baku, o petróleo era embarcado em barris de madeira para viajar por uma rota longa e precária — levado de barco por 960 quilômetros no mar Cáspio em direção ao norte até chegar a Astrakan, onde o colocavam em barcaças para fazer a longa viagem rio Volga acima; mais adiante havia uma ferrovia aqui, outra ali, e a carga ficava à espera de ser embarcada em trem. Os custos de todas essas manobras eram altíssimos. Até mesmo os barris eram caros. Não havia no local a quantidade suficiente de madeira e assim era preciso trazê-la de uma região distante do império ou importá-la dos Estados Unidos, ou então comprar barris de segunda mão na Europa Ocidental. A solução que Ludwig idealizou para o problema do barril iria ter amplas consequências. O embarque do petróleo "a granel" — ou seja, em grandes tanques construídos nos próprios navios.

A ideia tinha muito mérito, mas na prática enfrentou grandes problemas de lastro e segurança. O capitão de um navio naufragado, quando transportava petróleo a granel, explicou: "A dificuldade consistia em que o óleo parecia se movimentar mais depressa que a água, e na tempestade, quando o navio era arremessado para a frente, o petróleo corria para baixo e empurrava o navio de encontro às ondas". Ludwig imaginou uma solução para o problema do lastro e em 1878 pôs em serviço, no mar Cáspio, o primeiro petroleiro bem-sucedido, o *Zoroastro*. Em meados da década de 1880, a ideia de Ludwig já tinha sido submetida à prova também no Atlântico, começando uma grande revolução no transporte de petróleo. Enquanto isso, Ludwig dava todo o incentivo para que, do ponto de vista científico, a refinaria de Baku estivesse entre as mais avançadas do mundo. A sua empresa era a primeira em todo o mundo a ter um cargo permanente para um geólogo especialista em petróleo.

O grande e altamente integrado truste construído por Ludwig logo dominou o comércio de petróleo russo. A presença da Companhia de Produção de Petróleo Irmãos Nobel podia ser notada em todo o império: poços, oleodutos, refinarias, petroleiros, barcaças, depósitos para estocagem, a sua própria ferrovia, uma rede de distribuição a varejo e uma força de trabalho multinacional mais bem tratada do que qualquer outro grupo de trabalhadores da Rússia, que orgulhosamente se autodenominava "Nobelites". O rápido desenvolvimento do império petrolífero de Ludwig Nobel nos seus primeiros dez anos de existência foi descrito como "um dos maiores triunfos do empreendimento de negócios em todo o século XIX".[3]

A produção russa de petróleo bruto, que era menos de 600 mil barris em 1874, atingiu 10,8 milhões uma década depois, o equivalente a quase um terço da produção americana. No começo da década de 1880, quase duzentas refinarias estavam em funcionamento no novo subúrbio industrial de Baku, que era, muito apropriadamente, conhecido como Cidade Negra. Elas emitiam uma nuvem de fumaça negra tão densa e malcheirosa que um visitante comparou a vida na Cidade Negra a um "confinamento num cano de chaminé". Era a indústria em expansão dominada pelos Nobel. Sua empresa estava produzindo metade de todo o querosene russo e, em triunfo, Ludwig dizia aos acionista: "Agora o querosene americano está completamente banido do mercado russo".

Contudo, a empresa se ressentiu da discórdia entre os próprios irmãos Nobel. Robert não gostou da intrusão de Ludwig em seu território e com o tempo acabou voltando para a Suécia. Ludwig era um construtor, sempre procurando expandir, o que significava que os Irmãos Nobel estavam permanentemente sedentos de mais capital. Alfred, lembrando-se bem de como o pai malograra devido à superexpansão e ao superendividamento, era muito mais cauteloso. "O ponto em que mais o censuro", Alfred repreendia Ludwig, "é que você primeiro constrói e depois olha à volta procurando dinheiro". Ele aconselhou Ludwig a especular com ações da companhia nos mercados de ações, como um recurso para gerar um capital adicional. Em resposta Ludwig lhe disse: "Desista da especulação de mercado, que é uma ocupação ruim, e deixe-a para aqueles que não são talhados para o trabalho verdadeiramente útil". Apesar dos desentendimentos, Alfred forneceu uma assistência fundamental, tanto na forma de seu próprio dinheiro quanto ajudando a arranjar outros empréstimos, inclusive com o Crédit Lyonnais, que lhe forneceu uma grande soma. Essa transação estabeleceu um importante precedente, pois parece ter sido o primeiro empréstimo em que a produção futura de petróleo foi usada como caução.

Enquanto a Irmãos Nobel dominava a distribuição de petróleo dentro do Império Russo, para além desses limites, o petróleo russo dificilmente tinha pouca expressão. A geografia encerrava o petróleo no império. Por exemplo, alcançar um porto do Báltico significava "3,2 mil quilômetros e o revezamento entre o transporte fluvial e o ferroviário através da Rússia ocidental". Para piorar ainda mais as coisas, entre outubro e março, o clima difícil do inverno impossibilitava o embarque de querosene no mar

Cáspio e, com isso, muitas refinarias simplesmente fechavam durante metade do ano. Até mesmo regiões do império eram inacessíveis; na cidade de Tíflis (hoje Tbilisi) era mais barato importar querosene dos Estados Unidos, a 12,9 mil quilômetros marítimos, do que de Baku, 545 quilômetros a oeste.

Havia também limites para o mercado dentro do Império Russo; a iluminação estava longe de constituir uma necessidade para o vasto campesinato e, de qualquer modo, não era algo que ele pudesse pagar. A produção sempre crescente forçava os produtores de Baku a olhar ansiosamente para além das fronteiras do império. Procurando uma alternativa para a rota do norte, dominada pela Irmãos Nobel, dois outros produtores — Bunge e Palashkovsky — obtiveram a aprovação do governo para começar a construir uma ferrovia que, partindo de Baku, tomaria a direção do Ocidente através do Cáucaso até Batum, um porto do mar Negro que foi incorporado à Rússia em 1877 como resultado de uma guerra com a Turquia. Porém, no meio da construção, o preço do petróleo caiu e Bunge e Palashkovsky ficaram sem dinheiro. Eles estavam num aperto desesperador.

O socorro veio do ramo francês de uma família que, entre guerras, governos e indústrias que bancara, havia financiado muitas das novas ferrovias europeias. Ela era proprietária de uma refinaria em Fiume, no mar Adriático, por isso estava interessada em adquirir petróleo bruto russo a preço baixo. Emprestou o dinheiro para a conclusão da ferrovia que Bunge e Palashkovsky tinham começado, adquirindo em troca um pacote de hipotecas das instalações do petróleo russo. Também providenciou embarques garantidos, a preços atraentes, do petróleo russo para a Europa. Era a família Rothschild.

Nessa época, o antissemitismo fervia na Rússia. O Decreto Imperial de 1882 havia proibido os judeus de adquirir ou alugar terras dentro do império; e, afinal, os Rothschild eram os judeus mais famosos do mundo. Mas parece que no caso deles o decreto não foi problema. O petróleo russo era um projeto dos Rothschild de Paris. Ou melhor, do barão Alphonse — organizador dos pagamentos indenizatórios à França, depois da derrota que a Prússia lhe infligira em 1871, e considerado um dos homens mais bem-informados de toda a Europa, cujo par de bigodes tinha a fama de ser o mais belo do continente — e de seu irmão mais novo, barão Edmond, que patrocinou o estabelecimento dos judeus na Palestina. O empréstimo dos Rothschild possibilitou a conclusão da ferrovia de Baku em 1883, o que fez com que quase da noite para o dia Batum se transformasse num dos portos petrolíferos mais importantes do mundo. Em 1886, os Rothschild formaram a Companhia de Petróleo do mar Cáspio e do mar Negro, conhecida desde então pelas suas iniciais russas — "Bnito". Eles construíram em Batum as instalações de armazenamento e os meios de distribuição; a Irmãos Nobel logo seguiu o exemplo. Com a ferrovia Baku-Batum, o petróleo russo teve aberta uma porta para o Ocidente; iniciou-se uma luta feroz pelos mercados de petróleo mundiais, que se estenderia por trinta anos.[4]

O desafio à Standard Oil

Com a entrada em cena dos Rothschild, os Nobel subitamente se defrontaram com um grande concorrente, que logo se tornou o segundo maior grupo petrolífero da Rússia. Apesar de terem discutido a fusão, esses dois grupos concorrentes não conseguiram encontrar nenhuma base comum além das expressões de intenções amigáveis, e sua rivalidade permaneceu intensa. Havia outros cujas intenções eram decididamente hostis. A Standard Oil não podia se permitir ignorar a indústria petrolífera russa. O querosene russo agora estava competindo com os óleos iluminantes americanos em muitos países europeus. Como resposta, a Standard Oil fez avançar o seu esforço de coleta de informações sobre mercados estrangeiros e novos concorrentes. Vindos de todas as partes do mundo e elaborados inclusive por alguns cônsules americanos, que estavam na folha de pagamentos da Standard, os relatórios começaram a chegar ao número 26 da Broadway. As informações eram perturbadoras. A Standard não mais podia contar complacentemente com o seu domínio esmagador.

A administração da Standard Oil imaginava que o governo czarista jamais lhe permitiria comprar Ludwig Nobel totalmente. Mas em vez disso ela podia tentar adquirir uma quantidade substancial de ações da Nobel e conservar o inestimável Ludwig na direção — como fizera com os melhores concorrentes que comprara nos Estados Unidos. Em 1885, W.H. Libby, diplomata de altos negócios e embaixador em missão especial, iniciou conversações com os Nobel em São Petersburgo. Ludwig Nobel não estava interessado. Em vez disso se concentrava no fortalecimento da sua própria rede de mercado e na expansão das vendas — na Europa. Ele não tinha escolha. O espetacular aumento da produção de petróleo russa forçou Nobel, assim como os outros homens do petróleo russo, a procurar novos mercados para além do império. Baku se caracterizava por uma série de incríveis "fontes" de petróleo, ou poços jorrantes, com nomes como Enfermeira Molhada (Kormilitza), Bazar Dourado e Bazar do Diabo. Um que se chamava Amizade (Druzba) jorrou por cinco meses 43 mil barris diários, a maior parte foi perdida. Em 1886 havia onze fontes, depois um grande número de outras num campo recém-aberto. Ao todo, a produção de petróleo russa chegou a decuplicar entre 1879 e 1888, alcançando 23 milhões de barris, o equivalente a mais de quatro quintos da produção americana. Como a inundação de petróleo aumentava rapidamente na década de 1880, o mineral precisava encontrar seu lugar no mercado.

Defrontada com a agressiva campanha de novas vendas promovida por Nobel na Europa e profundamente alarmada com a crescente produção de Baku, a Standard concluiu que suas iniciativas teriam de ir além das simples discussões. Em novembro de 1885, ela fez os preços caírem na Europa — do mesmo modo como fazia quando atacava um concorrente nos Estados Unidos. Em vários países da Europa, seus agentes locais começaram a promover uma campanha de boatos sobre a qualidade e a segurança do querosene russo. Recorreram também à sabotagem e ao suborno. A despeito da ferocidade do assalto da Standard, os Nobel e os Rothschild se encarniçaram no revide e tiveram sucesso: os desalentados executivos da Standard observaram o que sinistramente qualificavam de "competição russa" se expandir pelo mapa.[5]

No número 26 da Broadway, em Nova York, alguns membros do Comitê Executivo da Standard vinham insistindo para que a Standard estabelecesse suas próprias empresas de distribuição no exterior, em lugar de vender aos mercadores locais independentes, para poder competir mais agressivamente. Além do mais, o desenvolvimento do embarque de plena carga em petroleiros trouxe ao negócio novas economias de escala. Em 1885, o próprio John D. Rockefeller, exasperado com a lentidão da decisão, chegou a escrever um poema infantil para o Comitê Executivo:

Não somos nem velhos nem sonolentos, e devemos "estar de pé e
Em ação, com coragem para qualquer sina;
Sempre realizando, sempre persistindo.
É preciso aprender a trabalhar e a esperar".

Em 1888, os Rothschild deram mais um passo na competição: criaram suas próprias companhias de importação e distribuição na Grã-Bretanha. A Irmãos Nobel fez o mesmo. Finalmente despertada, a Standard montou sua primeira "filial" no estrangeiro, a Anglo-American Oil Company, apenas 24 dias após a organização oficial da nova empresa dos Rothschild na Inglaterra. Estabeleceu também novas filiais no continente europeu — *joint ventures* nas quais ela dividia a propriedade com os principais distribuidores locais. A Standard Oil tinha se tornado uma verdadeira empresa multinacional.

Ainda assim, seus concorrentes não podiam ser contidos. Os Rothschild emprestaram dinheiro para pequenos produtores russos e em troca amarraram direitos para a compra de sua produção por preços vantajosos. A ferrovia Baku-Batum tinha um grande problema de estrangulamento: um trecho de cerca de 125 quilômetros, em que se subiam mais de novecentos metros, era tão difícil que apenas seis vagões podiam ser puxados de cada vez. Em 1889, a Irmãos Nobel concluiu um oleoduto de 67 quilômetros através da montanha. O que fazia a diferença era o uso de quatrocentas toneladas da dinamite de Alfred. Nessa nova era daquilo que Libby, o embaixador itinerante da Standard, chamava de "comércio competitivo", o quinhão que coube aos Estados Unidos no comércio de exportação mundial do óleo iluminante caiu de 78% em 1888 para 71% em 1891, enquanto a porção da Rússia se elevou de 22% para 29%.

Os copiosos campos de Baku continuavam a revelar novas fontes de petróleo e em quantidades ainda maiores. Porém, uma grande mudança tinha ocorrido na indústria petrolífera russa. Apesar da paciência e determinação de Ludwig Nobel não se abaterem na presença dos permanentes obstáculos, ele estava fisicamente esgotado. Em 1888, com 57 anos de idade, o Rei do Petróleo de Baku morreu de um ataque cardíaco enquanto descansava na Riviera Francesa.

Alguns jornais europeus confundiram os irmãos Nobel e informaram que quem havia morrido era Alfred. Ao ler seus próprios obituários prematuros, Alfred desgostou-se de se ver taxado de fabricante de munições, o "rei da dinamite", um comerciante da morte que fez uma imensa fortuna descobrindo novas formas de aleijar e matar. Alfred remoeu esses obituários e as censuras que eles continham, e tempos depois refez o testamento, deixando seu dinheiro para a instituição dos prêmios que lhe perpetuariam o nome, de um modo que pareceria honrar o melhor do esforço humano.[6]

O filho do comerciante de conchas

Havia o querosene da Rússia, jorrando em Batum em quantidades cada vez maiores, à procura de mercados. Os Nobel pelo menos tinham um sólido controle do mercado interno russo. Mas para os demais, sobretudo os Rothschild, o problema da venda aumentava a cada ano. De algum modo os Rothschild tinham de abrir caminho na periferia da Standard Oil e no mercado mundial. Eles consideravam com interesse especial o Oriente — a Ásia — onde viam centenas de milhares de consumidores potenciais da "nova luz". Mas como levar o óleo até eles?

Em Paris, os Rothschild conheciam um agente de embarques londrino chamado Fred Lane, que cuidava de seus negócios com petróleo naquela cidade. Conversaram sobre o problema. Apesar de ser sempre uma figura dos bastidores, Lane se tornaria um dos grandes pioneiros do petróleo. Era um homem alto, corpulento, de grande inteligência e com um talento para fazer amizades e mediar interesses. Estava pronto a defender suas amizades e alianças de negócios, que normalmente coincidiam, com seu próprio capital. Um "mensageiro *por excelência*", mais tarde seria conhecido como o "Nebuloso Lane", não por ser trapaceiro, pois esse não era o caso, mas porque eventualmente numa transação ele parecia estar representando, ao mesmo tempo, interesses tão diferentes que se tornava difícil saber para quem estava de fato trabalhando.

Lane era um verdadeiro perito em embarques; e agora tinha uma solução para propor aos Rothschild. Ele conhecia um comerciante que estava ganhando proeminência, Marcus Samuel. Pôs os Rothschild em contato com ele. O resultado foi um audacioso plano capaz não apenas de resolver o problema do petróleo russo, mas também de assumir a forma de um autêntico estratagema de âmbito mundial que, se bem-sucedido, afrouxaria a mão de ferro de Rockefeller e da Standard Oil no comércio mundial de querosene.

No final de 1880, Marcus Samuel já tinha alguma projeção em Londres. Não era pouco para um judeu — e não se tratava de um judeu de alguma velha família sefardita, mas de um morador do East End de Londres, descendente de imigrantes que tinham ido para a Inglaterra em 1750 vindos da Holanda e da Bavária. O nome de Samuel era o mesmo do pai, Marcus Samuel, absolutamente inusitado para um judeu convicto. O primeiro Marcus Samuel tinha começado sua própria carreira de negócios comerciando nas docas de East London, comprando curiosidades dos marinheiros que chegavam. No recenseamento de 1851, ele constou como "comerciante de conchas"; entre seus produtos mais populares estavam as caixinhas de bugingangas cobertas com conchas marinhas, conhecidas como "Lembrança de Brighton", vendidas para moças e jovens senhoras nas temporadas de praia da Inglaterra em meados da era vitoriana. Na década de 1860, o primeiro Marcus já havia acumulado alguma riqueza e, além das conchas, estava importando tudo, desde penas de avestruz e junco até pimenta e placas de estanho. Também estava exportando uma lista cada vez maior de produtos manufaturados, inclusive os primeiros teares mecânicos mandados para o Japão. Finalmente, o primeiro Samuel conseguiu estabelecer uma rede de relações confiáveis com algumas das grandes casas de comércio inglesas — dirigidas quase sempre por escoceses expatriados — em Calcutá, Cingapura, Bangkok, Manilla, Hong Kong e outros lugares do Extremo Oriente.

O mais jovem dos Marcus nasceu em 1853. E em 1869, portanto com dezesseis anos, depois de estudar em Bruxelas e em Paris, foi trabalhar com o pai como contador. Nessa época, nos Estados Unidos, John Rockefeller, catorze anos mais velho que Samuel, estava prestes a começar a campanha de dez anos que consolidou a indústria de petróleo. No mundo inteiro, a nova tecnologia estava transformando o modo de comercializar e as transações internacionais. Em 1869, o canal de Suez foi aberto, diminuindo 6,5 mil quilômetros na viagem para o Extremo Oriente. Na navegação, o vapor estava substituindo as velas. Em 1870, concluiu-se o cabo telegráfico direto da Inglaterra para Bombaim, e, logo depois, Japão, China, Cingapura e Austrália foram incluídos na rede telegráfica. Pela primeira vez, as comunicações globais ligavam o mundo através da linha telegráfica. A informação rápida eliminava agora os meses de espera e suspense. O embarque deixava de ser uma aventura hipotética e podiam-se fazer com antecipação acordos precisos. Tudo isso eram ferramentas que o jovem Marcus Samuel usaria para construir a sua riqueza.

Depois da morte do pai, Marcus se associou ao irmão, Samuel Samuel, e desenvolveu uma considerável operação comercial. Por muitos anos, Samuel Samuel morou no Japão e os irmãos tinham duas empresas — M. Samuel & Co., em Londres, e Samuel Samuel & Co., em Yokohama, posteriormente transferida para Kobe. Os irmãos tiveram um papel importante na industrialização do Japão e, o comércio com esse país tinha dado a Marcus, antes dos trinta anos sua primeira fortuna. Os dois irmãos prosseguiram, negociando pelo Extremo Oriente, em colaboração com as casas de comércio com as quais seu pai começara a estabelecer relações. Por essa época, Marcus e Samuel Samuel eram os únicos judeus ingleses proeminentes no comércio com o Oriente.

Marcus Samuel sempre era o comerciante, o homem das ideias, e Samuel Samuel, dois anos mais jovem, era o leal adepto, a sombra. Marcus era o mais complicado e, com o passar dos anos, seu considerável encanto cedeu lugar a uma atitude distante que quase parecia ser uma máscara. Baixo e gordo, com sobrancelhas espessas, sua aparência não era nada atraente. Mas ele era capaz de ter uma visão audaciosa; era aventureiro, engenhoso, rápido na ação e obstinado quando queria. Falava com uma voz muito suave, algumas vezes quase inaudível, obrigando as pessoas a se esforçarem para ouvi-lo, tornando-se ainda mais persuasivo. Inspirava confiança, tanto assim que por duas décadas dependeu para seu crédito não dos banqueiros, mas dos comerciantes escoceses do Extremo Oriente. Marcus tinha se proposto mais do que simplesmente acumular riqueza para o seu próprio bem. Ele ansiava por *status*. Como forasteiro, pois era um judeu nascido no East End, iria aplicar sua considerável energia buscando e obtendo aceitação para o nome Samuel nos mais altos níveis da sociedade inglesa.

Samuel Samuel, ao contrário do irmão, era afetuoso, generoso, gregário e, além disso, sempre impontual. Tinha afeição boba por "jogos", alguns dos quais ele lembrava por cinquenta anos ou mais. Ao chegar para almoçar num dia ensolarado, por exemplo, um convidado poderia ouvi-lo dizer: "Que lindo dia para uma luta". Que luta? "A luta pela vida", responderia ele triunfalmente.

Marcus não acreditava em despesas gerais; na verdade ele as desprezava profundamente. Trabalhava num pequeno escritório em Houndsditch, no East End, no fundo do qual ficava o armazém, entulhado até o teto de vasos japoneses, mobílias, sedas, conchas e penas importadas, além de todo tipo de quinquilharias e curiosidades. Os artigos perecíveis eram dispostos assim que chegavam. Sua equipe de funcionários era pequena, um eufemismo para a afirmação de que ele efetivamente não tinha nenhuma equipe. Seu capital era reduzido, condicionado ao crédito que as casas de comércio do Extremo Oriente lhe abriam. Ele também usava as casas de comércio como agentes no estrangeiro, poupando ainda mais na organização e na administração. E para fretar navios se servia da empresa de corretagem de transportes Lane and Macandrew, cujo principal sócio, Fred Lane, frequentemente podia ser encontrado na sala exígua, num viela, que pertencia à M. Samuel & Co.[7]

O golpe de 1892

Toda a experiência comercial de Marcus Samuel o havia condicionado a agarrar rapidamente as oportunidades e ali com os Rothschild estava uma oportunidade espantosa. Ele tratou logo de estabelecer a base de trabalho com Lane. Os dois fizeram uma viagem exploratória ao Cáucaso em 1890. Foi lá que Samuel observou um primitivo navio-tanque e num lampejo viu que os navios-tanques (uma embarcação que era como uma garrafa flutuante, à maneira dos modernos petroleiros) podiam ser muito mais eficientes. Samuel viajou para o Japão e voltou percorrendo o Extremo Oriente, tentando persuadir as casas de comércio escocesas, com quem costumeiramente negociava, a se associarem a ele nessa nova aventura. Sem eles, seria impossível continuar. Seria necessário mais do que a sua cooperação: eles teriam de financiar o empreendimento. E todos concordaram em se juntar ao seu esquema.

Marcus Samuel fez um estudo da oportunidade e das exigências de sucesso com um cuidado meticuloso, inusitado para alguém que normalmente agia com rapidez. Mas ele sabia que os riscos eram muito grandes — e também seu montante. Reconhecia que não havia sentido em tentar entrar à força no mercado, a menos que ele e seus parceiros pudessem vender mais barato que a Standard Oil — ou pelo menos evitar que esta última vendesse mais barato que eles. A fim de garantir esse resultado, a campanha devia ser lançada em todos os mercados simultaneamente; do contrário, a Standard Oil cortaria o preço nos mercados onde o grupo de Samuel estivesse competindo e subsidiaria os cortes elevando os preços onde ele não estivesse presente. E finalmente a velocidade e, no maior grau possível, o sigilo eram essenciais. Ele sabia que estava se preparando para uma guerra com um opositor implacável.

Mas qual era exatamente a situação de Samuel para lutar nessa guerra? Ele poderia mostrar uma longa e desencorajadora lista de requisitos. Precisava de navios-tanques para que o querosene pudesse ser embarcado em tanques, e não em latas. A economia de espaço e de peso e o ganho em volume reduziriam bastante os custos de transporte por galão. Como Rockefeller no caso das ferrovias, Samuel compreendeu a absoluta necessidade de controlar os custos do transporte. Com o tipo de navio-tanque que estava sendo usado simplesmente não seria possível. Samuel precisava de um tipo de navio-tanque novo, maior, tecnologicamente mais avançado, e encomendou o projeto e a construção de tais navios. Precisava de suprimentos garantidos de querosene de Batum, em volume suficiente e com um preço que refletisse as economias ganhas com o fato de não ser preciso enlatar a mercadoria. Precisava ter acesso ao canal de Suez, que encurtaria a viagem em 6,5 mil quilômetros, fazendo os custos despencarem e aumentando sua vantagem competitiva contra a Standard, cujo petróleo viajava para o Extremo Oriente em barcos a vela que contornavam o cabo da Boa Esperança. Mas por razões de segurança, o canal de Suez estava fechado para os navios-tanques; na verdade, já fora negada a entrada aos navios-tanques da Standard. Mas isso não segurou Samuel. Ele arrombaria a porta, se fosse necessário. Samuel exigiu também grandes tanques de armazenagem em todos os principais portos da Ásia. Precisava de caminhões-tanques ou vagões-tanques para levar o querosene para o interior. Finalmente, ele e seus parceiros nessa aventura, as casas de comércio, teriam de construir depósitos no interior, onde as cargas de querosene pudessem ser divididas e postas em receptáculos para a venda local por atacado e varejo. E esse empreendimento exigente, que envolvia uma organização detalhada a longa distância e a coordenação de mercados, engenharia e política, devia ser mantido no maior sigilo possível!

Samuel achou difícil encaminhar os entendimentos com os Rothschild e a Bnito. Os Rothschild estavam hesitantes: não tinham certeza se queriam competir com a Standard ou fazer um acordo. Para M. Aron, principal homem do petróleo dos Rothschild, a Standard era sempre "cette puisante compagnie" ("essa companhia poderosa") — com quem não se podia brincar. Finalmente, em 1891, depois de longas negociações e com a evidência da redução dos preços, Samuel ganhou o contrato com os Rothschild, que lhe deram os direitos exclusivos por nove anos, até 1900, para vender o querosene da Bnito a leste de Suez. O contrato era o almejado; ele sempre tivera certeza de que o obteria e havia estado avançando a toda velocidade nas outras frentes.

Os navios-tanques que ele já havia encomendado representavam um avanço tecnológico significativo. Com vistas a uma posterior redução dos custos, eles seriam capazes de isolar o vapor e assim na viagem de volta poderiam ser carregados com mercadorias do Oriente, inclusive alimentos, que por definição não deveriam ser contaminados pelo gosto de petróleo. Os navios-tanques também tinham de atender aos requisitos de segurança da Companhia do Canal de Suez. O receio de explosões, totalmente justificado pela experiência anterior com navios-tanques, fez da segurança uma grande preocupação. Ao contrário dos navios-tanques que a Standard Oil usava entre a Costa Leste dos Estados Unidos e a Europa, os de Samuel deveriam ser projetados com uma legião de novas características de segurança, tais como tanques que permitissem a expansão e a contração do querosene sob diferentes temperaturas, minimizando assim o risco de incêndio e de explosão.

A oposição à permissão para os petroleiros de Samuel navegarem pelo canal de Suez não tardou a se manifestar. Já no verão de 1891, a imprensa informava soturnamente sobre rumores de um "poderoso grupo de financistas e negociantes" sob a "influência hebraica" que estava tentando fazer petroleiros passarem pelo canal de Suez. Uma das mais eminentes empresas de advocacia de Londres, a Russell and Arnholz, lançou uma forte campanha de *lobby* contra a concessão da permissão a Samuel, inclusive expedindo uma alentada correspondência para o próprio secretário do Exterior. Os advogados estavam muito preocupados, sempre tão preocupados, com a segurança do canal. O que poderia acontecer com os navios nos dias quentes, o que ocorreria durante as tempestades de areia? Tantas coisas eram motivo de preocupação que era difícil saber por onde começar. Eles se recusavam a revelar o nome de seu cliente, mesmo quando o secretário do Exterior lhes perguntou qual interesse *inglês* eles estavam representando. No entanto, não havia dúvida de que o cliente era a Standard Oil. Em caráter de urgência, Russell e Arnholz logo alertaram o governo britânico para um novo perigo: se se permitisse aos negociantes ingleses que colocassem seus petroleiros no canal, os interesses dos transportadores de cargas russos certamente iriam também ganhar o mesmo direito. E se os oficiais navais e marinheiros russos, que sem dúvida tripulariam esses navios, entrassem no canal, eles iriam seguramente fazer todo tipo de canalhice, inclusive procurar "bloquear a navegação do canal" e "destruir todas as cargas que lá estiverem".

Samuel, entretanto, tinha poderosos aliados tanto na família Rothschild, cujo ramo inglês havia financiado, em 1875, a compra de ações do canal de Suez por Benjamin Disraeli, quanto no influente banco francês Worms. Além do mais, o secretário do Exterior viu a passagem dos petroleiros ingleses pelo canal como algo que atendia bastante aos interesses ingleses e não iria deixar que um escritório de advogados, apesar de eloquentes, o manipulasse. A Lloyds de Londres considerou seguro o novo projeto de navio-tanque de Samuel.[8]

Enquanto isso, a M. Samuel & Co. já havia embarcado numa campanha para construir por toda a Ásia os tanques de armazenagem que receberiam o petróleo. Os irmãos Samuel mandaram para lá seus sobrinhos, Mark e Joseph Abrahams, com a incumbência de indicar os locais e supervisionar a construção dos tanques e também de trabalhar com as casas de comércio, visando estabelecer os sistemas de distribuição. A Joseph coube a Índia e a Mark, o Extremo Oriente. Mark recebia cinco *pounds* semanais e além disso era recompensado com constantes interferências a longa distância, reclamações, críticas e insultos dos tios. Eles martelavam o tempo todo que os custos deviam ser mantidos baixos e o trabalho precisava andar rápido — dois objetivos opostos. Não demonstraram nenhuma compreensão enquanto ele pechinchava nas prolongadas negociações com uma série interminável de funcionários dos consulados, capitães de portos, negociantes e potentados asiáticos. Quando Mark comprou seu riquixá de segunda mão, para manter os custos baixos, não pôde obter a aprovação dos tios. E para dificultar ainda mais as coisas — como se o trabalho já não fosse bastante — insistiam que ele devia ocupar seu tempo vago vendendo o carvão que a empresa queria exportar para o Japão. Sim, no todo, Mark estava comprando áreas e construindo tanques de estocagem por todo o Extremo Oriente, inclusive num novo local na ilha de Água Fresca, nos arredores de Cingapura, e portanto fora da jurisdição de algum capitão de porto obstrucionista.

No dia 5 de janeiro de 1892, a despeito de todas as objeções dos eminentes advogados londrinos, o canal de Suez deu sua aprovação oficial para a passagem dos petroleiros construídos de acordo com o novo projeto de M. Samuel. "O novo navio tem uma ousadia singular e uma impressionante magnitude", comentou o *The Economist* quatro dias depois. "Caso seja verdade, como seus opositores insinuam, que ele tenha inspiração puramente hebraica, não estamos preocupados em investigar; e não vemos razão de tal circunstância pesar contra ele (...) Se a simplicidade é um elemento de sucesso, o projeto certamente parece ser muito promissor. Pois, em vez de despachar cargas de petróleo em recipientes de produção difícil, de manuseio caro, facilmente danificáveis e que sempre tendem a vazar, os armadores de tais navios propõem despachar seu artigo em navios a vapor através do canal de Suez e a descarregá-lo, onde quer que a demanda seja maior, em reservatórios que prontamente suprirão os consumidores."

Mark já havia conseguido um avanço no Extremo Oriente: adquiriu um excelente local em Hong Kong e se apressou a comprar uma área em Shanghai antes do Ano-Novo chinês, uma vez que "ela pode ser comprada mais barato, pois os chineses têm de pagar todas as suas dívidas contraídas durante o último ano e estão precisando de dinheiro". Tendo viajado o tempo todo para lá e para cá entre os outros portos do Extremo Oriente, finalmente voltou para Cingapura em março de 1892 para encontrar ainda outra carta dos tios cheia de repreensões, insistindo na necessidade de pressa e mais pressa. O relógio não parava seu tique-taque. Nunca se sabia quando a Standard Oil contra-atacaria.

O primeiro petroleiro estava quase pronto em West Hartlepool. Chamava-se *Murex* — denominação de um tipo de concha, como foi o caso de todos os petroleiros subsequentes. Era uma homenagem ao primeiro Marcus, o comerciante de conchas. No dia 22 de julho de 1892, o Murex foi de West Hartlepool para Batum, onde encheu seus tanques com o querosene da Bnito. Em 23 de agosto, passou pelo canal de Suez, tomando a direção do Oriente. Livrou-se de parte de sua carga na ilha de Água Fresca, em Cingapura; então, com a carga suficientemente mais leve para permitir-lhe passar por um difícil banco de areia, navegou em direção à nova instalação de Mark em Bangkok. O golpe tinha começado.

Colhidos de surpresa pela rapidez com que Samuel tinha agido, os chocados representantes da Standard correram para o Extremo Oriente para avaliar a magnitude do perigo. As implicações eram enormes, pois, como observou o *The Economist*: "Se as antecipações otimistas dos armadores se concretizarem, o comércio ocidental de petróleo em caixas deve necessariamente se tornar obsoleto". Os funcionários da Standard Oil chegaram muito tarde; o querosene de Samuel estava em toda parte. Assim, não era possível baixar o preço num mercado e subsidiá-lo, tornando o produto mais caro em outro lugar.

O golpe foi verdadeiramente brilhante e de execução soberba — a não ser por um detalhe. Samuel e as casas de comércio do Extremo Oriente cometeram um pequeno descuido que quase destruiu todo o empreendimento. Eles tinham suposto que entregariam o querosene em grande quantidade em vários locais e que os ansiosos clientes iriam usar as latas velhas da Standard Oil, mas isso não ocorreu. Por todo o Extremo Oriente, as latas azuis de petróleo da Standard tinham se tornado um precioso esteio da economia local, sendo usadas para construir de tudo, desde teto até gaiolas e xícaras para ópio, braseiros, coadores de chá e batedores de ovos. Eles não se dispunham a desistir de um produto tão valioso. E com isso o plano inteiro estava ameaçado — não pelas maquinações do número 26 da Broadway ou pelos políticos do canal de Suez, mas pelos hábitos e predileções do povo asiático. Em cada porto criava-se uma crise local, pois o querosene continuava a não ser vendido e telegramas desesperados começaram a chegar em Houndsditch.

A rapidez e a inventividade da resposta que Marcus deu à crise provaram a sua genialidade empresarial. Ele mandou para o Extremo Oriente um navio fretado cheio de chapas de latão e simplesmente orientou seus parceiros na Ásia para que começassem a fabricar recipientes para o querosene. Era irrelevante o fato de que ninguém soubesse como fazer isso. Marcus os persuadiu de que conseguiriam. "Como você fixa as alças de arame?", escreveu o agente de Cingapura para o representante do Japão. Mandaram instruções. "Que cor você sugere?", telegrafou o agente de Shanghai. Mark respondeu: "Vermelho!".

Todas as casas de comércio do Extremo Oriente logo estabeleceram fábricas locais para resolver o problema das latas, e pela Ásia inteira os recipientes vermelhos e brilhantes de Samuel, recém-saídos da fábrica, logo estavam competindo com os azuis da Standard, amassados e machucados depois de uma longa viagem dando meia volta ao mundo. Talvez alguns clientes estivessem comprando o querosene de Samuel mais pela linda lata vermelha do que por seu conteúdo. De qualquer modo, tetos e gaiolas amarelos — assim como xícaras para ópio, braseiros, coadores de chá e batedores de ovos — começaram a substituir os azuis.

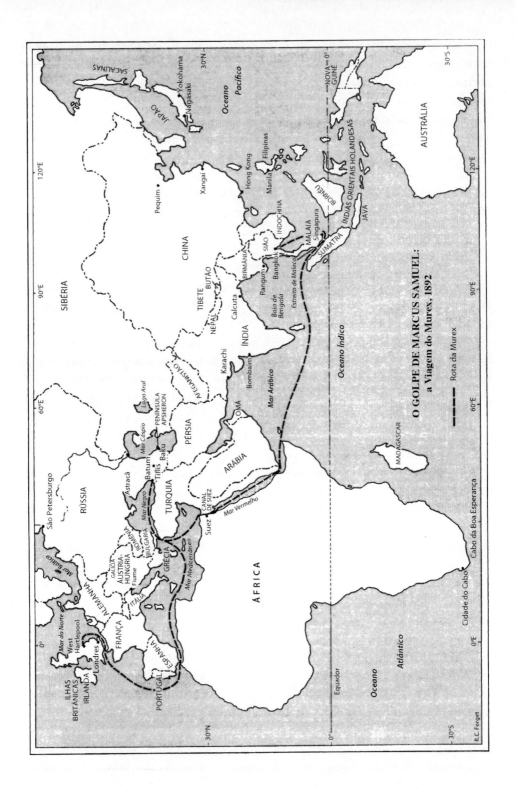

E assim o dia estava ganho. O golpe de Samuel tinha funcionado, e num tempo recorde. No final de 1893, ele já havia lançado ao mar mais dez navios, todos com nome de concha: *Conch, Clam, Elax, Cowrie* etc. No final de 1895, 69 petroleiros haviam passado pelo canal de Suez, dos quais só quatro não eram de Samuel ou fretados por ele. Em 1902, 90% do petróleo que atravessou o canal pertencia a Samuel e a seu grupo.[9]

O conselheiro

Marcus Samuel não estava apenas no limiar de um grande sucesso nos negócios; ele também começava a conseguir uma certa posição na vida inglesa. Em 1891, em plena fase de planejamento de seu golpe global, arranjou tempo para candidatar-se e ganhar a eleição para membro do conselho administrativo da cidade de Londres. Apesar de o cargo ser sobretudo honorífico, ele o saboreou. Entretando, em 1893, um ano depois do golpe, tudo — negócios e posição social — pareceu sem sentido. Samuel ficou gravemente doente; seu médico diagnosticou câncer e lhe deu não mais que seis meses de vida. A predição se revelou ligeiramente imprecisa — o erro foi de cerca de 34 anos. A ameaça da morte iminente, porém, motivou Samuel a organizar melhor seus negócios. O resultado foi a criação de uma nova entidade, o Tank Syndicate, do qual faziam parte os irmãos Samuel, Pred Lane e as casas de comércio do Extremo Oriente. Eles compartilhavam todos os lucros e perdas em bases gerais; esse arranjo era necessário caso o grupo quisesse se qualificar para brigar com a Standard Oil em qualquer mercado que escolhesse e absorver as perdas resultantes. O Tank Syndicate cresceu rapidamente e seu sucesso foi cada vez maior.

A fortuna de Marcus Samuel se acumulava rapidamente, provinda não apenas do petróleo e dos petroleiros mas também das duradouras relações comerciais com o Extremo Oriente, sobretudo com o Japão. Os irmãos Samuel fizeram dinheiro como principais fornecedores de armas e suprimentos para o Japão durante a guerra de 1894-1895 com a China. E assim aconteceu que, muito poucos anos depois de o *Murex* ter transposto o canal de Suez pela primeira vez, Marcus Samuel, um judeu do East End, se tornou um homem riquíssimo, que ia dar seu passeio de carruagem toda manhã em Hyde Park, que era proprietário de uma esplêndida casa de campo em Kent, chamada Mote, com um parque de mais de quatro quilômetros quadrados povoado de cervos, e que tinha um filho em Eton e outro que já fazia parte da sociedade.

Samuel tinha entretanto uma grave falha como homem de negócios. Ao contrário de seu rival, Rockefeller, faltava-lhe talento para a organização e a administração. Rockefeller tinha instinto para a ordem, Samuel tinha inclinação para a improvisação. Para ele, a organização era uma reflexão posterior; ele tirava todas as soluções do chapéu, o que tornava seu contínuo sucesso ainda mais espantoso. Tinha em funcionamento, entre outras coisas, uma grande linha de navios a vapor como parte de sua empresa petrolífera, e em seu escritório não havia ninguém com conhecimento ou com alguma experiência de real administração desse tipo de organização. Ele simplesmente dependia de Fred Lane. As operações diárias da frota eram controladas numa salinha em Houndsditch que só tinha uma mesa, duas cadeiras, um pequeno mapa-múndi de parede e dois funcionários.

Compare-se a inescrutabilidade de coruja de Rockefeller, a máscara estampada na face, a calma deliberação, a capacidade de extrair avaliações e consenso dos senhores na Sala 1.400, com as violentas discussões — o combate, a irritação e as recriminações — que levavam às tomadas de decisões de Marcus e Samuel. Algumas vezes, um funcionário era convocado à sala de Samuel para fornecer alguma informação e, enquanto esperava, como lembraria um empregado, "os dois irmãos sempre iam até a janela, de costas para a sala, e bem juntos um ao outro, cada um com o braço à volta do ombro do outro, cabisbaixos, ficavam falando a meia voz até que de súbito se separavam, começando outra briga, o sr. Sam gritando furiosamente e o sr. Marcus numa fala suave, mas ambos chamando o outro de bobo, idiota, imbecil, até que de repente, sem nenhuma razão aparente, voltavam a entrar em acordo. A visão final de ambos seria o produto de uma súbita e decisiva troca de ideias. Então, o sr. Marcus dizia: 'Sam, telefone para ele', e ficava ao lado do irmão durante o telefonema". E era assim que eles chegavam a um acordo.[10]

"Essa luta de morte"

O rápido aumento da produção russa, a posição muito elevada da Standard Oil, a luta por mercados firmados e novos numa época de suprimentos crescentes — esses eram os fatores que ficaram conhecidos como guerra do petróleo. Na década de 1890, havia uma batalha contínua envolvendo quatro rivais — a Standard, os Rothschild, os Nobel e os outros produtores russos. Num momento, eles estavam num combate feroz por mercados, reduzindo preços, um tentando vender mais barato que o outro; no momento seguinte, podiam estar se cortejando, com vistas a fazer um acordo para dividir entre si os mercados mundiais; e, ainda num outro, era possível que estivessem sondando fusões e compras. Em muitas ocasiões, eles podiam estar fazendo as três coisas ao mesmo tempo, num clima de grande suspeita e desconfiança, apesar da grande cordialidade manifestada num dado momento. E em cada momento crítico estava presente o Standard Oil Trust, aquele extraordinário organismo sempre pronto a absorver generosamente seus mais ferozes rivais, ou, como diziam os executivos da Standard, a "assimilá-los".

Em 1892 e 1893, os Nobel, os Rothschild e a Standard estiveram perto de trazer virtualmente toda a produção de petróleo para um sistema único, dividindo entre si o mundo. "Na minha opinião", observou M. Aron, que representou os interesses dos Rothschild nas negociações, "a crise chegou ao fim, pois todo mundo, nos Estados Unidos e na Rússia, está esgotado por essa luta de morte que já dura tanto tempo." O barão Alphonse, líder dos Rothschild franceses, era simpático à ideia de resolver a questão; mas, mortalmente temeroso da publicidade, resistia a um convite insistente que a Standard Oil lhe fazia para ir a Nova York. Afinal, Libby, da Standard Oil, assegurou-lhe que, com tantos estrangeiros visitando os Estados Unidos por causa da Feira Mundial de Chicago, a chegada do grupo Rothschild não seria muito notada. Com a garantia ratificada, Alphonse rumou para Nova York e para o número 26 da Broadway. Depois do encontro, um executivo da Standard Oil informou a Rockefeller que o barão havia sido muito cortês e impressionantemente fluente em inglês, acrescentando que os Rothschild "logo darão os primeiros passos para o controle na Rússia e estão muito confiantes em sua capacidade de consegui-lo". Porém, o barão também tinha insistido, de modo delicado mas firme, que a Standard Oil trouxesse para o acordo os americanos independentes. Com grande esforço, retardado não apenas pelas rivalidades mas por uma epidemia de cólera que tomou conta de Baku, os Rothschild, aos quais se juntaram os Nobel, conseguiram que todos os produtores russos concordassem em constituir uma frente comum, num prelúdio para uma grande negociação com a Standard. No entanto, apesar de controlar de 85% a 90% do petróleo americano, a Standard não conseguiu convencer o último e crítico elemento, os refinadores e produtores independentes americanos, a integrar o esquema e o acordo proposto malogrou.

Em resposta, no outono de 1894, a Standard lançou outra campanha mundial de redução do preço. Os Rothschild consideravam Samuel uma ferramenta para melhorar o seu poder de barganha com a Standard, e eram muito firmes na interpretação do seu contrato com ele. Compreensivelmente, Samuel se lamentava com amargura e estardalhaço — o bastante para a Standard ouvir. Suspeitando que Samuel pudesse ser o elo fraco da posição dos Rothschild, a Standard abriu negociações com ele. Apresentou-lhe uma proposta bem parecida com as que fizera aos concorrentes nos Estados Unidos, que abandonaram a luta e se juntaram à fraternidade, com a diferença de que agora a escala da proposta era bem maior. Samuel seria comprado por uma grande quantia em dinheiro, sua empresa passaria a integrar a Standard Oil, da qual ele seria diretor, apesar de ter liberdade para cuidar de seus interesses cívicos. No todo, era uma oferta muito atraente, mas Samuel a rejeitou. Queria manter a identidade independente de sua empresa e de sua frota, fazendo flanar a bandeira de M. Samuel e Co., e queria que tudo isso continuasse a ser inglês. Ele estava interessado no sucesso na Inglaterra e em termos ingleses, e não na integração numa entidade americana.

A Standard Oil imediatamente procurou de novo os produtores russos e, no dia 14 de março de 1895, assinou a tão almejada grande aliança com os Rothschild e os Nobel "em nome da indústria petrolífera dos Estados Unidos" e "em nome da indústria petrolífera da Rússia". Os americanos deviam ficar com 75% das vendas da exportação mundial e os russos com 25%. No entanto, o acordo nunca entrou em vigor. A razão específica aparentemente foi a oposição do governo russo. Mais uma vez a iminente grande aliança desabou. A Standard respondeu com novas campanhas de redução de preço.

A Standard Oil não podia reconquistar o controle sobre o mercado mundial de petróleo e seus concorrentes internacionais através de uma grande aliança com os produtores russos, mas havia uma alternativa, um modo de derrotar os russos no seu próprio jogo. Uma parte significativa da vantagem russa vinha do fato de que Batum ficava a 18,5 mil quilômetros de Cingapura, ao passo que a distância até Filadélfia era de 24,15 mil quilômetros. Mas a Standard poderia virar a mesa se fosse capaz de ganhar o acesso ao petróleo bruto mais perto do mercado asiático ou até mesmo na própria Ásia. Assim, a atenção da Standard se voltou para Sumatra, nas Índias Orientais Holandesas, de onde o tempo de viagem em navio a vapor até Cingapura, através do estreito de Malaca, podia ser medido em horas. E seu olhar recaiu, em particular, sobre uma companhia holandesa que após anos de luta havia estabelecido um negócio lucrativo nas selvas de Sumatra. Essa empresa estava começando a causar um considerável impacto nos mercados da Ásia com sua própria marca, a Crown Oil, e ao fazê-lo se converteria na terceira maior província produtora do mundo. Chamava-se Royal Dutch.[11]

A Royal Dutch

Durante centenas de anos, os habitantes das Índias Orientais Holandesas comentaram a existência de vazamentos, e pequenas quantidades de "óleo da terra" eram usadas para aliviar o enrijecimento dos membros e para outros fins medicinais tradicionais. Em 1865, não menos de 52 vazamentos foram identificados em todo o arquipélago. Mas lá as coisas iam devagar, ao passo que o querosene americano avançava, querendo capturar o mundo.

Num dia de 1880, Aeilko Jans Zijlker, um administrador da Companhia de Tabaco de Sumatra Oriental, estava casualmente visitando uma fazenda na pantanosa faixa litorânea de Sumatra. Filho mais novo de uma família de fazendeiros de Groningen, Zijlker tinha chegado para a vida solitária das Índias Orientais duas décadas antes, depois de um caso de amor malogrado. Agora, enquanto chapinhava pela plantação, uma tempestade assustadora se abateu sobre o local e ele se refugiou num enegrecido galpão de tabaco que se encontrava vazio. Estava com ele um *mandur*, um supervisor nativo, que acendeu uma tocha. Zijlker, completamente ensopado, teve a atenção arrebatada pela chama brilhante. Achou que o fogo era provocado por uma madeira particularmente resinosa. Perguntou ao *mandur* como ele adquirira a tocha. O homem respondeu que ela fora besuntada com um tipo de cera mineral. Na memória de todos, desde sempre a população nativa escumava essa cera da superfície de pequenos lagos e depois lhe dava vários usos, inclusive a calafetação de barcos.

Na manhã seguinte, Zijlker fez com que o *mandur* o levasse até um dos laguinhos. Ele reconheceu o cheiro: o querosene importado havia sido introduzido poucos anos antes nas ilhas. O holandês coletou uma pequena quantidade da substância barrenta e a mandou para a Batávia, para análise. Os resultados entusiasmaram Zijlker, pois a amostra apresentava de 59% a 62% de querosene. Ele resolveu explorar a fonte e se atirou decididamente no empreendimento. Essa nova obsessão iria requerer cada minuto de sua dedicação por toda a década seguinte.

O primeiro passo era ganhar uma concessão da autoridade local, o sultão de Langkat. A concessão, que se tornou conhecida como Telaga Said, ficava a nordeste de

Sumatra, quase dez quilômetros de selva além do rio Balaban, que desembocava no estreito de Malaca. A perfuração do primeiro poço bem-sucedido só se deu em 1885. A tecnologia de perfuração era antiquada e mal adaptada ao terreno; e o progresso continuou a ser muito moroso nos primeiros anos que se seguiram. Zijlker estava sempre amarrado pela falta de dinheiro, mas finalmente ganhou um prestigioso patrocínio em seu país, a Holanda, do ex-diretor do banco central das Índias Orientais e do ex-governador-geral. Além do mais, como resultado dos esforços desses poderosos patrocinadores, o próprio rei da Holanda, Guilherme III, quis permitir o uso do título "Royal" uma licença que normalmente se reservava para companhias estabelecidas, experimentadas — no nome dessa empresa especulativa. Esse *imprimatur* iria ter um valor duradouro. A companhia Royal Dutch foi inaugurada em 1890 e no lançamento de suas ações a subscrição excedeu os limites da emissão quatro vezes e meia.

Zijlker estava triunfante. Podia ver à sua frente o fruto do trabalho de dez anos. "O que não se curva tem de quebrar", escreveu ele numa carta. "Durante toda a exploração minha divisa era: aquele que não está comigo está contra mim e devo tratá-lo como tal. Sei muito bem que esse lema me fez inimigos, mas também sei que se não tivesse agido como agi nunca teria realizado o negócio." Essas palavras podiam ter sido usadas no epitáfio de Aeilko Jans Zijlker. Retornando ao Extremo Oriente no outono de 1890, poucos meses após a entrada em funcionamento de sua companhia, ele parou em Cingapura e lá morreu de repente, com sua visão ainda por realizar. Teve a sepultura marcada por uma lápide que não chama a atenção de ninguém.

A liderança da empresa nas selvas inóspitas e pantanosas de Sumatra passou para Jean Baptiste August Kessler. Nascido em 1853, Kessler tinha se firmado numa bem-sucedida carreira de comércio nas Índias Orientais Holandesas. Sérios reveses nos negócios levaram-no de volta à Holanda, quebrado e com problemas de saúde. A Royal Dutch lhe ofereceu uma oportunidade de recomeçar e ele a agarrou. Kessler nasceu líder, com vontade férrea e com a capacidade de concentrar toda a sua própria energia e a dos que o rodeavam num único objetivo.

Chegando ao local da perfuração, em 1891, ele encontrou a empresa no caos, com tudo, desde o equipamento vindo da Europa e dos Estados Unidos até a situação das finanças, em total desordem. "Na verdade, não estou muito entusiasmado com esse negócio", escreveu ele à mulher. "Uma enorme quantia em dinheiro foi perdida devido a ações precipitadas." As condições de trabalho eram terríveis. Depois de alguns dias de chuva ininterrupta, os homens às vezes trabalhavam com água até a cintura. Faltou arroz no lugar e uma equipe de oitenta trabalhadores chineses teve de passar a vau ou nadar até uma aldeia, que ficava a catorze quilômetros de distância, para na volta trazer uns poucos sacos. Havia também as inevitáveis pressões da Holanda para apressar as coisas, cumprir os prazos, satisfazer os investidores. De qualquer modo, trabalhando dia e noite, frequentemente com febre, o obsessivo Kessler acelerava o ritmo.

Em 1892, foi concluída a construção de um oleoduto de quase dez quilômetros, ligando os poços da selva à refinaria do rio Balaban. No dia 28 de fevereiro, toda a equipe se reuniu para, nervosa, esperar a chegada do petróleo à refinaria. Eles haviam calculado o tempo de duração da viagem e agora, com o relógio na mão, contavam os minutos. O momento chegou, passou, mas o petróleo não chegava. A depressão dominou os ansiosos observadores. Kessler, sentindo a derrota chegar, começou a se afastar. De repente, todos gelaram. Um "rugido como o de uma grande tempestade" anunciou a chegada do petróleo, que rapidamente fluiu "com uma incrível força" para dentro da refinaria da Royal Dutch. O grupo gritava de alegria; içaram a bandeira holandesa e Kessler e a equipe brindaram à futura prosperidade da Royal Dutch.

Agora, a empresa estava em pleno funcionamento. Em abril de 1892 — enquanto Marcus Samuel se preparava para mandar a sua primeira carga transpor o canal de Suez —, o próprio Kessler tinha entregue no mercado as primeiras caixas de querosene, batizadas de Crown Oil. Mas a prosperidade ainda estava longe. Os recursos financeiros da Royal Dutch logo se exauriram com as exigências permanentes e a sua própria existência estava ameaçada pela inabilidade de levantar capital para o funcionamento da empresa. Kessler partiu para a Holanda e a Malásia na busca frenética de novos fundos. Apesar de estar vendendo vinte mil caixas de querosene por mês, a empresa ainda tinha prejuízo.

Kessler tratou de assegurar o capital. Em 1893, ele voltou a Telaga Said, onde encontrou tudo num estado deplorável. "Desânimo, ignorância, indiferença, dilapidação, desordem e irritação se manifestam por toda a parte", relatou ele. "E é nessas circunstâncias que temos de expandir a empresa se quisermos equilibrar o orçamento." Ele impulsionou o andamento das coisas tanto quanto pôde, resumindo o perigo em poucas e enérgicas palavras: "Estagnar significa liquidar".

Todos os tipos de obstáculos tinham de ser superados, inclusive a chegada de quase trezentos piratas saqueadores de outra região de Sumatra, que cortaram temporariamente as comunicações entre o local da perfuração e a refinaria e em seguida incendiaram alguns dos edifícios mais caros, usando, ironicamente, as tradicionais tochas de petróleo que foram a primeira coisa a chamar a atenção de Zijlker mais de dez anos antes. Apesar de todas as dificuldades, Kessler continuava a pressionar. "Se as coisas derem errado", escreveu à mulher, "comprometo meu emprego e meu nome, e talvez os sacrifícios e o extraordinário esforço que dediquei ao empreendimento sejam recompensados com a censura na hora do ajuste final. Que o céu me proteja de toda essa miséria".

Kessler perseverou e foi bem-sucedido. Em dois anos, ele tinha aumentado seis vezes a produção e a Royal Dutch finalmente se tornou lucrativa. Foi possível até pagar um dividendo. Porém, ser um produtor não era o bastante; se a Royal Dutch devia sobreviver, ela precisava estabelecer seu próprio esquema de distribuição pelo Extremo Oriente, independentemente dos intermediários. A empresa também começou a usar navios-tanques e a construir tanques de armazenamento perto de seus mercados. O perigo imediato era que o Tank Syndicate de Samuel andasse mais depressa e ganhasse o controle do negócio. Mas, num oportuno exemplo de intervenção protecionista, o governo holandês excluiu o Tank Syndicate dos portos das Índias Orientais, dizendo a seus próprios produtores que com isso o Tank Syndicate "por enquanto não precisa ser motivo de terror" para a indústria local.

Os negócios da Royal Dutch estavam crescendo num ritmo espantoso; entre 1895 e 1897 a produção quintuplicou. Mas nem Kessler nem a companhia queriam fazer muito estardalhaço desse sucesso. Na opinião de Kessler, até que a Royal Dutch pudesse obter outras concessões "precisamos fazer de conta que somos pobres". E se justificava com o argumento de que não seria interessante atrair outros interesses europeus e americanos para as Índias Orientais ou para a Royal Dutch. Sua principal preocupação era, obviamente, a Standard Oil, que, caso se rebelasse, lançaria mão de sua poderosa arma, a redução do preço, e imprensaria a Royal Dutch contra a parede.[12]

"Obstáculos holandeses"

No entanto, era quase impossível a Royal Dutch permanecer invisível aos concorrentes. Seu rápido crescimento, junto com o dos outros produtores asiáticos, criou um novo revés para os produtores russos. A Standard Oil investigou todas as opções possíveis. Logo começou a negociar uma concessão em Sumatra, mas rapidamente desistiu, devido a uma revolta da população nativa. Então, passou a procurar oportunidades de produção em todos os cantos do Pacífico, da China e de Sacalina à Califórnia.

Em 1897, a Standard despachou para a Ásia dois representantes com a incumbência de avaliar o que poderia ser feito em face da ameaça da Royal Dutch. Nas Índias Orientais, eles encontraram o administrador local da Royal Dutch e visitaram as instalações da empresa; pediram a colaboração dos funcionários do governo holandês; reuniram informações sobre a performance de nostálgicos perfuradores americanos. Os representantes advertiram o número 26 da Broadway de que estava havendo uma "busca indiscriminada em toda esta enorme extensão" de selva fechada. Seria bem melhor, informaram eles a Nova York, comprar a produção existente e estabelecer uma parceria com uma autêntica empresa holandesa — não apenas porque "os meios do governo colonial holandês estão perto de descobrir outros campos", mas também porque "sempre será difícil manter aqui um número suficiente de americanos com boa capacidade empresarial para tomar conta da administração". O objetivo da Standard, insistiam eles, devia ser "assimilar" as companhias bem-sucedidas. E isso significava, acima de tudo, a Royal Dutch.

Para a Royal Dutch, a Standard Oil pode ter parecido uma terrível concorrente. Mas a Standard, por seu lado, respeitava a intrépida companhia holandesa. Seus agentes se impressionaram com tudo, desde o comando de Kessler até a economia gerada pela Royal Dutch em vista de seu novo sistema de comercialização. "Em toda a história do petróleo como atividade econômica", informaram eles, "nunca houve algo mais fenomenal que o sucesso e o rápido crescimento da R. D. Co". Quando os homens da Standard Oil se despediram dos administradores da Royal Dutch, em Sumatra, havia em seu adeus quase uma súplica. "Seria uma pena se duas empresas, tão grandes quanto vocês e nós, não se unissem", disse um deles.

Para complicar ainda mais as coisas, ficou logo claro que o sindicato de Samuel estava de olho gordo na Royal Dutch. No final de 1896 e no começo de 1897, discussões intensas estavam ocorrendo entre os dois grupos, mas seus objetivos eram muito diferentes. A Royal Dutch estava procurando conseguir um acordo para um mercado conjunto na Ásia. Marcus e Samuel Samuel pretendiam mais: queriam comprar a Royal Dutch. Muito já se havia dito sobre interesse mútuo, mas essa solução satisfaria a ambas as partes. Depois de uma visita aos diretores holandeses em Haia, marcada sobretudo pelo silêncio e por uma frieza pétrea, Sam escreveu para Marcus: "Um holandês se senta e não diz nada enquanto não consegue o que quer, mas é claro que assim ele não conseguirá". Não houve avanço. Sim, apesar da competição, Marcus e Kessler mantinham uma relação amigável. "Ainda estamos abertos a negociação, caso vocês pensem que há uma possibilidade de chegar a um negócio", escreveu Marcus cordialmente para Kessler em abril de 1897. "Temos certeza de que a longo prazo chegaremos a um acordo entre nós, do contrário, se instalará uma competição ruinosa para nós dois."

A Standard Oil sabia que tais discussões estavam em curso e não podia ter certeza de que eventualmente o resultado não seria algum tipo de integração poderosa que se poria em posição de combate contra ela. Um executivo advertiu: "A cada dia, a situação fica mais séria e difícil de levar. Se não assumirmos logo o controle, os russos, os Rothschild ou algum outro poderá fazê-lo". A Standard já tinha tentado adquirir as companhias de Ludwig Nobel e de Marcus Samuel, mas falhara. Agora, no verão de 1897, W.H. Libby, o principal representante externo da Standard Oil, apresentou-se a Kessler e à Royal Dutch com uma proposta formal. O capital da Royal Dutch seria quadruplicado e a Standard Oil ficaria com todas as ações adicionais. Libby enfatizou que sua representada não tinha nenhuma intenção de ficar com a Royal Dutch "sob seu poder". Os objetivos da companhia, garantiu ele a Kessler, eram modestos; a Standard estava "apenas querendo fazer um investimento de capital interessante". Era muito improvável que Kessler acreditasse em Libby ou na sinceridade de sua garantia. Enfaticamente recomendado por Kessler, o conselho da Royal Dutch rejeitou a oferta.

Desapontada, a Standard Oil começou os entendimentos para a aquisição de outra concessão nas Índias Orientais Holandesas, mas tanto os funcionários governamentais holandeses quanto a Royal Dutch intervieram com sucesso. "Em todo o mundo os obstáculos holandeses são talvez os mais difíceis de ser removidos pelos americanos", declarou um funcionário da Standard Oil, "pois os americanos sempre estão apressados e isso nunca acontece com os holandeses". Entretanto, a Royal Dutch não se sentia segura. Seus diretores e a administração sabiam como a Standard Oil tinha agido nos Estados Unidos — comprando ações e lesando tranquilamente os concorrentes e então colocando-os fora de ação. Para impedir um estratagema desse tipo, os diretores da Royal Dutch criaram um tipo especial de ações preferenciais, cujos proprietários controlavam o conselho. Para dificultar ainda mais a aquisição, a admissão a esse nível exclusivo só poderia ocorrer por convite. Um dos agentes da Standard informou melancólico que a Royal Dutch jamais se fundiria com a companhia americana. Não era apenas uma "barreira sentimental" da parte da Holanda que bloqueava o caminho, disse ele, havia também uma questão prática. Os administradores da Royal Dutch apreciavam bastante o fato de receber 15% dos lucros da companhia.[13]

CAPÍTULO IV

O novo século

A "VELHA CASA" — ERA ASSIM QUE ENTRE SI ALGUNS produtores independentes chamavam a Standard Oil. Ela se fez notar como uma vasta e imponente estrutura, lançando sua sombra em todas as direções, dominando cada centímetro da paisagem petrolífera dos Estados Unidos. Enquanto em outras terras os concorrentes estrangeiros desafiavam a "Velha Casa", em todo os Estados Unidos havia uma certa resignação; parecia inevitável que a Standard acabasse por ser dona de tudo ou por controlar tudo. Entretanto, a marcha dos acontecimentos no fim da década de 1890 e na primeira década do novo século iria ameaçar a preeminência da "Velha Casa". Os mercados em que se baseava a indústria de petróleo estavam prestes a sofrer uma alteração drástica. Quase exatamente ao mesmo tempo, o mapa da produção dos Estados Unidos também iria passar por uma mudança radical, e novos e importantes concorrentes americanos emergiriam para desafiar o domínio da Standard. Já não era só o mundo que estava se tornando grande demais até mesmo para a Standard Oil, mas também os Estados Unidos.[1]

Mercados perdidos e ganhos

No final do século XIX, eram sobretudo a vela, o querosene e o gás que atendiam a demanda de luz artificial, quando havia atendimento. O gás era fornecido por empresas de serviço público que o extraíam do carvão e do petróleo, ou pela produção direta e transporte do gás natural. Essas três fontes — o querosene, o gás e a vela — tinham os mesmos problemas graves: produziam fuligem, sujeira e calor; consumiam oxigênio; e sempre havia o perigo de incêndio. Por essa última razão, muitos edifícios, inclusive o Gore Hall e a biblioteca do Harvard College, não tinham nenhuma iluminação.

O reinado do querosene, do gás e da vela não iria durar. Thomas Alva Edison — um inventor que dominou várias ciências, sendo responsável, entre muitas inovações importantes, pela invenção do mimeógrafo, do teletipo, do fonógrafo, das baterias armazenáveis e do cinematógrafo — se voltou, em 1877, para o problema da iluminação elétrica. Em dois anos, tinha desenvolvido o bulbo de luz incandescente resistente ao calor. Para ele, a invenção não era um hobby e sim um negócio. "Precisamos criar coisas de valor comercial — é para isso que este laboratório existe", escreveu ele certa vez. "Não podemos ser como o velho professor alemão, que tendo o pão preto e a cerveja fica feliz por passar a vida inteira estudando o zumbido da abelha." Edison imediatamente se aplicou à questão da comercialização do seu invento e, ao fazê-lo, criou a indústria de geração elétrica. Ele trabalhou com todo o cuidado para que a eletricidade pudesse ter um preço bastante competitivo — exatamente o mesmo do gás urbano: 2,25 dólares por 30,48 metros cúbicos. Edison elaborou um projeto de demonstração no baixo Manhattan, cujo território por acaso incluía Wall Street. Em 1882, de pé na sala de seu banqueiro, J.P. Morgan, ele moveu um interruptor, acionando a usina geradora e abrindo a porta não apenas para uma nova indústria mas para uma inovação que transformaria o mundo. A eletricidade oferecia uma luz superior, não requeria nenhuma atenção de seu usuário e dificilmente haveria resistência a ela onde a implantação fosse viável. Em 1885, 250 mil lâmpadas estavam em uso; em 1902, 18 milhões. A "nova luz" agora vinha da eletricidade, não do querosene. A indústria de gás natural precisou deslocar seus mercados para o aquecimento e as cozinhas, enquanto nos Estados Unidos o mercado de querosene, o pilar da indústria petrolífera, se reduzia e cada vez mais se restringia à zona rural.

Rapidamente a nova tecnologia da eletricidade se transferiu também para a Europa. Em 1882, instalou-se um sistema de luz elétrica na Holborn Viaduct Station, em Londres. Em Berlim, a penetração da eletricidade — e das indústrias elétricas — foi tão rápida e completa que a cidade era chamada de Elektropolis. O desenvolvimento da eletricidade em Londres foi mais aleatório e desorganizado. No começo do século XX, a cidade era servida por 65 diferentes companhias elétricas. "Os londrinos que podiam pagar eletricidade torravam o pão de manhã usando uma companhia, com outra iluminavam o escritório, ao visitar colegas nos prédios comerciais vizinhos eram servidos por outra ainda e quando iam para casa caminhavam por ruas iluminadas por uma quarta."

Para os que a ela tinham acesso, a eletricidade era uma grande dádiva. Mas o seu rápido desenvolvimento foi profundamente ameaçado pela indústria petrolífera e em particular pela "Velha Casa". Que tipo de futuro a Standard Oil — com um maciço investimento na produção, em refinarias, oleodutos, instalações para armazenamento e distribuição — podia esperar se viesse a perder seu maior mercado, a iluminação?[2]

Entretanto, ao mesmo tempo que um mercado estava prestes a desaparecer, outro começou a se abrir — o da "carruagem sem cavalo", também conhecida como automóvel. Alguns desses veículos eram providos de força pelo mecanismo de combustão interna, que utilizava para a propulsão uma explosão canalizada de gasolina. Era um meio de transporte ruidoso, nocivo e não muito confiável, mas os veículos providos de energia pela combustão interna ganharam credibilidade na Europa depois de uma corrida que fez o percurso Paris-Bordeaux-Paris em 1895, onde se alcançou a extraordinária velocidade de 24 quilômetros por hora. No ano seguinte, a primeira corrida em circuito automobilístico teve lugar em Narragansett, em Rhode Island. Foi tão lenta e aborrecida que mal começada já se ouviu: "Arranje um cavalo!"

Porém, nos Estados Unidos, assim como na Europa, a carruagem sem cavalo logo empolgou os inventores com espírito empreendedor. O engenheiro-chefe da Edison Illuminating Company de Detroit era um deles: deixou o emprego para poder projetar, fabricar e vender um veículo propelido a gasolina ao qual deu o seu próprio nome — o Ford. O primeiro carro de Henry Ford foi vendido para um homem que por sua vez o vendeu a um terceiro, um certo A.W. Hall, que confidenciou a Ford ter pego "a febre do carro sem cavalo". Hall mereceria um lugar especial no coração de todos os futuros motoristas como o primeiro comprador de carro de segunda mão de que se tem registro.

Em 1905, o carro propelido a gasolina havia derrotado seus concorrentes na locomoção automotiva — o vapor e a eletricidade — e já estabelecera total suserania. Mas ainda havia dúvidas quanto à resistência e confiabilidade. Essas questões foram esquecidas de uma vez por todas no terremoto de São Francisco, em 1906. Duzentos carros particulares foram solicitados com urgência e se puseram a serviço para socorro e assistência, abastecidos por 15 mil galões de gasolina doados pela Standard Oil. "Antes da calamidade eu era cético quanto ao automóvel", disse o chefe interino do departamento de incêndios de São Francisco, que comandou três carros num trabalho ininterrupto durante as 24 horas do dia, "mas agora dou-lhe o meu endosso entusiástico". Nesse mesmo ano, um importante jornalista escreveu que o automóvel "já não é motivo de piada e raramente ouvimos a expressão de zombaria 'Arranje um cavalo!'" E mais ainda: o carro tinha se convertido num símbolo de *status*. "O automóvel é o ídolo da idade moderna", disse outro escritor. "O homem que tem um carro a motor consegue, além das alegrias do turismo, a adulação da multidão de pedestres e... é um deus para as mulheres". O crescimento da indústria automobilística foi fenomenal. Os licenciamentos nos Estados Unidos elevaram-se de oito mil em 1900 para 902 mil em 1912. Numa década o automóvel deixou de ser uma novidade para se converter numa utilidade muito difundida, mudando a cara e os costumes da sociedade moderna. E se baseava inteiramente no petróleo.

Até então a gasolina representava uma parte insignificante do volume total do processo de refinação, tendo alguma utilidade como solvente e como combustível para fornos, mas com poucos outros usos. Em 1892, um negociante de petróleo deu-se os parabéns por ter conseguido vender o galão de gasolina por dois centavos. Isso mudou com o advento do carro a motor, que transformou a gasolina num produto cada vez mais valioso. Ao lado da gasolina, um segundo e expressivo mercado novo para o petróleo estava se desenvolvendo com o crescimento do uso do óleo combustível nas caldeiras de fábricas, trens e navios. Ao lado da rápida solução para o inquietante problema dos mercados futuros do petróleo, uma nova pergunta passou a ser feita com crescente pessimismo: Como seria suprida essa explosão de mercados? A Pensilvânia estava em evidente declínio. Os campos de Lima em Ohio e em Indiana eram inadequados. Seriam encontradas novas reservas? Onde? E quem iria controlá-las?[3]

Petróleo brotando

O domínio da Standard sobre a indústria de petróleo começara a erodir antes mesmo do final do século XIX. Alguns produtores e distribuidores foram finalmente capazes de escapar à opressão do truste, que reunia sistemas, oleodutos e refinarias, para ganhar alguma real independência. No começo da década de 1890, um grupo de produtores independentes de petróleo da Pensilvânia juntamente com refinadores organizou a Companhia de Produtores e Refinadores de Petróleo. Reconhecendo que não tinham nenhuma chance real contra a "Velha Casa" caso não encontrassem um modo de levar o petróleo de Oil Regions até a costa a um custo competitivo, eles se puseram a construir seu próprio oleoduto. Os trabalhadores da construção viram-se forçados a enfrentar ataques armados dos homens da ferrovia, além do vapor, do carvão em brasa e da água quente que lhes eram atirados das locomotivas. Provavelmente se tratava da "mão enluvada" da Standard Oil em ação. Apesar de tudo, o oleoduto, foi construído.

Em 1895, os vários interesses independentes formaram a Pure Oil Company para organizar a distribuição no além-mar e na Costa Oeste. A Pure Oil se constituiu em truste, sendo os depositários das ações designados "campeões da independência". A Standard Oil, como era seu costume, tentou persistentemente comprar ou ganhar o controle das partes constitutivas da Pure Oil; embora tenha por vezes estado muito perto, não conseguiu; em poucos anos a Pure se converteu numa companhia totalmente integrada, com mercados de exportação significativos. Era pequena, se comparada à Standard Oil, mas os produtores e refinadores independentes haviam finalmente realizado seu sonho: desafiaram com sucesso a Standard Oil e conseguiram se manter afastados dela. E a "Velha Casa", mesmo não tendo certamente escolhido esse caminho, era agora forçada a se acostumar à desagradável realidade de uma significativa e duradoura competição dentro do próprio país.[4]

A Pure Oil dependia exclusivamente da Pensilvânia. Persistia a sabedoria convencional segundo a qual o petróleo era um fenômeno do leste dos Estados Unidos, e o pessimismo continuava na ordem do dia quando se falava de novos mananciais. Entretanto estavam sendo descobertos outros campos de petróleo bem mais a oeste: no Colorado e em Kansas.

Havia outra área mais a oeste ainda, para além das montanhas Rochosas: a Califórnia. Vazamentos asfálticos e a presença de alcatrão haviam assinalado para alguns a possível existência de petróleo. Um grande aumento da atividade econômica precedido de muita propaganda ocorreu ao norte de Los Angeles na década de 1860. O ilustre professor de Yale, Benjamin Silliman Jr., que deu seu *imprimatur* para a aventura de George Bissell e do coronel Drake na década de 1850 e que sempre estava interessado em trabalho extra, aceitou dar consultoria para vários pioneiros do petróleo californiano. Silliman não escondia o entusiasmo. O valor de um rancho "é a sua quase fabulosa riqueza em petróleo da melhor qualidade", escreveu ele, e sobre outro: "A quantidade de petróleo que provavelmente aqui se produzirá é quase sem limite". Entretanto, a sua pesquisa não chegava a ser a palavra definitiva. Apesar de ter visitado algumas das áreas sobre as quais opinou, outras ele havia visto apenas da carruagem enquanto viajava para Los Angeles, e uma simplesmente não viu. A razão pela qual os exames mostraram um potencial tão alto de querosene foi o fato de que na amostra que ele analisou haviam colocado um querosene refinado de primeira classe procedente da Pennsylvania e tirado das prateleiras de uma loja de mercadorias em geral do sul da Califórnia. No final da década de 1860, o *boom* de Los Angeles fracassou, deixando marcas que enfeiavam a paisagem da Califórnia. A reputação do professor Silliman saiu desse episódio bastante arranhada. Na verdade, a humilhação e a vergonha foram tão grandes que ele, até então uma das mais preeminentes personalidades da ciência americana, foi forçado a se demitir do cargo de professor de química de Yale.

Uma década depois, ou pouco mais, Silliman seria inocentado. Começou a haver uma modesta produção nas regiões que ele elogiara: o condado de Ventura e a extremidade nordeste do vale de San Fernando, ao norte de Los Angeles, que tinha então oito mil habitantes. Havia um temor generalizado de que, estimulado pela eliminação da tarifa do petróleo importado, o petróleo estrangeiro barato pudesse começar a entrar no país, o que sufocaria a indústria da Califórnia. Mas, como resultado de uma hábil manobra política, a tarifa do petróleo estrangeiro não foi reduzida; pelo contrário, dobrou. No início da década de 1890 deu-se a primeira grande descoberta, o campo de Los Angeles, e seguiram-se outras jazidas importantes no vale de San Joaquin, também na Califórnia. O crescimento da produção desse estado foi fantástico — de 470 mil barris em 1893 para 24 milhões em 1903 —, e na maior parte dos doze anos seguintes a Califórnia iria liderar a produção nacional de petróleo. Em 1910, ela produziu 73 milhões de barris, quantidade superior à de qualquer país estrangeiro e que representou 22% da produção mundial.

O principal produtor da Califórnia era a Union Oil (agora Unocal), a única grande corporação americana além da Standard Oil que manteve uma existência independente contínua desde 1890 como grande companhia petrolífera integrada. A Union e as outras companhias californianas menores viam com simpatia os geólogos profissionais, o que contrastava profundamente com a atitude existente em outras partes do país. Na verdade a profissão de geólogo de petróleo nos Estados Unidos começou pela Califórnia. Entre 1900 e 1911, quarenta geólogos e engenheiros foram empregados pelas companhias californianas, provavelmente um número superior ao resto dos Estados Unidos ou de qualquer outra parte do mundo. Apesar de a própria Union Oil ter escapado à sua garra, a Standard Oil logo arrumou um jeito de controlar a maioria da comercialização e da distribuição no oeste. Em 1907, operando como Standard Oil of California, ela começou a se voltar diretamente para a produção. Apesar de na virada do século a Califórnia ter despontado como uma grande província petrolífera, ficava distante do resto da nação, isolada, e seu mercado externo estava na Ásia e não a leste das montanhas Rochosas, onde por acaso vivia a maior parte dos cidadãos americanos. A Califórnia poderia perfeitamente ser outro país, do ponto de vista dos negócios. A resposta para a crescente sede de petróleo do resto dos Estados Unidos teria de ser achada em outro lugar.[5]

O sonho de Patillo Higgins

Uma ideia tornara-se obsessiva para Patillo Higgins, autodidata mecânico e madeireiro de um braço só. Ele estava convencido da possibilidade de se encontrar petróleo sob uma colina que se elevava sobre a baixa planície costeira perto da cidadezinha de Beaumont, no sudeste do Texas, a mais de trinta quilômetros por terra de Port Arthur, no lago Sabine, que fazia a ligação com o golfo do México. A ideia ocorreu-lhe pela primeira vez quando levou a um passeio sua turma da escola dominical da Igreja Batista de Beaumont. Ele se deparou com seis pequenos mananciais, onde o gás borbulhava. Cutucou o solo com uma bengala e acendeu o gás que escapava. As crianças ficaram absolutamente encantadas; Higgins estava desconcertado e intrigado. A colina, pela qual vagavam touros selvagens, chamava-se Spindletop, em homenagem, dizia-se, a uma árvore local que tinha a forma de um cone invertido. Higgins a chamava de colina Grande e simplesmente não a podia tirar da cabeça. Mais tarde ele disse que algo nas pedrinhas recolhidas no local do manancial lhe revelou que se tratava de um campo de petróleo. Higgins nunca pôde dizer ao certo o que havia com as pedrinhas. Mas havia algo.

Tendo absoluta certeza de que a colina Grande escondia petróleo, Higgins encomendou um livro sobre geologia e leu-o avidamente. Em 1892, ele organizou a Gladys City Oil, Gas and Manufacturing Company, em homenagem a uma das garotinhas da escola dominical. Apesar da imponência de seu papel timbrado — um desenho de 24 tanques de petróleo, doze chaminés de fábrica fumegantes e muitos prédios de tijolos — os esforços da companhia deram em nada. Outras tentativas de Higgins também foram malsucedidas.

Uma produção menor estava recém-começando em outro ponto do Texas. Os líderes da comunidade de uma cidadezinha chamada Corsicana tinham concluído que suas ferventes esperanças de promover o desenvolvimento comercial iriam se frustrar pela falta de água. Organizaram então uma companhia de água, que começou as perfurações em 1893. Para sua contrariedade inicial encontraram petróleo em vez de água. A contrariedade logo se transformou em entusiasmo, seguido de muitas perfurações. Tinha nascido a indústria petrolífera do Texas. Em Corsicana um método novo, mais eficiente, a perfuração rotativa, foi tomado de empréstimo aos empreiteiros responsáveis pelos poços de água e aplicado à sondagem de petróleo. Mas Corsicana era um manancial de proporções modestas: em 1900 a sua produção alcançaria apenas 2,3 mil barris diários. Enquanto isso, em Beaumont, Patillo Higgins se recusava a desistir de seu sonho e continuava a promover o potencial petrolífero de Spindletop. Muitos geólogos desembarcaram do trem em Beaumont, examinaram a região e taxaram a ideia de Higgins de disparate. Um membro da Texas Geological Society foi além: em 1898 publicou um artigo aconselhando o público a não investir no sonho de Higgins. Mas ele não desanimava: com um sifão extraiu gás da colina, colocou-o em um par de latas de querosene de cinco galões e o queimou num lampião em casa. Seus amigos da cidade disseram que ele estava tendo alucinações e poderia ter enlouquecido. Mas Higgins não desistiria.

Num último ato de desespero colocou um anúncio numa loja, procurando outra pessoa para perfurar. Houve apenas uma resposta: de um certo capitão Anthony F. Lucas. Nascido no Império Austro-Húngaro, na costa da Dalmácia, engenheiro formado, Lucas integrou-se à marinha austríaca, tendo emigrado para os Estados Unidos. Ele havia tido considerável experiência na prospecção de estruturas geológicas conhecidas como domo de sal, à procura de sal e enxofre. E a colina Grande era um domo de sal.

Lucas e Higgins fizeram um acordo e o capitão começou a perfurar em 1899. Seus primeiros esforços malograram. Outros geólogos profissionais ridicularizaram a ideia. Disseram-lhe que ele estava perdendo tempo e dinheiro. Não havia possibilidade de um domo de sal poder significar petróleo. O capitão Lucas não conseguia convencê-los do contrário. Estava desencorajado devido à rejeição, por parte dos profissionais, do que ele chamava suas "visões", e ficara com a confiança abalada. O dinheiro acabou e ele precisava de novos fundos caso quisesse prosseguir. Conseguiu uma audiência na Standard Oil mas de lá voltou com as mãos vazias.

Sem ter para quem apelar, Lucas foi a Pittsburgh ver Guffey and Galey, os mais bem-sucedidos perfuradores de poços de petróleo em áreas pouco exploradas. Eles eram a sua última esperança. Na década de 1890, James Guffey e John Galey tinham descoberto o maior campo petrolífero da região central do continente, em Kansas, que venderam à Standard Oil. Galey era o verdadeiro perfurador, o explorador. "O petróleo enfeitiçava John Galey", diria mais tarde um sócio. Ele tinha uma espantosa capacidade para encontrar petróleo. Apesar de diligentemente estudar e aplicar as últimas teorias geológicas, alguns de seus contemporâneos acreditavam que ele era quase capaz de farejar petróleo. Tranquilo e grave, era infatigável e ininterrupto na caça. Na verdade a busca do tesouro estimulava-o muito mais do que o tesouro em si. Como ele disse uma vez, o único geólogo que podia dizer com segurança se se poderia encontrar petróleo era o "dr. Broca".

James Guffey aparecia mais. Já fora dirigente do Partido Democrata, vestia-se como Buffalo Bill e tinha até mesmo cabelos brancos longos que ondulavam sob o chapéu de aba larga. "Um exemplo do tipo geralmente aceito de americano", disse um visitante inglês. Uma publicação da época sobre petróleo via Guffey de um modo bem diferente. "Pancadas e empurrões caracterizaram desde o começo suas operações, e nessa ocasião, como agora, ele não tinha superado a fase da vida em que viajar de trem de carga não satisfaz quando há possibilidade de conseguir um expresso." Guffey era o promotor e o negociador. No caso de Lucas, pressionou-o a uma dura barganha: em troca do apoio financeiro da Guffey and Galey o capitão Lucas ficaria com apenas um oitavo do negócio. Quanto a Higgins, Guffey sentia muito lhas não levaria nada da Guffey and Galey. Se houvesse razões sentimentais e disposição para tanto, Lucas poderia dividir a sua participação com Higgins.

John Galey foi para Beaumont e explorou a área. Resolveu fazer a perfuração num local ao lado dos pequenos mananciais com gás borbulhante encontrados por Patillo Higgins. Fincou no chão uma estaca para marcar o ponto. Naquele momento o capitão Lucas estava fora da cidade, contratando perfuradores, e assim Galey voltou-se para a sra. Lucas e disse: "Diga ao seu capitão para começar o primeiro poço aqui. E diga-lhe também que eu sei que ele vai encontrar o maior manancial de petróleo do lado de cá de Baku".[6]

A perfuração começou no outono de 1900, usando as técnicas de perfuração rotatória pioneiras em Corsicana. A população local de Beaumont já tinha absoluta certeza de que Lucas e sua equipe eram, como Patillo Higgins, completamente doidos e nem mereciam atenção. Os únicos seres que iam ver o que estava acontecendo eram crianças e velozes coelhos. Os perfuradores forçavam o caminho através dos metros e metros de areia que haviam frustrado os primeiros esforços. Atingidos cerca de 28 metros, o petróleo apareceu. Agitado, o capitão Lucas perguntou ao líder dos perfuradores, Al Hamill, quanto iria sair daquele poço. Tranquilamente cinquenta barris por dia, respondeu Hamill, pensando nos poços de Corsicana que ele sabia serem capazes de chegar a 22 barris diários.

Os perfuradores folgaram no Natal e reassumiram seu exaustivo trabalho no Ano-Novo de 1901. No dia 10 de janeiro aconteceu um fato memorável: o barro começou a borbulhar com muita força, vindo do manancial. Em questão de segundos seis toneladas de tubo perfurador saltaram do chão e voaram até o alto da torre de sondagem, fazendo o topo pular para fora e quebrando-se nos encaixes ao forçar a passagem para continuar subindo. E então o mundo voltou a ficar silencioso. Os perfuradores, que tinham fugido para todos os lados temendo o pior, perguntando-se se haviam mesmo visto tudo aquilo, voltaram cautelosamente para o local e encontraram uma terrível sujeira, com entulho e quinze centímetros de lama por todo o chão da torre. Mal se puseram a limpar aquela bagunça, a lama voltou a irromper do poço, primeiro com o som de um tiro de canhão e depois com um rugido contínuo e ensurdecedor. O gás começou a sair; e então o petróleo, verde e denso, disparou para o alto com uma força cada vez maior, fazendo pedras voarem dezenas de metros. Jorrava para cima numa corrente sempre mais poderosa, cuja altura era duas vezes a da própria torre, até formar a crista e cair à terra.

O capitão Lucas estava na cidade e ouviu as notícias. Precipitou-se então para a colina em sua carruagem, fazendo o cavalo correr tanto quanto possível. Ao chegar lá ele caiu da carruagem e rolou no chão. Pôs-se de pé, tentando recuperar o fôlego, e se precipitou para a torre.

— Al! Al! O que é isso? — gritou em meio à balbúrdia.

— Petróleo, capitão! — respondeu Hamill. — Cada pingo disso é petróleo.

— Graças a Deus — disse Lucas —, graças a Deus.

Lucas I de Spindletop, como ficou conhecido o poço, estava jorrando não apenas cinquenta barris diários, mas cerca de 75 mil barris por dia. O rugido pôde ser ouvido claramente em Beaumont; algumas pessoas pensaram que era o fim do mundo. Aquilo jamais tinha sido visto em nenhum lugar — exceto nas "fontes de petróleo" de Baku. Nos Estados Unidos o fenômeno veio a ser chamado de poço jorrante. A novidade correu por todo o país e logo dava volta ao mundo. O *boom* do petróleo texano tinha começado.

O que se seguiu foi turbulento. A louca escalada dos arrendamentos começou imediatamente, com alguns pedaços de terra negociados vezes seguidas por preços sempre mais estarrecedores. Uma mulher catadora de lixo emocionou-se ao conseguir 35 mil dólares pelo trecho de terra onde chafurdavam seus porcos. Logo um lote de terra de quatro mil metros quadrados, que apenas dois anos antes fora vendido por menos de dez dólares, chegava a custar novecentos mil dólares. Muitas terras foram vendidas e revendidas tendo como base mapas pequenos e imprecisos e com os títulos de propriedade totalmente irregulares. A cidade ficou cheia de turistas, aventureiros atrás de fortuna fácil, negociantes e trabalhadores de campos petrolíferos; cada trem despejava novas hordas atraídas pelo sonho da riqueza súbita representada pelo jorro escuro do poço. Num único domingo, trens de excursão deixaram em Beaumont cerca de quinze mil pessoas que caminhavam pesadamente na lama, no lodo e no petróleo apenas para ver essa nova maravilha do mundo. Dizia-se que mais de dezesseis mil pessoas viviam em tendas na colina. Em alguns meses, a população de Beaumont passou de dez mil para cinquenta mil.

Tendas, telhados de meia-água, barracos, salões, casas de jogo, bordéis — tudo brotava em Beaumont para servir às várias necessidades da população luxuriosa. Segundo uma estimativa, nesses primeiros meses Beaumont bebia metade do uísque consumido no Texas. Brigar era o passatempo favorito. Havia dois ou três assassinatos toda noite, às vezes mais. Uma vez dezesseis corpos foram dragados de um rio da região, todos com a garganta cortada, vítimas de uma carnificina noturna. Um dos entretenimentos mais populares nos salões era apostar quanto tempo uma cascavel levaria para comer um pássaro colocado em sua jaula. Ainda mais populares eram as prostitutas que enxameavam em Beaumont, e algumas das madames da cidade, Hazel Hoke, Myrtle Bellvue e Jessie George, viraram lenda. Nas barbearias as pessoas ficavam na fila uma hora para pagar 25 centavos e ter o privilégio de se banharem numa tina de água imunda. Ninguém queria perder tempo quando havia negócios de petróleo por fazer e, assim, os primeiros lugares da longa fila do banheiro público chegavam a custar um dólar. Havia quem ganhasse quarenta ou cinquenta dólares por dia ficando de pé na fila e vendendo o lugar aos que não tinham tempo a perder.

É claro que o número dos perdedores foi muito maior que o dos ganhadores e houve incontáveis fraudes para garantir que o dinheiro mudasse de mãos rapidamente. Os vendedores de ações, com papéis que na melhor das hipóteses tinham um valor duvidoso, eram tão numerosos e tão ocupados que Spindletop (alto do Fuso) se tornou conhecida para alguns como Swindletop (alto da Fraude). Uma certa Madame La Monte, que lia a sorte, mantinha um negócio animado revelando a seus clientes onde eles encontrariam novos poços jorrantes. Melhor ainda era o "menino de olhos de raio X", que podia ver através da terra e achar petróleo. Milhares de ações foram compradas da companhia que promovia o talentoso garoto.

Em poucos meses havia 214 poços aglomerados na colina, de propriedade de pelo menos cem diferentes companhias, inclusive uma que se chamava Young Ladies Oil Company (Companhia de Petróleo das Jovens Senhoras). Algumas delas perfuravam áreas do tamanho de um selo postal: um quadrado de terra onde só cabia uma torre. Com os poços de Spindletop jorrando sem parar, muito rapidamente formou-se um excesso de petróleo. No meio do verão de 1901, o barril de petróleo chegou a custar três centavos. Para se ter uma ideia, um copo de água custava cinco centavos e, assim, a exuberância inicial da colina Grande de Patillo Higgins passou a significar algo desprezível.[7]

O negócio do século

Ninguém mais do que James Guffey precisava de mercado para seu petróleo, já que ele era o principal produtor de Spindletop. Mas Guffey não queria ser engolido pela Standard Oil e assim começou a procurar outros clientes. Logo encontrou um muito grande. Pois entre os que mais se entusiasmaram com a novidade de Spindletop estava um conselheiro da cidade de Londres, o primeiro na fila para ser Lord Mayor, *sir* Marcus Samuel. Há pouco ele havia rebatizado a sua empresa em rápida expansão, que passou a se chamar Shell Transport and Trading — novamente, como o nome dos navios-tanques, uma homenagem ao antigo comércio de conchas exercido pelo pai. Agora Samuel e sua empresa viam no petróleo, que jorrava na planície do Texas, um meio de sair da dependência em relação à produção russa e de obter petróleo necessário à exportação direta para a Europa. A produção do Texas fortaleceria Samuel contra seus concorrentes. Outro fator também o interessou: o petróleo bruto texano, mesmo sendo uma fonte muito boa de iluminante, servia bem para o uso como combustível de navios. Uma das paixões que o consumiam era conseguir que os navios propelidos a carvão fossem adaptados para o petróleo — o seu petróleo. Em 1901 anunciou com orgulho que a sua empresa "pode evidentemente reivindicar o pioneirismo no consumo oceânico do combustível líquido".

Assim, quando a novidade de Spindletop chegou a Londres, a Shell imediatamente encetou esforços frenéticos e cômicos, primeiro para descobrir onde ficava Beaumont — não havia meio de encontrar essa cidade no mapa do escritório — e depois para estabelecer contato com Guffey. O pessoal da Shell nunca havia ouvido falar de Guffey e foi preciso ir por pistas. Guffey admitiu que, por sua vez, nunca ouvira falar da Shell, o que magoou e ofendeu Londres, e resultou em telegramas e cartas assinalando que a Shell era uma empresa "de grande magnitude", a segunda maior companhia de petróleo do mundo e "a mais perigosa opositora da Standard Oil". Enquanto isso, informações de que navios-tanques da Standard Oil estavam regularmente carregando petróleo de Spindletop em Port Arthur apenas aumentaram a ansiedade da Shell para agir logo. Samuel despachou o cunhado para o Novo Mundo — primeiro Nova York, depois Pittsburgh e então Beaumont — na tentativa de fazer um contrato com o desconhecido Guffey. As negociações foram perseguidas a toda a pressa. A Shell não fez avaliação geológica própria; não se preocupou nem em contratar um advogado americano para revisar o contrato. Num dado momento, o cunhado de Samuel teve de sair correndo e percorrer as lojas atrás de um mapa-múndi de parede que lhe permitisse explicar a Guffey as atividades da Shell em outros pontos do mundo. Depois dessa excursão e das discussões com Guffey, ele confiantemente assegurou a Samuel, já de volta a Londres, um ponto crucial: "Não há probabilidade de falha de suprimento". A única coisa que podia preocupá-lo era a superprodução.

Em junho de 1901, apenas meio ano depois de ter jorrado petróleo em Spindletop, as duas empresas já haviam completado a negociação e assinado um contrato. Durante os vinte anos seguintes, acordaram, a Shell ficaria com pelo menos metade da produção de Guffey — um mínimo de quase quinze milhões de barris — ao preço de 25 centavos o barril. E se quisesse poderia ficar com mais. Para ambos os lados pareceu que esse era o negócio do novo século. Marcus Samuel encomendou a construção em ritmo acelerado de quatro novos petroleiros para implementar o que considerava outro grande golpe — o novo comércio do Texas.

Spindletop iria reformular a indústria do petróleo e com seus volumes imensos deslocaria a produção americana da Pensilvânia e de Appalachia para o sudoeste. Ele também ajudou a abrir um dos principais mercados do século XX, aquele pelo qual Marcus Samuel estava lutando: o óleo combustível. Isso porém foi mais por descuido que por planejamento; o petróleo do Texas era de qualidade tão ruim que pelos processos existentes não podia ser convertido em querosene. Assim, de início ele não foi usado para iluminação mas para aquecimento, energia e locomoção. Um pelotão de indústrias do Texas passou quase imediatamente do carvão para o petróleo. Partindo de uma única locomotiva movida a óleo em 1901, a Santa Fe Railroad tinha 227 em 1905. Do mesmo modo, as empresas de navio a vapor apressaram-se a adaptar os navios para o petróleo. Essas conversões, consequência de Spindletop, assinalavam uma grande mudança na sociedade industrial.

Spindletop também se tornou o campo de treinamento para a indústria petrolífera do sudoeste. Rapazes do meio rural e urbano, todos aprendiam ali os truques do comércio. Até mesmo uma nova linguagem referente ao trabalho e aos trabalhadores nasceu na colina, pois foi em Spindletop que uma "broca" passou a ser chamada de "perfuradora", um ajudante qualificado de "petroleiro", e um ajudante semiqualificado de "biscateiro". Quem tivesse pouco dinheiro poderia comprar um poço se se associasse com a sua turma, o proprietário da terra, o homem do armazém, o dono da pensão, o gerente do seu salão predileto e, se necessário fosse, também a sua mais querida madame.

Durante uns poucos anos, o *boom* de Spindletop, com toda a sua loucura e frenesi, e com todas as suas espeluncas, iria se repetir muitas vezes no sudoeste, começando com outros domos de sal ao longo da costa do golfo do México, no Texas, e do estado de Louisiana. Mas a costa do golfo estava prestes a ser alcançada por Oklahoma. Um colar de descobertas de jazidas de petróleo em Oklahoma, começando em 1901, culminou no grande Glenn Pool, perto de Tulsa, em 1905. Seguiram-se novas descobertas em Louisiana. Enquanto isso, fazendeiros do norte do Texas que faziam perfurações para obter água, encontraram petróleo e começou outro *boom*. Mas foi Oklahoma, e não o Texas, que se tornou o maior produtor da área, participando com mais da metade da produção total da região em 1906; só em 1928 o Texas voltou a ser o líder, uma posição que continua a ocupar nos Estados Unidos até hoje.[8]

Gulf: sem dizer "Com a sua permissão"

James Guffey, o promotor que deu o suporte a Lucas, tornou-se um símbolo nacional de enriquecimento súbito — a seu modo, dizia-se, era outro Rockefeller. Pelo menos assim parecia. O próprio Guffey pode até mesmo ter acreditado nisso durante algum tempo. Afinal, ele havia feito o maior negócio de petróleo do mundo, que duraria vinte anos, com Marcus Samuel, da Shell. Mas em meados de 1902, um ano e meio depois da descoberta de Spindletop, Guffey e sua companhia estavam em grande dificuldade. A pressão subterrânea esgotara-se em Spindletop devido à superprodução e mais ainda em razão de todas aquelas torres em lotes do tamanho de um selo postal — a produção da colina Grande despencou. Mas os problemas da Guffey Petroleum eram também de ordem interna: as habilidades de James Guffey eram ótimas para vender, não para administrar. Como administrador ele era tão ruim quanto a qualidade do seu petróleo.

Essa situação afligia muito os banqueiros de Pittsburgh que tinham aportado o capital original para apoiar Guffey e o capitão Lucas — Andrew W. e Richard Mellon. Com apenas 26 anos, Andrew recebeu do pai, o juiz Thomas Mellon, a direção do banco familiar; ele e o irmão transformaram o Mellon and Sons num dos maiores bancos do país, de importância crucial para o desenvolvimento industrial americano no século XIX. Os dois irmãos tinham um sentimento particular de afeição e respeito por John Galey, sócio de Guffey. Ainda crianças, o pai de Galey e o deles, o juiz Mellon, tinham vindo da Irlanda para os Estados Unidos no mesmo navio. Apesar de se preocuparem com a negligência de John Galey no tocante às finanças, os irmãos Mellon sabiam que ele era um grande descobridor de petróleo. Em 1900 o sócio de Galey, Guffey, conseguiu convencer os Mellon a depositar os trezentos mil dólares para o poço nos confins de Spindletop, além de muitos outros milhões de dólares para pôr o campo em condições de produzir. Agora, em 1902, poucos meses depois, com a pressão e o jorro arrefecidos, os Mellon temiam que Guffey perdesse não só o dinheiro deles como também o dos outros investidores por eles atraídos para o negócio.

Os Mellon acharam que tinham uma solução na pessoa de seu sobrinho, William C. Mellon, dez anos mais jovem que os dois irmãos banqueiros. Podia-se confiar em William. Com dezenove anos ele tinha ouvido falar em descoberta de petróleo numa cidade perto de Pittsburgh chamada Economy. O cheiro do petróleo e a excitação do negócio o arrebataram; e ele aí se atirou. Passou uns poucos anos subindo por toda a Appalachia à busca de petróleo e achando-o. Certa vez, ele perfurou no cemitério de uma igreja um poço que produziu mil barris diários. A igreja lhe passou a perna com toda a elegância.

William sabia que tinha apanhado a febre. "Para um número muito grande" de homens do petróleo, lembraria ele, "o negócio do petróleo mais parecia um grande jogo de cartas, em que a emoção vale mais do que grandes pilhas de fichas... Nenhum de nós estava disposto a parar, a tirar o dinheiro dos poços e ir para casa. Cada poço, bem ou malsucedido, fornecia o estímulo para perfurar outro". Mas seu tio Andrew lhe havia transmitido a lição de que não era esse o modo de conduzir um negócio sério. Pelo contrário, o objetivo devia ser integrar — controlar cada estágio de operações. "O verdadeiro modo de fazer um negócio com petróleo", disse Andrew, era "desenvolvê-lo de cabo a rabo; extrair do solo a matéria-prima, refiná-la, manufaturá-la e distribuí-la". Se assim não se fizesse estava-se à mercê da Standard Oil.

William agiu de acordo com o conselho do tio. Apesar da oposição da Standard Oil e da Pennsylvania Railroad, ele construiu uma companhia integrada de petróleo, que produzia no oeste da Pensilvânia, refinava nos dois extremos do estado, transportava em seus próprios oleodutos e vendia da Filadélfia para a Europa. Em 1893, estimou-se que a empresa dos Mellon embarcou 10% do total de exportações dos Estados Unidos e tinha um milhão de barris estocados. A Standard Oil propôs comprar a companhia dos Mellon. Eles não eram sentimentais: formavam negócios, vendiam-nos e iam em frente com outra coisa; chegara a hora de vender a companhia de petróleo. Os Mellon juntaram uma quantidade considerável de dinheiro com a venda. William foi para o negócio de bondes, pensando ter encerrado sua carreira no ramo do petróleo. Sete anos depois, com apenas 27 anos, descobriu que estava enganado. Mandado pelos tios, desembarcou em Spindletop para inspecionar o investimento da família. Informou-lhes que eles nunca teriam seu dinheiro de volta enquanto Guffey estivesse dirigindo o negócio.

Como já haviam feito sete anos antes, os Mellons, ofereceram a nova empresa à Standard Oil. Mas a proposta foi recusada, devido às ações judiciais do estado do Texas contra a companhia e em particular contra John D. Rockefeller. "Estamos fora", disse um diretor da Standard. "Depois da forma como o sr. Rockefeller tem sido tratado pelo Texas ele nunca mais porá um níquel nesse estado."

Com isso, disse um William Mellon bastante desapontado, havia apenas uma solução para "seguramente a pior situação em que já me meti: um bom controle da administração, trabalho duro e petróleo bruto". O primeiro obstáculo era James Guffey, que William Mellon considerava um fanfarrão incompetente. Mellon assumiu o controle administrativo das companhias Guffey Petroleum e Gulf Refining, fundadas em 1901 e totalmente imbricadas. Obviamente Guffey estava bastante ressentido; afinal, a imprensa o elegera o principal homem do petróleo dos Estados Unidos. Às vezes, William Mellon achava que precisava ser muito arbitrário e ríspido com o principal homem do petróleo dos Estados Unidos.

"O principal problema", disse Mellon, "era transformar o petróleo bruto em dinheiro". Algo devia ser feito em relação ao contrato da Guffey Petroleum com a Shell, que obrigava a empresa americana a vender metade da sua produção para a Shell por 25 centavos o barril durante os 25 anos seguintes. Aquele contrato fora feito quando a produção parecia ilimitada, até mesmo impossível de ser refreada, quando a companhia precisava de mercados e o petróleo estava sendo vendido por dez ou até mesmo três centavos o barril — um bom lucro qualquer que fosse o cálculo. Apesar de a validade do contrato ser por vinte anos, o mundo havia mudado bastante em menos de dois. No final de 1902 e durante 1903, como consequência da queda da produção de Spindletop, o barril de petróleo estava sendo vendido a 35 centavos ou até mais. Assim, para obedecer ao contrato, a Guffey Petroleum tinha de comprar petróleo de terceiros e vendê-lo para a Shell perdendo dinheiro. Guffey ainda podia estar pensando que aquele era o negócio do século. Mellon certamente não. Achava que o contrato era podre e sabia que teria de sair dele o mais rápido possível.

Marcus Samuel contava muito com o contrato. Assim, as más notícias do Texas — segundo as quais os suprimentos de petróleo de Guffey tinham malogrado — abalaram-no bastante. Qualquer que fosse o infortúnio de Guffey, a Shell tinha toda a razão de se aferrar ao conteúdo preciso do contrato ou de querer ser generosamente indenizada por seu cancelamento. Samuel ordenou que os quatro novos navios-tanques, que tinham sido construídos para transportar o petróleo do Texas, fossem adaptados para levar gado do Texas para o East End de Londres, tirando o melhor proveito de uma situação ruim. Porém isso devia ser apenas um expediente temporário para esperar o momento em que se pudesse retomar os embarques de petróleo. Ele se preparou para processar a Shell; mas o resultado de uma batalha judicial, advertiu-o um americano perito em assuntos judiciais, não era absolutamente seguro, uma vez que, para começar, o contrato tinha sido feito de modo muito descuidado e incompetente.

Andrew Mellon foi pessoalmente a Londres tratar do assunto, e viajou até Kent para falar com Samuel em Mote, sua propriedade no campo. Mellon "admirou bastante o Parque", escreveu Samuel em seu diário a 18 de agosto de 1903. No dia seguinte, ele acrescentou: "Fui a Londres no trem das 9h27 para negócios importantes (...) Tive um dia muito ocupado negociando com o sr. Mellon para tentar evitar procedimentos legais com a Guffey Co., mas não consegui chegar a um *modus vivendi* e em seguida consultei os advogados". Andrew Mellon era cortês, encantador, de modos suaves, mas persistente e absolutamente firme. No começo de setembro, os dois lados chegaram a um *modus vivendi,* um novo acordo. O negócio do século — tão importante, na visão de Marcus Samuel — foi substituído por um contrato que quase nada assegurava à

Shell no que dizia respeito ao petróleo. A Guffey Petroleum — e os Mellon estavam completamente fora de perigo.[9]

Enquanto isso, William Mellon perseguia uma estratégia que se tornaria crucial para a indústria petrolífera em todo o século XX — juntar todas as diversas atividades da indústria e construir uma companhia de petróleo coesa e integrada. Ele propunha uma estratégia intencionalmente diferente da realizada pela Standard Oil. Mellon observou que a Standard exercia o poder, protegia e melhorava a sua posição porque era praticamente o único comprador de petróleo bruto e por controlar o transporte. "A Standard fez o preço", disse Mellon, e quase todos os produtores eram dependentes dela. Embora podendo ter e efetivamente ter conseguido uma boa atuação nesse esquema, os produtores estavam "à mercê da Standard". Mellon inquietava-se com a possibilidade de que com o tempo, à medida que mais campos fossem sendo descobertos e explorados no Texas, a Standard estendesse seus oleodutos até esse estado. A operação de Mellon seria inevitavelmente arrastada para o sistema de produção da Standard. Não era isso que estava procurando; suas ambições eram maiores do que ser apenas um apêndice da Standard. Ecoando as lições de seu tio, Mellon concluiu "que o jeito de competir era desenvolver um negócio integrado que em primeiro lugar iria produzir petróleo. A produção, eu percebia, *tinha* de ser a base desse negócio". Era claramente o único caminho para uma companhia que se propunha a operar sem ter que dizer "com a sua permissão" para quem quer que fosse, e muito menos para a Standard Oil.

Um dos maiores problemas que Mellon enfrentou foi a capacidade da nova refinaria da companhia em Port Arthur ser quase equivalente à da produção de todo o estado do Texas. Além disso, dependia de petróleo de má qualidade que a qualquer momento poderia se esgotar. Em 1905, com a descoberta do Glenn Pool em Oklahoma, um petróleo de melhor qualidade estava disponível. Esta era a saída para o problema: petróleo "vendável na qualidade da Pensilvânia e na quantidade do Texas". Mas a empresa teria de agir logo. A Standard Oil estava estendendo rapidamente a sua rede de oleodutos a partir de Independence, em Kansas. Mellon avisou aos tios que todo o empreendimento fracassaria "se não conseguirmos chegar até aquele campo de Oklahoma". A construção de 720 quilômetros de oleoduto de Port Arthur até Tulsa precisava ser a toque de caixa. Mellon contratou quatro turmas: uma que começava ao sul, partindo de Tulsa; outra que vinha do norte, de Port Arthur; e duas que partiam do meio e trabalhavam em direções opostas. Era uma corrida contra o tempo — e contra a Standard Oil. Em outubro de 1907, o petróleo de Glenn Pool corria pelo oleoduto até a refinaria de Port Arthur e os Mellon estavam firmemente estabelecidos como figuras das mais importantes na indústria do petróleo.

A construção do oleoduto foi concomitante com a reformulação da empresa. Os Mellon não injetariam dinheiro em grande quantidade na estrutura arruinada remanescente. William Mellon arquitetou uma reorganização da Guffey Petroleum e da Gulf Refining que resultou na Gulf Oil Corporation. Agora era resolutamente uma companhia Mellon. Andrew Mellon tornou-se o presidente; Richard B. Mellon o tesoureiro; e William, vice-presidente. Guffey foi posto completamente de lado. Mais tarde ele se queixaria com amargura: "Eles me expulsaram".

E o que aconteceu com os pioneiros de Spindletop? "Devido ao fato de o sr. Guffey e o grupo Mellon terem ganho muito dinheiro e eu não", disse o capitão Anthony Lucas algum tempo depois, "aceitei sua oferta e lhes vendi minha participação por uma quantia satisfatória". Ele se estabeleceu em Washington, D.C., como engenheiro consultor e geólogo. Voltou a Beaumont três anos depois de sua descoberta em Spindletop e inspecionou a colina coberta de poços mas já abandonada, tão rapidamente exaurida. Depois de vagar por todo o campo petrolífero sugeriu um epitáfio: "A vaca foi excessivamente ordenhada". E acrescentou: "Além disso, não foi ordenhada de modo inteligente".

Quanto a Patillo Higgins, ele abriu um processo contra o capitão Lucas, que à falta de razões sentimentais o havia desconsiderado. Além disso fundou a Higgins Oil Company, mas vendeu a sua parte aos sócios. Tentou lançar uma companhia petrolífera integrada, a Higgins Standard Oil Company, mas o empreendimento fracassou porque o público passara a desconfiar de todas as ofertas de ações que trouxessem impressa a palavra "Swindletop". Contudo, parece que Higgins ganhou uma quantidade razoável de dinheiro pela vida afora, e 32 cidadãos de Beaumont certa vez assinaram uma carta à população declarando que merecia "toda a honra da descoberta e da exploração" de Spindletop. Afinal de contas ele não era tão doido.

Nem James Guffey nem John Galey foram capazes de agarrar seu dinheiro. "Tempos difíceis se abateram sobre ambos à medida que envelheciam, e um retorno se tornou cada vez menos viável", escreveu o sobrinho de Galey. "Tinham deixado escapar várias oportunidades de conseguir grande fortuna, talvez por não lançarem mão de seu trunfo na hora certa. É raro aparecer uma oportunidade dessas. Spindletop foi o grande empreendimento de Guffey e Galey como parceiros. Depois disso, eles lutaram com projetos insignificantes de perfuração aqui e ali, amplamente financiados graças a seu prestígio, já declinante, como os maiores descobridores de petróleo da primeira metade do século neste hemisfério."

Guffey, o promotor, passou as últimas décadas de sua longa vida — ele morreu aos 91 anos — profundamente endividado. A sua residência, uma mansão na Fifth Avenue de Pittsburgh, foi preservada até o fim por cortesia de seus credores. Galey, o descobridor de petróleo, recebeu apenas migalhas dos 366 mil dólares que Guffey lhe devia como resultado do negócio que fizeram em Spindletop. Já no final da vida, Galey percorreu áreas do estado de Kansas, farejando negócios na companhia de Al Hamill, que fora o perfurador em Spindletop. Certo dia, uma pesada nevasca os pegou e eles não puderam sair de onde estavam. Então, os dois homens se deram por vencidos e resolveram voltar para casa. Galey admitiu dolorosamente: nunca em toda a sua vida estivera tão pobre quanto naquele momento. Poderia Hamill trocar-lhe um cheque assinado pela sra. Galey? Em vez disso, Hamill pagou a conta do hotel do companheiro e o pôs no trem que faria um percurso através da neve e o levaria de volta para casa. Foi a última tentativa de retomar o negócio de petróleo feita por John Galey, o homem que podia farejar petróleo; e morreu logo depois.

Já William Mellon foi durante muitos anos presidente e dirigente da Gulf Oil, enquanto se tornava uma das maiores companhias de petróleo do mundo. Em 1949, pouco antes de morrer, ele comentou: "A Gulf Corporation ficou tão grande que eu perdi a sua pista".[10]

Sun: "Saber o que fazer com ele"

Entre os milhares e milhares que desembarcaram do trem em Beaumont, no Texas, atraídos pela notícia da descoberta do capitão Lucas, havia um certo Robert Pew, que orientado pelo tio, J.N. Pew, chegou apenas seis dias depois de ter jorrado petróleo em Spindletop. Robert Pew logo viu a oportunidade oferecida não só pelo mineral mas igualmente pelas boas perspectivas de transporte através do golfo do México. Porém não gostou do clima, da cidade, da população, do *boom*, enfim de quase nada do Texas, e caiu doente no mais absoluto abandono, sendo substituído pelo irmão. J. Edgar Pew chegou com um revólver, por insistência tanto do irmão quanto do tio, que lhe recomendaram usá-lo para sua proteção pessoal no ambiente agressivo de Beaumont.

Os Pew podiam estranhar Beaumont, mas não o petróleo: eles já estavam no negócio de hidrocarboneto há um quarto de século. Em 1876, no oeste da Pensilvânia, J.N. Pew e um parceiro começaram a coletar gás natural, considerado então um produto inaproveitável, e a vendê-lo, como combustível oleoso. Em 1883, eles eram o primeiro grupo a suprir uma grande cidade — Pittsburgh — com gás natural no lugar do gás urbano manufaturado. Os Pew montaram um negócio considerável. Mas a Standard Oil havia voltado a sua atenção para o gás, constituindo o Natural Gas Trust em 1886, e, com o tempo, J.N. Pew seguiu o mesmo caminho dos Mellon em seu primeiro empreendimento no campo do petróleo na década de 1890: vendeu seu negócio de gás para a Standard.

Em 1886, Pew começou também a produzir petróleo no campo de Lima. Procurando no céu um corpo celeste para dar nome à companhia, finalmente se decidiu pelo sol, devido à sua proeminência sobre os outros corpos. A Sun Oil Company não logrou um destaque equivalente na indústria nos quinze anos que se seguiram, mas conseguiu formar um respeitável negócio de petróleo à sombra da Standard Oil.

Ao chegar à Beaumont em 1901, J. Edgar Pew adquiriu arrendamentos para a Sun Oil Company; mas ele e a família sabiam por experiência prévia que não bastava ter uma boa produção. "Podia-se comprar milhões de barris de petróleo por cinco centavos o barril", diria mais tarde J. Edgar, "mas a questão era saber o que fazer com ele." Assim, a Sun adquiriu instalações de armazenamento na região. Ao mesmo tempo construiu uma refinaria em Marcus Hook, nos arredores de Filadélfia, para receber o petróleo bruto do Texas despachado em navios, e começou a cuidar da formação de um mercado a longo prazo. Com a evidência do declínio de Spindletop, a companhia se expandiu em outro local do Texas, adquirindo a produção e estabelecendo seu próprio grande sistema de oleodutos na região. Em 1904, a Sun era uma das poucas companhias preeminentes do comércio de petróleo da costa do golfo.[11]

"Joe Couro de Veado" e a Texaco

Outra grande companhia de petróleo iria nascer no turbilhão de Spindletop. Resultou do trabalho de Joseph Cullinan, que estava entre os pioneiros da expansão do petróleo no Texas. Em 1895, Cullinan deixou uma carreira promissora no setor de oleodutos da Standard para formar na Pensilvânia a sua própria empresa de equipamentos para petróleo. Ganhou o apelido de "Joe Couro de Veado" devido à sua personalidade agressiva e abrasiva e à ânsia de ver concluído um serviço, que fazia lembrar aos que com ele trabalhavam o couro rústico usado para as luvas e os sapatos nos campos petrolíferos.

Em 1897, Cullinan foi convidado a fazer uma rápida visita a Corsicana, no Texas, para informar os fundadores da cidade sobre as implicações da exploração do petróleo. Em vez de simplesmente informar, estabeleceu-se ali e tornou-se o principal homem do petróleo de Corsicana. No dia seguinte ao jorro do poço do capitão Lucas em Spindletop estava no local, em Beaumont, para ver a cena. Num relance, Cullinan percebeu que aquilo era algo totalmente diferente e numa escala muito maior que a de Corsicana. Seu primeiro passo em Beaumont foi criar a Texas Fuel Company, para comprar e comercializar petróleo bruto. A perícia de Cullinan com relação ao equipamento veio a calhar: a sua Texas Fuel Company tinha uma vantagem sobre os concorrentes potenciais, pois Cullinan já havia construído instalações de armazenamento a apenas 32 quilômetros dali.

Ele logo ganhou o controle de arrendamentos valiosos que um sindicato de ex-políticos tinha acumulado na própria Spindletop. O sindicato era dirigido por James Hogg, um ex-governador e defensor do progresso do Texas, de 136 quilos, que conduzia seus negócios com muita dureza, o que o levou a explicar certa vez: "Meu nome é Hogg e minha natureza é grosseira". O grupo de Hogg tinha adquirido de James Guffey posição-chave nos arrendamentos. Guffey, independentemente das falhas que apresentava como administrador, tinha o bom instinto político próprio de um ex-dirigente do Partido Democrata. Mais tarde, ele explicou que a venda de arrendamentos tão obviamente valiosos era o preço a pagar pela segurança política. "Naquela época, os homens do Norte não eram respeitados no Texas", disse ele. "O governador Hogg era um homem poderoso ali e eu o queria do meu lado porque ia investir muito dinheiro." Hogg tinha também uma virtude mais específica: era o grande oponente da Standard Oil no Texas. Quando governador até mesmo tentou extraditar Rockefeller de Nova York para processá-lo. A participação de Hogg dava alguma proteção contra as conhecidas táticas da Standard quando se confrontava com um novo adversário.

Para obter o capital necessário à expansão de seus arrendamentos, Cullinan recorreu a Lewis H. Lapham, um nova-iorquino dono da U.S. Leather, o eixo do truste do couro, e a John W. Gates, um espalhafatoso financista de Chicago, conhecido como "Gates Aposto Um Milhão" devido à sua disposição de apostar a propósito de qualquer coisa. Para seus parceiros texanos, que se preocupavam com o predomínio do capital "estrangeiro", Cullinan declarava insistentemente: "O pessoal de Tammany encontrará nos sulistas adversários à altura". Essa previsão revelou-se acertada — pelo menos num ponto.

Cullinan, com sua ampla experiência e um talento natural para a liderança, rapidamente emergiu como o primeiro homem do petróleo em Beaumont. Quando um inferno de chamas varreu Spindletop em setembro de 1902, comandou os esforços para controlar o fogo — e fez isso durante toda uma semana quase sem parar, até o incêndio extinguir-se e ele desabar de exaustão. A fumaça dos gases queimou-lhe os olhos, chegando a deixá-lo cego por alguns dias; mas confinado na cama com bandagens nos olhos continuava a comandar reuniões e a dar orientações. Entre os trabalhadores da equipe de Cullinan estavam Walter B. Sharp, que perfurara a primeira tentativa malsucedida de Patillo Higgins em Spindletop, no ano de 1893, e que era agora um perfurador excepcional, e outro perito em perfurações chamado Howard Hughes, sr. Na primavera de 1902, Cullinan fundou a Texas Company para consolidar as suas diversas operações e possibilitar melhor exercer o seu controle pessoal e autocrático.

Ao contrário de James Guffey, Cullinan sabia administrar uma companhia petrolífera, e ao contrário da Guffey-Gulf, a Texas Company deu lucro desde o início. No seu primeiro ano de vida, ela vendeu petróleo por um preço médio de 65 centavos o barril. Uma vez que Cullinan tinha armazenado o petróleo durante o tempo de produção farta, quando o comprou a um preço médio de doze centavos o barril, a companhia se saiu muito bem. Os Mellon, tentando resolver os problemas deixados por Guffey, quase consumaram uma fusão da Gulf com a Texas Company de Cullinan. Mas os pequenos produtores de petróleo, levantando o espectro de um novo truste do petróleo, conseguiram converter o acordo proposto na questão mais quente da Assembleia Legislativa do Texas: os principais lobistas de cada lado acabaram até mesmo se atracando publicamente num hotel de Austin. Por fim, a Assembleia Legislativa do Texas foi contra a fusão, o que eliminou as suas chances.

Cullinan passou a se concentrar unicamente na expansão da Texas Company. A empresa construiu o seu próprio oleoduto, de Glenn Pool, em Oklahoma, até Port Arthur, no Texas. Registrou-se como Texaco em 1906 e começou a mostrar seu símbolo, o T verde superposto à estrela vermelha. Lançou-se na produção de gasolina e em 1907, com apenas seis anos de existência, era capaz de exibir uma linha completa com cerca de quarenta produtos na Feira do Estado em Dallas. Em 1903, a produção de gasolina superou a dos óleos iluminantes como seu principal produto. Logo no começo Cullinan previra que "virá o tempo — e talvez esse dia não esteja longe — em que vamos querer ter um escritório geral em Houston em vez de Beaumont, pois acho que Houston será o centro do negócio de petróleo no sudoeste". Pouco tempo depois, enfrentando corajosamente o opressivo calor úmido do verão de Houston, mudou o escritório para essa cidade, apesar de partes importantes do negócio terem mudado para Nova York.

O autocrático estilo administrativo de "Joe Couro de Veado" começou a irritar seus investidores e levou ao primeiro dos conflitos, entre Texas e Nova York, que iriam marcar a companhia. Um dos altos executivos escreveu a Lapham para se queixar de que Cullinan "pensa que sabe muito e precisa se intrometer em tudo (...) Ele nos considera, a nós aqui de Nova York, o rabo do cachorro, e ainda por cima um rabinho bem pequeno". Quando os maiores acionistas tentaram dar um golpe em Cullinan, ele se rebelou e por meio de um procurador começou uma luta para tentar reconquistar o controle. A Pensilvânia transplantada procurava converter a batalha num conflito secessionista: Texas *versus* Leste. Em sua declaração aos acionistas, Cullinan proclamou que a administração original da companhia, "o conjunto de sua atitude e de suas atividades foram cunhados com o nome 'Texas' e com os ideais do Texas", e que a "sede e as autoridades da direção devem ficar e ser mantidas no Texas". Evidentemente porém não era por isso que estava havendo um conflito. A verdadeira questão era o desempenho autocrático de Cullinan.

Nova York tinha os votos e Cullinan sofrera uma grande derrota na luta pelo voto por procuração. Tentou filosofar: "Foi uma boa briga de cortiço", escreveu "Joe Couro de Veado" para um velho companheiro da Pensilvânia, "e alguns móveis se quebraram, mas o nosso lado ficou muito castigado e logo vou tratar de arranjar outro trabalho". Ele fez isso e continuou a ter sucesso. A partir de então se ateve à exploração e à produção, deixando o refino e a distribuição para outros.[12]

"Como podemos controlar isso?"

O desenvolvimento dos novos poços petrolíferos da costa do golfo e da região central do país debilitou a aparentemente inexpugnável posição da Standard Oil. Essas novas fontes de petróleo, aliadas aos mercados do óleo combustível e da gasolina, que emergiam com muita rapidez, abriram as portas para um exército de novos concorrentes que, como definiu William Mellon, não precisavam dizer "Com a sua permissão" à Standard ou a quem quer que fosse. As vendas da Standard continuavam a crescer em termos absolutos. Sua venda de gasolina, refletindo a nova época, aumentou mais de três vezes entre 1900 e 1911, e na verdade em 1911 superou pela primeira vez à do querosene. E a Standard Oil estava sintonizada com os últimos avanços tecnológicos disponíveis. Quando o aeroplano dos irmãos Wright voou pela primeira vez em Kitty Hawk, na Carolina do Norte, em 1903, seu motor queimou gasolina e usou lubrificantes trazidos até a praia em barris de madeira e em latas azuis por vendedores da Standard Oil. Mas em termos de participação no total do mercado americano de produtos do petróleo a posição de domínio esmagador que lhe era tradicional estava agora sofrendo um recuo. O controle da capacidade de refino declinou de mais de 90% em 1880 para apenas 60% ou 65% em 1911.

Como consequência da explosão da produção na costa do golfo, a "Velha Casa" também viu escapar do controle a produção de petróleo bruto dos Estados Unidos — e a sua capacidade de "ditar" os preços. Ao mesmo tempo, a exploração de fontes de petróleo bruto fora do país estava reduzindo o poder da companhia no mercado internacional. Obviamente a posição da Standard parecia inexpugnável para os que estavam de fora, mas assim não pensavam os que estavam na "Velha Casa". "Olhe as coisas agora: Rússia e Texas", queixou-se H.H. Rogers, diretor da Standard, a um visitante. "Parece que o petróleo que eles têm lá nunca irá acabar. Como podemos controlar isso? É como se algo estivesse apertando a Standard Oil Company pelo pescoço." Era, acrescentou sinistramente, "algo maior que nós".[13]

CAPÍTULO V

O dragão assassinado

A "VELHA CASA" ESTAVA SITIADA. SEUS CONCORRENTES comerciais, tanto nos Estados Unidos como em outras partes do mundo, não mais podiam ser derrotados. Além disso, uma guerra política e judicial era mantida por todo o país contra a Standard e suas implacáveis e peculiares práticas de negócios. Não se tratava de um desafio novo: Rockefeller e seus sócios tinham sido criticados e difamados desde o início do Standard Oil Trust. Na verdade, os executivos da Standard Oil nunca compreenderam essas críticas. Achavam que aquilo era demagogia barata, inveja desinformada e discurso de defesa. Tinham certeza de que, ao perseguir incessantemente seus próprios interesses e enriquecimento, a Standard Oil não apenas estava retardando o açoite da "competição desenfreada" como era talvez, segundo as palavras do próprio Rockefeller, o maior dos "edificadores" que a nação jamais conheceu.

Todavia o público em geral via as coisas de um modo absolutamente diferente. Os críticos da Standard consideravam-na uma empresa poderosa, irregular, cruel, entrincheirada, misteriosa e invasora de todos os espaços. Ela tentava impiedosamente destruir quem quer que se pusesse em seu caminho e, a não ser uns poucos diretores arrogantes, ninguém considerava tal conduta justificável. Essa visão fazia parte da perspectiva da época. O crescimento da Standard Oil não havia ocorrido no vazio. Era um produto da rápida industrialização da economia americana das últimas décadas do século XIX, que, dentro de um espaço de tempo extraordinariamente curto, havia transformado uma economia descentralizada e competitiva, constituída de muitas pequenas empresas industriais, em outra dominada por imensos conglomerados industriais chamados trustes, cada qual montado num ramo industrial, várias delas com os mesmos investidores e diretores. A rápida mudança era vista com bastante apreensão por muitos americanos. À medida que o século XIX dava lugar ao XX, quiseram que o governo restabelecesse a competição, controlasse os abusos e domasse o poder econômico e político dos trustes — grandes e terríveis dragões que rugiam com tanta liberdade em todo o país. E o mais feroz e mais temível de todos os dragões era a Standard Oil.

A companhia *holding*

As insistentes investidas legais contra a Standard começaram a ser feitas pelos estados, por processos antimonopolistas movidos por Ohio e pelo Texas. Em Kansas, o governador lançou um projeto para construir uma refinaria de propriedade do estado, que competiria com a da Standard e teria em sua equipe sentenciados. Pelo menos outros sete estados, além do território de Oklahoma, moveram ações de um tipo ou de outro. Entretanto, a Standard demorou a perceber toda a extensão da oposição popular às suas práticas. "Acho uma loucura essa febre antitruste", escreveu um alto executivo, em 1888, para Rockefeller, "que devemos responder de um modo muito digno e nos defendermos de cada acusação com respostas perfeitamente verdadeiras, embora evasivas quanto aos fatos cruciais." A companhia continuou a manter tudo no maior segredo possível. Quando Rockefeller testemunhou num dos processos do estado de Ohio, ele se comportou de forma tão impenetrável que um jornal de Nova York compôs esta manchete: "John D. Rockefeller imita uma ostra".

Tratando de recrutar todos os recursos necessários à batalha, a Standard contratou o melhor e mais caro talento dos meios judiciais. Procurou igualmente influenciar o processo político aperfeiçoando a arte da contribuição política oportuna. "Nossos amigos acham que não temos recebido um bom tratamento do Partido Republicano", escreveu Rockefeller ao remeter uma contribuição para o partido em Ohio, "mas esperamos coisas melhores no futuro." A Standard Oil não cessou de fazer contribuições. Colocou o senador republicano de Ohio numa situação de criado para servir na elaboração das leis — só no ano de 1900, sua remuneração foi de 44.500 dólares. E a companhia fez consideráveis empréstimos para um poderoso senador do Texas, conhecido como "o primeiro líder democrata dos Estados Unidos", que precisava de dinheiro para completar a aquisição de uma fazenda de 2.400 hectares nos arredores de Dallas. Sua agência de publicidade conseguia plantar notícias favoráveis nos jornais barganhando-as com espaços comprados para propaganda. A Standard Oil criou ou assumiu o controle das companhias voltadas para o exterior como se fossem distribuidoras totalmente independentes, que na realidade não eram. Em 1901, por exemplo, uma companhia chamada Republic Oil estabeleceu-se para atuar no mercado do Missouri. Seus anúncios traziam títulos como "Não somos nenhum truste", "Não somos nenhum monopólio" e "Somos absolutamente independentes". Mas prestava contas secretas ao número 75 da New Street de Nova York, prédio que por acaso era a porta dos fundos do número 26 da Broadway.

Apesar de alguns estados terem conseguido vitórias temporárias contra a Standard, nenhum acabou por ser bem-sucedido em suas investidas. Num caso, depois das companhias da Standard Oil terem sido expulsas do Texas e as propriedades postas em depósito, os depositários dos bens em litígio convocaram uma reunião no hotel Driskill, em Austin, para vender todas as propriedades. E as venderam, de fato — para agentes da Standard Oil.[1]

De qualquer modo, as ações legais forçaram posteriores mudanças na organização da Standard. Em 1892, em resposta à decisão de uma Corte de Ohio, o truste foi dissolvido e as ações transferidas para vinte companhias. Mas o controle permaneceu com os mesmos donos. As companhias foram reunidas sob o nome de Standard Oil Interests. Sob esse novo arranjo, o Comitê Executivo do número 26 da Broadway deu lugar a uma assembleia informal de presidentes das várias empresas que constituíam a Standard Oil Interests. A correspondência não era mais endereçada ao Comitê Executivo, mas simplesmente aos "senhores lá de cima".

Mas os "senhores" não estavam satisfeitos com a reorganização da Standard Oil Interests. Era necessário providenciar mais proteção para fazer frente às pressões, que continuavam, e para prover a empresa de uma base legal mais firme. Eles encontraram a solução de seus problemas em New Jersey. Esse estado tinha revisto as suas leis para permitir o estabelecimento de *holding companies* — incorporações que podiam possuir ações de outras incorporações. Isso representava uma ruptura com a tradicional legislação americana sobre negócios. New Jersey procurava também tornar o seu ambiente de negócios propício a essa nova forma de integração. Assim, em 1899, os proprietários da Standard Oil Interests indicaram a Standard Oil of New Jersey como a *holding company* de toda a sua operação. A capitalização da empresa elevou-se de dez milhões para 110 milhões de dólares e ela era proprietária de ações de mais 41 companhias, que controlavam outras companhias, que por sua vez controlavam ainda outras companhias.

Nesse tempo ocorreu uma importante mudança de outro tipo dentro da Standard Oil. John Rockefeller já havia acumulado uma vasta riqueza, estava cansado e começou a planejar a sua aposentadoria. Apesar de ter apenas uns 55 anos, a tensão permanente dos negócios e das investidas legais estava cobrando o seu preço. Depois de 1890, as queixas de problemas digestivos e de cansaço tornaram-se mais frequentes. Ele disse que estava sendo crucificado. Começou a manter um revólver no criado-mudo, à noite. Em 1893, contraiu alopecia, uma doença decorrente de estresse, que além de lhe causar muito sofrimento físico roubou-lhe todo o cabelo — o que desde então tentou camuflar alternando o uso de uma peruca e um barrete. A forma esbelta deu lugar à corpulência. Seus planos de se afastar foram temporariamente adiados por uma série de crises — o Pânico de 1893 e a depressão econômica por ele desencadeada, além do crescente vigor da competição tanto no país quanto fora dele. Mesmo assim, Rockefeller começou a se afastar e finalmente, em 1897, se retirou da companhia — sem ter ainda completado sessenta anos de idade —, passando a liderança administrativa para outro diretor, John D. Archbold.[2]

O sucessor: o entusiasta do petróleo

Havia pouca dúvida de que o sucessor seria John Archbold. Mais que qualquer outro alto executivo da Standard, ele era perito em todas as fases do negócio. Havia sido uma das figuras mais poderosas da indústria de petróleo americana durante as duas décadas anteriores; nas duas seguintes seria o mais poderoso. Mas longa foi a sua carreira.

Baixo e aparentando menos idade do que realmente tinha, Archbold era determinado e infatigável, sempre ansioso por ir em frente e totalmente entregue às exigências e à correção de sua causa. Quando criança, durante a campanha presidencial de 1860, vendeu flâmulas que exaltavam as virtudes dos candidatos. O irmão dele ficou com o distrito mais promissor e, apesar disso, o resultado obtido por John foi de longe o melhor. Aos quinze anos, com a bênção do seu ministro metodista ("Deus quer que você vá"), Archbold deixou Salem, no estado de Ohio, embarcando sozinho num trem para procurar não a salvação e sim a fortuna, em Titusville e no petróleo. Começou como funcionário de uma empresa transportadora, com um salário tão minguado que dormia numa cama sob o balcão do escritório. Tornou-se corretor de petróleo, sempre se mexendo, e assim seria até o resto da sua vida, tomado já então pelo chamado "entusiasmo pelo petróleo". Tal entusiasmo era tremendamente requerido na agitação de Oil Regions. "Nessa época, a sua ronda diária era um duro trabalho", lembrou mais tarde um colega do jovem corretor. "Sempre havia trinta centímetros ou mais de lama misturada com petróleo nas ruas principais de Titusville e à volta dos poços que pontilhavam o córrego a situação era igualmente ruim, com a lama chegando às vezes até a cintura, mas John Archbold não ligava para isso. Se havia petróleo para comprar ou barganhar, ele passava a vau, assobiando uma música."

Archbold não tinha nenhuma diversão além do trabalho. Aprendeu a usar o humor para desanuviar uma situação tensa, o que foi muito valioso durante as controvérsias e lutas subsequentes. Bem mais tarde, quando lhe perguntaram se a Standard Oil havia cuidado apenas dos próprios interesses, sua resposta foi seca: "Não agíamos sempre de modo filantrópico". Aprendeu também a manter os acontecimentos a distância, por mais preocupantes que fossem. Imaginou como poderia se tornar, e efetivamente ser, muito útil para os outros — sobretudo para John D. Rockefeller. Este bem cedo o notara: em 1871, quando se registrava num hotel de Titusville, viu uma assinatura acima da sua. Era de um jovem corretor e refinador que havia assinado "John D. Archbold, quatro dólares o barril". Rockefeller ficou impressionado com essa propaganda tão autoconfiante — numa época em que em lugar algum o petróleo podia alcançar um preço parecido com esse — e fez uma anotação mental.

De natureza dinâmica, Archbold tornou-se secretário da Bolsa de Petróleo de Titusville. Durante o caso da South Improvement Company e da guerra do petróleo de 1872, quando Rockefeller e as ferrovias tentaram monopolizar o controle da produção do petróleo, emergiu como um dos líderes de Oil Regions, fazendo as denúncias mais contundentes. Mas Rockefeller reconheceu alguém que compreendia os fundamentos de Oil Regions, um homem totalmente dedicado aos negócios, que podia ser agressivo e impiedoso e ao mesmo tempo flexível e adaptável. Essa última qualidade certamente foi comprovada em 1875, quando Rockefeller o convidou para trabalhar na corporação. Archbold aceitou incontinente. Sua primeira tarefa foi adquirir secretamente todas as refinarias ao longo do córrego Oil. Ele assumiu a incumbência com absoluta determinação. Em poucos meses havia comprado ou arrendado 27 refinadoras — e se viu às voltas com um sério colapso físico.

Archbold logo ascendeu ao alto da escala na Standard Oil. "Ele podia tomar uma decisão num relance de seu olhar penetrante e em seguida já ter um sorriso nos lábios", lembrou um de seus colegas. Mas ainda era preciso eliminar o principal obstáculo com Rockefeller — uma "lamentável falha", segundo as suas próprias palavras. Gostava demais de álcool e Rockefeller insistia para que assumisse um compromisso de parar de beber — e cumpri-lo. Archbold fez o que Rockefeller queria. Com apenas cinquenta anos, apesar de ser um veterano de mais de três décadas de indústria petrolífera, trouxe vigor e experiência ao seu novo posto como homem número um da Standard Oil. Rockefeller, apesar de se manter em contato com o número 26 da Broadway, a partir de então se dedicou às suas propriedades, à filantropia, ao golfe e a administrar uma fortuna que crescia cada vez mais. Entre 1893 e 1901, a Standard Oil pagou mais de 250 milhões de dólares em dividendos e de longe a maior parte deles foi para uma meia dúzia de homens — e um quarto do total para Rockefeller. A montanha de dinheiro que a Standard Oil movimentava era tal que um comentarista de finanças descreveu a companhia como "um verdadeiro banco do tipo mais gigantesco — um banco dentro de uma indústria, que financia essa indústria contra todos os concorrentes".

Enquanto isso, Rockefeller, aliviado da responsabilidade do dia a dia, recuperou a saúde com o novo regime. Em 1909, seu médico previu que ele viveria cem anos porque seguia estas três regras simples: "Primeiro, evita todas as preocupações; segundo, faz muito exercício ao ar livre; e, terceiro, sempre se levanta da mesa com um pouco de fome". Ele se mantinha a par do que estava acontecendo na companhia mas não se envolvia ativamente na sua direção. E Archbold nem teria permitido isso.

Archbold visitava Rockefeller nas manhãs de sábado para discutir os negócios com seu maior acionista. E Rockefeller conservou o título de presidente, o que se revelou um grande erro de avaliação. Coerentemente com a política de sigilo total, não se fez nenhum esforço para divulgar a sua aposentadoria e assim ainda era considerado pessoalmente responsável por qualquer coisa que a Standard Oil fizesse. No que dizia respeito ao público, portanto, Rockefeller continuava a ser sinônimo de Standard Oil. Ele era o estopim de toda a crítica, todo o rancor, todos os ataques. Por que essa decisão de manter o título de presidente? Os colegas podem ter pensado que seu nome era necessário para manter unido o império — o fator reverência. Talvez tenha sido falta do devido respeito com os acionistas. Contudo, pouco depois da virada do século, um dos diretores gerais, H.H. Rogers, forneceu em caráter reservado outra explicação bem diferente: "Dissemos-lhe que ele devia manter o cargo. Os processos contra a companhia estavam ainda pendentes e nós lhe dissemos que se qualquer um de nós fosse para a cadeia ele teria de ir conosco".[3]

"O acontecimento excitante"

A investida contra a Standard Oil ganhou força no final do século XIX. Um novo e poderoso espírito de reforma — o progressismo — estava ganhando ascendência nos Estados Unidos. Seus principais objetivos eram a reforma política, a proteção do consumidor, a justiça social, melhores condições de trabalho — e o controle e a regulamentação dos grandes negócios. O último item tinha emergido como uma questão urgente com o surgimento de uma grande onda de fusões que estava varrendo todo o país à medida que o número dos trustes crescia rapidamente. O truste da Standard Oil, o primeiro dos Estados Unidos, estabeleceu-se em 1882. No entanto, o ritmo das fusões realmente acelerou na década de 1890. Calcula-se que 82 trustes, com uma capitalização total de 1,2 bilhão de dólares, tenham sido formados antes de 1898. Outros 234 trustes foram organizados entre 1898 e 1904, com uma capitalização total superior a seis bilhões de dólares. Alguns consideravam o truste — ou monopólio — a realização definitiva do capitalismo. Outros o viam como uma perversão do sistema, uma ameaça não apenas para os fazendeiros e trabalhadores mas também para a classe média e para os empreendedores, que temiam vir a ser privados de direitos econômicos. A questão do truste se caracterizava em 1899 como "a grande batalha moral, social e política que agora confronta toda a União". Os trustes eram uma das mais importantes questões da campanha presidencial de 1900 e, logo depois da vitória, o presidente William McKinley disse a seu secretário: "A questão do truste deve ser enfrentada logo e com seriedade".

Um dos primeiros que se dedicou a ela, Henry Demarest Lloyd, prosseguiu seus ataques contundentes à Standard Oil em livro, *Wealth Against Commonwealth*, publicado em 1894. Em seu rastro, um grupo de jornalistas intimoratos se pôs a investigar e publicar os acontecimentos e as feridas da sociedade. Esses jornalistas, que escreveram o programa progressista, viriam a ser conhecidos como *muckrakers* (pessoa que investiga e denuncia corrupção política e administrativa) e se tornariam o centro do movimento progressista. Pois, como observou um historiador, "A realização crítica fundamental do movimento progressista americano foi a questão da exposição". E no alto do programa estava a exposição dos negócios.

A revista que disparou toda a campanha de investigações e denúncias foi a *McClure's*, um dos maiores periódicos da época. Tinha uma circulação de milhares de exemplares. Seu editor era Samuel McClure, um homem temperamental, expansivo e imaginativo, além de idiossincrático: numa viagem a Paris e Londres colecionou mil gravatas. McClure já havia reunido um grupo talentoso de escritores e editores em Nova York e essa equipe estava ansiosamente procurando um grande tema. Em 1899, ele escreveu a um desses homens: "A grande reportagem especial é sobre trustes". E prosseguiu: "Esse será o acontecimento excitante. E a revista que expõe as várias faces do assunto, sobre o qual as pessoas querem ser informadas, está fadada a ter uma boa circulação".

Os editores da revista decidiram focalizar um truste específico para ilustrar o processo da integração. Mas qual seria? Eles debateram o truste do açúcar e falaram sobre o da carne, mas descartaram ambos. Um dos jornalistas sugeriu então a descoberta de petróleo na Califórnia. "Não", replicou a editora-chefe, uma mulher chamada Ida Tarbell. "Temos de encontrar um novo plano para abordar o assunto", disse ela. "Algo que mostre claramente não apenas a magnitude das indústrias e do desenvolvimento comercial e as mudanças que eles trouxeram para as várias partes do país, mas que desvende os princípios pelos quais os líderes industriais estão integrando e controlando esses recursos."[4]

A "distinta amiga" de Rockefeller

Nessa época, Ida Minerva Tarbell já tinha se firmado como a primeira grande jornalista da América. Era uma mulher alta, de 1,82 metro de altura, que impunha à sua volta uma autoridade grave e tranquila. Depois de se diplomar no Allegheny College, foi para Paris com a intenção de escrever uma biografia de madame Roland, uma líder da Revolução Francesa que acabou guilhotinada. Tarbell se dedicou à carreira e nunca se casou, apesar de bem mais tarde ter se tornado uma apologista da vida familiar e opositora do sufrágio feminino. No início do século XX, estava com uns 45 anos e ainda era bastante conhecida como a autora das biografias cuidadosamente elaboradas de Napoleão e Lincoln, ambas muito populares. Apresentava-se e se comportava de modo a parecer mais velha do que realmente era. "A sua vida consistia sobretudo em conservar as pessoas a distância", lembrou outra editora literária da *McClure's*. "À primeira vista, parecia não ter nenhuma coqueteria." Com a questão dos trustes firme em suas mãos na *McClure's*, Tarbell considerou a ideia de empreender ela própria a investigação. O alvo óbvio era "A Mãe dos Trustes"; ela resolveu levar adiante a ideia. Fazendo uma peregrinação com McClure a um banho turco de um velho balneário da Itália obteve a sua aprovação. E assim Ida Tarbell começou a pesquisa que terminaria por derrubar a Standard Oil.

A vida não deixa de ter suas ironias e o livro que resultou da pesquisa de Tarbell constituiu-se na vingança final de Oil Regions contra seus conquistadores. Ida Tarbell tinha crescido nas comunidades agitadas de Oil Regions. Seu pai, Frank Tarbell, havia ingressado no negócio como fabricante de tanques apenas alguns meses depois da descoberta de Drake e na década de 1860 se saíra muito bem, estabelecendo-se por algum tempo em Pithole na época em que a cidade vivia o grande *boom*. Quando de repente o campo se esgotou e a pequena metrópole foi à ruína, comprou por 600 dólares o melhor hotel da cidade, que acabara de ser construído por 60 mil dólares. Demoliu-o, encheu vagões com as janelas francesas, as ótimas portas e o madeiramento, as tábuas e os suportes de ferro; levou tudo para Titusville, a dezesseis quilômetros dali, onde usou o material para fazer uma linda casa nova para a família. Ida Tarbell passou sua adolescência num lugar que era um resto e também uma lembrança de um dos pontos extremos de todo aquele crescimento vertiginoso seguido de fracasso súbito. (Mais tarde, Ida imaginou escrever a história de Pithole: "Nada é tão dramático na história do petróleo quanto Pithole", disse ela.)

Em 1872, Frank Tarbell se juntou aos produtores de petróleo independentes na guerra do petróleo contra a South Improvement Company, e a partir de então, como aconteceu com tantos em Oil Regions, a sua vida nos negócios seria dominada pelas lutas contra o avanço da Standard Oil e pelo sofrimento que ele trazia. Mais tarde, o irmão de Ida Tarbell, William, se tornaria um dos altos administradores da empresa independente Pure Oil Company, fixando a operação de distribuição da companhia na Alemanha. Tanto do pai quanto do irmão, Tarbell absorveu a precariedade do negócio — era como "jogar cartas", segundo a definição de William. "Sempre imaginei estar em algum outro negócio, e se alguma vez ganhar muito dinheiro", escreveu ele em 1896, "pode apostar que colocarei a maior parte em algo seguro". Ela lembrava as angústias e as dificuldades financeiras que o pai suportou — a casa hipotecada, o sentimento de fracasso, a aparente impotência contra o *polvo,* a amargura e a divisão entre os que fizeram e os que não fizeram acordo com a Standard Oil.

"Não faça isso, Ida", implorou-lhe o pai, já velho, quando soube que ela estava investigando a Standard Oil para a *Mclure's.* "Eles arruinarão a revista."

Uma noite, numa festa dada por Alexander Graham Bell, em Washington, o vice-presidente de um banco alinhado com Rockefeller chamou Tarbell de lado; ao levantar uma questão sobre a situação financeira da *McClure's* parecia estar sendo polido mas ameaçava exatamente no que seu pai lhe advertira.

"Bem, eu sinto muito", respondeu Ida Tarbell, incisiva, "evidentemente isso não faz a menor diferença para mim."[5]

Nada podia deter Tarbell. Pesquisadora infatigável e exaustiva, tornou-se também uma detetive absorvida e obcecada por seu caso. Estava convencida de que participava de uma grande história. Sua assistente de pesquisa, que mandava palmilhar as ruelas de Cleveland à procura dos que tinham motivos para se lembrar, escreveu-lhe: "Posso lhe afirmar que esse John D. Rockefeller é a figura mais estranha, mais silenciosa, mais misteriosa e mais interessante dos Estados Unidos. As pessoas deste lugar não sabem nada sobre ele. Um brilhante estudo de sua personalidade seria um tremendo trunfo para a *McClure's*". Tarbell tencionava jogar essa carta.

Mas como iria ela ganhar o acesso direto à Standard? A ajuda veio de parte inesperada. Depois de John Archbold, H.H. Rogers era o diretor mais antigo e mais poderoso da Standard Oil, assim como um proeminente especulador em seus negócios particulares. Era responsável pelo oleoduto da Standard e pelos negócios de gás natural. Os interesses de Rogers não se limitavam, porém, aos negócios. Num de seus grandes serviços à literatura americana, na década anterior, havia assumido o controle das finanças confusas e arruinadas de Mark Twain, ordenando-as, e a partir de então administrando e investindo o dinheiro do famoso escritor, de modo que Twain pudesse, como Rogers o instruiu, "parar de se angustiar por causa de dinheiro". Certa vez, Rogers explicou: "Quando estou cansado dos meus próprios negócios, descanso fazendo experiências com os dos amigos". Ele adorava os livros de Mark Twain e os lia em voz alta para a mulher e os filhos. Os dois se tornaram amigos muito íntimos; Mark Twain costumava jogar bilhar numa mesa que Rogers lhe deu. Entretanto, quando se tratava de seus próprios negócios Rogers era um homem muito duro, pouco sentimental. Afinal, foi ele quem certa vez fez a clássica afirmação para uma comissão que investigava a Standard Oil: "Não estamos nos negócios para melhorar a nossa saúde mas sim em função dos nossos dólares". Em *Who's Who*, ele se classificou simplesmente como um "Capitalista"; outros o chamavam de "Rogers Cão do Inferno" devido a suas incursões especulativas em Wall Street. Achava que Rockefeller desaprovava o fato de ser ele, em suas próprias palavras, "um jogador nato". Nos fins de semana, quando o mercado de ações fechava, Rogers, ansioso por alguma atividade, invariavelmente pegava num jogo de pôquer.

Foi por insistência de Mark Twain que Rogers assumiu o custeio da educação da surda-muda Helen Keller, possibilitando o seu ingresso em Radcliffe. O próprio Mark Twain ficou eternamente agradecido a Rogers, descrevendo-o certa vez como "o melhor amigo que jamais tive" e também como "o melhor homem que jamais conheci". Ironicamente, foi oferecida a Mark Twain, então editor, a oportunidade de publicar o ataque de Henry Demarest Lloyd à Standard Oil, *A riqueza contra a nação*. "Queria dizer", escreveu à mulher, "que ele é o único homem de quem gosto neste mundo; o único por quem eu daria um tostão; o único que esbanja o suor e o sangue para me salvar e aos meus da fome e da humilhação, é um fanático pela Standard Oil (...) Mas não disse isso. Apenas respondi que não queria nenhum livro; que queria me retirar do ramo editorial".

Mark Twain entrava e saía o quanto quisesse do escritório de Rogers no número 26 da Broadway e algumas vezes almoçava com o "senhor lá de cima" no refeitório exclusivo deles. Um dia, Rogers mencionou ter sabido que a *McClure's* estava preparando uma história da Standard Oil. Pediu a Twain que descobrisse que tipo de história seria. Twain era amigo também do pessoal da *McClure's* e inquiriu o editor. Uma coisa levou a outra e Twain acabou por arranjar um encontro entre Ida Tarbell e Rogers. Agora, ela teria a sua conexão.

A entrevista com Rogers aconteceu em janeiro de 1902. Ida estava apreensiva por se encontrar cara a cara com o poderoso magnata da Standard Oil. Mas Rogers a cumprimentou calorosamente. Ele era, Tarbell logo o definiu, "de longe a figura mais bonita e mais distinta de Wall Street". Eles imediatamente estabeleceram uma relação especial, pois constataram que, quando Tarbell era garota, Rogers vivera não apenas na mesma cidade de Oil Regions, tocando uma pequena refinaria, mas numa encosta bem ao lado da família dela. Ele lhe contou que morara numa casa alugada — numa época em que morar em casa alugada era uma "confissão de fracasso nos negócios" — para poder economizar dinheiro e comprar ações da Standard Oil. Disse que se lembrava bem de seu pai e da placa "Casa de Tanques Tarbell". Contou-lhe que nunca foi tão feliz quanto naquela época. Pode ter sido sincero — ou um bom psicólogo fazendo sua lição de casa. Conseguiu encantar Ida Tarbell; anos depois ela ainda se referiria a Rogers ternamente como "o pirata mais fino que jamais agitou sua bandeira em Wall Street".

Durante os dois anos seguintes, ela se encontrou regularmente com Rogers. Entrava por uma porta e saía por outra; a política da companhia proibia que visitantes se encontrassem lá dentro. Algumas vezes até lhe permitiam usar uma mesa no número 26 da Broadway. Ela levava histórias de casos para Rogers e ele providenciava documentos, dados numéricos, justificativas, explicações e interpretações. Rogers foi surpreendentemente ingênuo com Tarbell. Num dia de inverno, por exemplo, ela ousou lhe perguntar como a Standard "manipulava a legislação".

"Oh, evidentemente nós cuidamos disso!", replicou Rogers. "Eles veem aqui e nos pedem para contribuir para seus fundos de campanha. E nós fazemos isso — quer dizer, como indivíduos (...) Enfiamos a mão no bolso e lhes damos uma boa quantia para fins de campanha, e quando aparece um projeto de lei que contraria os nossos interesses nós vamos ao chefe e lhe dizemos: 'Há tal e tal projeto. Não gostamos dele e gostaríamos que você tomasse conta dos nossos interesses'. É assim que faz todo mundo."

Por que ele foi tão acessível? Alguns sugeriram que era uma forma de se vingar de Rockefeller, com quem havia se desentendido. O próprio Rogers ofereceu uma explicação mais pragmática. Disse-lhe que aquele trabalho jornalístico seria "considerado a manifestação definitiva sobre a Standard Oil Company" e, uma vez que de qualquer forma ela iria escrever sobre o assunto, queria fazer todo o possível para que o caso da companhia fosse "benfeito". Rogers até providenciou para que ela encontrasse Henry Flagler, a esta altura profundamente absorvido pelo grandioso empreendimento da Flórida. Para a profunda irritação de Tarbell, tudo o que Flagler pôde dizer — de um modo piedoso — foi que "fomos levados à prosperidade", aparentemente por obra do Senhor. Rogers insistiu várias vezes que poderia arranjar uma entrevista com o próprio Rockefeller, mas isso não aconteceu. Rogers nunca disse por quê.

O objetivo geral de Tarbell, que ela havia contado a uma colega, era "uma história expositiva da Standard Oil Company". O texto não devia ser "polêmico, mas sim uma narrativa honesta do monopólio, tão pitoresca e dramática quanto eu puder torná-la". Rogers — orgulhoso de suas realizações e da companhia — tinha a mesma impressão.[6]

Qualquer que tenha sido a intenção original de Tarbell, a sua série — que saiu na *McClure's* em novembro de 1902 — foi uma bomba. Mês após mês, ela teceu a história da maquinação e da manipulação, dos descontos e da competição brutal, da sincera Standard e de sua constante guerra contra os independentes lesados. Os artigos se tornaram o grande assunto do país e abriram as portas para novos informantes. Poucos meses depois, Tarbell voltou a Titusville para ver a família. "É muito interessante observar, agora que a coisa está bem sedimentada e que eu não fui raptada ou processada por calúnia, como alguns amigos meus profetizavam", disse ela; "as pessoas estão querendo falar livremente comigo". Até Rogers, apesar de tudo, enquanto os artigos iam sendo publicados, continuou a recebê-la com toda a cordialidade. Publicou então um fascículo que revelava a operação da rede de informações da Standard, o que pressionou intensamente até mesmo o menor dos varejistas independentes. Rogers ficou furioso. Rompeu o relacionamento e recusou-se a vê-la de novo. Ela não se arrependia nem um pouco de ter divulgado tudo aquilo. Mais do que qualquer outra coisa, disse ela mais tarde, "desmanchar essa rede de espionagem(...) virou meu estômago contra a Standard", pois "havia nele uma pequenez totalmente deprezível, comparada com a imensa genialidade e capacidade com que participava da organização. Nada do que dizia respeito à Standard jamais me fez sentir tão mal". E esse sentimento, mais que qualquer outra coisa, forneceu a lâmina ardente para os seus trabalhos e a sua revelação.

A série completa de Tarbell durou 24 meses sucessivos e, em novembro de 1904, foi publicada na íntegra sob forma de livro, com 64 apêndices e tendo por título *The history of the Standard Oil Company*. Era uma obra de muita lucidez e força, uma realização considerável — conseguida apesar da limitação de acesso às fontes — pelo domínio da complexa história da companhia. Mas sob a plácida superfície fluía uma raiva devastadora e uma poderosa condenação de Rockefeller e das práticas degoladoras do truste. Na narrativa de Tarbell, Rockefeller, apesar da tão professada devoção à ética cristã, surgia como um predador amoral. "O sr. Rockefeller", escreveu ela, "jogou sistematicamente com dados viciados e é de se duvidar que desde 1872 tenha havido alguma vez em que ele tenha competido, com outra empresa, jogando de modo limpo".

A publicação do livro foi um acontecimento importante. Um jornal o descreveu como "o livro mais notável no gênero jamais escrito no país". Samuel McClure disse a Tarbell: "Você é hoje a mulher mais famosa dos Estados Unidos (...) Por toda parte, as pessoas falam de você com tanto respeito que de certo modo estou começando a temê-la". Mais tarde, da Europa, ele informou que até nos jornais do velho continente "o seu trabalho é sempre mencionado". Muito tempo depois, na década de 1950, os historiadores da Standard Oil of New Jersey, dificilmente simpáticos ao livro de Tarbell, declarariam que ele "talvez tenha sido mais largamente vendido e seu conteúdo mais amplamente disseminado pelo público em geral do que qualquer outro livro isolado sobre a economia americana e a história dos negócios". Foi o mais influente trabalho jamais publicado nos Estados Unidos sobre negócios. "Nunca tive animosidade contra o tamanho e a riqueza, nem objetei sua forma de corporação", explicou Tarbell. "Queria que eles fizessem integrações e ficassem tão grandes e ricos quanto pudessem, mas apenas por meios legítimos. Entretanto, eles nunca jogaram limpo e para mim isso arruinou sua grandeza."

Ida Tarbell ainda não tinha terminado completamente a sua história. Em 1905, prosseguiu com um ataque final, um furioso retrato pessoal de Rockefeller. "Ela o via", escreveu seu biógrafo, "culpado de maldade e pancadas e como filho de uma serpente que negociava com petróleo". Na verdade, ela tomou a sua aparência física, inclusive a calvície causada por doença, como indício de decrepitude. Talvez fosse a vingança derradeira de uma verdadeira filha de Oil Regions. Enquanto terminava o último artigo, o seu pai, um dos homens do petróleo independentes que lutaram contra Rockefeller e foram derrotados, agonizava em Titusville. Tão logo concluiu o manuscrito, correu para o seu leito de morte.

E quanto à reação de Rockefeller? Quando os artigos estavam saindo, um velho vizinho, fazendo uma visita rápida ao magnata do petróleo, trouxe à baila aquela a quem ele se referiu como a "distinta amiga" de Rockefeller — Ida Tarbell.

"Eu lhe digo", replicou Rockefeller, "as coisas mudaram desde que você e eu éramos meninos. O mundo está cheio de socialistas e anarquistas. Sempre que um homem é marcadamente bem-sucedido em qualquer ramo particular de negócios, eles lhe pulam em cima e o desacreditam".

Posteriormente, o vizinho descreveu a atitude de Rockefeller como a de "um lutador que espera de quando em quando levar um golpe na cabeça. Ele não é minimamente perturbado por qualquer golpe que receba. Rockefeller sustenta que a Standard fez mais bem que mal". Em outras ocasiões, aconteceu de ouvirem-no usar um apelido para a sua "senhora amiga": *senhorita Barril de Alcatrão* (em inglês, *tar barrel,* alusão a Tarbell).[7]

O demolidor de trustes

Tarbell não era absolutamente socialista. Se havia uma base para o seu ataque à Standard Oil, era o apelo para uma força que se contrapusesse ao poder das corporações. Para Theodore Roosevelt, que se tornara presidente em 1901 depois do assassinato de William McKinley, essa força de equilíbrio só poderia ser uma — o governo.

Theodore Roosevelt encarnava o movimento progressista. Era o homem mais jovem a entrar até aquela data na Casa Branca e estava sempre explodindo de energia e entusiasmo. Foi descrito como "um rolo compressor humano" e como "o meteoro da era". Segundo um jornalista, depois de visitá-lo "você vai para casa e torce a roupa para que a personalidade dele saia". Roosevelt abraçou com a mesma paixão causas reformistas de todos os tipos — desde a mediação da Guerra Russo-Japonesa, pela qual recebeu o Prêmio Nobel da Paz, em 1906, até a promoção da ortografia simplificada, no mesmo ano, com a qual procurou fazer com que o Departamento de Imprensa do governo adotasse a grafia simplificada em trezentas palavras bem conhecidas, como, por exemplo, a substituição de *dropt* por *dropped*. A Suprema Corte se recusou a aceitar tais simplificações nos documentos legais, mas Roosevelt aferrou-se resolutamente a elas, em suas cartas particulares.

Foi o primeiro a usar o termo *muckraker* para descrever os jornalistas do movimento progressista. Roosevelt queria dar um tom de zombaria, pois achava que aqueles ataques contra os políticos e as corporações eram negativos demais e excessivamente centrados no "vil e degradante". Temia que as reportagens fornecessem o combustível para a revolução e empurrassem as pessoas para o socialismo e o anarquismo. Não demorou para adotar o programa deles — inclusive a regulamentação das ferrovias e da horrenda indústria de embalagem de carne, além da fiscalização dos alimentos e dos remédios. No centro de seu programa estava o controle do poder das corporações —

que lhe valeria o apelido de "Demolidor de Trustes". Roosevelt não se opunha aos trustes em si. Na verdade via as integrações como um aspecto inevitável do progresso econômico. Uma vez afirmou que fazer regredir a integração com o poder da lei seria tão fácil quanto conseguir reverter o fluxo das águas do Mississípi. Mas, disse o presidente, "podemos regulá-las e controlá-las com barragens" — ou seja, por meio da regulamentação e da fiscalização exercida pela população. Essa reforma era essencial, do seu ponto de vista, para levar o radicalismo e a revolução a um curto-circuito e preservar o sistema americano. Roosevelt diferenciava entre "bons" e "maus trustes". Só estes últimos mereciam ser pulverizados. E dessa causa ele não se afastaria. No total, a sua administração impetrou pelo menos 45 ações antitrustes.

A "Mãe dos Trustes" iria ficar no centro do palco das batalhas subsequentes. A Standard Oil era um dos alvos mais úteis para Roosevelt; tornou-se o dragão predileto desse cavaleiro irreprimível — não havia melhor opositor para um torneio. Roosevelt, entretanto, procurava o apoio dos grandes negócios para a sua campanha de 1904 e os executivos da Standard Oil tentaram contatá-lo. Quando um congressista amigo, também diretor de uma subsidiária da Standard, informou a Archbold que Roosevelt julgava ter na Standard Oil uma antagonista, Archbold respondeu que, pelo contrário, "Eu sempre fui um admirador do presidente Roosevelt, li todos os livros que ele escreveu e os tenho, com belas encadernações, na minha biblioteca".

O congressista teve uma brilhante ideia. Um presidente escritor, sobretudo tão prolífico quanto Roosevelt, certamente seria sensível aos elogios. Informaria o presidente da admiração de Archbold e usaria esse estratagema para conseguir uma entrevista. "O 'assunto do livro' engrenou o jogo na primeira tentativa", escreveu o congressista triunfante a Archbold. Mas acrescentou uma palavrinha de advertência: "É melhor você ler pelo menos os títulos daqueles livros para refrescar a memória antes de vir". A bajulação pode ter levado Archbold até a porta da frente, mas não muito além dela. "A mais negra Abissínia", disse ele enfurecido poucos anos depois, "nunca viu nada semelhante ao tratamento que recebemos da administração que se seguiu à eleição do sr. Roosevelt, em 1904".

Antes da eleição, os democratas levantaram uma grande polêmica em torno das contribuições que os grandes negócios deram à campanha republicana, inclusive os cem mil dólares de Archbold e de H.H. Rogers. Roosevelt ordenou a devolução dessa quantia e logo a seguir, num estouro de publicidade, prometeu a cada americano o que veio a ser seu slogan: "Um acordo honesto". Se o dinheiro jamais foi efetivamente devolvido, esse é outro problema. O procurador geral Philander Knox disse ao sucessor de Roosevelt, William Howard Taft, que num dia de outubro de 1904, ao entrar no escritório de Roosevelt, ouviu o presidente ditar uma carta ordenando a devolução do dinheiro para a Standard Oil Company.

— Ah, senhor presidente, mas o dinheiro já foi gasto — disse Knox. — Eles não podem mandá-lo de volta; não o têm mais.

— Bem — replicou Roosevelt —, de qualquer modo, a carta aparecerá no protocolo.

Imediatamente depois da eleição de Roosevelt, em 1904, a sua administração começou a investigar a indústria de petróleo Standard Oil. O resultado foi uma contundente crítica do controle exercido pelo truste sobre o transporte, amplificada por uma denúncia pessoal da companhia feita pelo próprio Roosevelt. A pressão estava sendo tão obviamente negativa para a Standard que Archbold e H.H. Rogers se apressaram a viajar até Washington, em março de 1906, para ver Roosevelt e pedir-lhe que não entrasse com ação legal contra a companhia. "Nós lhe dissemos que já havíamos sido investigados e investigadores, denunciantes e denunciados", escreveu Archbold ao diretor Henry Flagler, seu amigo, depois do encontro com Roosevelt, "mas que não podíamos aguentar isso por tanto tempo quanto os outros. Ele ouviu pacientemente tudo o que tínhamos a dizer e me pareceu bem impressionado(...) Acho muito improvável que não consigamos sucesso com o presidente".[8]

O processo

Archbold estava iludindo seus colegas — e a ele próprio. Em novembro de 1906 havia chegado o momento: na circunscrição de Saint Louis da Corte Federal, a administração Roosevelt deu entrada a uma ação contra a Standard Oil, acusada, com base no Ato Antitruste Sherman de 1890, de conspiração para dominar o comércio. Enquanto o processo seguia, Roosevelt atiçava as chamas da indignação pública. "Todas as medidas a favor da honestidade nos negócios dos últimos seis anos contaram com a oposição desses homens", declarou publicamente o presidente. Em caráter reservado, disse ao seu procurador geral que os diretores da Standard eram "os maiores criminosos do país". O Departamento de Guerra anunciou que não compraria produtos da corporação. Para não ficar atrás, o eterno candidato democrata à presidência, William Jennings Bryan, declarou que a melhor coisa que poderia acontecer ao país seria a prisão de Rockefeller.

A Standard Oil deu-se conta que estava numa batalha pela sobrevivência. A mesa tinha sido virada e agora o governo estava submetendo a companhia a um "bom suador", como escreveu a Rockefeller um executivo: "O governo começou uma campanha deliberada de destruição da companhia e de quem quer que esteja ligado a ela, e vai usar todos os recursos à sua disposição para atingir esse fim". Em sua defesa, a Standard alinhou grandes talentos jurídicos, alguns dos mais ilustres nomes da jurisprudência americana. A causa do governo foi conduzida por um advogado chamado Frank Kellogg, que duas décadas depois se tornaria secretário de Estado. Durante mais de dois anos, 444 testemunhas depuseram e 1.371 provas foram apresentadas. O processo todo compreenderia 14.495 páginas distribuídas em 21 volumes. Mais tarde, o chefe da Justiça da Suprema Corte descreveu a transcrição como "incomumente volumosa(...) contendo uma enorme quantidade de testemunhos conflitantes com relação a inumeráveis, complexas e diversificadas transações de negócios, estendendo-se por um período de cerca de quarenta anos".

Enquanto isso, outros processos e causas também estavam tramitando contra a Standard. Casualmente, Archbold tentou não dar importância à violenta investida judicial e administrativa. "Por quase 44 anos de minha curta vida", disse ele aos numerosos convidados de um banquete, "tenho me empenhado num esforço bastante enérgico para conter as transações e o comércio do petróleo e de seus produtos nos Estados Unidos, no distrito de Columbia e em outros países. Faço essa confissão, amigos, como um assunto confidencial com vocês e com a forte convicção e crença de que vocês não me denunciarão ao Bureau das Incorporações." Apesar da brincadeira, ele e seus colegas estavam profundamente apreensivos. "As autoridades federais estão fazendo tudo o que podem contra nós", confidenciou ele numa carta de 1907. "O presidente indica os juízes, que também constituem o júri que submete a prova esses processos de corporações (...) Não acho que eles possam nos comer, apesar de ser possível que consigam incitar o povo a nos prejudicar. Devemos fazer o máximo para proteger nossos acionistas. Mais do que isso não posso e ninguém pode dizer."

Numa outra causa, naquele mesmo ano, um juiz federal com o inesquecível nome de Kenesaw Mountain Landis — que mais tarde seria o primeiro comissário de beisebol — cobrou uma enorme multa da Standard Oil por violar a lei ao aceitar abatimentos. Ele também denunciou a "insolência estudada" dos advogados da Standard e lamentou "a inadequação da punição". Rockefeller estava jogando golfe com amigos, em Cleveland, quando um mensageiro apareceu com a decisão do juiz. Rockefeller rasgou o envelope, leu o conteúdo e o colocou no bolso. Então, quebrou o silêncio dizendo: "Bem, senhores, podemos prosseguir?" Um dos presentes não conseguiu se conter. Perguntou qual tinha sido o veredicto.

"A pena máxima, acredito — 29 milhões de dólares", respondeu Rockefeller. E, então, como uma lembrança tardia, acrescentou: "O juiz Landis já estará morto há muito tempo quando a multa for paga". Com esse único desabafo, ele voltou ao golfe, aparentemente inalterado, e prosseguiu, jogando uma das melhores partidas de sua vida. Na verdade, a sentença de Landis acabou sendo derrubada.[9]

No entanto, em 1909, no principal processo antitruste, a Corte Federal opinou a favor do governador e ordenou a dissolução da Standard Oil. Theodore Roosevelt, agora fora do poder e voltando de uma viagem à África, onde estivera caçando animais de grande porte, ouviu as notícias quando atravessava o Nilo. Ficou exultante. A decisão, disse ele, "foi um dos mais notáveis triunfos da decência ocorridos em nosso país". De seu lado, a Standard Oil não perdeu tempo e apelou à Suprema Corte. A Corte precisou ouvir mais duas vezes o processo, devido à morte de dois magistrados. A comunidade da indústria e das finanças esperava nervosa o resultado. Por fim, em maio de 1911, depois de uma tarde inteira particularmente tediosa, o chefe da Justiça Edward White disse: "Também tenho de anunciar a opinião da Corte quanto ao processo 398, dos Estados Unidos contra a Standard Oil Company". A sala da Corte, abafada, sonolenta e opressivamente quente voltou de súbito à vida, espichando-se para ouvir. Senadores e congressistas correram até lá. Durante os 49 minutos seguintes, o chefe de Justiça falou, mas tão baixo que várias vezes o magistrado à sua esquerda teve de se inclinar e sugerir-lhe que elevasse a voz para que suas importantes palavras pudessem ser efetivamente ouvidas. O Juiz da Corte introduziu um novo princípio — o de que a avaliação judicial de restrição de comércio constante do Ato Antitruste Sherman devia ser baseada na "regra da razão". Ou seja, a "coibição" do comércio seria sujeita a penalidade apenas se não fosse razoável e resultasse em agressão ao interesse público. E esse era obviamente o caso, naquele processo. "Nenhuma mente desinteressada", declarou o juiz, "pode fazer um levantamento do período em questão (desde 1870) sem ser irresistivelmente levada à conclusão de que o autêntico gênio da expansão comercial e da organização (...) logo engendrou uma intenção e um propósito de excluir outros (...) de seu direito de comercializar para assim completar a hegemonia que era o fim visado." Os magistrados sustentaram a decisão da Corte Federal. A Standard Oil devia ser dissolvida.

No número 26 da Broadway, os diretores estavam reunidos melancolicamente no escritório de William Rockefeller para aguardar o veredicto. O tempo passava e pouco se falava. Archbold, o rosto tenso, debruçou-se sobre o teletipo e esquadrinhou a sala, procurando o que dizer. Quando chegou a notícia, todo mundo ficou chocado. Ninguém estava preparado para a extensão devastadora da decisão da Suprema Corte; a Standard tinha seis meses para se dissolver. O "nosso plano" seria despedaçado por ordem judicial. Fez-se um silêncio mortal. Archbold começou a assobiar uma música, exatamente como há muitos anos, quando, quase criança, chapinhava na lama de Titusville comprando petróleo e barganhando para obtê-lo. Agora, sobe o degrau da lareira. "É, senhores", disse depois de refletir mais um pouco, "a vida não é nada mais que uma porcaria atrás da outra." E voltou a assobiar.[10]

A dissolução

Em consequência da decisão, os diretores da Standard enfrentaram um grave e imediato problema. Uma coisa era a Corte ordenar uma dissolução. Mas como exatamente esse vasto império interconectado poderia ser desintegrado? A escala era enorme. A companhia transportava mais de quatro quintos de todo o petróleo produzido na Pensilvânia, em Ohio e em Indiana. Refinava mais de três quartos de todo o petróleo bruto dos Estados Unidos; era dona de mais da metade de todos os petroleiros; comercializava mais de quatro quintos de todo o querosene exportado; vendia para as ferrovias mais de nove décimos de todos os óleos lubrificantes que elas consumiam. Vendia também uma ampla série de subprodutos — inclusive trezentos milhões de velas de setecentos tipos diferentes. Dispunha até mesmo de sua própria frota marítima — 78 navios a vapor e 19 navios a vela. Como tudo isso deveria ser desmembrado? Do número 26 da Broadway não saía uma única palavra e os boatos eram muitos. Finalmente, nos últimos dias de julho de 1911, a companhia anunciou seus planos de desmantelamento.

A Standard Oil foi dividida em muitas entidades separadas. A maior delas era a ex-companhia *holding*, a Standard Oil of New Jersey, com quase metade do valor líquido; mais tarde ela passou a ser a Exxon — e nunca perdeu a sua liderança. A segunda maior, com 9% do valor líquido, era a Standard Oil of New York, que acabou sendo a Mobil. Havia a Standard Oil of California, que depois passou a se chamar Chevron; a Standard Oil of Ohio, que veio a ser a Sohio e depois o braço americano da BP; a Standard Oil of Indiana, que posteriormente passou a se chamar Amoco; a Continental Oil, que se tornou a Conoco; e a Atlantic, que depois integrou a ARCO e mais tarde a Sun. "Tivemos até de despachar alguns office-boys para dirigir essas companhias", comentou com irritação um funcionário da Standard. Essas novas entidades, apesar de separadas e sem nenhuma superposição de conselhos diretivos, geralmente respeitavam os respectivos mercados e continuavam com suas velhas relações comerciais. Cada uma delas tinha uma demanda em rápida expansão em seu próprio território e a competição entre elas demorou a se desenvolver. Essa lassidão foi reforçada por um descuido legal na ruptura. Aparentemente, ninguém no número 26 da Broadway tinha dado qualquer atenção para a propriedade das marcas registradas e dos nomes de produtos — Polarine, Perfection Oil, Red Crown. Esse fato limitou bastante a possibilidade de uma dada companhia ultrapassar os limites do território da outra.

A opinião pública e o sistema político americano forçaram a volta da competição no transporte, no refino e na distribuição do petróleo. Mas, se o dragão estava morto, as recompensas do desmembramento iriam se revelar consideráveis. O mundo havia mudado rápido demais para a Standard Oil; o seu sistema de controles havia se tornado excessivamente rígido — sobretudo para os homens de campo. Com a dissolução, tiveram a oportunidade de dirigir seus próprios shows. "Os jovens tiveram a chance pela qual estavam ansiando", lembrou o homem que se tornaria o principal dirigente da Standard of Indiana. Para os executivos das várias companhias sucessoras era uma grande libertação não precisar mais pedir a aprovação do número 26 da Broadway para cada expansão de capital acima de cinco mil dólares — ou para cada doação a hospitais que excedesse cinquenta dólares.[11]

A liberação da tecnologia

Entre outras consequências da dissolução houve a inesperada libertação de inovação tecnológica do domínio rígido do número 26 da Broadway. A Standard of Indiana, sobretudo, abriu logo uma brecha no refino, tentando ajudar e apoiar a nascente indústria automobilística num momento crítico e assim preservar o que se tornaria o mercado mais importante para o petróleo nos Estados Unidos.

Com o *know-how* existente no refino, o máximo de gasolina natural que um barril de petróleo bruto podia render por meios naturais era 15% a 18% do produto refinado total, ou, no máximo, 20%. Isso não tinha importância quando a gasolina era quase um produto desperdiçado, uma fração explosiva e inflamável para a qual dificilmente havia mercado. Todavia, a situação havia mudado rapidamente com o acelerado crescimento do número de carros propelidos a gasolina. Estava se tornando evidente para algumas pessoas da indústria do petróleo que o suprimento de gasolina se tornaria logo muito exíguo.

Entre os que viam o problema com mais clareza estava William Burton, o chefe da produção da Standard of Indiana. Ele era Ph.D. em química pelo Johns Hopkins e um dos pouquíssimos cientistas que trabalhavam na indústria americana. Tinha entrado na Standard, em 1889, para tentar encontrar uma solução para o cheiro de "suco de gambá" característico do petróleo bruto de Lima. Em 1909, dois anos antes da ordem de dissolução, Burton, antecipando a chegada da escassez de gasolina, orientou sua pequena equipe de pesquisa, integrada por outros especialistas do Johns Hopkins, para atacar o problema do aumento da produção de gasolina. Tomou também uma decisão crítica: começou a sua pesquisa sem a autorização do número 26 da Broadway e até mesmo sem o conhecimento dos diretores da subsidiária da Indiana em Chicago. O laboratório, disse à sua equipe de cientistas, devia fazer experiências com todas as ideias possíveis. O objetivo era "quebrar" — ou fracionar — as moléculas maiores de hidrocarboneto dos produtos menos desejáveis em moléculas menores capazes de fornecer o combustível para os veículos.

Os becos sem saída eram muitos. Finalmente, os pesquisadores fizeram experiências com o "craqueamento térmico" — colocando um produto de valor relativamente baixo, o óleo gasoso, sob a ação simultânea de alta pressão e altas temperaturas — acima de 650 graus e mais ainda. Isso nunca havia sido feito antes. Os cientistas estavam cautelosos, e com razão, pois o perigo sempre rondava os testes. Dispunha-se de um conhecimento precioso, embora limitado, sobre como o óleo se comportava em tais condições. Os pragmáticos homens da refinaria estavam atemorizados. Com a evolução das experiências, a destilaria que os cientistas tinham de escalar para consertar vazamentos — já que os caldeireiros se recusavam a fazer esse serviço — estava tão aquecida que podia causar queimaduras, havendo em decorrência um considerável risco pessoal. Mas a ideia de Burton funcionou: o óleo gasoso deu como subproduto uma "gasolina sintética" que fez a porcentagem de gasolina utilizável de um barril de petróleo bruto elevar-se mais que o dobro, passando para 45%. "A descoberta desse processo de fracionamento pela temperatura estava fadada a ser uma das maiores invenções dos tempos modernos", escreveu um estudioso da indústria. "Como resultado dela, a indústria de petróleo foi a primeira a ser revolucionada pela química."

A descoberta era uma coisa; mas havia ainda a questão da comercialização da inovação. Burton tinha solicitado à sede da Standard Oil, em Nova York, um milhão de dólares para construir cem destilarias para craqueamento térmico. Mas o número 26 da Broadway recusou esse dinheiro sem dar qualquer explicação. Nova York achava a ideia temerária. Em caráter confidencial um diretor disse: "Burton quer que todo o estado de Indiana exploda, para sobrar só o lago Michigan". Imediatamente depois da dissolução, entretanto, os diretores da agora independente Standard of Indiana, que tinham muito mais contato direto com Burton e confiavam nele, deram-lhe sinal verde – apesar de um diretor ter brincado: "Você acabará nos arruinando".

A retomada chegou na hora certa. Com o extraordinário crescimento da frota automobilística o mundo já estava à beira da crise de gasolina. Em 1910, as vendas de gasolina excederam pela primeira vez as de querosene e a demanda aumentava rapidamente. A Era da Gasolina estava ao alcance, mas a crescente escassez de combustível era uma grande ameaça para a nascente indústria automobilística. O preço da gasolina elevou-se de 9,5 centavos, em outubro de 1911, para 17 centavos, em janeiro de 1913. Em Londres e em Paris, os motoristas pagavam cinquenta centavos pelo galão e em outras partes da Europa cobrava-se até um dólar.

No entanto, no começo de 1913, um ano depois da dissolução da Standard Oil, a primeira destilaria de Burton estava em operação e a Standard Oil of Indiana anunciou a disponibilidade de um novo produto — "a essência do motor" —, uma gasolina obtida pelo craqueamento térmico. Em retrospectiva, Burton lembrou: "Nós corremos riscos terríveis e tivemos uma sorte fantástica por não ter havido nenhum acidente no começo do jogo". Seu processo de craqueamento térmico introduziu a flexibilidade na produção de refinados, algo jamais visto pela indústria até então. A produção de refinados já não ficava limitada arbitrariamente pelas temperaturas de destilação atmosférica dos diversos componentes do petróleo bruto. Agora, Burton podia manipular as moléculas e manufaturar em quantidade maior os produtos mais desejáveis. Além disso, a gasolina resultante do processo de *cracking* na verdade tinha um valor antidetonante bem maior que o da gasolina natural, o que significava mais energia e possibilitava motores de compressão mais alta.

O sucesso do processo criou um dilema para a Standard of Indiana. A questão de se licenciar ou não a patente gerou um grande debate interno. Alguns diziam que isto simplesmente fortaleceria os concorrentes. Mas, em 1914, a Standard of Indiana começou efetivamente a fornecer a licença para a utilização do processo pelas companhias fora do seu próprio mercado, ponderando que os rendimentos resultantes seriam "tudo lucro". O lucro se revelou substancial, uma vez que entre 1914 e 1919 os *royalties* fluíram de catorze companhias. Para todas as companhias, a Indiana licenciou o processo nos mesmos termos. Porém, uma empresa insistia em tentar um negócio em condições melhores — a Standard of New Jersey. A ex-parente acreditava-se merecedora de termos mais suaves e achava que poderia impô-los à Indiana. Mas a Standard of Indiana não arredou pé. Finalmente, em 1915, a Jersey capitulou e aceitou a licença nos termos da Indiana. Muitos anos depois, ainda se dizia que a coisa mais mortificante que o presidente da Standard of New Jersey tinha de fazer era assinar os gordos cheques de *royalties* — para pagar a Standard de Indiana.[12]

Os vencedores

Por volta da virada do século, uma nova era começou em ritmo acelerado na indústria do petróleo. Nasceu de várias coincidências: a rápida ascensão do automóvel; a descoberta das novas províncias de petróleo no Texas, em Oklahoma, na Califórnia e em

Kansas; novos concorrentes; e por fim avanços tecnológicos no refino. Acresça-se a tudo isso, é claro, as implicações a longo prazo da dissolução da Standard Oil e a consequente reestruturação da indústria.

Bem pouco tempo antes da dissolução, um dos conselheiros de John D. Rockefeller sugeriu-lhe a venda de suas ações da Standard Oil, pois acreditava que o preço estava no ponto mais alto e devia cair com a dissolução. Rockefeller recusou: sabia melhor. As ações das companhias sucessoras foram distribuídas *pro rata* entre os acionistas da Standard Oil of New Jersey. Mas se o dragão havia sido desmembrado, as suas partes logo iriam valer mais do que o todo. Um ano depois da dissolução da Standard Oil, o valor das ações da maioria das companhias sucessoras havia dobrado; no caso da Indiana ela havia triplicado. Ninguém se saiu tão bem ou tão rico desse negócio quanto o homem que tinha um quarto de todas as ações, John D. Rockefeller. Depois da dissolução, devido ao aumento do preço das várias ações, seu valor individual elevou-se para novecentos milhões (o equivalente a nove bilhões atuais) de dólares.

Em 1912, Theodore Roosevelt, há quatro anos fora do poder, estava novamente na corrida pela Casa Branca e mais uma vez a Standard Oil era o seu alvo. "O preço das ações subiu mais de cem por cento e assim o sr. Rockefeller e seus colegas efetivamente viram a sua fortuna dobrar", trovejava ele durante a campanha. "Não é de se admirar que a oração de Wall Street agora seja: 'Oh Deus misericordioso, dê-nos outra dissolução.'"[13]

CAPÍTULO VI

As guerras do petróleo: a ascensão da Royal Dutch, a queda da Rússia imperial

NO OUTONO DE 1896, UM HOMEM BASTANTE JOVEM, já temperado pela vida no Extremo Oriente e com uma reputação inexpressiva nos círculos do petróleo, passou por Cingapura voltando da Inglaterra, a caminho de um isolado e quase desconhecido trecho de selva chamado Kutei, na Costa Leste de Bornéu. Seus movimentos foram logo notados e com a mesma rapidez informados a Nova York por um agente da Standard Oil em Cingapura: "Um sr. Abrahams, que se diz sobrinho de M. Samuel, do (...) sindicato de Samuel, chegou de Londres e partiu imediatamente para Kutei, onde há rumores de que os Samuel têm grandes concessões de petróleo. Como o sr. Abrahams é quem começou o negócio de navios-tanques em Cingapura e Penang, erguendo e montando a fábrica em ambos os lugares, a sua visita a Kutei pode significar alguma coisa". E, na verdade, significava, pois Mark Abrahams havia sido despachado pelos tios para desenvolver as concessões de petróleo que a corporação de Samuel precisava desesperadamente para manter a sua posição — e talvez para assegurar a sua sobrevivência.

Nesse empreendimento, Samuel era movido por um imperativo do negócio do petróleo. Os que estão nele buscam sempre um equilíbrio. Um investimento numa parte do negócio força-os a fazer novos investimentos noutra parte, para proteger a viabilidade do investimento existente. Os produtores precisam de mercados para que seu petróleo tenha valor. Como disse certa vez Marcus Samuel: "A mera produção de petróleo é o que tem de menor valor e seu estado o menos interessante. Os mercados têm de ser encontrados". Enquanto isso os refinadores precisam tanto do suprimento quanto dos mercados; uma refinaria inativa é pouco mais que metal arranhado e canos usados. E os que detêm um sistema de mercado precisam de petróleo para supri-lo, do contrário tampouco eles terão algo além de perdas financeiras. A intensidade dessas necessidades varia em diferentes épocas, mas o imperativo subjacente é uma constante na indústria.

E no final da década de 1890, Marcus Samuel, com seu enorme investimento em navios-tanques e em instalações para armazenagem, precisava decididamente de um suprimento seguro de petróleo. Como negociante, como comerciante, ele era muito vulnerável. O contrato para o petróleo russo dos Rothschild terminaria em outubro de 1900. Poderia contar com uma renovação? Na melhor das hipóteses, as suas relações com os Rothschild eram frias, e sempre havia a possibilidade de que a família de banqueiros mudasse de ideia e fizesse um contrato com a Standard Oil. Além disso, era perigoso ser dependente apenas do petróleo russo. As mudanças arbitrárias dos fretes na Rússia mantinham a economia em eterna confusão, queixava-se Samuel, inviabilizando qualquer planejamento e "colocando os que comercializam com a Rússia numa grande desvantagem em relação aos seus poderosos concorrentes americanos". Havia também outros perigos: o crescente volume do petróleo das Índias Orientais Holandesas, com trajetos mais curtos e um gasto menor com frete, ameaçava a sua capacidade competitiva no Extremo Oriente e a qualquer momento a Standard Oil poderia alinhar os recursos de que dispunha para começar uma guerra total visando destruir a Shell. Samuel sabia, muito simplesmente, que precisava da sua própria produção, de seu petróleo bruto, para proteger os mercados que conquistara e os investimentos feitos — na verdade, para assegurar a sobrevivência da Shell. E nas palavras de seu biógrafo: "Ele ficava quase louco de raiva à procura de petróleo".[1]

A selva

Em 1895, graças aos esforços de um velho e obsessivo engenheiro de minas holandês que havia passado toda a sua vida adulta nas selvas das Índias Orientais, Samuel pôde obter os direitos de uma concessão na região de Kutei, em Bornéu oriental. A concessão se estendia por mais de oitenta quilômetros de costa, penetrando no interior e na selva. Mark Abrahams foi despachado para essa imensidão desolada, seu exato lugar. Abrahams não tinha nenhuma experiência em perfuração e refino de petróleo; em vez disso, havia organizado a construção de tanques de armazenamento no Extremo Oriente, mas tinha se preparado muito pouco para esse novo empreendimento, muito mais difícil, em que agora embarcava.

A irrelevância das habilidades de Mark Abrahams se refletia numa escala maior no caso do próprio Marcus Samuel. O modo como ele trabalhava — encarando com antipatia a organização, assim como a análise sistemática e o planejamento, sem uma boa administração e tampouco dispondo de funcionários competentes — dificultava ainda mais o trabalho em Bornéu. Os navios sempre chegavam fora da hora, trazendo equipamento errado, sem sequer um manifesto de carga. Os volumes eram jogados na praia, forçando os trabalhadores a parar o que estivessem fazendo para tentar reunir, organizar e dar algum sentido ao que fora atirado; todos os tipos de equipamento acabavam sendo deixados enferrujando no mato.

Ainda que a administração de Londres não fosse descoordenada e aleatória o trabalho teria sido extremamente difícil. Bornéu era bem mais isolada do mundo que Sumatra; o depósito mais próximo para buscar suprimentos ou equipamentos ficava a 1.600 quilômetros, em Cingapura. A única comunicação com Cingapura era por navios irregulares que podiam passar a cada duas semanas, às vezes uma. Os trabalhadores, isolados uns dos outros em diferentes partes da concessão, estavam permanentemente lutando com a selva. Um trecho de seis quilômetros de trilha que eles arduamente abriram até um local chamado Ponto Negro, onde havia vazamento de petróleo, em poucas semanas já estava novamente tomado pelo mato. Para a mão de obra, o projeto tinha de depender dos coolies chineses; os nativos não estavam por assim dizer ansiosos por um trabalho fixo. A doença e a febre atacavam constantemente todos os que trabalhavam no local. Mesmo Abrahams, quando se sentava à noite para escrever relatórios muitas vezes estava meio delirante de febre. A taxa de mortalidade entre todos esses trabalhadores — chineses, administradores europeus e perfuradores canadenses — era alta. Alguns morriam ainda no navio, antes mesmo de chegar. Cada pedaço de madeira com que eles tentavam construir alguma coisa, uma casa, uma ponte ou um píer, logo apodrecia. Sua companhia permanente era a "chuva tropical, quente, asfixiante, deteriorante, destrutiva".

Uma vez mais os Samuel em Londres e Mark Abrahams em Bornéu retomaram a correspondência tempestuosa, explosiva e abusiva que haviam trocado nos dias da construção dos tanques de armazenamento no Extremo Oriente. O pobre Mark Abrahams o que quer que ele fizesse, difíceis e desanimadoras que fossem as suas condições de trabalho — nunca era bastante competente para seus tios, que não tinham a menor ideia da realidade da selva. Quando Marcus Samuel se queixava de que as casas construídas pelos europeus eram "autênticas *villas*" que pareciam "um par de estâncias para o prazer", Abrahams respondeu asperamente que "as suas 'autênticas *villas*'" eram tão improvisadas que "uma ventania das mais leves ou uma chuva pesada arrancaria todo o teto. As casas em que nós moramos desde o começo só serviam para acomodar porcos".

Apesar de tudo, descobriu-se a primeira jazida de petróleo em fevereiro de 1897; o mineral jorrou pela primeira vez em abril de 1898. Contudo, o caminho entre a descoberta e a produção comercial ainda exigiria muito mais esforço. Além do mais, as características químicas do petróleo bruto de Bornéu não possibilitavam a obtenção de muito querosene. Podia ser usado, sem refino, como óleo combustível. Essa qualidade do petróleo de Bornéu, mais pesado, converteu-se no fundamento de uma visão a que desde então Samuel se apegou — a que chamava "o tremendo papel que o petróleo pode ter em sua forma mais racional, aquela de combustível". No limiar do século XX, ele olhou para o tempo que estava à frente e profetizou, acertadamente, que o grande futuro do petróleo não seria como iluminante, mas como gerador de força. E Marcus Samuel viria a ser o mais agressivo propositor da ideia de se converter para petróleo os navios propelidos a carvão.

Esse desenvolvimento histórico na verdade começou de modo incipiente na década de 1870, quando o *ostaki*, como era chamado na Rússia o resíduo refugado do refino do querosene, foi pela primeira vez usado com sucesso para propelir os navios do mar Cáspio. A inovação foi movida pela pura necessidade: a Rússia tinha de importar o carvão da Inglaterra, pois a madeira era escassa em muitas áreas do império — uma solução muito cara. Mais tarde a nova Ferrovia Trans-Siberiana começou a usar óleo combustível, fornecido pelo sindicato de Samuel em Vladivostok, em vez de carvão ou madeira. Além disso, o governo russo encorajou o uso do óleo como combustível, na década de 1890, para acelerar o desenvolvimento econômico como um todo. Na Inglaterra, as ferrovias em alguns casos passaram do carvão para o óleo — para reduzir a fumaça nas áreas urbanas ou por razões especiais de segurança como, por exemplo, o transporte de membros da família real. Mas, de modo geral, o carvão conservava a sua fatia maciça do mercado; na verdade, ele constituía a base do vasto desenvolvimento da indústria pesada dos Estados Unidos e da Europa. E também abastecia a frota comercial e a armada em todo o mundo. Samuel enfrentou a maior resistência quando propôs sua ideia no mercado que ele mais prezava — a Armada Real. Precisou bater nessa porta durante mais de uma década, sem muito resultado.[2]

Aparece a Shell

Entretanto, Marcus Samuel encontrou algum consolo. Ao mesmo tempo que em Bornéu se alcançavam progressos a duras penas, ele conseguia avanços em seu próprio caminho para a aceitação e o *status*. Tornou-se juiz de paz em Kent, e em Londres dirigente da Companhia dos Produtores de Espetáculos, uma das mais respeitadas entre todas as antigas corporações. Também recebeu o título de cavalheiro, depois que um de seus rebocadores, que tinha a fama de ser o mais possante navio desse tipo em todo o mundo, desencalhou um navio de guerra inglês na entrada do canal de Suez. Em 1897, Samuel deu um grande passo na organização de seus negócios. Foi um ato de defesa. Queria assegurar a lealdade das diversas casas de comércio que integravam o Tank Syndicate no Extremo Oriente — tornou-as acionistas de uma nova companhia que incorporava a totalidade de seus negócios de petróleo e da frota de navios-tanques e as instalações de armazenamento pertencentes às várias casas de comércio. A companhia se chamava Shell Transport and Trading Company.

Samuel propagandeava o empreendimento de Bornéu muito além do justificado pelas perspectivas comerciais imediatas ou pela realidade do trabalho na selva, dolorosamente difícil e avançando num ritmo frustrante. Para fazer evoluírem as renegociações de contratos com os Rothschild, porém, tinha de aparentar estar recebendo um suprimento alternativo em seus próprios campos de Kutei e de Bornéu. O estratagema funcionou. Os Rothschild foram persuadidos e renovaram o contrato para suprir a Shell com o petróleo russo — é preciso acrescentar: em termos mais favoráveis à Shell do que anteriormente. Apesar de a posição da Shell parecer mais fortalecida agora, as suas propriedades estavam, na verdade, num equilíbrio precário. Marcus Samuel cavalgava ousadamente na crista de um mercado que ascendia e que, como qualquer onda, poderia vir a quebrar.

O fim do século XIX foi marcado por um *boom* do petróleo em âmbito mundial. A procura aumentava rapidamente, os suprimentos tornavam-se escassos e os preços se elevavam. A Guerra dos Bôeres na África do Sul, que começou em 1899, pressionou para cima os preços. Mas no outono de 1900 o preço do petróleo começou a despencar. Uma colheita desastrosa levou à fome e à depressão econômica o Império Russo. A demanda de petróleo no mercado interno definhou e os refinadores russos começaram a produzir e a exportar tanto querosene quanto podiam, o que veio a causar uma superabundância no mercado mundial. Os preços desabaram. Na China, um dos mais promissores mercados da Shell, a guerra dos Boxers se voltou contra os estrangeiros, dilacerando o país e toda a sua economia. Além de não haver mais um mercado ativo, as instalações tinham sido pilhadas.

Esses e outros acontecimentos adversos convergiram para o vulnerável Samuel. Quando os preços caíram, os tanques da Shell estavam cheios de um óleo combustível que quando fora armazenado era bastante caro. A Shell havia continuado a expandir sua frota naval, e agora os fretes também despencavam. Para piorar ainda mais as coisas, as perspectivas em Bornéu não eram nada boas. O aumento da produção era muito lento. A refinaria mal projetada se revelava agora um desastre. Incêndios, explosões, problemas técnicos e acidentes interrompiam continuamente as operações e matavam operários. Apesar das más notícias, mantinha a sua dignidade e compostura e, como se exige de um empresário em tempos de dificuldades, a fachada. Continuava a ser visto quase toda manhã em seu cavalo predileto, Duke, passeando pelo Hyde Park. Um outro inglês do ramo do petróleo, que de tempos em tempos encontrava Samuel, observou com alguma acuidade que ele conduzia o cavalo como fazia com seus vastos negócios, sempre olhando como se estivesse para cair, mas nunca deixando que isso acontecesse.[3]

A Royal Dutch em dificuldade

Enquanto isso, em Sumatra, a concorrente Royal Dutch continuara com seus dramáticos aumentos de produção e depois fez seus investimentos em tanques e instalações de armazenamento darem um grande salto. Na área de refinaria da companhia, em Sumatra, planejara-se comemorar essa iminente vantagem com uma grande festa, que, devia ocorrer no dia 31 de dezembro, véspera de Ano-Novo, de 1897. O início da noite foi abrilhantado por fogos de artifício e por uma recepção festiva ao novo navio-tanque, Sultan of Langkat, saudado pelo próprio sultão. Mas as festividades murcharam com um boato que circulou durante toda a noite, que uma considerável quantidade de água havia sido encontrada nos tanques de petróleo, o que levantava a hipótese de haver algo errado com os poços. O boato não podia ser reprimido, era a pura verdade — os poços da Royal Dutch estavam começando a produzir água salgada e não petróleo. O seu campo prolífico estava em declínio. Em julho de 1898, a notícia já havia atravessado fronteiras e o pânico tomara conta da seção de petróleo da Bolsa de Amsterdam. O valor das ações da Royal Dutch despencou. A Standard Oil perdeu a chance de fazer um grande negócio. E Marcus Samuel também, para seu posterior arrependimento.

A Royal Dutch tentava desesperadamente encontrar outros mananciais. Não menos de 110 vezes ela perfurou poços à procura de petróleo em Sumatra, e não menos de 110 vezes não conseguiu achar nada. Mas a companhia não desistiu. Cerca de 130 quilômetros ao norte de sua concessão em Sumatra ela procurou um novo local para perfurar, um vazamento no pequeno principado de Perlak, um território pouco explorado agitado por uma rebelião nativa. O administrador local, que ganhara muito dinheiro com o comércio de pimenta, ansiava bastante por aumentar suas rendas com dinheiro do petróleo. Uma expedição a Perlak foi liderada por Hugo Loudon, um jovem engenheiro que já havia demonstrado profunda competência técnica e administrativa, apoiada por uma experiência que se estendia desde uma reclamação de terra na Hungria até a construção de uma ferrovia no Transvaal. Acidentalmente era também filho de um ex-governador-geral das Índias Orientais e tinha habilidades diplomáticas inusitadas. Esses talentos eram requisitos de particular importância em Perlak, onde Loudon fez os interesses da Royal Dutch avançarem com sucesso não apenas junto ao rajá de Perlak mas também com os líderes da rebelião local, que haviam declarado guerra sagrada contra o rajá.

Loudon incluiu em seu grupo muitos geólogos profissionais e a perfuração começou no dia 22 de dezembro de 1899. O conhecimento técnico dos geólogos fez diferença, pois apenas seis dias depois a equipe encontrou petróleo. Bem a tempo para o novo século, a Royal Dutch estava de volta aos negócios e novamente de um modo grandioso. Sem perda de tempo, ela convocou geólogos talentosos para trabalhar na sondagem e exploração do petróleo em outros locais das Índias. E com essas novas e substanciais reservas de petróleo de alta qualidade, a Royal Dutch estava pronta para invadir os florescentes mercados europeus de gasolina.[4]

"Um camarada empreendedor"

Em novembro de 1900, Jean Baptiste August Kessler, o homem que, mais que qualquer outro, foi responsável pela sobrevivência da Royal Dutch, telegrafou do Extremo Oriente para Haia dizendo que estava "em grande estado de nervos". Esgotado pela tensão dos negócios, licenciou-se e foi para casa na Holanda. Chegou até Nápoles, onde em dezembro de 1900 sofreu um ataque cardíaco e morreu. No dia seguinte, um enérgico jovem, chamado Henri Deterding, com 34 anos de idade, ocupava interinamente o cargo de diretor. Essa interinidade durou bastante tempo; nos 35 anos seguintes, Deterding iria dominar o mundo do petróleo.

Henri Wilhelm August Deterding nasceu em Amsterdam em 1866, filho de um capitão do mar que morreu quando ele tinha apenas seis anos. Os fundos da família serviram para sustentar a educação dos irmãos mais velhos de Henri, enquanto ele experimentava todo o peso de uma crescente pobreza com dignidade. Na escola, Deterding se destacava pelo talento especial — como Rockefeller, ele era muito bom no rápido cálculo mental. Ao deixar a escola, em vez de ir para o mar e se tornar capitão como o pai, conforme sonhara, ele foi para o prosaico mundo bancário de Amsterdam e logo estava dominando contabilidade e finanças. Como hobby começou a estudar os balanços das companhias, tentando calcular quem estava indo bem e quem não, e por quê, e que tipo de estratégias as diversas companhias poderiam estar adotando. Assim começou a desenvolver aquilo que mais tarde, seus colegas de negócios se refeririam como "olhos de lince para balanços e números". Bem mais tarde o seu conselho para os jovens, que estavam começando a vida, era: "Chega-se muito longe nos negócios se se treina a habilidade de avaliar números com quase tanta rapidez e argúcia quanto um bom estudioso de caligrafia pode resumir os traços de personalidade dos seus semelhantes".

Como a promoção de Deterding no banco não estava chegando com a velocidade esperada, ele fez o que muitos jovens holandeses da época fariam — embarcou para as Índias Orientais à busca de uma oportunidade. Foi trabalhar para a Nederlandshe Handel-Maatschappij, a Sociedade de Comércio Holandesa, uma antiga e famosa casa bancária. Dirigindo a agência do banco, primeiro em Medan e depois em Penang, na costa ocidental da península Malaia, ele aprendeu a fazer dinheiro. Mais tarde diria: "Farejando por todo lado para saber onde se pode fazer dinheiro — e sem esse instinto para farejar nenhum homem que comece de baixo pode fazer dinheiro em larga escala — eu descobri caminhos virgens pelos quais novos grãos podiam entrar na gaveta do banco." Deterding ganhou quantias bem consideráveis para o banco tirando partido das diferenças existentes entre diversas cidades do Extremo Oriente com relação ao câmbio e às taxas de juros.

"Farejando por todo lado", Deterding também chegou ao petróleo, com o qual, no primeiro negócio que envolvia risco, fez mais dinheiro para o banco. Quando no começo da década de 1890 a Royal Dutch pela primeira vez se viu em dificuldade devido à escassez de capital de giro, foi para Deterding que Kessler, depois de por toda parte lhe terem recusado ajuda, finalmente recorreu. Os dois homens se conheciam desde a infância em Amsterdam. Deterding imaginou uma solução engenhosa: concordou em emprestar o capital requerido, usando como garantia o querosene armazenado que constava do inventário. A Royal Dutch sobreviveu e a Sociedade de Comércio Holandesa descobriu um novo meio de fazer dinheiro. Kessler ficou agradecido e impressionado.

Não muito tempo depois, quando decidiu que a Royal Dutch precisava estabelecer a sua própria organização de comércio pelo Extremo Oriente; Kessler escreveu para Deterding pedindo-lhe sugestões sobre quem poderia ser o seu administrador. Ele sabia exatamente que tipo de pessoa precisava — "um homem de negócios de primeira, um camarada empreendedor, com bastante experiência e um bom olho para negócios". Quem melhor que o correspondente de Kessler, o próprio Henri Deterding, se ajustava àquela descrição? Em 1895, Kessler ofereceu o emprego a Deterding, que, frustrado com a vida de bancário, aceitou. E logo começou a construir agressivamente o seu sistema de mercado pelo Extremo Oriente. Queria que a Royal Dutch ficasse em situação de paridade com seus concorrentes e isolada deles. Sua grande ambição era se tornar, como diria mais tarde, "um homem do petróleo internacional".

Henri Deterding era pequeno e dinâmico, com enormes olhos arregalados que tinham um efeito surpreendente sobre as pessoas. Seus dentes todos brilhavam quando ele sorria. Rijo e vigoroso, acreditava fervorosamente no exercício, tanto por seus méritos intrínsecos quanto por ser um modo de conseguir sair pouco a pouco das tensões do trabalho. De volta à Europa numa fase mais tardia de sua vida, até mesmo depois dos sessenta, ele ia primeiro nadar e depois andar 45 minutos a cavalo — no inverno ou no verão —, e só então começava a trabalhar. Impressionava forte e irresistivelmente a todos com quem entrava em contato. Tinha o que era descrito como um "fascinante magnetismo" e um "encanto quase agressivo", e usava ambos para persuadir os outros a aderirem as suas causas e campanhas. Mas, ao contrário de Marcus Samuel, ele não era movido pela busca de *status*, pela posição. O historiador holandês F.C. Gerretson, cronista da Royal Dutch e por muitos anos secretário particular de Deterding, resumiu o seu efetivo propósito: "Deterding não objetivava algo elevado e maravilhoso: servir o interesse público, criar uma nova ordem econômica, construir uma empresa comercial poderosa. Seu objetivo era o de qualquer comerciante, pequeno ou grande, algo extremamente prosaico: fazer dinheiro". Seja no que for que Deterding se tenha transformado, ele era sempre "um comerciante de corpo e alma".

Com o tempo, Deterding começaria a se referir jocosamente a si próprio como um Grande Pateta. Por certo não dava à expressão um sentido de autozombaria, mas usava-a como um encaminhamento para a sua teoria de trabalho — reduzir cada problema aos termos mais simples, a seus elementos essenciais. "A simplicidade orienta tudo o que vale a pena, e sempre que fiquei às voltas com uma proposta de negócio que, depois de muito pensar, não pude reduzir à simplicidade, percebi que ela era irremediavelmente errada e a abandonei."

Uma ideia "simples" dominou a mente de Deterding durante seus primeiros anos na Royal Dutch — a necessidade de fusão entre as novas companhias de petróleo. Ele a via como a única maneira de proteger a Royal Dutch contra a Standard Oil. *Eendracht maakt macht* — "a unidade faz o poder". Assim dizia o velho provérbio holandês adotado como uma pedra de toque. Ele também buscava a cooperação como um modo de trazer estabilidade à indústria. Como Rockefeller, repudiava as ferozes flutuações de preço. Ao contrário de Rockefeller e da Standard Oil, não queria usar a redução de preços como arma competitiva; no lugar dela queria realizar acordos sobre estabelecimento de preços e tratados de paz entre as companhias em guerra. A longo prazo isso seria melhor até mesmo para o consumidor, argumentava ele, pois retornos mais estáveis e previsíveis encorajariam mais investimento de capital e maior eficiência. No entanto, a essa simples ideia de amálgama colava-se outra, que dificilmente alardeava: em qualquer fusão a Royal Dutch teria efetivamente de ocupar o primeiro lugar. Mas havia quem considerasse que as intenções de Deterding não eram de todo benignas. Para os Nobel ele mais tarde pareceu não um paradigma da conciliação, mas nada menos que "uma terrível espécie de ser cuja missão era trucidar todo mundo e aproveitar a carcaça".[5]

O primeiro passo em direção à integração

Juntas, a Shell e a Royal Dutch controlavam mais da metade das exportações de petróleo da Rússia e do Extremo Oriente. A "competição desastrosa" entre as duas era o ponto de partida de onde Deterding embarcaria numa importante negociação para conseguir a fusão com seu grande rival, Marcus Samuel. O caráter dessa empresa global seria determinado pela longa luta entre os dois homens — ambos ousados negociantes de grande talento, ambos com um ego intimidador, mas um, Marcus Samuel, mais sensível à lisonja e à opinião e mais interessado em posição, e outro, Henri Deterding, movido acima de qualquer outra coisa pela busca do poder em estado bruto e do próprio dinheiro. Quanto à questão fundamental — qual deles iria dirigir uma nova integração? —, os dois estavam em plena disputa. Marcus Samuel não tinha dúvida sobre quem deveria ser o líder: ele próprio, devido à preeminência visível da Shell e às suas extensas atividades. Mas Deterding não tinha nenhuma intenção de ser, como dizia, subalterno de ninguém.

Os dois não iriam conseguir chegar a parte alguma negociando diretamente um com o outro. Precisavam muito de um mediador, e quem melhor que aquele mediador por excelência quando se tratava de petróleo, o fretador Fred Lane? Afinal, o Nebuloso Lane era o representante londrino dos interesses dos Rothschild; amigo de Samuel, consultor, confidente — um leal conspirador no grande golpe da década anterior. Acabara de encontrar Deterding, e logo manifestaram prazer em estar juntos, e também estavam fadados a se tornar grandes amigos. Lane começou negociando uma trégua numa guerra de preços no Extremo Oriente entre a Royal Dutch e a Shell — pondo um fim no que chamava de danoso "jogo de peteca de acusações" entre Samuel e Deterding. Seus esforços ajudaram a criar a disposição de ânimo adequada para o início das negociações. Desde o início, entretanto, havia uma grande diversidade de propósitos. Samuel queria um acordo de mercado entre as duas empresas. Deterding queria uma cabal "administração conjunta". Lane precisou ponderar a Deterding que apesar de "a longo prazo a administração conjunta ser inevitável", por ora a oposição de Samuel era "insuperável". A questão se complicou ainda mais quando, em meados de outubro de 1901, Marcus Samuel foi a Nova York visitar nada menos que os senhores do número 26 da Broadway, com a intenção aparente de negociar uma aliança com a Standard Oil. "*Sir* Marcus Samuel está aqui", escreveu John Archbold a Rockefeller. "Essa companhia certamente representa a mais importante Agência de Petróleo Refinado de todo o mundo, depois dos nossos próprios negócios. Sem dúvida, ele está aqui para começar a estudar conosco a questão de algum tipo de aliança, tendo preferência pela venda para nós de uma vasta participação na sua Companhia." Mas apesar das longas conversações as duas partes não conseguiram chegar a um acordo quanto ao valor da Shell; a Standard não acreditava no valor que Samuel declarava de suas operações. Entretanto, não era à toa que Samuel era um empreendedor. Ao voltar para Londres dava a impressão de um triunfo iminente, demonstrando um grande talento para despertar o entusiasmo pela Shell, uma empresa que na realidade estava em grandes apuros.[6]

A "Holandesa Britânica" — e Asiática

Enquanto Samuel estava em Nova York, Lane ficara tentando diligentemente esboçar a base para uma negociação entre a Royal Dutch e a Shell. Mas o grande problema continuava sem resposta: iria ocorrer simplesmente uma divisão do mercado ou uma total integração? No dia 4 de novembro de 1901, Lane foi ver Samuel para o que se revelaria uma discussão decisiva. Ele martelava um ponto. Um simples acordo de mercado não teria sentido se começasse a entrar cada vez mais petróleo no mercado, deteriorando os preços. A produção também tinha de ser controlada. E a conclusão óbvia disso era que "Não há outra solução além da absoluta junção do negócio". Uma vez tendo Samuel também chegado a essa conclusão, tornou-se a personificação da amabilidade e "cordialmente se declarou vencido". Seria necessária uma nova organização, que deveria ter a capacidade de limitar a produção. Datam desse encontro decisivo os primeiros passos que levaram posteriormente ao estabelecimento do grupo Royal Dutch-Shell.

Deterding estava com pressa para completar o acordo; tinha medo de que a Standard Oil conseguisse um acordo com a Shell. Seu receio era justificável. Dois dias antes do Natal de 1901, a Standard Oil, apesar de sua relutância anterior, finalmente fez uma oferta para a Shell, e uma grande oferta: quarenta milhões de dólares era muito dinheiro em 1901 (cerca de quinhentos milhões de dólares hoje). A família de Samuel instou-o a aceitar. Ele foi passar os feriados em Mote, sua propriedade em Kent, para se debater entre as duas opções. Enfrentou uma das mais angustiantes decisões de sua vida: aceitar uma soma fantasticamente grande, adquirir uma riqueza quase inimaginável e se tornar uma das personalidades mais importantes do império da Standard Oil ou tentar a sorte com Deterding e a Royal Dutch. Havia razões de sobra para pausa e hesitação. No entanto, logo depois do Natal, as reflexões de Samuel foram abruptamente interrompidas por um telegrama urgente de Lane chamando-o de volta a Londres. Deterding havia cedido nos principais pontos, contou-lhe Lane. Na tarde do dia 27 de dezembro de 1901, Samuel assinou com a Royal Dutch um acordo apressadamente minutado. O documento foi levado para Deterding por um portador que viajou no navio da noite. Naquela mesma tarde, Samuel mandou para Nova York um telegrama rejeitando a oferta da Standard e rompendo as negociações.

O que Samuel queria era igualdade. A Standard podia ser muito generosa em termos de dinheiro mas insistia, como sempre fizera, em conservar o controle, que assim passaria de uma entidade inglesa para uma americana, e isso, qualquer que fosse a quantidade de dinheiro, Marcus Samuel não podia aprovar. Era patriota demais. Ele e Deterding, porém, ainda não tinham um acordo consumado; apenas um esboço precário. Com a sua habitual singularidade de propósito, Deterding conseguiu fazer com que outros importantes produtores das Índias Orientais Holandesas se aglutinassem à nova integração, que tinha no comando a Royal Dutch. Deterding conseguira a metade do que queria: o controle efetivo e a administração da produção de petróleo das Índias Orientais Holandesas. Mas que tipo de integração de vendas deveria ser acertado com a Shell? Deterding falara sobre a "administração conjunta" de Samuel e dele. Mas com a Standard Oil fora de cena a posição da Shell se enfraquecera e Deterding começou a concentrar a atenção em outra de suas ideias simples, que o atraía incomumente. Deveria haver apenas um homem na direção, e esse homem tinha de ser Henri Deterding.

Entregou a Samuel um ultimato: ou aceita o seu esquema de organização, que limitava o controle da Shell e de Samuel na direção, ou nem sequer iria se dar ao trabalho de atravessar o canal para outras negociações. "Nenhum de nós pode aguentar ficar perdendo tempo", disse o holandês. Conseguiu o que queria. Samuel seria o presidente da nova companhia, mas Deterding seria seu diretor e superintendente, com a responsabilidade da direção diária dos negócios. Deterding não podia pedir mais nada. Logo depois os dois documentos-chaves foram assinados. Um estabeleceu o Committee of Netherlands Indian Producers e o outro uma nova companhia chamada The Shell Transport Royal Dutch Petroleum Company — que logo ficaria conhecida como British Dutch. Assim nasceu a companhia que emergiria como uma verdadeira rival de âmbito mundial da Standard Oil.

Uma terceira parte, os Rothschild, decidiu que apesar de sua aversão por Samuel e pela Shell eles não poderiam ficar de fora. Se os Rothschild querem entrar, disse Deterding para um hesitante Samuel, traga-os custe o que custar. "A demora é arriscada", ponderou. "Se essa oportunidade nos escapar agora nunca mais a teremos novamente. Uma vez integrados com os Rothschild, todos saberão que nós temos o futuro em nossas mãos, mas sem o nome deles isso não será possível." Samuel foi finalmente persuadido.

Em junho de 1902 um Samuel amaciado assinou um novo contrato abrangente com Deterding e com os Rothschild. A British Dutch desapareceria, dando lugar a uma integração nova e maior, a Asiatic Petroleum Company. Os resultados do negócio, Samuel agora prometia a seus acionistas, seriam bem melhores porque a "organização inteira" não mais se basearia exclusivamente na comercialização do petróleo russo, com todas as suas inseguranças e riscos. "É motivo de sinceros cumprimentos a todos os interessados", concluía ele num tom festivo, "o fato de que a guerra em que estávamos engajados com nossos amigos holandeses terminou, não só em paz mas numa aliança ofensiva e defensiva".[7]

Deterding triunfante

As companhias anglo-holandesas e agora asiáticas representavam o primeiro grande passo em direção à junção. Mas esse acordo inicial ainda precisava ser transformado num contrato operativo. Enquanto isso a posição financeira e a de mercado da Shell continuava a se deteriorar em um nível arriscado e Deterding ameaçava se retirar do acordo. Samuel tinha de encarar a possibilidade de que tudo poderia falhar.

Um tal fracasso não poderia ter sido mais ignominioso, pois no dia 29 de setembro de 1902 Samuel, o primeiro conselheiro, devia ser eleito Lord Mayor de Londres. No final de agosto, ele pediu a Deterding que fosse até Mote. O holandês ficou muito impressionado com a casa de campo inglesa; nunca havia visto aquilo antes e decidiu que teria uma também. Samuel foi franco quanto aos problemas que estava enfrentando. Deterding compreendeu a fraqueza da Shell, mas também sabia que a "bandeira" holandesa não seria suficiente para a empresa global que imaginara; ele precisava de uma "bandeira" mais poderosa: o pavilhão do Reino Unido. Assim, reassegurou a Samuel que ele poderia procurar restaurar a fortuna da Shell por meio da nova Asiatic Petroleum Company.

Para dirigir essa companhia Deterding fixou residência em Londres (embora desde 1897 ele já estivesse usando um endereço telegráfico em Londres: Celibacy). E dos escritórios da Asiatic em Londres, Deterding controlava e equilibrava os recursos integrados da Royal Dutch e da Shell, uma parte substancial das exportações de petróleo russo dos Rothschild e a produção dos produtores independentes das Índias Orientais Holandesas. E então passou a comprar e vender petróleo numa escala ampla, com grande habilidade e sucesso. Estando na presidência da Comissão dos Produtores das Índias Holandesas, usou-a para começar a restringir a produção de lá e a fazer funcionar um sistema de quotas.

Enquanto Deterding concentrava furiosamente as suas energias na nascente Asiatic, Marcus Samuel se fixava com firmeza em algo que nada tinha a ver com o negócio de petróleo — a sua posse oficial como Lord Mayor de Londres no dia 10 de novembro de 1902. Certamente seria o dia mais grandioso de sua vida, pois ele ia atingir a suprema honra a que podia aspirar um comerciante londrino — mais importante ainda para Marcus Samuel, um judeu do East End e filho de um comerciante de conchas. Quando chegou o grande dia, ele teve direito à procissão de carruagens, que o levou, junto com a família e vários dignitários, por um trajeto que incluiu o bairro judeu de Portsoken Ward, seu local de nascimento. O dia culminou no Guildhall com um grande banquete cheio de notáveis, em honra a Marcus Samuel. Entre os convidados estava Deterding, que se pôs distante do acontecimento, como se estivesse observando um exótico ritual nativo. "Estou certo de que caso haja outro desses não vale a pena comprar uma gravata branca para comparecer," caçoou ele numa carta aos colegas. "O show para o Lord Mayor foi muito bonito, segundo a visão local, mas para os olhos holandeses mais parecia o desfile cerimonial de [um] circo."

A partir daí, Samuel teve o tempo tomado por deveres cerimoniais, recepção após recepção, discurso após discurso. Passou-se quase um mês até que pudesse voltar a atenção para o negócio de petróleo. E mesmo assim estaria continuamente envolvido com as atividades inerentes à condição de Lord Mayor, com seus muitos deveres, viagens oficiais e visitas de dignitários. Uma de suas responsabilidades era entrevistar pessoalmente todos os lunáticos que deviam ser considerados insanos na Mansion House, e havia quem dissesse que ele passava mais tempo com os lunáticos que com os homens do petróleo. Samuel se deleitava com o ritual e a posição de Lord Mayor, mas a tensão também lhe cobrou o preço. Durante o ano em que foi Lord Mayor, ele teve de enfrentar problemas de saúde, constantes dores de cabeça e, ainda por cima precisou arrancar todos os dentes.

Houve dores de outro tipo também. No último sábado de dezembro de 1902, Samuel tomou o trem bem cedo para Mote, em Kent, pois tinha de estar presente ao enterro do arcebispo de Cantuária, almoçar com as autoridades da cidade e assistir a uma peça. No domingo examinou as armas da Guerra dos Bôeres que lhe foram apresentadas por Lorde Kitchener; no domingo pela manhã esteve às voltas com suas atividades de conselheiro e só então, por fim, voltou aos urgentes negócios privados — uma carta, esperando por ele, de Fred Lane. A carta era nada menos que devastadora. O velho amigo e parceiro de Samuel estava saindo da direção da Shell. Não era apenas a pressão das atividades decorrentes do fato de ter ele se tornado diretor administrativo adjunto da Asiatic. Lane lançou-se numa crítica amarga ao modo como Marcus Samuel cuidava da companhia. "Você é, e sempre foi, muito ocupado para estar à cabeça de um negócio como esse", escreveu ele. "Parece que só tem uma ideia: injetar capital, fazer um grande escarcéu e confiar na Providência. Nunca vi antes uma conformação mental tão otimista nos negócios (...) Negócios como esses não podem ser conduzidos com uma olhadela ocasional dada nos horários livres ou com algum rasgo brilhante de tempos em tempos. É um trabalho regular, monótono e árduo." A menos que "aconteça alguma mudança muito radical", profetizou Lane, "a bolha arrebentará" e então nada "será suficiente para salvar a companhia". Samuel se encontrou com Lane; os dois conversaram; mais tarde trocaram correspondência. Com as acusações e as imputações de culpa nos negócios, eles foram ficando cada vez mais rancorosos. A fratura não podia ser consolidada. Assim, Lane deixou a direção; de ambos os lados ficou um persistente e amargo sentimento de deslealdade.

A Asiatic ainda estava sendo construída; o acordo final não fora consumado e isso gerava contínuas disputas em torno das questões do controle e da política — do poder. O historiador da Royal Dutch escreveu que Deterding só queria que todos agissem "direito e com justiça". O biógrafo de Samuel tinha uma visão diferente; Deterding estava tão determinado a ocupar o seu lugar que entrou num "estado de fúria" irracional e rancor exorbitante que "se aproximava da demência". Certo de estar do lado vencedor, não tendia para a solução de compromisso. Num dado ponto ele declarou: "Estou me sentindo inteiramente pronto e apto para enfrentar dez Lord Mayors".

Finalmente, em março de 1903, dez contratos foram acordados para aquela já estabelecida Asiatic, da qual as duas partes eram donas de um terço. A nova companhia controlaria a produção das Índias Orientais, realizaria as vendas no Extremo Oriente e também controlaria a venda da gasolina e do querosene do Extremo Oriente na Europa. A maior façanha de todas, Deterding assegurou triunfalmente ao seu conselho, que em cada ponto do acordo a Royal Dutch ficara em posição predominante. E talvez mais importante: o diretor administrativo da Asiatic seria também o diretor administrativo da Royal Dutch — Henri Deterding. Samuel insistiu em que o prazo do exercício do cargo fosse de três anos apenas. Deterding foi inflexível. "Vinte e um anos e nem menos um dia", declarou, querendo dizer que o cargo seria vitalício. Venceu também nesse ponto.

A primeira reunião do conselho da Asiatic aconteceu em 1903, com Marcus Samuel na cadeira do presidente. Deterding, falando sem ter de recorrer a anotações, parecia saber onde estava cada navio naquele momento, o seu destino, sua carga — e os preços que o aguardavam em cada porto. Marcus Samuel ficou muito impressionado.[8]

"O grupo" — Samuel capitula

Deterding se lançou na nova empresa com uma energia irreprimível. Quando o presidente do conselho da Royal Dutch o advertiu de que ele estava se desgastando demais, Deterding respondeu: "Acontece que no negócio do petróleo é preciso agarrar as oportunidades rapidamente, do contrário elas escapam". Ele não era um jogador, mas alguém que corria riscos calculados, e o seu método era o trabalho. Em pouco tempo, a Royal Dutch assimilou a maioria dos produtores independentes das Índias Orientais, onde o petróleo se prestava particularmente bem para a fabricação de gasolina. Os automóveis estavam começando a se tornar atrações familiares nas estradas da Inglaterra e do continente; e sob o relho de Deterding, a Asiatic ganhou uma fatia importante do crescente mercado europeu de gasolina.

Enquanto as coisas iam cada vez melhor para a Royal Dutch, para a Shell elas pioravam cada vez mais. Além de os suprimentos texanos provenientes de Spindletop terem se esgotado, o almirantado inglês continuava adepto do carvão e se recusava a levar a sério a visão de Samuel, que lhes propusera óleo combustível para a Armada Real. O grande mercado em que Samuel confiara — a armada — simplesmente não comparecera. E ainda por cima a Royal Dutch descobriu em Bornéu petróleo bruto que podia ser usado como óleo combustível, fazendo desaparecer as esperanças de Samuel de ter o monopólio da sua produção. As guerras de preço da Standard cobravam um contínuo tributo. E havia também a animosidade de Fred Lane, que havia se virado amargamente contra a Shell e usava a sua posição de diretor administrativo adjunto da Asiatic para ir à forra. Deterding, equilibrando-se entre duas cordas, fazia o possível para que a Royal Dutch avançasse sua posição em relação à da dilapidada Shell. Claudicante, com o colapso à vista, a Shell dificilmente teria condições de pagar dividendos de 5%, ao passo que os dividendos da Royal Dutch eram da ordem de 65%, 50%, e em 1905 um número extremamente satisfatório: 73%.

O que restava à Shell fazer? O prazo estava expirando para Marcus Samuel. No inverno de 1906, seu empregado mais talentoso, um jovem chamado Robert Waley Cohen, deu-lhe as más notícias — uma companhia com mercado consolidado era insuficiente. O único meio de a Shell sobreviver era se fundir completamente com a

Royal Dutch nos melhores termos que ele pudesse conseguir. A ideia arrasou Samuel. Afinal de contas, ele criara quase sozinho uma grande companhia de petróleo mundial. Mas parecia que dificilmente haveria escolha. Encarando o que agora se tornara inevitável, Samuel colocou a Deterding o desejo de fusão. Deterding concordou. Sim, era desejável. Mas em que base? Meio a meio, respondeu Samuel, como no acordo original que eles haviam feito para a British-Dutch. Absolutamente não, disse Deterding. Ele estava intratável. Os dias da British Dutch tinham passado; a posição relativa das companhias havia mudado dramaticamente. A proporção devia ser 60% para a Royal Dutch e 40% para a Shell. "A propriedade e os interesses da Shell seriam daqui por diante dirigidos por um estrangeiro!", respondeu Samuel. Ele nunca seria capaz de justificar isso para os seus acionistas.

Deixaram a questão nesse ponto por vários meses, mas não tendo a posição da Shell demonstrado nenhuma melhora, Samuel foi forçado a propô-la de volta a Deterding. "Eu estaria disposto", disse Samuel, "a deixar a presidência para a Royal Dutch se você, Deterding, me desse garantia absoluta de que é do interesse da Royal Dutch administrar a Shell adequadamente".

Deterding só ofereceu uma garantia. A Royal Dutch compraria um quarto das ações da Shell, e assim, como acionista, teria no coração os melhores interesses da Shell. Samuel pediu tempo para pensar. Deterding recusou. "No momento estou a fim de generosidade. Fiz-lhe essa oferta, mas se você deixar esta sala sem aceitá-la será retirada." Samuel não divisou outra opção clara. Aceitou. A sua luta com Deterding já durava meia década. Finalmente tinha acabado. Deterding vencera.

A união foi cimentada em 1907, e dela emergiu o grupo Royal Dutch-Shell. A primeira companhia de mercado conjunto, quatro anos antes, havia se chamado British Dutch — a ordem dos nomes refletindo a superioridade. Mas agora a Royal Dutch vinha em primeiro lugar. A mudança na ordem era deliberada; afinal de contas, Deterding saíra vitorioso. Ao longo dos anos, a nova união às vezes era conhecida apenas como "o Grupo". O total de bens necessários à produção e ao refino de petróleo foi alocado duma companhia holandesa, a Bataafsche Petroleum Maatschappij, e duma companhia inglesa, a Anglo-Saxon Petroleum Company, tudo o que se referia ao transporte e ao armazenamento. Tanto a Royal Dutch quanto a Shell se tornaram *holding companies,* com a Royal Dutch detendo 60% das ações das subsidiárias em operação e a Shell 40%. Não havia conselho da Royal Dutch-Shell. O "Comitê de Diretores Administrativos" não tinha um *status* legal específico; em vez disso, era composto de membros ativos dos conselhos das duas *holding companies.* A Royal Dutch realmente comprou um quarto das ações da Shell, o compromisso de boa fé que Samuel pedira, mas ao longo dos anos se desfez de todas menos uma última, simbólica.

Deterding fixou seu escritório em Londres, que se converteu no centro financeiro e comercial da Royal Dutch-Shell; adquiriu também uma herdade em Norfolk, onde levava a vida que invejara, a de um proprietário rural inglês. O aspecto técnico do negócio, a produção e o refino, tinha a sua base em Haia. À medida que os fatos se tornavam conhecidos do público, as antigas distinções da incorporação foram desaparecendo; não importava em que parte do negócio os lucros eram gerados, já que eles eram todos divididos na mesma base dos sessenta-quarenta.

Na verdade, todas as partes do negócio eram dirigidas pelas mesmas pessoas, e três delas tinham posições-chaves. Deterding era o primeiro, é claro. O segundo era Hugo Loudon, o engenheiro holandês que salvara a Royal Dutch com novas descobertas em Sumatra quando os primeiros poços se esgotaram. O terceiro era o jovem Robert Waley Cohen. De uma antiga família de judeus ingleses, Waley Cohen se formara químico na Universidade de Cambridge e fora trabalhar para Marcus Samuel em 1901, tornando-se o homem da Shell na Asiatic. Depois da fusão ele teve um papel importante na união das partes. Deterding se concentrou no aspecto dos negócios, viajando constantemente e negociando; Loudon se ocupava do lado técnico. Waley Cohen era o representante de *facto* de Deterding nas transações comerciais, tomando decisões na sua ausência, assumindo e concluindo um conjunto de negociações quando Deterding já se passava para outro e animando Deterding nas ocasiões que o holandês começava a ter dúvidas e a querer reconsiderar.

Derrotado por Deterding e forçado pela necessidade a desistir do controle, Samuel inicialmente se considerou um fracasso. Não houve glória para ele na fusão. "Sou um homem desapontado", declarou aos repórteres. Imediatamente depois da fusão, Samuel comprou um iate de 650 toneladas para mitigar a sua mágoa e foi para o mar. Mas a humilhação logo passou. Os dois magnatas fizeram um esforço para se entenderem. Deterding consultou Samuel, fez com que ele ficasse ainda mais rico e depois de sua morte falaria dele como "o nosso presidente". Samuel, por sua vez, não levou muito tempo para ver o que Deterding podia realizar; já em 1908 ele dizia aos acionistas da Shell que Henri Deterding era "nada mais que um gênio". Mesmo não determinando nada, Samuel atuou por mais de uma década como presidente da Shell Transport and Trading e ficou ativamente envolvido numa variedade muito grande de negócios do Grupo. Enriqueceu ainda mais, tornou-se um empenhado filântropo, continuou a ser celebrado ou caricaturado nos jornais quando os acontecimentos o justificavam e seguiu promovendo o uso do seu amado óleo combustível nos navios. Durante os anos em que foi presidente manteve um relacionamento amigável com Deterding. Mas nunca houve qualquer dúvida sobre a natureza desse relacionamento. Deterding era o chefe.[9]

"Rumo à América!"

A conclusão da fusão em 1907 significou que o mercado mundial de petróleo agora estava dominado pelo gigante original, a Standard Oil, e por um gigante em crescimento, o Royal Dutch-Shell Group. "Se três anos atrás a Standard tivesse tentado nos varrer, ela teria conseguido", disse Deterding em 1910, mas acrescentou orgulhosamente: "Agora as coisas estão mudadas". A competição entre as duas, entretanto, continuou feroz e mais amarga, e naquele mesmo ano ele fez uma peregrinação ao número 26 da Broadway, procurando a conciliação. Em vez disso, o que encontrou foi uma oferta para comprar a Royal Dutch-Shell por cem milhões de dólares. "Lamento ter que registrar que a minha visita a esta cidade (...) tenha sido tão inútil", foi a sua ácida resposta. Ele se sentia humilhado porque as questões da cooperação, segundo suas palavras, "no presente momento não são consideradas dignas de ser discutidas com os diretores e os presidentes das várias companhias que, junto à sua Companhia, estão fazendo o maior comércio de petróleo do mundo".

A Standard Oil respondeu à rejeição de Deterding com uma nova campanha de redução de preço, abrindo outra fase das guerras do petróleo. Como se isso não bastasse, criou também uma subsidiária na Holanda para procurar obter concessões de petróleo no sul de Sumatra. O Grupo não tinha mais escolha, precisava contra-atacar, e isso significava uma coisa: "Rumo à América!"; esse se tornou o slogan para a política da Royal Dutch-Shell entre 1910 e 1914. Se o Grupo não estivesse presente nos Estados Unidos, ele poderia sempre se tornar vulnerável à redução de preço da Standard, pois essa companhia podia vender gasolina excedente a preços baixos na Europa, como vendeu querosene excedente, enquanto mantinha alto o preço no mercado americano e assim garantia o lucro. Essa posição deu à Standard um poder estável que o Grupo não tinha; ela podia usar seus lucros nos Estados Unidos para subsidiar as perdas resultantes das guerras de mercado na Europa e na Ásia.

Deterding moveu-se em duas direções. A primeira foi na costa oriental, onde em 1912 montou uma operação de mercado para a gasolina de Sumatra e depois, no ano seguinte, entrou diretamente na produção de petróleo na Califórnia. A segunda direção levou o grupo ao centro do país. Simpático à ideia de entrar no *boom* de Oklahoma, Deterding despachou para os Estados Unidos um novo agente especial para rapidamente organizar tudo. O agente era o homem que havia organizado a rede original de tanques de armazenamento da Shell no Extremo Oriente no começo da década de 1890 e a incursão da empresa em Bornéu no final da década de 1890 — nenhum outro que Mark Abrahams, o sobrinho de Marcus Samuel, que acabara de lançar no Egito uma companhia de exploração de petróleo para o Grupo.

Não se pode dizer que se dirigir a Oklahoma foi o mesmo que ir a Bornéu, mas de qualquer modo Abrahams não sabia muito bem o que esperar quando saiu de Nova York para Tulsa em julho de 1912. Assim, fez com que a pequena equipe que dirigia levasse a sua própria máquina de escrever, para o caso de não haver máquinas de escrever em Tulsa, e escondeu 2.500 dólares num cinto apropriado, para o caso de não haver bancos confiáveis na cidadezinha do *boom,* que já se autoproclamava "a Capital Mundial do Petróleo". Uma vez enfurnado em Tulsa foi adiante e adquiriu algumas pequenas companhias, incorporando-as numa nova companhia, a Roxana Petroleum. Deterding concretizara agora o seu maior objetivo, que podia ter sido chamado de expansão defensiva. Estava no campo da Standard. Quando Mark Abrahams, completada a sua tarefa, voltou para Londres, Deterding mandou a Hugo Loudon uma carta exultante: "Por fim *estamos* na América!".[10]

Tumulto na Rússia

Mortificante como foi para Samuel ter perdido o controle para Deterding na fusão da Shell com a Royal Dutch, os acontecimentos logo revelaram a necessidade de uma jogada hábil, dada a dependência da Shell do petróleo russo. A economia industrial da Rússia tinha passado por um crescimento estupendo sob as políticas adequadas do conde Sergei Witte, o poderoso ministro das Finanças de 1892 a 1903. Um bom conhecedor de matemática, Witte começou como modesto administrador de ferrovia para se tornar por pura habilidade o mestre da economia russa — um meio de ascensão dos mais inusitados no império czarista. Como ministro das Finanças, Witte fiscalizou a rápida industrialização em larga escala da Rússia e do petróleo em particular, abastecida por uma vasta injeção de capital estrangeiro. Críticos conservadores atacaram o seu programa; o ministro da Guerra lamentava um "desenvolvimento muito apressado" na região do petróleo, sobretudo por "capitalistas estrangeiros, capital estrangeiro e judeus". Mas Witte aferrou-se à sua estratégia de desenvolvimento.

Witte era realmente uma exceção, um homem de grandes talentos num governo povoado de gente com pouca capacidade. Todo o sistema estava podre de corrupção, preconceito e incompetência. A fonte da inépcia era o próprio *czar*. Nicolau II era altamente vulnerável à bajulação, uma característica perigosa num autocrata, e ele e a sua corte derivavam para o misticismo e a irrealidade, mergulhando em cultos e se cercando, como disse Witte, de "médiuns importados e 'idiotas' locais que se faziam passar por santos". O *czar* não poderia "abandonar seus hábitos 'bizantinos'", disse Witte profeticamente. "Mas visto não ter ele os talentos de Metternich ou de Talleyrand, pousa numa poça de barro — ou num poço de sangue." Witte apenas podia rezar para que Deus livrasse os russos "do emaranhamento de covardia, cegueira, velhacaria e estupidez".

Nicolau II desdenhava todas as minorias não russas de seu império multinacional e sancionava a repressão que, por sua vez, as transformava em rebeldes. No começo da década de 1900, o império inteiro estava em turbulência. Em 1903, Witte foi forçado a admitir que o reino de Nicolau II já era um colossal fracasso, com poucas e inconsequentes exceções e que toda a sua população estava alheia e insatisfeita. O Cáucaso — local de origem da indústria petrolífera russa — era uma das partes mais mal administradas do adoentado império. As condições de vida e de trabalho da região eram deploráveis. A maioria dos trabalhadores estava sem a família em Baku, e em Batum a jornada de trabalho frequentemente era de catorze horas, com duas horas extraordinárias compulsórias.

Baku se tornou a "estufa revolucionária do Cáspio". Escondido bem no coração do bairro dos tártaros ficava um grande porão que se estendia por vários prédios. Esse era o lar da "Nina" — o nome dado à grande operação de impressão montada para a edição do jornal revolucionário de Vladímir Ilitch Unin, Iskra, contrabandeado da Europa via Pérsia para ser impresso e distribuído no país. Para a permanente perplexidade da polícia czarista, a Nina se tornou a fonte de um fluxo maciço de materiais revolucionários. Mesmo ignorando, a indústria de petróleo foi cúmplice secreto dela: o seu sistema de distribuição nacional forneceu um veículo perfeito para a clandestinidade, distribuindo a propaganda por todo o país. Baku e a indústria de petróleo também propiciaram o campo de treinamento para um grande número de líderes bolcheviques, inclusive um futuro presidente dos sovietes, Mikhail Kalínin, e um futuro marechal da União Soviética, Klementi Voroshílov. Entre os alunos havia também uma figura ainda mais importante, um jovem georgiano, ex-seminarista e filho de sapateiro. Seu nome era Joseph Djugashvíli, mas ele atuava com um nome de guerra: Koba — que em turco significa "indomável". Somente mais tarde começou a ser conhecido por Joseph Stálin.

Em 1901 e 1902, Stálin se tornou o principal organizador socialista de Batum, planejando greves e demonstrações contra a indústria petrolífera local, inclusive uma longa greve contra os interesses dos Rothschild. Stálin estava entre os muitos presos depois da greve, a primeira das suas oito prisões. Repetidas vezes escapou do exílio apenas para acabar de volta outra e ainda outra vez numa prisão do *czar*. Em 1903, os trabalhadores do petróleo de Baku entraram em greve, levantando uma onda de lutas operárias por toda a Rússia, que culminou na primeira greve geral do império. O país estava em confusão e o governo em crise. Não era por menos que Marcus Samuel, os Rothschild e outros se preocupassem, devido à sua dependência da Rússia como fonte de suprimento de petróleo.[11]

O regime czarista precisava de uma diversão e, como tantos outros fizeram antes e depois, a procurou numa aventura externa, esperando unir a nação e restaurar o prestígio de seus governantes. E escolheu o opositor errado — nesse caso, o Japão. A competição para o controle da Manchúria e da Coreia, particularmente do vale Yalu, fez da guerra com o Japão uma clara possibilidade desde 1901. O *czar*, que uma década antes fora ferido numa tentativa de assassinato quando viajava para o Japão, não tinha respeito pelos japoneses; chamava-os de "macacos" até em documentos oficiais. São Petersburgo desconsiderava todos os esforços dos japoneses para formular algum tipo de acomodação. O conde Witte vinha procurando afastar o conflito; a sua saída do ministério das Finanças em 1903 convenceu os japoneses de que a guerra era inevitável. Isso acomodou o *czar* e seu círculo. "A situação interna da Rússia" requeria algo drástico, disse o ministro do Interior. "Precisamos de uma guerrinha vitoriosa para deter a onda de revolução." Era óbvio que o conflito era apenas uma questão de tempo.

A Guerra Russo-Japonesa começou em janeiro de 1904, com um bem-sucedido ataque de surpresa contra a armada russa em Port Arthur. A partir de então, as forças russas cambalearam de um desastre militar a outro, culminando com o enterro no fundo do mar de toda a sua armada na Batalha de Tsushima. A guerra não conteve a onda de revolução; muito pelo contrário, acelerou-a. Em dezembro de 1904, os operários de Baku que trabalhavam com petróleo entraram novamente em greve e ganharam o seu primeiro acordo coletivo de trabalho. Poucos dias depois, a greve terminou e os revolucionários fizeram uma proclamação: "Trabalhadores do Cáucaso, já soou a hora da vingança". Seu autor era Stálin. No dia seguinte, a polícia de São Petersburgo disparou contra um grupo de trabalhadores que estavam entrando no Palácio de Inverno para submeter uma petição ao *czar*. Foi o chamado Domingo Sangrento, o início da Revolução de 1905 que Lênin considerava o Grande Ensaio.

Quando as notícias chegaram a Baku, os trabalhadores da indústria petrolífera entraram novamente em greve. Os oficiais do governo, temerosos de uma revolução, forneceram armas para os tártaros muçulmanos, que se insurgiram para massacrar e mutilar os armênios cristãos, inclusive os líderes da indústria petrolífera. Ficou lendária a história de um dos mais ricos armênios que estavam no negócio do petróleo, um certo Adamoff. Sendo um ótimo atirador, ele se plantou na sacada de sua casa e com a ajuda do filho sustentou uma resistência de três dias, até que finalmente tombou morto, com a casa incendiada e seus quarenta dependentes carbonizados ou mutilados.

Em setembro e outubro de 1905, as greves e a rebelião aberta se disseminaram novamente pelo império. No Cáucaso, foi um conflito racial e étnico, e não o socialismo, que precipitou os acontecimentos. Os tártaros voltaram a se insurgir numa investida contra a indústria de petróleo por toda Baku e imediações, dispostos a matar quantos armênios pudessem encontrar, incendiando os prédios onde eles haviam se refugiado, pilhando a menor propriedade armênia que estivesse ao seu alcance. "As chamas das torres e poços de petróleo incendiados subiam numa terrível nuvem de fumaça que pairava sobre o inferno", escreveria um sobrevivente. "Pela primeira vez na vida percebi tudo o que podem significar as palavras 'caos absoluto'. Os homens se arrastavam ou se arremessavam para fora das chamas apenas para serem alvejados pelos tártaros (...) Julguei que a cena bem podia ser comparada aos últimos dias de Pompeia. Mas o estampido das balas dos rifles e dos revólveres, o terrível estrondo dos tanques de petróleo que explodiam e os gritos de agonia das vítimas tornava-a ainda pior que qualquer coisa jamais ocorrida em Pompeia." A fumaça era tão densa que às duas da tarde o sol não podia ser visto. Então, como para provar que os últimos dias estavam mesmo iminentes, um terrível terremoto sacudiu toda a região.

As notícias de Baku tiveram um profundo efeito sobre o mundo externo. Ali, pela primeira vez, uma violenta convulsão social tinha interrompido o fluxo do petróleo, ameaçando tornar sem valor um vasto investimento. A Standard Oil não perdeu tempo e tirou vantagem da confusão na Rússia; rapidamente conseguiu reconquistar os mercados para o querosene americano no Extremo Oriente que haviam sido perdidos para o petróleo russo. Quanto à própria indústria russa, o dado era desanimador: dois terços dos poços de petróleo haviam sido destruídos e as exportações tinham entrado em colapso.

No final de 1905, a revolução estava esgotada. A Guerra Russo-Japonesa também tinha acabado; por solicitação dos beligerantes, o seu término foi mediado pelo presidente Theodore Roosevelt em Portsmouth, no estado de Rhode Island. Em outubro de 1905, o *czar* foi forçado a contrariar totalmente o seu temperamento e sua vontade para concordar com um governo constitucional que incluía um Parlamento, a Duma.

Apesar de encerrada a revolução, a região do petróleo continuava tumultuada. Os operários de Baku elegeram deputados bolcheviques para a Duma; o chefe da Nobel em Batum foi assassinado na rua. Em 1907, as greves varreram Baku, novamente ameaçando se converter numa greve geral, enquanto a estupidez do *czar* solapava a constituição que, em última análise, poderia ter vindo a preservá-lo, assim como a sua dinastia. Em 1907, os bolcheviques mandaram Stálin de volta para Baku, onde ele dirigiu, organizou e, como se dizia, fomentou entre os operários "a total suspeita em relação aos industriais do petróleo". As poucas vezes em que Stálin realmente se envolveu nas lutas cotidianas da classe operária foram nesses anos em Baku. Em 1910 pegaram-no em meio às preparações para outra greve geral, prenderam-no e o exilaram na desolada região norte da Rússia. Foi em Baku que ele preparou os conhecimentos revolucionários e conspiratórios — a ambição e o cinismo — que ajudariam a fazer o seu futuro.[12]

A volta à Rússia

Não eram apenas as sublevações políticas, as tensões raciais e as relações de trabalho que estavam minando a indústria petrolífera russa. A grande vantagem russa havia sido a produção em larga escala a um custo comparativamente barato. Mas as perfurações caóticas e descuidadas levaram à deterioração da capacidade de produção e a danos irreversíveis nos campos à volta de Baku, precipitando a exaustão. Tudo isso fez os custos operacionais subirem violentamente. A instabilidade política desencorajou um novo e grande investimento requerido. Enquanto isso, o governo russo inabilmente elevou as tarifas de transporte interno para ajudar a satisfazer o apetite voraz do seu tesouro. O resultado foi a elevação ainda maior do preço dos produtos do petróleo russo no mercado mundial, tornando-os menos competitivos. O preço passou de vantajoso para desvantajoso. Cada vez mais o petróleo russo se converteu num resíduo, comprado apenas quando outros petróleos não estavam disponíveis.

Ocorriam também importantes mudanças na estrutura geral da indústria de petróleo europeia. Uma nova grande jazida de petróleo estava emergindo na própria Europa — na Romênia, onde há muito tempo um minúsculo suprimento vinha sendo laboriosamente obtido em fossos cavados à mão nos aclives dos Cárpatos. Na década de 1890, o investimento dos bancos húngaros e austríacos, junto com a moderna tecnologia começou a dar um impressionante impulso à produção do país. Entretanto, no começo do século XX, a situação realmente se transformou com a entrada da Standard Oil, do Deutsche Bank e da Royal Dutch na Romênia. Esses três grupos acabaram por controlar a maior parte da indústria romena e seu impacto foi enorme. A produção da Romênia aumentou sete vezes na primeira década do século XX. O Deutsche Bank, com a sua nova produção romena, juntou-se aos Nobel e aos Rothschild em 1906 para formar a European Petroleum Union — a EPU. Nos dois anos seguintes, a EPU negociou acordos específicos de divisão do mercado com os distribuidores da Standard Oil em toda a Europa, reservando para si própria de 20% a 25% dos vários mercados; o resto ia para a Standard Oil, que evidentemente estava bastante satisfeita. Um acordo de mercado semelhante foi feito com a Inglaterra.

Apesar de o suprimento de Baku, aleatoriamente produzido, estar em declínio, novos poços russos iam sendo abertos mais ou menos ao mesmo tempo. Seu desenvolvimento era favorecido pelo aperfeiçoamento da tecnologia e dos métodos de produção e pela febre da especulação em petróleo na Bolsa de Ações de Londres, que fornecia o capital. Um campo ficava em Maikop, a oitenta quilômetros da costa do mar Negro. Outro era Grosny, na Geórgia, a noroeste de Baku. Mas mesmo com a nova produção, os Rothschild tinham se cansado do empreendimento na Rússia. Eles queriam se retirar. O antissemitismo e a xenofobia da Rússia haviam-nos aborrecido bastante, assim como a crescente instabilidade política; eles eram os primeiros a saber das greves, dos incêndios criminosos, dos assassinatos e da revolução. Mas as razões comerciais imediatas para a venda não eram menos prementes. Agora os lucros eram baixos ou inexistentes. Todo o ativo de petróleo dos Rothschild dependia da produção russa; eles não tinham equilíbrio geográfico internacional. Por que, no lugar disso, não encontrar a segurança num interesse globalmente diversificado?

Em 1911, os Rothschild começaram a negociar com a Royal Dutch-Shell a venda de toda a sua organização russa. Foi um negócio difícil. Fred Lane, eternamente presente, representou os Rothschild na transação. "Posso assegurar-lhe que não é tarefa fácil levar Deterding a fazer qualquer coisa", escreveu Lane para o preocupado dirigente dos interesses dos Rothschild no petróleo. "Seu hábito é deixar que as coisas fiquem tão abertas quanto possível e sentar-se como uma coruja pensando sem parar para avaliar se agiu mal ou não tão bem quanto havia imaginado, ou se não pode fazer algo melhor, de forma que nunca se sabe onde se está até que as coisas estejam definitivamente 'assinadas'." De qualquer modo, em 1912 chegou-se a um acordo. O Grupo pagou aos Rothschild na forma de ações, tanto da Royal Dutch quanto da Shell — tornando-os um dos maiores acionistas em ambas. Desse modo, os Rothschild transformaram os seus incertos e inseguros ativos russos num volume substancial de ações de uma companhia internacional em rápido crescimento e com excelentes perspectivas.

Na virada do século, um frenético Marcus Samuel havia feito tudo o que podia para tornar a Shell independente da oferta incerta da Rússia. Agora, uma década mais tarde, Deterding tinha maquinado a reentrada da Royal Dutch-Shell na Rússia de uma forma muito grandiosa. Como resultado da transação, o Grupo adquiriu a maior parte da operação de produção, refino e distribuição russa, inferior apenas à que a Nobel detinha. Quando indagado por um representante de Nobel por que ele queria entrar na Rússia, Deterding respondeu rudemente que a "sua intenção era fazer dinheiro". Da noite para o dia Deterding se tornou a maior força econômica da Rússia, controlando, estimava-se, pelo menos um quinto de toda a produção russa. A aquisição dos negócios dos Rothschild, em contrapartida, deu ao Grupo um *portfolio* de produção globalmente equilibrado — 53% das Índias Orientais, 17% da Romênia e 29% da Rússia. Obviamente havia um risco significativo na Rússia. No entanto, as vantagens de integrar essa produção adicional em seu sistema de âmbito mundial eram imediatas. Quanto aos riscos, o tempo diria.

No todo, a indústria de petróleo russa, particularmente ao redor de Baku, continuava a declinar na década anterior à I Guerra Mundial. A sua tecnologia estava estagnada e se atrasando com relação à do Ocidente. Sua época de ouro, quando era o elemento dinâmico do mercado mundial, havia passado. Entre 1904 e 1913, a fatia da Rússia nas exportações mundiais de petróleo caiu de 31% para 9%. Mas os que de uma forma ou de outra tinham participado da indústria petrolífera russa durante seu apogeu podiam olhar para trás com nostalgia. Para os Nobel, os Rothschild e Marcus Samuel ela havia sido uma fonte de enorme riqueza e considerável poder. Mas a nostalgia podia assumir muitas formas, e atingia não apenas os homens do petróleo como também seus adversários. "Três anos de trabalho revolucionário entre os operários da indústria do petróleo me temperaram para ser um lutador prático e um dos líderes práticos locais", diria Stálin na década de 1920, às vésperas de sua ascensão ao trono bolchevique. "Descobri pela primeira vez o que significava dirigir grandes massas de operários. Ali em Baku recebi, assim, o meu segundo batismo na luta revolucionária. Ali me tornei um artífice da revolução."[13]

Apesar de a sublevação revolucionária iniciada em 1905 ter desencadeado acontecimentos que por duas décadas transformariam Baku numa pasmaceira comercial do mercado mundial de petróleo, a região continuaria a se constituir no principal produtor de petróleo da periferia imediata da Europa. Por essa razão, não obstante a revolução, Baku se tornaria uma das grandes e decisivas recompensas dos conflitos globais que estavam por acontecer.

CAPÍTULO VII

"Boa vida" na Pérsia

UM GARBOSO CAVALHEIRO PERSA, ANTOINE KITABGI, com a patente de general, chegou a Paris no final de 1900. De ascendência armênia ou georgiana, Kitabgi ocupara várias posições no governo persa, inclusive a de diretor geral do serviço da alfândega. Era, disse um diplomata inglês, "bem versado em assuntos ocidentais — sendo capaz de minutar uma concessão e dar início a atividades comerciais". Essas eram habilidades necessárias à sua missão. Pois apesar de a razão ostensiva da visita ser a abertura de uma exposição da Pérsia em Paris, o principal objetivo de Kitabgi era outro: ele era um vendedor — seu propósito era encontrar um investidor europeu que quisesse assumir uma concessão de petróleo na Pérsia. Kitabgi estava perseguindo não apenas os seus próprios fins — certamente ele esperava uma compensação adequada — mas também os do governo persa, que tinha importantes interesses políticos e econômicos em jogo. Apesar de as finanças do governo persa andarem sempre em desordem, uma coisa era por certo óbvia: o governo estava com o dinheiro desesperadamente curto. Por quê? O primeiro-ministro deu a resposta: "A prodigalidade do xá".

O resultado dos esforços do general Kitabgi acabou sendo uma transação de proporções históricas. Apesar de seu destino ter estado suspenso por um fio durante anos, o acordo iniciaria a era do petróleo no Oriente Médio e, com o tempo, levaria aquela região ao centro das disputas políticas e econômicas internacionais. E a própria Pérsia ou Irã, como passaria a se chamar a partir de 1935 — adquiriria uma proeminência no palco mundial que desde os dias dos antigos Impérios Persa e Parta ela não desfrutava.[1]

"Um capitalista do mais alto nível"

Em Paris, Kitabgi procurou a ajuda de um diplomata inglês aposentado, que, depois de alguma consideração, lhe informou: "Com relação ao petróleo, falei com um capitalista de primeira ordem, que se declarou disposto a examinar o caso". O capitalista em questão era um certo William Knox D'Arcy. Nascido em Devon, na Inglaterra, em 1849, D'Arcy emigrou para a Austrália, onde se tornou advogado numa cidadezinha. Adquiriu também uma insaciável paixão pelas corridas de cavalo. Com uma tendência natural para assumir riscos, ao perceber uma oportunidade de especular, organizou um sindicato para reativar uma velha mina de ouro. A mina ainda tinha muito ouro, e, no devido tempo, D'Arcy voltou para a Inglaterra e para uma vida de homem extremamente rico. Depois da morte da mulher se casou com uma conhecida atriz, Nina Boucicault, que se divertia à tripa fôrra; até Enrico Caruso foi cantar num de seus jantares festivos. Além da casa em Londres, D'Arcy mantinha duas propriedades no campo e tinha o único camarote privado do hipódromo de Epsom, ao lado do camarote real. Era um investidor, um especulador, um aliciador de sindicatos, não um administrador, e estava procurando um novo investimento. A perspectiva do petróleo da Pérsia o atraiu, pois ele estava mais uma vez querendo arriscar. E, ao fazê-lo, se tornaria o fundador da indústria petrolífera do Oriente Médio.

Há séculos que os vazamentos de petróleo vinham sendo observados na Pérsia, onde se usava a lama para calafetar barcos e juntar tijolos. Em 1872, e novamente em 1889, o barão Julius de Reuter, fundador da agência de notícias Reuter, obteve concessões na Pérsia que, entre outras coisas, abriam a possibilidade de exploração do petróleo. Porém, as duas concessões geraram muitos protestos na Pérsia e considerável oposição da Rússia imperial, assim como muito desperdício de esforços casuais e malogrados para encontrar petróleo. Ambas acabaram por ser rescindidas. Na década de 1890, um geólogo francês começou a publicar relatórios, baseado numa grande pesquisa que havia realizado na Pérsia, apontando considerável potencial de petróleo. Esse trabalho chegou a muitas pessoas, inclusive ao general Kitabgi, que, ansioso por atrair D'Arcy, prometeu ao milionário nada menos que "a presença de uma fonte de riquezas incalculável em termos de extensão". Como alguém poderia não se interessar? Porém, antes de mais nada, era preciso ganhar a concessão.

No dia 25 de março de 1901, o representante de D'Arcy deixou Paris, chegando a Teerã, via Baku, no dia 16 de abril. As negociações na capital da Pérsia evoluíam lenta e intermitentemente, e o homem de D'Arcy passava o tempo comprando tapetes e bordados. O inveterado intermediário, Antoine Kitabgi, estava ocupadíssimo. Segundo o embaixador da Inglaterra na Pérsia, *sir* Arthur Hardinge, Kitabgi "assegurou de modo muito cabal o apoio de todos os principais ministros e cortesãos do xá, sem esquecer nem mesmo os servos pessoais que trazem à sua majestade o cachimbo e o café da manhã".[2]

Rússia *versus* Inglaterra

A Pérsia podia reivindicar uma identidade nacional que remontava ao antigo império de Ciro o Grande, e Dario I, que a partir do século V a.C. estendeu-se da Índia até as atuais Grécia e Líbia. Mais tarde, o Império Parta emergiu na região agora conhecida como Irã e se tornou o temível rival oriental do Império Romano. A própria Pérsia era um grande entroncamento de comércio e conquista entre a Ásia e o Ocidente. Passaram por ela, e em alguns casos lá se estabeleceram, ondas sucessivas de exércitos assim como populações inteiras. Alexandre, o Grande, percorreu-a vindo do Ocidente; Genghis Khan e os mongóis, vindos do Oriente. No final do século XVIII, uma dinastia avarenta chamada Qajar conseguiu controlar o país, que se fragmentara em principados de déspotas e confederações tribais. Os xás da dinastia Qajar governaram com dificuldade durante um século e meio. No século XIX, um país habituado à invasão se viu submetido a uma nova forma de pressão externa — a competição diplomática e comercial entre a Rússia e a Inglaterra pelo domínio da Pérsia, o que, inevitavelmente, se tornou uma preocupação para os xás da dinastia Qajar, que procuravam lançar as duas grandes potências, uma contra a outra.

A rivalidade entre a Inglaterra e a Rússia transformou a Pérsia numa questão importante da diplomacia das grandes potências. Lorde Curzon, vice-rei da Índia, descreveu a Pérsia como uma das "peças de um tabuleiro de xadrez onde está se desenvolvendo um jogo pela dominação do mundo". Com início na década de 1860, a Rússia desencadeou um avanço implacável na expansão e anexação da Ásia central. Os russos estavam de olhos postos também na região além da Ásia central, ambicionando o controle dos países vizinhos e a aquisição de um porto em águas mornas. A Inglaterra encarava a expansão da Rússia como uma ameaça direta para a Índia e para as rotas que levavam até lá. Quaisquer recursos postos na Pérsia para defendê-la contra o avanço da Rússia, disse um diplomata inglês em 1871, eram "uma espécie de prêmio de seguro da Índia". A Rússia estava avançando por toda a região; em 1885, atacou o vizinho Afeganistão, o que esteve muito perto de precipitar uma guerra com a Inglaterra.

Perto da virada do século, a Rússia tornou a pressionar a Pérsia. Em face dessa nova ameaça, a Inglaterra procurou meios de manter a Pérsia intacta para servir de para-choque entre a Rússia e a Índia. As duas grandes potências competiam pela influência sobre a Pérsia através de concessões, empréstimos e outras ferramentas da diplomacia econômica. Entretanto, à medida que se abria o novo século, a posição da Inglaterra ia ficando precária, pois era claro o perigo de a Pérsia cair sob o domínio da Rússia. Os russos procuravam estabelecer uma presença naval no Golfo Pérsico e a economia da Pérsia já estava consideravelmente integrada na da Rússia. O xá Muzaffar Al-Din era "meramente uma criança de idade adulta", nas palavras de Hardinge, o ministro inglês, e "a própria monarquia persa, uma velha propriedade rural, há muito tempo mal gerida, pronta a ser logo arrematada pela potência externa que desse o maior lance ou ameaçasse mais ferozmente seus dirigentes degenerados e indefesos". Hardinge temia a hipótese mais provável, a de que essa potência externa pudesse ser a Rússia, pois o "xá e seus ministros foram reduzidos a um estado de total vassalagem à Rússia, devido à sua extravagância inconsequente e leviandade". Não era a economia que movia os russos nas relações deles com os persas; como disse um oficial russo: "Que interesse teríamos nós em comercializar com sete ou oito milhões de preguiçosos esfarrapados?". Em vez disso, eles queriam assegurar o domínio político sobre a Pérsia e excluir outras grandes potências. Para Hardinge, um objetivo de "suma importância" política inglesa era resistir a uma incursão tão "detestável".

Nesse contexto, D'Arcy e seu plano pareciam bastante oportunos. Uma concessão inglesa de petróleo poderia ajudar a endireitar a balança contra a Rússia. Assim, a Inglaterra apoiou o arriscado empreendimento. Ao saber das negociações em torno da concessão de D'Arcy, o ministro russo fez uma furiosa tentativa de obstruí-las. Conseguiu diminuir a sua velocidade. O homem de D'Arcy em Teerã, porém, pôs na mesa mais cinco mil libras, uma vez que, informou ele a D'Arcy, "o xá queria algum dinheiro imediato e esperava por outro tanto na assinatura de concessão". Esse dinheiro extra foi mágico: no dia 28 de maio de 1901 o xá Muzaffar Al-Din assinou o histórico acordo, que lhe fornecia 20 mil libras em dinheiro vivo, mais 20 mil libras em ações e 16% dos "lucros líquidos anuais" — como queria que esse termo fosse definido. (E essa definição se revelaria cheia de conflitos.) Em contrapartida, D'Arcy recebia uma concessão válida por sessenta anos, cobrindo três quartos do país.

Desde o início, D'Arcy tinha, deliberadamente, excluído de sua pretendida concessão as cinco províncias do norte do país, as mais próximas da Rússia, a fim de não melindrar os russos. Mas não se podia dizer que a rivalidade entre a Inglaterra e a Rússia tivesse terminado. Agora os russos queriam construir um oleoduto de Baku até o Golfo Pérsico que não apenas iria levar suas exportações de querosene até o mercado indiano e asiático, mas também, e mais importante, projetar o poder e a influência estratégica da Rússia na Pérsia, através da região do golfo e pelas praias do oceano Índico. Os ingleses contestavam duramente esse projeto, tanto em Teerã quanto em São Petersburgo. Hardinge, o ministro em Teerã, advertiu que a "absurda" concessão para um oleoduto, mesmo que ele jamais seja construído, "forneceria um pretexto para cobrir o sul da Pérsia de agrimensores, engenheiros e destacamentos de cossacos para proteção, preparando uma ocupação militar velada". A oposição inglesa surtiu efeito: o oleoduto não foi construído.[3]

O negociador de D'Arcy em Teerã estava exultante com o acordo conseguido. O projeto não apenas beneficiaria D'Arcy como também teria "efeitos a longo prazo, tanto comercial quanto politicamente, para a Grã-Bretanha, e não poderia deixar de aumentar bastante a influência inglesa na Pérsia". O Ministério das Relações Exteriores, apesar de se recusar a assumir qualquer responsabilidade direta, certamente queria dar apoio político aos esforços de D'Arcy. Porém, Hardinge estava mais cético. Ele conhecia a Pérsia — o seu sistema político, seu povo, os pesadelos geográficos e logísticos e a história decididamente desencorajadora das concessões recentes do país. Sugeriu cautela: "O solo da Pérsia, quer contenha petróleo ou não, tem sido salpicado, nos últimos anos, por naufrágios de tantos projetos promissores de regeneração comercial e política que seria temerário tentar prever o futuro desse mais recente empreendimento".

Então o que foi que atraiu D'Arcy para um projeto tão arriscado — "uma perfuração em escala colossal numa terra distante e despovoada", segundo as palavras de um historiador? A resposta, obviamente, era a irresistível sedução da imensa riqueza, a oportunidade de se tornar um novo Rockefeller. Além disso, D'Arcy já tinha se arriscado antes, na mina de ouro australiana, com um tremendo sucesso. Mas não resta dúvida de que se pudesse ter previsto exatamente o que tinha pela frente ele seria capaz de recuar dessa nova aventura. Era um vasto jogo, numa escala muito maior que a da mina australiana, com muito mais jogadores do que se supunha, numa complexa dimensão política e social totalmente ausente na Austrália. Resumindo, não era uma proposta de negócio razoável. Até a estimativa dos gastos se revelaria equivocada. No início, disseram a D'Arcy que a perfuração de dois poços custaria dez mil libras. Em quatro anos ele já tinha desembolsado mais de duzentas mil libras.[4]

A primeira tentativa

D'Arcy não tinha organização nem empresa, apenas uma secretária que se encarregava da correspondência. Para reunir e pôr para funcionar as operações de campo na Pérsia, ele contratou George Reynolds, diplomado no Royal Indian Engineering College e com experiência prévia de perfuração em Sumatra. O primeiro local escolhido para exploração foi Chiah Surkh, um platô inacessível nas montanhas do noroeste da Pérsia, perto do que mais tarde viria a ser a fronteira entre o Irã e o Iraque, mais perto de Bagdá que de Teerã, e a 480 quilômetros do Golfo Pérsico. O terreno era hostil, toda a região dificilmente chegava a ter 1.300 quilômetros de estradas e grandes extensões eram governadas por tribos em guerra que quase não reconheciam a autoridade de Teerã — muito menos qualquer concessão dada por ela. Os comandantes do exército persa alugavam seus soldados para trabalhar como jardineiros ou artesãos para os proprietários de terras locais e embolsavam eles próprios os salários.

A população era incrivelmente destituída de habilidades técnicas e, na verdade, a hostilidade do terreno estava em absoluta sintonia com a hostilidade da cultura em relação às ideias, à tecnologia e à presença ocidentais. Em suas memórias, Hardinge discutiu com algum detalhe os *xiitas*, a seita predominante, com seu zelo religioso, sua resistência à autoridade política e seu feroz antagonismo em relação a tudo o que viesse do mundo externo, não fazendo a menor diferença se se tratava de cristãos ou de muçulmanos *sunitas*. "O ódio dos *xiitas* aos quatro primeiros califas era, e ainda é, tão forte que, de tempos em tempos, alguns dos mais entusiásticos membros da seita procuravam apressar a sua própria entrada no Paraíso, violando os túmulos desses usurpadores e especialmente o de Omar, que em Meca era o principal objeto de seu ódio. A única coisa que os continha era a doutrina do 'Ketman' ou da dissimulação devota (...) que torna lícito para um bom muçulmano fingir, ou até mesmo mentir, por um propósito devoto." E ele prossegue, pedindo desculpas por dar tanta atenção ao embate entre os *xiitas* e os *sunitas* e à influência da fé *xiita* sobre o sistema político da Pérsia: "Talvez eu tenha abordado essa questão de um modo desnecessariamente extenso, mas ela teve — e penso que continua a ter — um papel importante na política e no pensamento persas". E na verdade continuaria a exercer esse papel.

A tarefa era desencorajadora. Todas as peças do equipamento deviam ser embarcadas para Bassora, no Golfo Pérsico, transbordadas para prosseguir subindo o Tigre até Bagdá e então ser carregadas por homens e mulas através da planície da Mesopotâmia e pelas montanhas. Uma vez chegadas, Reynolds e sua equipe heterogênea, com gente do polo e do Canadá, além dos *azeris* de Baku, lutariam para juntar a maquinaria e, de algum modo, fazer com que ela funcionasse. Para os *azeris,* até mesmo a introdução do despretensioso carrinho de mão era uma grande e surpreendente inovação.

De Londres, D'Arcy se preocupava com o fato de que as coisas não estivessem andando tão rápido quanto o desejado. "Atraso grave", telegrafou ele para George Reynolds em abril de 1902. "Rogo acelerarem." Porém o atraso era a ordem do dia; a perfuração efetiva só começou meio ano depois, no final de 1902. O equipamento continuou a quebrar, os insetos não davam descanso, o suprimento de comida e de peças constituía um problema constante e as condições gerais de trabalho eram desastrosas. Nos bairros operários o calor era infernal.

E havia também os problemas políticos. O campo de trabalho tinha que manter uma "cozinha mohamediana" separada em virtude da frequente visita de dignitários locais, que pareciam todos, conforme Reynolds, "muito ansiosos por receber de nós um presente substancial, sobretudo na forma de algumas ações de nossa Companhia". Acima de qualquer outra coisa, Reynolds precisava ser um diplomata de primeira ordem para lidar com as hostilidades banais e as guerras abertas entre as várias tribos. E o pequeno grupo do campo de perfuração tinha que ficar constantemente alerta para a ameaça dos fiéis *xiitas.* "Os *mullahs* do norte estão fazendo o possível para indispor a população contra os estrangeiros", informou a D'Arcy o emissário de Reynolds. "Agora a verdadeira luta é entre o xá e os *mullahs,* pelo controle dos negócios públicos."[5]

"Todos os bolsos têm seus limites"

Até mesmo em circunstâncias tão sem compromisso o trabalho avançava, e, em outubro de 1903, 11 meses após o início da perfuração, o petróleo começou a dar os primeiros sinais de existência. D'Arcy logo descobriu que havia se metido em algo bem mais difícil e, de longe, mais dispendioso do que imaginara: uma luta financeira que poderia a cada passo ameaçar o empreendimento. "Todos os bolsos têm seus limites", escreveu apreensivo em 1903, "e posso ver o limite do meu." Como os gastos continuavam a crescer, ele percebeu que não poderia prosseguir sozinho. Precisava arranjar um fiador, do contrário perderia a concessão.

D'Arcy pediu um empréstimo ao Almirantado Britânico. A ideia do empréstimo não tinha sido sua, fora inspirada por um certo Thomas Boverton Redwood, "a eminência parda da política do petróleo antes da I Guerra Mundial" e um homem que exerceu uma profunda influência sobre o rumo da evolução internacional do petróleo nas duas primeiras décadas deste século. Imaculadamente vestido, com uma orquídea na lapela, Redwood sempre era confundido com um belo e famoso ator da época, confusão que evidentemente o agradava. Suas realizações no campo do petróleo eram muito amplas. Com prática em química, ele patenteou o que mais tarde se revelou um valioso processo de destilação; em 1896 publicou A *Treatise on Petroleum* que, revisto várias vezes, permaneceu, por duas décadas, o livro clássico sobre o assunto. Já na virada do século era o principal especialista em petróleo da Inglaterra; sua empresa de consultoria era usada por quase todas as companhias de petróleo inglesas, inclusive pelo empreendimento de D'Arcy. Redwood também se tornou o maior conselheiro externo do governo inglês para assuntos de petróleo. Viu as vantagens que a Armada Real teria se queimasse óleo combustível em vez de carvão; e, com fortes suspeitas em relação à Standard Oil e à Shell, queria que companhias inglesas explorassem as reservas de petróleo em mananciais sob controle inglês.

Redwood era membro do Comitê de Óleo Combustível do Almirantado. Dizer que a existência da concessão e as dificuldades de D'Arcy eram do seu conhecimento seria pouco, pois ele o havia aconselhado em cada passo e levara o seu compromisso a ser submetido à apreciação do Comitê de Óleo Combustível, cujo presidente, em resposta, encorajou D'Arcy a pedir o empréstimo. Na carta-pedido, D'Arcy esboçou as pressões financeiras que estava enfrentando; até aquele momento já havia gasto 160 mil libras na exploração, e estimava ter de desembolsar, ainda, pelo menos mais 120 mil. Avisado da probabilidade de aprovação do empréstimo, disseram-lhe que deveria, em contrapartida, oferecer ao almirantado um contrato para óleo combustível. Tanto o almirantado quanto o Ministério das Relações Exteriores apoiaram a proposta. Mas o ministro da Fazenda, Austen Chamberlain, achou que não havia probabilidade de que a Câmara dos Comuns aprovasse qualquer empréstimo daquele tipo. E o recusou.

D'Arcy ficou desesperado. "É tudo o que posso fazer para acalmar o banco, e alguma coisa deve ser feita", escreveu ele depois da recusa do empréstimo. No final de 1903, seu saldo no Lloyds Bank era de 177 mil libras e foi forçado a apresentar como caução algumas ações da mina de ouro australiana. No entanto, em meados de janeiro de 1904, o segundo poço em *Chiah Surkh* começou a produzir. "Uma notícia gloriosa da Pérsia", declarou D'Arcy, exultante, acrescentando um comentário absolutamente sincero: "O supremo alívio para mim." Mas havendo ou não uma descoberta, dezenas ou milhares de libras, talvez centenas de milhares, seriam ainda necessárias para prosseguir com o empreendimento, e D'Arcy já não tinha mais acesso a tais recursos.

Na procura de novos investidores, tentou em vão obter um empréstimo da Joseph Lyons and Company. Desperdiçou uns poucos meses com a Standard Oil, mas sem resultado. Foi a Cannes para ver o barão Alphonse de Rothschild, mas os Rothschild concluíram que seus novos vínculos com a Shell e a Royal Dutch na Asiatic Petroleum já lhes davam muito o que fazer. Para piorar ainda mais as coisas, o fluxo em *Chiah Surkh* se reduziu a um fio e Boverton Redwood teve a lamentável tarefa de dizer a seus clientes que os poços nunca pagariam o que haviam custado e deveriam ser desativados — todo o esforço de exploração se transferiu para o sudoeste da Pérsia. Em abril de 1904, o saldo negativo de D'Arcy havia aumentado ainda mais e o Lloyds Bank estava reclamando a própria concessão como garantia. Menos de três anos depois de seu começo, o empreendimento da Pérsia estava à beira do colapso.[6]

O "Sindicato dos Patriotas"

Havia no governo inglês quem se alarmasse com a possibilidade de que D'Arcy fosse forçado a vender a concessão para interesses estrangeiros ou a perdesse totalmente. O que os preocupava eram questões de ampla estratégia e alta política e a posição relativa da Inglaterra entre as grandes potências. Para o Ministério das Relações Exteriores, os principais problemas eram o expansionismo russo e a segurança da Índia. Em maio de 1903, o secretário, Lorde Lansdowne, havia se levantado na Câmara dos Lordes para fazer uma declaração histórica: o governo inglês poderia "considerar o estabelecimento de uma base naval ou de um porto fortificado no Golfo Pérsico por qualquer outra potência como uma grave ameaça aos interesses britânicos e, certamente, devemos nos opor a isso com todos os meios de que dispomos". Deliciado, Lorde Curzon, vice-rei da Índia, disse que essa declaração era "a nossa Doutrina Monroe do Oriente Médio". Para o almirantado havia uma questão mais específica: a possibilidade de obtenção de uma fonte segura de óleo combustível para a esquadra britânica. Os navios de guerra, o coração da Armada Real, utilizavam o carvão como combustível. O petróleo estava sendo usado para propulsão de navios menores. Até essa manifestação de confiança despertou o temor de que não houvesse quantidade suficiente de petróleo no mundo no qual apoiar um elemento significativo da força britânica. Muitos duvidavam. Os membros do almirantado apesar de privilegiarem o petróleo para propulsão, preterindo o carvão, o consideravam um complemento, pelo menos enquanto o suprimento de petróleo não fosse amplo e seguro. A Pérsia poderia constituir esse manancial, o que tornava o empreendimento de D'Arcy digno de apoio.

A recusa do Tesouro ao pedido de empréstimo de D'Arcy parecia terrivelmente míope aos olhos do Ministério das Relações Exteriores, e Lorde Lansdowne logo expressou sua preocupação de que houvesse "perigo de que com isso toda a concessão de petróleo da Pérsia passasse para o controle da Rússia". Hardinge, o ministro em Teerã, concordou, advertindo que os russos poderiam perfeitamente adquirir o controle da concessão e então usá-lo para expandir o seu poder, o que acarretaria terríveis consequências. Argumentou que o controle majoritário dos ingleses na concessão devia ser mantido a qualquer custo.

Os russos não constituíam a única preocupação. A visita de D'Arcy a Cannes para ver os Rothschild, com a ameaça de que a concessão passasse para o controle da França, galvanizou o almirantado e o trouxe de volta à ação. O presidente do Comitê de Óleo Combustível apressou-se a escrever a D'Arcy pedindo-lhe que antes de fazer qualquer acordo com interesses estrangeiros oferecesse ao almirantado a oportunidade de tentar a venda para um sindicato inglês. O almirantado tinha assumido um papel ativo no caso, e já não era sem tempo. Com impecáveis credenciais "imperiais", Lorde Strathcona, um milionário de 84 anos que se fez por si mesmo, foi convidado a liderar um "sindicato dos patriotas". Uma vez convencido de que o empreendimento atendia aos interesses da Armada Real — e também de que ele não teria que desembolsar mais de cinquenta mil libras —, Strathcona concordou, não pelas possibilidades comerciais, como mais tarde lembraria, "mas verdadeiramente considerando o ponto de vista do Império".

Agora o almirantado tinha uma figura de proa. Mas com quem iria ela se juntar? A resposta foi uma empresa chamada Burmah Oil. Um produto da rede de casas de comércio do Extremo Oriente, a Burmah fora fundada por comerciantes escoceses em 1886, com sede em Glasgow. Ela havia transformado a coleta primitiva de petróleo feita pelos aldeões birmaneses numa indústria comercial com uma refinaria em Rangum e um mercado na Índia. Em 1904, estava tentando um acordo para o fornecimento de óleo combustível ao almirantado, pois a Birmânia era considerada uma fonte segura, devido à sua anexação à Índia em 1885. Mas os diretores escoceses da Burmah Oil receavam que o suprimento da Birmânia se revelasse reduzido e que uma evolução bem-sucedida da exploração de petróleo na Pérsia inundasse o mercado hindu com novas e abundantes fontes de querosene barato. Assim, eles estavam querendo saber qual seria a proposta inicial do almirantado.

Boverton Redwood, o consultor para assuntos de petróleo, atuou como intermediário. Ele era assessor da Burmah Oil assim como de D'Arcy, e disse aos diretores da Burmah que a Pérsia podia se revelar rica em petróleo e que um casamento entre as duas companhias seria altamente razoável. Enquanto isso, o Almirantado insistia que a concessão da Pérsia "devia permanecer em mãos inglesas e, sobretudo, do ponto de vista da oferta para a armada do futuro". No entanto, os cautelosos comerciantes escoceses, por seu lado, não falavam em termos grandiosos e abstratos e nem se apressavam. Eles tinham problemas bem práticos — o mais importante: podia-se considerar que a Pérsia estava sob a proteção da Inglaterra? O Ministério das Relações Exteriores, a pedido do almirantado, assegurou-lhes que sim. O impaciente D'Arcy, numa tentativa de acelerar as negociações, convidou o vice-presidente da Burmah Oil para ver de seu camarote particular, próximo ao ponto de chegada, o Derby de Epsom. A profusão de comidas e bebidas perturbou tanto o fígado do vice-presidente que ele se sentiu mal quatro vezes nas semanas seguintes e nunca mais aceitou os convites de D'Arcy para ver corridas.

Enquanto isso, o almirantado intensificou a pressão sobre a Burmah Oil para salvar D'Arcy; por sua vez, a Burmah Oil obviamente precisava do almirantado para os contratos de óleo combustível, que estavam sendo negociados em detalhe naquele exato momento, e para ajudar a proteger o seu mercado na Índia. Em 1905, por fim, quase exatamente quatro anos depois do dia da assinatura da concessão pelo xá em Teerã, consumou-se a aliança entre D'Arcy e a Burmah Oil em Londres. O acordo estabelecia o chamado Sindicato da Concessão; o empreendimento de D'Arcy se converteu numa subsidiária e o próprio D'Arcy tornou-se diretor da nova empresa. Com efeito, a Burmah se tornou um tipo especial de investidor, pois além de capital forneceu administração e conhecimentos técnicos para conduzir a empresa. Dada a triste história das concessões anteriores da Pérsia e também a falta de sorte de D'Arcy até aquele momento, pode ser que ele não tenha tido alternativa. O importante é que sua iniciativa estava salva. Pelo menos a exploração poderia agora prosseguir e D'Arcy ainda tinha uma chance de recuperar seu dinheiro. Os promotores da aliança também ficaram satisfeitos. Como disse o historiador da Burmah Oil, as necessidades de D'Arcy "coincidiam exatamente com as do Ministério das Relações Exteriores, que temia pela rota para a Índia, e as do almirantado, à busca de ofertas confiáveis de óleo combustível". A partir de então, o lucro e a política estariam inextricavelmente ligados na Pérsia.[7]

Para o "templo do fogo": Masjid-i-Suleiman

O estabelecimento do Sindicato da Concessão foi seguido de uma mudança da exploração para o sudoeste da Pérsia. Sob a direção de George Reynolds tamparam-se os poços em Chiah Surkh, fechou-se o campo e o equipamento — cerca de quarenta toneladas — foi desmontado, levado de volta a Bagdá, embarcado Tigre abaixo novamente até Bassora e então transportado para outra embarcação a fim de seguir até o porto iraniano de Mohammerah. Posteriormente seria transportado por barco, vagões e mulas (nada menos que novecentas) até novos locais, onde também havia indicações de petróleo. A perfuração começou em Shardin.

Havia outro ponto potencial num lugar chamado Maidan-i-Naftan, "a Planície do Petróleo". O nome do local específico, Masjid-i-Suleiman, era devido a um "templo do fogo" existente nas imediações. Reynolds deu muita volta para chegar pela primeira vez a esse lugar sem estradas. No final de novembro de 1903, foi abandonado no Kuait, tentando arranjar uma passagem para voltar à Inglaterra; estava completamente desanimado com o empreendimento de D'Arcy na Pérsia, comprometido por problemas financeiros, e quase desistindo de tudo. Mas no Kuait, Reynolds encontrou o oficial inglês Louis Dane. Ele estava viajando pelo Golfo Pérsico com Lorde Curzon, que fazia um grande tour pela região para comemorar a Declaração de Lansdowne e para reafirmar os interesses britânicos no golfo. O próprio Dane estava compilando um tratado geográfico do golfo e das terras vizinhas e se defrontara com várias referências a Maidan-i-Naftan em relatos antigos e recentes de viajantes. Os relatos fizeram-no lembrar-se de Baku.

Encorajado insistentemente por Dane — "é uma pena sem tamanho dar as costas a algo que pode vir a ser imensamente proveitoso para o país" — e com o apoio de Lorde Curzon, Reynolds partiu para Maidan-i-Naftan. Chegou à desolada região em fevereiro de 1904 e de volta informou que as pedras estavam saturadas de petróleo. Dois anos mais tarde, em 1906, retornou a Masjid-i-Suleiman e encontrou indícios mais extensos da presença de petróleo. Quando Boverton Redwood viu o relatório de Reynolds, ficou exultante. Anunciou que o documento continha a informação mais importante e promissora até aquela data.

A exploração em Masjid-i-Suleiman se revelaria imensamente difícil e penosa nada de "boa vida", como Reynolds sarcasticamente informou aos administradores da Burmah em Glasgow. Os trabalhos atrasaram devido às doenças transmitidas pela água contaminada, que, segundo Reynolds, seria "mais bem descrita como água com fezes em suspensão". E acrescentou: "Aqui os produtos fornecidos para alimentação são de difícil digestão e, com isso se alguém quiser conservar a saúde é preciso ter dentes, naturais ou falsos". Essa observação foi bem comprovada. Quando um oficial militar britânico destacado para a área de concessão ficou com dor de dente, ele teve de aguentar dias de sofrimento — o fato de saber que o dentista mais próximo ficava a 2.400 quilômetros, em Karachi, em nada contribuía para aliviar a dor. Ao menos no que dizia respeito ao sexo, os trabalhadores podiam ser atendidos mais perto de casa, a apenas 240 quilômetros, em Bassora, onde ficava o que por coincidência se chamava, eufemisticamente, "dentista".[8]

George Reynolds era o homem que mantinha todo o empreendimento sob controle. Já com uns cinquenta anos quando chegou pela primeira vez à Pérsia em setembro de 1901, iria adiante, tentando levar a cabo um empreendimento de dificuldades extraordinárias, em circunstâncias extremamente penosas. Era ao mesmo tempo engenheiro, geólogo, administrador, encarregado de campo, diplomata, linguista e antropólogo. Além disso, tinha uma valiosíssima habilidade para improvisar reparos na maquinaria quando as peças quebravam ou simplesmente faltavam. Era taciturno, duro e tenaz. Foi graças à determinação e ao empenho obstinado desse homem que o projeto não foi interrompido quando havia todas as razões para hesitar: doença, extorsão por parte dos membros das tribos, deterioração de equipamentos, calor prostrante e vento impiedoso, desapontamento infindável. Arnold Wilson, o tenente da guarda britânica no local, descreveu Reynolds como "digno na negociação, rápido na ação e completamente coerente em sua determinação de encontrar petróleo". Em resumo, disse Wilson, Reynolds era "um sólido carvalho inglês".

Reynolds era também um duro cobrador de tarefas. Ordenava a seus homens que se comportassem como "seres razoáveis" e não como "animais bêbados", e quis ter certeza de que eles haviam compreendido bem que as mulheres persas estavam definitivamente fora do alcance. Mas a verdadeira maldição de sua existência não era o deserto e nem mesmo os membros das tribos locais. Era a nova investidora, a Burmah Oil: Reynolds temia sempre que ela perdesse o interesse no empreendimento. Os administradores em Glasgow pareciam incapazes de compreender as imensas dificuldades das circunstâncias sob as quais ele trabalhava e não conseguiam evitar pôr em dúvida suas decisões, questionando e contestando o seu julgamento. Reynolds respondia com um sarcasmo cáustico e inábil despejado nos relatórios semanais que mandava para a Escócia. "Vocês realmente me divertem", escreveu a seu contato em Glasgow em 1907, "ao me instruir sobre como lidar com um persa insolente e um perfurador alcoólatra, ambos cabeça dura". A antipatia era mútua. "A máquina de escrever é incapaz de reproduzir as palavras que eu gostaria de dizer sobre esse homem", comentou certa vez um administrador de Glasgow.[9]

Revolução em Teerã

Os rigores corporais e o isolamento — e os conflitos com a administração na Escócia — não eram absolutamente os únicos obstáculos ao sucesso. O governo do xá estava em plena decadência e as concessões estrangeiras eram uma grande chaga política. Os religiosos conservadores que se opunham ao regime do xá passaram a liderar ataques ao despotismo. Aliaram-se aos comerciantes e aos grupos que queriam reformas liberais. Em julho de 1906, o governo tentou prender um destacado pregador que tinha atribuído a culpa pela miséria do povo ao "grande luxo dos monarcas, de alguns clérigos e dos estrangeiros". Seguiram-se tumultos em Teerã quando muitos milhares de persas insuflados pelos *mullahs* invadiram as ruas. As lojas fecharam as portas; uma greve geral tomou conta da capital e uma grande multidão, estimada em cerca de 14 mil pessoas, a maioria saída das lojas, procurou refúgio no jardim do consulado britânico. O resultado foi o fim do regime do xá, uma nova constituição e o estabelecimento de um Majlis ou Parlamento em cujo programa uma investigação sobre a concessão figurava como prioridade. Porém o novo sistema político se revelou instável e com uma autoridade muito fraca no interior do país.

Mais problemática ainda era a questão dos administradores locais. A perfuração se realizava numa pastagem de inverno dos *bakhtiaris,* a mais poderosa confederação tribal da Pérsia, sobre a qual Teerã tinha muito pouca voz ativa. Os *bakhtiaris* eram nômades, pastoreavam rebanhos de carneiros e cabras e viviam em tendas feitas de pelo de cabra. Em 1905, Reynolds combinou com alguns deles que lhes daria uma remuneração e uma participação nos lucros futuros se em contrapartida eles constituíssem uma "guarda" para a concessão. Mas entre as principais coisas a serem vigiadas estavam os próprios *bakhtiaris,* e o acordo foi esquecido devido às constantes tensões nos feudos familiares e nas tribos, para não falar do que parecia ser uma tendência inveterada daquele povo para a extorsão. Reynolds descreveu um de seus líderes como "um homem tão repleto de intriga como o ovo de um rouxinol é prenhe de música". D'Arcy, continuamente informado dos problemas, podia apenas se lamentar: "Com certeza Baksheesh está na raiz de tudo".

O aumento das perturbações e ameaças partidas das tribos locais levou a novas inquietações pela segurança do empreendimento e dos trabalhos. D'Arcy pediu proteção ao Ministério das Relações Exteriores e, em seguida, uma guarda foi despachada. Isso foi feito, disse bombasticamente o ministério, devido à "importância que o governo de sua majestade atribui à manutenção desse empreendimento inglês no sudoeste da Pérsia". Mas não era uma grande ajuda — um total de dois oficiais britânicos e vinte membros da cavalaria hindu. Enquanto isso as divergências entre a Rússia e a Inglaterra se atenuaram; em 1907, como parte da Convenção Anglo-Russa, os dois países pensaram em estabelecer uma pausa nas suas diferenças com um acordo de divisão da Pérsia em esferas de influência. Ambos os lados tinham boas razões. A Rússia tinha ficado enfraquecida pela devastadora derrota na Guerra Russo-Japonesa e pelo tumulto

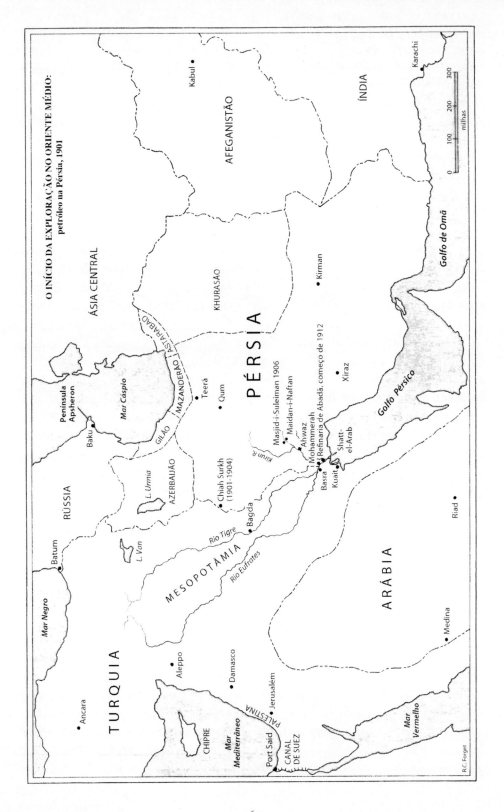

da Revolução de 1905, e agora São Petersburgo via uma grande vantagem em conseguir um acordo com Londres. Por seu lado, os ingleses, além do antigo temor da "infiltração espontânea" da influência russa na Índia, começavam a se preocupar mais com a penetração da Alemanha no Oriente Médio. De acordo com a convenção de 1907, o norte da Pérsia devia ficar sob o controle da Rússia, o sudeste com a Inglaterra e o centro permaneceria uma zona neutra. Porém, era na área central que ficavam os novos locais de perfuração. O impacto imediato da divisão explícita do país em esferas deveria, como observou o novo ministro britânico em Teerã, dar "um grande impulso" ao "sentimento antiestrangeiro que já existe". A divisão da Pérsia era também um dos passos que levariam à formação do Pacto Triplo da Grã-Bretanha, Rússia e França, que sete anos mais tarde entraria em guerra com a Alemanha e os Impérios Austro-Húngaro e Turco.[10]

Acelerando o relógio

O local da perfuração, Masjid-i-Suleiman, seria "o último lance dos dados da concessão". Ali, Reynolds e sua equipe se defrontaram com os maiores problemas logísticos desde o início dos trabalhos. A primeira dificuldade era a inexistência de vias de acesso. A estrada precisava ser cavada no deserto a despeito de todos os tipos de risco, inclusive uma chuva torrencial que varreu a maior parte dos esforços despendidos durante meio ano. Finalmente a estrada foi concluída, o equipamento pôde chegar e, em janeiro de 1908, a perfuração começou.

Mas o tempo estava rapidamente se esgotando para o Sindicato da Concessão. O progresso lento e a grande sangria de dinheiro contrariavam bastante a Burmah Oil. Seu vice-presidente sugeriu que "a coisa toda" poderia "dar em nada". Tudo isso fez crescer a animosidade da Burmah contra D'Arcy, que estava totalmente comprometido com o projeto e por isso se impacientava com as advertências dos escoceses. Em abril de 1908, o conselho da Burmah alertou D'Arcy em termos inequívocos de que o dinheiro havia se esgotado, devendo o trabalho ser suspenso caso não lhe fosse possível entrar com metade do dinheiro.

"É claro que não posso arrumar vinte mil libras ou qualquer outra quantia", queixou-se D'Arcy com tristeza, "e não sei o que fazer." Mas chegou a uma conclusão arguta: sua parceira naquele negócio estava demasiadamente comprometida para recuar. Os diretores da Burmah estabeleceram a data de 30 de abril como prazo final para a resposta de D'Arcy, que simplesmente a ignorou, deixando os dias passarem sem responder. Estava enrolando — queria dar mais tempo a Reynolds, na Pérsia. As relações entre a Burmah e D'Arcy deterioraram-se ainda mais.

Sem obter resposta de D'Arcy, a Burmah agiu por conta própria. No dia 14 de maio de 1908, despachou uma carta para Reynolds dizendo que o projeto estava encerrado, ou quase, e que ele devia se preparar para arrumar as malas. A carta orientava Reynolds a não deixar que a perfuração dos dois poços de Masjid-i-Suleiman ultrapassasse os cinquenta metros. Se até essa profundidade não fosse encontrado petróleo,

Reynolds tinha ordens de "abandonar as operações, fechar o poço, levar todo o equipamento possível para Mohammerah" e ali embarcá-lo para a Birmânia. O fim do Sindicato da Concessão parecia muito próximo. Já era hora de parar com aquele sonho de "riquezas incalculáveis" que dançara à frente de D'Arcy alguns anos antes. Reynolds recebeu um telegrama alertando-o de que iria receber importantes instruções despachadas pelo correio. Mas as condições do serviço postal naquela parte do mundo fizeram com que a carta levasse várias semanas para chegar à Pérsia. Era dessa demora que o teimoso Reynolds precisava desesperadamente.

Enquanto a carta estava a caminho da Pérsia, a agitação começava a aumentar no local da perfuração. Um cheiro de gás natural podia agora ser detectado num dos poços. Um pedaço da ponta da perfuradora se soltou e perdeu-se no buraco; durante vários dias se tentou pescá-lo em meio à temperatura que chegava a 43 graus à sombra. Estavam perfurando a pedra mais dura. Em plena luz do sol podia-se ver vapor de gás subindo do buraco. Na noite de 25 de maio de 1908, fazia tanto calor que Arnold Wilson, o tenente inglês da guarda real da cavalaria hindu, saiu da tenda para dormir ao relento. Logo depois das quatro da madrugada do dia 26 foi acordado por gritos e correu ao local. Um jorro de petróleo que atingia talvez uma altura de mais de dez metros acima da torre de perfuração estava encharcando os perfuradores. O gás misturado ameaçava sufocar os trabalhadores.

Finalmente havia sido descoberto petróleo na Pérsia. Dois dias antes de se completarem sete anos da assinatura pelo xá do acordo de concessão. O relatório do tenente Wilson parece ter sido o primeiro a chegar à Inglaterra. Segundo a lenda, pelo menos, ele mandou a informação em código: "Leiam o Salmo 104, versículo 15, terceira frase", Nesse lugar, a Bíblia diz "que ele pode fazer petróleo sair da terra e ter uma expressão alegre". Uma notícia extraoficial alcançou D'Arcy num jantar festivo. Ele ficou encantado mas decidiu não comentar o fato. "Não contarei para ninguém enquanto a notícia não for confirmada", insistiu. A confirmação não demorou nada e, poucos dias depois, enquanto o primeiro poço continuava a jorrar, o petróleo surgia no segundo poço. Passadas cerca de três semanas; Reynolds recebeu a carta de 14 de maio da Burmah Oil mandando-o desacelerar as operações. A carta era um contundente eco de uma outra, que meio século antes dizia ao coronel Drake para deixar as operações em Titusville mas lhe chegara às mãos no momento em que ele encontrava petróleo. Nesse segundo caso, ao receber a carta, Reynolds já havia remetido um telegrama para Glasgow, dizendo sarcasticamente: "As instruções que estão a caminho podem ser modificadas pelo fato de que descobrimos petróleo, e assim é improvável que eu deva agir de acordo com elas ao recebê-las". A carta comprovava todos os conceitos que Reynolds tinha sobre os administradores da Burmah em Glasgow e lhe deu um bom motivo de amarga satisfação.

Reynolds permaneceu na Pérsia, como engenheiro-chefe, por alguns anos, depois de ter chegado ao petróleo de Masjid-i-Suleiman. Apesar da descoberta, seus desentendimentos com a Burmah não só continuaram como pioraram. D'Arcy tentou protegê-lo dizendo aos diretores da Burmah que "Reynolds é um homem que jamais colocará em risco a concessão por algum motivo estúpido". Mas esse apoio não o salvaria da hostilidade que crescera em Glasgow contra ele, e, em janeiro de 1911, demitiram-no sem a menor cerimônia. Em suas memórias, Arnold Wilson dedicou um epitáfio aos serviços de Reynolds: "Ele era capaz de suportar o calor e o frio, o desapontamento e o sucesso, e de extrair o melhor de cada persa, hindu ou europeu com quem entrou em contato, só não o conseguindo com esses empregadores escoceses, cuja parcimônia míope esteve muito perto de causar o naufrágio da empresa... O serviço prestado por G.B. Reynolds ao império e à indústria da Grã-Bretanha e à Pérsia nunca foi reconhecido. Os homens a quem salvou das consequências da própria cegueira ficaram muito ricos e receberam as honras de sua geração". Ao demitir Reynolds, os diretores da Burmah Oil lhe providenciaram uma relutante homenagem e lhe deram mil libras como sinal de reconhecimento pelas dificuldades enfrentadas.[11]

Uma "grande companhia": a Anglo-Persian

No dia 19 de abril de 1909, a agência de Glasgow do Bank of Scotland estava apinhada de investidores febris. Nunca antes o edifício vira uma cena daquelas. A "obsessão pelo petróleo" subitamente tomara conta da austera cidade industrial escocesa. O público se acotovelava no balcão, empunhando formulários de inscrição. Durante o dia havia momentos em que era absolutamente impossível até mesmo de entrar no prédio. A Anglo-Persian, recentemente incorporada, estava admitindo a participação do investimento popular, e aquele era o dia da oferta de ações ao público.

Há alguns meses vinha ficando claro que um manancial muito rico de petróleo fora encontrado na Pérsia. Todos os que estavam envolvidos no negócio concordavam em que uma nova estrutura corporativa precisava ser delineada para explorar a concessão. Mas a configuração real contava com a assessoria das inevitáveis e infindáveis discussões dos advogados. Além disso, o almirantado britânico opôs-se ao esboço da proposta e "tornou público" que era favorável à participação da Burmah na Pérsia. "Como o Almirantado é um bom cliente em potencial, não podemos pisar nos seus calos", admitiu o vice-presidente da Burmah, e a proposta foi abrandada. Surgiram também objeções de uma fonte inesperada, a sra. D'Arcy. Com um pendor para o teatro que fazia jus à ex-atriz, Nina Boucicault argumentou queixosa com o marido que o nome dele deveria fazer parte da companhia. Apesar de D'Arcy ter se recusado a criar problemas por causa disso, sua mulher insistiu. "Acho que esse é um grande engano, pois desde sempre o nome de meu marido está estreitamente associado ao negócio da Pérsia", escreveu ela ao advogado de D'Arcy. "Estou lhe dando uma última ordem para a glória de D'Arcy."

O lance falhou. Mas mesmo tendo a Burmah Oil adquirido a maioria das ações ordinárias, no final D'Arcy se saiu bem: foi recompensado pelas despesas de exploração que lhe haviam testado tão duramente o bolso e recebeu ações num total de 895 mil libras ao preço do mercado (30 milhões de libras ou 55 milhões de dólares atuais).

Mas ele percebia que o empreendimento lhe escorregava por entre os dedos. "Sinto-me como se estivesse dando adeus a uma criança", lamentou no dia em que chegou ao acordo final com a Burmah Oil. Na verdade, os vínculos de paternidade não estavam de todo rompidos. D'Arcy tornou-se um dos diretores da nova companhia e reafirmava o seu permanente interesse — "Meu entusiasmo é o mesmo de sempre". No entanto, a influência desse "capitalista da mais alta qualidade" e, como temera a sra. D'Arcy, o seu próprio nome, acabaram por desaparecer antes mesmo da morte de William Knox D'Arcy em 1917. Não consolou muito o fato de a Anglo-Persian ter mantido o nome D'Arcy numa simples subsidiária.

Revelara-se uma nova grande jazida de petróleo sob a proteção, ainda que frouxa, inglesa. A própria Anglo-Persian rapidamente emergiu como uma empresa importante. No final de 1910, ela já empregava 2.500 trabalhadores. Mas a organização de suas operações na Pérsia continuava a ser uma questão complexa e problemática, que se tornava ainda mais bizantina pelo conflito com as autoridades corporativas e políticas. Arnold Wilson, então cônsul interino na região, tornou-se o conselheiro *de facto* da companhia para problemas locais, e essa experiência foi sempre muito penosa para ele. "Passei duas semanas tratando dos negócios da companhia de petróleo, mediando entendimentos entre os ingleses, que nem sempre podem dizer o que têm em mente, e os persas, que nem sempre têm em mente o que dizem. A ideia inglesa de acordo é um documento em inglês que resistirá aos ataques dos advogados numa corte de justiça: a ideia persa é uma declaração de intenções gerais de ambos os lados, com um montante substancial de dinheiro vivo, anualmente ou de uma só vez."

Comprovou-se a existência de um campo petrolífero com uma área de pelo menos dezesseis quilômetros quadrados, criando um novo problema: como transportar o petróleo bruto e refiná-lo. Um oleoduto de 220 quilômetros, que atravessava duas extensas regiões de colinas e uma planície desértica — e cuja rota foi assinalada no início por balizas e bandeiras de morim — foi construído em um ano e meio. Seis mil mulas foram recrutadas para participar da obra. O local escolhido para a refinaria foi Abadã, uma ilha comprida e estreita cheia de planícies pantanosas e palmeiras no Shatt-al-Arab, o amplo estuário do Tigre, do Eufrates e do Karun. Os trabalhadores eram sobretudo hindus da refinaria da Burmah em Rangum, e a construção foi malfeita. Em seu primeiro teste, em julho de 1912, a refinaria sofreu uma pane imediatamente. A partir de então ela operou bem aquém da capacidade. A qualidade de seus produtos também era ruim; o querosene tinha uma cor amarelada e embaçava o vidro do lampião. Em setembro de 1913, disse um exasperado diretor da Burmah: "Foi um capítulo de infelicidade atrás do outro desde que a refinaria entrou em funcionamento".

Em outubro de 1912, a Anglo-Persian deu um passo importante para garantir a colocação de seu produto no mercado: fez um acordo com a Asiatic, o braço comercial da Royal Dutch-Shell. Fora o mercado local, a Anglo-Persian venderia petróleo bruto e toda a sua gasolina e seu querosene por meio da Asiatic mas reservaria os direitos sobre o óleo combustível, no qual pretendia basear a sua estratégia de crescimento futuro.

Naquele estágio, a Anglo-Persian simplesmente não poderia pagar o custo de um desafio aos gigantes numa guerra de mercados. A Shell, por seu lado, queria abarcar todos os novos mercados; como escreveu Robert Waley Cohen a seus colegas de Haia: "A situação dessa gente, aparentemente com estoques muito grandes, tornou-as uma grave ameaça para o Oriente".

Mas a ameaça foi atenuada pelo fato de que a Anglo-Persian logo ficou em profundas dificuldades financeiras. Mais uma vez a própria sobrevivência do empreendimento na Pérsia estava em dúvida. No final de 1912, a companhia tinha esgotado o seu capital de giro. John Cargill, o presidente da Burmah Oil, explodiu: "Que diabo de porcaria é essa em que estão as coisas na Pérsia", escreveu ele. "É muito fácil dizer 'Não se preocupe', mas meu nome e minha reputação nos negócios estão muito intimamente associados à Anglo-Persian Oil Company para que eu não fique terrivelmente ansioso e preocupado com a péssima situação dos negócios."

O prosseguimento das atividades exigia milhões de libras, entretanto não se podia divisar um meio de obter esse capital. Mas sem injeção de fundos as operações na Pérsia se encerrariam, ou então todo o empreendimento simplesmente poderia ser tragado pela Royal Dutch-Shell. Poucos anos antes, a Burmah havia se livrado de um beco sem saída. Agora era preciso encontrar um novo salvador.[12]

CAPÍTULO VIII

O mergulho do destino

EM JULHO DE 1903, DURANTE UM DE SEUS MUITOS momentos de desespero, William Knox D'Arcy, desapontado e esgotado pelo progresso lento e oneroso das operações na Pérsia, foi passar uma temporada terapêutica no balneário de Marienbad, na Boêmia. Seu ânimo melhorou, não só pelo tratamento mas também por uma nova amizade: o almirante John Fisher, Segundo Lorde do Mar da Armada Real, que há muito já se tornara conhecido como "o fanático por petróleo". No devido tempo, esse casual encontro encaminharia a transformação do empreendimento de D'Arcy e levaria o petróleo para o centro das estratégias nacionais.

O almirante Fisher já era frequentador regular de Marienbad há muitos anos, desde quando se recuperara de um caso de disenteria crônica. Mas nessa visita específica também ele era um homem desapontado. Pouco antes havia sido feito o primeiro teste de uso de óleo combustível num encouraçado inglês, o HMS (His Majesty Ship) *Hannibal*. O navio saíra do porto de Portsmouth queimando o bom carvão galês, com um rastro de fumaça branca. A um sinal ele passou a queimar óleo e se viu envolvido numa densa fumaça negra. Um queimador defeituoso transformou o teste num desastre. Foi uma derrota dura para os dois principais defensores do uso do óleo pela marinha, ambos presentes ao teste: o almirante Fisher e Marcus Samuel, da Shell. Pouco depois Fisher, abatido, partia para Marienbad, onde por coincidência encontrou D'Arcy.

Os dois homens descobriram imediatamente que compartilhavam do entusiasmo pelo óleo, e D'Arcy apressou-se a pedir que lhe mandassem mapas e documentos sobre o empreendimento persa para mostrá-los a Fisher. Ao examiná-los, o almirante ficou entusiasmado e muitíssimo impressionado com o que lhe contou D'Arcy — a quem se referia como o "milionário da mina de ouro". D'Arcy, escreveu Fisher, "simplesmente comprou o sul da Pérsia por causa do petróleo (...) Ele acha que vai acontecer algo grandioso por lá: estou pensando em ir para a Pérsia, em vez de voltar a Portsmouth, pois ele me disse que precisa de alguém para administrar o empreendimento!". D'Arcy entendeu que Fisher lhe tinha prometido algum tipo de ajuda. Apesar de ter havido ajuda — primeiro nos bastidores e depois de um modo público bem significativo — a rapidez com que ela veio esteve bem longe da sonhada por D'Arcy.[1]

"O chefão do óleo"

John Arbuthnot Fisher, que seria lembrado por Marcus Samuel como "o chefão do óleo", tornou-se Primeiro Lorde do Mar em 1904. Nos seis anos seguintes, "Jacky" Fisher dominaria a Armada Real como ninguém jamais o fez. Nascido no Ceilão, de família arruinada, Fisher foi para o mar em 1854 com 13 anos de idade, como cadete de um navio a vela. Não tinha vantagens nem de posição social nem de linhagem, mas conseguiu subir na hierarquia graças apenas à inteligência, tenacidade e força de vontade. Um seu contemporâneo o via como "uma mistura de Maquiavel e criança". Dominando a todos com quem entrava em contato, ele era um "furacão de energia, entusiasmo e poder de persuasão". Certa vez, depois de se expor a algum argumento entusiasmado de Fisher, o próprio rei Eduardo VII disse ao almirante: "Gostaria que o senhor parasse de agitar o punho na minha cara".

Além da família, da dança e da religião (ele lembrava prodigiosamente das citações bíblicas), uma única paixão o absorvia: a Armada Real. Ele se dedicava por inteiro à sua modernização, tentando furiosamente livrá-la dos hábitos arraigados, da complacência e das tradições mofadas. Perseguia seus objetivos com firme determinação. Um oficial que lhe era subalterno disse: "Jacky nunca estava satisfeito com nada que não fosse 'à toda a pressa!'". Autoproclamando-se um fanático de suas causas, era o maior defensor da mudança tecnológica da Armada Real. A sua regra de ouro era nunca "nos permitirmos ficar superados". Já tendo obtido algum renome na armada como perito em torpedos, ele prosseguiu defendendo o submarino, o destróier, a bússola de Kelvin, avanços na potência de fogo, posteriormente a aviação naval e, desde o princípio, o óleo. "O óleo combustível", escreveu já em 1901, "provocará uma total revolução na estratégia naval. É um caso de 'Acorde, Inglaterra!'". Ele queria que a armada, adaptada ao uso do carvão, passasse a ser propelida a óleo. Os benefícios seriam mais velocidade e maior eficiência e capacidade de manobra. Porém estava em minoria; os outros almirantes se sentiam mais seguros na dependência do carvão galês e insistiam em continuar como estavam.

Já como Primeiro Lorde do Mar, Fisher manteve o interesse no projeto que lhe fora apresentado por D'Arcy, em Marienbad. Querendo ver os campos petrolíferos explorados sob o controle britânico, contribuiu em grande parte para o apoio do almirantado à concessão persa e também para a pressão sobre a Burmah Oil Company no sentido de que ela socorresse D'Arcy. Seu principal objetivo era ainda o mesmo — trazer a Armada Real para a era industrial e fazer com que ela estivesse preparada quando a guerra chegasse. Mais cedo que a maioria, convenceu-se de que o inimigo da Inglaterra seria o formidável rival industrial que crescia no continente — a Alemanha imperial. Empurraria tanto a Armada Real quanto o governo britânico para o óleo, pois não estava menos convencido de que o óleo combustível seria um elemento crítico no inevitável conflito que teriam pela frente.[2]

"Made in Germany"

Apesar de os motivos específicos da disputa direta entre a Alemanha e a Inglaterra serem surpreendentemente poucos, diversos fatores contribuíram para a hostilidade crescente entre elas na virada do século — inclusive a marcante insegurança do *kaiser*, neto da rainha Vitória, em relação a seu tio, o rei Eduardo VII da Inglaterra. Mas nenhum outro fator isolado foi tão decisivo quanto a efervescente corrida naval entre a Inglaterra e a Alemanha — a competição em torno do tamanho e do avanço tecnológico das duas frotas. Essa questão dominou as relações entre as duas nações; captou a atenção da imprensa, moldou a atitude do público e suas discussões, as paixões nacionalistas em ascensão e as mais profundas ansiedades. Foi o foco de seu antagonismo. "Até onde a opinião contemporânea estava envolvida", escreveu um historiador, "acima de tudo era a questão naval que exacerbava as relações anglo-germânicas".

No final da década de 1890, o governo alemão tinha inaugurado a sua tentativa em larga escala rumo à *Weltpolitik* — o impulso em direção à supremacia global política, estratégica e econômica, do reconhecimento da Alemanha como potência mundial e do que em Berlim se chamava "liberdade política mundial". O modo truculento, espalhafatosamente agressivo, e vez por outra, áspero com que a "nova" Alemanha procurava fazer valer seus direitos no palco mundial apenas desconcertava e aumentava o alarme das outras potências. Até mesmo um dos chanceleres do *kaiser* criticou o espírito da nação: "Estridente, agressivo, opressor, arrogante". Era um estilo que parecia refletir o caráter do próprio *kaiser* Guilherme e ser por ele agravado. Ele era um monarca temperamental, excêntrico, preconceituoso, petulante e agitado. Um alemão proeminente perdeu as esperanças de que o *kaiser* ficasse mais ponderado com o amadurecimento.

Para muitos alemães que viviam no apogeu do império pós-bismarquiano, um único obstáculo, acima de todos os demais, parecia atrapalhar seu sonho de poderio mundial — a supremacia inglesa no alto-mar. O objetivo da Alemanha era, nas palavras de um dos seus almirantes, romper "o domínio mundial da Inglaterra, de modo a deixar livres as possessões coloniais necessárias à expansão dos Estados da Europa Central que precisam se expandir". Acima de qualquer outra coisa isso significava a construção de uma armada que rivalizasse com a da Inglaterra. Como declarou o próprio *kaiser*: "O leão inglês só recuará quando pudermos empregar a nossa força armada contra ele". Os alemães lançaram seu desafio naval em 1897. Apesar de imaginar que a consecução de seu objetivo levaria bem mais que uma década, eles contavam que com o tempo os custos da rivalidade acabassem por exaurir a Inglaterra. Mas o resultado real foi exatamente o contrário: o desafio alarmou os ingleses e os galvanizou num esforço extremo. A supremacia naval era de importância central para a concepção que os ingleses tinham de seu papel mundial e para a segurança do Império Britânico. A nova ameaça da Alemanha era ainda mais alarmante quando se levavam em consideração as pressões e os problemas que a Inglaterra estava enfrentando em sua luta para suportar o peso que o império representava em termos de responsabilidades e encargos maiores que a sua capacidade de administrar, proteger e pagar. A liderança industrial estava lhe escapando — para os Estados Unidos e, pior ainda, para a Alemanha. Em 1896, uma obra premonitória intitulada *Made in Germany* tornou-se um *best-seller* na Inglaterra. Um ministro do gabinete lamentou que a Grã-Bretanha era "o titã extenuado".[3]

O almirante Fisher não tinha dúvida de que a Alemanha, e apenas a Alemanha, seria o futuro inimigo. Temia que ela lançasse um ataque de surpresa, com toda a probabilidade num fim de semana prolongado — e assim, ao longo dos anos, seus ajudantes de ordens sempre ficavam de prontidão, perdendo inutilmente muitos desses fins de semana prolongados. Pressionado por Fisher, o governo britânico respondeu à ameaça alemã com a modernização de sua armada e com um amplo programa de reconstrução. Em 1904, a disputa naval corria a pleno vapor — abastecida de ambos os lados por "uma revolução tecnológica desenfreada" no tamanho e na velocidade dos encouraçados, no alcance e na precisão de sua potência de fogo e no desenvolvimento de novas armas como o torpedo e o submarino.

Nos dois países, a corrida se desenrolou contra um pano de fundo de agitação social e operária, conflitos internos, limitações financeiras e orçamentárias. A Inglaterra foi submetida a um clássico debate "armas ou manteiga". O Partido Liberal, no poder, estava dividido entre os "armadistas", que apoiavam uma política de "grande armada" e um orçamento maior para o almirantado, e os "economistas", que queriam conter os gastos navais e, em contrapartida, destinar mais dinheiro para programas sociais e de bem-estar necessários para a manutenção da paz interna. O debate resultante foi muito virulento. "A Grã-Bretanha irá desistir da supremacia marítima para garantir a aposentadoria aos velhos?", dramatizava o *Daily Express*. A partir de 1908, os "economistas" do gabinete liberal do primeiro-ministro Herbert Asquith foram liderados por David Lloyd George, o solicitador galês que era ministro da Fazenda, e numa ocasião por Winston Spencer-Churchill, que eliminara o "Spencer" desde a escola para não ter de esperar e ser "o último de todos" na fila. Agora, na política inglesa, ele era "o jovem apressado".[4]

Entra Churchill

Winston Churchill era sobrinho do duque de Marlborough e filho do brilhante, mas excêntrico, Lorde Randolph Churchill e de sua linda esposa americana, Jennie Jerome. Entrou para o Parlamento em 1901 pelo Partido Conservador, com 26 anos. Três anos depois discordou da posição do partido quanto à questão do livre comércio e passou para o lado dos liberais. A conversão política não impediu o seu progresso. Logo, ele se tornou presidente do Conselho de Comércio e em 1910 secretário do Interior. Vivia para a política e a grande estratégia. No dia do seu casamento, de pé na sacristia à espera da cerimônia, Churchill falava e fofocava sobre política. Lançou-se no comando da campanha dos "economistas". Combatendo o programa de expansão da armada defendido por Fisher, juntou-se a Lloyd George na defesa de um acordo anglo-germânico como meio de reduzir o orçamento da armada e assim liberar dinheiro para reformas sociais. Por tudo isso Churchill foi muito criticado. Mas não recuou de sua posição. A crença na inevitabilidade da guerra entre a Inglaterra e a Alemanha, declarou ele, era "pura tolice".

Mas em julho de 1911 a canhoneira alemã *Panther* chegou às águas do porto marroquino de Agadir — numa expedição desajeitada cuja intenção era assinalar a insistência dos alemães em ter um lugar ao sol africano. O episódio do *Panther* consolidou o sentimento antigermânico na Inglaterra e no continente, sobretudo na França. A visão de Churchill mudou imediatamente. A partir de então não teve dúvida: o objetivo germânico era o expansionismo, e o crescimento da frota alemã não tinha outro propósito senão ameaçar a Inglaterra — uma ameaça que precisava ser considerada. Agora, ele concluía que a Alemanha queria entrar em guerra. Assim, a Inglaterra devia orientar seus recursos para manter a hegemonia; e Churchill, ainda secretário do Interior, começou a manifestar profundo interesse no fortalecimento da Armada Real e a questionar se ela estava realmente pronta para um violento ataque surpresa. Escandalizou-se com o fato de rio auge da crise de Agadir velhos oficiais aproveitarem um fim de semana prolongado para ir à Escócia. No final de setembro de 1911, a crise terminou e, logo em seguida, o próprio Churchill foi para a Escócia ficar com o primeiro-ministro Asquith. Ao voltarem de um jogo de golfe, o primeiro-ministro perguntou-lhe, de repente, se ele gostaria de se tornar Primeiro Lorde do Almirantado, o mais alto posto civil da Armada Real.

"Na verdade, gostaria", respondeu Churchill.[5]

O almirantado passava a ter como dirigente civil um homem que podia canalizar a sua enorme energia, visão e capacidade de concentração, além do poder de exposição, para a tarefa de assegurar a vitória da Inglaterra na corrida naval. "Toda a riqueza de nossa raça e do império", disse Churchill, "todo o tesouro acumulado durante tantos séculos de sacrifícios e realizações desaparecerá e será completamente usurpado se a nossa supremacia naval for debilitada." Sua ideia-mestra durante esses três anos que antecederam a eclosão da I Guerra Mundial era clara: "Pretendo preparar a Inglaterra para um ataque vindo da Alemanha como se ele pudesse ocorrer no dia seguinte".

Seu aliado nessa campanha seria o almirante Fisher, que, tendo quase o dobro da sua idade, acabara de se aposentar da Armada Real. Fisher tinha se encantado com Churchill desde a primeira vez que se encontraram em Biarritz, em 1907. Ficaram tão próximos que Fisher muito provavelmente foi o primeiro a saber do iminente casamento de Churchill. Apesar de se ter afastado de sua antiga postura crítica sobre o orçamento da armada, Churchill, ao se tornar Primeiro Lorde, voltou-se imediatamente para o velho almirante e, depois de passar três dias com Fisher numa casa de campo em Reigate, trouxe-o de volta à luta. Podia-se dizer que Fisher se tornara a ama-seca de Churchill, passando, certamente, a ser o seu principal conselheiro informal. Churchill o considerava a fonte que durante uma década gerou "todos os mais importantes passos dados para ampliar, melhorar e modernizar a armada", e achava que o almirante, que o bombardeava incessantemente com memorandos, era "um verdadeiro vulcão de conhecimento e inspiração". Fisher lhe fornecia informações sobre a mais ampla variedade de assuntos.

Uma das lições mais importantes a ser aprendida dizia respeito ao petróleo — que, argumentava Fisher, se revelaria essencial para a estratégia da supremacia. Tratou de se assegurar de que Churchill fora adequadamente instruído com relação às vantagens que a Armada de Sua Majestade teria caso usasse o óleo no lugar do carvão. Alarmado com as informações de que os alemães estavam construindo navios propelidos a óleo para navegação oceânica, Fisher encontrou uma nova razão para empurrar a Armada Real "para o precipício" do óleo, e tão rápido quanto possível. Para apressar a instrução de Churchill, o almirante conspirou com Marcus Samuel, da Shell. Mais de uma década antes, as mentes desses dois homens haviam tido uma identificação instantânea quanto ao papel potencial do óleo; a relação entre eles se consolidou quando Samuel informou a Fisher, em caráter confidencial, que uma linha marítima alemã tinha firmado um contrato de dez anos para fornecimento de óleo — parte do suprimento era destinada secretamente à experimentação pela Armada Alemã. "Como você estava certo e como está certo agora!", escreveu Samuel para Fisher no final de novembro de 1911. "O desenvolvimento do motor de combustão interna é o maior que o mundo jamais viu, pois, com tanta certeza quanto eu lhe escrevo estas linhas, ele suplantará o vapor e isso acontecerá com uma velocidade quase dramática (...) Fico tremendamente agitado, pois sei que você sabe das conspirações dos oficiais permanentes do almirantado e será preciso um homem forte e muito hábil para consertar o dano que eles levaram tão longe. "Se Winston Churchill é esse homem, eu o ajudarei de corpo e alma."[6]

Acelerar!

Logo após, Fisher conseguia um encontro entre Marcus Samuel e Churchill para que tratassem da questão do petróleo. Mas Churchill não ficou muito bem impressionado com o presidente da Shell Transport and Trading. Num bilhete que lhe mandou em seguida, Fisher logo se desculpou por Samuel: "Ele não é muito bom de retórica, mas começou como camelô vendendo conchas! (daí o nome de sua companhia) e agora tem seis milhões de libras esterlinas para uso particular. 'É um bom bule, apesar de filtrar mal!'". Fisher explicou que havia promovido o encontro com Samuel para convencer Churchill de que havia óleo disponível em quantidade suficiente para uma confiável adaptação à Armada Real. Instruiu Churchill quanto às vantagens do óleo sobre o carvão: "Lembre-se de que o óleo, ao contrário do carvão, não se deteriora, e assim é possível acumular grandes estoques em tanques subterrâneos, de modo a evitar a destruição por incêndio, bombardeios ou incendiários, e a leste de Suez o óleo é mais barato que o carvão!" Fisher acrescentou que Samuel o havia convidado para o conselho da Shell, mas recusara: "Sou pobre e tenho muito orgulho disso, mas, se quisesse ficar rico, entraria no negócio de petróleo! Quando um vapor de carga pode economizar 78% em combustível e ganhar 30% em espaço para carga com a adoção da propulsão por combustão interna e praticamente se livrar dos foguistas e maquinistas —, é óbvio que com o óleo uma prodigiosa mudança está às nossas portas!" O almirante zombava da demora em adaptar a armada ao óleo e advertia Churchill das perigosas consequências que isso poderia acarretar. "Suas velhas esposas irão se divertir quando os novos navios de guerra americanos estiverem no mar queimando só óleo e um navio de guerra alemão motorizado fizer uh para as nossas 'Tartarugas'!"[7]

Quando Churchill chegou ao almirantado, a armada já tinha construído ou estava construindo 56 destróieres que dependiam apenas do óleo e 74 submarinos só propelidos a óleo. Uma certa quantidade de óleo também era queimada nas fornalhas de carvão de todos os navios. Mas a parte mais importante da frota — os encouraçados de guerra, a verdadeira espinha dorsal da marinha — queimava carvão. O que tanto Churchill quanto a armada queriam era criar uma nova linhagem de encouraçados, que tivessem armas mais possantes e uma blindagem mais espessa, mas ao mesmo tempo fossem mais velozes, para poder ultrapassar e cercar a vanguarda da linha do inimigo. "O combate no mar é puro senso comum", Fisher lembrou a Churchill. "A primeira de todas as necessidades é velocidade, para ser capaz de lutar — quando se quiser, onde se quiser e como se quiser." Os encouraçados ingleses da época podiam desenvolver uma velocidade de 21 nós. Mas, como observou Churchill, "uma velocidade bem maior" introduzirá "um novo elemento na guerra naval". Num estudo encomendado por Churchill, o War College estimou que com 25 nós uma nova "divisão ligeira" poderia dar cabo dos melhores navios da neva Armada Alemã. Em resumo, a Armada Real queria quatro nós extras — e isso parecia impossível sem o óleo.

A preparação de Churchill estava completa. O óleo permitia não apenas maior velocidade, reconhecia ele, mas também uma aceleração mais rápida. Oferecia também outras vantagens na operação e manejo da frota. Possibilitava um raio de ação maior. Admitia o reabastecimento no mar (pelo menos em mares calmos), sem exigir que um quarto da energia humana estivesse envolvida nessa operação, como acontecia com o carvão. Além disso, reduzia bastante a tensão, o tempo, o cansaço e o desconforto que acompanhavam o abastecimento de carvão e reduzia para menos da metade o número de foguistas necessários. As vantagens do óleo em termos de operação e velocidade seriam preciosíssimas no momento mais crítico — a batalha. "À medida que um navio a carvão usava o seu carvão", escreveu Churchill mais tarde, "precisava-se de um número cada vez maior de homens, que eram retirados das armas para transportar com pás o carvão de depósitos distantes e incômodos até outros mais próximos das fornalhas ou até as próprias fornalhas, diminuindo assim a eficiência de combate do navio talvez no momento mais crítico da batalha (...) O uso do óleo possibilitava, em qualquer tipo de navio, mais poder de fogo e mais velocidade contra menos tamanho ou menor custo."

Os três programas navais de 1912, 1913 e 1914 constituíram o maior acréscimo — em termos de custo e de mudança de rumo — da história da Armada Real até aquela época. Todos os navios desses três programas se baseavam no óleo — não havia entre eles um único navio a carvão. (Alguns dos encouraçados originalmente deviam funcionar a carvão, mas foram adaptados para o óleo.) A decisão-chave foi tomada em abril de 1912, com a inclusão no orçamento naval de uma divisão ligeira, a classe *Queen Elizabeth* — composta de cinco encouraçados com combustão de óleo. Com esse "mergulho do destino", escreveu Churchill, "os navios superiores da armada, dos quais dependia a nossa vida, seriam alimentados pelo óleo e só podiam ser alimentados pelo óleo".

No entanto, essa adaptação levantou problemas sérios: onde o óleo seria encontrado? Haveria o suficiente? Haveria um suprimento militar e politicamente seguro? A grande jogada de Churchill era pressionar para que a conversão para o óleo fosse feita *antes* de se ter resolvido o problema da oferta. Ele resumiu eloquentemente a questão: "Construir um novo lote grande de navios propelidos a carvão significava basear a nossa supremacia no petróleo. Mas não se encontrava petróleo em grande quantidade em nossas ilhas. Adaptar a armada irreversivelmente ao óleo significava na verdade 'abraçar um mar de problemas'". Entretanto, com a superação das dificuldades e dos riscos, seria possível "elevar todo o poder e eficiência da armada até um nível indiscutivelmente mais alto: navios melhores, melhores tripulações, mais economia, formas de poderio bélico mais intensas" — numa palavra, "a própria hegemonia seria o prêmio do risco".[8]

O almirante quebra a noz

Churchill criou um comitê para estudar as questões levantadas pela conversão do carvão ao óleo, inclusive o preço, a disponibilidade e a segurança do fornecimento. O comitê recomendou a formação de uma comissão real para investigar tais questões mais exaustivamente. Para chefiar esse comitê, Churchill não poderia escolher outra pessoa senão Fisher, o almirante aposentado. Só havia um obstáculo — o próprio escolhido. O vulcânico Jacky Fisher estava mais uma vez furioso com Churchill, agora porque desaprovara algumas propostas suas. "Você traiu a marinha", Fisher escreveu a Churchill de Nápoles em abril de 1912. "Este é meu último contato com você, seja em que assunto for."

Foi preciso muita bajulação, e a lisonja de um cruzeiro pelo Mediterrâneo num iate do almirantado, com Churchill e o primeiro-ministro Asquith como companhia, e uma carta com um grande poder de persuasão para ganhar o irascível almirante. "Meu querido Fisher", escreveu Churchill:

> Somos muito bons amigos (assim espero) e as questões que nos preocupam são muito graves (tenho certeza) para serem tratadas por algo diferente da linguagem direta.

Esse problema do combustível líquido precisa ser resolvido, e as dificuldades inerentes e inevitáveis são tais que requerem a energia e o entusiasmo de um grande homem. Quero você para isso, ou seja, para quebrar a noz. Ninguém mais pode fazê-lo tão bem. Talvez ninguém mais seja capaz de fazer isso, simplesmente. Vou pô-lo numa posição em que lhe seja possível quebrar a noz, se ela de fato for quebrável. Mas isso significa que você terá de dar vida e força, e não sei o que tenho para lhe dar em troca ou em contrapartida. Você tem de achar o petróleo; de mostrar como se pode armazená-lo sem se gastar muito dinheiro; como ele pode ser adquirido regularmente e a um bom preço em tempos de paz e com absoluta segurança durante a guerra. E a qualquer custo desenvolver a sua aplicação da melhor forma possível aos navios atuais e em projeto...

Quando tiver decifrado o enigma, você verá que a audiência adversária o ouvirá atenta, no mais absoluto silêncio. Mas o enigma não será decifrado a menos que você queira — pela glória de Deus — se consumir na faina que ele lhe cobrará.

Churchill não poderia ter feito nada melhor à guisa de adulação. Sem falsa modéstia, Fisher escreveu à mulher: "Tenho mesmo de admitir que eles estão certos quando unanimemente me dizem que ninguém mais pode fazê-lo". Aceitou o posto e logo depois — como para evitar conflito de interesses — vendeu suas ações da Shell num momento em que havia a previsão de perda.[9]

Formou-se um grupo ilustre para constituir a Comissão Real de Combustível e Motores, que incluía o infalível perito em petróleo, *sir* Thomas Boverton Redwood, com sua orquídea na lapela. Fisher se atirou à tarefa, trabalhando, disse ele, como nunca. Sua pressa aumentou quando soube que a Armada Alemã estava avançando na propulsão a óleo. "Eles mataram quinze homens nas experiências com motores a óleo e nós ainda não matamos nenhum! E um político inglês imbecil me disse outro dia que acha isso meritório para nós."

A comissão divulgou a primeira parte do seu relatório em novembro de 1912 e duas outras em 1913. Ele enfatizava as "esmagadoras vantagens do óleo combustível" sobre o carvão e também a importância vital do óleo para a Armada Real. Sustentava que havia suprimentos suficientes espalhados pelo mundo, embora ele precisasse de grandes instalações de armazenamento, pois, como Fisher disse: "O petróleo não brota na Inglaterra". Finalmente, parecia que o sonho de Marcus Samuel de ter uma Armada Real movida a óleo ia se concretizar, mas uma questão restou: quem iria colher os lucros? Havia apenas duas escolhas plausíveis: o Royal Dutch-Shell Group, poderoso e fechado, e a Anglo-Persian Oil Company, bem menor e ainda lutando para se firmar.[10]

A ameaça da Shell

Apesar de a criação da Anglo-Persian ter sido resultado dos esforços conjuntos de William Knox D'Arcy, George Reynolds e a Burmah Oil, Charles Greenway foi o homem que realmente deu forma à companhia. Foi como administrador de uma casa de comércio escocesa em Bombaim que ele começou a negociar com petróleo. Os comerciantes escoceses associados à Burmah Oil pediram-lhe ajuda nos primeiros estágios da Anglo-Persian e em um ano Greenway já era o seu diretor administrativo. Dominou a companhia nas duas décadas seguintes. Ao começar não dispunha de um único funcionário; quando se aposentou, presidia uma companhia de petróleo integrada ativamente e engajada no mundo inteiro. Mais tarde ficou conhecido como "Charlie Champanhe" e era caricaturado com "polainas velhas e monóculo". De modos "muito dignos, chegando mesmo à altivez", Greenway era tenaz e sempre pronto para uma boa briga. Era também inflexível e obstinado na perseguição de seus objetivos principais: tornar a Anglo-Persian uma força importante no petróleo mundial; torná-la a defensora nacional da Grã-Bretanha; resistir ao abraço indesejado e sufocante da Royal Dutch-Shell e garantir o inquestionável controle do novo negócio. Faria tudo o que fosse necessário para atingir seu fim, inclusive a perseguição de uma incessante *vendetta* contra a Royal Dutch-Shell, que veio a se tornar ao mesmo tempo uma tática útil e uma obsessão pessoal.

Como era inevitável, o "mergulho do destino" da Inglaterra fez com que a rivalidade entre a Royal Dutch-Shell e a Anglo-Persian ficasse ainda mais feroz. Nessa batalha, a Anglo-Persian tinha uma clara desvantagem: via-se mais uma vez sob intensa pressão financeira. No que dizia respeito a Greenway, o tempo estava ficando curto e ele foi forçado a perseguir ao mesmo tempo vários objetivos: obter capital para explorar os recursos persas, construir a companhia de petróleo, desenvolver mercados seguros e evitar ser absorvido pela Royal Dutch-Shell — apesar de seu acordo de comercialização com essa companhia. Com a debilitada posição financeira da Anglo-Persian, havia apenas uma alternativa óbvia para a Shell: o almirantado inglês. Greenway ofereceu-lhe um contrato de abastecimento de vinte anos e fez uma campanha dura para um relacionamento especial que livrasse a companhia de suas dificuldades financeiras.

O tema recorrente de Greenway, como ele declarou para a comissão Fisher e sustentou o tempo todo em Whitehall, era que, sem a ajuda do governo, a Anglo-Persian seria absorvida pela Shell. Se isso acontecesse, advertia Greenway, a Shell ficaria numa posição monopolista e imporia preços de monopólio à desafortunada Armada Real. Ele enfatizou que Samuel era judeu e Deterding holandês. A Shell, dizia, era controlada pela Royal Dutch, e o governo holandês era suscetível à pressão alemã. Com o tempo, declarou à comissão Fisher, o controle da Shell levaria a Anglo-Persian a ficar "sob o controle do próprio governo alemão".

Greenway admitia altruisticamente que ele e seus colegas teriam de pagar um preço por se preocuparem com o interesse nacional da Inglaterra. Mas tinha confiança em que ele e seus colegas, todos ingleses patriotas, queriam — na verdade mais do que queriam — sacrificar a vantagem econômica resultante da fusão com a Shell para poder conservar a companhia independente. Tudo o que eles pediam em troca era apenas uma pequena consideração do governo inglês — apenas uma garantia ou um contrato "que de qualquer modo nos dê um retorno moderado do nosso capital". Enfatizou reiteradamente que a Anglo-Persian era uma auxiliar natural da estratégia e da política inglesas e um importante componente do ativo nacional — e que todos os diretores da companhia pensavam assim.[11]

A mensagem de Greenway foi bem recebida. Imediatamente depois de seu depoimento à comissão real, Fisher o levou até a Pall Mall para poderem ter uma conversa particular e insistiu que algo precisava ser feito logo. Greenway estava encantado com o fato de que, apesar da amizade de Marcus Samuel com Fisher, era absolutamente claro para o almirante o que devia ser feito. "Precisamos nos empenhar ao máximo para assumir o controle da Anglo-Persian Company", escreveu ele, e para mantê-la para sempre como uma "companhia totalmente inglesa".

Os argumentos de Greenway também ganharam apoio em outro lugar. O Ministério das Relações Exteriores, preocupado como estava com a posição da Inglaterra no Golfo Pérsico, achou-os de modo geral convincentes. Para o Ministério das Relações Exteriores a prioridade era que a concessão da Anglo-Persian, "abarcando, como era o caso, todos os campos petrolíferos da Pérsia (...) não devia passar para o controle de um sindicato estrangeiro". A hegemonia política da Inglaterra no Golfo Pérsico "em grande parte é decorrência da nossa preponderância comercial". Ao mesmo tempo, o Ministério das Relações Exteriores estava persuadido das necessidades mais específicas da Armada Real. "Evidentemente", comentou *sir* Edward Grey, secretário do Exterior, "o que devemos fazer é garantir ao controle inglês um campo petrolífero suficiente para as necessidades de petróleo da Armada Inglesa". Apesar de por vezes se irritar e ficar desconfiado de Greenway com aquela lengalenga sobre a "ameaça da Shell" e o patriotismo da Anglo-Persian Oil, o Ministério das Relações Exteriores firmou-se naquela posição. "É claro que a ajuda diplomática sozinha será inútil na preservação da independência da APOC", advertiu o ministério ao almirantado no final de 1912. "É de alguma forma de ajuda pecuniária que eles precisam."[12]

Ajuda para a Anglo-Persian

Essa ajuda pecuniária teria de envolver o almirantado. Inicialmente, ele não estava nada interessado em estabelecer uma relação tão especial com a Anglo-Persian, temendo envolver-se num negócio "sujeito a muito risco especulativo". Contudo, três fatores decisivos mudaram o seu ponto de vista. Em primeiro lugar, havia dúvidas cada vez maiores sobre a disponibilidade e confiabilidade da oferta de petróleo de outros lugares que não a Pérsia. Em segundo, o preço do óleo combustível estava subindo fantasticamente, tendo dobrado entre janeiro e julho de 1913, como reação à crescente procura para o abastecimento de navios em todo o mundo — uma consideração sujeita à crítica, já que a construção dos encouraçados propelidos a óleo havia começado quando a prolongada batalha política sobre o orçamento da armada prosseguia violenta.

O terceiro fator era Churchill, que estava forçando a tomada de decisões e pressionando os velhos oficiais da armada a analisar a disponibilidade, as necessidades e a logística do óleo, tanto na paz quanto na guerra. Em junho de 1913, Churchill presenteou o gabinete com um memorando-chave sobre o "Fornecimento de Óleo Combustível para a Armada de Sua Majestade" que reivindicava contratos de longo prazo para assegurar suprimentos adequados e preços seguros. Um princípio orientador era "manter vivas as fontes de abastecimento independentes e concorrentes", frustrando assim "a formação de um monopólio de petróleo universal" e salvaguardando "o almirantado de se tornar dependente de um único conglomerado". Em princípio o gabinete concordou, como escreveu o primeiro-ministro Asquith ao rei George V, que "o governo devia adquirir uma participação que lhe garantisse o controle de fontes de fornecimento confiáveis". Mas como exatamente? Greenway se encontrou com membros do gabinete e no decorrer de suas discussões a tão esperada resposta para a questão começou a emergir: a saber, a interessante ideia de que o próprio governo se tornasse acionista da Anglo-Persian como um meio de legitimar o seu apoio financeiro.[13]

No dia 17 de julho de 1913, Churchill, num informe ao Parlamento, que o *Times* de Londres descreveu como uma apresentação autoritária do interesse nacional no petróleo, fez a ideia avançar mais um passo. "Se não podemos conseguir óleo", advertiu, "não podemos conseguir milho, não podemos conseguir algodão e não podemos conseguir mil e um artigos necessários à preservação das energias econômicas da Grã-Bretanha." Para assegurar uma oferta garantida a preço razoável — porque o "mercado aberto está se tornando uma zombaria aberta" — o almirantado deveria se tornar "o dono ou, de algum modo, o controlador da fonte" de uma parte substancial do óleo necessário. Começaria acumulando reservas, depois desenvolveria a capacidade de negociar no mercado. O almirantado também deveria ser capaz de "refinar... ou destilar o petróleo bruto" — vendendo o excedente, quando necessário. Não havia razão para "nos esquivarmos de estender um pouco mais os vastos e variados negócios do almirantado", acrescentou Churchill "Não devemos ser dependentes da qualidade de ninguém, do processo de ninguém, do país de ninguém, da rota de ninguém e do campo de ninguém. A segurança e a certeza do petróleo residem na variedade, e apenas na variedade."

Apesar de não haver nenhum compromisso específico com a Anglo-Persian, o gabinete decidiu mandar uma comissão à Pérsia para investigar se a empresa podia realmente cumprir qualquer uma de suas promessas. A nova refinaria de Abadã estava enfrentando enormes problemas. Um dos diretores da Burmah Oil descrevera-a como nada mais que um "monte de ferro-velho". Até mesmo o óleo combustível que ela produzia — ao qual, numa demonstração de confiança, fora dado o nome de Admiralty (Almirantado) — não havia sido aprovado no exame de qualificação do almirantado. Mas na véspera da chegada da comissão, a companhia introduziu rapidamente melhorias de fachada, orquestradas por um novo administrador da refinaria, vindo às pressas de Rangum. A manobra funcionou. "Parece ser uma concessão em boas condições, que com um grande gasto de capital pode evoluir em proporções gigantescas", informou a Churchill em caráter privado o almirante Edmond Slade, ex-diretor do serviço de informações da armada e chefe da comissão. "Ela nos deixará numa posição totalmente segura com relação ao suprimento de óleo para fins da armada, *se tivermos o controle da companhia*, e a um custo muito razoável." Em seu relatório oficial datado de janeiro de 1914, e que teve um papel muito importante, Slade acrescentou que seria "um desastre nacional se se permitisse que a concessão passasse para mãos estrangeiras". Slade até mesmo conseguiu encontrar algumas palavras elogiosas para se referir à operação da refinaria de Abadã.[14]

Uma vitória para o óleo

O relatório do almirante Slade caiu do céu para a Anglo-Persian. A situação financeira da companhia vinha sofrendo uma deterioração contínua e, na verdade, era nada menos que desesperadora. Mas agora Slade havia abençoado a operação e, quanto à questão mais importante, declarara que a Anglo-Persian era uma fonte segura para a Armada Real; o caminho estava aberto para o encerramento do caso. Em 20 de maio de 1914, menos de quatro meses depois do relatório Slade, o negócio foi decidido com a assinatura de um acordo entre a companhia e o governo britânico. Porém, havia ainda um último obstáculo: o Tesouro insistia que qualquer apropriação requeria a aprovação do Parlamento, e ainda seria preciso passar por esse teste.

No dia 17 de junho de 1914 Churchill assomou à Câmara dos Comuns para apresentar uma medida histórica. O projeto de lei que ele propunha tinha dois elementos essenciais: primeiro, o governo investiria na Anglo-Persian 2,2 milhões de libras esterlinas, adquirindo em troca 51% das ações; segundo, colocaria no conselho da companhia dois diretores que poderiam vetar as questões referentes aos contratos de combustível do almirantado e a questões políticas importantes, mas não sobre atividades comerciais. Um outro contrato foi minutado separadamente, para poder ser mantido em sigilo; provia o almirantado com um contrato de vinte anos para o óleo combustível. Seus termos eram muito atraentes e, além do mais, a Armada Real teria um reembolso provindo dos lucros da companhia.

O debate na Câmara dos Comuns foi muito acalorado. Charles Greenway sentou-se no camarote oficial com velhos funcionários do Tesouro, para o caso de Churchill precisar de qualquer informação especial. Estava também presente na casa um certo Samuel Samuel, membro de Wandsworth, que, trabalhando há muitos anos ao lado do irmão, Marcus Samuel, havia ajudado a criar a Shell — naquele dia ele ficou cada vez mais inquieto e impaciente com o discurso de Churchill.[15]

"Nesta tarde teremos de tratar não da política da construção de navios propelidos a óleo ou do uso do óleo como combustível complementar nos navios que usam carvão", começou Churchill, "mas da consequência dessa política". O consumidor de óleo, afirmou, não tinha liberdade de escolha nem com relação ao tipo de combustível nem quanto à fonte de abastecimento. "Atentem para a ampla expansão das regiões petrolíferas do mundo. Duas corporações gigantescas — uma em cada hemisfério — se destacam predominantemente. No Novo Mundo há a Standard Oil (...) No Velho Mundo, as grandes corporações da Shell e da Royal Dutch, com todos os seus ramos subsidiários e subordinados, praticamente cobriram todo o terreno, chegando até o Novo Mundo." Churchill prosseguiu argumentando que o almirantado, assim como todos os consumidores isolados, tinham sido submetidos a "um longo e apertado abraço dos trustes do petróleo em todo o mundo".

Logo no início do debate, Samuel Samuel pediu a palavra três vezes para contestar o modo como Churchill caracterizava a Royal Dutch-Shell. O interpelante contrariava o regimento. "Ele deve primeiro ouvir o caso para depois fazer as suas acusações", disse Churchill acidamente, depois da terceira interrupção, "do contrário pode dar um argumento para a defesa". Samuel voltou à poltrona, mas não à calma.

"Há muitos anos", prosseguiu Churchill, "a política do Ministério das Relações Exteriores, a do almirantado e a do governo da Índia têm sido proteger os interesses independentes mantidos pelos ingleses no campo petrolífero persa, para ajudar o desenvolvimento daquele campo tanto quanto pudermos e sobretudo impedir que ele seja tragado pela Shell ou por qualquer companhia estrangeira ou cosmopolita". Uma vez que o governo iria dar um empurrão tão grande na Anglo-Persian, seria simplesmente razoável, acrescentou, que se dividissem as recompensas. E "na totalidade dessas enormes regiões nós ganharíamos o poder de ajustar a marcha dos acontecimentos de acordo com o interesse nacional e da armada". Declarando que "todas as críticas" num nível como aquele "até agora procederam de uma única fonte", Churchill partiu então para um ataque àquela fonte — a Royal Dutch-Shell e Marcus Samuel —, embora acrescentando: "Não quero fazer nenhum ataque à Shell ou à Royal Dutch Company".

"Por menor que seja!", gritou Samuel Samuel de seu assento.

A oratória de Churchill foi cheia de sarcasmo. Se o projeto de lei não fosse aprovado, a Anglo-Persian se tornaria parte da Shell. "Não estamos brigados com a Shell. Sempre os julgamos corteses, atenciosos, prontos a obsequiar, ansiosos por servir o almirantado e promover os interesses da Armada Inglesa e do Império Britânico — a um preço. A única dificuldade tem sido o preço." Com o poder do óleo persa "à nossa disposição não achamos que seremos tratados com menos cortesia ou menos consideração ou que esses senhores passarão a ser menos obsequiosos ou menos interessados no bem comum ou menos patriotas que antes. Pelo contrário, se tal insignificante diferença de opinião que até agora existiu com relação aos preços — e sou obrigado a voltar a essa questão maligna e sórdida dos preços — fosse removida, as nossas relações seriam melhores; elas se tornariam (...) mais doces, porque não mais seriam fermentadas com o sentimento da injustiça".

Samuel finalmente teve a sua chance de se defender. "Protesto energicamente em nome de uma das maiores companhias comerciais e industriais inglesas, declarando que os ataques feitos não têm a menor justificativa." Ele enumerou os serviços da Shell à armada e a defesa que a companhia sempre fizera da propulsão a óleo. Pediu ao governo que divulgasse os preços cobrados pela Shell, até então mantidos em sigilo, pois, segundo ele, isso provaria que a companhia nunca lograra o almirantado.

"O ataque que ouvimos não tem absolutamente nada a ver com a questão submetida ao comitê", disse outro membro do Parlamento, Watson Rutherford. Criticando Churchill por levantar o espectro do monopólio e por "se valer do antissemitismo", declarou que os preços altos do óleo combustível eram decorrência não de "maquinações de algum truste ou conluio", mas do fato de que um mercado internacional de óleo combustível ao contrário do da gasolina, do querosene e dos lubrificantes — só havia emergido nos "últimos dois ou três anos, em consequência dos novos usos encontrados (...) Há uma escassez mundial (...) de um artigo cuja necessidade para alguns propósitos especiais o mundo apenas recentemente começou a perceber. Os preços se elevaram por essa razão, e não devido aos malignos senhores de fé hebraica — melhor dizendo, senhores cosmopolitas —, que juntaram suas mentes para tentar pressionar os preços para cima".

A proposta de Churchill para a participação do governo numa companhia privada não tinha de fato precedente, com exceção da compra feita por Disraeli de ações do canal de Suez meio século antes — passo que também foi dado por razões estratégicas. Alguns membros do Parlamento, representando interesses locais, defenderam o desenvolvimento do óleo a partir do xisto escocês e de líquidos a partir do carvão galês (que muitos anos depois ficaram conhecidos como combustíveis sintéticos). Disseram que ambos forneceriam suprimentos mais confiáveis. Apesar da forte contestação dentro e fora do Parlamento, o projeto do óleo foi aprovado com uma maioria esmagadora de votos — 254 contra 18. A margem foi tão larga que surpreendeu até mesmo Greenway. Depois da votação, perguntou a Churchill: "Como você conseguiu ganhar a casa com tanto sucesso?"

"Foi o ataque aos monopólios e aos trustes que a ganhou para mim", respondeu Churchill. [16]

No entanto, a investida contra os estrangeiros e os "cosmopolitas" também ajudou. Além disso, Churchill foi mais do que ligeiramente cínico em sua apresentação. Não havia provas de que a Shell tivesse servido insatisfatoriamente o almirantado. Alguns anos antes Marcus Samuel até mesmo pedira ao governo que pusesse um diretor seu no conselho da Shell. Apesar de antipatizar com Marcus Samuel, que era Lord Mayor de Londres, Churchill tinha uma opinião absolutamente favorável sobre Deterding, que afinal de contas era o estrangeiro.

Quanto a essa questão de Deterding, Churchill estava seguindo a orientação do almirante Fisher: ele lhe havia escrito que Deterding era "Napoleão e Cromwell numa só pessoa. É o maior homem que jamais encontrei (...) Napoleônico em sua audácia, cromwelliano na perfeição! Aplaquem-no, não o ameacem! Façam com ele um contrato relativo à sua esquadra de 64 petroleiros, para o caso de uma guerra. Não destratem a Shell Company (...) (Deterding) tem um filho em Rugby ou Eton, comprou uma grande propriedade em Norfolk e (está) construindo um castelo! Comprometa-o com a sua terra de adoção!". Churchill fez exatamente isso. Apesar do novo acordo, a Anglo-Persian não deveria ser a única a abastecer o almirantado, e na primavera de 1914 ele se empenhou pessoalmente em negociar com Deterding um contrato entre a Shell e a armada para o fornecimento de óleo combustível. O holandês foi sensível à atenção de Churchill. "Recebi uma carta muito patriótica de Deterding", escreveu Fisher a Churchill no dia 31 de julho de 1914, "dizendo que pensa que não faltará óleo ou petroleiros em caso de guerra — o velho e bom Deterding! Esses holandeses odeiam mesmo os alemães! Faça-o cavaleiro quando tiver oportunidade."[17]

Deterding era um homem prático e compreendeu a exposição de motivos para o acordo com a Anglo-Persian. No entanto, havia quem estivesse perplexo com a compra feita pelo governo. O vice-rei da Índia, Lorde Hardinge, servira por dois anos em Teerã e, depois disso, passara a desconfiar de tudo que fosse persa. Ele achava — e seu ponto de vista era partilhado por todos os antigos funcionários que haviam trabalhado com ele na Índia — uma rematada insensatez tornar-se dependente de uma fonte estrangeira de óleo totalmente insegura quando a Grã-Bretanha fora abençoada com uma abundância de carvão garantido. Como declarou a Secretaria do Estado para a Índia: "É o mesmo que os proprietários das vinhas *premier cru* da Gironda começarem a fazer pregações sobre as virtudes do uísque escocês".

Os críticos tinham razão quanto a um aspecto. Por que se ocupar com o uísque escocês quando se produz um vinho de excelente qualidade? Muito simples: a decisão foi pressionada pelos imperativos tecnológicos da corrida naval anglo-germânica. Enquanto os alemães buscavam a igualdade, a Armada Inglesa empenhava-se em manter a supremacia naval, o óleo oferecia uma vantagem vital em termos de velocidade e flexibilidade. O acordo garantia ao governo inglês um grande suprimento de óleo. Dava à Anglo-Persian a injeção de capital que ela tanto precisava e um mercado seguro. Falava diretamente à necessidade de sobrevivência da Anglo-Persian e indiretamente à do império. Assim, no verão de 1914 a Armada Inglesa estava toda adaptada para o óleo e o governo britânico havia assumido o papel de acionista majoritário da Anglo-Persian. Pela primeira vez, mas seguramente não a última, o óleo havia se tornado um instrumento da política nacional, um insuperável artigo de estratégia.

Como Primeiro Lorde do Almirantado, Churchill dizia frequentemente que seu objetivo era ter a armada pronta, como se a guerra pudesse eclodir no dia seguinte. Contudo, durante as semanas que antecederam o debate parlamentar de 17 de junho de 1914, tinha-se a impressão de que há muitos anos a Europa não estivera tão pacífica, com a guerra tão distante. Nenhuma questão importante exasperava as paixões das grandes potências. No final de junho, unidades navais britânicas cumpriam visitas de cortesia aos portos alemães. Mais tarde muitos se lembrariam com saudade desses dias da primavera e do início do verão de 1914, evocando o ocaso de uma era, o fim da infância, uma época de calma inusitada, até antinatural. Ela não duraria. Em 28 de junho de 1914, onze dias depois de o Parlamento aprovar o projeto de lei de Churchill, o arquiduque Francisco Ferdinando da Áustria foi assassinado em Sarajevo. Mas, só no dia 10 de agosto de 1914, a Anglo-Persian Oil Convention receberia o seu Consentimento Real. O mundo já havia mudado. A Rússia mobilizou-se no dia 30 de julho.

A 1º de agosto, a Alemanha declarou guerra à Rússia e mobilizou o seu exército. Às 23 horas do dia 4 de agosto, após a Alemanha ter ignorado um ultimato da Inglaterra contra a violação da neutralidade da Bélgica, Churchill mandou uma mensagem para todos os navios de sua majestade: "Iniciar hostilidades contra a Alemanha". A I Guerra Mundial tinha começado.[18]

PARTE II

O conflito global

CAPÍTULO IX

O sangue da vitória:
a Primeira Guerra Mundial

ESPERAVA-SE UMA GUERRA BREVE, que acabaria em algumas semanas ou, no máximo, em poucos meses. Em vez disso, ela se afundou num impasse e continuou se arrastando. Toda a ingenuidade mecânica do final do século XIX e do início do século XX fora trazida para o conflito. E, quando ela terminou, as pessoas tateavam para compreender por que ocorreu e o que a suscitara. Muitas razões foram apresentadas — desde miopia política, arrogância e estupidez até as tensões acumuladas das rivalidades internacionais e da sociedade industrial. Elas também abrangiam a religião secular que é o nacionalismo; a esclerose dos impérios Austro-Húngaro, Russo e Turco; o colapso do equilíbrio tradicional do poder; e as ambições e inseguranças do recém-nascido Reich alemão.

A Grande Guerra se revelaria um desastre tanto para os vitoriosos quanto para os vencidos. Estima-se que tenham morrido 13 milhões de pessoas e muitos outros milhões ficaram feridos ou desabrigados. Foi também uma catástrofe para os sistemas políticos da maioria dos países da Europa e para a economia de todos os que nela se envolveram. Tão sombrio foi o efeito da I Guerra Mundial que uma nova sublevação seria gerada em seu restolho. Na verdade, o cataclisma foi tão terrível que cerca de cinquenta anos depois um dos grandes historiadores contemporâneos que se dedicam às relações internacionais olharia retrospectivamente do alto de sua velhice e se referiria à guerra como "o manancial dos nossos descontentes".

Foi uma guerra travada entre homens e máquinas. E essas máquinas eram movidas a óleo — exatamente como o almirante Fisher e Winston Churchill haviam antevisto, mas numa extensão muito maior do que mesmo eles ou outros líderes teriam esperado. Pois durante a I Guerra Mundial o óleo e o motor de combustão interna mudaram todas as dimensões do conflito armado, até mesmo o próprio significado da mobilidade na terra, no mar e no ar. Nas décadas que a precederam, as operações militares na terra haviam dependido de sistemas ferroviários inflexíveis que podiam transportar tropas e suprimentos até a extremidade da linha férrea, como havia ocorrido na guerra de 1870-1871 entre a França e a Prússia. A partir dessa extremidade, a movimentação das tropas ficava circunscrita à resistência física, à capacidade muscular e às pernas dos homens e dos animais. Quanto podia ser carregado, até onde, com que velocidade — tudo isso mudaria com o advento do motor de combustão interna.

A extensão dessa transformação ultrapassou de longe tudo o que havia sido concebido pelos estrategistas. Os cavalos ainda constituíam a base do planejamento quando a guerra foi deflagrada — um cavalo para cada três soldados. Além do mais, o fato de o exército contar com cavalos complicava bastante os problemas de suprimento, pois um cavalo requer dez vezes mais comida que um homem. No começo da guerra, na primeira Batalha do Marne, um general alemão praguejou pelo fato de não ter um mísero cavalo que não estivesse demasiadamente cansado para levá-lo adiante através do campo de batalha. No final da guerra, nações inteiras tombariam exaustas; se por um lado o motor movido a óleo simplificava os problemas de mobilidade e de suprimento, por outro multiplicava a devastação.

De início, no que dizia respeito à guerra em terra, dificilmente pareceria provável que o óleo viesse a ser de grande importância. Jactando-se de uma superioridade em ferro e carvão e de um sistema ferroviário melhor, o Estado-Maior alemão, com seu planejamento metódico, supôs que a campanha no Ocidente seria rápida e decisiva. De fato, durante o primeiro mês de hostilidades, o avanço do exército alemão esteve bastante próximo do planejado. No início de setembro de 1914, um *front* estendeu-se por duzentos quilômetros, do nordeste de Paris até Verdun, onde se ligou a outro *front* que ia até os Alpes — as duas juntas cercavam 2 milhões de combatentes. O flanco direito do exército alemão estava a apenas 64 quilômetros de Paris, encaminhando-se direto para a Cidade-Luz. Nesse momento crítico, o motor de combustão interna demonstraria sua importância estratégica — de um modo totalmente inesperado.[1]

A armada de táxis

O governo francês, junto com 100 mil civis, já tinha evacuado Paris. A queda da capital parecia iminente, e parecia que a França não tardaria a pedir a paz, talvez de Bordeaux. O general Joseph Césaire Joffre, comandante-chefe do exército francês, considerou a hipótese de ordenar uma retirada para o sul e o leste de Paris, deixando a cidade quase desguarnecida. Entretanto, o governador militar de Paris, o general Joseph Gallieni, tinha outras ideias. O reconhecimento aéreo convenceu-o de que havia uma oportunidade de atingir as linhas alemãs e deter o avanço. Ele tentou convencer o exército inglês a ajudá-lo, mas em vão. Não o levaram a sério. O estranho general, com seu bigode emaranhado e envergando botas de botões negros, perneiras amarelas e um uniforme que lhe caía muito mal, dificilmente traria a imagem do oficial impecável. "Nenhum oficial britânico queria ser visto falando com aquele comediante", disse um eminente comandante inglês. Mas num telefonema exaltado que deu na noite do dia 4 de setembro — Gallieni mais tarde se referiria a esse contato como o seu *coup de téléphone* — ele finalmente persuadiu o general Joffre a iniciar um contra-ataque.

No dia 6 de setembro de 1914, através de florestas e campos cobertos por grãos amadurecidos e sob um calor causticante, os franceses começaram a ofensiva, assinalando alguns sucessos logo de início. Chegaram mais tropas alemãs, e a situação dos franceses tornou-se na verdade bastante precária. Os reforços desesperadamente necessários estavam nos arredores imediatos de Paris, mas parecia não haver meio de fazê-los chegar ao *front*. Certamente o deslocamento por ferrovia era impossível: o sistema francês estava desmantelado. A pé, jamais chegariam a tempo. E eram necessários muito mais homens do que os que podiam ser transportados pelo número insignificante de veículos militares disponíveis. O que mais poderia ser feito?

O general Gallieni não desistiu. Ele parecia estar por toda parte em Paris, com aquele uniforme largo e desabotoado, organizando e reunindo as suas forças. Apesar da aparência reles, Gallieni não era nenhum comediante. Era um gênio militar e um mestre da improvisação, e em face da desanimadora necessidade foi o primeiro a agarrar a possibilidade de aliar o transporte motorizado e o motor de combustão interna às exigências das operações de guerra.

Poucos dias antes, já havia ordenado a formação de uma equipe de transporte ímpar, que devia ser deixada de reserva para o caso de a cidade ter de ser evacuada. Ela era composta de um certo número de táxis. Agora, no dia 6 de setembro, pareceu óbvio a Gallieni que a reserva efetiva de táxis era pequena demais e que todos os táxis disponíveis teriam de ser transformados imediatamente num sistema de transporte de soldados. Às vinte horas, sentado em seu quartel-general numa escola do Boulevard des Invalides, Gallieni teve uma inspiração: decidiu que uma armada de táxis teria de ser organizada para deslocar milhares de soldados até o *front*.

Gallieni ordenou que todos os três mil táxis disponíveis deviam ser localizados e recrutados compulsoriamente. Policiais e soldados logo começaram a parar os táxis; depois de pedir aos passageiros que descessem ali mesmo, ordenavam aos motoristas que rumassem para o Boulevard des Invalides.

"Como seremos pagos?", perguntou um motorista ao tenente que o fizera parar.

"Pelo taxímetro ou por preço combinado?"

"Pelo taxímetro," respondeu o tenente.

"Está bem, vamos", disse o motorista, tratando de baixar o taxímetro antes de começarem a rodar.

Às dez da noite, duas horas depois da ordem de Gallieni, pencas de táxis já estavam convergindo para a esplanada do Boulevard des Invalides. Um primeiro grupo partiu na escuridão para Tremblay-les-Gonesse, uma cidadezinha a noroeste de Paris. Na manhã seguinte, um segundo exército de táxis se aglutinou no Boulevard des Invalides e partiu em grande comboio, subindo para os Champs-Elysées, pelas ruas Royale e Lafayette, deixando a cidade e tomando a direção de outro ponto de concentração, em Gagny. No decorrer do dia 7 de setembro, enquanto os táxis se reagrupavam nos vários locais de reunião, a batalha — e com ela a guerra — estava na corda bamba. "Hoje o destino proferirá uma grande decisão", escreveu à mulher o comandante-em-chefe alemão, Helmuth von Moltke. "Que torrentes de sangue jorrem!"

Quando a noite caiu os táxis estavam apinhados de soldados — sob a supervisão pessoal do general Gallieni, que observou, num misto de diversão e modéstia: "Bem, pelo menos não é um lugar-comum". Abarrotou de soldados os veículos com as bandeiras baixadas e começou a sair em comboios de vinte e cinco a cinquenta carros em direção ao campo de batalha — "esse precursor da futura coluna motorizada", como disse mais tarde um historiador, dirigido como só os motoristas de táxi parisienses sabem fazer, acelerando e ultrapassando e reultrapassando uns aos outros, o farol alto arremessando pontos de luz pelas estradas escuras.

Milhares e milhares de soldados foram rapidamente levados para o ponto crítico do *front* pelos táxis de Gallieni. Eles foram decisivos. A linha francesa se fortaleceu e as tropas lutaram em toda a sua extensão com um vigor renovado, começando na madrugada do dia 8 de setembro. No dia 9, os alemães recuaram e iniciaram a retirada. "As coisas estão piorando; o resultado das batalhas a leste de Paris não nos será favorável", escreveu Moltke à mulher enquanto o exército alemão cambaleava. "Nossa campanha é uma cruel desilusão (...) A guerra, que começou com esperanças tão grandes, no final se voltará contra nós."

Os motoristas de táxi, famintos e cansados depois de dois dias sem sono, voltaram a Paris, onde foram assediados pelos curiosos e receberam a sua remuneração. Eles haviam ajudado a salvar Paris. Tinham também demonstrado, sob a tutela improvisada do general Gallieni, o que o transporte motorizado significaria no futuro. Mais tarde, a cidade agradecida rebatizou a larga via que atravessa a esplanada do Boulevard des Invalides de Avenue du Maréchal Gallieni.[2]

A combustão interna na guerra

O contra-ataque francês dos dias 6 a 8 de setembro de 1914, combinado com um ataque simultâneo dos ingleses, teve capital importância — o momento decisivo da Primeira Batalha do Marne, no final da tão planejada ofensiva alemã. Ele também mudou decisivamente o caráter da batalha e acabou com qualquer possibilidade de que a guerra pudesse ser breve. Quando os alemães suspenderam a retirada, as forças oponentes cavaram trincheiras de ambos os lados e ali se postaram para o que se revelaria uma guerra de desgaste, longa, sangrenta e sem sentido — a guerra estática de defesa. Na verdade, por mais de dois anos, as linhas do *front* ocidental não se deslocariam mais de 16 quilômetros nas duas direções. O uso difundido da metralhadora, aliado às trincheiras e aos obstáculos de arame farpado, deu primazia à defesa, levando à imobilidade. "Não sei o que deve ser feito", disse, frustrado, Lorde Kitchener, o secretário da Guerra inglês. "Isso não é guerra."

O único meio óbvio de resolver o impasse da guerra de trincheiras era com algum tipo de inovação mecânica que capacitasse as tropas a se deslocar através do campo de batalha com mais proteção do que unicamente a pele e o uniforme. Como expressou o historiador militar Basil Liddell Hart, o que se requeria era "um antídoto específico para uma doença específica". O primeiro militar "que diagnosticou a doença e imaginou o seu antídoto" foi o coronel inglês Ernest Swinton, um escritor popular de ficção de guerra. Quando, algum tempo antes, pesquisara a história oficial inglesa sobre a Guerra Russo-Japonesa, Swinton já havia antevisto o impacto potencial da metralhadora. Mais tarde ele acompanhara de perto várias experiências militares com o trator da agricultura, recentemente desenvolvido nos Estados Unidos. No início da guerra, despachado para a França a fim de ser "testemunha ocular oficial no quartel-general", tirou algumas conclusões e apareceu com a sua ideia para o antídoto — um veículo blindado acionado por um motor de combustão interna e movido sobre tratores, impenetrável pelas balas de metralhadora e pelo arame farpado.

Contudo, o que era necessário não era obrigatoriamente desejado. Opositores entrincheirados no alto comando do exército inglês não levaram a sério a ideia e fizeram o possível para abortá-la. Na verdade, poderia ter morrido, não fosse pelo fato de Winston Churchill tê-la abraçado e defendido. O Primeiro Lorde do Almirantado apreciava a inovação militar e estava indignado com a omissão do exército e do Ministério da Guerra, que não partiam para desenvolver tais veículos. "A atual guerra revolucionou todas as teorias militares sobre o campo de fogo", disse ele ao primeiro-ministro em janeiro de 1915. E, em face da resistência do exército, Churchill destinou os fundos da armada ao prosseguimento da pesquisa requerida para o desenvolvimento do novo veículo, que refletindo esse patrocinador temporário ficou conhecido como o "cruzador da terra", ou o "navio de terra". Churchill o chamou de "lagarta". Para que o sigilo fosse mantido, o veículo precisava de um nome codificado enquanto estivesse sendo testado e transportado, e vários nomes — entre os quais "cisterna" e "reservatório" — foram considerados. Finalmente ele se tornou conhecido por um outro código — o "tanque".

O tanque foi usado pela primeira vez, e prematuramente, em 1916, na Batalha do Somme. Desempenhou um papel mais importante em novembro de 1917, em Cambrai. Mas o seu impacto mais decisivo foi no dia 8 de agosto de 1918, na Batalha de Amiens, quando um enxame de 456 tanques irrompeu na linha alemã, resultando no que mais tarde o general Erich Ludendorff, substituto do comandante supremo, Paul von Hindenburg, chamou de "dia negro do exército alemão na história da guerra". A "primazia da defesa" tinha acabado. Quando em outubro de 1918 o Alto Comando Alemão declarou que a vitória não era mais possível, apontou como primeira razão a introdução do tanque.

Outra razão era o grau com que carro e caminhão foram bem-sucedidos no transporte mecanizado. Se os alemães estavam na dianteira quando se tratava de transporte ferroviário, no que dizia respeito a carros e caminhões a vantagem era dos aliados. A Força Expedicionária Inglesa, que foi para a França em agosto de 1914, tinha apenas 827 carros a motor — dos quais 747 foram requisitados — e só 15 motocicletas. Nos últimos meses da guerra, os veículos do exército inglês incluíam 56 mil caminhões, 23 mil carros a motor e 34 mil motocicletas e bicicletas motorizadas. Além disso, os Estados Unidos, que entraram na guerra em abril de 1917, trouxeram para a França mais 50 mil veículos movidos a gasolina. Todos esses veículos viabilizaram o rápido deslocamento de tropas e suprimentos de um local a outro à medida que a necessidade aumentava — uma capacidade que se revelou de importância crítica em muitas batalhas. Depois da guerra se disse acertadamente que a vitória dos aliados sobre a Alemanha de algum modo foi a vitória do caminhão sobre a locomotiva.[3]

A guerra no ar e no mar

O motor de combustão interna teve um impacto ainda mais dramático numa nova arena para a guerra — o ar. Os irmãos Wright fizeram o seu primeiro voo em Kitty Hawk em 1903. Mas antes de os italianos fazerem uso de aeroplanos, na luta contra os turcos em Trípoli em 1911-1912, a atitude convencional do exército em relação ao aeroplano podia ser resumida pelo general francês Ferdinand Foch, que descartava a aviação dizendo: "Bom esporte, mas para o exército o aeroplano não tem valor". No romper da guerra, em 1914, o "comércio", como o exército britânico chamava a indústria de aviação, ocupava quando muito mil pessoas, e em janeiro de 1915, cinco meses mais tarde, a indústria tinha conseguido construir apenas 250 aeroplanos — sessenta deles experimentais.

Mesmo assim, o aeroplano foi imediatamente compelido ao serviço do exército, e o potencial de seu impacto logo ficou evidente. "Desde que eclodiu a guerra", observou no começo de 1915 um comentarista da aviação inglesa, "o aeroplano fez coisas tão surpreendentes que até mesmo os menos imaginativos começam a perceber que ele constitui um grande auxiliar das operações navais e militares, e possivelmente até mesmo um veículo para uso corrente quando cessa a guerra". O desenvolvimento do poder aéreo exigia a rápida preparação de uma infraestrutura industrial; a indústria automobilística forneceu a maior parte da base, sobretudo no que dizia respeito aos motores. Com a continuidade da guerra, a aviação logo se desenvolveu, impulsionada pela inovação acelerada. Em julho de 1915, todos os aparelhos que estavam no ar quando a guerra foi deflagrada, menos de um ano antes, tinham se tornado obsoletos.

O primeiro uso importante da aviação na guerra foi para reconhecimento e observação. O combate aéreo envolveu inicialmente pilotos que atiravam uns nos outros com espingardas e revólveres. Então, as metralhadoras foram ajustadas a aeroplanos de reconhecimento e novos mecanismos foram desenvolvidos para sincronizar os seus disparos com a rotação das hélices, de modo que o piloto não disparasse acidentalmente contra suas próprias hélices. Nascia assim o avião de combate. Em 1916, os aeroplanos voavam em formação, e já haviam se desenvolvido táticas de combate aéreo. Introduziu-se o bombardeio tático — conjugado com o combate de infantaria —, usado pelos ingleses tanto contra os turcos, com um efeito devastador, quanto para conter o avanço dos alemães quando abriram caminho pelo *front* inglês em março de 1918. Os alemães tomaram a dianteira no bombardeio estratégico, desfechando ataques diretamente contra a Inglaterra, com zepelins e depois com bombardeiros, violando assim as ilhas britânicas no que se tornou "a primeira Batalha da Grã-Bretanha". A Inglaterra respondeu nos últimos meses da guerra com ataques aéreos em alvos na Alemanha.

A guerra sempre impulsionou o ritmo da inovação. Nos meses finais da batalha, a velocidade dos aviões mais avançados havia mais do que duplicado, para cerca de 120 milhas (190 quilômetros) por hora, operando com um teto de aproximadamente 27 mil pés (8.000 metros). Os números totais de produção contaram a mesma história de rápido desenvolvimento. No decurso da guerra, a Inglaterra produziu 55 mil aviões, a França, 68 mil; a Itália, 20 mil e a Alemanha, 48 mil. Os Estados Unidos, em um ano e meio de guerra, produziram 15 mil aviões. Tais números revelaram ser a utilidade daquilo que, antes da guerra, havia sido considerado apenas "um bom esporte". O que o presidente da British Air disse sobre a Royal Air Force poderia muito bem ser aplicado à aviação militar em geral: "As necessidades de guerra a criaram em uma noite".

Em contraste, a corrida naval anterior à guerra, que havia agravado tanto as relações entre a Inglaterra e a Alemanha, produziu um impasse. Quando a guerra foi deflagrada, a Grande Frota Inglesa era superior à Armada Alemã de alto-mar. Na batalha das ilhas Falkland em dezembro de 1914 a Armada Real derrotou uma esquadra alemã, e com essa vitória impediu o acesso da Alemanha aos centros de comércio mundiais. Mas, apesar do papel fundamental que a rivalidade naval teve no encaminhamento para a guerra entre os dois países, a Grande Frota e a Armada Alemã de alto-mar só se encontraram uma única vez num grande combate — na Batalha de Jutland, no dia 31 de maio de 1916. O resultado desse lendário encontro vem sendo discutido desde então. A esquadra alemã saiu vitoriosa num sentido tático, já que foi bem-sucedida em esquivar-se de uma armadilha. Mas estrategicamente a Inglaterra venceu, pois foi capaz de dominar o mar do Norte por todo o resto da guerra e conter a esquadra alemã em suas bases de origem.

Os acontecimentos provaram que Churchill e Fisher tinham razão em forçar a adaptação da Armada Real para o óleo, que de fato deu à esquadra inglesa um vantagem global — maior alcance, mais velocidade e reabastecimento mais rápido. A Armada Alemã de alto-mar inicialmente queimava carvão; ela não dispunha de postos fora da Alemanha onde pudesse se reabastecer, o que limitava o seu alcance e flexibilidade. Na verdade, a dependência do carvão tornou inclusive o seu nome, Armada Alemã de alto-mar, inadequado. No entanto, a Alemanha jamais estivera na posição que a Inglaterra estava: capaz de fazer uma aposta calculada sobre a sua capacidade de manter o acesso ao petróleo durante a guerra.[4]

Anglo-Persian *versus* Shell

A aquisição de ações da Anglo-Persian pela Inglaterra foi feita exatamente com o propósito de garantir o suprimento de óleo. A guerra tinha chegado antes de se ter completado a compra, quanto mais de se terem resolvido as relações entre o governo e a companhia. O empreendimento na Pérsia ainda era de importância mínima, representando em 1914 apenas menos de 1% do petróleo mundial. No entanto, à medida que a produção crescesse, o seu valor estratégico passaria a ser enorme, e os compromissos ingleses, tanto com o óleo combustível quanto com a companhia, teriam de ser protegidos. Porém não era de modo algum evidente que, na verdade, isso pudesse ser feito. Ironicamente, menos de um mês antes do início da guerra foi o próprio Churchill, o defensor do óleo e da compra da Anglo-Persian, que perdeu a esperança na capacidade da Inglaterra de defender os campos petrolíferos e a refinaria da Pérsia. "Há pouca probabilidade de que quaisquer tropas estejam disponíveis para esse propósito", disse ele no dia 1º de setembro. "Teremos que comprar nosso óleo em outro lugar."

As forças do Império Otomano eram a principal ameaça. Imediatamente depois da entrada da Turquia na guerra como aliada da Alemanha, no outono de 1914, as suas tropas ameaçavam a refinaria de Abadã, na Pérsia. Foram expulsas por soldados ingleses, que prosseguiram na captura de Bassora — uma cidade de importância crítica, pois guardava os acessos estratégicos do Ocidente para o petróleo persa. O controle de Bassora também garantia a segurança dos governantes locais simpáticos aos interesses ingleses, inclusive o amir do Kuait. Os britânicos queriam avançar a sua linha defensiva mais para o noroeste, se possível até Bagdá. Novamente uma das considerações mais importantes era assegurar os campos petrolíferos, assim como contrapor-se à subversão alemã na Pérsia. Ao mesmo tempo, o potencial petrolífero da Mesopotâmia (onde hoje fica o Iraque) ganhava vulto no planejamento militar e político da Inglaterra. Em 1917, depois de uma derrota humilhante nas mãos dos turcos, os ingleses finalmente conseguiram capturar Bagdá.

A produção de petróleo na Pérsia foi pouco perturbada durante a guerra, a não ser no início de 1915, quando membros de tribos locais, instigados por agentes alemães e turcos, danificaram o oleoduto dos campos petrolíferos até Abadã. Foram precisos cinco meses para que o petróleo voltasse a fluir satisfatoriamente. Apesar dos problemas na qualidade dos produtos refinados de Abadã e da escassez de equipamentos devido à guerra, uma grande empresa industrial estava se enraizando na Pérsia, impulsionada pela demanda do exército. A produção petrolífera da Pérsia aumentou mais de dez vezes entre 1912 e 1918 — de 1,6 mil barris diários para 18 mil. No final de 1916, a Anglo-Persian atendia um quinto da necessidade de óleo da Armada Inglesa. A companhia, que em seus primeiros quinze anos de existência estivera várias vezes prestes a quebrar, começou a fazer lucros bem substanciais.

O caráter da Anglo-Persian também estava mudando, pois seu diretor administrativo, Charles Greenway, buscava uma estratégia clara e determinada para transformar a Anglo-Persian, de uma empresa que produzia exclusivamente petróleo bruto, numa companhia integrada de petróleo — "construir", segundo suas palavras, "uma organização absolutamente autossuficiente" que venderia produtos "onde quer que houvesse um mercado lucrativo sem a intervenção de quaisquer terceiros". Em plena guerra, Greenway posicionava a companhia para a competição no pós-guerra. Seu passo mais importante era comprar do governo inglês uma das maiores redes de distribuição de petróleo do Reino Unido, uma companhia chamada British Petroleum. Apesar do nome, ela pertencia ao Deutsche Bank, que a usava como escoadouro do seu petróleo romeno no Reino Unido; deflagrada a guerra, o governo inglês assumiu a companhia controlada pela Alemanha. Agora, com a aquisição da British Petroleum, a Anglo-Persian ganhou não apenas um grande sistema de comercialização como também o que posteriormente se revelaria um nome muito útil. A Anglo-Persian também desenvolveu uma frota de petroleiros. Suas próprias bases mudaram com essas transações. Até 1916-1917 mais de 80% de seus ativos fixos estavam na Pérsia; no ano fiscal seguinte essa proporção havia caído para apenas metade do total, estando o restante em petroleiros e no sistema de distribuição. A Anglo-Persian se tornara realmente uma companhia integrada.

Greenway tinha também um segundo objetivo, que perseguia não menos apaixonadamente: transformar a Anglo-Persian numa defensora do petróleo do Império Britânico. Reiterava sempre seu objetivo de converter a empresa no núcleo de uma "companhia totalmente inglesa (...) livre de cores estrangeiras de qualquer tipo" — referência óbvia à Royal Dutch-Shell. Revivia a "ameaça da Shell", atacando "as maquinações de sir Marcus e seus colegas para assegurar um monopólio mundial do comércio do petróleo". Vezes sem conta, Greenway e seus aliados acusaram a Royal Dutch-Shell de deslealdade aos interesses britânicos, de "obter grandes lucros com a venda de produtos do petróleo para a Alemanha" e de se ter tornado "uma grave ameaça nacional".[5]

Tais acusações eram injustas e falsas. Para o comerciante Deterding, que tinha se naturalizado e passara os anos da guerra em Londres, os seus próprios interesses e os da companhia que dirigia estavam profundamente identificados com os dos aliados. Quanto a Marcus Samuel, ele simplesmente era um veemente patriota inglês, e pagou por isso um bom preço. Um de seus dois filhos, que antes da guerra dirigia uma instituição para crianças pobres no East End de Londres, foi morto em ação na França quando comandava um pelotão. *In memoriam*, Samuel e sua mulher publicaram uma edição póstuma dos poemas do jovem. Além disso, um de seus genros morreu em ação e o outro foi morto depois da guerra em consequência dos efeitos da luta nas trincheiras.

O próprio Samuel arquitetou um audacioso plano que se revelou de importância crítica para o esforço de guerra britânico. Ordinariamente o tolueno, um ingrediente essencial do explosivo TNT, era extraído do carvão. Em 1903, um químico da Universidade de Cambridge descobriu que o tolueno também podia ser extraído em grandes quantidades do petróleo bruto de Bornéu, explorado pela Shell. Samuel tentou atrair o interesse do almirantado, mas este reagiu com muito ceticismo ao seu relatório e recusou a oferta de suprimentos que Samuel havia feito. Onze anos depois, no começo da guerra, a proposta voltou a ser feita e de novo a recusaram. Até mesmo quando soube que o TNT alemão quase certamente derivava do petróleo bruto de Bornéu, a armada não se interessou. Mas o quadro logo mudou. No final de 1914, a produção do tolueno baseado no carvão era insatisfatória, e a Inglaterra estava perigosamente na iminência de ficar sem explosivos. Precisava de tolueno de petróleo, mas não havia instalações para extraí-lo. A fábrica de tolueno extraído do petróleo, que deveria ter sido construída na Inglaterra pela Shell, acabara por ser implantada em Roterdam, na neutra Holanda, pelo braço holandês do grupo. Além do mais, era evidente que as companhias alemãs estavam usando a produção da fábrica de Roterdam para fazer o TNT.

Samuel e seus colegas conceberam um plano ousado, que rapidamente foi posto em prática. Em meio a uma noite do final de janeiro de 1915 a fábrica de Roterdam foi desmontada peça por peça, cada qual recebendo um número e camuflada, para serem transportadas até as docas e ali colocadas num navio de carga holandês, que deslizou na escuridão até encontrar em alto-mar os destróieres ingleses. Fez-se chegar aos agentes alemães, como vazamento, uma história segundo a qual haveria uma evacuação — e que ela ocorreria um dia depois do fato real. Nessa noite seguinte, por coincidência ou não, um navio de carga holandês foi torpedeado pelos alemães na entrada do porto de Roterdam. Enquanto isso, as peças da fábrica de tolueno eram transportadas para a Inglaterra e dentro de poucas semanas remontadas em Somerset. A fábrica, junto com uma outra que a Shell construiu depois, forneceu 80% do TNT consumido pelo exército. Em grande parte por esse feito, Samuel foi agraciado com um título de nobreza depois da guerra.

Apesar das suspeitas que Greenway sempre levantava quanto ao patriotismo da Royal Dutch-Shell, a companhia tornou-se essencial às realizações bélicas dos aliados; com relação ao petróleo, a Shell efetivamente agiu como chefe do serviço de intendência do exército, adquirindo e organizando no mundo inteiro os suprimentos para as forças britânicas e para todo o esforço de guerra, além de assegurar que os produtos solicitados a Bornéu, Sumatra e aos Estados Unidos fossem entregues no ponto final das linhas férreas e nos campos de aviação da França.

A Shell foi de importância capital para que a Inglaterra pudesse continuar a guerra. Os funcionários do governo, preocupados com o distanciamento com a Shell justamente quando ela era mais necessária, começaram a reagir negativamente aos contínuos ataques ao grupo desfechados por Greenway e sua tropa de apoio. Na verdade, ele exagerou tanto que, com o tempo, muitos membros do governo se voltaram contra a Anglo-Persian por sua causa. Desconfiavam da usurpação do manto de patriota e questionavam a sua estratégia de tentar construir uma companhia integrada com outros interesses além da Pérsia. Havia muita discussão e debate em Whitehall, enquanto os funcionários tentavam imaginar qual devia ser exatamente o objetivo do governo com essa companhia, da qual adquirira 51% das ações. Seria simplesmente, como disse um cético funcionário do Tesouro, "assegurar suprimentos para a armada" e nada mais? Ou seria para ajudar a criar uma companhia integrada de propriedade do Estado, uma paladina nacional, e então ajudar essa companhia a expandir os seus interesses comerciais pelo mundo afora? Alguns procuravam ligar as ambições comerciais da companhia às necessidades da Inglaterra no pós-guerra, vislumbrando uma época em que "a nação teria assegurado uma posição independente com relação ao petróleo, como acontece atualmente com o carvão". Mas em agosto de 1916 Arthur Balfour, assessor de Churchill como Primeiro Lorde do Almirantado, imaginava se o governo teria competência "para ser responsável pela política de uma imensa corporação que lida com a necessidade básica da vida moderna". Várias formas de fusão sancionadas pelo governo também foram debatidas, inclusive projetos para tornar a participação inglesa, e não a holandesa, predominante no Royal Dutch-Shell Group. Essas propostas no deram em nada durante a guerra. Havia questões muito mais urgentes e prementes a tratar.[6]

"Uma escassez de petróleo"

Até 1915 o suprimento de petróleo para alimentar as máquinas da guerra não causou muita ansiedade na Inglaterra. Mas isso mudou no começo de 1916. Em janeiro do mesmo ano, o *Times* noticiou uma "escassez de petróleo". E em maio clamou por "uma definição exata de onde acaba a motorização para fins mais sérios", acrescentando que "talvez fosse necessário abolir totalmente o hábito de 'dirigir para se divertir'", "em face das exigências da guerra".

As razões daquela emergente crise de petróleo eram duas. Uma foi a crescente diminuição da tonelagem dos navios — devido à ação dos submarinos alemães —, com a redução da oferta de petróleo, assim como de todas as matérias-primas e alimentos, para as ilhas britânicas. O motor de combustão interna tinha dotado a Alemanha de sua única vantagem incontestável no mar — o submarino movido a diesel. E, reagindo ao bloqueio econômico que a Inglaterra lhe impôs e à superioridade global dos ingleses nos mares, a Alemanha criou submarinos mortíferos para as suas operações de guerra, destinados a eliminar os suprimentos para as ilhas Britânicas, assim como para a França. A outra razão para a crise foi o rápido crescimento da demanda de óleo — para atender às necessidades do período de guerra tanto no campo de batalha quanto no *front* interno. Temendo a escassez, o governo instituiu um sistema de racionamento. O alívio foi apenas temporário.

A pressão sobre o abastecimento voltou no início de 1917, quando a Alemanha, com seus submarinos, desencadeou uma ação ilimitada contra os navios aliados. Em última análise essa campanha se revelou um erro de imensas proporções, pois levou os Estados Unidos a abandonar a sua neutralidade e declarar guerra contra a Alemanha. De qualquer modo, os efeitos dos ataques dos submarinos foram grandes e se fizeram sentir rapidamente. A tonelagem perdida na primeira metade de 1917 foi o dobro da perdida no mesmo período do ano anterior. De maio a setembro, a Standard Oil of New Jersey perdeu seis petroleiros, inclusive o *John D. Archbold*, novinho em folha. Entre os muitos navios-tanques que a Shell perdeu durante a guerra estava o *Murex*, o primeiro navio despachado por Marcus Samuel para o canal de Suez, em 1892, para realizar o seu grande golpe. A política do almirantado era manter um estoque para seis meses de consumo, mas no final de maio de 1917 o óleo armazenado não atingia a metade desse nível, e já a queda dos estoques de petróleo estava limitando a mobilidade da Armada Real. A situação tornara-se tão grave que até mesmo se sugeriu que a Armada Real parasse de fabricar navios propelidos a óleo e retornasse ao carvão.[7]

A grave escassez de 1917 impulsionou fortemente os esforços oficiais da Inglaterra a desenvolver uma coerente política nacional de petróleo. Vários comitês e órgãos, inclusive um Poder Executivo do Petróleo, foram criados para coordenar a política do petróleo — tanto para contribuir para um melhor desempenho na guerra quanto para conseguir que no pós-guerra a Inglaterra ficasse numa posição mais destacada com relação ao petróleo. O governo francês também criou um Comité Général du Pétrole, inspirado no Poder Executivo do Petróleo da Inglaterra e dirigido por um senador, Henry G. Bérenger, para enfrentar a crise que se agravava. E em ambos os países se reconheceu que a única solução real para a crise seria encontrada nos Estados Unidos. Os navios-petroleiros eram a chave para o problema do suprimento.

Expediram-se de Londres para os Estados Unidos telegramas qualificados de "desesperados", que declaravam que a Armada Real poderia ser imobilizada, deixando "a frota fora de ação", a menos que o governo dos Estados Unidos pusesse à disposição mais tonelagem. "Os alemães estão sendo bem-sucedidos", escreveu desesperado em julho de 1917 o embaixador americano em Londres. "Ultimamente eles afundaram tantos navios carregados de óleo combustível que bem cedo este país poderá ficar numa situação muito perigosa — até mesmo a Grande Armada poderá não ter óleo suficiente (...) É um perigo muito grave." No outono de 1917, a Inglaterra estava com um estoque extremamente reduzido. "Neste momento, o óleo talvez seja mais importante que qualquer outra coisa", advertiu Walter Long, secretário de Estado para as Colônias, em outubro, à Câmara dos Comuns. "Pode-se ter homens, munições e dinheiro, mas se não se tem óleo, que hoje é a grande força motriz, todas as demais vantagens com que se conta são de pouco valor." Naquele mesmo mês, os passeios de carro foram sumária e completamente proibidos.

A posição da França com respeito ao óleo também estava se deteriorando rapidamente em face da campanha sem limites dos submarinos alemães. Em dezembro de 1917, o senador Bérenger advertiu ao primeiro-ministro Georges Clemenceau que o país poderia ficar sem petróleo em março de 1918 — exatamente quando se pretendia iniciar uma ofensiva de primavera. Os estoques estavam tão reduzidos que a França não poderia enfrentar mais que três dias de ataque pesado por parte dos alemães, do tipo do que ocorrera em Verdun, onde comboios intermináveis de caminhões foram necessários para levar reservas às pressas até o *front* e resistir ao ataque alemão. No dia 15 de dezembro, Clemenceau fez um apelo dramático ao presidente Wilson, no sentido de que ele pusesse imediatamente à disposição petroleiros que totalizassem uma capacidade de 100 mil toneladas. Declarando que a gasolina era "tão vital quanto o sangue nas próximas batalhas", ele disse a Wilson que "um colapso no suprimento de gasolina resultaria na imediata paralisação de nossos exércitos". E foi ameaçador: acrescentou que uma escassez poderia até mesmo "nos empurrar na direção de uma paz desfavorável para os aliados". Wilson logo respondeu, e a tonelagem necessária foi rapidamente posta à disposição.

Era necessário mais do que soluções *ad hoc*. A crise do óleo já estava empurrando os Estados Unidos e os aliados europeus a uma integração mais estreita nas atividades de suprimento. Uma Conferência de Petróleo Interaliada reuniu-se em fevereiro de 1918 para juntar, coordenar e controlar todos os suprimentos e petroleiros. Seus membros eram os Estados Unidos, a Inglaterra, a França e a Itália. Ela se revelou eficaz na distribuição dos suprimentos disponíveis entre as nações aliadas e suas forças militares. Pela própria natureza do domínio que exerciam no comércio internacional de petróleo, entretanto, foram a Standard Oil of New Jersey e a Royal Dutch-Shell que realmente fizeram o sistema funcionar — apesar de cada qual sustentar que a sua contribuição tinha sido maior. Esse sistema conjunto — aliado à introdução de comboios como antídoto aos submarinos alemães — resolveu os problemas de suprimento dos aliados até o final da guerra.[8]

O *czar* da energia

A criação da Conferência de Petróleo Interaliada foi uma resposta aos problemas internos de energia dos Estados Unidos. Era evidente que o petróleo americano havia se tornado um elemento essencial na condução da guerra europeia. Em 1914, os Estados Unidos tinham produzido 266 milhões de barris — 65% da produção mundial. Em 1917, a produção elevou-se para 335 milhões de barris — 67% do total mundial. As exportações representavam um quarto do total produzido nos Estados Unidos, indo a maioria para a Europa. Agora que o acesso à Rússia havia sido fechado pela guerra e pela revolução, o Novo Mundo tinha se tornado o celeiro do Velho; no total, os Estados Unidos entravam com 80% das necessidades bélicas de petróleo dos aliados.

A entrada dos Estados Unidos na guerra complicou bastante o quadro americano do petróleo. A quantidade do suprimento precisava satisfazer a muitos propósitos — o exército americano, as Forças Aliadas, a indústria bélica americana e o uso civil normal. Como seria possível assegurar abastecimento suficiente, distribuição eficiente e destinação apropriada? Essa se tornou a tarefa da Administração de Combustível, criada pelo presidente Wilson, em agosto de 1917, como parte da mobilização econômica global. Todos os Estados beligerantes enfrentaram um desafio semelhante — atrelar às exigências da guerra moderna as economias industriais surgidas ao longo do meio século anterior. Em cada país a necessidade de mobilização ampliou o papel do Estado na economia e criou novas alianças entre o governo e as empresas particulares. Os Estados Unidos e a indústria do petróleo americana não constituíam exceção.

O chefe da Divisão de Petróleo da Administração do Combustível era um engenheiro de petróleo californiano chamado Mark Requa, que se tornou o primeiro *czar* da energia. A sua principal tarefa era inventar uma relação de trabalho, nova e sem precedentes, entre o governo e a indústria de petróleo. A Divisão de Petróleo atuava em ligação estreita com o Comitê Nacional de Petróleo para o Serviço de Guerra, cujos membros eram os líderes das principais companhias e que tinha como presidente Alfred Bedford, presidente da Standard Oil of New Jersey. Foi esse comitê que organizou o suprimento de óleo americano para a guerra na Europa. Ele transmitia aos refinadores americanos as ordens mais importantes dos governos aliados e teve um papel central na organização do embarque. Em essência, era do lado americano o órgão que reunia os fornecimentos de óleo para a Europa. Esse novo padrão de colaboração estreita entre a empresa privada e o governo marcava um grande contraste com a batalha de apenas uma década atrás entre o governo e a Standard Oil. A degradação do truste parecia bem distante, com a indústria se obrigando agora a caminhar como um único corpo, sob a liderança da outrora odiada Standard Oil of New Jersey.[9]

Em 1917, a crescente demanda pelo óleo americano começou a atingir o limite do estoque disponível. A lacuna estava sendo preenchida apenas pelo uso dos estoques e pelo aumento da importação de óleo do México. Culminando tudo isso, o inverno rigorosíssimo de 1917-1918 e o ritmo geral da atividade industrial se combinaram para criar uma escassez de carvão nos Estados Unidos — tão grave que os funcionários locais requisitavam compulsoriamente os trens a carvão que passavam por sua jurisdição e os policiais tinham de montar guarda ao lado dos montes de carvão destinados à indústria para impedir seu furto. Os orfanatos e os asilos ficaram sem combustível e os internos morriam de frio. Até mesmo os ricos, batendo os dentes, se queixavam dos depósitos de carvão vazios. Em janeiro de 1918, a Administração de Combustível mandou quase todas as fábricas a leste do Mississipi paralisarem suas atividades por uma semana a fim de liberar o combustível para centenas de navios cheios de material bélico destinados à Europa, imobilizados nos portos da Costa Leste por falta de carvão. Depois, as fábricas foram obrigadas a se manter fechadas às segundas-feiras para economizar carvão. "O hospício abriu as portas", observou o coronel Edward House, confidente político de Woodrow Wilson. "Nunca vi uma tal tempestade de protestos."

A escassez de carvão estimulou um agudo aumento da demanda de óleo, e consequentemente o preço subiu. No início de 1918, o preço médio do petróleo bruto era o dobro do que fora no início de 1914. Os refinadores ofereciam bônus e gratificações para conseguir obter suprimentos, ao passo que os produtores retinham o suprimento, esperando que o preço subisse ainda mais. O governo estava bastante alarmado com essa situação. No dia 17 de maio de 1918, Requa, o *czar* da energia, advertiu à indústria que não havia "nenhuma justificativa" para "qualquer elevação posterior no preço do óleo cru" e pediu controles "voluntários" de preço por parte da indústria de petróleo. A Standard Oil of New Jersey concordava com esse apelo para a contenção do preço. Mas os produtores independentes não. Caso, porém, os controles "voluntários" não se verificassem, informou Requa sem rodeios a um grupo de produtores de Tulsa, haveria controle direto do governo. De mais a mais, informou ele, era o governo que ajudava os produtores a obter ferro e outros suprimentos necessários à perfuração (a indústria petrolífera consumia um doze avos de toda a produção de ferro e aço), e era o governo que concedia dispensa do serviço militar aos trabalhadores dos campos petrolíferos. Esses argumentos foram persuasivos. Em agosto de 1918, fixaram-se preços máximos em cada região produtora e os preços acabaram por manter o nível pelo resto do ano.

A procura continuava superior à oferta, não só devido à guerra, mas também por causa do fantástico crescimento do número de automóveis nos Estados Unidos. A frota automobilística em uso quase dobrou entre 1916 e 1918. A escassez de petróleo parecia iminente, podendo ameaçar o esforço de guerra na Europa e restringir atividades essenciais nos Estados Unidos. Fez-se um "apelo" — e não uma ordem obrigatória para os "Domingos sem gasolina". Os únicos dispensados eram as transportadoras de cargas, os médicos, a polícia, veículos de emergências e carros fúnebres. O apelo, como não podia deixar de ser, suscitou desconfiança e queixas, mas de modo geral foi fielmente observado, até mesmo na Casa Branca. "Acho", declarou o presidente Wilson, "que preciso ir a pé à igreja".[10]

O homem da marreta

Apesar dos periódicos alarmes e dos momentos críticos de escassez de suprimento, os aliados nunca sofreram uma crise de petróleo prolongada. A Alemanha sofreu quando o bloqueio dos aliados conseguiu cortar o suprimento que ela buscava além-mar. Isso lhe deixava apenas uma fonte — a Romênia, que mesmo tendo uma produção pequena, se considerada em escala mundial, era o maior produtor europeu depois da Rússia. A Alemanha dependia bastante da Romênia. As atividades do Deutsche Bank e de outras empresas já haviam, antes da guerra, ligado à economia alemã uma parcela significativa da indústria petrolífera romena. Durante os dois primeiros anos da guerra, a Romênia permaneceu neutra, esperando para ver que lado tinha mais probabilidade de vencer. Finalmente, em agosto de 1916, na esteira do sucesso russo no *front* oriental, ela declarou guerra contra a Áustria-Hungria, o que quase imediatamente resultou no estado de guerra também com a Alemanha.

A vitória nesse palco oriental era essencial para a Alemanha. "Como vi muito claramente agora, não seríamos capazes de viver, e muito menos de levar avante uma guerra, sem o milho e o petróleo da Romênia", disse o general Erich Ludendorff, o verdadeiro mentor da campanha de guerra da Alemanha. As tropas alemãs e austríacas avançaram sobre a Romênia em setembro de 1916, mas os romenos se entrincheiraram e conseguiram defender as passagens das montanhas que protegiam a planície de Valáquia, onde se concentrava a produção de petróleo. Em meados de outubro, os alemães e os austríacos capturaram uma grande quantidade de produtos do petróleo, inclusive um depósito secreto de gasolina pertencente aos aliados, no porto de petróleo romeno do mar Negro. Havia um plano de destruir todas as instalações e os suprimentos de petróleo, mas na confusão da batalha ele nunca foi executado. E agora o grande prêmio — os campos petrolíferos e as refinarias da Romênia — parecia quase ao alcance dos alemães.

Poderia se impedir aos alemães de fazê-lo? Em 31 de outubro de 1916 o assunto foi discutido em Londres, em caráter de urgência, pelo Comitê de Guerra do Gabinete Britânico. "Todo esforço deve ser envidado para assegurar, em caso de necessidade, a destruição dos estoques de cereais e petróleo, bem como dos poços de petróleo", concluiu o Comitê. No entanto, o governo romeno estava relutante em assumir a destruição de suas riquezas nacionais, especialmente enquanto houvesse alguma esperança nos campos de batalha. Esta esperança esvaiu-se em 17 de novembro, quando os alemães lograram romper a resistência romena localizada nos desfiladeiros e começaram a penetrar pelas montanhas e através da planície valaquiana.

O governo britânico tomou a si a questão e recrutou o coronel John Norton-Griffiths, membro do Parlamento, para planejar a destruição da indústria petrolífera romena. Uma figura exagerada, Norton-Griffiths era um dos grandes empreiteiros do Império Britânico; empreenderam-se projetos de construção em quase todos os cantos do mundo — ferrovias em Angola, no Chile e na Austrália, portos no Canadá, aquedutos em Baku, sistemas de esgoto em Battersea e Manchester. Às vésperas da I Guerra Mundial, estava às voltas com o planejamento de um novo metrô em Chicago. Bonito, com um físico imponente e dotado da força e resistência de um boxeador, Norton-Griffiths era um fanfarrão encantador e um showman empolgante. Os homens investiam em seus projetos, as mulheres eram atraídas por ele. Considerado "um dos homens mais arrojados da era eduardiana", era também um indivíduo de temperamento feroz, de natureza rebelde e fúrias incontroláveis. Não tinha disciplina nem perseverança, e alguns de seus projetos foram fracassos financeiros espetaculares. Mas conseguiu alcançar proeminência por suas interpelações no Parlamento, sendo conhecido por "Jack Fogo do Inferno", "O Homem do Macaco" (por ter comido um macaco quando estava na África) e — quando se converteu num rematado imperialista — pelo apelido que mais apreciava: "Jack Império".

O primeiro grande feito de engenharia de Norton-Griffith durante a I Guerra Mundial foi o de adaptar técnicas que ele já havia desenvolvido para o esgoto de Manchester, para o desafio da construção de túneis sob as linhas e trincheiras alemãs, onde se colocariam minas subterrâneas a serem posteriormente detonadas. Seus métodos foram testados em Ypres. Mas tinha se indisposto com muitos comandantes quando percorreu Flandres em seu Rolls-Royce de duas toneladas, permanentemente suprido de engradados de champanhe, e foi chamado de volta ao *front*. Porém não havia ninguém mais ajustado para a missão romena. Em 18 de novembro de 1916, dia seguinte ao da transposição pelos alemães das linhas romenas, Jack Império chegou a Bucareste via Rússia, acompanhado somente de seu criado. Com os alemães continuando o seu avanço, o governo romeno, sob a pressão dos aliados, finalmente se rendeu à política de destruição.

As equipes de destruição puseram-se em ação, com Jack Império à frente. Os primeiros campos transformaram-se em chamas nos dias 26 e 27 de novembro. Em cada local as equipes seguiam o mesmo procedimento geral. Os explosivos eram colocados nas refinarias. Os produtos de petróleo ali estocados eram derramados, criando lagos de até mais de dois palmos de profundidade. O equipamento era trazido e mergulhado nas piscinas de óleo. Com fósforos e pedaços de palha acesa, punha-se fogo em todas as instalações. Os que desafiaram Norton-Griffiths ou se puseram no seu caminho foram sobrepujados pela pura força de sua personalidade.

Caso isso não fosse suficiente, daria um forte pontapé ou sacaria o revólver e gritaria: "Eu não falo a sua maldita língua".

O aparato dos campos foi destruído; dinamitaram-se torres; foram tapados poços com pedras, pregos, lama, correntes quebradas, pedaços de brocas e o que estivesse à mão; os oleodutos foram inutilizados; e enormes tanques de armazenamento foram incendiados, explodindo com grandes estrondos. Em algumas instalações de óleo, Jack Império insistiu em que ele próprio devia pôr fogo. Numa casa de máquinas, depois de acender os gases inflamáveis, o deslocamento do ar no momento da explosão levou-o para os ares, o cabelo em fogo. Isso não o deteve. Por vezes e mais vezes, Norton-Griffiths liderou a ação brandindo um enorme martelo para destruir torres e oleodutos, deixando na Romênia a indelével lembrança do "homem da marreta".

Os vales do petróleo estavam ardendo, com chamas vermelhas se elevando bem alto num céu totalmente tomado por uma fumaça densa, negra e asfixiante que toldava o sol. Para além dos vales, podia-se ouvir o som de armas pesadas, cada vez mais perto. O último campo incendiado foi Ploesti. O trabalho terminou na hora certa. Em 5 de dezembro, apenas poucas horas após os prédios terem sido envoltos em chamas, os alemães entraram na cidade de Ploesti. Norton-Griffiths quase não conseguiu escapar de carro, bem à frente da cavalaria alemã. "Devastar a terra foi a sua missão", disse, mas, sendo um edificador, a destruição o contrariava, e, apesar de ter recebido honras militares por seus esforços, anos mais tarde demonstraria um constrangimento atípico de sua personalidade ao falar dessa façanha.

Após a guerra, o general Ludendorff admitiu que os esforços de Norton-Griffiths "reduziram materialmente os suprimentos de petróleo de nosso exército e do país". O general alemão acrescentou rancoroso: "Em parte devemos a ele nossa escassez". No total umas setenta refinarias e cerca de 800 mil toneladas de petróleo bruto e de derivados foram destruídos na Romênia sob a orientação de Norton-Griffiths. Os alemães precisaram de cinco meses para voltar a pôr os campos em condição de produzir, e durante todo o ano de 1917 a produção foi apenas um terço do que havia sido em 1914. Os alemães aplicaram-se metodicamente a desfazer o trabalho de Norton-Griffiths e, em 1918, conseguiram que a produção chegasse a 80% do nível de 1914. O petróleo romeno era extremamente necessário. Os alemães poderiam não ser capazes de continuar a guerra sem ele. Como observou mais tarde um historiador do Comitê da Defesa Imperial Britânica, o resgate em tempo da indústria petrolífera romena pelos alemães e o cereal romeno "simplesmente fizeram a diferença entre a escassez e o colapso". Mas apenas por algum tempo.[11]

Baku

Ao mesmo tempo que os alemães conseguiam pôr novamente em operação os campos romenos, o general Ludendorff voltava os olhos para um grande prêmio, que poderia ajudar a atender a enorme e cada vez maior necessidade de petróleo, virando assim a maré da batalha a favor da Alemanha. Era Baku, nas praias do mar Cáspio. O colapso do regime czarista no início de 1917, a ascensão dos bolcheviques mais tarde no mesmo ano e a fragmentação do Império Russo — tudo isso fazia os alemães vislumbrarem com alguma esperança a possibilidade de pôr as mãos nos suprimentos de petróleo de Baku. Eles começaram a procurar o acesso ao petróleo de Baku em março de 1918 com o Tratado de Brest-Litovsk, que cessou as hostilidades entre a Alemanha e a Rússia revolucionária. Entretanto, os turcos, aliados da Alemanha e da Áustria, já tinham começado a avançar sobre Baku. Temendo que o sucesso de seus aliados levasse a uma inconsequente destruição dos campos petrolíferos, os alemães prometeram aos bolcheviques que tentariam conter os turcos em troca de petróleo. "Claro que concordamos", disse Lênin. Joseph Stálin, a essa altura já um dos líderes bolcheviques, telegrafou ao Soviete Bolchevique de Baku, que controlava a cidade, ordenando-lhe atender ao "pedido". Mas os bolcheviques locais não estavam dispostos a ceder. "Quer eles vençam, quer sejam derrotados, jamais daremos aos saqueadores alemães uma gota do petróleo produzido pelo nosso trabalho", foi a sua resposta.

Os turcos, na sua busca pelo prêmio de Baku, ignoraram as solicitações de Berlim e continuaram a avançar em direção à região petrolífera. No final de julho, eles estavam cercando a cidade e no início de agosto tinham tomado alguns campos petrolíferos. Os armênios e russos residentes em Baku há muito vinham implorando ajuda aos ingleses. Em meados de agosto de 1918, finalmente, os ingleses intervieram com uma pequena força que abriu caminho pela Pérsia. As tropas foram encarregadas de salvar Baku e de tomar o petróleo do inimigo. Se necessário, deviam (nas palavras do Ministério da Guerra) seguir o plano romeno e "destruir as instalações de extração, os oleodutos e os reservatórios de óleo".

Os ingleses ficaram em Baku apenas um mês, mas foi o suficiente para no momento crítico impedir que os alemães chegassem ao petróleo dali. Foi, diria Ludendorff, "um duro golpe para nós". Os ingleses então se retiraram e os turcos capturaram a cidade. No turbilhão, os muçulmanos locais, instigados pelos turcos, novamente — como no período revolucionário de 1904 —, começaram a pilhar e a destruir, matando no curso dessa ação todos os armênios que pudessem encontrar, até mesmo os que estivessem no hospital. Enquanto isso, comissários bolcheviques do soviete de Baku foram capturados por rivais revolucionários. Vinte e seis deles foram levados até um local isolado no deserto, 224 quilômetros a leste do mar Cáspio, e lá executados. Um dos poucos que escaparam foi um jovem armênio chamado Anastás Mikoian, que mais tarde viajaria até Moscou para dizer a Lênin o que havia acontecido. Mas à época que os turcos tomaram Baku já era muito tarde para fazer algo em favor dos alemães e de seu suprimento de petróleo.[12]

Flutuando para a vitória

Naquela conjuntura, a Alemanha sofreu um golpe decisivo por ter perdido Baku. A pressão sobre o suprimento de petróleo alemão estava ficando ainda mais aguda. Lá pelo terrível mês de outubro de 1918, o quadro era sinistro. O exército alemão tinha apenas reservas esgotadas exauridas e o Alto Comando Alemão estava antecipando uma grave crise de petróleo para o inverno e a primavera que se aproximavam. Em outubro estimava-se em Berlim que a batalha no mar podia continuar apenas por seis ou oito meses. A indústria bélica que operava a óleo ficaria sem suprimento em dois meses; todo o estoque de lubrificantes industriais estaria esgotado em seis meses. Operações terrestres limitadas poderiam ser levadas a efeito com os suprimentos existentes em base de estrito racionamento. Entretanto, as operações aéreas e as terrestres mecanizadas teriam de cessar por completo dentro de dois meses.

A exatidão dessas estimativas nunca foi testada, pois dentro de um mês a Alemanha, exausta, rendia-se. O armistício foi assinado às cinco horas da manhã do dia 11 de novembro de 1918, no vagão do marechal Foch, na floresta de Compiègne. Seis horas depois, ele estava em vigor. A guerra tinha acabado.

Em Londres, uns dez dias depois do armistício, o governo inglês ofereceu um jantar para a Conferência de Petróleo Interaliada, em Lancaster House, com o ilustre Lorde Curzon na presidência. Ele foi certa vez o grande especialista em questões persas do Ministério das Relações Exteriores; fora vice-rei da Índia, e nessa condição apoiara em termos estratégicos o empreendimento petrolífero de D'Arcy na Pérsia. Fora membro do Gabinete de Guerra e dentro em breve seria secretário do Exterior. Durante o jantar levantou-se para dizer aos convidados que "uma das coisas mais espantosas" que vira na França e em Flandres durante a guerra "fora o incrível exército de táxis". E declarou retumbante: "A causa aliada flutuou para a vitória sobre uma onda de óleo".

O senador Bérenger, diretor do Comité Général du Pétrole, foi mais eloquente. Falando em francês, disse que o petróleo — "o sangue da terra" — foi "o sangue da vitória (...) A Alemanha se jactou demasiadamente de sua superioridade em ferro e em carvão, mas não deu a devida importância à nossa superioridade em petróleo". Bérenger tinha também uma profecia a fazer. Continuando em francês, disse: "Como o petróleo foi o sangue da guerra, ele será do mesmo modo o sangue da paz. Nessa hora, no início da paz, nossas populações civis, nossas indústrias, nosso comércio, nossos fazendeiros estão pedindo mais petróleo, sempre mais petróleo, mais gasolina, sempre mais gasolina". Passou então para o inglês a fim de tornar evidente este ponto: "Mais petróleo, sempre mais petróleo!".[13]

CAPÍTULO X

Abrindo a porta do Oriente Médio: a Companhia Turca de Petróleo

UNS DEZ DIAS DEPOIS DE CURZON E BÉRENGER terem erguido a taça para brindar ao sangue da vitória, o premiê francês Georges Clemenceau foi a Londres pagar uma visita do primeiro-ministro inglês, David Lloyd George. As armas já estavam em silêncio há umas três semanas e os problemas do pós-guerra não podiam ser adiados. Eram questões importantes e inescapáveis: como fazer a paz e como reorganizar um mundo cambaleante. O petróleo agora estava inextricavelmente ligado à política do pós-guerra. Clemenceau e Lloyd George tinham em mente esse tópico quando desfilavam de carro pelas ruas de Londres, onde uma entusiasmada multidão os aplaudia. A Inglaterra queria afirmar a sua influência sobre o que se conhecia vagamente como Mesopotâmia, as províncias do agora falecido Império Turco Otomano que mais tarde viriam a ser conhecidas como Iraque. Acreditava-se que a região tinha muito boas perspectivas de petróleo. No entanto, parte dela, precisamente Mosul, a noroeste de Bagdá, era reivindicada pela França.

O que a Inglaterra queria especificamente? Essa foi a pergunta que Clemenceau fez quando, por fim, os dois homens chegaram à embaixada da França.

A França desistiria de suas pretensões sobre Mosul, respondeu Lloyd George, se a Inglaterra reconhecesse o controle francês sobre a vizinha Síria?

Clemenceau respondeu que sim — desde que a França tivesse uma participação na produção de petróleo de Mosul.

Lloyd George concordou com isso.

Nenhum dos dois primeiros-ministros se preocupou em informar esses acertos aos respectivos ministros das Relações Exteriores. Na verdade, o entendimento verbal informal que eles haviam tido não era de modo algum um acordo; era o começo da grande luta do pós-guerra para a obtenção de novas fontes de petróleo no Oriente Médio e em todo o mundo. Essa luta lançaria os franceses contra os ingleses, mas também arrastaria os americanos. A competição por novos campos petrolíferos não mais seria essencialmente uma batalha entre empresários dispostos a assumir riscos e homens de negócios agressivos. A I Grande Guerra deixara absolutamente claro que o petróleo se tornara um elemento essencial da estratégia das nações; e os políticos e burocratas, de quem não se poder dizer que até então estivessem ausentes, agora se arremessavam ao centro da luta, atraídos para a competição por uma percepção comum — a de que o mundo do pós-guerra requereria uma quantidade de petróleo cada vez maior para a prosperidade econômica e o poderio nacional.[1]

A luta se centraria naquela região específica — a Mesopotâmia. Na década anterior à guerra, ela já havia sido objeto de uma intricada competição diplomática e comercial pelas concessões de petróleo, estimulada por relatórios favoráveis sobre o seu potencial petrolífero. A disputa havia sido encorajada pelo dilapidado Império Turco, sempre com obrigações financeiras vencidas e ansioso por encontrar novas maneiras de gerar rendas. Um ator dos anos que antecederam a guerra foi um grupo alemão liderado pelo Deutsche Bank, que queria projetar a influência e as ambições alemãs sobre o Oriente Médio. Em posição de ataque contra ele colocava-se um grupo rival, patrocinado por William Knox D'Arcy e posteriormente fundido com a Anglo-Persian Oil Company. Era defendido pelo governo inglês como um contrapeso à Alemanha.

Em 1912, o governo inglês ficou alarmado ao descobrir um novo ator em cena. Chamava-se Companhia Turca de Petróleo e soube-se que o Deutsche Bank tinha transferido para essa entidade sua reivindicação por uma concessão. O Deutsche Bank e a Royal Dutch-Shell detinham cada um 25% da nova companhia. A participação maior, metade do total da empresa, era detida pelo Banco Nacional Turco, que por acaso, ironicamente, era um banco com controle britânico que a Inglaterra estabelecera na Turquia para promover seus interesses econômicos e políticos. Mas havia um outro ator, um homem que seria admirado por alguns como o "Talleyrand da diplomacia do petróleo" e escarnecido por outros, um milionário armênio chamado Calouste Gulbenkian. Foi ele quem constituiu a totalidade da Companhia Turca de Petróleo. Uma observação mais atenta revelou ser ele o silencioso proprietário de 30% do Banco Nacional da Turquia, o que o tornava proprietário de 15% da Companhia de Petróleo Turca.[2]

O sr. Cinco por Cento

Calouste Gulbenkian pertencia à segunda geração de sua família no negócio de petróleo. Era filho de um rico negociante de petróleo e banqueiro que havia erigido a sua fortuna como importador de querosene russo para o Império Otomano e recompensado pelo sultão com a administração de um porto do mar Negro. A família, na verdade, morava em Constantinopla, e lá ocorreu a primeira transação comercial de Calouste. Tendo ganho, aos sete anos, uma moeda de prata turca, o garoto foi com ela até o bazar não para comprar um pirulito, como seria de esperar, mas para trocá-la por uma moeda antiga. (Mais tarde ele viria a ter uma das maiores coleções de moedas de ouro, e seu prazer foi muito especial quando adquiriu a soberba coleção de J.P. Morgan de moedas de ouro gregas.) Antipatizado pelos colegas de escola — em toda a sua vida nunca haveria um grande amor desperdiçado entre ele e o resto da humanidade —, o jovem Calouste frequentemente passava a tarde no bazar, ouvindo os homens fechar negócios, algumas vezes ele próprio fazendo pequenos negócios, assimilando a arte da negociação oriental.

Calouste foi mandado a Marselha para fazer a escola secundária e aperfeiçoar o francês, e depois ao King's College de Londres, onde estudou engenharia de minas e escreveu uma tese sobre a tecnologia da nova indústria de petróleo. Em 1887, aos 19 anos, formou-se com distinção em engenharia. Um professor do King's propôs que o jovem estudante armênio, obviamente talentoso, fosse estudar física na França, mas seu pai rejeitou a sugestão. Disse que a ideia era uma "tolice acadêmica". Em lugar disso mandou-o para Baku, de onde provinha em grande parte a fortuna da família. O jovem ficou fascinado pela indústria de petróleo, que pela primeira vez via. Foi inclusive ensopado por um jorro, mas sendo o petróleo "agradável e consistente" ele não se aborreceu com a experiência. Apesar de brindar ao regresso, nunca se preocupou em visitar novamente a terra do petróleo.

Em 1889, Gulbenkian escreveu para uma importante revista francesa uma série altamente considerada de artigos sobre o petróleo russo. Em 1891, publicou os artigos em prestigioso livro — tornando-se, aos 21 anos, um perito mundial em petróleo. Quase imediatamente depois, dois funcionários do sultão turco lhe pediram que investigasse as perspectivas de petróleo na Mesopotâmia. Ele não visitou a área — nunca o fez —, mas elaborou um competente relatório baseado em estudos de outros especialistas e nas conversas com engenheiros ferroviários alemães. Afirmou, por fim, que a região tinha um grande potencial de petróleo. Os funcionários turcos ficaram persuadidos. Ele também estava. E assim começou a devoção de Calouste Gulbenkian ao petróleo, que duraria toda a sua vida e à qual se entregaria com extraordinária dedicação e tenacidade durante seis décadas.

Em Constantinopla, Gulbenkian tentou vários empreendimentos comerciais, inclusive a venda de tapetes, porém nenhum deles foi particularmente bem-sucedido. Na realidade, ele dominava a arte do bazar — o comércio e os negócios, a intriga, a gorjeta e a aquisição de informações que possam ter um uso vantajoso. Também desenvolveu a paixão pelo trabalho, assim como a capacidade de visão e grandes habilidades como negociador. Sempre que podia, controlava a situação. Mas quando isso lhe era impossível, seguia um velho provérbio árabe que gostava de citar: "Deve-se beijar a mão em que não se pode bater". Nesses primeiros anos de negócios em Constantinopla, Gulbenkian também cultivava a paciência e a perseverança, que alguns disseram ser seus maiores patrimônios. Ele não tendia a arredar pé. "Era mais fácil", disse alguém posteriormente, "afastar o granito do que o sr. Gulbenkian".

Gulbenkian tinha outra qualidade. Era total e completamente desconfiado. "Nunca conheci alguém tão inclinado a suspeitar", disse *sir* Kenneth Clark, crítico de arte e diretor da National Gallery de Londres, que, no fim da vida de Gulbenkian, o ajudou em sua coleção de arte. "Nunca vi alguém que fosse a tais extremos. Sempre tinha pessoas espionando para ele." Era capaz de pedir a dois ou três peritos diferentes que avaliassem uma peça de arte antes de comprá-la. Na verdade, à medida que envelhecia, Gulbenkian ia sendo tomado por uma obsessão: superar um avô que vivera 106 anos e até o final empregara duas equipes diferentes de médicos, pois assim podia checar uma contra a outra.

Talvez essa desconfiança fosse um mecanismo de sobrevivência necessário para um armênio que vivia precariamente entre a oportunidade e a perseguição nos últimos anos do Império Otomano. Foi em 1896, durante um dos massacres de armênios, que o governo turco aprovava, que Gulbenkian fugiu de barco para o Egito. Tornou-se de grande valia para dois armênios poderosos — um milionário do petróleo de Baku e Nubar Pasha, que ajudava a governar o Egito. Essas ligações lhe abriram as portas do petróleo e das finanças internacionais, e ele teve condições de se estabelecer em Londres como representante de vendas do petróleo de Baku.

Uma vez em Londres, Gulbenkian encontrou e se associou aos irmãos Samuel e a Henri Deterding. Seu filho Nubar mais tarde escreveu que o pai "e Deterding foram muito próximos durante vinte anos. Nunca se saberá (...) se no final foi Deterding que usou meu pai ou se meu pai usou Deterding. De qualquer modo, a associação foi muito prolífica tanto para eles como indivíduos quanto para o Royal Dutch-Shell Group como um todo". Para a Shell, Gulbenkian levou negócios, sobretudo aquisições, e conseguiu financiamentos.

Uma das primeiras transações que ele ofereceu foi a concessão persa, em seguida adquirida por D'Arcy. Ele e Deterding haviam visto o projeto original da concessão, mostrado em Paris pelo armênio Kitabgi, mas o rejeitaram porque, disse mais tarde Gulbenkian, "era um poço em área muito inexplorada e parecia tão arriscado que concluímos ser um negócio para jogador". Mais tarde, considerando pesarosamente o crescimento da Anglo-Persian desde então, ele formulou uma divisa: "Nunca desista de uma concessão de petróleo" — esse seria um princípio orientador para o resto de sua vida. Pôde aplicá-lo, primeiramente, com uma implacável tenacidade através de muitas atribulações, pertinho da Pérsia, na Mesopotâmia. Em 1907, persuadiu os Samuels a abrir um escritório em Constantinopla sob sua responsabilidade. Àquela época o sentimento antiarmênio havia arrefecido e ele estava ocupadíssimo. Além de perseguir muitos outros interesses mercantis, era conselheiro para assuntos de finanças do próprio governo turco e para as embaixadas da Armênia em Londres e em Paris, e era importante acionista do Banco Nacional Turco. Foi a partir dessa base que trouxe os interesses rivais ingleses e alemães, e mais tarde também a Royal Dutch-Shell, para a entidade chamada Companhia Turca de Petróleo — uma tarefa que requeria grande delicadeza e que, em suas palavras, "de modo algum era fácil".[3]

A partir de 1912, nascida a Companhia Turca de Petróleo, o governo britânico dirigiu seus esforços para a tentativa de forçar a companhia a se unir com o sindicato da Anglo-Persian de D'Arcy para juntos tentarem obter uma concessão. Finalmente, os governos inglês e alemão concordaram quanto a uma estratégia de unificação e a imposição de sua execução. Segundo o "Acordo do Ministério das Relações Exteriores" de 19 de março de 1914, os interesses britânicos deviam predominar no grupo associado. O Anglo-Persian Group tinha uma participação de 50% no novo consórcio, ao passo que o Deutsche Bank e a Shell tinham, cada um, 25%. Havia ainda Gulbenkian para brigar. Pelo acordo, o Anglo-Persian Group e a Shell desistiam da "participação beneficiária" de 2,5% das ações totais em favor do armênio. Isso significava que ele não teria direito a voto, mas desfrutaria de todos os benefícios financeiros de tal participação. Assim nasceu o "sr. Cinco por Cento", e assim passou a ser conhecido.

Dessa maneira chegava ao final uma década de rivalidades e disputas. No entanto, os signatários impuseram-se uma obrigação muito significativa, que faria com que muita gente ficasse dando voltas durante décadas. Todos eles haviam concordado com a "cláusula de renúncia": ninguém se envolveria na produção petrolífera em lugar algum do Império Otomano — a não ser conjuntamente "por meio da Companhia Turca de Petróleo". As únicas áreas às quais não se aplicava a cláusula de renúncia eram o Egito, o Kuait e "territórios cedidos" da fronteira da Pérsia com a Turquia. Essa cláusula criaria os fundamentos para o desenvolvimento do petróleo no Oriente Médio — e para lutas titânicas — muitos anos depois.[4]

"Um objetivo bélico de primeira classe"

Numa nota diplomática do dia 28 de junho de 1914, o grão-vizir prometeu que a concessão da Mesopotâmia seria formalmente cedida à Companhia Turca de Petróleo, recém-reconstituída. Por infelicidade, nesse mesmo dia, o arquiduque austríaco Francisco Ferdinando foi assassinado em Sarajevo, o que desencadeou a I Guerra Mundial. A emergência deixaria sem resposta uma pergunta importante: a concessão havia realmente sido concedida ou apenas se tinha feito uma promessa, sem nenhum compromisso? A resposta implicaria muita discussão. Por algum tempo a guerra pôs um abrupto fim à cooperação anglo-germânica na Mesopotâmia, e aparentemente enterrou junto a Companhia Turca de Petróleo.

No entanto, o potencial de petróleo da Mesopotâmia não fora esquecido. No final de 1915 e no começo de 1916 um funcionário inglês e outro francês chegaram com muita dificuldade a um entendimento sobre a ordem do pós-guerra na Mesopotâmia. Casualmente o Acordo Sykes-Picot — que recebeu o nome de seus dois elaboradores — incluía Mosul, no nordeste da Mesopotâmia, uma das regiões mais promissoras em termos de potencial petrolífero, numa futura esfera de influência francesa. Essa "rendição" de Mosul indignou de pronto muitos funcionários do governo britânico, e daí se fizeram esforços enérgicos para torpedeá-la. A questão se tornou mais urgente em 1917, quando forças inglesas capturaram Bagdá. Durante quatro séculos, a Mesopotâmia havia integrado o Império Otomano. Esse império, que outrora se estendera dos

Balcãs até o Golfo Pérsico, estava agora acabado — uma perda de guerra. Com o tempo, um bando de nações independentes e semidependentes, muitas delas lançadas no mapa de modo muito arbitrário, ocupariam o lugar dele no Oriente Médio. Naquele momento, porém, a Inglaterra estava controlando a Mesopotâmia.

Foi a escassez de petróleo da guerra, nos anos de 1917 e 1918, que demonstrou a necessidade do petróleo para os interesses ingleses e trouxe a Mesopotâmia de volta ao centro do palco. As perspectivas de incremento do petróleo dentro do império eram desanimadoras, o que tornou de suma importância o suprimento do Oriente Médio. *Sir* Maurice Hankey, extremamente poderoso e secretário do Gabinete de Guerra, escreveu ao secretário do Exterior, Arthur Balfour, que "o petróleo na próxima guerra ocupará o lugar do carvão no presente, ou pelo menos uma posição semelhante ao carvão. O único grande potencial de fornecimento que podemos obter sob o controle inglês é o suprimento da Pérsia e da Mesopotâmia". Assim, disse Hankey, "o controle desses suprimentos de petróleo se torna para a Inglaterra um objetivo bélico de primeira classe".

Entretanto, a recém-surgida "diplomacia pública" tinha de ser considerada. No início de 1918, para contrabalançar o poderoso apelo do bolchevismo, Woodrow Wilson tinha proposto os idealísticos Catorze Pontos e uma celebrada convocação para a autodeterminação das nações e dos povos do pós-guerra. Seu próprio secretário de Estado, Robert Lansing, ficou perplexo com a destemperança verbal do presidente. O brado pela autodeterminação, Lansing estava certo, resultaria em muitas mortes em todo o mundo. "Um homem que é líder do pensamento público devia ter cuidado com declarações imoderadas e irrefletidas", disse Lansing. "Ele é responsável pelas consequências."

No entanto, ao formular seus objetivos no pós-guerra, o governo inglês, apesar de não estar menos perplexo com o que considerou uma ambiguidade arrogante de Wilson, precisava levar em consideração o apelo popular do presidente. Balfour, o secretário do Exterior, se preocupava com a possibilidade de que deixar claro que a Mesopotâmia era um objetivo de guerra pudesse parecer imperialismo demasiadamente fora de moda. Em vez disso, em agosto de 1918, ele disse aos primeiros-ministros dos domínios da Grã-Bretanha que a Grã-Bretanha devia ser o "espírito condutor" da Mesopotâmia, já que esta forneceria o único recurso natural que faltava ao Império Britânico. "Sob qual sistema mantemos o petróleo é algo que não me preocupa", disse ele, "mas vejo com muita clareza que é absolutamente importante para nós ter esse petróleo disponível". Para ajudar a garantir que isso iria acontecer, as forças britânicas, que já estavam em algum lugar da Mesopotâmia, capturaram Mosul depois da assinatura do armistício com a Turquia.[5]

Clemenceau e seu armazém

Toda a experiência da guerra, a começar com a armada de táxis que salvou Paris nas primeiras semanas do conflito, convenceu os franceses e também a Inglaterra de que agora o acesso ao petróleo era uma questão de caráter altamente estratégico. Antes da I Guerra Mundial presume-se que Georges Clemenceau teria dito: "Quando quero petróleo procuro no meu armazém". Durante a guerra ele mudou de ideia e ao final da conflagração procurou obter petróleo para a França, não no seu armazém mas — como os ingleses — no Oriente Médio. No dia 1º de dezembro de 1918, Clemenceau, após seu desfile com Lloyd George sob o aplauso das multidões de Londres, aparentemente renunciou a reivindicar Mosul para os franceses. Em contrapartida, ganhou dos ingleses não só o apoio para um mandato na Síria como também uma garantia de que a França teria uma participação no petróleo que fosse encontrado na Mosul controlada pelos ingleses.

Na realidade, a entrevista dos dois primeiros-ministros em Londres não resultou em nada. Apenas iniciou uma série prolongada de negociações tempestuosas, cheias de asperezas e recriminações mútuas entre os respectivos governos. Na verdade, na primavera de 1919, durante a Conferência de Paz de Paris, num encontro dos Três Grandes para tratar da Síria e do petróleo, Clemenceau e Lloyd George dissentiram rancorosamente quanto ao que haviam "acordado" em Londres e várias vezes se acusaram de má-fé. A discussão evoluiu para um "briga de cães de primeira classe", que, não fosse a pronta intervenção de Woodrow Wilson, poderia ter se transformado numa verdadeira briga de socos.

A questão permaneceu sem solução e constituiu um pomo de discórdia até que finalmente o Supremo Conselho dos Aliados se reuniu — apesar de já não contar com a participação dos Estados Unidos —, em abril de 1920, para discutir as suas muitas diferenças pendentes, inclusive o petróleo e o Oriente Médio. Lloyd George e o novo primeiro-ministro da França, Alexandre Millerand, elaboraram a duras penas o Acordo de San Remo: a França teria 25% do petróleo da Mesopotâmia, que se tornaria um mandato britânico sob a Liga das Nações. O veículo para o desenvolvimento do petróleo permanecia a Companhia Turca de Petróleo; e os franceses adquiririam o que havia sido a participação alemã, capturada pelos ingleses durante a guerra. Em contrapartida, a França desistiria da reivindicação territorial de Mosul. A Inglaterra, por seu lado, deixou muito claro que qualquer companhia particular que explorasse os campos petrolíferos da Mesopotâmia estaria indiscutivelmente sob o seu controle. Apenas uma questão subsistia: havia de fato petróleo na Mesopotâmia? Ninguém sabia.[6]

Os franceses estavam procurando outra maneira de melhorar a sua posição no tocante ao petróleo — criando uma companhia estatal, a sua própria defensora nacional. Rejeitando uma proposta para sociedade com a Royal Dutch-Shell, de Henri Deterding, Raymond Poincaré, que se tornou premiê em 1922, insistiu em que essa nova companhia fosse "inteiramente francesa" em termos de controle. Visando esse objetivo, ele se voltou em 1923 para um magnata da indústria, o coronel Ernest Mercier. Altamente qualificado para a tarefa, Mercier era um *polytechnicien* e um herói de guerra que se ferira tentando proteger os campos petrolíferos romenos das tropas alemãs que avançavam. Era também um tecnocrata dedicado à modernização da economia francesa. Já havia erigido na França uma moderna indústria elétrica. Agora iria tentar fazer o mesmo com o petróleo. A nova companhia seria chamada Compagnie Française des Pétroles, CFP, e seria o "instrumento" da "libertação" para a França. Apesar de o governo francês ter apontado dois diretores e aprovado todos os demais, a companhia seria privada.

A missão de Mercier foi dificultada pela relutância das companhias e dos bancos franceses em investir na nova empresa. Eles não tinham nada do entusiasmo especulativo e até mesmo febril pelos novos empreendimentos petrolíferos que dominava os investidores ingleses e americanos, ainda que subscrito pelo Estado. A Mesopotâmia parecia um risco muito alto — "muito cheio de dificuldades internacionais", diria Mercier posteriormente. "Nenhum dos investidores iniciais implorou o favor de ser admitido na CFP." Contudo Mercier acabou por ser bem-sucedido e achou o número suficiente de investidores — noventa bancos e companhias —, de forma que a Compagnie Française des Pétroles pôde começar a operar em 1924. Essa nova empresa ficou com as ações que a França detinha na Companhia Turca de Petróleo.

O governo francês continuava insatisfeito, achando que seus objetivos e interesses não estavam suficientemente salvaguardados. Em 1928, uma comissão parlamentar especial abordou a futura organização do mercado interno de petróleo, o maior na Europa depois do inglês. Ela se opôs tanto ao "mercado livre" quanto ao monopólio do Estado. No lugar disso propunha-se um produto híbrido — um sistema de quotas, sob o qual o Estado alocaria fatias de mercado para várias companhias refinadoras privadas a fim de assegurar a diversidade da oferta e de garantir a viabilidade das companhias refinadoras francesas. A legislação de março de 1928 esboçou os principais objetivos de uma nova "constituição" para o petróleo francês: restringir os "trustes anglo-saxônicos de petróleo", construir uma indústria nacional de refinação, organizar o mercado e desenvolver a participação francesa no petróleo da Mesopotâmia. Para garantir que a CFP encamaria ativamente os interesses franceses sob o novo sistema, o Estado adquiriu 25% da propriedade direta e aumentou o número dos diretores nomeados pelo governo, ao passo que a participação do capital estrangeiro caiu acentuadamente. A CFP estava pronta, nas palavras de um deputado francês, para se tornar "o braço industrial da ação governamental". E o governo francês agora se posicionara como um grande contendor na luta para obter as riquezas petrolíferas do Oriente Médio.[7]

Amálgama?

Para o governo britânico as águas não estavam tão tranquilas. Continuou com seus esforços, iniciados durante a guerra, para atrapalhar a divisão Holanda-Inglaterra na base de sessenta-quarenta e trazer a Royal Dutch-Shell para o controle inglês por meio do predomínio de acionistas ingleses em lugar dos holandeses. Para Marcus Samuel, tal resultado teria uma grande importância sentimental, e por isso era bastante atraente.

Mas Henri Deterding não dava muita atenção aos sentimentos; seu único interesse eram os negócios. O auxílio e o patrocínio dos ingleses representavam bem mais que o dos holandeses num mundo de pós-guerra convulsionado pela revolução, pela competição diplomática e por movimentos nacionalistas. Havia outro prêmio, ou uma tentação, para a Shell concordar em renunciar ao predomínio holandês: o petróleo da Mesopotâmia e a Companhia Turca de Petróleo. Passando para o controle inglês, a Shell poderia garantir sua marca para o petróleo da Mesopotâmia.

Do ponto de vista do governo britânico, a passagem da Shell para o controle inglês melhoraria bastante a posição mundial da Inglaterra no tocante ao petróleo. Mas o governo britânico queria nomear pelo menos um diretor e aprovar outros no conselho da Shell reestruturada — mais do que fora acertado com a Anglo-Persian. Deterding simplesmente não iria concordar com isso. O predomínio inglês era uma coisa; a interferência do governo britânico no negócio era outra. Ele não se arriscaria a desistir de qualquer porção do controle comercial. E começou também a ver desvantagens numa associação tão estreita com o governo britânico, particularmente em termos da obtenção de terras nas Américas do Norte e do Sul. A Royal Dutch-Shell era alvo de persistentes ataques nos Estados Unidos, onde se pensava equivocadamente que o grupo fosse um braço do governo inglês. As críticas eram vigorosas o suficiente para fazer com que Deterding relutasse bastante antes de se decidir a passar para o controle inglês explícito.

Apesar de todas as delongas, desapontamentos e perdas de paciência, Deterding e a Shell continuavam extremamente interessados na fusão com a Anglo-Persian. Viam uma grande vantagem em adquirir o controle daquela companhia antes que ela pudesse se tornar um temível concorrente direto. A fusão fortaleceria a Shell em sua competição mundial com a Standard of New Jersey e as outras companhias americanas. Acabaria com o relacionamento preferencial da Anglo-Persian como vendedora de óleo combustível para o principal mercado britânico, a Armada Real. A Deterding desagradava também o que considerava um desperdício e duplicação no funcionamento da indústria. "O mundo", em seguida escreveria ao presidente da Standard Oil, estava "sofrendo de superprodução, super-refino, supertransporte e, por fim, mas não o menos importante — supervarejo."

A Anglo-Persian já havia tido de enfrentar dificuldades devido à propriedade do Estado. Muitos países, disse um funcionário do Ministério das Relações Exteriores, acreditavam que "todas as ações da companhia" resultassem da "inspiração direta do governo", o que criava dificuldades tanto para a companhia quanto para o governo. Os países latino-americanos, encorajados pelos americanos, proibiram concessões a companhias de petróleo com controle governamental, o que significava, especificamente, a Anglo-Persian. O vínculo da empresa com o governo britânico se revelaria bastante perigoso no próprio solo da Anglo-Persian, a Pérsia. O xá Reza, comandante militar que se fizera chefe do país, já considerava que a companhia estava próxima demais do governo inglês. Quão segura seria a Anglo-Persian — e a posição da Inglaterra — com o novo xá?

Toda a situação da Anglo-Persian no país era altamente vulnerável; como observou um funcionário inglês: "Atualmente o rendimento provém, em sua totalidade, de uma área de poucos quilômetros quadrados na Pérsia. Qualquer interrupção da produção desse pequeno campo, devido a causas naturais ou a ações hostis, seria desastrosa".

Alguns funcionários do governo inglês estavam convencidos de que uma fusão com a Shell diversificaria os interesses da Anglo-Persian e assim reduziria o risco. No processo, o governo poderia obter o tão longamente desejado controle sobre a Shell que ainda queria permanecer no negócio, pelo menos até certo ponto. "Toda a questão do controle", disse em 1923 Robert Waley Cohen, da Shell, era "uma grande tolice. É uma questão de sentimento, mas, se a transferência do controle para os hotentotes nos permitisse ter mais segurança e aumentar nossos dividendos, não acredito que qualquer um de nós hesitaria por muito tempo."

Para ser exato, a oposição à fusão era bem grande, em primeiro lugar por razões políticas. A hostilidade pública aos "trustes do petróleo" não era muito menor na Inglaterra do que nos Estados Unidos. Porém, a maior oposição vinha do almirantado, que continuava a se antagonizar com a Shell. O arrazoado original da armada ainda permanecia; o governo, como comentou um funcionário, "não entrara na Anglo-Persian Company para ganhar dinheiro, mas por razões nacionais: formar uma companhia independente". O almirantado também tinha se tornado profundamente apegado ao seu direito de obter óleo combustível da Anglo-Persian com um desconto substancial em relação ao preço de mercado, sobretudo quando o orçamento da armada estava sob constante ameaça de corte. E obviamente a própria Anglo-Persian se opunha com todo o vigor à fusão. Charles Greenway não tinha lutado tanto para acabar vendo o seu empreendimento se transformar numa companhia de petróleo integrada e assim se reduzir a um apêndice da odiada Shell.[8]

Churchill volta à cena

Como, com uma oposição tão entrincheirada, a Shell conseguiria assumir o controle da Anglo-Persian? Robert Waley Cohen teve uma ideia. No curso de um jantar cuidadosamente orquestrado, abordou Winston Churchill com uma proposta interessantíssima. O ex-membro do Parlamento e ilustre ex-membro do gabinete consideraria a hipótese de se encarregar de um projeto em favor da Shell? Sua tarefa? Influenciar elementos oficiais no sentido de uma fusão da Anglo-Persian e da Burmah Oil com a Shell, graças à qual a Shell poderia acabar comprando as ações governamentais da Anglo-Persian. A Burmah também apoiava essa integração. Churchill estaria realmente trabalhando para a Inglaterra, enfatizou Cohen, pois se seu esforço fosse bem-sucedido ele asseguraria o controle inglês sobre um sistema petrolífero de âmbito mundial.

A oferta não poderia ter sido feita em melhor ocasião. No verão de 1923, Churchill, o "defensor do petróleo", estava sem trabalho. O eleitorado de Dundee East lhe infligira uma derrota nas eleições para o Parlamento, ele acabara de comprar uma nova propriedade rural, Chartwell, e estava escrevendo num ritmo aceleradíssimo para poder pagar as contas. "Não passaremos fome", prometeu à mulher. Depois de ter discutido com Churchill, Cohen comentou: "Winston imediatamente viu o quadro completo". No entanto, Churchill disse que precisava refletir sobre o assunto. Não queria prejudicar sua carreira política, à qual se dedicava inteiramente. De mais a mais, precisava ganhar a vida e teria de deixar de lado o quarto volume de sua obra sobre a Grande Guerra — *The World Crisis*. Haveria, é claro, pagamento por isso.

Depois de uma breve consideração, Churchill aceitou a oferta. Mas e quanto à remuneração? Ele queria dez mil libras se o acordo não se realizasse e cinquenta mil libras se fosse assinado.

Cohen caiu de costas com a magnitude dos termos de Churchill, mas decidiu-se que a soma poderia ser dividida entre a Shell e a Burmah. Como salientou o presidente da Burmah: "Não podíamos regatear ou barganhar" com Churchill. Os funcionários da Burmah se preocupavam com o modo como fariam o pagamento, pois se o beneficiário de uma remuneração tão alta não constasse dos livros, os auditores não dariam sua aprovação. Por fim se decidiu abrir uma conta secreta.

Assim, Churchill foi trabalhar para a Burmah e, mais ainda, para a Shell, a mesmíssima companhia que — como Primeiro Lorde do Almirantado, uma década antes, engajado na sua batalha para trazer a armada para a era do petróleo — ele havia castigado tão severamente. A voracidade da Shell, ele então insistira na Câmara dos Comuns, era a principal razão para que o governo comprasse ações da Anglo-Persian e garantisse a sua independência. Agora Churchill estava preparado para desfazer tudo aquilo, para persuadir o governo a vender aquelas mesmas ações em prol da causa que ele acabara por considerar como interesses políticos e estratégicos maiores. A Shell valorizaria aquelas ações e assim mudaria o equilíbrio dentro do Royal Dutch-Shell Group, fazendo com que o predomínio passasse para os ingleses.

Churchill não perdeu tempo. Em agosto de 1923, visitou o primeiro-ministro Stanley Baldwin, que, escreveu ele à mulher, era "completamente favorável ao acordo do petróleo nas linhas propostas. Na verdade, ele poderia muito bem ser Waley Cohen, falando como falava. Não tenho a menor dúvida que a coisa vai dar certo. O que está me embaraçando é apenas o meu próprio caso (...) É como fazer para que não haja razão para críticas". O primeiro-ministro Baldwin evidentemente estava persuadido de que o governo inglês devia deixar o negócio do petróleo. Até mesmo tinha na cabeça um número definido para a compra das ações do governo. "Vinte milhões de libras seria um preço muito bom", disse ele a Churchill. Era quase dez vezes o que o governo havia pago há menos de dez anos, um excelente retorno para um investimento especulativo.

Antes que qualquer outra coisa pudesse ser feita, houve uma intervenção de fora. Baldwin convocou de improviso uma eleição geral no final de 1923 e Churchill, o trabalho ainda inconcluso, desistiu dos direitos, devolveu a remuneração inicial e envolveu-se novamente em sua natural e amada briga, a política. Um governo de minoria conservador voltou ao poder, mas logo caiu; foi substituído pelo primeiro governo trabalhista, que resolutamente rejeitou a fusão e a venda da participação do governo. No outono de 1924, os conservadores voltaram ao poder, mas agora também eles se opunham à venda das ações do governo. "O governo de Sua Majestade", escreveu a Charles Greenway, presidente da Anglo-Persian, o subsecretário do Tesouro, "não tem intenção de abrir mão da política de conservar essas ações." O ministro responsável pelo Tesouro era o novo ministro da Fazenda, ninguém senão o mais novo convertido ao conservadorismo: Winston Churchill.[9]

Escassez de petróleo e a porta aberta

Não seria apenas para os europeus que o Oriente Médio iria representar a salvaguarda dos interesses no petróleo. As companhias americanas estavam embarcando numa campanha para incrementar a oferta de petróleo em todo o mundo, o que inevitavelmente as levaria para o Oriente Médio. O temor de uma iminente exaustão das jazidas de petróleo — na verdade uma virtual obsessão — tomava conta da indústria petrolífera americana e de muitos funcionários do governo no final da I Guerra Mundial e, assim como no início da década de 1920. A experiência da guerra — os Domingos sem Gasolina e o papel desempenhado pelo óleo nas batalhas — deu ao medo tangibilidade. Quando, em 1919, um funcionário aposentado escreveu a Woodrow Wilson que a falta de oferta estrangeira de petróleo constituía o problema internacional mais sério que os Estados Unidos enfrentavam, o presidente concordou sombrio: "Parecia não haver nenhum método pelo qual pudéssemos garantir a oferta necessária no país ou fora dele". O rápido esgotamento dos mananciais de petróleo americanos, já previsto, ocorreu enquanto a procura aumentava: o consumo americano cresceu 90% entre 1911 e 1918, e esperava-se que esse crescimento fosse ainda mais rápido depois da guerra. O caso de amor dos Estados Unidos com o automóvel estava se tornando mais intenso. A elevação do número de veículos automotores registrado nos Estados Unidos entre 1914 e 1920 foi espantosa — um salto de 1,8 para 9,2 milhões. O medo da escassez era tanto que um senador fez um apelo para que a Armada Americana voltasse a ser propelida a carvão.

As grandes expressões da engenharia e da geologia científica participavam desse temor. O diretor do Departamento de Minas dos Estados Unidos previu em 1919 que "dentro dos próximos dois a cinco anos os campos petrolíferos deste país alcançarão sua produção máxima e a partir daí entrarão num declínio crescente". George Otis Smith, diretor da Inspeção Geológica dos Estados Unidos, alertou para uma possível "penúria de gasolina". O que fazer? A resposta, disse ele, era ir para além-mar; o governo devia "dar apoio moral a todos os esforços do empresariado americano para expandir o âmbito de sua atividade na produção de petróleo em todo o mundo". Ele advertiu que as reservas conhecidas de petróleo americanas estariam exauridas dentro de exatamente nove anos e três meses.

Ao mesmo tempo, havia muita celeuma quanto ao potencial do óleo de xisto confinado no alto das montanhas do Colorado, de Utah e de Nevada. Em 1919, previu-se que "dentro de um ano o petróleo provavelmente será destilado desse xisto, competindo com o que é obtido nos poços". O *National Geographic* declarou excitado que "nenhum homem que conhece um carro motorizado deixará de se alegrar", pois o óleo de xisto forneceria "o suprimento de gasolina capaz de atender a qualquer necessidade que até mesmo os filhos de seus filhos das gerações vindouras possam dele vir a ter. O temido destronamento do veículo sem cavalo foi afastado em definitivo". Infelizmente para os defensores do óleo de xisto, os custos de sua exploração haviam sido muito subestimados. Na Inglaterra, onde se antecipavam crises semelhantes, a Anglo-Persian estava fazendo pesquisas e extraindo combustíveis líquidos do carvão, e o governo britânico havia destinado 1,6 hectare em Dorset para o cultivo de alcachofras de Jerusalém na esperança de que essa planta pudesse produzir álcool em quantidades comerciais, para ser usado como combustível de automóveis.

Grandes elevações do preço deram um poderoso apoio à expectativa de escassez. Entre 1918 e 1920 os preços do petróleo bruto nos Estados Unidos subiram 50%, de dois para três dólares o barril. Além do mais o inverno de 1919-1920 viu uma queda real da oferta de óleo combustível. Os Estados Unidos, era opinião geral, não tardariam a se tornar um grande importador de petróleo. E isso levantava o espectro da competição internacional e de um confronto com a Inglaterra. Tanto a indústria petrolífera dos Estados Unidos quanto o governo americano tinham a firme convicção de que a Inglaterra estava impulsionando a sua política agressiva para poder apropriar-se das jazidas de petróleo do resto do mundo antes que os americanos começassem a agir. Washington logo se organizou para dar seu apoio às companhias petrolíferas dispostas a procurar reservas no exterior. O princípio invocado era o da "Porta Aberta" — acesso igual para o capital e os negócios americanos.

A reação dos ingleses a essa campanha combinava, em proporções diversas, ceticismo, ofensa, insulto e crueldade. Eles sabiam que os Estados Unidos produziam dois terços do petróleo bruto mundial. "Não espero que você ou qualquer outro homem do petróleo dos Estados Unidos acredite de fato que suas reservas vão se esgotar nos próximos vinte ou trinta anos", escreveu incredulamente John Cadman, diretor da Executiva do Petróleo, a um amigo americano. Mas o temor tanto da escassez quanto da competição pressionou as companhias americanas a procurar novas fontes de suprimento pelo mundo afora, seja para exploração, seja para compra da produção existente. A mudança de estratégia seria fortalecida pela melhoria tecnológica — em petroleiros, oleodutos e perfuração —, que ajudaria a superar as dificuldades físicas e as distâncias que antes da guerra teriam sido obstáculos proibitivos para a exploração ou produção globais.[10]

Os olhos americanos correram para o Oriente Médio, particularmente para a Mesopotâmia, sob mandato britânico. Porém, ali a porta não estava ostensivamente aberta. Quando dois geólogos da Standard Oil of New York moveram-se quietamente território adentro, o comissário civil inglês conduziu-os até o chefe de polícia de Bagdá.

A notícia do Acordo de San Remo de 1920, o entendimento entre ingleses e franceses sobre a divisão de qualquer possível petróleo da Mesopotâmia, aturdiu Washington e a indústria petrolífera. O acordo foi ruidosamente denunciado na imprensa americana como imperialismo fora de moda; foi considerado ainda mais detestável porque parecia violar o princípio de direitos iguais para os aliados vitoriosos. A Standard of New Jersey estava profundamente preocupada. Temia uma dupla aliança — uma entre os ingleses e os franceses e outra entre a Shell e a Anglo-Persian — que lhe barraria o acesso à produção e aos mercados em volta do mundo. A companhia fez um vigoroso protesto ao Departamento de Estado, que denunciou de modo não menos vigoroso o acordo como uma violação dos acalentados princípios da Porta Aberta. O Congresso aprovou o Ato de Arrendamento Mineral de 1920, que negou acesso aos direitos de perfuração em terras públicas a interesses estrangeiros cujos governos negavam aos americanos esse mesmo acesso. Ele visava especificamente os holandeses das Índias Orientais e os ingleses da Mesopotâmia.

Observadores cínicos foram apanhados pelo grau com que, em sua fase final, a administração Wilson, a personificação do progressismo, apoiava as companhias petrolíferas — sobretudo a Standard of New Jersey, a mais proeminente herdeira do dragão que apenas dez anos antes fora assassinado pela Suprema Corte. O embaixador inglês em Washington se maravilhava ao ver como o relacionamento entre a administração Wilson e a Standard Oil "reverteu completamente as relações do período anterior à guerra, quando era nada menos que um desastre para qualquer membro da administração incorrer na suspeita de uma ligação com interesse petrolíferos". O espectro da escassez de petróleo e a desconfiança de traição inglesa contribuíram bastante para essa nova aliança, assim como a experiência da colaboração entre os negócios e o governo durante a guerra; a Standard Oil of New Jersey, sozinha, havia suprido um quarto de todo o petróleo usado pelos Aliados. Houve também outras razões para a reviravolta. O progressismo e a reforma haviam perdido sua força. E o homem de negócios americano voltava a ser visto, como nas décadas de 1880 e 1890, como um herói para quem o governo devia ser um apoiador, não um adversário.

A nova administração republicana de Warren Harding, que teve início em 1921, era uma rematada defensora dos negócios e se revelou ainda mais forte que a sua predecessora na luta pelos interesses petrolíferos americanos, do México às Índias Orientais Holandesas — e inclusive a Mesopotâmia. Cresceu a tensão entre os Estados Unidos e a Grã-Bretanha. De repente algo estranho ocorreu. Os ingleses se tornaram conciliatórios e deram sinal de uma nova abertura para a participação americana na Mesopotâmia. Por quê? Por uma razão: eles reconheciam que havia ambiguidade quanto ao *status* legal da Companhia Turca de Petróleo. Teria ganho uma concessão em 1914 — ou apenas a promessa de uma concessão? Além disso, os ingleses tinham muitas outras considerações econômicas e estratégicas em relação aos Estados Unidos e queriam a cooperação americana. Londres também estava preocupada com o sentimento antibritânico nos Estados Unidos, e esse era um ponto importante. No Congresso, havia até mesmo rumores de represália: um embargo do petróleo americano que iria para a Inglaterra. Além disso, o fato de não se ter permitido a participação americana no petróleo da Mesopotâmia era um permanente irritante — na melhor das hipóteses — das relações anglo-americanas. Por outro lado, o envolvimento americano direto poderia ser uma vantagem real: os ingleses estavam ansiosos por ver as fontes de petróleo da região exploradas o mais rápido possível, a fim de obter rendimentos para o nascente governo da Mesopotâmia que apoiavam e assim reduzir a pressão sobre o Tesouro inglês. Por certo, o capital e a tecnologia americanos acelerariam o processo. A Shell pelo menos acreditava que a participação americana encorajaria as companhias diante de qualquer dificuldade política que pudesse ocorrer naquela parte instável do mundo. Calouste Gulbenkian juntou a sua voz, advertindo ao subsecretário permanente do Ministério das Relações Exteriores de que seria melhor ter os americanos "dentro" do que tê-los "fora", competindo — e desafiando a concessão. O subsecretário permanente foi persuadido, e com toda a firmeza informou à Anglo-Persian e à Royal Dutch-Shell que era do interesse nacional inglês incluir os americanos — e o mais cedo possível. Mais tarde escreveu a Gulbenkian para dizer que o armênio fora "útil na introdução da participação americana".[11]

"O patrão": Walter Teagle

Mas que companhias americanas o governo dos Estados Unidos iria apoiar? Não pareceria mais do que ligeiramente impróprio empregar tanta energia diplomática em prol apenas de uma única companhia, a Standard of New Jersey? Muitas pessoas influentes, inclusive o secretário de Comércio, Herbert Hoover, sugeriram que um sindicato de companhias americanas fosse formado para operar na Mesopotâmia. Hoover, em particular, conhecia bem o negócio do petróleo e seus riscos; fora ativo nele antes da guerra e na verdade vendera algumas propriedades petrolíferas peruanas para Walter Teagle, da Jersey, que na época descrevera em suas notas o futuro presidente como "um sujeito de aparência estranha — de terno listrado e tênis brancos". Agora, num encontro em Washington, em maio de 1921, Hoover, como secretário de Comércio, e o secretário de Estado, Charles Evans Hughes, explicaram com franqueza para um grupo de homens do petróleo que os Estados Unidos não poderiam escancarar a porta em favor de uma única companhia, mas poderiam fazer isso para um grupo representativo. De sua parte, a Jersey reconhecia que nunca poderia contar com um apoio duradouro do governo se quisesse correr sozinha, e assim Teagle reuniu um consórcio de várias grandes companhias. Só recentemente esse novo grupo iria ser acusado pelo governo pelo fato de ter restringido o comércio; agora ele é apoiado como um paladino nacional da luta pela Porta Aberta e pelo acesso ao petróleo estrangeiro.

Em seguida ao estabelecimento desse grupo americano, o Departamento de Estado recuou do inevitável confronto com os interesses de petróleo europeus. Apesar de estar controlando de perto a evolução das atividades, ele ficaria afastado das negociações. Walter Teagle, um homem de negócios e não um político ou diplomata, falaria pelo sindicato americano e, em julho de 1922, embarcou de navio para Londres a fim de começar a negociar a participação americana no desenvolvimento de quaisquer mananciais de petróleo encontrados na Mesopotâmia. Ele não podia ter ideia de quão longo e difícil seria o caminho.[12]

De um lado estava Teagle, representando não apenas a Standard Oil, mas também todo o consórcio das companhias americanas. Alinhados contra ele estavam Henri Deterding, Charles Greenway e do lado dos franceses o coronel Ernest Mercier, da CFP. Rondando a mesa estava Calouste Gulbenkian. Todos os opositores de Teagle eram sócios da Companhia Turca de Petróleo, que controlava a concessão da Mesopotâmia ou pelo menos supunha fazê-la.

Gulbenkian, mais que qualquer outro, se revelaria o mais forte oponente de Teagle no drama que se desenrolou. O contraste entre os dois homens parecia enorme em quase todos os aspectos. Baixo e pouco atraente, Gulbenkian era desconfiado e fechado. Teagle agigantava-se ao lado de quase todo mundo; além de alto — 1,90 m —, tinha uma considerável cintura — às vezes chegava a pesar 135 quilos, quando estava perdendo uma de suas batalhas contra a quase insaciável paixão por chocolate. Era direto e franco, a própria encarnação do americano amigável. Enquanto Gulbenkian era um operador solitário, Teagle era o chefe da maior companhia petrolífera de todo o mundo, de longe a maior entre as sucessoras do Standard Oil Trust. Conhecido como "o Patrão", ele dominava a Standard Oil of New Jersey de um modo singular e era uma das figuras mais proeminentes e familiares do negócio petrolífero. Gulbenkian preferia o anonimato.

Havia, porém, estranhas semelhanças entre os dois homens — Teagle também nascera para o petróleo. Como Gulbenkian, Teagle também pertencia à segunda geração de sua família no ramo do petróleo — do lado paterno. Do lado materno, na verdade, era da terceira geração; seu avô materno era Maurice Clark, o parceiro que John D. Rockefeller tinha comprado no decisivo "leilão" ocorrido em Cleveland em 1865. O pai de Teagle, oriundo de Wiltshire, na Inglaterra, era um dos mais bem-sucedidos refinadores independentes de Cleveland, e por anos havia resistido às investidas violentas do Standard Oil Trust. Ele odiava a Standard Oil e foi um dos heroicos antagonistas da companhia retratados nas páginas da história do truste escrita por Ida Tarbell.

Tanto Gulbenkian quanto Teagle eram destacados estudiosos da tecnologia do petróleo. Na Universidade de Cornell, Teagle parecia ser o chefe e organizador de quase todas as atividades estudantis. Antes de se formar, escreveu uma tese sobre a dessulfurização do petróleo bruto e obteve um inédito 100 com louvor da história do curso de química industrial. Como Gulbenkian, foi encorajado pelo professor a passar para um grau mais avançado, mas seu pai respondeu incisivamente, como fizera o de Gulbenkian — no caso de Teagle com um telegrama conciso: "Venha já para casa". De volta a Cleveland, Teagle foi trabalhar alimentando uma destilaria na refinaria da família, com uma remuneração de 19 centavos por hora. Seu pai mandou-o ganhar a estrada. Teagle se revelou um vendedor formidável, agressivo e persuasivo. Mas foi novamente chamado de volta para ajudar a vender o negócio da família para o inimigo a quem seu pai resistira por tanto tempo — a Standard Oil. O velho já não aguentava mais a tensão. Antes ser comprado que lutar. Além disso, a Standard Oil já tinha notado o jovem e talentoso Teagle e queria não só o negócio, mas também o filho do proprietário.

A empresa familiar estava agora reconstituída como Republic Oil, e o jovem Teagle foi posto na chefia. As suas habilidades logo se manifestaram — um domínio de toda a extensão do negócio; uma memória prodigiosa para os detalhes técnicos, comerciais e administrativos; uma energia infatigável; capacidade de raciocinar sobre um problema e encontrar a solução; e sob a aparência encantadora uma personalidade implacavelmente exigente e dominadora. Os anos de estrada lhe ensinaram o que Gulbenkian havia aprendido no bazar — tentar sempre o melhor negócio possível. "Ele regateava em tudo", lembrou um colega dos tempos da Republic Oil. "Negociava e negociava e negociava. Se se tratasse de dinheiro da companhia, pensava que estava pagando muito por um charuto de cinco centavos se pudesse obtê-lo por quatro."

Teagle ascendeu rapidamente e em 1908 era o chefe do Comitê de Exportação da Standard Oil. Sua compreensão da nova dinâmica do mercado internacional era mais aguda que a de qualquer outro alto executivo da Standard Oil. Conseguiu também entender melhor Henri Deterding e promoveu a conciliação com a Royal Dutch-Shell. Certa vez, a fim de resolver uma situação competitiva particularmente amarga no Extremo Oriente, Teagle passou dois dias na Escócia caçando tetrazes com Deterding — eram ambos excelentes caçadores de aves — e dois dias jogando pôquer; ao cabo desses quatro dias, resolveu-se a questão. No entanto, o respeito mútuo que havia entre eles, até mesmo o que podia ser descrito como amizade, não era capaz de superar a desconfiança essencial que dominava aquela relação. Havia coisas demais em jogo. Dito sem rodeios: um desconfiava do outro. Deterding, comentou Teagle certa vez, "frequentemente muda de ideia e quase sempre esquece de comunicar". Teagle nunca deixava de ver a Royal Dutch-Shell como seu mais perigoso e mortal concorrente.

Em 1909, ele se tornou diretor da Standard Oil, assumindo o lugar do poderoso H.H. Rogers, que, entre outras coisas, havia sido a fonte interna de Ida Tarbell. Teagle tinha apenas 31 anos de idade. Um jornal previu que ele fora escolhido "para preencher os sapatos de John D." e informou que — em contraste com Rogers, admirador e protetor de Mark Twain — os autores prediletos de Teagle eram Dun e Bradstreet (conhecida empresa de informações cadastrais). Teagle acreditava que um tipo de paralisia gerencial tomara conta da Standard Oil, sobretudo por causa do processo antitruste e de outras investidas legais. Um dos custos disso, pensava Teagle, era a incapacidade da companhia de se ajustar à nova competição global e de desenvolver a sua própria produção de petróleo bruto em jazidas de outros países.

Em 1917, com 39 anos de idade, Teagle se tornou presidente da Standard Oil of New Jersey. Encamou um estilo novo de liderança. Não era um grande acionista, ao contrário da geração anterior; era um administrador profissional, e sua chegada refletiu uma mudança nos negócios americanos e na natureza da incorporação. Mais tarde ele iria reestruturar completamente as operações da Standard. Mas também representava uma continuidade do passado da companhia — afinal era o neto do sócio original de Rockefeller — e assegurou-se de que essa continuidade estava bem clara para os demais. Ao se tornar presidente, instalou em sua sala a velha escrivaninha de tampo de correr que fora de Rockefeller — número 44 — no seu escritório e tratou de revigorar a companhia moribunda. Tinha observado pessoalmente quanto o sigilo excessivo custara em termos da antipatia pública à velha Standard Oil, e empenhou-se bastante em melhorar as relações públicas. Criou um novo jornal doméstico, *The Lamp*, e foi o seu editor de fato. Deixou uma "porta aberta" para a imprensa. Era acessível, sim, amigável e cordial com os repórteres, e parecia cândido e franco. Entretanto, o que dizia era também cuidadosamente controlado e calibrado. Essa era uma diferença gritante em relação ao regime anterior.

Com o fim da I Guerra Mundial, Teagle percebeu que sua companhia enfrentava um grande problema — a oferta de petróleo bruto. Seus esforços para levá-la a produzir óleo cru eram sempre bloqueados pela tradicional oposição a uma atividade tão "arriscada", expressa neste comentário de um veterano diretor: "Não iremos perfurar buracos secos em todo o mundo. Somos uma companhia de comercialização". Teagle temia que a escassez de petróleo se tornasse crônica no mundo do pós-guerra. Ele achava que a Standard Oil estava em grande desvantagem, já que produzia apenas 16% do total de petróleo bruto que refinava. Enquanto isso, seu velho rival Deterding perseguia uma estratégia global de criar fontes diversificadas de petróleo bruto em todo o mundo. Teagle sabia dos esforços do governo inglês para fundir a Shell e a Anglo-Persian. Ele não tinha dúvida de que o ambiente competitivo seria cada vez mais duro e temia que a Standard Oil of New Jersey não estivesse pronta para isso. Mas enfrentou o desafio: passou por cima de seus opositores e levou a companhia a aquisições dentro do país, assim como a um novo compromisso de produção de petróleo no exterior. Em 1920, durante a comemoração do quinquagésimo aniversário da Standard Oil, ele expôs claramente a sua estratégia: "A atual política da Standard Oil Company é se interessar por todas as áreas de produção, não importa em que país estejam". E, onde quer que no mundo todo parecesse haver possibilidade de petróleo, a Standard Oil of New Jersey pretendia lá estar.[13]

Foi por isso que, no verão de 1922, Teagle aportou em Londres, enfrentando os sócios da Companhia Turca de Petróleo. As discussões estavam dando em nada e, decorrido um mês, Teagle voltou para casa. As negociações continuaram por correspondência. Em dezembro de 1922, os frustrados americanos estavam pensando seriamente em se retirar por completo. Não era um assunto nada fácil dividir, numa mesa tão apinhada, a Mesopotâmia ou o Iraque, como agora se chamava o mandato inglês.

Os participantes discutiam sobre quem ficaria com que parcela do petróleo iraquiano. Eles debatiam se manteriam a cláusula de renúncia, que constava do acordo anterior e que só lhes permitia participar da produção de petróleo na maioria do ex-Império Otomano por meio da Companhia Turca de Petróleo. E havia a difícil questão dos rendimentos, que se revelou a mais litigiosa de todas. Teagle e Greenway, da Anglo-Persian, queriam que o petróleo fosse vendido aos acionistas participantes pelo custo, sem lucro embutido. Assim evitariam uma batalha com o Iraque em torno da definição dos lucros e apenas lhe pagariam um *royalty,* e as companhias, americanas evitariam taxas inglesas adicionais. Contudo, essa proposta não agradou ao Iraque, que queria uma proporção direta dos lucros. E também não caiu nada bem para Calouste Gulbenkian, mais interessado em receber seus dividendos em dinheiro do que em petróleo.

Para tornar as coisas mais problemáticas, a Turquia, nação-Estado nova e de território bastante reduzido, estava desafiando a fronteira com o Iraque e tentava minar a base legal da Companhia Turca de Petróleo — tudo isso ressaltava o risco que as companhias de petróleo iriam correr naquela parte do mundo. Para neutralizar esses riscos, o governo britânico, tirando partido do mandato que a Liga das Nações lhe conferira sobre a região, pressionou o Iraque a lhe dar uma nova concessão, mas sem resultado imediato. O governo inglês tinha uma relação bastante agitada com o regime que há pouco tempo estabelecera no Iraque. As duas partes não podiam concordar nem mesmo quanto ao sentido da palavra "mandato".[14]

Faissal do Iraque

Durante a guerra, Londres tinha encorajado Hussein, o *sharif* de Meca, a liderar uma revolta árabe contra a Turquia. A partir de 1916 começou a fazer isso com a ajuda de uns poucos ingleses, dos quais o mais famoso era T.E. Lawrence — Lawrence da Arábia. Em troca, Hussein e seus filhos deveriam ser instalados como governantes dos vários territórios que constituíam o Império Turco. Faissal, o terceiro filho de Hussein, era de modo geral considerado o mais hábil. Lawrence, encantado ao conhecer Faissal durante a guerra, descreveu-o como "um indivíduo absolutamente notável" e a pessoa perfeita para comandar a revolta no campo. Depois da guerra, Faissal foi uma figura romântica na Conferência de Versalhes, arrebatando a imaginação até mesmo do seco secretário de Estado americano, Robert Lansing, que escreveu que "a voz de Faissal parece respirar o perfume do olíbano e sugerir a presença de divãs ricamente coloridos, turbantes verdes e a cintilação de ouro e joias".

Os ingleses puseram Faissal no trono da recém-criada nação da Síria, um dos Estados independentes que se originaram do extinto Império Turco. Poucos meses depois, quando o controle da Síria passou para a França, em decorrência dos entendimentos do pós-guerra, Faissal foi abruptamente deposto e expulso de Damasco. Ele apareceu numa estação ferroviária da Palestina, onde, depois das boas-vindas cerimoniais por parte dos ingleses, sentou-se na bagagem, esperando pela conexão.

No entanto, a sua carreira de rei ainda não estava encerrada. Os ingleses precisavam de um monarca para o Iraque, outro novo Estado, que fora formado pela união de três ex-províncias do Império Turco. A estabilidade política na região era uma necessidade não só em função da perspectiva de petróleo, mas também para a defesa do Golfo Pérsico e para a nova rota aérea imperial da Inglaterra para Índia, Cingapura e Austrália. Os ingleses não queriam governar diretamente a região; isso sairia muito caro.

Churchill, então chefiando o Departamento de Colônias, propunha um governo árabe, com um monarca constitucional, que seria "apoiado" pela Inglaterra sob o mandato da Liga das Nações. Isso sairia mais barato. Assim, Churchill escolheu como candidato Faissal, que estava desempregado. Convocado do exílio, em agosto de 1921 recebeu em Bagdá a coroa de rei do Iraque. Seu irmão Abdullah — destinado originalmente ao trono do Iraque — foi instalado como rei "da terra de ninguém que os ingleses batizaram de Emirado da Transjordânia".

A tarefa de Faissal era enorme: ele não tinha herdado uma nação bem definida, mas, em lugar disso, uma coleção de diversos grupos — árabes *xiitas* e *sunitas*, judeus, curdos e yazidis —, um território com poucas cidades importantes, a maioria do campo sob o controle dos sheiks locais, e com pouca história política e cultural comum, mas com um nacionalismo árabe em ascensão. A minoria de árabes *sunitas* detinha o poder político, ao passo que os árabes *xiitas* eram, de longe, os mais numerosos. Para complicar ainda mais as coisas, os judeus eram o maior grupo entre a população de Bagdá, seguidos pelos árabes e pelos turcos. Para esse mosaico religioso e étnico a Inglaterra esperava importar o constitucionalismo e um parlamento responsável. Faissal dependia da Grã-Bretanha para sustentar o seu novo reino, mas sua posição seria gravemente enfraquecida se ele fosse considerado muito obediente a Londres. O governo britânico tinha de lidar não apenas com o nacionalismo árabe no Iraque como também com os homens do petróleo, que clamavam por alguma palavra sobre o *status* da concessão do Iraque. A Inglaterra era totalmente favorável ao desenvolvimento do petróleo, esperando que os rendimentos potenciais do mineral ajudassem a financiar o novo governo iraquiano e posteriormente a reduzir as suas próprias cargas financeiras.

Mas a exploração e o desenvolvimento do petróleo do Iraque não poderiam começar sem uma concessão nova e mais bem garantida pelo governo. Em primeiro lugar Washington se recusava firmemente a reconhecer a validade da concessão de 1914 dada à Companhia de Petróleo Turca. Allen Dulles, chefe da Divisão de Assuntos do Oriente Próximo do Departamento de Estado, controlou cuidadosamente as longas negociações para o governo dos Estados Unidos. Em 1924, ele disse a Teagle que o governo americano acreditava que a reivindicação de uma concessão por parte da Companhia Turca de Petróleo "não era válida". Como Dulles havia explicado numa outra ocasião: "A informação que temos é suficiente para arruinar o caso da Companhia Turca de Petróleo". No entanto, os vários ministérios iraquianos, temerosos dos sentimentos nacionalistas e da crítica doméstica — que às vezes se expressava na forma de assassinatos —, relutavam muito em assumir a responsabilidade de assinar uma concessão modificada, para os estrangeiros. As negociações entre a Companhia Turca de Petróleo e o governo do Iraque eram lentas, difíceis e invariavelmente azedas. Finalmente, no dia 14 de março de 1925, foi assinado um novo acordo para concessão. Ele satisfazia o governo americano; dava a impressão de manter aberta a Porta Aberta — que no entanto, como mais tarde observaria Gulbenkian, era apenas uma "conversa fiada".[15]

225

O arquiteto

Tudo parecia finalmente arranjado, até mesmo a fronteira com a Turquia, a não ser por um obstáculo — Calouste Gulbenkian e seus 5%. Durante as negociações, Gulbenkian permanecera uma figura estranha, solitária. Dava grandes voltas para evitar encontros, mas analisava detidamente todas as palavras dos memorandos e respondia com uma torrente de telegramas. O isolamento também marcou as suas ligações pessoais. "As amizades do petróleo são muito escorregadias", disse ele certa vez. Isso seguramente se revelou verdadeiro no caso da sua outrora estreita relação com Deterding, rompida em meados da década de 1920. "Trabalhamos na mais perfeita harmonia por vinte anos", explicou mais tarde Gulbenkian, "mas, como muitas vezes ocorreu no ramo do petróleo, separaram-nos o ciúme pessoal, as divergências de opiniões". Outros diziam que a desavença entre eles foi resultado da disputa pela afeição de uma russa branca, Lydia Pavlova, ex-mulher de um general czarista. Durante certo tempo, os dois homens colaboraram em favor dessa senhora, como fizeram com o petróleo. Certa vez, quando Deterding percebeu que não poderia reunir os 300 mil dólares que devia ao Cartier's, pelas esmeraldas que impulsivamente comprara para Lydia, Gulbenkian arranjou-lhe um crédito até que ele recebesse dinheiro da Royal Dutch-Shell. Mas, no devido tempo, Lydia Pavlova se tornou a segunda sra. Deterding e o resultado desse casamento foi a animosidade entre os dois homens. Deterding e Gulbenkian tiveram também uma disputa grave sobre os lucros de uma companhia petrolífera venezuelana que Gulbenkian levara para o Royal Dutch-Shell Group. Questões mais profundas concernentes ao ego estavam também em jogo. Essa pelo menos era a opinião de Nubar Gulbenkian, que tinha a vantagem ímpar de haver sido assistente pessoal tanto de seu pai quanto de Deterding, tendo deixado a última posição apenas quando os dois homens arranharam iradamente o seu relacionamento. Como Nubar explicou, Deterding passou a se melindrar com a "fastidiosa interferência" de Gulbenkian, que, por sua vez, não podia aguentar a "imponência arrogante" de Deterding.

Com ou sem Deterding, Gulbenkian continuou a se envolver em múltiplas atividades mercantis, inclusive num esforço para assegurar uma concessão exclusiva para a comercialização do caviar soviético. Deixou a mulher instalada entre seus tesouros de arte — seus "filhos", como ele os chamava — na mansão que construíra na Avenue d'Iena, em Paris. Ele próprio se alternava entre suítes do Ritz, em Paris ou em Londres, e do Carlton Hotel, em Londres, acompanhado por uma série de amantes, das quais pelo menos uma, por "conselho médico", tinha de ter 18 anos ou até menos, para rejuvenescer o seu vigor sexual. Podia-se vê-lo uma vez ou duas por dia fazendo o seu exercício terapêutico no Bois de Boulogne ou no Hyde Park, com a limusine seguindo-o. O resto do tempo ele procurava ficar fora de alcance, dedicando-se a suas participações em negócios internacionais, mantendo-se em permanente contato graças a uma cadeia de chamadas telefônicas e telegramas.

As companhias do consórcio americano, sobretudo a Standard, continuavam compromissadas com a exploração de novas jazidas de petróleo em todo o mundo. O

Iraque agigantava-se em seus planos. Mas Gulbenkian permanecia no caminho, e não arredaria pé. De esmagadora importância para ele eram os seus 5% da Companhia de Petróleo Turca — a serem pagos com dinheiro vivo, cláusula a que os americanos se opunham. O rompimento com Deterding apenas fortaleceu a sua obstinação, testando ainda mais a paciência de Teagle — e de todo mundo. Teagle certa vez disse que o sr. Cinco por Cento era ainda "mais difícil numa situação difícil". Gulbenkian estava convencido, segundo suas próprias palavras, de que "os grupos de petróleo chefiados pelos americanos só tinham um objetivo, ou seja, de um jeito ou de outro suprimir" os seus direitos. Porém, estava absolutamente confiante em sua posição. O armênio queria dinheiro, e não petróleo bruto. "O que você acharia", perguntou ele ao repórter de um jornal, "caso tivesse uma pequena participação numa companhia de petróleo e propusessem que seus dividendos fossem pagos com uns poucos galões de petróleo?"

Afinal, Teagle resolveu que teria de ver Gulbenkian pessoalmente. Providenciou que almoçassem juntos no Carlton Hotel, em Londres. Depois de encaminhar o assunto de várias maneiras, chegou ao ponto. Adotou o que pensava ser uma linha atraente na discussão dos *royalties* que Gulbenkian pedia. "Certamente, sr. Gulbenkian, sendo um excelente comerciante de petróleo o senhor não ignora que a propriedade não aguentará um rateio tão alto quanto esse."

O rosto de Gulbenkian ficou vermelho e ele esmurrou furiosamente a mesa.

"Jovem! Jovem!", gritou ele. — "Jamais me chame de comerciante de petróleo! Não sou um comerciante de petróleo e vou fazer com que você perceba isso com muita clareza!"

Teagle recuou.

"Bem, sr. Gulbenkian", começou ele novamente, "peço desculpas se o ofendi. Não sei como chamá-lo ou como classificá-lo se o senhor não é um comerciante de petróleo".

"Vou lhe dizer como eu me classifico", respondeu exaltado o armênio. "Classifico-me como um arquiteto dos negócios. Projetei essa companhia e aquela companhia. Projetei essa Companhia Turca de Petróleo e fiz um quarto para Deterding e fiz um quarto para o francês e fiz um quarto para você." A sua fúria não se aplacava. "Agora vocês três estão tentando dar um pontapé na minha bunda."[16]

Na direção da Linha Vermelha

Enquanto isso, ainda estava para ser determinado se o petróleo seria descoberto em quantidades economicamente viáveis no Iraque. Só em 1925 uma expedição geológica conjunta — representando a Anglo-Persian, a Royal Dutch e as companhias americanas — chegou ao Iraque. Apesar de o impasse com Gulbenkian continuar, os geólogos prosseguiam com grande entusiasmo sua exploração. Um dos americanos informou a Nova York que não sabia de nenhuma outra região no mundo onde a promessa de perfuração fosse maior.

Gulbenkian ainda se recusava a ceder terreno. E por que o faria? Já haviam decorrido quase 35 anos desde que ele escrevera para o sultão o relatório sobre a Mesopotâmia e seu petróleo. Já haviam se passado quase quinze anos desde que ele construíra a Companhia Turca de Petróleo. Durante a I Guerra Mundial, ele tinha pago com seu próprio dinheiro as despesas necessárias para manter de pé esse arranjo que ameaçava desabar. Havia esperado pacientemente por muito tempo; o que significava mais um pouco de espera? Já era um homem fabulosamente rico. E sabia que qualquer sucesso geológico no Iraque apenas fortaleceria a sua posição ao pressionar Teagle e os outros americanos para procurarem rapidamente algum acordo.

A resposta à série de notícias dadas pelos geólogos provou que Gulbenkian estava certo. Teagle reconhecia que agora um acordo era imperativo. A perfuração havia começado em abril de 1927, o que significava que não seriam mais admitidos atrasos na frente de operações dos negócios. O impasse das negociações começou a se desfazer, com Teagle relutantemente cedendo terreno a Gulbenkian. Finalmente, um acordo estava à vista.

Já não era sem tempo. Um dos locais de perfuração era em Baba Gurgur, mais de nove quilômetros a noroeste de Kirkuk, na região anteriormente pertencente aos curdos. Ali, por milhares de anos, duas dúzias de buracos no solo haviam dado vazão ao gás natural, sempre em chamas. Acreditava-se que aquilo era "a ardente fornalha queimando", na qual Nabucodonosor, rei da Babilônia, atirara os judeus. Era ali também que os habitantes locais — assim escrevera Plutarco — haviam incendiado uma rua pontilhada de vazamentos de petróleo para impressionar Alexandre, o Grande. E foi ali, às três horas da madrugada do dia 15 de outubro de 1927, num poço conhecido pelo nome de Baba Gurgur Número 1 — em que a broca quase não havia ultrapassado trezentos metros — que se ouviu um grande rugido reverberando pelo deserto. Seguiu-se um jorro poderoso que alcançou quinze metros acima da torre, trazendo junto pedras do fundo do poço. O campo se encharcou de petróleo, com as cavidades cheias do gás venenoso. Cidades inteiras na área estavam ameaçadas, e a própria cidade de Kirkuk corria perigo. Uns setecentos membros de tribos foram recrutados rapidamente para construir diques e paredes a fim de tentar conter a enchente de petróleo. Finalmente, depois de oito dias e meio, o poço ficou sob controle. Tinha enchido até a borda 95 mil barris por dia.[17]

A principal pergunta fora respondida. Havia jazidas de petróleo no Iraque — potencialmente tão generosas que, afinal de contas, justificavam toda a briga. Agora um acordo definitivo tornava-se urgente. As negociações precisavam ser concluídas. Por fim, no dia 31 de julho de 1928, nove meses depois da descoberta inicial — quase seis anos depois do dia em que Teagle pela primeira vez embarcara num navio para Londres a fim de fechar um acordo —, o contrato foi assinado na íntegra. A Royal Dutch-Shell, a Anglo-Persian e os franceses receberiam cada um 23,75% do petróleo, assim como a Near East Development Company, criada naquela ocasião para defender os interesses das companhias americanas. Com relação ao principal ponto, e o mais suscetível de

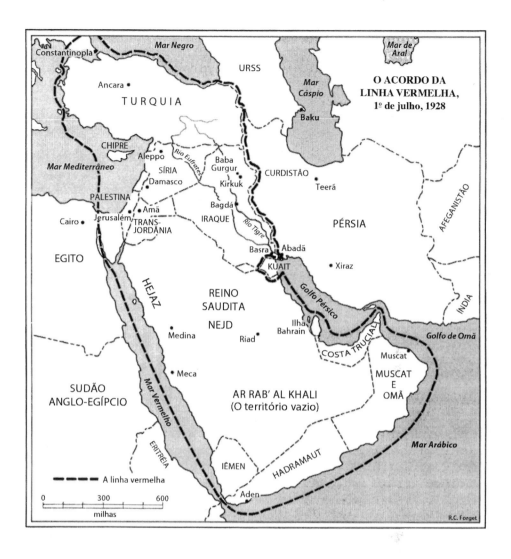

levar a um impasse, Gulbenkian receberia sua participação de 5%, em petróleo, mas poderia vendê-lo imediatamente aos franceses ao preço de mercado, transmutando automaticamente o petróleo bruto no seu tão desejado e amado dinheiro vivo.

Subsistia ainda a questão da cláusula crítica da "renúncia", segundo a qual todos os participantes concordavam em trabalhar em conjunto — e só em conjunto — na região. Como contou mais tarde Gulbenkian, numa das últimas reuniões ele pediu um grande mapa do Oriente Médio, pegou um lápis vermelho e traçou uma linha ao longo das fronteiras do finado Império Turco. "Era o velho Império Otomano que eu conhecera em 1914", disse ele. "E tinha de conhecer. Nascera nele, vivera nele e lutara por ele." Mas Gulbenkian podia estar acrescentando um toque pessoal a algo que já havia sido decidido. Pois, muitos meses antes, os ingleses, usando mapas do Ministério das Relações Exteriores, e os franceses, com mapas do Quai d'Orsay, já haviam fixado os mesmos limites. Quem quer que tenha sido o autor de tais limites, a partir daí esse acordo de longa duração para a exploração do petróleo ficou conhecido como "O Acordo da Linha Vermelha".

Dentro da Linha Vermelha seriam posteriormente descobertos todos os maiores campos produtores de petróleo do Oriente Médio, com exceção dos da Pérsia e do Kuait. Os parceiros se comprometeram a não desenvolver operações de petróleo dentro daquele vasto território, a não ser em cooperação com os outros membros da Companhia Turca de Petróleo. Assim, a cláusula de renúncia do Acordo do Ministério das Relações Exteriores de 1914 renasceu 14 anos mais tarde com o nome de Acordo da Linha Vermelha. Ela definiu a moldura para os futuros empreendimentos petrolíferos do Oriente Médio. E também se tornou o fulcro de décadas de encarniçado conflito.

Muitos anos depois, quando se disse que Gulbenkian o havia derrotado no acordo com a Companhia Turca de Petróleo, Walter Teagle relembrou. Evocando aquelas árduas e prolongadas negociações, ele disse: "Aquele acordo foi uma porcaria! Nós devíamos ter feito a coisa sozinhos três anos antes".

Certamente foi uma grande vitória para Gulbenkian — a culminação de 37 anos de concentração e um testamento à sua perseverança e tenacidade. Era o acordo pelo qual esperara durante toda a sua vida adulta. Valia para ele dezenas de milhões de dólares. Para assinalar o grande acontecimento, Gulbenkian alugou um barco naquele verão e foi fazer um cruzeiro no Mediterrâneo com sua filha Rita. Na costa do Marrocos, ele divisou um tipo de navio que jamais havia visto. Pareceu-lhe muito estranho, com a chaminé se projetando para cima na extremidade da longa quilha. Perguntou o que era aquilo.

Um petroleiro, informou-lhe Rita.

Ele estava com 59 anos, acabara de fazer um dos maiores acordos de petróleo do século, era o Talleyrand do petróleo e nunca havia visto um petroleiro.[18]

CAPÍTULO XI

Da escassez ao excedente: a era da gasolina

EM 1919, UM CAPITÃO DO EXÉRCITO AMERICANO, Dwight D. Eisenhower, deprimido pelo tédio e pela limitação que pareciam ser uma crônica condição da vida militar em tempos de paz, considerou a ideia de deixar o exército e aceitar um emprego que lhe fora oferecido em Indianápolis por um companheiro do exército. Ouviu falar, porém, que o exército queria um oficial para se reunir a uma caravana motorizada que iria cruzar o país e que estava sendo organizada para comprovar o potencial do transporte motorizado e para demonstrar, de forma dramática, a necessidade de estradas melhores. Eisenhower se apresentou: a viagem pelo menos aliviaria o seu tédio e representaria férias baratas para a família no oeste. "Um comboio de costa a costa", diria ele mais tarde, "era, nas condições da época, uma autêntica aventura". Ele iria se lembrar da viagem como: "Através da mais Misteriosa América por Caminhão e Tanque".

A viagem começou no dia 7 de julho de 1919, tendo o seu marco zero ao sul do gramado da Casa Branca. A caravana partiu. Contava 42 caminhões; 5 carros de passageiros com o pessoal de observação e de reconhecimento; e uma complementação de motocicletas, ambulâncias, caminhões-tanques, cozinhas de campo móveis, oficinas mecânicas móveis e caminhões dotados de holofotes, pertencentes ao corpo de sinaleiros. Os veículos estavam nas mãos de motoristas cuja linguagem e habilidade na direção sugeriam, pelo menos para Eisenhower, que eles tinham mais familiaridade com parelhas de cavalos do que com o motor de combustão interna. Nos três primeiros dias, o comboio conseguiu desenvolver a velocidade de nove quilômetros por hora — "Não chega a ser tão bom", disse Eisenhower, "quanto o mais vagaroso trem de tropas". A velocidade nunca foi melhor do que essa. A viagem registrou uma montanha de eixos quebrados, correias de ventiladores partidas, velas de ignição despedaçadas e freios rompidos. Quanto às estradas, variavam "de médias a inexistentes", disse Eisenhower. "Em alguns lugares, os caminhões pesados quebravam na estrada e era preciso rebocá-los, um por um, com o trator de esteira. Havia dias em que prevíamos vencer mais de noventa ou cem ou até cento e sessenta quilômetros e só andávamos três ou quatro."

Tendo deixado Washington no dia 7 de julho, só em 6 de setembro a caravana chegou a São Francisco, onde os motoristas foram recepcionados com um desfile e um discurso do governador da Califórnia, que os comparou aos Imortais 49 (referência aos homens que, em 1849, se deslocaram até a Califórnia para a corrida do ouro). Eisenhower pensava no futuro. "O velho comboio", lembrou, "me fez começar a imaginar boas estradas de duas pistas". Mais tarde, 35 anos depois, como presidente dos Estados Unidos, ele defenderia um vasto sistema de estradas interestaduais. Porém, em 1919, a missão a passo de tartaruga "Através da mais Misteriosa América" significou a aurora de uma nova era — o despertar da motorização do povo americano.[1]

"Um século de viagens"

"Este é um século de viagens", escrevera Henri Deterding em 1916 a um dos executivos seniores da Shell nos Estados Unidos, "e a inquietação criada pela guerra fará com que o desejo de viajar seja ainda maior". Sua previsão foi rapidamente confirmada nos anos posteriores à I Guerra Mundial, com consequências que transformaram não só a indústria petrolífera como, na verdade, o estilo de vida americano e depois o de todo o mundo.

A transformação ocorreu com uma espantosa rapidez. Em 1916, o ano da profecia de Deterding, cerca de 3,4 milhões de automóveis estavam registrados nos Estados Unidos. Durante a década de 1920, com a prosperidade dos tempos de paz à mão, os carros passavam pela linha de montagem em número cada vez mais assustador. No final da década, o número de carros registrados nos Estados Unidos tinha disparado para 23,1 milhões. Cada veículo viajava mais e mais longe a cada ano — a média rodada por carro passou de sete mil quilômetros em 1919 para 12 mil quilômetros em 1929. E todos eles eram movidos a gasolina.

A cara dos Estados Unidos tinha mudado com a imensa invasão dos automóveis. Em *Only Yesterday,* Frederick Lewis Allen mostrou um retrato da nova fisionomia da década de 1920. "Cidades que outrora haviam prosperado por estar 'ao lado da ferrovia' definhavam, vítimas de anemia econômica; cidades na Route 61 floresciam, com garagens, postos de gasolina, barracas de *hot dogs,* restaurantes, casas de chá, pousadas para os turistas e áreas de *camping.* O bonde interurbano havia sucumbido (...) Uma após outra, as ferrovias desativaram suas linhas secundárias. No início da década, em milhares de cidades, um único funcionário do serviço de trânsito era suficiente para controlar o tráfego no cruzamento da Main Street com a Central Street. No final da década, que diferença! — semáforos com luzes vermelhas e verdes, sinais intermitentes, vias de mão única, baias para descida de passageiros nas grandes avenidas, estacionamento regulamentado com um rigor cada vez maior – e ainda uma notável corrente de tráfego que se estendia por quarteirões ao longo da Main Street todas as tardes de sábados e domingos (...) a era do vapor estava dando lugar à era da gasolina."

O impacto da revolução do automóvel foi bem maior nos Estados Unidos do que em qualquer outro lugar. Em 1929, 78% dos carros de todo o mundo estavam lá. Nesse mesmo ano, havia cinco pessoas para cada veículo nos Estados Unidos, ao passo que na Inglaterra havia trinta, na França 33, na Alemanha 102, no Japão 702 e 6.130 na União Soviética. Os Estados Unidos eram, indubitavelmente, o líder no consumo de gasolina. A mudança na orientação básica da indústria petrolífera não foi menos gritante. Em 1919, a demanda total de petróleo dos Estados Unidos era de 1,03 milhão de barris diários; em 1929, ela tinha se elevado para 2,58 milhões de barris, um aumento de duas vezes e meia. No mesmo período, a participação do petróleo no total do consumo de energia se elevou de 10% para 25%. O maior crescimento foi, de longe, o da gasolina — uma elevação de mais do que o quádruplo. A gasolina e o óleo combustível juntos representavam 85% de todo o consumo de petróleo em 1929. Quanto ao querosene, sua produção e seu consumo eram comparativamente desprezíveis. A "nova luz" cedera lugar ao "novo combustível".[2]

"A magia da gasolina"

A transformação dos Estados Unidos numa cultura automotiva foi acompanhada por uma evolução verdadeiramente importante: o aparecimento e a proliferação de um templo dedicado ao novo combustível e ao novo estilo de vida — o posto *drive-in* de gasolina. Antes da década de 1920, a maior parte da gasolina era vendida por lojistas, que mantinham o combustível em latas e outros recipientes depositados sob o balcão ou no pátio da loja. O produto não tinha marca e o motorista não podia ter certeza de estar levando gasolina ou um produto adulterado com nafta ou querosene, mais baratos. Além do mais, esse sistema de distribuição era complicado e lento. Na infância da era do automóvel, alguns varejistas fizeram experiências com vagões de gasolina que entregavam o combustível de casa em casa. A ideia nunca pegou, em parte devido à frequência com que os vagões explodiam.

Tinha de haver um modo melhor, e havia: o posto *drive-in*. A honra de ter construído o primeiro posto de gasolina é atribuída a muitos pioneiros, mas, segundo o *National Petroleum News*, a distinção cabe à Automobile Gasoline Company de St. Louis, em 1907. A publicação especializada no comércio de petróleo informou, numa pequena notícia encaixada numa página interna, com o título "Posto para automobilistas", que "um novo modo de ter acesso direto à bomba de gasolina está sendo tentado com sucesso em St. Louis pela Auto Gasoline Co". O homem do petróleo cuja inovação atraíra a atenção do editor deu uma risadinha e afirmou: "Agora riam à vontade dessa pocilga". Embora o editor nunca tenha visto pessoalmente o primeiro posto, ele visitou o segundo, também da Auto Gasoline e também em St. Louis, e na sua opinião aquilo era mesmo uma pocilga. Um pequeno barraco abrigava alguns barris de óleo combustível. Fora, dois velhos tanques de água haviam sido colocados sobre suportes altos, com grandes mangueiras saindo de cada um deles para drenar gasolina pela gravidade até o tanque dos automóveis. Esse era bem o aspecto de todos os primeiros postos: pequenos, apinhados, sujos, estruturas em ruínas, equipados com um ou dois tanques e precariamente ligados à rua por um caminho estreito e sem pavimentação.

O real crescimento do número de postos de gasolina não foi grande e nem eles se desenvolveram até a década de 1920. Em 1920, não havia certamente mais de 100 mil estabelecimentos vendendo gasolina; metade deles eram armazéns, vendas e lojas de ferragens. Na década anterior, poucas dessas casas de comércio vendiam gasolina. Em 1929, o número estimado de estabelecimentos que vendiam gasolina havia subido para 300 mil. Quase todos eram postos de gasolina ou garagens. O número de postos *drive-in* de gasolina, especificamente, tinha subido de uns prováveis 12 mil em 1921 para cerca de 143 mil em 1929.

Os postos estavam por todo lado — nas esquinas das grandes cidades, nas ruas principais das pequenas cidades, nos entroncamentos da zona rural. A leste das Montanhas Rochosas, tais instalações eram chamadas "postos de encher"; a oeste delas eram conhecidas como "postos de serviço". E seu futuro começou quando, em 1921, um superposto muito decantado foi aberto em Fort Worth, no Texas, com oito bombas e três acessos da rua. Mas a Califórnia, e particularmente Los Angeles, foi a verdadeira incubadora do posto de serviço moderno, uma estrutura modelar com sinalização de enormes dimensões, banheiros, varandas, áreas ajardinadas e acessos pavimentados. A Shell introduziu os postos de gasolina, padronizados, cujas bombas tinham medidor. Esses postos proliferaram num ritmo espantoso por toda a nação, e no final da década de 1920 estavam rendendo dinheiro não apenas pela venda da gasolina mas também pelo que se chamava PBA — pneus, baterias e acessórios. A Standard of Indiana estava transformando os postos em empórios maiores, que, além da gasolina, vendiam toda variedade de produtos de petróleo: de óleo para o motor a lustra-móveis e óleo para máquinas de costura. Um novo tipo de bomba logo ficou na ordem do dia em todo o país; nele a gasolina era impulsionada por uma estrutura arredondada até o alto da bomba, onde ela podia ser vista pelo freguês, garantindo-lhe a pureza do produto antes de entrar na mangueira para chegar ao tanque do carro.

E, à medida que os postos se espalhavam e a competição esquentava, içavam-se bem alto os sinais e símbolos da nova era: a estrela da Texaco, a concha da Shell, o diamante da Sun, o "76" da Union, o "66" da Phillips (inspirado não apenas pela estrada, mas pelas "57 variedades" de Heinz), o cavalo voador da Socony, o disco laranjado da Gulf, a coroa vermelha da Standard of Indiana, o brontossauro da Sinclair e o patriótico vermelho, branco e azul da Standard of New Jersey. A competição forçou as companhias de petróleo a criar marcas registradas para garantir a identificação do produto em todo o país. Elas se tornaram os ícones de uma religião secular, dando aos motoristas americanos uma sensação de familiaridade, confiança e segurança — e de participação — quando rodavam pelas estradas cada vez mais longas que riscavam o país em todas as direções.

Os postos de gasolina também foram a fonte do que um especialista chamou de "a original contribuição americana para o desenvolvimento e crescimento da cartografia": o mapa de estradas feito pelas companhias petrolíferas. O primeiro mapa de estradas dirigido especificamente aos automobilistas foi talvez o que apareceu no *Chicago Times Herald*, em 1895, para uma corrida de 86 quilômetros patrocinada pelo jornal. No entanto, foi só em 1914, quando a Gulf estava abrindo o seu primeiro posto de gasolina em Pittsburgh, que um publicitário da cidade sugeriu a distribuição gratuita no posto de mapas da região. A ideia vingou rapidamente à medida que os americanos pegaram a estrada na década de 1920, e os mapas logo se tornaram um artigo de primeira necessidade.

Os fregueses eram cortejados com muitas outras amenidades e atrações. Em 1920, a Shell of California estava dando uniformes para os empregados de seus postos e pagando para que eles fossem lavados e passados três vezes por semana. Os funcionários eram proibidos de ler jornais e revistas enquanto trabalhavam, e o manual proibia que aceitassem gorjetas: "Os serviços de ar e de água são uma gratuidade que o público espera receber de você, e o fato de ser ou não cliente da Shell não tem a menor importância". Em 1927, esperava-se que os "vendedores de posto de serviço", como eram chamados, perguntassem ao freguês: "Posso verificar os pneus para o senhor?". Eles também estavam proibidos de deixar que "opiniões pessoais e preconceitos" fossem tratados em serviço: "Os vendedores devem ser cuidadosos no atendimento de clientes orientais e latinos e evitar o uso de inglês incorreto na conversa com eles".

A publicidade e a propaganda ajudaram a criar as principais marcas regionais e nacionais. E foi Bruce Barton, um publicitário, que procurou levar a venda de gasolina ao ponto mais alto. Barton falava com imensa autoridade. Ele já tinha garantido a imortalidade com *The Man Nobody Knows,* o *best-seller* número um dos Estados Unidos nos anos de 1925 e 1926; o livro provava que Jesus Cristo não era apenas "o convidado mais popular para os jantares de Jerusalém", mas também "o fundador dos negócios modernos" e "o maior publicitário da sua época". Agora, em 1928, Barton convocava os homens do petróleo a refletir sobre "a magia da gasolina". Instava com eles: "Fiquem por uma hora ao lado de um de seus postos de gasolina. Conversem com as pessoas que entram para comprar gasolina. Descubram por si mesmos que mágica um dólar de gasolina por semana produziu em sua vida".

"Meus amigos, é o suco da fonte da eterna juventude que vocês estão vendendo. É a saúde. O conforto. O sucesso. E vocês têm vendido apenas um líquido malcheiroso por tantos centavos o galão, sem nunca tirá-lo da categoria de uma despesa detestada (...) É preciso se colocar no lugar do homem e da mulher em cuja vida a sua gasolina operou milagres."

O milagre era a mobilidade; as pessoas podiam ir aonde quisessem, quando quisessem. Essa mensagem promovia os homens do ramo do petróleo, que se preocupavam com margens, volumes, cadastros, fatias de mercado e uniformes engordurados.

Se não chegava a ser uma religião, a venda de gasolina a varejo tinha se tornado, no fim da década, um grande negócio bastante competitivo.[3]

Tempestade num bule

Posto que o preço da gasolina afetava agora a vida e a sorte de tantos americanos, tornou-se axiomático, no final da década de 1920, que o seu preço, sempre que subisse, se tornaria uma fonte de raiva, um assunto a ser noticiado pela imprensa, discutido pelos governadores e senadores ou até mesmo pelos presidentes e investigado por vários setores do governo americano. Em 1923, depois de uma subida de preço, o senador populista de Wisconsin, Robert ("Bob Lutador") La Follette, comandou audiências altamente tensas sobre o preço da gasolina. Ele e seu subcomitê advertiram que a se permitir que "umas poucas grandes companhias petrolíferas" continuem a "manipular os preços do petróleo pelos próximos anos, como têm feito desde janeiro de 1920, a população deste país deverá estar preparada para, dentro em pouco, pagar pelo menos um dólar pelo galão de gasolina". Essa advertência perdeu muito do seu impacto porque o excedente cresceu e o preço da gasolina despencou. Em abril de 1927 os preços a varejo da gasolina baixaram para treze centavos o galão em São Francisco e depois dez e meio centavos em Los Angeles, ficando a uma grande distância da terrível previsão de La Follette.

Mas, se La Follette não estava bem fundamentado quanto à dinâmica dos preços da gasolina, ele tinha diretamente em mira um outro drama, do qual a investigação sobre os preços da gasolina era apenas um aspecto secundário. La Follette comandou no Senado a cruzada inicial que desvendou um dos mais famosos e bizarros escândalos da história da nação: a Tampa do Bule.

A Tampa do Bule, em Wyoming, que recebera esse nome devido à forma de uma estrutura geológica, era um dos três campos petrolíferos (os outros dois ficavam na Califórnia) que, como resultado do debate das vésperas da I Guerra Mundial sobre a conversão do carvão ao óleo pela Armada dos Estados Unidos, as administrações Taft e Wilson haviam posto de lado para serem "reservas petrolíferas da armada". O argumento foi semelhante ao que simultaneamente se verificava na Inglaterra, abraçado por Winston Churchill, pelo almirante Fisher e por Marcus Samuel. Mesmo reconhecendo a superioridade do óleo sobre o carvão e, obviamente, sabendo da superioridade dos Estados Unidos em se tratando da produção, os americanos, como os ingleses, se preocupavam bastante com a possibilidade do que um oficial da marinha americana chamou "uma insuficiência da oferta (...) ameaçando a mobilidade da esquadra e a segurança da nação". O que aconteceria se faltasse óleo no momento crítico? As vantagens do óleo eram irresistíveis, e em 1911 — quase ao mesmo tempo que a Inglaterra — tornou-se a decisão de converter a esquadra dos Estados Unidos. No ano seguinte, a fim de aliviar a ansiedade em relação ao suprimento, Washington começou a definir as reservas de petróleo para a marinha em áreas com potencial de produção. Elas deveriam constituir-se "num suprimento armazenado para alguma emergência inesperada", que poderia vir a ser produzido em tempo de guerra ou de crise. Mas tinha havido uma longa batalha em Washington com relação ao estabelecimento dessas reservas e à questão de se os interesses privados poderiam tomá-las por arrendamento para exploração parcial. O debate era parte de uma permanente batalha sobre a política pública dos Estados Unidos do século XX: de um lado, se alinhavam os defensores da ideia de que os recursos localizados em áreas do Estado pudessem ser desenvolvidos pelos interesses privados e, de outro, os que propunham a conservação e proteção de tais recursos sob a administração do governo federal.

Quando Warren G. Harding, escolhido candidato republicano porque, entre outras coisas, tinha "jeito de presidente", foi para a Casa Branca, em 1920, procurou, como qualquer bom político, apelar para os dois lados do debate dos recursos, consagrando "aquela harmonia de relações entre a conservação e o desenvolvimento". Porém, ao escolher o senador Albert B. Fall, do Novo México, para secretário do Interior, Harding dificilmente pôde disfarçar a sua opção pelo desenvolvimento em detrimento da conservação. Fall era um fazendeiro bem-sucedido, político poderoso, advogado e mineiro — "o homem da fronteira, prático, o lutador vigoroso", disse uma revista, "que parece um xerife texano dos velhos tempos e de quem se diz que na juventude manejava uma arma com a velocidade e a pontaria de um herói de Zane Grey". A crença de Fall "na venda irrestrita das terras públicas era tão tipicamente do oeste quanto o seu chapéu negro e de aba larga e seu amor pelos bons cavalos". Os que estavam do outro lado da disputa viam Fall de modo diferente. Ele era descrito como membro da "gangue da exploração" por um líder dos conservadores. "Teria sido possível escolher um homem pior para secretário do Interior", acrescentou o conservador, "mas não seria fácil".

Fall conseguiu arrebatar do Departamento da Marinha o controle das reservas de petróleo da marinha, passando-o para o Departamento do Interior. O passo seguinte seria arrendar as reservas para companhias particulares. Suas atividades não ficaram sem divulgação. Na primavera de 1922, pouco antes da assinatura dos arrendamentos, Walter Teagle, da Standard Oil, apareceu inesperadamente no escritório do publicitário Albert Lasker, que havia dirigido a publicidade da campanha de Harding e era, na ocasião, chefe do Conselho da Frota Mercante dos Estados Unidos. "Soube", disse Teagle a Lasker, "que o Departamento do Interior está prestes a fechar um contrato de arrendamento da Tampa do Bule, isso está fedendo em toda a indústria. Não me interessa a Tampa do Bule. O contrato não tem *nenhum* interesse para a Standard Oil of New Jersey, mas *acho* mesmo que você deve dizer ao presidente que ele *fede*".

Com alguma relutância, Lasker foi ver o presidente e repetiu a mensagem de Teagle. Harding ficou andando de lá para cá atrás de sua mesa. "Não é a primeira vez que ouço esse rumor", disse ele, "mas se Albert Fall não é um homem honesto então não sirvo para ser presidente dos Estados Unidos." Ambas as proposições seriam logo testadas até o limite.[4]

Fall arrendou A Tampa do Bule para Harry Sinclair por meio de um acordo extraordinariamente favorável que assegurava à Sinclair Oil um mercado garantido: o governo dos Estados Unidos. Também arrendou a mais generosa reserva da Califórnia, a colina Elk, para Edward Doheny. Ambos estavam entre os homens do petróleo mais conhecidos dos Estados Unidos. Eram empresários, "homens novos" que prosperaram por sua própria capacidade de criar grandes empresas fora da sucessão da velha Standard Oil. Doheny era uma lenda viva. Começara a carreira fazendo prospecção. De repouso por ter quebrado as duas pernas ao cair no poço de uma mina, deu bom uso ao tempo estudando para se tornar advogado. Também se dizia que matou com uma faca um leão de montanha. Na década de 1920, Doheny acumulou uma grande fortuna e sua companhia, a Pan American, era efetivamente uma produtora de petróleo mais importante do que qualquer das companhias sucessoras da Standard Oil. Doheny fazia questão de apadrinhar e favorecer políticos dos dois partidos.

O mesmo fazia Harry Sinclair, filho de um farmacêutico de uma cidadezinha de Kansas, que também se preparava para ser farmacêutico. Mas aos vinte anos ele perdeu a farmácia da família num negócio arriscado. Quebrado, tentou ganhar a vida vendendo madeira para equipamento de perfuração; depois passou a comprar e vender pequenas propriedades petrolíferas no sudeste do Kansas e no território dos índios Osage, em Oklahoma. Atraindo os investidores, começou a formar um pelotão de pequenas companhias de petróleo, uma para cada arrendamento. Era um comerciante magistral e um homem de negócios agressivo e vigoroso, dotado de uma autoconfiança onipotente que não cedia para ninguém, muito menos para seus investidores. Disse um de seus colegas: "Onde se sentasse passava a ser a ponta da mesa". Ele simplesmente insistia em avançar. Jogou todas as suas fichas no poço Glenn, em Oklahoma, e ganhou uma fortuna com ele. Partiu para os recém-descobertos poços petrolíferos de Oklahoma, inundados de óleo devido à produção generosa e ainda não conectada com oleodutos, e comprou todo o petróleo que pôde a dez centavos o barril. Armazenou-o em tanques de aço, esperou a conclusão das obras dos oleodutos e vendeu-o a 1,20 dólar o barril.

Por ocasião da I Guerra Mundial, Sinclair era o maior produtor independente de petróleo do centro do continente. Mas, tendo que vender para as grandes companhias, estabelecidas e integradas, e de lhes dar atenção, isso o mortificava. Ele levantou 50 milhões de dólares e em 1916 formou rapidamente a sua própria companhia de petróleo coligada, que logo estaria entre as dez maiores do país. Rei absoluto de sua empresa, Sinclair estava disposto a lutar pelos negócios em quase todos os cantos do país. Adquiriu o hábito de pensar que quando queria algo nada poderia cruzar o seu caminho. E uma coisa que ele queria era a Tampa do Bule.

O Departamento do Interior assinou os seus contratos com Doheny e Sinclair, em abril de 1922, em meio a um turbilhão de rumores, como disse um conservador, de "ser o sr. Fall muito amigo de grandes interesses de natureza oleaginosa". O senador La Follette começou a investigar. Descobriu que oficiais da marinha que tinham sido contra a transferência das reservas do Departamento da Marinha para o do Interior e contra seu posterior arrendamento haviam sido transferidos para postos distantes e inacessíveis. Suas suspeitas aumentaram. Um ano depois, quando em março de 1923,

Fall — que ainda era uma figura pública muito sólida e respeitada, apesar de cada vez mais polêmica renunciou a seu cargo de secretário do Interior, elas continuavam apenas suspeitas.

Nessa ocasião, a administração Harding estava afundando num lamaçal de escândalos e injustiças. O próprio Harding lutava para enfrentar acusações de que mantinha uma amante em tempo integral. "Não tenho problemas com os meus inimigos", disse o melancólico presidente enquanto o seu vagão particular rodava pela planície do Kansas; "posso cuidar deles. São os meus (...) amigos que me dão preocupações." Pouco depois, em São Francisco, ele morreu de repente — "de embolia", disse um médico, mas o editor de um jornal contestou; segundo ele, Harding morrera em consequência de "uma doença que era em parte terror, em parte vergonha e em parte uma total confusão!" Sucedeu-o o seu vice, Calvin Coolidge.

Enquanto isso, o Comitê de Terras Públicas do Senado passara a cuidar do caso da Tampa do Bule. A investigação ainda não dispunha de fatos consistentes, e havia quem dissesse que aquilo tudo não passava de uma "tempestade num bule". Começaram então a aparecer alguns itens de considerável interesse. Fall havia feito grandes e caras reformas em sua fazenda do Novo México na época do arrendamento da Tampa do Bule. Além disso, com cédulas de cem dólares que tirara de uma latinha, pagou parte do valor de uma fazenda vizinha. Como teria ele de repente começado a ficar tão pródigo? Perguntado sobre a súbita melhoria de suas finanças, Fall disse que havia recebido um empréstimo de 100 mil dólares de Ned McLean, o editor do *Washington Post*. Entrevistado em Palm Beach, McLean — supostamente impedido de viajar devido a uma sinusite — admitiu o empréstimo, mas disse que poucos dias mais tarde Fall tinha lhe devolvido os cheques sem descontá-los. Revelações ainda mais embaraçosas vieram a público. O secretário de Sinclair testemunhou que certa vez seu chefe lhe havia dito que, se Fall viesse a lhe pedir 25 ou 30 mil dólares, devia dá-los. E Fall pediu. O próprio Sinclair, que sem qualquer aviso havia partido subitamente para a Europa, deixou Paris às pressas e foi para Versalhes a fim de se esquivar dos repórteres.

E aí veio a grande bomba. No dia 24 de janeiro de 1924, Edward Doheny contou ao comitê do Senado que havia fornecido a Fall os 100 mil dólares, levados pessoalmente por seu filho em dinheiro vivo "num saquinho preto" até o escritório de Fall. Não, definitivamente não era suborno, insistiu Doheny, apenas um empréstimo para um velho amigo; os dois haviam feito prospecção de ouro décadas atrás. Ele até exibiu uma nota mutilada supostamente assinada por Fall, apesar de a assinatura ter sido cortada fora. Doheny explicou que sua mulher havia tirado o pedaço contendo a assinatura para não embaraçar Fall com a exigência de um reembolso embaraçoso caso ele viesse a morrer. Era amizade combinada com prudência.

Fall disse que estava muito enfermo para testemunhar, o que fez alguns se lembrarem de um incidente ocorrido poucos anos antes. O aguerrido Fall era um dos dois senadores que haviam ido à Casa Branca em 1920 para investigar se Woodrow Wilson tivera mesmo um ataque cardíaco ou se, como andava circulando, enlouquecera.

"Presidente, todos nós temos rezado pelo senhor", declarou Fall seriamente naquele dia de 1920. "Para que, exatamente, senador?", foi a resposta do debilitado Wilson. Agora se dizia que a doença de Fall devia ser investigada. Reputações estavam sendo arruinadas a torto e a direito à medida que a história bizarra continuava a se desenrolar. Os investigadores descobriram que telegramas com um velho código do Departamento de Justiça haviam sido trocados entre McLean, o editor do Washington Post, de Palm Beach, e várias pessoas em Washington, D.C. Um ex-ladrão de trem de Oklahoma apareceu para testemunhar perante o comitê do Senado. Harry Sinclair, julgado por ter desacatado o Senado ao se recusar a responder às perguntas, contratou a Burns Detective Agency para espionar membros do júri, o que não podia ser considerado exatamente como da melhor tradição da jurisprudência anglo-saxônica. Em 1924, disse *The New Republic*, toda Washington estava "andando atolada em óleo até os ombros (...) Os correspondentes do jornal não escrevem sobre mais nada. Nos hotéis, nas ruas, nas mesas do jantar, o único assunto discutido é o petróleo. O Congresso abandonou todos os outros temas".

A eleição presidencial de 1924 estava próxima, e Calvin Coolidge tinha a intenção de chegar à Casa Branca pelos próprios méritos. Naquela ocasião, o seu principal interesse no petróleo era ficar tão longe quanto possível da questão e evitar respingos do escândalo da Tampa do Bule. Vindo em defesa de Coolidge, um congressista republicano proclamou que a única conexão do candidato com A Tampa do Bule era que ele havia prestado juramento à luz de um lampião. Mas isso de nada adiantou. Os democratas pretendiam usar o escândalo como um potente tema de eleição. Porém eles subestimaram a habilidade política de Calvin Coolidge. E também descuidaram da sua própria vulnerabilidade — afinal de contas Doheny era um democrata que dera emprego bem-remunerado para pelo menos quatro ex-membros do ministério de Woodrow Wilson. Além disso, pagara 150 mil dólares de gratificação legal para William McAdoo, genro de Woodrow Wilson e primeiro colocado na corrida para a indicação do candidato dos democratas em 1924. McAdoo perdeu essa posição quando a remuneração passou a ser conhecida do público, e a indicação democrática foi para John W. Davis. Ficou-se sabendo até mesmo que Doheny discutira uma "proposta" sobre petróleo em Montana com o senador democrata que, por acaso, estava dirigindo a investigação do Senado sobre A Tampa do Bule.

Como a indignação pública pelo caso da Tampa do Bule tivesse crescido, Coolidge contra-atacou: demitiu os subalternos de Harding, denunciou contravenções e designou uma dupla de promotores especiais — um democrata e um republicano. A partir de então se distanciou efetivamente do escândalo e na campanha presidencial fez tudo o que pôde para fazer jus ao título de "Silencioso Cal". Sua estratégia era neutralizar os temas ignorando-os — uma campanha de silêncio. Com relação a mais nada foi tão silencioso quanto com o assunto do petróleo. A estratégia funcionou. Por espantoso que tenha podido parecer, o grande escândalo da Tampa do Bule nunca foi assunto em toda a campanha, e Coolidge ganhou facilmente.

O escândalo se arrastou durante todo o resto da década. Em 1928, descobriu-se que Sinclair havia canalizado muitas centenas de milhares de dólares a mais para Fali por meio de uma falsa companhia, a Continental Trading Company, o que significava que Fall havia recebido pelo menos 409 mil dólares por seus serviços para os dois velhos amigos. Finalmente, em 1931, o corrupto e ganancioso Fall foi para a cadeia; era o primeiro oficial de gabinete a ser sentenciado e preso por crime cometido no exercício do cargo. Sinclair foi sentenciado a prisão por seis meses e meio por desprezar tanto a corte como o Senado. A caminho da prisão ele parou para assistir a uma reunião do conselho da Sinclair Consolidated Oil Corporation, onde os outros diretores lhe apresentaram formalmente "um voto público de confiança". Doheny foi julgado inocente e nunca foi para a cadeia, levando um senador a lamentar: "Não dá para condenar um milhão de dólares nos Estados Unidos".[5]

O coronel e os bônus da liberdade

O escândalo teve repercussões ainda maiores quando investigações posteriores revelaram que a falsa companhia, a Continental Trading, era na verdade um mecanismo graças ao qual um grupo de proeminentes homens do petróleo havia recebido do governo restituições na forma de Bônus da Liberdade (apólices federais emitidas por ocasião da I Guerra Mundial) nas compras de petróleo feitas pelas suas próprias companhias. Harry Sinclair usara parte de sua restituição para pagar Fall, passando adiante os bônus. E dera também alguns bônus ao Comitê Nacional Republicano. A nação estava chocada por saber que entre os que receberam restituições dos Bônus da Liberdade estava um dos homens do petróleo mais distintos, bem-sucedidos e poderosos, o coronel Robert Stewart, presidente da Standard of Indiana.

Um homem de rosto largo, corpulento, Stewart havia feito parte dos Domadores de Potros Bravos de Teddy Roosevelt. Ao contrário dos chefes de muitas das outras grandes companhias de petróleo, ele nunca havia tido um dia de experiência prática no campo. Trabalhara primeiro para a Standard of Indiana como advogado e transportou as suas habilidades legais para o topo da companhia. Isso não era muito surpreendente; afinal, os desafios legais anteriores e posteriores à dissolução haviam dominado e redefinido a indústria petrolífera, e desde 1907 Stewart estava no centro de cada caso importante em que a Standard of Indiana se achasse envolvida. Autocrático, dominador e combativo, infundiu na companhia uma agressividade que a converteu na primeira vendedora de gasolina do país na década de 1920. O "Coronel Bob", como era chamado, estava entre os mais respeitados e admirados líderes não apenas da indústria petrolífera, mas de todo o mundo dos negócios dos Estados Unidos. Quem poderia acreditar que alguém tão íntegro iria se rebaixar a se sujar na lama da Tampa do Bule? Mas, depois de anos de objeções evasivas a seu envolvimento com a Continental Trading e os Bônus da Liberdade, Stewart finalmente admitiu que havia recebido cerca de 760 mil dólares em bônus.

À medida que Stewart se enrolava cada vez mais fundo na controvérsia da Tampa do Bule, o maior acionista da Standard of Indiana, que até então dificilmente interferia na administração da companhia, instou Stewart a "remover todas as razões justificadas para críticas". Stewart não cooperou. Finalmente, em 1928, o acionista decidiu que havia dado todas as chances e concluiu que ele teria de sair. O acionista era chamado de Júnior e era o único filho de John D. Rockefeller.

John D. Rockefeller Jr. era um homem baixo, tímido, sério e solitário. Adorava o pai e absorvera de coração as suas lições sobre parcimônia. Quando estudante na Universidade Brown, o jovem Rockefeller surpreendera os colegas de classe ao fazer a bainha de seus panos de prato. Mais que qualquer outra coisa, porém, ele havia sido rigorosa e repetidamente instruído pela mãe quanto ao "dever" e à "responsabilidade" e se preocupava com a probidade. Encontrou sua própria vocação, independentemente de seu pai, na doação sistemática de uma parcela significativa da fortuna familiar, apesar de ainda sobrar bastante, é claro. Também se envolveu numa grande variedade de causas cívicas e sociais, indo certa vez tão longe a ponto de presidir uma investigação oficial sobre a prostituição, em nome da cidade de Nova York.

O jovem Rockefeller chegou a estabelecer um diálogo com Ida Tarbell, a "distinta amiga" de seu pai e a Nêmesis caçadora de corruptos. Ele a encontrara numa conferência em 1919 e se dera ao trabalho de ser extremamente educado e até mesmo cavalheiresco com ela. Poucos anos depois pediu-lhe que revisse uma série de entrevistas com seu pai, as quais constituiriam a base de um livro que ele estava planejando. Para facilitar, ele próprio entregaria o material no apartamento de Tarbell em Gramercy Park, em Manhattan. Depois de examinar as entrevistas, Tarbell lhe disse que os comentários do velho Rockefeller só satisfaziam a si próprio e evitavam todas as acusações que lhe haviam sido feitas. Júnior se convenceu. "A senhorita Tarbell acabou de ler o manuscrito da biografia e suas sugestões foram valiosíssimas", escreveu Rockefeller a um colega. "Parece claro que devemos abandonar qualquer ideia de publicar o material de uma forma como a presente, incompleta e decididamente desequilibrada."

Isso foi em 1924. Quatro anos depois, o jovem Rockefeller não estava menos atento ao espectro da contravenção na Standard of Indiana do que Ida Tarbell havia estado à contravenção no velho truste. Por profissão ele era um filantropo, não um homem do petróleo, e havia se habituado a manter-se afastado dos negócios das companhias sucessoras. Para a maioria das pessoas no país, seu pai continuava a ser um grande vilão; agora o filho havia entrado na vida pública com uma conduta bem diferente: como reformador. E estava decidido a levar o manto da reforma para o centro da Standard Oil of Indiana. Disse a um comitê do Senado que no caso do coronel Stewart nada menos que a "integridade básica" da companhia e, na verdade, de toda a indústria estava em jogo. Mas a participação de Rockefeller controlava diretamente apenas 15% das ações da companhia. Quando Stewart se recusou a renunciar de moto próprio, Rockefeller iniciou uma ação para expulsá-lo. O coronel contra-atacou vigorosamente. "Se os Rockefeller querem lutar", declarou ele, "vou mostrar-lhes como se luta". Ele tinha uma folha de serviços muito boa; nos dez últimos anos de sua liderança, os ativos líquidos da companhia tinham quadruplicado. E agora, em boa medida, ele anunciou dividendos extras e de lambuja "filhotes" de ações. Alguns viam a luta implacável como uma batalha entre o Leste e o Oeste pelo controle da indústria petrolífera; outros diziam que os Rockefeller queriam reafirmar o seu controle sobre toda a indústria. Mas as forças de Rockefeller não clamavam por dividendos; elas queriam vitória, e organizaram e trabalharam duro para isso. E em março de 1929 ganharam, com 60% dos votos dos acionistas. Stewart estava demitido.

John D. Rockefeller Jr. tinha intervindo diretamente e de um modo bastante visível nas questões de uma das companhias sucessoras do Standard Oil Trust de seu pai. Fizera isso não pelo mero ganho, mas em nome da decência e dos padrões elevados, e para salvaguardar a indústria petrolífera de novos ataques do governo e do público — e para proteger o nome de Rockefeller. Foi muito censurado por seus esforços. "Se o jovem observar a folha de seu pai nos primeiros tempos da velha Standard Oil Company", escreveu para Rockefeller um furioso defensor de Stewart, "verá que ela está razoavelmente maculada de pontos negros dez vezes piores que as acusações que você coloca na porta do coronel Stewart... Não há no mundo sabão em quantidade suficiente para tirar das mãos do velho Rockefeller as manchas de cinquenta anos atrás. Só gente de mãos limpas deveria se incumbir de macular o caráter de outras — e melhores — pessoas".

Um professor da faculdade discordou. "Nenhuma dotação de faculdade nem qualquer apoio para trabalho de pesquisa", escreveu ele, "poderia ter feito mais, parece-me, para educar o público na direção dos negócios corretos". O capitalismo americano e a indústria petrolífera nunca mais seriam tão rapaces quanto haviam sido; agora era o futuro da indústria e dos negócios que estava em jogo, e não a fortuna de uns poucos homens. E a indústria petrolífera tinha de considerar a sua imagem pública. Mas, se as mãos do jovem Rockefeller estavam limpas, o escândalo da Tampa do Bule como um todo — desde Fall, Doheny e Sinclair até Stewart — se encarregou de inculcar na mente do público uma imagem nefanda do poder e da corrupção do "dinheiro do petróleo" exatamente quando o Standard Oil Trust havia cessado de fazê-lo.[6]

Geofísica e sorte

No início da era automotora, muita gente nos Estados Unidos se preocupava com a perspectiva de um esgotamento da oferta do "novo combustível". De modo geral, os anos de 1917-1920 foram desoladores em termos de novas descobertas. Geólogos ilustres profetizavam sinistramente que os limites da produção dos Estados Unidos estavam próximos. Depois da I Guerra Mundial, a pressão sobre a oferta reforçou a expectativa de escassez também entre os refinadores. Algumas refinarias chegavam a operar com apenas 50% da capacidade porque havia pouca oferta de petróleo bruto, e os varejistas locais em todo o país não tinham querosene nem gasolina. A escassez era de tal modo o ponto de vista dominante da indústria que certa vez Walter Teagle, da Standard Oil of New Jersey, observou que o pessimismo quanto à oferta de petróleo bruto tinha se tornado uma doença crônica no ramo do petróleo.

Mas a roda já havia começado a se mover. A pesquisa de novas fontes de oferta era frenética, abastecida pela própria expectativa de escassez e reforçada pelo atraente incentivo dos preços em ascensão. O petróleo bruto de Oklahoma, que custava 1,20 dólar o barril em 1916, chegou a 3,36 em 1920, com os refinadores, quase sem matéria-prima, fazendo lances de preço mais altos. Perfurou-se um número recorde de poços petrolíferos.

A tecnologia para a prospecção de petróleo também começava a melhorar. Até 1920 a geologia, no que dizia respeito à indústria petrolífera, havia significado o que se conhecia como "geologia de superfície", o mapeamento e identificação dos prováveis indícios de jazidas com base na paisagem visível. Em 1920, a geologia de superfície chegou quase tão longe quanto possível. Muitos dos indícios visíveis haviam sido identificados. Os exploradores tinham de encontrar um jeito de "ver" o subsolo, a fim de ter uma ideia se as estruturas subterrâneas eram do tipo suscetível de conter petróleo. A geofísica, ciência emergente, forneceu a nova maneira de "enxergar".

Muitas das inovações geofísicas foram adaptadas da tecnologia projetada para uso durante a I Guerra Mundial. Uma delas era a balança de torsão, um instrumento que media mudanças de gravidade de ponto a ponto na superfície, fornecendo assim alguma ideia da estrutura abaixo da superfície. Desenvolvida antes da guerra por um físico húngaro, foi usada pelos alemães durante a I Guerra Mundial para tentar reativar os campos de petróleo romenos. Outra inovação foi o magnetômetro, que media as mudanças dos componentes verticais do campo magnético da terra, dando mais indicações do que jazia sob a superfície.

O sismógrafo também passou a integrar o arsenal de exploração do petróleo e se revelou de todas as novas armas a mais poderosa. Tendo sido criado em meados do século XIX para registrar e analisar terremotos, foi usado pelos alemães durante a guerra para localizar o embasamento das artilharias inimigas. Isso levou diretamente a seu uso na indústria petrolífera da Europa Oriental. O que se chamou de sismologia de refração foi introduzido na indústria petrolífera dos Estados Unidos entre 1923 e 1924, inicialmente por uma companhia alemã. Explodiam-se cargas de dinamite, e as ondas de energia por elas provocadas, refratadas através das estruturas subterrâneas, eram captadas por ouvidos atentos — "geofones" — na superfície, o que ajudava a identificar formações de sal subterrâneas, onde se poderia achar petróleo. O sismógrago de reflexão, introduzido quase ao mesmo tempo e que logo iria suplantar a técnica da refração, registrava as ondas que reverberavam das superfícies de contato entre rochas subterrâneas, fornecendo o mapeamento da forma e da profundidade de todos os tipos de estruturas subterrâneas. E assim um mundo completamente novo se abria para a exploração: já não se dependia mais dos sinais da superfície. Apesar de durante a década de 1920 muitos dos principais campos ainda terem sido descobertos por meio da geologia de superfície, os geofísicos tornaram-se cada vez mais importantes, até mesmo nos campos que haviam sido identificados por métodos mais tradicionais. Os homens do petróleo tinham de fato encontrado o meio de "ver" o subsolo.

Eles também descobriram novos meios de ver acima da superfície. Durante a Grande Guerra, a supervisão aérea foi usada pelos combatentes da Europa para localizar tropas. A técnica logo foi adotada pela indústria petrolífera, possibilitando uma ampla visão da superfície geológica que simplesmente não era praticável para alguém estando no solo. No começo de 1919, dois ex-tenentes que haviam feito trabalho aéreo na França para a Força Expedicionária Americana foram incumbidos, pela Union Oil, de fotografar seções do panorama californiano. Outra inovação importante foi a análise de fósseis microscópicos — micropaleontologia — trazidos pela perfuração em diversas profundidades. Essa técnica forneceria mais pistas para o tipo e as idades relativas de sedimentos milhares de metros abaixo da superfície. E ao mesmo tempo grandes avanços eram obtidos na própria tecnologia de perfuração, o que permitia um trabalho mais rápido, mais instrutivo e em profundidades maiores, portanto com um potencial ampliado. Em 1918, os poços mais profundos atingiam cerca de 1,8 mil metros; em 1930, eles tinham mais de 3 mil metros. Um fator final desempenhou um papel importante, cuja análise é difícil, mas que parece ter sempre estado presente na indústria petrolífera: a sorte. Certamente a sorte funcionou na década de 1920. De que outra forma se pode explicar que uma parte tão grande do petróleo dos Estados Unidos tenha sido descoberta durante essa década?

Dessas descobertas, uma das mais significativas ocorreu na colina de Signal, que se eleva a uns cem metros atrás de Long Beach, ao sul de Los Angeles. De seu pico os índios locais faziam outrora sinais para seus confrades na ilha de Catalina. Mais tarde a colina agigantou-se aos olhos ávidos dos donos de imobiliárias. Em junho de 1921, ela estava sendo subdividida em lotes residenciais quando um poço exploratório da Shell, o Alamitos Número 1, começou a jorrar petróleo. A descoberta provocou uma debandada. Muitos dos lotes, apesar de já terem sido comprados por futuros moradores do local, ainda não estavam construídos, e o dinheiro corria por toda a colina à medida que companhias de petróleo, vendedores e amadores competiam para conseguir arrendamentos. Os terrenos eram tão pequenos e tão densa a floresta de altos espécimes que as copas de muitas delas realmente se entrelaçavam. A avidez dos perfuradores em potencial era tanta que alguns proprietários de terrenos chegavam a conseguir 50% de *royalty*. Os parentes mais próximos das pessoas enterradas no Sunnyside Cemetery da Willow Street recebiam finalmente cheques correspondentes ao *royalty* pelo petróleo extraído sob os túmulos da família. Autênticos crentes pensavam que podiam enriquecer comprando uma ação de 1.500.000 avos da participação de um sexto na propriedade de um poço de petróleo que ainda nem sequer havia sido perfurado. A colina de Signal se revelou tão prolífica que, quase inacreditavelmente, alguns desses compradores de fato ganharam dinheiro com seu investimento.

A colina de Signal era apenas o exemplo mais dramático de um grande número de descobertas substanciais em torno de Los Angeles, que em 1923 tornaram a Califórnia o Estado campeão da produção de petróleo americana e responsável, naquele ano, por um quarto da produção mundial. Mas, mesmo assim, o temor da escassez ainda estava no ar. "A oferta de petróleo bruto neste país está rapidamente se esgotando", foi a advertência feita em 1923 pela Comissão Federal de Comércio num estudo sobre a indústria de petróleo. Naquele mesmo ano, porém, pela primeira vez numa década, a produção americana de petróleo bruto excedeu a demanda interna.[7]

O magnata

Harry Doherty era uma anomalia no negócio do petróleo. Com seus enormes óculos e a barba à Van Dyke, parecia mais a caracterização teatral de um professor do que um importante homem de negócios. Estava entre os grandes empresários da década de 1920, controlando uma porção de companhias, inclusive a Cities Service. Um escritor disse que em Wall Street ele era "o que havia de mais semelhante" a Ned, o Pequeno Jornaleiro, das histórias de Horatio Alger. A descrição era apropriada; Doherty começara a trabalhar aos 9 anos, vendendo jornais nas ruas de Columbus, no estado de Ohio. Com 12 anos saiu da escola. "Não fazia dez dias que eu frequentava a escola e já a odiava mais do que a Satã", explicou certa vez. Mas com trabalho duro, coragem, depois com frequência à escola noturna, e um treinamento em engenharia, chegou a ser diretor de não menos de 150 companhias. Seu império constituía-se de companhias de gás e eletricidade que atendiam a várias áreas metropolitanas, donde o nome Cities Service. Quando uma de suas companhias, sondando petróleo no estado de Kansas, descobriu petróleo, Doherty logo se tornou também um homem do petróleo. Mais do que ligeiramente excêntrico, ele era um escritor prolífico de epigramas de sucesso: "Nunca dê ordens — dê instruções... Faça de seu trabalho um jogo... O maior dividendo da vida humana é a felicidade". A sua forma de relaxamento predileta era dirigir um carro pelo tráfego da cidade de Nova York; tinha grande entusiasmo pelo ar fresco e a saúde era para ele uma obsessão.

Um homem de negócios duro, desembaraçado, Doherty não cedia terreno a seus opositores. Era também um pensador independente, que se comprazia em seu papel de mutuca intelectual da indústria do petróleo. E não menos tenaz e agressivo na defesa de suas ideias do que na de seus negócios, estava convencido de que o próprio modo como a indústria operava nos campos constituía uma ameaça ao futuro dela, sendo imperativo uma mudança. Era até cansativa a sua insistência num tema: a "regra de captura" devia ser eliminada.

A "regra de captura" continuava a governar as operações da indústria desde os remotos dias do leste da Pensilvânia, e havia sido repetidamente sancionada pelas cortes, baseada na lei comum inglesa sobre animais selvagens migratórios e caça. Os proprietários que se queixavam a uma corte de justiça de que seu petróleo estava sendo extraído pelos vizinhos recebiam dos juízes escasso consolo: "A única coisa a fazer é agir da mesma forma". Devido à regra, cada operador em todos os Estados Unidos cavava os seus poços e produzia o mais rápido possível, drenando não apenas o petróleo sob a sua propriedade, mas também o da propriedade vizinha. Essa doutrina fundamentou os excessos de uma produção descontrolada e a flutuação selvagem dos preços que se seguiam a cada nova descoberta.

Doherty acreditava que a multiplicação dos poços e a rápida produção resultantes da regra de captura exauriam a pressão subterrânea de um campo mais rapidamente do que o necessário. A consequência? Uma grande quantidade de petróleo, que de outro modo poderia ser produzida, acabava por ficar enterrada, irrecuperável, porque não havia suficiente pressão de gás — e também da água, como mais tarde se compreendeu — para fornecer "altura", pressão que levaria o petróleo à superfície. Reconhecendo a importância do petróleo na I Guerra Mundial, Doherty temia o que poderia significar para os Estados Unidos, numa outra guerra, se a prática da produção desenfreada chamada por ele de "extremamente grosseira e ridícula" — impedisse amplos estoques de petróleo de jamais serem repostos.

Doherty tinha uma solução para o problema. Os campos precisavam "ser transformados em unidades". Isto é, eles deviam ser explorados como unidades isoladas, com a produção rateada entre os vários proprietários. Desse modo o petróleo poderia ser recuperado por um rateio controlado que se julgasse melhor, de acordo com o conhecimento corrente da engenharia, e assim a pressão subterrânea se manteria. Quando Doherty e, posteriormente, muitos outros falaram sobre "conservação", eles tinham em mente essa prática de produção medida, que objetivaria assegurar o maior recurso recuperável possível, e não um consumo reduzido ou mais eficiente. Mas como a "conservação" de Doherty seria levada a efeito? Era aí que ele chocava muita gente da indústria. O governo federal, argumentava ele, teria de assumir o comando, ou pelo menos sancionar a cooperação na indústria. E teria de haver controle público das práticas de produção tecnologicamente superiores.

Durante a maior parte da década de 1920, a visão de Doherty era compartilhada apenas por uma minoria de homens do petróleo, e ele era amplamente atacado, na verdade, selvagemente ofendido. Alguns críticos diziam que suas ideias eram tiradas do *World Almanac*. Entre os homens do petróleo, muitos questionavam as suas afirmações sobre a tecnologia de produção e consideravam o apelo para o envolvimento federal uma traição à indústria. As companhias maiores dispunham-se a falar sobre cooperação voluntária e autorregulação para administrar a produção, mas nada além disso. Muitos independentes não queriam ter absolutamente nada a ver com campos unificados e produção controlada, voluntariamente ou não. Queriam a sua chance de ficar ricos também.

Doherty devolvia os golpes. Dava suas investidas em encontros e conferências. Escrevia cartas sem fim. "Alfinetava diabolicamente" outros homens do petróleo. Empenhava-se em todas as ocasiões em levar adiante seu ponto de vista. Por três vezes tentou fazer com que o conselho do Instituto Americano do Petróleo, órgão da indústria petrolífera, considerasse as suas propostas e por três vezes foi recusado. Impedido de apresentar essas mesmas propostas num encontro do IAP, Doherty alugou uma sala para poder se dirigir a quem quisesse ouvi-lo. Houve quem começasse a chamá-lo de "aquele homem maluco". Ele então declarou que "um homem do petróleo é um bárbaro de terno". Mas Doherty afinal tinha um amigo interessado em suas ideias — o presidente Calvin Coolidge. Em agosto de 1924 escreveu ao presidente uma longa carta: "Se algum dia no futuro próximo o público despertar para o fato de que nos tornamos uma nação falida no que diz respeito ao petróleo e que já será muito tarde para proteger nossos suprimentos com medidas de economia, tenho certeza de que ele irá culpar os homens da indústria petrolífera e os que ocupavam os órgãos públicos na época em que as medidas deveriam ter sido adotadas. Uma deficiência de petróleo não é apenas uma grave desvantagem para nós na guerra: é um convite aos outros a declarar guerra contra nós".[8]

Tendo vencido a eleição de 1924 e prudentemente afastado o escândalo da Tampa do Bule, Coolidge pôde voltar-se para o petróleo. Respondendo aos argumentos de Harry Doherty, determinou que o Conselho Federal de Conservação do Petróleo investigasse as condições da indústria petrolífera. Ecoando seu amigo Doherty, o frugal presidente explicou que os métodos de produção ruinosos eram nada menos que uma ameaça à posição de segurança industrial, militar e geral dos Estados Unidos. "A supremacia das nações pode ser determinada pela posse de petróleo disponível e de seus subprodutos", declarou Coolidge.

O Conselho Federal de Conservação do Petróleo estimulou a pesquisa sobre as propriedades físicas da produção de petróleo, o que veio a emprestar um apoio cada vez maior às ideias de Doherty. Enquanto o Instituto Americano do Petróleo declarava que a destruição da indústria era "desprezível", o novo conselho argumentava que o gás natural era "mais que um artigo de valor comercial inferior em relação ao petróleo" e, na verdade, fornecia a pressão subterrânea que levava o óleo até a superfície. Dissipar o gás com uma produção atabalhoada significava perder pressão essencial e assim deixar irrecuperavelmente enterrada uma grande quantidade de petróleo.

Com o desenvolvimento das pesquisas, alguns indivíduos mais bem-informados começaram a passar para o lado de Doherty. William Farish, presidente da Humble, a filial da Standard Oil of New Jersey, que era a maior produtora do Texas, tinha zombado das ideias de Doherty em 1925. Em 1928, agradecia a Doherty por fazer com que a indústria visse os méritos dos "métodos aperfeiçoados de produção". Farish tornou-se um enérgico advogado da unificação — a operação dos campos como unidades únicas. Nas circunstâncias cambiantes da segunda metade da década de 1920, decidiu, a ênfase tinha de estar na produção de baixo custo. A unificação era um dos melhores modos de consegui-lo porque com ela precisava-se de menos poços e se poderia confiar mais na pressão natural subterrânea, dispensando-se o bombeamento.

Harry Doherty estava tecnicamente muito mais avançado que seus confrades na compreensão de como o petróleo chegava à superfície e como a produção abundante prejudicava as reservas. Mas subestimou grosseiramente as possibilidades de descoberta de novas jazidas de petróleo. Numa carta de 1924 para Coolidge ele insistia que uma grande escassez era iminente. Outros não hesitavam em discordar da desalentadora avaliação de Doherty quanto à prospecção de petróleo nos Estados Unidos. Em 1925, um encarniçado opositor do envolvimento do governo na indústria, J. Howard Pew, da Sun Oil, comentou sarcasticamente que os nitratos do solo desapareceriam, as reservas florestais seriam esgotadas e os rios do mundo mudariam o curso antes de se exaurirem as reservas de petróleo. "Meu pai foi um dos pioneiros da indústria petrolífera", declarou Pew. "Desde meus tempos de criança há periodicamente uma agitação prevendo escassez de petróleo, e nos anos que a ela se seguem a produção sempre é maior do que jamais havia sido."[9]

A maré montante

Foi Pew, e não Doherty, que se revelou o mais arguto profeta neste assunto. A primavera de 1926 viu a primeira das grandes descobertas do campo que ficou conhecido com o Grande Seminole, no estado de Oklahoma. O frenesi que se seguiu assinalou um dos mais rápidos desenvolvimentos de campo petrolífero jamais visto no mundo. Era uma perigosa competição pela perfuração, inconsequente e depredadora, novamente guiada pela regra de captura. Reinava o tradicional caos e confusão das cidades do *boom* — as ruas apinhadas de equipamento, trabalhadores, jogadores, mascates e bêbados; estruturas de madeira erguidas às pressas; o cheiro sufocante dos gases liberados e o odor ácido do petróleo que queimava nos poços e buracos escavados. O preço caiu sob o impacto da nova descoberta. Porém, o petróleo ainda fluía de um único campo, chegando a 527 mil barris diários no dia 30 de julho de 1927, apenas dezesseis meses depois das primeiras grandes descobertas. O petróleo jorrou com a mesma intensidade em outros locais de Oklahoma. O estado do Texas estava quase emparelhando com o de Oklahoma. Uma série de grandes descobertas no final da década de 1920, inclusive a do imenso campo de Yates, definiu a bacia Permiana, uma vasta, ensolarada, poeirenta e desolada região do oeste do Texas e do Novo México, como uma das maiores concentrações de petróleo do mundo.

Um outro fator estava em campo para aumentar a maré. A tecnologia não apenas contribuía para o aumento da produção; ela também estava alterando as exigências do consumo. A necessidade de petróleo bruto foi reduzida pela disseminação das técnicas de craqueamento, que graças à mudança das moléculas aumentaram a quantidade de gasolina extraída de cada barril. Um barril de petróleo craqueado podia produzir tanta gasolina quanto dois barris de petróleo bruto não craqueado. Descobriu-se que a gasolina craqueada era na verdade preferível à "gasolina direta", pois tinha propriedades antidetonantes muito superiores. Assim, apesar de a demanda de gasolina ter aumentado, a demanda de petróleo bruto não se elevou na mesma medida, contribuindo para o aumento do excedente.

No final da década, as previsões sombrias do início dos anos 1920 tinham sido removidas pela inundação de petróleo que parecia jorrar sem fim da terra. Os consumidores americanos simplesmente não podiam absorver toda a quantidade produzida, e mais e mais petróleo saía da terra para ter como destino um exército cada vez maior de tanques de armazenamento espalhados por todo o país. Contudo, os homens do petróleo continuavam estimulados a produzir o máximo. Os efeitos eram devastadores. A abundante produção — "demasiados canudos numa bacia" — danificou os reservatórios, reduzindo o volume da reserva recuperável. E a enorme superprodução de petróleo bruto tumultuou totalmente o mercado e o planejamento racional, criando colapsos súbitos de preços.[10]

Ironicamente, contudo, à medida que as descobertas se sucediam, aumentando ainda mais a superabundância sem precedentes, a opinião do pessoal da indústria começou a se bandear para o remédio de Henry Doherty para a escassez — a economia e o controle da produção. Não o faziam na tentativa de evitar uma escassez iminente, já que a prova em contrário era cada vez mais notória. Agora, o que se queria impedir era a desastrosa enchente da produção em ritmo acelerado, que sacudia a estrutura de preços.

Mas quem poderia controlar a produção? O controle seria feito voluntariamente ou sob a égide do governo? Pelo governo federal ou pelo estadual? Mesmo dentro de cada companhia havia debates acalorados. Uma grande divisão ocorreu na Standard of New Jersey, com Teagle favorável ao controle voluntário, ao passo que Farish, o chefe da Humble, a subsidiária, achava que o governo tinha de estar envolvido. "A indústria é incapaz de se ajudar", escreveu Farish a Teagle em 1927. "Devemos ter ajuda do governo, permissão para fazer coisas que hoje não podemos fazer e talvez proibição governamental para outras coisas (tais como desperdício de gás) que hoje fazemos." Quando Teagle sugeriu que os "homens práticos" da indústria deviam desenvolver um programa de autorregulação voluntária, Farish respondeu incisivo: "Hoje não há ninguém na indústria com percepção ou conhecimento suficiente sobre esse plano para pô-lo em funcionamento". E acrescentou: "Cheguei à conclusão de que há mais tolos na indústria do petróleo do que em qualquer outro negócio".

Os pequenos produtores independentes opunham-se a qualquer forma de regulamento governamental. "Nenhuma comissão de órgão governamental irá me dizer como devo conduzir o meu negócio", trovejou Tom Slick, um produtor independente, em meio aos aplausos de um grupo de produtores de Oklahoma. Descontentes com o Instituto Americano de Petróleo, os pequenos produtores formaram a sua própria organização, a Associação Independente de Petróleo da América, e iniciaram uma campanha para uma forma de intervenção governamental bem diferente, uma tarifa sobre o petróleo importado. O principal objetivo dessa tarifa era excluir o petróleo venezuelano que os grandes estavam importando. Os independentes tentaram conseguir uma tarifa de petróleo como adendo da Lei Smoot-Hawley de 1930, mas, apesar de ter elevado as tarifas de quase tudo o mais, essa lei infame não alterou a do petróleo. Representantes da Costa Leste e grupos influentes, como a American Automobile Association, não queriam preços mais altos para o óleo combustível ou para a gasolina e se opuseram à tarifa. Além disso, os produtores independentes afastaram apoiadores potenciais por *lobby* inepto e grosseiro. Segundo as palavras de um de seus defensores no Senado, eles eram "bastante tolos ao escrever telegramas e cartas". Ao mesmo tempo, o problema do controle da produção continuava sem solução e penosamente debatido, e a maré do óleo continuava a subir.[11]

Competição que surge

A indústria petrolífera tinha se defrontado com desequilíbrios crônicos de oferta e demanda, desde seus primeiros dias nas colinas do oeste da Pensilvânia, e reagira com um movimento de consolidação e integração para garantir e regular a oferta, ganhar o acesso aos mercados, estabilizar os preços e proteger e ampliar o lucro. Consolidação significava a aquisição de competidores e de companhias complementares. A integração significava a união de alguns ou de todos os segmentos da indústria, para cima e para baixo, desde a exploração e a produção na jazida até o refino e as vendas a varejo. A grande Standard Oil Trust havia habilidosamente conseguido integrar em ambas as direções, para ser atacada e dissolvida pela Suprema Corte. No clima inseguro de oferta e procura da década de 1920, aquelas velhas estratégias reapareceram entre as companhias sucessoras da Standard Oil, outrora acolhedoras, assim como entre outras companhias, convertendo-as em vigorosas concorrentes. Havia também uma nova dimensão na competição. As companhias de petróleo estavam se tornando vendedoras, oferecendo pela primeira vez óleo combustível a varejo, diretamente aos motoristas, nos postos que estavam proliferando por toda a paisagem dos Estados Unidos. As guerras de petróleo, que já ocorriam no estrangeiro, tendo como objeto a oferta e os mercados, agora eclodiam igualmente, com a mesma ferocidade, na disputa dos mercados das principais ruas dos Estados Unidos. E no esforço de cortejar os consumidores, assim como sua inerente propensão para a consolidação e a integração, a indústria petrolífera americana começou a assumir o seu perfil familiar e moderno.

A dissolução de 1911 tinha deixado para a Standard Oil of New Jersey uma enorme companhia de refinação com virtualmente nenhum petróleo de sua propriedade, o que a tornava altamente dependente de outras companhias e por isso vulnerável aos caprichos dos fornecedores e do mercado. Como parte de seu principal objetivo estratégico de aumentar as fontes seguras de petróleo bruto para a Standard Oil of New Jersey, Walter Teagle procurou fornecimento tanto dentro como fora do país. Já em princípios de 1919 tinha comprado mais da metade da Humble Oil, um dos maiores produtores do Texas, que estava precisando muito de capital. A Humble rapidamente deu um bom uso ao dinheiro da Jersey; em 1921 era o maior produtor do estado do Texas, contribuindo substancialmente para o objetivo de Teagle, qual seja garantir o acesso ao petróleo bruto. A Standard of Indiana, que estava começando a refinar, mexeu-se agressivamente para garantir a sua própria oferta de petróleo bruto, no sudoeste e em Wyoming, e assim proteger o investimento em seu sistema de refino. Ela comprou também a Pan American Petroleum, uma das maiores companhias americanas do México. Enquanto isso, os grandes produtores de petróleo bruto desciam a correnteza para garantir mercados. A Ohio Oil Company, mais tarde Marathon, tinha sido a maior das companhias produtoras da Standard Oil antes da dissolução de 1911. Agora passou a caminhar na direção do refino e da comercialização através da aquisição e fez no tempo exato. Entre 1926 e 1930 a produção da companhia quase dobrou; praticamente controlou, entre outras coisas, metade do imensamente prolífico campo de Yates no Texas. E necessitava de acesso direto aos mercados.

A Phillips Petroleum Company foi criada por Frank Phillips, um ex-barbeiro e vendedor de bônus que tinha desenvolvido um grande talento para fazer negócio no ramo do petróleo. Talvez por ser também banqueiro era particularmente adepto da superação do ceticismo dos investidores e, assim, levantar dinheiro em Nova York, Chicago e outras grandes cidades. Desiludido pelo *boom* ou malogro do petróleo, Phillips já estava abandonando o negócio para começar uma rede de bancos no Meio-Oeste quando a entrada dos Estados Unidos na I Guerra Mundial fez dispararem os preços do petróleo, levando-o de volta para o ramo. Em meados da década de 1920, ele e o irmão haviam transformado a companhia numa das maiores companhias independentes, na mesma coligação da Gulf e da Texas Company.

Em novembro de 1927, para acomodar um crescente excedente de petróleo, Phillips abriu a sua primeira refinaria no enclave do Texas e, no mesmo mês, o seu primeiro posto de gasolina em Wichita, no estado do Kansas. Para dar um empurrão inicial em Wichita, funcionários da companhia planejaram oferecer a qualquer comprador um cupom que lhe dava direito a dez galões de gasolina gratuitos. Mas antes teriam de obter a permissão de Frank Phillips. "Claro, vão em frente", respondeu ele. "De qualquer forma eles não valem tanto quanto a água. Deem a quantidade que quiserem." A companhia passou a refinar e a comercializar num ritmo ainda mais vertiginoso que o de seu crescimento como produtora de petróleo bruto. Em 1930, três anos depois da abertura de seu primeiro posto de gasolina, Phillips tinha construído ou comprado 6.750 distribuidores varejistas em doze estados.

As pressões competitivas levaram outras companhias a seguir o exemplo e ultrapassar a barreira da venda por atacado, lançando-se no comércio varejista pela compra de postos de gasolina e outras instalações de venda. Elas haviam construído refinarias para lidar com os suprimentos de petróleo bruto; agora precisavam garantir a existência de mercados e distribuidores diretos para os consumidores. Entre 1926 e 1928, a Gulf ampliou rapidamente as suas operações a varejo até os estados do Centro-Norte. No final da década de 1920, duas das empresas mais agressivas, a Texas Company e a Shell, estavam vendendo nos 48 estados. Além disso, os varejistas estabelecidos precisavam partir para novas áreas a fim de proteger os lucros à medida que novos concorrentes invadiam o território onde até então estavam instalados.[12]

Essas invasões encerraram os trabalhos da Suprema Corte. Um tipo de Standard Oil Trust obscurecido persistiu durante toda uma década depois da dissolução de 1911. As várias companhias sucessoras do Trust mantinham-se juntas, ligadas por contratos, hábitos, relações pessoais, velhas lealdades e interesses comuns, assim como pelos acionistas majoritários. Dadas as históricas associações dessas companhias e o esforço comum da I Guerra Mundial, na qual elas todas trabalharam juntas amigavelmente, isso não era surpreendente. Cada uma das companhias de refinação sucessoras — tais como a Jersey, a Standard Oil de Nova York e a de Indiana, bem como a Atlantic — tinha sua base numa região geográfica específica. E por cerca de uma década elas até certo ponto respeitavam os limites uma da outra.

No entanto, na década de 1920, começou a haver invasões de territórios alheios e desafios a negócios uns dos outros. A Atlantic Refining entrou nos mercados delimitados da Standard of New Jersey e da Standard of New York — segundo o seu relatório anual de 1924 "para se defender, e não por assim desejar". Uma acirrada guerra de preços começou entre a Standard of New Jersey e outras companhias da região leste e vários dos sucessores do Meio-Oeste, inclusive a Standard of Indiana, ganhando muita publicidade. Quando isso aconteceu, uma autoridade não menos importante que Ida Minerva Tarbell escreveu atônita: "É como se a Standard Oil Company estivesse se desmoronando — implondindo; como se algo lhe tivesse acontecido que o grande processo de dissolução foi incapaz de fazê-lo. A companhia-mãe estabelecendo um preço para o petróleo e seus robustos filhotes do oeste se recusando a obedecer é algo que não aconteceu em quarenta anos". Para aqueles, disse ela, "que viram o desenrolar do assunto desde o início" essa nova evolução "é quase inacreditável".

Apesar de muitos políticos continuarem a atacar o "Standard Oil Group", o conceito de controle total era cada vez mais obsoleto em meados da década de 1920. As companhias sucessoras estavam se convertendo em companhias grandes, totalmente integradas, que junto com várias outras ditas "independentes", como a Texas Company e a Gulf, começavam a dominar a indústria. Em vez de um gigante, havia diversas grandes companhias. Um estudo feito em 1927 pela Comissão Federal de Comércio constatou que "as companhias separadas da Standard" controlavam 45% do total da produção dos refinados, comparados com o controle de 80% dos produtos refinados que a Standard Oil Company detivera duas décadas antes. O relacionamento amistoso entre as companhias sucessoras da Standard Oil havia se dissipado. "Já não há mais unidade de controle dessas companhias através da comunidade de interesse", opinou o estudo da Comissão Federal de Comércio. Quanto à eterna questão crítica do controle dos preços, a comissão não acreditava que as companhias da Standard Oil estivessem em situação de, seja lá como for, manipular os preços por muito tempo. "A variação dos preços em períodos mais longos é substancialmente controlada pelas condições da oferta e da procura (...) Não se encontrou nenhuma evidência recente de qualquer entendimento, acordo ou manipulação entre as grandes companhias petrolíferas para elevar ou baixar o preço de qualquer produto refinado."[13]

"Esses rematados filhos da puta"

O desmembramento do Standard Oil Trust numa multidão de novas e agressivas companhias intensificou enormemente a competição do jogo. Para esquentar mais o tempo, apareceram muitas companhias novas que se baseavam nas descobertas de petróleo bruto ou na expansão do refino e venda de gasolina. Essa evolução, combinada com a arremetida para a integração, estimulou uma poderosa onda de fusões. O ímpeto de Rockefeller no sentido da compra e consolidação ainda estava vivo, um esforço não para exercer controle total — o que já não era mais possível — mas para proteger e melhorar a posição competitiva. A Standard of New York, por exemplo, comprou uma grande produtora e refinadora da Califórnia e mais tarde se fundiu com a Vacuum Oil Company para formar a Socony-Vacuum e desenvolver a marca Mobil. A Standard of California adquiriu outra grande produtora da Califórnia.

A Shell cresceu rapidamente nesses anos, em parte graças a uma agressiva campanha de aquisições. Mas continuou sendo fiel a uma política de envolver também os investidores americanos, refletindo a máxima formulada por Deterding em 1916: "Obviamente é sempre irritante (sem se falar das considerações políticas) ver uma empresa ir bem em qualquer país sem que a população local esteja envolvida", escreveu ele. "É contrário à natureza humana, não importa quão bem seja dirigida uma sociedade desse tipo ou quanto ela possa levar em consideração os interesses do povo, não antecipar que haverá um tipo de sentimento de inveja em relação a essa companhia." Mas até mesmo o cínico Deterding, comerciante até a medula, se viu desconcertado com certos aspectos dos negócios à base de fusão-e-aquisição nos Estados Unidos. O que particularmente o excitou foram as façanhas dos banqueiros investidores americanos. "De todos os indivíduos gananciosos que jamais encontrei", escreveu ele ao presidente de uma das subsidiárias americanas da Shell, "os banqueiros americanos (...) sem dúvida ganham a taça".

Não menos notáveis foram as fusões que *quase* aconteceram. Em 1924, a Shell esteve perto de comprar uma companhia produtora chamada Belridge, bem situada num campo abundante, com o mesmo nome, perto de Bakersfield, na Califórnia. O preço devia ser 8 milhões de dólares, mas a Shell decidiu que era muito dinheiro e desistiu do negócio. Cinquenta e cinco anos depois, em 1979, a Shell acabou comprando Belridge — por 3,6 bilhões de dólares. No começo da década de 1920, a Shell também se viu enrolada exatamente no "tipo de sentimento de inveja" para o qual Deterding advertira. Graças a uma aquisição, ela veio a ser proprietária de um quarto da Union Oil of California e, ganhando o controle total, poderia ter-se tornado uma companhia muito forte nos Estados Unidos. Mas os acionistas californianos da Union Oil se insurgiram com justificada indignação, invocando o patriotismo contra "um bando estranho à Califórnia e que desconhecemos totalmente". Eles conseguiram envolver o Senado dos Estados Unidos, a Comissão Federal de Comércio e vários funcionários graduados do ministério, dizendo para todos que o negócio era "malignamente inimigo dos interesses" dos Estados Unidos. Acabaram por forçar a Shell a vender suas ações da Union, apesar de o desapontamento da empresa ter sido de certa forma mitigado: pelo fato de ter obtido um retorno de 50% para um investimento de dois anos.

A Texas Company e a Pillips estiveram perto de se fundir. O mesmo aconteceu com a Gulf e a Standard Oil of Indiana. E entre 1929 e 1933, a Standard Oil of New Jersey e a Standard of California dedicaram muito tempo do time gerencial à negociação dos termos de uma fusão. Para que as conversas fossem mantidas em sigilo e "fora de escuta telefônica", Walter Teagle, com um nome falso, viajou até o lago Tahoe num vagão privado. Mas no final os entendimentos fracassaram, em parte devido à postura irredutível mantida durante as negociações por Kenneth Kingsbury, presidente da Standard of California, e por seus sócios — "O Rei King" e "esses rematados filhos da puta", como a eles se referia o pessoal da Standard of New Jersey. Personalidades à parte, uma razão mais importante para o malogro da fusão foi o sistema de contabilidade da Jersey, que — para grande exasperação e pesar de Walter Teagle — não conseguia determinar satisfatoriamente nem o valor declarado da empresa nem a sua verdadeira lucratividade.[14]

Uma coisa unia quase toda a indústria: apesar de a compreensão científica da produção do petróleo ter avançado no final da década de 1920, a oposição à regulamentação direta pelo governo federal era esmagadora. O magnata Harry Doherty, insultado pelo fato de a maioria da indústria petrolífera denunciar os seus incessantes apelos pela regulamentação, previu: "A indústria petrolífera está sob a ameaça de um longo período de dificuldades (...) Não sei quando isso acontecerá, mas aposto a última migalha da minha reputação que chegará o dia em que todos os homens do petróleo irão lamentar que não tenhamos perseguido uma legislação federal". Mas Doherty estava cansado do debate; a sua própria saúde se ressentira da tensão da longa batalha. Concluindo que já fora suficientemente ofendido, resolveu que a partir de então tentaria deixar a questão para outros. "Se alguém já recebeu um tratamento tão injusto de uma indústria como eu recebi da indústria petrolífera, certamente gostaria de encontrá-lo", escreveu ele em 1929. "Muitas vezes penso que nunca devia ter entrado no ramo do petróleo e mais vezes ainda penso que nunca devi a ter tentado introduzir reformas nos negócios petrolíferos."

Ninguém prestava muita atenção às suas profecias sobre dificuldades futuras. Pois, à medida que a década chegava ao fim, as novas corporações gigantes se preocupavam em ordenar sua posição competitiva, e as perspectivas de estabilização e de ajuste no equilíbrio entre oferta e procura pareciam razoáveis sem a intervenção do governo. Então tudo desmoronou. Em outubro de 1929, o agitado mercado de ações sofreu um mergulho sem precedentes, anunciando a Grande Depressão, que significou desemprego, pobreza e tempos duros para toda a nação — e o fim do crescimento da demanda do petróleo. No outono de 1930, exatamente quando a nação estava chegando à relutante conclusão de que o colapso no mercado de ações não era uma simples "correção" e sim pressagiava um desastre econômico geral, um lance de dado levou à descoberta do maior campo petrolífero jamais encontrado nos 48 estados — o Gigante Negro —, que, sozinho, podia atender a uma parte substancial de toda a demanda dos estados Unidos. E isso veio provar que Harry Doherty acertara o alvo.[15]

CAPÍTULO XII

A batalha por uma nova produção

A EQUAÇÃO PETRÓLEO IGUAL A PODER JÁ HAVIA SIDO provada nos campos de batalha da I Guerra Mundial, e desse conflito emergiu uma nova era nas relações entre as companhias de petróleo e as nações. Essas relações eram alimentadas pela dinâmica instável da oferta e procura: quem tinha o petróleo, quem o queria e quanto ele valia. Agora outros fatores, além da economia de mercado, tinham de ser incluídos na equação. Se petróleo era poder, era também símbolo de soberania, o que inevitavelmente representava uma colisão entre os objetivos das empresas e os interesses das nações-Estado, um conflito que viria a se tornar um duradouro traço característico da política internacional.

A faixa dourada do México

Nos primeiros anos do século XX, a exploração no hemisfério ocidental fora dos Estados Unidos estava concentrada sobretudo no México. As duas companhias dominantes eram a Pan American Petroleum, de Edward L. Doheny, que mais tarde se envolveu no caso da Tampa do Bule, e a Mexican Eagle, liderada por *sir* Weetman Pearson, posteriormente Lorde Cowdray. Doheny, um bem-sucedido homem do petróleo da Califórnia, tinha se deslocado para o México em 1900 para pesquisar territórios potencialmente petrolíferos a convite do presidente da Mexican State Railways, que devido à escassez de lenha ansiava por descobrir e explorar petróleo ao longo da ferrovia.

Pearson tinha interesses muito mais amplos: era um dos grandes empreiteiros do século XIX. Talentoso e tecnologicamente muito inovador, era um empreendedor audacioso. Parecia ter nascido para ser engenheiro, pois, além de bem dotado para a matemática, era lento, firme, meticuloso e perseverante no caráter. Apesar de gordo e pouco sedutor, Pearson tinha o dom inato do comando. Recusou empregos em Cambridge e Oxford, preferindo trabalhar na empresa da família, sediada em Yorkshire. Os primeiros anos de trabalho árduo e sujo deixaram-no constantemente preocupado em manter as mãos e as unhas limpas. Era parte de sua interminável atenção aos detalhes do trabalho.

O "toque de Pearson" — sua aptidão para o sucesso em grande escala — era muito admirado. Mas ele tinha poucas ilusões quanto ao funcionamento desse toque. Escreveu à filha: "Dona Sorte é muito esquiva; a única maneira de tratar com ela é definir um destino que se considere viável e buscar realizá-lo com todo o empenho." E acrescentou para o filho: "Não hesite por um segundo em se opor ou em tentar reverter as decisões de seus colegas. Nenhum negócio terá sucesso permanente a menos que quem o chefie seja um autocrata — tanto melhor, evidentemente, quanto mais disfarçado por luvas de seda." Teve oportunidade de comprovar seus adágios incontáveis vezes. Foi responsável por muitas maravilhas da engenharia do século XIX, entre elas o túnel Blackwall, sob o rio Tâmisa, os quatro túneis sob o East River em Nova York, construídos para a Pennsylvania Railroad e o porto de Dover. Com o tempo, seu império viria a incluir de tudo, desde o *Financial Times*, o *The Economist* e a editora Penguin Books até o banco de investimentos Lazard's em Londres, bem como uma companhia de petróleo. Mas o México forneceria a base da maior parte de sua fortuna.

A fascinação do "toque de Pearson" foi tal que o presidente Porfirio Diaz, o ditador do México, convidou-o para assumir o primeiro de vários projetos importantes — o grande canal de drenagem da Cidade do México, seguido pelo porto de Vera Cruz e pela Estrada de Ferro Tehuantepec, que liga o Atlântico ao Pacífico. Desde que chegou ao México para iniciar seus negócios, empenhou-se em atrair os mexicanos que trabalhavam com ele — Diaz, em particular, e os que o cercavam — com favores e presentes, desde sofisticados objetos de arte europeus até 100 mil libras para fundar um hospital com seu nome. Estava sempre disposto a fazer concessões às suscetibilidades mexicanas, um comportamento a que os americanos não tendiam. Suas conexões inglesas também impressionaram os mexicanos; no Parlamento, onde serviu por vários anos, era conhecido como o representante do México. Mas devia também aos frios cálculos políticos de Diaz a sua posição no México. "Pobre México", teria dito o ditador, "tão longe de Deus e tão perto dos Estados Unidos." Diaz e os políticos que o cercavam não poderiam permitir que os americanos dominassem, por completo, a economia mexicana; tinha, assim, razões ponderáveis para convidar um engenheiro mundialmente famoso de um país distante para conduzir projetos importantes de engenharia, dando-lhe todas as oportunidades para ali expandir suas atividades.

Em 1901, numa viagem ao México, Pearson perdeu uma conexão ferroviária na cidade fronteiriça texana de Laredo. Obrigado a passar a noite na cidade, descobriu que ela estava, segundo suas palavras, "desvairada pela loucura do petróleo" que se tinha espalhado pelo Texas desde a descoberta de petróleo em Spindletop, três meses antes. Lembrando-se do relatório de um empregado com referências a vazamentos encontrados no México, examinou todos os prospectos com informações curtas sobre petróleo que pôde encontrar em Laredo e telegrafou a seu gerente, mandando-o "agir esperto" para comprar todas as terras promissoras. "Certifique-se de estar tratando com quem decide", ordenou. Ele achava que o petróleo seria um bom combustível para a sua ferrovia de Tehuantepec. E tudo isso foi feito durante uma escala de nove horas em Laredo. Sua aventura petroleira mexicana havia tido início. Ele aumentou a área de exploração com a inclusão de Tabasco e contratou para assisti-lo no México ninguém menos que o capitão Anthony Lucas, o homem que tinha descoberto o poço de Spindletop.

Seguiram-se gastos enormes e um intenso compromisso. Ainda assim, depois de quase uma década, sua Mexican Eagle pouco tinha a apresentar em termos de produção. "Entrei despreocupado nesse empreendimento", um Pearson sofrido e deprimido escreveu ao filho em 1908, "não avaliando seus muitos problemas, sentindo apenas que petróleo representava uma fortuna e que aplicação e trabalho duro trariam resultados satisfatórios." Para a esposa foi ainda mais queixoso: "Não posso deixar de pensar no aventureiro idiota que fui, comparado aos homens de antanho," escreveu-lhe. "Estou preguiçoso e com um medo horrível de duas coisas: primeiro, que o orgulho da minha capacidade de julgamento e administração se perca ao vento e, segundo, que eu tenha de recomeçar a vida. Esses medos às vezes me tornam covarde. Sei que, se minha aventura petroleira se esfumaçasse, ainda assim me sobraria o suficiente para uma vida tranquila (...) Apesar disso, enquanto for sucesso a provar continuarei nervoso e por vezes desesperado."

Finalmente, em 1909, reconhecendo que seu conhecimento do negócio de petróleo era superficial, despediu os geólogos ingleses que vinha usando, o famoso *sir* Thomas Boverton Redwood e sua empresa, contratando em seu lugar os americanos vinculados anteriormente ao Levantamento Geológico dos Estados Unidos. Esses logo mostraram a sua têmpera, pois em 1910 Pearson, já agora Lorde Cowdray, fez descobertas importantes, a começar pelo fabuloso Potrero del Llano 4, que produziu 110 mil barris por dia e foi considerado o maior poço do mundo. Essas descobertas desencadearam um *boom* no México e da noite para o dia transformaram a Mexican Eagle numa das maiores companhias petrolíferas do mundo. A produção se concentrava ao longo da "Faixa Dourada", perto de Tampico, onde poços de 70 a 100 mil barris por dia não tardaram a ser comuns.

O México logo se tornou uma força importante no mercado mundial de petróleo. A qualidade de seu petróleo bruto permitia que a maior parte dele fosse refinada em óleo combustível, que competia diretamente com o carvão nos mercados industriais, ferroviários e de navegação. Em 1913, o petróleo mexicano estava sendo usado até nas ferrovias russas. Durante a I Guerra Mundial, o México se tornou uma fonte fundamental para os Estados Unidos e, em 1920, atendia a 20% do consumo interno americano. Em 1921, o país tinha atingido uma posição surpreendente: era o segundo maior produtor de petróleo do mundo, com uma produção anual de 193 milhões de barris.[1]

Ainda assim, o ambiente político do México tinha se alterado dramaticamente. Em 1911, o velho presidente Diaz, já com 81 anos — e, segundo se dizia, perturbado pela dor de um dente infeccionado —, foi deposto, inaugurando-se a Revolução Mexicana. A violência ininterrupta que se seguiu reduziu drasticamente a propensão dos investidores externos para aplicar no país. E.J. Sadler, chefe das operações mexicanas da Standard Oil of New Jersey, foi capturado por bandidos quando transportava o dinheiro da folha de pagamento, espancado selvagemente e abandonado como morto. Entretanto, sobreviveu, por milagre, e voltou ao acampamento. Depois disso, nunca mais levou consigo mais que 25 dólares em dinheiro, usava um relógio barato que poderia ser entregue aos assaltantes e criou uma aversão visceral em aumentar o seu envolvimento no México. Campos produtores da Mexican Eagle foram ocupados por rebeldes, que mataram alguns dos empregados. Em outubro de 1918, o último mês da I Guerra Mundial, Cowdray foi procurado por Calouste Gulbenkian em nome de Henri Deterding. A Royal Dutch-Shell, disse Gulbenkian, estava interessada na compra de parte substancial das ações da Mexican Eagle e em assumir a sua administração, e assim "deixar Lorde Cowdray em perfeita paz de espírito".

Duas décadas de exploração de petróleo no México tinham tornado Cowdray não só mais cansado como também mais cuidadoso. O inglês tivera sua quota. Não queria, como explicou a um funcionário do governo britânico, "carregar sozinho o fardo financeiro desse negócio enorme". Aceitou sem demora a proposta de Gulbenkian; e, se não deixou a ribalta em perfeita paz de espírito, estava pelo menos aliviado e com sua riqueza grandemente aumentada. E saiu na hora certa, pois logo depois se evidenciou que a Mexican Eagle não tinha sido uma das melhores compras da Shell. Quase imediatamente após a venda, começou a haver infiltração de água salgada nos poços em produção que a Shell tinha acabado de adquirir. Água salgada era uma péssima notícia: significava o início do declínio da produção. O mesmo processo foi observado também por outras companhias. O problema poderia ter sido controlado com mais capital, melhor tecnologia e nova exploração. Porém, no meio do caos revolucionário, as companhias estrangeiras relutavam em aumentar o investimento. Na verdade, seus dias no México estavam chegando ao fim. Com o tempo, ficou claro que a luta feroz entre os nacionalistas e revolucionários mexicanos, de um lado, e, do outro, os investidores estrangeiros teria um impacto mais duradouro sobre as atividades da companhia petrolífera que a ação de salteadores e bandidos ou o perigo físico de uma revolução.[2]

O conflito emergente no México viria estabelecer uma linha de conflito substancial e duradoura entre o governo e as companhias petrolíferas que logo se tornaria conhecida em todo o mundo. No México, o problema se reduzia a duas coisas: a estabilidade dos acordos e a questão da soberania e da propriedade. A quem pertenciam os benefícios do petróleo? Os mexicanos queriam reafirmar um princípio em desuso. Até 1884, os recursos subterrâneos do país pertenciam primeiramente à Coroa e mais tarde à nação. O regime de Porfirio Diaz havia alterado aquela tradição legal, dando a propriedade do subsolo aos fazendeiros e outros proprietários de terras; estes, por sua vez, atraíram o capital estrangeiro, que chegou a controlar 90% de todas as propriedades petrolíferas. Um dos principais objetivos da revolução havia sido a restauração do princípio da propriedade nacional daqueles recursos. Isso foi conseguido e consagrado no Artigo 27 da Constituição de 1917. E se converteu no centro do conflito. O México tinha recuperado o petróleo, mas não dispunha de recursos para desenvolvê-lo ou comercializá-lo sem a colaboração do capital externo, enquanto os investidores não queriam arcar com o risco e o esforço do desenvolvimento sem contratos seguros e perspectiva de lucro.

Além da nacionalização do subsolo, muitas outras ações de sucessivos regimes mexicanos — regulamentos e aumentos de impostos — fizeram aumentar os conflitos com as companhias petrolíferas. Algumas delas, lideradas por Edward Doheny, conseguiram levantar em Washington um sentimento forte pela intervenção militar para proteger reservas "vitais" de petróleo de propriedade americana no México. A batalha se complicou ainda mais com os esforços do México para aumentar receitas, tentando fazer face a pagamentos de empréstimos externos que não tinha honrado. Alguns importantes banqueiros americanos estavam muito interessados em receber os pagamentos atrasados do México, necessitando para tanto das receitas do petróleo. Tomaram o partido do México contra as companhias americanas e se opuseram firmemente aos seus apelos de intervenção e sanções punitivas.

O confronto em torno do petróleo fez com que o estado das relações entre o México e os Estados Unidos fosse de contínua turbulência. Washington negava habitualmente o reconhecimento diplomático aos governos mexicanos, que a toda hora estavam mudando, e, por mais de uma vez, os dois países estiveram na iminência de uma guerra. Para os americanos, interesses e direitos importantes, inclusive os relativos à propriedade privada, estavam sendo violados e contratos e acordos rompidos. Ao olhar para o sul, na direção do México, Washington via instabilidade, insegurança, banditismo, anarquia, uma ameaça perigosa ao fluxo de um recurso estratégico, fuga às obrigações contratuais. Mas, ao olhar para Washington e para as companhias americanas, o México via exploração estrangeira, humilhação, violação da soberania e o peso enorme, a pressão e o poder do "imperialismo *yankee*." Por outro lado, as companhias se sentiam cada vez mais vulneráveis e ameaçadas, o que levou à redução dos investimentos e à retirada rápida em termos de atividade e pessoal. Rapidamente, os efeitos se fizeram sentir na produção, que despencou, e o México deixou de ser uma potência mundial de petróleo.[3]

A "hacienda" venezuelana do general Gómez

As expectativas pela demanda mundial de petróleo, o medo da escassez, o novo papel do petróleo no poder nacional, comprovado na I Guerra Mundial, e evidentemente os lucros a serem alcançados, tudo isso alimentou o que a Royal Dutch-Shell veio chamar de "a luta pela nova produção," no seu relatório anual de 1920. "Não podemos ser ultrapassados na luta para conseguir novos territórios (...) nossos geólogos estão em toda parte onde quer que haja qualquer chance de sucesso." A Venezuela encabeçava a lista, e não somente para a Royal Dutch-Shell. A mudança do ambiente político no México estava estimulando uma grande migração de homens de petróleo para a Venezuela. Lá, séculos atrás, os exploradores espanhóis tinham visto índios usando o petróleo dos vazamentos para calafetar barcos. A Venezuela, ao contrário do México, oferecia um clima político amigável. Era obra do general Juan Vicente Gómez, o cruel ditador, astuto e ambicioso, que por 27 anos vinha administrando o país para seu enriquecimento pessoal.

A Venezuela era um país agrícola, despovoado e empobrecido. Desde a libertação da Espanha, em 1829, caudilhos locais haviam governado as várias regiões. Dos 184 membros do Congresso em meados da década de 1890, pelo menos 112 conseguiram fazer jus ao título de general. Galgando o poder em 1908, Gómez se lançou à tarefa de centralizar o poder e tornar o país um feudo pessoal, sua própria *hacienda*. Semianalfabeto, governava por meio de amigos íntimos e familiares — uma contagem lhe atribuía 97 filhos ilegítimos. Nomeou seu irmão vice-presidente, posto que ele ocupou até ser assassinado pelo filho de Gómez. Antes da I Guerra Mundial, exibia uma pose de grande caçador de Teddy Roosevelt. Durante a guerra, foi pró-Alemanha e se vestia como o *kaiser*. Woodrow Wilson o chamava de canalha, um nome suave para um homem que mantinha o país entre suas garras pelo terror e pela brutalidade. O ministro britânico em Caracas foi mais direto. Descreveu Gómez como "um monarca absoluto, no sentido mais medieval da palavra". Independentemente do seu quase analfabetismo, ele sabia o que queria: além do poder absoluto, vastas riquezas. Seu pobre país precisava de receitas para se desenvolver economicamente e assim torná-lo mais rico. Os dois objetivos se confundiam. Receitas significavam capital externo. Petróleo era a oportunidade de Gómez; mas para atrair investidores estrangeiros ele teria de garantir um ambiente fiscal e político estável.[4]

Em 1913, a Royal Dutch-Shell já estava trabalhando na Venezuela, nas cercanias do lago de Maracaibo, e uma pequena produção comercial já havia se iniciado em 1914. Em 1919, com o surto de interesse pela Venezuela ocorrido no pós-guerra, a Standard Oil of New Jersey mandou seus batedores para lá, entre os quais um geólogo que resolveu ignorar a bacia do Maracaibo. Ele explicou que "qualquer um que passe ali algumas semanas quase certamente será infectado por malária ou contrairá uma doença de fígado ou intestino com toda a probabilidade de se tornar crônica". E acabou por desaconselhar o investimento na Venezuela. Mas havia no grupo um gerente da Jersey que discordou. Para ele, o que contava na Venezuela, mais que a malária ou desarranjos digestivos, era o empenho da Shell. "O fato de eles terem gasto milhões ali leva a suspeitar que haja muito petróleo no país." Se não conseguisse desenvolver uma produção na América Latina, a Standard Oil poderia colocar em risco sua capacidade de manter a liderança no atendimento a esse mercado.

Mas obter uma concessão na *hacienda* do general Gómez não era tão fácil quanto parecia. O representante da Standard Oil tratou ele próprio de conseguir uma entrevista com o general, em vez de encaminhá-la por meio da multidão normal de intermediários. Com o aparente encorajamento do general, a Standard, confiante, fez uma proposta. Mas no mesmo dia aquela concessão foi pleiteada por um certo Julio Mendez, por acaso genro do general e que por coincidência ganhou a concessão, vendendo-a imediatamente para outra companhia. Por fim, a Jersey conseguiu adquirir de outras companhias e do próprio Julio Mendez uma quantidade razoável de terras, inclusive uma área de 1,7 mil hectares sob o lago de Maracaibo. A transação foi considerada uma boa

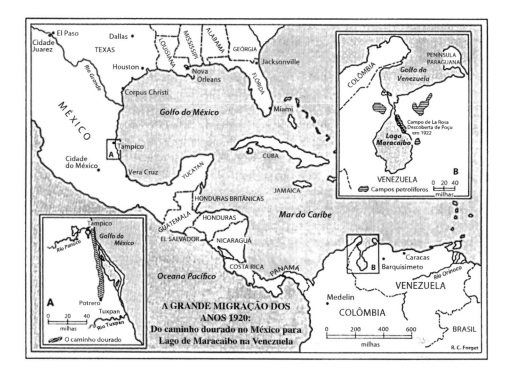

A GRANDE MIGRAÇÃO DOS ANOS 1920: Do caminho dourado no México para Lago de Maracaibo na Venezuela

piada. Um executivo da Jersey sugeriu que a companhia também comprasse um barco, pois se a concessão não tivesse valor a companhia poderia entrar no negócio da pesca.

Mesmo em terra firme, a prospecção de petróleo era difícil e arriscada. Havia muito poucas estradas transitáveis e, em algumas, nem o carro de boi passava. Os geólogos viajavam de canoa ou montando burros. O país nem sequer tinha sido adequadamente mapeado; descobriu-se que rios indicados nos mapas não existiam ou, quando existiam, pertenciam a bacias inteiramente diferentes das indicadas. As pessoas que vinham ao país nunca escapavam de ser atacadas por doenças. "Os mosquitos eram os piores e os maiores que jamais vi em qualquer lugar," lembrou um geólogo americano. Os geólogos tinham de enfrentar um inseto cuja especialidade era botar ovos debaixo da pele humana. A assistência médica era inacessível, primitiva ou inexistente. Como se não bastasse, os geólogos e os perfuradores que os seguiram tinham de se haver com tribos de índios hostis. Um perfurador foi morto por uma flecha quando estava sentado na varanda da cantina do acampamento. A partir de então, a floresta passou a ser desmatada até a distância de uma flechada. Ainda em 1929, a Shell protegia as cabines de seus tratores com um acolchoado feito de várias camadas de tecido especial, denso o suficiente para deter as flechas indígenas.

O desejo de Gómez de atrair o capital externo levou seu governo a procurar o apoio tanto do ministro americano em Caracas quanto das companhias americanas para elaborar o que ficou conhecido como Lei do Petróleo. Ela estabelecia os termos para concessões, impostos e *royalties;* e uma vez ganha a concessão a Venezuela garantia previsibilidade política e estabilidade administrativa e fiscal, em nítido contraste com o México. Mas até 1922, o ano da Lei do Petróleo, pairavam algumas dúvidas sobre a possibilidade de uma exploração petrolífera significativa. Os resultados vinham sendo apenas interessantes, para uma quantidade muito grande de esforço e capital aplicado. Em 1922, alguns geólogos americanos a serviço da Shell ofereceram uma avaliação sombria das perspectivas da Venezuela e de todo o continente sul-americano. O que se via lá era uma "miragem". Dez centavos aplicados no aumento da produção americana, diziam, "gerariam mais lucros que um dólar gasto nos trópicos". Chegaram a afirmar que se poderia produzir óleo de xisto a um preço mais baixo que o do petróleo venezuelano ou de qualquer outro lugar da América Latina.

Esse julgamento mostrou-se prematuro. Em dezembro daquele mesmo ano, o poço Barroso, explorado pela Shell no campo de La Rosa, na bacia do Maracaibo, explodiu com um fluxo incontrolável, avaliado em 100 mil barris por dia. O campo de La Rosa, que de início não havia sido considerado particularmente promissor, fora demarcado e selecionado pelo gerente local da Shell, George Reynolds. Tratava-se do mesmo George Reynolds, o "sólido carvalho britânico", que tinha conduzido resolutamente as operações da Anglo-Persian na Pérsia até as primeiras descobertas, uma década e meia antes, enfrentando dificuldades enormes e sendo abandonado com apenas um pequeno bônus. Uma década e meia antes, ele havia aberto o Oriente Médio para a produção de petróleo. Agora fazia o mesmo para a Venezuela.[5]

A descoberta de La Rosa provou que a Venezuela poderia ser um produtor de categoria mundial. Gerou um grande frenesi de petróleo. Mais de cem grupos, americanos na maioria, mas com alguns ingleses, logo estavam trabalhando no país. Havia desde grandes companhias até produtores independentes, como William F. Buckley, que conseguiu a concessão para construir um terminal petrolífero. A corrida do petróleo criou grandes oportunidades para o general Gómez se enriquecer. Sua família e seus amigos, os *gomecistas*, ganhavam as melhores concessões do governo e depois as vendiam com lucros enormes para as companhias estrangeiras, repassando as comissões ao general. Mais tarde, para formalizar essas atividades, o general e seus *gomecistas* criaram uma empresa fictícia chamada Companhia Venezuelana de Petróleo, mais conhecida pelo nome de "companhia do general Gómez", e também transformaram o enfrentamento entre os vários pretendentes estrangeiros em fina arte. As companhias não tinham escolha, caso quisessem participar do que viria a se tornar o grande *boom* venezuelano dos anos 1920.

A exploração continuou numa velocidade vertiginosa. Em 1921, a Venezuela produzia 1,4 milhão de barris. Em 1929, já produzia 137 milhões e se tornara o segundo produtor mundial, superado apenas pelos Estados Unidos na produção total. Naquele ano, o petróleo gerou 76% das receitas de exportação venezuelanas e metade das receitas do governo. O país tinha se tornado a maior região produtora da Royal Dutch-Shell e já em 1932 era o maior fornecedor da Grã-Bretanha, seguido da Pérsia e dos Estados Unidos. Em menos de uma década, a Venezuela tinha se tornado definitivamente um país petrolífero. E ganhara a disputa pelo capital externo. O investimento necessário para o desenvolvimento e exploração era enorme e, assim, apesar do grande número de participantes, poucas companhias dominavam a cena. Durante os anos 1920, a maior parte da produção era gerada por três produtores: a Royal Dutch-Shell, a Gulf e a Pan American. Esta última era a empresa de Edward Doheny, ainda um dos grandes produtores no México. Em 1925, a Standard of Indiana comprou a Pan American.

O investimento estrangeiro na Venezuela não teria atingido tal escala sem um relativo ambiente político hospitaleiro propiciado por Gómez. Mas quanto ainda duraria aquela estabilidade? Um representante da Lago, uma subsidiária da Standard of Indiana, informou a um membro do Departamento de Estado em 1928: "O presidente Gómez não viverá eternamente e há ainda o perigo de que um novo governo, talvez de tendências mais radicais, venha tentar confiscar as propriedades das companhias petrolíferas e seguir algumas das políticas adotadas no México". Assim, por segurança, a Lago construiu a enorme refinaria para o petróleo venezuelano não na Venezuela, mas em Aruba, uma ilha holandesa perto do litoral. A Shell também construiu sua refinaria em outra ilha holandesa, Curaçao.

Ao contrário da Shell e de outras companhias, a Jersey não teve sucesso notável na Venezuela, apesar do grande volume de seus investimentos. Em Nova York, o executivo responsável pela Venezuela era conhecido por "diretor não produtivo de produção". Finalmente, em 1928, usando uma nova tecnologia numa concessão abandonada por outra companhia, a Jersey fez uma descoberta significativa. O desenvolvimento da tecnologia de perfuração subaquática viabilizou os ricos depósitos do lago de Maracaibo, retirando uma quantidade enorme de petróleo do leito do lago. Ninguém mais brincou com a entrada da Jersey no negócio de pesca.

Em 1932, no período mais negro da Grande Depressão, a Standard of Indiana passou a se preocupar com a proposta de uma nova tarifa aduaneira americana a ser imposta ao petróleo importado, de 1,05 dólar por barril de gasolina, 21 centavos para o petróleo bruto ou o óleo combustível, o que viria a fechar os Estados Unidos para o petróleo venezuelano. A Indiana não tinha um sistema de comercialização no estrangeiro que pudesse absorver esse petróleo. Ela se preocupava também com as necessidades adicionais de capital durante a depressão e com a possibilidade de suas propriedades mexicanas virem a ser nacionalizadas. Considerando tudo, os riscos pareciam grandes, grandes demais do ponto de vista da Indiana, e ela vendeu suas operações estrangeiras para a Jersey, inclusive a sua grande posição venezuelana. A Jersey pagou uma parte em ações e assim a Indiana se tornou durante algum tempo o maior acionista individual da Standard Oil of New Jersey.[6]

Duelo com os bolcheviques

Foi no hemisfério oriental, e não no ocidental, que a colisão entre petróleo e política foi mais dramática. Antes da guerra, o petróleo russo tinha sido um dos elementos mais importantes no mercado mundial. Mas agora ele estava nas mãos do novo governo comunista da União Soviética. Como jogariam os bolcheviques e que regras adotariam?

A Royal Dutch-Shell era quem mais estava se arriscando, devido à compra, um pouco antes da I Guerra Mundial, dos negócios de petróleo dos Rothschild na Rússia. Depois da Revolução Bolchevique, muitas partes ocupavam-se em tentar comprar barato os campos russos de petróleo. Dizia-se que Gulbenkian estava adquirindo propriedades de emigrados russos a preços "ínfimos". Incapaz de perder uma oportunidade de negócio, ele aproveitava para comprar os tesouros de arte que os refugiados, ansiosos por dinheiro vivo, traziam na bagagem.

Contrariamente aos Rothschild, a família Nobel manteve os seus interesses no petróleo russo. Mas durante a revolução os Nobel fugiram — um grupo se disfarçando de camponeses e o outro usando trenós e atravessando a fronteira da Finlândia. Depois de três quartos de século, chegava ao fim a sua dinastia na Rússia. Eles conseguiram finalmente chegar a Paris, onde se reuniram no Hotel Meurice e tentaram descobrir o que poderia ser recuperado de seu império petrolífero, e como.

A resposta era uma liquidação. Os Nobel ofereceram toda a sua operação petrolífera russa a Deterding. O país ainda se achava mergulhado no caos da guerra civil e o resultado ainda não estava definido. Deterding agarrou logo o que lhe ofereciam: a oportunidade de se tornar dono do petróleo russo. Só havia um problema: a possibilidade de que os bolcheviques fossem derrotados. Ele formou uma associação com a Anglo-Persian e o Lorde Cowdray para negociar com os Nobel. Estava convencido de que o regime bolchevista não poderia durar. "Os bolcheviques serão expulsos não apenas do Cáucaso mas de toda a Rússia em cerca de seis meses", escreveu ele a Gulbenkian. Ainda assim, por segurança, procurou assegurar apoio político do Ministério das Relações Exteriores do governo britânico. Como o ministério se recusou, Deterding insistiu que os Nobel mantivessem uma participação minoritária no negócio ou que o grupo comprasse uma opção até que "se estabelecesse uma forma estável de governo". Os Nobel recusaram e, dada a implacabilidade de Deterding, as negociações foram interrompidas.

No entanto, havia outro pretendente potencial, bem mais atraente para os Nobel, devido não só aos seus recursos como também à sua nacionalidade, que prometia trazer junto o apoio político do governo americano. Era a Standard Oil of New Jersey. Agora, nesses tempos diferentes e muito mais ameaçadores, aparecia a oportunidade de realizar a aliança entre o petróleo americano e o russo que os Nobel tinham tentado forjar na década de 1890.[7]

A Jersey, por seu turno, estava interessada. Walter Teagle e seus colegas ainda tinham viva a lembrança do impacto do petróleo russo sobre a Standard Oil Trust, frustrando seus esforços no sentido de criar uma ordem universal para o petróleo. Eles sabiam que o Mediterrâneo poderia ser abastecido a um menor custo pelo petróleo russo do que pelo americano. As exportações russas tinham cessado durante a I Guerra Mundial, mas, se se recuperasse a produção e se aplicasse nova tecnologia, a União

Soviética poderia expulsar os americanos dos mercados europeus. O melhor seria que a Standard Oil tivesse algum controle do petróleo russo em vez de deixá-lo nas mãos de algum concorrente. "Parece-me que não temos alternativa senão aceitar o risco e fazer agora esse investimento", comentou Teagle. "Se não o fizermos agora, creio que ficaremos incapacitados de exercer qualquer influência considerável sobre a situação produtiva russa."

A Jersey e os Nobel iniciaram negociações intensas, apesar da forte possibilidade de os Nobel estarem tentando vender o que já não lhes pertencia. Esse risco se tornou mais real quando os bolcheviques ocuparam Baku em abril de 1920 e imediatamente nacionalizaram os campos petrolíferos. Os geólogos ingleses que trabalhavam em Baku foram jogados na prisão, enquanto os "nobelites" foram para julgamento, acusados de espiões. Ainda assim, o negócio era tão atraente na hipótese de os bolcheviques caírem e a convicção de que isso viria a acontecer era tão grande que os Nobel e a Jersey continuaram as discussões. A Standard Oil comprou o controle de metade dos interesses dos Nobel na Rússia por um preço que era definitivamente o mínimo: 6,5 milhões de dólares de entrada, com um compromisso de mais 7,5 milhões de dólares. Com isso, a Standard ganhava o controle de pelo menos um terço da produção russa de petróleo, 40% da capacidade de refino e 60% do mercado interno russo. No entanto, a despeito das crenças dos homens do petróleo do Ocidente, o risco era muito grande — e muito evidente. O que aconteceria se o regime bolchevista sobrevivesse? Tendo já nacionalizado os campos de petróleo, eles poderiam operá-los ou oferecê-los em leilão internacional.

No duelo que se seguiu entre capitalistas e comunistas, os bolcheviques foram representados pelo habilidoso e desembaraçado comissário para o comércio exterior, Leonid Krasin. Alto, de traços esculpidos e barba pontuda, era educado, persuasivo e parecia razoável, nunca o fanático sanguinário que os ocidentais esperavam. Também sabia apreciar as damas. "Ele tem o aspecto, até a ponta dos cabelos", disse uma *lady* inglesa, "do homem bem-educado e bem treinado, do verdadeiro aristocrata no intelecto e no porte." Diferentemente de seus companheiros, Krasin entendia os capitalistas, pois tinha sido um deles. Antes da guerra, fora o respeitável administrador da Baku Electric Company e depois o representante russo do grupo alemão Siemens. Ao mesmo tempo, era secretamente o principal tecnocrata e, nas palavras do próprio Lênin, o "ministro das Finanças" da revolução bolchevique. "Sou um homem sem sombra", gostava de dizer. Durante a guerra, em seu papel oficial no governo czarista, tinha sido um dos principais arquitetos da economia de guerra russa, o que tornava difíceis as suas relações com os companheiros revolucionários. Um atrito com os camaradas bolcheviques o angustiou tanto que ele desistiu de comer carne, passando a adotar uma dieta de leite de égua. Porém, os bolcheviques precisavam dele e de seu talento gerencial, pois Krasin era o único homem de negócios da hierarquia bolchevista e ele acabou emergindo da revolução com dois cargos: comissário do Comércio Exterior e do Transporte. Desses dois postos, ele projetaria uma sombra muito longa.

Enquanto a Standard estava escondendo suas negociações com os Nobel, Krasin chegou a Londres para discutir as relações comerciais em nome do governo bolchevique. No dia 31 de maio de 1920, foi a Downing Street a convite do primeiro-ministro David Lloyd George. Esse foi um momento histórico, pois era a primeira vez que o chefe de governo de uma grande potência mundial recebia um emissário do governo soviético. Sua aparência atraiu muita curiosidade entre os ingleses, mesclada com repugnância. Lorde Curzon, secretário do Exterior, o olhar fixo na lareira, mantinha as mãos presas atrás das costas, recusando-se a apertar-lhe a mão, até que Lloyd George o repreendeu severamente: "Curzon! Seja um cavalheiro".

Apesar das grandes dificuldades, as discussões anglo-soviéticas continuaram por muitos meses. O próprio Lênin mandou uma mensagem secreta a Krasin em Londres: "O porco do Lloyd George não tem o menor escrúpulo ou vergonha em mentir; não acredite numa só palavra dele e engane-o três vezes mais". Enquanto as negociações se arrastavam, Krasin se revelava muito disposto a estimular o apetite dos negociantes ingleses ansiosos por uma abertura comercial. Mas a sua era a carta mais fraca nesse jogo. A União Soviética avançava para o desastre, paralisada por uma dolorosa queda da produção industrial, pela inflação, carência severa de capital e por todo o país estar mergulhado numa grave escassez de alimentos que já se ia transformando em fome aguda. Ela precisava desesperadamente de capital externo para desenvolver, produzir e vender seus recursos naturais. Para consegui-lo, em novembro de 1920, Moscou anunciou uma nova política oferecendo concessões aos investidores externos.

Em março de 1921, Lênin deu mais um passo. Anunciou o que viria a ser conhecido como a Nova Política Econômica, que previa um sistema de mercado interno muito ampliado e o retorno à livre empresa, além da ampliação do compromisso soviético com o comércio exterior e a venda de concessões. Não que Lênin tivesse mudado suas convicções; só estava respondendo a necessidades duras e imediatas. "É impossível recuperar apenas com nossas forças a economia em frangalhos, sem apelar para o equipamento e a ajuda técnica do exterior." Para ter acesso a essa assistência, ele estava pronto a fazer extensas concessões aos "mais poderosos grupos imperialistas". Caracteristicamente, os dois primeiros exemplos se referiam ao petróleo: "Um quarto de Baku, um quarto de Grozny". O petróleo poderia voltar a ser o artigo de exportação mais lucrativo, tal como durante o regime czarista. Um jornal bolchevique chamou-o de "ouro líquido".

A aproximação de Lênin do Ocidente provocou forte oposição por parte de seus camaradas, inclusive o sempre desconfiado Stálin. Ele advertia para a possibilidade de que os homens de negócios em visita à União Soviética pudessem incluir os "melhores espiões da burguesia mundial" e de que a ampliação dos contatos viesse a revelar os pontos fracos da Rússia. Uma semana depois do anúncio da Nova Política Econômica, entretanto, foi assinado o Tratado de Comércio Anglo-Soviético, que reafirmava aquela política. Krasin passou então a procurar as várias companhias, oferecendo novas concessões para a pesquisa de petróleo — a um tempo que sugeria boatos para lançar as companhias umas contra as outras.

Deterding considerou que não estava desapontado com a perda do negócio com os Nobel. Nem um pouco. Tanto ele quanto os Nobel estavam convencidos de que a entrada da Standard na Rússia aumentava a segurança de todos os investidores estrangeiros, inclusive a da Royal Dutch-Shell, dona das antigas propriedades dos Rothschild. "Já temos lugares muito bons e boa parte da comida na mesa russa," ensinou ele a Gulbenkian. "Janta-se muito melhor na companhia de outras pessoas que tenham um grande interesse na refeição." Deterding, porém,não tinha a menor intenção de aceitar passivamente os esforços dos bolcheviques para vender o que considerava propriedade sua, excluindo-o da mesa. E isso valia também para Walter Teagle.[8]

À procura da frente unida

Em 1922, a Jersey, a Royal Dutch-Shell e os Nobel começaram a esboçar o que ficou conhecido como o Front Uni. O objetivo era criar um bloco comum contra a ameaça soviética às suas propriedades russas e ao comércio. Com o tempo, uma dúzia de outras companhias se juntaram a eles. Todos os membros se comprometeram a lutar juntos contra a União Soviética e a não se deixar atingir isolados, assim como não negociar isoladamente com a Rússia. Concordaram também em cobrar indenização pelas propriedades nacionalizadas. Evidentemente, nesse caso como em outras ocasiões, os "confrades dos comerciantes de petróleo" tinham uma precária confiança uns nos outros e muito menos nos soviéticos. Assim, apesar das promessas mútuas, o Front Uni desde o nascimento se apoiava em pernas muito pouco firmes. E o habilidoso Leonid Krasin continuou com maestria a jogar uma companhia contra a outra.

Enquanto isso, em muitos mercados ao redor do mundo, as companhias começavam a sentir a pressão crescente do petróleo barato da Rússia. A indústria petrolífera soviética, virtualmente adormecida entre 1920 e 1923, reviveu a partir de então, ajudada por grandes importações de tecnologia ocidental, e a URSS logo voltou ao mercado mundial na condição de exportadora. Na Jersey, os executivos enfrentavam um dilema. Deveriam, apesar das demandas relativas a suas propriedades, começar a comprar o petróleo russo barato ou seria preferível manterem-se afastados, baseados nos princípios da moral e dos bons negócios? Teagle já lamentava o investimento feito na empresa dos Nobel. "Estou convencido de que em vez de tratar dessa criança doente, mantendo-a ao longo dos anos, devíamos ter investido o mesmo valor num outro negócio de petróleo que se tornasse imediatamente produtivo."

Heinrich Riedemann, chefe das operações alemãs da Standard Oil, via as coisas de um modo um pouco diferente. Ele concluiu que as companhias privadas não seriam facilmente capazes de defender seus direitos contra o confisco e a nacionalização. "A participação do governo em empreendimentos industriais e empresariais, como aconteceu na Rússia, é nova e inédita na história dos negócios", disse ele. "Nenhum de nós admite a ideia de ajudar as ideias soviéticas, mas de que terá valido nossa posição altaneira se outros se dispuserem a entrar?" Na verdade, outros grupos ocidentais já estavam batendo à porta, alguns discretamente e outros com grande estardalhaço, pleiteando concessões em todo o território russo, desde Baku, no Cáucaso, até a ilha de Sacalina, ao largo da costa da Sibéria. As propriedades do Cáucaso são aquelas já reivindicadas à Jersey, à Shell e às outras. Para piorar as coisas, os soviéticos vendiam o petróleo dessas propriedades como se fosse seu.

Havia uma maneira de frustrar os planos soviéticos: a Jersey e a Shell podiam formar uma organização conjunta para comprar o petróleo russo. Teagle não gostou da ideia. "Sei que estou desatualizado pensando assim", disse ele, "mas de alguma forma a ideia de estar em termos amigáveis com quem lhe assalta a casa ou rouba a propriedade nunca me pareceu a maneira mais correta de se conduzir com relação a essa pessoa." Outras empresas americanas começaram a comprar petróleo russo para competir diretamente com a Jersey, a oposição interna se desfez. Por fim, uma organização conjunta Jersey-Shell de compras foi criada em novembro de 1924 e as duas companhias começaram a explorar as opções para negociar com os soviéticos. Reservadamente, Teagle ficou amargurado com a forma pela qual o assunto todo foi tratado. Era o clássico problema da falta de tempo, de o dia não ser longo o bastante para pensar a longo prazo. "Ao rever o que fizemos durante os últimos seis ou oito meses, fico impressionado com o fato de um assunto da importância dessa compra dos russos ter sido tratado sem que lhe tivéssemos dado toda a importância merecida", escreveu ele a Riedemann. "Não há dúvida de que o fato de nos ocuparmos com tantas coisas e de termos um dia de trabalho tão cheio seja algo a ser lamentado, pois de uma forma ou de outra aparentemente cometemos erros que poderiam ter sido evitados se tivéssemos gasto o tempo necessário para considerar o assunto até chegar a uma conclusão lógica."

Cooperar com a Royal-Dutch-Shell era uma coisa, mas a cooperação com os soviéticos continuou a ser repugnante para Teagle. Ele escreveu a Riedemann: "Propiciar um mercado para os soviéticos é não só agir como um receptador de mercadoria roubada, mas também encorajar o ladrão a persistir no mau caminho, uma vez que o roubo se torna lucrativo". Riedemann tentou acalmar o abalado executivo-chefe, escrevendo-lhe na noite de Natal de 1925: "O homem é um ser estranho e, apesar de todos os desapontamentos, começa o Ano-Novo cheio de esperanças. Façamos o mesmo".

Um entendimento entre a Jersey e a Shell para um acordo conjunto de compra com os soviéticos pareceu logo iminente. Esse acordo até mesmo previa que 5% do preço de compra seriam separados para compensar os proprietários anteriores. Mas Teagle e Deterding não acreditavam no projeto. E quando o acordo proposto se desfez, no início de 1927, Deterding ficou alegre. "Estou muito feliz que nada tenha surgido desses acordos soviéticos", escreveu ele a Teagle. "Sinto que todos vão lamentar que tenhamos tido qualquer coisa a ver com esses ladrões, cujo único propósito é a destruição de toda a civilização e o restabelecimento da força bruta."

Aparentemente algum tipo de sentimento havia entrado nos cálculos comerciais de Deterding. Depois de seu casamento com a refugiada russa Lydia Pavlova, ele pareceu tornar-se mais franca e abertamente anticomunista. Chegou mesmo a telegrafar a

Rockefeller insistindo para que ele evitasse que as várias empresas sucessoras da Standard comprassem petróleo soviético. O holandês comentou que havia "implorado" a Rockefeller, "em nome da humanidade", que "gente decente" devia se abster de "ajudar os soviéticos a obter dinheiro vivo". Disse a Rockefeller que o regime era "anticristo". Seguramente, Rockefeller não iria querer que suas empresas "tivessem lucros sujos de sangue (...) O sistema assassino soviético logo chegará ao fim se suas companhias não o apoiarem".[9]

A guerra dos preços

Apesar dos apelos de Deterding, duas das companhias sucessoras da Standard Oil, a Standard Oil of New York e a Vacuum, estavam negociando com os soviéticos. A Standard of New York construiu uma fábrica de querosene para os russos em Batum, que depois foi alugada. As duas companhias estavam contratando a compra de grandes quantidades de querosene russo, para atender sobretudo a Índia e outros mercados asiáticos. A Socony precisava do petróleo russo para os mercados da Índia. A Shell tinha outras fontes; a Socony não.

Deterding ficou furioso. Denunciou o presidente da Socony, C.F. Meyer, como um "homem sem honra nem inteligência"; e, em 1927, em represália ao que considerava uma traição da Socony, lançou uma brutal guerra de preços na Índia, que logo depois estendeu a outros mercados do mundo. A Socony contra-atacou, reduzindo preços em outros mercados. Deterding também orquestrou uma campanha pela imprensa contra a Standard of New York, que estava comprando petróleo "comunista". Não sendo muito claras as distinções entre as companhias sucessoras da Standard Oil — não só para o público em geral, mas também na cabeça de Deterding, que de qualquer forma era muito desconfiado para acreditar nelas —, a Standard Oil of New Jersey foi arrastada para a confusão. Para grande constrangimento de Walter Teagle, a Jersey também foi acusada de estar comprando petróleo "comunista". Fora essa a intenção de Deterding desde o começo. "Os acontecimentos que estamos enfrentando são de tal importância que a Standard of New Jersey deveria ela própria definir esses assuntos", escreveu ele ameaçadoramente a um diretor da Jersey. E não deixou dúvidas quanto a esperar que a Jersey forçasse a Socony a obedecer. "Afinal de contas, a Jersey é a maior empresa petrolífera americana e a que tem maior futuro; e a irrelevante companhia de Nova York deveria ser forçada a entender que é uma serva da Jersey, não a patroa." Como Deterding esperava, a Jersey foi levada a criticar publicamente as duas companhias pelas compras na Rússia. Teagle foi capaz de encontrar algum consolo com esse caso. "As cabeças pensantes da Europa pela primeira vez entendem que existe uma diferença real e genuína entre as várias companhias da Standard Oil."

Os diretores da Jersey suspeitavam que Deterding tivesse se retirado do acordo com os soviéticos para compras conjuntas devido a pressões do governo britânico. Entretanto, com a guerra de preços correndo solta um representante do governo britânico assegurou que não foi esse o caso. "*Sir* Henri sempre se meteu em dificuldades por causa da sua falta de tato." Quando os russos colocaram em discussão a cláusula da indenização dos antigos proprietários, constante do acordo conjunto de compra, "*sir* Henri perdeu completamente a cabeça e lhes disse que não permitiria que ninguém comprasse petróleo soviético (...) Foi absolutamente estúpido e ao mesmo tempo uma coisa perfeitamente característica dele (...) Era evidente que outros compradores não poderiam ser afastados e que em parte era a raiva da sua própria futilidade que levara *sir* Henri ao ataque à Standard of New York e à declaração de que estava determinado a iniciar a guerra de preços".

Mas num jantar festivo em Haia, na casa de um de seus diretores holandeses, Deterding ofereceu a sua versão dos fatos. "Depois de anos de uma relativa paz", declarou ele, "vimo-nos atacados em Burmah, onde a Standard of New York começou a importar querosene soviético. Considerando que nesse caso a melhor defesa é um bom ataque, imediatamente aceitei o desafio e desde então estamos atacando e defendendo, procurando pontos fracos na armadura do adversário. Acredito que, pelo menos no momento, a posição da Royal Dutch com relação ao petróleo russo mais uma vez tenha ficado clara."

As duas companhias americanas desgarradas não concordaram. O presidente da Vacuum estava convencido de que o objetivo de Deterding era cortar-lhe o acesso a uma fonte de petróleo barato para seu sistema exportador, que competia diretamente com a Royal Dutch-Shell, e "constituir ele próprio um monopólio de distribuição do petróleo russo disponível para exportação". E quando a Jersey acusou as duas companhias de trair os princípios americanos, o presidente da Vacuum observou que comerciantes e fazendeiros americanos estavam realizando um bom volume de negócios vendendo algodão e outros produtos para a Rússia. "Por acaso, será mais iníquo comprar dos russos do que vender para eles?", foi a sua pergunta — que aliás persistiria por muito tempo.

Pelo final da década de 1920, as companhias mais importantes já tinham se cansado de toda aquela história de petróleo russo. O esforço para recuperar as propriedades ou receber indenização pelo seu investimento era uma causa perdida. Além do mais, o jorro em Baba Gurgur, no Iraque, chamou a atenção para outras fontes no Oriente Médio. A diretoria da Jersey decidiu se manter neutra — nem procurar um contrato com os soviéticos nem participar de um boicote. Riedemann resumiu assim o assunto no outono de 1927: "Para mim a Rússia está enterrada".

Se era verdade, logo se descobriria que o cadáver estava muito vivo, pois quantidades crescentes de petróleo soviético invadiam o mercado já saciado. A selvagem guerra de preços instigada por Deterding na Índia e em outros lugares era contra esse petróleo russo, mas viria a ter consequências muito mais importantes para todos os participantes do jogo do petróleo internacional.[10]

CAPÍTULO XIII

A inundação

SEU NOME ERA COLUMBUS JOINER, embora mais tarde viesse a ficar conhecido como "Dad" [Pai] Joiner, porque era o "paizinho" do que aconteceu. Tinha 70 anos em 1930 e em consequência de uma febre reumática caminhava inclinado para a frente, como se procurasse alguma coisa na calçada. Era virtualmente a caricatura do clássico "pronto": abatido, mas sempre otimista; eloquente e sempre persuasivo perfurador de poços em regiões pouco exploradas. Tinha a pele do rosto sedosa e macia, invulgar para um homem da sua idade, e atribuía-a ao costume de comer cenoura. Sua escolaridade formal somava exatamente sete semanas, porém ele recebera aulas em casa, na fazenda da família no Alabama. Foi alfabetizado tendo a Bíblia como livro de texto e aprendeu a escrever copiando o Livro do Gênesis. Absorveu a linguagem da versão do rei Jaime e sabia como tecer a rede sedutora da riqueza prometida. Quando surgiu a necessidade, foi também capaz de escrever cartas de amor exuberantes e ternas a viúvas, sobre cujo marido rico havia se informado previamente nos obituários dos jornais. Para falar a verdade, ele se interessava não pelo coração solitário dessas damas, mas por sua bolsa.

Joiner era apenas um dos muitos participantes miúdos da grande corrida do petróleo da década de 1920. Os estoques e os negócios petrolíferos eram a louca atração no agitado clima especulativo da década; exerciam uma atração quase irresistível sobre qualquer indivíduo que tivesse um fraco por negócios. "Você não gostaria de investir cem dólares, para começar, numa empresa de petróleo e ter essa quantia mais tarde transformada em 50 mil?", perguntava um negociante desses aos alunos que em 1923 estavam se formando em Yale. "Eis aqui a sua oportunidade de nos acompanhar e de estar conosco quando atingirmos o sucesso." Alguns perfuradores de poços de petróleo faziam suas vendas pessoalmente, até mesmo levando os prováveis investidores em excursões pelos campos de petróleo, onde eram brindados com "refeição fria e ar quente". Outros, achando mais conveniente a promoção pelo correio, enviavam suas cartas com todo tipo de conversa de vendedor e promessas. Em resposta recebiam sacos de correspondência estufados de pagamentos à vista, ordens bancárias e cheques — e nenhuma pergunta. Um desses perfuradores, o dr. Frederick Cook, que entre outras coisas afirmava ter chegado ao norte antes do almirante Perry, enviou mais de 300 mil cartas por mês, pelas quais obteve em um ano cerca de 2 milhões de dólares — antes de ser preso pelas autoridades federais. Em audácia pura, poucos poderiam ter-se ombreado a General Lee Development. Dois promotores de poços descobriram um certo Robert A. Lee, descendente do general Robert E. Lee, e se prevaleceram dele para dizer aos investidores de todo o país: "Eu preferiria levá-lo, e a milhares de outras pessoas, à independência financeira a ter ganho Fredericksburg ou Chancellorsville".*

Dad Joiner, em comparação, era estritamente um proprietário sem importância. Mas tinha a disposição de querer de fato procurar petróleo em regiões pouco exploradas, em vez de simplesmente separar de seus dólares os indivíduos ingênuos. Trabalhava em Dallas, rondando com outros proprietários o saguão do barroco Adolphus Hotel, ponto de referência da cidade, construído pelos Busch, uma família de cervejeiros de St. Louis. Por acaso os olhos de Joiner deram com o leste do Texas, uma região de colinas ondulantes, secas e pobres, de bosques de pinheiro sobre o solo arenoso, que nunca se havia livrado da depressão agrícola do fim da I Guerra Mundial. As duas principais cidades da região, Overton e Henderson, não podiam ostentar sequer uma estrada pavimentada. Para seus aflitos habitantes, Dad Joiner apresentava uma grandiosa e esperançosa perspectiva — de que embaixo daquele solo cicatrizado e estéril jazia um oceano de petróleo, "um tesouro sem dono, que todos os reis do planeta poderiam cobiçar".

A maioria dos geólogos que conheciam alguma coisa sobre o projeto visionário do leste do Texas fazia chacota de Joiner, quando não ria dele. Não havia petróleo a leste do Texas. Mas Joiner estava convencido de que havia — ou tinha se deixado convencer por Doc Lloyd, um misterioso autodidata que se proclamava geólogo, pesava mais de 135 quilos e gostava de chapéus de abas largas e botas de montaria. Algumas pessoas diziam que ele era também veterinário, outras que era farmacêutico e havia levado por todo o país o "dr. Alonzo Durham's Great Medicine Show", vendendo remédios patenteados feitos à base de petróleo. Lloyd não era seu nome real; mais tarde esclareceu-se a razão de tantos bratos, quando o retrato dele apareceu em quase todos os jornais americanos e um grande número de mulheres saídas de vários pontos do país, algumas trazendo crianças no colo, tomaram o trem para o leste do Texas buscando agarrar o marido desaparecido.

Doc Lloyd havia fornecido a Dad Joiner uma descrição da geologia da região leste do Texas. Dizer que o relatório estava errado seria um eufemismo, pois era absolutamente incorreto, fabricado. Lloyd era o que se chamava um "especialista em tendências", e desenhou mapas dos principais campos de petróleo dos Estados Unidos, feitos de linhas de tendência que partiam de todos eles e se cruzavam no leste do Texas. Mas

---

* Referência a batalhas importantes da Guerra Civil Americana conduzidas pelo general Robert E. Lee. (N.T.)

Doc Lloyd fez uma coisa memorável: mostrou a Joiner o lugar exato onde perfurar, quando quase todo mundo achava a ideia totalmente ridícula.

Joiner enviou pelo correio um prospecto contendo a descrição fantasiosa de Doc Lloyd sobre a geologia do leste do Texas para a lista de otários que detinha. De qualquer maneira, ele reuniu o dinheiro necessário para começar a perfuração na fazenda de uma certa Daisy Bradford, em Rusk County. Para prosseguir, foi preciso recorrer a cada grama de sua considerável capacidade de persuasão, sobretudo com as mulheres. "Todas as mulheres têm um certo ponto em seu pescoço, e quando eu o toco elas começam automaticamente a fazer-me um cheque", disse certa vez o velho perfurador de poços. "Pode ser que eu seja o único homem na terra capaz de localizar esse ponto." Fazia uma careta: "É claro que os cheques nem sempre são bons...". Joiner era um fanfarrão; o que de fato conseguia levantar eram apenas uns trocados.

Para a indústria petrolífera como um todo, é claro, ele era virtualmente invisível, apenas um dos milhares de proprietários esfarrapados que tinham uma ideia, a promessa de riqueza e uma boa lábia. Durante três anos, começando em 1927, enquanto os líderes da indústria continuavam seu furioso debate sobre escassez, fartura e regulamentação, Joiner, o mais pobre entre os pobres, e sua equipe heterogênea, perfuraram entre os densos pinheiros do leste do Texas com equipamento enferrujado, de terceira mão, constantemente atormentados por avarias e acidentes, sem nunca ter um mínimo de dinheiro em caixa. Parte do salário dos trabalhadores era paga com os "direitos de *royalty*" de várias porções de terra... Quando em absoluto não havia dinheiro eles voltavam à fazenda e desempenhavam tarefas ocasionais, mas no final voltavam às sondagens. Baseando-se na possibilidade da descoberta, Dad Joiner emitiu tantos "certificados", vendidos com um grande desconto, que eles se tornaram moeda corrente na área. Um geólogo da Texaco passou por lá e pronunciou o insulto consagrado da época: "Beberei cada barril de petróleo que você retirar desse buraco". Mas a despeito dos constantes desencorajamentos, Joiner e seu pequeno bando de operários e apoiadores conseguiram conservar a fé.

O poder da fé logo se afirmaria, e a sorte de Dad Joiner começou a mudar no princípio de setembro de 1930, quando um poço, o Daisy Bradford Número 3, deu sinais positivos. "Não é ainda um poço de petróleo", objetou Joiner para alguns indivíduos que estavam observando; mas sua objeção não era muito convincente. A notícia circulou. Na estrada para o poço formou-se da noite para o dia uma cidade de cabanas, que recebeu o nome de Joinerville, em homenagem ao pretenso profeta; ali, aquela gente esperançosa podia juntar-se para esperar. Milhares de pessoas chegavam para participar da vigília; pairava no ar uma expectativa, como se na realidade se tratasse de um evento religioso, um milagre prometido. As pessoas tinham certeza de que alguma coisa aconteceria; e queriam estar ali para ver. Durante aqueles primeiros tempos da Grande Depressão os hambúrgueres custavam normalmente dezesseis ou dezessete centavos, mas em Joinerville pagava-se por eles um quarto de dólar. Aquilo era apenas uma débil previsão do que estava por acontecer.

Um mês mais tarde, às oito horas da noite de 3 de outubro de 1930, ouviu-se de repente um borbulhar vindo do poço. O homem encarregado da perfuração virou-se para a multidão reunida e gritou: "Apaguem os cigarros! Apaguem os fogos! Depressa!" A terra tremeu. Uma coluna de petróleo e água espirrou alto, acima da torre. E a multidão enlouqueceu; os homens olhavam para cima, para o céu, gritando e aplaudindo, enquanto o petróleo se dispersava sobre eles. Um operário ficou tão excitado que puxou uma pistola do bolso e começou a dar tiros no jorro de petróleo que se projetava contra o céu. Três homens saltaram rapidamente sobre ele e arrebataram-lhe a arma. Uma faísca poderia ter incendiado o gás volátil liberado, fazendo explodir o poço e matando todo mundo que estava por perto.[1]

O gigante negro

"O poço pioneiro de Joiner jorrou", era a manchete do *Henderson Daily News* na manhã seguinte. A primeira reação dos líderes da indústria às notícias da fortuna de Dad Joiner foi de ceticismo ou de completa descrença. Mas transformou-se em admiração e loucura quando nos três meses seguintes o petróleo apareceu em dois outros poços da área, que também haviam sido perfurados com espírito pioneiro. No final constatou-se que a reserva do leste do Texas tinha 72 quilômetros de comprimento e de oito a dezesseis quilômetros de largura, ao todo cerca de 570 quilômetros quadrados. O campo se tornou conhecido como Gigante Negro. Nada comparável a ele jamais havia sido descoberto nos Estados Unidos. E o crescimento rápido fez todos os outros — da Pensilvânia, de Spindletop, do Texas, em Cushing, no Grande Seminole e na cidade de Oklahoma, na colina californiana de Signal — parecerem meros ensaios. No começo de 1931, enquanto o resto do país era tomado pelo desânimo da Grande Depressão, o leste do Texas mostrava exuberância, e começava a loucura. De todos os lados vinha gente que se amontoava em tendas e favelas, e essa região fundamentalista, de valores firmes e abstinência, tornou-se de repente o lugar ideal para botequins sem conta acolherem toda espécie de vícios. No fim de abril daquele ano, seis meses depois da entrada em funcionamento do Daisy Bradford Número 7 de Dad Joiner, a área produzia 340 mil barris por dia, e um novo poço era perfurado a cada hora.

No rastro de tão repentina e vasta nova fonte, o inevitável aconteceu: os preços caíram e caíram ainda mais. No Texas, em 1926, eles haviam chegado a 1,85 dólar; em 1930 estavam na média de um dólar o barril; e pelo fim de maio de 1931 o preço chegara a quinze centavos o barril, mas vendia-se petróleo por seis centavos. Havia até um tipo de petróleo que não atingia mais de dois centavos. Contudo, extremamente pobre, a orgia de perfurações continuava, e, na primeira semana de junho de 1931, mil poços haviam sido completados e o leste do Texas estava produzindo 500 mil barris por dia.

Pessoas com um "bom olho" para lucro logo acorreram ao local e construíram às pressas dúzias e dúzias de refinarias baratas e minúsculas, chamadas "chaleiras", que produziam uma gasolina volátil, a "Eastex". E pequenos postos de gasolina proliferaram, para vendê-la a preços reduzidos. Com tanto suprimento, todo o mundo tinha de lutar por mercados, e os postos de venda da "Eastex" começaram a oferecer prêmios, tais como um engradado de tomates ou um jantar de frango gratuitos por cada tanque cheio.

Infelizmente, Dad Joiner não podia entregar-se ao júbilo. Na verdade, a descoberta do Daisy Bradford 3 e o subsequente desenvolvimento do Gigante Negro foram uma esplêndida justificativa, porém ele havia sido cavalheiro demais na promoção de seu empreendimento — para dizê-lo de forma generosa. Vendera ações em número superior ao das disponíveis para venda; algumas tinham sido negociadas mais de uma vez, e pelo menos uma delas teve simultaneamente onze "donos". Do ponto de vista legal, Joiner estava muito vulnerável, e ele sabia disso.

Um jornal local apressou-se em defender o homem que propiciara o renascimento do leste do Texas. "Será que ele vai ser o segundo Moisés", escreveu o redator a respeito do profeta do leste do Texas, "a ser conduzido à Terra Prometida e a provar o 'leite e mel' para depois ter o direito de entrada negado por um bando de advogados espertos, que se refestelavam em seus escritórios faustosos, esperando sentados enquanto o velho Dad trabalhava lá embaixo nos pinheiros, na lama, na sujeira e no atoleiro de poços lamacentos, e suava sangue nas roupas antiquadas...?" Na verdade parecia que Joiner poderia perder tudo; dos seus mais de 2 mil hectares de concessões ele tinha direito legal a apenas 0,8 hectare.

Contudo a salvação surgiria na pessoa de um homem corpulento, que usava um chapéu de palha de barqueiro e uma gravata de laço. Seu nome era Haroldson Lafayette Hunt, a quem Joiner sempre chamou de Boy mas que em geral era conhecido por H.L. Tendo falido como fazendeiro de algodão, Boy, evidenciava dois talentos formidáveis e não relacionados entre si: um para o jogo e o outro, como Rockfeller e Deterding, para cálculos mentais rápidos e complexos. Uma década atrás havia aberto uma sala de jogo na cidade de El Dorado, na época em que o negócio petrolífero prosperava por ali. Quando a Ku Klux Klan ameaçou incendiar seu salão, Hunt prudentemente passou para o petróleo, tendo sido muito bem-sucedido tanto em Arkansas quanto em Louisiana. Nessa ocasião ele estava, para todos os efeitos, sustentando duas esposas, e com ambas tinha uma família em crescimento. Ouvindo rumores sobre o poço de Joiner antes mesmo de sua entrada em funcionamento, Boy apareceu para observar a exploração e fez-se amigo do velho furador de poços, em apuros já àquela altura.

Hunt avançou quando a maré de preocupação se abateu sobre Joiner, depois da primeira descoberta, mas antes que outros poços tivessem começado a indicar a verdadeira magnitude do campo petrolífero. Perseguido pelo dono de uma loja de roupas masculinas em El Dorado, entocaiou-se Hunt com Joiner no quarto 1.553 do Baker Hotel para uma interminável entrevista de negócios. Insistiu longamente numa tentativa de acordo. Sem que Joiner soubesse, Hunt vinha recebendo informações sobre a evolução do poço da Pedra Profunda, a 1.200 metros do Gigante Negro. Durante a entrevista ele recebeu uma notícia importantíssima sobre uma iminente segunda descoberta que, além de provar que o poço de Joiner não era um engodo, apontava para a probabilidade de ser ele muito extenso. Hunt não só não partilhou a notícia com o amigo como continuou sugerindo que Deep Rock poderia ser um poço seco. Depois de mais de 36 horas ininterruptas no quarto 1.553, Dad Joiner sucumbiu. Em algum momento entre meia-noite e duas horas da manhã do Dia de Ação de Graças, 27 de novembro de 1930, ele assinou a cessão de todos os seus direitos para Boy, que celebrou o negócio mandando vir um prato de queijo e bolachas.

Hunt tratou de resolver o emaranhado de reclamações contra Joiner e rapidamente tornou-se o maior produtor independente do leste do Texas. Mais tarde ele se referiria a esse negócio como o seu "voo inicial", depois do qual prosseguiria até fazer uma imensa fortuna. Hunt veio a ganhar notoriedade como patrono de causas políticas da direita e dos alimentos saudáveis, e foi um feroz combatente da farinha branca e do açúcar refinado.

No total, Hunt pagou 1,33 milhão de dólares, sendo 30 mil à vista e o resto em espécie. Mais tarde Joiner soube que Hunt havia dado 20 mil dólares ao perfurador-chefe do poço de Pedra Profunda, que fornecera aos seus espiões informações sobre o poço em exploração. Irritado, moveu um processo contra Hunt, acusando-o de fraude. Hunt foi enfático na afirmação de que não o havia enganado. "Nós negociamos", declarou ele. De repente Joiner pensou melhor sobre o processo e decidiu retirar a queixa. O dinheiro que recebera de Hunt ele o gastou em novas perfurações, à procura de outro Gigante Negro, assim como namorando sua "secretária" e outras moças. Dad Joiner tinha quase 87 anos quando morreu; pesquisou petróleo virtualmente até o fim, mas nunca mais foi bem-sucedido. Quando morreu, seus bens não iam muito além de um carro e uma casa.[2]

Anarquia no campo de petróleo

A inundação de petróleo bruto do leste do Texas logo derrubou os preços em todo o país, e a continuação do colapso de preços poderia significar ruína até mesmo para os maiores produtores. Havia alguma expectativa de que assim como em outras descobertas importantes a pressão das reservas subterrâneas acabasse por se reduzir, o que resultaria num declínio da produção e num consequente retorno dos preços ao nível "normal". Mas a magnitude do leste do Texas era algo absolutamente ímpar; quem sabia quando sua produção começaria a declinar? E quem estaria ainda no negócio quando chegasse o dia? A corrida da produção competitiva ali e por toda parte significava "suicídio competitivo" para a indústria petrolífera como um todo.

Era imperativo inventar algum sistema para controlar a produção e estabilizar os preços. E isso significava disciplinar a atividade do campo do leste do Texas, desafiando a violenta oposição dos produtores locais e dos donos de *royalties,* assim como a dos pequenos refinadores, que gostavam do petróleo bruto barato. A situação era mais complicada pela natureza fragmentada da propriedade na região e pela grande parcela de produção vinda dos independentes. Devido ao começo lento dos maiores, os pequenos produtores possuíam ou controlavam uma boa parte dos campos do leste do Texas e eram os que tinham mais probabilidade de produzir em velocidades temerárias. Esses, independentes achavam que se cedessem um mínimo de sua liberdade de ação poderiam estar "ameaçando mortalmente" a relativa vantagem que detinham sobre as detestadas grandes empresas.

Na contenda entre os grandes e os independentes, o agente da ordem seria, a despeito do nome, a Texas Railroad Comission, criada em 1891 pelo governador Jim Hogg para assegurar o controle populista das estradas de ferro. No início da década de 1930, ela havia se tornado um terreno preferencial do esvaziamento do prestígio político. Além do mais faltava-lhe competência técnica. No entanto, era o órgão que havia recebido uma autoridade sobre o petróleo, embora muito circunscrita. Sua equivalente em Oklahoma, a Commerce Commission, tinha sido autorizada desde 1915 a ajustar a produção de petróleo à demanda do mercado, um poder que estava sendo muito explicitamente negado à Texas Railroad Commission. A TRC tinha permissão para regular a produção de petróleo a fim de evitar "um desperdício físico", mas sob a influência dos independentes a legislação a proibiu especificamente de controlar a produção para impedir o "desperdício econômico". Isso significava que lhe era negado o direito de ratear o mercado, isto é, ela não poderia reduzir a produção de cada um para levar o volume total a cair a um nível apenas suficiente para satisfazer a demanda.

Entretanto, a Railroad Commission pôs-se a fazer exatamente isso. Mas para tanto precisava operar com o disfarce de estar evitando o desperdício físico. Declarou-se que a produção descontrolada faria com que se perdesse para sempre um certo potencial de produção. Dizia exatamente que se os preços fossem muito baixos os numerosos poços que produziam apenas poucos barris por dia seriam capazes de não fazê-lo de modo economicamente viável e, portanto, teriam de ser fechados. Isso era considerado "desperdício físico". Mas as cortes federais impuseram várias derrotas aos esforços da comissão para ratear cortes justificados por aquela exposição de motivos. Em suma, a própria comissão era desrespeitada na corte. Todos os seus esforços eram continuamente sobrepujados pela produção cada vez maior do leste do Texas.

Com os preços caindo muito abaixo do custo de produção e sem remédio imediato, o medo e a desmoralização dominavam toda a indústria petrolífera americana, como observou Frederck Godber, um diretor da Shell em Londres, que foi aos Estados Unidos no fim da primavera de 1931. Parte do propósito de sua missão era assegurar-se de que as economias e os cortes nas operações americanas da empresa, solicitados pelo centro de operações da Europa, estavam realmente sendo implementados. Godber havia traçado um plano para os Estados Unidos: os escritórios americanos eram muito complicados, os carros da empresa muito numerosos e de nível demasiado alto. Com satisfação ele pôde comunicar a Deterding e aos outros diretores que "estão sendo feitas economias enormes".

Em seus encontros com a alta direção das principais empresas americanas, Godber deparou com uma incontrolável melancolia. E informou: "O presidente da Standard of

Indiana está deprimido, quase em pânico, e salta aos olhos o seu nervosismo". Ele se encontrou com Walter Teagle, da Standard Oil of New Jersey, e declarou: "Mesmo a New Jersey como um todo não tem uma política muito definida", acrescentando: "Ele está muito pessimista, sente que não há o que fazer, a não ser sentar-se e contar com a baixa dos preços; deplora não haver cooperação da parte da maioria das outras empresas e diz que isso não será possível, a não ser depois que todas tiverem grandes prejuízos". Em resumo, Godber comunicou: "Muitas dificuldades da indústria são devidas a causas conhecidas, sobre as quais as pessoas têm pouco ou nenhum controle e que não podem ser remediadas enquanto não forem promulgadas, nos vários Estados produtores, leis que permitam o reforço das já existentes contra o desperdício e as perfurações excessivas. Tais leis talvez já pudessem ter sido decretadas, mas há muito preconceito a ser vencido, particularmente no Texas".

Enquanto isso, a produção do Texas continuava. E continuava também na vizinha Oklahoma. No começo de agosto de 1931, enquanto os juízes federais examinavam a constitucional idade das leis de rateio de Oklahoma, o governador Bill "Alfalfa" Murray proclamou estado de emergência, impôs a lei marcial e ordenou à milícia do Estado que assumisse o controle dos campos mais importantes. Ele os manteria fechados, anunciou, até que "o preço atingisse um dólar".

"Um dólar o barril!" tornou-se a palavra de ordem em todos os Estados Unidos.

Em agosto de 1931, tanto o leste do Texas quanto o mercado de petróleo estavam em total anarquia. Naquele mês, a produção da região havia excedido um milhão de barris diários, o que representava quase a metade da demanda total americana, e os preços do petróleo bruto tinham despencado para treze centavos. Na Europa, o petróleo do Texas estava sendo vendido a um preço mais baixo que o russo. Os preços na fonte, no Texas e em todos os Estados Unidos, estavam tão abaixo dos custos de produção, calculados à base de oitenta centavos o barril, que se previa a ruína da maioria dos produtores dali e de todo o país. Alguns produtores do leste do Texas sugeriram uma paralisação voluntária para ajudar a elevar os preços; mas na realidade a produção subiu ainda mais. A violência estava no ar; falava-se que estava chegando dinamite para explodir poços e oleodutos. A economia do Texas, e talvez a lei e a ordem também, estava à beira do colapso.[3]

Ross Sterling, o governador do Texas, fundador e ex-presidente da Humble Oil, havia vacilado por algum tempo, sem saber ao certo o que fazer. Mas agora não havia escolha; era preciso agir. E de fato ele declarou guerra ao leste do Texas; em 17 de agosto de 1931 anunciou que a região estava "em estado de insurreição" e "rebelião aberta" e para lá enviou várias centenas de elementos da Guarda Nacional e de soldados da tropa de choque do Texas. Eles assentaram sua base no lugar que viria a ser apelidado de colina do Rateio; faziam suas operações a cavalo, já que as chuvas recentes tinham tornado as estradas intransitáveis para veículos a motor. Em poucos dias, paralisaram a produção e uma calma sinistra pairou sobre o leste do Texas, enquanto o trabalho cessava nos campos de petróleo. Mesmo as galinhas que antes se banqueteavam felizes, com milhões de insetos atraídos pelas chamas do gás, foram forçadas a "voltar à prosaica prática de antes do petróleo: cavar em busca de vermes". As atividades auxiliares também cessaram. O comandante-geral da Guarda Nacional proibiu o uso de "pijamas de praia", o traje predileto das atarefadas prostitutas; seu trabalho também se tornou um tremendo fracasso.

A paralisação deu realmente bom resultado: o preço no campo subiu para treze centavos o barril. A Texas Railroad Commission continuou a emitir ordens de rateio, que agora vinham reforçadas pelos cavalarianos do estado. E em abril de 1932, o preço quase havia voltado ao mágico um dólar, tendo atingido 98 centavos. No decorrer de 1932, a comissão emitiu dezenove ordens separadas de rateio para o leste do Texas e todas foram invalidadas pelo Judiciário. Entretanto, o mercado conservava-se firme e o preço, fortalecido, finalmente persuadiu muitos independentes, e tornou os políticos receptíveis a eles, no que dizia respeito ao valor dos cortes proporcionais válidos para todos. Em novembro, o governador Sterling decidiu, por fim, dar à comissão o poder específico de que ela necessitava para calcular "o desperdício econômico". Ele convocou uma sessão especial da legislatura do Estado e forçou a aprovação de um documento permitindo o rateamento do mercado. A nova lei foi facilitada por uma melhor compreensão da dinâmica da reserva do leste do Texas: a pressão da produção não vinha do gás, como se pensava até então, mas na verdade da água. Uma produção rápida, caótica, prejudicaria a pressão da água e interromperia prematuramente toda a produção.

Com a aprovação da nova lei, o rateamento do mercado passou a viger no Texas. Entretanto, a despeito dos novos poderes da Texas Railroad Comission para controlar a produção, a primavera de 1933 parecia tão má ou talvez pior que o verão de 1931. A comissão tinha estabelecido para o leste do Texas uma quota altíssima, terrivelmente alta, o dobro do que havia sido sugerido pelos novos conhecimentos de engenharia a respeito da pressão do "fundo do buraco". Além do mais, centenas de milhares de barris de petróleo estavam sendo produzidos fora da lei, além das quantidades permitidas. Esse excesso se tornou conhecido como "petróleo quente", uma expressão inventada no campo do leste do Texas; contava-se que, numa noite gelada, um miliciano do estado estava conversando com um proprietário suspeito de produzir além do limite permitido. O miliciano obviamente tremia de frio e o zeloso produtor sugeriu que ele se encostasse num tanque com o petróleo suspeito. E disse: "Está quente o bastante para mantê-lo aquecido...".

E além disso estava quente o suficiente para conservar a indústria em tumulto. O petróleo quente era contrabandeado para fora do Texas, atravessando as fronteiras de outros estados. O mesmo acontecia em Oklahoma, onde se supunha que o rateio estivesse em vigor. De maneira geral, considerando o petróleo lícito e o quente, a produção do leste do Texas estava ficando de novo completamente fora do controle. A Texas Company fez descer o preço estabelecido de 75 para dez centavos o barril. Tão vasta era a inundação e tão saturado o mercado que alguns "produtores de petróleo quente" estavam tendo dificuldade para encontrar mercados, até mesmo a dois centavos o barril. Para estancar o fluxo, vários oleodutos foram misteriosamente dinamitados.

Desmoralizado, William Farish, presidente da Humble, escreveu a Walter Teagle dizendo que apenas o choque dos preços baixos e o sofrimento por eles provocado poderiam convencer os produtores independentes de que seus interesses a longo prazo residiam no controle da produção e no tratamento do campo como unidade. Talvez se tivesse atingido o ponto, acrescentou Farish, em que "a lei de dentes e garras" seja o único recurso deixado para conseguir um pouco de ordem. A dez centavos o barril — e os preços à vista ainda mais baixos — aquele ponto já tinha sido atingido. Mas a indústria petrolífera também compreendeu que precisava desesperadamente de ajuda fora do estado; os governos estaduais não eram o bastante. Seria preciso vir uma ajuda emergencial de uma outra direção, de Washington. Alguns produtores do Texas requereram com urgência a supervisão federal da indústria do Texas durante o tempo que durasse a emergência. Do contrário, diziam eles, ocorreria tanto a falência dos produtores independentes quanto nada menos que o total colapso da indústria de petróleo.

E agora, no exato momento, havia uma nova administração em Washington, o New Deal, de Franklin Delano Roosevelt. Era uma administração ativista, pronta a dar combate à Depressão, empenhada em reavivar a economia e sinceramente preparada para intervir em toda parte. O governo federal observava com muita atenção o que acontecia no Texas; os preços do petróleo estavam muito baixos e ele estava disposto a fazer de tudo para resgatá-las.[4]

O reformador

Roosevelt foi empossado no dia 4 de março de 1933 e nomeou Harold L. Ickes para a posição politicamente delicada de secretário do Interior, um posto ainda marcado pela memória de Albert B. Fall e pelo escândalo da Tampa do Bule. Descrito na primeira reunião do ministério como "um cavalheiro roliço, loiro, de óculos", Ickes era um advogado de Chicago que durante muitos anos fora figura de liderança nos partidos Republicano e Progressista. Tinha organizado a campanha política de Theodore Roosevelt na sua cidade, em 1912 e 1932; foi presidente do Comitê do Oeste da Liga Progressista Nacional pró-Franklin Roosevelt. Como recompensa por ter ajudado Roosevelt a chegar à presidência, desejou tornar-se secretário do Interior. Mobilizou líderes progressistas para atuar em seu favor, e obteve o posto. Mais tarde, Roosevelt explicou que gostava do jeitão de Ickes. Além disso, ele queria um republicano progressista com credenciais do oeste, e o que encontrou nele foi um homem de poderosas convicções liberais, paixões impetuosas, ardentes polêmicas, desconfiança penetrante, hipersensibilidade para qualquer menosprezo (real ou imaginado), imenso farisaísmo, grande dedicação ao dever e uma consciência moral profundamente enraizada.

Ickes tinha sido criado num lar pobre por uma severa mãe calvinista. Quando menino, aos domingos não lhe era permitido nem assobiar, proibição que só foi levantada quando provou à mãe que vira o pastor assobiando no dia santificado. Foi um estudante tão bom no ginásio que quando o professor de latim caiu doente assumiu seu lugar e deu as aulas. Como líder de classe praticou o que mais tarde aperfeiçoaria com arte: a renúncia impulsiva, alegando princípio moral, apenas para vê-la rejeitada pelos poderes constituídos. A classe não quis aceitar a sua renúncia, e nem Franklin Roosevelt, décadas mais tarde. Numa das vezes em que renunciou, o presidente Roosevelt respondeu: "Você é necessário (...) Renúncia *não* aceita".

Como jovem advogado cheio de inquieta energia reformadora, Ickes ligou-se a uma porção de campanhas em Chicago: contra a corrupção, os monopólios e a injustiça social; em favor dos direitos civis, dos sindicatos de mulheres e da jornada de dez horas. Em certa ocasião, veio até mesmo a ser secretário da Straphanger's League, a mais atuante e eficiente propugnadora do transporte público. Transformou-se também num competente dirigente político, embora, ao que parece, sempre tenha trabalhado com reformadores sem muita chance de sucesso, o que o levou a caçoar de sua própria "estranha habilidade para selecionar perdedores". Mas finalmente em 1932 ele escolheu um ganhador, Franklin Roosevelt, e como secretário do Interior, apesar de professar uma generosa devoção aos princípios e ao dever, Ickes sentia prazer em acumular poder e pretendia ser um "homem forte" capaz de dizer "não". Além de secretário do Interior, ele de pronto assumiu o posto de administrador do petróleo e mantinha também a posição-chave de administrador das obras públicas do New Deal.

Ickes atirou-se nos intrincados detalhes administrativos dos três cargos. "Tendo sempre em mente os mais variados registros do interior", escreveu ele mais tarde: "Trabalhei como um escravo sobre montanhas sem fim de documentos, contratos, cartas, recusando-me a assinar qualquer coisa que eu em pessoa não tivesse lido, temendo que um dia isso surgisse para me assombrar, na fumaça de uma outra Tampa do Bule". O Albert B. Fall "besuntado-de-petróleo", como Ickes o descrevia, afinal foi mandado para a cadeia em 1931, mas nunca pareceu estar muito longe dos pensamentos do atual secretário do Interior. Depois de uma visita que Harry Sinclair, um dos dois tesoureiros de Fall, fez-lhe em 1933, Ickes escreveu em seu diário: "Fiquei imaginando se o fantasma de Albert B. Fall carregando uma pequena sacola preta não poderia emergir de um dos cantos escuros deste escritório". O legado da Tampa do Bule tornou Ickes temerosíssimo da corrupção e firmemente desconfiado da indústria petrolífera. Ele estava empenhado em restaurar a moral e a reputação do Departamento do Interior, e para assegurar-se de que não ocorreriam novos escândalos e fraudes financeiras organizou sua própria unidade interna de investigação, que usou telefones grampeados como técnica normal de operações.

Sua própria permanência no cargo, no entanto, foi quase de imediato ameaçada por um escândalo de outro tipo. Ickes tinha, há bastante tempo, um casamento terrivelmente infeliz e logo depois de nomeado secretário se envolveu num romance com uma mulher muito mais jovem. Arranjou emprego no Departamento do Interior para a moça e seu noivo, ela em Washington e o rapaz, muito convenientemente, no Meio-Oeste. Não levou muito tempo para que chegassem cartas anônimas ameaçando a revelação do "caso", e algumas delas chegaram à direção de vários jornais. A Casa

Branca acabou por se envolver, pelo menos até certo ponto, e a própria linha investigativa do departamento constatou que o autor das cartas era, sem surpresa para ninguém, o noivo. O romance acabou em 1934. No ano seguinte, a esposa de Ickes morreu num desastre de automóvel, e três anos mais tarde ele veio a se casar com uma mulher quarenta anos mais moça, ligada a ele de um modo muito particular: era a irmã mais nova da mulher de um enteado seu, que havia se suicidado pouco tempo antes. O secretário "pediu" a Roosevelt permissão para o casamento, e o presidente deixou de lado a diferença de idades, dizendo que a diferença entre os pais dele era mais ou menos aquela.[5]

Desde o momento em que assumiu o cargo, Ickes foi bombardeado com as mais diversas opiniões a respeito dos negócios do petróleo, e por experiência direta logo percebeu como espinhosa era essa área. Em 1º de maio de 1933, escreveu ao presidente sobre a persistente "desmoralização total" da indústria petrolífera. Admitindo que não podia aplacar e o violento debate entre os grandes e os independentes sobre colapso de preços, superprodução e desperdício, declarou: "Mas nós certamente sabemos que o petróleo tem sido vendido a dez centavos o barril no campo do leste do Texas. Certamente sabemos que essa situação não pode continuar por muito mais tempo sem resultados desastrosos para a indústria petrolífera e para o país".

A própria indústria, tanto quanto os representantes eleitos dos Estados petrolíferos, clamava por uma ação de Washington. Nas palavras do presidente da Associação Americana dos Produtores de Petróleo Independentes, um grande segmento dos independentes estava apoiando uma legislação "para colocar autoridade sem precedente nas mãos da Secretaria do Interior". Mas, apesar de a maioria estar de acordo quanto à necessidade de ação, não havia consenso quanto às medidas específicas a serem adotadas.

No dia 5 de maio de 1933, quando ia para uma reunião no ministério, Ickes recebeu um telegrama: os preços no leste do Texas tinham caído para quatro centavos. Mais tarde naquele mesmo dia, recebeu outro, agora do governador do Texas, dizendo que "a situação está fora do controle das autoridades estaduais". Três dias depois Ickes advertiu que "o negócio do petróleo está quase quebrado e... continuar a não fazer nada", acrescentou, "resultará num total colapso da indústria", com uma enorme perda em termos das reservas de petróleo do país. Harold Ickes e o New Deal estavam prontos a intervir e a fazer algo.

A crise da indústria foi atacada inicialmente sob a égide do Ato de Recuperação da Indústria Nacional e da Administração da Recuperação Nacional que gerou o sistema de cooperação entre os empresários e o governo que se propunha a estimular a recuperação da economia, reduzir a competição, fortalecer o fator trabalho e, no processo, atenuar até certo ponto as leis antitruste. Mas o petróleo seria tratado diferentemente da maioria das outras indústrias, pois o controle sobre ele viria a ser conferido não à ARN, mas ao Departamento do Interior, onde Harold Ickes exercia uma autoridade incontestável.

Com raízes na tradição progressista e antitruste de Ida Tarbell e Theodore Roosevelt, Ickes passou grande parte de sua carreira fazendo campanha contra os "interesses".

Ele não era exatamente um defensor ou mesmo um amigo dos negócios, e se divertia impiedosamente com o modo como os outrora orgulhosos homens de negócios, agora traumatizados pela Grande Depressão, buscavam a ajuda do governo federal. "São tantos esses grandes e poderosos" do mundo dos negócios, observou ele depois de participar de um jantar na Câmara de Comércio dos Estados Unidos, que "vão rastejando até Washington, de gatinhas, nestes dias a fim de suplicar ao governo que toque seus negócios para eles".

Nem a política, nem a experiência, nem o temperamento tornaram Ickes simpático aos negócios petrolíferos, mas ele os socorreu e defendeu o seu futuro. Considerava que os jogos eram na verdade muito altos. "Não há dúvida sobre a nossa completa e absoluta dependência do petróleo", disse ele. "Passamos da idade da pedra para a do bronze, do ferro, depois para a era industrial e agora para uma era do petróleo. Sem ele, a civilização americana, como a conhecemos, não poderia existir."[6]

Os atos governamentais

Ickes começou com os preços. Em sua visão, o preço do petróleo, como o de outros artigos, era baixo demais. Seria preciso escorar o preço de todas essas matérias-primas a fim de restaurar para a economia o poder de compra. Os homens do ramo do petróleo, como os produtores de outras matérias-primas, não podiam continuar a vender seus produtos abaixo do custo. O preço de dez centavos o barril contribuiria para prolongar a Depressão. A elevação dos preços exigiria o controle da produção, e, para submeter a produção ao controle, Ickes começou com uma intensa campanha contra o "petróleo quente", que segundo ele era dotado de uma "velhacaria animal hipócrita". Os veios de petróleo quente, apesar de serem compostos de milhares de diferentes regatos, engrossavam uma poderosa torrente — as estimativas de 1933 subiam a 500 mil barris diários. Esse petróleo contrabandeado era extraído dos oleodutos por meio de sifões, escondido em tanques camuflados cobertos de ervas, transportado numa intrincada rede de oleodutos secretos e por caminhão, para finalmente, na calada da noite, transpor as fronteiras. Em cada parada clandestina o caminho era aplainado pela corrupção e pelo suborno. A contravenção acabava resultando num negócio grande e lucrativo. A questão ficava ainda mais difícil pelo fato de que qualquer fixação de preço apenas fornecia um incentivo para produzir mais petróleo quente, que inundava o mercado, e assim fazia o preço abaixar novamente.

O petróleo quente era a grande fraqueza do rateio, tal como ele ocorrera até então, minando todos os esforços para estabilizar o preço. A fim de sustentar o rateio era preciso haver um modo de policiar o sistema, de conter o enorme escoamento. O problema não podia ser resolvido apenas pelos estados do Texas, Oklahoma e outros. O governo federal precisava assumir o papel de policial. Mas em que base? A resposta devia ser encontrada no poder do governo federal de regular o comércio interestadual. A legislação, apressadamente aprovada em 1933, deu ao presidente o poder explícito de proibir e interditar o petróleo quente — aquele que excedia os níveis de produção determinados pelos mandados estaduais — de entrar no comércio interestadual. O próprio Roosevelt se chocou com o que chamou de "as deploráveis condições" da indústria petrolífera; e no dia 14 de julho de 1933 assinou uma ordem executiva que deveria, escreveu ele em seu diário, "impedir que seja levado para o comércio interestadual ou externo qualquer petróleo, ou derivados, produzido em violação à lei de seu estado de origem". E Ickes acrescentou: "Sob a Ordem Executiva fui investido de poderes não apenas para expedir regulamentos como também para fiscalizá-los".

Imediatamente Ickes despachou investigadores federais para o campo do leste do Texas para examinar os registros das refinarias, testar os medidores de petróleo, inspecionar os tanques e até mesmo desenterrar os oleodutos para medir a precisão jurada dos registros. Em seguida passou-se a exigir um "certificado de liberação" para o transporte do petróleo para fora do leste do Texas. Ickes agiu de forma vingativa e promoveu a prisão e o julgamento dos chamados "rapazes do petróleo quente". Para um congressista impaciente ele garantiu: "Ando movendo céus e terra para resolver isso". Funcionários federais seguraram o rojão de todo esse esforço para interditar o petróleo quente, já que o estado do Texas estava agora tão quebrado que não podia sequer custear o deslocamento de mais soldados da tropa de choque.

O Código do Petróleo, elaborado sob o Ato de Recuperação da Indústria Nacional, aumentou extraordinariamente o poder de Ickes: autorizou-lhe estabelecer quotas mensais para cada estado. Poucos anos antes essa intervenção do governo federal; teria sido suficiente para precipitar uma rebelião entre os homens do petróleo dos vários estados; agora ela era bem-vinda e saudada com alívio por muita gente daquela indústria tão castigada. Ickes era o responsável, e se envaidecia com isso. No dia 2 de setembro de 1933, na tentativa de reduzir 300 mil barris diários na produção de petróleo do país, ele mandou telegramas para os governadores dos estados produtores de petróleo dizendo-lhes quais seriam as quotas — níveis de produção — do seu estado. Foi um ato histórico, uma alteração fundamental da maneira pela qual operava a indústria. Os dias de produção desenfreada tinham acabado. Com o rateio, a regra de captura tinha sofrido uma reviravolta. O que tinha feito sentido com relação a cervos e aves nos feudos da Inglaterra medieval já não vingava quando a própria estrutura da indústria petrolífera americana parecia estar sendo varrida devido à fúria incontrolável da inundação de uma produção imoderada que de outro modo não seria controlada.

A recuperação e estabilização dos preços poderia ter sido tentada de outro modo: mediante a fixação real dos preços pelo governo. Essa era uma medida vigorosamente apoiada por alguns membros da indústria castigados pelo colapso dos preços. "Se não nos derem regulamentação de preços", disse em 1933 um representante da Standard of California, "vocês podem fazer leis até o dia do Juízo Final que não chegarão a lugar algum." Mas também havia muita oposição. Alguns temiam que começando a fixar preços o governo acabaria por considerar a indústria de petróleo como uma empresa de serviços públicos e iria querer regulamentar também os lucros. O próprio Ickes em certa ocasião demonstrou estar muito ansioso por assumir o encargo de determinar os preços, e isso foi o suficiente para provocar ainda mais apreensão. Na verdade, fixar preços poderia ser um tiro pela culatra, dando um grande incentivo à superprodução. Comparada à regulamentação da produção, a fixação do preço também parecia ser mais difícil, mais complexa, mais pública e certamente muito mais disputada. Decididamente o método preferido era a regulamentação da produção. E apesar dos esforços para que tal tarefa coubesse direto a Washington ela foi mantida no nível estadual, onde geraria menos controvérsia, ficaria mais próxima do mundo da produção petrolífera e seria muito menos visível.

O novo sistema de parceria entre o governo federal e o dos estados estava avançando consideravelmente no final de 1934. "Parece que estamos fazendo um belo progresso na questão do petróleo quente do leste do Texas", foi a informação que em dezembro o presidente recebeu de um de seus auxiliares. Mas logo no mês seguinte, em janeiro de 1935, a Suprema Corte desferiu sobre o novo sistema um golpe potencialmente mortal. Ela contestou a subseção do Ato de Recuperação da Indústria Nacional que proibia o petróleo quente, dando início a uma nova crise. Sem o controle desse petróleo, todo o sistema desabaria. Para manter o petróleo contrabandeado — produzido além dos níveis aprovados — fora do comércio interestadual, uma nova legislação foi rapidamente elaborada e aprovada. Em homenagem a seu defensor, o senador Tom Connally, do Texas, a lei ficou conhecida pelo nome de Lei Connally do Petróleo Quente. E, em junho de 1935, a Suprema Corte deu um golpe ainda pior, declarando inconstitucional uma grande parte do Ato de Recuperação da Indústria Nacional. O caso examinado pela corte não tinha nada a ver com o petróleo; seu objeto eram algumas galinhas doentes, vendidas em Nova York por um negociante clandestino de aves domésticas que violara um artigo do Ato de Recuperação Nacional. Porém, entre muitas outras coisas, a anulação do Ato de Recuperação da Indústria Nacional destituía Ickes de seu poder de estabelecer quotas obrigatórias para os estados.

Entretanto os efeitos da revogação não foram tão devastadores quanto teriam sido um ano ou dois antes. Nessa época já havia sido erigida uma estrutura para a regulamentação da indústria petrolífera e já se estabelecera um consenso; ambos sobreviveram à extinção do Ato de Recuperação da Indústria Nacional. O sistema ainda envolvia a cooperação entre os governos federal e estadual. Do modo como estava funcionando, a Lei Connally do Petróleo Quente fornecia os poderes policiais suficientes para combater o contrabando de petróleo. Além disso, o governo federal, mais especificamente o *Bureau* das Minas, preparou estimativas de demanda para o período futuro; então "aquinhoou" cada estado com uma fatia sugerida dessa demanda — uma espécie de "quota" informal e voluntária. Com o fim do Ato de Recuperação da Indústria Nacional, os estados não precisavam aceitar aquele nível; na verdade, para demonstrar a sua independência, a Comissão das Ferrovias do Texas, que por essa época já havia adquirido mais profissionalismo e competência técnica, vez por outra ia um pouquinho além da "quota" do Texas. Mas fundamentalmente os estados adotaram as estimativas federais como suas e as seguiam à risca, apesar de elas não serem mais obrigatórias.

Obviamente um estado podia produzir muito mais do que a sua quota. Mas se o fizesse se exporia a uma eventual represália do governo federal e de outras unidades da federação, além de correr o risco de encorajar os demais estados produtores a também exceder suas respectivas quotas, o que levaria a uma nova superabundância e a outro colapso do preço. Assim, cada estado aceitava e obedecia à quota sugerida pelo governo federal e procedia ao rateio da produção para preencher a sua própria fatia da demanda projetada. A lembrança do barril a dez centavos ainda era muito fresca na cabeça dos produtores, assim como entre os governos estaduais que dependiam da receita do petróleo. E afinal outras grandes descobertas ainda podiam ocorrer. Como escreveu na década de 1930 um especialista em legislação: "Para prever que as experiências do Campo do leste do Texas não se repetirão é preciso que a pessoa seja meio profeta".[7]

O papel dos estados foi formalizado em 1935 com o estabelecimento do Pacto Interestadual do Petróleo. O desenvolvimento do que o presidente da Comissão das Ferrovias do Texas chamou de "esse pacto" entre os estados produtores de petróleo ocasionou uma disputa entre Oklahoma e o Texas. Oklahoma queria estabelecer algo parecido com um cartel, que teria a autoridade explícita de alocar para cada um dos estados produtores de petróleo as estimativas da demanda de petróleo americana feitas pelo Bureau das Minas, assim como o poder legal de fiscalizar o cumprimento das quotas. O estado do Texas opunha-se resolutamente a esse cartel, pois não queria abrir mão de sua soberania. Ele ganhou, e o Pacto Interestadual do Petróleo tornou-se muito menos do que o cartel sonhado por alguns. Mas representou um fórum para os estados trocarem informações e planos, padronizarem a legislação e coordenarem o rateio e a conservação da produção.

Entretanto, faltava ainda pôr mais um tijolo, sem o qual o sistema não poderia funcionar: uma tarifa para controlar a entrada do petróleo estrangeiro. Sem ela, as importações baratas simplesmente teriam inundado o mercado americano, frustrando o efeito das limitações da produção doméstica e criando uma segunda corrente de petróleo quente que escaparia ao sistema regulador. Apesar do fracasso da tentativa de acrescentar uma taxa de petróleo ao Ato Smoot-Hawley de 1930, os debates em torno dessa taxa se intensificavam. Em 1931, as principais companhias importadoras tinham concordado em reduzir "voluntariamente" as suas importações para evitar os ataques dos independentes, que preferiam pôr a culpa nos preços baixos dos grandes produtores e do petróleo estrangeiro, para não ter de reconhecer os seus hábitos de produção desenfreada. Contudo, as restrições voluntárias da importação fracassaram, como era de esperar.

Em 1932, a calamidade na indústria e na produção petrolífera era suficiente para conseguir a aprovação de uma tarifa pelo Congresso e transformada em lei. Uma taxa de 21 centavos por barril foi imposta sobre o petróleo bruto e o óleo combustível, e uma de 1,05 dólar sobre a gasolina. A tarifa teve apoio por uma razão: era uma boa fonte de receita para o governo em plena Depressão. Sua adoção ocorreu na hora certa para erguer uma barreira contra a invasão do petróleo estrangeiro, e para que o novo sistema de rateio funcionasse essa barreira era necessária. As taxas — apoiadas por um "acordo voluntário" sobre o volume das importações firmado em 1933 entre Ickes e as principais companhias importadoras — cumpriram a sua missão. No final da década de 1920 e no começo da de 1930 as importações constituíram 9% a 12% da demanda interna. (Obviamente era raro um defensor da tarifa observar que os Estados Unidos continuavam sendo sobretudo exportadores de petróleo e que a exportação de petróleo americano representava o dobro do volume importado.) Depois da aprovação da tarifa, a importação de petróleo caiu para apenas 5% da demanda interna.

O país mais duramente atingido foi a Venezuela; ela era responsável pela metade da importação americana de petróleo bruto, e 55% do total de sua produção de petróleo ia para os Estados Unidos *in natura* ou sob a forma de derivados. Essa indústria nacional que explodira durante a década de 1920 reduziu-se drasticamente; navios repletos de trabalhadores expatriados e suas famílias eram levados de volta para casa. Enquanto isso, as companhias que operavam na Venezuela apressavam-se a reorientar suas exportações dirigindo-se para o mercado europeu, e a Venezuela arrebatou dos Estados Unidos a posição de principal fornecedor para a Europa. Em meados da década de 1930, ela já voltara a atingir o nível de produção que tinha antes. No entanto, para a indústria doméstica de petróleo americana a tarifa funcionou como um dique protetor, atrás do qual o resto do sistema regulador pôde depois ser instalado.[8]

Estabilidade

Se algum sistema de regulamentação parecia lógico, até mesmo inevitável, as circunstâncias sob as quais o sistema adotado emergiu eram ruins e desordenadas; os debates em torno dele foram ásperos e acusatórios, e em todo o processo não faltou rancor e desespero. Além disso, ele foi emergindo por sucessivos acréscimos suscitados pelo desenrolar dos acontecimentos, cada parte vindo à luz depois de um parto doloroso. Foi preciso o leste do Texas e o barril a dez centavos para fazer com que a indústria e os Estados produtores começassem a se mexer nessa direção. O processo foi facilitado pelos grandes avanços verificados na engenharia do petróleo e na compreensão da dinâmica da sua produção, que tiveram início em meados da década de 1920. Mas foi preciso a Grande Depressão e o New Deal para que ele efetivamente acontecesse, fruto de uma inimaginável aliança entre os produtores de petróleo do Texas e de Oklahoma, do apoio de políticos de Austin e da cidade de Oklahoma, e por fim, em Washington, do empenho de Ickes e de outros liberais. Apesar de congenitamente desconfiados uns dos outros, eles entretanto trabalharam juntos para levar a estabilidade a uma indústria com grande tendência à prosperidade súbita seguida de malogro, devido à natureza da descoberta do petróleo e ao modo tradicional de explorar reservas recentemente descobertas. Os terrores de 1933 haviam sido banidos. Em 1937, o presidente da Comissão das Ferrovias do Texas escreveu orgulhoso a Roosevelt: "Atualmente há total cooperação e coordenação entre o governo federal e os estados produtores de petróleo no esforço comum para conservar esse recurso natural". Estava exagerando apenas modestamente.

Apesar do crescimento casual, em sua forma final o sistema de regulamentação tinha na verdade uma poderosa lógica subjacente. Ele reescreveu o livro sobre a produção e até mesmo, de certo modo, sobre o que constituía a "propriedade" das reservas de petróleo. Trouxe uma abordagem totalmente nova da produção, tanto do ponto de vista técnico quanto do legal e do econômico. E estabeleceu uma nova direção para a indústria petrolífera americana. Muitos anos depois, gente que estava operando até numa escala maior lançaria mão dele como modelo obrigatório.

Dois pressupostos práticos foram de importância central para o sistema. Um era que a demanda de petróleo não reagia particularmente aos movimentos dos preços: quer dizer, o fato de o barril do petróleo estar custando dez centavos podia não significar uma demanda muito maior do que a existente quando seu preço era um dólar. A demanda podia ser considerada fixa, e pelo menos durante a Depressão muitos achavam que esse era um modo razoável de pensar. O segundo pressuposto era que cada estado tinha a sua fatia "natural" de mercado. Se as fatias sofressem uma grande mudança, o sistema como um todo poderia ser ameaçado. Foi exatamente o que aconteceu no final da década de 1930, quando importantes descobertas no estado de Illinois o tornaram o quarto maior produtor nacional. Illinois não pertencia ao Pacto Interestadual do Petróleo. Era um produtor novo, queria entrar no mercado e tratou de achar seu próprio caminho para conquistar a sua própria fatia. Os estados do Texas e de Oklahoma diminuíram substancialmente a produção, para dar lugar ao petróleo bruto de Illinois. Não exultaram ao fazer isso. Houve recriminações e apelos para que todo o sistema fosse ignorado. O estado do Texas anunciou que poderia abandonar o rateio imediatamente e prosseguir sozinho. Mas o sistema resistiu até mesmo à investida violenta do novo petróleo de Illinois.

Os preços, eles próprios, não foram fixados pelo governo na vigência do sistema. Seus advogados, em Austin ou em Washington, insistiam nesse ponto. Mas a determinação de níveis de produção que correspondessem à demanda do mercado efetivamente estabeleceu um nível de produção de petróleo bruto que podia ser comercializado a um preço estável. De 1934 a 1940, o preço médio do petróleo nos Estados Unidos variou de 1 a 1,18 dólar por barril. A palavra de ordem mágica "Um dólar o barril" havia se tornado realidade. O sistema tinha funcionado. A inundação cessara. E, no processo, tanto a administração do excedente de petróleo quanto o relacionamento entre as companhias petrolíferas e o governo haviam mudado para sempre.[9]

CAPÍTULO XIV

"Amigos" — e inimigos

A MALCOLM AND HILCART ERA UMA AGÊNCIA IMOBILIÁRIA da cidade de Fort William, na Costa Oeste da Escócia, 120 quilômetros ao norte de Glasgow. Era especializada no aluguel de propriedades para a caça e a pesca e, antecipando-se à temporada de verão de 1928, tinha preparado os "detalhes" de uma propriedade chamada Achnacarry Castle, localizada a uns vinte quilômetros do condado de Inverness. Como todas as agências imobiliárias do mundo, a Malcolm and Hilcart não poupava adjetivos: "O castelo está lindamente situado às margens do rio Arkaig e é um dos locais históricos mais interessantes das montanhas da Escócia". E ainda: "O panorama que o cerca é com certeza sem igual no país". A caça — mais de 20 mil hectares disponíveis — e a pesca eram excelentes; podia-se contar com noventa veados machos, 160 casais de aves silvestres e dois mil peixes. A casa principal — apesar de construída no início do século XIX, "no estilo de baronato escocês", possui eletricidade, água quente e aquecimento central — tinha nove dormitórios, além de outros quartos menores com camas e mais quatro ligados à garagem. Por três mil libras, a propriedade estava disponível durante o mês de agosto de 1928. Mas era preciso ficar claro que o arrendatário devia levar seus próprios criados, com exceção da governanta, que seria fornecida.

Que lugar melhor haveria para passar algum tempo num ambiente relaxante com amigos? Henry Deterding alugou a propriedade pelo mês. Um velho amigo se juntou a ele: Walter Teagle, o presidente da Standard Oil of New Jersey. Não havia nada de surpreendente naquilo; afinal de contas, os dois homens tinham combinado caçar juntos uma ocasião qualquer. Mas dessa vez a lista de velhos amigos era mais longa; havia Heinrich Riedemann, chefe da Jersey na Alemanha, *sir* John Cadman, da Anglo-Persian, William Mellon, da Gulf, e o coronel Robert Stewart, da Standard, Oil of Indiana. A comitiva de férias incluía secretários, datilógrafos e consultores, alojados numa casa de campo particularmente segura que ficava a uns dez quilômetros de distância.

Apesar dos grandes esforços feitos no sentido de conservar secreta a reunião, alguma informação vazou. A imprensa de Londres rumou às pressas para o norte, contudo a única informação recebida foi de que os homens do petróleo tinham se reunido apenas para caçar e pescar. Então, por que tanto esforço para mantê-la em segredo? "Para que as aves não sejam avisadas", conjeturou o *Daily Express*. Não se conseguia extrair nenhuma palavra, nem mesmo do mordomo, sobre o que os homens do petróleo poderiam estar dizendo enquanto passeavam pelos pântanos ou se sentavam em grupo, à noite, conversando e bebendo. Não tendo interesse por esportes e aborrecendo-se com as conversas, as duas sobrinhas adolescentes de Deterding — as "diabretes", segundo a expressão de Teagle — despejaram melado na cama de Riedemann e deram nós em todo o seu pijama. O empertigado alemão ficou furioso. Quanto à caça, "era ruim", Teagle disse mais tarde. Mas isso não importava, pois os homens do petróleo não estavam atrás das aves silvestres e sim da solução para os dilemas da superprodução e do excesso de capacidade de sua conturbada indústria. Mais do que tentando trazer uma trégua para as guerras do petróleo, eles estavam em busca de um tratado formal para a Europa e a Ásia — um tratado que trouxesse ordem, dividisse mercados, estabilizasse a indústria e defendesse a rentabilidade. Achnacarry era uma conferência de paz.[1]

Isso foi em 1928, um ano antes do crack da Bolsa e do começo da Grande Depressão — dois anos antes da descoberta de Dad Joiner no leste do Texas. Mas o petróleo já vinha jorrando nos Estados Unidos, na Venezuela e na União Soviética, inundando o mercado mundial, enfraquecendo os preços e ameaçando uma "competição desenfreada". O fluxo do petróleo russo, em especial, tinha levado os homens do petróleo a Achnacarry. A feroz guerra de preços que Deterding declarara contra a Standard Oil of New York, para puni-la pela compra do petróleo russo, tinha se estendido por muitos mercados em todo o mundo. A batalha havia escapado ao controle, tornando-se uma dura guerra global; os preços estavam caindo e nenhuma das companhias de petróleo, em lugar algum, poderia sentir-se segura.

Achnacarry refletia o espírito da época. Racionalização industrial, eficiência e eliminação da duplicação eram os valores e objetivos do dia, na Europa e nos Estados Unidos, observados por homens de negócios, funcionários do governo e também por economistas e publicitários. Incorporações, colaboração, cartéis, acordos de mercado e associações eram os vários instrumentos para atingir suas metas, que constituíram o padrão internacional dos negócios da década de 1920 e, mais ainda, da de 1930, com o advento da Depressão. Os lucros deviam ser preservados e os custos controlados pela "eficiência" da colaboração". Como nos dias de John D. Rockefeller e Henry Flager, a "competição desenfreada" era o perigo que devia ser combatido. Mas não era mais possível tentar eliminar a rivalidade comercial por meio de um controle total, um monopólio universal. Nenhuma empresa era poderosa o suficiente para "obrigar" as outras à submissão. Tampouco as realidades políticas o permitiriam. Assim, uma concordata, mais que uma conquista, era agora o objetivo dos homens do petróleo em Achnacarry.[2]

A mão do governo britânico

O encontro de Achnacarry não foi obra unicamente das companhias de petróleo. Nos bastidores, escondido da maioria dos observadores, o governo inglês estava incitando e empurrando as empresas para a colaboração na busca de suas próprias metas políticas e econômicas.

Na conjunção desses vários interesses estava *sir* John Cadman, o sucessor de Charles Greenway na presidência da Anglo-Persian. Por volta de 1928, Cadman chegava ao pico de sua influência, operando no nível de Deterding e Teagle, mas também com uma credibilidade sem igual aos olhos do governo inglês. Nascido numa família de engenheiros de minas, Cadman tinha começado sua carreira como administrador de minas de carvão. (Ele havia ganho prêmios por ter salvo mineiros vitimados por desastres subterrâneos.) Mais tarde tornou-se professor de mineração da Universidade de Birmingham, onde abalou o estatuto acadêmico introduzindo um novo curso sobre Engenharia de Petróleo tão insólito que um colega acadêmico infenso às suas ideias denunciou o curso como "flagrantemente anunciado", "um beco sem saída" e com "um título fantasioso". Quando foi deflagrada a I Guerra Mundial, Cadman era um dos destacados peritos na tecnologia do petróleo. Durante o conflito, como presidente da Executiva do Petróleo, demonstrou considerável perícia tanto na política como na liderança de pessoas. Em 1921, passou a ser consultor técnico da Anglo-Persian; seis anos mais tarde, como candidato do governo, tornou-se presidente.

Nessa época, a produção de petróleo crescia em todo o mundo e a empresa de Cadman estava em condições de quadruplicar a sua produção tanto na Pérsia quanto no Iraque. "Era essencial que fossem encontrados novos mercados", disse Cadman categoricamente. A Anglo-Persian tinha duas opções: abrir caminho naqueles novos mercados, encarando a inevitável competição e o grande investimento que isso implicava, ou estabelecer *joint ventures* com empresas estabelecidas, dividindo com elas os mercados.

Cadman escolheu a segunda trilha, fazendo com a Shell e a Burmah — que coincidentemente era o maior acionista da Anglo-Persian depois do governo inglês — um acordo para empregar capital em mercados e instalações na Índia. O alvo seguinte era a África, onde a Anglo-Persian e a Royal Dutch-Shell propuseram formar uma "aliança", pela qual poderiam dividir os mercados meio a meio. Para se lançar nesse novo empreendimento, a Anglo-Persian pediu, no princípio de 1928, a permissão do governo inglês, seu sócio majoritário. E o governo hesitou em aprovar. O almirantado expressava seu temor costumeiro de que a Anglo-Persian pudesse ser absorvida pela Shell, o que iria contra os princípios mais básicos da política do governo. O Ministério das Relações Exteriores e o Tesouro se preocupavam com o alheamento dos Estados Unidos. Eles temiam que uma tal integração pudesse levar aquele país — "no atual estado de irritabilidade da opinião pública americana" — a acusar as duas empresas de estarem fazendo "'guerra' aos interesses americanos representados pela Standard Oil Company". Essa acusação podia facilmente ser estendida ao governo inglês, por sua condição de sócio majoritário da Anglo-Persian, com consequências políticas bastante sérias. Além disso, as tensões resultantes podiam levar — Cadman prosseguia o raciocínio — à pressão sobre o governo para que ele vendesse suas ações da Anglo-Persian, o que seria uma catástrofe para a Armada Real e não muito bom para o Ministério da Fazenda, muito preso aos atraentes dividendos.

Mais uma vez Winston Churchill, agora ministro da Fazenda, iria atuar como pivô. A princípio, ele tinha muitas dúvidas sobre a proposta de integração africana. "O momento em que *sir* Deterding está 'em guerra' contra a Standard Oil", dizia ele, "parece uma ocasião singularmente inoportuna para que o governo inglês seja incluído na disputa." Mas, refletindo melhor sobre o assunto, Churchill chegou à conclusão de que aquela integração era a melhor política. E também a mais barata. "A alternativa para o proposto acordo de trabalho era a Anglo-Persian Oil Company disputar o mercado da África", declarou ele ao Comitê da Defesa Imperial. Aquilo requereria muito mais dinheiro e significaria que ele — em nome do governo de sua majestade, o maior acionista — teria de apresentar a questão ao Parlamento. Já tendo feito isso uma vez, em 1914, quando havia convencido o governo a comprar ações da Anglo-Persian, não queria enfrentar de novo a mesma situação, sobretudo tendo em vista que agora provavelmente haveria muito mais controvérsia. Os interesses diretos do governo britânico nos negócios de petróleo eram dissimulados ao máximo.

Assim, o governo apoiou firmemente os esforços de Cadman para formar uma "aliança" africana com a Shell. Sua posição global foi exposta em fevereiro de 1928 num comunicado comum do Tesouro e do almirantado. "A longo prazo, essa política atenderá mais ao interesse do consumidor que uma competição implacável." O acordo podia ter benefícios adicionais, prosseguia o memorando; permitiria promover "alianças semelhantes em outros lugares" — especialmente com a Standard Oil of New Jersey.

À parte a aprovação da negociação africana em si, aquele último reforço foi a coisa mais importante vinda das deliberações do governo. A Anglo-Persian tinha recebido autorização governamental para negociar com a Standard Oil e buscar acordos de mercado semelhantes com os americanos, a fim de "moderar seus ciúmes e mostrar que não estamos querendo brigar". Pois não tendo que se haver com uma tradição antitruste, como ocorria nos Estados Unidos, o governo inglês era favorável à integração. Como escreveu na ocasião um funcionário inglês: "Nossa experiência, de modo geral, tem mostrado que a fusão de interesses petrolíferos não resulta em prejuízo para o consumidor".

Cadman, representando agora os interesses do governo bem como os da Anglo--Persian, tentava um entendimento com as empresas americanas. Uma vez realizada a transação africana com a Shell, ele escreveu para Teagle, da Jersey, propondo "uma pequena câmara de compensação para negócios da mais alta política", incluindo as suas respectivas empresas e mais a Royal Dutch-Shell. Esses acontecimentos todos estavam entre as principais razões que levaram Deterding a convidar Teagle, Cadman e outros a se reunirem a ele em agosto de 1928 para caçar e pescar um pouco no castelo de Achnacarry, nas montanhas escocesas.[3]

O problema da indústria do petróleo

Das duas semanas de discussão, que se desenrolaram às margens do rio Arkaig, resultou um documento de dezessete páginas, aprovado mas não assinado, que foi chamado "Associação do Pool". Ele se tornou mais conhecido como Acordo Achnacarry ou Acordo "Como Está". O documento resumia "o problema da indústria petrolífera": a super--produção, cujo efeito "tem sido uma competição mais destrutiva que construtiva, que resulta em custos operacionais muito maiores... Considerando-se isso deve-se fazer economia, eliminar o desperdício e reduzir a duplicação dispendiosa das instalações".

No entanto, o essencial do documento era o acordo quanto ao "Como Está": cada empresa recebia uma quota em vários mercados — uma participação percentual no total das vendas, baseada em sua quota de 1928. Uma empresa só podia aumentar seu volume à medida que crescesse a demanda total, mas manteria sempre a mesma quota percentual. Além disso, as empresas deveriam procurar baixar os custos, concordando em partilhar as instalações e em ser cautelosas na construção de novas refinarias e outras instalações. A fim de aumentar a eficiência, os mercados seriam supridos pela fonte mais próxima geograficamente. Isso resultaria em lucros extras, visto que o preço de venda continuaria a se basear na fórmula tradicional — o preço da American Gulf Coast mais a taxa vigente do frete da costa até o mercado — mesmo que o petróleo viesse de um local mais próximo. Aquela cláusula era fundamental, pois estabelecia um preço de venda uniforme e os adeptos do Acordo "Como Está" não tinham de se incomodar com a competição em torno do preço — e a guerra de preços — com outros aderentes.

Poucos meses mais tarde, os chefes da indústria concordaram também em controlar a produção. Os participantes do sistema Achnacarry podiam aumentar a produção acima dos volumes indicados por sua quota de mercado, mas apenas quando vendessem essa produção extra para outros membros do *pool*. A fim de implementar esse acordo estabeleceu-se uma "associação", dirigida por um representante de cada empresa para executar a necessária análise estatística da demanda e do transporte e para fixar as quotas efetivas.

Entretanto, era notável a ausência no acordo de um participante importante do comércio europeu de petróleo — a União Soviética. Sem dúvida, os soviéticos tinham de ser integrados ao acordo "Como Está" para que ele tivesse alguma chance de sucesso. Pois por volta de 1928 uma companhia soviética, a Produtos de Petróleo Russos, foi a quarta maior exportadora para o Reino Unido. Os soviéticos tinham recuperado os níveis de produção de antes da guerra e o petróleo havia se tornado a sua maior fonte isolada de renda. Num feito extraordinário, tendo em vista a má vontade de Deterding e de Teagle para negociar com os comunistas, as principais empresas chegaram, em fevereiro de 1929, a um acordo com os russos que deu à União Soviética um quinhão seguro do mercado inglês. Com a Rússia aparentemente amarrada, pelo menos em parte, havia apenas uma exceção importante para essa amigável divisão dos mercados mundiais de petróleo. Entretanto, era uma exceção muito considerável: o acordo deixava clara a exclusão do mercado interno dos Estados Unidos, a fim de evitar a violação das leis antitrustes americanas.[4]

O Acordo de Achnacarry, elaborado na beleza solitária das montanhas da Escócia, trazia de volta a discussão da passagem do século, quando Rockefeller e Archbold, Deterding e Samuel, os Nobel e os Rothschild, todos em conjunto, procuraram arduamente um acordo para o mercado petrolífero mundial, mas fracassaram. Nessa segunda tentativa, as empresas de petróleo não tiveram mais sucesso na implementação do seu novo acordo do que no sigilo sobre a reunião em Achnacarry. Além das empresas dominantes, envolvidas no Acordo "Como Está", a produção do petróleo incluía muitos participantes "marginais" que não hesitavam em mordiscar a fatia de mercado das grandes companhias. Na verdade, os não membros do "Como Está" acharam que o acordo era sob medida para eles. Abria-lhes a possibilidade de cobrar um pouquinho abaixo das grandes empresas e ganhar uma participação no mercado. Mesmo que os membros associados respondessem com uma violenta competição de preços, forçando os mordiscadores a abandonar um determinado mercado, essas empresas menores podiam se dirigir a outro.

Era particularmente importante exercer controle sobre as exportações americanas, que representavam cerca de um terço de todo o petróleo consumido fora dos Estados Unidos. E, logo depois que Teagle retornou de Achnacarry, algumas empresas americanas, dezessete ao todo, se integraram na Export Petroleum Association, que dirigiria em conjunto suas exportações e fixaria quotas para cada uma das participantes. Seu comportamento era pautado por uma lei chamada Webb-Pomerene, de 1918, segundo a qual as empresas americanas podiam adotar no exterior ações que dentro do país lhes eram proibidas — juntarem-se numa integração — desde que as atividades da integração ocorressem exclusivamente fora dos Estados Unidos. Entretanto, os negócios da associação com o "Grupo Europeu" desmoronaram devido à questão de como distribuir os lucros entre os americanos e os europeus. Além disso, a associação nunca alcançou a massa crítica — no máximo, ela controlou apenas 45% das exportações americanas —, ao passo que com dezessete empresas era simplesmente demasiado para chegar a um acordo satisfatório sobre preços e quotas. O fracasso dessa tentativa de cartelizar as exportações de petróleo dos Estados Unidos acabou por solapar os firmes esforços de Achnacarry.

Havia produtores em excesso por todo o mundo e demasiada produção fora da estrutura do "Como Está". "Os números que tínhamos à nossa frente", escreveu a Teagle o diretor da Dutch-Shell, J.B. Kessler, "mostraram que, do potencial de produção mundial, uma grande parte é controlada por empresas que não são controladas nem por vocês nem por nós e nem por qualquer uma das demais grandes empresas de petróleo. Daí se conclui que o equilíbrio atual da produção mundial talvez não possa ser mantido apenas por vocês e por nós." Não levou muito tempo para que a exatidão do vaticínio de Kessler fosse confirmada. As descobertas e a produção dos Estados Unidos se firmavam com a grande aceleração do leste do Texas. Petróleo procedente de outras fontes, como a Romênia, estava também entrando no mercado mundial. Com a onda repentina de uma produção incontrolável, o Acordo de Achnacarry foi por água abaixo. E as companhias de petróleo voltaram uma vez mais a atacar os mercados umas das outras.[5]

Discórdia dentro dos "muros privados"

As três grandes — a Jersey, a Shell e a Anglo-Persian — tentaram reformular uma aliança, em 1930, mas dessa vez de maneira menos grandiosa. Fez-se uma revisão do acordo "Como Está", na forma de um novo Memorando Para os Mercados Europeus. Em vez de buscar um ajuste global, as suas companhias que operavam nos vários mercados europeus tentariam fazer "acordos locais", dividindo com "estranhos" fatias do mercado. Contudo, o sistema se mostrou mais uma vez bastante ineficaz em face dos volumes ainda em ascensão dos petróleos americano, russo e romeno. Os soviéticos, em particular, nunca hesitaram em baixar os preços quando viam uma oportunidade de obter mais rendimentos. As considerações comerciais normais não se aplicavam a eles. O Kremlin exigia das organizações de mercado russas que obtivessem tanto dinheiro estrangeiro quanto possível e por quaisquer meios, a fim de pagar a maquinaria de que a Rússia necessitava para se industrializar. A despeito dos esforços contínuos, as companhias não conseguiram elaborar um acordo de comercialização "metódico" e durável com os russos.

Em 1931, a Jersey tinha se desencantado com os inviáveis acordos globais. "Em vista do colapso da Associação de Exportação, a negociação 'Como Está' com a Royal Dutch devia ser suspensa", disse E.J. Sadler, diretor de produção da Jersey, a seus colegas. "Nossa empresa está fazendo um grande sacrifício para proteger outras companhias em ações ou situações antieconômicas." Ele propunha que a Jersey abandonasse todo o esforço de cooperação e passasse a fazer guerra ao grupo Shell. "Agora é a melhor hora para combater a Royal Dutch, pois eles estão muito vulneráveis no Extremo Oriente... Nessa região, nós nunca tivemos nenhum lucro e uma guerra de preços iria custar-nos pouco mais que nada." Numa reunião austera, em março de 1932, Deterding e outros altos executivos da Royal Dutch-Shell inteiraram M. Weill, que supervisionava os grandes interesses de Rothschild na Royal Dutch-Shell, da situação desolada no plano mundial, e o fizeram com abundante clareza. Os volumes de vendas tinham caído verticalmente, comunicou Weill mais tarde ao barão Rothschild. "Os preços estão ruins por toda parte, e exceto nuns poucos e raros lugares, não se ganha dinheiro."

Em novembro de 1932, *sir* John Cadman discursou no Instituto Americano do Petróleo, dedicando-se a exaltar os méritos da "cooperação" — "estritamente dentro das leis de cada país, é claro". Suas observações demonstraram de modo cabal a opinião bastante difundida de que o acordo "Como Está" era uma conspiração secreta desconhecida do vasto mundo. Afinal, ali estava John Cadman, presidente da Anglo-Persian, de pé, encarando a totalidade dos integrantes do Instituto Americano do Petróleo, para declarar que "o princípio do 'Como Está' se tornou a chave-mestra da cooperação nos negócios internacionais de petróleo fora dos Estados Unidos".

Cadman prosseguiu advertindo os delegados: "Ainda está chovendo lá fora". E, com uma catástrofe se delineando nos abismos da Depressão, as companhias não podiam abandonar o esforço de procurar se proteger da tempestade e estabilizar a indústria. Eles sugeriram uma nova versão do acordo "Como Está": as Diretrizes de Acordo Para Distribuição, de dezembro de 1932, que "deviam ser usadas como orientação para os representantes de campo na tarefa da elaboração de regras para os cartéis e acordos locais". Os primeiros adeptos das diretrizes incluíam a Royal Dutch-Shell, a Jersey, a Anglo-Persian, a Socony, a Gulf, a Atlantic, a Texas e a Sinclair. O novo acordo foi negociado por duas comissões do "Como Está", uma em Nova York, orientada para o suprimento, e outra em Londres, voltada para a distribuição. Um secretariado central "Como Está" foi instalado em Londres para executar o trabalho de coordenação e de estatística dos acordos. Estabeleceram-se também departamentos internos pelo menos em algumas das empresas. Mas havia muitos pontos de atrito no novo acordo, inclusive fraudes constantes e o problema de o que fazer com relação aos "mercados virgens" — mercados anteriormente desconsiderados pelos participantes e que agora passavam a ser objeto de suas atenções.[6]

À medida que a Grande Depressão progredia, aumentava também o problema da indústria do petróleo e as companhias tentaram ainda outra vez aperfeiçoar o sistema "Como Está", agora elaborando a Minuta do Memorando de Princípios de 1934, que proporcionava acordos de cooperação mais amplos. A Depressão era tão grave que o novo Memorando apelava era uma "economia nos gastos com a competição". O dinheiro precisava ser poupado e as diferenças competitivas entre as empresas deviam sofrer uma redução mediante corte nos orçamentos de publicidade. O número de placas e cartazes nas ruas tinha de ser reduzido, os anúncios nos jornais "deveriam ser contidos dentro de limites razoáveis" e os "prêmios para corredores de automóveis" tinham de ser diminuídos ou eliminados. Os pequenos brindes promocionais, como isqueiros, canetas e calendários, tão apreciados pelos motoristas, deviam ser sensivelmente limitados ou abolidos. Nada ficou por ser examinado. Até mesmo o número e o tipo das placas das bombas de gasolina devia ser "padronizados para reduzir os gastos desnecessários".

Tais acordos, qualquer que fosse o seu tamanho ou eficiência real, eram inevitavelmente controvertidos, despertando críticas apaixonadas e penetrantes de um lado e defesas farisaicas do outro. Muitos os examinavam e viam-nos apenas como prova de uma grande conspiração dirigida contra os interesses dos consumidores. Temiam-se muito os cartéis internacionais em qualquer indústria e viam-se com uma apreensão especial as manifestações de camaradagem entre os gigantes do petróleo. Mas esses acordos, com exceção dos Estados Unidos, não contrariavam as leis dos vários países. Pelo contrário, a dureza dos tempos e a pressão das políticas governamentais, além do ambiente dos negócios, impeliam para alguma forma de colaboração e cartelização.

Dentro dos muros de cada companhia partícipe dos acordos, a alta direção se referia à direção de outras companhias como "amigos": "Os amigos de Londres dizem..." ou "Os amigos ainda não se decidiram". Mas não era amizade o que estava em operação, não uma "fraternidade do petróleo". O que realmente unia as companhias de petróleo era antes um sentimento de desespero numa economia mundial debilitada e em face de uma demanda estagnada. Elas eram concorrentes agressivas e nunca se esqueciam disso. A cautela, uma profunda rivalidade e uma desconfiança difusa corriam paralelas aos esforços de colaboração. Mesmo enquanto discutiam a cooperação tramavam novos ataques. Poucos meses depois de Achnacarry, a Shell entrou no mercado da Costa Leste dos Estados Unidos e tratou de, bem rápido, expandir aquele negócio. A Jersey ficou furiosa: um dos seus executivos denunciou a ação da Shell como "autorizada apenas pela ambição". Depois, em 1936, Henry Deterding soube que a Jersey estava discutindo a venda de toda a sua base mexicana para William Davis, um produtor independente com interesses nos Estados Unidos e na Europa. Davis era um daqueles participantes "marginais" que tanto dificultavam o cumprimento dos acordos "Como Está". Irritado, Deterding escreveu para a Jersey: "Engajamo-nos juntos na resistência às atividades de Davis e com certeza contraria as normas de condução da guerra, vender ao inimigo um conjunto de munições de que ele muito necessita para levar com mais eficiência a ação contra nós". De fato, durante toda a década de 1930, enquanto discutia a cooperação com a Shell, a Jersey estava sempre levando em séria consideração a fusão de seus negócios no exterior com a Socony, a fim de melhor enfrentar a Shell.

Além disso, o conflito irrompia constantemente no momento de se implementar o acordo ou até mesmo quando se queria chegar a um ajuste quanto ao que fora acertado. A Minuta do Memorando de Princípios de 1934 continha a cláusula de que auditores de fora revisariam as cifras de comércio dos vários partícipes. Um alto executivo da Standard-Vacuum, a *joint venture* da Jersey e da Socony, na Ásia, sentiu-se insultado; disse em dezembro de 1934 que, assim como seus colegas, "fazia oposição unânime a isso". E acrescentou: "A ideia de termos um auditor estranho examinando nossos livros é objetável por razões óbvias. Mas, além disso, parece-nos que o 'Como Está' teria bases muito fracas se as partes interessadas não podem confiar umas nas outras quanto à exatidão de uma informação sobre o volume de negócios". E sugeriu: "Devíamos a todo custo conservar a operação 'Como Está' dentro dos muros privados dos interessados". Mas nem mesmo dentro desses muros privados as coisas andavam fáceis. Em dezembro de 1934, Frederick Godber, diretor da Shell, estava no Extremo Oriente e de lá comunicou: "As cifras dos negócios mostram claramente que a Texas Company está desnecessariamente agressiva, devendo terminar o ano com uma parte dos negócios maior que a que lhe cabe". Disse ainda que as outras empresas teriam de aplicar "medidas mais severas" para corrigir esse desvio da Texas Company. Não obstante os acordos, a tendência para a competição não podia ser controlado por completo.

E o processo de alocação em si foi bem-sucedido? Os resultados para o Reino Unido, por exemplo, mostravam considerável instabilidade. A Shell e a Anglo-Persian formavam um sistema combinado de comercialização na Inglaterra, o Shell-Mex/BP. A proporção das vendas entre aquele grupo e a associada da Jersey, com algumas notáveis exceções, permanecia relativamente constante. Entretanto, a fatia do mercado total correspondente aos dois grupos em conjunto flutuava muito à medida que o petróleo de várias fontes entrava na Inglaterra.

Com toda a instabilidade, os acordos "Como Está" se tornaram muito mais eficazes a partir da Minuta do Memorando de 1934. Três fatores contribuíram para o seu sucesso relativo. Nos Estados Unidos, as autoridades federais e estaduais lideradas por Harold Ickes, afinal, conseguiram controlar a produção. Na União Soviética, a aceleração da industrialização estimulou a demanda interna de petróleo, diminuindo a quantidade de petróleo disponível para exportação. E, por fim, as grandes empresas conseguiram impor algum controle sobre a produção da Romênia. Mesmo assim, a sobrevida dos acordos não foi de muitos anos. No princípio de 1938, a Jersey informou verbalmente o término dos acordos "Como Está". E, em grande medida, quaisquer atividades dos sobreviventes acordos "Como Está" terminariam em setembro de 1939, com a eclosão da II Guerra Mundial.[7]

Nacionalismo

Os acordos "Como Está" não se efetivaram no vácuo. Eles deviam não só combater o excesso de petróleo e depois a Depressão, como também se defender contra o surgimento de forças *políticas poderosas* na Europa e por toda parte. "Em todo o continente europeu, as políticas governamentais se confrontaram com as das companhias privadas estrangeiras de petróleo e o alcance da confrontação não teve precedente", escreveu um historiador. "Não é preciso um grande esforço de imaginação para perceber que, para se defender, eles discutiram entre si os meios de enfrentar as condições anormais do comércio."

Durante a década de 1930, as formas de pressão política sobre as empresas de petróleo foram muitas. Os governos impunham quotas de importação, estabeleciam preços e impunham restrições sobre o comércio externo. Forçavam as empresas a misturar ao óleo combustível para motores o álcool feito com as sobras da safra e a usar outros substitutos do petróleo. Cobravam inúmeros novos impostos e intervinham para controlar a direção do comércio de importação e exportação de petróleo a fim de atender a acordos bilaterais de negócios e a importantes alianças políticas. Bloqueavam remessas de lucros, forçando investimentos em instalações domésticas para as quais não havia justificativa econômica e insistiam que as companhias mantivessem estoques extras. Como resultado da Depressão, autonomia e bilateralismo eram a ordem do dia nos anos 30, com a consequente pressão para circunscrever as grandes companhias de petróleo. Pois, advertia o presidente da Câmara de Comércio de Londres, estava em operação "em todos os países estrangeiros uma tendência geral de forçar ou encorajar a instalação de empresas nacionais em seus próprios países, no lugar das subsidiárias não nacionais".

Tornou-se uma prática padrão dos governos europeus compelir as empresas estrangeiras a participar dos cartéis nacionais e a dividir o mercado entre empresas nacionais e estrangeiras. Um após o outro, os governos insistiam que as empresas estrangeiras ajudassem a aumentar a capacidade local de refino. O governo francês, agindo de acordo com a legislação de 1928, fixou quotas no mercado para cada empresa. "Na França", disse um executivo da Jersey, "a recusa em cooperar com o esforço nacional de comércio — qualquer que fosse o sacrifício em dólares ou em princípios — provocava invariavelmente uma legislação retaliativa mais prejudicial aos interesses privados que as propostas originais do governo". Na Alemanha nazista, aumentava a quantidade de regulamentos e manipulações de toda espécie, enquanto o governo acelerava os preparativos para a guerra. De modo geral, na segunda metade da década de 1930, superados os piores anos da Depressão, o objetivo mais importante das grandes companhias de petróleo passou a ser o isolamento, a proteção contra a intervenção do governo. "Estamos agora enfrentando políticas governamentais nacionalistas em quase todos os países estrangeiros, assim como tendências decididamente socialistas em muitos deles", disse Orville Harden, um vice-presidente da Jersey, em 1935. "Esses problemas são entre o governo, de um lado, e a indústria, como um bloco, do outro. Tomam-se cada vez mais sérios e uma parte muito grande do tempo da administração é dedicada aos esforços para resolvê-los."

Naquele mesmo ano, um observador da indústria do petróleo, notando a intensificação do nacionalismo político e econômico na Europa, resumiu tudo de modo muito simples: as operações nos negócios de petróleo na Europa eram, segundo ele, "90% política e 10% petróleo". O mesmo parecia estar acontecendo no resto do mundo.[8]

As novas condições do xá

No mais fundo da Depressão, o xá Reza Pahlavi da Pérsia enfureceu-se ao descobrir que, como disse um observador, "atualmente o petróleo não é ouro". A Pérsia tinha se tornado um país do petróleo. Os *royalties* que a Anglo-Persian pagava forneciam dois terços de suas receitas de exportação e uma parte substancial dos rendimentos do governo. Mas, com a Depressão, aqueles *royalties* tinham caído no nível mais baixo desde 1917. Apavorado e ultrajado, o xá culpou a empresa e resolveu ele próprio tomar conta do assunto. Numa reunião do ministério, em 16 de novembro de 1932, para surpresa dos seus ministros, anunciou estar cancelando unilateralmente as concessões da Anglo--Persian. Era o raio que ninguém realmente havia acreditado que o xá se atreveria a atirar. Esse ato ameaçava a própria existência da Anglo-Persian.

O comunicado do xá, embora inesperado, foi o ponto culminante de quatro anos de negociações e de tensão entre a Pérsia e a Anglo-Persian Oil Company. Em 1928, John Cadman tinha observado "que as concessionárias podem ver seu futuro a salvo da maré alta do nacionalismo econômico na medida em que os interesses nacionais e seus próprios se identifiquem". Mas Cadman achava dificílimo criar esta identidade. De fato, os persas diziam que a concessão de 1901, de William Knox D'Arcy, havia violado a soberania nacional; eles também queriam mais, muito mais dinheiro pela concessão.

Em 1929, Cadman acreditou ter feito um negócio com o ministro da corte do xá, Abdul Husayn Timurtash, que garantia ao governo persa, além de pagamentos muito mais altos, 25% das ações, possivelmente mais a representação no conselho e a participação nos lucros totais da empresa em todo o mundo. Mas a transação proposta nunca pôde ser realizada. Havia recriminações e acusações de ambos os lados. Os entendimentos continuavam, mas toda vez que um acordo parecia iminente, os persas exigiam novas emendas e revisões e pediam ainda mais.

A principal razão da impossibilidade de se chegar a um acordo final estava no caráter da autocracia altamente personalista na Pérsia e no homem avantajado que permanecia no posto supremo. Reza Khan tinha usado seu comando da Brigada de Cossacos para se tornar o indiscutido e indiscutível líder do país. Era um homem duro, dominador, brutal, áspero que, segundo um ministro inglês em Teerã, "não perde tempo na troca de frases gentis mas perfeitamente fúteis, tão caras ao coração dos persas". Reza Khan tinha se tornado ministro da Guerra em 1921 e, em 1923, primeiro--ministro. Brincava com a ideia de se fazer presidente mas, mais tarde, decidiu outra coisa e em vez disso se fez coroar xá Reza Pahlavi, fundador da nova dinastia Pahlavi. Daí por diante começou a modernizar o país, mas de maneira irregular e caótica. O erro maior do xá, disse Timurtash, era "sua desconfiança sobre todo mundo; não havia ninguém em todo o país em quem sua majestade confiasse, e todos aqueles que permaneciam fielmente ao seu lado se ressentiam muito disso".

O xá desdenhava seus súditos. Disse a um visitante que o povo persa era "fanático e ignorante". Também pendia para a consolidação de um país ingovernável e para a centralização do controle em suas próprias mãos, o que significava reduzir todos os demais centros de poder concorrentes. Começou com os sacerdotes, os *mullahs,* que lideravam os tradicionalistas e fundamentalistas religiosos fortemente contrários aos seus esforços de criar uma nação moderna, secular. Aos olhos desses sacerdotes, o xá era culpado de muitos pecados; afinal de contas, ele havia abolido o uso obrigatório do véu pelas mulheres. Dispendia dinheiro com serviços de saúde pública e estava ampliando as oportunidades educacionais. Contudo, não havia como detê-lo. Uma vez, ele próprio tinha contestado um aiatolá que havia questionado se eram apropriados os trajes que as mulheres da sua família usavam para ir a um santuário. Os *mullahs,* como grupo, foram obrigados a uma submissão obstinada e contudo rebelde. "Tem-se dito muitas vezes", observou um visitante, "que a maior realização do xá é sua vitória sobre os *mullahs*".

Na opinião do xá, a Anglo-Persian era igual àqueles sacerdotes, um centro de poder independente, e ele tencionava reduzir esse poder assim como a sua influência. Contudo, confiava também nos pagamentos de *royalties* para satisfazer suas ambições. Com a queda drástica das receitas persas provenientes do petróleo, a imprensa e os políticos locais, respondendo às ordens do xá, intensificaram os ataques à empresa, criticando e reclamando de tudo, desde a validade da concessão original de D'Arcy até o fato de haver refrigeração de alimentos no terreno da refinaria em Abadã, o que era considerado antirreligioso.

Além disso, o xá tinha se irritado com o acionista majoritário da Anglo-Persian, o governo inglês, em razão de outros assuntos. Ele queria assegurar a soberania persa sobre Bahrain, enquanto a Inglaterra insistia em manter seu protetorado sobre a ilha dominada pelo xeque. E estava furioso também com o reconhecimento diplomático do Iraque pelo sheik inglês, considerado por ele uma invenção do imperialismo britânico. A administração da Anglo-Persian podia repetir indefinidamente que a empresa operava como uma entidade comercial, independentemente do governo, mas nenhum persa acreditaria nessa asserção. Ouvindo tais declarações, eles "poderiam apenas imaginar que a duplicidade estava se aliando à cumplicidade".

O assunto culminou em novembro de 1932, com o cancelamento unilateral da concessão da Anglo-Persian. Essa ação foi uma provocação direta ao governo britânico, cuja segurança militar Churchill vinculara ao petróleo persa em 1914. A Inglaterra não podia aceitar passivamente a ação do xá. Mas o que se poderia fazer? O assunto foi levado à Liga das Nações; com a aprovação geral, a Liga deixou a matéria em suspenso, com a intenção de dar às partes litigantes tempo para tentar um novo acordo. Cinco meses mais tarde, em abril de 1933, Cadman foi em pessoa a Teerã para tentar salvar a situação. Depois do encontro com o xá, ele observou: "Não há dúvida de que sua majestade está em busca de dinheiro". Na terceira semana de abril, as negociações estavam novamente paralisadas e Cadman, frustrado e exasperado, voltava ao palácio para mais uma conversa com o xá. A fim de enfatizar que um fracasso era iminente, que sua paciência chegava ao fim e que ele se dispunha a voltar, Cadman determinou que seu piloto realizasse um voo de experiência e taxiasse o avião de tal modo que durante a conversa ele ficasse visível através das janelas do palácio do xá.

O recurso funcionou e o xá então retrocedeu. As exigências da Pérsia foram moderadas. No fim de abril de 1933, firmou-se afinal um novo acordo. A área da concessão reduziu-se em três quartos. Um *royalty* de quatro shillings por tonelada foi assegurado à Pérsia, o que a protegia contra flutuações do preço do petróleo. Ao mesmo tempo, ela receberia 20% dos lucros mundiais da companhia, que eram de fato distribuídos entre os acionistas acima de uma certa soma mínima. Além disso, garantiu-se um pagamento mínimo anual de 750 mil libras, independentemente da evolução dos acontecimentos. Os *royalties* para 1931 e 1932 tinham de ser recalculados em novas bases e a "persianização" da mão de obra devia ser acelerada. Por outro lado, a duração da concessão foi estendida de 1961 até 1993. "Senti que tínhamos sido razoavelmente depenados", observou Cadman mais tarde. Porém, a essência da posição da Anglo-Persian tinha sido preservada.[9]

A batalha mexicana

De todos os desafios nacionalistas às empresas de petróleo, o maior ocorreu no hemisfério ocidental. Ali, num dos mais importantes países produtores de petróleo, as empresas foram pegas numa amarga batalha contra a plena força do nacionalismo ardoroso, que desafiava a própria legitimidade de suas atividades. O cenário era o México, onde havia muita discussão em torno do parágrafo 4, Artigo 27, da Constituição Mexicana de 1917, a cláusula que declarava serem as reservas subterrâneas — referidas como "subsolo" — pertencentes à nação mexicana e não aos proprietários do solo acima delas.

Para as companhias, é claro, aquilo era um dogma perigoso. Nos anos imediatamente seguintes à adoção da Constituição de 1917, elas lutaram duro contra a implementação do Artigo 27, invocando ao longo do caminho o apoio dos governos americano e inglês. Elas sustentavam que o Estado não poderia fazer retroagir o sequestro dos direitos de propriedade obtidos antes da Revolução e nos quais havia sido aplicado muito capital. O México insistia em que o subsolo lhe pertencera o tempo todo e que as empresas não eram proprietárias mas sim tinham concessões garantidas por decreto do governo. O resultado foi um impasse — na realidade um acordo para o desentendimento.

No fim da década de 1920, o governo mexicano não queria forçar muito; precisava de empresas para explorar e comercializar o petróleo. De um modo mais geral, buscava também investimentos estrangeiros para promover a "reconstrução" do país e afastar as empresas de petróleo dificilmente seria considerado uma boa publicidade. Assim, o governo mexicano planejou uma fórmula vaga que mantinha as aparências e conservava as empresas em funcionamento, mas preservava as reivindicações sobre a posse do subsolo. Não era um *modus vivendi* fácil; na verdade, havia períodos de forte acrimônia e retórica amarga. Em 1927, a tensão elevou-se tanto que o rompimento entre os governos dos Estados Unidos e do México parecia iminente, com a possibilidade de outra intervenção americana, como havia ocorrido quando Woodrow Wilson enviou tropas para o território mexicano, durante a revolução. O risco parecia tão real para o presidente Plutarco Elias Calles que ele ordenou ao general Lázaro Cárdenas, comandante militar da zona petrolífera, que preparasse o incêndio dos campos de petróleo, para o caso de uma invasão americana.

De 1927 em diante, uma maior estabilidade e calmaria emergiram entre as empresas petrolíferas e o governo mexicano — entre os dois governos propriamente. Mas em meados da década de 1930, essa nova *détente* estava se desmanchando. Um motivo era a condição econômica da indústria: o México estava perdendo a capacidade de competir no mercado do petróleo, em particular com a Venezuela, por causa dos custos mais altos de produção, da taxação crescente e da exaustão dos campos existentes. O petróleo venezuelano estava até mesmo sendo trazido para o México para ser refinado em Tampico, porque era mais barato que o mexicano! A maior empresa petrolífera estrangeira era a velha Mexican Eagle, de Cowdray, que agora a Royal Dutch-Shell comprara parcialmente e dirigia quase totalmente. Esse grupo era responsável por cerca de 65% da produção total do México. Com a liderança da Standard Oil of New Jersey, da Sinclair, da Cities Service e da Gulf, as empresas americanas produziam outros 30%. De preferência a arriscar novos investimentos, a maioria das empresas se limitava a tentar manter o que tinha, dadas as condições inseguras do país. Como resultado, a produção caiu dramaticamente. No início da década de 1920, o México havia sido o segundo maior produtor do mundo; uma década mais tarde, a produção tinha caído de 499 mil barris diários para 104 mil, uma queda de 80%. Foi um desapontamento doloroso para um governo que contava com uma próspera indústria petrolífera para auferir maiores rendimentos. O governo culpou as empresas estrangeiras, em vez de reconhecer os efeitos de um mercado internacional em depressão e das condições domésticas decididamente inóspitas para investimentos estrangeiros.[10]

O ambiente político também estava mudando no México; o fervor revolucionário e o nacionalismo ressurgiam e os sindicatos cresciam rapidamente em número de afiliados e em poder. Essas mudanças eram personificadas na figura de Lázaro Cárdenas, um ex-ministro da Guerra que se tornou presidente no fim de 1934. Um homem de aparência impressionante, Cárdenas tinha, disse o ministro inglês, "o rosto longo e inescrutável, semelhante a uma máscara, olhos vítreos de indígena". Filho de um botânico, só pôde frequentar a escola até os onze anos. Mas pela vida afora foi um leitor voraz de tudo, da poesia à geografia, com uma atenção especial para a história, sobretudo da Revolução Francesa e do México. Aos 18 anos, tendo já trabalhado como coletor de impostos, aprendiz de gráfico e carcereiro, alistou-se na Revolução Mexicana. Reconhecido por seu valor, pela modéstia reservada e uma grande capacidade de liderança, chegou a general aos 25 anos, tornando-se protegido de Plutarco Calles, o *Jefe máximo* da revolução. Na década de 1920, enquanto outros dos novos líderes militares se bandearam para a direita, Cárdenas permaneceu na esquerda. Como governador de seu estado natal, Michoacán, dedicou muita energia para promover a educação e para dividir as grandes propriedades a fim de dar terras aos índios. Era sóbrio e puritano em sua maneira de viver; opunha-se aos cassinos, sendo favorável à sua proibição.

Eleito presidente, deportou seu mentor, o general Calles, e demonstrou ser quem decidia e não um fantoche. Perito em jogar um grupo contra o outro e em assegurar a sua própria supremacia, prosseguiu criando o sistema político que dominaria o México até o fim da década de 1980. O petróleo e o nacionalismo se revelaram de importância central para esse sistema. Cárdenas foi de fato o mais radical de todos os presidentes mexicanos. "Suas inclinações esquerdistas o convertem no bicho-papão do capitalismo", disse o ministro inglês, em 1938, e completou: "Mas levando-se tudo em consideração é de lamentar que não haja mais homens do seu calibre na vida mexicana." Ele impulsionou agressivamente a reforma agrária, a educação e um dispendioso programa de obras públicas. Os sindicatos se tornaram muito mais poderosos durante a sua presidência. Cárdenas se identificava publicamente com as massas e viajava sem cessar pelo país, muitas vezes chegando de surpresa para ouvir as queixas dos camponeses.

Para Cárdenas, fervoroso nacionalista tanto quanto político radical, a indústria estrangeira de petróleo no México era uma presença difícil e penosa. Como comandante militar da região petrolífera, no final da década de 1920, sua aversão pelas companhias estrangeiras era notória. Ele se ressentia com o que considerava uma atitude arrogante dessas empresas e seu modo de tratar o México como "território conquistado" — pelo menos foi esse o comentário que em 1938 registrou no seu diário. E, uma vez assumida a presidência, um deslocamento para o radicalismo era inevitável. No princípio de 1935, poucos meses depois da posse de Cárdenas, um dos representantes de Cowdray na Mexican Eagle se queixava de que "do ponto de vista político o país é inteiramente vermelho". As companhias petrolíferas tinham sabido como fazer negócios no México pré-Cárdenas, um mundo de extorsão, suborno e propinas, mas estavam despreparadas para lidar com a nova realidade.

A própria Mexican Eagle se viu em meio a um fogo cruzado entre sua administração local, que tentava se ajustar ao novo espírito de radicalismo do país, e a Royal Dutch-Shell, que tinha o controle administrativo de tudo, apesar de possuir apenas uma minoria das ações. "Henry Deterding," disse o administrador local, "era incapaz de conceber o México como qualquer coisa que não um governo colonial ao qual simplesmente eram ditadas ordens". O administrador tentou "desiludir" Deterding. Não conseguiu e, além do mais, o holandês acusou-o de ser "meio bolchevista". O administrador só pôde fulminar: "Quanto mais cedo essas grandes companhias internacionais aprenderem que se quiserem petróleo no mundo de hoje terão de pagar o preço pedido, mesmo não o achando razoável, tanto melhor para elas e seus acionistas".

Tampouco a Standard Oil of New Jersey estava bem disposta para se adaptar à nova realidade política. Everette DeGolyer, um eminente geólogo americano que pouco antes da I Guerra Mundial tinha feito a extraordinária descoberta que foi o alicerce da Faixa Dourada e do crescimento da indústria mexicana de petróleo, havia mantido seus contatos mexicanos. Agora, ele estava preocupado com a atitude implacável das empresas americanas. Reservadamente, instou Eugene Holman, chefe do departamento de produção da Jersey, a "elaborar um contrato de sociedade com o governo mexicano que satisfizesse suas aspirações nacionais e deixasse a Jersey em situação de poder; no final das contas, retirar o capital investido e obter um razoável retorno sobre ele". Holman foi inflexível no repúdio à ideia. "O assunto era tão importante como precedente para outras áreas", disse ele a DeGolyer, "que a empresa preferiria perder tudo o que tinha no México a aquiescer com uma sociedade que podia ser considerada uma expropriação parcial."

A pressão contra as empresas estrangeiras continuou a crescer. De fato, os acontecimentos do México eram a mais aguda expressão de um crescente confronto, que se estendia por grande parte da América Latina, entre as empresas estrangeiras e o nacionalismo nascente. Em 1937, o vacilante governo militar da Bolívia, recém-instalado e ansioso por ganhar apoio popular, acusou a subsidiária local da Standard Oil de fraude fiscal e confiscou suas propriedades. A ação foi bastante aplaudida na Bolívia e chamou muita atenção por toda a América Latina. Enquanto isso, no México, por volta de 1937, os salários tinham suplantado os debates crônicos sobre impostos, *royalties* e o *status* legal das concessões de petróleo como ponto número um de disputa. O sindicato dos trabalhadores do petróleo deflagrou uma greve, em maio de 1937, com os outros sindicatos planejando empreender uma greve de apoio. Cárdenas andava passando grande parte de seu tempo fora da Cidade do México, em Yucatán, supervisionando a distribuição das terras para os índios, e no pequeno porto de Acapulco, inspecionando obras na praia e a construção de um hotel. No entanto, agora, com a ameaça do tumulto nas vendas por atacado, ele interveio: a indústria não podia cessar o trabalho, nem uma greve geral seria tolerada. Em vez disso, o presidente instituiu uma comissão para inspecionar os livros das companhias e suas atividades.[11]

Havia pouca base para diálogo. O professor Jesús Silva Herzog, membro-chave da comissão de inspeção, descreveu os funcionários das companhias como "homens sem respeito, desacostumados a falar a verdade". A antipatia era mútua. Para o embaixador inglês, Silva Herzog era "um homem notável, mas um autêntico comunista". A comissão de Silva Herzog declarou que as companhias de petróleo estavam obtendo lucros enquanto saqueavam a economia do México e que em nada haviam contribuído para o desenvolvimento econômico do país. A comissão não apenas recomendava salários muito mais altos, fixados numa soma total de 26 milhões de pesos, como também reivindicava uma série de novos benefícios: semana de quarenta horas, seis semanas de férias e pensões equivalentes a 85% do salário, concedidas aos cinquenta anos. E disse também que todos os técnicos estrangeiros deviam ser substituídos por mexicanos dentro de dois anos.

As companhias replicaram que a comissão tinha interpretado mal os livros e deturpado sua lucratividade; a média total combinada do lucro de todas as empresas no período de 1935 a 1937, reclamavam elas, não era mais que 23 milhões de pesos, comparados aos 26 milhões a mais em salários que estavam sendo exigidos. As companhias diziam também que se fossem forçadas a obedecer as recomendações da comissão seriam obrigadas a encerrar as atividades. Estavam, é claro, apostando em que o governo não se arriscaria; acreditavam que ao México faltava pessoal, habilitação, organização e transporte, mercados e o acesso ao capital necessário no caso de desapropriação pelo governo.

Elas apelaram das recomendações da comissão. O governo não só as confirmou como acrescentou multas retroativas. Em antecipação ao que poderia acontecer em seguida, a Mexican Eagle retirou as esposas e filhos dos empregados. À medida que ocorriam os ataques e contra-ataques, os riscos iam aumentando. As companhias temiam o estabelecimento de um precedente e um exemplo que poderia ameaçar suas atividades em todo o mundo. Desde o começo, Cárdenas tinha pretendido estender o controle do governo sobre a indústria petrolífera. Mas agora seu próprio prestígio pessoal e seu poder estavam cada vez mais empenhados. Ele não podia tolerar que o considerassem em retirada ante as companhias estrangeiras e tampouco consentir em ser flanqueado pelos sindicatos que militavam à sua esquerda. Teria de se conservar no comando de uma situação explosiva, forçado pelos acontecimentos e pelas circunstâncias. A certa altura queixou-se a um amigo que estava "nas mãos de consultores e funcionários que nunca lhe diziam toda a verdade e raramente cumprem à risca as suas instruções". Acrescentou que "era apenas quando ele próprio cuidava das coisas que podia atingir os fatos".

Embora a Mexican Eagle, uma empresa inglesa, fosse de longe o maior produtor, muito da agitação contra as empresas petrolíferas se baseava num sentimento antiamericano que parecia unir o país. "O único ponto em que tenho encontrado unanimidade completa entre mexicanos de todas as classes", observou um diplomata inglês, "é na convicção de que impedir o desenvolvimento econômico e a consolidação política de seu país é um princípio estabelecido da política americana." Ainda assim, por ironia, o suporte diplomático em que anteriormente as companhias americanas tinham confiado era agora coisa do passado. A administração Roosevelt tinha adotado a política da Boa Vizinhança com a América Latina e o New Deal via a posição do governo mexicano com alguma empatia. Do ponto de vista da política externa, Washington estava empenhada em evitar o alijamento do México numa ocasião em que a preocupação com a defesa do hemisfério e o medo de uma guerra iminente começavam a crescer. Assim, havia uma pequena pressão vinda do norte para contrabalançar as exigências radicais dos sindicatos.

A crise se aprofundou quando a Suprema Corte Mexicana manteve a sentença contra as companhias. Estas por sua vez duplicaram suas ofertas de salários, mas para as lideranças sindicais e para o governo mexicano isso ainda não era suficiente. Em 8 de março de 1938, Cárdenas encontrou-se reservadamente com representantes de companhias petrolíferas. O resultado foi mais um impasse no item salários. Mais tarde, naquela mesma noite, Cárdenas, por conta própria, resolveu expropriá-las — caso fosse necessário. Em 16 de março, as companhias de petróleo foram oficialmente declaradas "em rebelião". Mesmo assim, o presidente continuou a negociar; os dois lados estavam se aproximando e acabaram aceitando os 26 milhões de pesos de aumento salarial. Mas não cederiam na oposição à transferência da tomada de decisões administrativas e do controle administrativo para os sindicatos.

Na noite de 18 de março de 1938, Cárdenas reuniu seu ministério e disse que pretendia assumir o comando da indústria petrolífera. Seria melhor destruir os campos de petróleo do que deixá-los ser um obstáculo ao desenvolvimento do país. Às 21h25, ele assinou a ordem de expropriação e, então, da Sala Amarela do palácio presidencial, irradiou para a nação a grave notícia. Suas palavras foram comemoradas com um desfile de seis horas pela Cidade do México. A batalha que se seguiu foi dura e prolongada. Para o México, o que havia ocorrido era um grande e apaixonado ato simbólico de resistência ao controle estrangeiro, de importância fundamental para o espírito nacionalista que unia o país. Para as companhias, a expropriação era absolutamente ilegítima, uma violação de acordos sérios e compromissos formais, uma negação do que elas haviam construído arriscando capital e energias.[12]

As companhias expropriadas juntaram-se numa frente única e tentaram negociar não uma indenização, na qual não confiavam, mas a recuperação das suas propriedades. Nada conseguiram. Entretanto, além do caso concreto do México havia uma preocupação muito mais grave. Se a expropriação fosse considerada bem-sucedida, disse um diretor da Shell, "estaria estabelecido um precedente para todo o mundo, particularmente para a América Latina, que poderia ameaçar toda a estrutura dos negócios internacionais e a segurança dos investimentos no exterior". Portanto, era importante para as companhias responder com tanto vigor quanto possível, e de fato elas procuraram organizar embargos contra o petróleo mexicano por todo o mundo, dizendo que aquela mercadoria era roubada. A empresa que mais havia perdido era a Mexican Eagle; além de ser controlada pela Royal Dutch-Shell, seus acionistas eram em grande parte ingleses. O governo inglês adotou uma postura muito enérgica contra o México. Insistiu com os mexicanos para que as propriedades fossem devolvidas. Em vez de responder, o governo mexicano adotou ações agressivas no campo diplomático.

Só a muito custo se evitou uma ruptura semelhante com os Estados Unidos no período que se seguiu à expropriação. Nos dois anos seguintes, Washington tentou exercer pressão, sobretudo econômica, sobre o México; mas faltou entusiasmo a esses esforços. Na verdade, as companhias americanas sentiam que estavam muito longe de obter o apoio que seria de esperar. Na era da Política da Boa Vizinhança de Roosevelt e à luz das críticas feitas pelo New Deal aos "economistas realistas" e, sobretudo, no fim da década de 1930, à indústria petrolífera, o governo americano dificilmente poderia agir com dureza contra o México ou opor-se ao direito soberano de expropriação, desde que fosse oferecido o que Roosevelt chamava de "indenização justa". Além disso, tendo no centro de suas preocupações a rápida deterioração da situação internacional, o presidente americano não quis agravar ainda mais as relações com o México ou qualquer outro país do hemisfério, pois as consequências disso poderiam beneficiar as potências do Eixo. Cárdenas havia julgado corretamente o equilíbrio da política mundial.

Washington já podia ver os efeitos inquietantes do embargo liderado pelos ingleses e dos esforços para fechar para o México seus mercados tradicionais. A Alemanha nazista tornou-se o comprador número um do petróleo mexicano (e com desconto ou melhores condições), seguida da Itália fascista. Também o Japão se tornou um grande freguês; empresas japonesas estavam fazendo a exploração do petróleo no México e discutiam a construção de um oleoduto que atravessaria o país, desde os poços até o Pacífico. Aos olhos da administração Roosevelt, um aumento da pressão americana apenas perversamente habilitaria as potências do Eixo a reforçar seus pontos de apoio no México.

A posição inglesa em relação ao México, bem mais firme, também era orientada mais por considerações de ordem estratégica do que comerciais. Mas as consequências estratégicas eram vistas através de lentes diferentes. De acordo com o Conselho do Petróleo e o Comitê de Defesa Imperial, em maio de 1938 o problema tinha a seguinte situação: apenas oito países eram responsáveis por 94% da produção de petróleo. Era possível que numa crise a legislação de neutralidade sancionada pelo Congresso dos Estados Unidos e o isolacionismo *yankee* pudessem privar a Inglaterra do petróleo americano. As exportações russas tinham caído para níveis baixos e numa guerra poderiam cessar totalmente. "Por sua situação geográfica, as Índias Orientais Holandesas, a Romênia e o Iraque são consideradas fontes de oferta duvidosas em certas circunstâncias", como disse a Oil Board. Restavam o Irã, a Venezuela e o México. Contudo, apenas alguns anos antes, no conflito com o xá Reza, a Anglo-Persian quase havia perdido sua preciosa concessão.

Tudo isso significava que numa crise militar a produção dos países da América Latina seria essencial para a Inglaterra, "não apenas pelo volume, mas porque do ponto de vista do transporte marítimo sua posição geográfica é favorável". Portanto, era preciso o máximo esforço para "assegurar que a política do petróleo mexicano não seja seguida por outros países da América Latina". Londres preocupava-se particularmente com a Venezuela, que estava suprindo acima de 40% das necessidades totais de petróleo da Inglaterra. Os problemas estratégicos — "exigências da defesa" e acesso ao petróleo em tempo de guerra — eram, reiterava o Ministério do Exterior, "a razão mais importante que orientava toda a sua política". Apesar de os Estados Unidos serem vizinhos do México e terem muitos interesses importantes em jogo, tratando-se de petróleo, o México era muito mais importante para a Grã-Bretanha do que para os Estados Unidos.[13]

"Tão morto quanto Júlio César"

Depois da eclosão da guerra na Europa, em setembro de 1939, os interesses das companhias de petróleo expropriadas e do governo dos Estados Unidos divergiram ainda mais. No que concernia à administração Roosevelt, a segurança nacional era muito mais importante do que a restituição à Standard Oil of New Jersey e a outras empresas americanas. Washington não queria submarinos dos nazistas reabastecendo-se em portos mexicanos, nem "geólogos" e "técnicos em petróleo" alemães perambulando pelo norte do México, perto da fronteira dos Estados Unidos, ou no sul, na direção do canal do Panamá. Na verdade, os Estados Unidos estavam agora ocupados em tentar ligar o México ao sistema de defesa do hemisfério. Assim, era importante pôr o assunto petróleo fora do caminho tão depressa quanto possível. Além disso, no caso da entrada dos Estados Unidos na guerra, o governo americano queria ter acesso aos estoques mexicanos de petróleo, como havia acontecido na Primeira Guerra Mundial; era cada vez mais irrelevante a quem pertenciam esses estoques. Em 1941, o embaixador dos Estados Unidos, Josephus Daniels, disse a Roosevelt que a expropriação era o principal obstáculo à cooperação com o México e que não havia sentido em tentar restaurar e defender uma situação "tão morta quanto Júlio Cesar".

As considerações estratégicas eram tais que, por volta do outono daquele ano, pouco antes de Pearl Harbor, Washington resolveu pressionar pela realização de um acordo. Agora, o ponto crucial do assunto não era, com certeza, a restituição, mas sim a indenização. Porém, quanto? Estimativas muito diferentes do valor dos ativos das companhias do México eram mencionadas, desde a cifra mexicana de sete milhões de dólares até a da companhia, de 408 milhões. O aspecto mais crítico era o valor das reservas do subsolo. Uma comissão conjunta Estados Unidos-México, nomeada pelos dois governos, foi encarregada de elaborar um esquema de indenização; encontrou-se uma solução nova e criativa. A comissão simplesmente apresentou o parecer de que 90% de todas as reservas pertencentes às empresas já haviam sido exploradas por ocasião das expropriações! Com essa inteligente formulação, não havia interesse em argumentar mais sobre quem de fato detinha o subsolo ou sobre o valor das reservas, já que supostamente a maior parte do petróleo estava esgotada. Com base nisso, a comissão propôs fixar uma indenização de cerca de trinta milhões, distribuída por vários anos.

As companhias reagiram como grave ofensa o valor atribuído à indenização. Argumentaram que na década de 1920 foram adiante em busca de suprimentos estrangeiros de petróleo em parte por injunção do governo dos Estados Unidos, seriamente preocupado com a segurança futura da oferta, e agora estavam sendo abandonadas e traídas por aquele mesmo governo. Mas, no fim, o secretário de Estado, Cordell Hull, deixou bem claro que se por um lado as companhias não tinham de modo algum qualquer obrigação de aceitar a indenização, por outro, elas não deveriam esperar de Washington nenhuma assistência ou proteção ulterior. A posição da administração era, para falar com certa rudeza, pegar ou largar e, em outubro de 1943, um ano e meio depois de proposta a avaliação, as companhias americanas a aceitaram.

Contudo, havia também um preço para o México. Criou-se uma empresa nacional, a Petróleos Mexicanos, que possuía a quase totalidade do petróleo do país. Mas os negócios não estavam mais orientados no sentido da exportação; seu ponto de convergência havia se deslocado para o mercado interno, visando a produção de um petróleo barato que seria o combustível predominante do desenvolvimento econômico do México. As exportações mexicanas passaram a ser fator pequeno nos mercados mundiais. Além disso, a indústria foi também afetada pela falta de capital e de acesso à tecnologia e às práticas. A insistência naquele grande aumento de salários — a "cifra mágica" de 26 milhões de pesos tinha sido o *casus belli* da expropriação dos campos de petróleo. Mas inescapavelmente o nacionalismo tinha de fazer algumas concessões à realidade econômica. No restolho da expropriação não só o prometido aumento de salários foi adiado sine die como na verdade os salários foram rebaixados.

A Inglaterra não tinha pressa em efetivar seu próprio acordo ou mesmo em retomar relações diplomáticas com o México; ela ainda temia que um compromisso com esse país, nas palavras de Alexandre Cadogan, subsecretário permanente do Ministério das Relações Exteriores, "pusesse ideias" na "cabeça" do Irã e da Venezuela. "É de se esperar que quando a guerra acabar essa questão assuma um aspecto inteiramente diferente." Quando isso aconteceu, a Mexican Eagle e a Shell não fizeram acordo com o México, até 1947, dois anos depois do fim da guerra. Nesse caso, valeu a pena ter paciência; mesmo considerando o fato de que a Mexican Eagle era a maior companhia estrangeira que havia operado no México, ela ganhou proporcionalmente um negócio muito melhor que as americanas; para ser exato, 130 milhões de dólares.

A Mexican Eagle sabia, no mínimo, que tinha o governo inglês firmemente por trás, as empresas americanas, ao contrário, acreditavam ter sido gravemente enganadas não apenas pelo México como também por seu próprio governo. Entretanto, numa coisa tanto as empresas americanas como as inglesas podiam concordar: a expropriação mexicana era o maior trauma que aquela indústria havia experimentado em muitos anos, desde a Revolução Bolchevista, talvez mesmo desde a dissolução do Standard Oil Trust, em 1911. Para o México, os acordos com as empresas estrangeiras confirmavam a retidão do seu procedimento. A nacionalização de 1938 era vista como um dos maiores triunfos da revolução. O México era inteiramente senhor de sua indústria de petróleo e a *Petróleos Mexicanos* — Pemex — emergiria como uma das primeiras e mais importantes empresas estatais do mundo. O México havia; de fato, estabelecido um modelo para o futuro.[14]

CAPÍTULO XV

As concessões árabes: o mundo que Frank Holmes fez

ENTRE OS MILHÕES CUJA VIDA FOI DESLOCADA e desviada pela I Guerra Mundial estava um certo major Frank Holmes. Ele havia aprendido a ser um viajante muito antes da guerra. Nascido em 1874, numa fazenda da Nova Zelândia, primeiro trabalhou numa mina de ouro da África do Sul e depois, pelas duas décadas seguintes especializando-se em ouro e estanho, levou a vida itinerante de um engenheiro de minas a vagar pelo mundo: da Austrália e da Malásia ao México, Uruguai, Rússia e Nigéria. Holmes tinha um porte robusto e musculoso e um comportamento agressivo e cabeçudo. Um adversário certa vez o descreveu como "um homem de extraordinário encanto pessoal, com o ar aberto, alegre e fanfarrão de um pirata". Durante a I Guerra Mundial, tornou-se contramestre da Armada Real e foi durante uma expedição para compra de carne em Adis-Abeba, na Etiópia, em 1918, que pela primeira vez ele ouviu um comerciante árabe falar em vazamento de óleo na costa árabe do Golfo Pérsico. Como engenheiro de minas, Holmes teve a atenção despertada para aquilo. Mais tarde, numa base em Bassora, onde hoje está o Iraque, passou a ter um novo interesse em tudo o que se poderia saber sobre as atividades da Anglo-Persian Oil Company no lado persa da fronteira e o que se dizia sobre indicações de petróleo ao longo da costa árabe.

Depois da guerra, Holmes ajudou a instalar uma empresa, a Eastern and General Syndicate, para desenvolver oportunidades de negócios no Oriente Médio. Em 1920, ele instalou o primeiro negócio do grupo, uma farmácia em Aden. Porém, seu coração não estava em farmácias, e sim no que havia se tornado uma paixão devoradora, a sua obsessão: o petróleo. Estava convencido de que a costa árabe seria uma fonte fabulosa e perseguiu seu sonho com força inabalável. Um empreendedor por excelência, dotado do dom de fazer com que acreditassem nele, Holmes viajou para cima e para baixo no lado árabe do Golfo, de um soberano empobrecido a outro, falando-lhes longamente sobre o seu sonho, prometendo-lhes riqueza onde eles viam apenas pobreza, buscando sempre colocar uma nova concessão dentro da mochila.[1]

Holmes empreendeu aquela campanha sob os olhos atentos, céticos e desconfiados de vários funcionários ingleses da área, encarregados de supervisionar as relações estrangeiras dos potentados locais e de proteger os interesses de sua majestade na região. Eles viam Holmes como um criador de problemas inescrupuloso, com "talento para criar mal-estar", que para ter um lucro rápido estava tentando minar a influência britânica na área. Segundo um desses funcionários, Holmes era nada mais do que um "vagabundo no mundo do petróleo". O comentário de um outro funcionário talvez fosse o mais condenador; ele declarou apenas que Holmes não era "um indivíduo particularmente satisfatório". Mas os árabes ao longo da costa não pensavam assim; para eles, o major Holmes iria se tornar alguma coisa muito diferente: "Abu Al Naft", o "Pai do petróleo".

Deixando para trás a farmácia em Aden, Holmes instalou o quartel-general da sua campanha do petróleo na pequena ilha de Bahrain, perto da costa da Arábia; ele havia sido atraído para lá pelas notícias sobre os vazamentos de petróleo. O sheik não tinha interesse em petróleo, mas no momento estava muitíssimo empenhado na água doce, que era escassa. Holmes perfurou poços, encontrou água e tirou disso um bom lucro. E mais importante: em 1925, o agradecido soberano, conforme havia prometido, recompensou-o com uma concessão de petróleo.[2]

A essa altura, Holmes já havia alinhavado outros direitos de petróleo. Em 1923, ganhou a opção para uma concessão em Al-Hasa, que iria se transformar na parte leste do reino da Arábia Saudita e, no ano seguinte, na zona neutra entre a Arábia Saudita e o Kuait, controlada em conjunto pelos dois países. Tentou sem sucesso obter também uma concessão no Kuait; e, como se tudo isso não fosse bastante para conservá-lo ocupado, viajava diariamente de Bahrain para Bagdá, tentando obter no Iraque uma oferta rival contra a Companhia Turca de Petróleo o que lhe asseguraria para o futuro a inimizade de vários governos e empresas.

As atividades de Holmes alarmavam em especial a Anglo-Persian, que não queria ninguém operando dentro de sua "esfera de influência", causando perturbações que poderiam interferir em suas operações na Pérsia. A empresa por certo estava convencida de que não havia petróleo a ser descoberto na Arábia. Nas palavras de John Cadman, os relatórios geológicos "dão poucas razões para otimismo" e um dos diretores da empresa tinha declarado, em 1926, que a Arábia Saudita parecia "destituída de toda a esperança" com relação ao petróleo. (A Albânia, acrescentara o diretor, era a jogada promissora.)[3]

Num esforço para melhorar as perspectivas, em face de tanto ceticismo, Holmes e seu Eastern and General Syndicate contrataram um eminente geólogo suíço para investigar o leste da Arábia. Mas esse tiro saiu pela culatra quando o professor, cuja perícia em geologia dos Alpes dotara-o de um singular despreparo para o deserto, elaborou um relatório no qual declarou que a região "não apresentava qualquer promessa clara de perfuração à procura de petróleo" e que a exploração ali "teria de ser classificada como um verdadeiro jogo". Alguma coisa vazou do relatório negativo e chegou à comunidade financeira de Londres, tornando ainda mais difícil para o sindicato levantar o dinheiro necessário para sustentar a caçada de Holmes às concessões e suas posteriores perfurações.

Em 1926, o sindicato estava em grandes dificuldades financeiras. Com frequência, Holmes era obrigado a desembolsar dinheiro para despesas de viagem, presentes, propinas e recepções. A situação financeira do sindicato era tão desanimadora que ele chegou a tentar vender todas as suas concessões à Anglo-Persian. Mas a empresa disse não: afinal de contas não havia petróleo na Arábia. E Holmes foi recebido com frieza quando tentou obter capital em Londres. Apesar de sua persistência e talento para os negócios, ele não pôde chegar a lugar algum. "Holmes era a maior chatice em Londres", lembrou um inglês do mundo dos negócios. "As pessoas fugiam quando o viam se aproximar."[4]

Bahrain e os sheiks de Nova York

Sem probabilidade de sucesso na Grã-Bretanha, Holmes embarcou para Nova York, esperando encontrar melhor sorte nos Estados Unidos com o que ele chamava "os grandes sheiks de Nova York". Mas encontrou mais rejeições. Um executivo da Standard Oil of New Jersey lhe disse que Bahrain era demasiado longe e demasiado pequeno para despertar interesse — afinal, não era maior no mapa do que uma ponta de lápis. Outras companhias não estavam interessadas porque tinham a atenção concentrada nos esforços para se tornarem parte da Companhia Turca de Petróleo.

Por fim, uma companhia americana mostrou algum interesse em Bahrain: a Gulf Oil. Essa empresa estava empenhada em expandir suas bases de produção pelo mundo todo, como forma de se proteger contra a escassez geral de petróleo ou o declínio em áreas específicas. Na virada do século, a companhia, na época ainda engatinhando, quase encerrou as atividades quando a produção de Spindletop parou. Holmes forneceu à Gulf amostras de rocha e de uma "substância gordurosa", além de um relatório que falava de indícios de petróleo em seus poços de água de Bahrain. Tudo isso foi intrigante a ponto de, em novembro de 1927, a Gulf adquirir todos os direitos reivindicados pela Eastern and General para as concessões árabes e concordar em trabalhar com o grupo de Holmes para tentar assegurar uma concessão no Kuait. Com a opção surgiu um problema: em 1928, a Gulf passara a integrar o grupo americano da Companhia Turca de Petróleo e assim era um dos signatários do Acordo da Linha Vermelha, que impedia qualquer das empresas de operar de forma independente em área dentro dos limites das linhas especificadas no mapa. Isso eliminava inequivocamente a Arábia Saudita, assim como Bahrain. As empresas tinham de agir em uníssono ou então de nenhuma forma. Apesar das insistências da Gulf, o conselho da CPT não estava preparado para absorver todo o pacote árabe de Holmes. Assim, se a Gulf podia ir em frente no Kuait, que estava fora da Linha Vermelha, teve de desistir de seu interesse em Bahrain.

Os executivos da Gulf submeteram a concessão de Bahrain à apreciação da Standard of California, que, como a Gulf, estava vivamente empenhada em explorar reservas no exterior, mas não tinha uma gota de petróleo do exterior para atestar seus esforços a despeito da enorme soma já despendida. Assim, a Standard of California, conhecida como Socal, adquiriu a opção da Gulf para Bahrain. Ao contrário da Gulf, a Socal não fazia parte da Companhia Turca de Petróleo, não estando portanto sujeita às restrições da Linha Vermelha. A Socal instalou uma subsidiária no Canadá, a Bahrain petroleum Company, para deter a concessão.[5]

A Socal em Bahrain e a Gulf no Kuait foram prensadas contra a parede pela implacável oposição do governo britânico à entrada das companhias americanas dentro da área. Antes da I Guerra Mundial, num esforço para deter a penetração alemã na região do Golfo, a Grã-Bretanha tinha feito acordos com os sheiks locais, inclusive os do Kuait e de Bahrain, para que a exploração do petróleo fosse confiada apenas a companhias inglesas e para que as relações exteriores dos emirados ficassem a cargo do governo britânico. Assim, Londres insistia numa "cláusula de nacionalidade inglesa" em qualquer acordo de concessão efetuado em Bahrain ou no Kuait. Essa cláusula exigia que a exploração do petróleo fosse empreendida pelos "interesses britânicos" e excluísse os americanos. O documento significava que nem a Gulf nem a Socal poderiam desenvolver as suas concessões.

Seguiu-se uma série de negociações muito desagradáveis entre essas duas empresas apoiadas pelo governo dos Estados Unidos, de um lado, e pelo governo britânico, do outro. Para as empresas americanas, a "cláusula da nacionalidade parecia nada menos que uma barreira astuciosamente construída para conservá-los fora dos vários emirados ao longo do Golfo". Na verdade, porém, enquanto lutava para manter posições consideradas cruciais para o império, o governo britânico sentia-se pilhado, sitiado e em grande defensiva ante o poder mais forte do governo americano.[6]

Em 1929, o governo britânico reconsiderou a sua posição, decidindo que a entrada do capital americano muito provavelmente encorajaria uma exploração mais rápida e disseminada do petróleo em áreas de controle britânico. Isso beneficiaria ambos os governos locais, que sempre tinham necessidade de dinheiro e poderiam desse modo solicitar da Grã-Bretanha mais subsídios, e também a Armada Real, que precisava de suprimentos seguros. Além disso, a pressão diplomática americana estava se intensificando. O governo britânico pretendia recuar, pelo menos no que se referia a Bahrain, e assim fez um acordo com a Socal. A companhia americana podia usar a opção de Bahrain, embora sob certas condições que garantiriam a posição britânica e a primazia política. Por exemplo, todas as comunicações da companhia com o emir deveriam passar por um agente político, o representante local do governo britânico.

A Bahrain Petroleum Company começou a perfurar pouco depois de um ano, em outubro de 1931, e em 31 de maio de 1932 o petróleo jorrou. Descobrira-se petróleo no mundo árabe! Embora com uma produção modesta, a descoberta foi um acontecimento importante e com implicações muito amplas. As companhias firmadas ficaram bastante abaladas com a notícia. Durante uma década, o major Holmes, com aquela obsessão pelo petróleo, tinha se tornado uma figura ridícula, de ares superiores. Agora, porém, seus instintos e sua visão estavam vingados, pelo menos em parte. Iria sua margem de acerto ainda se revelar bem maior? Enfim, a pequenina ilha de Bahrain ficava a apenas trinta quilômetros da Península Arábica, cuja aparência externa indicava uma geologia exatamente igual.[7]

Ibn Saud

No começo da década de 1930, o agente político da Grã-Bretanha no Kuait referiu-se ao soberano da vizinha Arábia Saudita como o "astuto Ibn Saud, que sempre 've longe'". Na verdade, Ibn Saud não se deu ao luxo de exercer sua capacidade de previsão durante aqueles anos. Estava com um problema premente: precisava de dinheiro para o seu tesouro e rápido. Foi o que o levou a pensar em petróleo. Para ser exato, ele estava muito cético quanto à prospecção de petróleo em seu país. E em absoluto não se alegrava com as consequências que o desenvolvimento de uma indústria petrolífera carrearia para seu reino, no caso improvável do descobrimento de petróleo. Capital e técnica estrangeiros poderiam perturbar, talvez até mesmo romper valores e relacionamentos tradicionais. A garantia de uma concessão para explorar petróleo era, entretanto, coisa muito diferente, contanto que fosse retribuída com as considerações financeiras apropriadas.

Abdul Aziz bin Adbul Rahman bin Faissal Al-Saud acabava de completar cinquenta anos. Tinha uma presença física majestosa. Com 1,98 metro de altura, peito largo, era mais alto que a maioria de seus compatriotas. A impressão por ele causada durante uma visita a Bassora, dez anos antes, perdurava ainda. "Embora com a estrutura mais forte que a do típico sheik nômade, ele tem as características de um árabe bem-nascido, o perfil aquilino fortemente marcado, narinas carnudas, lábios salientes e queixo longo e fino, acentuado por uma barba pontiaguda", observou na ocasião um funcionário britânico de Bassora. "Junta-se às suas qualidades de soldado o domínio da arte de governar, que é ainda mais valorizado pela gente da tribo." Ibn Saud por certo dedicou seus talentos, tanto para a guerra como para a arte de governar, ao extraordinário empreendimento da construção da nação, à criação de uma moderna Arábia Saudita. E a posterior acumulação de uma imensa riqueza não foi fato menos notável para um governante que na sua mocidade podia carregar todo o tesouro nacional nos alforjes de um camelo.[8]

A dinastia Saudita tinha sido fundada por Muhammad bin Saud, o emir da cidade de Dariya, no Nejd, o planalto central da Arábia, nas primeiras décadas de 1700. Lá, ele assumiu a causa de um líder espiritual, Muhammad bin Abdul Wahab, adepto de uma severa versão puritana do islamismo que viria a ser a argamassa religiosa da dinastia e do seu Estado. A família Saudita, aliada aos *wahabis*, deu início a um rápido programa de conquista que, no espaço de meio século, a levou a dominar grande parte da Península Arábica. Mas a expansão desse domínio alarmou os turcos otomanos, que se mobilizaram contra eles e os derrotaram em 1818. O bisneto de Muhammad, Abdullah, foi levado para Constantinopla e lá foi decapitado. No devido tempo, o filho de

Abdullah, Turki, restabeleceu o reino saudita, dessa vez centralizado em Riad; mas essa primeira restauração saudita desmoronou devido à luta pelo poder entre dois netos de Turki. Por algum tempo um terceiro neto, Abdul Rahman, foi o governador simbólico de Riad, sob o domínio de uma família rival odiada, a Al-Raschid. Mas, em 1891, Abdul Rahman exilou-se, levando consigo a família, inclusive seu filho Abdul Aziz, o futuro Ibn Saud, que fez parte da viagem dentro de uma bolsa presa à sela de um camelo. Abdul Rahman e sua corte vagaram por dois anos, passando alguns meses com uma tribo nômade em pleno deserto. Finalmente, foram convidados pela família Sabah, que governava o Kuait, a fixar residência naquela pequena cidade-Estado, no Golfo Pérsico.

De sua parte, Abdul Rahman tinha dois intentos: restabelecer, como soberano, a dinastia saudita e tornar universal o ramo *wahabi* do islamismo *sunita*. Seu filho, Ibn Saud, seria um instrumento para ambos os fins. Mubarak, o emir do Kuait, pôs sob suas asas o jovem príncipe saudita, dando-lhe uma educação especializada em *Realpolitik* e um judicioso preparo em política externa. Mubarak, como Ibn Saud afirmou mais tarde, ensinou-lhe como a "considerar nossa vantagem e nossa perda". O menino recebeu também uma rígida educação religiosa; prescreveram-lhe uma vida espartana e ele aprendeu muito cedo as artes da guerra e da sobrevivência no deserto. Bem depressa lhe foi dada a oportunidade de aplicar aquelas artes, quando os turcos incitaram os *raschids,* tradicionais inimigos dos Sauditas, a atacar o Kuait, que na ocasião estava sob a proteção inglesa. Como medida diversionista, o emir do Kuait enviou Ibn Saud, então com 20 anos, para tentar tomar Riad dos *raschids*; ele comandou um pequeno bando pelo deserto, mas teve seu primeiro ataque rechaçado. Na segunda tentativa, combinando surpresa e força, entrou na cidade à noite e pela madrugada assassinou o chefe dos *raschids*. Em janeiro de 1902, seu pai o proclamou, com a idade de 21 anos, governador de Nejd e imã dos *wahabis*. Começara a segunda restauração Al-Saud.

Depois de uma sucessão de campanhas militares, Ibn Saud impôs-se por muitos anos como chefe reconhecido da Arábia central. Nessa época, fez-se também líder do Ikhwan, ou Irmandade, um novo movimento de guerreiros fanaticamente religiosos, cuja rápida expansão pela Arábia lhe forneceu soldados dedicados. Durante os anos de 1913-1914, trouxe sob seu controle a Arábia ocidental, inclusive o grande e desabitado oásis Al-Hasa. E uma vez que a população se compunha em sua maior parte de muçulmanos *xiitas* — ao passo que os Saudi além de *sunitas* eram da rigorosa seita *wahabi* —, Ibn Saud deu especial atenção à administração e às escolas de Al-Hasa, regularizando a situação dos *xiitas*, evitando que fossem molestados. A despeito dos dogmas da religião *wahabi*, ele era um político astuto, que sabia a importância de não abusar demais da sensibilidade daquele povo. "Temos trinta mil *xiitas* que vivem em paz e segurança", disse certa vez em Al-Hasa. "Ninguém os incomoda. Tudo o que lhes pedimos é que não sejam demasiado ostensivos em público nos seus dias de festa."

Os últimos territórios importantes para o império saudita foram anexados nos anos imediatamente seguintes à I Guerra Mundial. Ibn Saud capturou o nordeste da Arábia. Em 1922, o alto comissário inglês, exasperado com as disputas entre o emir do

Kuait e Ibn Saud, pegou um lápis vermelho e fixou, ele próprio, as fronteiras entre os dois emirados. Delineou também duas "zonas neutras" ao longo da fronteira de Ibn Saud, uma compartilhada com o Kuait e a outra com o Iraque, ambas chamadas "neutras" porque os beduínos podiam passar de um lado para o outro para levar seus rebanhos a pastar e também porque elas eram administradas em conjunto. Em dezembro de 1925, as tropas de Ibn Saud, constituídas pelos ferozes membros da Ikhwan, capturaram Rejaz, a terra santa do Islã, no lado ocidental de Meca e Medina. Em janeiro de 1926, na grande mesquita de Meca, depois de orações da congregação, ele foi proclamado rei do Rejaz, tornando a dinastia saudita guardiã dos lugares santos dos muçulmanos de todo o mundo. Assim, com a idade de 45 anos, Ibn Saud era o senhor da Arábia. No decorrer de um quarto de século de desenrolar de guerras eficientes e de uma política astuta, ele havia restabelecido a ascendência saudita sobre nove décimos da Península Arábica. A restauração estava virtualmente completa.[9]

O Ikhwan, que fornecera os guerreiros para o seu expansionismo, começou a acusar Ibn Saud de apostasia contra o wahabismo. Declarou que os instrumentos de modernidade que começavam a penetrar no reino — o telefone, o telégrafo, o rádio e o automóvel — eram todos ferramentas do demônio e criticou violentamente seu chefe por manter qualquer transação com a Grã-Bretanha infiel e os outros países estrangeiros. Crescentemente insubordinados, em 1927 seus membros se insurgiram contra Ibn Saud, que os derrotou, e por volta de 1930 destruiu o movimento Ikhwan. Agora, o controle de Ibn Saud sobre a Arábia estava garantido. Daí por diante, a conquista cederia lugar à cautela, para salvaguardar e engrandecer por um período de mais de trinta anos a nação que ele havia construído. Para comemorar a consolidação, o nome do reino foi mudado, em 1932, de "Reino de Hejaz e Nejd e suas Dependências" para Arábia Saudita, como é conhecido atualmente.[10]

No exato momento em que os esforços de Ibn Saud pareciam ganhar a coroa de louros, surgiu outra ameaça. Em poucas palavras, Ibn Saud estava empobrecendo rapidamente. Previa-se que todos os muçulmanos em condição para tal tentassem fazer pelo menos uma peregrinação no curso de sua vida. Com o início da Grande Depressão, a afluência de peregrinos a Meca quase cessou e ela era a maior fonte de receita do rei. As finanças do reino caíram num dilema desesperador; as contas não eram pagas, os salários dos servidores civis estavam seis ou oito meses atrasados. A capacidade de Ibn Saud de distribuir subsídios tribais constituiu um dos mais importantes aglutinantes de um reino tão desigual e a inquietação crescia por todo o império. Para piorar ainda mais as coisas, o rei acabava de embarcar num programa de desenvolvimento caro e amplo, cujas metas incluíam a criação de uma rede nacional de rádio que interligaria as várias regiões do país e a reconstrução do sistema de abastecimento de água para Jidá. Onde poderiam ser encontradas fontes alternativas de dinheiro? Ibn Saud tentou receber impostos com um ano de antecedência e enviou seu filho Faissal à Europa em busca de ajuda ou investimentos. Contudo, foi malsucedido. Como os problemas financeiros continuavam a crescer, o rei não sabia para que lado virar-se em busca de ajuda.[11]

O aprendiz de feiticeiro

Talvez sob o solo de seu reino se escondessem recursos valiosos. Essa foi a ideia sugerida ao rei Ibn Saud por um amigo durante um passeio de automóvel, provavelmente em 1930. O amigo era um inglês, antigo funcionário do Serviço Civil Indiano, que tinha se estabelecido como comerciante em Jidá e sob a tutela do rei se convertera ao islamismo poucos meses antes. O rei, em pessoa, lhe havia dado um nome islâmico, Abdullah, mas seu nome real era Harry St. John Bridger Philby e os amigos ingleses o tratavam por Jack. Hoje, talvez seja mais conhecido como o excêntrico pai de um dos mais notáveis agentes duplos do século XX, Harold "Kim" Philby, que se tornou chefe da contraespionagem antissoviética do serviço secreto britânico enquanto espionava ativamente para os soviéticos. Ele poderia perfeitamente ter tomado lições com o pai sobre como representar papéis múltiplos. Realmente, lendo muitos anos mais tarde a narrativa do filho sobre sua experiência como agente-duplo, o aposentado intérprete de Ibn Saud só podia se encantar por ser Kim "uma verdadeira réplica do pai".

O pai, Jack Philby, era um implacável oposicionista, um rebelde inveterado em relação à autoridade e à convenção. Uma vez, em Jidá, fez desfilar seus babuínos de estimação, numa demonstração pública de que poderia passar muito bem sem a companhia humana da pequena comunidade europeia local. Criado no Ceilão e formado no Trinity College de Cambridge, Philby começou sua carreira no Serviço Civil Indiano. Durante a I Guerra Mundial, foi membro da missão política inglesa em Bagdá e em Bassora, o que o introduziu no mundo árabe. Linguista talentoso, aproveitou a oportunidade para estudar a língua árabe, o que o levou a se interessar profundamente pela genealogia das tribos e dos potentados árabes. O principal fruto desse estudo foi uma perpétua fascinação por aquele que era talvez o mais poderoso dos potentados da época, Ibn Saud, o mesmo que, em 1917, havia encontrado pela primeira vez numa missão em Riad. Esse encontro, que incluiu 34 horas de entrevista pessoal com o rei, determinou o curso do resto da vida de Philby.

Em 1925, contrariado com a política inglesa no Oriente Médio, Philby deixou o Serviço Civil Indiano, do qual ainda era membro, embora servindo na Transjordânia. Voltou para a Arábia Saudita para estabelecer uma empresa de comércio em Jidá. Renovou também sua amizade com Ibn Saud e mais tarde tornou-se conselheiro informal do rei, viajando e caçando em seu séquito, participando até mesmo das deliberações noturnas do conselho privado do rei. Ibn Saud interessou-se por Philby de forma especial. Ele se lembrava de que na véspera de sua conversão ao islamismo, em 1930, o rei lhe dissera: "Como eu acharia bom se tivesse me tornado muçulmano e pudesse ter quatro esposas". Mas primeiro lhe foi solicitado submeter-se ao doloroso processo da circuncisão no adulto. Algumas pessoas diziam que Philby não tinha convicções religiosas muito fortes e que sua conversão ao islamismo visava apenas facilitar-lhe os negócios e a movimentação pelo país. Na condição de muçulmano, estaria capacitado a perseguir uma de suas obsessões, pela qual se tornou merecidamente famoso: explorar, mapear e fazer a crônica da Arábia. Ao longo dos anos, as suas árduas viagens compreenderam vastas regiões da península, desde uma expediçao solitária através de Rub al-Khali, o Quadrante Vazio, no sudeste da Arábia, até a busca de antigas comunidades judias no noroeste da Arábia. Em reconhecimento por seus esforços, ele veio a receber a Medalha dos Fundadores da Real Sociedade Geográfica.

Philby costumava usar o chapéu-coco utilizado em suas viagens de volta à Grã--Bretanha ou vestir a jaqueta branca exigida para o jantar nas colônias do império e mesmo na Arábia, tomava o chá das cinco e acompanhava fanaticamente os resultados de cricket do lordes. Apesar disso, continuava em desacordo com a Grã-Bretanha e sua política, que via como "tradicional dominação ocidental sobre o mundo oriental". Em compensação, iria rememorar com orgulho: "Fui seguramente um dos primeiros campeões da emancipação oriental de todo o controle estrangeiro". Por certo, os ingleses achavam Philby muitíssimo inoportuno. "Desde que se aposentou do serviço do governo, há cinco anos, o sr. Philby não perdeu oportunidade de atacar e distorcer o governo e sua política no Oriente Médio", comentou um funcionário britânico. "Seus métodos têm sido tão inescrupulosos quanto violentos. Philby é um caluniador público, e é, sobretudo, por sua causa e pelas intrigas por ele tecidas que Ibn Saud — sobre quem, lamentavelmente, exerce alguma influência — nos tem causado tantos transtornos de uns poucos anos para cá." Outro funcionário denunciou Philby como um "arquiescroque".[12]

Fosse qual fosse a extensão de sua influência, Philby conhecia os graves problemas financeiros de Ibn Saud e a ameaça que representavam para o reino. Durante aquele passeio de automóvel, no outono de 1930, notando o rei muito desanimado, ele disse, tão entusiasticamente quanto possível, que o rei e seu governo eram como gente adormecida sobre um tesouro enterrado. Philby estava convencido de que uma grande riqueza mineral jazia nas profundezas do deserto. Mas sua exploração exigia prospecção, explicou, e isso requeria especialização e capitais estrangeiros.

"Oh, meu amigo", respondeu o rei "se alguém me oferecesse um milhão de libras, eu lhe daria todas as concessões que quisesse."

Philby advertiu o rei que ninguém daria um milhão de libras ou coisa parecida sem alguma exploração preliminar. Mas o rei estava muito mais interessado na prospecção de água do que de petróleo. Nesse caso, Philby tinha um nome a sugerir, o de Charles Crane, um americano filantropo, magnata da sondagem, com um interesse especial pelo mundo árabe e que daria, segundo Philby, "um de seus olhos pelo prazer de apertar a mão de sua majestade". Crane andava patrocinando projetos de exploração no vizinho Iêmen e Philby sabia que ele estaria no Cairo naquela ocasião. "Por que não convidá-lo para vir à Arábia Saudita?", perguntou.

Ibn Saud fez o convite e, em 25 de fevereiro de 1931, Crane chegou a Jidá, onde o rei o recebeu com considerável pompa e dispendiosos banquetes, divertindo-o com uma fascinante dança das espadas executada por centenas de guardas pessoais do rei. E presenteou-o com fardos de tapete, adagas, espadas e também dois cavalos árabes de *pedigree*. Os dois homens conversaram sobre o deserto crestado e pedregoso e sobre a possibilidade de haver rios subterrâneos sob o Nejd. Crane contou como havia obtido tâmaras do Egito e introduzido sua cultura no deserto da Califórnia, numa cidade chamada Indio, irrigando-a com muito sucesso graças a poços artesianos. Agora, dada a nova amizade com Ibn Saud, pôs à disposição dele, por sua própria conta, um engenheiro americano, Karl Twitchell, que na ocasião trabalhava num dos projetos de Crane no Iêmen, investigando o potencial de água do reino. Depois de uma difícil viagem de 2,4 mil quilômetros para investigar a probabilidade de existência de água artesiana nas profundidades do deserto da Arábia, em abril de 1931, Twitchell apareceu em Jidá com más notícias: não havia perspectivas de poços artesianos.[13]

Um ano mais tarde, em março de 1932, como a brecha entre as despesas e as receitas do reino continuasse a se alargar, o rei recebeu em Riad a visita de um observador especialmente perspicaz em relação a seus problemas, o sheik Ahmad, emir do Kuait. Tendo feito de carro uma viagem por mais de 480 quilômetros de areia, havia tirado daí uma lição definitiva: todos os carros que fizessem esse percurso deveriam trazer pelo menos cinco passageiros, pois "somente esse número de pessoas conseguiria tirar do veículo a areia que havia entrado".

Os dois governantes juraram mútua e eterna lealdade. Quando o sheik Ahmad chamou Ibn Saud de seu "irmão mais velho", o rei rompeu em pranto e por sua vez declarou: "Tal como as bandeiras de Al-Saud e Al-Sabah tremularam lado a lado em cada vitória ou derrota durante os últimos trezentos anos, oro e acredito que assim continuará a ser no futuro".

O sheik Ahmad ficou abalado com a aparência doentia e a prostração que Ibn Saud mostrava. Trocando impressões com o agente político britânico, na sua volta ao Kuait, disse: "Já se foram os dias em que ele era o homem mais duro de seu reino e liderava qualquer ataque ou incursão". Ahmad havia implorado ao rei que fosse devagar com os gastos, pois de outra forma "muito provavelmente se arruinaria". Falara-lhe "com franqueza" sobre o objeto de óbvio desperdício que ele vira sempre por todo lado": os automóveis. Sim, uns poucos carros de luxo eram uma necessidade para o rei. Apesar disso, o sheik insistiu com Ibn Saud para que ele reduzisse em três quartas partes o número dos seus carros. "E devia padronizá-los, concentrando-se nas marcas Ford e Chevrolet." Depois desses conselhos, o sheik Ahmad viajou de volta através do deserto num automóvel que lhe fora presenteado por Ibn Saud: uma grande limusine Cadillac de oito cilindros, da frota do rei.

Os dois haviam falado também sobre a exploração de petróleo. O rei admitiu haver permitido a realização de alguns exames preliminares, mas acrescentou que "não estava nem um pouco desejoso de fazer concessões a estrangeiros". Dadas as suas dificuldades financeiras, tinha ainda assim alguma chance? Twitchell, o engenheiro americano, de fato falou de algumas perspectivas promissoras no Al-Hasa, no leste do país. Em 31 de maio de 1932, a Standard Oil Company of California fez sua descoberta em Bahrain, o que aumentou significativa e bruscamente a atração por Al-Hasa, tornando Ibn Saud menos hostil à ideia dos investimentos estrangeiros em seu reino. Twitchell, embora insistindo com Ibn Saud que era um engenheiro e não um perfurador de poços, as instâncias do rei concordou em tentar atrair interesse e capital nos Estados Unidos.[14]

A negociação

Alguns meses antes de sua descoberta de Bahrain, a Standard Oil of California já havia começado a inquirir sobre a concessão em Al-Hasa. A Socal, contatada por Twitchell, não apenas se encantou e se mostrou imediatamente receptiva como também o reteve como um de seus negociadores. Twitchell voltou à Arábia Saudita em fevereiro de 1933 na companhia de Lloyd Ramilton, o advogado da Socal, para iniciar as negociações com Abdullah Suleiman, ministro das Finanças de Ibn Saud. Eles enfrentaram um astucioso e magistral oponente: Suleiman era irmão do secretário particular do rei. Nascido em Nadged — a maioria dos outros altos administradores eram sírios, egípcios e líbios —, na juventude havia sido assistente de um comerciante árabe em Bombaim, onde aprendera muito sobre comércio e negócios. O rei o apelidara de "meu sustentáculo". De fato, esse homenzinho frágil, de idade incerta, era a pessoa mais poderosa do círculo imediato de Ibn Saud, estando sob sua responsabilidade não apenas as finanças como também a defesa e a peregrinação. Era a "suprema eminência parda", sempre discreto e mantendo-se à espreita, mas com "poder e influência tão monumentais que muitas vezes pensei nele como o rei sem coroa da Arábia", disse o intérprete de Ibn Saud.

Fora da família real, Suleiman era certamente o homem mais importante do reino. Suportava uma enorme carga de trabalho, baseada numa contabilidade das finanças públicas por ele inventada e que só ele podia entender. Era inveteradamente reservado, peremptório e, tanto quanto possível, conservava nas mãos o controle dos negócios, assegurando-se de que rivais em potencial não invadissem seu terreno. Embora tivesse inteira liberdade de ação, com relação ao petróleo foi cuidadoso, mandando longas mensagens ao rei. Nas suas negociações com a Socal sobre a concessão em Al-Hasa, Suleiman sabia exatamente o que queria — uma soma muito grande de dinheiro e o mais depressa possível. A questão da existência ou não de petróleo na região podia ser deixada para mais tarde.

Contudo, Twitchell e Hamilton não eram os únicos a concorrer pelo acesso a Al-Hasa. A Companhia de Petróleo do Iraque (ex-Turca) enviou Stephen Longrigg como representante. Longrigg, ex-funcionário inglês no Iraque, na verdade também estava representando a Anglo-Persian, que por sua participação na CIP e no Acordo da Linha Vermelha não podia agir sozinha. "O palco está montado," informou a Londres o ministro britânico Andrew Ryan, em março de 1933, "o *dramatis personae* um ávido Abdullah Suleiman que pensa no petróleo de Al-Hasa como uma mercadoria comerciável; Twitchell e Hamilton pela Standard Oil of California e Longrigg (...) representando a Companhia de Petróleo do Iraque". Porém, no seu elenco Ryan excluiu o mais importante de todos, o rei. E ele também cometeu um importante erro de julgamento ao escrever que, entre as personalidades presentes, Harry St. lobo Bridger Philby seria uma das menos importantes. Philby não era um simples figurante.[15]

Por ocasião da greve da Bahrain, em maio de 1932, a Socal havia procurado Philby a fim de, nas palavras de um diretor da empresa, "encontrar-se com sua majestade Ibn Saud". Philby enrolou a Socal. Mas ele sabia que a competição entre várias empresas petrolíferas resultaria num negócio melhor para seu amigo, o rei. Assim, fez contato também com a Companhia de Petróleo do Iraque através de seu membro dominante, a Anglo-Persian, alertando-os quanto ao interesse da Socal em Al-Hasa. "Não estou de maneira alguma empenhado em servir às conveniências da referida empresa", escreveu ele a um antigo geólogo da Anglo-Persian. "Mas me disponho, em geral, a ajudar qualquer pessoa interessada nesses assuntos e capaz de ser útil ao governo em querer mover-se." Por fim, Philby assumiu o cargo de consultor da Socal, mas conservou secreto esse acordo. Ao mesmo tempo manteve os contatos com a CIP — e teve tanto sucesso que o representante da companhia, Longrigg, o considerava um confidente. Na verdade, a sua lealdade primária era, e permaneceria, para com o rei.

Philby gostou da nova associação com a Socal; ajudar uma empresa americana a ter sucesso na Arábia seria mais um meio de puxar o rabo do leão e frustrar os interesses britânicos na área. O contrato com a Socal lhe trouxe também um grande alívio — embora estivesse desenvolvendo muitos projetos em suas empresas de comércio, ele participava dos problemas do resto do reino: não estava sendo pago. Precisava urgentemente de dinheiro para, entre outras coisas, pagar as taxas da Universidade de Cambridge para o filho, Kim. A Socal concordou em pagar pelos seus serviços mil dólares por mês durante o prazo de seis meses e mais o bônus sobre um contrato de concessão e sobre a descoberta do petróleo. Portanto, Kim Philby pôde, afinal de contas, prosseguir seus estudos em Cambridge, onde deu os primeiros passos para se tornar um espião soviético.

Enquanto as negociações se arrastavam, os sauditas não deixavam dúvida de que seu objetivo principal era um grande adiantamento. "Não adiantava nada eu despertar esperanças de poder assegurar a concessão sem um substancial toma lá dá cá", escreveu Philby à Socal. "O ponto importante é que o governo de Ibn Saud deve uma grande soma de dinheiro e tem faltado com o pagamento aos credores. Sua única esperança de pagá-los agora depende da hipoteca de suas riquezas potenciais."[16]

Havia uma notável divergência de posição entre os dois grupos orientais: enquanto a Socal estava muito interessada em obter a concessão, a Companhia de Petróleo do Iraque, com a Anglo-Persian por trás, tinha uma disposição muito diferente. Longrigg havia confidenciado a Philby "que eles não necessitavam de nenhum petróleo mais, pois já tinham em perspectiva uma quantidade tal que não sabiam como dela dispor. Ao mesmo tempo estavam vitalmente interessados em conservar afastados todos os competidores". Assim, os esforços da CIP eram mais profiláticos que prospectivos. Além disso, desde que a CIP — Anglo-Persian em verdade — continuava descrente com relação ao potencial de petróleo em Al-Hasa, ela não estava disposta a assumir qualquer grande compromisso na Arábia Saudita. A preocupação de Longrigg, como ele explicou ao primeiro-ministro britânico, era por certo "não comprar nabos em sacos", pagando muito dinheiro pelo direito de uma problemática extração de petróleo.

Embora os outros estivessem ficando frustrados pelo andamento vagaroso das negociações, Philby, que se deliciava mantendo-se numa aura de mistério, estava se envaidecendo em seus múltiplos papéis: trabalhando como agente pago pela Socal, agindo como consultor para Longrigg e casualmente deixando escapar, em conversas com vários homens do petróleo, o que o rei lhe tinha dito em sua recente viagem de automóvel a Meca. E não era apenas de petróleo que ele cuidava: estava também muito atarefado tentando obter o monopólio da importação de veículos motorizados para o governo da Arábia Saudita e para a empresa de transporte de peregrinos, assim como estabelecendo um sistema de rádio no país.[17]

A despeito de sua ansiedade, a Socal estava oferecendo apenas cerca de um quinto da importância que os sauditas pediam. No começo de abril de 1933, um de seus executivos escreveu a Philby sobre "o lamentável impasse a que chegaram as nossas negociações... O país é praticamente desconhecido quanto à possibilidade da existência de petróleo, e seria rematada loucura para uma empresa petrolífera pagar uma grande soma de dinheiro antes de ter examinado a geologia da área". A Socal não teve de se afligir demasiado com a CIP e a Anglo-Persian. Essas duas companhias estavam dispostas a oferecer apenas uma pequena fração do que a Socal propunha pagar. Por fim, Philby aconselhou a Longrigg: "Você podia simplesmente fazer as malas; os americanos estão chegando muito mais alto que isso". E foi o que fez Longrigg, partindo de repente e deixando o campo livre para a Socal. Enquanto isso, Philby manobrava a Socal e Suleiman na direção do que ele chamava "essa *détente*", o que significava uma oferta mais alta da Socal.

Em maio de 1933, o projeto final de acordo de concessão entre a Socal e a Arábia Saudita estava pronto, para "satisfação" do rei. Depois de algumas discussões *pro forma* no Conselho Privado, Ibn Saud disse a Abdullah Suleiman: "Confie em Deus e assine". O acordo estipulava um pagamento adiantado em ouro de 35 mil libras (175 mil dólares) — trinta mil como empréstimo e cinco mil como adiantamento dos *royalties* de um ano. Depois de 18 meses, seria feito um segundo empréstimo de vinte mil libras (cem mil dólares). O empréstimo total devia ser reembolsado somente em *royalties* devidos ao governo. Além disso, a empresa faria outro empréstimo de cem mil libras (quinhentos mil dólares) em ouro na ocasião da descoberta do petróleo. A concessão duraria sessenta anos e cobriria cerca de novecentos mil quilômetros quadrados. Em 29 de maio de 1933, o acordo foi assinado. Ibn havia ganho o substancioso pagamento à vista que queria. O rei e seu ministro das Finanças tinham também insistido em termos que deram à Socal um grande incentivo para se mudar tão depressa quanto lhe fosse possível.[18]

O único problema subsistente era como obter aquela grande quantidade de ouro. Os esforços para despachar o ouro diretamente dos Estados Unidos foram recusados pelo secretário-assistente do Tesouro, Dean Acheson, uma vez que o país havia acabado de estourar o seu padrão-ouro. Mas, afinal, o escritório da Guarantee Trust's of London, atuando em nome da Socal, obteve 35 mil soberanos de ouro da Royal Mint, que foram transportados para a Arábia Saudita em sete caixas, num navio pertencente à linha P&O. Tomou-se o cuidado de selecionar moedas com a efígie de um monarca britânico do sexo masculino, e não com a da rainha Vitória, temendo-se que os homens da sociedade machista da Arábia Saudita se sentissem desvalorizados por ela.

O ganho de uma concessão por uma empresa americana começaria inevitavelmente a alterar a teia de interesses políticos na região. Quando Philby contou a *sir* Andrew Ryan que a Socal havia obtido a concessão, o ministro britânico ficou "confuso e seu rosto escureceu de raiva e desapontamento", o que causou a Philby uma satisfação sem limites.* O prejuízo britânico seria na realidade o lucro dos Estados Unidos, embora Washington demorasse a perceber isso. Apesar dos protestos periódicos da Socal, a administração Roosevelt recusou-se a criar uma representação diplomática, repetindo à exaustão que não havia necessidade disso. Só em 1939, o embaixador dos Estados Unidos no Egito foi credenciado também para a Arábia Saudita e apenas em 1942 os americanos passaram a ter ali uma legação de um único homem.

A Anglo-Persian e a Companhia de Petróleo do Iraque compreenderam logo que haviam cometido um erro ao serem demasiado tímidas e demasiado avaras. Os membros da CIP recriminaram-se mutuamente, mas tomaram a resolução de nunca mais incorrerem no mesmo erro. Em 1936, o grupo obteve uma concessão para o Hejaz, a parte ocidental da Arábia Saudita, que se estendia desde a Transjordânia até o Iêmen. Os termos eram muito melhores que os concedidos três anos antes pela Socal. A única desvantagem foi que a CIP nunca encontrou petróleo em sua concessão.[19]

---

* Philby deveria se sair bem no seu trabalho na Socal, mas dispor do dinheiro para pagar a educação de seu filho Kim, em Cambridge, não necessariamente garantia a renda que ele esperara ter. Kim havia se saído mal nos exames, quase sendo reprovado no final. Jack Philby queria que o filho fosse para o Serviço Civil, mas dois dos tutores dele se recusaram a apoiar a indicação por causa da evidente tendência comunista do jovem. O pai sentiu-se ofendido e, em 1934, escreveu a um dos tutores alegando que Kim fora acusado por suas "inclinações ao comunismo" e não podia ser imolado por causa de "pontos de vista que com honestidade mantinha". "A única questão séria é se Kim pretendia de fato ser desleal ao governo quando em serviço." Disso Philby duvidava. Sua mulher porém era mais pragmática e escreveu a respeito: "Espero que ele arranje um emprego que o tire fora desse sangrento comunismo".

O Kuait

A Arábia Saudita não era o único país da Península Arábica na qual o interesse pelo petróleo estava surgindo. Negociações intermitentes para uma concessão no vizinho Kuait vinham se arrastando por uma década. O esforço de exploração em Bahrain tinha perturbado o emir do Kuait. "Uma espada me atravessava o coração", disse ele ao major Holmes, em 1931, "quando eu observava o trabalho com o petróleo em Bahrain e aqui, nada." O jovial e robusto Ahmad, que havia se tornado emir do Kuait, em 1921, orgulhava-se de sua modernidade; em meados da década de 1930, ele usava calças e sapatos de couro envernizado sob a túnica. Era também um entusiasta da Armada Britânica e decorara as paredes de sua sala de estar com fotografias de oficiais e barcos britânicos. Mas parecia estar empenhado em buscar o equilíbrio a partir da posição precária do Kuait. Como um velho diplomata britânico, explicou que o sheik estava "adotando uma política muito perigosa" de tentar antagonizar o governo de sua majestade, o governo do Iraque e o rei Ibn Saud, uns contra os outros.

Esse equilíbrio tinha sido sempre o maior problema para o Kuait, um pequeno Estado que tentava assegurar a independência e a liberdade de ação em meio a poderes maiores. O país tinha há muito tempo jogado com um papel comercial, por estar situado perto da cabeça do Golfo Pérsico e ao longo da rota de peregrinação e de negócios entre Bassora e Meca. Emergira como um principado independente na metade do século XVIII, quando tribos nômades vindas do interior da Península Arábica se estabeleceram ali e em 1756 escolheram para governante um sheik da família Al-Sabah. No século XIX, o Kuait havia se tornado o empório do comércio do Golfo superior. Mesmo pagando algum tributo ao Império Otomano, resistiu com êxito à administração direta da autoridade turca. No final do século XIX, a Grã-Bretanha queria impedir a penetração da Alemanha, atestada pela estrada de ferro Berlim-Bagdá, e o Kuait queria garantir sua independência em relação aos otomanos. Como resultado, a Grã-Bretanha assumiu a responsabilidade pelos negócios exteriores do Kuait e mais tarde estabeleceu um protetorado sobre o emirado.

Agora, o sheik Ahmad estava sendo cortejado pela Anglo-Persian e pela Gulf. Tendo adquirido a reclamada e controversa opção do major Holmes, a Gulf estava operando via Holmes e seu Eastern and General Syndicate (que o Ministério das Relações Exteriores vinha chamando de "chacal do Golfo"). A Anglo-Persian ainda não acreditava nas perspectivas de petróleo no Kuait. Além do mais, se a exploração se mostrasse bem-sucedida isso apenas adicionaria o petróleo num mercado mundial que já estava operando com um grande excedente. E entre os executivos da Anglo-Persian havia sempre o receio de que no Irã, local de sua concessão mais valiosa, o xá "renovasse a acusação de que a companhia estava esbanjando suas energias em alguma parte que não a Pérsia". Então, por que a Anglo-Persian pretendia uma concessão no Kuait? A razão era que ela não podia se arriscar a simplesmente ficar de fora no Kuait; era preciso pelo menos impedir alguém mais de obter uma concessão. O interesse mais importante era defensivo — impedir que outra empresa se instalasse nos seus "flancos", ameaçando minar-lhe a posição e influência na Pérsia e no Iraque. O risco era enorme. O Kuait estava, como *sir* John Cadman continuava a insistir, dentro da "esfera de influência" da Anglo-Persian.[20]

O aperto financeiro estimulava o interesse do sheik Ahmad em cortejar as concessionárias. Como todos os outros emirados que existiam no Golfo Pérsico costa abaixo, o Kuait vinha sofrendo uma severa dificuldade econômica. O comércio local de pérolas tinha sido a indústria número um e a principal fonte de receita externa. Conhecendo ou não o nome, o sheik Ahmad tinha boas razões para estar bastante contrariado com um tolo vendedor japonês de macarrão da prefeitura de Miye, um certo Kokichi Mikimoto, que se tornara maníaco por ostras e pérolas e tinha dedicado muitos anos difíceis ao desenvolvimento da técnica do cultivo de pérolas artificiais. Os esforços de Mikimoto foram bem-sucedidos e, em 1930, grandes volumes de pérolas cultivadas japonesas começavam a aparecer nos mercados joalheiros do mundo, destruindo praticamente a demanda de pérolas naturais que os mergulhadores traziam do fundo das águas do Kuait e de todas as partes do Golfo Pérsico. A economia do Kuait estava devastada: as receitas da exportação caíam verticalmente, os comerciantes foram à bancarrota, os barcos eram deixados na praia e os mergulhadores voltavam para o deserto. Ahmad e seu principado precisavam de novas fontes de renda; o bem-vindo projeto de petróleo tinha aparecido na hora certa.

O pequeno país enfrentava muitas outras dificuldades econômicas. A Grande Depressão tinha, de modo geral, arruinado a sua economia, assim como a dos outros emirados. As condições haviam se tornado tão más que os donos de escravos ao longo da costa estavam vendendo os seus escravos africanos com prejuízo, para evitar os custos de manutenção. Além do mais, o sheik Ahmad estava descontente com a Grã-Bretanha, que não o apoiara, como ele esperava, nas várias controvérsias com os vizinhos Iraque e Arábia Saudita. O sheik acreditava que a entrada de uma empresa americana de petróleo no Kuait traria consigo interesses políticos americanos, que o sheik poderia usar para escorar sua posição contra a Grã-Bretanha, bem como contra os rivais regionais. Mas, com tudo isso, o sheik sabia que não se atreveria a afastar a Grã-Bretanha, de quem dependia fundamentalmente para a segurança política e militar do Kuait contra seus vizinhos: a Arábia Saudita, o Iraque, que estava contestando os direitos do Kuait, e a Pérsia, que nem mesmo reconhecia sua existência e legitimidade. Sendo o Kuait um Estado muito pequeno, era o Império Britânico que reinava no Golfo e o sheik reconhecia o valor prático da Armada Britânica.[21]

De sua parte, o governo britânico queria fazer todo o possível para manter sua influência e posição na região — significava tentar assegurar que qualquer concessão fosse destinada a uma empresa inglesa. Mas como consegui-lo? Embora a Cláusula da Nacionalidade Britânica tivesse sido posta de lado no caso de Bahrain, Londres continuava a insistir sobre ela com o Kuait, o que poderia efetivamente barrar a participação da Gulf com o Eastern and General Syndicate, limitando a exploração apenas às empresas controladas pelos ingleses. A Gulf protestou contra essa política excludente no Departamento de Estado Americano, que por sua vez pressionou, sobre o tema, os ingleses até o fim de 1931.

O almirantado britânico insistiu vigorosamente na manutenção da Cláusula de Nacionalidade, não apenas com base nos conhecidos fundamentos estratégicos e militares do suprimento do petróleo, mas também devido à suposta dificuldade que a Grã-Bretanha enfrentaria para garantir "a proteção dos cidadãos americanos no interior do Kuait". Isso poderia até resultar em "navios de guerra americanos intervindo nos assuntos do Golfo, a fim de dar a proteção" que a Grã-Bretanha "poderia não ser capaz de oferecer". Mas o principal temor era, como afirmou um funcionário, de que a Inglaterra pudesse "perder para outra nação mais rica a influência e a posição que desfrutava numa arena crítica para seus interesses imperiais". Depois de muita reflexão, contudo, os ministérios-chaves do governo britânico, o do Exterior, o das Colônias e o do Petróleo, estavam todos preparados para rejeitar a cláusula. "A última coisa que queremos", declarou um funcionário do Ministério do Exterior, "é uma guerra do petróleo" contra os Estados Unidos. Na verdade, o capital americano poderia contribuir para a estabilidade política e o desenvolvimento econômico da área, o que era do interesse dos ingleses. Em abril de 1932, o governo britânico aboliu a cláusula da nacionalidade. Naquela conjuntura, parecia que isso não implicava um grande custo e que inexistiam razões verdadeiras para não fazê-lo. Afinal de contas, a Anglo-Persian dava a impressão de não estar interessada na exploração do petróleo do Kuait e *sir* John Cadman, diretor da companhia, disse ao ministro do Exterior que qualquer petróleo encontrado no Kuait "não seria do interesse da Anglo-Persian Oil Company", acrescentando: "Os americanos são bem-vindos ao que vierem a encontrar ali".[22]

A Gulf e o governo dos Estados Unidos estavam satisfeitos com a decisão do gabinete de eliminar a cláusula de nacionalidade. Mas quem mais se rejubilou foi o major Holmes, que atribuiu a "maravilhosa vitória", pelo menos em boa parte, a um indivíduo que, segundo a sua opinião, era o homem mais popular na Inglaterra: o embaixador americano Andrew Mellon, descendente da família que controlava a Gulf Oil e ex-secretário do Tesouro dos Estados Unidos. Tendo chegado a seu novo posto aos 77 anos, em 1932, estava mais do que confortável em Londres, desfrutando o fato de poder obter legalmente uma bebida (a Lei Seca ainda vigorava nos Estados Unidos). Tinha se casado na Inglaterra e vestia sempre roupas de corte inglês. Sabia como fazer negócios na Inglaterra. Chegara há aproximadamente três décadas para tentar persuadir Marcus Samuel de que a Shell devia deixar a nascente Gulf Oil Company fora de seu contrato de suprimento, que havia se tornado um estorvo desde que minguara a pressão subterrânea em Spindletop. Com seu encanto tranquilo e persistente, Mellon foi bem-sucedido.

Em 1932, contudo, ele estava como que sob uma nuvem. Durante sua atuação na Secretaria do Tesouro, houve várias ocasiões em que, segundo se dizia, as empresas pertencentes ao enorme império Mellon haviam recebido tratamento ou apoio especiais. Tais rumores já tinham levado o Congresso a uma tentativa para impugná-lo como secretário do Tesouro, e Hoover abruptamente o designou para a corte de St. James. Houve quem definisse sua pronta aquiescência ao cargo como uma forma de prudente e voluntário autoexílio.

Mellon não era apenas o patriarca da família e o tio de William Mellon, presidente da Gulf; era também o homem que financiara a Gulf e a impulsionara a tornar-se uma empresa integrada de petróleo. E continuava a ver a Gulf como uma companhia da família Mellon, tendo um interesse muito pessoal por ela. Já havia intervindo para facilitar a ajuda do Departamento de Estado na sua busca por abrir uma porta no Kuait. Quando viajou para Londres como embaixador, o que poderia colocá-lo em meio à luta do Kuait, o subsecretário de Estado tinha tentado meticulosamente estabelecer sólidas regras básicas: "Seria sempre muito fácil passar para o extremo oposto na tentativa de evitar críticas", telegrafou ele para a embaixada americana em Londres. "Assim, em tudo o que fazemos devemos conceder à Gulf Company nem mais nem menos, mas precisamente a mesma assistência que prestaríamos a qualquer outra empresa americana legítima em circunstâncias similares." Mas o estabelecimento de tal distinção era problemático. Até mesmo no Departamento de Estado, a Gulf era mencionada como "a empresa de Mellon"; os britânicos se refeririam a ela como a Gulf ou como "o grupo de petróleo de Mellon". E o próprio Andrew Mellon nunca deu mostras de reconhecer a mencionada diferença, referindo-se à Gulf como "minha empresa" (não sem fundamento, já que os Mellon possuíam a maioria das ações). E agia dentro dessa premissa.[23]

Enquanto mandava para os ares a cláusula da nacionalidade do Kuait, Londres tinha, todavia, anunciado que insistiria na análise de todas as propostas, recomendando ao emir qual ele deveria aceitar. Esse assunto não deveria ser muito complicado, pois Cadman tinha acabado de proclamar claramente que a Anglo-Persian não estava interessada. Porém, em maio de 1932, a Socal fez uma descoberta em Bahrain, modificando a situação e a perspectiva ao longo de toda a costa árabe. De repente, a Anglo-Persian mudou de ideia; Cadman escreveu ao Ministério do Exterior para negar sua declaração recente de que não havia interesse. A Anglo-Persian subitamente decidiu que queria, e muito, fazer a proposta para uma concessão no Kuait. Ninguém estava mais satisfeito com a mudança de ideia do que o próprio sheik, que declarou com eloquente simplicidade uma máxima fundamental dos negócios: "Sim, agora tenho dois proponentes e do ponto de vista de um vendedor isso tudo é bom".

O passo seguinte estava nas mãos do governo britânico; competia ao Departamento do Petróleo, em particular, rever não apenas a oferta da Gulf mas também a nova oferta da Anglo-Persian e dar um "parecer" ao emir. Mas, como a revisão das duas propostas em Londres vinha se arrastando, Holmes e a Gulf — e o governo dos Estados Unidos — ficaram desconfiados, acreditando ser a demora um ardil que conduziria a uma recomendação em favor da oferta da Anglo-Persian. A embaixada americana ficou atenta ao assunto, embora o Departamento de Estado não quisesse parecer estar agindo "meramente para o benefício pessoal do sr. Mellon". Por volta do outono de 1932, não havendo qualquer indicação de que uma recomendação estava prestes a chegar, Mellon perdeu a paciência; decidiu esquecer o decoro e discutir o assunto diretamente com o Ministério do Exterior. Afinal, se tratava de um negócio. Talvez seu senso de urgência tenha aumentado quando se tornou evidente que o impopular Herbert Hoover seria em breve expulso da Casa Branca e, assim, os dias de Mellon na embaixada estariam contados. "O fato de que o embaixador americano tenha um interesse pessoal tão forte em assegurar a concessão para o seu próprio grupo e de que o final de sua permanência no cargo esteja próximo", observou um alto funcionário do Ministério do Exterior, "pode também ser uma explicação para os obstinados e repetidos protestos". De fato, a insistência de Mellon era tão vigorosa que um funcionário do Departamento de Estado lhe disse que a sugestão do secretário era que ele "fosse devagar com o andor".

O Departamento do Petróleo afinal cuspiu fora sua análise das duas propostas e, em janeiro de 1933, o agente político britânico no Kuait transmitiu-a ao emir. Porém, ela não resolveu nada, limitando-se a abrir um novo e mais acrimonioso estágio da competição entre a Anglo-Persian e a Gulf, marcado por uma ácida troca de acusações e ameaças. Mas a Anglo-Persian sentiu-se fraquejar. A sua posição na Pérsia, o verdadeiro tesouro da empresa, estava em perigo devido à rejeição unilateral do xá à concessão por ele antes" outorgada em novembro de 1932.[24]

Havia, na verdade, uma alternativa para a guerra dos lances: a cooperação. Cada uma das empresas estava impressionada com a forte determinação da outra e com as forças poderosas que as sustentavam — a Anglo-Persian via a riqueza dos Estados Unidos e sua influência política potencialmente grande e a Gulf via o poder britânico entrincheirado na região. John Cadman colocou para o embaixador Mellon a possibilidade de fusão, mas não obteve uma resposta clara. Logo depois, Mellon deixou o cargo e voltou aos Estados Unidos. Cadman ficou angustiado por saber o que se dizia nos círculos americanos do petróleo: "Andy Mellon havia voltado determinado a manter as mãos sobre o Kuait".

No fim de março de 1933, Cadman deixou Londres rumo à Pérsia para negociar com o xá a concessão cancelada. Parou no Kuait totalmente preparado para discutir com o emir os detalhes de uma concessão. Sabendo da chegada iminente de Cadman, o major Holmes não apenas conseguiu um encontro com o sheik Ahmad algumas horas antes do que estava marcado com Cadman, como também obteve uma promessa de que lhe seria dada a oportunidade de cobrir qualquer oferta feita por Cadman. No encontro no Palácio Dasman, Cadman tentou levar o sheik a concordar que uma "companhia totalmente inglesa" serviria melhor aos seus propósitos, mas o sheik replicou que "era indiferente" para ele "quais as nacionalidades envolvidas, contanto que fossem feitos os pagamentos estipulados no acordo". Cadman pôs sobre a mesa a sua própria oferta, que já trouxera preparada, e deu uma caneta de ouro ao emir para que ele assinasse o acordo. E disse ainda que dobraria a oferta "se o sheik se dispusesse a assiná-la naquele momento". Porém, acrescentou Cadman, ele era incapaz de deixar sua melhor oferta em aberto. O sheik pôde apenas expressar seu mais sincero pesar, pois havia prometido a Holmes que daria à Gulf uma oportunidade de cobrir qualquer oferta feita por Cadman e obviamente não podia voltar atrás com sua palavra.[25]

Surpreso e aflito, Cadman estava agora absolutamente convencido de que era preciso fazer um acordo com a Gulf a qualquer custo. Os "dois compradores" do sheik tinham de ser reduzidos a um, caso contrário ele poderia continuar seu jogo de elevar o preço e pôr um grupo contra o outro. Além disso, a única maneira pela qual a Anglo--Persian poderia garantir que em absoluto não perderia num jogo de lances era fazer uma *joint venture* com a Gulf. Seguiram-se discussões exaustivas entre as duas empresas e por volta de dezembro de 1933 chegou-se a uma conclusão final, estabelecendo-se uma nova *joint venture,* "meio a meio", que foi denominada Kuait Oil Company. No entanto, ainda temendo o poder expansionista das companhias americanas, o Ministério das Relações Exteriores insistiu que as reais operações de campo da Kuait Oil Company tinham de estar em "mãos britânicas". Disso resultou um acordo posterior, em março de 1934, entre o governo britânico e a Kuait Oil Company, assegurando, apesar dos 50% da Gulf Oil Company, o predomínio britânico sobre a exploração do petróleo dentro do país.

As negociações reais no sentido de obter do sheik Ahmad a concessão para a nova Kuait Oil Company foram confiadas a dois homens, o venerável Frank Holmes pela Gulf e Archibald Chisholm, muito mais moço, pela Anglo-Persian. Quando os dois se cruzaram na alfândega do Kuait, vindos do Iraque, encontraram uma carta do representante político oferecendo cordialmente "as boas-vindas aos gêmeos celestiais". Na verdade, a competição entre as duas empresas parecia haver chegado ao fim. Num domingo de manhã, não muitos dias depois de terem chegado ao Kuait, Holmes e Chisholm se viram sentados um ao lado do outro na pequena igreja dirigida por uma missão americana. O sermão daquele dia foi sobre as bem-aventuranças e ao serem pronunciadas as palavras "bem-aventurados os puros de coração" Holmes cutucou a costela de Chisholm. "Afinal", sussurrou o terrível major, "você e eu somos puros de coração um para com o outro".

No entanto, o trabalho deles estava longe do fim. Mesmo tendo sido prevenido para jogar um proponente contra o outro, o sheik Ahmad provou ser um negociador muito duro e muito bem-informado sobre a evolução política e os termos das concessões do Iraque, da Pérsia e da Arábia Saudita. Além disso, ele não estava absolutamente satisfeito com o acordo político sobre o predomínio britânico forçado por Londres. Finalmente, em 23 de dezembro de 1934, o sheik Ahmad, tendo obtido aquilo que queria, após sua assinatura no acordo que garantiu uma concessão de 75 anos à Kuait Oil Company. O sheik recebeu um pagamento adiantado de 35,7 mil libras — (179 mil dólares). Enquanto o petróleo não fosse encontrado numa quantidade comerciável, ele receberia um mínimo anual de 7,15 mil libras (36 mil dólares). Uma vez encontrado o petróleo, o mínimo anual passaria a ser de dezoito mil libras — (94 mil dólares) ou mais, conforme o volume. E o sheik indicou o velho amigo Frank Holmes como seu representante junto à Kuait Oil Company em Londres. Ele permaneceu no cargo até a morte, em 1947.[26]

"É o tiro certeiro"?

A concessão do Kuait foi assinada um ano e meio depois da saudita. Nessa ocasião, a Standard Oil of California já estava em plena ação na Arábia Saudita. Criara a CASOC — California-Arabian Standard Oil Company — para deter a concessão. Um centro de operações administrativas tinha sido organizado em Jidá, num edifício alto, com muitas sacadas e gerador de eletricidade próprio. O dono não era outro senão H. St. John B. Philby. Do lado oposto do país, em setembro de 1933, os dois primeiros geólogos americanos tinham chegado à cidade de Jubail numa lancha a motor, vindos de Bahrain. A fim de atenuar a estranheza de sua aparência para a população local, tinham deixado crescer a barba, vestido turbante árabe e roupas a cobrir outras por debaixo. Chegaram ao porto de manhã bem cedo e à noite já haviam feito a primeira excursão no deserto. Poucos dias depois atingiram uma área montanhosa, o domo de Damman, que os homens de Bahrain haviam observado e identificado como uma estrutura geológica promissora. Era uma desolada extensão de areia e rochas nuas a apenas quarenta quilômetros de uma estrutura semelhante em Bahrain, onde a Socal havia encontrado petróleo. Era "um tiro certeiro", estavam convencidos. A perfuração começou no verão de 1934. Todos os itens requisitados pelos geólogos, engenheiros e trabalhadores de construção, fosse equipamento ou alimento, tinham de ser trazidos por uma linha de abastecimento que ia e voltava até o porto de San Pedro, perto de Los Angeles. Não obstante o otimismo inicial, o domo de Damman não foi um tiro certeiro. Os primeiros seis poços se revelaram um completo fracasso: eram secos ou, na melhor das hipóteses, mostravam indícios de gás e petróleo nem remotamente comerciais.

Durante os poucos anos seguintes chegaram mais geólogos americanos; eles se abalavam pelo deserto, viajando muitas vezes em camelos, com uma escolta de dez guardas e guias escolhidos. As condições eram rigorosas: durante o dia a temperatura subia a 46 graus, enquanto à noite era extremamente fria. A equipe americana partiu de Jubail em setembro, não voltando senão em junho seguinte. Deixou os guias medindo as distâncias — que não eram registradas em quilômetros ou em milhas, mas sim em "dias--camelo". Quando se aprofundaram deserto adentro, a três semanas de Jubail, já ficaram atrás da linha do sistema de transportes de abastecimento dos camelos; começaram então a caçar gazelas e pássaros do Catar ou comprar de algum beduíno que passava um carneiro por cinco riyals (1,35 dólar). Mas também deram um bom uso às novas técnicas de sismografia, além de terem feito levantamentos aéreos do país, usando um monomotor Fairchild 71 com uma abertura na superfície inferior através da qual tiravam fotografias com um filme especial da Kodak que resistia ao calor do deserto. O avião voou em linhas paralelas, retas distantes cerca de dez quilômetros uma da outra, enquanto os geólogos, sentados perto das janelas, desenhavam tudo o que conseguiam ver dentro dos cinco quilômetros em cada direção. Havia vestígios de petróleo, mas apenas vestígios.

A direção da Socal de volta a São Francisco ficava cada vez mais ansiosa com relação ao projeto. O ânimo sobre a concessão saudita era tal, lembraria mais tarde um executivo, que "algumas vezes se discutia a hipótese de o empreendimento ser abandonado e dado por perdido os cerca de dez milhões de dólares". Entretanto, havia outra possibilidade alarmante, a de que a Socal encontrasse petróleo numa parte do mundo onde não houvesse instalações de distribuição — e numa época em que os mercados globais de petróleo, do mesmo modo que o resto da economia mundial, estavam em depressão e sofrendo superabundância. Em outras palavras, o que a Socal faria se realmente descobrisse petróleo no deserto da Arábia?.[27]

O Acordo da Linha Azul

De fato, a Socal já estava enfrentando esse grave problema devido ao seu sucesso em Bahrain, onde a capacidade efetiva de produção era de treze mil barris diários e a capacidade potencial de trinta mil barris diários. Na primeira metade de 1935, a companhia baixou essa produção para 2,5 mil barris diários, devido à falta de acesso aos mercados. Ela teve muita dificuldade para vender diretamente para as refinarias europeias, porque a maioria não estava equipada para trabalhar com petróleo bruto do tipo do de Bahrain, com alto teor de enxofre. Uma negociação de comercialização proposta pela Standard Oil of New Jersey, pela Shell e a pela Anglo-Persian havia fracassado. A Socal precisava de algo mais, alguma coisa mais estável. A resposta foi uma *joint venture* dela própria.

Abatido, K.R. Kingsbury, presidente da Socal, chegou a Nova York no começo de 1936. James Forrestal, presidente do banco de investimentos Dillon, Read, promoveu um encontro de Kingsbury (conhecido como o "rei") com a alta direção da Texaco. Forrestal tinha percebido que essa empresa estava com um problema não menos grave, a seu modo, do que o enfrentado pela Socal: com uma extensa rede de comercialização na África e na Ásia, não tinha no hemisfério oriental seu próprio petróleo bruto para operar o sistema, necessitando importar o produto dos Estados Unidos. Sem um suprimento no Oriente Médio, a Texaco estava na iminência de perder mercados ou dinheiro nos anos vindouros. Era óbvio para Forrestal que casar o potencial de petróleo bruto barato do Oriente Médio com o sistema de distribuição do hemisfério oriental da Texaco fazia muito sentido para ambas as empresas.

Mas como fazê-lo? Forrestal, ajudado por Paul Nitze, vice-presidente do Dillon, Read, organizou um esquema que criou uma importante empresa nova. A Socal e a Texaco juntariam todas as suas propriedades "A leste de Suez" e as duas teriam uma participação igual no empreendimento. A Socal entrou com as suas concessões de petróleo de Bahrein e das Índias Orientais, além das sauditas. A *joint venture* assumiu o comando do vasto sistema de comercialização da Texaco na Ásia e na África. As outras companhias poderiam ter sua Linha Vermelha; a Socal e a Texaco delinearam a sua área consolidada com o que chamaram de "Linha Azul". A companhia Califórnia-Texas, ou Caltex, como *joint venture* ficou conhecida, forneceria o mercado vitalmente necessitado tanto da produção de Bahrain quanto da de qualquer petróleo que eventualmente fosse descoberto na Arábia Saudita.

As empresas internacionais consolidadas, que andavam muito preocupadas com o impacto destrutivo do petróleo de Bahrain competindo por mercados, ficaram aliviadas com o enlace da Socal com a Texas Company. Mesmo lamentando que as atividades da Socal em Bahrein fossem "aborrecidas" e que ela "provavelmente teria de tentar comprá-las", a CIP, a Shell e a Anglo-Persian comunicaram ao Ministério das Relações Exteriores que uma *joint venture* causaria "um mínimo de perturbação nos mercados, o que é muito proveitoso do ponto de vista dos interesses petrolíferos britânicos". Um executivo da Jersey expressou-se de forma um pouco diferente: a fusão "significaria um considerável grau de estabilização". A criação da Caltex significava também que no futuro qualquer petróleo encontrado na Arábia Saudita poderia ser controlado e não necessariamente arruinaria os preços. Quanto ao vizinho Kuait, já estava nas mãos confiáveis da Anglo-Persian e da Gulf.[28]

A descoberta

A exploração no Kuait tinha começado em 1935, mas apenas em 1936 o trabalho sismográfico foi empreendido. O campo de Burgan, no sudoeste do país, foi sugerido como a área mais promissora. E lá o petróleo foi descoberto, de repente e com um jorro surpreendentemente grande, em 23 de fevereiro de 1938. A fim de medir o tamanho da descoberta, permitiu-se que o petróleo corresse livremente para dentro de um reservatório de areia adjacente, onde foi incendiado. O calor do petróleo em chamas foi tão intenso que os paredões do reservatório se transformaram em lençóis de vidro. Os diretores da Anglo-Persian e da Gulf deram um grande suspiro de alívio; o major Holmes ficou exultante e no palácio de Dasman o sheik Ahrnad não mais precisava se afligir com a ameaça econômica das pérolas cultivadas.[29]

Enquanto isso, a exploração na vizinha Arábia Saudita havia sido repetidamente desencorajada e a direção da Socal estava cada vez mais inquieta. Em novembro de 1937, o gerente de produção externa da Socal telegrafou para a Arábia dando uma ordem firme para que não se iniciassem mais projetos sem que antes uma proposta detalhada fosse submetida à sua apreciação. Em março de 1938, poucas semanas depois da descoberta no Kuait, veio a atordoante notícia: haviam sido extraídas grandes quantidades de petróleo no poço número sete da Damman Zone, a cerca de 1,2 mil metros. Desse modo a descoberta havia finalmente ocorrido, quase três anos depois de começada a perfuração no Damman Número Um. Ibn Saud e a Arábia Saudita estavam a caminho da fortuna; a unidade do reino não mais seria dependente das flutuações ou vulneráveis ao número de crentes em peregrinação à Meca.

A descoberta de petróleo na Arábia Saudita deu início a esforços febris para se obter concessões não somente pela Companhia de Petróleo do Iraque mas também, mais sinistramente, pelos interesses alemães, japoneses e italianos. Parecia aos observadores haver uma pressão determinada pelos poderes do Eixo para obter direitos de perfuração na Arábia Saudita. Os japoneses montavam uma representação diplomática na Arábia Saudita e ofereciam somas enormes, se comparadas com os preços existentes, por uma concessão dentro do país e pelos interesses do rei na Zona Neutra — num total que um funcionário saudita chamou de "uma oferta de proporções astronômicas". Os japoneses também presentearam Ibn Saud com uma armadura samurai clássica, embora pequena demais para ajustar-se ao corpulento monarca. A fim de tentar ganhar um ponto de apoio, os alemães credenciaram um ministro para Bagdá e abriram ali uma missão permanente; além disso, estavam tentando um negócio de armas com os sauditas. A Itália, por sua vez, também continuava uma campanha firme de pressão por uma concessão no país. Mas a Casoc tinha, pelo anexo secreto ao acordo de 1933, direitos de preferência no território saudita e, em 31 de maio de 1939, exerceu-os com muito sucesso, expandindo a área total de sua concessão exclusiva para cerca de 1,14 milhão de quilômetros quadrados — aproximadamente um sexto do tamanho dos Estados Unidos. Obviamente, tal lealdade exigia um preço: as necessidades financeiras sauditas subiam e a Socal viu-se fazendo repetidos empréstimos ao reino, totalizando vários milhões de dólares.

Havia, porém, uma boa razão para estar disponível, considerando-se os riscos. A descoberta, no poço número sete, em março de 1938, tinha aberto uma nova era. Acelerou-se o trabalho de criação das melhorias industriais, administrativas e residenciais requeridas em Dhahram, que acabaria por se converter num subúrbio americano de classe média, um oásis no meio do deserto. Logo em seguida à descoberta iniciou-se a construção de um oleoduto ligando o campo de petróleo a Ras Tanura, um ponto costeiro escolhido para terminal marítimo. Em abril de 1939, um grande cortejo de quatrocentos carros, levando o rei e uma grande comitiva, cruzou o deserto em direção a Dhahram, onde acamparam em 350 tendas. O motivo era a chegada do petroleiro da Socal, o *D.G. Scofield*, ao porto de Ras Tanura, para receber a primeira carga de petróleo. Com a devida pompa, o próprio rei Ibn Saud girou a válvula pela qual a primeira gota do óleo correu para fora da Arábia Saudita.[30]

A Socal apressou-se a espalhar sua exploração pelo vasto deserto. Um poço em área pioneira, perfurado até a profundidade de três mil metros, indicou a possibilidade de depósitos de petróleo muito grandes. Enquanto isso, a produção em 1940 subiu para vinte mil barris diários. O futuro parecia cada vez mais promissor. Eclodiu, então, a II Guerra Mundial e, em outubro de 1940, os italianos bombardearam Dhahram, embora aparentemente seu alvo fosse Bahrain. Em janeiro de 1941, reativou-se uma pequena refinaria em Ras Tanura, que foi fechada em junho seguinte. No vizinho Kuait, as operações foram suspensas. Por ordem dos governos aliados, todos os poços do Kuait foram tampados com cimento, postos fora de funcionamento por medo de que caíssem em mãos dos alemães.

Também na Arábia Saudita, as operações foram em sua maior parte encerradas e a maioria dos empregados americanos voltou para casa. Uma turma reduzida conservava a produção de 12 mil a 15 mil barris diários que supria a refinaria de Bahrain. Mas adiou-se a continuidade da prospecção e todo o empreendimento teve interrompido o seu funcionamento. Por toda parte, todavia, como as pessoas começassem a assimilar qual poderia ser o potencial de petróleo da Arábia Saudita e o que ele poderia significar, as reservas de petróleo do país se tornariam objeto de um jogo político de poder mais intrincado e intenso do que qualquer coisa imaginada pelos homens da Standard of California, pelo rei Ibn Saud ou mesmo por Philby, que havia plantado na mente do rei a ideia do tesouro enterrado.

Jack Philby tinha prosperado na Arábia Saudita durante a década de 1930 e seguia em suas explorações geográficas pelo país. Depois da deflagração da II Guerra Mundial tentou ser intermediário entre Ibn Saud e Chaim Weizman, líder do movimento sionista para a partilha da Palestina, mas não conseguiu. Seus costumeiros sentimentos anti-britânicos não se abateram. Ele se tornou clamorosamente crítico dos aliados e foi preso numa viagem à Índia a dali enviado de volta para a Inglaterra, onde ficou preso por meio ano. Passou o resto da guerra escrevendo panfletos, poesias e livros impublicáveis e fazendo de tudo um pouco na política marginal. De volta à Arábia Saudita, depois da guerra, tornou-se novamente conselheiro do rei, realizou mais explorações, escreveu mais livros e prosseguiu seus negócios no *boom* do petróleo do pós-guerra. Já estava com 65 anos quando uma jovem, que lhe fora presenteada pelo rei, lhe deu novamente um filho. Depois da morte de Ibn Saud, no entanto, Philby começou a criticar o que considerava maneiras esbanjadoras do rei Saud, filho de Ibn Saud, e foi expulso da Arábia Saudita. Depois de poucos anos, permitiu-se a sua volta. Numa viagem a Beirute, em 1960, para visitar o filho Kim, adoeceu e foi levado às pressas a um hospital. O homem cuja vida tinha sido tão agitada e panorâmica, tão ousada e teatral, jazia agora inconsciente. Acordou apenas por um momento, quando disse ao filho: "Estou muito entediado". E expirou. Em sua lápide, num cemitério muçulmano do Líbano, Kim colocou uma simples inscrição: "O maior dos exploradores árabes".

E quanto ao major Holmes — "Abu Al-Naft", o pai do petróleo? Foi evidentemente ele quem imaginou, concebeu e promoveu toda a aventura do petróleo na Arábia. Na metade da década de 1940, quando a extensão daquela riqueza estava começando a ser avaliada, Holmes, na ocasião representando em Londres o petróleo do Kuait, ouviu uma pergunta óbvia: "O que o havia deixado tão certo da perspectiva da existência de petróleo e tão confiante, apesar do veredicto quase unânime dos mais eminentes geólogos de petróleo do mundo, de que a Arábia seria "seca de petróleo"? Naturalmente, muitos anos de experiência como engenheiro de minas lhe haviam demonstrado que o parecer teórico, por mais perito ou respeitável que fosse seu responsável, podia estar errado.

Mas Holmes ofereceu a mais simples das respostas. Tocando com o dedo o próprio nariz, declarou: "O meu geólogo foi isto aqui".[31]

PARTE III

Guerra e estratégia

CAPÍTULO XVI

O caminho do Japão para a guerra

NA NOITE DO DIA 18 DE SETEMBRO DE 1931, soldados do Exército Imperial Nipônico baseados na província chinesa semiautônoma da Manchúria bombardearam a Estrada de Ferro Sul Manchuriana. Os indícios reais da explosão foram escassos; somente cerca de oitenta centímetros de ferrovia foram afetados, e o prejuízo foi tão insignificante que um trem expresso passou em alta velocidade sobre o local poucos minutos depois, sem dificuldades. Mas isto foi proposital, já que os japoneses controlavam a via férrea; o objetivo era causar o mínimo de danos — e pôr a culpa nos chineses. O exército japonês teria o pretexto desejado para iniciar um ataque às forças chinesas, o que foi feito sem demora. A operação Manchúria começara, marcando a entrada em um período da história nipônica que vieram a chamar, depois que tudo terminou, Vale das Trevas.

O Japão tinha conquistado muitas prerrogativas econômicas e políticas na Manchúria, incluindo o direito de manter forças militares, como resultado de suas vitórias sobre a China em 1895 e sobre a Rússia em 1905, e de um acordo feito com a China. No final da década de 1920, havia um forte apoio no Japão para que se assumisse o controle total da Manchúria — "A corda salva-vidas do Japão", como um primeiro-ministro definiu a província. Ela forneceria as matérias-primas e o "espaço vital" julgado necessário para as ilhas superpovoadas e não menos necessário para a força militar do Japão. Além do mais, a localização geográfica da Manchúria tornou seu controle essencial para a segurança do Japão; o exército japonês cresceu com o intuito de intimidar a dupla ameaça do comunismo soviético e do nacionalismo chinês. Por sua vez, as outras grandes potências que tinham a ver com o Pacífico estavam cada vez mais desconfiadas do Japão, que, no espaço de poucas décadas, revelou-se uma fantástica potência militar e comercial.[1]

"Devemos confiar no Japão?"

Em 1923, respondendo aos apelos da época, Franklin Roosevelt, que fora subsecretário da marinha durante a I Guerra Mundial, escreveu um artigo intitulado "Devemos confiar no Japão?" Ao apresentar o artigo, os editores perceberam que "uma das principais tarefas de Roosevelt durante grande parte de seu mandato fora preparar-se para lutar contra o Japão". No artigo, Roosevelt observou que "muito antes que os acontecimentos de 1914 centralizassem as atenções gerais, uma guerra entre americanos e japoneses era a maior aposta entre os profetas. A iminência da guerra começou a ser tida como certa". Uma guerra agora, disse ele em 1923, poderia converter-se em um impasse militar e, então, as "causas econômicas seriam o fator determinante". Mesmo assim, Roosevelt respondeu à pergunta "devemos confiar no Japão?" com uma sonora afirmativa. O Japão estava mudado. Estava honrando seus compromissos internacionais; alinhara-se com a ordem militar anglo-americana pós-guerra; e no Pacífico "haveria, certamente, área comercial suficiente e de sobra para o Japão e para nós num futuro indefinido".[2]

Na verdade, durante a década de 1920, a análise de Roosevelt mostrou-se correta. O Japão tinha um sistema parlamentar operante. A conferência Naval de Washington em 1921 descartou qualquer possibilidade de uma corrida naval em potencial entre o Japão, os Estados Unidos e a Grã-Bretanha, e, além disso, o Japão tinha baseado sua segurança na cooperação com as forças anglo-americanas. Mas essa cooperação não sobreviveu à década. As forças armadas japonesas, particularmente o exército, vieram a dominar o governo e o Japão embarcou em seu curso rumo à expansão imperial na Ásia Oriental — buscando excluir, no processo, as forças ocidentais daquela que iriam chamar de "Grande Esfera de coprosperidade da Ásia Oriental".

Esta mudança decisiva partiu de várias fontes. A Grande Depressão e o colapso do comércio mundial causaram grande opressão econômica ao Japão, elevando sua vulnerabilidade originada da falta de matérias-primas e da diminuição de acesso aos mercados internacionais. Ao mesmo tempo, o exército e importantes segmentos da sociedade estavam dominados por um espírito de nacionalismo extremo, angústia moral, arrogância e uma crença mística na superioridade das instituições culturais e imperiais nipônicas e no "modo imperial", cada um deles ampliados pela convicção de que as outras grandes potências estavam buscando deliberadamente restringir o Japão a uma posição secundária e negar-lhe seus direitos na Ásia. Para firmar-se, o primeiro--ministro, Osachi Hamaguchi, que havia permitido uma ampliação dos acordos do tratado naval com os Estados Unidos e a Grã-Bretanha, obteve uma vitória eleitoral esmagadora em fevereiro de 1930. Mas a força da oposição se fez sentir também poucos meses depois, quando um jovem, furioso com a cooperação com os Estados Unidos e a Grã-Bretanha, atirou em Hamaguchi em uma estação de trem de Tóquio. Ele nunca se recuperou por completo, morrendo em 1931. Com ele, sucumbiu o espírito de cooperação e em seu lugar surgiu novo culto ao ultranacionalismo — apoiado pelo "governo por assassinato". O Japão também organizou seu novo Estado-fantoche na

Manchúria, que foi apelidado de Manchukuo, tendo Puyi, o imperador chinês deposto, como seu testa de ferro. Quando a Liga das Nações condenou o Japão por suas ações na Manchúria, ele se afastou da Liga e embarcou em seu próprio caminho — que o levaria definitivamente à ruína.[3]

A nova ordem na Ásia

Nos poucos anos que se seguiram, como Tóquio alimentasse suas pretensões para uma "missão" e "responsabilidades especiais na Ásia Oriental", os políticos nipônicos agitaram-se em conspirações, movimentos ideológicos e sociedades secretas que condenavam o liberalismo, o capitalismo e a democracia como mecanismos de fraqueza e decadência. Acreditava-se que não havia nada mais nobre do que morrer em batalha pelo imperador. Além disso, oficiais do exército nipônico estavam também, em meados da década de 1930, concentrando-se em questões mais práticas tais como desencadear conflitos modernos. Defendendo uma doutrina de guerra total, procuravam estabelecer um "Estado de defesa nacional" em que os recursos industriais e militares do país pudessem ser todos construídos e canalizados para atender a dura eventualidade. Os oficiais que tinham observado ou estudado atentamente o fracasso alemão na I Guerra Mundial atribuíram aquela derrota a sua vulnerabilidade econômica — a sua relativa falta de matérias-primas e a sua falta de habilidade em resistir ao bloqueio naval dos Aliados. O Japão, reconheceram melancolicamente, era muito menos dotado que a Alemanha. Na verdade, enfrentava um problema particular de abastecimento. Estava quase desprovido dos suprimentos de petróleo. É certo que o petróleo ocupava um lugar relativamente pequeno no complexo energético do país — respondendo por cerca de 7% do total do consumo de energia —, seu significado estava na importância estratégica. A maior parte era consumida pelo exército e pela frota mercante. No final da década de 1930, o Japão produzia somente 7% do petróleo que consumia. O restante era importado — 80% dos Estados Unidos e outros 10% cento das Índias Orientais Holandesas. A América, porém, comprometia-se com uma "abertura" política e econômica na Ásia, que estava totalmente em desacordo com as ambições imperiais do Japão. Com os Estados Unidos surgindo como o mais provável adversário do Japão no Pacífico, onde encontrar o petróleo necessário, em caso de guerra, para abastecer os navios e aviões nipônicos?

Essa questão já havia provocado uma acrimoniosa divisão entre o exército e a marinha japoneses, e viria a ser crucial para a evolução e condução da política nipônica. O exército estava concentrado na Manchúria, norte da China, Mongólia Interior, diante da ameaça proveniente da União Soviética. A marinha, sob a doutrina de *Hokushu Nanshin* — "defender no norte, avançar no sul" — tinha sua mira voltada para as Índias Orientais Holandesas, Malaia, Indochina e várias ilhotas do Pacífico, a fim de ao império garantir acesso seguro a recursos naturais, especialmente ao primeiro e absolutamente essencial recurso — o petróleo. Ambas as armas, entretanto, estavam unificadas em seu objetivo central: reestruturar a Ásia dentro do "espírito de coprosperidade e coexistência baseado na visão imperial — a Ásia sob o controle do Japão".[4]

No início da década de 1930, logo depois de ter iniciado a Operação Manchúria, o governo nipônico procurou assegurar a dominação sobre a indústria do petróleo para servir as suas próprias necessidades. Sessenta por cento do mercado interno estavam sob o controle de duas companhias ocidentais — Rising Sun, a sucursal nipônica da Royal Dutch-Shell e a Standard-Vacuum, também conhecida por Stanvac, fusão das operações da Jersey e da Standard of New York no Extremo Oriente — com o resto dividido entre cerca de trinta companhias nipônicas, que importavam seu petróleo de vários produtores americanos. Com o apoio dos interesses comerciais dos japoneses, que desejavam melhorar sua posição no mercado, as forças armadas conseguiram em 1934 a aprovação da Lei Industrial do Petróleo, que concedeu ao governo o poder de controlar importações, estabelecer quotas no mercado de ações para determinadas companhias, fixar preços e efetuar compras compulsórias. Determinava-se às empresas estrangeiras que mantivessem seis meses de estoques acima dos níveis comerciais normais. O objetivo disso tudo era óbvio: construir uma refinaria nipônica própria, para reduzir o papel das companhias estrangeiras, e preparar-se para a guerra. Ao mesmo tempo, o Japão também estava criando um monopólio de petróleo em sua nova colônia, Manchukuo, com o objetivo de pressionar as companhias ocidentais.

As companhias estrangeiras reconheciam estar prestes a serem esmagadas. Os governos americano e britânico também condenavam a nova e restritiva política petroleira do Japão. Mas como responder? Havia rumores em Washington, Nova York e Londres de um embargo — total ou parcial — que levaria, em represália, a refrear o abastecimento de óleo bruto ao Japão. Em agosto de 1934, Henri Deterding e Walter Teagle foram a Washington para visitar tanto os oficiais do Departamento de Estado como Harold Ickes, administrador do petróleo. Os homens do petróleo sugeriram "amedrontar" o Japão sem exagero, apenas fazendo uma alusão ao embargo. As declarações ecoariam em Tóquio, era o que esperavam e, quem sabe, causariam mudanças na política nipônica. Em novembro de 1934, o Gabinete Britânico defendeu a posição de Foreign Office de que "deveriam oferecer a mais dura resistência possível" à política japonesa para o petróleo, incluindo o apoio governamental a embargo organizado privadamente. O secretário de Estado Cordell Hull deixou claro que o governo dos EUA não dariam apoio a tal ato, e isso daria fim aos rumores do embargo, por enquanto. As pressões e tensões entre as companhias de petróleo e o governo japonês continuavam a crescer, até chegar o verão de 1937. Neste momento, as circunstâncias se alteraram abruptamente para o Japão.[5]

"Quarentena"

Durante a noite e a madrugada dos dias 7 e 8 de julho de 1937, ocorreram dois obscuros combates entre as tropas nipônicas e chinesas, na ponte Marcopolo, perto de Beijing.

As hostilidades escalaram progressivamente durante as semanas seguintes e os nacionalistas chineses tomaram uma posição desafiadora contra outras concessões ao Japão. "Se permitirmos a perda de uma polegada a mais de nosso território, seremos os culpados por um imperdoável crime contra a nossa raça", declarou Chiang Kai-Shek, o líder nacionalista. Os japoneses, por sua vez, tinham decidido que os chineses deveriam ser castigados, e seu exército desferiu um "golpe perfeito". Pouco mais de um mês após os primeiros incidentes, no dia 14 de agosto, os chineses bombardearam a base naval nipônica em Shangai. O Japão entrou em guerra com a China.

O Japão acelerou imediatamente esforços para ajustar sua economia às condições de guerra total. Tratou também de reatar rapidamente relações com as companhias de petróleo estrangeiras. O governo não pretendia arriscar-se a nenhum rompimento no abastecimento de petróleo. Ao mesmo tempo, uma sessão especial do Congresso, reunida para aprovar uma legislação de mobilização, aprovou a Lei da Indústria do Petróleo sintético. A legislação garantiu a existência de um plano de sete anos objetivando produzir, por volta de 1943, combustíveis sintéticos, principalmente combustível líquido extraído do carvão — em volume equivalente à metade do nível global de consumo do Japão em 1937. A meta não só era ambiciosa como também extremamente irreal.

Desde o começo, a política oficial americana e a opinião pública defenderam a China como vítima da agressão na guerra sino-japonesa. Mas os Estados Unidos mantinham-se fortemente nas garras do isolacionismo. Quatorze anos haviam se passado desde que Franklin Roosevelt, na época um mero subsecretário da marinha, escrevera o artigo "Devemos confiar no Japão?". Agora, como presidente, Roosevelt sentia-se frustrado, tanto pelas pressões políticas internas quanto pela sinistra marcha dos acontecimentos externos. Por ocasião de um discurso em outubro de 1937, ele mencionou de forma evasiva a ideia de instaurar uma "quarentena" para checar a disseminação da "epidemia mundial de ilegalidade". Após um ataque aéreo japonês a quatro navios americanos no rio Yangtsé, ele expôs confidencialmente ao seu Gabinete que por quarentena entendia "algo como aplicar sanções econômicas sem declarar guerra". Mas a legislação de neutralidade e o sentimento isolacionista vigente não permitiram que o presidente pusesse suas ideias em prática.[6]

Como os relatos de ataques nipônicos a cidadãos chineses começassem a se avolumar, o sentimento americano voltou-se com maior força contra o Japão. Em 1938, depois de divulgadas nos jornais e no cinema cenas de bombardeios japoneses sobre o Cantão, pesquisas de opinião pública revelaram que a grande maioria dos americanos opunha-se à exportação de equipamentos militares ao Japão. A administração Roosevelt, no entanto, temia prejudicar os moderados japoneses com uma posição firme demais e também interferir na capacidade americana em responder ao que era considerado como a mais séria e iminente ameaça, a Alemanha Nazista. Assim, a administração limitou-se a adotar um "embargo moral" com a exportação de motores de avião ao Japão. Desprovido de autoridade legislativa, o Departamento de Estado encarregou-se de enviar cartas aos fabricantes americanos, solicitando que não vendessem tais mercadorias; Washington estava também alarmado com as implicações dos crescentes vínculos entre o Japão e a Alemanha, com a assinatura de ambos ao Pacto Anti-Comintern em 1936, dirigido ostensivamente contra a União Soviética. O Japão, porém, estava resistindo à pressão da Alemanha de se aproximar — principalmente pela dependência do Japão aos Estados Unidos e ao Império Britânico quanto às matérias-primas indispensáveis, o petróleo especificamente, dando a entender à Alemanha que ainda "não estavam em condições de pôr à frente como opositores das Democracias", conforme expôs Tóquio a Berlim.

Aqui residiu o paradoxo mortal para o Japão. Ele queria reduzir sua dependência aos Estados Unidos, especialmente de grande parte do petróleo americano que abastecia sua frota e sua força aérea. O Japão temia que tal dependência o tornasse impotente durante uma guerra. Mas a visão de segurança e as medidas que Tóquio tomou para ganhar autonomia — sua brutal expansão na busca de sua "esfera de coprosperidade" — criaram as condições exatas que culminariam na guerra contra os Estados Unidos. Na verdade, no final da década de 1930, os pedidos de suprimentos para a guerra com a China aumentaram realmente a dependência comercial do Japão em relação aos Estados Unidos. Para complicar mais as coisas, as restrições monetárias estrangeiras tornaram o pagamento das importações mais difíceis para o Japão. Isto forçou a sérias reduções no abastecimento para a economia interna, incluindo o racionamento de petróleo e outros combustíveis, enfraquecendo dessa maneira os esforços para a construção de uma economia de guerra. A frota pesqueira, que era um dos principais recursos alimentícios do Japão, recebeu ordens para suspender o uso do petróleo e passar a depender exclusivamente da força dos ventos![7]

Em 1939, os Estados Unidos estavam abertamente contra as ações japonesas. Roosevelt e o secretário de Estado Hull ainda tinham a esperança de encontrar um meio termo entre as enérgicas contramedidas americanas de um lado, que poderiam provocar uma séria crise no Pacífico, e a conciliação, de outro, que iria somente encorajar outras agressões por parte dos japoneses. O bombardeio nipônico aos centros civis, especialmente os bombardeios de Chung King em maio de 1939 — "Marcos na história do terror aéreo", nas palavras do jornalista Theodore H. White, que fez a cobertura para a *Time* — chocou e depois incitou a opinião pública americana. Vários grupos, tais como o Comitê Americano pela Não Participação na Agressão Japonesa, fazia campanha dura para cortar com todas as exportações americanas. "O Japão fornece o piloto", dizia um panfleto. "A América fornece o avião, a gasolina, o petróleo e as bombas para arrasar as indefesas cidades chinesas." Uma pesquisa Gallup feita em junho de 1939 revelou que 72% da opinião pública era favorável a um embargo às exportações de material bélico para o Japão.

Dentro da administração Roosevelt, entretanto, havia uma intensa e áspera discussão sobre a melhor forma de resposta, incluindo a constante questão das sanções econômicas diretas. Mas o embaixador americano no Japão, Josefh Grew, preveniu sobre as possíveis consequências. Os japoneses iriam submeter-se a qualquer privação, informou ele direto de Tóquio, para não ver sua nação humilhada pelas potências ocidentais — e perder a dignidade. Em sua visita a Washington no outono de 1939, Grew encontrou-se duas vezes com o presidente Roosevelt e mais tarde escreveu em seu diário: "Eu expus claramente minha opinião de que se iniciarmos as sanções contra o Japão, devemos conduzi-las a um fim, e esse fim pode muito bem ser a guerra. Eu também disse que se suspendermos o fornecimento de petróleo e se o Japão então achar que não consegue obter petróleo suficiente de outra fonte comercial para garantir sua segurança nacional, ele irá com toda certeza mandar descer sua frota para tomar as Índias Orientais Holandesas".

"Interceptaríamos sua frota com facilidade", respondeu o presidente.

Grew manifestava um presságio, não fazendo comentários a respeito de políticas que estavam na ordem do dia no outono de 1939. Não havia plano algum de embargo de petróleo. Nem estava Roosevelt disposto a arriscar uma confrontação a despeito de suas observações. Mas o petróleo vinha emergindo rapidamente como uma questão crucial entre os dois países.[8]

Um ano antes, em setembro de 1938, em Haia, dois negociantes americanos sentaram-se juntos, perto de um aparelho de rádio, e ficaram ouvindo melancolicamente as últimas notícias. Um deles era George Walden, o cabeça da Stanvac, a *joint venture* no Extremo Oriente da Jersey e Standard of New York. O outro era Lloyd "Shorty" Elliott, presidente da subdivisão da Stanvac nas Índias Orientais Holandesas. Era a época da crise de Munique; a Europa parecia estar a um passo da guerra. A Grã-Bretanha e a França tinham acabado de ceder às exigências de Hitler sobre a Tchecoslováquia com o fim de garantir o que o primeiro-ministro, Neville Chamberlain, chamaria de "paz em nossos dias". Mas para Walden e Elliott, que ouviram atentamente no rádio notícias do discurso que Hitler tinha feito naquele dia, a guerra parecia inevitável não apenas na Europa mas também na Ásia. E, quando a guerra chegasse à Ásia, tinham certeza de que os japoneses atacariam as Índias Orientais — conforme as palavras de Elliott, "era apenas uma questão de quando e como".

Naquela noite em Haia, Walden e Elliott começaram a arquitetar o que fazer quando os japoneses atacassem. Os dois homens não perderam muito tempo na execução de seus novos planos. Como primeiro passo, demitiram todos os funcionários alemães, holandeses e japoneses nas Índias, cuja lealdade não fosse comprovada. Prepararam planos para a destruição da refinaria e dos poços de petróleo da Stanvac — de forma um tanto declarada, como meio de intimidar os japoneses. No início de 1940, os planos de evacuação também estavam bem avançados, e Walden sinalizou aos diretores locais da Stanvac que "se os Estados Unidos determinassem um embargo de petróleo ao Japão, a companhia iria oferecer total cooperação" e "cessar todos os embarques provenientes de todas as propriedades sob seu controle, no mundo todo", mesmo que muitas dessas propriedades não estivessem sob a jurisdição americana. "Os embarques provenientes das Índias Orientais Holandesas deveriam parar", ele deixou claro, apesar da possibilidade de que a marinha nipônica tentasse tomar as propriedades e apesar do fato de que o governo americano talvez não tentasse proteger os interesses americanos nas Índias Orientais Holandesas devido a apelos nos Estados Unidos contra "a luta pela Standard Oil".[9]

O avanço nipônico e as restrições americanas – O primeiro *round*

Cada vez mais preocupado com um corte de petróleo e outros produtos vindos dos Estados Unidos, Tóquio instituiu uma política para prover autossuficiência industrial e tentar eliminar a dependência econômica dos Estados Unidos. O povo japonês, até mesmo as crianças, foi bombardeado com propaganda sobre o engajamento das potências "ABCD", como eram chamadas — América, Grã-Bretanha (Britain), China e Holanda (Dutch) — em uma conspiração para negar recursos e estrangular o império. A posição do Japão, entretanto, pareceu fortalecida depois da deflagração da guerra na Europa em setembro de 1939, e ainda mais depois de maio e junho de 1940, quando os alemães varreram a Bélgica, a Holanda e a França, ignorando qualquer resistência. Os japoneses continuaram seu avanço China adentro e, de repente, com as potências coloniais invadidas, com exceção da Grã-Bretanha, todo o Extremo Oriente parecia realmente vulnerável. Para realçar essa ameaça, os japoneses fizeram abruptamente maiores exigências de fornecimento de petróleo proveniente das Índias Orientais, agora sob o domínio do governo holandês exilado em Londres. Receosa de que uma Grã-Bretanha cercada pudesse retirar suas próprias forças militares do Extremo Oriente, Washington tomou uma decisão fatal; transferiu a frota americana de sua base no sul da Califórnia para Pearl Harbor na ilha de Oahu, no Havaí. Visto que a armada já estava naquela época em manobras perto do Havaí, a transferência foi executada com um mínimo de alarde. Um dos objetivos era fortalecer a decisão britânica. "O outro o de intimidar Tóquio."

O verão de 1940 foi de grande reviravolta. Em junho, o Japão tomou o caminho do sul. Solicitou ao novo governo colaboracionista da França que aprovasse o envio de uma missão militar para a Indochina Francesa; exigiu que as Índias Orientais garantissem materiais bélicos; e ameaçou a Grã-Bretanha com uma guerra se ela não retirasse suas tropas de Shangai e fechasse a rota de abastecimento de Burmah, para a China. Naquele mesmo mês, Roosevelt trouxe Henry Stimson para o Gabinete como secretário da Guerra. Stimson há muito criticava as exportações americanas para o Japão e deu solução ao que considerava insuficiente na política dos EUA. Em 2 de julho de 1940, Roosevelt assina o National Defense Act (Ato de Defesa Nacional), aprovado às pressas depois da invasão nazista da Europa Ocidental. A Seção VI dava ao presidente o poder de controlar as exportações. Aquela seria a alavanca capaz de regular o fornecimento de petróleo ao Japão.

Em Tóquio, líderes que queriam evitar um confronto com as potências ocidentais estavam perdendo espaço rapidamente. Uma parte da polícia secreta organizou um plano para matar os que apoiavam um acordo com a Grã-Bretanha e os Estados Unidos. Os alvos incluíam o primeiro-ministro. O plano foi abortado em julho, mas a mensagem era clara. Naquele mesmo mês, o Gabinete nipônico foi reconstituído sob o comando do novo primeiro-ministro, príncipe Konoye. O general de campo Hideki Tojo — conhecido como "*Kamissori*", o "Navalha" — tornou-se ministro da Guerra. Ele havia sido, anteriormente, chefe do Estado-Maior do exército de Kuantung na Manchúria, que armara a provocação inicial na Estrada de Ferro Sul Manchuriana em 1931.[10]

Na segunda quinzena de julho de 1940, acontecimentos simultâneos em Tóquio e Washington colocaram o Japão e os Estados Unidos cada vez mais em rota de colisão. O petróleo foi a peça-chave. Os japoneses reforçaram seu objetivo de dirigir-se ao Sudeste Asiático. Achavam que isso os ajudaria a ganhar a guerra na China. Para assegurar provisões necessárias, o Japão tentaria conseguir suprimento adicional de petróleo das Índias Orientais Holandesas, de um modo ou de outro. Tentaria conseguir também importar quantidades muito maiores do que as normais de gasolina de aviação dos Estados Unidos, disparando com isso o sinal de alarme em Washington. Em um encontro com conselheiros no dia 19 de julho de 1940, Roosevelt apontou para um mapa do outro lado da sala. Explicou que tinha ficado dias ali observando o mapa e que chegara finalmente "à conclusão que a única saída para as dificuldades do mundo" seria cortar o abastecimento de petróleo aos países agressores, "especialmente com relação a suprimento de combustível destinado ao esforço de guerra". Não houve divergência na discussão que se seguiu sobre essa medida *vis-à-vis* aos agressores europeus. Entretanto, a questão do Japão provocou uma discussão acirrada, sem que se chegasse a um consenso a respeito da eficácia das medidas a serem tomadas.

No dia seguinte, Roosevelt assinou uma legislação autorizando a construção de uma marinha de guerra para os dois oceanos, de forma que os Estados Unidos pudessem enfrentar a ameaça nipônica no Pacífico sem deixar o oceano Atlântico para a Alemanha. Sendo assim, perguntavam alguns, por que fornecer provisões de petróleo para o Japão abastecer a sua marinha? O secretário do Tesouro, Henry Morgenthau, e o secretário da Guerra, Stimson, tentaram propor um decreto que teria significado um embargo total nas exportações de petróleo ao Japão. Mas o Departamento de Estado, ainda temeroso de provocar uma ruptura conseguiu dar uma nova redação ao decreto de forma que a proibição se limitasse apenas à gasolina de aviação de 87 octanas ou mais, bem como a alguns tipos de minério de ferro e retalhos de aço. Isso asseguraria as provisões de gasolina para as forças armadas americanas, visto que os seus aviões usavam gasolina de cem octanas. A proibição, porém, não atrapalhou os japoneses já que seus aviões podiam operar com combustíveis abaixo de 87 octanas. E, se fosse necessário, o combustível poderia ser alterado para uma octanagem mais alta no Japão, simplesmente "adicionando" um pouco de chumbo tetraetílico. Quando a proibição saiu, o Japão comprou 550% a *mais* de gasolina de 86 octanas dos Estados Unidos nos cinco meses seguintes ao decreto de julho de 1940. Apesar das aparências, o embargo não teve eficácia, apenas provocou abuso. Ainda assim, Tóquio foi alertada para o que a aguardava.[11]

Os alinhamentos estavam agora bastante claros. Em 26 de setembro de 1940, respondendo tanto aos avanços japoneses na Indochina quanto a um iminente pacto

349

entre japoneses, alemães e italianos, Washington proibiu toda a exportação de ferro e aço para o Japão — mas não de petróleo. No dia seguinte, o Japão assinou formalmente o Pacto Tripartite com Hitler e Mussolini, ligando-se de modo muito mais firme ao Eixo. "As hostilidades na Europa, na África e na Ásia são partes de um único conflito mundial", disse Roosevelt. Acreditando que a guerra europeia, que ameaçava a própria sobrevivência da Grã-Bretanha, teria primazia, permaneceu comprometido com uma estratégia de "Europa em primeiro lugar". Isso significava administrar com prudência todos os recursos possíveis destinados à Europa. Roosevelt tinha uma razão extra para a cautela: a eleição presidencial estava a um mês. Estava entrando em um terceiro mandato, fato sem precedentes, e não queria arriscar-se a fazer nada nas semanas seguintes que parecesse provocação. O exército e a marinha dos Estados Unidos, preocupados em evitar um confronto com o Japão durante sua própria preparação, uniram suas vozes àquelas que se levantavam contra a imposição de um embargo de petróleo. Enquanto isso, os japoneses tentavam comprar todo o estoque de petróleo que conseguissem, bem como equipamentos de perfuração, tanques de armazenamento desmontados e outros suprimentos. Os britânicos queriam encontrar agora um modo de estancar o escoamento de petróleo. Temiam que se o Japão tivesse montado uma boa reserva, estaria relativamente imune a qualquer sanção econômica. Ainda assim, Roosevelt e Hull opuseram-se a reduzir o escoamento.[12]

Conversações secretas

Haveria algum meio de encontrar um *modus vivendi*, alguma coisa distante da guerra que não deixasse o Japão com o domínio na Ásia? Qual teria sido a falha? Assim questionava-se o secretário de Estado, Hull, repetidas vezes. Num esforço para encontrar uma resposta, ele começou a conversar reservadamente com o novo embaixador japonês, o almirante Kichisaburo Nomura, ex-ministro do Exterior. Os dois se encontrariam à noite, apenas com um par de assistentes cada um, no apartamento de Hull no Wardmam Park Hotel.

Cada qual sintetizava sua respectiva sociedade. Alto, cabelos grisalhos, Cordell Hull era um caipira transformado em estadista. Nascido em uma cabana de tronco de árvores no Tennessee, tornara-se um juiz de tribunal itinerante, um voluntário na guerra hispano-americana e então congressista e senador. Cuidadoso, cauteloso, "dado a examinar minuciosamente uma controvérsia em seus mínimos detalhes", e a seu jeito implacável, havia se devotado desde os tempos de secretário de Estado em 1933 a um único objetivo: derrubar barreiras comerciais a fim de promover uma ordem econômica internacional liberal que também servisse à causa da paz mundial. Agora, em 1941, ele via todo o esforço resultando em nada. Mas ainda não estava disposto a desistir. Estava pronto a explorar e reexplorar muito além da ideia que a maioria das pessoas tem da paciência, todas as frestas nas relações entre EUA e Japão a fim de encontrar uma alternativa para o colapso total e ele iria tentar encontrar tempo.

O almirante Nomura compartilhava do desejo de Hull de evitar um conflito. Político moderado, era amplamente respeitado nos círculos políticos e militares no Japão. Com um 1,80 m de altura, o sério almirante destacava-se entre seus compatriotas. Havia perdido um olho durante um bombardeio em Shangai no ano de 1932. Esse episódio também o deixou manco e com mais de uma centena de fragmentos de metal permanentemente em seu corpo. Durante a I Guerra Mundial, tinha servido com o adido naval em Washington onde pôde conhecer o subsecretário da marinha, Franklin Roosevelt. Quando os dois se encontraram novamente em fevereiro de 1941, na chegada de Nomura a Washington como embaixador, Roosevelt o saudou como "amigo" e insistiu em tratá-lo de "almirante" e não de "embaixador". Nomura sentia-se bem nos Estados Unidos, tinha muitos amigos lá e a maioria certamente não desejava a guerra entre os dois países. Conforme dissera ao chefe das Operações Navais dos Estados Unidos, "seus lábios e seu coração" estavam "divergindo". Ele, porém, era um mensageiro, não um tomador de decisões. Alguns anos mais tarde, tentando explicar como havia se sentido durante os dias tensos de 1941, Nomura respondeu simplesmente: "quando uma mansão desaba, um único pilar não consegue segurá-la".

A partir de março de 1941, Hull e Nomura passaram a encontrar-se muitas vezes, talvez quarenta ou cinquenta vezes ao todo, revendo propostas, buscando qualquer medida que prevenisse um confronto, abrindo com muito custo sendas num solo desencorajador e não promissor. Para falar a verdade, Hull tinha uma sensacional vantagem durante todos esses encontros. Graças à operação quebra-sigilo conhecida como "Magic", os Estados Unidos e a Grã-Bretanha decifraram o "Purple", sistema diplomático nipônico supersecreto. Desse modo, Hull tinha a possibilidade de ler, antes dos encontros com Nomura, as mensagens de Tóquio ao embaixador e, depois, os relatos de Nomura. Hull desempenhava seu papel com habilidade, jamais dando qualquer sinal de que sabia mais do que deveria saber. No início de maio de 1941, os alemães informaram aos japoneses que os Estados Unidos haviam decifrado seus códigos. Tóquio, no entanto, desprezou esse trabalho do serviço secreto germânico; os japoneses simplesmente não acreditavam que os americanos fossem capazes de tal façanha.

Ainda assim, apesar do "Magic", havia muitas coisas que Hull e seus colegas em Washington não sabiam. Entre elas, a preocupação da marinha nipônica de que a frota americana no Havaí, se fosse apanhada em meio a uma invasão às Índias Orientais e à Cingapura, poderia iniciar um perigoso ataque costeiro. Consequentemente, a marinha japonesa começou a delinear um plano assustador e arriscado — um ataque-surpresa a Pearl Harbor.[13]

A aposta de Yamamoto — "Vou morrer, sem dúvida"

Tão logo chegou a primavera em 1940, o almirante Isoroku Yamamoto, comandante em chefe da frota combinada japonesa, começou a planejar sua selvagem, quase insana, aposta. Ele foi o mais controvertido dos almirantes nipônicos, bastante respeitado por sua coragem e liderança, embora tivesse causado ressentimentos em alguns por sua aspereza. Era baixo e robusto; seu rosto e seus modos refletiam força de vontade e determinação. De todo o pessoal ativo na frota combinada, às vésperas da II Guerra Mundial, ele era o único que tinha realmente vivido o combate durante a Guerra Russo-Japonesa quase quarenta anos antes e para prová-lo aí estava sua mão esquerda com dois dedos a menos, perdidos na grande vitória do Japão, na Batalha de Tsushima em 1905.

Nada poderia estar mais de acordo com a visão estratégica de Yamamoto — ou seu amor pelas apostas — do que seu plano para atacar Pearl Harbor. Ainda assim, tal proposta era particularmente surpreendente, partindo dele. Tinha passado mais de quatro anos nos Estados Unidos na década de 1920, primeiro como estudante em Harvard, depois como representante e adido da marinha em Washington. Tinha lido quatro ou cinco biografias de Abraham Lincoln, e recebia e lia atentamente a revista *Life*. Tinha viajado pelos Estados Unidos, conhecia o país e orgulhava-se de seu entendimento com os americanos e reconhecia que os Estados Unidos eram ricos em recursos, enquanto o Japão era pobre, e que a capacidade produtiva da América ultrapassava muito a de seu próprio país.

Com certeza, mesmo quando estava desenvolvendo seu plano para Pearl Harbor, Yamamoto continuava a desmentir por inteiro a ideia de guerra contra os Estados Unidos. Em última análise, pensava, tal batalha seria, na melhor das hipóteses, bastante arriscada e, muito provavelmente, um empreendimento derrotado. Era daqueles oficiais da marinha que se empenhava em obter alguma acomodação com a América e a Grã-Bretanha. Era um crítico feroz dos cidadãos nipônicos e dos comandantes do exército e achava que eles eram parcialmente responsáveis pelas tensões com os Estados Unidos. A queixa sobre a "pressão econômica da América", disse ele em dezembro de 1940, "me faz lembrar de ações impulsivas de um garoto que não tem nenhum motivo mais consistente do que a necessidade imediata ou um capricho passageiro". Ele zombava dos ultranacionalistas e dos xenófobos, com seus "argumentos de salão sobre a guerra" e suas fantasias místicas, com sua limitada compreensão dos verdadeiros custos e sacrifícios que representaria uma guerra.

Além do mais, o fator petróleo exercia uma forte influência na mente de Yamamoto. Ele possuía um profundo conhecimento e sensibilidade sobre a situação do Japão e da marinha com o petróleo. Tinha sido criado em Niigata, uma das regiões responsáveis pela pequena produção doméstica de petróleo, e sua cidade natal de Nagaoka era povoada por centenas de minúsculas fábricas produtoras de óleo para lampião. O tempo passado na América convencera Yamamoto de que o mundo industrial estava mudando do carvão para o petróleo e que o poderio aéreo era o futuro, inclusive para os navios. Com a consciência aguçada para a vulnerabilidade petrolífera do Japão, na qualidade de comandante em chefe das frotas combinadas, ele insistia em restringir a marinha, a terceira maior do mundo, a treinamento apenas em águas próximas do Japão. A razão — economizar petróleo. Ele estava tão preocupado com o problema do petróleo que ele próprio patrocinou as experiências de um "cientista" que afirmava poder transformar a água em petróleo, expondo-se ao vexame perante seus colegas da marinha.[14]

Apesar de todas as suas incertezas, Yamamoto era um nacionalista fervoroso no fundo de seu ser, devotado ao imperador e ao seu país. Acreditava que os japoneses eram um povo escolhido e que tinham uma missão especial na Ásia. Ele deveria cumprir seu dever. "Está fora de cogitação!" exclamou. "Lutar contra os Estados Unidos é como lutar contra o mundo inteiro. Se já foi decidido, farei o melhor que puder. Vou morrer, com certeza."

Yamamoto acreditava que se o Japão tivesse que entrar na guerra, deveria ir para o "choque decisivo" e procurar abater os Estados Unidos e desequilibrá-lo, incapacitá-lo, enquanto assegurava sua posição no Sudeste Asiático. Por isso um ataque surpresa a Pearl Harbor. "A lição que me impressionava mais profundamente quando eu analisava a Guerra Russo-Japonesa era o fato de que nossa marinha desencadeou um ataque noturno contra Port Arthur logo no início", disse Yamamoto no ano de 1941. "Esta foi a iniciativa estratégica mais genial jamais imaginada durante a guerra." O mais lamentável, acrescentou, foi "que nós não estávamos em condições de levar o ataque adiante". Seu plano para o ataque sobre Pearl Harbor — "no início da guerra para desferir um golpe fatal na armada inimiga" — foi resolvido entre fins de 1940 e princípio de 1941. O objetivo de Yamamoto não era apenas "decidir o destino da guerra logo no primeiro dia", arrasando as tropas americanas no Pacífico, mas também destruir o ânimo do povo americano.

Os requisitos para o sucesso da Operação Havaí, como foi chamada, foram muitos: sigilo; serviço secreto de primeira linha; coordenação primorosa; habilidades tecnológicas avançadas; diversas inovações tecnológicas, incluindo desenvolvimento de novos torpedeiros aéreos e de novas técnicas de reabastecimento no mar; absoluta devoção à causa; e a cooperação das condições meteorológicas e das ondas marítimas. Mesmo assim, no início de 1941, apesar do sigilo, o embaixador Grew, dos Estados Unidos, ouviu do ministro do Peru, em Tóquio, rumores de que o Japão tencionava atacar Pearl Harbor. Grew reportou o fato a Washington, que foi imediatamente desconsiderado. Os oficiais americanos simplesmente não podiam crer que uma investida tão audaciosa fosse mesmo possível naquele momento ou nos meses seguintes. Além disso, oficiais da marinha e funcionários do Governo ficaram surpresos que um embaixador do calibre de Grew pudesse levar a sério uma história tão ridícula.[15]

Embargo

De abril a junho de 1941, as discussões continuaram acaloradas no âmbito do governo norte-americano, sobre cortar ou não as exportações de petróleo para o Japão e congelar os bens japoneses na América — cuja maior parte era utilizada para comprar petróleo. As potências do Eixo e a América estavam caminhando rumo a um confronto direto. No dia 27 de maio de 1941, o presidente Roosevelt declarou "emergência nacional por tempo indeterminado". Seu objetivo, nas palavras de um de seus conselheiros, era "assustar todo mundo", sobre o real perigo do avanço do Eixo para a dominação do mundo. Logo a seguir, mas agindo com autoridade própria, Harold Ickes, recém-nomeado coordenador do Petróleo, proibiu carregamentos de petróleo ao Japão pela Costa Leste. Os estoques de petróleo estavam reduzindo no leste dos Estados Unidos — principalmente devido às dificuldades de transporte — e a oposição popular à exportação de petróleo proveniente da Costa Leste, especialmente para o Japão, crescia rapidamente. A ordem, entretanto, não se referia ao Golfo Pérsico ou à Costa Oeste. Ao mesmo tempo, Ickes estava tentando promover um embargo geral em todas as exportações de petróleo para o Japão.

Um irado presidente revogou a ordem de Ickes, o que provocou uma troca de palavras irritadiça e amarga. "Jamais haverá uma época tão favorável para suspendermos o carregamento de petróleo para o Japão como agora", argumentou Ickes. "O Japão está tão preocupado com os acontecimentos na Rússia e com o que pode acontecer na Sibéria que não se arriscará a um avanço hostil contra as Índias Orientais Holandesas. Embargar o petróleo para o Japão seria o gesto nacional mais popular que você poderia promover."

"Tenho suas recomendações de 23 de junho, ordenando a suspensão imediata do carregamento de petróleo para o Japão. Roosevelt responde sarcasticamente: "Por favor avise-me se estas recomendações continuam a ter validade para você e se elas servem para fazer pender o fiel da balança e provocar a decisão do Japão de atacar a Rússia ou as Índias Orientais Holandesas". Ele, também, deu uma pequena e dura lição constitucional, contando a Ickes que a questão das exportações nipônicas eram "não uma questão de preservação do petróleo, mas de política exterior, uma área originalmente confiada ao presidente e abaixo dele ao secretário de Estado".

Queixando-se do "tom não amigável das cartas que tenho recebido de você recentemente", Ickes, como era seu costume, apresentou demissão — como coordenador do petróleo, embora não como secretário do Interior. Mas Roosevelt, como havia feito muitas vezes, recusou-se a aceitá-la. "Lá vem você novamente!", escreveu o presidente no dia 1º de julho de 1941. "Não há nada hostil da minha parte, e acho que o calor foi a causa dessa sua impressão." E, então, à guisa de maiores explicações Roosevelt concluiu: "Os japoneses estão travando uma luta realmente arrasadora entre si mesmos (...) tentando resolver qual o caminho a tomar". E acrescentou: "Como você sabe, é extremamente importante para o controle do Atlântico que consigamos manter a paz no Pacífico. Eu simplesmente não possuo marinha suficiente para ir de um lado a outro e qualquer pequeno episódio no Pacífico significa menos navios no Atlântico".[16]

A "luta arrasadora" a que se referia Roosevelt fora precipitada pelo ataque de surpresa da Alemanha à União Soviética em junho de 1941, que forçou Tóquio a uma importante escolha estratégica: continuar em seu curso rumo ao sul ou tirar vantagem do sucesso de Hitler, aderindo ao ataque à Rússia pelo leste e apropriar-se de parte da Sibéria. Entre o dia 25 de junho e 2 de julho de 1941, os oficiais superiores em Tóquio atracaram-se e discutiram acaloradamente sobre a escolha. Finalmente, tomaram a decisão fatal, eles iriam adiar qualquer iniciativa na União Soviética e concentrar-se na estratégia sulista e, em especial, tentar garantir o controle de toda a Indochina, considerada necessária para chegar às Índias Orientais. E assim agiram, reconhecendo que a ocupação da Indochina pelo sul poderia provocar um embargo total do petróleo americano, "um caso de vida ou morte para o império", de acordo com o Estado-Maior da marinha. Mas o Japão também estava decidido; não se deixaria deter pela ameaça de guerra com a Grã-Bretanha e os Estados Unidos.

Pela interceptação do "Magic" dos códigos secretos japoneses, Washington sabia do sério debate e, pelo menos até certo ponto, de seu resultado. "Após a ocupação da Indochina Francesa-China", dizia uma mensagem interceptada, "as próximas, conforme nosso cronograma, são as Índias Orientais Holandesas". Durante a reunião no gabinete de Roosevelt, no dia 18 de julho, foi informado que os japoneses avançariam para o sul da Indochina, quase com certeza, nos próximos dias.

"Eu gostaria de fazer-lhe uma pergunta, que você pode querer responder ou não", disse Morgenthau, secretário do Tesouro, ao presidente. "Qual será sua atitude contra o Japão na área econômica se ele fizer esse movimento?"

"Se nós suspendermos todo o petróleo", respondeu Roosevelt, "os japoneses simplesmente rumarão para as Índias Orientais Holandesas e isto significa guerra no Pacífico."

Fez menção, porém, que, se o Japão avançasse, ele manteria uma outra forma de sanção econômica; o congelamento dos bens financeiros disponíveis dos japoneses nos Estados Unidos, que pudessem restringir a sua capacidade de comprar petróleo. Mesmo assim, Hull, doente e desanimado, ligou de uma casa de saúde onde estava descansando, para defender controles de exportação mais drásticos — embora "longe de envolver-se na guerra com o Japão".

A Grã-Bretanha, com as costas na parede na Europa, registrou sua preocupação de que um embargo total pudesse levar o Japão a acelerar seu avanço rumo ao sul; e os britânicos estavam longe da certeza de Washington estar preparado para as possíveis consequências, inclusive de uma guerra. Mas, em Washington, apenas o exército e a marinha, concentrados no Atlântico e na Europa e interessados em ganhar tempo para sua preparação, ainda estavam relutantes em impor novas restrições.

No dia 24 de julho de 1941, o rádio noticiou que navios de guerra japoneses estavam ao largo da baía de Camranh e que doze navios-transporte de tropas estavam a caminho do sul, vindos da ilha de Hainan sob controle nipônico, para ocupar o sul da Indochina. Naquela mesma tarde, Roosevelt recebeu o embaixador Nomura e sugeriu uma neutralidade da Indochina. Ele disse que mantivera as exportações de petróleo, a despeito das "críticas severas" para não dar aos japoneses pretextos para atacar as Índias Orientais — um ataque que teria como resultado definitivo um conflito direto com os Estados Unidos. Também sugeriu claramente que, "com este avanço do Japão na Indochina", ele talvez não pudesse continuar resistindo à pressão política interna de restrição às exportações de petróleo ao Japão.

Essa mudança já estava prestes a acontecer. O próprio Roosevelt não queria impor um embargo total. Ele queria manter os controles, mas para ajustá-los como instrumentos flexíveis do "dia a dia" que pudessem se adaptar às circunstâncias específicas, conforme declarou. Seu objetivo era gerar o máximo de incerteza para o Japão, mas não queria empurrá-lo para o precipício. Achava que poderia utilizar o petróleo como instrumento a favor da diplomacia, não como um estopim para a guerra. Não queria, como declarou ao embaixador britânico, travar duas guerras de uma só vez. O subsecretário de Estado, Summer Welles, propôs um programa que se ajustava aos objetivos do presidente; o programa iria manter as exportações de petróleo aos níveis de 1935-1936, mas proibiria a exportação de qualquer tipo de petróleo ou seus derivados que pudessem ser transformados em gasolina para a aviação. Seriam exigidas autorizações para todas as exportações de petróleo. Na noite do dia 25 de julho, o governo americano ordenou o congelamento de todas as operações financeiras do Japão nos Estados Unidos. As autorizações — isto é, aprovação do governo — deveriam ser requisitadas para qualquer utilização dos bens congelados, incluindo a compra de petróleo. No dia 28 de julho, o Japão iniciou a esperada invasão do sul da Indochina, dando assim mais um passo em direção à guerra.

A nova política americana não previa o corte total do petróleo, pelo menos não de modo explícito, mas um embargo total real foi o verdadeiro resultado. Papel-chave foi desempenhado por Dean Acheson, subsecretário de Estado para Assuntos Econômicos, e um dos poucos altos funcionários do Departamento de Estado a ver com bons olhos um embargo total. Ele transformou a ordem de 25 de julho em embargo, em reunião com o Departamento do Tesouro, proibindo completamente a liberação dos bens congelados, necessários para os japoneses comprarem petróleo. "Se tivemos ou não um plano de ação, temos assunto de Estado", Acheson declarou posteriormente. "Até segunda ordem, a proibição vai continuar." A partir do início de agosto, cessou a exportação de petróleo ao Japão proveniente dos Estados Unidos. Dois petroleiros nipônicos ficaram fundeados na ilha de São Pedro perto de Los Angeles, vazios, à espera do carregamento que já tinha sido adquirido.[17]

"Devemos agir como os Estados Unidos, drasticamente", disse Anthony Eden, secretário britânico do Exterior. Mas tanto o governo britânico quanto o governo holandês exilado estavam um tanto equivocados com o que era exatamente a política americana. Ainda assim, a Grã-Bretanha prosseguiu com seu próprio congelamento e embargo, interrompendo suprimentos de Bornéu, como fizeram as Índias Orientais Holandesas.

Ao final de julho de 1941, o Japão tinha assegurado a ocupação do sul da Indochina. "Hoje eu percebi pela expressão dura de suas faces que eles não estão brincando", reportou o embaixador Nomura ao Ministério do Exterior de Tóquio, no dia 31 de julho, depois de um encontro com os funcionários americanos. "Preciso chamar a atenção dos cavalheiros que, em minha opinião, é preciso tomar algumas medidas de conciliação, sem um só momento de hesitação." O Ministério do Exterior recusou sarcasticamente as considerações do embaixador. Com a investida do Japão na Indochina e o consequente congelamento dos bens nipônicos — que na prática significava um embargo sobre o petróleo — iniciara-se a contagem regressiva. Conforme disse Nomura posteriormente a Hull: "A investida nipônica no sul da Indochina em fins de julho tinha 'precipitado' as medidas de congelamento, que por sua vez significaram um embargo *de facto*, provocando no Japão um aumento de tensão".

Mas o embargo, por si só, não gerou um confronto iminente. Ele foi, na realidade, a única saída para os Estados Unidos — e para a Grã-Bretanha e a Holanda — responderem à agressão japonesa sem que houvesse ação militar. Com a investida nipônica no Sudeste Asiático e com a devastação nazista na União Soviética, os Estados Unidos enfrentavam uma horrível perspectiva — a dominação da Europa e da Ásia pelas potências do Eixo, permanecendo os Estados Unidos como a derradeira ilha intacta entre dois oceanos inseguros. O presidente procurou lançar mão da alavanca do petróleo. Para os japoneses, entretanto, foi o elo final no "cerco" formado pelas potências hostis. Tóquio recusava-se a reconhecer que estava criando uma profecia autorrealizável. O embargo era o resultado de quatro anos de agressão militar nipônica na Ásia. Tóquio havia se colocado num beco sem saída: de acordo com seus próprios cálculos, o único petróleo disponível com segurança era o que tinham em seus próprios estoques. Não havia outras fontes ao alcance de onde pudessem extraí-lo para suprir a falta de abastecimento americano e das Índias Orientais. Se fosse para manter e assegurar sua capacidade de guerra, então seria inevitável arriscar — ou desencadear — a guerra.[18]

"Não podemos suportá-la"

Os comandantes da marinha japonesa tinham sido, anteriormente, muito mais cautelosos do que os do exército a respeito do confronto com os Estados Unidos. Não era mais o caso, levando-se em conta o completo embargo que sofreram. Como declarou posteriormente um importante almirante japonês: "Se não houvesse suprimento de petróleo, encouraçados e quaisquer outros navios de guerra não teriam passado de espantalhos". O almirante Osami Nagano, chefe do Estado-Maior da marinha, enfatizou ao imperador que as reservas de petróleo nipônicas não iriam durar mais que dois anos sem reabastecimento.

O novo ministro japonês do Exterior, Toyoda, expressou a paranoia dos políticos nipônicos, em mensagens secretas que enviou aos embaixadores em Berlim e Washington: "As relações comerciais e econômicas entre o Japão e os outros países liderados pela Inglaterra e pelos Estados Unidos estão tornando-se tão horrivelmente constrangedoras que não podemos suportá-las por muito tempo", escreveu em 31 de julho de 1941. "Nosso Império, por consequência, a fim de salvar sua própria pele, precisa tomar medidas para assegurar matéria-prima nos mares do sul. Nosso Império precisa, imediatamente, tomar medidas para desfazer o cerco cada vez mais forte que está sendo organizado sob orientação e participação da Inglaterra e dos Estados Unidos, agindo tal qual um dragão astuto, aparentemente adormecido."

Quão diferente parece ser tudo isso para Cordell Hull. Doente e cansado, Hull tinha ido para White Sulphur Springs para tratar-se. "Os japoneses estão tentando dominar, militarmente, praticamente a metade do mundo (...) Nada irá detê-los a não ser a força", disse ao subsecretário de Estado, Welles, ao telefone. Ainda assim procurava adiar o que naquele momento parecia inevitável. "O essencial é saber por quanto tempo poderemos controlar a situação até que a questão militar na Europa se defina."

O embaixador Grew, em Tóquio, via a situação toda com bastante clareza. "O círculo vicioso das retaliações e contrarretaliações é uno", escreveu em seu diário. "*Facilis descensus Averno est*. A menos que surpresas radicais ocorram no mundo, é difícil enxergar de que modo o impulso deste movimento descendente pode ser revertido, ou até onde ele pode chegar. A conclusão óbvia é uma guerra." A essa altura, possantes escavadeiras já estavam cavando abrigos ao redor do perímetro do Palácio Imperial em Tóquio.[19]

Houve esforços diplomáticos de última hora de ambas as partes para protelar o confronto. Com alguma ajuda da marinha, o primeiro-ministro, príncipe Konoye, levantou a possibilidade de uma reunião de cúpula com Roosevelt. Talvez ele pudesse fazer um apelo diretamente ao presidente americano. Konoye estava mesmo disposto a tentar desfazer a aliança do Eixo com Hitler a fim de conseguir um entendimento com os americanos. Funcionários do palácio, preocupados, endossavam a ideia de Konoye. "Todo o problema enfrentado pelo Japão fora reduzido a um fator bem simples, que era o petróleo", revelou Koichi Kido, o secretário particular do imperador, confidencialmente ao primeiro-ministro, acrescentando: "o Japão não poderia travar uma guerra com alguma chance de vitória com os Estados Unidos".

O próprio imperador abençoou a ideia de Konoye. "Recebi do serviço secreto da marinha um comunicado relativo a um embargo americano geral de petróleo contra o Japão", contou o imperador ao príncipe Konoye. "Em vista disso, a reunião com o presidente deve acontecer o mais rápido possível." Konoye sugeriu que Roosevelt e ele se encontrassem em Honolulu. A princípio, o presidente ficou interessado na ideia — é claro, respondendo que ele e Konoye deveriam encontrar-se em Juneau, no Alasca, em vez de Honolulu. Mas Hull e o Departamento de Estado opuseram-se radicalmente a essa violação no procedimento diplomático. Os americanos não entenderam que esta era a última cartada de Konoye para evitar a calamidade; eles já não tinham mais razões para acreditar no Japão. Também não achavam que Konoye tivesse algo de novo para oferecer. Além do mais, Roosevelt não queria se arriscar a parecer um apaziguador; não queria que "Juneau" entrasse para o vocabulário junto com "Munique". Nenhum bom objetivo poderia ser examinado no encontro com Konoye sem um acordo razoável, mais ou menos firmado antecipadamente; Roosevelt estava lendo as interceptações do "Magic", que indicavam intenções japonesas de outras conquistas. Roosevelt, com seu talento para a ambiguidade, não aceitou nem rejeitou o encontro.[20]

"Diminuindo dia após dia"

Em Tóquio, nos dias 5 e 6 de setembro, os mais altos funcionários japoneses encontram-se com o imperador e submetem-se à formalidade de solicitar permissão para adotar uma postura de guerra, mesmo quando as alternativas diplomáticas ainda estivessem sendo exploradas. Mais uma vez, o acesso ao petróleo era sua preocupação central. "No momento, o petróleo é o ponto fraco da potência e da capacidade de combate de nosso Império", diziam seus relatos. "À medida que o tempo passa, nossa capacidade de levar a guerra adiante tende a declinar e nosso Império se tornará militarmente impotente." O tempo estava se esgotando, reiteravam os líderes militares ao imperador. "Suprimentos militares vitais, inclusive o petróleo, estão diminuindo dia após dia", disse o chefe do Estado-Maior da marinha.

"Quanto tempo durariam as hostilidades no caso de ocorrer uma guerra nipo--americana?", perguntou o imperador ao chefe do Estado-Maior do exército.

"As operações no sul do Pacífico seriam liquidadas em aproximadamente três meses", respondeu o chefe de Estado-Maior.

"O general tinha sido ministro da guerra na época da deflagração do Incidente da China, e... informara então ao Trono que o incidente estaria liquidado em um mês", retrucou o imperador rapidamente. "A despeito do general assegurar, o incidente, depois de quatro longos anos de luta, ainda não estava concluído."

O general tentou explicar que "a vasta área desabitada da China impediu a consumação das operações de acordo com o plano programado".

"Se a área desabitada da China era vasta", o imperador retrucou elevando a voz, "o Pacífico era infinito", como poderia o general "ter certeza de seu cálculo de três meses?"

O chefe de Estado curvou a cabeça, sem responder.

O chefe de Estado-Maior da marinha, almirante Nagano, interferiu em auxílio ao general. "O Japão era como um paciente sofrendo de uma doença séria", disse ele. "Uma decisão rápida tinha que ser tomada, de um modo ou de outro." O imperador tentou verificar se os conselheiros estavam primeiramente a favor da diplomacia ou da guerra. Ele não conseguiu obter uma resposta clara.

No dia seguinte, quando a mesma pergunta foi feita novamente, os chefes do Estado-Maior da marinha e da guerra permaneceram em silêncio. O imperador lamentou que eles não pudessem responder. Retirou um pedaço de papel do bolso de sua túnica e leu um poema de seu avô, imperador Meiji:

Se todos são irmãos neste mundo,
Por que há constantes tumultos?

A sala estava silenciosa. "Todos os presentes foram tocados por um temor respeitoso." O almirante Nagano levantou-se e disse que a força militar seria utilizada somente quando tudo mais tivesse falhado. A reunião foi suspensa "em clima de tensão sem precedentes".

O inverno que se aproximava colocou um limite operacional no tempo que ainda restava. Se os militares tinham de avançar antes da primavera de 1942, teriam de fazê-lo já no início de dezembro. Mesmo assim, o príncipe Konoye continuava a ter esperanças de poder encontrar alguma alternativa não bélica. Após a conferência com o Trono, no dia 6 de setembro, o Gabinete começou a estudar a questão do aumento e da rapidez na produção de petróleo sintético. Era melhor gastar grandes quantias num programa desses do que em guerra, disse Konoye, com todas as suas incertezas. Mas o diretor do Conselho de Planejamento disse que essa seria uma tarefa imensa — que levaria mais de quatro anos, custaria bilhões de ienes e uma grande quantidade de aço, tubos e maquinários. Uma enorme massa de peritos em engenharia e mais de quatrocentos mil trabalhadores das minas de carvão também seriam necessários. A proposta de Konoye foi posta de lado. No fim de setembro, quatro homens armados com adagas e pequenas espadas lançaram-se sobre o carro de Konoye com o objetivo de assassiná-lo. Eles foram rechaçados mas o primeiro-ministro ficou terrivelmente abalado.

No dia 2 de outubro, os Estados Unidos rejeitaram oficialmente um encontro entre Konoye e Roosevelt. Pouco tempo depois, incapaz de exibir uma alternativa digna de crédito para a guerra, Konoye perdeu seu cargo. Foi substituído no dia 18 de outubro por Hideki Tojo, o belicoso ministro da Guerra, que descartava coerentemente a diplomacia, como algo inútil e opusera-se a qualquer acordo com os Estados Unidos. De volta a Washington, o embaixador Nomura, desanimado, descreveu a si próprio como "os ossos de um cavalo morto". Com o impasse na diplomacia, o próprio Roosevelt caiu nas garras do fatalismo que havia tomado conta de Tóquio e Washington. Ainda assim, declarou a Nomura que entre seus dois países não haviam sido dadas "as últimas palavras".

Os dois petroleiros japoneses continuavam fundeados no porto perto de Los Angeles desde a metade do verão, aguardando o carregamento do petróleo adquirido. Na primeira quinzena de novembro, finalmente, levantaram âncora e partiram, sem o petróleo. Agora ninguém mais duvidava do poder absoluto do embargo. À beira do inverno em Tóquio, as autoridades nipônicas revidaram cortando todo suprimento de combustível para calefação nas embaixadas americana e britânica.

Durante os meses de outubro e novembro, o alto comando militar e os líderes políticos do Japão, reunindo-se com frequência na pequena sala do Palácio Imperial, continuavam a debater o comprometimento final com a guerra. Frequentemente, a discussão girava em torno do petróleo. As importações haviam caído drasticamente em 1941. As reservas também estavam declinando. "Pelos registros disponíveis, está claro que o fator petróleo-tempo pairou sobre a mesa da conferência como um demônio", escreveu mais tarde um historiador. "A decisão pela guerra foi considerada o modo mais acessível de exorcizá-lo."[21]

No dia 5 de novembro, uma Conferência Imperial dos mais importantes líderes reuniu-se na presença do imperador. Ele próprio permaneceu calado durante os debates como era costume na maioria das vezes. O navalha-primeiro-ministro Tojo resumiu a posição majoritária. "Os Estados Unidos acreditavam desde o princípio que o Japão desistiria devido à pressão econômica", declarou ele, mas ficou provado que estavam enganados. "Se entrarmos atrasados em uma guerra haverá dificuldades", disse. "Temos um certo desconforto em relação a uma guerra retardada. Mas como podemos permitir que os Estados Unidos continuem a agir como mais lhes convêm, mesmo existindo esse desconforto? Daqui a dois anos não teremos mais petróleo para uso militar. Os navios ficarão parados. Quando eu penso no reforço das defesas americanas ao sudoeste do Pacífico, na expansão das tropas americanas no infindável Incidente da China e assim por diante, não vejo fim para as dificuldades... Pressinto que nos tornaremos uma nação de terceira classe daqui a dois ou três anos se mantivermos nossas opiniões."

A proposta apresentada antes da conferência optava pela apresentação de exigências inflexíveis aos Estados Unidos até que se esgotassem os últimos recursos. Se fossem rejeitadas, o Japão declararia guerra. "Vocês têm mais algum comentário a fazer?", Tojo perguntou ao grupo. Como não foram feitas objeções, ele considerou a proposta aprovada.

Um diplomata japonês chegou a Washington na terceira semana de novembro para apresentar a lista de exigências. Para o secretário de Estado Hull, aquilo parecia um ultimato. Houve mais um acontecimento de origem nipônica em Washington naquela semana: uma mensagem interceptada pelo "Magic", em 22 de novembro, informou Nomura que a concordância às últimas propostas de Tóquio tinham de ser recebidas o mais tardar até o dia 29 de novembro, por "razões além de sua capacidade de avaliação". Porque "depois disso, as coisas acontecerão automaticamente".

No dia 25 de novembro, Roosevelt preveniu seus conselheiros militares que a guerra poderia eclodir em breve, até mesmo naquela semana. No dia seguinte, Hull apresentou uma nota aos japoneses, propondo que as tropas japonesas fossem retiradas da Indochina e China em troca de um reatamento do comércio americano com o Japão. Tóquio preferiu considerar essa proposta como um ultimato americano. Nesse mesmo dia, 26 de novembro, uma força-tarefa naval japonesa que estava reunida nas Ilhas Kurilas recebeu ordens para zarpar, em silêncio. Seu destino era o Havaí.[22]

Embora os americanos não tivessem conhecimento daquela frota específica, o secretário da Guerra, Stimson, fez chegar a Roosevelt um relato do serviço secreto indicando que uma grande força expedicionária japonesa estava avançando para o sul, vinda de Shangai, em direção ao Sudeste Asiático. "Saltou da cadeira completamente furioso, para dizer que nunca tinha visto aquilo", comentou Stimson, "e que aquilo mudava toda a situação porque era uma evidência de má-fé da parte dos japoneses, pois enquanto estavam negociando uma trégua total — com a completa retirada das tropas — eles estavam enviando a expedição". Com isso, o presidente chegou a uma resposta definitiva para a questão que havia colocado em seu artigo há quase duas décadas. O Japão não podia ser confiável. No dia seguinte, 27 de novembro, Hull contou a Stimson que tinha suspendido completamente as negociações com o Japão. "Eu lavo minhas mãos", disse o secretário de Estado. Está tudo nas mãos do exército e da marinha. Naquele mesmo dia, Washington emitiu um "alerta final" aos comandantes americanos no Pacífico, incluindo o almirante Husband Kimmel, comandante da Frota do Pacífico fundeada no Havaí. A mensagem a Kimmel começou: "Este despacho é para ser considerado como um aviso de guerra".

Até o finzinho, houve aqueles em Tóquio que conseguiram ver somente desastres pela frente. No dia 29 de novembro, Hull, encontrou-se com o Gabinete e com o imperador para pleitear do Japão alguma solução diplomática com uma alternativa melhor do que enfrentar o poderio da América. Em resposta, o primeiro-ministro Tojo respondeu que continuar com as relações econômicas cortadas significaria um enfraquecimento progressivo do Japão. Os líderes japoneses, em todos os seus estudos, todas as suas discussões, reconheceram que uma guerra longa iria favorecer cada vez mais os Estados Unidos devido aos seus recursos, capacidade e resistência, mas os militares estavam tão fortemente arraigados em seu próprio êxtase que os que estavam comprometidos com a guerra simplesmente rejeitavam essas considerações. A guerra estava seguindo rápido sua trajetória.[23]

Pearl Harbor

No dia 1º de dezembro, uma força-tarefa japonesa especial, ainda não detectada, cruzou a linha imaginária do meridiano Leste-Oeste 180º (International Date Line). "Está tudo decidido", escreveu um comandante de voo de um dos navios nipônicos em seu diário no dia 2 de dezembro. "Não existe aqui ou acolá, nem pesar nem júbilo." Tóquio ordenou que suas embaixadas e consulados destruíssem códigos. Um oficial militar americano, enviado para fazer um reconhecimento na embaixada japonesa em Washington, encontrou papéis queimados nos fundos da embaixada.

No sábado, 6 de dezembro, Roosevelt decidiu enviar uma nota pessoal diretamente ao imperador, buscando dissipar "as nuvens negras" que tenham se formado de modo tão sinistro. A mensagem não havia sido enviada até as 9 horas daquela noite. Logo depois de transmiti-la, Roosevelt disse a alguns visitantes: "Este filho do homem acaba de enviar uma mensagem final ao filho de Deus".

Às 12h30 do dia 7 de dezembro, hora de Washington, Roosevelt recebeu o embaixador chinês. O presidente disse que esperava "jogo sujo" na Ásia. Tinha um pressentimento, acrescentou, de que os japoneses poderiam fazer alguma coisa "asquerosa" dentro de 48 horas. Às 13 horas, hora de Washington, ele ainda estava conversando com o embaixador chinês. Nesse mesmo instante — três horas da manhã do dia 8 de dezembro em Tóquio — a mensagem de Roosevelt era finalmente entregue pessoalmente ao embaixador. No meio do Pacífico, eram as primeiras horas da manhã do dia 7, e a frota japonesa estava se aproximando das Ilhas Havaianas. No topo do mastro, acima da bandeira do navio estava a bandeira que se agitara na batalha naval nipônica de 1905 quando a frota destruiu a marinha russa no Estreito de Tsushima. Aviões deixavam os *decks* dos porta-aviões. A sua tripulação fora informada que iria destruir a capacidade dos Estados Unidos em ludibriar o Japão, longe de seu torrão natal.

As bombas começaram a cair sobre a frota americana às 7h55, hora do Havaí.

Uma hora após ter iniciado o ataque a Pearl Harbor, o embaixador Nomura, acompanhado de outro diplomata japonês, chegou ao Departamento de Estado. Permaneceram em uma sala de espera, enquanto Hull recebia um chamado urgente do presidente.

"Há notícias de que os japoneses atacaram Pearl Harbor", disse Roosevelt com uma voz calma mas entrecortada.

"As notícias foram confirmadas?", perguntou Hull.

"Não", respondeu o presidente.

Ambos achavam que eram provavelmente verdadeiras. Ainda assim, havia uma chance em cem de que não fossem, pensou Hull, e ele tinha trazido os dois diplomatas japoneses para o seu gabinete. Nomura, que soubera do ataque pelo noticiário do rádio, segurava timidamente um longo documento destinado ao secretário de Estado americano. Hull simulou uma leitura das justificativas de Tóquio para suas ações. Não pôde conter sua raiva. "Nestes meus cinquenta anos de serviços públicos, nunca vi um documento tão recheado de falsidades e distorções — infames falsidades e distorções de tão alta escala que nunca imaginei, até hoje, que algum governo deste planeta fosse capaz de expressá-las." De que haviam servido seus muitos meses de conversações secretas em seu apartamento com Nomura? Para Hull, o caipira que se tornara estadista, os dois diplomatas se assemelhavam a "um par de cães caçadores de ovelhas".

Nenhum dos japoneses fizeram comentários posteriores. O encontro estava encerrado, mas ninguém se adiantou para abrir as portas, pois eram agora inimigos. Eles próprios abriram a porta e desceram em um elevador vazio que os esperava e dirigiram-se à rua.[24]

Durante todo aquele dia, as notícias chegavam a Washington direto de Pearl Harbor — desconectadas, fragmentadas e, finalmente, desoladoras. "As notícias vindas do Havaí são muito ruins", Stimson anotou em seu diário ao final daquele longo domingo. "É chocante ver nosso povo lá, que foi avisado há tanto tempo e estava em alerta, ser atingido de surpresa." Como pode ter ocorrido um desastre desses?

Os oficiais superiores americanos estavam certos de um ataque japonês iminente. Mas esperavam que fosse no Sudeste Asiático. Virtualmente ninguém, seja em Washington ou no Havaí, cogitava, ou até mesmo entendia que o Japão pudesse — ou fosse-desencadear um ataque-surpresa contra uma frota americana em sua própria base. Acreditavam, conforme o general Marshall havia dito ao presidente Roosevelt em maio de 1941, que a ilha de Oahu, onde se localizava Pearl Harbor, fosse "a maior fortaleza do mundo". A maioria dos oficiais americanos parecia ter esquecido — ou nunca soubera — que a grande vitória na Guerra Russo-Japonesa havia começado com um ataque-surpresa sobre a frota russa em Port Arthur.

Fundamentalmente cada lado havia subestimado o outro. Assim como os japoneses não pensaram que os americanos fossem tecnicamente capazes de decifrar seus códigos mais secretos, os americanos não poderiam crer que os japoneses pudessem montar uma operação tecnicamente tão complexa. Na verdade, como consequência imediata, alguns dos conselheiros mais importantes de Roosevelt acreditavam que os alemães tivessem orquestrado o ataque; eles presumiram que os japoneses não poderiam ter feito isso tudo sozinhos. E cada lado interpretou mal a psicologia do outro. Os americanos não poderiam acreditar que os japoneses pudessem fazer algo tão audacioso, até mesmo irresponsável. Eles estavam errados. E os japoneses, por sua vez, contavam com Pearl Harbor para estilhaçar o moral dos americanos, quando, ao contrário, o ataque iria reavivar o moral nacional e unificar o país rapidamente. Aquele foi o maior dos erros cometidos.

Depois do ocorrido, é claro, as intenções dos japoneses poderiam ser nitidamente distinguidas na massa de informações disponível para o governo dos Estados Unidos, incluindo o farto tesouro das comunicações secretas que vinham do "Magic", o decifrador dos códigos nipônicos. Mas, durante esses meses tensos que conduziram ao ataque, os sinais evidentes perderam-se no "tumulto" — o labirinto dos complexos, confusos, contraditórios, concorrentes e ambíguos fragmentos de informações. Afinal de contas, houve também muitas indicações de que os japoneses estavam para atacar a União Soviética. A difusão do próprio "Magic" e seu serviço secreto era muitas vezes mal decifrada, em termos críticos. Esta foi uma parte de uma falha maior, o colapso da comunicação criteriosa entre atores-chave no lado americano, que pode ter sido a segunda causa mais importante da tragédia de Pearl Harbor, seguida apenas da falha em acreditar que tal ataque pudesse vir a ocorrer.[25]

O único erro

A espera havia terminado. Japão e Estados Unidos estavam agora em guerra. Mas Pearl Harbor não era o principal alvo japonês. O Havaí não era mais do que uma pequena parcela de um ataque militar furioso de longo alcance. Na mesma hora do ataque contra a frota americana no Pacífico, os japoneses estavam bombardeando e bloqueando Hong Kong, bombardeando Cingapura, as Filipinas, as ilhas de Wake e Guam, invadindo a Tailândia, a Malásia, estavam a caminho de Cingapura e preparando-se para invadir as Índias Orientais. A operação contra Pearl Harbor foi efetuada para proteger os flancos — para salvaguardar a invasão nipônica às Índias e ao restante do Sudeste Asiático, incapacitando a frota americana e, de resto, proteger as rotas marítimas, especialmente as rotas dos petroleiros vindos de Sumatra e Bornéu em direção às ilhas de base. O principal alvo dessa imensa campanha continuava sendo os campos de petróleo das Índias Orientais.

Portanto, a Operação Havaí era essencial para o sonho maior do Japão. E um elemento crucial para seu sucesso — a sorte — esteve ao lado dos japoneses justo até o último instante. Na verdade, os japoneses ultrapassaram muito suas próprias ambições. A extensão da surpresa e a incapacidade das defesas americanas em Pearl Harbor foram muito maiores do que os japoneses haviam previsto. Durante o ataque a Pearl Harbor, duas ondas de aviões de guerra japoneses tiveram êxito em afundar, emborcar, ou avariar seriamente, oito encouraçados, três cruzadores, três destróieres e quatro embarcações auxiliares. Centenas de aviões americanos foram destruídos ou danificados. E 2.335 soldados e 68 civis foram mortos. Isso tudo significou, talvez, o choque mais devastador na história da América. Os porta-aviões americanos sobreviveram somente porque estavam, casualmente, em missão no mar. Os japoneses perderam, no total, apenas 29 aviões. A aposta do general Yamamoto foi generosamente paga.

O próprio Yamamoto poderia muito bem ter tido uma nova chance, mas estava a milhares de quilômetros distante, comandando os acontecimentos direto de sua nau--capitânia, próximo ao Japão. O comandante da força-tarefa havaiana, Chuichi Nagano, era um homem muito mais cauteloso; na verdade, ele havia se oposto a essa operação. Agora, apesar dos pedidos de seus motivados oficiais e para sua grande contrariedade, Nagano não queria enviar aviões de volta ao Havaí para uma terceira onda, a fim de destruir o sistema de manutenção e os tanques de petróleo em Pearl. Sua sorte fora tão fantástica que ele não desejava correr mais riscos. Para a América, isso foi, juntamente com a preservação de seus porta-aviões, o único lance de boa sorte naquele dia devastador.

No decorrer do planejamento da operação, o almirante Yamamoto tinha reparado que o grande erro cometido pelo Japão em seu ataque surpresa aos russos em Port Arthur no ano de 1904, foi o de não ter sido suficientemente completo. O mesmo erro foi uma vez mais cometido em Pearl Harbor. O petróleo fora fundamental para a decisão do Japão de entrar em guerra. Mesmo assim, os japoneses se esqueceram do petróleo — pelo menos em uma dimensão crucial — quando planejaram a Operação Havaí. Yamamoto e seus colegas, que recapitularam infinitas vezes a preponderância americana no petróleo, falharam todos em compreender a importância dos estoques da ilha de Oahu. Um ataque contra aqueles estoques não fora incluído em seus planos.

Foi uma falha estratégica com repercussões enormes. Todo barril de petróleo no Havaí era originário do continente. Se os aviões nipônicos tivessem arrasado com as reservas de combustível da frota do Pacífico e com os tanques de armazenamento em Pearl Harbor, teriam imobilizado cada navio da frota americana e não apenas os que foram destruídos. Novos suprimentos de petróleo só estariam disponíveis na Califórnia, a milhares de quilômetros. "Todo petróleo destinado à frota estava nos tanques na superfície por ocasião do ataque a Pearl Harbor", declarou posteriormente o almirante Chester Nimitz, que se tornou o comandante em chefe da frota do Pacífico. "Nós tínhamos cerca de 4,5 milhões de barris de petróleo no local e todos eles vulneráveis a projéteis de calibre 50. Tivessem os japoneses destruído os estoques", acrescentou, "teriam prolongado a guerra por mais dois anos".[26]

CAPÍTULO XVII

A fórmula alemã para a guerra

UMA TARDE, EM JUNHO DE 1932, UM CARRO ABERTO parou em frente a um hotel de Munique para apanhar dois funcionários da I.G. Farben, o imenso conglomerado químico alemão. Os homens — um químico e um relações públicas — foram levados para o apartamento particular de Adolf Hitler, em Prinzregentenplatz. Hitler ainda não havia chegado ao poder como chanceler da Alemanha, mas era o líder do Partido Nacional Socialista, que possuía quase 20% da bancada no Reichstag e tinha chances de aumentar significativamente esse número nas eleições esperadas para o mês seguinte.

Os homens da I.G. Farben tinham ido ao encontro do futuro *führer* a fim de tentar pôr um fim à contínua campanha da imprensa nazista contra sua companhia. Os nazistas criticavam a I.G. Farben como sendo um instrumento de exploração nas mãos dos "lordes financeiros internacionais" e "dos judeus donos do dinheiro" e atacavam a companhia pelo fato de que judeus ocupavam nela alguns cargos importantes. Chegaram a apelidar a companhia de "Isadore" G. Farben. Os nazistas a criticavam também por dar prosseguimento ao projeto de fabricação de combustíveis líquidos a partir do carvão — também conhecido como combustível sintético — e pela proteção tarifária que havia conseguido do governo. Isso tudo conduzia a um segundo problema. A I.G. Farben tinha assumido um compromisso financeiro para combustíveis sintéticos, mas, em 1932, era óbvio que o projeto jamais poderia ser lucrativo sem uma proteção tarifária governamental contínua, além de outros subsídios. O principal argumento da companhia era que a indústria de combustíveis sintéticos iria acabar com a dependência germânica do petróleo estrangeiro e portanto reduzir a pressão intensa sobre o câmbio externo. Os dois representantes da I.G. Farben esperavam convencer Hitler ao seu ponto de vista.

Hitler chegou atrasado para o encontro, pois tinha acabado de atender um compromisso de campanha eleitoral. A intenção dele era conceder aos dois funcionários apenas meia hora, mas a discussão o absorveu de tal forma que passou duas horas e meia com eles. Hipnotizado pelas suas próprias visões, Hitler tomou conta da conversa, discursando e recitando seus planos de motorizar a Alemanha e de construir novas rodovias. Mas ele fez, também, perguntas técnicas a respeito de combustíveis sintéticos e assegurou aos dois homens que tais combustíveis se ajustavam perfeitamente aos seus planos globais para uma nova Alemanha. "Atualmente", disse, "uma economia sem petróleo é inconcebível em uma Alemanha que deseja permanecer politicamente independente. Portanto, o combustível alemão precisa tornar-se realidade, mesmo que venha a acarretar sacrifícios. Desse modo, é urgente que a hidrogenação do carvão tenha continuidade." Endossou firmemente os esforços a favor do combustível sintético. Prometeu também suspender a campanha de imprensa contra a I.G. Farben e manter a proteção tarifária para os combustíveis sintéticos assim que os nazistas chegassem ao poder. De sua parte, a I.G. Farben prometeu liberar — cedo ou tarde — o que os nazistas queriam: contribuições para a campanha. Quando os funcionários da I.G. Farben relataram suas conversas com Hitler, o presidente da companhia disse, "Ora, esse homem parece ser mais sensato do que eu imaginava."[1]

Hitler tinha bons motivos para parecer sensato. Um programa de combustível bem-sucedido, compreendeu logo, poderia vir a ser muito valioso, talvez essencial, para seus objetivos a favor de uma Alemanha ressurgente e dominante. Um dos principais obstáculos para atingir esse objetivo, ele sabia, era a dependência germânica das matérias-primas importadas — do petróleo, especialmente. A produção interna de petróleo era minúscula se comparada ao volume das importações. Além disso, a maior parte do petróleo importado vinha do Ocidente.

O notável desenvolvimento econômico da Alemanha nos últimos cinquenta anos devia-se em grande parte a sua farta fonte de energia — o carvão. Enquanto no final da década de 1930 o carvão representava apenas a metade dos recursos energéticos nos Estados Unidos, na Alemanha ele correspondia a 90%, e o petróleo a apenas cerca de 5%. Agora, em 1932, Hitler estava fazendo planos para o futuro e o petróleo seria essencial para suas ambições. Ele tornou-se chanceler em janeiro de 1933 e, nos 18 meses que se seguiram, tomou o poder por completo. Lançou imediatamente uma campanha pelo carro a motor que iria rotular de "momento decisivo na história dos transportes". Estradas de pista dupla, rodovias de acesso limitado sem limite de velocidade iriam cruzar o país e em, 1934 iniciou-se o planejamento de um novo tipo de veículo. Ele foi batizado de "carro do povo", o Volkswagen.

Esta porém era apenas uma parte de seu grande plano de submeter toda a Europa ao poder do Reich Nazista — e a ele próprio. Com esse intuito, começou rapidamente a sistematizar a economia, a procurar grandes negócios para o estado e a construir a máquina de guerra nazista — inclusive bombardeiros e aviões de combate, tanques e caminhões, todos movidos a petróleo. Para isso, os combustíveis sintéticos que a I.G. Farben estava desenvolvendo eram de importância decisiva.[2]

A solução química

Trabalhos pioneiros de extração de combustível sintético a partir do carvão na verdade já tinham sido iniciados na Alemanha antes da I Guerra Mundial. O país já havia sido reconhecido, naquela época, como líder mundial no setor químico. Em 1913, o químico alemão Friedrich Bergius foi o primeiro a conseguir extrair um líquido do carvão em um processo que se tornou conhecido como hidrogenação. Grandes quantidades de hidrogênio eram adicionadas ao carvão sob altas temperaturas e alta pressão na presença de um catalisador. O produto final era um combustível líquido de alta qualidade. Em meados da década seguinte, anos 1920, foi desenvolvido o processo alemão concorrente Fischer-Tropsch. Nele as moléculas de carvão eram separadas a vapor, em hidrogênio e monóxido de carbono, que eram, por sua vez, levados à reação conjunta, resultando na produção de petróleo sintético. O processo de hidrogenação de Bergius foi considerado o melhor dos dois. Entre outras coisas ele era capaz de produzir combustível de aviação, o que o outro não era. Além disso a I.G. Farben, que comprou a patente do processo de Bergius em 1926, era politicamente mais poderosa que os patrocinadores de Fischer-Tropsch.

A I.G. Farben ficou interessada nos combustíveis sintéticos nos anos 1920 devido aos mesmos prognósticos de exaustão iminente das reservas mundiais de petróleo convencional, que estavam estimulando a enorme corrida para a exploração do petróleo no mundo. O governo concedeu subsídios pois a demanda crescente de petróleo estrangeiro estava causando uma hemorragia no vital e escasso câmbio externo. Um plano piloto foi instaurado na fábrica I. G. de Leuna, com produção inicial em 1927. No mesmo período, a I.G. Farben estava em plena busca por parceiros potenciais em outros países. Depois que as negociações com um importante grupo químico britânico fracassaram, a I.G. Farben encontrou um parceiro em potencial muito mais importante — a Standard Oil of New Jersey.[3]

Naquela época a Standard estava a meio caminho de sua transformação estratégica, passando de refinaria para companhia unificada de petróleo, com fornecimento próprio de petróleo bruto, tanto nos Estados Unidos quanto no Exterior. A Standard também vinha explorando outras alternativas que não o petróleo bruto como fonte para combustíveis líquidos; no início de 1921, comprara vinte e dois mil acres no Colorado, com a esperança de encontrar um modo comercialmente bem-sucedido de extrair petróleo do xisto. A Standard, porém, ficou insatisfeita com os resultados; a produção de um barril de petróleo sintético extraído do xisto exigia uma tonelada de pedra e o aspecto econômico era extremamente desestimulante.

Frank Howard, o chefe das pesquisas da Standard, visitou a fábrica de Leuna em 1926. Ele ficou tão impressionado que despachou imediatamente um telegrama para o presidente da Standard, Walter Teagle, então em visita a Paris. "Baseado nas informações e nas discussões de hoje, penso que este assunto seja o mais importante que já se apresentou à companhia desde a sua dissolução", dizia Howard em seu telegrama. —

"Isto significa a independência absoluta da Europa na questão de suprimento de gasolina." O próprio Teagle, alarmado com a possibilidade de perder os mercados europeus para o novo petróleo sintético, correu para Leuna. A pesquisa e as facilidades de produção deixaram-no admirado. "Eu não sabia o que significava a pesquisa, até ver aquilo", disse mais tarde. "Somos crianças comparados com o trabalho que vi."

Teagle, Howard e outros executivos da Standard se encontraram imediatamente em um quarto de hotel em Heidelberg, a 16 quilômetros da I.G. Farben. Chegaram à conclusão de que o processo de hidrogenação poderia ser "mais importante do que qualquer fator técnico jamais introduzido na indústria do petróleo até aquele momento", relatou Howard posteriormente. Ali, nos laboratórios da I.G. Farben, residia uma séria ameaça aos negócios da Standard. "Embora a hidrogenação do carvão provavelmente jamais chegue a competir economicamente com o petróleo bruto", disse Howard, "o fator nacionalista fará da hidrogenação a base de uma indústria manufatureira com proteção do Estado em muitos países dispostos a pagarem o preço." Assim, os mercados poderiam ser fechados para a importação de petróleo bruto e produtos refinados; a Standard dificilmente poderia dar-se ao luxo de não se envolver.

Firmou-se então um acordo inicial com a I.G. Farben, que deu autorização à Standard para construir uma fábrica de hidrogenação em Louisiana. Mas, nessa época, a escassez mundial de petróleo começava a se transformar em excesso, e o interesse da companhia americana alterou-se. A hidrogenação também poderia ser utilizada no petróleo bruto, para aumentar a produção de gasolina. Portanto, a nova fábrica em Louisiana iria aplicar o processo experimentalmente não no carvão, mas no petróleo, a fim de extrair mais gasolina de cada barril de petróleo.

Em 1929, as duas companhias firmaram um acordo mais amplo. A Standard teria direito à patente para hidrogenação fora da Alemanha. Em troca, a I.G. Farben receberia 2% das ações da Standard — 546.000 quotas —, avaliadas em 35 milhões de dólares. Cada companhia concordou em ficar de fora da área da atividade principal da outra. Como disse um funcionário da Standard, "a I.G. ficará fora do negócio do petróleo — e nós ficaremos fora do negócio de produtos químicos." A próxima etapa ocorreu em 1930, com a criação de uma sociedade para compartilhar os avanços no campo químico-petrolífero. No geral, uma boa dose de conhecimento técnico estava vazando para a Standard.[4]

Em 1931, a ciência germânica, e em particular a hidrogenação, recebeu a honraria mais alta: Bergius, o inventor da técnica de hidrogenação, e Carl Bosch, o presidente da I.G. Farben, dividiram o Prêmio Nobel de Química. No entanto, ao mesmo tempo em que o projeto em Leuna produzia cerca de dois mil barris/dia, enfrentava profundos problemas financeiros. O aperfeiçoamento estava se mostrando mais difícil e muito mais caro do que o esperado. Ao mesmo tempo, o excesso de petróleo com as novas descobertas no leste do Texas, chegou ao nível de saturação.

O colapso que se seguiu nos preços mundiais do petróleo tornou os esforços para produção de combustível sintético em Leuna decididamente antieconômicos, e a I.G.

Farben temia que o projeto jamais desse lucros. O custo de produção de um litro de *Leunabenzin*, como foi chamado o combustível, era dez vezes maior que o preço do galão (3,6 litros) de gasolina despachado do golfo do México com destino à Alemanha. Alguns executivos da I.G. Farben diziam que o projeto deveria ser abandonado. A única razão para mantê-lo, respondiam outros, era que os custos para encerrá-lo seriam mais elevados que a sua manutenção.

A única esperança real para manter o projeto dos combustíveis sintéticos em vigor, em meio à Grande Depressão, dependia de algum tipo de ajuda estatal ou fiança. A proteção tarifária do governo Bruning (pré-Hitler) não foi suficiente. O novo regime nazista estava propenso a ir muito mais longe e a garantir preços e mercados para a I.G. Farben contanto que a companhia prometesse aumentar substancialmente sua produção de combustíveis sintéticos. Nem isso foi suficiente, pois a hidrogenação ainda era uma tecnologia recente. Ela necessitava tanto incrementar o desenvolvimento quanto receber patrocínio político do Terceiro Reich. A I.G. Farben recebeu ajuda da Força Aérea, a Luftwaffe, quando provou que poderia desenvolver uma gasolina de aviação de alta qualidade. O exército alemão, Wehrmacht, também fez *lobby* a favor de um incremento maior da indústria interna de combustíveis sintéticos, argumentando que o fornecimento atual da Alemanha seria lamentavelmente inadequado às exigências do novo tipo de operações militares que estavam planejando.[5]

Preparando-se para a guerra

Dois acontecimentos desenrolados posteriormente mostraram a Hitler e sua *entourage* os perigos de depender do petróleo estrangeiro e da consequente necessidade de desenvolver fornecimento alemão próprio. O primeiro fato deu-se através de um exemplo. Em outubro de 1935, quando a Itália invadiu a Etiópia, no leste africano, na época mais conhecida como Abissínia, que dividia fronteiras incômodas e mal demarcadas com colônias italianas. O ditador italiano Benito Mussolini sonhava formar um grande império, digno de suas pretensões imperiais romanas, e iniciou invadindo a Etiópia. Imediatamente a Liga da Nações condenou a invasão, impôs algumas sanções econômicas e pensou em aplicar um embargo às exportações de petróleo para a Itália. A administração Roosevelt deu indicações de que os Estados Unidos, embora não fossem membros da Liga, poderiam encontrar um meio de cooperar com esse embargo. Mussolini sabia muito bem que um corte no fornecimento de petróleo paralisaria o exército italiano. Enquanto suas tropas avançavam, lançando gás venenoso sobre os infelizes etíopes, ele recorria a todas as formas de fanfarronada e engodos para intimidar a Liga.

"As sanções", dizia ele, "podiam muito bem ser encaradas como um ato de guerra". O principal proponente das sanções sobre o petróleo era o ministro britânico embaixador na Liga das Nações, Anthony Eden, que repudiou as ameaças. Mussolini, disse, não se arriscaria a uma "ação tresloucada" e "jamais me pareceu o tipo de pessoa que pudesse cometer suicídio". No entanto, Mussolini encontrou um propenso aliado no astuto primeiro ministro francês Pierre Laval, que espertamente inverteu a tendência a favor das sanções no momento em que estavam perto de ser consumadas.

Na primavera de 1936, as forças militares de Mussolini haviam conquistado a Etiópia, o rei da Itália adicionara "imperador da Etiópia" ao seu título e todo movimento de sanções fora por água abaixo. O embargo do petróleo jamais havia sido testado, pois jamais tinha sido aplicado. O próprio Mussolini confidenciou mais tarde a Hitler: "Se a Liga das Nações tivesse aceito os conselhos de Eden na disputa pela Abissínia, e tivesse expandido as sanções econômicas ao petróleo, eu teria sido obrigado a deixar a Abissínia em uma semana. Isso teria sido um desastre para mim!". Hitler levou a sério a lição da dependência.

O segundo acontecimento chegou perto de casa. O regime nazista estava comprometido em "recuperar" o mercado alemão interno para a Standard Oil, Shell, e para as demais companhias estrangeiras. Mas pior, os odiados bolcheviques eram donos de uma grande rede de postos de gasolina através da qual vendiam os produtos derivados que abasteciam a Alemanha. O governo nazista pressionou um negociante alemão a comprar a rede de postos soviéticos, o que foi feito em 1935. O objetivo era eliminar um "ninho de marimbondos". Por um tempo, embora contra a vontade, os soviéticos continuaram a fornecer a quantidade de petróleo já vendida através de seu sistema de distribuição. Mas, em fevereiro de 1936, eles pararam as remessas repentinamente. O motivo alegado por eles foi "dificuldades com pagamentos externos". As remessas não se reiniciaram. E isso, também, foi um aviso a Hitler sobre os perigos da dependência.

Nesse mesmo momento, em meados de fevereiro de 1936 — enquanto a Liga ainda discutia sanções ao petróleo — era aberto por Hitler em Berlim o espetáculo automobilístico anual, a que o *New York Times* se referiu como "o responsável pela repetição dos maiores lucros anuais da indústria automotiva jamais conseguidos por outro governante ou chefe de Estado". Hitler aproveitou a ocasião para anunciar que a Alemanha "tinha efetivamente solucionado o problema da produção de gasolina sintética". Esta conquista, declarou enfaticamente, "tem significado político". As questões do suprimento externo e das sanções não saíam da cabeça de Hitler. Estava às vésperas de uma mudança radical. No mês seguinte, em março de 1936, teve a ousadia de remilitarizar a Renânia, na fronteira com a França, violando os acordos do tratado de Versalhes. Foi a primeira vez em que exercitou seus músculos no cenário internacional, correndo o que ele mesmo mais tarde chamou de seu risco mais sério, "as quarenta e oito horas mais exasperantes de minha vida". Ele esperava ser desafiado mas as potências ocidentais nada fizeram para detê-lo. A aposta tinha sido paga. O modelo podia vir a ser repetido.[6]

Mais adiante, em 1936, Hitler tomou as medidas decisivas para equipar o Estado alemão para a guerra no prazo estipulado de 1940. Ele inaugurou seu Plano Quadrienal, que entre outras coisas objetivava reduzir a dependência externa de petróleo através de novas tecnologias e processos químicos. "A produção de combustível germânico precisa agora ser desenvolvida com a máxima velocidade", disse ele ao definir o plano. "Esta tarefa precisa ser tratada e executada com a mesma determinação com que se planeja uma guerra, visto que a condução de uma guerra futura depende desta decisão." Acrescentou ainda que o custo de produção dessa matéria-prima "era de menor importância".

Esperava-se que a indústria de combustíveis sintéticos, que ocupava uma posição privilegiada no plano como um todo, passasse a produzir cerca de seis vezes mais. O programa recebeu importante ajuda financeira, e foram utilizadas grandes quantidades de aço e mão de obra para expandir o número de unidades industriais exigido para a conversão. Cada fábrica era um imenso empreendimento de engenharia, espalhando-se por grandes áreas dependentes de importantes companhias industriais — em plena parceria com o estado nazista. A I.G. Farben liderou a trajetória, adaptando-se à ideologia nazista. Entre 1937-1938 já não havia uma companhia independente, mas sim uma subdivisão do Estado alemão completamente nazificada. Todos os funcionários judeus foram removidos, incluindo um terço do conselho supervisor. O presidente do conselho administrativo, o antinazista Carl Bosh, responsável pelo acordo com a Standard Oil, foi deposto, enquanto os outros membros do conselho ainda não pertencentes ao partido nazista se atiravam uns sobre os outros na ânsia de assinar a inscrição.

Apesar das promessas ambiciosas do Plano Quadrienal terem se mostrado pomposas demais, a Alemanha conseguiu levantar uma indústria de combustível sintético bastante sólida. No dia 1º de setembro de 1939, quando a Alemanha invadiu a Polônia, iniciando a II Guerra Mundial na Europa, quatorze fábricas de hidrogenação estavam em pleno funcionamento, e mais seis em construção. Em 1940, a produção de combustível sintético tinha recebido um aumento drástico — 72 mil barris por dia, respondendo por 46% do fornecimento total. Mas os combustíveis sintéticos mostravam-se ainda mais importantes quando analisados em termos de utilidade militar. A hidrogenação, o processo Bergius, era responsável por cerca de 95% do total alemão da gasolina de aviação. Sem estes combustíveis sintéticos, a Luftwaffe não poderia ter continuado nos ares.

Apesar da força de sua máquina de guerra e da crescente oferta de combustíveis sintéticos à sua disposição, Hitler jamais deixou de pensar no petróleo. Na verdade, essa preocupação ajudara a moldar sua abordagem estratégica básica para a guerra, que se baseava na *blitzkrieg* (guerra relâmpago) — batalhas violentas porém curtas com forças mecanizadas concentradas que conduziriam à vitória decisiva antes que os problemas com fornecimento de petróleo pudessem aparecer. Inicialmente, a estratégia funcionou surpreendentemente bem, não só na Polônia em 1939, mas também na primavera de 1940, quando as forças de Hitler devastaram a Noruega, os Países Baixos e a França com surpreendente facilidade. A campanha no Ocidente realmente melhorou a posição do petróleo da Alemanha, pois as tropas germânicas capturavam quantidades de petróleo consideravelmente maiores que o combustível gasto nas invasões. Mesmo que as tentativas subsequentes de Hitler para dominar as Ilhas Britânicas, no outono de 1940, através de bombardeio aéreo maciço, tenham falhado, a Alemanha parecia estar às vésperas de dominar a Europa. A Alemanha já se acostumara à ideia da vitória fácil. Assim, quando Hitler apontou sua mira para o leste, em direção ao seu próximo objetivo, previu um nova fácil vitória. O alvo era a União Soviética.[7]

A campanha russa: "Meus generais nada sabem dos aspectos econômicos da guerra"

Muitos fatores influíram na decisão da Alemanha de entrar na guerra com a União Soviética: o profundo ódio de Hitler contra o bolchevismo (sua erradicação, disse, era "a missão de sua vida"); sua inimizade pessoal por Stálin; seu desprezo pelos eslavos a quem ele considerava "pequenos vermes"; seu desejo de dominar completamente o complexo eurasiano; e sua ambição por glória. Além disso, quando olhava para o leste, queria dizer *Lebensraum* (espaço vital) para o "Reich dos mil anos", seu novo império germânico. Principalmente, apesar da ansiedade quase patética de Stálin de manter a vigência do Pacto Nazi-Soviético de agosto de 1939 e evitar provocações contra Hitler, o ditador alemão suspeitava de um acordo secreto entre a Grã-Bretanha e a União Soviética. De que outro modo explicar a recusa da Inglaterra a capitular em 1940 quando sua causa parecia tão obviamente perdida? Entre outras coisas, havia também a questão do petróleo.

Bem desde o princípio, a posse de Baku e de outros campos de petróleo caucasianos era central para a ideia de Hitler com relação à sua campanha na Rússia. "Na área econômica", escreveu um historiador, "a obsessão de Hitler era o petróleo". Para Hitler, era o *produto* vital da era industrial e do poder econômico. Ele lia sobre esse assunto, falava desse assunto, e conhecia as histórias dos campos de petróleo no mundo. Se o petróleo do Cáucaso, — juntamente com a "Terra negra", as terras aráveis da Ucrânia pudessem ser anexados ao império germânico, a Nova Ordem de Hitler teria, dentro de seus limites, os recursos para torná-lo invulnerável. A partir dessa concepção, havia uma semelhança direta entre o ímpeto dos japoneses em abarcar os recursos das Índias Orientais e do Sudeste Asiático para seu império, uma ambição fortalecida pela crença de que tal recurso os tornaria invencíveis. Albert Speer, o ministro alemão do Armamento e Produção de Guerra, declarou em seu interrogatório, em maio de 1945, que "a necessidade de petróleo foi o motivo principal na decisão de invadir a Rússia."[8]

Além disso, Hitler via a força soviética como uma ameaça permanente aos campos de petróleo de Ploesti, na Romênia, a maior fonte de produção de petróleo fora da União Soviética. Eles tinham sido o objetivo principal dos alemães na I Guerra Mundial. Agora, a Romênia era aliada da Alemanha, e esta tornou-se dependente em alto grau de Ploesti, que fornecia 58% das importações totais no ano de 1940. Os embarques de petróleo provenientes da União Soviética haviam recomeçado com a assinatura do Pacto Nazi-Soviético de 1939 e em 1940 alcançavam outro terço das importações germânicas, levando um importante nazista a descrevê-las como um sustentáculo substancial à economia de guerra germânica. Em junho de 1940 a União Soviética usou as cláusulas do

Pacto Nazi-Soviético como justificativa para apossar-se de uma parte significativa do nordeste da Romênia, o que colocou as tropas russas próximas demais dos campos de petróleo de Ploesti, aos olhos de Hitler. "A sobrevivência do Eixo depende daqueles campos", disse a Mussolini. Um ataque à Rússia garantiria a segurança de Ploesti.

É claro que a conquista da Rússia iria garantir também um prêmio muito mais importante: os recursos petrolíferos do Cáucaso — Maikop, Grozny e o próprio Baku. Para dar sustentação aos seus planos, Hitler expôs seus próprios cálculos grotescos de que o número de baixas do exército alemão em uma guerra com a Rússia não seria maior do que o número de trabalhadores destinados à indústria de combustível sintético. Assim não havia razão para *não* seguir em frente.

Em dezembro de 1940, Hitler expediu a Diretriz número 21 — Operação Barbarossa — ordenando que se iniciassem os preparativos para a invasão da União Soviética. Os alemães tomaram precauções para não demonstrar sinais visíveis de desagrado contra seus amigos russos e, certamente, não pouparam esforços em elaborar um complexo enigma de dissimulação e desinformação para não deixar transparecer a Stálin que os alemães pudessem estar planejando tal golpe. Avisos sobre uma invasão iminente chegaram de muitas fontes — americanas, britânicas, outros governos, seus próprios espiões —, mas Stálin recusou-se terminantemente a acreditar nelas. Poucas horas antes da invasão um dedicado alemão comunista desertou do exército alemão e informou aos soviéticos pessoalmente o que estava para acontecer. Stálin suspeitou que fosse um truque e ordenou que matassem o homem.[9]

Nas primeiras horas da manhã do dia 22 de junho de 1941, trens de carga russos estavam arrastando-se vagarosamente pelas ferrovias em direção ao oeste, com um carregamento de petróleo e outras matérias-primas destinadas à Alemanha. Logo depois das 3 horas da manhã o exército alemão, três milhões de homens fortemente armados, com 600 mil veículos motorizados e 625 mil cavalos, irrompeu em um amplo *front*. A violenta investida pegou a União Soviética completamente desavisada e provocou um colapso nervoso em Stálin que durou vários dias. Os germânicos achavam que o ataque seria uma repetição do *blitzkrieg* que havia devastado com tanto sucesso a Polônia, os Países Baixos, a França, a Iugoslávia e a Grécia, mais recentemente. Tudo estaria acabado em seis ou oito semanas, dez no máximo.

Hitler vangloriava-se da campanha russa, dizendo que "nós daremos um pontapé na porta e a casa virá abaixo". Essas previsões pareciam amplamente confirmadas nas primeiras semanas da campanha. Os alemães moveram-se, a princípio, até mais rapidamente do que haviam previsto, fazendo recuar as desorganizadas tropas soviéticas. A vitória veio rápida, a tempo para a operação limpeza após a retirada das tropas. No entanto, logo surgiram alguns sinais preliminares de que os alemães estavam exagerando. Eles haviam calculado mal suas provisões, inclusive de combustível. Nas péssimas estradas e difíceis terrenos russos, os veículos queimavam uma quantidade consideravelmente maior de combustível do que o esperado, às vezes o dobro. Os veículos maiores, que encalhavam nas estradas não pavimentadas e não conseguiam sair, tinham que ser substituídos por pequenas carroças puxadas por cavalos. As advertências sobre o agravamento da falta de combustível foram ignoradas na euforia inicial das primeiras vitórias.[10]

Em agosto, os generais alemães buscaram permissão de Hitler para fazer de Moscou o alvo principal. Hitler recusou. "O objetivo mais importante a ser alcançado antes do início do inverno não é tomar Moscou", diziam suas diretivas no dia 21 de agosto, "mas submeter a Crimeia, a região industrial e carbonífera do Donets e cortar o fornecimento de petróleo do Cáucaso para a Rússia". O Wehrmacht tinha que alcançar Baku. Assim como fez com a Crimeia, Hitler descreveu-o como "aquele porta-aviões soviético para atacar os campos de petróleo romenos." Às alegações de seus generais, ele respondia com uma de suas máximas favoritas: "Meus generais nada sabem a respeito dos aspectos econômicos da guerra." Intoxicado pelas conquistas, Hitler já estava sonhando acordado com a longa autoestrada que iria construir desde Trondheim, na Noruega, até a Crimeia, que se tornaria a Riviera alemã. "Além disso", dizia ele, "o Volga será nosso Mississipi."

Posteriormente Hitler mudou de ideia e voltou a colocar Moscou como seu principal objetivo. Mas um tempo decisivo havia sido desperdiçado. Como resultado, os alemães só alcançaram os arredores de Moscou, a apenas trinta quilômetros do Kremlin, somente no final do outono de 1941. Lá eles atolaram na lama e na neve do inverno que já se aproximava. A escassez de petróleo e de outros suprimentos essenciais finalmente os atingiu. "Chegamos ao final de nossos recursos materiais e humanos", disse o chefe do Serviço de Intendência do Exército, no dia 27 de novembro. Então, nos dias 5 e 6 de dezembro, o general Yuri Zhukhov desencadeou o primeiro contra-ataque soviético bem-sucedido, impedindo os alemães de irem adiante e expondo-os ao inverno.

As tropas alemãs tampouco estavam em condições de atingir o Cáucaso. As seis, oito ou dez semanas já haviam se transformado em meses, e os alemães estavam agora paralisados pelo inverno. Eles haviam subestimado bastante o tempo que seus estoques poderiam durar. Subestimaram, não menos, as reservas do efetivo soviético — e a capacidade dos soldados e cidadãos em resistir às dificuldades e às privações. Os números pairavam acima da compreensão; de seis a oito milhões de soldados soviéticos foram mortos ou capturados no primeiro ano da guerra e novos homens eram ainda lançados em batalha. Além disso, a decisão dos japoneses em atacar Pearl Harbor e moverem-se em direção ao Sudeste Asiático ao invés de atacar a União Soviética, permitiu que Stálin transferisse sua depauperada divisão siberiana para o ocidente, em direção à frente alemã.[11]

A Operação Blau

Nos primeiros meses de 1942, Berlim estava planejando uma nova grande ofensiva na Rússia, a Operação Blau. O petróleo do Cáucaso era seu objetivo principal, partindo dali para os campos de petróleo do Irã e Iraque e então para a Índia. Os economistas de Hitler lhe haviam dito que a Alemanha não poderia continuar a guerra sem o acesso ao petróleo russo, com o que Hitler concordou plenamente. Ao mesmo tempo, queria atingir o coração da economia de guerra russa. Despojada do combustível para suas unidades militares e para a agricultura, a Rússia não seria capaz de se manter na guerra. Hitler tinha certeza de que a União Soviética utilizaria suas últimas reservas de efetivo para defender os campos de petróleo e então alcançar a vitória. Com uma grande dose de confiança, a Alemanha montou uma Brigada Técnica do Petróleo com um total de quinze mil homens com a incumbência de reabilitar e fazer funcionar a indústria de petróleo russa. O único empecilho que se impunha no caminho da Alemanha para explorar o petróleo russo era a necessidade de capturá-lo.

No final de julho de 1942, as tropas alemãs pareciam estar no caminho certo para atingir essa meta ao conquistar a cidade de Rostov e interromper o oleoduto proveniente do Cáucaso. No dia 9 de agosto elas atingiram Maikop, o mais ocidental dos centros petrolíferos do Cáucaso — mas pequeno, com uma produção de apenas um décimo do de Baku, em circunstâncias normais. Além disso, antes de se retirarem de Maikop, os russos haviam causado tamanha destruição nos campos de petróleo, nos estoques e nos equipamentos, até nas menores ferramentas das oficinas, que, em janeiro de 1943, os alemães conseguiam extrair dali não mais que setenta barris por dia.

Ainda assim, o alemães prosseguiram, agora a milhares de quilômetros de sua terra natal e de seus centros de suprimento. Em meados de agosto as tropas montesas alemãs fincaram a bandeira da suástica no topo do Monte Elbrus, o ponto mais alto do Cáucaso e da Europa. Porém, a máquina de guerra alemã foi contida antes que pudesse alcançar seus objetivos. As tropas foram bloqueadas nos passos das montanhas que poderiam ser defendidas, se houvesse tempo. Sua própria escassez de combustível impediu-as de prosseguir, fazendo-as perder a trilha, fornecendo o tempo necessário para a defesa. Para que pudessem lutar contra a Rússia, as tropas germânicas precisavam de fontes de petróleo em grande escala, mas há muito já haviam excedido seus estoques e perdido as vantagens da rapidez e da surpresa. A ironia da Operação Blau estava em que os alemães ficaram sem petróleo em sua busca pelo petróleo.[12]

Os alemães se apossaram dos estoques russos de petróleo como haviam feito com os franceses, mas desta vez em vão, pois os tanques russos eram movidos a diesel, inútil para os Panzer, blindados alemães, movidos a gasolina. As divisões de Panzer, ficavam paradas, — às vezes, — por muitos dias no Cáucaso à espera de abastecimento. Caminhões com carregamento de petróleo não conseguiam chegar porque eles próprios ficavam sem combustível. Finalmente, em desespero de causa, os alemães começaram a transportar petróleo no dorso de camelos. Em novembro de 1942 o último esforço para transpor as montanhas em direção a Grozny e Baku foi definitivamente rechaçado.

A cidade de Stalingrado, a noroeste do Cáucaso, estava destinada a ser um cenário secundário da campanha principal, um objetivo secundário dos alemães. Mas bem no início seu nome estava carregado de simbolismo para ambas as partes. Ela foi palco de uma luta titânica e decisiva durante o inverno de 1942-1943. O Exército alemão viu-se muitas vezes prejudicado pela escassez de suprimentos, principalmente pela escassez de petróleo. O general Heinz Guderian, o legendário comandante dos Panzer, enviou do *front* de Stalingrado uma carta a sua esposa que dizia: "O frio gélido, a falta de abrigo, de roupas, as perdas humanas e de equipamentos, a deplorável condição de nossos estoques de combustível, tudo isso transforma em tormento os deveres de um comandante."

Após mais de 18 meses de esforços severos e de extraordinários custos em recursos humanos e materiais, o curso dos acontecimentos alterou-se e os alemães passaram finalmente à defensiva na Rússia. Numa chamada telefônica em meio à noite, o marechal de campo Erich Von Manstein implorou a Hitler que passasse as tropas alemãs no Cáucaso para seu comando a fim de poder auxiliar o Sexto Exército, a postos para a batalha em Stalingrado.

Hitler recusou. "Trata-se de uma questão de posse de Baku, marechal", disse o ditador. "Ou nos apossamos do petróleo de Baku, ou a guerra está perdida." Hitler então passou a perorar sobre a importância central que o petróleo tinha assumido nas questões de guerra. Ele se repetia infinitamente e não conseguia controlar sua própria arenga. Quanto combustível necessitava um avião. Quanto combustível necessitava um tanque. Interminavelmente, as palavras se repetiam. "Se eu não puder garantir o petróleo para suas operações, marechal, você será incapaz de fazer qualquer coisa."

Manstein tentou controlar a fúria de suas palavras e discutir com ele a questão estratégica imediata — a sobrevivência do Sexto Exército. Hitler não o ouvia. Ao invés disso, descrevia como as tropas alemãs se encontrariam no Oriente Médio. "Marcharíamos, então, com nossas tropas agrupadas para a Índia, onde selaríamos nossa vitória final sobre a Inglaterra. Boa noite, Heil, marechal!"

"*Heil, mein führer!*". Foi tudo o que Manstein pôde falar.

A despeito do entusiasmo de Hitler, a ordem de retirada para os soldados alemães no Cáucaso foi dada em janeiro de 1943. No entanto, já era tarde demais para qualquer ação em favor do Sexto Exército em Stalingrado. Cercado pelas tropas soviéticas, estava em um beco sem saída, incapaz de arriscar qualquer reação. Seus tanques tinham combustível suficiente para apenas trinta quilômetros, mas para escapar teriam que cobrir um espaço de quase cinquenta quilômetros. Simplesmente impossível. Assim, no final de janeiro e início de fevereiro de 1943, as encurraladas tropas alemãs em Stalingrado — pressionadas, e incapacitadas, enregeladas, famintas e sem o seu essencial elemento de movimentação, os blindados — estavam rendidas.

Stalingrado foi a primeira grande derrota da Alemanha na Europa, o que provocou em Hitler um ódio incontrolável. Os soldados alemães deveriam morrer e não se entregar. A Alemanha já não estava mais na ofensiva. A fase do *blitzkrieg* acabara. Ao invés de ataques-relâmpago, os fatores decisivos dali em diante seriam efetivos militares e recursos econômicos, incluindo o petróleo. E na frente oriental, apesar de alguns reveses, os soviéticos iriam continuar avançando implacavelmente, expulsando os ale-

mães de todos os territórios russos ocupados e movendo-se inexoravelmente em direção à meta final, a própria Berlim.[13]

Rommel e a vingança do quartel-general

Não foi apenas em Stalingrado, no final de 1942 e início de 1943, que o curso dos acontecimentos se alterou contra a Alemanha. Uma outra importante inversão desenrolou-se nas areias, arenitos e rochas estéreis do norte da África, próximos à fronteira entre a Líbia e o Egito.

O norte da África foi, nas palavras do general Erwin Rommel, o único teatro da II Guerra Mundial onde as batalhas militares aconteceram quase que completamente sob o novo "princípio da mobilidade total". Essa mobilidade era dada pelo Exército Blindado da Alemanha no norte da África e seu elemento mais importante, o Afrika Korps, ambos formados por Rommel. Era um mestre brilhante, inovador e criativo em operações com tanques e companhias móveis, bem como um audacioso aventureiro de estratégias e táticas. Pequeno, calado e frio, Rommel ganhou reputação como líder nos campos de batalha da I Guerra Mundial. Hitler ficara impressionado com um livro que Rommel havia escrito sobre táticas de infantaria e em 1938 nomeou-o para chefiar o batalhão responsável pela segurança pessoal do *führer*, embora ele não fosse membro do partido nazista. Em 1940, Rommel comandou uma divisão Panzer que se movimentou com uma rapidez impressionante através da França. Aquela varredura assemelhara-se para ele mais a uma travessura do que a uma guerra. "Jamais imaginávamos que uma guerra no Ocidente pudesse ser como esta", escreveu ele a sua esposa. "A campanha", acrescentou alegremente, "havia se transformado em uma excursão relâmpago pela França."

Em fevereiro de 1941, Rommel foi enviado para o norte da África para apoiar um exército italiano que estava prestes a ser derrotado pelas forças britânicas. A guerra nesse local também lhe poderia propiciar uma excursão pelo norte da África, pois, embora tivesse apenas cento e vinte quilômetros de largura, a zona de batalha poderia se estender a mil e seiscentos quilômetros de comprimento, desde Trípoli, na Líbia, até El Alamein, no Egito. No entanto, apesar da rápida movimentação das tropas, nada houve de relâmpago nessa batalha.

Rommel estava encarregado de uma guerra de movimentação e ousadia. Foi rigoroso com um comandante que fez cessar um avanço vitorioso devido à insistência do quartel-general. "Vem se tornando hábito da assessoria do quartel-general reclamar a cada dificuldade ao invés de dar prosseguimento às tarefas e usar seu poder de improvisação que, na verdade, é com frequência nulo", escreveu ele. "Quando, depois de uma grande vitória que resultou na destruição do inimigo, a perseguição é abandonada por recomendação do quartel-general, a história quase invariavelmente julga essa decisão um erro e chama a atenção para as tremendas chances que foram perdidas." Rommel não se dispunha a ser tão controlado.

No começo, Rommel conseguiu vitórias surpreendentes no norte da África contra as forças britânicas — quase sempre com escassos recursos, e tendo prisioneiros capturados. Em um certo momento, 85% de seu meio de transporte era formado por veículos britânicos e americanos capturados. Ele tinha, também, um talento considerável para a improvisação e não apenas em termos táticos. Logo no início de sua campanha, Rommel encomendou várias "imitações de tanques", construídas em fábricas de Trípoli, montadas depois sobre Volkswagens, a fim de fazer os ingleses pensarem que suas divisões armadas fossem muito maiores do que realmente eram. Havia uma única coisa que mesmo ele não conseguia camuflar. Uma guerra de movimento estava absolutamente subordinada a amplos estoques de petróleo — que precisavam acompanhar o ritmo dos rápidos avanços e ser distribuídos ao longo de grandes distâncias. E o petróleo veio a ser um dos problemas mais persistentes de Rommel; era muitas vezes, dizia, seu maior problema. No início de junho de 1941 ele escreveu: "Infelizmente nossos estoques de petróleo estavam extremamente depauperados e foi com alguma ansiedade que esperamos o iminente ataque britânico, pois sabíamos que nossos avanços seriam decididos mais pelos níveis de petróleo do que pelas exigências táticas."[14]

Com suas forças satisfatoriamente reabastecidas no final de 1941 e início de 1942, Rommel retomou sua ofensiva e, no final de maio de 1942, desencadeou uma importante investida contra os ingleses. Ela deu certo — muito certo, na verdade. Os ingleses recuaram, e em uma semana as tropas de Rommel conseguiram cobrir uma distância de quase quinhentos quilômetros. Ao invés de parar na fronteira entre a Líbia e o Egito, como havia sido planejado, como ditavam os níveis de seus estoques e como o quartel-general havia aconselhado, Rommel ultrapassou a fronteira, até que finalmente parou, no final de junho, próximo a uma pequena estação ferroviária chamada El Alamein. Ele estava então a menos de cem quilômetros de Alexandria; o Cairo e o canal de Suez não estavam muito mais distantes.

As potências do Eixo julgavam estar à beira de uma vitória memorável. Mussolini voou para o norte da África acompanhado, em outro avião, por um cavalo de batalha branco, sobre o qual ele planejava fazer uma entrada triunfal no Cairo. Os objetivos de Rommel eram ainda mais extensos: o Cairo seria apenas uma parada intermediária entre a campanha pela Palestina, Iraque e Irã e cujo objetivo final deveria ser Baku e os campos de petróleo. Suas conquistas, de acordo com as tropas germânicas na época em guerra no Cáucaso, iriam criar, segundo as previsões de Rommel, "as condições estratégicas para estilhaçar o colosso russo". Hitler estava empolgado com a mesma visão inebriante. "O destino", escreveu ele a Mussolini, "nos ofereceu uma chance que jamais se repetirá no mesmo teatro de guerra".

Ambos, Rommel e Hitler abriram a boca cedo demais. Enquanto os soviéticos resistiam no Cáucaso, os Aliados tinham conseguido preservar a ilha mediterrânea de Malta, ao largo da costa Líbia, a despeito dos ferozes ataques germânicos, o que lhes valeu uma base para o ataque às embarcações do Eixo carregadas de provisões para as tropas de Rommel no norte da África. Os Aliados foram auxiliados, além disso, pela interceptação de códigos alemães e italianos. Ao mesmo tempo os próprios aviões de abastecimento da Luftwaffe começavam a voar com pouco combustível. Os navios de abastecimento italianos já não estavam passando pelo norte da África. E o grande sucesso de Rommel a distância incrível que o Afrika Korps tinha conseguido transpôr — criou uma perigosa vulnerabilidade. Suas próprias vias de abastecimento eram muito longas, e os caminhões de combustível que viajavam desde Trípoli utilizavam mais gasolina para atingir o *front* e voltar, do que eram capazes de carregar. Ao avançar tão longe e com incessante rapidez, Rommel não só relembrou o pesadelo do quartel-general, como também colocou o exército Panzer em uma posição de risco. Ainda pensava que conquistaria a vitória. No dia 28 de junho de 1942 escreveu a sua esposa dizendo-lhe que planejasse tudo para passar férias com ele na Itália em julho. "Tire o passaporte!", disse ele.

Do outro lado, o pânico tomava conta do Cairo. Os ingleses estavam queimando seus documentos, o pessoal aliado estava sendo espremido em trens de gado para uma rápida evacuação, e os comerciantes do Cairo trocavam rapidamente as fotos de Churchill e Roosevelt, em suas vitrines, pelas de Hitler e Mussolini. Mas, até o final de junho e julho de 1942, os ingleses não cediam e Rommel já estava com enorme escassez de gasolina para recobrar seu ímpeto. Os dois exércitos, exauridos, haviam lutado muito para chegar a um empate naquela que veio a ser conhecida como a Primeira Batalha de El Alamein. E ali, no deserto, eles esperaram.[15]

Em meados de agosto, Rommel ganhou um novo e formidável adversário — o austero, ascético, honrado, às vezes insubordinado, mas invariavelmente paciente general Bernard Montgomery. Primo de H. St. John B. Philby, o aprendiz de feiticeiro do petróleo saudita, Montgomery foi o padrinho de casamento de Philby na Índia. Bem cedo, Montgomery aprendeu a ser independente, a viver de seus próprios recursos e nada mais. Depois da morte de sua esposa, causada aparentemente por uma estranha picada de inseto, ele perdera virtualmente toda capacidade de ligação emocional ou de qualquer outra espécie. "Tudo que era meu foi destruído por bombardeios inimigos em Portsmouth, em janeiro de 1941", escreveu ele mais tarde, falando de sua inesperada convocação para assumir o comando do Oitavo Exército Britânico no Egito. "Estava tendo, naquele momento, a chance de ajustar contas com os alemães." Algumas pessoas o achavam estranho, paranoico mesmo. Na verdade, em seu primeiro comunicado para um grupo de oficiais do Oitavo Exército, em Ruweisat Ridge, perto de El Alamein, ele sentiu a necessidade de explicar: "Garanto-lhes que sou perfeitamente são. Compreendo certas pessoas que me julgam ligeiramente maluco; tanto que agora encaro isso quase como um elogio."

Se um tanto estranho, Montgomery era, também, um estrategista militar profundamente analítico, metódico e pedagógico. Ele conseguia passar, às vezes, horas e horas sozinho — entregue a suas "divagações", como ele as chamava — pensando em problemas, procurando pelas soluções teóricas, estabelecendo seus planos. Ele pendurou um desenho de Rommel na parede de seu trailer no deserto, para ajudá-lo a descobrir como Rommel estaria pensando. Montgomery sabia que, ao deparar-se com Rommel, estaria enfrentando um moderno ser legendário, que proferira ameaças de medo e terror ao Oitavo Exército. Ele tinha um objetivo claro, fazer aquilo que muitos imaginavam estar além das possibilidades: virar a mesa sobre o mestre da guerra móvel e derrotar Rommel definitivamente. "Pois Rommel", disse Montgomery, "jamais fora derrotado antes, embora sempre tivesse que sair correndo em busca de mais petróleo." Posteriormente, Montgomery seria criticado por ser cauteloso demais na efetiva execução de suas contendas. "Mas", como observaria um general alemão, "foi o único marechal de campo desta guerra que ganhou todas as suas batalhas."

Enquanto Montgomery meditava sobre sua iminente luta contra Rommel, procurava montar uma estratégia que colocaria o Oitavo Exército em plena vantagem, com um todo unificado, agora que estava equipado com tanques Sherman, e que iria valer-se do fato de suas próprias vias de abastecimento serem curtas, enquanto que as de Rommel eram muito longas — e altamente vulneráveis. Mesmo assim, ao final de agosto de 1942, a situação de Rommel com relação ao abastecimento havia melhorado uma vez mais. Partiria para a ofensiva?

Rommel estava hesitante sobre o próximo passo. Ele tinha plena consciência de que estava sem combustível e das dificuldades que isso lhe acarretaria. Além do mais, estava com uma grave doença intestinal e absolutamente exausto, e acabara de pedir afastamento médico. Mas queria também seguir em frente para o Cairo — e para mais longe. Sabia que o tempo estava se esgotando, e que o espírito do Afrika Korps poderia alcançar a vitória, com ou sem provisões adequadas. Deu ordem de ataque. Esse embate, embora nas cercanias de El Alamein, ficou conhecido como Batalha de Alan Halfa.

Repetidas vezes durante a semana da batalha, Rommel registrava por escrito o quanto o Afrika Korps estava sendo tolhido pela escassez de combustível. "No dia 31 de agosto, devido ao grande consumo, os estoques de petróleo do Afrika Korps se esgotaram e às 16 horas suspendemos o ataque na Colina 132." "No dia 1º de setembro o petróleo prometido ainda não havia chegado à África." E jamais chegou. A maior parte do combustível disponível seguiria em navios que foram afundados ou ainda estavam aguardando o carregamento na Itália. Uma pequena via férrea que poderia ter sido utilizada para transportar gasolina sofreu avaria em uma enchente. As tropas de Rommel não foram capazes de se aproximar da artilharia britânica, taticamente bem colocada. No dia 7 de setembro de 1942, a batalha de Alan Halfa estava terminada. A derradeira ofensiva de Rommel foi interrompida na própria pista e a lenda da invencibilidade estava desmoronando.[16]

Nas semanas que se seguiram, Rommel implorou ao quartel-general de Hitler que enviasse mais suprimentos a qualquer custo, incluindo combustível suficiente para três mil quilômetros por veículo. No dia 23 de setembro, Rommel deixou o norte da África para visitar, primeiro Mussolini em Roma, e depois Hitler em seu quartel na frente russa. Novamente ele pleiteou mais suprimentos; ao invés, recebeu o bastão de comando de marechal de campo concedido a ele pessoalmente pelo seu *führer*. Hitler fez generosas promessas, que não cumpriria.

No dia 23 de outubro, depois de várias semanas de preparação cuidadosa e reabastecimento, Montgomery desencadeou o contra-ataque, conhecido como Segunda Batalha de El Alamein, com uma poderosa barragem de artilharia. Os alemães estavam atordoados. No primeiro dia, o general Georg Stumme, substituto de Rommel, caiu de seu carro quando passava sob um bombardeio aéreo inglês e morreu de ataque cardíaco. Hitler telefonou para Rommel, que se encontrava nos Alpes austríacos em tratamento médico, e ordenou-lhe que voltasse imediatamente para o norte da África. Na noite de 25 de outubro Rommel estava de volta ao Egito — desta vez comandando o início de uma longa retirada.

As esperanças dos alemães por mais suprimentos estavam depositadas nos aviões e navios que vinham sendo destruídos sistematicamente pela Marinha Real e pela Real Força Aérea Britânica (RAF). Quando Rommel soube que quatro navios, carregados do petróleo desesperadamente aguardado, haviam sido afundados pela RAF no supostamente seguro porto de Tobruk ficou acordado a noite toda, com os olhos arregalados, insone. Sabia o que aquilo significava. "Atacando nosso transporte de petróleo os ingleses estavam em condições de atingir uma parte importante de nossa máquina, da qual depende o apropriado funcionamento de todo o resto", escreveu ele.

Durante as semanas seguintes, tudo que Rommel conseguia fazer era recuar. De vez em quando, ele acreditava que poderia voltar e desferir um golpe devastador em seus perseguidores, mas simplesmente não tinha combustível para atrever-se a isso. A Hitler ele descrevia a situação do combustível repetidamente como "catastrófica". Uma catástrofe ainda maior ocorreu quando as Forças Aliadas invadiram o Marrocos e a Argélia na rota de sua retirada. Os dias de seu Afrika Korps estavam contados. Na véspera do Natal, em 1942, Rommel compareceu à festa de Natal da sua companhia. Naquele dia, tinha atirado em uma gazela, de dentro de seu carro, que ofereceu como contribuição para o jantar. Em seguida, recebeu um presente do grupo — um quilo de café apreendido, guardado em uma miniatura de barril de petróleo. "Assim, prestamos uma homenagem apropriada ao nosso mais grave problema mesmo no dia de hoje." Logo, tudo o que restara às tropas de Rommel era uma nesga de terra entre as forças oponentes que avançaram, vindas do Oriente e do Ocidente. A lenda fora vencida e, em março de 1943, Rommel, agora considerado por Hitler um derrotista, foi removido do comando do Afrika Korps. Em maio, as últimas tropas alemãs e italianas no norte da África renderam-se.[17]

No entanto, Rommel foi novamente convocado para servir o *führer*, primeiro na Itália e depois na França, onde ele ficou seriamente ferido após a invasão da Normandia, quando bombas aliadas acertaram seu carro. Três dias mais tarde, um grupo de oficiais do exército tentou assassinar Hitler, sem sucesso. Suspeitava-se que Rommel estivesse envolvido, tanto na conspiração quanto na trama de uma rendição unilateral às tropas aliadas no Ocidente. Hitler ordenou sua morte, mas não publicamente, pois Rommel era um general bastante popular e o impacto desfavorável sobre o moral germânico seria imenso. Em vez disso, enviou dois generais da SS, em outubro de 1944, à casa de Rommel com um ultimato. Ou ele se suicidava, aparentando ter sido morte natural, ou toda sua família estaria em perigo. Rommel partiu, segurando o bastão de marechal de campo que o próprio Hitler havia lhe dado dois anos antes. O carro parou poucas centenas de metros adiante em uma área aberta no bosque. A área havia sido isolada pela Gestapo. Rommel recebeu uma pílula de veneno; engoliu-a e tombou no assento, deixando cair o bastão de marechal de campo. Rommel estava morto. A morte foi atribuída a uma hemorragia cerebral. Organizou-se um funeral oficial e Hitler enviou suas condolências. "O coração de Rommel", dizia a oração oficial nos funerais, "pertencia ao *führer*."

Entre papéis de Rommel, recolhidos depois de sua morte, havia um epitáfio obtido com muito esforço, para o desempenho das provisões, em especial do petróleo, na era da guerra móvel. "A batalha é travada e decidida pelo Quartel de Comando antes do início do tiroteio", ele escreveu, relembrando El Alamein. Ele próprio teria rejeitado com desdém essa ideia, poucos anos antes. Havia aprendido uma dura lição nas areias do norte da África. "O homem mais corajoso nada pode fazer sem armas, nada vale sem fartura de munição, e tanto armas como munição têm pouca valia em uma guerra móvel, a menos que haja veículos com petróleo em quantidade para transportá-las." Mas ele também escreveu essa máxima em termos mais pessoais. Duas semanas depois da Segunda Batalha em El Alamein, enquanto sua tropa recuava ante as forças de Montgomery, Rommel escrevera à sua mulher: "Falta de petróleo! É o suficiente para fazer alguém chorar."[18]

Autarquia e catástrofe

Em meados de 1943, o Eixo fora derrotado tanto na Rússia quanto no norte da África e o sonho dos exércitos alemães voltados para Baku e para os campos de petróleo do Oriente Médio havia sido relegado ao reino da fantasia. Assim, os alemães tiveram que lançar mão de seus próprios meios. Não havia outra escolha. Os combustíveis sintéticos desempenhariam papel central no esforço frenético de sustentar a máquina de guerra. E nesse esforço, o Reich de Hitler iria exibir sua ingenuidade tecnológica — bem como sua completa falência moral.

Atrasado, o regime nazista começou a reorganizar a economia germânica para aumentar a produção de combustível sintético e outros materiais essenciais, preparando-se para uma longa batalha. O encarregado era Albert Speer, o arquiteto particular de Hitler. Ao ambicioso Speer, atribuíra-se, há muito tempo, a reputação de ser um dos favoritos de Hitler. Havia atraído a atenção de Hitler uma década antes com seus vários projetos de montar um enorme panorama de bandeiras, águias gigantescas e holofotes, para o comício-monstro de 1933 do partido nazista em Nuremberg. Ele próprio um artista frustrado, Hitler foi cativado pelas concepções de Speer e pela sua personalidade, e nomeou-o responsável por todos os monumentos do Reich. Hitler também lhe deu a missão particular de construir a nova sede da chancelaria do Reich e de reconstruir Berlim. Em 1942, o *führer* nomeou-o ministro dos Armamentos e da Produção de Guerra. Logo no início de 1943, quando a magnitude dos fracassos na Rússia e no norte da África tornou-se clara, as instruções dadas a Speer como ministro dos Armamentos se desdobraram bastante: foram-lhe conferidos amplos poderes sobre toda a economia germânica. Ele passou a controlar, ou pelo menos influenciar, virtualmente, todas as fases da vida econômica.

O arquiteto, anteriormente responsável pelos monumentos de pedra dedicados à eterna glória do Reich Milenar, provou ser extraordinariamente capaz de lidar com os problemas mais imediatos e urgentes da mobilização industrial que afligiam o Reich. Speer eliminou a inércia da economia alemã. Os dois anos e meio que se seguiram à sua nomeação assistiram a um crescimento tríplice da produção de aviões, armas e munição, e a um aumento sextuplicado de tanques. E esses recordes de produção extraordinários estavam sendo estabelecidos ao mesmo tempo em que as Forças Aliadas conduziam uma campanha estratégica de bombardeamento extensivo, se não particularmente bem-sucedida, ao menos contra uma variedade de alvos alemães, tais como a indústria de aviação e estações ferroviárias e as fábricas de rolamentos. A produção industrial alemã estava ainda em crescimento; com certeza, seu mais alto nível de crescimento durante toda a guerra foi registrado em junho de 1944. O grande potencial exigido para bombardeio estratégico ficou longe de ser alcançado. "O petróleo, que era o ponto mais fraco dos alemães, foi tratado com superficialidade", escreveu o historiador militar britânico Basil Liddell Hart. "Foi raramente tocado." Todavia, tanto os chefes militares alemães quanto Speer preocupavam-se. Iriam os Aliados fazer da destruição da indústria de combustíveis sintéticos seu principal objetivo? Pois ela se apresentava como um alvo crítico, concentrado e sensível, diferente das demais atividades industriais, e uma campanha contra ela poderia muito bem comprometer toda a economia de guerra alemã.

A indústria de combustíveis sintéticos acompanhou a mesma tendência ascendente das outras atividades da economia de guerra. Em 1942, a indústria registrou, em todas as frentes, um avanço considerável em relação à década anterior — novas tecnologias de produção, catalizadores melhores, maior qualidade e uma capacidade de absorver uma variedade mais ampla de tipos de carvão como matéria-prima. E a produção crescia rapidamente. Entre 1940 e 1943, a produção de combustível sintético praticamente dobrou, passando de 72 mil para 124 mil barris por dia. As usinas de combustível sintético eram os elos decisivos no sistema de combustíveis; no primeiro trimestre de 1944 elas foram as responsáveis por 57% do abastecimento total — e por 92% da gasolina de aviação. A válvula se abriu; no primeiro trimestre de 1944, a produção prosseguia a taxas ainda mais elevadas, se anualizadas. No total, durante a II Guerra Mundial, os combustíveis sintéticos seriam os responsáveis por metade da produção total de petróleo da Alemanha.[19]

Isso não teria sido possível sem imensos esforços e sem todos os instrumentos e técnicas normais de economia de guerra nazista, incluindo o trabalho escravo. Hitler transformara o antissemitismo de esquina do seu tempo de juventude em Viena em uma ideologia monstruosa e diabólica, centrada no assassinato e na destruição dos judeus. Os campos de concentração foram os mecanismos para atingir essa "Solução Final", e a decisão foi tomada em não mais que duas horas na Conferência de Wannsee, em janeiro de 1942. Mas, até que a "Solução Final" pudesse estar concluída, os judeus mais capazes, juntamente com os eslavos e outros prisioneiros, deveriam ser obrigados a trabalhar em favor dos objetivos do mesmo Reich que já decretara a sua sentença de morte. E assim, um suprimento contínuo de prisioneiros dos campos de concentração era recrutado para as usinas de hidrogenação da I.G. Farben, bem como para suas usinas de borracha sintética. A companhia, na verdade, estava fabricando combustível sintético e borracha ao lado do campo de concentração de Auschwitz, na Polônia. Auschwitz foi a maior das fábricas nazistas de assassinato em massa; mais de dois milhões de pessoas, a maioria judeus, foram condenadas à morte, ali, com gás produzido por uma subsidiária da I.G. Farben. Os funcionários da I.G. Farben descreveram a área de Auschwitz, com seus abundantes suprimentos de carvão e mão de obra, como uma "localização muito propícia." A usina de combustíveis sintéticos em Auschwitz estava sob a direção do mesmo químico que havia representado a companhia no encontro com Hitler em Munique, em junho de 1932.

A I.G. Farben usava tanto o trabalho escravo quanto o chamado trabalho "livre" em suas empresas. A companhia química pagava uma diária para cada trabalhador escravo — três ou quatro marcos para os adultos, dependendo da habilidade, e metade para as crianças. O dinheiro não ia para os trabalhadores, é claro, mas para os cofres da SS, as forças militares de elite de Hitler. Os trabalhadores escravos subsistiam, na maioria das vezes, com uma dieta de mil calorias por dia e dormiam em beliches de madeira. Eles iriam trabalhar por alguns meses e então morrer devido às terríveis condições de vida, ou maus-tratos, ou seriam mortos nos campos de extermínio, para depois serem substituídos por outros prisioneiros recém-chegados em trens que se assemelhavam a vagões de gado.

A I.G. Farben adaptava-se às condições de sua parceria com a SS. Em um certo momento, solicitou que os guardas parassem de chicotear os prisioneiros na frente dos trabalhadores poloneses e alemães "livres". "As cenas extremamente desagradáveis estavam causando um efeito desmoralizante (...) Solicitamos, portanto, que eles se abstenham de continuar a chicoteá-los no local de trabalho e transfiram essa tarefa para o interior do campo de concentração." Alguns meses mais tarde, entretanto, a gerência da I.G. Farben passou a concordar com os métodos da SS: "Nossa experiência até o momento mostrou que apenas a força bruta produz algum efeito nessa gente".

Posteriormente, a I.G. Farben viria a ficar descontente com a qualidade de trabalho escravo proveniente do campo principal em Auschwitz; a caminhada diária de seis quilômetros e meio em cada direção debilitava os prisioneiros e eles se tornavam propensos demais às doenças. Para prevenir que isso ocorresse, a companhia construiu sua própria "filial" de empresa privada do campo de concentração Monowitz, que seguia os mesmos moldes do campo principal. As pessoas que conseguiram sobreviver mencionaram que trezentos mil prisioneiros passaram pelos portões da I.G. Farben em Auschwitz. As fábricas eram tão grandes que consumiam mais eletricidade que toda a cidade de Berlim.

Um desses sobreviventes foi o Prisioneiro Número 174.517, um jovem italiano de nome Primo Levi, que conseguiu sobreviver somente por ter podido recordar o suficiente daquilo que tinha estudado de química orgânica em Turim, e sido posto a trabalhar em um dos laboratórios. "Este imenso emaranhado de ferro, concreto, lama e fumaça é a negação da beleza", disse ele a respeito do complexo industrial da I.G. "Dentro de seus limites não cresce uma só folha de grama, o solo está impregnado com a seiva venenosa do carvão e com petróleo. As únicas coisas vivas são máquinas e escravos — as primeiras mais vivas que os últimos." Monowitz era uma fábrica de morte. Era também um negócio, até para os funcionários do campo, que obtinham dinheiro vendendo nos mercados próximos as roupas e sapatos dos que morriam em Monowitz e daqueles que eram enviados nus para os crematórios dos campos vizinhos. O mau cheiro que emanava dos crematórios de Auschwitz e Birkenau espalhava-se pelo ar de Monowitz. Para Levi, era o "mundo da morte e dos fantasmas. O último sinal de civilização se desvanecera."

Em 1944, de acordo com estimativas, um terço da força de trabalho na indústria alemã de combustíveis sintéticos em todo Reich era constituída de trabalho escravo. A I.G. Farben tornara-se uma parceira profundamente envolvida e entusiástica em sua *joint venture* com a SS em Auschwitz. E, naturalmente, as duas partes participavam juntas de muitas atividades sociais. Pouco antes de um Natal, os gerentes da I.G. Farben, residentes em Auschwitz, acompanharam alguns homens da SS para uma festiva caçada. As sacolas dos caçadores totalizaram 203 coelhos, uma raposa e um gato montês. O chefe de edificações do complexo Farben foi "proclamado caçador campeão", com uma sacola contendo uma raposa e dez coelhos. "Todos passaram horas agradáveis", de acordo com o relato da caçada. "O resultado foi o melhor desta região neste ano, até o momento, e provavelmente só será superado pela caçada que o campo de concentração estará realizando num futuro próximo."[20]

O objetivo estratégico fundamental

Seguindo a campanha de bombardeio estratégico, acidental e ineficaz, que os Aliados efetuaram contra a Alemanha, o general Carl Spaatz, comandante da Força Aérea Estratégica Americana na Europa, decidiu que se deveria promover uma mudança. No dia 5 de março de 1944, propôs ao general Dwight Eisenhower, responsável pelos preparativos da invasão da Normandia, que se estabelecesse um novo objetivo prioritário — a indústria de combustível sintético da Alemanha. Prometeu que a sua produção seria reduzida pela metade dentro de seis meses. Apontou para um possível benefício adicional: essas fábricas eram tão importantes para os alemães que tais ataques iriam forçar a Luftwaffe a levantar voo e também forçar o desvio de muitos aviões e pilotos da França, que era o alvo da invasão.

Os ingleses foram contra os planos de Spaatz, insistindo na necessidade de atingir o sistema ferroviário francês. Mas, finalmente, Spaatz recebeu a autorização tácita de Eisenhower para seguir em frente, ao alvo dos combustíveis sintéticos. No dia 12 de maio de 1944, uma esquadrilha de combate envolvendo 935 bombardeiros, mais os caças de escolta, bombardearam algumas fábricas de combustível sintético, incluindo a gigantesca unidade da I.G. Farben em Leuna. Logo que Albert Speer percebeu o que tinha ocorrido, voou direto para Leuna, a fim de verificar os estragos. "Jamais esquecerei o dia 12 de maio", escreveu ele, posteriormente. "Naquele dia, a guerra tecnológica foi decidida." Os resultados desse ataque, os sistemas de tubulação rompidos e retorcidos que via enquanto percorria o local, tornou realidade "o que vinha sendo um pesadelo por mais de dois anos". Uma semana após o ataque. Speer voou para reportar-se pessoalmente ao seu *führer*. "O inimigo nos atingiu em um de nossos pontos mais fracos", disse ele a Hitler. "Se eles persistirem no ataque, logo não teremos produção de combustível que seja digna de menção. Nossa única esperança é que o outro lado tenha um Estado-Maior da Força Aérea tão desmiolado quanto o nosso!"[21]

Ainda assim, este primeiro ataque não foi tão incômodo Quanto parecia ser no início. Pouco antes dos invasores Aliados terem forçado a Itália a retirar-se da guerra, os militares alemães apossaram-se de seus estoques de petróleo, aumentando substancialmente suas próprias reservas. Isso atenuou as dificuldades. Uma atividade febril nas unidades danificadas fez retomar a produção de combustível sintético aos níveis iniciais no espaço de poucas semanas. Nos dias 28 e 29 de maio, os Aliados atingiram novamente as instalações alemãs de petróleo. Outros bombardeiros atacaram as instalações de petróleo em Ploesti, na Romênia. No dia 6 de junho, o Dia D, os Aliados irromperam na esperada invasão na Europa Ocidental, conseguindo criar uma cabeça de ponte precária nos mares da Normandia. Era mais importante que nunca acabar com os estoques de combustível dos alemães e assim, no dia 8 de junho, o general Spaatz emitiu as instruções formais — o principal objetivo estratégico das Forças Aéreas dos Estados Unidos era, agora, privar de petróleo as forças anuadas inimigas. Seguiram-se bombardeios regulares sobre a indústria de combustíveis sintéticos.

Em resposta, Speer ordenou que as unidades de combustível sintético e outras instalações de petróleo fossem rapidamente reconstruídas, ou fragmentadas, quando possível, em espaços menores, mais bem protegidos e escondidos — algumas nos escombros das fábricas destruídas, outras em pedreiras e outras no subsolo. Até cervejarias foram convertidas em fábricas de combustível. Aumentos substanciais na capacidade de produção de combustível sintético haviam sido planejados para 1944, mas agora a maquinaria e os componentes programados para isso tinham que ser desmantelados para o reparo das instalações existentes. Mais de 350 mil trabalhadores — muitos deles escravos — foram destacados para esse empreendimento frenético. Num primeiro momento, as unidades foram rapidamente reconstruídas, mas à medida que o tempo passava e elas iam sendo submetidas a outros ataques aéreos tornavam-se mais frágeis e vulneráveis, e tinham maiores dificuldades para retomar as operações. A produção começou a decair rapidamente. Antes dos ataques se reiniciarem em maio de 1944, a produção de combustível sintético por hidrogenação era em média de 92 mil barris por dia; em setembro, a produção tinha caído para 5 mil barris por dia. A produção de gasolina de aviação naquele mês foi de apenas três mil barris por dia apenas 6% da produção média nos primeiros quatro meses de 1944. Enquanto isso, os russos capturavam os campos de petróleo em Ploesti, na Romênia, privando Hitler de sua principal fonte de petróleo bruto.

A produção de aviões alemães ainda estava no seu nível mais alto. Mas eles permaneciam no chão; tinham pouca utilidade, sem combustível. Aviões de caça a jato, uma recente inovação alemã que poderia ter dado uma vantagem importante à Luftwaffe, foram sendo introduzidos aos esquadrões operacionais no outono de 1944. Mas não havia combustível para treinar os pilotos ou, com certeza, nem mesmo para colocar os aviões no ar. Ao todo, a Luftwaffe estava operando com apenas um décimo do mínimo de gasolina exigida. A Força Aérea Alemã fora agora capturada na armadilha fatal. Sem os caças para proteger as fábricas de combustível, o impacto destrutivo dos ataques-surpresa dos Aliados cresceu, além de reduzir as provisões disponíveis de gasolina de aviação para a Luftwaffe. O treinamento aéreo para pilotos novos foi reduzido a apenas uma hora por semana. "Este foi, com certeza, o golpe fatal para a Luftwaffe!" O general Adolph Galland, comandante das forças de combate alemãs, disse depois da guerra: "De setembro em diante, a escassez de combustível era insustentável. As operações aéreas ficaram, desse modo, praticamente impossíveis".

No outono de 1944, o mau tempo reduziu temporariamente os *raids*, e em novembro os alemães conseguiram aumentar a produção de combustível sintético. Mas a produção voltou a cair em dezembro. "Precisamos nos dar conta de que os inimigos que estão no comando dos *raids* aéreos sabem alguma coisa sobre a vida econômica da Alemanha", falou Speer em uma conferência sobre armamentos. "Felizmente para nós, o inimigo começou a seguir esta estratégia somente na última metade do ano (...) Antes disso, ele estava", pelo menos em sua opinião, "cometendo absurdos." Por fim, a campanha estratégica de bombardeio, atacando a indústria de combustíveis sintéticos, estava paralisando partes essenciais da máquina de guerra germânica. Mas a batalha ainda não estava terminada.[22]

A Batalha do Bulge: o maior posto de gasolina da Europa

No outono de 1944, o Dia D da invasão da Normandia tinha se espraiado, em etapas vagarosas e custosas, para expulsar os alemães da França. Ao mesmo tempo, as forças soviéticas avançavam em direção à Alemanha, vindas do leste. Para Hitler, a guerra não podia estar chegando ao fim. Seu Reich não podia falhar. No dia 16 de dezembro, ele desferiu uma imensa contra-ofensiva nas florestas arborizadas e montanhosas de Ardennes, a leste da Bélgica e de Luxemburgo. Conhecida como a Batalha do Bulge, foi o último grande ataque concentrado da Alemanha, o *blitzkrieg* final. O plano era do próprio Hitler e ele apostou tudo nesse plano, inclusive cada gota de combustível que pudesse ser subtraída de outras unidades do território alemão. O objetivo era repelir os Aliados, isolar seus exércitos, recuperar a iniciativa e ganhar tempo para desenvolver armas novas e mais devastadoras para usar contra os soldados e civis Aliados. Os alemães apanharam os Aliados despreparados e de surpresa, provocaram grande confusão atrás das linhas e conseguiram abrir passagem.

Os alemães tiveram a surpresa como vantagem, mas empreenderam o ataque com recursos vastamente insuficientes e com uma intensidade que parecia no papel muito maior do que o era na realidade. As reservas de efetivo que poderiam ter decidido a batalha, talvez não chegassem às linhas de frente. "Eles não podiam ser transportados", um comandante alemão disse posteriormente. "Eles estavam imobilizados pela falta de petróleo — encalhados em um trecho de quase duzentos quilômetros — exatamente no momento em que se precisava deles."

Na sua *blitzkrieg* de 1940, nessa mesma área, a deficiência de combustível dos alemães fez pouca diferença; eles apreenderam mais gasolina do que gastaram. Agora, quatro anos e meio depois, não tiveram a mesma sorte. Mas conseguiram chegar perigosamente próximos. Pois a área ao redor de Stavelot, ao leste da Bélgica, era o maior depósito de combustível dos Aliados e certamente o maior posto de abastecimento da Europa. Ali, os Aliados haviam estocado 9 milhões de litros de combustível para suas tropas — juntamente com dois milhões de mapas rodoviários da Europa. As estradas ao redor da área estavam abastecidas com centenas de milhares de latões de vinte litros cada. As Forças Aliadas teriam que parar, abastecer com a quantidade que precisassem e seguir em frente.

Na manhã do dia 17 de dezembro, o segundo dia da ofensiva alemã, uma unidade *Panzer*, conduzida pelo sanguinário coronel Jochem Peiper, invadiu um pequeno depósito de combustível nas proximidades. Peiper forçou cinquenta soldados americanos capturados a abastecer seus veículos e então ordenou friamente que os matassem. Um grande número de prisioneiros americanos também foi baleado naquele que ficou conhecido como o Massacre de Malmédy. Naquela noite, as tropas de Peiper estavam a trezentos metros do mais grandioso dos prêmios — a ponte que conduzia ao depósito de Stavelot, cinquenta vezes maior do que o anteriormente capturado naquele mesmo dia. As defesas dos Aliados eram fracas e desorganizadas. As tropas de Peiper moviam-se em direção ao norte, através da ponte sobre o rio Ansleve, para Stavelot. Em um desesperado esforço de improvisação, um pequeno grupo de defensores Aliados despejou o conteúdo de alguns latões em um fosso circular e ateou fogo, gerando uma parede de chamas. Peiper examinou seus mapas cuidadosamente, mas estavam desatualizados e não mostravam a localização correta dos depósitos, nem a sua amplitude. Não sabia da recompensa que tinha ao seu alcance. Ao invés de enviar suas tropas através da tênue parede de fogo, ordenou-lhes que retornassem através da ponte em direção ao oeste, largando o depósito seguro. Ironicamente, a unidade de Peiper logo ficou sem combustível; seus tanques andavam apenas oitocentos metros com cinco litros. Os esforços de reabastecimento da Luftwaffe falharam e a unidade foi capturada.

A meia volta de Peiper foi um daqueles pequenos incidentes de batalha com consequências monumentais. As provisões de combustível em Stavelot eram equivalentes às necessidades dos primeiros dez dias de toda a ofensiva alemã em Ardennes; a sua captura teria dado aos alemães o combustível para prosseguirem direção a Antuérpia e ao canal da Inglaterra, no momento em que os Aliados ainda estavam vacilantes por efeito da desorganização e confusão. Mesmo assim, apenas no dia de Natal de 1944, dez dias após terem iniciado sua ofensiva, é que os alemães foram detidos e rechaçados.[23]

"O Crepúsculo dos Deuses"

Mais combustível teria feito os alemães ganharem mais tempo. Com o fracasso da ofensiva em Ardennes, o esforço de guerra da Alemanha estava estrategicamente encerrado.

Em fevereiro de 1945, a produção germânica de gasolina de aviação totalizava mil toneladas — 0,5% do nível dos primeiros quatro meses de 1944. Nada mais foi produzido em seguida. Mas o delírio da vitória resistia. Conforme relembrava Speer, aqueles que viviam ao redor de Hitler "ouviriam em silêncio quando, durante a longa e irremediável situação, ele continuava a incumbir divisões inexistentes, ou a ordenar unidades providas de aviões que não mais podiam voar, por falta de combustível".

Ainda assim, os meses de luta sangrenta prosseguiram, nas frentes ocidentais e orientais, enquanto Hitler e seu círculo imediato recolhiam-se cada vez mais à fantasia, com o próprio Hitler exigindo a tática da terra arrasada e distribuindo "as últimas ordens malucas" (nas palavras de um de seus generais). Mesmo com o fim se aproximando, ele se mantinha arraigado às suas visões insanas e violentas, pelas quais pelo menos 35 milhões de pessoas pagaram com a própria vida. Ele ouvia o *Gotterdammerung* — "O crepúsculo dos Deuses" — de Wagner, ao gramofone, esperando por alguma aparição mágica, e lia avidamente horóscopos que prometiam uma repentina melhora de sua sorte. Somente quando os soldados russos estavam quase chegando ao seu *bunker* subterrâneo, nas escadarias de sua agora destruída chancelaria, que Speer havia projetado especialmente para ele, é que Hitler comete suicídio. Havia deixado ordens de que seu corpo deveria ser encharcado de gasolina e queimado, de forma que não caísse nas mãos dos odiados eslavos. Havia gasolina suficiente para levar a cabo aquela ordem derradeira.

Mas, para muitos que o cercavam, o desastre iminente que resultou das fantasias e selvagerias nazistas já estava claro há muitos meses. Em uma visita noturna que Speer fizera aos remanescentes das batalhas do Décimo Exército Alemão na Itália, Albert Speer teve uma visão clara do motivo que levou o Reich, que deveria ter durado mil anos, a ter de fato pela frente apenas algumas semanas. Nessa viagem ele se deparou com 150 caminhões do exército alemão. Em cada um deles estavam atrelados quatro bois que puxavam o veículo. Era o único meio de locomoção dos veículos. Não tinham combustível.[24]

CAPÍTULO XVIII

O calcanhar de aquiles do Japão

NA PRIMEIRA SEMANA DE DEZEMBRO DE 1941, um esquadrão naval americano encontrava-se no imenso e esplêndido porto de Balikpapan em Bornéu, nas Índias Orientais Britânicas, em visita de cortesia. Na virada do século, naquele ponto do mapa até então desconhecido, Marcos Samuel tinha pedido ao seu sobrinho que construísse um complexo de refinarias à margem da floresta. Durante as quatro décadas seguintes, aquilo que parecia ter sido um sonho tolo e inconsequente não só tinha se transformado em um grande centro refinador de petróleo para atender a produção da ilha, como tornara-se também uma das grandes joias do grupo Royal Dutch-Shell e um marco importante na indústria mundial de petróleo.

Agora, em dezembro de 1941, os marinheiros americanos em visita estavam participando de uma festa oferecida pela direção da refinaria, e em retribuição pretendiam oferecer-lhes outra festa no clube local. A baixa oficialidade, abastecida com caixas de bebidas, já estava reunida quando um oficial superior apareceu, de repente, ordenando-lhes que voltassem imediatamente ao navio. A bordo, o abastecimento de combustível logo começou e perto da meia-noite os navios já estavam zarpando. Foi assim que os homens do petróleo ingleses e holandeses de Balikpapan souberam do ataque a Pearl Harbor. A guerra pela qual estavam esperando e se preparando havia, afinal, começado.

Um ano antes, em 1940, quando um diretor da Shell, chamado H.C. Jansen, chegou a Balikpapan, encontrou abrigos antiaéreos já construídos e planos de evacuação já desenvolvidos. Nos meses subsequentes, o acesso ao porto foi minado e 120 homens praticavam exercícios de destruição. Todos eles sabiam que Balikpapan e os campos de petróleo ao seu redor estavam entre os grandes prêmios pelos quais os japoneses entrariam em guerra. A tarefa dos homens do petróleo seria negar-lhes esse prêmio.

Nos dias que se seguiram a Pearl Harbor, as mulheres e os filhos dos petroleiros foram retirados de Balikpapan. À noite, Jansen e seus colegas, todos sem as esposas, descansavam em cadeiras de palha nos jardins, contemplando através da escuridão a refinaria e, mais adiante, o oceano — a lua demorava a surgir no horizonte — e conversavam a respeito das angustiantes notícias radiofônicas sobre o avanço nipônico no sudeste da Ásia. O que os americanos iriam fazer? Quando chegariam os japoneses a Balikpapan? Qual seria o futuro daquele grande empreendimento industrial? Imaginavam, também, qual seria o destino que aguardava a cada um deles. O tema central das conversas girava em torno de descobrir como reforçar as defesas de Balikpapan. Durante o dia, dispunham de muito pouco tempo para refletir sobre qualquer coisa; trabalhavam exaustivamente, tentando produzir o máximo de produto refinado que deveria ser utilizado, enquanto ardorosamente esperavam pelos Aliados no esforço de guerra.

Em meados de janeiro de 1942, com a aproximação dos japoneses, os trabalhadores dos campos de petróleo mais distantes começaram a destruir os poços, como estava sendo feito alhures nas Índias. Arrancavam a tubulação, cortavam-na em pedaços, e colocavam-na de volta dentro dos poços junto com bombas, bielas, parafusos, porcas e brocas de perfuração que estivessem à mão e, além disso, jogavam uma lata de TNT em cada poço. Os poços explodiam. A operação foi iniciada pelos poços menos produtivos, mas, ao final, todos eles foram destruídos.

Enquanto isso, as primeiras providências para a demolição da refinaria de Balikpapan estavam a caminho. Os destiladores e caldeiras eram ligados e deixados em funcionamento até ficarem secos e enguiçarem. Ninguém podia prever o tempo que isso iria levar. Porém, trinta horas depois, o primeiro destilador começou a desmantelar-se e os demais logo em seguida. No dia 20 de janeiro, os homens na refinaria receberam a terrível notícia: as frotas japonesas estavam no mar aproximando-se a todo vapor, a menos de 24 horas de navegação. Os japoneses enviaram, por meio de dois holandeses capturados, um ultimato: rendição imediata ou tudo seria torpedeado. Um oficial militar destacado para a refinaria deu ordem para iniciar a demolição.

Jansen e os demais homens explodiram primeiramente o depósito de minas; a explosão estilhaçou todas as vidraças das áreas próximas. Em seguida, explodiram o cais, que havia sido cuidadosamente encharcado com gasolina ou com uma mistura de querosene e óleo lubrificante. Perto do meio-dia, as docas estavam em chamas. Os homens perceberam, com certa curiosidade técnica, que quando a fumaça proveniente do cais incendiado com gasolina se juntava com a fumaça proveniente da queima por querosene e óleo lubrificante, a reação provocava explosões de faíscas no céu claro do meio-dia.

A partir de então, o imenso complexo foi sacudido por seguidas explosões. As chamas atingiam 45 metros de altura, à medida que o grande incêndio alcançava a estação marítima, a usina de estanho, as instalações da refinaria, a casa de força, e outros tantos edifícios em torno da conflagração. Os homens cobertos de suor e fuligem, corriam por entre as chamas, obedecendo passos que tinham sido ensaiados tantas vezes. Eles iam em direção à área dos reservatórios onde o petróleo estava armazenado. Em cada reservatório foram amarradas quinze bananas de TNT. Mas algumas tinham se deteriorado devido à umidade e não explodiram. Além disso, o cansaço começava a tomar conta dos homens. Será que conseguiriam encontrar algum modo de incendiar os reservatórios? Um grupo recém-formado de voluntários tentou incendiá-las com tiros de fuzis, mas sem sucesso, A alternativa era abrir as válvulas. Eles se deram conta de que as chaves das válvulas estavam no escritório do reservatório, que já tinha sido destruído.

Finalmente, os reservatórios em posições mais elevadas foram abertos e o petróleo vazou para os reservatórios mais baixos. A ignição elétrica seria usada para detonar quatro ou cinco reservatórios, na esperança de que o petróleo em chamas incendiasse os demais, Jansen e os outros homens protegeram-se atrás de um reservatório vazio enquanto se ligava a ignição. Instantaneamente formou-se uma imensa bola de fogo, seguida de uma terrível explosão e de um formidável furacão. À medida que o mar de óleo incandescente descia morro abaixo em direção aos outros reservatórios, a área se transformou em uma conflagração infernal.

Não havia mais nada a fazer. Jansen e os outros desceram a colina correndo em direção à estação de rádiotelegrafia; guardas nativos, fardados, saudaram-nos. Os petroleiros, exaustos até os ossos, as gargantas ressecadas, subiram nos barcos nativos chamados *proas*. O mar ao seu redor estava vermelho pelo reflexo das imensas colunas de fogo e ainda se ouviam sucessivas explosões. Naquele momento se iniciaria a nova fase do plano, jamais ensaiada — a fuga.

Os homens deixaram a baía e adentraram a foz do rio Riko, avançando rio acima em direção a um campo de resgate. Aos poucos o fogaréu da refinaria se extinguiu, perdido em meio à folhagem da floresta densa e da noite escura, e as explosões foram ficando fracas, encobertas pelo coro infindável das cigarras. Viajaram durante horas. Por vezes, ainda conseguiam detectar a vermelhidão no céu de Balikpapan. Executaram um bom trabalho: quatro décadas de construção industrial foram destruídas em menos de um dia. Finalmente, chegaram a um campo de evacuação no meio da floresta, às margens de um pequeno rio tributário do Riko. Eles passaram horas intermináveis esperando atentamente pelo barulho do aeroplano que seria enviado para resgatá-los. Ele não apareceu.

Na noite seguinte, Jansen e um pequeno grupo voltaram de barco pelo rio tributário até seu entroncamento com o Riko. Passaram aquela noite no barco esperando que chegasse o resgate, aguçando os ouvidos para escutar um avião ou um barco, mas temendo que qualquer ruído denunciasse a presença dos japoneses. Um dos homens, adormecido no duro banco caiu do barco; os outros o arrastaram de volta fazendo alarido para afugentar os crocodilos. O único modo de repelir os mosquitos era fumando cachimbo ou cigarro. Para Jansen, as horas pareciam intermináveis. O sol se pôs e eles ainda esperavam.

Mais ou menos às 13 horas, um hidroavião da companhia surgiu no céu e pousou no rio. O piloto estava indo buscar um ferido em outro local, mas prometeu voltar. Parecia tão bom quanto suas palavras. Resgatou quatro pessoas. Jansen não estava entre elas. Mais tarde, Jansen e os outros receberam uma mensagem para retornar à baía de Balikpapan e partiram, novamente, rio abaixo. Naquela noite, dois hidroaviões surgiram e resgataram muitos deles. Jansen estava nesse segundo avião, tão lotado que mal podia respirar. Uma vez em pleno ar, uma brisa entrava pela cabine e alguns até caíram no chão do avião, adormecidos.

Chegados a Surabaya, na Costa Norte da ilha de Java, foram saudados pelo comandante da base aérea local. "Já não podemos enviar aviões até Balikpapan; os japoneses estão lá," disse ele. Setenta e cinco pessoas foram abandonadas na baía de Balikpapan, ainda aguardando resgate. Era tarde demais; os japoneses desembarcaram no sul da baía. Poucas horas depois da meia-noite, no dia 24 de janeiro, quatro destróieres americanos, com as luzes apagadas, atacaram doze transportadores de tropas japoneses, silhuetas bem definidas contra a vermelhidão da fumaça vinda da refinaria que ainda ardia. Na Batalha de Balikpapan, como ficou conhecida, os americanos afundaram quatro desses transportadores e um barco-patrulha. Porém, em virtude dos torpedos defeituosos, não conseguiram afundar os outros. Essa foi a primeira batalha americana no mar contra os japoneses, certamente a primeira vez que a marinha dos Estados Unidos se envolveu em uma ação de superfície desde a vitória do almirante Dewey, no ano de 1898 em Manila.

Essa batalha nem sequer retardou o desembarque japonês de Balikpapan. Os petroleiros, sem recursos, não tinham outra alternativa a não ser recuar para a floresta. Eles se separaram em grupos menores num esforço desesperado para encontrar alguma rota de retirada através da selva. Foi uma experiência terrível. Seguiram seu caminho a pé, ou nos *proas,* castigados pela fome, cansaço, malária, disenteria e medo, os destacamentos ficando cada vez menores, à medida que a doença e a morte os eliminavam. Ficaram sabendo, por meio dos nativos que encontravam pelo caminho, que os japoneses tinham tomado toda ilha de Bornéu.

Cercados na floresta, eles se sentiam como ratos em uma gaiola. Poucos conseguiram, finalmente, escapar da ilha. Dos 75 apenas 35 sobreviveram à floresta, aos pelotões de fuzilamento japoneses e às prisões.[1]

"Embriagados pela vitória"

Destruições de instalações petrolíferas, semelhantes às ocorridas em Balikpapan, estavam ocorrendo nas Índias Orientais. Mas, para a avalanche nipônica que estava devastando o Sudeste Asiático e o Pacífico, este parecia ser um inconveniente de menor importância. Em meados de março de 1942, o controle japonês sobre as Índias Orientais era total. Vindo no rastro de outras conquistas, isso significava que o Japão, em apenas três meses, havia conquistado todos os ricos recursos do Sudeste Asiático, em particular o petróleo, principal motivo de sua entrada na guerra. E a máquina de guerra japonesa ainda funcionava tranquilamente. Em Tóquio o premiê Tojo gabava-se de que Hong Kong caíra em dezoito dias, Manila em 26 e Cingapura em setenta. Uma "febre de vitória" assolou o país. Os estonteantes sucessos militares geraram tamanho desequilíbrio no mercado de ações no primeiro semestre de 1942, que o governo foi obrigado a intervir para acalmá-lo. Algumas pessoas diziam que o país ficara "embriagado pela vitória". Poucos preveniram-se contra o inevitável *morning after.*

A exaltação dos japoneses tinha como contraponto o choque e o desespero dos americanos. No Natal de 1941, o almirante Chester Nimitz, recém-nomeado comandante da frota americana no Pacífico, chegou de hidroavião a Pearl Harbor para iniciar o trabalho de recolhimento dos destroços. No caminho de barco, entre o porto e as docas, ele passou por pequenos botes que tentavam localizar corpos; duas semanas e meia depois do ataque, ainda havia corpos flutuando. Essa cena horripilante no Havaí era apenas uma pequena parte do panorama geral e sinistro que os Estados Unidos enfrentavam — a guerra nos dois hemisférios, um verdadeiro conflito global. Pearl Harbor foi a pior humilhação da história americana. O medo e o pânico assolaram o país. Afinal, a guerra temida e esperada por tanto tempo estava ali e o país rapidamente cerrou fileiras para a longa e árdua batalha contra a Alemanha e o Japão.

Quem seria destacado para conduzir a guerra americana no Pacífico, o exército ou a marinha? Cada arma estava relutante em entregar toda sua força no Pacífico ao comando de um oficial ou de outro. Rivalidades e animosidades pessoais faziam parte desta competição burocrática. Como resultado, dois comandos e dois cenários foram propostos. Os contrastes entre o alto comando do exército e da marinha eram imensos. O general Douglas MacArthur, embora fosse um estrategista de grande perspicácia, era também egoísta, bombástico e arrogante. Em um encontro durante a guerra e após ouvir MacArthur por três horas, Franklin Roosevelt pediu a um auxiliar: "dê-me uma aspirina... Aliás, dê-me mais uma para tomar pela manhã. Em toda minha vida ninguém jamais falou comigo do modo como o fez MacArthur". Por sua vez, o almirante Chester Nimitz era um jogador de fala mansa, despretensioso, que no aguardo dos resultados de uma batalha seria capaz de ficar praticando tiro à distância ou jogando malha do lado de fora de seu gabinete. "Simplesmente não é de seu feitio fazer afirmações devastadoras ou dar entrevistas brilhantes", observou um correspondente.

O comando dividido, entretanto, fez muito mais que oferecer um contraste de estilos na liderança militar; ele também conduziu a batalhas amargas e inúteis, por sobre recursos escassos e, o pior, com pobre coordenação em operações militares--chave, nas extensas zonas de combate. As distâncias que as tropas americanas seriam obrigadas a cobrir em sua investida final contra as ilhas japonesas foram simplesmente enormes. Nenhuma outra guerra tinha sido travada nessa escala. A América possuía uma grande vantagem em recursos. Mas de que maneira as tropas americanas seriam abastecidas? E como ignorar os abundantes recursos já capturados pelos japoneses? As respostas para essas duas perguntas iriam auxiliar a delinear a estratégia e teriam grande influência para determinar o curso da extensa guerra no Pacífico. Desde o princípio, Nimitz não tinha dúvidas de qual seria sua estratégia. Ele e o almirante Ernest King, chefe de operações navais, concordavam, nas palavras do biógrafo de Nimitz, que "os principais objetivos das forças armadas Aliadas era preservar suas próprias linhas de abastecimento, para então dirigir-se ao Ocidente com o fim de capturar bases de onde se pudesse bloquear as indispensáveis 'rotas de petróleo' do Japão".[2]

"A vez dos adultos"

Enquanto os americanos, nos primeiros meses de 1942, se mobilizavam com atraso para o conflito, os japoneses, em glória pela sua espantosa série de vitórias, pensavam em suas próximas investidas. Tinham se tornado tão autoconfiantes que os líderes militares do país intentavam atacar em direção ao Ocidente através do oceano Índico para juntar-se às tropas germânicas no Oriente Médio ou na Rússia e ajudar a cortar o fornecimento de petróleo de Baku e do Irã aos Aliados. Para ser exato, nem todos os japoneses foram vítimas da "febre de vitória". Em abril de 1942, o almirante Isoroku Yamamoto, o arquiteto do ataque a Pearl Harbor, escreveu à sua gueixa favorita: "O primeiro estágio das operações foi uma espécie de hora do recreio e logo estará terminado. Agora chegou a vez dos adultos, portanto, é melhor deixar de cochilar e entrar em ação".

Yamamoto e outros líderes da marinha nipônica compartilhavam da mesma profunda crença e do mesmo desiderato em uma batalha "decisiva", que pudesse colocar os inimigos fora de combate. Ele sabia, por seus anos de vivência nos Estados Unidos, que uma vitória rápida era fundamental, devido ao petróleo e a outros recursos que a América dispunha, bem como ao seu poderio industrial. Os japoneses decidiram montar um grande ataque à Ilha Midway, a apenas dois mil quilômetros do Havaí, direção oeste. De qualquer maneira, os japoneses planejavam aproveitar esse ataque a Midway para expandir seu perímetro defensivo. E se a frota americana fosse retirada, tanto melhor, pois assim os japoneses poderiam fazer desta a sua batalha decisiva e concluir o trabalho iniciado em Pearl Harbor, removendo a marinha norte-americana do Pacífico.

A Batalha de Midway, no princípio de junho de 1942, mostrou-se decisiva, mas não da maneira que a maioria dos japoneses esperava. Foi, no entanto, a "vez dos adultos" que Yamamoto tanto temia. Com sua espetacular recuperação, depois da devastação em Pearl Harbor, e com a vantagem adicional de ter acesso ao código secreto do inimigo (que os japoneses demoraram a trocar devido à grande dispersão de suas tropas), a marinha norte-americana conduziu uma defesa retumbante contra os confiantes japoneses, derrubando quatro aviões de transporte da Frota Imperial e perdendo apenas um de sua própria frota.

Midway foi o verdadeiro momento decisivo da guerra do Pacífico, o fim da ofensiva japonesa. Daí em diante, o equilíbrio iria se alterar, à medida que a força inexorável de que dispunham os norte-americanos em efetivo humano, recursos, tecnologia, capacidade de organização e absoluta determinação, fazia com que os japoneses recuassem no Pacífico em sangrentas batalhas, uma após a outra. O contra-ataque começou dois meses depois de Midway, quando as tropas americanas desembarcaram na ilha de Guadalcanal, perto de Nova Guiné. Seguiram-se seis meses de luta brutal, mas finalmente os Estados Unidos capturaram a ilha naquela que se tornou a primeira ofensiva norte-americana na guerra. A aura de invencibilidade que cercava o exército japonês tinha sido rompida. Mas essa foi apenas uma pequena e custosa etapa na longa batalha para exaurir os recursos, se não a determinação, de um inimigo implacável.[3]

As tentativas iniciais de impedir o acesso ao petróleo das Índias pelo Japão provaram não ter sido um grande empecilho. Os japoneses tinham se antecipado à demolição — essa probabilidade estava sinalizada há muito tempo —, mas perceberam que a destruição não fora tão severa nem tão abrangente como haviam previsto, apesar dos esforços da Shell em Balikpapan e dos esforços da Stanvac em Sumatra. Os japoneses puseram-se imediatamente a restaurar a indústria do petróleo nas Índias. Equipes de perfuração, turmas de trabalhadores para a refinaria e equipamentos, foram rapidamente providenciados. Em pouco tempo, cerca de quatro mil trabalhadores petrolíferos foram transportados para o sul, perfazendo 70% do total das Ilhas Nipônicas.

O resultado foi espantoso. Antes da deflagração da guerra, o exército japonês havia planejado obter, no prazo de dois anos, petróleo suficiente das Índias — que foi chamada de Zona Sul — para compensar as perdas. Esta meta foi superada. A produção de petróleo na Zona Sul fora de 65,1 milhões de barris em 1940. Em 1942, os japoneses produziram somente 25,9 milhões de barris, mas em 1943 eles retomaram os 49,6 milhões de barris — 75% do nível de 1940. Nos primeiros três meses de 1943, as importações de petróleo do Japão se elevaram a 80% da quantidade importada no mesmo período de 1941, pouco antes da imposição do embargo, em julho de 1941, pelos americanos, britânicos e holandeses. Conforme já haviam planejado, os japoneses conseguiram usar as Índias Orientais conquistadas para refazer seus estoques de petróleo. Além disso, não havia escassez de petróleo na Zona Sul. As frotas japonesas podiam reabastecer no local à vontade.

Os japoneses se aproveitaram, ainda, dos esforços da Caltex, a parceira da Standard of California e da Texato no hemisfério leste. Um pouco antes da guerra, a Caltex tinha localizado uma jazida bastante promissora, a estrutura Minas, na Sumatra central e mandado para lá uma plataforma para perfuração e os equipamentos necessários. Os japoneses iniciaram os trabalhos e, usando a plataforma da Caltex, perfuraram um poço exploratório — o único poço petrolífero perfurado em zona pouco explorada em toda a II Guerra Mundial. Eles se depararam com uma jazida gigantesca, a maior existente entre a Califórnia e o Oriente Médio. O esforço como um todo na Zona Sul foi tão bem-sucedido que em 1943 o premiê Tojo anunciou a solução para o problema do petróleo que vinha pondo em risco a agressão japonesa. Mas Tojo abriu a boca cedo demais.[4]

A Batalha de Marus: a guerra de atrito

Ao planejar sua estratégia militar, os japoneses tinham como certo que os abundantes recursos da Zona Sul — o petróleo, as demais matérias-primas e as reservas de alimentos — poderiam ser incorporados à economia e às necessidades das improdutivas Ilhas

Nipônicas, dando assim ao Japão o poder de permanecer para erigir e manter um "paredão do Pacífico". Os japoneses poderiam, dessa forma, enfrentar os americanos e os britânicos, exaurindo sua determinação até que se cansassem e pedissem paz, deixando a Ásia e o Pacífico para o império nipônico. Essa estratégia era uma aposta, cujo sucesso dependia não só do enfraquecimento do poder de decisão do oponente mas também e completamente da integridade da frota mercante do próprio Japão. O Japão havia entrado na guerra com estoques de petróleo suficientes para dois anos — ou era assim que os planejadores japoneses pensavam. Depois, o Japão teria de apelar para o petróleo das Índias Orientais. E esta dependência, de acordo com as declarações do United States Strategic Bombing Survey "provou ser uma debilidade fatal". Ou, como narra uma história das operações militares do Japão, "a escassez de combustível líquido foi o calcanhar de aquiles do Japão".

A fraqueza específica foi a vulnerabilidade da frota mercante a submarinos. Surpreendentemente, os planejadores militares deram pouca importância a esse risco. Subestimaram os submarinos americanos e a sua tripulação. Os japoneses julgavam os americanos muito moles e amantes do luxo para resistirem aos rigores da vida submarina e à guerra. Na realidade, os submarinos americanos eram os melhores da guerra; e, uma vez equipados com modernos torpedos, foram uma arma mortífera que enfraqueceram e depois romperam as arriscadas conexões da frota mercante entre a Zona Sul e o Japão. O prolongado confronto tornou-se conhecido por Batalha do Marus, pelo fato de os japoneses terem dado esse nome para designar todos os marinheiros mercantes. Só no final de 1943, os japoneses passaram a dar séria atenção à proteção da frota mercante contra os submarinos, incluindo a formação de comboios. Os esforços foram inadequados e incompletos. "Quando pedíamos cobertura aérea, apareciam somente aviões americanos", disse com tristeza um comandante de comboio. As perdas da frota mercante nipônica continuavam a se avolumar.[5]

Além disso, os comboios criaram seus próprios problemas que na, realidade, auxiliaram os Aliados. Montar e dirigir o movimento dos comboios exigia a formação de uma rede de sinais de rádio que, entre outras coisas, anunciasse posições exatas. A interceptação dessas mensagens pelos americanos, que haviam decifrado os códigos secretos japoneses, fornecia informações vitais para a tripulação dos submarinos. As consequências seriam devastadoras. Do total da frota mercante do Japão existente no período da conflagração, cerca de 86% afundaram durante os conflitos e outros 9% ficaram tão seriamente avariados que ao final da guerra foram desativados. Menos de 2% do pessoal da marinha americana — os tripulantes dos submarinos foram responsáveis por 55% das perdas totais. Os submarinos das demais nações aliadas contribuíram com outros 5%. O sucesso dessa campanha — na verdade um rigoroso e crescente bloqueio, uma guerra de atritos — foi mais tarde descrito por um grupo de economistas nipônicos como "o golpe fatal para a economia de guerra do Japão".

Os navios petroleiros estavam entre os alvos favoritos dos submarinos e o número de petroleiros afundados cresceu vertiginosamente de 1943 em diante. Em 1944, os afundamentos ultrapassavam de longe a construção de novos petroleiros. As importações japonesas de petróleo atingiram o pico no primeiro trimestre de 1943. Um ano mais tarde, no primeiro trimestre de 1944, as importações caíram pela metade. No primeiro trimestre de 1945, as importações cessaram de vez. "Quando o fim estava se aproximando, a situação era tal que já tínhamos quase certeza de que um petroleiro seria afundado logo após a partida. Não havia muitas dúvidas de que um petroleiro não chegaria ao Japão", declarou um capitão japonês.

À medida que a situação piorava, os japoneses tentavam diversos recursos e improvisações. O petróleo era colocado em tambores de diversos tamanhos e até mesmo em recipientes de fibra que eram carregados nos *decks* dos cargueiros. Os japoneses enchiam grandes sacos de borracha com o conteúdo de trezentos ou quatrocentos barris de petróleo que os rebocadores tinham que levar até o Japão. Essa ideia, por mais genial que pudesse parecer, falhou por algumas razões: a gasolina corroía a borracha, era difícil encher e esvaziar os sacos, os sacos reduziam a capacidade de manobra dos rebocadores, tornando-os alvos mais fáceis para o ataque aéreo. Desesperados, os japoneses tentaram até transportar petróleo em seus próprios submarinos e procuravam forçar os submarinos alemães a liberar petróleo em troca de acesso às oficinas de reparos no Japão.

Internamente, à medida que as importações cessavam, os japoneses se espremiam e espremiam. O consumo de gasolina pela população, em 1944, reduziu-se a exatos 257 mil barris — apenas 4% do total de 1940. Os veículos a gasolina, considerados essenciais, foram reequipados com combustores de carvão vegetal ou lenha. O óleo para uso industrial era extraído da soja, do amendoim, do coco e da mamona. Os estoques de batata, açúcar e vinho de arroz — até mesmo garrafas de saquê das prateleiras das mercearias — eram requisitados para serem convertidos em álcool, que seria utilizado como combustível.

Em 1937, os japoneses tinham estabelecido um compromisso ambicioso e preciso com os combustíveis sintéticos e, nos meses anteriores à Pearl Harbor, algumas pessoas em Tóquio patrocinaram esses combustíveis como uma alternativa para a guerra. Porém, o esforço concreto falhou desgraçadamente, danificado pela escassez de aço e de equipamentos, e por uma série infindável de problemas técnicos, mecânicos, de engenharia e de recursos humanos. Em 1943, a produção de combustíveis sintéticos chegava a um total de um milhão de barris — apenas 8% da marca de quatorze milhões de barris que tinha sido fixada para aquele ano — e nunca essa marca atingiu mais que 5% do total previsto. Além disso, mais da metade do volume, que estava na Manchúria, foi bloqueada em fins de 1944 e 1945, tornando-a inútil. Os combustíveis sintéticos não só foram um fracasso, mas um fracasso dispendioso por consumir recursos, efetivo humano e gerenciamento. Conforme comentou um analista: "A indústria de combustível sintético no Japão, em termos de absorção de materiais, efetivos humanos e sua escassa produção, esteve mais para passivo do que para ativo durante a guerra".[6]

"Não há razão para poupar a frota"

A crescente escassez de petróleo limitava cada vez mais a capacidade militar dos japoneses e afetava diretamente o rumo de muitas batalhas. Sentiu-se o apuro logo no mês de junho de 1942, com a Batalha de Midway, na qual, conforme explicou um almirante, "usamos muito combustível naquela época, mais do que considerávamos necessário; e o efeito se fez sentir logo em seguida". Após a vitória de Midway, as Forças Aliadas colocaram-se na ofensiva, saltando de ilha em ilha em direção ao oeste, em uma combinação de operações marítimas e terrestres que se moviam firmemente cada vez mais perto do Japão — Tarawa e Makin nas Ilhas Gilbert, Kwajalein e Eniwetok nas Ilhas Marshall, Saipan e Guam, nas Ilhas Marianas. Para ambos os lados, cada metro em cada praia parecia ser medido em centenas de vidas. Os americanos formaram um pacote devastador unindo operações anfíbias, poderios aéreo e industrial. Os japoneses não podiam concorrer com esse enorme consumo de recursos. Os americanos chegaram a preparar a vingança de Pearl Harbor em abril de 1943, quando criptanalistas souberam que o almirante Yamamoto que planejara o ataque fatal, estava para fazer uma visita à ilha de Bougainville, perto de Nova Guiné. Os aviões de caça americanos prepararam uma cilada, surgiram detrás das nuvens e derrubaram o almirante envolto em chamas para morrer na floresta.

Ainda assim foi somente nos primeiros meses de 1944 que a campanha submarina finalmente começou a fazer a Marinha Imperial sentir "com muita intensidade" a escassez de combustível, conforme disse um outro almirante. A queda no nível dos estoques de petróleo passou a exercer influência sobre as decisões estratégicas, provocando consequências cada vez mais devastadoras. Durante a campanha nas Marianas, em junho de 1944, a frota nipônica não tomava parte das ações devido à escassez de combustível. Além disso, as esquadrilhas aéreas abordavam os americanos em linha reta em vez de círculos, a fim de economizar combustível. "Efetuar uma abordagem utilizando rotas mais longas exigiria muito mais combustível", diria posteriormente o comandante japonês. A aproximação direta teve um custo elevado, pois seus resultados ficaram conhecidos como "a grande caça ao peru nas Marianas", na qual os japoneses perderam 273 aviões contra 29 dos americanos. Com essa vitória nas Marianas, os americanos tinham, finalmente, penetrado no cinturão de segurança interna do Japão.

Ao final de uma batalha dessas teria sido sensato do ponto de vista estratégico, que os japoneses posicionassem os dois batalhões da Frota Imperial em águas internas tanto em Okinawa quanto nas próprias Ilhas Nipônicas — prontos para atacar em qualquer direção. Mas a ruptura da rota do petróleo para as Ilhas Nipônicas e o esgotamento rápido dos estoques de combustível não permitiram tais posicionamentos. Desse modo, parte da frota, inclusive os porta-aviões, ficou estacionada no Japão, onde aguardariam novos aviões e pilotos, num processo de drenagem dos últimos estoques de combustível. Os grandes encouraçados estavam estacionados próximos a Cingapura, para ter acesso aos suprimentos nas Índias Orientais, mas, entre uma ação bélica e outra, a distância no tempo entre reabastecer e estar pronto para a ação não era

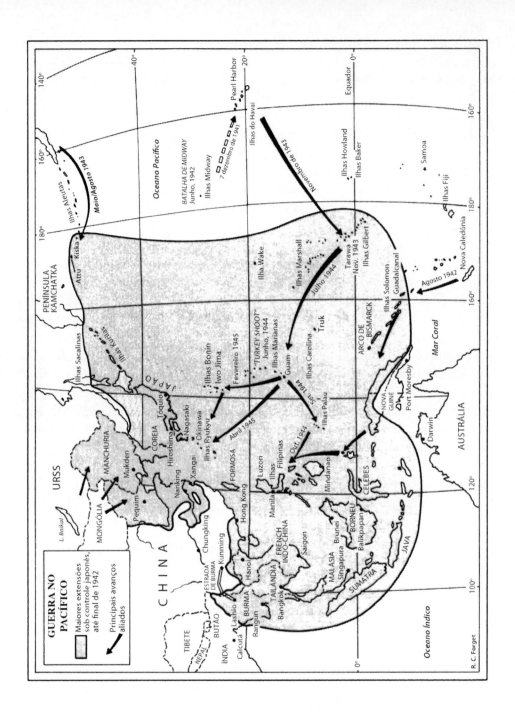

menor que um mês. A consequência geral da escassez de petróleo foi ter dividido a força naval no momento em que os japoneses necessitavam de uma frota verdadeiramente ajustada, forte o suficiente para repelir os avanços dos Aliados.

As operações aéreas nipônicas também ficaram gravemente prejudicadas pela escassez de combustível. O treinamento de pilotos, em 1944, foi reduzido a trinta horas, metade do considerado ideal. Em 1945, à medida que a escassez se agravava, o treinamento para pilotagem foi totalmente eliminado; os pilotos apenas seguiam seus líderes na direção dos alvos. Poucos tinham expectativa de retornar. A gasolina de aviação era extraída da única fonte disponível, a terebintina, que era misturada a quantidades cada vez maiores de álcool. A combinação de combustíveis inferiores, pilotos mal treinados e aviões testados de modo inadequado foram fatais. Os japoneses perderam mais de 40% de seus aviões somente em operações de transporte marítimo.

A fim de esticar as reservas de petróleo, muitos navios japoneses queimavam óleo bruto não refinado de Bornéu, que era um bom combustível, conforme havia afirmado Marcus Samuel há muitos anos. Entretanto, era também altamente inflamável, potencializando uma ameaça aos navios. Coagidos, os japoneses reverteram a tendência histórica da propulsão naval e reformaram os navios em serviço para que queimassem carvão onde estivesse disponível. Navios em construção eram convertidos antes de serem lançados ao mar. Esses procedimentos garantiram uma segurança relativa, mas significaram uma perda em velocidade e flexibilidade.[7]

Foi o domínio sobre o combustível que, finalmente, levou a Marinha Imperial a empregar toda sua força na batalha do golfo de Leyte, próximo às Ilhas Filipinas, em outubro de 1944. Nessa época, o nó já estava ficando bastante apertado. A reconquista de Guam, em agosto de 1944, trouxe as cidades das Ilhas Nipônicas para o alcance dos novos bombardeiros B-29. Ao sul, no dia 15 de setembro, desembarcou o general MacArthur em Morotai, nas Molucas, a uma distância de apenas quinhentos quilômetros das Filipinas. Olhando naquela direção declarou: "Eles estão esperando por mim". Para os japoneses parecia não haver escolha a não ser arriscar tudo que tinham, na tentativa de evitar que os americanos reconquistassem as Filipinas, que estavam na zona de combate aéreo das Ilhas Nipônicas e abertamente nas rotas marítimas entre o Japão e os territórios conquistados no Sudeste Asiático. O almirante Soemu Toyoda, chefe do Estado-Maior da marinha, deu a ordem que conduziria à maior das batalhas na história das guerras marítimas. "Perderíamos nas operações nas Filipinas", disse ele posteriormente, "ainda que a frota pudesse zarpar. A rota marítima na direção sul estava completamente interrompida. A esquadra, se voltasse aos mares japoneses, não poderia ser abastecida. Se permanecesse no sul, não receberia munição e armas. Não teria sentido salvar a frota à custa da perda das Filipinas. Esta foi a razão para a minha ordem".

A escassez de combustível continuou a colocar os japoneses em situação cada vez mais desfavorável na batalha pelas Filipinas. Devido à partição da bacia marítima, a marinha nipônica viu-se obrigada a concentrar suas tropas, provenientes de diferentes direções, em pontos vitais. Dois encouraçados japoneses nem chegaram a participar da grande batalha, em virtude da escassez de petróleo. Em vez disso, seguiram para Cingapura onde foram reabastecidos e retornaram para casa. Outros navios chegaram poucas e decisivas horas atrasados, pois vinham devagar para economizar combustível. No dia 25 de outubro de 1944, o almirante Takeo Kurita, comandante da segunda frota, estava posicionado para entrar no golfo Leyte, o que tornaria possível aniquilar as tropas invasoras mal protegidas do general MacArthur e inverter o curso da batalha. Mas, a uma distância de apenas sessenta quilômetros do ponto de invasão da praia, Kurita repentinamente desistiu e voltou. Depois da guerra, perguntaram a um dos almirantes japoneses o porquê. "Devido à escassez de combustível", respondeu ele.

A batalha de três dias no golfo de Leyte representou uma derrota devastadora para os japoneses. Entre suas perdas estavam três encouraçados, todos os quatro porta-aviões, dez cruzadores e treze destróieres. Foi num ato de desespero que os japoneses lançaram mão de uma nova arma — os pilotos suicidas chamados Kamikazes. A palavra significava "vento divino", depois que um furacão, no século XIII, estilhaçou a grande frota invasora de Kublai Khan antes que ela pudesse desembarcar no Japão. Esses pilotos suicidas, que recebiam ordens para arremessar seus aviões — que carregavam bombas-foguetes especialmente projetadas — contra o convés dos navios americanos, propunham-se a ser a encarnação última do espírito nipônico, inspirando todos os seus compatriotas ao total sacrifício. Mas eles serviam, também, a um propósito bastante prático para um país extremamente necessitado de petróleo, aviões e pilotos hábeis. Segundo os sistemáticos cálculos dos japoneses, se para afundar um porta-aviões ou encouraçado americanos eram necessários oito bombardeiros e dezesseis aviões de caça, o mesmo efeito poderia ser alcançado com apenas um, dois ou três aviões suicidas. Não só o piloto causaria danos maiores se colidisse com o navio como também o compromisso e a determinação de morrer deixariam o inimigo nervoso por não compreender a lógica desse ato, como indo para jamais retornar. A necessidade de combustível seria reduzida pela metade.[8]

O fim da Marinha Imperial

Os japoneses podiam fazer pouco ou nada para interromper o crescente fluxo de combustível e outros suprimentos das tropas americanas no Pacífico, não importando quão distante fosse sua fonte. Os norte-americanos desenvolveram imensas bases flutuantes — compostas de barcaças de combustível, navios de reparos, escaleres, rebocadores, docas flutuantes, navios de salvamento, lanchas e navios de armazenagem — que davam à marinha norte-americana "botas de sete léguas" através da imensidão do Pacífico. forças-tarefas itinerantes para abastecimento, compostas de dois ou três gigantescos petroleiros, mais destróier como escolta, dirigiam-se a estações em áreas designadas: grandes retângulos de quarenta quilômetros de largura por 120 quilômetros de comprimento, onde os navios se reuniriam para reabastecimento. Quando Guam tornou-se, no segundo semestre de 1944, a maior base americana destinada a bombardear o Japão,

120 mil barris de gasolina de aviação eram enviados para lá diariamente. Ao mesmo tempo, toda a força aérea nipônica, em todas as frentes, consumia apenas 21 mil barris por dia — um sexto do que estava disponível apenas em Guam.

Os japoneses estavam sendo acuados por quase todos os lados. No início de 1945, os americanos tinham reconquistado Manila, nas Filipinas, bem como Iwo Jima, ainda que com um custo estarrecedor — 6,8 mil americanos e 21 mil japoneses mortos, além de vinte mil americanos feridos — para uma ilha de sete por quatro quilômetros. No sul da Ásia, os ingleses desencadearam sua ofensiva final em Burmah. Os japoneses abandonaram Balikpapan e outro importante porto petrolífero nas Índias Orientais, apesar de estar com a maior parte de suas refinarias nas Ilhas Nipônicas desprovidas de petróleo. Em março de 1945, o último comboio de petroleiros deixou Cingapura. Jamais chegou ao Japão. Foi afundado.

No Japão, o petróleo tinha virtualmente desaparecido da economia doméstica, parte de privações muito maiores. Gás, eletricidade, carvão vegetal estavam todos em incrível falta. Já não era possível tomar banho em casa e os banheiros públicos ficavam lotados. O povo chamava essa experiência de "lavar batata em banheira" — com o calor sendo gerado pela queima de pedaços de madeira encontrados nas ruas. Muitos japoneses passaram a queimar suas bibliotecas para servir de combustível, supondo que os livros seriam, de qualquer modo, destruídos no próximo ataque aéreo. A distribuição de combustível em Tóquio para o rigoroso inverno de 1944-1945 não teve início até 21 de maio de 1945, muito depois que a maioria dos habitantes havia aprendido a cozinhar com ruínas carbonizadas colhidas em cidades bombardeadas. A ingestão de alimentos foi rebaixada para menos de 1,8 mil calorias por dia, substancialmente abaixo da exigência mínima de 2.160 calorias.[9]

A situação do combustível tornou-se tão séria para os militares que a marinha decidiu-se por uma dramática variante do ataque Kamikaze — sacrificar o Yamato, o maior navio de guerra do mundo e o orgulho da frota nipônica. Era para ter sido o núcleo de uma Força Especial de Ataque que abriria caminho entre, os navios americanos, que davam apoio à invasão de Okinawa, causaria o maior estrago possível e, depois de chegar à praia, utilizaria seus poderosos canhões de dezoito polegadas na defesa da ilha. "Qualquer operação de grande alcance que exigisse pesados suprimentos de combustível, havia sido considerada praticamente fora de cogitação", disse o almirante Toyoda. "Mesmo reunindo a esquadra, tivemos dificuldades para conseguir as 2,5 mil toneladas de combustível de uma vez. Mas tínhamos a sensação de que, ainda que não tivéssemos cinquenta por cento de chance, nada teríamos a ganhar deixando os navios ociosos em águas nacionais. Além disso, teríamos contrariado a tradição da marinha japonesa, não a enviando à zona de conflagração, ainda que não tivéssemos percebido claramente, que eles tinham cinquenta por cento de chance. Assim a situação dos combustíveis estava crítica."

Era nitidamente uma missão suicida; o Yamato carregava combustível suficiente apenas para a ida. O monstruoso navio de guerra junto com seus navios de escolta zarparam de Tokuyama na manhã de 6 de abril, destituídos de qualquer cobertura aérea por exigências da campanha Kamikaze. No dia 7 de abril, ao meio-dia, trezentos aviões americanos surgiram do céu encoberto e iniciaram a barragem de fogo. No meio da tarde, o Yamato e a maioria dos outros navios já haviam sido afundados. Para muitos, o afundamento do Yamato, que foi destruído até mesmo antes que pudesse cometer suicídio, marcou "o fim da Marinha Imperial". A frota nipônica, que se orgulhara de ter comandado todo o Pacífico oeste, fora agora empurrada até de mares próximos à sua terra natal.[10]

Uma luta para o fim?

A posição do Japão piorava cada vez mais. A escassez de combustível impedia que seus aviões voassem mais de duas horas por mês. Não havia outro modo de conseguir petróleo? Desesperada, a marinha lançou sua fantástica campanha da raiz de pinheiro. Impelido pelo slogan "duzentas raízes de pinheiro manterão um avião no ar por uma hora", o povo passou a desenterrar raízes de pinheiro por toda a extensão das Ilhas Nipônicas. As crianças eram enviadas para o campo a fim de limpar as raízes. As raízes eram então aqueci das por doze horas, produzindo um substituto para o petróleo bruto. Trinta e quatro mil caldeiras, alambiques e pequenas destilarias foram postas em funcionamento com a intenção de que cada uma produzisse três ou quatro galões de óleo por dia. A inutilidade desse esforço revelou-se pelas exigências de mão de obra. Cada galão produzido exigia 2,5 pessoas por dia de trabalho. Para atingir a meta oficial de doze mil barris por dia seriam necessárias 1,25 milhão de pessoas por dia!

Alguns dos resultados da campanha ficaram evidentes: as encostas das montanhas ficaram destituídas de qualquer árvore ou muda, imensas pilhas de raízes e cepos enfileiravam-se ao lado das estradas. Em junho de 1945, a produção de óleo de raiz de pinheiro alcançou setenta mil barris por mês, mas as dificuldades de refinação ainda não estavam solucionadas. Na verdade, quando a guerra terminou, apenas três mil barris de gasolina para avião haviam sido extraídos do óleo de raiz de pinheiro, e não havia evidências de que alguma quantidade tivesse sido realmente usada em um avião.

Para o Japão, o fim estava se aproximando. Sob bombardeio implacável dos americanos, as cidades de madeira do país queimavam até se tornarem ruínas carbonizadas, a economia andava cada vez mais vagarosamente e a capacidade das forças armadas em montar qualquer contra-ataque era virtualmente nula. Hideki Tojo — o Navalha — foi obrigado a deixar o cargo de premiê no mês de julho; na primavera de 1945, outro governo assumiu o poder, com uma parte de seus membros interessados em encontrar um meio de acabar com a guerra sem a aniquilação total. "Está para atingir-se o fundo do poço", disse um dos ministros. "Olhando para qualquer direção, vê-se que chegamos ao fim da estrada". O novo governo tinha no comando o almirante aposentado Kantaro Suzuki de oitenta anos, com certo prestígio e fama de ser relativamente moderado. O logro tornava-se ainda mais intenso entre aqueles que queriam levar a guerra adiante e os que queriam encontrar um modo de acabar com ela. O segundo grupo, entretanto, estava cauteloso e vacilante, morrendo de pavor, tanto de um golpe como de ser assassinado.[11]

A União Soviética rompeu seu pacto de neutralidade com o Japão em 5 de abril de 1945. De acordo com os termos, o pacto deveria durar até abril de 1946. Os oficiais superiores da marinha japonesa conceberam uma outra ideia, não menos fantástica do que à da campanha da raiz de pinheiro — aproximar-se diretamente da União Soviética e pedir que fosse a mediadora entre Tóquio, Washington e Londres e negociar o petróleo soviético de suas reservas da região sul. Koki Hirota, ex-premiê e embaixador em Moscou, foi encarregado de abrir diálogo com o embaixador soviético no Japão. Mas o que os japoneses desconheciam é que em fevereiro do mesmo ano, em Yalta, Stálin prometera a Roosevelt e a Churchill levar a URSS a decretar guerra ao Japão cerca de noventa dias depois do final da guerra na Europa. Além disso Stálin havia firmado um acordo muito mais atraente do que somente envolvendo matéria-prima. Como preço cobrado para sua entrada na guerra, o ditador soviético obteve fartas concessões territoriais: o restabelecimento do predomínio russo na Manchúria, a recuperação da parte sul das Ilhas Sakhalinas e a aquisição das Ilhas Kurilas. Embora de etnia georgiana, Stálin era um nacionalista russo por excelência; com essas recompensas, ele iria se reabilitar da derrota sofrida pela Rússia czarista nas mãos dos japoneses em 1905. O embaixador soviético recusou todas as propostas políticas de Hirota, quando se encontraram no final de junho. "Quanto a exportar petróleo para o Japão", acrescentou o embaixador, "seria praticamente impossível visto que a própria União Soviética estava com grande escassez do produto".

O premiê Suzuki deu ordens para que fosse feito um levantamento da capacidade de luta do Japão, a fim de determinar se era suficiente para continuar na guerra. O estudo ficou pronto em meados de junho de 1945 com um quadro que mostrava a economia de guerra quase imobilizada, graças à escassez de combustível e a fúria dos ataques aéreos americanos. Os números comprovaram, posteriormente, a desesperadora situação dos japoneses. Os estoques de petróleo estavam no nível de 29,6 milhões de barris em abril de 1937 e em 1º julho de 1945, oitocentos mil barris. Abaixo de um milhão de barris, a marinha não conseguia operar. Para todos os efeitos, ela estava sem petróleo. Para alguns membros do governo, "a situação absolutamente desesperadora" estava clara. Mas não para todos. A possibilidade de rendição estava longe de ser aceita pela cúpula do governo japonês, e muitos rejeitaram veementemente até mesmo sua simples menção. O governo ainda carregava o slogan "cem milhões de pessoas unidas e dispostas a morrer pela nação". O exército e alguns elementos da marinha estavam lutando para comprometer o gabinete Suzuki com guerra sem trégua.[12]

Para demonstrar o que tinham em mente, a resistência dos japoneses à invasão americana de Okinawa, em abril de 1945, foi feroz e fanática e, por sua organização, durou até 21 de junho de 1945. As perdas americanas alcançaram uma taxa de 35% da tomada da Ilha de Okinawa. Supondo que um índice semelhante se mantivesse na invasão das Ilhas Nipônicas, os comandantes americanos previram um mínimo de 268 mil mortos e feridos, na primeira etapa do ataque. Ao todo, previram mais de um milhão de baixas nas forças armadas americanas, com um número semelhante para os japoneses e muitos e muitos milhões de civis mortos.

A sangrenta e obstinada batalha de Okinawa contribuiu fortemente para a decisão dos americanos em usar, se necessário, uma nova arma que, embora não submetida a provas, logo estaria no arsenal norte-americano — a bomba atômica. Os líderes americanos sabiam que a capacidade de luta do Japão estava se desintegrando, mas não viam sinais de que seu espírito de luta estivesse esmorecendo. E, na verdade, parecia que toda a nação insular estava sendo mobilizada para uma batalha suicida; até mesmo crianças em idade escolar estavam sendo orientadas para afiar varetas de bambu para matar americanos. As mensagens secretas entre Tóquio e Moscou, interceptadas pelos americanos, eram insuficientes para indicar que o governo japonês preparava-se para pedir paz — porque isso não iria acontecer.

Apesar da situação cada vez pior, o governo japonês permanecia ambíguo, indefinido e especulativo em seus sinais de rendição, deixando transparecer que internamente não havia consenso e que o partido da guerra ainda estava em vantagem. Tóquio rejeitou asperamente a Declaração de Potsdam que teria dado ao Japão a chance de sair da guerra em condições razoáveis, incluindo a permanência do imperador. Vários líderes nipônicos estavam relutantes em dar os passos que teriam poupado o povo — os soldados e até os civis japoneses — de sofrimentos ainda mais terríveis que já haviam suportado em nome de uma ideologia nacionalista fervorosa e de um espírito guerreiro inflexível. Para os Aliados havia poucos indícios de que partisse de Tóquio outra atitude que não a determinação de lutar até o fim.[13]

A primeira bomba atômica foi lançada sobre Hiroshima no dia 6 de agosto de 1945. No dia 8 de agosto, a União Soviética declarou guerra ao Japão e enviou suas tropas, avançando pela Manchúria uma semana mais cedo do que haviam planejado, a fim de se assegurar que a guerra não terminasse antes que pudessem atacar. No dia 9 de agosto, a segunda bomba atômica caiu sobre Nagasaki. Ainda assim, mesmo com a explosão de Nagasaki, o chefe do Estado-Maior do exército insistia em lembrar aos oficiais superiores que os soldados e os marinheiros japoneses não tinham permissão para se renderem em circunstância alguma; o suicídio era a única solução aceitável. No dia 13 de agosto, quatro dias depois da explosão da bomba em Nagasaki, o vice-almirante Takijiro Onishi, o criador das missões Kamikaze, ainda defendia o repúdio do governo à rendição. Em vez disso, dizia, o povo japonês deveria lutar sem tréguas e vinte milhões deles deveriam se sacrificar em ataques suicidas contra as tropas invasoras.

Porém, eram tão estarrecedoras as condições no Japão e tão grande tinha sido o choque das bombas atômicas, agravado pela recente ameaça soviética, que afinal prevaleceu a opinião daqueles que buscavam o fim da guerra, contra a intensa oposição das forças armadas. Na noite de 14 de agosto, o imperador gravou uma mensagem que transmitia rendição. Era para ser divulgada no dia seguinte. Mesmo assim, naquela noite, soldados rebeldes assassinaram o dirigente da Guarda Imperial, e invadiram o

Palácio Imperial tentando capturar a gravação para impedir sua difusão e ao mesmo tempo matar o premiê Suzuki. Foram repelidos. No dia seguinte, o povo japonês ouviu em seus rádios uma voz fraca, que mudava de intensidade pela inconstância da energia elétrica, que a maioria jamais tinha ouvido. Era a voz de seu imperador, conclamando-os a se renderem. A guerra no Pacífico estava terminada.

Ainda assim, nem todos estavam dispostos a considerar o apelo. Naquela mesma manhã, o ministro da Guerra Korechika Arami cometera haraquiri e, no dia seguinte, o almirante Onishi fez o mesmo. Além disso, havia preparações evidentes para um ataque Kamikaze final sob o comando de Onishi. Após a rendição e o estabelecimento da ocupação norte-americana, as autoridades americanas encontraram um total de 316 mil barris de petróleo escondidos pela marinha e pelo exército Imperiais em grutas distantes e em muitos esconderijos, que seriam usados apenas em voos suicidas contra os invasores. Alguns depósitos de gasolina de raiz de pinheiro — uma das últimas esperanças para a resistência — também foram descobertos após a rendição. Foi testada em jipes militares americanos e mostrou ser um péssimo combustível, deixando os motores entupidos com substância pegajosa.[14]

A ambulância

Desde os primeiros momentos da ocupação, a escassez de petróleo continuou a causar impacto no Japão. No dia 30 de agosto, o comandante supremo, general Douglas MacArthur aterrissou no Japão, no aeroporto de Atsugi. As hélices dos aviões japoneses estacionados tinham sido removidas para que não pudessem ser usadas em ataques Kamikaze. O general partiu imediatamente em um dos automóveis de um comboio improvisado liderado por um veículo movido a combustíveis misturados, que parecia o Toonerville Trolley. Seu destino era Yokohama e o encouraçado Missouri, que estava parado no porto e no qual, três dias mais tarde, os instrumentos de rendição seriam assinados. O caminho do desfile estava demarcado por soldados japoneses em linha, de costas para a passagem de MacArthur — o mesmo sinal de obediência previamente reservado ao imperador. Embora a distância fosse de apenas 32 quilômetros, o desfile demorou duas horas para fazer o percurso; os veículos amassados, os melhores que os japoneses puderam providenciar, eram movidos não por gasolina, não havia gasolina, mas por carvão vegetal, — paravam a todo momento.

Doze dias mais tarde, em 11 de setembro de 1945, os oficiais americanos em Tóquio chegaram a uma modesta casa térrea, às margens de um campo intensamente cultivado. A casa pertencia ao Navalha — general Hideki Tojo, premiê da Guerra. Tojo apareceu em uma janela aberta, para ser comunicado que estava preso, e que deveria aprontar-se para partir imediatamente com os americanos. Ele concordou e fechou a janela. Ouviu-se um tiro. Os americanos invadiram a casa e encontraram Tojo, que se autoinfligira, sentado em uma cadeira enorme, sangrando bem abaixo do coração, ferido por uma bala.

Quatro anos antes, em 1941, como ministro da Guerra e depois Premiê, Tojo forçara a decisão do Japão em declarar guerra contra os Estados Unidos, argumentando que o destino do Japão Imperial estava incerto devido à escassez de petróleo. O preço pago por Tojo e seus colaboradores foi imenso. A guerra do Pacífico, em sua totalidade, consumiu mais de vinte milhões de vidas, incluindo perto de 2,5 milhões de japoneses. Naquele momento, em 1945, a vida do próprio Tojo pendia, não porque seu tiro tivesse sido fatal, pois não foi, mas devido à dificuldade, primeiro de achar um médico, e depois de achar uma ambulância com gasolina. A escassez era tanta que seria mais fácil encontrar um médico americano do que uma ambulância com gasolina. Finalmente, foi encontrado um veículo com combustível suficiente que chegou à casa de Tojo duas horas após o incidente. Tojo foi levado ao hospital e curado. No ano seguinte, foi julgado como criminoso de guerra, considerado culpado e, no momento devido, executado.[15]

CAPÍTULO XIX

A guerra dos Aliados

WINSTON CHURCHILL PASSOU A DÉCADA DE 1930 no ostracismo político, vendo suas advertências sobre as intenções e potencialidade nazistas serem ignoradas. Porém em 1939, aos 66 anos, foi repentinamente chamado para reassumir o posto que havia ocupado há mais de 25 anos, às vésperas da I Guerra Mundial — como Primeiro Lorde do Almirantado. Mas desta vez sua incumbência não era preparar-se para a guerra. Já era tarde demais para isso. A guerra havia começado poucos dias antes, com a invasão da Polônia pelos alemães em 1º de setembro de 1939. Nessa ocasião, ainda predominava a calmaria, uma guerra falsa, que durou seis meses, até a primavera de 1940, quando as tropas de Hitler passaram varrendo a Europa Ocidental. Em Londres, os pacificadores sucumbiram e Churchill tornou-se primeiro-ministro da Grã-Bretanha.

O panorama era grave e desanimador. A Noruega e a Dinamarca estavam nas mãos da Alemanha, a França render-se-ia no mês seguinte e a Grã-Bretanha ficaria sozinha, suportando o impacto da guerra. Ninguém mais, além de Churchill, estava em condições de conduzir seu país nesta hora difícil. Ninguém entendia melhor o papel central que o petróleo iria desempenhar, primeiro na própria sobrevivência da Grã-Bretanha e depois no prolongado conflito que viria.

Bem antes do eclodir da batalha, o governo britânico tinha iniciado uma profunda avaliação de sua situação com relação ao petróleo, à luz de um conflito aparentemente inevitável com a Alemanha. No final de 1937, um comitê especial examinou a possibilidade de a Grã-Bretanha adotar a estratégia dos combustíveis sintéticos extraindo óleo do carvão, seguindo os passos da Alemanha. Afinal, a Grã-Bretanha possuía generosas e seguras reservas de carvão dentro de suas próprias fronteiras, ao passo que a maior parte de seu petróleo tinha de ser importada. No entanto, a estratégia foi rejeitada. O carvão teria sido muito dispendioso porquanto a Inglaterra não só tinha acesso a suprimentos substanciais do petróleo mais barato em todas as partes do mundo, como também sediava duas grandes companhias internacionais, a Shell e a

Anglo-lranian. Decidiu-se também que, apesar das aparências, a segurança não estaria garantida com o petróleo sintético. Um sistema baseado na importação de petróleo convencional transportado em diversos navios, através de muitos portos, ficaria menos vulnerável a ataques aéreos do que um sistema dependente de poucas e grandes usinas de hidrogenação, facilmente identificáveis a alvos fáceis de bombardeios.

No planejamento para a guerra, o governo britânico previu uma cooperação bastante firme e explícita com a indústria petrolífera de uma maneira que não teria sido facilmente adaptada nos Estados Unidos. No Reino Unido, 85% das refinarias e do marketing locais estavam nas mãos de apenas três companhias — Shell, Anglo-Iraniana e a subsidiária britânica da Jersey. Ao tempo de Munique, em 1938, o governo decidiu que, em caso de guerra, toda a "parafernália da competição" deveria ser eliminada e toda a indústria petrolífera britânica deveria funcionar como uma máquina gigantesca, sob a égide do governo.

O governo tinha ainda que enfrentar um tipo específico de problema — o futuro do Grupo Royal Dutch-Shell. A atual direção do grupo não estava menos preocupada e apreensiva. Havia um risco de que o grupo pudesse ficar sob o domínio dos nazistas. O centro do problema era Henri Deterding, o grande líder da companhia. Ele havia permanecido no comando da companhia pela década de 1920 afora. "A palavra do sr. Henri é lei", observou um funcionário do governo britânico em 1927. "Ele tem o poder de imobilizar os membros do Conselho da Shell sem seu conhecimento ou consentimento." Mas na década de 1930 o controle exercido por Deterding sobre a companhia estava decrescendo e ele estava se tornando um estorvo para a direção, além de fonte de ansiedade para o governo britânico. Seu comportamento era de um modo cada vez mais errático, destrutivo e megalomaníaco.

Na metade da década de 1930, quando completava 70 anos, Deterding estava envolvido com duas paixões. Uma delas era sua secretária, uma jovem alemã. A outra Adolf Hitler. O holandês determinado — que havia sido atraído para a Grã-Bretanha antes da I Guerra Mundial, cortejado pelo almirante Fisher e por Winston Churchill, e dela se tornara um aliado firme e fervoroso durante a guerra — estava agora, depois de velho, fascinado pelos nazistas. "Seu ódio pelos soviéticos, a admiração por Hitler e sua ideia fixa na amizade anglo-germânica, em um sentido antissoviético, são, com certeza, do conhecimento de todos", lamentou um funcionário do Foreign Office. Por conta própria, Deterding iniciou, em 1935, discussões com o governo germânico sobre a possibilidade de a Shell fornecer petróleo para a Alemanha, a crédito, pelo período de um ano — na verdade uma reserva militar. Rumores dessas negociações alarmaram de tal forma a direção da Shell em Londres que um de seus diretores, Andrew Agnew, solicitou ao governo que pedisse à embaixada britânica em Berlim uma Investigação, de modo que Agnew "pudesse, a tempo, tomar providências cabíveis junto com seus colegas do Conselho da Shell". Um funcionário comentou que "Deterding está ficando velho, mas é um homem de opiniões firmes, e temo que não possamos detê-lo associando-nos a líderes políticos". Acrescentou: "Os membros britânicos do conselho da companhia aprovam com entusiasmo a ideia de que a companhia não deve fazer nada que seja contrário às opiniões de Sua Majestade o Governo."

Finalmente, aposentando-se da Shell no final de 1936, Deterding agiu sob a influência de suas novas paixões. Divorciou-se de sua segunda esposa, casou-se com sua secretária alemã e foi viver na Alemanha. Ele passou, também, a exortar outras nações europeias a cooperar com os nazistas para deter as hordas bolcheviques, e ele próprio trocou visitas com líderes nazistas. Em 1937, o primeiro-ministro dos Países Baixos, um ex-colega de Deterding na Royal Dutch, disse que não "conseguia entender como um homem que tinha feito seu nome e fortuna na Inglaterra e que tinha recebido indiscutível assistência do seu país de adoção podia migrar repentinamente para a Alemanha e devotar-se a incrementar a prosperidade daquele país". Suas atitudes, acrescentou depreciando-o, "eram infantis e não deixavam dúvidas a respeito de seus sentimentos". Como era de esperar, os últimos anos de Deterding serviram para abalar uma notável reputação que em outras circunstâncias lhe daria o título de "petroleiro internacional".

Deterding morreu na Alemanha no começo de 1939, seis meses antes que a guerra eclodisse. Rumores estranhos e profundamente perturbadores chegaram imediatamente a Londres. Os nazistas não só haviam transformado seu funeral em um grande acontecimento como também estavam tentando tirar vantagem das circunstâncias para tomar o controle do Grupo Royal Dutch-Shell. Isso, com certeza, teria sido um desastre para a Grã-Bretanha. A companhia tinha sido virtualmente o quartel-general da Grã-Bretanha para o petróleo durante a I Guerra Mundial. Se passasse agora para o domínio nazista, todo o sistema britânico de fornecimento de petróleo estaria comprometido. Foi descoberto, no entanto, que as ações "preferenciais" mais importantes, e que davam direito ao controle, somente poderiam ficar sob o domínio de diretores. Com o desaparecimento de Deterding, suas ações foram rapidamente distribuídas entre outros diretores. Na melhor das hipóteses, os alemães poderiam colocar suas mãos apenas em uma minúscula fração da ações comuns, que não lhes trariam benefício algum, tanto antes quanto depois da eclosão da guerra.[1]

Logo que a guerra começou, as companhias britânicas de petróleo, incluindo a Shell, incorporaram sua produção à Petroleum Board, criando, na verdade, um monopólio nacional. Isso foi feito com rapidez e sem contestações. As bombas de petróleo foram pintadas de verde-escuro e o produto era todo comercializado sob a marca única "Pool". O pessoal da indústria seguiu tocando os negócios, mas agora o fazia sob controle do governo. O petróleo britânico destinado à guerra passou, daí em diante, a ser controlado pela Shell-Mex House, em Strand, Londres, próximo ao Savoy Hotel. (O quartel-general da própria Shell foi transferido para as instalações de uma sociedade esportiva nos arredores de Londres.) A direção geral do governo foi posteriormente instalada em uma repartição chamada Petroleum Department.

Os problemas que a Grã-Bretanha estava enfrentando eram globais. Seria preciso aceitar o fato de que a Alemanha, como signatária de um novo pacto com a União

Soviética, poderia conseguir um farto fornecimento de petróleo russo, ao passo que o fornecimento britânico proveniente do Extremo Oriente seria reduzido caso os japoneses invadissem o Sudeste Asiático. Mais próximo de casa, os fartos e oportunos recursos da Romênia também estavam disponíveis para a Alemanha. Poucos meses depois do início da guerra, antes que a França fosse invadida pelos alemães, os governos britânico e francês, visando repetir o que havia sido praticado na I Guerra Mundial, ofereceram à Romênia 60 milhões de dólares para destruir seus campos de petróleo, impedindo, dessa forma, que os alemães se servissem da produção. Mas as partes jamais chegaram a um acordo quanto ao valor, a negociação não se realizou e o petróleo da Romênia foi, como temiam, para os alemães. A destruição foi deixada para ser executada pelos bombardeiros Aliados, muito mais tarde durante a guerra.

Na própria Grã-Bretanha, problemas práticos de fornecimento tinham de ser rapidamente negociados. O racionamento foi imposto quase de imediato. A "margem de consumo" para os motoristas foi fixada a princípio em três mil quilômetros por ano. Esta margem foi sendo progressivamente estreitada à medida que as necessidades militares aumentavam e os estoques diminuíam, até ser totalmente eliminada. As autoridades queriam ver o carro da família estacionado na garagem, e não nas ruas. Como consequência, houve um grande aumento no número de bicicletas.

E o que aconteceria com o fornecimento de petróleo se a Grã-Bretanha fosse invadida — uma possibilidade bastante real nos dias funestos de 1940, depois de os exércitos nazistas terem varrido a Europa Ocidental e estacionado no lado francês do canal da Mancha? Os alemães haviam se apossado dos estoques de petróleo da França, garantindo dessa maneira os meios para manter o ímpeto de seu avanço. Uma captura semelhante das reservas de petróleo britânicas pelos nazistas teria sido decisiva para o sucesso ou o fracasso do ataque nazista através do canal. Como consequência, a Shell-Mex House elaborou planos para a destruição imediata dos estoques britânicos no caso de uma invasão. Ao mesmo tempo, os postos locais de abastecimento de patróleo (ou gasolina), acessíveis e desprotegidos, pareciam estar demais ao alcance dos alemães invasores, que iriam poder simplesmente introduzir a mangueira e abastecer. Por esse motivo, cerca de 17 mil postos de gasolina a leste e sudeste da Inglaterra foram rapidamente fechados. As vendas e estocagem concentraram-se em 2 mil postos, que poderiam ser mais bem defendidos — ou se, fosse o caso, incendiados para não deixá-los à disposição do inimigo.[2]

O *czar* do petróleo: a mobilização do fornecimento americano

Havia para os britânicos uma preocupação extrema — como garantir o suprimento de sua guerra? A eclosão das lutas significaria um consumo muito maior de petróleo, e o único lado para se olhar eram os Estados Unidos, responsáveis por quase dois terços da produção mundial. Para os administradores em Whitehall, e para os homens do petróleo da Shell-Mex House duas questões eram culminantes: o petróleo estaria disponível?

E a Grã-Bretanha, sempre atrapalhada com dinheiro, seria capaz de pagar por ele? As respostas para ambas as perguntas teriam que partir de Washington.

Em dezembro de 1940, com sua terceira reeleição garantida, Franklin Roosevelt chamou os Estados Unidos de "arsenal da democracia". Em março de 1941, foi instituída a Lend Lease (Lei de Empréstimo e Arrendamento), que removia o problema financeiro — ou, como disse Roosevelt, "o absurdo e ridículo símbolo do velho dólar" que limitava o fornecimento americano para a Grã-Bretanha. Entre as mercadorias a serem "emprestadas" para serem pagas em algum momento indefinido do futuro estava o petróleo americano. A legislação da neutralidade, que restringia a capacidade de embarcar provisões para a Grã-Bretanha, estava sendo progressivamente liberada. E, na primavera de 1941, quando as provisões de petróleo no Reino Unido começaram a mergulhar, cinquenta petroleiros americanos foram desviados de sua rota de abastecimento para os portos da Costa Leste americana para transportar petróleo para a Inglaterra. Assim, ao final da primavera de 1941, foram estabelecidas importantes etapas para unir os sistemas de abastecimento americano e britânico e para colocar os Estados Unidos em posição de abastecer o isolado bastião da Grã-Bretanha. Na verdade, os Estados Unidos tinham uma capacidade de produção de petróleo excessiva e inútil, de aproximadamente um milhão de barris por dia. Esta quantia era equivalente a cerca de 30% dos 3,7 milhões de barris diários da produção naquele ano. A capacidade extra, resultado do sistema de rateio federal criado durante a década de 1930, revelou-se uma margem de segurança valiosa, um recurso estratégico de imensa importância. Sem isso, o curso da II Guerra Mundial poderia ter sido muito diferente.

Em maio de 1941, um dia depois de Roosevelt ter declarado uma "emergência nacional sem limites" — embora os Estados Unidos ainda não estivessem em guerra —, ele nomeou o secretário do Interior, Harold Ickes para o cargo adicional de Coordenador do Petróleo, para a Defesa Nacional. Esta nomeação transformou mais uma vez o "Velho Rabugento" no maioral do petróleo nacional, ou, como ficou conhecido, no *Czar* do Petróleo. A primeira tarefa de Ickes foi mudar o relacionamento entre a administração de Roosevelt e a indústria do petróleo. Em 1933, o New Deal (ação política de Franklin Roosevelt na década de 1930) viera para auxiliar uma indústria petrolífera, que se afogava na enchurrada de petróleo vinda do leste do Texas. Porém, no final dos anos 1930, o New Deal já se havia tornado crescentemente crítico para com o "monopólio" na indústria petrolífera e, mais do que isso, em 1940, o Departamento de Justiça deu início a um processo antitruste contra o Instituto Americano de Petróleo e 22 grandes companhias de petróleo — além de outras 345 companhias menores —, acusando-as de violações em vários aspectos de seus negócios. A situação nacional crítica e a iminência da guerra provocaram outra mudança. Como Roosevelt explicou posteriormente, "O Velho dr. New Deal" teve que consultar seu parceiro, "dr. Ganha-a-Guerra". Aquilo que o dr. New Deal considerava intragável e insalubre no grande petróleo — seu tamanho e proporções, suas operações integradas, sua autoconfiança, sua habilidade em mobilizar capital e tecnologia — era exatamente o que o "dr. Ganha-a-Guerra" lhe prescrevera como remédio urgente para a mobilização bélica.[3]

Ickes tinha também que assumir a liderança na transformação de uma indústria aparelhada para operar com superávit por outra que deveria maximizar a produção e evitar a escassez, e fazê-lo em face do do ceticismo público à possível ocorrência dessa escassez. Ao mesmo tempo, a indústria americana — heterodoxa — de petróleo, dividida por amargas rivalidades e suspeitas entre a maioria dos funcionários, dos produtores independentes, dos refinadores e homens de marketing, na realidade deveria ser fundida, embora não formalmente, em uma organização gigantesca mobilizada para a guerra, sob a direção governamental. Isso tinha sido feito rápida e eficientemente na Grã-Bretanha, onde até mesmo o racionamento fora aceito sem um murmúrio sequer. Na América a história seria diferente.

Harold Ickes começou enfrentando um grande desafio: ele era amplamente detestado pela indústria. Embora ele a tivesse socorrido em 1933, em seguida tornou-se seu crítico, exigindo regulamentações amplas da parte do governo federal em relação às operações e lucratividade das indústrias, chegando mesmo a flertar com a ideia de nacionalização. As companhias tinham uma queixa especial e áspera contra Ickes. Durante a Grande Depressão, em seu mandato, as companhias de petróleo haviam formado *pools* para comprar gasolina "embargada". Em 1936, após a Suprema Corte ter invalidado o Ato Nacional de Recuperação Industrial, sob cuja autoridade Ickes agia, o Departamento de Justiça indiciou as companhias por terem formado esse *pool*. Depois disso, Ickes manteve-se calado a respeito de sua participação nesse esquema e, convenientemente, descobriu que não poderia ir ao julgamento em Wisconsin para falar sobre seu papel no caso. As companhias foram declaradas culpadas, e esta experiência deixou-as desconfiadas em trabalhar novamente com ele, para não dizer coisa pior. De fato, quando souberam de sua indicação como coordenador do Petróleo, o *Oil Weekly* soltou um suplemento especial advertindo contra o iminente "gerenciamento antagônico e provavelmente vingativo de um homem que não possui qualidades nem traços próprios de capacidade para conduzir o trabalho". Ickes provaria o contrário. Desde o início, ele demonstrou disposição para trabalhar de modo cuidadoso e pragmático com a indústria. Escolheu como seu assessor um experiente homem de petróleo, Ralph Davies, um executivo de marketing da Standard of California. Daí em diante, o *czar* do Petróleo conseguiu desmontar a hostilidade e cooperar efetivamente para mobilizar essa indústria crucial.[4]

Ameaça pelo mar: a Batalha do Atlântico

O elo mais vulnerável na cadeia de abastecimento formada pela América e por uma Grã-Bretanha sitiada era a vasta extensão do Atlântico que os petroleiros e cargueiros tinham que transpor. Ali se encontrava a oportunidade da Alemanha de sufocar a capacidade militar da Grã-Bretanha e, posteriormente, das forças americanas no Norte da

África e Europa, bem como a máquina de guerra russa, para a qual o petróleo americano iria em pouco tempo tornar-se vital. O almirante Erich Raeder, comandante-chefe da marinha germânica, declarou que "quanto mais cruel for o modo de conduzir uma guerra em seu aspecto econômico, mais cedo ela mostrará resultados e mais rápido terminará". A Arma era o submarino U-boat, e sua capacidade de desorganizar a frota mercante foi rapidamente percebida. Logo no início de 1941, os U-boats, agora operando em flotilhas, intensificaram a campanha. Os petroleiros eram seus alvos favoritos.

O grande sucesso desses ataques aterrorizou os britânicos, bem como a alguns americanos a quem os britânicos mostraram os gráficos das crescentes perdas de carga e de suprimentos, em contraste com os reduzidos estoques no Reino Unido e com as crescentes necessidades geradas pela guerra. A batalha, expressa de maneira tão abstrata, frustrava Churchill profundamente. "Com que vontade eu teria substituído este perigo sem medida, sem forma, expresso em demonstrativos, curvas e estatísticas, por uma invasão em larga escala!", declarou Churchill. Em março de 1941, ele descreveu os ataques furiosos contra a frota mercante como "a nuvem mais negra que tivemos de enfrentar". Ele não tinha dúvidas do que estava em jogo na silenciosa e distante batalha nas águas do Atlântico e sabia que não poderia vencê-la sem a ajuda dos americanos.

"Nada menos chocante... grave ao extremo." Foi assim que o deputado Ralph Davies descreveu a Harold Ickes a periclitante situação dos estoques de petróleo da Inglaterra em julho de 1941. Os estoques de gasolina durariam apenas cinco semanas e os estoques de combustível para a Marinha Real apenas dois meses, enquanto o nível mínimo de segurança estava fixado em sete meses. Ickes estava convencido de que deveria fazer tudo o que fosse possível para ajudar a Grã-Bretanha a levar a guerra adiante. Reduzir o consumo de petróleo na Costa Leste americana ajudaria, pois liberaria a frota mercante e os suprimentos para serem redirecionados para a Inglaterra. Ickes mobilizou os carros-tanques das ferrovias nacionais para transportar suprimentos à Costa Leste. Em conjunto com as companhias de petróleo, ele lançou uma intensa campanha de redução voluntária de consumo, que incluía a distribuição de adesivos de para-brisas com os dizeres "Estou consumindo um terço de gasolina a menos". Pediu aos postos que fechassem às 19 horas e que não reabrissem até as sete horas da manhã seguinte, procurou reinstaurar o "Domingo sem gasolina" da I Guerra Mundial. Tentou levar a cabo até mesmo um programa de uso coletivo dos automóveis, já em andamento no Ministério do Interior, para servir como modelo para o resto do país. (Como reformista convicto, divisava um benefício extra valioso: "Poderemos melhorar as condições de estacionamento em Washington", escreveu ele em seu diário.) Mas o programa de economia voluntária foi um fiasco, e Ickes voltou-se para as companhias e pressionou-as a reduzir sua distribuição aos postos de gasolina entre 10% e 15%.[5]

A única coisa que Ickes não fez, e não poderia fazer, foi explicar os verdadeiros motivos da redução de consumo: os efeitos calamitosos da campanha germânica com os submarinos U-boat no Atlântico e o estado deplorável em que se encontravam os estoques britânicos de petróleo. Ele temia que, se a gravidade da situação viesse à tona, informações valiosas estariam sendo transmitidas aos nazistas. Nem era seu desejo irritar desnecessariamente os isolacionistas nos Estados Unidos. O programa de redução de consumo como um todo gerou uma onda de protestos — dos produtores de petróleo do Texas, politicamente poderosos e independentes, que ficaram privados do acesso aos navios-tanques independentes, aos refinadores e distribuidores independentes da Costa Leste, que se viram obrigados a absorver os custos muito mais elevados do transporte ferroviário. A Assembleia Legislativa do estado de New Jersey aprovou uma resolução denunciando o esforço de reduções do consumo devido à ameaça que representava à pesca e à estância balneária no Estado. Elementos importantes da imprensa rotularam a situação como uma "falsa escassez", e os motoristas americanos autônomos rebelaram-se contra a ideia de reduzir o uso do carro mesmo que voluntariamente.

Para fazer oposição à ameaça dos submarinos U-boat, os Estados Unidos estenderam seu patrulhamento a áreas bem extensas do Atlântico, estabelecendo bases em Terra Nova, Groenlândia, Islândia e Bermudas. Na mesma época, os britânicos decifraram os códigos navais alemães, possibilitando a colocação de comboios em rotas de fuga. Tudo isso — juntamente com a demanda reduzida, a Lei de Empréstimos e Arrendamento e a transferência de cinquenta petroleiros — ajudou a afastar a pressão sobre a Inglaterra, pelo menos temporariamente. O perigo, no entanto, era bem maior do que todos — com exceção de um punhado — imaginavam. De acordo com a versão oficial do serviço secreto britânico, "foi pela mais estreita das margens que a campanha dos submarinos U-boat deixou de ser decisiva em 1941".

No outono do mesmo ano, a situação de abastecimento na Costa Leste dos Estados Unidos havia melhorado bastante, ao mesmo tempo que os britânicos, com a posição do petróleo temporariamente melhor, devolviam os petroleiros que tinham sido a eles transferidos. Isso parecia provar que nunca tinha havido escassez alguma, e Ickes viu-se exposto ao ridículo pela imprensa e pelo Congresso. Um comitê especial de investigação do Congresso afirmou que o secretário havia inventado a escassez. Aquilo nada mais fora, declarou o comitê, do que uma "escassez de excedente".

Os postos de gasolina passaram a colocar faixas comunicando que não estavam com falta de combustível, exortando os motoristas a "encherem o tanque", o que estes se apressaram a fazer. Ickes sentia que estavam querendo fazê-lo passar por tolo. "Nunca mais estarei a favor das restrições, até que o povo tenha realmente sentido o aperto", desabafou aos mais íntimos. É impossível fazer com que o povo americano o acompanhe em um programa de precaução a fim de afastar uma ameaça. "A precaução, seja em que medida for, não era boa política", concluiu. Depois disso, Ickes resolveu nunca mais envolver-se em assuntos ligados ao petróleo.

No entanto, a ameaça de escassez voltou a agigantar-se quando a Alemanha declarou guerra aos Estados Unidos, no dia 11 de dezembro de 1941, quatro dias depois de Pearl Harbor. Submarinos U começaram a operar imediatamente nas águas costeiras americanas, com resultados devastadores. Seus alvos prioritários eram os petroleiros, facilmente identificáveis pelo seu contorno característico. Após uma reunião de gabinete em janeiro de 1942, Ickes preveniu o presidente que esses constantes afundamentos de petroleiros no Atlântico causariam novas pressões sobre os estoques, em particular no nordeste. Entretanto, ainda ressentido pelas críticas sofridas na ocasião do programa de redução de consumo, recusou-se a tomar qualquer medida profilática. "Em vista do inferno pelo qual passei no último outono, ao prever a possibilidade de tal situação e tentar evitá-la, não pretendo manifestar-me publicamente até que se torne uma certeza. Se na verdade ocorrer uma escassez, eu serei capaz de escrever primeira página de jornal com histórias românticas sobre o que farei como forma de racionamento para enfrentar essa escassez. A escassez, em si mesma, pode ser atribuída a Deus, ao passo que eu colho uma safra de elogios pela minha falta de previsão."[6]

No total, a quantidade de petroleiros afundados nos primeiros três meses de 1942 foi quase quatro vezes maior do que o número de petroleiros construídos. Os submarinos alemães pareciam estar operando impunemente ao longo da costa inteira. Durante o regresso de um submarino com um saldo de oito afundamentos em águas americanas, o capitão do submarino anotava exultante em seu diário de guerra: "Foi uma pena não contarmos com vinte submarinos na noite passada, em vez de um só. Estou certo de que todos teriam encontrado uma grande quantidade de alvos".

A horrível taxa de afundamentos crescia. "A situação é desesperadora", escreveu Ickes a Roosevelt em fins de abril de 1942. Mesmo assim, a resposta inicial dos americanos aos furiosos ataques dos submarinos foi débil. Petroleiros e outros navios foram exortados a permanecer próximos à costa; aqueles que tivessem condições poderiam adentrar pelos canais Cape Cod e Delaware-Chesapeake. Os Estados Unidos haviam negligenciado as operações bélicas antissubmarinos e estavam despreparados. No continente, cidades americanas tornavam ainda mais fácil para os submarinos a tarefa de afundar navios cargueiros. Elas ficavam bastante iluminadas à noite, proporcionando aos submarinos ocultos uma perfeita silhueta dos petroleiros-alvos. Miami foi a pior infratora; nove quilômetros de suas praias ficavam iluminados por luzes neon. Os proprietários de hotéis e a Câmara do Comércio insistiam que as luzes não poderiam ser apagadas; era ainda época de temporada. Em outros lugares da costa, como em Atlantic City, por exemplo, multidões podiam enxergar, da praia, o momento em que o horizonte escuro sobre o mar era repentinamente iluminado. Mais um petroleiro havia sido atingido.

Finalmente, algumas medidas reparadoras foram tomadas. A luzes externas da costa marítima leste foram apagadas e algumas pessoas da vizinhança saíam em patrulhas para certificar-se que as luzes internas estavam apagadas também — ou, pelo menos, as cortinas cerradas.[7]

Outros passos foram dados para conter a ameaça dos submarinos alemães. Instituíram-se comboios ao longo da Costa Leste, que conferiam um grau maior de proteção aos petroleiros. Porém, uma opção ainda melhor foi reduzir a quantidade de petróleo que seria transportada por petroleiros. Propôs-se uma alternativa ao transporte via petroleiro — a construção de um oleoduto em uma escala jamais experimentada e de uma extensão que nunca se ouvira falar, estendendo-se do Texas à Costa Leste. Obviamente, o movimento constante do petróleo através de um oleoduto a oito quilômetros por hora seria muito mais seguro do que o uso de petroleiros marítimos e muito mais barato do que a utilização de transporte ferroviário. Inicialmente rejeitado no outono de 1941, porquanto seriam necessárias grandes quantidades de aço, o projeto do oleoduto, apelidado de "Big Inch" (Grande Polegada), foi ressuscitado às pressas depois de Pearl Harbor e dos afundamentos em águas americanas.

A construção teve finalmente início em agosto de 1942, e o que se seguiu foi um dos marcos extraordinários da engenharia na II Guerra Mundial. Nada semelhante havia sido feito antes. As transportadoras de petróleo e as indústrias de construção foram mobilizadas para construir um oleoduto que teria a capacidade de transportar cinco vezes mais petróleo que o convencional, um duto que iria estender-se pela metade do país e exigir uma pletora de equipamentos recém-desenhados. No prazo de um ano e meio, no final de 1943, o Big Inch, com uma extensão de dois mil quilômetros, carregava metade de todo o petróleo bruto para a Costa Leste. Enquanto isso, o "Little Inch" (Pequena Polegada) — uma linha ainda mais extensa com 2,3 mil quilômetros — foi construído entre abril de 1943 e março de 1944 para transportar gasolina e outros produtos refinados do sudoeste para a Costa Leste. No início de 1942, apenas 4% do total de suprimentos haviam chegado à Costa Leste pelo oleoduto; no final de 1944, com o Big Inch e o Little Inch concluídos e em funcionamento, 42% do petróleo eram transportados por oleodutos.[8]

Na primavera de 1942, entretanto, a construção do Big Inch ainda não havia sido iniciada; e as demais medidas tomadas contra os submarinos alemães dificilmente conseguiam garantir alguma segurança. Além disso, os Aliados enfrentaram um oponente muito determinado e astuto na pessoa do frio almirante Karl Doenitz, comandante da força submarina alemã. Ele não conhecia jogo limpo. "Não salvem ninguém e não tragam ninguém com vocês", ordenava ele a sua tripulação. O objetivo principal de sua crescente frota, de acordo com suas palavras, era "destruir a tonelagem inimiga em quantidade superior à capacidade de reposição de todos os inimigos da Alemanha juntos". Os alemães conseguiram também duas outras vantagens bastante significativas. Eles alteravam seus procedimentos secretos, fazendo com que os ingleses perdessem a capacidade de ler os sinais dos submarinos; e, ao mesmo tempo, decifravam os códigos secretos que comandavam o movimento dos comboios anglo-americanos. O resultado foi uma destruição estarrecedora das frotas mercantes aliadas. Agigantava-se uma vez mais diante dos Aliados um de seus maiores receios: a asfixia pela suspensão do fornecimento de petróleo pelo Ocidente, absolutamente fundamental para a Grã-Bretanha.

A Batalha do Atlântico tornou-se ainda mais perigosa no segundo semestre de 1942. Submarinos aperfeiçoados e maiores juntaram-se à frota alemã com um raio de ação muito mais amplo, maior capacidade de profundidade de imersão, sistema de comunicação aperfeiçoado e acesso a muitos dos sinais britânicos cifrados. Além disso, o almirante Doenitz introduziu os Milchkuhs (vacas leiteiras), grandes submarinos para abastecimento, que eram capazes de enviar combustível diesel e alimentos frescos aos submarinos U. As perdas marítimas dos Aliados se avolumavam. Mês a mês, o quadro de provisões da Grã-Bretanha piorava. De sua parte os Estados Unidos perderam um quarto da tonelagem de seus petroleiros em 1942. Os estoques de petróleo estavam muito abaixo dos níveis de segurança exigidos na Grã-Bretanha, e Londres via pela frente um rápido aumento da demanda, causado tanto pelas exigências no norte da África quanto pela perspectiva de uma invasão das Forças Aliadas na Europa. Stálin também estava pedindo com uma insistência crescente por mais petróleo.[9]

Em meados de dezembro, Churchill foi informado que restavam apenas cerca de dois meses de reservas de óleo combustível para navios, com exceção de uma reserva de emergência para o último suspiro. "Parece que isso não é muito bom", foi seu comentário lacônico. As forças navais estavam bastante diluídas, tentando proteger a frota mercante transatlântica. Em janeiro, Churchill deixou a Inglaterra em direção à Casablanca, onde ele e os chefes do Estado-Maior da Grã-Bretanha encontraram Roosevelt e os chefes americanos. O assunto principal da nervosa discussão girou em torno da invasão do continente europeu. Mas todos concordaram em um ponto, que foi resumido pelo general Alan Brooke, chefe geral do Estado-Maior imperial: "A escassez de navios", disse ele, "teve uma influência restritiva em todas as operações ofensivas, e, a menos que possamos combater efetivamente a ameaça dos submarinos, não estaremos em condições de ganhar a guerra".

Embora a derrota da frota alemã de submarinos fosse a prioridade máxima dos Aliados em 1943, a situação real dava poucos sinais de melhora. Na primavera desse mesmo ano, os estoques de petróleo britânico já estavam em seus níveis mais baixos. Em março, ainda operando com uma virtual impunidade, os submarinos afundaram 108 navios. O Atlântico estava tão infestado de submarinos inimigos que a fuga parecia impossível. "Os alemães", disse um almirante britânico "jamais chegaram tão próximo de romper as comunicações entre o Novo e o Velho Mundo como nos primeiros vinte dias de março de 1943."

Porém, nos últimos dias de março os números registravam queda dramática, e bem a tempo. Primeiro, houve uma alteração decisiva no equilíbrio criptanalítico; os Aliados decifraram cuidadosamente os novos códigos dos submarinos U e ao mesmo tempo conseguiram evitar que os alemães descobrissem os códigos de seus próprios comboios. Depois, os britânicos e os americanos montaram uma nova capacidade de contraofensiva coordenada ao sistema de comboios que incluía grupos de suporte formados para atacar os submarinos alemães. Os Aliados aperfeiçoaram seu radar e introduziram também aviões de longo alcance recém-desenvolvidos, que poderiam, em última análise, dar cobertura em uma parte do Atlântico anteriormente inacessível à proteção aérea. As mesas foram, repentina e finalmente, viradas. Somente no mês de maio de 1943, 30% dos submarinos ao mar foram perdidos. O disciplinado almirante

Doenitz foi forçado a reportar a Hitler: "Estamos enfrentando nossa crise mais séria na campanha dos submarinos, visto que o inimigo, por intermédio de novos dispositivos de localização, torna a luta impossível e está nos causando grandes perdas". No dia 24 de maio, Doenitz ordenou aos submarinos U que se retirassem para áreas mais seguras. Embora à época não tivesse admitido, estava suspendendo a campanha submarina no norte do Atlântico. Os comboios aliados — transportando seus carregamentos vitais de petróleo, outros bens e tropas — podiam então cruzar o Atlântico em relativa segurança.

Uma combinação de inovação técnica, inteligência, organização, novas táticas — e persistência — assegurou finalmente um fluxo abundante de petróleo da América para a Grã-Bretanha e, mais além, para a Europa e para a União Soviética. O caminho estava livre para um assalto em duas frentes à fortaleza europeia de Hitler. Após 45 meses de luta sangrenta e perigo crescente, a Batalha do Atlântico estava terminada.[10]

A pressão interna

Embora a segurança do transporte de petróleo fosse a questão crucial da guerra marítima, Harold Ickes estava tentando com todas as forças promover uma produção de petróleo mais elevada nos Estados Unidos. Ele passou a ter mais força em mãos quando foi promovido a administrador do Petróleo na Guerra. Visto que ainda era o ministro do Interior, o "Velho Rabugento" exercia agora um poder sem precedentes. Todavia, esse poder estava longe de ser absoluto. Cerca de quarenta outras agências federais tinham direito a voto em uma ou outra área da indústria do petróleo e a PAW — Petroleum Administration For War (Administração do Petróleo para a Guerra), de Ickes, estava em luta constante com parte delas — especialmente com a War Production Board (Conselho de Produção da Guerra), que distribuía aço e outros materiais; com o Office of Price Administration (Escritório de Administração de Preços), que estabelecia os preços, e com a War Shipping Administration, (Adminstração de Transporte Bélico), que controlava os petroleiros. Ickes fazia apelos constantes para que Roosevelt impusesse silêncio aos czares concorrentes das outras agências de guerra e preservasse sua própria autoridade.

Ickes ficou mais tarde constrangido com a má vontade demonstrada pelas forças armadas americanas em não querer compartilhar seu planejamento com a PAW. Os britânicos, que perceberam e reportaram essa relutância a Londres, ficaram surpresos e confusos. Mas o cerne da questão era simples — os militares americanos não confiavam que civis mantivessem segredo sobre seus projetos, pelo que poderiam descobrir seus planos. Ickes, apanhado em meio a esse conflito, via o sistema britânico com certa inveja. "Em qualquer questão que envolva o petróleo, o governo britânico mantém-se unido —, o Parlamento, a administração, as companhias de petróleo, a imprensa" explicou ele. "Por aqui, ao contrário, todos estão sempre se ofendendo. Não existe unidade. Os britânicos sabem disso. Eles não podem ajudar sabendo disso. O Congresso fica o tempo todo investigando."

A despeito de todas essas barreiras, a PAW gradualmente moldou uma efetiva associação entre governo e indústria. Ela buscava uma isenção antitruste do Departamento de Justiça, vitalmente necessária para que as companhias de petróleo pudessem ter contato umas com as outras e coordenassem operações e estoques para o *pool*. A Justiça, ainda em meio ao seu pedido antitruste contra as principais companhias, estava excessivamente relutante em permitir a isenção, mas a Casa Branca exercia pressão, até que finalmente encontrou absolvição e entendimento em sua essência jurídica. Cerca de três quartos dos executivos e do corpo de gerenciamento técnico da PAW eram, na realidade, oriundos da indústria, o que causou, como era de esperar, boas doses de censura a Ickes. Ele insistia, porém, que era necessário contar com pessoas competentes que sabiam como gerir o negócio do petróleo. A PAW estava "cercada" por todos os lados, pelos comitês nacionais e regionais, organizada por função (produção, refinação e assim por diante) e também pelos executivos e gerentes das indústrias de petróleo. Existia um sistema de comunicação em mão dupla por meio do qual as atividades industriais eram direcionadas e monitoradas.[11]

Em geral, existia um suporte generalizado para a missão da PAW, baseado na crescente conscientização do papel crucial do petróleo na guerra. Mesmo assim, o sistema total de abastecimento frequentemente encontrava-se à beira da escassez. Em um dado momento em fevereiro, em meio ao inverno de 1944, Nova York contava com um estoque de óleo combustível suficiente para mais dois dias. Mas, toda vez que isso acontecia, a escassez total era evitada por meio de uma coordenação emergencial competente da PAW, e jamais houve uma crise séria de abastecimento nos Estados Unidos — ainda mais admirável considerando-se quão difícil era operar o sistema.

A disponibilidade de petróleo bruto era, com certeza, essencial para o sucesso do sistema. A partir do momento em que os Estados Unidos entraram na guerra com capacidade reduzida de produção excedente, ninguém poderia ter certeza do nível de demanda que as forças armadas exigiriam ou quanto tempo duraria a guerra. Além do mais, crescia a preocupação sobre as reservas do petróleo americano. Não havia lugar para complacência, nem mesmo para muita confiança. Assim, a PAW empenhou-se em aumentar a produção e em manter uma capacidade de expansão. Usava seu poder para negar ou conceder verbas destinadas a aparelhos de sondagens a fim de forçar os homens do petróleo a adotarem métodos aperfeiçoados de engenharia. Também lutava para assegurar que os exploradores pudessem deduzir os custos de sondagem de seus impostos, como despesas isentas, a fim de encorajar a exploração suplementar.

Porém, a maior batalha da PAW, do lado da produção, era conseguir que o Office of Price Administration aumentasse os preços para estimular a exploração e a atividade da produção. Ali a PAW conseguiu um sucesso apenas relativo, ganhando aumentos nos preços para o óleo espesso da Califórnia, a fim de estimular a produção para atender às necessidades da marinha norte-americana no Pacífico, e para poços de extensão, que produziam menos de dez barris por dia. Mas no centro das discussões, o Office of Price Administration, com receio da inflação, recusou os pedidos de Ickes para um aumento indiscriminado de 35 centavos de dólar em todos os tipos de óleo, acima do máximo oficial de 1,19 dólar. A luta pelos preços como um todo, como era de esperar, deixou a indústria com uma aversão profunda pelo Office of Price Administration; um porta-voz da indústria petrolífera repudiou-o como um "aparelho comunista".

Apesar das reclamações, o registro da produção total da América estava muito bom: dos 3,7 milhões de barris por dia em 1940 para 4,7 milhões de barris por dia em 1945 — um aumento de 30%. Com capacidade excedente estimada em um milhão de barris em 1940, os Estados Unidos apelaram essencialmente para suas reservas plenas. Mas essa era uma tarefa mais difícil do que se imaginava, pois, quando os trabalhadores dos campos de petróleo abriram de fato as válvulas dos poços, eles quase sempre constatavam que a capacidade de produção real era menor do que havia sido avaliada. Além disso, os poços existentes esgotavam naturalmente a sua capacidade. Assim, a indústria tinha que trabalhar arduamente no aumento da produção e depois na manutenção do nível dessa produção. E, para manter-se equilibrada, a indústria tinha que garantir um nível elevado de exploração. Ao todo, entre dezembro de 1914 e agosto de 1945, os Estados Unidos e seus aliados consumiram quase sete bilhões de barris de petróleo, dos quais seis bilhões eram provenientes dos Estados Unidos. Sua produção no período da guerra foi equivalente a mais de um quarto de todo o petróleo produzido nos Estados Unidos, desde os tempos do poço do Coronel Drake até 1941. Se todas as solicitações dos aliados aos Estados Unidos tivessem sido maiores, teria havido uma pressão real sobre os estoques disponíveis.[12]

Racionamento — pela porta lateral

O outro lado da equação petróleo nos Estados Unidos era o consumo, e foi essa questão que provocou as maiores batalhas políticas. Os esforços eram no sentido de fazer com que as indústrias usuárias mudassem do petróleo para o carvão. Solicitava-se àqueles que usavam óleo para calefação que mantivessem sua casa a uma temperatura de 18°C durante o dia e de 12°C à noite. O próprio presidente Roosevelt passou a demonstrar forte interesse pelo potencial dos recursos de gás natural da América, até então muito pouco utilizados. "Eu gostaria que você mostrasse a uma parte de seu povo a possibilidade do uso do gás natural", escreveu ele a Ickes em 1942. "Fui informado que existem vários campos no oeste e no sudeste onde praticamente não se descobriu petróleo, mas onde uma grande quantidade de gás permanece inativo no subsolo porque está distante demais para poder ser canalizado até comunidades maiores." No entanto, o foco da contenção era a gasolina. Existiam aqueles que não poupavam esforços para cooperar com a necessidade da nação em reduzir o consumo de gasolina. Digno de menção foi o altruísmo de uma tal Bea Kyle, uma doidivanas que trabalhava no Parque de Diversões Paliçadas, em New Jersey. Em 1942, ela escreveu a Harold Ickes para expor sua linha de trabalho: "Primeiro cubro meu próprio corpo com gasolina e então despejo a gasolina sobre a água em meu tanque portátil; depois ateio fogo em ambos e pulo no tanque em chamas". Ela queria que Ickes opinasse sinceramente se o seu pulo de 24 metros "causava danos à defesa" e se deveria ser suspenso até o final da guerra.

"Sem a intenção de depreciar substancialmente o caráter espetacular de seu mergulho", respondeu prontamente um auxiliar de Ickes: "Você deveria tentar reduzir um pouco a quantidade de gasolina em suas performances ou diminuir o número de mergulhos mantendo o efeito, de forma que você pudesse reduzir seu consumo na proporção recomendada a todos". E o auxiliar acrescentou: "Seu interesse patriótico é apreciado".

Não havia muitas Bea Kyles. O uso da gasolina tornara-se um direito nacional inato durante as três décadas anteriores e poucas pessoas estavam dispostas a renunciar a ele, a menos que se sentissem forçadas. Na primavera de 1942, foi dado o primeiro passo nessa direção: foi imposta uma proibição formal ao uso da gasolina nas corridas de automóveis. Em maio, foi decretado o racionamento na Costa Leste — inicialmente, por meio do uso de cartões, que, assim como os tíquetes de alimentos, eram perfurados nos postos de gasolina. Os cartões foram substituídos por cupons. Quaisquer dos sistemas provocavam grandes protestos, vindos de todos os lados. O governador da Flórida ligou para Ickes e implorou a ele que adiasse o racionamento a fim de não estorvar os turistas. Os moradores da Costa Leste, que não compreendiam os problemas logísticos e de transporte do petróleo, "tinham certeza" de que havia tanques cheios em algum lugar do país. A administração Roosevelt estava relutante em castigar o país todo com o racionamento. Nos grandes espaços livres do oeste, não havia muitas alternativas para os transportes, além do automóvel.[13]

A administração finalmente encontrou uma saída para o racionamento nacional através de uma porta lateral — a borracha. A conquista das Índias Orientais e da Malásia pelos japoneses reduziu em 90% a exportação de borracha natural para os Estados Unidos, enquanto o programa da borracha sintética mal tinha começado a ser implantado. Como resultado, os Estados Unidos ficaram dominados por uma "fome de borracha". Racionando a gasolina e consequentemente reduzindo o uso do carro, a demanda popular por pneus poderia ser reduzida, liberando as reservas disponíveis de borracha para as forças armadas. Dessa forma, em nome da borracha, a gasolina poderia ser racionada. Mas tal medida, mesmo disfarçada, era algo que precisava receber um *imprimatur* bastante sério. Roosevelt nomeou um comitê extremamente respeitável para vender a ideia ao Congresso e ao público em geral; dois membros desse comitê eram reitores da Harvard e da MIT, e o presidente nada menos que o respeitável e venerável Bernard Baruch.

A escolha não poderia ter sido mais acertada para este trabalho de relações públicas que o nome de Baruch. Em Washington, Bernard Baruch era considerado um negócio muito sério. Tinha um prestígio enorme; o milionário da Wall Street havia sido o grande mobilizador industrial da Primeira Guerra Mundial e era, no momento, o conselheiro do presidente e do representante não oficial da nação, Elder Statesman. "A deferência do público era universal", relembrou John Kenneth Galbraith, que, em sua posição de principal controlador dos preços da nação, discordava de Baruch. "Ao mesmo tempo, o ceticismo particular era também quase obrigatório." O ceticismo chegou até o Salão Oval da Casa Branca e aos homens que haviam nomeado Baruch chefe do comitê — "aquele velho Pooh-Bah (pessoa que acumula vários cargos. Personagem de W.S. Gilbert, em *O Mikado),* como Roosevelt o descreveu certa vez.

Baruch, no entanto, pôde fazer o trabalho político. Ele assegurou aos membros de seu comitê, os dois reitores das universidades que viviam em torres de marfim, que ele podia cuidar do problema prático — o Congresso. "Deixem os senadores e os camaradas da Colina (Capitólio) por minha conta, a maior parte deles são grandes amigos meus", disse ele. "Eu oferecerei um jantar a eles qualquer noite dessas." Muitos dos importantes senadores não só eram amigos, mas também beneficiários regulares, de acordo com os costumes da época, das contribuições significativas que Baruch fazia para as campanhas, e eles, em troca, restavam completamente convencidos de sua sagacidade. A estratégia funcionou. Em setembro de 1942, o comitê de Baruch recomendou vigorosamente que a gasolina fosse racionada em nível nacional a fim de preservar a borracha. O plano verdadeiro, no entanto, só foi implementado depois das eleições do Congresso em 1942. Da forma como estava, uma centena de senadores da Costa Leste organizou um protesto contra o novo sistema. Provavelmente, eles não tinham sido convidados para o jantar.[14]

O racionamento foi suplementado por outras medidas, incluindo-se a redução do limite de velocidade para sessenta quilômetros por hora. Entretanto, o protesto foi maior quando o "uso de automóveis para fins não essenciais" ficou proibido em janeiro de 1943. Como ninguém conseguia dar uma boa definição para o termo "não essencial", esta proibição específica foi esquecida — poucos meses mais tarde. O sistema de racionamento previa a existência de cinco fases de distribuição, dependendo da necessidade e da função do veículo e do motorista. Os selos em ordem alfabética colocados nos para-brisas tornaram-se um sinal de *status* para o afortunado motorista cuja função era considerada essencial. Os mais afortunados eram aqueles com um X — médicos, padres, alguns técnicos e funcionários públicos —, que gozavam de direitos ilimitados para a compra de gasolina. Uma certa vergonha acometia aqueles que ficavam nas categorias consideradas menos importantes para a tarefa bélica. A ração básica A, que era destinada à maioria das pessoas, previa — dependendo da disponibilidade de estoques e da região — algo entre um e meio e quatro galões por semana. Como era de esperar, o sistema fez surgir um mercado paralelo de cupons, verdadeiros ou falsificados, especialmente nas grandes cidades da Costa Leste. Mesmo assim, o consumo popular da gasolina foi substancialmente reduzido; o consumo médio por carro de passeio foi, em 1943, 30% menor do que em 1941. Ickes estava certo; os americanos, que não colaboraram com a redução voluntária, aceitaram o racionamento obrigatório de gasolina, juntamente com restrições em seu consumo de açúcar, manteiga e carne. Afinal, comentava-se com frequência: "Estamos em guerra".[15]

A organização da produção e do consumo de petróleo nos Estados Unidos era apenas uma parte do sistema internacional mais extenso, improvisado e conduzido em conjunto pelos Estados Unidos e pela Grã-Bretanha. Era um sistema que extraía o petróleo bruto do sudoeste americano, refinava-o e transportava-o para o nordeste por navios ou navios-tanques, ou, posteriormente por oleoduto, enviava-o através do Atlântico e cuidava-se para que fosse distribuído onde houvesse necessidade, tanto para tanques de estocagem nas bases aéreas britânicas como em recipientes de cinco galões que seguiam para os combatentes Aliados no *front*, ou em vagões-tanque em Murmansk e Archangel, portos soviéticos no mar de Barents. Não menos urgentes eram as necessidades da área de conflitos no Pacífico, que precisava ser abastecida por um cortejo semelhante ao que se movia em direção ao oeste. Os americanos e os ingleses conduziam o sistema por meio de algumas providências formais e outras informais. Eles trabalhavam com o princípio de que, em cada área em conflito, apenas um dos dois seria o responsável pelo abastecimento das tropas e das forças aéreas de ambos os países. Dessa forma, no Reino Unido e no Oriente Médio eram os ingleses que abasteciam os tanques de gasolina americanos; no Pacífico e no norte da África, depois da invasão dos Aliados no final de 1942, os americanos eram os responsáveis pelo abastecimento de todas as forças.

Os problemas da coordenação em uma guerra global eram imensos. Os suprimentos precisavam ser alocados entre prioridades ardentemente concorrentes: Europa, norte da África, o Pacífico e a economia interna dos Estados Unidos. Navios-tanques tinham que atender a pedidos concorrentes do Atlântico e do Pacífico, e da Costa Leste dos Estados Unidos. Além disso, o transporte e os suprimentos tinham que estar sincronizados. Ocorriam constantes e dispendiosos desencontros; os navios-tanques chegavam aos portos e não havia suprimentos à espera, ou então os suprimentos ficavam esperando e nenhum petroleiro aparecia. Mesmo assim, com todas as dificuldades e controvérsias que essas questões pudessem suscitar, o sistema serviu muito bem aos Aliados.[16]

Inovação

Antes da II Guerra Mundial, os militares americanas não previram que os estoques de petróleo pudessem representar qualquer tipo de problema. O exército nem mesmo possuía um registro da quantidade de petróleo utilizado. Eles não conseguiam compreender o quanto viriam a ser fundamentais as diferenças entre a I e a II guerra. A primeira foi uma guerra estática; a segunda, móvel. (Foi Stálin quem levantou um brinde num banquete em homenagem a Churchill durante os dias mais negros da guerra: "Esta é uma guerra de motores e octanas. Bebo à saúde da indústria automobilística e da indústria petrolífera americanas.") Seria, portanto, uma guerra com um consumo muito mais alto de petróleo; durante a II Guerra, nos momentos de pico, as forças americanas na Europa usaram cem vezes mais gasolina do que na I Guerra. A tropa americana típica, durante a I Guerra, usava 4 mil HP; na II Guerra, 187 mil HP.

Com certeza, foi apenas durante o planejamento para a invasão do norte da África em 1942 que o exército se deu conta do pleno significado do fator petróleo e, depois disso, em resposta, pôs em funcionamento uma organização de estoques centralizada e disciplinada. Afinal de contas, cerca da metade da tonelagem total embarcada pelos Estados Unidos durante a guerra foi de petróleo. O Serviço de Intendência calculava que, quando um soldado americano partia para combater no exterior, ele necessitava de trinta quilos de suprimentos e equipamentos para manter-se, e a metade era de produtos derivados do petróleo.

O novo esquema de abastecimento de petróleo do exército lançou uma série de inovações para facilitar o fluxo e o uso do petróleo. Ele incentivava produtos padronizados — especificamente um combustível com múltiplas finalidades e um combustível diesel para motor com múltiplas finalidades. Ela adotou um sistema especial portátil de canais estreitos, acompanhado por bombas de sucção, desenvolvido pela Shell, que permitia o transporte eficiente de petróleo em áreas de combate, em direção ao *front*, substituindo o transporte por caminhões. Porém, um dos desenvolvimentos mais significativos foram os latões com capacidade para cinco galões de gasolina, sempre presentes no final. O exército descobriu que seus latões de dez galões eram desajeitados e pesados demais para serem carregados por um só homem. Os alemães usavam latões de cinco galões. Na busca por um recipiente mais viável, os americanos, unidos aos ingleses, copiaram as linhas de um dos latões capturados dos alemães. Uma irônica homenagem foi prestada aos latões alemães originais nos apelidos que receberam: *blitzcan* e, o mais comum, *jerrycan* (alusão à *blitzkrieg* alemã e ao apelido "Jerry" dado pelos ingleses aos alemães durante a guerra). Os americanos, no entanto, implementaram uma inovação importante nas formas dos latões alemães. As tropas germânicas, para abastecer, tinham que usar um funil, que permitia a entrada de sujeira nos motores dos veículos. Os americanos acoplaram um bocal, que impedia a passagem da sujeira.

Uma das maiores decepções técnicas da guerra foi o PLUTO — o acrônimo para "Pipeline Under The Ocean" (oleoduto submarino). Este sistema aquático de oleodutos foi projetado para ligar o lado britânico do canal da Mancha ao francês. Depois da invasão da Europa Ocidental, o objetivo era fornecer, no total, o referente à metade das necessidades de combustível para as Forças Aliadas durante o avanço através da França em direção à Alemanha. O oleoduto foi construído, mas sérios problemas técnicos surgiram devido a acidentes na instalação. Como consequência, durante os meses críticos após a invasão, o fluxo de petróleo do PLUTO não passava de gota d'água. Desde o Dia D, em junho de 1944, até outubro de 1944, foram transportados em média apenas 150 barris por dia através do PLUTO — ínfima sexta-parte de um por cento consumido pelas Forças Aliadas na Europa Ocidental durante esse período.[17]

O mais assustador entre todos os desafios da cadeia de combustíveis dos Aliados talvez tenha sido o fornecimento da gasolina de aviação de cem octanas. O combustível de cem octanas desenvolvido em meados da década de 1930, principalmente pelos pesquisadores da Shell na Holanda e nos Estados Unidos, possibilitou performances aéreas de um nível superior — maior velocidade de partida, potência maior, decolagens mais rápidas, maior alcance, poder de manobras mais apurado — às dos combustíveis de 75 ou 87 octanas costumeiramente usados. Os testes demonstraram uma eficácia de 15% a 30% mais elevada em relação aos combustíveis existentes, além da economia consegui da, que tornaria possível um avião com maior raio de ação. No entanto, antes da verdadeira eclosão da guerra não havia mercado significativo para esse combustível, muito mais caro, e, na falta de mercado, algumas companhias, notadamente a Shell, seguida pela Jersey, correram grandes riscos ao fazer altos investimentos na pesquisa e na qualidade da gasolina de cem octanas. A Shell estocou a maior parte da gasolina que havia produzido.

A repentina deflagração da guerra significou a existência de um mercado — e um mercado muito importante. As vantagens da gasolina de cem octanas foram comprovadas na Batalha da Grã-Bretanha em 1940, quando os aviões de caça britânicos *Spitfire* sobrepujaram os Messerschmitt 109s, abastecidos com gasolina de 87 octanas. Muitos atribuíram à gasolina de cem octanas essa margem de superioridade decisiva, assim como a vitória na batalha aérea de vida ou morte. Para a produção desse combustível de alto desempenho, eram exigidos, no entanto, recursos de refinação dispendiosos, e somente uma pequena parcela desses recursos estava realmente disponível. As metas de produção eram estabelecidas e depois expandidas cada vez mais. Foram formados dois comitês de petróleo para aviação — um em Washington e um em Londres — a fim de controlar a distribuição das restritas quantidades de gasolina de cem octanas entre todos os militares reclamantes. Apesar da escassez crônica, por vezes os distribuidores achavam que tinham que ser esbanjadores. Sob a ameaça dos submarinos U, eles despachavam três carregamentos para um determinado lugar, esperando que pelo menos um deles conseguisse chegar.

Quase todo o combustível de cem octanas de que os Aliados precisavam tinha que ser fornecido pela produção americana — cerca de 90% do total, em 1944. Porém, a produção não conseguia acompanhar a demanda. "Tomando por base o panorama atual, a situação tende a agravar-se cada vez mais", Robert Patterson, o subsecretário de Guerra, escreveu desesperado a Ickes em abril de 1943. "Não vejo alternativa melhor do que tomar uma atitude mais drástica." Os americanos responderam com um ambicioso programa de construção e engenharia; um dos maiores e mais complexos empreendimentos industriais feitos na guerra. Por sorte, no final da década de 1930, uma nova tecnologia de refinação, chamada craqueamento catalítica, estava em desenvolvimento, conduzida principalmente pelo francês Eugene Houdry e pela Sun Oil. O primeiro avanço significativo do craqueamento catalítico sobre o craqueamento térmico desenvolvido por William Burton, três décadas antes, era a facilidade na produção de grandes quantidades de gasolina de 100 octanas. Sem essa tecnologia, os Estados Unidos simplesmente não poderiam jamais ter esperanças de tentar atender a demanda por combustível de aviação. Quando os Estados Unidos entraram na guerra, as limitadas operações de craqueamento catalítico estavam apenas em seu estágio inicial, e pareciam estar longe de atingir uma capacidade de produção em larga escala. As exigências eram imensas — as unidades deveriam ter mais de quinze pavimentos e eram muito mais caras do que as instalações tradicionais de refinação. Assim mesmo, foram posteriormente construídas muitas unidades de craqueamento catalítico pelo país em tempo recorde, aparentemente quase sem falhas, desde o projeto inicial e a fábrica-piloto até as operações a plena carga.

Ao todo, como parte da campanha das cem octanas, dúzias e dúzias de fábricas e instalações especiais foram construídas, e muitas das já existentes foram convertidas para a produção do combustível de cem octanas. A PAW e a indústria petrolífera estavam em luta constante com as agências concorrentes e com as taxas de juros sobre o aço e outros bens necessários para cumprir suas metas de construção — que se expandiam cada vez mais à medida que se exigia produção cada vez maior. No auge da produção, todas as usinas de combustível para aviação tiveram que se unir, para serem comandadas como uma gigantesca associação integrada, com vários de seus componentes distribuídos pelo país, entre companhias diferentes, a fim de maximizar a produção e, de acordo com as informações da agência de Ickes, "ampliar ao máximo o número de barris produzidos". Os processos de produção e o próprio combustível continuaram passando por permanente aperfeiçoamento. Em consequência, os pilotos de caça podiam contar com ganhos adicionais de força, com os quais alcançariam o avião inimigo, o que permitiria aos bombardeiros sobrecarregados levantar voo.

Embora de tempos em tempos houvesse a impressão de que os Aliados estavam prestes a ficar sem o combustível de cem octanas, a produção em alta mantinha, milagrosamente, o compasso com as crescentes necessidades. A demanda em 1945 era sete vezes mais alta do que estava previsto no início da guerra. Mesmo assim, as exigências foram cumpridas. Em 1945, os Estados Unidos — que, em 1940, tinham uma capacidade total de produção menor que 40 mil barris por dia — estavam produzindo 514 mil barris diários do combustível de cem octanas. De acordo com as explicações de um general, o governo e a indústria "extraiam combustível de dentro da cartola".[18]

"O minuto inexorável"

"Em nenhum momento as forças armadas ficaram sem petróleo, na quantidade apropriada e do tipo apropriado, no lugar apropriado", anunciou o Conselho de Petróleo do exército e da marinha com orgulho, depois da guerra. "Nem uma única operação foi adiada ou cancelada pela falta dos produtos derivados." Embora essa avaliação fosse em grande parte correta, houve uma exceção — um momento de tremor quando o sistema falhou.

Na primavera de 1944, o pêndulo estava se movendo claramente a favor dos Aliados na guerra contra a Alemanha. As tropas americanas e britânicas haviam desembarcado na Itália, que iniciara sua retirada da guerra. Os russos estavam avançando na frente leste. No dia 6 de junho de 1944, o Dia D, as Forças Aliadas tocaram as praias da Normandia, abrindo a invasão da Europa Ocidental. Mas, de pronto, o plano dos Aliados, forjado cuidadosamente e há muito tempo, saiu torto. Os exércitos invasores, contrariando planos e expectativas, viram-se prensados na Normandia, muito mais distantes do que haviam previsto. Os alemães, apanhados de surpresa, conseguiram deter as forças invasoras por um tempo, embora a falta de combustível restringisse muito a capacidade de deslocar rapidamente reforços para o *front*. O marechal de campo Gerd von Rundstedt, comandante alemão, foi forçado a divulgar uma ordem: "Transportem seus equipamentos por homens ou cavalos — não usem gasolina, exceto durante a batalha". Então, no dia 25 de julho de 1944, os exércitos Aliados finalmente romperam o cinturão de segurança dos alemães, e estes, desorganizados e mal-abastecidos, recuaram. Desta vez, foram os Aliados que ficaram surpresos, mas agora pela facilidade e rapidez com que conseguiram lançar-se na violenta perseguição aos alemães.

Nenhuma outra força moveu-se de modo tão violento quanto o Terceiro Exército, sob a liderança do general George Patton Jr., comandante do ataque. Impulsivo, dinâmico e vulcânico quando enraivecido (isto talvez resultado de ferimentos na cabeça em um jogo de polo), Patton mal conseguia conter-se em face do que ele considerava uma estratégia tímida e cautelosa demais por parte dos Aliados, desde o desembarque em 6 de junho. Durante o mês de julho de 1944, ele escreveu um poema expressando sua frustração:

> Pois na guerra, como no amor, você deve estar sempre abrindo caminhos.
> Ou você jamais conseguirá sua justa recompensa
> (...)
> Portanto vamos travar uma luta verdadeira,
> abrindo caminhos e trapaceando, enganando.
> Vamos aproveitar a chance agora que temos a bola.
> Vamos esquecer as bases, boas e firmes,
> nos melancólicos espaços dos projéteis reunidos.
> Vamos cumprir rápido nossas tarefas e ganhar! Sim, ganhar afinal.

O general Dwight Eisenhower, o Supremo Comandante dos Aliados, descreveria Patton publicamente como "um grande mestre em tirar proveito de uma situação instável". Pessoalmente, ao mesmo tempo que reconhecia seu considerável vigor como comandante de operações, Eisenhower acreditava que a Patton faltava a capacidade crítica exigida de um comandante completo — visualizar o grande cenário. Na verdade, Eisenhower questionava a capacidade de Patton de trabalhar em equipe, e até mesmo seu equilíbrio. Patton era propenso demais à aventura, muito inclinado a "ações irrefletidas", dizia Eisenhower. "Estou absolutamente cansado de sua incapacidade para controlar a língua", advertiu diretamente a Patton, "e começo a duvidar de sua capacidade crítica geral, tão fundamental num alto posto militar."

Mesmo com essas profundas ressalvas, era vontade indiscutível de Eisenhower ter Patton à frente da invasão. De acordo com suas palavras ao escrever para o general Marshall, Patton possuía qualidades bélicas que "não podemos nos dar ao luxo de perder, a menos que ele próprio se destrua". Desde que Patton esteja "sob as ordens de um homem que seja justo e sensato, e que possua sensibilidade suficiente para aproveitar suas boas qualidades sem se deixar ofuscar pelo seu amor ao senso teatral e à simulação", ele poderia fazer um bom trabalho. Em resumo, Patton representava uma forma especial de seguro personificado pela "extraordinária e implacável força propulsora que conseguia empregar nos momentos críticos". Pois, acrescentou Eisenhower, "sempre existe uma chance de que esta guerra, possivelmente todo este teatro, possa ainda gerar uma situação onde este homem reconhecidamente desequilibrado, mas um lutador agressivo, possa ser utilizado para alguma emergência". E, dessa forma, livrar o dia.[19]

Certamente, a força da personalidade forte de Patton, sua determinação, sua capacidade em tomar decisões e inspirar confiança, bem como sua "invencibilidade", faziam dele um extraordinário líder no campo de batalhas, e, se seu caráter não conseguia, necessariamente, conquistar a confiança de seus superiores, conseguia gerar uma forte lealdade nas tropas sob seu comando. Ele sabia da importância em criar uma lenda sobre si mesmo, fosse ela representada pelos dois revólveres, um deles com cabo de madrepérola, que Patton usava na algibeira, ou pelo apelido "O Velho Sangue-e-Tripas" que ele mesmo se dera na década de 1930 em seu lance fracassado de tornar-se Comandante dos Cadetes em West Point. Mas, debaixo dessa aparência inflexível e irreverente e da autodisciplina férrea, existia um Patton cujo estômago dava nós antes de uma batalha e que havia publicado dois livros de poesias.

Patton era um mestre da guerra móvel, assim como Rommel, e se encrespava enquanto esperava por sua chance de glória. "Eu preciso me esforçar para fazer algo espetacular e triunfante, que seja pra valer", queixava-se ele. E foi o que fez, comprovando aquilo que Eisenhower dissera a respeito de seus talentos especiais. Revólveres na cintura, ele conduziu o ataque da Normandia com uma rapidez espantosa; cobriu em um mês um vasto território — quase oitocentos quilômetros de Brest até Verdun, libertando a maior parte do norte de Loire, na França. Como Rommel, Patton era insolente com os quartéis-generais. Suas tropas buscavam qualquer meio não convencional possível para assegurar seus estoques de combustível, que se tornavam cada vez mais escassos à medida que as fileiras do Terceiro Exército se expandiam. Algumas tropas de Patton faziam-se passar por membros de outras unidades para conseguir suprimentos; outras assumiam o controle de trens-comboios de caminhões ou apoderavam-se do combustível que os caminhões de suprimentos necessitavam para a viagem de volta. Na verdade Patton mandava até mesmo aviões de espionagem para a retaguarda a fim de identificar estoques de gasolina que pudessem ser capturados.

Ao final de agosto de 1944, entretanto, o combustível estava se tornando um obstáculo muito sério para o avanço dos Aliados. Não havia escassez física de gasolina na França. Os estoques simplesmente estavam nos lugares errados — distantes na Normandia, bem atrás das fileiras — e havia um problema logístico imenso para trazer o combustível ao *front*. De acordo com o jargão do abastecimento, os Aliados tinham transferido "260 dias de planejamento logístico" em justos 21 dias. As estradas de ferro teriam sido o meio mais eficiente de levar o combustível adiante, mas não havia trilhos apropriados. Os infindáveis comboios de caminhões de combustível que cruzaram a França por uma trajetória especial de mão única não conseguiam manter-se em função do alongamento das vias de suprimento; os caminhões tinham que utilizar quantidades proporcionalmente maiores de seu próprio estoque de combustível para alcançar o *front* e voltar. Os velozes exércitos Aliados, graças aos seus problemas logísticos, simplesmente excederam seus estoques de gasolina. O mesmo havia acontecido com Rommel quando suas forças precipitaram-se pelo norte da África em 1942. Patton enfurecia-se com a situação. "No momento, minha maior dificuldade não são os alemães, mas a gasolina. Se eles pudessem me fornecer a quantidade suficiente, eu poderia ir para qualquer lado", escreveu ele a seu filho em 28 de agosto. No dia seguinte, anotou em seu diário: "Percebi que, por motivos desconhecidos, não temos recebido nossa quota de gasolina — faltam 140 mil galões. Isso pode ser uma tentativa indireta para me fazer parar, mas eu tenho dúvidas".[20]

A despeito das suspeitas de Patton, as demais unidades também estavam com falta de combustível. Naquele momento, Eisenhower, na qualidade de comandante geral das Forças Aliadas, enfrentava uma decisão crucial: não sabia se enviava o carregamento de suprimentos para o Terceiro Exército de Patton ou se mandava o combustível para o Primeiro Exército americano, ao norte do Terceiro Exército, em auxílio ao Vigésimo Primeiro Agrupamento do Exército Britânico, sob o comando do general Montgomery, que se encontrava mais próximo da costa. Eisenhower perguntava a si mesmo se o momento era adequado para desistir de sua própria estratégia da "frente ampla" — todos os flancos protegidos — e fazer um esforço extremo, permitindo a Patton e ao Terceiro Exército que invadissem a Linha Siegfried, o padrão ocidental dos nazistas, e a própria Alemanha. Ou, então, se seria mais prudente deixar que Montgomery capturasse a Antuérpia antes para se assegurar de um porto de abastecimento de primeira classe que evitasse um futuro debilitamento nas linhas e abastecimento. Havia ainda uma terceira opção, que Montgomery defendia vigorosamente — uma imensa falange de quarenta exércitos sob seu próprio comando, que avançaria através do Ruhr e derrotaria a Alemanha.

Enquanto Eisenhower se empenhava para tomar uma decisão, Patton mostrava-se ansioso. "No momento, temos nas mãos a maior de todas as chances para ganhar a guerra", escreveu ele em seu diário. "Se eles me derem permissão para seguir em frente (...) poderemos chegar à Alemanha em dez dias (...) Isso está tão óbvio, mas essas toupeiras são capazes de não enxergar." Eisenhower, no entanto, afinado com as exigências mais amplas das questões políticas e das coligações da guerra, e em particular com o relacionamento tenso com o sensível Montgomery, resolveu fazer um acordo, uma distribuição de forças, que previa o envio da gasolina tão necessária para o Primeiro Exército de Montgomery, e não para o Terceiro Exército de Patton.

Com estoques de gasolina para apenas meio dia, Patton ficou furioso. Apareceu no quartel-general do general Omar Bradley, comandante das forças americanas, "berrando como um touro bravio". "Nós ganharíamos a sua droga de guerra se você mantivesse o Terceiro Exército em movimento", berrava ele. "Maldição, Brad, me libere 400 mil galões de gasolina e eu te levarei para dentro da Alemanha em dois dias."[21]

Patton não aceitava com facilidade a redução de suas provisões. Este era o momento crucial, a oportunidade única para forçar e empurrar, para invadir impiedosamente, para acabar rápido com a guerra, para cumprir seu destino — e glória. Ele mal podia conter seu ódio e sua frustração. "Ninguém se dá conta do extremo valor do 'minuto inexorável', exceto eu", escreveu ele em seu diário. "Nós não conseguimos a gasolina porque, para satisfazer Monty, o Primeiro Exército é quem deve usar a maior parte." Ele deu ordens às suas unidades para que prosseguissem até ficarem sem combustível "e então abandonem os veículos e continuem a pé". Patton escreveu à sua esposa: "Eu preciso conquistar cada metro, mas não são os inimigos que estão tentando me deter, são 'Eles' ... Olhe para o mapa! Se eu conseguisse roubar apenas um pouco de gasolina, poderia vencer esta guerra".

No dia 30 de agosto, os estoques do Terceiro Exército estavam reduzido a menos de um décimo do seu nível normal. E nem iriam aumentar até o dia 3 de setembro, conforme foram informados. No dia seguinte, 31 de agosto, as forças de Patton alcançaram o rio Meuse. O Terceiro Exército não poderia ir mais longe. Seus tanques de gasolina estavam vazios. "Meus homens podem ter que comer seus cintos, mas meus tanques têm que ter gasolina", disse Patton a Einsenhower.

As forças de Montgomery capturaram a Antuérpia em 4 de setembro. "Agora penso que é importante deixar Patton movimentar-se novamente", anotou Eisenhower em seu próprio diário no dia seguinte. E daí em diante, Patton passou a ter mais combustível. Porém, o minuto passado se mostraria como o mais inexorável; os poucos dias transcorridos tinham fornecido aos alemães o tempo decisivo para se agruparem. Logo no início de setembro, Hitler enfim modificou sua ordem de "não recuar", de modo que as unidades alemãs teriam permissão para recuar, corrigir-se, e estabelecer uma linha defensiva. As forças de Patton prosseguiram para além do rio Mosa, mas ficaram atoladas no rio Mosela — não mais pela falta de gasolina, mas pela resistência muito mais sólida dos alemães. Nove meses de campanha amarga e dispendiosa se seguiriam. E, quando os alemães conseguiram organizar um desesperado contra-ataque massivo, os russos, não os americanos, tomaram Berlim.

Nos meses finais da guerra, Patton levou a cabo a invasão da Alemanha e seguiu em frente até Pilsen, na Tchecoslováquia. Porém, o "minuto inexorável" negara a ele seu momento definitivo de glória nos campos de batalha. Em dezembro de 1945, oito meses depois de terminada a luta na Europa, a vida do mestre da guerra móvel teve um desfecho vulgar, quando sua limusine com chofer chocou-se contra um caminhão do exército americano em uma das ruas da Alemanha.[22]

Teriam os Aliados perdido a oportunidade decisiva de acabar rapidamente com a guerra? A questão fora discutida com azedume na ocasião e durante muito tempo depois. Dos milhões de baixas sofridas pelas Forças Aliadas durante a libertação da Europa Ocidental, mais da metade ocorreu depois da completa interrupção do avanço das tropas de Patton em setembro. Outros tantos milhões morreram em consequência da ação militar e nos campos de concentração alemães, nos últimos oito meses de guerra.

Além disso, caso os Aliados tivessem invadido a Alemanha pelo Ocidente mais cedo, o mapa pós-guerra da Europa teria sido desenhado de um modo bem diferente, pois as forças soviéticas não teriam conseguido um avanço tão profundo no coração da Europa.

Para Eisenhower, a decisão tinha sido extremamente difícil, tomada em tempo efêmero, com pobres informações, diante de grandes incertezas e altos riscos. Os custos em concordar com Patton poderiam ter sido muito altos, ameaçando as próprias bases da coligação aliada em um momento crucial, deixando as forças armadas aliadas como um todo em uma posição vulnerável e largando o Terceiro Exército completamente exposto. Havia notícias do estabelecimento de tropas alemãs nos flancos do exército de Patton. Em suas memórias sobre a guerra na Europa, Eisenhower respondeu com tato diplomático, mas de modo incisivo às acusações de Patton de que ele havia tomado a decisão errada. Patton simplesmente não conseguia enxergar o quadro geral. Para Eisenhower, os riscos globais tinham sido enormes e a probabilidade de falha nos planos de Patton era grande demais. "Nos últimos dias do verão de 1944, sabíamos que os alemães ainda tinham reservas à disposição dentro de seu próprio país", escreveu ele. "Qualquer tentativa de atacar com forças reduzidas, de transpor o Reno e de seguir em frente rumo ao coração da Alemanha teria sido absolutamente fantástica." Mesmo que essa força tivesse avançado, ela teria se tornado cada vez mais fraca à medida que liberasse unidades para proteger os flancos. Eisenhower defendeu a decisão que havia tomado naqueles dias finais de agosto de 1944: "Tal tentativa teria favorecido o jogo dos inimigos, e o resultado para os Aliados teria sido "a derrota inevitável".[23]

Outros que examinaram as evidências chegaram a uma outra conclusão: que o erro foi dividir os exércitos, em vez de concentrar todas as Forças Aliadas sob o comando de Montgomery e atacar implacavelmente pelo Ruhr em direção a Berlim. Patton e suas tropas teriam sido uma facção poderosa dessa imensa falange. Se essa investida tivesse sido bem-sucedida, a consequência teria sido um final antecipado do massacre na Europa.

Quem refletiu muito sobre toda essa questão foi Basil Liddell Hart, o eminente estrategista militar e historiador britânico. Foram seus relatórios contendo o conceito do "fluxo de expansão", escritos depois da I Guerra, que lhe conferiram o direito de ser chamado de pai da guerra móvel mecanizada e, ironicamente, o inspirador da *blitzkrieg*. Pouco antes de sua morte, em 1970, Liddell Hart emitiu seu respeitado parecer sobre a estratégia de Patton. Ele concordava com Patton; aqueles dias no final de agosto de 1944 tinham representado o "minuto inexorável". Os alemães ainda estavam em estado de choque, despreparados; nem uma única ponte sobre o Reno havia ainda sido preparada para a demolição. Uma investida poderosa de Patton — a "luta pelas tarefas", de acordo com seu poema — poderia muito bem ter causado a desintegração e a derrota dos bem protegidos exércitos alemães. "A melhor chance de um rápido desfecho", concluiu Liddell Hart, "foi perdida, provavelmente, ao desviarem a gasolina dos tanques de Patton na última semana de agosto, quando ele estava 160 quilômetros mais próximo do Reno e de suas pontes que os ingleses."[24]

435

PARTE IV

A Era do Hidrocarboneto

CAPÍTULO XX

O novo centro de gravidade

FICOU CONHECIDO POSTERIORMENTE, na tradição corporativa, como o "Tempo dos cem homens". Foram os anos da guerra, quando a quantidade de homens trabalhando com petróleo na Arábia Saudita estava reduzida a cem, ou algo assim, isolados, na maior parte do tempo, do resto do mundo; e foram os anos em que a expansão do petróleo saudita ficou esquecida em meio ao global terçar de armas. No final de 1943, a esses "cem homens" juntou-se mais um — Everette Lee DeGolyer, cuja chegada era um indício certo de que a Arábia Saudita não havia sido esquecida por aqueles que se preocupavam com o futuro, quando a guerra tivesse terminado.

Nenhum outro homem representou com tanta singularidade a indústria petrolífera americana e sua vasta expansão na primeira metade do século XX do que DeGolyer. Geólogo — o mais eminente de sua época —, empreendedor, inovador e erudito, ele tinha contato com quase todos os aspectos significativos da indústria. Nascido em uma choupana com chão de terra batida em Kansas e criado em Oklahoma, DeGolyer inscreveu-se no curso de geografia, na Universidade de Oklahoma, para se ver livre do latim, e assim, por acaso, traçou o rumo de sua vida. Quando ainda não estava formado tirou uma folga para ir ao México, onde, em 1910, descobriu o fabuloso poço Potrero del Llano 4. Ele entrou em funcionamento com 110 mil barris por dia, inaugurando a Faixa Dourada e a era dourada do petróleo mexicano. Foi o maior de todos os poços de petróleo já descobertos e lançou as bases tanto para o aumento dos lucros da Cowdray/Pearson quanto para a reputação singular e permanente de DeGolyer.

Aquele era apenas o começo. DeGolyer foi, mais do que ninguém, o responsável pela introdução da geofísica na exploração de petróleo. Ele foi o pioneiro no aperfeiçoamento do sismógrafo, uma das mais importantes inovações na história da indústria petrolífera, e lutou pela sua utilização de tal modo que tinha a reputação de ser "maníaco com dinamite". O geólogo-chefe da Standard Oil of New Jersey disse com admiração que "o interesse dele pela busca do petróleo o acompanha dia e noite".

DeGolyer uniu uma próspera companhia petrolífera, Amerada, em favor dos interesses da Cowdray, e então, embora cortejado pela Standard of New Jersey declinou do convite e no final da década de 1930 fundou a DeGolyer e McNaughton, que se tornou a empresa líder mundial em consultoria de engenharia petrolífera. Esta foi, também, uma inovação, pois atendia à nova necessidade de avaliação independente sobre o valor das reservas de petróleo para servir como base para financiamentos por bancos e outros investidores.

DeGolyer já era muitas vezes milionário em seus 45 anos, e daí em diante passou a ganhar em média dois milhões de dólares por ano. Consequentemente, cansou-se de fazer dinheiro e doava grandes somas. Na verdade, os interesses de DeGolyer iam mais além do que apenas petróleo e dinheiro. Ele era o fundador da companhia que veio a se chamar Texas Instruments. Era um notável historiador do *chili*. Formou uma extraordinária biblioteca. Afiançou a *Saturday Review of Literature* quando estava prestes a falir e tornou-se seu presidente, embora jamais tivesse se importado muito com sua política interna.[1]

Por muitos anos, o baixo, roliço e dinâmico DeGolyer, com sua cabeça leonina, era uma figura conhecida e muito respeitada nas assembleias da indústria petrolífera, nas quais suas palavras tinham uma grande força. É claro que, como um homem que venceu por esforço próprio, DeGolyer tinha pouca utilidade para o New Deal. Porém, quando a guerra começou, ele foi chamado a Washington para ser um dos principais auxiliares de Harold Ickes na PAW. Embora relutante, atendeu ao chamado. Sua tarefa era ajudar a organizar e a racionalizar a produção em todas as partes dos Estados Unidos. Em 1943, no entanto, ele recebeu uma missão especial no exterior: avaliar o potencial petrolífero da Arábia Saudita e de outros países do Golfo Pérsico, que naquela época apresentou-se como o centro de um debate bastante difícil e controvertido.

Três anos antes, em 1940, DeGolyer havia proferido uma palestra sobre o petróleo do Oriente Médio para um grupo no Texas. "Em toda a história da indústria petrolífera", disse ele, "nenhuma galáxia de campos de petróleo de primeira grandeza havia se revelado antes sobre uma área tão extensa. Serei ousado o suficiente para prognosticar que a área sobre a qual estivemos conversando será a região produtora de petróleo mais importante do mundo nos próximos anos". Em 1943, iria ter a chance de verificar por si mesmo. No entanto, não estava buscando a viagem. "Há algum tempo parecia ser muito importante para mim que alguns americanos fizessem essa viagem e avaliassem a situação", escreveu ele a sua esposa. "Porém", continuou, "é incerta — provavelmente desconfortável e um tanto arriscada. Não sou Lindbergh".

Não foi fácil chegar ao Oriente Médio durante a guerra. A primeira escala foi em Miami, onde um pneu do avião furou durante o pouso. Depois de esperar por outro transporte no local, DeGolyer e os membros da missão finalmente pegaram carona em aviões militares, sobrevoando o Caribe, o Brasil, a África e finalmente o Golfo Pérsico. O itinerário os conduziu aos campos de petróleo do Iraque e do Irã, ao Kuait e daí ao Bahrain, e finalmente à Arábia Saudita, para verificar os campos existentes e visitar outras estruturas que tinham sido identificadas. Após uma parada, DeGolyer escreveu a sua esposa: "Não vimos nada além de terra praticamente estéril... em toda esta viagem. De fato, o Texas é um jardim em comparação com alguns dos lugares onde estivemos".

DeGolyer era mestre na arte de cobiçar as coisas alheias, quando eram a ele apresentadas de modo formal. E ele notou muitas cenas curiosas ao longo de sua rota. O que mais prendeu sua atenção foi, no entanto, a geologia — os indícios que seus olhos experientes detectaram enquanto ele passava pelo deserto, as referências que ele extraiu dos mapas, os relatórios sobre os poços e o trabalho sísmico. Três estruturas já haviam sido abertas na Arábia Saudita, com reservas estimadas em 750 milhões de barris. Porém, a identificação de tais estruturas dava a entender que as reservas poderiam ser muito maiores. O mesmo se aplicava a outros países ao longo do Golfo. O cansaço físico fora muitas vezes recompensado. DeGolyer era um homem do petróleo e para ele o deserto árido da Península Arábica era um Eldorado, a essência da lenda. A emoção tomou conta dele, pois reconheceu que estava investigando algo para o qual não havia precedentes na história da indústria petrolífera. Mesmo ele, que havia descoberto um poço que jorrava 110 mil barris por dia, jamais tinha visto algo em uma escala tão imensa, no decorrer dos seus cinquenta anos de experiência nesse tipo de negócio.[2]

Quando DeGolyer retornou a Washington, no início de 1944, relatou que a soma das reservas comprovadas e prováveis da região — Irã, Iraque, Arábia Saudita, Kuait, Bahrain e Catar — era equivalente a algo em torno de 25 bilhões de barris. Desse total, a Arábia Saudita era responsável por 20% — talvez cinco bilhões de barris. Como homem conservador que era, aplicava os mesmos padrões para reservas "comprovadas" e "prováveis" em favor do governo americano, visto que teria que avaliar as reservas para um banco. Na verdade, ele suspeitava que as reservas fossem muito, muito maiores. E, de fato, nessa viagem pôde fazer estimativas que soavam insanas, de mais de trezentos bilhões de barris para a região e cem bilhões para a Arábia Saudita sozinha. Um dos membros de sua missão relatou a funcionários do Departamento de Estado: "O petróleo nessa região é o maior prêmio isolado em toda a história".

Mais importante que qualquer número específico foi o julgamento geral de DeGolyer sobre a importância dessas imensas reservas de petróleo: "O centro de gravidade da produção mundial de petróleo está se deslocando da área do Golfo Caribenho para o Oriente Médio — para o Golfo Pérsico", disse ele, "e vai continuar a deslocar-se até que se estabeleça firmemente naquela área". Essa opinião, proferida por um homem com raízes tão profundas na indústria americana, soou como um elogio à posição de retrocesso da América no mundo do petróleo — o fim do seu domínio. Os Estados Unidos tiveram que produzir quase 90% do petróleo utilizado pelos Aliados na II Guerra, mas esta foi a marca máxima para seu papel de provedor do mundo. Seus dias de exportador logo iriam terminar. As palavras de DeGolyer foram mais do que simples elogios. Elas foram uma profecia sobre a dramática reorientação que sofreria a indústria do petróleo, que iria provocar um profundo impacto no direcionamento da política mundial.[3]

"Os Aliados têm o dinheiro"

O governo britânico já estava envolvido há muito tempo na política e na produção de petróleo, no Oriente Médio. Os Estados Unidos sempre haviam ignorado completamente a região. A cuidadosa aproximação refletiu o fato de que, quando tudo aconteceu, a produção de petróleo no Oriente Médio ainda não era muito significativa. Em 1940, a área que incluía o Irã, o Iraque e a Península Arábica toda produzia menos que 5% do petróleo mundial, contra os 63% dos Estados Unidos.

Mesmo assim, entretanto, havia aqueles que conseguiam enxergar que o "centro de gravidade" estava se deslocando. Na primavera de 1941, James Terry Duce, o vice--presidente da Casoc (como era conhecida a California-Arabian Standard Oil Company), escrevera a DeGolyer que estava "observando o Golfo Pérsico com uma atenção cada vez maior" e que "campos como os que temos naquela área são uma experiência totalmente nova para qualquer um nos Estados Unidos — mesmo no leste do Texas. A quantidade de petróleo é algo inacreditável, e eu tenho que esfregar os olhos com frequência e falar como o fazendeiro — 'Esse lugar não existe!'".

Nessa época, as potências do Eixo ainda se encontravam na ofensiva na Rússia e no norte da África e o Oriente Médio estava em perigo. Como consequência, o reduzido número de americanos, "os cem homens" na Arábia Saudita, dedicava a maior parte do seu tempo não ao desenvolvimento, mas ao oposto: a planejar um modo de proteger os poços (enchendo-os com cimento), no caso de serem bombardeados, e como destruí-los, em caso da necessidade de "impedir" o avanço dos exércitos alemães. Pela mesma razão, os poços estavam ligados também ao Kuait e ao Irã, todos eles dirigidos em coordenação com as forças militares inglesas e americanas e autoridades políticas.

Mesmo assim, a orientação americana em relação à Arábia Saudita e ao Oriente Médio estava para ser alterada. O motivo era quase o mesmo da década anterior, no início dos anos 1930: mais um colapso na peregrinação a Meca e uma nova crise financeira na Arábia Saudita. Desta vez não foi uma depressão econômica, mas a guerra, a causa da interrupção do fluxo de peregrinos. As coisas tornaram-se mais drásticas devido à estiagem e à consequente perda das plantações. As indústrias tradicionais — fabricação de facas e espadas, trabalhos em couro — mal iriam gerar fundos suficientes para cobrir as perdas. Em 1941, Ibn Saud estava uma vez mais enfrentando violenta crise financeira. O rei tinha que encarar uma dura realidade. Conforme explicou a um americano, em 1942, "os árabes têm a religião, mas os Aliados têm o dinheiro".[4]

Portanto, uma vez mais, Ibn Saud teve que pedir ajuda aos ingleses, em cuja esfera política ele atuava, e à Casoc e suas duas matrizes americanas, a Standard of California e a Texaco. As companhias de petróleo não queriam fazer mais empréstimos contra a produção futura, especialmente em uma época em que o próprio desenvolvimento estava restringido, mas também não queriam arriscar-se a perder a concessão. Talvez Washington viesse em seu auxílio. Talvez, como foi posteriormente sugerido, pudessem contar com alguma ajuda por parte do *Lend Lease,* o programa de auxílio dos tempos de guerra. O Congresso, no entanto, havia autorizado o *Lend Lease* apenas para "aliados democráticos". Infelizmente a Arábia Saudita era um reino e não uma democracia, e diferentemente, digamos, do rei da Inglaterra, Ibn Saud não era exatamente um monarca constitucional. Finalmente, depois de uma penosa discussão, Roosevelt decidiu-se contra qualquer tipo de assistência. "Faça o favor de dizer aos ingleses que espero que eles possam se encarregar do rei da Arábia Saudita. Isto está um pouco fora de nossa área de atuação".

Os ingleses foram em seu auxílio, fornecendo, entre outras coisas, cerca de dois milhões de dólares em moedas recém-cunhadas, com a promessa de que os subsídios continuariam a crescer substancialmente. Porém, os trabalhadores americanos esforçaram-se para convencer o rei Ibn Saud que o auxílio dos ingleses, na verdade, vinha dos Estados Unidos — já que os ingleses recebiam assistência dos americanos. Isso significava que a ajuda vinha realmente dos Estados Unidos, conforme explicavam. Apenas vinha de forma indireta.[5]

"Estamos ficando sem petróleo!"

A entrada dos Estados Unidos na guerra seria seguida, em 1942 e 1943, por uma redefinição em massa da importância do Oriente Médio, baseada na nova perspectiva que dominou Washington por completo, embora nem sempre as companhias de petróleo. O petróleo foi reconhecido como o produto estratégico decisivo para a guerra e era fundamental para o poderio nacional e para o predomínio internacional. Se havia um único recurso que estava traçando a estratégia militar das potências do Eixo, esse recurso era o petróleo. Se havia um só recurso que poderia derrotá-los, esse era, também, o petróleo. E, visto que os Estados Unidos provisionaram todo o esforço bélico dos Aliados praticamente sozinhos, exaurindo de forma sem precedentes seus próprios recursos, começou a crescer o temor da escassez. Era mais um daqueles períodos de pessimismo em relação à posição do petróleo americano, semelhante ao final da I Guerra Mundial, mas agravado em muito maior urgência por esta guerra. O que significaria para a segurança e para o futuro da América uma escassez disseminada e duradoura?

No final da década de 1920 e início da década de 1930, os Estados Unidos assistiram a um crescimento explosivo na descoberta de novas reservas e no aumento de reservas conhecidas. A partir de meados de 1930, enquanto se faziam "revisões e expansões" nos campos de petróleo existentes, a taxa de descoberta de novos campos havia caído vertiginosamente, levando à conclusão de que as expansões no futuro se tornariam mais complexas, mais dispendiosas e mais restritas. O declínio abrupto de novas descobertas paralisou e amedrontou os responsáveis pelo abastecimento de uma guerra global. "A lei do retorno reduzido está entrando em vigor", disse o diretor das reservas da Petroleum Administration for War-Paw, em 1943. "Visto que novos campos de petróleo não estão sendo criados e que a quantidade deles é, em última análise, finita, chegará um tempo, cedo ou tarde, em que o fornecimento se exaurirá. Para os Estados

Unidos", acrescentou, "os dias de bonança da descoberta de petróleo, no geral, fazem parte da história".[6]

O secretário do Interior, Harold Ickes, compartilhava dessa visão, e o título de um artigo que publicou em dezembro de 1943 não deixou ninguém na dúvida sobre seu posicionamento — "Estamos ficando sem petróleo!". Em seu artigo o "Velho Rabugento" advertia em tom ameaçador que "caso uma terceira guerra mundial viesse a ocorrer, ela teria que ser travada com petróleo alheio, pois os Estados Unidos não teriam estoques (...) A coroa da América, símbolo da supremacia como império petrolífero do mundo, está em visível decadência".

Uma análise tão melancólica só poderia levar a uma conclusão. Embora o petróleo estivesse fluindo dos portos americanos em direção a todas as frentes de luta, os Estados Unidos estavam predestinados a se tornar um claro importador de petróleo — uma transformação com dimensões históricas e com implicações potencialmente graves para a segurança. O desânimo desse período da guerra a respeito dos recursos petrolíferos recuperáveis da América fez surgir uma teoria conhecida como "teoria da conservação" — que defendia que os Estados Unidos, e especialmente seu governo, tinham que controlar e desenvolver reservas de petróleo "extraterritoriais" (estrangeiras) a fim de reduzir o escoamento das reservas internas, conservando-as para o futuro e garantindo dessa maneira a segurança da América. Mesmo as empresas privadas republicanas estavam solicitando o envolvimento direto do governo nas concessões estrangeiras de petróleo, pois, conforme declarou um proeminente senador republicano, Henry Cabot Lodge, "a história não nos assegura que apenas o interesse privado possa salvaguardar adequadamente os interesses nacionais". E em que lugar poderiam ser encontradas essas reservas estrangeiras? Havia uma só resposta. Herbert Feis, o consultor econômico do Departamento de Estado, teria dito: "Em todas as análises da situação, o lápis parava admirado em um ponto e lugar — o Oriente Médio".[7]

Os estrategistas americanos chegaram, atrasados, à mesma conclusão que havia orientado a política petrolífera britânica desde o final da I Guerra Mundial — a posição básica do Oriente Médio. E lá os dois aliados certamente encaravam-se com certa desconfiança, embora acreditassem na colaboração mútua total, dos tempos da guerra. Os ingleses temiam que os americanos tentassem afastá-las do Oriente Médio e que negassem a eles até mesmo as reservas de petróleo que já estavam sob seu controle. A região era considerada central para a estratégia imperial e para a governabilidade da Índia. Ibn Saud, como o protetor dos lugares sagrados do Islã, era uma pessoa muito importante para os ingleses que, na Índia, governavam diante do maior número de muçulmanos de todos os países do mundo. Ele também poderia vir a ser o agente mais importante dos ingleses, que se esforçavam para encontrar uma saída para seu dilema na Palestina, então um mandato britânico já dilacerado por constantes disputas entre judeus e árabes.

Durante a guerra, tanto as companhias de petróleo quanto os funcionários do governo americano estavam profundamente preocupados que os ingleses tivessem um desígnio abominável, para, de algum modo, apropriar-se do petróleo encontrado pelos Estados Unidos no Oriente Médio e para excluir as companhias americanas, especialmente da Arábia Saudita. Quando os ingleses enviaram uma "missão-gafanhoto" para a Arábia Saudita, a Casoc tinha absoluta certeza de que aquilo era na realidade um disfarce para a exploração geológica secreta de petróleo. A preocupação geral foi resumida pelo subsecretário da marinha, William Bullitt, que advertiu sobre a possibilidade de Londres "trapacear" as companhias americanas para fora da concessão e as companhias inglesas para dentro.

Na verdade, os aflitos americanos exageravam as intenções dos ingleses na Arábia Saudita — e a capacidade deles de colocá-las em prática. Os britânicos não tinham condições de expulsar os americanos, de quem dependiam tanto; na verdade, analisando os fatos, eles desejavam um envolvimento americano mais amplo no Oriente Médio, tanto por razões de segurança quanto financeiras e, na realidade, estavam buscando meios de reduzir os subsídios dados a Ibn Saud. Entretanto, aflitos como estavam com tais ansiedades e preocupações, que atitude poderiam tomar os americanos? Surgiram três alternativas. A primeira seria adquirir título direto de propriedade do petróleo do Oriente Médio, nos moldes da Anglo-Persian Oil Company. A segunda seria negociar algum tipo de acordo e sistemática com os ingleses. E a terceira seria deixar toda a questão para a iniciativa privada. Porém, com toda a incerteza presente em meio a uma guerra, mesmo a "iniciativa privada" estava bastante nervosa com a possibilidade de agir com recursos próprios. Queriam o apoio do governo e isso os levou novamente a Washington.[8]

A política da "solidificação"

A Socal e a Texaco, as duas parceiras da Casoc, foram as duas únicas empresas particulares a se envolverem com o petróleo na Arábia. Temiam que os ingleses pudessem ter uma postura de domínio sobre as finanças do rei Ibn Saud, a fim de articular seu próprio caminho em direção ao petróleo saudita e de mostrar a elas a porta de saída. A Socal e a Texaco tinham também uma outra preocupação. Haviam feito investimentos muito grandes no petróleo saudita e assumido compromissos financeiros e seria ainda necessário muito mais. Sabiam que estavam adiando o momento de lidar com um recurso imensamente valioso. Porém, a Arábia Saudita, como país unificado, tinha somente duas décadas de idade. Iria o reino de Ibn Saud — e a concessão do petróleo — sobreviver ao próprio rei?

De que outra forma refrear a Grã-Bretanha, sustentar sua concessão e proteger este trunfo extraordinariamente valioso contra riscos políticos a não ser com o auxílio americano ao governo saudita, e talvez até mesmo com o envolvimento direto do governo americano? Uma coisa era repelir companhias particulares — afinal, o México, alguns anos antes, havia nacionalizado as concessões das companhias com virtual impunidade — e outra coisa era assumir o poder de liderança no mundo. O envolvimento direto do governo americano na Arábia Saudita ficou conhecido por alguns como a política da "solidificação".

Em meados de fevereiro de 1943, os presidentes da Socal, da Texaco e da Casoc foram até Washington para visitar o Departamento de Estado, de chapéu na mão. Eles pediram a ajuda financeira do governo a fim de manter os ingleses a distância e assegurar ali "a continuidade do empreendimento exclusivamente nas mãos dos americanos assim que a guerra terminasse". Se Washington estivesse disposta a cooperar com ajuda externa, eles, em troca, estariam dispostos a oferecer ao governo dos Estados Unidos algum tipo de acesso ou opção especial sobre o petróleo saudita.

No dia 16 de fevereiro, após o almoço, Harold Ickes, forte defensor do envolvimento governamental, aborreceu o presidente Roosevelt, falando excessivamente sobre a Arábia Saudita. Ela era, provavelmente, "o maior e o mais farto campo petrolífero do mundo", disse o secretário do Interior. Os ingleses estavam tentando "aproximar-se gradativamente dela" à custa da Casoc, que "jamais desperdiçava uma oportunidade de chegar perto, onde houvesse petróleo". Foram esses argumentos de Ickes e de outros funcionários do governo, e não a solicitação dos executivos das companhias de petróleo, que finalmente influenciaram Roosevelt. No dia 18 de fevereiro de 1943, dois dias depois de seu almoço com Ickes e um ano e meio depois de ter declarado que a Arábia Saudita estava "fora de nossa área de atuação", o presidente autorizou a ajuda do Lend Lease ao rei Ibn Saud. E isso foi apenas o começo. Pouco tempo depois, o Army Navy Petroleum Board (Conselho do Petróleo para o Exército e a Marinha) apresentou suas projeções para 1944: uma severa escassez de petróleo era iminente, e poderia ameaçar as operações militares. A ansiedade dos militares deu um impulso adicional poderoso ao governo dos Estados Unidos na direção da Arábia Saudita.[9]

A assistência financeira a um governo amigável, se bem que não democrático, mesmo disfarçado em Lend Lease, era uma coisa; procurar adquirir propriedade direta dos recursos de um país estrangeiro era bem outra. Porém foi exatamente isso o que ocorreu em seguida, processo conduzido em parte pela Petroleum Reserves Corporation (Corporação de Reservas de Petróleo), uma entidade governamental recém-criada, que o sempre engenhoso Ickes reservou para o objetivo de conseguir a propriedade real das reservas estrangeiras de petróleo. Neste empreendimento, ele foi fortemente apoiado pelo exército e pela marinha. Apenas o Departamento de Estado absteve-se. Tinham receio de gerar "disputas intensas", conforme relatou a Roosevelt o secretário de Estado Hull. Pois, relembrou ele ao presidente, "em diversas conferências depois da última guerra, o ambiente e o cheiro do petróleo eram quase sufocantes".

O alvo da Petroleum Reserves Corporation era a Arábia Saudita. Em junho de 1943, Ickes encontrou-se, na Casa Branca, com o secretário do Exército, Henry Stimson, com o secretário da marinha, Frank Knox, e com James Byrnes, diretor do Office of War Mobilization. Eles "observaram alarmados o rápido decréscimo das reservas internas" e concordavam que o governo necessitava adquirir "uma participação nos campos sumamente importantes da Arábia Saudita". Em julho, Roosevelt confirmou essa decisão atordoante durante uma reunião na Casa Branca. "O debate foi jovial, curto e nem um pouco meticuloso", disse um participante. "Um toque de contentamento pueril marcou a fala e os movimentos do presidente, como era seu costume quando se referia às terras do Oriente Próximo." Havia ainda um ponto crucial a resolver. Qual era a parcela da Casoc, ou da concessão, a ser adquirida? Num lance que teria sido motivo de orgulho para o próprio John D. Rockefeller, decidiu-se que "o interesse" do governo deveria ser nada menos que 100%!

Em agosto de 1943, os insuspeitos presidentes da Texaco e da Socal, W.S.S. Rodgers e Harry C. Collier, fizeram uma visita ao escritório de Ickes no Ministério do Interior. Eles julgaram que iriam ter uma discussão a respeito da troca de favores: o auxílio em troca da opção pelo petróleo saudita. Ickes apresentou sua proposta: o governo compraria toda a Casoc da Texaco e da Socal. Ickes observou, com alguma satisfação, que sua proposta surpreendente "tirou-lhes literalmente o fôlego". Uma companhia de petróleo de propriedade do governo, operando no exterior, seria uma saída extraordinária para os Estados Unidos. Ela iria também modificar o posicionamento das duas companhias particulares envolvidas. Tudo o que Rodgers, da Texaco, e Collier, da Socal, conseguiram dizer foi que a oferta fora um "choque tremendo" para eles. As companhias desejavam assistência, e não a sua incorporação. Como observou uma pessoa presente às negociações, "eles saíram para pescar um peixe e voltaram com uma baleia".[10]

Depois de outras discussões, Ickes reduziu gradativamente sua proposta de 100% para 51% das ações, segundo o modelo da participação do governo britânico na Anglo-Iraniana. Ele sugeriu, até mesmo, copiar o nome do empreendimento da Anglo-Iraniana, ou seja, a American-Arabian Oil Company. Porém algumas pessoas achavam que tal denominação, pelo menos em termos da ordem dos nomes, poderia ser mal recebida por Ibn Saud, cujo objetivo era conter o envolvimento estrangeiro em seu reino ao mínimo.*

Enquanto Ickes seguia negociando com as duas companhias, examinava, também, a possibilidade de fazer um acordo semelhante com a Gulf no Kuait. Finalmente realizou uma barganha com a Socal e a Texaco. O governo americano iria adquirir um terço da Casoc por 40 milhões de dólares: os fundos seriam utilizados para financiar uma nova refinaria em Ras Tanura. Posteriormente, o governo iria ter o direito de adquirir 51% da produção da Casoc na paz e 100% durante a guerra.

Dessa forma, os Estados Unidos estavam prontos para começar a se ocupar das atividades petrolíferas. Ou, pelo menos, parecia. O restante da indústria petrolífera americana rebelou-se de um modo que só poderia ser descrito como uma justa e rai-

---

* Em 1944, a Casoc, California-Arabian — Standard Oil Company, de propriedade conjunta da Standard of California e Texaco iria na verdade alterar seu nome com a troca da ordem dos nomes para Arabian American Oil Company, comumente conhecida por Aramco.

vosa indignação. Nenhuma das outras companhias queria o governo envolvido com o petróleo. Ele seria um concorrente terrível; poderia até patrocinar a produção estrangeira em detrimento do petróleo nacional; e esse poderia ser apenas o primeiro passo em direção ao controle federal sobre a indústria do petróleo, ou até sua nacionalização. Uma forte oposição surgiu não só das companhias independentes, mas também da Standard of New Jersey e da Socony-Vacuum (Mobil) que estavam, elas próprias, interessadas no petróleo saudita e não desejavam ficar sujeitas à preempção.

Ickes havia trabalhado muito para mobilizar a indústria petrolífera em nome do esforço bélico e não poderia dar-se ao luxo de romper aquele esforço brigando pela Casoc. No final de 1943, ele repentinamente recua e repudia o plano, acusando, durante o processo, a Texaco e a Socal de serem gananciosas e recalcitrantes demais. Este foi o fim do lance que impediu os Estados Unidos de entrarem na posse direta do petróleo estrangeiro.[11]

Ainda assim, Ickes não permaneceria parado; no início de 1944, ele tornou-se o paladino de outro plano: envolver o governo americano com o negócio do oleoduto estrangeiro. Ickes, teoricamente, concordava com a Socal, a Texaco e a Gulf que o governo americano iria gastar, através da Petroleum Reserves Corporation, mais de 120 milhões de dólares para construir um oleoduto que transportaria o petróleo saudita e kuaitiano pelo deserto até o mar Mediterrâneo, de onde seguiria de navio até a Europa. Como parte do acordo, as companhias iriam instituir uma reserva de um bilhão de barris para as forças armadas americanas, que poderia ser vendida com um desconto de 25% sobre o preço de mercado.

Muitas forças mobilizaram-se contra este novo plano no final do inverno e início da primavera de 1944. Os senadores já estavam exigindo a extinção da Petroleum Reserves Corporation. Outras companhias de petróleo estavam furiosas com a ideia de que seriam "expostas, ao que pressentiam, a uma competição desigual", conforme explicou Herbert Feis. Petroleiros autônomos denunciaram essa medida como uma "ameaça à segurança nacional" e como "um passo em direção ao fascismo". Provocaria uma competição implacável nos mercados mundiais de petróleo, declarou a Independent Petroleum Association of America (Associação Independente de Petróleo da América), corroendo os preços internos e quebrando a indústria nacional. Os liberais opuseram-se ao plano porque ele iria socorrer os grandes empreendimentos e os "monopólios"; os isolacionistas opuseram-se porque não queriam ver o governo enterrando-se, literalmente, nas areias distantes do Oriente Médio. Anteriormente, a Junta dos Chefes do Estado-Maior havia declarado que um oleoduto desse porte "era uma questão de necessidade bélica imediata". Mas, depois do Dia D, com o prenúncio do fim da guerra na Europa, os chefes da Junta não renovariam seu aval. Tratava-se de uma forte coalizão de adversários e críticos, e finalmente, apesar da ira do "Velho Rabugento" e de mais uma de suas ameaças de demissão, o projeto governamental do oleoduto foi perdendo força, até desaparecer por completo.[12]

"A disputa pelo petróleo"

Apesar de tudo, o governo americano não poderia negociar com o petróleo na Arábia Saudita. Porém, havia ainda outros caminhos a serem explorados: uma parceria com a Grã-Bretanha no gerenciamento do mercado petrolífero mundial. Os dois governos tinham começado a sondar as opiniões mútuas a respeito de um acordo desse tipo. Ao mesmo tempo que alguns dos poços na região do Golfo Pérsico haviam sido cimentados a fim de evitar que os alemães se apossassem deles, as pessoas que sabiam do potencial da região estavam começando a preocupar-se com os efeitos da produção nessa área sobre o mercado no pós-guerra. Um volume elevado de petróleo barato proveniente do Golfo Pérsico, depois da guerra, seria tão desestabilizante quanto o fora a enxurrada de petróleo vinda do leste do Texas no início dos anos 1930. Ao mesmo tempo, muitas pessoas continuavam a temer pelo esgotamento das reservas americanas e desejavam reduzir as demandas ao petróleo americano. Da maneira como viam, o principal objetivo dos Estados Unidos deveria ser eliminar as restrições do período anterior à guerra e, em lugar disso, garantir produção máxima no Oriente Médio, em particular na Arábia Saudita. Dessa maneira, ocorreria uma transformação fundamental na distribuição dos suprimentos: a Europa poderia ser abastecida principalmente pelo Oriente Médio, e não com as reservas do Ocidente, em particular as americanas, sendo, desse modo, poupadas para uso e segurança da própria América.

Os ingleses, por sua vez, estavam profundamente apreensivos ante a desordem que poderia advir da produção tumultuada no Oriente Médio. Temiam uma disputa de produção pelas concessionárias, buscando satisfazer o crescente apetite de lucros dos países detentores do petróleo no Oriente Médio. Se os problemas relativos ao petróleo não fossem resolvidos antes do final da guerra, o resultado seria uma superabundância devastadora, que, devido aos baixos preços, privaria os governos produtores dos *royalties* provenientes do direito de exploração e, em última análise, ameaçaria a estabilidade das concessões. Além disso, a despeito do que muitos americanos pensavam, os ingleses ainda eram favoráveis à participação mais ampla da América no desenvolvimento do petróleo no Oriente Médio. Conforme explicaram os chefes do Estado-Maior britânico, um envolvimento desse tipo iria, entre outras coisas, "aumentar as chances de obtermos auxílio dos americanos" para defendermos a área, principalmente contra as "pressões russas". Os chefes britânicos acrescentaram que "os recursos continentais americanos representam nosso suprimento mais seguro na guerra, e portanto é de nosso interesse tomar as medidas que possam ser favoráveis à sua manutenção". Mas como convencer os americanos de que o controle conjunto, e não a exploração *laissez-faire,* seria do mais alto interesse para ambas as nações?[13]

Os ingleses desenvolveram uma árdua campanha para abrir negociações com os Estados Unidos pelo petróleo do Oriente Médio. Em abril de 1943, Basil Jackson, o representante da Anglo-Persian em Nova York, encontrou-se com Terry Duce, que estava afastado temporariamente de sua função executiva na Casoc, tendo ido chefiar a

Foreign Division (Divisão Estrangeira) da Petroleum Administration for War — PAW. "É a primeira vez na história que tal quantidade de petróleo se projeta sobre os mercados mundiais", advertiu Jackson. "Porém", disse, "não era possível às companhias chegarem, por si sós". a nenhum acordo com relação ao futuro do petróleo do Oriente Próximo. As companhias americanas estavam atreladas ao Sherman Antitrust Act. Depois da guerra, seria tarde demais para agir. Porém, sem tal acordo, conclui Jackson, poderia ocorrer uma "feroz batalha competitiva".

Duce concordou. Os dois homens identificaram a questão fundamental que tinham à frente, aquela que iria determinar a ordem petrolífera do pós-guerra. Os *royalties* sobre o petróleo eram, ou logo seriam, a maior fonte de renda para os países do Golfo. Como consequência, esses países exerceriam uma pressão contínua sobre as companhias acrescida de ameaças, veladas ou explícitas — para que aumentassem a produção, a fim de receberem volume crescente de *royalties*. Algum tipo de sistema global de distribuição poderia ajudar a equilibrar essa pressão.

O relatório com as observações de Jackson foi amplamente divulgado entre os empreendedores americanos. Ickes o enviou ao próprio Roosevelt. "Nós poderíamos ter petróleo disponível em diferentes partes do mundo", observou Ickes. "A hora de avançar é esta. Não vejo motivos que nos impeçam de chegar a um acordo com os ingleses, em relação ao petróleo." Porém, as suspeitas mútuas eram tão fortes que não foi fácil para os dois aliados chegarem a um acordo, nem mesmo no âmbito de seus próprios governos, de como melhor estruturar as discussões. Qualquer ideia de organizar uma reunião para discutir o petróleo do Oriente Médio "deveria ser posta de lado", disse Lorde Beaverbrook, o magnata da imprensa que servia como Lorde do Selo Privado, a Churchill. "O petróleo é o único grande trunfo pós-guerra que nos resta. Devemos nos recusar a dividir nosso único trunfo com os americanos."

Outros membros do governo britânico, porém, insistiam em formular um plano em parceria com os americanos. No dia 18 de fevereiro de 1944, o embaixador britânico em Washington, Lorde Halifax, conversou por quase duas horas com o subsecretário de Estado Sumner Welles sobre petróleo e como proceder. Posteriormente, Halifax telegrafou a Londres dizendo que "os americanos vêm nos tratando de maneira revoltante". Halifax estava tão aborrecido com as discussões no Departamento de Estado que requereu imediatamente uma entrevista pessoal com o presidente. Roosevelt recebeu-o naquela mesma noite, na Casa Branca. A conversa deles girou em torno do Oriente Médio. Tentando acalmar a apreensão e a irritação de Halifax, Roosevelt mostrou ao embaixador um rascunho do Oriente Médio desenhado por ele mesmo. O petróleo persa, disse ele ao embaixador, é de vocês. Nós dividimos o petróleo do Iraque e do Kuait. Quanto ao petróleo da Arábia Saudita, é nosso.[14]

O mapa desenhado por Roosevelt não foi suficiente para abrandar a tensão. Na verdade, os acontecimentos das últimas semanas levaram a uma troca de opiniões irritadiça entre o presidente e o primeiro-ministro. No dia 20 de fevereiro de 1944, poucas horas depois de examinar o relato de Halifax sobre seus encontros, Churchill enviou uma mensagem a Roosevelt na qual dizia que ele vinha observando "com crescente apreensão" os telegramas que recebia a respeito do petróleo. "Uma disputa pelo petróleo seria um começo medíocre para a extraordinária iniciativa conjunta e para o sacrifício ao qual nos dispusemos", declarou ele. "Existe apreensão em alguns dos nossos quartéis de que os Estados Unidos estejam com a intenção de privar-nos de nossos ativos de petróleo no Oriente Médio, do qual depende, entre outras coisas, todo abastecimento de nossa marinha." Para ser mais claro, disse ele, "alguns sentem que estamos sendo empurrados para fora".

Roosevelt respondeu asperamente que ele, por sua vez, havia recebido comunicados de que a Grã-Bretanha estava "vigiando" e tentando "intrometer-se" nas concessões das companhias americanas na Arábia Saudita. Em resposta a outro telegrama áspero de Churchill, Roosevelt acrescentou: "Por favor aceite minhas garantias de que não estamos colocando os olhos em seus campos no Iraque ou no Irã". Churchill respondeu: "Deixe-me retribuir, oferecendo-lhes total segurança de que não pensamos em intrometer-nos em seus interesses ou propriedades na Arábia Saudita". Porém, enquanto a Grã-Bretanha não obtivesse vantagem territorial, "não seria despojada de nada que lhe pertencesse por direito, depois de ter prestado seus melhores serviços à boa causa — pelo menos não enquanto seu humilde servo estivesse no comando de seus assuntos".

O ácido diálogo era uma prova da importância que o petróleo assumira no mundo da política. Os dois homens conseguiram, porém, acabar com a disputa, e as negociações foram feitas na primavera de 1944, em Washington. O problema em questão foi levantado na abertura da primeira sessão, pelo consultor do Departamento de Estado para Assuntos do Petróleo: "O objetivo central das negociações", disse ele, "não é o racionamento ou a insuficiência, mas a expansão e a distribuição ordenada da fartura". Em outras palavras, não importava quais fossem as perspectivas do petróleo americano, e o problema, de um ponto de vista mais geral, se resumiria ao excesso de petróleo — e de como controlar a produção. A avaliação britânica sobre a situação do petróleo no Oriente Médio havia prevalecido.[15]

Quotas e cartéis

Lorde Beaverbrook, cujas suspeitas sobre as ambições econômicas americanas eram óbvias, chegou a Washington para negociar o acordo final em julho de 1944. "Creio que a guerra vai começar de novo", escreveu James Teny Duce, de volta à Aramco, para Everette DeGolyer, comentando a chegada de Beaverbrook. "O leão não se deitaria com o cordeiro, exceto, talvez, sob a aparência de costeletas de cordeiro."

Em Washington, o sincero Beaverbrook abordou o embaraçoso assunto sobre o qual ninguém queria, realmente, falar. Em Londres, ele havia descrito, confidencialmente, o acordo que estava sendo planejado como um "monstruoso cartel", administrado pelos americanos para proteger seus produtores, à custa da Inglaterra. Em suas negociações com os americanos em Washington, ele foi mais educado, ressaltando que os dois lados estavam tentando realmente apresentar "um acordo do tipo 'Como Está'" — não muito diferente de Achnacarry e dos subsequentes acordos restritivos entre as companhias, ao final dos anos 1920 e 1930.

Os negociadores americanos apressaram-se em discordar. "O Acordo do Petróleo em discussão foi formulado em bases completamente diferentes de tudo o que pudesse ser associado à expressão 'cartel'", respondeu ressentido um dos americanos. "Este foi um acordo intergovernamental de conveniência, firmado sob certos princípios amplos de desenvolvimento ordenado e de sólidas práticas de engenharia. Voltava-se a garantir a disponibilidade de fornecimento abundante de petróleo para atender às demandas do mercado."

Não ficou claro se Beaverbrook fora convencido a mudar de ideia. Assim mesmo, poucos dias depois, o Acordo Anglo-Americano do Petróleo estava concluído, e foi assinado no dia 8 de agosto de 1944. O objetivo era assegurar "igualdade" para todas as partes, incluindo os países produtores. A parte essencial do acordo previa a formação de uma comissão internacional do petróleo composta por oito membros. Ela seria encarregada de preparar estimativas para a demanda de petróleo. A partir disso, ela distribuiria quotas sugeridas de produção aos vários países com base em fatores tais como "reservas disponíveis, práticas consistentes de engenharia, fatores econômicos relevantes e os lucros dos países produtores e consumidores, tendo em vista a satisfação plena da demanda em expansão". A comissão poderia também expor aos dois governos os meios para promover o desenvolvimento da indústria mundial do petróleo. Os governos, em troca, tentariam executar "as recomendações aprovadas e, sempre que necessário ou aconselhável, garantir que seus trabalhadores no estrangeiro tivessem atividades que se harmonizassem com elas".[16]

Embora fosse encarado como um "acordo de conveniência", com o propósito de estabilizar uma indústria importante, ou como um cartel dirigido pelo governo, o Acordo Anglo-Americano do Petróleo era, na verdade, uma ligação direta com a administração de mercado do final da década de 1920 e início da década de 1930, tanto nos moldes "como está" de Achnacarry como nos moldes da Texas Railroad Commission (Comissão das Ferrovias do Texas). Seu objetivo fundamental era o mesmo: equilibrar a oferta e a demanda divergentes, administrar o excesso e levar ordem e estabilidade a um mercado sobrecarregado pela oferta excessiva. Não obstante o acordo tivesse conseguido agradar tanto a Administração Roosevelt quanto os britânicos, ele foi imediata e amargamente criticado pelos homens do petróleo americanos autônomos e seus aliados no Congresso. Os independentes tinham maior influência política do que o grupo majoritário. E, se eles já não tinham gostado do projeto para o oleoduto árabe de Ickes, odiaram o Acordo do Petróleo, temendo que ele pudesse abrir as portas para o controle internacional sobre a produção interna de petróleo. Uma coisa era ter as taxas de produção do petróleo estabeleci das pelo Texas Railroad Commission, cujos membros eram eleitos no Texas, e outra bem diferente era ver esse trabalho executado por uma comissão, cuja metade era formada por "gringos" ingleses e a outra metade escolhida por Franklin Roosevelt. Mais do que qualquer outra coisa, o que levava as companhias nacionais a se oporem ao acordo era a ameaça das grandes quantidades de petróleo barato do Oriente Médio que reduziriam seus mercados na Europa, afluindo, quem sabe, para os Estados Unidos, fazendo cair os preços. Os homens do petróleo autônomos temiam que as companhias internacionais pudessem manipular o acordo para ganhar o controle decisivo sobre as reservas e mercados mundiais e valer-se desse controle para afastar os independentes do negócio.[17]

As grandes companhias também estavam desconfiadas, mas por um outro motivo. Temiam receber críticas legítimas em algum momento por violações antitruste — fixação de preços e especulação na produção —, caso cooperassem com a Comissão Internacional do Petróleo. Afinal de contas, quando tomaram uma atitude para estabilizar os mercados no final da década de 1930, respondendo ao que consideravam ser as expectativas governamentais e, em particular, a ordem de Harold Ickes, eles foram levados a julgamento pelo Departamento de Justiça, acusados de atos antitruste, naquele que se tornou conhecido por Caso Madison. E o "manto" judicial antitruste que caiu sobre eles só foi suspenso devido à necessidade de Washington de cooperação, depois da entrada da América na guerra. Desta vez os maiores não queriam arriscar-se; antes de prosseguir, desejavam obter uma isenção antitruste.

O meio petrolífero como um todo, à parte a divergência entre majoritários e independentes, parecia agora estar posicionado contra o acordo. "A indústria petrolífera está conspirando contra o acordo, sem qualquer explicação razoável", Ickes reclamou a Roosevelt. "Algumas indústrias estão enxergando fantasmas onde eles não existem." O acordo foi submetido ao Senado como um tratado, mas rapidamente ficou claro que, como se apresentava, estava prestes a submergir numa derrota inglória. Em janeiro de 1945, a Administração Roosevelt retirou o acordo, de forma que o problema antitruste e outras questões pudessem ser encaminhadas. Pouco tempo depois, os esforços para rever o acordo foram postos em latência, visto que Roosevelt e seus assessores especiais partiram para Yalta, na Crimeia soviética, para um encontro com Joseph Stálin e Winston Churchill. O objetivo desse encontro era estabelecer as bases para a ordem internacional pós-guerra — e esculpir a forma e a extensão de suas esferas de influência no mundo pós-guerra.[18]

Os "gêmeos"

As questões relativas ao petróleo do Oriente Médio marcaram até mesmo essa viagem. Em meados de fevereiro, depois da conferência de Yalta, o avião presidencial, Vaca Sagrada, trouxe Roosevelt e seus consultores da Rússia para a zona do canal de Suez, no Egito, onde eles embarcaram no USS Quincy, que estava ancorado no lago Great Bitter, no canal. Um outro navio americano, o USS Murphy, chegou Com um convidado de honra — Saud.

Para o rei saudita, aquela era talvez a sua segunda viagem para fora de seu reino desde o dia em que deixou o exílio no Kuait, há quarenta anos, para dar o seu primeiro passo — o ataque a Riad — para a retomada da Arábia. Ele havia embarcado no *Murphy* alguns dias antes, em Jidá, com uma comitiva de 48 pessoas. Em seu grupo era para ser incluída também uma centena de ovelhas vivas, mas depois de algumas negociações o número fora reduzido para apenas sete, devido às provisões disponíveis a bordo do navio, para sessenta dias, incluindo carne congelada. Ibn Saud rejeitou o convite para ficar na cabine do comodoro, preferindo pernoitar no *deck,* em uma tenda improvisada de lona, estendida pelo castelo da proa e mobiliada com tapetes orientais e uma das cadeiras do próprio rei.

A partir do momento em que Ibn Saud transferiu-se para o navio do presidente, Roosevelt, um fumante inveterado, em deferência aos preceitos religiosos do rei, não fumava em sua presença. A caminho do almoço, entretanto, Roosevelt foi levado em sua cadeira de rodas para um elevador em separado. O próprio presidente apertou o botão vermelho de emergência, parando o tempo suficiente para fumar dois cigarros antes de encontrar-se novamente com o rei. Ao todo, os dois homens passaram juntos mais de cinco horas bastante intensas. Os interesses de Roosevelt diziam respeito a uma pátria judaica na Palestina, ao petróleo e à configuração pós-guerra no Oriente Médio. De sua parte, Ibn Saud queria assegurar a continuidade do interesse da América na Arábia Saudita depois da guerra, a fim de contrabalançar o que, para ele, vinha sendo uma ameaça crônica a todo o seu reino — a influência britânica na região. Em resposta ao pedido de Roosevelt por uma pátria judaica, o cáustico antissionista Ibn Saud sugeriu que os judeus desalojados, que de uma forma ou outra haviam sobrevivido à guerra, recebessem um lar nacional na Alemanha.

Roosevelt e Ibn Saud deram-se muito bem. Em dado momento, o rei declarou que era o irmão "gêmeo" do presidente por terem quase a mesma idade, pela responsabilidade em manter o bem-estar de suas nações, pelo interesse de ambos na agricultura e pelas suas graves enfermidades físicas — o presidente confinado a uma cadeira de rodas, vítima da poliomielite, e o rei com dificuldades para andar e subir escadas devido a ferimentos de guerra em suas pernas.

"Você tem mais sorte que eu, pois ainda consegue andar com suas próprias pernas, enquanto eu tenho que ser levado, para onde quer que eu vá", disse Roosevelt.

"Não, meu amigo, você é mais afortunado", respondeu o rei "Sua cadeira o levará para onde você quiser, e você sabe que chegará lá. Minhas pernas são menos confiáveis e estão se enfraquecendo dia após dia."

"Se você tem um conceito tão favorável desta cadeira", disse Roosevelt "eu lhe darei uma idêntica, pois tenho duas a bordo".

A cadeira de rodas voltou com Ibn Saud a Riad, onde, dali em diante, permaneceria nos aposentos privados do rei para ser por ele exposta como sua recordação mais valiosa, embora pequena demais para ser usada por um homem da sua estatura.[19]

O registro oficial mostrou-se surpreendentemente omisso sobre o teor da conversa dos dois homens a respeito do petróleo. Um membro da comitiva disse posteriormente que o presidente e o rei conversaram durante muito tempo sobre esse assunto. Seja como for, os dois homens sabiam que essa era uma questão central para o relacionamento emergente entre seus dois países. O correspondente para assuntos estrangeiros do *New York Times*, C.L. Sulzberger, foi direto ao ponto. Imediatamente após o encontro no lago Great Bitter, ele escreveu: "As imensas jazidas de petróleo na Arábia Saudita, sozinhas, fazem daquele país o mais importante para a diplomacia americana entre praticamente todas as outras nações menores". Winston Churchill, porém, não ficou exatamente emocionado ao saber que o presidente americano estivera conversando com monarcas em uma área de influência tradicionalmente britânica — Roosevelt encontrou-se também com o rei Farouk, do Egito, e com Hailé Selassié, da Etiópia. De acordo com um relato, Churchill "cauterizou pelo fio telefônico todos os seus diplomatas na região, expelindo ameaças e mortes, a menos que marcassem para ele encontros com os mesmos potentados que haviam se encontrado com F.D.R". Churchill precipitou-se para o Oriente Médio e, três dias depois de Roosevelt, o primeiro-ministro britânico seguiu em direção ao deserto egípcio para encontrar-se com Ibn Saud em um hotel localizado em um oásis.

Uma vez mais, a questão do tabagismo veio à tona, embora desta vez agravada pela questão da bebida. O encontro de Churchill com o rei saudita iria terminar com um grandioso banquete. De antemão, Churchill fora avisado que o rei "não permitia o fumo e a ingestão de bebidas alcoólicas em sua presença", conforme comprovou depois. Churchill não se mostraria tão obsequioso quanto Roosevelt em relação a Ibn Saud. "Eu era o convidado e disse que, se sua religião o fazia preterir tais coisas, minha religião prescrevia como rito absolutamente sagrado fumar charutos e ingerir bebidas alcoólicas, antes, depois e, se fosse preciso, durante todas as refeições e nos intervalos entre elas."

A insistência arbitrária de Churchill sobre seus próprios direitos e prerrogativas contribuiu muito pouco para a retomada da confiança de Ibn Saud, já desconfiado das intenções britânicas com relação ao seu reino e à sua região. Churchill enfrentou um outro problema. Ele ofereceu a Ibn Saud uma maleta contendo perfumes de excelente qualidade — valendo aproximadamente cem libras esterlinas. Mas Ibn Saud, em troca, presenteou-o e a Anthony Eden com espadas de punhos adornados com diamantes, bem como com túnicas e outros presentes — incluindo diamantes e pérolas no valor aproximado de três mil libras esterlinas, destinados às "suas mulheres", como disse Ibn Saud. Embaraçado com a disparidade dos presentes, Churchill declarou, sem refletir, que os perfumes nada mais eram que "lembranças" e prometeu a Ibn Saud "o melhor carro do mundo". Churchill percebeu que não tinha autorização pessoal para oferecer um presente desses, mas assim o fez. Foi enviado um Rolls-Royce ao rei, que custou ao Ministério da Fazenda britânico mais de seis mil libras esterlinas. Finalmente, todas as joias foram vendidas, embora com a condição de que a venda permanecesse em segredo para não ofender Ibn Saud.[20]

"O que faremos agora?"

Na volta de sua longa viagem, Roosevelt encontrou seus consultores ainda discutindo o Acordo do Petróleo e a questão antitruste relacionada a ele. Harold Ickes propusera um encontro com o presidente e seu novo secretário de Estado, Edward Stettinius. O presidente, no entanto, estava exausto depois de sua longa viagem e estava se afastando para descansar. "Eu adorarei ir a esse encontro que Harold propõe, logo que voltar de Warm Springs", disse ele a Stettinius no dia 27 de março de 1945. "Por favor, não me deixe esquecê-lo."

Stettinius não teve oportunidade. Roosevelt morreu em Warm Springs no dia 12 de abril de 1945.

Agora, sob o comando do novo presidente, Harry Truman, foram feitos esforços para revisar o Acordo do Petróleo, a fim de torná-lo palatável. Ickes, na época seu principal patrocinador, renegociou-o com os britânicos em Londres, em setembro de 1945. As arestas que porventura existissem no acordo anterior foram aparadas em Londres. Desta vez, a Comissão Internacional do Petróleo, que havia sido acusada em 1944 de interferir na distribuição da produção para o mercado mundial, foi efetivamente impedida de tocar na produção interna americana — uma omissão razoavelmente grande para um acordo global, visto que os Estados Unidos eram responsáveis, na época, por dois terços da produção mundial total. Mas isso foi o melhor que pôde ser feito. "Não há perspectivas de conseguirmos nenhum outro acordo mais completo através do Senado americano", disse o ministro britânico das Minas e Energia ao ministro das Finanças. "Em suma, é melhor aceitarmos o acordo que o recusarmos."

Enquanto isso, na América, o desânimo em relação à suficiência das reservas de petróleo estava cedendo. Durante uma audiência no Senado em 1945, J. Edgar Pew, vice-presidente da Sun Oil e presidente da comissão sobre as reservas de petróleo do Instituto Americano de Petróleo, atacou violentamente os indícios de uma escassez de petróleo, classificando-o como um fator mais psicológico do que geológico. Expressando o tradicional desdém da família de Pew pelas notícias de esgotamento, ele assegurou aos senadores que a produção doméstica daria conta das necessidades de todos os americanos por duas décadas ou mais. "Estou tão certo disso como do nascer do sol amanhã", disse ele. "Eu sou um otimista."

Com a vitória de 1945 sobre a Alemanha e o Japão, a demanda sobre o petróleo americano já não era tão esmagadora, e portanto um outro ímpeto de se manter o acordo com os ingleses estava se dissipando. Em fevereiro de 1946, o Acordo Anglo--Americano do Petróleo enfrentou um novo problema. Seu principal defensor, Harold Ickes, indispôs-se seriamente com Harry Truman diante da indicação, proposta pelo presidente, de Edwin Pauley, um homem do petróleo da Califórnia, para subsecretário da marinha. Ickes apresentou-lhe sua carta de demissão, como era seu hábito quando trabalhava com Roosevelt. E era um longo adeus — mais de seis páginas datilografadas, com espaço único. "Era o tipo de carta enviada por um homem que tinha certeza de conseguir impor sua vontade com a ameaça da saída", disse Truman posteriormente.

Ickes, porém, cometera um engano; Truman não era Roosevelt. Ele aceitou a demissão de Ickes de modo conciso e com entusiasmo e prazer. Ickes pediu seis semanas para concluir as diversas tarefas de que apenas ele pessoalmente seria capaz; Truman lhe deu dois dias para limpar suas gavetas. O "Velho Rabugento" fora alvejado com o último tiro. "Truman", anunciou ele à nação, "mostrou falta de apego à estrita verdade" e não era "nem um monarca absoluto nem um descendente de uma suposta Deusa do Sol". Com isso, o *czar* do Petróleo do New Deal e da II Guerra Mundial deixou o cargo e ingressou em uma nova carreira como colunista de um jornal.[21]

Teria o Acordo Anglo-Americano do Petróleo algum futuro sem o seu paladino, Harold Ickes? O apoio para o acordo passou a chegar de uma fonte improvável: o secretário da marinha, James Forrestal. Um homem impetuoso, ambicioso e politicamente conservador, e ex-banqueiro investidor da Dillon, Read, Forrestal foi um dos primeiros empreendedores a concluir que os Estados Unidos deveriam organizar-se para um prolongado confronto com a União Soviética. O petróleo ocupava um papel central na estratégia de Forrestal para a segurança do mundo no pós-guerra. "A marinha", disse ele, "não pode errar por excesso de otimismo", em seus cálculos sobre a disponibilidade de recursos. As maiores reservas conhecidas fora dos Estados Unidos estavam na área do Golfo Pérsico. "O prestígio e, por conseguinte, a influência dos Estados Unidos estão relacionados em parte com a opulência do governo e de seus compatriotas, em termos dos recursos petrolíferos, tanto externos quanto internos", disse ele. "A expansão ativa de tais companhias é algo que deve ser bastante desejado." O Departamento de Estado deveria elaborar um programa para substituir o petróleo do Oriente Médio pelo petróleo americano, acrescentou, e fazer uso de seus "bons ofícios" para "promover a expansão das companhias de petróleo americanas no exterior, e proteger as companhias como as que já existem, por exemplo, no Golfo Pérsico".

Em Potsdam, a última conferência entre as Forças Aliadas antes do final da guerra, Forrestal havia feito uma preleção ao novo secretário de Estado, James Byrnes, sobre a Arábia Saudita, apontando-a como uma "questão de máxima importância". E naquele início de 1946, imediatamente após a demissão de Harold Ickes, ele via um mérito considerável em continuar a lutar pelo Acordo Anglo-Americano do Petróleo. "Como você sabe, não estou nos primeiros lugares na fila de saudações ao 'honrado Harold', mas penso que valeria a pena dar uma repassada nas negociações do pacto do petróleo", disse ele a Byrnes. "Sou de opinião que ele está certo no que diz respeito às limitações das reservas americanas de petróleo — e nisso sou bastante influenciado pelo engenheiro que eu empregava nos negócios particulares, E.L. DeGolyer. "Além disso", disse Forrestal, "se algum dia entrarmos em outra guerra mundial é bem provável que não tenhamos acesso às reservas mantidas no Oriente Médio, mas nesse meio tempo a utilização dessas reservas evitaria o esgotamento das nossas próprias, um esgotamento que pode vir a tornar-se grave nos próximos quinze anos."[22]

No entanto, Forrestal fazia parte de uma minoria. Em outras áreas do governo, o apoio ao acordo estava se desgastando. Na verdade, nos dias que precederam a saída do "Velho Rabugento", um funcionário do Departamento de Estado, Claire Wilcox, escreveu uma nota intitulada "Petróleo: o que faremos agora?" Fornecendo uma longa lista de motivos para cancelar o acordo, Wilcox declarou: "o acordo ou é perigoso ou inútil. Se for utilizado como disfarce para organizar um cartel que distribua quotas e estabeleça preços mínimos, ele é perigoso. E, se não tiver essa utilidade, é inútil". Wilcox resumiu o assunto para a Administração Truman: "o sr. Ickes disse ao presidente que ele havia alimentado seu bebê com mamadeira. Agora o órfão está na soleira de nossa porta. Devemos asfixiá-lo ou adotá-lo?"

A solução era bem clara. O acordo não tinha suporte político. Até mesmo os professores do Texas mobilizaram-se contra ele. O petróleo importado, disseram, acabaria com a economia do Texas. O bebê tinha que ser asfixiado. Os acontecimentos e os interesses haviam sobrepujado o processo político, e o Acordo Anglo-Americano do Petróleo tornava-se cada vez mais irrelevante e obsoleto. Em 1947, a Administração Truman suspendeu qualquer esforço adicional em nome do acordo. Ele estava morto.

Porém, ao mesmo tempo que o acordo, a última das grandes iniciativas em favor do petróleo na guerra, sumia de cena, outros fatores estavam passando para o primeiro plano. Independentemente dos debates sobre reservas e ritmo de descobertas, os Estados Unidos estavam chegando à conclusão de que não poderiam manter-se somente com a produção interna. Estavam prestes a se tornarem importadores finais de petróleo e sua dependência em relação aos recursos externos de petróleo se intensificaria nos anos subsequentes. Em resumo, mesmo sem as solicitações comuns em uma guerra global, o processo de "solidificação" tinha procedência; os interesses americanos e europeus, tanto públicos quanto privados, eram mais bem-servidos pelo rápido desenvolvimento das terras petrolíferas do Oriente Médio.

Quanto às companhias de petróleo, às exigências do mercado, à competição e demandas de rendimentos dos países produtores, nenhuma dessas pressões poderia ser mantida. Tudo aquilo que os mediadores procuraram evitar durante a guerra estava se consumando, e a indústria do petróleo nos anos do pós-guerra mostrara-se tão competitiva, caótica e instável quanto sempre o fora no passado. Portanto, ao mesmo tempo que as possibilidades sem precedentes e controvertidas oferecidas pelo Acordo Anglo--Americano do Petróleo estavam se desvanecendo, as companhias de petróleo estavam — por si mesmas, movimentando-se rapidamente para, nas palavras de um executivo da Anglo-Iraniana, elaborar sua própria "salvação" no Oriente Médio, palavra usada por um executivo da Anglo-Iraniana, e para o mundo no pós-guerra.[23]

CAPÍTULO XXI

O pós-guerra e a ordem do petróleo

O RACIONAMENTO DE GASOLINA NOS ESTADOS UNIDOS foi suspenso em agosto de 1945, no mesmo dia da rendição do Japão. Imediatamente, a voz dos motoristas, silenciada durante anos, foi ouvida por todo país, elevando-se em uníssono e ensurdecedor: "Encha o tanque!" Havia sido dada a largada, e os motoristas rasgavam e jogavam fora seus talões de racionamento, saindo para as ruas e estradas. A América estava novamente enamorada de seus automóveis, e dessa vez os consumidores tinham os meios para levar o romance adiante. Em 1945, 26 milhões de carros estavam em uso; em 1950, quarenta milhões. Virtualmente ninguém na indústria petrolífera estava preparado para essa explosão de demanda dos produtos derivados do petróleo. Em 1950, as vendas de gasolina nos Estados Unidos estavam 42% mais altas do que em 1945 e, por volta de 1950, o petróleo satisfazia mais que o total das necessidades energéticas da América, substituindo o carvão.

Ao mesmo tempo que a demanda disparava muito além das expectativas, enfraqueciam-se os prognósticos pessimistas a respeito do fornecimento do petróleo no pós-guerra, pela real experiência presente. Depois da suspensão dos controles, o preço passou a ser um estímulo poderoso para a exploração de óleo. Novas regiões dos Estados Unidos passaram a ser produtoras, assim como no Canadá, onde em 1947, uma sucursal da Jersey, a Imperial, foi bem-sucedida na perfuração de um poço de introspecção perto de Edmonton, na província de Alberta, desencadeando o primeiro e frenético *boom* do petróleo do pós-guerra. Apesar da demanda e da produção crescentes, as reservas de petróleo comprovadas dos Estados Unidos estavam 21% mais altas em 1950 do que eram em 1946. No fim das contas, os Estados Unidos não sofriam de escassez de petróleo em seu solo.

Existia, no entanto, uma escassez do petróleo "disponível" em 1947-1948. Os preços do petróleo bruto aumentaram rapidamente, de forma que, em 1948, estavam em nível de mais do que o dobro em relação a 1945. Os políticos declaram que o país estava passando por uma crise energética. As maiores companhias de petróleo foram acusadas de orquestrar deliberadamente um plano para forçar o aumento dos preços, e as suspeitas de patifaria e de conspiração na indústria petrolífera desencadearam mais de vinte investigações no Congresso.

No entanto, as razões para a escassez eram óbvias. O consumo crescia com uma rapidez inesperada — "espantosa", disse a Shell — ao mesmo tempo que houve a inevitável demora para acostumar-se à situação pós-guerra. Levou tempo, dinheiro e materiais para remodelar as refinarias e fabricar os produtos desejados pela população, tais como gasolina e óleo para calefação doméstica, em lugar do combustível de aviação de cem octanas utilizado no abastecimento de aviões de combate. Além disso, havia escassez mundial de aço, que diminuía o ritmo de conversão das refinarias e a construção de petroleiros e oleodutos, contribuindo para o engargalamento nos transportes. A escassez de navios petroleiros agravou-se no início de 1948, quando vários navios desse tipo quebraram ao meio em pleno mar e a guarda costeira solicitou 288 petroleiros encostados para reforço de emergência. Para as companhias de petróleo, foi um período de grande pressão sobre os produtos no varejo, e elas se tornaram as principais defensoras da economia de consumo. A Standard of Indiana instou os motoristas a reduzir o uso do automóvel, a evitar arrancadas bruscas e a manter os pneus calibrados — tudo para reduzir consumo. A Sun divulgava em seus comerciais "dicas úteis" para economizar petróleo, no intervalo dos programas de rádio do locutor Lowell Thomas.[1]

A escassez também levou a importação de grandes volumes de petróleo. Até o ano de 1947, inclusive, as exportações americanas excediam às importações. Agora, em 1948, o equilíbrio se alterava; as importações de petróleo bruto e de outros produtos somados excediam as exportações, pela primeira vez. Os Estados Unidos já não poderiam levar adiante seu histórico papel de provedores mundiais. Ele passava agora a depender de outros países por aquele barril incerto, popularizando o uso de uma nova e sinistra expressão no vocabulário dos americanos — "petróleo estrangeiro".

Os grandes acordos do petróleo: Aramco e o "risco árabe"

Essa transformação acrescentou uma nova dimensão à incômoda questão da segurança energética. As lições da Segunda Guerra Mundial, a crescente influência do petróleo na economia e a dimensão dos recursos do Oriente Médio serviam para definir, no contexto inicial da Guerra Fria com a União Soviética, a manutenção do acesso ao petróleo como elemento vital para a segurança da América, da Grã-Bretanha e da Europa Ocidental. O petróleo se consistia no ponto de convergência para a política externa, as considerações de economia internacional, a segurança nacional e os interesses corporativos. O Oriente Médio seria o foco. Ali, as companhias já estavam desenvolvendo rapidamente a produção e fazendo novos ajustes para assegurar suas posições.

Na Arábia Saudita, o desenvolvimento estava nas mãos da Aramco, a Arabian-American Oil Company, *joint venture* da Socal e da Texaco. A Aramco, no entanto, encontrava-se em dificuldades. As razões eram de origem patrimonial, das dimensões dos campos petrolíferos sauditas, que exigiam vultosos capitais e mercados. Das duas companhias que formavam a *joint venture*, a Socal era a mais vulnerável. A Texaco, empresa mais importante, gerada pela descoberta de Spindletop em 1901, era uma famosa companhia americana; patrocinava o Metropolitan Opera pelo rádio costa a costa e o atendente do posto de serviços Texaco, "homem que exibe uma estrela", era um dos conhecidos ícones no moderno panteão da propaganda americana. A Socal, ao contrário, era uma companhia regional, pouco conhecida. Desde a I Guerra Mundial, ela vinha investindo milhões de dólares na busca de petróleo nos quatro cantos do mundo. No entanto, não tinha como demonstrar seus esforços, exceto por uma produção insignificante nas Índias Orientais e em Bahrain — e no tremendo potencial da Arábia Saudita.

A concessão árabe era um prêmio enorme que a companhia da Califórnia não se atreveu a esperar. Ela representou uma oportunidade esplêndida para a companhia — mas significava também um formidável risco político e econômico na organização de Harry Collier, presidente da Socal. Em 1946, os investimentos da Standard of California na concessão da Aramco totalizaram oitenta milhões de dólares e outras dezenas de milhões ainda seriam necessárias. Para ter acesso aos mercados europeus, a Socal e a Texaco desejavam construir um oleoduto através do deserto, desde o Golfo Pérsico até o Mediterrâneo. Tratava-se, essencialmente, do mesmo projeto que Harold Ickes incentivara o governo a financiar, só que desta vez as próprias companhias teriam que desembolsar cem milhões de dólares para construí-lo. A Socal enfrentava um outro desafio ainda mais atemorizante: Como seria comercializado o petróleo, quando chegasse à Europa? Collier sabia que, para comprar ou construir um sistema de refino e comercialização de dimensões adequadas na Europa, seria muito dispendioso e iria comprometer a Socal e a Texaco em uma batalha mortal pela participação em um mercado contra concorrentes bem-estabelecidos. Os riscos se intensificavam devido a condições políticas instáveis. Na Itália e na França grandes partidos comunistas tinham representação nos governos de coalizão, o futuro da Alemanha ocupada era altamente incerto e na Inglaterra o governo do Partido Trabalhista ocupava-se da nacionalização dos "altos comandos" da economia.

No entanto, a Socal não teria outra chance além de buscar níveis de produção cada vez mais altos, visto que o governo saudita reconhecia o potencial das reservas e forçaria uma produção e rendimentos mais elevados, condizentes com a dimensão dos recursos. A concessão sofreria risco constante caso a Aramco não satisfizesse as expectativas e as exigências de Ibn Saud e da família real. Para a Socal, essas eram as principais considerações e significava que a Aramco teria que transportar uma grande quantidade de petróleo, de um modo ou de outro, para a Europa. Porém, antes mesmo de lá chegar, o Oleoduto Transarábico, conhecido por Tapline, teria que percorrer diversas entidades políticas, algumas delas já caminhando na direção de transformar em Estado. Uma pátria judaica logo seria estabelecida na Palestina, com um possível apoio dos Estados Unidos, e Ibn Saud era um dos opositores mais proeminentes e inflexíveis de tal Estado. A guerra estava para explodir na região. A área parecia vulnerável à subversão e à penetração soviética, naquele período inicial da Guerra Fria.

Havia ainda a questão do próprio rei, a mesma preocupação que ajudou a levar urgente os presidentes da Socal e da Texaco para Washington, em 1943. Ibn Saud estava agora com 65 anos, cego de um olho e com a saúde precária. Sua força e ímpeto pessoais haviam, juntos, gerado e mantido o reino. Mas o que aconteceria quando essa força se esvaísse? Ele tinha gerado mais de 45 filhos, dos quais se imaginava que 37 estivessem vivos. Mas isso seria um fator de estabilidade ou de conflito e desordem? Na eventualidade de problemas políticos, que tipo de ajuda a Socal poderia esperar do governo americano? Na análise conjunta de todos os riscos, ficava claro que a Socal deveria perseguir sua própria "política de consolidação" e esforçar-se para assegurar mercados de outras maneiras. A resposta para os muitos problemas da Aramco estava na criação de uma *joint venture* mais ampla. Distribuir o risco. Unir-se a outras companhias de petróleo, cuja adesão pudesse contribuir para a densidade política, e que pudesse liberar capital, experiência internacional e, principalmente, mercados. Uma outra qualificação era também essencial; Ibn Saud insistia que a Aramco permanecesse cem por cento americana e, nesse caso, apenas duas companhias se qualificavam: a Standard Oil of New Jersey e a Socony-Vacuum. No hemisfério leste, elas poderiam oferecer "mercados que mal conseguiríamos atingir", relembrando Gwin Follis, que administrava a questão para a Socal.

A lógica do envolvimento mais amplo esteve em evidência por algum tempo, e não apenas para Collier e outros homens do petróleo. Diversos funcionários do Departamento de Estado e da Marinha dos Estados Unidos haviam incentivado a Aramco a incorporar-se a novos parceiros que tivessem "mercados suficientes para administrar a concessão", e dessa forma pudessem ajudar a preservá-la. A Socal foi atingida "pelo entusiasmo surpreendente com que o Departamento de Estado recebeu nossa notificação de que tal acordo estava sendo levado em consideração". Independente de Washington estar ou não realmente funcionando como um agente matrimonial declarado, ficava óbvio que expandir a participação iria incrementar as principais metas da estratégia americana: aumentar a produção do Oriente Médio, preservando assim os recursos do Ocidente, e garantir o fluxo de rendimentos para Ibn Saud, assegurando dessa maneira que a concessão permanecesse em mãos americanas. Como disse o secretário da marinha, James Forrestal, em 1945, ele "não se importava qual companhia ou companhias americanas expandissem as reservas na Arábia", contanto que fossem "americanas". Na primavera de 1946, a Socal abriu negociações com a Standard Oil of New Jersey.

Dizer que a Jersey estava receptiva seria amenizar os fatos. A companhia estava enfrentando uma escassez de petróleo e a Europa era seu mercado mais vulnerável. De que modo a Jersey iria conseguir o petróleo que necessitava? Apesar de todo *Sturm und Drang* que se havia montado para criar a Companhia Iraquiana de Petróleo na década de 1920, a parcela iraquiana da produção da Jersey, em 1946, totalizava a modesta produção de 9,3 mil barris diários. Nesse ínterim, haveria mais petróleo chegando do Kuait, fortalecendo os concorrentes, e a Jersey temia muito que a Socal e a Texaco pudessem atirar-se nos mercados europeus por conta própria, desafiando o sistema mercadológico da Jersey provido de quantidades ilimitadas de petróleo árabe barato. A Socal apresentou uma oferta inicial à Jersey, oportunidade que jamais deveria ter sido desperdiçada.

Enquanto os dois lados ficavam pechinchando sobre o preço do ingresso no mercado, o presidente da Socal, Harry Collier, viu-se desafiado pelo seu próprio corpo de funcionários, que se levantou em rebelião contra a simples ideia de atrair a Jersey para a Aramco. O ataque partiu do departamento de produção da Socal em São Francisco, encarregado de fazer vicejar o improdutivo deserto e que não queria abrir mão do controle para parceiros maiores e mais poderosos. Durante treze anos não houve retorno aos acionistas dos investimentos na Arábia e, apenas naquele ano de 1946, a concessão começava a tornar-se lucrativa. Por que doá-la para a Jersey? Mais furiosos ainda ficaram os trabalhadores liderados por James MacPherson, um engenheiro da Socal encarregado das operações de campo da Aramco, na Arábia Saudita. "A concessão", argumentou ele, "era uma "mina de ouro". MacPherson estava decidido a fazer da Aramco a maior força independente no mundo do petróleo. Ele apontaria para o globo terrestre e diria aos seus funcionários: "Este é o mercado para o nosso petróleo". A Aramco, anunciava ele publicamente, estava destinada a tornar-se a maior companhia de petróleo do mundo. Porém, depois, passou a declarar, sarcasticamente, que a Aramco — e a Socal — estavam para tornar-se um anexo do departamento de produção da Jersey.

Harry Collier, ao contrário, acreditava que a Aramco teria a possibilidade de vender uma quantidade adicional de petróleo tão grande através do acesso ao sistema da Jersey, que a Socal iria acabar com muito mais "ouro" do que se continuasse sozinha apenas com a Texaco. Além disso, o acordo permitiria à Socal recuperar todo o seu investimento direto. Collier era o patrão, um homem determinado — não era chamado de um dos "Terríveis Magnatas" por acaso. Associar-se com a Jersey era o caminho mais seguro, em sua opinião, e a Jersey seria atraída. A Aramco, afinal, não estava fadada a tornar-se a maior companhia de petróleo do mundo. E ponto final.[2]

Apagando a Linha Vermelha

Enquanto prosseguiam as discussões a respeito da participação da Jersey na Aramco, a Jersey estava conduzindo negociações paralelas com a Socony a respeito de sua possível participação. Mas tanto a Jersey quanto a Socony confrontaram-se com dois obstáculos formidáveis antes que pudessem unir-se à Aramco: a sua própria associação com a Companhia Iraquiana de Petróleo — e com Calouste Gulbenkian. As companhias haviam gasto seis anos e muitas e muitas milhares de horas de frustração na década de 1920, para incluir o acordo com a CIP Uma de suas medidas fundamentais, como se sabe, foi o famoso Red Line Agreement (Acordo da Linha Vermelha), que desautorizava os participantes da CIP a operarem de forma independente em qualquer dos lugares circunscritos na Linha Vermelha que Calouste Gulbenkian disse ter desenhado no mapa, em 1928. A maior parte da Arábia Saudita estava indiscutivelmente dentro da Linha Vermelha, e a "desinteressada" cláusula 10 do acordo da CIP proibia efetivamente a Jersey e a Socony de participarem da Aramco, a menos que levassem todas as outras companhias consigo — a Shell, a Anglo-Iraniana, a companhia estatal francesa CFP e o próprio Gulbenkian.

A Jersey e a Socony não quiseram envolver-se no Acordo da Linha Vermelha por algum tempo; não seria muito vantajoso para elas, conforme deduziram, ficarem confinadas na mais fértil das jazidas de petróleo do mundo por meros 11,875%, cada uma, de uma empresa sobre a qual não tinham controle. Na década de 1920, o governo americano tinha ajudado as companhias a fazerem parte do acordo, mas estava bastante claro que agora, na década de 1940, Washington não faria muito para auxiliá-las a livrarem-se dele.

A Jersey e a Socony encontraram um modo alternativo para se desembaraçarem. Um executivo da Socony chamou-o de "granada explosiva". O dispositivo foi chamado doutrina da "ilegalidade superveniente". Na eclosão da II Guerra Mundial, o governo britânico tomou o controle das ações da CIP detidas pelas da CFP e por Gulbenkian, que arrumou as malas e partiu com o governo colaboracionista francês para Vichy, acreditado perante a missão diplomática iraniana como adido comercial. O confisco das ações, em Londres, tinha sido feito com o fundamento de que tanto a CFP quanto Gulbenkian tinham domicílio em território sob controle nazista e, portanto, considerados "alienígenas inimigos". Sob a doutrina da "ilegalidade superveniente" todo acordo da CIP ficava, dessa forma, "inutilizado" — írrito e nulo.

Ao final da guerra, as ações da CIP retornaram para a CIP e para Gulbenkian. Porém, no final de 1946, a Jersey e a Socony retomaram o conceito de "ilegalidade superveniente" com um entusiasmo que só poderia ser classificado de exagerado. Na visão delas, todo o acordo da CIP tinha perdido o efeito. Um novo acordo deveria ser negociado. Representantes da Jersey e da Socony foram às pressas para Londres encontrar-se com os membros europeus da CIP a fim de contar suas novidades: o antigo acordo fora dissolvido — a Linha Vermelha e tudo o mais. Eles estariam dispostos, com certeza, a reiniciar entendimentos, mas sem as cláusulas restritivas da Linha Vermelha, que "sob as atuais condições mundiais e das leis americanas são desaconselháveis e ilegais". Os americanos sabiam "que teriam de convencer quatro partes distintas na renegociação — a Anglo-Iraniana, a Shell, a CFP e uma empresa chamada Participações e Investimentos (P&I), que na realidade nada mais era do que a *holding* de seu velho nêmesis, Calouste Gulbenkian.[3]

A Anglo-Iraniana e a Shell deram indícios de que poderiam resolver a questão amigavelmente, com base no "interesse mútuo". Os franceses, no entanto, não estavam a fim de assumir compromissos. Eles não aceitaram, sob qualquer condição, a alegação americana da inexistência de um acordo. A Companhia Iraquiana de Petróleo e o Acordo da Linha Vermelha constituíam-se em sua única alternativa para o petróleo do Oriente Médio. Os franceses estavam dependendo da distribuição a ser sancionada pelo governo americano e não renunciariam ao que o governo francês havia conseguido com tanta luta. A situação energética da França já estava suficientemente ruim. Dizia-se que o general Charles De Gaulle, chefe do governo francês, teve um acesso de raiva quando descobriu a quantidade irrisória de petróleo produzida pela CFP — embora ele soubesse que não poderia contestar a geologia ou, como disse um de seus auxiliares, "ficar zangado com Deus".

Quanto a Calouste Gulbenkian, respondeu rápida e desafiadoramente à tentativa da Jersey e da Socony em abandonar o acordo: "Nós não vamos consentir". A companhia Iraquiana de Petróleo e sua predecessora, a Companhia Turca de Petróleo, tinham sido a obra de sua vida, seu grande monumento pessoal. Começou a erguê-lo quarenta anos antes e não permitiria que ela fosse facilmente desmembrada. Em 1946, Gulbenkian residia em Lisboa; mudou-se de Vichy para lá em meio à guerra. Agora, embora sem vontade de sair de Portugal, ele faria, através de seus advogados e agentes, o que fosse necessário para resistir à queda do Acordo da Linha Vermelha. Os mediadores americanos eram uma geração nova e, pela falta de experiência de Walter Teagle em lidar com a infinita exasperação, eles repudiaram as ameaças de Gulbenkian. "Não temos motivos para comprar a assinatura de Gulbenkian", disse, com otimismo, o presidente da Socony, Harold Sheets. Confiante de sua posição legal, decidiram ir em frente e firmar o acordo com a Texaco e a Socal, as duas companhias da Aramco.

O risco de litígio por causa da CIP e do Acordo da Linha Vermelha não eram, entretanto, os únicos riscos que a Jersey e a Socony enfrentariam. Iria a nova combinação quadripartite da Aramco violar as leis americanas antitruste? Essa preocupação moveria os advogados a reverem o antigo decreto de dissolução, de 1911. Afinal, três dos quatro pretensos participantes da *joint venture* ampliada haviam sido formados originariamente a partir do Rockefeller Trust. Os advogados, porém, chegaram à conclusão de que a associação proposta não iria violar nem as leis antitruste, mesmo submetida às novas interpretações, nem os decretos de dissolução, "pois não seriam impostas restrições irrazoáveis ao comércio americano". Afinal, os negócios petrolíferos da Aramco não incluíam o mercado dos Estados Unidos. O conselho deliberativo da Socony expressava uma preocupação mais ampla — de que sete companhias talvez não fossem autorizadas a deter um controle tão abrangente das reservas de óleo cru no hemisfério oriental bem como no ocidental, "por um período de tempo muito grande (...) sem algum tipo de regulamentação". "Porém", acrescentou ele, "esta é uma questão política (...) no domínio das conjecturas. Nosso trabalho se limita a seguir as regras do jogo da melhor forma possível, observando as leis em vigor".

E a melhor forma de agir era ir em frente. Em dezembro de 1946, as quatro companhias haviam concordado, em linhas gerais, a expandir a Aramco. Depois de uma reação imediata de um representante de Gulbenkian, um executivo da Socony, em Londres, procurou tranquilizar seu presidente em Nova York. "Não tenho dúvidas de que a P&I e os franceses irão provocar um alvoroço sobre a questão, mas penso que terão o cuidado de lavar a roupa suja dentro de casa."[4]

465

Os franceses não se sentiram limitados por tal moderação. Em janeiro de 1947, eles lançaram um contra-ataque público. Seu embaixador em Washington organizou um forte protesto junto ao Departamento de Estado. As autoridades francesas começaram por fazer que a vida da Jersey se tornasse comercialmente desconfortável. E, em Londres, os procuradores da CFP impetraram ação judicial, acusando a Jersey e a Socony de violação de contrato e solicitando que qualquer ação adquirida da Aramco por elas ficasse em custódia para todos os membros da CIP

A incômoda situação com a França, um aliado chave na Europa Ocidental, combinada com uma contínua preocupação antitruste, inspiraram o Departamento de Estado a promover uma alternativa ao provável acordo, que pudesse satisfazer tanto a França como checar o crescimento de suspeitos acordos secretos entre as grandes companhias internacionais de petróleo. O parecer sobre as questões petrolíferas no Departamento de Estado recaía em grande parte nas mãos de Paul Nitze, chefe do departamento de Política de Comércio Internacional. Nitze propôs que a Jersey vendesse suas ações da CIP para a Socony e então entrasse sozinha na Aramco, criando dois grupos distintos, sem superposição de filiação. Os franceses não poderiam alegar que seus direitos sob o Acordo da Linha Vermelha estivessem sendo desrespeitados, disse Nitze. Um tal acordo, acrescentou, iria deter a tendência à multiplicação de acordos interligados entre as companhias internacionais de petróleo" e retardar a crescente combinação de interesses das duas maiores companhias americanas de petróleo, Jersey e Socony, fora dos Estados Unidos. "As duas companhias responderam que a proposta não era um plano viável." E o subsecretário de Estado, Dean Acheson, pôs um fim à ideia de Nitze.[5]

Havia mais uma pessoa cuja opinião deveria ser ouvida — Ibn Saud. Ele também tinha de ser consultado. Os executivos da Aramco foram a Riad ver o rei. Eles lhe explicaram que o "casamento" das quatro companhias era "natural" e que iria reverter em mais *royalties* para o reino. O rei, porém, estava interessado em apenas um ponto, e insistia nele; ele queria ter certeza de que nem a Jersey e nem a Socony eram "controladas pelos ingleses". Firmemente seguro do caráter puramente americano das duas novas companhias, o rei finalmente aprovou a proposta.

Porém, o que aconteceria se os franceses ganhassem no tribunal? Eles poderiam insistir em participar da Aramco. E pelo mesmo motivo da Anglo-Iraniana. O rei deixou absolutamente claro que não iria tolerar tal situação. O acordo teria de ser reestruturado para levar em conta essa contingência. Por esse motivo, o acordo final continha uma inteligente dose de flexibilidade, para o caso de uma possível derrota legal das companhias. A Jersey e a Socony forneceriam um empréstimo de 102 milhões de dólares, que poderiam ser convertidos em capital do mesmo valor, tão logo estivessem legalmente autorizados a fazê-lo.

Nesse meio tempo, a Jersey e a Socony poderiam iniciar a extração e petróleo imediatamente, como se já fossem as proprietárias. Além disso, elas se tornariam sócias na Tapline. A Socal e a Texaco teriam também prioridade no pagamento de cada barril produzido, durante alguns anos. Portanto, ao todo, a Socal e a Texaco receberiam uma quantia aproximada de 470 milhões de dólares, durante os próximos anos, pela venda de 40% da Aramco — reavendo todo seu investimento inicial e muito mais. Além disso, como Gwin Follis da Socal disse posteriormente, os termos da venda para a Jersey e Socony tiraram "o enorme investimento" exigido para a Tapline "de cima de nossos ombros".

Inicialmente, a Jersey e a Socony planejavam distribuir os 40% em partes iguais. Porém, o presidente da Socony, aflito com a ideia de que o petróleo do Oriente Médio "não estava absolutamente seguro" e preocupado com o mercado, argumentou que a companhia "deveria investir mais capital na Venezuela". Após analisar a questão, a Socony decidiu que não necessitava tanto petróleo e que uma participação menor seria inteiramente satisfatória. Assim, a Jersey ficou com 30%, a mesma proporção diluída pela Socal e Texaco, ao passo que a Socony ficou com apenas 10%. Pouco tempo depois, a Socony viria a lamentar-se da sua parcimônia.

Havia ainda a aflição da última hora. As cogitações sobre a ação antitruste continuavam a pesar sobre as mentes dos executivos de todas as companhias, até serem tranquilizados pelo procurador geral dos Estados Unidos. "A princípio", disse ele, "não via objeções legais ao acordo. Ele poderia ser muito bom para o país". Contudo, confirmando os piores receios de Harry Collier, sucederam-se os conflitos políticos no Mediterrâneo leste que poderiam ter impacto sobre o acordo como um todo. Havia uma insurreição liderada pelos comunistas na Grécia e uma ameaça soviética na Turquia e temia-se que, com o afastamento da Grã-Bretanha de seus tradicionais laços com o Oriente Médio, o poder comunista pudesse ganhar força naquela região. No dia 11 de março de 1947, os diretores da Socony discutiram "os problemas que vêm afetando o Oriente Médio". Mas o otimismo prevaleceu e eles aprovaram o acordo. No dia seguinte, representantes das quatro companhias americanas encontraram-se para assinar os documentos que puseram em vigor a histórica transação. A concessão na Arábia Saudita havia sido, finalmente, "solidificada".

O dia 12 de março ficou marcado como um dia histórico por outro motivo. Nesse dia, o presidente Harry Truman participou de uma sessão conjunta no congresso para proferir o chamado "discurso geral" propondo ajuda especial à Grécia e à Turquia para que pudessem resistir à pressão comunista. O discurso, um marco do início da Guerra Fria, deu origem à Doutrina Truman, como ficou conhecida posteriormente, e desencadeou uma nova era na política externa americana pós-guerra. Embora ocorridas por coincidência, a Doutrina Truman e a confirmação da participação das quatro gigantescas indústrias petrolíferas americanas nos domínios da Arábia Saudita asseguravam agora uma presença e um interesse substancial em uma extensa área, que se estendia do mar Mediterrâneo até o Golfo Pérsico.[6]

Novamente Gulbenkian

O litígio com a CFP ainda estava pendente. A França, porém, tinha muitos outros assuntos em sua agenda política para resolver com os Estados Unidos; assim, em maio de

1947, elaborou-se um acordo que beneficiasse a posição da França na Companhia Iraquiana de Petróleo e em troca, é óbvio, a CFP retiraria sua ação judicial.

Gulbenkian, como de costume, era um caso à parte. Instalado em um apartamento no primeiro andar do respeitável Hotel Aviz, em Lisboa, ele mantinha seus hábitos mesquinhos. Por ser mais barato, ele deixou de manter um carro com chofer e pagava pelos serviços de um motorista para levá-lo ao local da sua caminhada diária, conferindo o hodômetro do automóvel cuidadosamente para certificar-se de não estar pagando pelo trajeto de outro passageiro. "Gulbenkian pode ser definido como um homem de palavra, uma vez que ela tenha sido dada", comentou um funcionário britânico. "A dificuldade está em obtê-la. A capacidade de comprometer-se não é um de seus melhores atributos." O funcionário não poderia deixar de mencionar que "a noção de sua própria integridade financeira assume uma forma específica quando se refere a tributos, sendo uma de suas atividades principais abster-se de pagá-los". Ele esquivou-se do imposto de renda na França e em Portugal, pela manutenção do cargo na missão diplomática iraniana. A fim de evitar o imposto predial de sua mansão em Paris, converteu uma pequena área em uma galeria de arte. E quando vendeu o Hotel Ritz, em Paris, insistiu em garantir, durante as negociações, que um apartamento ficasse permanentemente reservado a ele, de modo que quando estivesse em Paris pudesse sempre alegar que estava "em trânsito", evitando assim taxação francesaposterior.

Gulbenkian transferiu essa mesma atenção enfurecida aos detalhes, juntamente com sua relutância ao compromisso e ao seu enorme poder de concentração, para a luta pelo Acordo da Linha Vermelha. Embora os franceses tivessem retirado a ação, Gulbenkian estava disposto a lavar cada peça de roupa suja em público, se fosse necessário. Ele acumulava processos em um tribunal inglês. A Jersey e a Socony respondiam com contraprocessos.

O caso teve uma enorme repercussão, que favoreceu Gulbenkian em seus contra-ataques à Jersey e à Socony. Afinal de contas, não era ele mas sim as companhias americanas que precisavam se preocupar com o Departamento de Justiça e com a opinião pública. Houve, no entanto, um efeito colateral da sua notoriedade, que ele achava definitivamente desagradável. Devido à sua baixa estatura, havia solicitado ao Hotel Aviz que construísse uma plataforma especial no restaurante, de forma que pudesse almoçar e observar a cena ao mesmo tempo. À medida que a publicidade em torno do caso aumentou, o sr. Gulbenkian, no Hotel Aviz, "tornou-se uma das atrações turísticas "obrigatórias" de Lisboa, ao lado das touradas. Ele não gostou, mas não havia mais nada que pudesse ser feito.

Durante mais de um ano, os mediadores ficaram num vaivém entre Nova York, Londres e Lisboa, buscando conseguir uma conciliação. Agora, a nova geração de homens do petróleo e advogados estava tendo a oportunidade de aprender o quanto era irritante lidar com Calouste Gulbenkian. "Meu pai tinha por prática jamais exigir qualquer solução para um impasse", disse seu filho Nubar, "mas, como mediador hábil que era, fazia suas exigências passo a passo, de forma que, tendo obtido sucesso em um ponto, ele levantava outro e mais outro alcançando, dessa maneira, tudo o que queria ou, pelo menos, muito mais do que se tivesse feito todas as exigências de uma só vez, de início".

As negociações se tornavam cada vez mais complicadas graças à desconfiança habitual de Gulbenkian, que já se havia transformado em obsessão. Gulbenkian não comparecia pessoalmente aos encontros. Ele contava com quatro representantes diferentes nas reuniões, que deveriam se reportar a ele separadamente, por escrito e sem colaborar com os demais, na verdade, sem nem mesmo conversarem entre si. Dessa maneira, além de analisar seus opositores, ele poderia checar e avaliar em dobro cada um de seus próprios negociadores.

Porém, o que desejava Gulbenkian na essência? Algumas pessoas desconfiavam que ele queria, na realidade, ser acionista da Aramco. Isto estava fora de cogitação. Ibn Saud jamais permitiria. Para um diretor da Socony, Gulbenkian ofereceu uma explicação simples de seus objetivos. Ele não se daria por satisfeito até que "fechasse o melhor negócio possível". Em outras palavras, ele queria o máximo que pudesse obter. Para um outro americano, não um homem do petróleo e sim uma pessoa que compartilhava de seu amor pela arte, Gulbenkian poderia explicar ainda melhor. Ele havia ganho tanto dinheiro que mais dinheiro, por si só, não faria muita diferença. Referia-se a si mesmo com os mesmos termos que tinha utilizado para Walter Teagle duas décadas atrás — como um arquiteto, um artista mesmo, criando belas estruturas, equilibrando interesses, harmonizando forças econômicas. Era isso que lhe dava prazer, dizia. As obras de arte, que havia colecionado durante toda a sua vida, compuseram a maior coleção já reunida por uma pessoa nos tempos atuais. Ele as chamava de suas "crianças", parecia dar mais importância a elas do que ao seu próprio filho. Porém, sua obra de arte, a maior conquista de sua vida, era a Companhia Iraquiana de Petróleo. Para ele, fora projetada de maneira tão criativa e composta de forma tão perfeita quanto a *Escola de Atenas*, de Rafael. E se ele fosse Rafael, esclareceu Gulbenkian, iria considerar os executivos da Jersey e da Socony muito semelhantes à Giroloma Genga, um imitador medíocre, obscuro e de terceira classe, dos mestres do Renascimento.[7]

Sob pressão de um desagradável julgamento a ter início em breve na corte de Londres, estava se definindo afinal um possível acordo com Gulbenkian e toda "caravana", como foi chamada, de homens do petróleo junto com seus advogados, migrados para Lisboa. Finalmente, no início de novembro de 1948, no domingo anterior ao dia do início do julgamento, o novo acordo estava concluído. Nubar, o submisso e bondoso filho, havia reservado um apartamento no Hotel Aviz onde iriam assinar o documento às 19 horas, seguindo-se um jantar comemorativo.

Faltando cinco minutos para as 19 horas, Gulbenkian anunciou que havia descoberto mais um ponto essencial que não estava previsto nos novos contratos. A consternação tomou conta da sala. Telegramas foram enviados aos diretores em Londres e aguardavam-se as respostas. Um silêncio atordoante e depressivo desceu sobre o Hotel Aviz. Mesmo assim, a refeição estava preparada, logo esfriaria, e não havia razão para que não fosse servida, pelo menos na opinião de Nubar Gulbenkian. Ele convidou a "caravana" para sentar-se à mesa. O jantar decorreu em um clima bastante sombrio e funéreo; apenas uma garrafa de champanhe foi servida para doze pessoas. Nada havia para ser celebrado.

Por volta da meia-noite, os telegramas começaram a chegar de Londres. A exigência final de Gulbenkian também fora aceita. Os contratos foram refeitos, Gulbenkian assinou-os à 1h30 da madrugada, e foram enviados em avião fretado para Londres. Os funcionários encarregados foram informados de que a sessão da corte marcada para aquele mesmo dia, em Londres, deveria ser cancelada, e, em Lisboa, o exausto grupo finalmente saiu para comemorar em um café, com sanduíches e vinho barato.

Assim foi negociado o Acordo do Grupo de novembro de 1948, que reorganizou a Companhia Iraquiana de Petróleo. Além de uma produção global mais alta e outras vantagens, Gulbenkian conseguiu uma alocação extra de petróleo. O sr. Cinco por Cento não existia mais; estava agora um pouco mais alto. Os contratos, por si só, eram "monumentos de complexidade". Um executivo da Anglo-Iraniana (posteriormente presidente da companhia) declarou: "conseguimos, agora, formular um Acordo completamente ininteligível para qualquer pessoa". Havia, porém, uma vantagem para tamanha complexidade, pois, como explicou um dos advogados de Gulbenkian, "ninguém jamais será capaz de questionar esses documentos em juízo, pois ninguém será capaz de entendê-los".

Uma vez que a obstinação de Calouste Gulbenkian havia sido vencida, e o novo Acordo do grupo para a CIP estava assinado, o Acordo da Linha Vermelha não valia mais e a ameaça legal contra a Jersey e a Socony pela participação na Aramco foi retirada. Fora uma batalha longa e torturante pela qual duas companhias conseguiram sua entrada na Arábia Saudita. "Se alguém pudesse emendar todas as negociações feitas em torno deste acordo, do princípio ao fim", disse um dos participantes, "elas alcançariam a lua". Em dezembro de 1958, dois anos e meio depois de o acordo ter sido discutido pela primeira vez, os empréstimos tomados da Jersey e da Socony já poderiam ter sido pagos e a incorporação da Aramco poderia ter finalmente sido completada. Uma nova entidade corporativa, mais de acordo com as dimensões das reservas sauditas, passou a existir. Com o acordo lavrado, a Aramco foi encampada pela Jersey e Socony, bem como pela Socal e Texaco. E era 100% americana.

De sua parte, Gulbenkian havia, mais uma vez, sido bem-sucedido em preservar sua primorosa criação, a Companhia Iraquiana de Petróleo, bem como sua posição nela, contra o poderio associado do petróleo internacional. Sua última exibição de talento artístico foi basicamente ganhar centenas de milhões de dólares para aumentar os lucros dos Gulbenkian. Ele próprio continuou morando em Lisboa por mais seis anos, ocupando-se em discutir ininterruptamente com seus sócios da CIP e de escrever e reescrever seu testamento. Quando morreu, sete anos depois, em 1955, aos 85 anos, deixou para trás três legados duradouros: uma vasta fortuna, uma incrível coleção de arte e litígios intermináveis sobre o seu testamento e o valor de seus bens.[8]

Kuait

Uma outra companhia americana, a Gulf Oil, enfrentou um dilema no Oriente Médio. Como coproprietária da Kwait Oil Company, a Gulf sentia-se até certo ponto constrangida por competir com sua parceira, a Anglo-Iraniana, especialmente na Índia e no Oriente Médio. Onde mais a Gulf poderia vender seu petróleo? Seu mercado na Europa mal comportaria nem mesmo uma parte da crescente enxurrada de petróleo proveniente do Kuait. A Gulf precisava de mercado comprador, principalmente na Europa. O coronel J.F Drake, presidente da companhia, seguiu a sua procura. A melhor resposta aos problemas da Gulf logo apareceu: o Grupo Royal Dutch-Shell. Pertencia ao Grupo, uma das duas maiores organizações mercadológicas no hemisfério leste, particularmente na Europa. E, ao contrário de seus concorrentes, tinha um acesso muito pequeno ao petróleo do Oriente Médio. Como explicou Drake ao Departamento de Estado, seria extremamente razoável estabelecer um acordo "entre a Gulf, que tem muito petróleo bruto e pouco mercado e a Shell, que tem muitos mercados e pouco petróleo bruto".

As duas companhias desenvolveram um acordo singular de compra e venda; era uma integração-fantasma que iria permitir ao petróleo kuaitiano da Gulf desaguar na refinaria e no sistema mercadológico da Shell, por meio de um contrato a longo prazo, inicialmente de dez anos, que foi posteriormente estendido por outros 13 anos. Estimou-se que o volume total de petróleo negociado na duração do contrato respondeu por inteiro a um quarto das reservas comprovadas da Gulf no Kuait. Em consequência, a Gulf estaria fornecendo à Shell 30% de suas necessidades no hemisfério leste. Ninguém seria tão tolo a ponto de estabelecer um preço fixo para um tempo de duração tão longo e incerto. Dessa forma, as duas companhias chegaram a uma solução criativa que se tornaria conhecida como *netback pricing*. O contrato previa uma divisão dos lucros meio a meio — lucro definido como "preço final da venda" menos todos os custos havidos ao longo do percurso. As tabelas e fórmulas contábeis básicas pelas quais os lucros seriam calculados eram tão complexas que preencheram a metade das 170 páginas impressas do contrato.

Na verdade, a Gulf não tinha alternativa além da Shell. A produção kuaitiana cresceu rapidamente; o emir insistiria nesse crescimento, especialmente depois de ter examinado as curvas de produção dos países vizinhos. Poucos sistemas poderiam absorver tanto petróleo. A Shell era praticamente a única disponível. Além do mais, havia um aspecto no acordo que certamente ganharia a aprovação do Departamento de Estado. Era a única opção que a Gulf podia vislumbrar, conforme disse o coronel Drake, que deixaria sua parcela de 50% de interesses sobre o petróleo kuaitiano "em mãos inteiramente americanas". Em resumo, primeiro com a Aramco, e agora com o trato Gulf-Shell, os interesses americanos sobre o petróleo do Oriente Médio estavam sendo protegidos. Quanto à Shell, o acordo lhe daria o direito sobre uma parte substancial da produção total do Kuait. Ela era mais do que uma simples compradora a longo prazo. Conforme declarou o Ministério das Relações Exteriores da Inglaterra, "na opinião do governo de Sua Majestade" a Shell era, "para todos os efeitos e intenções, uma parceira da concessão".[9]

Irã

O terceiro dos grandes acordos petrolíferos do pós-guerra envolveu o Irã. Durante as primeiras discussões para a revogação do Acordo da Linha Vermelha em Londres, entre o final da primavera e o início do outono de 1946, os representantes da Jersey e Socony levantaram, confidencialmente, a possibilidade de um contrato a longo prazo pelo petróleo iraniano bruto com *sir* William Fraser, presidente da Anglo-Iraniana. "Willie", é claro, estava receptivo. Como a Gulf, a Anglo-Iraniana não tinha os recursos necessários para construir rapidamente uma grande refinaria e um sistema mercadológico sozinha na Europa, e temia que as portas se fechassem para ela, graças ao petróleo barato e abundante da Aramco.

Considerações políticas também foram razões para que a CPAI (Companhia de Petróleo Anglo-Iraniana) estabelecesse uma ligação duradoura com as companhias americanas que a ajudasse a "solidificar" sua própria posição. O Irã estava sob contínua e considerável pressão da União Soviética. Ao final da II Guerra Mundial, a União Soviética havia exigido uma concessão de petróleo no Irã, e as tropas soviéticas continuaram a ocupar o Azerbaijão, ao norte do Irã, após a guerra. Stálin ocupou a região até a primavera de 1946 e só se retirou devido à intensa pressão exercida pelos Estados Unidos e pela Grã-Bretanha. De fato, a crise iraniana de 1946, como ficou conhecida, foi o primeiro grande confronto Oriente-Ocidente da Guerra Fria.

No princípio de abril de 1946, enquanto os soviéticos estavam finalmente começando a retirar suas tropas, o embaixador americano em Moscou foi ao Kremlin para um encontro reservado com Stálin, altas horas da noite. "O que quer a União Soviética e até onde a Rússia quer chegar?", perguntou o embaixador.

"Não iremos muito mais longe", foi a resposta do ditador soviético, que não foi particularmente tranquilizadora. Stálin passou a descrever os esforços soviéticos para estender a influência sobre o Irã como um movimento defensivo para proteger a posição de seu próprio petróleo. "Os campos de petróleo de Baku são nossa maior fonte de abastecimento," disse ele. "Eles estão próximos à fronteira do Irã e são muito vulneráveis." Stálin, que se tornara o "servidor da Revolução" em Baku, quarenta anos antes, acrescentou que "sabotadores — até mesmo um homem com uma caixa de fósforo — poderiam causar-nos sérios prejuízos. Não vamos correr o risco de perder nossos suprimentos de petróleo".

Na verdade, Stálin tinha interesse no petróleo iraniano. A produção soviética, em 1945, foi de apenas 60% da produção de 1941. O país em desespero havia providenciado uma série de substituições durante a guerra — desde a importação de petróleo dos Estados Unidos, até motores movidos a carvão para seus caminhões. Logo depois da guerra, Stálin interrogou seu encarregado para os assuntos do petróleo, Nikolai Baibakov (que em seguida seria o encarregado da economia soviética por duas décadas — até 1985, quando Mikhail Gorbachev substituiu-o). Pronunciando incorretamente o nome de Baibakov, como fazia sempre, Stálin queria saber qual a atitude a ser tomada pela União Soviética à luz de sua desconfortável posição com relação ao petróleo. Seus campos de óleo estavam seriamente avariados e bastante depauperados, com poucas chances para o futuro. Como poderia ser reconstruída a economia sem o petróleo? Os esforços teriam de ser redobrados, disse o ditador.

Com essa finalidade, a União Soviética fez suas exigências por uma *joint venture* para a exploração de petróleo no Irã. Portanto, com certeza, o petróleo era um dos objetivos soviéticos no Irã, de qualquer modo não o único e nem o mais importante. Em 1940, na vigência do Pacto Nazi-Soviético, o ministro das Relações Exteriores, Viacheslav Molotov declarou que "a área ao sul de Batum e Baku em direção ao Golfo Pérsico seria reconhecida como o centro das aspirações da União Soviética", Essa área tinha um nome — Irã. Stálin estava buscando desenvolver sua própria esfera de influência nos países vizinhos, e expandir o poder e a influência soviética onde fosse possível. Na tentativa de penetrar no Irã em direção ao Golfo Pérsico, ele estava perseguindo um tradicional objetivo da política externa russa, que já datava de quase um século e meio. A perseguição desse mesmo objetivo havia motivado o governo britânico, na virada do século, a patrocinar em 1901 a concessão iraniana original, de William D' Arcy Knox, como um modo de neutralizar o avanço russo.

Depois que Stálin retirou seus soldados do norte do Irã, em 1946, a União Soviética continuou na tentativa de obter uma posição favorável nessa área e procurou estabelecer uma companhia conjunta de petróleo soviético-iraniana. Nesse meio tempo, os líderes comunistas do Tudeh conduziam uma campanha de manifestações e pressão política para obter maior influência sobre o governo central — incluindo uma greve geral e manifestações no complexo de refinarias anglo-iraniano de Abadã, no qual várias pessoas foram mortas. O Irã estava instável, as instituições políticas do país enfraqueceram e havia uma séria possibilidade de guerra civil ou até mesmo do desaparecimento do Irã no bloco soviético.

Os governos americano e britânico estavam tentando preservar a independência e a integridade territorial do Irã. Londres foi categórica: a posição do petróleo da Anglo-Iraniana no Irã significava a presença da coroa na companhia, e tinha de ser preservada a todo custo. Em vista de tal incerteza e à luz dos altos riscos, era de valor considerável conseguir que importantes companhias americanas investissem mais no petróleo iraniano. As realidades políticas e comerciais serviram de base para o acordo entre a Anglo-Iraniana e as duas companhias americanas, Jersey e Socony. Em setembro de 1947, as três companhias assinaram um contrato com vinte anos de validade.[10]

Com a conclusão dos três gigantescos acordos — Aramco, Gulf-Shell e os contratos iranianos de longo termo —, os mecanismos, capital e sistemas mercadológicos estavam a postos para transportar imensas quantidades de petróleo do Oriente Médio para o mercado europeu. O "centro de gravidade" do petróleo no mundo pós-guerra não só para as companhias de petróleo mas também para as nações do Ocidente — estava deslocando-se indiscutivelmente para o Oriente Médio. As consequências seriam significativas para todos os envolvidos.

A crise energética da Europa

O aumento gradual dos volumes de petróleo oriundo do Oriente Médio foi crucial para a recuperação pós-guerra de uma Europa devastada. A destruição e a desorganização estavam por toda a parte. A Alemanha, a oficina no coração da Europa, quase não funcionava. Por toda a Europa havia uma terrível escassez de alimentos e matérias-primas, sólidas empresas e organizações quebraram, a inflação era excessiva, e havia uma séria escassez de dólares americanos necessários para saldar as importações. Em 1946, a Europa já estava tomada por uma severa crise de energia — uma terrível escassez de carvão. Além disso, o clima, o mais longo e gélido inverno do século, criou condições para se atingir o ponto crítico. Na Inglaterra, o rio Tâmisa congelou em Windsor. Por toda a Grã-Bretanha, o abastecimento de carvão estava tão prejudicado que as usinas elétricas tiveram de ser fechadas e a eletricidade para as indústrias ou era reduzida em grande parte ou totalmente suspensa. O índice de desemprego aumentou abruptamente, seis vezes mais, e a produção industrial britânica ficou praticamente parada por três semanas — algo que o bombardeio alemão jamais fora capaz de realizar.

Essa inesperada crise energética deixou à mostra a extensão do empobrecimento britânico provocado pela guerra. Seu papel imperialista tornara-se um fardo insuportável. Nas poucas, porém cruciais, semanas de fevereiro de 1947, áridas e congeladas, o governo trabalhista de Clement Attlee encaminhou o persistente problema palestino para as Nações Unidas e anunciou que iria conceder a independência para a Índia. E, no dia 21 de fevereiro, declarou aos Estados Unidos que não tinha mais como apoiar a economia da Grécia. Solicitou aos Estados Unidos que assumissem essa responsabilidade e, por consequência, responsabilidades mais amplas sobre todo o Oriente Médio e Oriente Próximo. A situação agravou-se ainda mais. Por toda a Europa, a desordem econômica ocasionada pelas condições climáticas e pela crise de energia, no inverno de 1947, acentuou a carência de dólares americanos, o que refreou a capacidade de importação de produtos essenciais para a Europa e paralisou sua economia.[11]

O primeiro passo para evitar um colapso maciço foi dado em junho de 1947, no pátio da Harvard em Cambridge, Massachusetts. Ali, na formatura da Harvard, o secretário de Estado americano, George Marshall, apresentou o conceito de um extenso programa de auxílio externo, em bases amplas, que iria ajudar a reavivar e a reconstruir as economias da Europa Ocidental em uma dimensão continental e que iria preencher a lacuna criada pela escassez de dólares. Além disso, o Programa de Recuperação da Europa, ou Plano Marshall, como logo ficou conhecido, tornou-se um elemento central na contenção do poder soviético.

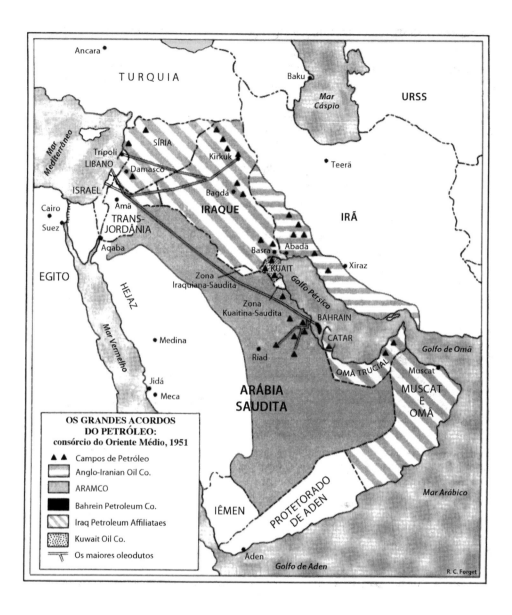

Entre os primeiros problemas a serem enfrentados estava a crise energética da Europa. Não havia volume suficiente de carvão, a produtividade estava baixa, e a força de trabalho desorganizada. Além do mais, em muitos países, os comunistas haviam ocupado posições de liderança nos sindicatos dos mineiros. O petróleo era uma parte da solução; ele poderia substituir o carvão nas caldeiras industriais e nas usinas elétricas. O petróleo também era, obviamente, a única fonte de combustível para os aviões, automóveis e caminhões europeus. "Sem o petróleo, o Plano Marshall teria sido provavelmente um fracasso", registrou um relatório do governo americano na época.

Aqueles que em Paris estavam conduzindo o Programa de Recuperação da Europa não se preocupavam muito com a disponibilidade física do petróleo. Eles simplesmente confiavam nas companhias para certificarem-se de que o petróleo estaria lá. Entretanto, o petróleo tinha de ser importado, e isso fez com que se tornasse uma parte não só da solução, mas também de um problema. Aproximadamente a metade do petróleo europeu era proveniente das companhias americanas, o que significava que teria de ser pago em dólares. Para a maior parte dos países europeus, o petróleo era o item que mais pesava em seus orçamentos em dólar. Estimou-se, em 1948, que mais de 20% do total do Plano Marshall, nos quatro anos subsequentes, seria destinado à importação de petróleo e de equipamentos correlatos.[12]

O preço tornou-se uma questão bastante controvertida. Os europeus, particularmente, falavam sem rodeios sobre a evasão de dólares causada pela compra do petróleo em 1948, ano em que os preços, subindo rapidamente, atingiram o ponto mais alto no pós-guerra. "Era lastimável que, enquanto os americanos destinavam verbas para auxiliar a Europa, o aumento nos preços do petróleo anulava grande parte de seus esforços", disse o secretário das Relações Exteriores britânico, Ernest Bevin, ao embaixador americano. A evasão de dólares provocou uma áspera discussão sobre o quanto de petrodólares (das companhias americanas) e de petrolibras (das companhias britânicas) seria destinado ao Reino Unido e demais países da Europa. Havia também uma discórdia entre as companhias sobre o custo do petróleo, especificamente das grandes quantidades provenientes do Oriente Médio, e se aqueles preços eram estabelecidos com fins competitivos ou se poderiam, e deveriam, ser mais baixos. Finalmente, depois de muita acrimônia, o preço do petróleo do Oriente Médio estava sendo forçado a baixar em níveis inferiores aos preços de referência da U.S. Gulf Coast praticados até o momento. Isto significava o fim dos preços convencionados que foram estabelecidos, vinte anos atrás, no Castelo de Achnacarry. O último vestígio do sistema pré-guerra "como está" esvaíra-se naquele momento.[13]

Contudo, a despeito de todas as controvérsias, o fato fundamental foi que o Plano Marshall tornou possível e desencadeou uma transição de grande projeção na Europa — a mudança da economia baseada no carvão para outra baseada em petróleo importado. As pequenas reservas de carvão combinadas às greves e discórdias entre as classes operárias da indústria da mineração proporcionou um ímpeto poderoso a essa mudança. "Não é agradável importar mais petróleo, mas trata-se de uma necessidade nacional", disse Hugh Dalton, ministro das Finanças britânico, a Marshall. As políticas governamentais também encorajavam a conversão das usinas elétricas e carboníferas para o petróleo. Devido ao grande surto de produção barata proveniente do Oriente Médio, o petróleo poderia competir efetivamente com o carvão, com relação ao preço. Além disso, quando os consumidores industriais efetivaram sua escolha, puderam observar uma clara distinção entre o carvão, cujas atribuições e explosões eram assuntos diários na imprensa, e o petróleo, cujo abastecimento e distribuição eram administrados eficientemente e com poucos atritos.

Onde fosse possível, as companhias de petróleo se movimentavam para conquistar novos mercados, tanto nas indústrias como nos lares — neste último caso, com a revolucionária novidade do sistema de aquecimento central. Nas palavras de um gerente da Shell, "o cidadão inglês começou a perceber que não fazia sentido passar frio e que não havia razão para não ter as comodidades de seus primos americanos e canadenses". Embora a Europa permanecesse com uma economia baseada no carvão, o petróleo tornava-se cada vez mais importante, especialmente para abastecer o crescente aumento na demanda de energia. E foi aí que a nova produção do Oriente Médio agigantou-se. Em 1946, 77% do fornecimento de petróleo da Europa se originava do Ocidente; em 1951, esperava-se a ocorrência de um dramático deslocamento com 80% do fornecimento partindo do Oriente Médio. A sincronização entre as necessidades da Europa e o desenvolvimento do petróleo no Oriente Médio significou uma combinação poderosa e oportuna.[14]

Ele chega ao mercado?

Havia ainda o problema de fazer com que esse volume de petróleo que crescia rapidamente chegasse ao mercado. A Aramco e suas associadas, agora quatro, continuavam a lutar pela construção do Tapline, que iria transportar o petróleo desde a Arábia Saudita até o Mediterrâneo. Porém, diversos obstáculos importantes colocavam-se em seu caminho. O aço, com estoques baixos, permanecia sob o controle do governo americano, e, no entanto, uma grande parcela da produção total de aço nos Estados Unidos teria que ser alocada para as válvulas e tubulações exigidas pelo gigantesco empreendimento. Os homens do petróleo independentes, e seus aliados no Congresso, tentaram bloquear a fim de evitar a estocagem de grandes quantidades de petróleo estrangeiro barato, que, temiam, seria despejado no mercado americano. Porém, a administração Truman dava um apoio significativo ao Tapline, em grande parte graças à opinião de que os suprimentos de petróleo do Oriente Médio eram essenciais para o sucesso do Plano Marshall. Sem o oleoduto, advertia o Departamento de Estado, "o Programa de Recuperação europeia ficará seriamente prejudicado".

A obstinação dos países por onde passaria o oleoduto, particularmente a Síria, seria outro obstáculo, pois todos eles estavam exigindo quantias consideradas exorbitantes, como taxas de pedágio. Era também época em que a partilha da Palestina e a criação do estado de Israel estavam agravando as relações americanas com os países árabes. Porém, o surgimento de um estado judeu, reconhecido imediatamente pelos americanos, ameaçou o oleoduto mais do que os pedágios. Ibn Saud era tão inflexível e abertamente antissionista e contra Israel quanto qualquer outro líder árabe. Ele dizia que os judeus eram inimigos dos árabes desde o século XVII. O apoio americano ao Estado judeu, disse ele a Truman, representaria o golpe fatal para os interesses americanos no mundo árabe, caso um estado judeu viesse a ser criado, os árabes "iriam assediá-lo até que morresse de inanição". Quando Ibn Saud fez uma visita ao quartel-

-general da Aramco em Dhahram, em 1947, elogiou as laranjas que lhe serviram; porém, em seguida e de modo incisivo, quis saber se elas eram da Palestina — ou seja, de um dos *kibutzim*. Ele foi tranquilizado; as laranjas eram da Califórnia. Em sua oposição ao estado judeu, Ibn Saud possuía o que um funcionário do governo britânico chamou "trunfo"; ele poderia punir os Estados Unidos cancelando a concessão da Aramco. Essa possibilidade alarmou muito não só as companhias interessadas, mas também, é claro, os departamentos de Estado e de Defesa dos Estados Unidos.

A criação de Israel teve sua própria dinâmica. Em 1947, o comitê especial das Nações Unidas para a Palestina aconselhou sua partilha, o que foi aceito pela Assembleia Geral e pela Agência Judaica, mas foi rejeitado pelos árabes. Um "Exército da Libertação" árabe tomou a Galileia e atacou o setor judeu de Jerusalém. A violência dominou a Palestina. Em 1948, a Grã-Bretanha, completamente desnorteada, renunciou ao seu mandato e retirou o exército e o corpo administrativo, lançando a Palestina na anarquia. No dia 14 de maio de 1948, o Conselho Nacional Judeu proclamou o estado de Israel. Ele foi quase que instantaneamente reconhecido pela União Soviética, seguido rapidamente pelos Estados Unidos. A Liga Árabe desencadeou um ataque em grande escala. A primeira guerra árabe-israelense havia começado.

Poucos dias depois da proclamação da independência do estado de Israel, James Terry Duce, da Aramco, passou uma comunicação ao secretário de Estado, Marshall, dizendo que Ibn Saud havia dado indícios de que "ele poderia ser obrigado, em certas circunstâncias, a aplicar sanções contra as concessões americanas de petróleo (...) não porque fosse seu desejo, mas porque a pressão exercida sobre ele pela opinião pública árabe era tão grande que não poderia resistir a ela por mais tempo". Um estudo feito às pressas pelo Departamento de Estado, no entanto, descobriu que, apesar das grandes reservas, o Oriente Médio, excluindo o Irã, era responsável por apenas 6% do fornecimento de petróleo ao Ocidente e que um corte desses no consumo "poderia ser compensado sem exigir grandes privações por parte de qualquer segmento consumidor".[15]

Ibn Saud poderia, sem dúvida, ter cancelado a concessão, mas com um risco considerável, pois a Aramco era a única fonte de seu rápido enriquecimento e o relacionamento mais amplo com os Estados Unidos assegurava as garantias básicas da integridade territorial e da independência da Arábia Saudita. Sempre desconfiado dos britânicos, o rei temia que Londres pudesse estar patrocinando uma nova coalizão para defender os hashemitas, como havia feito depois da I Guerra, permitindo a eles — que Ibn Saud havia expulsado de Meca há apenas duas décadas — reconquistar a parte oeste de seu país. A apreensão de Ibn Saud cresceu quando se soube que Abdullah, o rei hashemita na Jordânia, havia "equiparado o regime saudita à ocupação judaica Palestina". E, para Ibn Saud, os hashemitas se constituíam num inimigo ainda maior do que os judeus. A União Soviética e os comunistas eram uma ameaça mais perigosa, em função da pressão soviética ao norte e do impacto da atividade comunista no mundo árabe.

De fato, face às ameaças dos hashemitas e dos comunistas, Ibn Saud pressionou os americanos e até mesmo os britânicos, no final de 1948 e início de 1949, para um tratado tripartite de defesa. O secretário britânico para a Arábia Saudita observou em seu relatório anual a Londres que "tendo Israel se tornado uma realidade que não pode ser negada, e assim vista pela maior parte dos árabes, o governo da Arábia Saudita resignou-se a aceitá-la na prática, ao mesmo tempo que mantinha sua hostilidade formal contra o sionismo". Ibn Saud decidiu que poderia fazer uma distinção entre a Aramco, uma empresa puramente comercial de propriedade de quatro companhias privadas, e a política do governo americano na região. Quando outros países árabes declararam que a Arábia Saudita deveria cancelar a concessão para exercer retaliação contra os Estados Unidos e provar sua fidelidade à causa árabe, Ibn Saud respondeu que os *royalties* provenientes do petróleo ajudaram a fazer da Arábia Saudita "uma nação mais forte, poderosa e melhor para ajudar os estados árabes vizinhos a resistirem às pretensões judaicas".

Mesmo durante a guerra entre árabes e judeus, na Palestina, o desenvolvimento febril do petróleo continuava na Arábia Saudita e a construção do Tapline prosseguia. Ela terminou em setembro de 1950. Mais dois meses foram necessários para preencher completamente a linha e em Sidon, no Líbano, a estação terminal no Mediterrâneo. De lá o petróleo era transferido por navios petroleiros para cumprir a última etapa do percurso até a Europa. Os 1.680 quilômetros do Tapline iriam substituir os 11.600 quilômetros de percurso marítimo desde o Golfo Pérsico até o canal de Suez. A quantidade transportada anualmente pelo Tapline era equivalente a sessenta petroleiros em operação contínua desde o Golfo Pérsico até o Mediterrâneo, via canal de Suez. O petróleo que passava por ele iria abastecer a reconstrução da Europa.[16]

Não mais "distante de casa": as novas dimensões da segurança

A superposição da política com a economia tinha criado, na segunda metade da década de 1940, um novo foco estratégico para os governos americano e britânico. No caso dos britânicos, mesmo tendo se retirado das distantes regiões do império, não podiam dar as costas ao Oriente Médio. Os soviéticos estavam pressionando as "colunas do norte" — Grécia, Turquia, e, em especial, o Irã. E o Irã, junto com o Kuait e o Iraque, eram as maiores fontes de petróleo da Grã-Bretanha. O acesso contínuo a estas fontes era necessário para a segurança militar, e os dividendos da Anglo-Iraniana eram os maiores geradores de receita para o Ministério da Fazenda britânico. "Sem o Oriente Médio e seu petróleo", disse o secretário das Relações Exteriores, Bevin, ao comitê do Gabinete da Defesa, ele não via "esperanças de conseguirmos atingir o padrão de vida ao qual almejamos na Grã-Bretanha".

Se o ponto de convergência britânico se estreitasse, a mudança de perspectiva e os compromissos se expandiriam enormemente em direção aos Estados Unidos. Um presidente americano jamais diria novamente, como o fizera Franklin Roosevelt, em 1941, que a Arábia Saudita estava um tanto distante de casa. Os Estados Unidos estavam se tornando uma sociedade cada vez mais baseada no petróleo, que já não conseguiam suprir suas próprias necessidades com a produção interna. A guerra mundial, recém--terminada, provara quão central e crítico era o petróleo para o poder nacional. Os líderes e os empreendedores americanos estavam também avançando no sentido de encontrar uma definição muito mais ampla de segurança nacional — que refletisse as realidades do equilíbrio do poder no pós-guerra, o crescente confronto com a União Soviética, e o fato evidente de que o cetro estava passando das mãos da Grã-Bretanha para as dos Estados Unidos, que naquele momento possuíam, de longe, a hegemonia do poder mundial.

O expansionismo soviético — como estava e como poderia vir a ser — trouxe o Oriente Médio para o centro do palco. Para os Estados Unidos, os recursos de petróleo na região constituíam-se em interesse não menos vital, a seu próprio modo, do que a independência da Europa Ocidental; e os campos petrolíferos do Oriente Médio tinham que ser preservados e protegidos no lado ocidental da Cortina de Ferro para assegurar a sobrevivência econômica de todo o mundo ocidental. Os estrategistas militares não tinham certeza se, no caso de uma "guerra quente" prolongada, os campos petrolíferos poderiam ser realmente defendidos, e cogitavam igualmente a possibilidade de tanto destruí-los como defendê-los. Porém, na Guerra Fria, este petróleo teria um imenso valor, e o que fosse possível deveria ser feito a fim de evitar sua perda.

A Arábia Saudita tornou-se o foco dominante dos estrategistas americanos. Ali estava, disse um dos funcionários do governo americano, em 1948, "provavelmente a mais preciosa recompensa do mundo na área de investimento externo". E ali os Estados Unidos e a Arábia Saudita estavam iniciando um relacionamento incomparável. Em outubro de 1950, o presidente Harry Truman escreveu uma carta ao rei Ibn Saud. "Desejo renovar à Vossa Majestade as garantias que já fizemos em várias ocasiões no passado, de que os Estados Unidos têm interesse na preservação, na independência e na integridade territorial da Arábia Saudita. Nenhuma ameaça ao seu reino poderia ocorrer que não fosse matéria de interesse imediato dos Estados Unidos." Isto soava como uma garantia.

O relacionamento especial que estava surgindo representava um entrelaçamento dos interesses públicos com os privados, comerciais e estratégicos. Ele foi efetivado em nível governamental e pela Aramco, que se tornou um mecanismo não só para o desenvolvimento do petróleo, mas também para o desenvolvimento global da Arábia Saudita — embora isolado de uma grande parcela da sociedade árabe e sempre dentro dos limites prescritos pelo estado saudita. Era uma união inverossímil — árabes beduínos e homens do petróleo texanos — uma autocracia islâmica tradicional aliada ao moderno capitalismo americano. Estava destinada a perdurar.[17]

O fim da independência energética

Tendo em vista que o petróleo do Oriente Médio não poderia ser facilmente protegido, na eventualidade de uma guerra, e era, nas palavras da Junta dos Chefes do Estado-Maior dos Estados Unidos "bastante suscetível à interferência dos inimigos", como se poderia garantir a segurança geral do abastecimento no caso de um futuro conflito? Esta questão tornou-se o principal ponto de discussão tanto em Washington quanto na indústria petrolífera. Alguns argumentavam a favor da importação de mais petróleo rios tempos de paz, a fim de preservar os recursos internos para os tempos de guerra. Era essa a essência do controvertido livro *A National Policy for the Oil Industry*, de Eugene V. Rostow, um professor da Faculdade de Direito de Yale. Uma recém-criada agência federal, a National Security Resources Board, elaborou uma argumentação semelhante em um importante relatório político em 1948; a importação de grandes quantidades de petróleo do Oriente Médio iria permitir que um milhão de barris diários referentes à produção do Ocidente fossem confinados, criando, na verdade, um estoque para uso militar no território — "o local ideal para guardar o petróleo".

Muitos advogavam que os Estados Unidos fizessem aquilo que a Alemanha havia feito durante a guerra — construíssem indústrias de combustível sintético, extraindo matéria-prima não apenas do carvão mas também do xisto das montanhas do Colorado e do abundante gás natural. Muitos tinham certeza de que os combustíveis sintéticos logo seriam a principal fonte de energia. "Os Estados Unidos estão no limiar de uma profunda revolução química", noticiava o *New York Times* em 1948. "Os próximos dez anos verão a ascensão de um nova indústria que nos libertará da dependência do petróleo estrangeiro. A gasolina poderá ser produzida a partir do carvão, do ar e da água." O Departamento do Interior declarou, com otimismo, que a gasolina poderia ser produzida a partir do carvão e também do xisto, por 11 centavos de dólar o galão — em uma época em que o preço da gasolina no atacado era 12 centavos o galão!

As opiniões mais realistas e mais correntes na indústria petrolífera eram de que os combustíveis sintéticos estavam, na melhor das hipóteses, no horizonte. Ainda assim, no final de 1947, à medida que a Guerra Fria se intensificava, o Departamento do Interior solicitou um outro Projeto Manhattan: um imediato programa, imenso e estrepitoso, de dez bilhões de dólares, que seria capaz de produzir, dentro de quatro ou cinco anos, dois milhões de barris por dia de combustíveis sintéticos. Da forma como se apresentou, apenas 85 milhões de dólares foram autorizados na administração Truman para tal pesquisa. E, conforme o tempo passava, as projeções de custo tornavam-se cada vez mais altas, até que em 1951 estimou-se que a gasolina de carvão custaria três vezes e meia mais do que o preço de mercado da gasolina convencional. No fim, foi a disponibilidade crescente do petróleo estrangeiro barato que tornou os combustíveis sintéticos irrelevantes e antieconômicos. O petróleo importado matou os combustíveis sintéticos. E eles iriam permanecer mortos por três décadas, até que fossem exumados, reagindo a uma interrupção no fluxo do petróleo importado.[18]

No imediato pós-guerra, a tecnologia estava abrindo novas fronteiras internas para a exploração e o desenvolvimento. Conseguiu-se muito maior profundidade na perfuração de poços, com aumento na produção. E, ainda mais inovador, foi o desenvolvimento da produção em alto-mar. Desde meados de 1895, operadores perfuravam poços ao largo do cais próximo a Santa Bárbara, mas a produção dos poços não passava de um ou dois barris por dia. Nas primeiras décadas do século XX, os poços eram perfurados a partir de plataformas fixas nos lagos de Louisiana e da Venezuela. Nos anos 1930, as perfuradoras tinham entrado nas águas pouco profundas, bem próximas das praias do Texas e de Louisiana, embora com pouco sucesso. Eram apenas tentativas de distanciar-se do continente. Completamente diferente era ir para o alto-mar, para as águas profundas do golfo do México, de onde não se via o continente. Isso iria exigir a criação de uma nova indústria. Kerr-McGee, um independente de Oklahoma, quis aventurar-se. E que enorme a aventura. Não existia tecnologia nem *know-how* para a construção da plataforma, para colocá-la em posição, para perfurar o solo no fundo do oceano — e nem mesmo para prestar serviços de manutenção. Além disso, os conhecimentos essenciais sobre assuntos tão importantes, como condições meteorológicas (incluindo furacões), marés, e correntes, ainda eram rudimentares ou mesmo inexistentes.

Devido às suas dimensões, a administração da Kerr-McGee deduziu que não havia muitas chances de atrair extensões de terra de primeira categoria com as grandes companhias. Porém, tratando-se de áreas ao largo da costa, no golfo do México, não havia praticamente competição alguma. Na verdade, muitas outras companhias consideravam simplesmente impossível o desenvolvimento em alto-mar. Kerr-McGee juntou as peças e, em uma clara manhã de domingo, em outubro de 1947, no bloco 32, a dezesseis quilômetros da costa de Louisiana, suas perfuradoras encontraram petróleo.

A perfuração do bloco 32 foi um marco divisório, e outras companhias seguiram o exemplo de Kerr-McGee. No entanto, a preparação para a exploração marítima não foi tão rápida quanto poderia ter sido, em parte devido aos custos. Um poço marítimo poderia custar cinco vezes mais do que outro semelhante, de mesma profundidade, em terra. O desenvolvimento também foi retardado graças a uma intensa luta entre o governo federal e os estados que, na verdade, eram os donos da plataforma continental. É claro que o motivo real da briga referia-se a quem iria recolher os tributos sobre os rendimentos e essa questão não ficou resolvida até 1953.[19]

Visto que os combustíveis sintéticos ficariam muito caros e que o desenvolvimento de plataformas marítimas estava apenas no início, haveria alternativa para a importação do petróleo? Sim, havia. A resposta podia ser vista à noite, ao longo das infindáveis rodovias do Texas, nas luminosas faíscas de luz que brotavam das monótonas planícies. Era o gás natural, considerado um subproduto inútil e inconveniente da produção do petróleo e, por esse motivo, queimado — já que não havia outra coisa a fazer com ele. O gás natural era o órfão da indústria petrolífera. Apenas uma parcela da produção do gás natural era usada, principalmente no sudoeste. Contudo, o país revelou possuir imensas reservas de gás, que poderiam muito bem substituir o petróleo ou, para este caso, o carvão na calefação doméstica e industrial. Mas ele era tão escasso no mercado que era vendido por apenas um quinto do valor do petróleo extraído do mesmo poço, em condições satisfatórias.

O gás natural não exigia processos complexos de engenharia para poder ser utilizado. O problema era a transmissão: como fazê-lo chegar aos mercados do nordeste e do Centro-Oeste, onde estavam as maiores populações e as maiores indústrias do país. Para isso seriam necessários oleodutos interurbanos, que atravessassem o país parcialmente, construídos por uma indústria para a qual uma longa distância significava, até aquele momento, duzentos quilômetros. Mas os argumentos comerciais, que incluíam os cuidados com a segurança nacional e dependência em relação ao petróleo estrangeiro, eram muito fortes.

Em um julgamento que teve a aprovação do secretário da Defesa, Forrestal, o Comitê Interno das Forças Armadas, declarou que incrementar o uso do gás natural era "o método mais rápido e mais barato de que se dispunha no momento, para reduzir o consumo interno de petróleo" e que, por esse motivo o aço deveria "ser colocado à disposição para os dutos de gás natural, com prioridade, à frente de qualquer outro uso porventura proposto".

Em 1947, tanto o Big Inch quanto o Little Inch — os oleodutos construídos às pressas durante a guerra para transportar petróleo do sudoeste para o nordeste — foram vendidos para a Texas Eastern Transmission Company e transformados em gasodutos. No mesmo ano, em um projeto patrocinado pela Pacific Lighting, a matriz da Southern California Gas, a cidade de Los Angeles foi ligada aos campos de gás do Novo México e do oeste do Texas por um duto de amplo diâmetro. Esse mesmo gasoduto, de propriedade da El Paso Natural Gas foi batizado de "Biggest Inch". Em 1950, o volume de gás natural entre os estados alcançou setenta milhões de metros cúbicos — quase duas vezes e meia o nível de 1946. Sem o uso adicional de gás natural, a demanda americana de petróleo teria sido setecentos mil barris diários mais alta.

Nessa época a nova ordem do petróleo estava formada, centrada no Oriente Médio, e, ali, as companhias de petróleo estavam trabalhando em um ritmo febril para satisfazer o rápido aumento na demanda do mercado. O consumo nos Estados Unidos teve um salto de 12% em 1950 em relação a 1949. O petróleo provou ser o combustível preferido, não só nos Estados Unidos, mas também na Europa Ocidental e, mais tarde, no Japão, fornecendo a energia para suprir duas décadas de remarcável crescimento econômico. Idealizada para enfrentar novas realidades políticas e econômicas, a ordem pós-guerra do petróleo foi um grande sucesso — na verdade, ela foi, em certos aspectos, bem-sucedida demais. Em 1950, já estava claro que o maior problema enfrentado pela indústria não era mais a ansiedade com que se deparou logo, após a guerra, de não conseguir suprir a demanda. Ao contrário, uma análise feita pela Jersey, em julho daquele ano, descrevia a situação da seguinte forma: "Parece que no futuro, o petróleo bruto do Oriente Médio disponível para a Jersey poderá ultrapassar as exigências de maneira substancial". O que era verdadeiro para a Jersey, seria também para as outras grandes companhias. O prognóstico da Jersey era apenas uma alusão ao maciço superávit que a indústria iria enfrentar nos anos seguintes. Nesse meio tempo, enquanto a nova ordem do petróleo começava a gerar maciços lucros, cruéis batalhas já começavam a eclodir para decidir a melhor forma de dividi-los.[20]

CAPÍTULO XXII

Fifty-fifty: O New Deal do petróleo

EM 1950, ALGUNS REPRESENTANTES DO TESOURO dos Estados Unidos conferenciavam em Londres com funcionários públicos britânicos. Durante as discussões, os americanos mencionaram alguns progressos relativos às políticas do petróleo saudita, cujos efeitos seriam sentidos, com certeza, em todo o Oriente Médio. "O governo da Arábia Saudita fez recentemente algumas exigências assustadoras à Aramco", confidenciou um dos funcionários do governo americano. "Eles tocaram em todos os pontos possíveis nunca antes abordados por uma concessão governamental." Contudo, de uma forma ou de outra, todas as exigências reduziam-se a uma questão: os sauditas queriam mais dinheiro pela concessão. Muito mais dinheiro.

Tais exigências não ficavam, de forma alguma, restritas à Arábia Saudita. No final dos anos 1940 e início dos anos 1950, as companhias de petróleo e os governos engalfinhavam-se continuamente por causa das condições financeiras que serviriam de base para a ordem do petróleo no pós-guerra. O assunto principal era a divisão, que foi denominada de "desconfortável e importante termo nas questões econômicas dos recursos naturais" — rendimentos. O teor das lutas variava de país para país, mas o objetivo principal que lhes dava início em cada país era o mesmo: deslocar receitas oriundas das companhias de petróleo e dos cofres dos países consumidores que as taxavam para os cofres dos países exportadores de petróleo. O dinheiro, porém, não era a única coisa em jogo. Havia também o poder.

Proprietário e inquilino

"Homens práticos que se julgam isentos de qualquer influência intelectual geralmente são escravos de algum economista morto", disse certa vez John Maynard Keynes. Quando se falava de petróleo, os "homens práticos" incluíam não apenas os empresários que Keynes tinha em mente, mas também reis, presidentes, primeiros-ministros e ditadores, bem como seus ministros da energia e das finanças. Ibn Saud e os demais líderes da época, bem como os diversos potentados, estavam dominados pelas ideias de David Ricardo, um corretor de valores extraordinariamente bem-sucedido na Inglaterra no final do século XVIII e início do século XIX. (Entre outras coisas ele enriqueceu, repentinamente, com a vitória de Wellington sobre Napoleão em Waterloo.) De origem judia, Ricardo tornou-se um Quaker, na época um membro erudito da Câmara dos Comuns, e foi um dos fundadores da economia moderna. Ele e Thomas Malthus, seu amigo e rival intelectual, constituíram-se, pelo esforço conjunto, em herdeiros da geração de Adam Smith.

Ricardo desenvolveu o conceito que veio estabelecer a estrutura para a batalha entre as nações-Estado e as companhias de petróleo. Foi o conceito de "rendimento" como algo distinto dos lucros normais. Seu estudo concreto envolvia grãos, mas poderia aplicar-se também ao petróleo. Imaginemos dois proprietários, dizia Ricardo, um com campos muito mais férteis do que o outro. Ambos vendiam seus grãos pelo mesmo preço. Mas os custos do que tinha os campos mais férteis eram muito menores do que o que tinha campos menos férteis. O último talvez tivesse lucros, mas o primeiro, o que tinha campos mais férteis, não só tinha lucros como também alguma coisa muito mais importante — os rendimentos. Sua remuneração — os rendimentos — era derivada da qualidade específica de suas terras, que não eram resultado de sua engenhosidade ou de trabalho árduo, mas, exclusivamente, do legado generoso da natureza.

O petróleo era mais um entre os legados da natureza. Sua presença geológica nada tinha a ver com o caráter ou a conduta das pessoas que tiveram a sorte de ser donas do solo e subsolo em que jazia, ou com a origem de um determinado regime político dominante na região na qual foi encontrado. Esse legado também gerava rendimento que podia ser definido como a diferença entre o preço de mercado, de um lado, e os custos de produção acrescidos de uma margem para custos adicionais — transporte, processamento e distribuição — e para alguma reposição do capital, de outro. Ao final da década de 1940, por exemplo, o barril girava em torno de 2,5 dólares. Algum experiente operador de poços no Texas poderia ter um lucro de apenas dez centavos sobre seu petróleo. No Oriente Médio, porém, custava apenas 25 centavos produzir um barril de petróleo. Deduzindo cinquenta centavos para outros custos, tais como transporte, e conseguindo uma margem de "lucro" de dez centavos sobre a venda de um barril a 2,5 dólares, ainda restaria uma soma muito grande — 1,65 dólar em cada barril de petróleo. Este valor constituiria o rendimento. Multiplicado por qualquer quantidade da crescente produção, o dinheiro aumentava com muita rapidez. E quem ficaria com quanto desses rendimentos? O país hospedeiro, a companhia produtora ou o país consumidor que o taxava? Não havia acordo para essa questão elementar.

Todos apresentariam reivindicações legítimas. O país hospedeiro detinha a soberania sobre o petróleo em seu subsolo. Já o petróleo teria pouca valia se a companhia estrangeira não tivesse arriscado seu capital e empregado sua experiência para descobri-lo, produzi-lo e colocá-lo no mercado. O país hospedeiro era, em essência, o proprietário, a companhia uma simples possuidora, que deveria pagar, com certeza, uma renda pré-negociada. Mas, e se pelos esforços e riscos do possuidor fosse feita uma descoberta e o valor da propriedade aumentasse substancialmente, deveria o possuidor continuar pagando a mesma renda estabelecida nas condições iniciais, ou ela deveria ser aumentada pelo proprietário? "Este é o grande divisor da indústria petrolífera: "uma descoberta valiosa significa um proprietário insatisfeito", disse o economista especializado em petróleo, M.A. Adelman. "Ele sabe que o lucro do possuidor é muito maior do que o necessário para mantê-lo produzindo e deseja uma parcela dos rendimentos. Se conseguir algo, vai querer mais."[1]

A batalha pelos rendimentos no pós-guerra não ficou restrita exclusivamente à área econômica. Foi também uma luta política. Para os proprietários, países produtores de petróleo, a luta estava interligada aos temas da soberania, da construção da nação e da poderosa defesa nacionalista contra os "estrangeiros", considerados "exploradores" do país, que sufocavam o desenvolvimento, negavam a prosperidade social, corrompendo, quem sabe, a classe política e agindo, com certeza, como "senhores" de um modo arrogante, altivo e superior. Eles eram vistos como a personificação visível do colonialismo. Mas seus pecados não terminavam aí; estavam, além disso, exaurindo a "herança insubstituível" e a generosidade de seu proprietário e de suas futuras gerações. É lógico que o ponto de vista das companhias era completamente diferente. Elas assumiram riscos e prenderam a respiração, escolheram aplicar capital e esforços nesse lugar e não em outro, e assinaram contratos arduamente negociados, que lhes conferiram certos direitos. Tinham gerado riqueza onde não havia nada. Tinham que ser recompensadas pelos riscos que haviam assumido — e pelos poços secos que haviam perfurado. As companhias acreditavam que estavam sendo exploradas pela ganância, voracidade e irresponsabilidade do poder constituído local. Elas não achavam que estivessem "explorando"; sua queixa melancólica era: "Fomos roubadas".

Havia ainda uma outra dimensão política para a luta. Para os países consumidores do mundo industrializado, o acesso ao petróleo era uma vantagem estratégica, vital não apenas para a sua economia e capacidade de crescimento, mas também como um elemento central e essencial na estratégia nacional — e, a propósito, também, uma fonte significativa de tributação, tanto diretamente pelos impostos sobre consumo quanto pela alimentação da atividade econômica como um todo. Para o país produtor, o petróleo também significava poder, influência, expressão e *status* — todos eles anteriormente inexistentes. Portanto, era uma batalha na qual o dinheiro significava poder e vaidade. Era isso o que fazia a batalha tornar-se, muitas vezes, tão selvagem. A primeira frente dessa luta épica foi aberta na Venezuela.

A purificação ritualística da Venezuela

A ditadura tirânica do general Gómez, da Venezuela, havia chegado ao fim em 1935, pelo único método seguro quando tudo o mais falha — a morte do ditador. Gómez se foi, deixando uma confusão; havia tratado a Venezuela como uma propriedade exclusiva, uma fazenda particular, administrada para seu próprio enriquecimento. A maioria da população permanecia empobrecida, enquanto a indústria petrolífera nacional havia se desenvolvido a um ponto em que o destino econômico de toda a nação dependia dela. Gómez também deixara para trás uma vasta gama inesperada de opositores. Nas mãos de Gómez os militares sofreram tratamento humilhante; eram mal pagos, não tinham *status*, além de terem que passar parte do seu tempo vigiando as numerosas cabeças de gado de propriedade do ditador. Não menos importante foi a criação de uma oposição da esquerda democrática, centralizada naquela que ficou conhecida como "a geração de 28" — estudantes da Universidade Central de Caracas, que haviam se rebelado contra Gómez em 1928. Naquela época, é lógico, haviam falhado, e os líderes foram mandados para a prisão, onde tiveram barras de ferro de trinta quilos amarradas aos tornozelos, ou então tinham partido para o exílio ou sido enviados por Gómez para trabalhar junto com outros trabalhadores em estradas no meio de florestas infectadas, no interior do país. Muitos membros da geração de 28 pereceram, vítimas, de um modo ou de outro, do terror de Gómez. Os sobreviventes tornaram-se o núcleo dos reformistas, liberais e socialistas, que conseguiram retomar pouco a pouco a vida política venezuelana, depois da morte de Gómez. Quando a geração de 28, finalmente, chegou ao poder, pôde construir as bases para redefinir a relação entre as companhias de petróleo e os países produtores, entre possuidores e proprietários ao redor do mundo — bem como para redefinir a metodologia de realocação de rendimentos.

Com a economia líquida da Venezuela já dominada pelo petróleo — responsável por mais de 90% do valor total das exportações, no final da década de 1930 — os sucessores de Gómez começaram a formular reformas para o caótico regulamento da indústria e efetuar uma revisão geral nos acordos contratuais entre a nação e as companhias produtoras do seu petróleo, incluindo uma realocação de rendimentos. Os Estados Unidos eram os catalisadores do processo. Durante a II Guerra Mundial, Washington estava plenamente consciente da persistente discórdia com o México a respeito da nacionalização de sua indústria petrolífera e tencionava proteger o acesso à Venezuela, que era a fonte externa de petróleo mais significativa para os Estados Unidos e, relativamente, a mais segura. Assim, o governo americano iria intervir diretamente para evitar um novo México e resguardar o que foi, no meio da guerra, um enorme privilégio estratégico. De sua parte, as companhias não desejavam arriscar a nacionalização. A Standard Oil of New Jersey e a Shell eram os produtores dominantes na Venezuela. Elas sabiam que estavam situadas sobre algumas das mais importantes reservas de petróleo do mundo, que não poderiam se dar ao luxo de perder. A Venezuela era a maior fonte de petróleo barato, e a subsidiária Creole da Jersey gerava ali a metade da produção mundial total da companhia e a metade de sua receita total.[2]

A Jersey, entretanto, enfrentava um impasse a respeito do que fazer em face das exigências da Venezuela em redistribuir os rendimentos. Os tradicionalistas da companhia, alguns dos quais haviam sido partidários do antigo regime de Gómez, queriam permanecer firmes contra quaisquer mudanças provenientes de Caracas ou de Washington. Opondo-se a eles estava Wallace Pratt, que tinha sido o geólogo-chefe da Jersey antes de assumir posições executivas mais importantes. Pratt, com longa experiência na América Latina, considerava que o mundo havia mudado e que a mudança e a adaptação por parte da companhia eram não só inevitáveis, como também essenciais para proteger seus interesses a longo prazo. Estava convencido também de que uma resistência implacável seria não só dispendiosa, mas também inútil. O melhor seria ajudar a criar uma nova ordem, na opinião de Pratt, em vez de ser uma vítima dela. O debate chegou num momento em que a própria Jersey era alvo de ataques políticos traumáticos e dolorosos em Washington, devido à controvérsia gerada pelo seu relacionamento com a I.G. Farben antes da guerra e pela nova campanha antitruste do Departamento de Justiça. Como resultado, a Jersey alterou sua atitude e orientação em relação à política popular e ao meio político, e não apenas nos Estados Unidos. Além do mais, a administração Roosevelt deixou bem claro que, em qualquer disputa com a Venezuela como consequência de falha de adaptação da companhia, a Jersey não poderia contar com o apoio de Washington.

A Jersey simplesmente não podia arriscar-se a perder sua posição na Venezuela e a opinião de Wallace Pratt prevaleceu. A Jersey empossou um novo presidente na Venezuela, Arthur Proudfit, que simpatizava com os objetivos sociais do país e demonstraria uma sensibilidade notável às mudanças no cenário político venezuelano. Proudfit fizera parte do grupo de engenheiros que migraram do México para a Venezuela na década de 1920; ele levara consigo uma lembrança duradoura das relações desastrosas entre as companhias e o governo e das lutas cruéis entre as classes trabalhadoras nos campos de petróleo, juntamente com uma determinação para aplicar as dolorosas lições que havia aprendido no México.

Todos os principais personagens — os governos da Venezuela e dos Estados Unidos, a Jersey e a Shell — estavam dispostos a levantar os problemas. Para ajudar a facilitar os assuntos, o subsecretário de Estado, Sumner Welles, tomou a atitude, sem precedentes, de recomendar ao governo venezuelano os nomes dos consultores independentes, incluindo Herbert Hoover Jr., filho do presidente anterior e geólogo reconhecido por seus próprios méritos, que poderia ajudar a Venezuela a melhorar sua posição de barganha em face das companhias. Welles também pressionou o governo britânico a certificar-se de que a Royal Dutch-Shell entraria em acordo. Com o auxílio dos consultores, foi produzido um acordo baseado no novo postulado do 50/50. Foi um marco divisório na história da indústria petrolífera. De acordo com esse conceito, as diversas taxas e os *royalties* poderiam ser aumentados até o ponto em que a parcela do governo se igualasse aos lucros líquidos das empresas na Venezuela. Ambas as partes seriam, na verdade, parceiras com os mesmos direitos, dividindo os rendimentos ao meio. Em troca, as questões relativas à validade das várias concessões seriam postas de lado — e haveria, com certeza, um severo questionamento sobre a forma de obtenção de algumas concessões pela Jersey e pelas companhias que ela havia adquirido. O direito para as concessões existentes seria também consolidado e sua vigência estendida, além de se criarem oportunidades para novas explorações. Para as companhias, estas eram vantagens muito atraentes.

A lei proposta recebeu críticas dos membros da Acción Democrática, o partido liberal-socialista que havia sido formado pelos sobreviventes da geração de 28. Sua acusação era de que a lei, da forma como fora escrita, poderia resultar em uma divisão desigual para a Venezuela, além de argumentar que a Venezuela deveria ser recompensada pelos lucros anteriores das empresas. "A purificação total da indústria petrolífera venezuelana, sua limpeza ritualística, não será possível até que as companhias tenham pago uma recompensa financeira adequada ao nosso país", declarou o representante da Acción Democrática para assuntos do petróleo, Juan Pablo Pérez Alfonso. Apesar da abstenção dos deputados da Acción Democrática, o Congresso venezuelano aprovou a nova lei do petróleo em março de 1943, honrando o acordo.

A maioria das companhias estava bem preparada para funcionar sob o novo sistema. "Elas estão atrás de dinheiro", declarou Frederick Godber, diretor da Shell, falando do governo venezuelano, logo depois da aprovação da lei. "A menos que sejam incitados por nossos amigos do outro lado do oceano, não parecem estar propensos a rejeitar uma boa quantia, de onde quer que ela venha." Mas algumas companhias menores que operavam na Venezuela estavam escandalizadas, ao contrário das maiores. William F. Buckley, presidente da Pantepec ail Company, telegrafou ao secretário de Estado para denunciar a nova lei, chamando-a de "opressiva" e para declarar que ela fora aceita apenas "sob coação do governo da Venezuela e de nosso Departamento de Estado". Ela era um convite claro, acrescentou, para favorecer "agitações e atentados de invasão aos direitos de propriedade dos lucros americanos sobre o petróleo". O telegrama de Buckley foi arquivado.

Dois anos mais tarde, em 1945, o regime interino da Venezuela foi derrubado por um golpe de jovens oficiais militares, agindo em colaboração com a Acción Democrática. Romulo Betancourt foi o primeiro presidente da nova junta. Antes de emergir como líder da geração de 28, ele jogara como atacante no campeonato de futebol universitário. Logo depois foi exilado duas vezes, tornou-se secretário-geral da Acción Democrática e cumpria seu primeiro mandato como membro da Câmara de vereadores de Caracas na época do golpe. O ministro do Desenvolvimento era Juan Pablo Pérez Alfonso, que tinha sido o líder no Congresso das críticas à Lei do Petróleo de 1943 e agora reclamava que a prometida partilha 50/50 estava na prática funcionando como 60/40, a favor das companhias. Pérez Alfonso decretou revisões significativas nas leis tarifárias planejadas para assegurar que a divisão fosse realmente "meio a meio". A Jersey aceitou as alterações; seu gerente na Venezuela, Arthur Proudfit, comunicou ao Departamento de Estado que "não se poderia levantar nenhuma objeção razoável a uma revisão ascendente da estrutura do imposto de renda". Ao todo, os rendimentos foram dramaticamente redistribuídos, entre a Venezuela e as companhias de petróleo, pela Lei do Petróleo de 1943 e pelos ajustes subsequentes de Pérez Alfonso. Como resultado dessas alterações, mais a rápida expansão da produção, a arrecadação total do governo, em 1948, foi seis vezes maior do que havia sido em 1942.

Em outra ação que derrubou precedentes, Pérez Alfonso decidiu tentar captar receita direto dos segmentos paralelos à indústria. Era seu desejo que a Venezuela colhesse os lucros de transportes, refinação e comercialização. Na busca desse objetivo, insistia em obter uma parte dos *royalties* devidos à Venezuela não em dinheiro, mas em espécie — ou seja, em petróleo. Daria, então, meia volta, vendendo o petróleo recebido como *royalties* para o mercado mundial. "Isso quebrou um tabu mundial", disse o presidente Betancourt. "O nome da Venezuela passou a ser conhecido no mercado mundial de petróleo como o país onde é possível adquirir o petróleo em negociações diretas. O manto do mistério sobre o mercado do petróleo — atrás do qual os anglo-saxões vinham mantendo um monopólio de direitos e segredos — foi removido para sempre."

Em forte contraste com o que havia ocorrido no México, as grandes companhias de petróleo não só se adaptaram à redistribuição dos rendimentos como também estabeleceram um relacionamento de trabalho bem-sucedido com a Acción Democrática durante seu período no poder. A Creole movimentou-se rapidamente para ocupar sua posição junto às nacionais; em poucos anos, sua força de trabalho tornou-se 90% venezuelana. Arthur Proudfit, da Creole, fazia até mesmo *lobby* em nome do governo venezuelano com o Departamento de Estado americano, na época em que a própria Creole foi descrita pela *Fortune* como "talvez o mais importante posto de capital e *know-how* americanos no exterior".

Betancourt, em certa ocasião, pode ter se referido às companhias internacionais como "polvos imperialistas". Mas ele e seus colegas eram fundamentalmente pragmáticos; reconheciam que precisavam das companhias e que poderiam trabalhar junto com elas. O petróleo era o responsável 60% da receita do governo; a economia baseava-se virtualmente no petróleo. "Teria sido um salto no espaço nacionalizar a indústria por decreto", declarou Betancourt posteriormente. Os objetivos da nação podiam ser alcançados sem a nacionalização. Com certo orgulho, Betancourt observou que, como resultado das reformas tributárias em meados da década de 1940, o governo recebeu 7% a mais por barril do que foi pago ao governo mexicano por sua indústria nacionalizada. E a produção venezuelana era seis vezes maior que a do México.

No governo de Betancourt, o princípio do 50/50 foi seguramente definido na Venezuela. Mas o tempo estava se esgotando. Um novo governo da Acción Democrática havia sido eleito com 70% dos votos, em dezembro de 1947. Menos de um ano depois, em novembro de 1948, foi deposto por membros da mesma facção militar que tinham sido seus aliados no golpe de 1945.

Alguns especuladores do petróleo aplaudiram o golpe de novembro de 1948. William F. Buckley estava se deleitando, dizia ele, pois Betancourt e seus aliados na Acción Democrática "usaram os imensos recursos em dólar de que o país dispunha para favorecer os interesses da Rússia comunista no Ocidente e forçaram o capital americano a fornecer o dinheiro para sua campanha antiamericana". Não era assim, no entanto, o modo como as maiores companhias petrolíferas viam as coisas. Arthur Proudfit considerou o golpe "desanimador e decepcionante." Ele pôs em risco três anos de relação estável com o governo democrático.

Betancourt demonstrou seu pragmatismo de muitas maneiras. Chegou até a convidar um proeminente cidadão americano para fundar uma nova empresa — a International Basic Economy Corporation — que iria financiar projetos de desenvolvimento e novos negócios na Venezuela. Este americano, em particular, devia sua considerável fortuna ao petróleo. Era o recente demissionário do cargo de coordenador para Assuntos Interamericanos do Departamento de Estado — Nelson A. Rockefeller, neto de John D.[3]

A Zona Neutra

Um outro rompimento de precedentes na redefinição do relacionamento entre proprietário e possuidor se deu em uma área remota do mundo, que não possuía apenas um proprietário, mas dois. A Zona Neutra constituía-se dos mais de dois mil quilômetros quadrados de deserto árido que os britânicos percorreram em 1922, no período em que traçavam uma fronteira entre o Kuait e a Arábia Saudita. Para poder acomodar os beduínos, que iam e vinham do Kuait para a Arábia Saudita e para quem a nacionalidade era um conceito obscuro, concordou-se que os dois países iriam compartilhar da soberania sobre a região. Se todo sistema possui em si as sementes de sua própria destruição, então foi na Zona Neutra, e na maneira como seus direitos sobre o petróleo foram loteados, que se iniciou a erosão, a eventual responsável pelo fim da ordem do petróleo no pós-guerra.

Ao final da guerra, o governo dos Estados Unidos, especificamente o Departamento de Estado, endossou e apoiou ativamente muitos dos novos acordos do petróleo no Oriente Médio, mas tinha uma preocupação constante: as inter-relações que estavam surgindo entre as principais companhias de petróleo, causadas pelos "grandes acordos petrolíferos". Além disso, preocupava-se com o efeito da competição pelo mercado. Preocupava-se ainda mais com a *percepção* do papel predominante que exercia tal grupo reduzido de companhias, e com a ajuda oferecida pelo governo americano a ele. A coisa toda estaria se assemelhando demais a um cartel, grão perfeito a ser moído pelos moinhos nacionalistas e comunistas da região e das proximidades. Ao mesmo tempo, o novo sistema do Oriente Médio poderia facilmente provocar reações críticas e oposição de diversos grupos nos Estados Unidos, não apenas dos funcionários encarregados da extinção de cartéis e dos críticos liberais dos grandes negócios, mas também do setor independente da indústria petrolífera interna, com sua aversão intrínseca pelo "grande petróleo" e agora, cada vez mais, pelo "petróleo estrangeiro".

Para impedir essas críticas e julgamentos, Washington adotou uma política surpreendentemente explícita para encorajar a participação de "novas companhias" no desenvolvimento do petróleo no Oriente Médio, a fim de contrabalançar com as companhias maiores e os consórcios feitos entre elas. Tal política iria satisfazer dois interesses políticos adicionais do Departamento de Estado. A inclusão de mais participantes serviria de estímulo para o ritmo de desenvolvimento das reservas de petróleo do Oriente Médio, levando maiores lucros aos países da região, uma meta cada vez mais importante. Ao mesmo tempo, pensava-se que, quanto mais fontes de petróleo houvesse no Oriente Médio, menores os preços para os consumidores. Mas havia tantos modos de dividir os rendimentos, de baixar os preços aos consumidores e de aumentar as rendas dos países produtores que essas metas eram, em última análise, inconsistentes.

Em 1947, o Departamento de Estado passou, a fim de promover sua nova política, uma circular pelas companhias americanas, comunicando-lhes que o Kuait estava abrindo licitação de seus direitos sobre a Zona Neutra e que o governo dos Estados Unidos ficaria satisfeito em vê-las tirando vantagens dessa oportunidade. Muitas das maiores companhias consideraram arriscado demais. Elas temiam que, se entrassem em uma licitação, teriam certamente que oferecer condições consideravelmente melhores do que as que estavam pagando pelas suas concessões atuais, o que poderia provocar grande irritação nos países envolvidos.

Uma pessoa bastante familiarizada com a investida da política americana, bem como com as oportunidades no Oriente Médio, era Ralph Davies, o ex-executivo de marketing da Standard of California, que havia sido auxiliar de Harold Ickes na Petroleum Administration for War (PAW) e depois chefe da Oil and Gas Division no Departamento de Negócios Internos e estava agora de volta aos negócios privados. Em 1947, a fim de poder fazer ofertas pelas concessões do Kuait na Zona Neutra, Davies organizou um consórcio incluindo proeminentes companhias independentes, tais como a Phillips, a Ashland e a Sinclair. Ele foi chamado de "Aminoil". Que outro nome melhor poderia ter sido dado? Aminoil era a abreviação de American Independent Oil Company. Davies advertiu seus parceiros que esperassem uma jornada brutal — eles estavam agora "indo contra o tempo", disse ele, e a competição com as maiores seria bastante intensa.

A Aminoil teve uma oportunidade peculiar criada por Jim Brooks, um soldador do campo petrolífero do Texas que, na volta de uma tarefa executada na Arábia Saudita, havia se hospedado no Shepheard's Hotel, no Cairo. Por coincidência, encontrava-se hospedado lá o secretário do emir do Kuait, que acabara de receber instruções para encontrar um engenheiro do Texas sem ligações com as grandes companhias, a fim de trazer novos proponentes. O chapéu de caubói do soldador dera motivo suficiente para iniciar uma conversa, e o soldador logo foi convidado ao Dasman Palace na cidade do Kuait, onde conquistou a gratidão permanente do principado carente de água, ao ajustar o encanamento do palácio, de forma que o consumo de água caiu em 90%. Quando o soldador finalmente voltou aos Estados Unidos, as notícias de sua nova amizade se espalharam pelos canteiros petrolíferos, embora sua história não tivesse sido considerada particularmente verossímil. Devido aos seus valiosos contatos, foi recrutado pela equipe de negociações da Aminoil — com resultados bastante positivos. A Aminoil ganhou a concessão do Kuait na Zona Neutra com um lance que chocou a indústria: 7,5 milhões de dólares à vista, 625 mil dólares anuais de *royalties* no mínimo, 15% dos lucros — e um iate de um milhão de dólares para o emir do Kuait. Isto posto, ainda restavam os direitos da Arábia Saudita na Zona Neutra, que agora também estavam livres para aquisições ilegais.[4]

"O melhor hotel da cidade"

Se um dos objetivos da política americana era espalhar a riqueza disseminando *holdings*, o fato de uma concessão saudita na Zona Neutra ter ido parar nas mãos de uma companhia americana independente provocou o efeito oposto. Oito anos depois de ter ganhado a concessão,um engenheiro chamado Jean Paul Getty, ou J. Paul Getty, como ele próprio queria, se tornaria o homem mais rico da América. Desde os primeiros dias no comando dos negócios, o introspectivo, fútil e inseguro Getty foi tomado por uma intensa necessidade de ganhar dinheiro, combinada com um extraordinário talento para fazê-lo. "Há sempre o melhor hotel na cidade e o melhor quarto nesse melhor hotel da cidade, e há sempre alguém nele," disse uma vez. "E há o pior hotel, o pior quarto do hotel, e há sempre alguém nele também." Estava claro que ele desejava ocupar o melhor quarto.

Getty buscava constantemente conquistar vitórias, exercer o poder sobre as pessoas e, então, assim parecia para alguns, trair quem dele dependia ou que havia confiado nele. Ele não era, com certeza, mais confiável que Gulbenkian. "As pessoas quase constantemente ficam decepcionadas com os subalternos", explicava. "Eles podem ser competentes 80% do tempo, mas em 20% fazem coisas um tanto inacreditáveis." Havia duas coisas que Getty não suportava: perder um debate e dividir autoridade. Tinha que estar no comando. "Eu consegui atingir um recorde perfeito com J. Paul Getty," disse um parceiro comercial. "Tive mil discussões com ele e jamais venci uma sequer. Não se importava com as evidências que você apresentava. Não acreditava em mudança de opinião. Mesmo que você pudesse mostrar-lhe que uma decisão estava dez a um a seu favor, ele não arredava pé — por princípio." Getty era um jogador, mas mesmo em suas maiores apostas era cauteloso, conservador, e faria o que pudesse para defender sua posição. Como ele explicava: "Se eu quisesse apostar nos jogos de aposta típicos, compraria um cassino e me apossaria das porcentagens, em vez de jogar."

O pai de Getty era advogado de uma companhia de seguros de Minnesota que havia ido para Oklahoma cobrar títulos pendentes e que acabou como um milionário do petróleo. O filho começou a montar seu próprio negócio, lado a lado com o pai, durante a I Guerra Mundial. O pai era um homem cuja palavra era uma carta de fiança. O filho, em contraste, envolvia-se naquilo que, nos negócios petrolíferos, era chamado de *trapaças*, e o fazia com tanta habilidade e satisfação que converteu tais práticas quase numa arte. Ele se divertia com seus triunfos, seja nos negócios ou noutra atividade qualquer. Getty era "bem constituído, briguento por natureza e rápido," disse o boxeador

Jack Dempsey, que certa vez lutou com ele. "Nunca encontrei alguém com uma concentração tão intensa, e força de vontade — talvez mais do que o desejável. Este é o segredo."

Na juventude, Getty lançou-se a uma fantástica vida de romances arrebatadores e aventuras sexuais, com especial predileção por jovens e adolescentes. Casou-se cinco vezes. As juras do matrimônio não eram, para ele, inconveniente algum; para envolver-se em alguns de seus *affairs* mais clandestinos ele agia simplesmente com o apelido preferido, e nem um pouco discreto, de "Mr. Paul". Gostava de viajar para a Europa porque lá chamava menos atenção quando estava em "flagrante delito" com duas ou três mulheres de uma só vez. No entanto, o verdadeiro amor de sua vida fora uma francesa, esposa de um cônsul geral russo na Ásia Menor, com quem manteve um apaixonado caso amoroso em Constantinopla, no ano de 1913. Despediu-se dela nas docas de Istambul, certo de que seria uma separação breve, porém perdeu o contato com ela para sempre no tumulto da guerra e na revolução que veio em seguida. Depois de sessenta anos, quando já conseguia falar sobre seus cinco casamentos de modo quase mecânico, como se fossem ações judiciais, a simples menção dessa senhora, madame Marguerite Tallasou, era o suficiente para encher seus olhos de lágrimas.

Para falar a verdade, Getty tinha outras importantes atividades. Tinha inclinação para as letras, e escreveu pelo menos sete livros, incluindo um sobre como tornar-se milionário (para a *Playboy*), uma história sobre os negócios do petróleo, um livro sobre coleções de arte e um volume intitulado *A Europa no Século XVIII*. Desenvolveu, ainda, uma importante atividade como colecionador de arte, formando uma das maiores coleções de arte do mundo. Embora tais interesses externos, especialmente as mulheres, o envolvessem em manchetes e ações judiciais, jamais permitiu que qualquer deles o desviasse de sua vocação principal: sua busca determinada por dinheiro através do petróleo. "Um homem de negócios toma-se um fracasso quando permite que sua vida familiar se misture com seus compromissos profissionais", declarou certa feita. Ou, como confidenciou abertamente a uma de suas esposas, "quando estou pensando no petróleo, não penso em mulheres".

Getty estava sempre em busca de uma barganha. "Tinha uma filosofia", disse um assistente. "Era obcecado pelo valor. Se achava que alguma coisa tinha valor, ele a comprava e nunca mais vendia." Em sua busca pelo valor, ele não hesitava em ir contra a maré. Na década de 1920, ele decidiu que ficaria mais barato perfurar poços em busca de petróleo do que comprar as ações supervalorizadas de outras companhias de petróleo. Depois do desastre financeiro do mercado de ações, em 1929, mudou completamente de opinião; percebeu que as ações pertencentes aos ativos das indústrias petrolíferas estavam sendo vendidas com um grande desconto e passou a fazer a prospecção do petróleo no solo da Bolsa de Valores — período no qual se meteu em uma longa e desagradável batalha pela posse da Tidewater Oil Company, tendo a Standard of New Jersey como sua principal concorrente. A tumultuada compra foi uma imensa aposta. Foi também uma decisão acertada. Essas aquisições foram a base para o crescimento de sua fortuna na década de 1930.

Getty sempre quis o melhor preço, a melhor barganha, e agia de modo implacável nessa atividade. Durante a Grande Depressão, ele demitiu todos os seus funcionários e depois os readmitiu com salários menores. Em 1938, fez um negócio de ocasião com o Pierre Hotel na Quinta Avenida de Nova York, comprando-o por 2,4 milhões de dólares — menos de um quarto de seu custo de construção. Naquele mesmo ano, muitos meses depois da tomada da Áustria pelos nazistas, Getty estava em Viena, onde conseguiu ser recebido na casa do barão Louis de Rothschild. Não estava lá para visitar o barão, que naquele momento era mantido prisioneiro pelos nazistas, mas pelos seus valiosos móveis, que em sua opinião logo estariam disponíveis. Gostou do que viu e foi imediatamente para Berlim, onde tinha algumas namoradas bem relacionadas, e procurou descobrir o que a SS tencionava fazer com os móveis do barão. Acabou comprando algumas peças com um enorme desconto — para sua imensa satisfação. Entretanto, conviveu com seus próprios temores durante aqueles anos. Confidenciou a uma de suas esposas que mantinha um enorme iate na Califórnia, para que pudesse partir rapidamente, caso os comunistas tomassem o poder nos Estados Unidos.

Ao final dos anos 1930, Getty já era um homem muito rico. Tendo colaborado substancialmente com o Partido Democrata e com diversos políticos, procurou conseguir um posto diplomático e depois, com a entrada dos Estados Unidos na guerra, uma patente na marinha. Seus esforços resultaram em nada, pois tanto o FBI quanto o serviço secreto das forças armadas desconfiaram que havia mantido contatos sociais relativamente extensos com líderes nazistas — e até mesmo desenvolvido uma simpatia por eles, ainda que bem fora de hora. Alguns relatórios iam além; havia bizarras alegações de que ele, por exemplo, estivesse admitindo espiões alemães e italianos como funcionários do Pierre Hotel. De acordo com justificativas do serviço secreto da marinha, seu pedido por uma patente "foi recusado devido às suspeitas de espionagem". Independentemente da veracidade dos fatos, seu fascínio pelos ditadores continuou pelo resto da vida.

Durante a guerra, Getty estava em Tulsa, dirigindo uma fábrica de aviões, subsidiária de uma de suas companhias de petróleo. Nessa época tinha inúmeras excentricidades. Não só conduzia as operações em Tulsa diretamente de um *bunker* de concreto como também morava ali, em parte por medo de ser bombardeado pela Luftwaffe alemã. Chegava a ponto de mastigar cada porção de alimento 33 vezes e contraiu o hábito de lavar suas próprias peças íntimas todas as noites, devido a sua antipatia por detergentes comerciais. Aos 55 anos, fez sua segunda cirurgia plástica e tingia os cabelos de uma cor castanho-avermelhada muito esquisita, que no geral lhe conferia uma aparência um tanto encarquilhada e de embalsamado.

O fim da guerra apenas reacendeu sua ambição irresistível de ganhar mais e mais dinheiro. Concentrou seus esforços preliminares em um ramo de negócios que, em sua opinião, era o caminho certo para fortunas fabulosas, visto que os americanos acostumaram-se a ir para as ruas e estradas nos anos pós-guerra: a fabricação de *traillers*. Porém abandonou essa ideia por algo que conhecia muito melhor — o petróleo. Getty tinha certeza que queria a concessão saudita para a Zona Neutra, antes mesmo de tê-la inspecionado. "Se alguém quiser ter alguma projeção no mundo dos negócios petrolíferos", declarou, "é preciso que esse alguém tenha um pé no Oriente Médio. Esta era sua chance."

O chefe de explorações na divisão das Montanhas Rochosas da Getty's Pacific Western era um jovem geólogo chamado Paul Walton, Ph.D. do Instituto de Tecnologia de Massachusetts (MIT). Walton havia trabalhado na Arábia Saudita para a Standard of California, no final da década de 1930, e conhecia o caminho por lá. Seria Walton o homem de Getty para fazer um acordo com os sauditas? Getty convocou-o para alguns dias de discussões e instruções no Pierre Hotel. Getty era dono de uma expressão facial "meio-louca", relembrava constantemente Walton — um tipo de carranca sisuda, desagradável, que Walton imaginava ter sido desenvolvida para manter as pessoas distantes dele e de seu dinheiro. Walton classificou Getty como um déspota, embora de notável inteligência. Suas discussões a respeito da concessão saudita correram, porém, de forma tranquila, e Getty estabeleceu os limites para o acordo — a que preço começar a oferta pela concessão e qual o limite a que Walton poderia chegar. Deu também a Walton uma ordem firme: ao chegar à Arábia Saudita que não comentasse esse assunto com ninguém.

Walton partiu de Jidá e logo se viu frente a frente com Abdullah Suleiman, o mesmo assessor financeiro que conduzira as negociações para a concessão inicial da Socal, há quase vinte anos. Suleiman tomou as providências para que Walton embarcasse em um DC-3 e fizesse um voo de reconhecimento pelo deserto da Zona Neutra. Walton mal acreditava no que estava vendo do avião: um pequeno monte brotando da plana extensão de terra. Ele estava exultante. Era muito semelhante ao monte do campo de Burgan no Kuait, até então o maior campo de petróleo conhecido do mundo.

Embora muito entusiasmado quando voltou para Jidá, Walton, lembrando-se das recomendações de Getty a respeito da segurança, estava também bastante cauteloso. Não havia chaves nas portas dos quartos do hotel onde estava hospedado, e por esse motivo não deixou papéis espalhados. Não se arriscou a enviar notícias para Getty por telégrafo, pois tinha certeza de que seriam interceptadas. Em vez disso, enviou-lhe pelo correio uma carta redigida a mão. "A julgar pelo pequeno monte", dizia em sua carta, "as bases para um acordo petrolífero de vulto eram 50/50". Poderia ter fixado bases mais altas, porém estivera na Arábia Saudita depois da primeira descoberta, em 1938, e recordou-se de duas estruturas aparentemente perfeitas que haviam sido perfuradas, cada uma delas "tão secas quanto o inferno". Portanto, 50/50 era muito mais promissor do que as bases de exploração nas Montanhas Rochosas, que era de um para dez, ou mesmo de um para vinte.

Walton iniciou negociações com Suleiman, que foram conduzidas em grande parte na varanda da casa dele, em Jidá. O acordo seria, com certeza, muito caro. Uma vez mais, a Arábia Saudita precisava de dinheiro, muito, e, como em 1933, Suleiman exigiu o pagamento de um imenso bônus adiantado. Como já havia combinado com

Getty, Walton ofereceu inicialmente 8,5 milhões de dólares. O acordo foi finalmente fechado por 9,5 milhões de dólares adiantados, uma garantia de um milhão de dólares por ano, mesmo que não fosse encontrado petróleo, e *royalties* de 55 centavos por barril, muito mais alto do que se pagava em qualquer outro lugar. Walton assentiu também que Getty estabeleceria programas de treinamento, construiria casas, escolas, inclusive uma pequena mesquita, e forneceria gasolina grátis para o exército saudita. Além disso, Suleiman insistiu para que Getty mantivesse uma unidade do exército saudita para proteger a área da concessão contra qualquer ameaça potencial vinda de Israel ou da União Soviética. Finalmente, exigiu um telegrama assinado pelo secretário de Estado Dean Acheson para o governo saudita, esclarecendo que as companhias americanas particulares estavam legalmente proibidas de financiar outro exército nacional, para dar a questão por encerrada.

No último dia de 1948, Suleiman assegurou a Walton que Getty havia ganho a concessão. Suleiman, entretanto, tomou a precaução de comunicar à Aminoil e a uma empresa de Wall Street que, se qualquer uma pudesse cobrir a oferta de Getty, a concessão seria dela. Mas o preço fixado estava muito alto e o risco muito grande; nenhuma das duas aceitou. É claro que, de sua parte, Walton negociara como em um jogo de pôquer. Suleiman parou nos 9,5 milhões de dólares. Ele jamais descobriu que, no Pierre Hotel, Getty dera autorização para que Walton chegasse a até 10,5 milhões de dólares. Mesmo assim, a companhia de Getty, Pacific Western, estava pagando um valor sem precedentes para arriscar a prospecção em um deserto desconhecido.[5]

Tanto o Kuait quanto a Arábia Saudita mantinham na Zona Neutra o que se conhecia como "participação indivisível de 50%". Isso significava que eles poderiam repartir o bolo inteiro. Por esse motivo, suas respectivas concessionárias tinham que mesclar operações em um nível considerável. O resultado foi uma união totalmente infeliz. As relações entre a Aminoil e a Pacific Western de Getty eram terríveis; Getty e Ralph Davies, o presidente da Aminoil, não se suportavam. A Pacific Western era uma banda de um homem só; a Aminoil, um consórcio complicado que exigia aprovação de seus vários membros.

A Aminoil desempenhava o papel mais importante na exploração da área. Nada era fácil. Ela lutava para manter os custos baixos e para fazer tudo da forma mais barata possível. Mas, não importava o que a Aminoil fizesse, nunca era barato o suficiente para J. Paul Getty. A exploração levou um tempo maior e mostrou ser mais difícil e, portanto, muito mais dispendiosa do que o previsto. Conforme passava o tempo, a ansiedade entre os homens do petróleo americanos crescia rapidamente, e com bons motivos. No início de 1953, já haviam se passado cinco anos desde que a concessão fora outorgada, ambos os grupos já tinham despesas que excediam os 30 milhões de dólares e nada havia para mostrar como resultado de seus esforços, a não ser cinco poços secos. Getty procurava suavizar sua ansiedade de várias maneiras. Concentrava-se em seus negócios. Viajava pela Europa. Passava várias semanas observando o retrato de Martin Looten feito por Rembrandt, que era de sua propriedade. Como havia feito o jovem

John D. Rockefeller um século atrás, o sexagenário Getty relaxava calculando sua receita e suas despesas ao final de cada dia. Um assentamento vindo de Paris registrava somas na coluna "receitas" que eram calculadas em milhares e milhões, enquanto na coluna "despesas" registravam-se coisas do tipo "jornal dez centavos" e "tarifa de ônibus — cinco centavos". Voltando aos Estados Unidos, finalmente conseguiu vencer sua batalha de vinte anos pelo controle da Tidewater Oil, comprou uma mesa laqueada estilo Luís XV, rara, e matriculou-se em um curso na escola de dança de Arthur Murray por 178 dólares, concentrando-se principalmente no samba, no *jitterbug* e em aperfeiçoar sua capacidade de liderar.

Mesmo assim, a paciência e a confiança de Getty estavam se desgastando. Era tão exasperante observar a série de poços secos, quanto o escoamento de gastos, incluindo seu pagamento de um milhão de dólares por ano para a Arábia Saudita. Getty deixou claro que ele estava desgostoso com a situação de um modo geral. A equipe da Aminoil ignorou por completo o pequeno monte que Walton havia observado do avião. Getty insistiu para que o sexto poço fosse perfurado no local. Além disso, custos de perfuração eram custos de perfuração; caso o sexto poço estivesse seco, abandonaria o local. Tal ato extremado não foi necessário. Em março de 1953, a equipe da Aminoil encontrou petróleo no lugar onde Walton achava, o tempo todo, que pudesse haver petróleo. Chamar essa descoberta de a mais importante seria minimizá-la. A *Fortune* viria a descrevê-la como algo "colossal e histórico".

Bilionário

Foi apenas depois de algum tempo que Getty fez suas primeiras visitas à região. Antes de uma dessas visitas, estudou árabe através de discos "Aprenda Árabe Sozinho" o e aprendeu o suficiente para descrever a geologia da Zona Neutra em um "banquete-seminário" que ofereceu, em conjunto com a Aminoil, ao emir do Kuait e ao rei Saud, que estava sucedendo seu pai, o rei Ibn Saud, recém-falecido. O rival de Getty, Ralph Davies, da Aminoil, jamais havia tomado essa atitude com relação à Zona Neutra; nas palavras dos demais executivos da Aminoil, ele tinha um receio patológico por poeira, lama e germes, o que era uma boa razão para ficar fechado em casa.

Getty utilizava sua produção da Zona Neutra, especialmente o petróleo barato, mais espesso, o "refugo", para desenvolver extensas operações integradas de petróleo nos Estados Unidos, na Europa Ocidental e no Japão. Reorganizou todas as suas *holdings*, colocando a Getty Oil no topo e transformando-se no comandante único de um grande império do petróleo. No final dos anos 1950, Getty era o sétimo maior comerciante de gasolina nos Estados Unidos. A revista *Fortune* anunciou, em 1957, que ele era o homem mais rico da América e seu único bilionário. Permaneceu impassível diante das notícias. "Os diretores dos bancos já haviam me avisado", disse, "que a situação era essa, mas eu esperava que o fato não fosse descoberto." E acrescentou um conselho sensato. "Se você consegue contar seu dinheiro, então você não tem um bilhão de dólares." Mais tarde ficou famoso como o "bilionário miserável". Passou seus últimos anos como fidalgo em Sutton Place, Surrey, uma requintada mansão de 72 cômodos em estilo Tudor, e ali, entre o esplendor de sua inestimável coleção de arte e antiguidades, instalou um telefone público para os convidados usarem.

Paul Walton, o geólogo, foi acometido por uma disenteria amebiana enquanto negociava na Arábia Saudita, em 1948. Levou três anos para se recuperar. Getty lhe deu um bônus de 1,2 mil dólares e Walton voltou para Salt Lake City para trabalhar como geólogo autônomo. No início dos anos 1960, mais de uma década depois de ter avistado pela primeira vez aquele pequeno monte na Zona Neutra, Walton estava em visita à Inglaterra. Ligou para Getty de Londres e o bilionário convidou-o para ir a Sutton Place. Getty exibia os efeitos positivos de sua devoção ao preparo físico; com bem mais de 70 anos, regularmente levantava pesos, que ficavam em seu quarto. Os dois recordaram o quanto Getty ficara furioso diante da recusa do pessoal da Aminoil em perfurar o pequeno monte que Walton havia identificado enquanto voava. Finalmente, eles cederam, justificando a insistência de Walton — e de Getty —, recordaram. Conforme as palavras de Getty, a Zona Neutra era, de longe, sua maior propriedade. Estava muito bem impressionado com a operação como um todo, relembrava Walton. E com razão. Estimava-se que sua companhia tivesse ali ainda mais de um bilhão de barris disponíveis nas reservas recuperáveis. A Zona Neutra tinha feito dele não só o americano mais rico, mas também o cidadão mais rico do mundo. Quanto a Walton, o homem que havia localizado o sítio, voltou a Salt Lake City, onde orientava acordos de sondagens bastante comuns.

Quando Getty morreu, em 1976, com 83 anos, as honras de seu funeral foram feitas pelo duque de Bedford. "Quando eu penso em Paul", disse o duque, "eu penso em dinheiro". Para J. Paul Getty, não poderia haver, com certeza, elogio maior.

O acordo extraordinário que Getty fez com os sauditas em 1948-1949 era exatamente o que as companhias estabelecidas receavam que pudesse ocorrer, com a chegada dos independentes. Mesmo assim, a oferta da Pacific Western de Getty provocou choque geral, pois seus termos foram muito além do que poderiam ter esperado. Os 55 centavos de *royalties* por barril, pagos por Getty aos sauditas, avantajaram-se frente aos 35 centavos pagos pela Aminoil ao Kuait, aos parcos 33 centavos que a Aramco havia sido obrigada a pagar aos sauditas recentemente — e obscureceram completamente os 16,5% que a Anglo-Iraniana e a Companhia Iraquiana de Petróleo estavam pagando ao Irã e ao Iraque respectivamente, bem como os 15% que a Companhia Kuaitiana de Petróleo pagava. O gerente-geral da Iraq Petroleum classificou os 55% de *royalties* como "completamente insanos, inomináveis e responsáveis pelas dificuldades que se estava enfrentando no Irã e no Iraque". Um diplomata britânico irado, condenou publicamente "a famigerada concessão Pacific Western".

Ninguém teve um pressentimento mais aguçado sobre o que estava por acontecer com a chegada dos independentes do que o homem mais habilidoso na negociação de concessões do petróleo no Oriente Médio, Calouste Gulbenkian. "Esses novos grupos não têm experiência para desenvolver concessões de petróleo no Oriente Médio", escreveu ele a um executivo da Standard Oil of New Jersey. "Oferecem condições fantásticas aos governos locais que esperam fantasias semelhantes de nós, causando problemas por toda parte." Talvez Gulbenkian nutrisse ressentimentos pessoais contra Getty; afinal, o americano era um arrivista dos campos de trabalho desabitados do petróleo do Oriente Médio, que Gulbenkian tinha cultivado cuidadosamente durante meio século. Além do mais, Getty estava ameaçando-o em outras esferas — na competição feroz pela posição de colecionador de arte de renome internacional. No entanto, Gulbenkian falava abertamente a respeito de sua longa experiência e com a perspicácia de um astuto sobrevivente. "Estou certo de que os governos locais, embora não sejam absolutamente bem relacionados entre si, irão chegar juntos a um acordo sobre essa questão das concessões, fazendo o que for possível para nos espremer", profetizou. "Temo que os ventos da nacionalização e outras complicações... se espalhem sobre nós também." Acrescentou uma advertência adicional: "Eu não ficaria tranquilo".[6]

"O recuo é inevitável"

A demanda mundial pelo petróleo saudita, que crescia com rapidez, estabilizou-se em 1949, devido a uma recessão nos Estados Unidos e a problemas econômicos na Grã-Bretanha. Com a produção da Aramco em baixa, os lucros sauditas também diminuíram, enquanto os compromissos financeiros do rei com seu reino continuavam a se avolumar num ritmo acelerado. Tudo fazia lembrar demais as duas crises financeiras passadas, no início da década de 1930 e no início da década de 1940. Soldados e funcionários públicos não estavam sendo remunerados os subsídios às tribos estavam sendo contidos e o governo acumulando dívidas.

Para onde mais se voltar, em seu atual estado de penúria, senão para aquela empresa bastante lucrativa chamada Aramco? O ministro das Finanças, Abdullah Suleiman, tinha negociado com muita habilidade, com a ajuda de "Jack" Philby, a concessão original da Socal em 1933. Mas, agora, ameaçava constantemente acabar com todas as operações com o petróleo, a menos que a Arábia Saudita pudesse dividir o que ele chamou de "grandes lucros da companhia". As exigências de Suleiman pareciam não ter fim: a Aramco deveria pagar pelos projetos de construção; a Aramco deveria contribuir com o "fundo assistencial" saudita; a Aramco deveria adiantar novos empréstimos. "Toda vez que a companhia concordava com uma coisa", declarou o conselho geral da Aramco, "sempre aparecia apenas mais uma". Mas o que os sauditas queriam, na verdade, era uma renegociação da concessão original, de forma que a retirada do governo pudesse aumentar bastante. A Aramco era, visivelmente, uma companhia bastante lucrativa, e eles insistiam em obter sua parcela legítima. Queriam o que os venezuelanos já haviam conquistado.

De Caracas, não chegaram apenas notícias do acordo firmado recentemente na Venezuela. Uma delegação venezuelana estava divulgando o conceito do 50/50 por todo o Oriente Médio, dando-se até mesmo ao trabalho de traduzir seus documentos para a língua árabe. Os venezuelanos não estavam assumindo esses gastos adicionais por mero altruísmo. Conforme observou Romulo Betancourt, em Caracas, havia se tornado "cada vez mais evidente que a concorrência proveniente da produção farta e barata do Oriente Médio era uma grave ameaça à Venezuela". Seria melhor elevar os custos, fato possível caso os produtores do Oriente Médio elevassem suas taxas. E assim, nas palavras irônicas de um expert em petróleo do Departamento de Estado, os venezuelanos "decidiram difundir os benefícios" do princípio do 50/50 "para a região que estava atrapalhando seus negócios — o Oriente Médio".

O local mais próximo da Arábia Saudita que a delegação venezuelana conseguiu chegar foi Basra, no Iraque; os sauditas não gostaram do modo como os venezuelanos haviam votado em relação a Israel nas Nações Unidas e não deixaram a delegação entrar. O conceito do 50/50, entretanto, cruzou as fronteiras rapidamente, e quando os sauditas analisaram o orçamento para 1949 puderam verificar a diferença que isso faria. Os lucros da Aramco, naquele ano, haviam sido quase o triplo dos rendimentos da própria Arábia Saudita sobre a concessão. O que realmente chocou os sauditas, porém, foi o montante de crescimento das taxas do governo americano — ao ponto de, em 1949, as taxas pagas ao governo americano pela Aramco serem de 43 milhões de dólares, 4 milhões a mais do que o pagamento de *royalties* da Aramco a Riad. Os sauditas deixaram claro aos americanos que eles sabiam exatamente o quanto a companhia havia ganho, o quanto haviam pago para os Estados Unidos em taxas e a comparação com os *royalties* pagos para a Arábia Saudita. Deixaram claro também, conforme declarou o presidente da Aramco muito delicadamente, que "não estavam nem um pouco satisfeitos com relação, a isso".

Os termos da nova concessão de J. Paul Getty na Zona Neutra demonstraram-lhes com precisão que as companhias de petróleo podiam pagar muito mais. No entanto, os sauditas não queriam apertar com força excessiva. Havia ainda um grande programa de investimento para ser cumprido por conta da concessão. Além do mais, ao ver a Aramco acabar de perder posição no mercado de ações, os sauditas não desejavam estorvar a companhia com custos adicionais que pudessem tornar seu petróleo não competitivo em relação ao produzido por outros países do Golfo Pérsico.

Talvez conseguissem extrair mais dinheiro da Aramco, sem afetar diretamente a posição competitiva da companhia. Os sauditas fizeram sua investigação; tinham também, sem o conhecimento da Aramco, contratado seu próprio consultor sobre direito tributário americano e, para sua satisfação, ficaram conhecendo uma cláusula das mais interessantes e intrigantes nas leis tributárias americanas, que deixaria a Aramco sair ilesa. Ela se chamava "taxa externa de crédito".

De acordo com a legislação datada de 1918, uma companhia americana operando no exterior poderia deduzir da declaração de imposto de renda o que fosse pago em taxas estrangeiras. O objetivo dessa lei era evitar a penalização de companhias americanas que tivessem negócios no exterior. *Royalties* e outros pagamentos fixos — os custos para operar os negócios — não seriam dedutíveis, apenas as taxas pagas sobre os rendimentos. Essa distinção era bastante relevante. Pois isso significava que, se a Arábia Saudita tivesse coletado, além dos 39 milhões de dólares em *royalties* em 1949, como havia feito, também outros 39 milhões em taxas, essa conta de 39 milhões de dólares em taxas poderia ser deduzida da soma de 43 milhões de dólares que a Aramco devia ao governo dos Estados Unidos. Como resultado, a Aramco teria que ter pago apenas 4 milhões de dólares ao Tesouro dos Estados Unidos — a diferença entre 43 milhões e 39 milhões — e não os 43 milhões. De sua parte, a Arábia Saudita receberia, não 39 milhões, mas o dobro — 78 milhões. Em outras palavras, a "mordida" das taxas sobre a Aramco teria permanecido a mesma, mas a maior parte seria recolhida em Riad, e não em Washington. E, para os sauditas, era assim que as coisas deveriam ter sido, pois até onde entendiam o petróleo era deles.

Munida dessa nova arma, a Arábia Saudita continuou a pressionar a Aramco, até que, finalmente, em agosto de 1950, a companhia enfrentou a realidade e autorizou as negociações para uma revisão completa na concessão. A companhia estava em contato contínuo com o Departamento de Estado, que era um forte partidário das exigências sauditas. A guerra da Coreia havia começado em junho de 1950 e o governo americano estava cada vez mais preocupado com a influência comunista e a expansão soviética no Oriente Médio, bem como com a estabilidade regional e o acesso seguro ao petróleo. Os nacionalistas antiocidentais deveriam ser contidos. Independentemente das perdas do Tesouro norte-americano, o Departamento de Estado desejava que a Arábia Saudita e outros países produtores de petróleo aumentassem as suas receitas, a fim de manter governos pró-ocidentais no poder e o descontentamento dentro de limites controláveis. No caso da Arábia Saudita, era especialmente urgente fazer o que fosse necessário para preservar a posição das companhias americanas.

Apenas 12 anos haviam se passado desde quando as companhias de petróleo americanas e britânicas tinham sido expropriadas no México. Essa continuava sendo a maior advertência ao péssimo rumo que os fatos poderiam vir a tomar. "Visto que o recuo das companhias é inevitável", concluiu o plano de ação do Departamento de Estado, "parece ser mais proveitoso fazer o recuo de forma tão vantajosa e ordeira quanto possível, para todas as partes envolvidas". Do ponto de vista de George McGhee, secretário de Estado adjunto para Assuntos do Oriente Próximo, o 50/50 se tornara inevitável". Os sauditas sabiam que os venezuelanos tinham alcançado o 50/50, disse ele posteriormente. "Por que eles não iriam desejá-lo também?" Em uma reunião do Departamento de Estado no dia 18 de setembro de 1950, McGhee comunicou aos representantes das companhias de petróleo americanas que operavam no Oriente Médio que a hora era apropriada para "entrar em ação".

Havia uma última pedra no caminho — as quatro matrizes da Aramco. Algumas delas estavam frontalmente contra o plano; afinal, os termos da concessão original proibiam explicitamente um imposto sobre a renda. Porém, em um encontro posterior, McGhee disse claramente às matrizes que não havia alternativa e que os contratos de longo prazo "criaram a necessidade prática da barganha". Falando sobre o apoio ao 50/50, o vice-presidente executivo da Aramco opinou que, do ponto de vista psicológico, tal fórmula soava de maneira agradável e assim seria considerada na Arábia Saudita. As matrizes ficaram convencidas. No dia 30 de dezembro de 1950, após um mês de complexas negociações, a Aramco e a Arábia Saudita assinaram um novo acordo, tendo como ponto central o princípio venezuelano do 50/50.

Porém, se os sauditas estavam satisfeitos com seus novos rendimentos, havia ainda uma questão em aberto, e bastante crítica, a respeito do reconhecimento da validade dos pagamentos dessas taxas no sistema tributário americano. Na verdade, o reconhecimento não ficou confirmado até 1955, quando o Internal Revenue Service, durante uma auditoria à declaração de rendimentos de 1950 da Aramco, aprovou o crédito. Em 1957, o *staff* do Joint Congressional Committee on Internal Revenue Taxation deu sua aprovação baseada nas diversas leis tributárias, em sua história legal, em decisões jurídicas e nos regulamentos do IRS relativos a "situação semelhante de outros contribuintes. Anos mais tarde, algumas pessoas iriam argumentar que o governo americano, especialmente o Conselho de Segurança Nacional, havia distorcido as leis tributárias para conceder à Aramco dispensa especial na questão do pagamento das taxas. Porém, com base nos registros disponíveis, não foi esse o caso. A regulamentação da Aramco tinha consistência.

Nesse ínterim, e daí em diante, um fluxo substancial de receita foi desviado dos cofres americanos para os da Arábia Saudita. Considerando-se que o Tesouro havia arrecadado 43 milhões em taxas da Aramco, em 1949, comparados com os 39 milhões pagos à Arábia Saudita em *royalties,* em 1951, a divisão dos rendimentos foi completamente diferente. Nesse ano, a Arábia Saudita coletou 110 milhões de dólares da companhia, ao passo que, depois da tributação, a Aramco pagou somente 6 milhões de dólares ao Tesouro dos Estados Unidos.[7]

O impacto causado pelo acordo da Aramco Saudita nos países vizinhos foi imediato. As companhias kuaitianas insistiam em um acordo semelhante, e a Gulf Oil receava não conseguir corresponder. "Corremos o risco de acordar uma manhã dessas e descobrir que perdemos o Kuait", disse preocupado o Coronel Drake, presidente da Gulf, aos funcionários americanos. A Gulf teve sucesso em sobrepujar as renitentes objeções do presidente da Anglo-Iraniana, *sir* William Fraser, e levou essa companhia, sua parceira na Kuait Oil Company, a concordar com o acordo 50/50 no Kuait. A Receita Nacional da Grã-Bretanha se opôs ao princípio do sistema tributário sobre as ações da Anglo-Iraniana, mas foi pressionada por outros setores do governo britânico, até que os tributaristas finalmente chegaram a um entendimento e concordaram com um mecanismo apropriado de tributação dos rendimentos. No vizinho Iraque, um acordo 50/50 já estava em vigor desde o início de 1952.

Assim, um novo princípio havia sido estabelecido para as relações entre os proprietários e os possuidores de David Ricardo. E as companhias de petróleo possuidoras tiveram que se adequar à importância dessas relações. Na Jersey vários departamentos colaboraram na elaboração de uma circular sobre o acordo 50/50, a fim de proporcionar orientação interna para a companhia. A circular mencionava que a Jersey havia passado por importante processo educativo desde a expropriação no México. "Sabemos agora que a segurança de nossa posição em qualquer país depende não só do cumprimento das leis e dos contratos ou da proporção e montante de nossos pagamentos ao governo, mas de todo o nosso relacionamento ser aceito a todo momento, pelo governo e pela opinião pública do país — e pelo nosso próprio governo e opinião pública —, como sendo "decentes". Caso esse relacionamento não esteja sendo bem-aceito, ele será alterado. Infelizmente, "decência" ou "indecência" são conceitos essencialmente emocionais, que não podem ser calculados por padrões fixos e mensuráveis. Não obstante quão desconcertante e indigesto pudesse ser para os engenheiros, empresários e negociantes que conduziam as companhias internacionais de petróleo, era uma realidade palpável. "A experiência já mostra que existe algo inerentemente satisfatório no conceito 50/50."

Satisfatório ou não, era uma necessidade. Mas estaria a batalha dos rendimentos concluída, com um tratado de paz permanente, ou seria apenas uma trégua? Teriam agora as companhias uma posição que pudessem defender com sucesso contra o nacionalismo, na defesa da soberania e contra a inevitável sede das nações-Estado por mais receita? A circular preparada pela administração da Jersey fazia uma advertência explícita: "Se alguma vez admitirmos em qualquer país que uma divisão igualitária não é honesta, o chão se abrirá sob nossos pés, seja onde for". A Jersey deveria tomar uma posição firme a favor do 50/50, advertia a circular: "50/50 é uma boa posição que não necessita defesa e é difícil de ser criticada: 55/45 ou 60/40 não têm o mesmo efeito e só pode ser uma posição defensiva em uma retirada sem limite".

O divisor de águas

O acordo 50/50 da Aramco Saudita, em dezembro de 1950, era descrito, com justiça, como uma "revolução" por um historiador do declínio e da queda do Império Britânico — "um divisor de águas econômico e político tão importante para o Oriente Médio quanto a transferência do poder para a Índia e o Paquistão". Quanto ao governo americano, ele satisfazia a urgente e vital necessidade de aumentar a receita para a Arábia Saudita e outros governos, a fim de manter a ordem no pós-guerra do petróleo e ajudar a manter aqueles regimes "amistosos" no poder. Os interesses e riscos eram imensos. Em uma época em que cada dólar da Doutrina Truman e do Plano Marshall era uma batalha no Congresso, acordos que permitissem aos governos do Oriente Médio taxar os lucros das companhias de petróleo eram mais eficientes do que tentar conseguir que o Congresso aprovasse ajuda externa adicional. Além disso, o princípio 50/50 tinha o efeito psicológico correto. Politica e simbolicamente, ele fazia o trabalho que precisava ser feito.

Muitos anos mais tarde, em 1974, quando a política internacional do petróleo havia se tornado intensamente controvertida, George McGhee, que, como secretário de

Estado adjunto, havia agenciado o acordo da Aramco Saudita, foi interrogado em uma audiência no Senado sobre as negociações que ajudara a elaborar, em 1950. O Senado perguntou-lhe se a tributação não era, na verdade, "um modo muito engenhoso de transferir muitos milhões, por decisão executiva, do Erário público para os cofres de um governo estrangeiro, sem jamais necessitar qualquer dotação ou autorização do Congresso dos Estados Unidos".

McGhee não concordou: não foi uma escamoteação. Houve consulta ao Departamento das Finanças na época, e ao Congresso. A decisão não ficou em segredo. O princípio do 50/50 já estava em funcionamento na Venezuela por sete anos quando foi adotado na Arábia Saudita. Não, explicou McGhee, a questão foi mal interpretada. "A posse dessa concessão de petróleo era um bem valioso para o nosso país". O risco em não fazer coisa alguma nesse sentido era grande demais. "Em essência", disse McGhee, "ameaça era a perda da concessão".[8]

A concessão da Aramco na Arábia Saudita fora preservada. Mas, num prazo de seis meses da assinatura do acordo saudita 50/50, em dezembro de 1950, os acontecimentos no vizinho Irã viriam comprovar que o relacionamento entre proprietários e possuidores não havia sido, absolutamente, solucionado de modo satisfatório.

CAPÍTULO XXIII

O "velho Mossy" e a luta pelo Irã

QUANDO EM 1944 CHEGARAM NOTÍCIAS A TEERÃ de que Reza Pahlavi, o ex-xá do Irã, havia morrido no exílio, na África do Sul, seu filho e sucessor ficou arrasado. Muitos anos mais tarde, ele recapitulou sua reação de maneira simples: "minha dor foi imensa". Mohammed Reza Pahlavi idolatrava seu pai, o resoluto e altaneiro comandante da brigada pérsico-cossaca que havia tomado o poder e se autocoroado xá, na década de 1920. O xá Reza, daí para a frente, trouxe ordem a um país dividido, começou a modernização em um ritmo desordenado e subjugou os poderosos *mullahs*, a quem pai e filho consideravam inimigos mortais desde a Idade Média.

Porém, o que agravou a dor e a culpa do filho foi o fato de ter participado do corpo político que provocou a queda de seu pai, embora não tivesse sido o verdadeiro usurpador de seu trono. Em agosto de 1941, dois meses depois da invasão germânica na União Soviética, os britânicos e os russos transportaram suas tropas para o Irã a fim de proteger a refinaria de Abadã e a linha de abastecimento do Golfo Pérsico para a União Soviética. Alarmados com os rápidos avanços alemães na Rússia e no norte da África, os Aliados temiam que um tentáculo pudesse convergir para o Irã. Eles depuseram o xá Reza, que demonstrara amizade e simpatia pelos nazistas, e o substituíram pelo seu filho, então com apenas 21 anos.

Depois da morte do xá, Mohammed Pahlavi se dedicaria à memória de seu pai e seria perseguido por ela. Tentaria para sempre ser digno do xá Reza e seria julgado pelos outros e por si mesmo pelos padrões de seu pai. Certo dia em 1948, o próprio xá chegou a admitir para um visitante: "Minha irmã Ashraf perguntou-me ontem se eu era um homem ou um rato". O outro riu, mas ele, obviamente, não achava graça nisso. Ficava sempre implícito que ele era fraco, indeciso e inadequado, comparado com seu pai. Havia sempre algum momento em que o xá se sentia, de alguma forma, um intruso. Aos seis anos, ficou sob os cuidados de uma governanta francesa; aos 12, foi enviado a uma escola na Suíça. Sua educação e experiência geraram uma certa distância da sociedade iraniana. "É provável que ele seja ocidentalizado demais para um país oriental", refletiu o embaixador americano em 1950. Essa possibilidade iria atormentá-lo por quase quatro décadas.

No entanto, por mais ansioso que o xá pudesse ser, ele havia enfrentado, muito cedo, circunstâncias traiçoeiras que poderiam ter desafiado de modo extremo até mesmo o mais autoconfiante e experiente dos políticos. A legitimidade de sua dinastia era problemática; o papel da monarquia no Irã, uma questão totalmente não resolvida. Ele precisa lutar contra a intervenção crônica de potências estrangeiras, bem como a pressão soviética direta sobre a integridade territorial do país e uma presença econômica britânica altamente perceptível. Ele se via forçado a lutar para afirmar sua autoridade em um sistema político fragmentado por todo tipo de divisão — de classe, regional, religiosa e moderna *versus* tradicional. De um lado, estavam os fundamentalistas islâmicos, conduzidos pelo colérico aiatolá Seyed Kashani, que ficava enfurecido por qualquer intromissão do mundo moderno — fosse a presença de um conselheiro estrangeiro ou o fato de o xá Reza ter permitido às mulheres dispensarem o véu. Do outro lado estavam os comunistas e o Tudeh, um partido de esquerda muito bem organizado, ligado a Moscou. Entre esses dois extremos estavam os reformistas, os nacionalistas e os republicanos, todos eles com intenções de alterar o sistema político, bem como os oficiais militares que estavam impacientes para tomar o poder em suas próprias mãos.

A cultura política do Irã era por si só caótica e fantasmagórica, propensa ao exagero selvagem e à emoção violenta. O suborno e a corrupção eram um estilo de vida. O *chargé d'affaires* britânico resumia as regras do jogo da forma como era jogado em Majlis, o Parlamento em Teerã, com uma única frase: "Os deputados esperam ser subornados". Espalhada pelo interior do país vivia uma variedade de tribos e clãs, que odiavam ter que se subordinar a Teerã e aos Pahlavi. Praticamente nenhuma região dos domínios do xá estava imune a impulsos separatistas. E no final dos anos 1940 a nação foi assolada por uma pobreza e sofrimento opressivos decorrentes do colapso econômico. Uma desesperança difusa se abateu sobre o território.

Apenas uma coisa realmente unia o país — o ódio por estrangeiros e, em particular, pelos britânicos. Jamais se atribuiu a tanta malevolência tão rápido declínio de poder. Os ingleses eram considerados quase como demônios sobrenaturais, controlando e manipulando uma nação inteira. Todo político iraniano, fosse qual fosse sua posição partidária, era praticamente obrigado a acusar os inimigos e oponentes de serem agentes britânicos. Até mesmo a seca, quebra de safras e pragas de gafanhotos eram atribuídas aos desígnios malignos dos espertos ingleses. Mas a aversão era centralizada, especificamente, sobre a maior fonte de rendimentos externos da nação e símbolo mais palpável da intromissão do mundo estrangeiro moderno — a Companhia de Petróleo Anglo-Iraniana.

Uma parcela do ódio pela Anglo-Iraniana era alimentada pela batalha sobre os rendimentos do petróleo. Entre 1945 e 1950, a Anglo-Iraniana registrou um lucro de

250 milhões de libras esterlinas, em contraste com os *royalties* de 90 milhões de libras pagos ao Irã. O governo britânico recebeu mais em taxas da Anglo-Iraniana do que o Irã recebeu em *royalties*. Para agravar ainda mais as coisas, uma substancial parte dos dividendos da companhia foi destinada ao seu proprietário majoritário, o governo britânico, e espalhou-se um boato de que a Anglo-Iraniana vendia petróleo para a marinha britânica com um desconto considerável. Mas, no Irã, muito mais importante do que as libras e centavos eram as emoções e os símbolos. Eram eles que impulsionavam os políticos e o povo nas ruas a um excitamento frenético, o que transformou a animosidade contra a Anglo-Iraniana em uma obsessão nacional. Era muito conveniente eleger um bode expiatório estrangeiro, quando havia tantos erros em casa.[1]

A última chance

Durante a II Guerra Mundial o Irã foi visto pelos americanos e britânicos como uma responsabilidade de Londres, primordialmente um "espetáculo britânico". Depois desse período, entretanto, o desenvolvimento da Guerra Fria, combinado com a preocupação crescente com a segurança do petróleo no Golfo Pérsico, deslocou o Irã para o âmbito da política externa americana. As tropas soviéticas foram retiradas do norte do Irã em 1946, mas, em 1949, os americanos temiam que o Irã estivesse em um estado tão avançado de decadência política e econômica que pudesse ser presa fácil para a União Soviética.

As perspectivas do Irã ficaram ainda mais incertas e o cenário político mais caótico pela onda de assassinatos e de tentativas de assassinatos. Em fevereiro de 1949, um muçulmano fanático, disfarçado de fotógrafo, tentou matar o xá quando ele chegou à Universidade de Teerã. Embora tivesse disparado meia dúzia de tiros à queima-roupa, o pretenso assassino apenas feriu o xá, que deu demonstração de coragem e respondeu calmamente. "O miraculoso fracasso desse atentado foi mais uma prova de que minha vida estava protegida", declarou ele posteriormente. Foi um momento decisivo para a autoafirmação do xá e para o seu modo de encarar o país. Ele aproveitou o incidente para instaurar a lei marcial e iniciar uma vigorosa campanha de afirmação de sua autoridade pessoal. Determinou que o corpo de seu pai — a quem ele deu o título póstumo de "O Grande" — fosse exumado na África do Sul, transportado para o Irã e enterrado com pompas oficiais. No momento devido, enormes estátuas do xá Reza a cavalo foram erguidas em diferentes partes do território comandado por seu filho.

A campanha do xá para expandir seu controle político correu paralelamente aos esforços para reajustar os laços financeiros entre o Irã e a Anglo-Iraniana, como estava acontecendo nos outros países exportadores de petróleo. Washington, atemorizada pelas ambições soviéticas e com muito menos a perder do que Londres, pressionou o governo britânico e a Anglo-Iraniana a aumentar os *royalties* pagos ao Irã. O homem certo, na opinião dos americanos, era George McGhee, o secretário de Estado Assistente para Assuntos do Oriente Médio e da África, que estava ao mesmo tempo agenciando o novo acordo 50/50 entre a Aramco e o governo da Arábia Saudita e para quem a presente divisão dos ganhos entre a Anglo-Iraniana e o Irã não era razoável. Os funcionários britânicos, como era de esperar, ressentiram-se bastante da intervenção e do aconselhamento gratuito de McGhee e de outros americanos. Eles passaram a chamar McGhee, que tinha apenas 37 anos em 1949, de "aquela criança prodígio" e ficaram inclinados a considerá-lo, em particular, como a fonte de seus problemas. Eles o julgavam antibritânico e anti-Anglo-Iraniana. Nisso estavam errados. Como bolsista da Rhodes em Oxford, McGhee teve a oportunidade de conhecer as filhas de *sir* John Cadman, da Anglo-Iraniana, e tinha inclusive visitado a casa de campo de Cadman. Durante a época do seu doutorado em Geofísica, em Oxford, ele havia feito sua pesquisa sísmica em conjunto com a Anglo-Iraniana (em uma área de Hampshire onde a companhia tinha interesses de prospecção) e, então, foi ironicamente convidado para trabalhar como geofísico no Irã. Depois de analisar seriamente a oferta, rejeitou-a apenas porque estava com saudade de casa e queria voltar para a América. Posteriormente declarou que "nutria, na época, um sentimento agradável pela CPAI".

Os acontecimentos mostraram que fizera a escolha certa. Foi logo depois de seu retorno da Inglaterra, no começo da II Guerra, que McGhee descobriu um campo de petróleo de bom tamanho em Louisiana, que lhe proporcionou riqueza, independência e oportunidade de devotar o resto de sua carreira ao serviço público. Ele casou-se com a filha do ilustre Everette DeGolyer e foi, até alistar-se nas forças armadas, sócio de DeGolyer em sua empresa de avaliação de petróleo. McGhee era um anglófilo despudorado (mais tarde seria presidente da English-Speaking Union). Ele apenas achava que os ingleses precisavam se autopoliciar, especialmente quando tomavam uma atitude do século XIX em relação ao petróleo. A opinião de McGhee também refletia razoavelmente o ponto de vista de seus colegas e era resumida pelo secretário de Estado, Dean Acheson, quando criticava a "estupidez incomum e persistente da companhia e do governo britânico" em relação ao Irã.[2]

Por outro lado, embora os americanos jamais tivessem acreditado, o governo britânico não tinha uma postura melhor em relação à Anglo-Iraniana. Ele era proprietário de 51% da companhia, mas isso não significava que houvesse grande afeição ou empatia entre as duas partes. Ao contrário, havia desconfiança e rancor, e uma de suas brigas mais violentas gerou um caso clássico, que ficou conhecido como "a batalha entre ministro e gerente". O secretário das Relações Exteriores, Ernest Bevin, havia reclamado em 1946 que a Anglo-Iraniana "é na verdade uma companhia particular com capital estatal e tudo o que ela faz afeta as relações entre o governo britânico e a Pérsia. Como secretário das Relações Exteriores, não tenho poder nem influência para fazer coisa alguma, a despeito dessa grande propriedade do governo. Que eu saiba, nenhum outro Departamento tem".

Para a companhia, é claro, a situação toda se mostrava muito diferente. Ela era a terceira maior produtora de petróleo bruto do mundo, com a maior parte desse petróleo proveniente do Irã, e eles achavam que os iranianos tinham um acordo muito bom naquela situação. Sob a vigência do acordo de 1933, o Irã recebeu não só os *royalties*, mas também 20% dos lucros da companhia no mundo inteiro — que era superior a qualquer outro produtor de petróleo. Além disso, a Anglo-Iraniana havia se tornado uma das maiores companhias internacionais de petróleo. A companhia estava tentando montar um negócio complexo e global. Ela operava como uma empresa particular — esta havia sido a intenção original na aquisição das ações por Churchill em 1914 — e seus altos executivos se ressentiam e opunham resistência a intromissões e aconselhamentos dos políticos e dos funcionários civis. Eles achavam que os burocratas — a quem o presidente da Anglo-Iraniana, *sir* William Fraser, chamava, com desdém, de "cavalheiros do Ocidente" — simplesmente não entendiam os negócios petrolíferos ou nem mesmo o significado de se tentar fazer qualquer negócio no Irã. Mas as pressões eram de tal ordem que, no verão de 1949, a Anglo-Iraniana foi forçada a negociar com os iranianos um acordo suplementar — relativo à concessão revista de 1933. A nova proposta ocasionou uma elevada alta nos *royalties,* bem como o pagamento de um enorme valor inflado.

Embora a Anglo-Iraniana e o governo iraniano tivessem chegado a um acordo, o governo, temeroso da oposição do Parlamento, não submeteu o acordo ao Majlis, retendo-o por quase um ano — até junho de 1950. O Comitê do Petróleo no Parlamento reagiu denunciando furiosamente o novo acordo, pedindo o cancelamento da concessão e exigindo a nacionalização da Anglo-Iraniana. Um líder político pró-britânico foi assassinado e o receoso primeiro-ministro, decidindo que a prudência era o melhor caminho, renunciou imediatamente.

O xá nomeou o general Ali Razmara, chefe do Estado-Maior do exército, como o novo primeiro-ministro. Razmara, magro, jovem soldado dos soldados, graduado na academia militar francesa em St. Cyr, ambicioso e dotado de sangue-frio, ficou conhecido por ter tomado, certa vez, uma atitude inédita — devolveu uma propina. Razmara procurou distanciar-se do xá e desenvolver sua própria autoridade. Para os americanos e britânicos ele parecia ser a última chance. O Irã revelava-se cada vez mais vulnerável à subversão comunista e à expansão soviética direta.

Nesse mesmo mês, junho de 1950, os coreanos do norte invadiram a Coreia do Sul, transformando a Guerra Fria em guerra quente. Já haviam ocorrido choques fronteiriços entre as forças soviéticas e iranianas, e, no Departamento de Estado, George McGhee dirigiu com urgência a preparação de planos de contingência para responder à invasão soviética no Irã. Além do mais, em meio à Guerra da Coreia, o petróleo iraniano assumiu uma nova urgência; ele representava 40% do total da produção do Oriente Médio, e a refinaria da Anglo-Iraniana em Abadã era a maior fonte de combustível de aviação do hemisfério leste.[3]

Com os riscos repentinamente tão mais elevados, o governo dos Estados Unidos insistiu com o governo britânico com mais veemência para que este pressionasse a Anglo-Iraniana a fazer uma oferta que o governo iraniano pudesse aceitar prontamente. Mas *sir* William Fraser não cedeu com facilidade. Com a experiência em lidar com iranianos durante tantos anos, tinha pouco respeito por seu sistema de governo e não contava com outra coisa além de ingratidão, decepção, difamação e novas exigências. Ele não estava mais benevolente em relação aos americanos. Com amargura, punha toda a responsabilidade pelos problemas que viessem a ocorrer com a Anglo-Iraniana na intromissão política dos americanos em Teerã e nas atividades das companhias de petróleo americanas — a Aramco em particular — no Oriente Médio.

Fraser era, definitivamente, o homem que definia a posição da Anglo-Iraniana. Era um terrível adversário, em quaisquer circunstâncias. Desprovido de qualquer uma das habilidades diplomáticas de John Cadman, era um autocrata inflexível e implacável que dirigia a Anglo-Iraniana de uma só maneira — a sua. Divergências não eram toleradas. O presidente da Gulf, sócio da Anglo-Iraniana no Kuait, notou que a dominação de Fraser era tão completa que os outros diretores da Anglo-Iraniana "não se atreviam a falar com suas próprias almas sozinhos". A fama de Fraser era a de "um escocês por completo". Seu pai havia sido o fundador da principal companhia escocesa de óleo de xisto, tendo-a vendido para a Anglo-Iraniana, e, como foi dito posteriormente, "Willie veio com o xisto." Alguém que trabalhava com Fraser disse que "poucas pessoas, em uma indústria onde a barganha árdua é um modo de vida, conseguiram levar vantagem sobre ele".

O mesmo era válido quando o adversário era o governo britânico. Um secretário de Estado no Ministério das Relações Exteriores declarou que Fraser parecia "ter o desprezo de um contador de Glasgow a tudo o que não possa ser demonstrado em balanço". Para um outro funcionário britânico que lidava com ele, Fraser era uma pessoa "obstinada, tacanha e avarenta". Embora muitos funcionários graduados do governo sentissem que ele devia ser afastado, e seu afastamento esteve muitas vezes em cogitação, pareciam impotentes para efetivá-lo. Um dos grandes trunfos contra todos os oponentes provinha da grande importância dos lucros da Anglo-Iraniana para o Tesouro britânico e para a economia britânica como um todo.[4]

Fraser resistia implacavelmente às repetidas solicitações do governo britânico para que fizesse negociações adicionais com o Irã e ignorou os americanos. Porém, no outono de 1950, Fraser teve uma repentina e incomum mudança de opinião. Ele não só queria oferecer uma soma substancial ao Irã como também passou a falar em subsidiar o desenvolvimento econômico iraniano e apoiar seu sistema educacional. O que teria acontecido? Não que Fraser estivesse passando por uma repentina conversão à filantropia. Mais precisamente, ele ficara sabendo da popular "Bomba McGhee" — o iminente acordo 50/50 na Arábia Saudita — e sabia que tinha que tomar uma providência rápida. O tempo já estava se esgotando. Em dezembro, o anúncio do acordo 50/50 com a Aramco forçou o premiê Razmara a retirar seu apoio ao Acordo Suplementar, e esse foi seu fim.

Finalmente, a Anglo-Iraniana se antecipou para oferecer seu próprio acordo 50/50. Não foi o suficiente. A oposição toda no Irã estava agora contra a abominável Anglo-Iraniana. O líder era um idoso agitador, Mohammed Mossadegh, contra o presidente do Comitê do Petróleo no Parlamento. "A origem de todas as desgraças desta nação atormentada não é outra que não a companhia de petróleo", declarou Mossadegh. Um outro deputado esbravejou que seria preferível destruir a indústria petrolífera iraniana com uma bomba atômica a deixá-la nas mãos da Anglo-Iraniana. Todos estavam clamando pela nacionalização da indústria e pela expulsão da Anglo-Iraniana. O primeiro-ministro Razmara não sabia como agir. Finalmente, em um discurso no Parlamento, em março de 1951, ele posicionou-se contra a nacionalização. Quatro dias depois, quando estava para entrar na mesquita, no centro de Teerã, foi assassinado por um jovem carpinteiro que havia sido encarregado pelos terroristas islâmicos da "sagrada missão" de matar o "serviçal britânico".

O assassinato de Razmara desmoralizou os proponentes do compromisso, enfraqueceu a posição do xá e estimulou a ampla oposição. Uma semana e meia depois, o ministro da Educação também foi assassinado. O Majlis deu início à aprovação da resolução para nacionalizar a indústria do petróleo, mas não foi implementada imediatamente. Em 28 de abril de 1951, o Majlis escolheu Mohammed Mossadegh, que era na ocasião o inimigo número um da Anglo-Iraniana, para ser o novo primeiro-ministro, com a tarefa específica e amplamente popular de levar a cabo a lei da nacionalização. O xá assinou a lei e ela entrou em vigor no dia 1º de maio. Os dias da Anglo-Iraniana pareciam contados, pois no decreto de nacionalização ela foi designada como a "Ex--Companhia". Como relatou o embaixador britânico, a Anglo-Iraniana, embora em funcionamento no mundo inteiro, "foi legalmente abolida" e Teerã "agiu como se ela não tivesse existência complementar".

Mossadegh enviou o governador da província do Khuzistão para a sede da Anglo--Iraniana, em Khorramshahr. Na chegada, o governador sacrificou um carneiro em frente ao edifício, para anunciar à multidão em delírio que à concessão estava cancelada. As instalações da Anglo-Iraniana no Irã, bem como o petróleo que produziam, passavam a pertencer à nação iraniana. O genro de Mossadegh prosseguiu com um discurso exaltado, no qual declarou que os dias do colonialismo estavam no fim, e começavam os dias de prosperidade. Devido à emoção, ele sofreu um desmaio e teve que ser carregado para longe. Os diretores da recém-estabelecida companhia estatal de petróleo, liderados pelo reitor da Faculdade de Engenharia da Universidade de Teerã, Mehdi Bazargan, apareceram na refinaria em Abadã levando consigo papéis, carimbos e uma grande placa, todos eles com a insígnia "Companhia Nacional de Petróleo Iraniana" — a placa para ser afixada em um dos blocos de escritórios. Mais de um carneiro foi sacrificado para celebrar o grande evento, e a imensa multidão que se aglomerava para saudar os diretores ficou enlouquecida de júbilo. Porém, embora o carneiro já tivesse sido sacrificado, a questão ainda não estava resolvida. E nos cinco meses subsequentes, o *status* das instalações da Anglo-Iraniana no Irã permaneceu encoberta por incertezas e indecisões.[5]

O "velho Mossy"

Com quase 70 anos e de aparência frágil, completamente careca, um longo nariz e olhos brilhantes e esbugalhados, Mohammed Mossadegh dominaria completamente a cena pelos dois anos que se seguiram. Ele iria superar a todos com sua astúcia — as companhias de petróleo estrangeiras, os governos americano e britânico, o xá, seus próprios rivais internos. Ele próprio era um homem de evidentes contradições. Cosmopolita, advogado formado na França e na Suíça, ele era um nacionalista ferrenho, xenófobo e obcecado em sua oposição aos britânicos. Filho de um alto burocrata e neto do xá da dinastia anterior, Mossadegh era um aristocrata com imensas propriedades rurais, incluindo uma vila com 150 famílias que pertencia exclusivamente a ele. No entanto, ele vestiu o manto de reformista, republicano e agitador das turbas, apelando para as massas urbanas e mobilizando-as. Um dos primeiros professores da Escola Persa de Ciência Política, ele fora cassado durante a revolução constitucional de 1906, que ficou sendo a sua estrela-guia durante o resto de sua carreira. Ele esteve presente na Conferência de Paz de Versalhes depois da I Guerra Mundial, mandou fazer um carimbo com a inscrição *Comité resistance des nations* e pediu para defender a questão da Pérsia contra a intervenção externa, particularmente a da Grã-Bretanha. Ninguém lhe deu ouvidos, e ele voltou para casa com o sentimento de que suas esperanças e idealismo haviam sido traídos pelas forças colonialistas.

Nos anos 1920, Mossadegh ocupou alguns postos ministeriais e desempenhou um papel de liderança na oposição aos movimentos do xá Reza para transformar a Pérsia em uma ditadura e assumir o papel de governador absoluto. Por esses esforços, Mossadegh foi recompensado com várias temporadas na prisão e sob detenção em seu Estado, onde se ocupou com estudos médicos amadores e com a pesquisa de remédios homeopáticos. A expulsão do xá Reza em 1941 pelos britânicos e americanos sinalizou Mossadegh para irromper novamente no cenário político. Rapidamente reuniu os seguidores, seus longos anos de oposição dedicada consagraram-no como um homem puro, devotado ao Irã, que purificou contra a dominação externa.

Mossadegh era despretensioso e excêntrico em seu estilo pessoal; recebia, com frequência, vestido de pijama, cidadãos iranianos e importantes estrangeiros, deitado em sua cama, onde passava a maior parte do tempo, devido a tonturas, diziam alguns. Seus guarda-costas estavam sempre por perto; vivia, sem razão aparente, constantemente com medo de assassinato. Mossadegh falava o que mais se adequava às necessidades do momento, não importando o quão exagerado e excêntrico pudesse parecer. Mas, logo em seguida, não sustentava a afirmação anterior, independentemente da firmeza expressada, alterando-a ou modificando-a com uma brincadeira ou com uma risadinha, repudiando-a completamente se isso fosse mais conveniente. Tudo o que importava é que qualquer coisa que ele dissesse contribuía para seus dois principais objetivos: a manutenção de sua própria posição política e a expulsão dos estrangeiros — os britânicos em particular. Na perseguição de suas metas, demonstrou ser um mestre em unir arte teatral com política. Em público ele explodiria em prantos, gemeria; era comum para ele desmaiar no auge de um discurso. Certa vez, caiu ao solo no Majlis, em meio a uma apaixonada prece. Um deputado do Parlamento, médico, levantou-se correndo e, temendo que o velho homem pudesse estar em seus últimos momentos, agarrou o braço de Mossadegh para tomar a pulsação. Feito isso, Mossadegh abriu um olho e piscou para ele.

Funcionários dos governos britânico e americano que lidavam com Mossadegh passaram a chamá-lo de "Mossy". Anthony Eden ponderou que "O Velho Mossy," com seus pijamas e cama de ferro, era o "primeiro prato a apresentar-se casualmente aos cartunistas desde a guerra". Mesmo aqueles mais exasperados com Mossadegh iriam lembrar-se com frequência da fascinação que ele havia exercido sobre eles. Os americanos tenderam, num primeiro momento, a encarar Mossadegh como um líder nacionalista, racional, e uma pessoa com a qual era possível negociar. Ele podia ser um baluarte contra a União Soviética e um agente da reforma; a alternativa a Mossadegh era o comunismo. E, em todos os aspectos, as considerações e os temores da Guerra Fria influenciavam a política e a percepção americanas mais do que a britânica. De qualquer modo, havia bases suficientemente sólidas, de acordo com Washington, para ser contra o imperialismo antiquado da Grã-Bretanha. Ninguém menos que o presidente Harry Truman declarou que *sir* William Fraser, da Anglo-Iraniana, parecia-se com um "explorador colonial típico do século XIX". Os americanos entendiam, mais que os britânicos, que o grande problema de Mossadegh centrava-se em seus rivais dentro do Irã; estava sempre pressionado pela necessidade de manter acuados aqueles que eram mais nacionalistas, mais extremistas, mais fundamentalistas e mais xenófobos do que ele. Nesse meio tempo, fazia um jogo de improvisações com as grandes potências e nunca se comprometia verdadeiramente com elas. Finalmente, os americanos perderam a paciência com ele. Quando tudo estava terminado, Dean Acheson emitiu um julgamento pungente. "Mossadegh," disse, "era um grande ator e um grande jogador".

Os britânicos viam as coisas de outro modo. Desde o princípio, achavam que os americanos não conseguiram entender o quanto era difícil negociar com Mossadegh; alguns funcionários britânicos julgavam exagerados os temores da ameaça comunista. "Mossadegh era um muçulmano, e em 1951 ele não apelaria para os russos", disse Peter Ramsbotham, secretário do Comitê Especial Persa do gabinete britânico. O perigo real estava em um interesse vivo no Irã e no estabelecimento de acordos políticos e econômicos no Oriente Médio. Alguns britânicos consideravam Mossadegh um lunático. O que poderia ser feito com um homem desses? Acrescente-se a isso o fato de que Mossadegh, nas palavras do embaixador britânico *sir* Francis Shepherd, tinha que ser observado com muito cuidado porque ele era "astuto, traiçoeiro e completamente inescrupuloso". Na opinião do embaixador, o primeiro-ministro iraniano parecia mais um cavalo de charrete e exalava um "leve odor de ópio". Mas, de tudo o que estava por se desenrolar, talvez nada humilhasse mais os britânicos do que o troféu nacional, a Anglo-Iraniana, e a própria Grã-Bretanha terem sido sobrepujados por um velho de pijama.[6]

Plano Y

Na sequencia imediata da nacionalização da Anglo-Iraniana e enfrentando um adversário tão astuto e indigno de confiança, os britânicos reviram apressadamente suas opções. Havia uma forte sensação de que algo deveria ser feito para salvar o ativo estrangeiro mais valioso e sua fonte de petróleo número um. Mas o que fazer? O gabinete passou a considerar o Plano Y uma proposta eventual para intervenção militar. Os campos de petróleo continentais estavam distantes demais para serem protegidos com facilidade, conclui o gabinete, mas a ilha de Abadã, onde se localizava a maior refinaria do mundo, era outra coisa; ela se constituía de um alvo bem mais razoável. Com a vantagem da surpresa, Abadã poderia ser conquistada. Talvez uma demonstração de força, rápida e enérgica, fosse o suficiente para restabelecer um grau suficiente de respeito e alterar a situação.

Mas talvez não. Vidas britânicas seriam certamente perdidas. Seriam feitos reféns. O governo dos Estados Unidos estava exercendo forte pressão contra a intervenção armada, por temer que tal ação por parte dos britânicos no sul pudesse legitimar um ataque russo no norte e que o Irã terminasse atrás da Cortina de Ferro. Havia outros obstáculos à ação militar. A Índia acabara de se tornar independente e não havia um exército indiano a quem recorrer. A Grã-Bretanha poderia esperar reprovação vinda de todas as partes do mundo, pelo seu imperialismo antiquado. O próprio poder da Grã--Bretanha estava fortemente circunscrito; devido às suas graves dificuldades na balança de pagamentos, ela estava sem poder para ficar. Como poderia arcar com um envolvimento militar prolongado?

No entanto, se a Grã-Bretanha cedesse, argumentavam alguns membros do gabinete, todo o seu posicionamento no Oriente Médio estaria minado. "Se a Pérsia conseguisse levar a questão adiante, o Egito e outros países do Oriente Médio se sentiriam encorajados a pensar que poderiam fazer uma experiência", declarou o ministro da Justiça, Emmanuel Shinwell. "O próximo passo poderia ser um atentado com o fim de nacionalizar o canal de Suez." Fora do gabinete, o líder da oposição e venerável defensor do império, Winston Churchill, descreveu seus sentimentos a Attlee como "um tanto chocado com a atitude dos Estados Unidos, que pareciam não avaliar completamente a importância da grande área que ia do mar Cáspio até o Golfo Pérsico: ela era mais importante do que a Coreia". Churchill salientou "a importância do equilíbrio dos suprimentos de petróleo, como um fator de desmotivação para o início de uma agressão por parte dos russos". O secretário do Exterior, Herbert Morrison, denunciando a política do "fugir e render-se", discutiu o uso da força. Paraquedistas foram colocados a postos em Chipre para poder proteger e, se necessário, evacuar o grande número de trabalhadores britânicos e famílias em Abadã. Contudo, para alguns era o indício de que a Grã-Bretanha podia estar tentada a implementar o Plano Y e a empreender um teste militar em seu decadente poder imperial.[7]

Averell no país das maravilhas

A perspectiva de intervenção armada disparou os alarmes em Washington. Os britânicos poderiam empurrar o Irã diretamente para os ávidos braços dos soviéticos. Dean Acheson organizou um encontro às pressas com o embaixador britânico e com um velho amigo de Acheson, Averell Harriman. Sentado em uma varanda na casa de Harriman, observando o rio Potomac em um entardecer de junho, Acheson deixou bem claro que queria manter os britânicos afastados daquilo que, a seus olhos, seria uma tolice ou um perigo. Sugeriu que Harriman poderia ser o mediador entre a Grã-Bretanha e o Irã. Todos os presentes acharam uma ótima ideia — ou melhor, todos, menos o próprio Harriman, que não fazia questão de tal encargo. No entanto, concordou em ir.

Um homem alto e austero, Harriman era um multimilionário que havia abandonado os negócios particulares pelo serviço público. Tinha administrado muitas questões complexas e delicadas: fora um representante especial de Roosevelt no anos iniciais da II Guerra Mundial, embaixador em Moscou, em Londres, secretário do Comércio, representante dos Estados Unidos na Europa para o Plano Marshall. Porém, jamais se envolvera em uma negociação tão bizarra. Ele chegou a Teerã na metade de julho de 1951. Junto ia um tenente-coronel do exército americano, Vernon Walters, que seria o intérprete (Mossadegh queria conduzir as negociações em francês), e Walter Levy, que havia dirigido as questões do petróleo no Plano Marshall e acabara de estabelecer sua própria empresa de consultoria.

Os britânicos haviam, de má vontade, aceitado os esforços de Harriman de fazer o papel de agente honesto. Eles estavam mais preocupados com Levy, conhecido por alguns funcionários americanos como "o verdadeiro oráculo do Estado" quando se tratava de questões internacionais do petróleo. Levy não fez segredo de sua opinião de que a posição da Anglo-Iraniana havia se degenerado tanto que ela jamais poderia retornar à sua forma anterior. Expressou o que já estava se tornando uma ideia comum no lado americano. Se os britânicos quisessem reconquistar sua posição geral no petróleo, disse Levy, teriam que "camuflar" a existência da Anglo-Iraniana e diluí-la em uma nova companhia, um consórcio, que seria controlado por uma série de companhias, algumas delas americanas. Os britânicos estavam furiosos com o que era chamado de proposta para uma desastrosa "hibridização" de uma importante companhia britânica. Eles suspeitavam que a razão verdadeira para a proposta de consórcio era que as companhias americanas estavam impacientemente na espreita, antecipando sua oportunidade de chegar ao Irã. As suspeitas britânicas foram atiçadas posteriormente quando um jovem congressista em visita, o deputado John F. Kennedy, filho do ex-embaixador americano em Londres, parou em Teerã e sugeriu ao embaixador britânico que, se não surgisse acerto algum, "poderia ser bom para os interesses americanos oferecer ajuda durante a crise".

Em Teerã, Harriman e sua comitiva foram alojados em um palácio pertencente ao xá. As paredes do grande salão de entrada eram recobertas com milhares de minúsculos espelhos, que davam a impressão de joias tremeluzentes. Tudo parecia insólito e exótico à primeira vista. Harriman e sua comitiva mal desconfiavam que iriam passar a maior parte dos dois meses seguintes ali. Pouco tempo depois, já estavam cansados do cenário.

Harriman, acompanhado de Walters, foi ver Mossadegh que, em contraste, estava em sua despretensiosa residência. Encontraram o primeiro-ministro deitado na cama, as mãos cruzadas no peito. As portas estavam bloqueadas por guarda-roupas a fim de evitar acesso fácil a possíveis assassinos. Mossadegh fez um leve aceno com as mãos para saudar Harriman e Walters e não demorou a contar para Harriman exatamente como ele se sentia em relação aos britânicos. "Vocês não sabem como eles são astutos", disse o primeiro-ministro. "Vocês não sabem o quanto eles são endemoniados. Vocês não sabem como eles maculam tudo o que tocam."

Harriman não concordou. Conhecia-os bem; fora embaixador ali. "Eu lhe asseguro que alguns são bons, outros são maus e a maior parte fica no meio termo", disse Harriman.

Mossadegh inclinou-se, tomou as mãos de Harriman e simplesmente sorriu. Foi apenas mais tarde, durante uma conversa, que Mossadegh mencionou que seu neto, a menina de seus olhos, estava estudando no exterior. "Onde?", perguntou Harriman. "Ora, na Inglaterra, é claro", respondeu Mossadegh. "Onde mais?"

Logo, eles estabeleceram uma insólita postura física para o encontro: Mossadegh sentado ou deitado na cama com as mãos cruzadas atrás do pescoço; o coronel Walters sentado ao pé da cama, talvez em posição ioga; e Harriman em uma cadeira, do lado direito da cama, bem próximo a ela, entre os dois. O arranjo dos três ajudou a aliviar o problema de surdez de Mossadegh. Walter Levy estaria com eles muitas vezes. E ali, naquele cenário insólito, se decidiria o destino da ordem pós-guerra do petróleo e da orientação política para o Oriente Médio. A sensação de mudança constante entre realidade e fantasia era tão forte que Walters mandou vir de Washington uma cópia do *Alice no país das maravilhas* para servir como espécie de guia não oficial para o que poderia vir pela frente.

Dia após dia, Harriman, assessorado por Levy, tentaria ensinar para Mossadegh a realidade dos negócios relativos ao petróleo. "Em seu mundo de sonhos, a simples aprovação da legislação nacionalizando a indústria petrolífera é capaz de gerar negócios lucrativos e garantir ajuda de todos ao Irã, nas bases em que ele determinou", dizia um cabograma enviado a Truman e Acheson. Harriman e Levy procuravam explicar a Mossadegh a necessidade de gerar mercados consumidores para vender o petróleo, mas foi em vão. Que o fato de a companhia se chamar "Anglo-Iraniana", disseram eles, não significava que todo o seu petróleo fosse produzido no Irã. Os rendimentos provinham também do refinamento e da distribuição para vários países. Em um dado momento, Mossadegh parecia estar exigindo uma renda por barril de petróleo superior ao preço total da venda conseguida pelos diferentes produtos derivados daquele barril. "Doutor Mossadegh", disse Harriman, "se vamos falar de maneira inteligente sobre esses assuntos, temos que concordar em certos princípios."

Mossadegh perscrutou Harriman. "Quais, por exemplo?"

"Tais como: nada pode ser maior que a soma de suas partes."

Mossadegh fitou diretamente os olhos de Harriman e respondeu, em francês: "Isso é falso".

Harriman, embora não falasse francês, percebeu que havia compreendido o significado das palavras de Mossadegh, mas ele não conseguia acreditar. "O que o senhor quer dizer com 'falso'?" perguntou incrédulo.

"Bem, veja, por exemplo, a raposa", disse Mossadegh. "Sua cauda é quase sempre muito maior do que ela própria." Com esse subterfúgio, o primeiro-ministro colocou o travesseiro sobre a cabeça e se revirava na cama, dando sonoras gargalhadas.

Por vezes, ao final de um dia de discussões, Mossadegh parecia ter concordado em estruturar um acordo. Mas, na manhã seguinte, os americanos voltariam apenas para serem informados por Mossadegh de que ele não poderia manter o acordo feito. Que não sobreviveria ao acordo. O que importava para Mossadegh, muito mais do que o mercado petrolífero ou a política internacional, era como a questão toda iria influenciar a política interna e como seus rivais da direita e da esquerda, bem como os que apoiam o xá, iriam responder. Ele, particularmente, temia os extremistas muçulmanos, que se opunham a qualquer permuta com o mundo externo. Afinal de contas, fazia poucos meses que o general Razmara havia sido assassinado por um fundamentalista muçulmano.

Harriman, percebendo o quanto esse pavor constrangia Mossadegh, foi ao encontro do aiatolá Kashani, o líder religioso da direita, que fora prisioneiro durante a II Guerra Mundial por sua simpatia pelo Eixo. O Mullah declarou que, embora nada soubesse sobre os britânicos, só podia dizer que eles eram o povo mais diabólico do mundo. De fato, todos os estrangeiros eram demônios e era assim que deveriam ser tratados. O aiatolá, então, começou a contar a história de um americano que havia chegado ao Irã algumas décadas atrás e tinha se envolvido com o petróleo. Ele havia sido morto com um tiro, em uma rua de Teerã, e levado às pressas para um hospital. Uma multidão, procurando pelo americano, invadiu o hospital e o encontrou na mesa de cirurgia, onde o chacinaram.

"Você compreendeu?", perguntou o aiatolá.

Harriman reconheceu de imediato que estava sendo ameaçado. Com os lábios apertados, ele esforçou-se para manter sua raiva sob controle. "Sua Eminência precisa entender que eu tenho enfrentado muitas situações perigosas em minha vida e que não me amedronto com facilidade", respondeu friamente

"Bem", replicou o aiatolá, "não custa nada tentar."

Durante a conversa, o aiatolá Kashani acusou Mossadegh de cometer o maior pecado dos pecados — ser pró-britânico. "Se Mossadegh capitular", disse Kashani, "seu sangue irá jorrar como o de Razmara." Não havia dúvidas de que Kashani era um adversário implacável e perigoso. Quanto ao primeiro-ministro Mossadegh, Harriman havia desenvolvido uma certa afeição por ele. Era teatral, interessante, de certa maneira bondoso, e Harriman começou a chamá-lo de "Mossy", embora não em sua presença.[8]

Harriman pensou ainda que havia vislumbrado uma solução, um *modus vivendi* possível. Ele voou de volta a Londres. onde aconselhou que os britânicos enviassem um mediador especial para fazer o acompanhamento do processo. A escolha recaiu sobre o milionário socialista Richard Stokes, a quem Harriman acompanhou na volta a Teerã. Stokes, com alguma confiança, anunciou sua meta audaciosa — colocar diante de Mossadegh "uma esplêndida oferta".

Junto com Stokes, na viagem de volta a Teerã, estava *sir* Donald Fergusson, o influente subsecretário permanente do Ministério das Minas e Energia. Fergusson era um crítico constante da Anglo-Iraniana e de seu presidente, *sir* William Fraser, a quem ele considerava limitado, ditatorial e insensível às considerações e tendências políticas mais amplas. Mas ele também estava cético sobre a possibilidade de qualquer acordo e temia que uma negociação ameaçasse qualquer outro investimento britânico no exterior, com a expropriação por governos gananciosos, contra os quais não haveria nenhuma sanção efetiva, de jeito nenhum. "Foram o empreendimento, a habilidade e o esforço britânicos que descobriram o petróleo no solo persa, que construíram a refinaria, que desenvolveram mercados para o petróleo persa em trinta ou quarenta países, com desembarcadouros, reservatórios e bombas, tanques rodoviários e ferroviários e outros meios de distribuição, além de uma imensa frota de petroleiros. "Por essa razão, ele achava que a reinvidicação por uma partilha meio a meio, do ponto de vista moral, conforme o líder muçulmano religioso, o Aga Khan, havia exigido, era "besteira e como tal devia ser tratada".

De qualquer maneira, Fergusson reconheceu que o objetivo de Mossadegh não era por "melhores condições financeiras, mas sim para livrar-se desta companhia estrangeira e de sua influência predominante sobre a Pérsia". E Mossadegh não tencionava permitir que a Anglo-Iraniana voltasse. Além disso, estava agora prisioneiro das paixões populares que tanto havia instigado. Portanto, nesse segundo turno de negociações não havia modo de chegar a um acordo sobre a questão decisiva de quem, no caso de um acordo, iria realmente conduzir e controlar a indústria do petróleo no Irã. "Uma sessão de negociações ao entardecer, nos jardins do palácio onde estávamos, era semelhante ao último ato de *Fígaro*", relembrou Peter Ramsbotham, que era um importante mediador da missão de Stokes. "Figuras desconhecidas e obscuras se escondiam por trás de roseiras. Todo mundo espionava alguém. As pessoas se espreitavam pelos cantos. Jamais sabíamos com quem estávamos falando. Tampouco Mossadegh sabia." Stokes decidiu retirar-se. Sua missão e a missão de Harriman, muito mais longa, haviam falhado. "Era hábito de Mossadegh lutar contra os britânicos", concluiu Harriman. "Qualquer acordo sobre a disputa iria abalar seu poder político." Ainda assim, no avião que deixava Teerã, Harriman foi forçado a fazer uma dolorosa confissão. "Eu simplesmente não estou acostumado a perder", disse ele. Mas, até então, ele nunca havia tentado negociar com alguém como o "Velho Mossy".[9]

"Segurem-se firmes, cafajestes!" — o adeus a Abadã

Nesse meio tempo, nos campos de petróleo e nas refinarias, as operações estavam sendo desativadas, e os britânicos conseguiram montar um embargo ameaçando os proprietários dos petroleiros de mover uma ação judicial, caso eles carregassem petróleo roubado. Além disso, a Grã-Bretanha embargou bens do Irã, e o Banco da Inglaterra suspendeu recursos financeiros e tráfego marítimo que estavam à disposição do Irã. Em resumo, a expropriação estava se dando na base de hostilidades econômicas.

O Majlis fez uma retaliação aprovando uma lei que condenava à pena de morte quem fosse considerado culpado de "sabotagem ou de falta de atenção". Seguindo os conselhos do embaixador britânico, Drake apressou-se em deixar o país, escapando em um pequeno avião. Depois disso passou a conduzir as operações iranianas de petróleo direto de seu escritório em Basra, no Iraque, ou, então, direto de um navio no Golfo. Após um encontro em Suez com os chefes do Estado-Maior britânico, foi enviado de volta para a Grã-Bretanha com um nome falso, e lá convocado às pressas para um encontro com o gabinete de Attlee. O convite enfureceu o autocrático *sir* William Fraser, que não foi convidado e andava ocupado demais para fazer uma visita pessoal a Drake; afinal de contas Drake fora ninguém mais que o homem marcado da Anglo--Iraniana. Apesar da ira de Fraser, Drake foi ao encontro, entrando na Downing Street, 10, por uma passagem secreta pelos fundos da casa, a fim de escapar dos repórteres que o aguardavam. Drake relatou ao gabinete que, se a Grã-Bretanha não tomasse alguma providência em Abadã, iria perder muito mais posteriormente, incluindo o canal de Suez. Ele foi levado à presença do líder da oposição, Winston Churchill, que, depois de interrogá-lo sobre suas discussões com o gabinete, resmungou de repente: "Você tem uma pistola, Drake?" Drake explicou que ele havia devolvido sua pistola para as autoridades iranianas devido a uma nova lei que previa pena de morte para pessoas que não possuíssem porte de arma. "Drake, com uma pistola você pode acabar com um homem", advertiu-o Churchill. "Eu sei disso porque possuo uma."

Como resultado do fracasso das missões de Harriman e de Stokes, o governo britânico voltou a discutir o uso da força militar para tomar posse da ilha de Abadã e de sua refinaria. As preparações militares secretas, na verdade, estavam tão avançadas que, em setembro de 1951, uma operação para tomar a ilha de Abadã poderia ter sido montada em menos de doze horas. O que mais poderia ser feito? Todo o Irã já não estava naquele momento unido contra os britânicos? Eles não estavam arriscando um rompimento com os Estados Unidos? De qualquer modo, o elemento surpresa fora perdido. "Seria humilhante para este país se o corpo de funcionários britânico que ainda estava em Abadã fosse expulso", disse Attlee ao seu gabinete. Mas o governo britânico decidiu-se por não fazer uso da força armada contra essa possibilidade. Analisando o ocorrido, algumas pessoas poderiam encarar a ameaça pública do uso da força nos primeiros meses da crise, e depois o recuo, como o verdadeiro começo do fim da credibilidade e da posição britânica no Oriente Médio.

No dia 25 de setembro de 1951, Mossadegh deu aos funcionários britânicos remanescentes em Abadã exatamente uma semana para irem embora. Poucos dias mais tarde, o aiatolá Kashani declarou um feriado nacional especial. — "O dia do ódio contra o governo britânico". No complexo de refinarias em Abadã, os estrangeiros britânicos e as enfermeiras organizaram um teatro-revista com músicas e encenações, para seu próprio entretenimento, ao qual chamaram de "Segurem-se firmes, cafajestes!"

Na manhã do dia 4 de outubro, os homens do petróleo e suas famílias se reuniram em frente ao clube Gincana, que fora seu centro social. Carregavam varas de pescar, raquetes de tênis e tacos de golfe; alguns carregavam seus cães, embora a maior parte dos animais tivesse sido exterminada. O grupo incluía não só os homens da refinaria, mas a indomável senhora que dirigia a hospedaria. Apenas três dias antes, ela havia usado seu guarda-chuva para impedir a entrada de um oficial iraniano que queria passar com um tanque sobre o seu gramado. O pároco juntou-se aos demais em frente ao clube, depois de fechar a pequena igreja que abrigou toda a história da comunidade daquela ilha — registros dos que haviam nascido, sido batizados e casados, ou morrido em Abadã.

Esperando por todos estava o cruzador Mauritius, que os aguardava para levá-los rio acima até um abrigo seguro em Basra, no Iraque. A banda do navio, em uma demonstração bizarra de protocolo, tocava o Hino Nacional Iraniano, enquanto as lanchas da marinha britânica começavam a transportar os passageiros, da praia até o navio. Perto do meio-dia, todos estavam a bordo, e o Mauritius começou a fumegar vagarosamente rio acima em direção a Basra. A banda continuava a tocar, mas desta vez "Coronel Bogey". Os passageiros desataram a cantar num enorme coro sob o sol forte, uma versão impublicável e obscena daquela venerável marcha militar. Com esse rompante desafio musical, os britânicos deram adeus a sua maior empresa ultramarina e à maior refinaria do mundo, que tinha agora encerrado suas operações. Foi um clima particularmente humilhante para os seis anos pós-guerra britânicos de recuo imperial. A primeira das grandes concessões de petróleo do Oriente Médio foi também a primeira a ser sumariamente fechada.[10]

"Uma rajada de mosquetaria"

O petróleo deixou de sair do Irã, graças à eficiência do embargo britânico e, em particular, à vigilância da Anglo-Iraniana, que impetrava ações legais contra refinadores e distribuidores que usassem o petróleo iraniano. Mas o embargo também serviu para tirar uma quantidade substancial de petróleo do comércio mundial em um momento crítico, durante a Guerra da Coreia. Aplicou-se o racionamento em algumas partes da Ásia; reduziram-se voos "desnecessários" ao leste de Suez. A Administração do Petróleo para a Defesa dos Estados Unidos chegou à desanimadora estimativa de que, sem o Irã, a demanda mundial de petróleo ultrapassaria as provisões disponíveis até o final de 1951.

Os mecanismos foram rapidamente acionados para contornar a escassez. Como na II Guerra Mundial, foram baseados na cooperação anglo-americana. Nos Estados Unidos, agindo de acordo com o Defense Production Act de 1950 e com a isenção da lei antitruste, dezenove companhias de petróleo formaram um comitê voluntário para coordenar e reunir suprimentos e recursos. Ele funcionava lado a lado com um comitê britânico semelhante, transportando suprimentos pelo mundo todo a fim de eliminar dificuldades e escassez. As próprias companhias se esforçaram para aumentar a produção nos Estados Unidos, na Arábia Saudita, no Kuait e no Iraque. Da forma como foi feito, o impulso do grande desenvolvimento do petróleo do pós-guerra deu suporte ao embargo britânico contra o Irã, e a temida escassez jamais se materializou. Em 1952, a produção iraniana havia caído para apenas 20 mil barris diários, contra os 666 mil de 1950, ao passo que a produção mundial total havia aumentado de 10,9 milhões de barris diários em 1950 para 13 milhões em 1952, "um aumento três vezes maior do que a produção total do Irã em 1950!"[11]

A política britânica contra o Irã fortaleceu-se em outubro de 1951, quando o governo trabalhista foi substituído por outro conservador, liderado mais uma vez por Winston Churchill, agora com 77 anos — cinco anos mais velho que Mossadegh. Churchill demonstrava a idade que tinha; ele reclamava que seu "velho cérebro" já não trabalhava como antigamente. No entanto, tinha ideias bastante firmes a respeito da nacionalização iraniana: em sua opinião, o governo trabalhista tinha agido de forma indecisa e fraca demais. "Estivesse ele no cargo", disse a Truman, "nem sob uma rajada de mosquete" a Grã-Bretanha "teria sido expulsa do Irã". Tudo isso era uma grande ironia. Como Primeiro Lorde do Almirantado, 37 anos antes, Churchill havia conseguido a participação do governo na Anglo-Persisn, como se chamava na época. Agora, já vivera e permanecera na política o tempo suficiente para reabilitar-se e liderar o governo numa época da maior crise da companhia. Ele iria defender a companhia dentro dos limites de sua capacidade.

Seu secretário de Relações Exteriores era *sir* Anthony Eden, que tinha uma espécie de afinidade com a questão. Em Oxford, depois da I Guerra Mundial, o curso que Eden frequentou era de línguas orientais e fora um aluno brilhante em língua persa e apreciador das maravilhas de sua literatura. Eden manteve suas ligações com a Pérsia. Como subsecretário do Ministério das Relações Exteriores em 1933, ele havia desempenhado um papel crucial na resolução da crise ocasionada na época pela expropriação da Anglo-Persisn pelo xá Reza. Oito anos mais tarde, em 1941, como secretário das Relações Exteriores, Eden ficou muito aflito pelo flerte do xá Reza com os nazistas e desempenhou um papel importante na decisão de invadir o Irã e depor o xá. Estava pessoalmente fascinado pelo país e havia feito muitas viagens para lá. Quando voltou como secretário das Relações Exteriores em 1951 ainda era capaz de lembrar provérbios em persa. Porém, uma crise de proporções maiores — resultado da nacionalização e da expulsão de Abadã — o aguardava. "Nossa autoridade, no Oriente Médio, estava violentamente abalada", disse.

A crise provocou também um dilema pessoal para Eden. Uma parte substancial de seus ativos financeiros pessoais estava imobilizada em ações da Anglo-Iraniana, cujos preços estavam caindo rapidamente. Depois de muita ponderação, ele decidiu que — apesar das ações do próprio governo e da falta de qualquer regulamentação ou convenção que pudesse assim determinar — não era conveniente ser acionista. Vendeu suas ações no momento em que o valor delas estava bem baixo. Com essa atitude, perdeu sua única chance de garantir qualquer segurança financeira substancial, e, em última análise, custou-lhe muito, inclusive sua casa de campo.

Com os conservadores novamente no poder, a discordância fundamental entre Londres e Washington tornou-se mais bem-definida. Os americanos temiam que, se

Mossadegh caísse, os comunistas talvez o sucedessem, e era melhor tentar trabalhar a seu favor, por mais exacerbado que fosse, do que contra. Os britânicos, ao contrário, achavam que Mossadegh deveria ser substituído por um governo mais razoável — e quanto mais cedo melhor. O consentimento do Irã e a capacidade de Mossadegh de agir com impunidade — iriam, inevitável e irresistivelmente, seduzir os países do mundo todo, conduzindo a uma epidemia de nacionalização e expropriação. A Grã-Bretanha não podia dar-se ao luxo de arriscar suas outras propriedades no exterior. "Precisamos comunicar aos altos escalões do governo americano que, mesmo concordando com o seu ponto de vista, o dr. Mossadegh precisa ser mantido para salvar a Pérsia do comunismo; eles precisam escolher entre salvar a Pérsia e arruinar este país." Havia muita discussão inútil no âmbito do governo britânico sobre qual atitude tomar e em quem colocar a culpa além de uma grande dose de impaciência e raiva contra a Anglo-Iraniana e, o que parecia aos seus funcionários, obscurantismo. O próprio Eden reclamava que o presidente da companhia, *sir* William Fraser, estava "um tanto maluco".[12]

No outono de 1951, poucas semanas depois de os britânicos terem deixado Abadã, Mossadegh foi aos Estados Unidos para defender a causa do Irã nas Nações Unidas. Foi também a Washington para justificar-se perante Truman e Acheson e pedir auxílio financeiro. O governo americano queria a estabilidade no Irã, mas não estava preparado para ajudar Mossadegh a consegui-la. Quando Mossadegh começou a explicar a Truman e a Acheson que ele falava "em nome de um país muito pobre — um país de desertos —, apenas areia", Acheson interrompeu-o: "Sim, e com seu petróleo, quase igual ao Texas!" O primeiro-ministro recebeu uma ajuda financeira insignificante.

No entanto, o secretário assistente George McGhee, após cerca de oito horas de conversações com Mossadegh, acreditava que ele havia conseguido claramente chegar a uma proposta para um acordo. O acordo incluía a aquisição da refinaria de Abadã pela Royal Dutch-Shell (com a premissa que era uma companhia holandesa, ou seja, não britânica) e um contrato com a compra de petróleo especial para a Anglo-Iraniana que teria o efeito de uma divisão 50/50. Mossadegh, porém, insistia em uma condição extra: que nenhum técnico britânico fosse trabalhar no Irã. O próprio Acheson submeteu a proposta a Anthony Eden, que estava almoçando em Paris, através de um telefonema. Quando Acheson terminou sua ligação e foi reportá-la a McGhee e a algumas outras pessoas do Departamento de Estado que aguardavam ansiosamente, disse que a condição extra de Mossadegh havia enfurecido Eden, por considerá-la humilhante, rejeitando assim a proposta toda. McGhee, que tinha muita esperança, ficou atordoado. Seus esforços para solucionar a crise do petróleo no Irã haviam falhado. "Para mim foi quase o fim do mundo", declarou ele. Não ficou claro se Mossadegh compartilhava de sua angústia — nem se realmente chegou a desejar um acordo. "Você não percebe que, voltando ao Irã com as mãos vazias", disse Mossadegh a um americano na noite anterior à partida, "eu fico em uma posição muito mais forte do que se voltasse com um acordo e tivesse que vendê-lo aos meus fanáticos?"

Ainda assim, a administração Truman continuava a esperar por um acordo com Mossy. No Departamento de Estado, certamente no Ministério das Relações Exteriores em Londres, havia propostas para um consórcio de companhias que assumissem a administração da indústria petrolífera no Irã. Havia também um plano engenhoso, designando o Banco Mundial para assumir o comando das operações do petróleo no Irã como um tipo de mandatário, até que um acordo mundial pudesse ser negociado. Todos eles fracassavam pela falta de interesse do Irã em um compromisso que atenuasse a nacionalização e seu controle, e desse um papel para a Anglo-Iraniana.

À medida que a crise se arrastava, nos primeiros meses de 1952 o governo de Mossadegh não podia vender seu petróleo, já estavam ficando sem dinheiro, e as condições econômicas começavam a deteriorar. Porém, nada disso parecia ter importância. O mais importante é que ele se constituía no líder popular nacional que havia alcançado o histórico objetivo de expulsar os estrangeiros e recuperado a herança nacional. Declarou que, até onde sabia, o petróleo poderia permanecer no solo para o uso de gerações futuras. O embaixador americano no Teerã percebeu a antipatia básica de Mossadegh pelo xá, que ele atribuía ao "desprezo secreto" de um homem pertencente a uma antiga família aristocrática contra um "filho covarde de um impostor tirânico e arrogante". Mas o constitucionalista Mossadegh estava recorrendo a meios extraconstitucionais para conduzir o país, incluindo o uso de mobilizações nas mas para manipular políticos. Estava assumindo maior poder ditatorial. "Sempre considerei este homem inadequado para altos postos", disse um líder oposicionista. "Mas nunca imaginei, mesmo em meus piores pesadelos, que um homem de 70 anos pudesse se transformar em um agitador de multidões. Um homem que vive cercando o Majlis com capangas nada mais é do que uma ameaça pública." Mossadegh estava se revelando um político inovador notável; ele foi o primeiro líder do Oriente Médio a usar o rádio para incitar seus seguidores. Quando ele chamava, milhares e milhares — às vezes, parece, centenas de milhares — iam para as ruas, em frenesi, entoando cânticos, intimidando, destruindo os escritórios de jornais de oposição. O xá sentia-se impotente diante da popularidade de Mossadegh. "O que posso fazer?", disse ao embaixador americano. "Estou indefeso."[13]

"Sorte ser uma senhorita esta noite"

Nessa época, Acheson encontrou-se novamente com Eden, cuja opinião era que "em alguma etapa poderia ser necessário (...) inculcar no xá a necessidade" de destituir Mossadegh do poder".* De qualquer modo nem os Estados Unidos nem a Grã-Bretanha

---

* Algumas vezes Acheson e Eden eram confundidos um com o outro. 'Eden não sabia exatamente por quê. "Acheson", dizia ele, "não se parecia com um cidadão típico dos Estados Unidos". Talvez porque sua mãe fosse canadense. Certa vez, durante um voo de Nova York para Washington, um funcionário da marinha americana passou um bilhete a Eden: "Você é Dean Acheson ou Anthony Eden? Sendo um ou outro, pode por favor autografar meu livro?"

desistiram dos meios diplomáticos com Mossadegh. Truman implorou a Churchill que aceitasse a validade da lei de nacionalização iraniana, "que parece ter se tornado tão sagrada aos olhos dos iranianos quanto o Alcorão (...) Se o Irã se escoar pelo sorvedouro comunista, teremos pouca satisfação de ter defendido posicionamentos legais até o fim". Churchill queria promover um apelo conjunto a Mossadegh, de quem disse: "Estamos lidando com um homem à beira da falência, da revolução e da morte, mas ainda assim, acredito, um homem. Nossos esforços conjuntos poderão convencê-lo".

Truman acabou concordando com uma proposta conjunta de arbitragem para determinar a remuneração pelas propriedades nacionalizadas, mas, depois de muitas evasivas e discussões, Mossadegh finalmente rejeitou a proposta porque, de acordo com ele, era uma "armadilha" da Anglo-Iraniana.

No final da administração Truman, tanto os americanos quanto os britânicos já estavam quase desistindo de Mossadegh. No fim de 1952, os britânicos levantaram junto aos americanos a possibilidade de trabalharem juntos para promover uma mudança no governo iraniano — em outras palavras, um golpe. A resposta dos americanos foi adiada até a posse da administração Eisenhower. Foi dada carta branca à questão, com o suporte do secretário de Estado, John Foster Dulles, e seu irmão Allen, o novo chefe da CIA (Agência Central de Inteligência).

Mesmo assim, nas últimas semanas da administração Truman e primeiras da administração Eisenhower, os Estados Unidos ainda lançaram uma nova tentativa diplomática para estabelecer um acordo petrolífero entre o Irã e a Grã-Bretanha. Depois de muitas discussões inúteis, Mossadegh, uma vez mais, disse não. Nesse meio tempo, as condições do Irã haviam se deteriorado muito mais. Antes da nacionalização, as exportações de petróleo geravam dois terços do câmbio exterior do país e metade da receita do governo. Mas fazia dois anos que não havia rendimento proveniente do petróleo, a inflação estava sem controle e a economia caindo aos pedaços. O país estava muito pior do que antes da nacionalização. A lei e a ordem desmoronavam; o chefe de polícia em Teerã foi raptado e assassinado. Além disso, Mossadegh mostrava pouco talento para governar. Conduzia as suas reuniões de gabinete da cama. Nos primeiros meses de 1953, tentou sustentar sua enfraquecida posição interna, detendo mais poder em suas próprias mãos — estendendo a lei marcial, governando por decreto, tomando a si o controle das nomeações militares, intimidando e silenciando a oposição, abolindo a Câmara Alta do Parlamento e dissolvendo a Baixa e finalmente realizando um plebiscito em estilo soviético, que lhe conferiu vitória por 99%. Muitos nacionalistas e reformistas, que já haviam apoiado Mossadegh, foram hostilizados pelos esforços dele em monopolizar o poder e pela ligação crescente com a "democracia da turba" e com o partido Tudeh. Os fundamentalistas religiosos também se viraram contra ele, quando buscou aumentar seu poder. Eles decidiram que Mossadegh era um inimigo do Islã. O fato de a revista *Time* tê-lo escolhido como "o homem do ano" foi, na opinião de alguns, a prova de que era um agente americano. Parecia também que Mossadegh estava estabelecendo planos para eliminar o xá. E estava chegando cada vez mais perto da União Soviética. Quanto ao xá, parecia tão indefeso quanto sempre.

A inclinação de Mossadegh em direção a Moscou tornou-se ainda mais clara quando o novo embaixador soviético chegou a Teerã — o mesmo homem que havia sido embaixador soviético em Praga, no ano de 1948, quando os comunistas de lá armaram um golpe e tomaram o poder. Somente os ingênuos conseguiam acreditar que os russos não estavam se organizando para ganhar o controle político do Irã através de seus próprios agentes e do partido Tudeh. Um objetivo há tanto tempo ansiado pelos russos *romanovs* e bolcheviques igualmente — parecia estar, finalmente, à mão; afinal, como parte do Pacto Nazi-Soviético, o Kremlin havia colocado o Irã no centro das "aspirações" soviéticas. O frango apenas aguardava ser depenado.

Em Washington, durante um melancólico encontro do Conselho de Segurança Nacional, o secretário de Estado, Dulles, previu que o Irã logo seria uma ditadura sob o comando de Mossadegh, seguida por um assalto comunista. "O mundo ocidental não só ficaria privado dos enormes bens representados pela produção e reserva de petróleo iraniano", disse Dulles, "como também os russos garantiriam esses bens e assim, doravante, ficariam livres de toda a preocupação a respeito de suas reservas petrolíferas. Ainda pior (...) caso o Irã sucumbisse aos comunistas, haveria poucas dúvidas de que em pouco tempo as outras áreas do Oriente Médio, com cerca de 60% das reservas mundiais de petróleo, cairiam sob controle comunista".

"Haveria algum espaço para salvar a situação?", perguntou o presidente Eisenhower. Sim, havia.

Do lado britânico, o secretário das Relações Exteriores, Eden, contemporizou. Estava doente e em julho de 1953 ainda se achava em convalescença. Churchill, assumindo o comando direto do Ministério das Relações Exteriores Office, aprovou um plano para depor Mossadegh. Assim fizeram os americanos. Nas palavras de Allen Dulles, "a operação entrou em vigor". O general Fazlollah Zahedi, leal ao xá, tomaria a dianteira no desafio a Mossadegh. Os dois países ocidentais acreditavam não estar dando apoio a um golpe — que era o que Mossadegh estava pondo em execução —, mas a um contragolpe, pelo xá e Zahedi.[14]

O controle de campo daquela que foi chamada "Operação Ajax" foi conferido a Kermit Roosevelt, da CIA, neto de Theodore Roosevelt. O MI6, serviço secreto britânico, fornecia o suporte. Em meados de julho de 1953, "Kim" Roosevelt entrou no Irã de automóvel, vindo do Iraque. Porém, antes que a Operação Ajax pudesse começar, o xá, desconfiado, deveria ser convencido de que o plano era real e tinha chance de sucesso. Sabia muito bem que o governo dos Estados Unidos estava tentando cortejar Mossadegh. Também suspeitou que Mossadegh era um agente britânico, embora talvez ligeiramente errante. Para que pudesse encontrar-se clandestinamente com o xá e aplacar suas dúvidas, Roosevelt entrou de mansinho na área palaciana escondido debaixo de um cobertor, no chão de um carro. Conseguiu persuadir o xá.

A Operação Ajax se desenrolou até meados de agosto de 1953 com enorme suspense e alta dramaticidade. Todos os principais atores receberam nomes em código. O xá era "Boy Scout" (Escoteiro); Mossadegh "The Old Bugger" (O Velho Patife). Um dos códigos de Roosevelt, devido a um erro na leitura de seu passaporte por um guarda na fronteira, era "Mr. Scar on Right Forehead" (sr. Cicatriz no Lado Direito da Testa). Aguardando impacientemente por vários dias na casa de um de seus homens em Teerã, Roosevelt ouvia sem parar a música "Sorte ser uma senhorita esta noite," do musical *Guys and Dolls,* que era na época o grande sucesso da Broadway. Essa tornou-se a música-tema da operação.

No entanto a má sorte parecia estar presente desde o começo. O início da operação foi marcado para quando o xá assinasse uma ordem exonerando Mossadegh, mas a liberação da ordem foi retardada por três dias, quando então Mossadegh já havia recebido informações ou de seus auxiliares ou do serviço secreto soviético. Mandou prender o oficial que entregou a ordem e empreendeu seus próprios esforços para derrubar o xá. O general Zahedi escondeu-se. Os auxiliares de Mossadegh e o partido Tudeh tomaram as ruas. Espatifaram e puseram abaixo as estátuas do pai do xá nas ruas de Teerã. O próprio xá fugiu para Bagdá, de avião. Do seu ponto de vista; o contragolpe havia falhado e ele tinha poucas esperanças de retomar a Teerã. Comunicou ao embaixador americano em Bagdá que "logo iria sair à procura de um emprego, visto que tinha uma família grande e poucos meios de sobreviver fora do Irã".

A parada seguinte do xá foi em Roma, onde ele e sua esposa se hospedaram em uma suíte do Hotel Excelsior. Estavam praticamente sem bagagem, sem criados e sem dinheiro. O rei andava pelas lojas sem dinheiro para comprar coisa alguma. O casal real restringia-se a fazer suas refeições nos próprios refeitórios do Hotel e a ler os jornais fornecidos pelos repórteres hospedados no hotel. Era, no geral, uma situação dolorosa e de muita ansiedade e nervosismo.

No dia 18 de agosto, o subsecretário de Estado, Walter Bedell Smith, explicou a Eisenhower que a Operação Ajax havia falhado, acrescentando melancolicamente: "Temos, nesse momento, que reavaliar toda a situação iraniana e provavelmente nos aproximarmos mais de Mossadegh se quisermos salvar alguma coisa por lá. Arrisco-me a dizer que isso significa uma pequena dificuldade a mais junto aos britânicos". Mas, na manhã seguinte, a maré havia mudado em Teerã. O general Zahedi marcou uma reunião com a imprensa, onde ele distribuiu cópias da ordem de demissão a Mossadegh, assinada pelo xá. Uma pequena manifestação a favor do xá transformou-se em uma multidão imensa e clamorosa, conduzida por acróbatas fazendo cambalhotas, por lutadores exibindo seus bíceps e por enormes levantadores de peso fazendo malabarismos com barras de ferro. Avolumando-se cada vez mais, ela pululava dos mercados para o centro da cidade, proclamando seu ódio por Mossadegh e seu apoio ao xá. Logo apareceram cartazes do xá para serem afixados em todas as partes. Os carros ligaram seus faróis em demonstração de apoio ao xá. Embora surgissem lutas de rua, o movimento era claramente favorável às forças que apoiavam o xá. A exoneração de Mossadegh pelo xá e a nomeação de Zahedi como seu sucessor vieram a público. Elementos vitais das forças militares cerraram fileiras em torno do xá, e soldados e policiais enviados para subjugar os manifestantes pró-xá, ao contrário, juntaram-se a eles. Mossadegh desapareceu por detrás dos muros do seu jardim e Teerã pertencia agora aos partidários do xá.

No Hotel Excelsior, em Roma, um jornalista telegrafista correu ao encontro do xá com o seguinte comunicado: "Teerã: Mossadegh deposto. As tropas imperiais controlam Teerã". A rainha começou a chorar. O xá empalideceu, depois falou: "Eu sabia que eles me amavam". Ele retornou a Teerã em triunfo. O golpe — ou contragolpe — era um plano muito restrito, mas funcionou. Ao final de agosto de 1953, o xá retomou o trono, seu novo primeiro-ministro estava no poder e Mossadegh preso. E as estátuas do pai do xá, destruídas pelos partidários de Mossadegh, estavam sendo reerguidas.[15]

Nos anos seguintes, haveria muita discussão em torno do verdadeiro alcance da operação anglo-americana. Teria ela custado menos que cem mil dólares, ou seu preço girava em torno de milhões? Teriam as duas potências ocidentais gerado o contragolpe ou apenas auxiliado a desencadeá-lo? O tempo de Mossadegh estava chegando claramente ao fim; sua base de sustentação havia se reduzido muito e ele iria acabar pendendo ou para a direita ou para a esquerda. A CIA e a MI6 desempenharam um papel de facilitadoras do processo, fornecendo apoio financeiro e logístico, incentivando a oposição e executando as conexões críticas, em tempos de incerteza e fluidos. A Operação Ajax teve sucesso porque estava de acordo com o progressivo apoio popular ao xá e ao regime existente, bem como com a crescente desilusão contra Mossadegh, que estava tentando alterar o regime no qual ele, e não o xá, detivesse o poder final e que pudesse, em última análise, passar para o controle soviético. Nas palavras de um dos planejadores da Operação Ajax, ela criou "uma situação e um clima em Teerã que forçou o povo a escolher entre uma instituição estabelecida, a monarquia, e um futuro desconhecido oferecido por Mossadegh". Mesmo assim, o sucesso não estava, de modo algum, garantido. De volta a Washington, Kermit Roosevelt reportou-se diretamente a Eisenhower, que, admirado, registrou em seu diário que a Operação Ajax "assemelhava-se mais a um romance-folhetim do que a um fato histórico"[16]

"Um grupo de companhias"

Com o xá novamente no poder, o palco estava montado para recolocar o petróleo iraniano em produção e no mercado mundial. Mas como isso deveria ser feito? A Anglo-Iraniana, é óbvio, estava debilitada. Fazê-la retomar a liderança apenas reacenderia as chamas nacionalistas no Irã. Para o governo britânico, conforme declaração de um funcionário do Ministério das Minas de Energia, ela estava "completamente mutilada".

Era óbvio que Washington teria que liderar um acordo petrolífero. O Departamento de Estado contratou Herbert Hoover Jr. como representante especial do secretário de Estado Dulles para verificar se um novo consórcio de companhias poderia ser

criado para encarregar-se dos interesses da Anglo-Iraniana. Além de ser o filho do ex-
-presidente, Hoover era um consultor de petróleo com certa reputação, tendo auxiliado a arquitetar o acordo 50/50 original com a Venezuela. Ele deu também todos os
sinais de antipatia pelos britânicos. A solução a ser perseguida por Hoover seria aquela
prescrita pelos americanos e que os britânicos levaram em consideração: um consórcio
em que a Anglo-Iraniana estaria camuflada em meio a várias outras companhias, muitas das quais americanas.

Entretanto, as companhias de petróleo americanas, pelo menos as mais importantes, estavam longe de se entusiasmarem com o envolvimento direto com o Irã. Sua
produção em outros lugares do Oriente Médio estava crescendo rapidamente. Os produtores árabes, que estavam se regalando com rendimentos mais altos, não ficaram
particularmente entusiasmados com a possibilidade de ver sua produção ou rendimentos reduzidos para abrir espaço ao petróleo iraniano. As quatro sócias da Aramco
possuíam petróleo mais que suficiente na Arábia Saudita para preencher suas necessidades num futuro previsível; elas estavam fazendo grandes investimentos de capital na
Arábia; por que investir no Irã por um petróleo que não era necessário?

Além do mais, quem precisava de um estreitamento de comércio com os iranianos se a situação política interna era tão instável? "Não havia sequer uma garantia de
que não perderíamos tudo novamente dentro de poucos meses", relembrou um funcionário da Jersey. "Era incerto no tocante à subsistência do país." Os riscos políticos
com os nacionalistas e com os religiosos fundamentalistas não terminaram. A contínua
ameaça da pressão russa sobre o Irã gerou o que foi chamado pelo representante da
Standard of California de situação "surpresa".

De sua parte, os funcionários do governo americano não viram nos executivos
das companhias de petróleo pessoas fáceis de se lidar. Em meados de 1953, Richard
Funkhouser, um estrategista especializado em petróleo do Departamento de Estado,
aconselhou seus colegas, depois de uma longa análise sobre o petróleo do Oriente
Médio, que "para o sucesso de qualquer abordagem é de suma importância que os
homens do petróleo sejam manobrados da maneira mais cuidadosa e diplomática.
Quem trabalha com petróleo parece ser sensível demais a qualquer menção de que a
indústria petrolífera não é perfeita (...) Emoção, orgulho, lealdade e desconfiança difi-
cultam o acesso à razão".

Portanto, uma grande dose de diplomacia foi canalizada para convencer os
homens do petróleo americanos a fazerem o que eles não estavam particularmente
dispostos: ir para o Irã e ajudar a consertar a situação. Da mesma forma, uma grande
dose de persuasão explícita de Washington, sustentada por Londres, se fez necessária.
"Se os governos dos Estados Unidos e da Grã-Bretanha não nos tivessem martelado a
cabeça, nós, na verdade, não teríamos voltado", disse posteriormente o coordenador da
Jersey no Oriente Médio, Howard Page. O Departamento de Estado insistia especialmente em um assunto: se o petróleo iraniano não se movimentasse, o país entraria em
colapso econômico e cairia, de um modo ou de outro, no campo soviético. Consequen-

temente, todo o Oriente Médio estaria ameaçado — especialmente a Arábia Saudita, o Kuait e o Iraque, e as concessões aí existentes. Isso poderia significar também sérios problemas em termos estritamente comerciais: os russos poderiam inundar o mercado mundial de petróleo iraniano. A ameaça comunista ao Irã garantiria a participação no país e haveria ainda um benefício adicional notável. A coparticipação daria às companhias americanas uma importante vantagem, se não um completo controle sobre as taxas de produção iranianas, que teriam que ser equilibradas de qualquer modo com as taxas do Kuait e da Arábia Saudita.

Herbert Hoover Jr. parou em Londres e disse a *sir* William Fraser que não havia outra alternativa e que a Anglo-Iraniana teria que tomar a iniciativa. "Quem paga os músicos chama os convidados para o baile", disse Hoover. E assim, em dezembro de 1953, Fraser mandou uma correspondência para cada um dos presidentes das grandes companhias americanas, convidando-os a irem a Londres para conversar sobre a criação de um consórcio. Um convite desse tipo era, para Fraser, um humilhante reconhecimento de derrota. As companhias americanas também não estavam vibrando em aceitá-lo. Escrevendo ao secretário de Estado Dulles, o vice-presidente da Jersey disse: "Do ponto de vista estritamente comercial, nossa companhia não tem interesse algum em participar de tal grupo, mas estamos bem conscientes dos grandes interesses de segurança nacional envolvidos. Estamos, portanto, preparados para fazer todos os esforços razoáveis".[17]

Mas, antes que a Jersey e as demais companhias pudessem fazer tais esforços, e antes mesmo que qualquer outra coisa pudesse ser feita, havia um outro obstáculo a ser vencido. O assunto era bastante embaraçoso: o governo americano estava movendo um enorme processo antitruste contra as maiores companhias de petróleo — exatamente as mesmas para quem ele estava oferecendo o novo consórcio favorável ao Irã. O Departamento de Justiça estava instaurando um novo processo criminal contra aquelas companhias, acusando-as de pertencerem a um "cartel internacional do petróleo" e de se engajarem exatamente no tipo de relacionamento comercial que o Departamento de Estado estava agora promovendo. Era um estado de coisas completamente confuso, que impedia as companhias de se entusiasmarem na adesão ao consórcio.

O caso do cartel do petróleo

Dois elementos contraditórios e até esquizofrênicos da política pública em relação às principais companhias de petróleo apareciam e reapareciam nos Estados Unidos. Em algumas ocasiões, Washington defendia as companhias e seu expansionismo para promover os interesses políticos e econômicos da América, para proteger seus objetivos estratégicos e intensificar o bem-estar da nação. Em outras palavras, essas mesmas companhias eram submetidas a ataques populistas contra o Big Oil, por sua presumível ganância, por seus métodos monopolistas e, certamente, por sua arrogância e dissimulação. Entretanto, jamais essas duas políticas haviam surgido no mesmo momento, numa colisão tão aguda e potencialmente paralisante, com resultado que poderia provocar enormes consequências políticas e econômicas.

Os advogados antitruste no Departamento de Justiça estavam bastante desconfiados de qualquer cooperação entre as maiores companhias de petróleo. Eles diziam que o sistema desenvolvido na época de Harold Ickes para assegurar fornecimento suficiente de petróleo durante a II Guerra Mundial nada mais era que um "carimbo oficial" de um cartel anterior à guerra. Eles tinham aversão pela Aramco e pelos outros grandes acordos do petróleo do final da década de 1940. Procuravam pela mão oculta dos Rockefeller e ignoravam outras explicações para a *joint venture* da Aramco: os riscos políticos e econômicos, as enormes exigências de capital para desenvolver uma concessão, a construção do oleoduto e a construção de um sistema de refino e distribuição — e as investidas grosseiras do próprio governo americano. Os advogados antitruste também não foram os únicos em Washington a ficarem desconfiados. Em 1949, a Federal Trade Comission (Comissão Federal de Comércio) fez uso de seu direito de intimação para obter documentos da companhia e, no exato momento, elaborou a mais extensa e detalhada análise histórica das relações internacionais entre as companhias de que já se teve conhecimento. Foi um estudo memorável, que vem sendo utilizado para pesquisas de estudos até os tempos atuais.

A comissão expôs um ponto de vista, pronunciado com decisão, como se evidencia a partir do título — *The International Petroleum Cartel* (O Cartel Internacional do Petróleo). Um dos mais conceituados especialistas em petróleo no Departamento de Estado fez um comentário, na época, sobre sua "abordagem altamente parcial, injusta e não objetiva". A análise, no geral, interpretava eventos complexos, de modo a sustentar sua tese de que o petróleo internacional nada mais era que um cartel. Em especial, mostrava um ponto cego fundamental: no mundo do *International Petroleum Cartel*, as companhias de petróleo não tinham que adaptar-se ou curvar-se às vontades e exigências dos governos — os governos com mentalidade de cartel dos anos 1930, as ditaduras ao redor do mundo, os governos britânicos e franceses através dos anos e os governos dos países produtores de petróleo que queriam rendimentos cada vez mais altos e tinham poder permanente para cancelar um concessão.

Os que tinham envolvimento com a política externa — em agências tais como o Departamento de Estado, o Departamento de Justiça e a CIA — estavam horrorizados com a análise do FTC. Acreditavam que o documento iria alimentar os que tentavam minar a posição ocidental no Oriente Médio e em outras partes do globo. De acordo com o Comitê Consultivo de Inteligência da Casa Branca, ela iria "fomentar a propaganda soviética" e "alimentar a consecução dos objetivos soviéticos pelo mundo inteiro". Ela não poderia ter chegado em um momento pior; os Estados Unidos estavam empenhados na Guerra da Coreia e estavam, também, tentando solucionar a crise iraniana, as mesmas companhias que foram alvo da FTC tinham sido utilizadas durante a guerra, para garantir a suficiência de petróleo e compensar a grande lacuna no fornecimento, causada pela interrupção das atividades iranianas.

Temendo repercussões desfavoráveis, a administração Truman classificou o documento de "secreto". Mas, assim que a notícia vazou, aumentou a pressão política para liberá-lo, especialmente tendo em vista a proximidade da eleição presidencial de 1952. Truman finalmente permitiu ao subcomitê do Senado publicá-lo, embora com alguns cortes. O efeito do relatório foi abrangente. Ele prendeu a atenção de leitores, desde Riad até Caracas, e, como se podia prever, tornou-se objeto de comentários até nos programas de rádio de Baku, no Oriente Médio.

Meses antes de sua publicação oficial, o relatório da FTC tinha finalmente convencido o alto escalão do Departamento de Justiça a ir em frente com um processo criminal antitruste contra o que chamavam de "Conspiração como está". (As-Is Conspiracy). A própria história da justiça a respeito do cartel do petróleo continha muitos erros e insinuações bizarras. Por exemplo, foi dito que "os preços do mercado à vista eram os mais altos de todos os tempos". Obviamente, o relatório sugeria, este era somente o resultado das maquinações do "cartel" "e não tinha nada a ver com a interrupção das atividades no Irã e a perda de suprimentos ou com a Guerra da Coreia e o *boom* econômico. Pela versão do Departamento de Justiça, não havia governos estrangeiros fazendo exigências das companhias de petróleo; não havia, nem mesmo, a Comissão das Ferrovias do Texas.

Para o Departamento de Estado, o relatório da FTC era suficiente. Uma investigação criminal extensa e prolongada seria muito mais perigosa. O próprio fato da presença de um grande júri poderia estigmatizar as companhias como malfeitoras, e a campanha do Departamento de Justiça não só iria estimular todos os outros governos — especialmente os do Oriente Médio — a irem atrás das companhias de petróleo, como também sacramentar esse tipo de atitude. Mais especificamente, tal denúncia impossibilitaria ao governo dar um jeito na crise iraniana com a ajuda das companhias americanas. No entanto, em junho de 1952, o presidente Truman autorizou o Departamento de Justiça a iniciar a investigação criminal, convocando um grande júri e intimando a apresentação de documentos.

O Departamento de Justiça queria investigar as companhias estrangeiras — Shell, Anglo-Iraniana, e a CFP, todas elas membros da Companhia Iraquiana de Petróleo. Elas também foram intimadas e obrigadas a exibir documentos. O governo britânico sentia-se ultrajado; as ações do Departamento de Justiça representavam uma violação à soberania, acreditava ele, e se constituíam numa inaceitável declaração de extraterritorialidade. A causa, em si mesma, era simplesmente estúpida, na opinião de Londres, visto que ela não só iria complicar, mais adiante, qualquer acordo para a crise iraniana como também romper o extenso círculo de relações com os países produtores e ameaçar interesses ocidentais estratégicos, políticos e econômicos. Em um encontro com o gabinete em setembro de 1952, o secretário das Relações Exteriores, Eden, descreveu o relatório como "pão bolorento" e "caça às bruxas". "Sendo assim", acrescentou, "as revelações da FTC poderiam ser extremamente prejudiciais aos interesses da Nação". O governo britânico solicitou com muita ênfase que a Anglo-Iraniana e a Shell não cooperassem de modo algum. O governo dos Países Baixos foi instado a fazer o mesmo com a Royal Dutch, do Grupo Royal Dutch-Shell. Ambos os governos, juntamente com o da França, protestaram vigorosamente ao Departamento de Estado.

O Departamento de Justiça estava procedendo de acordo com uma definição nova e ampliada da lei antitruste. Mesmo que ficasse comprovado que as companhias tivessem se envolvido em atitudes de cartel fora dos Estados Unidos, isso, por si só, não se constituiria em violação da Lei Antitruste Sherman. Mas práticas de negócios americanos fora dos Estados Unidos poderiam ser uma violação das leis antitruste americanas, de acordo com as novas interpretações, caso essas práticas provocassem "efeitos" nos preços internos ou em outro aspecto do comércio americano.[18]

Como já se esperava, o ataque do Departamento de Justiça provocou nas companhias de petróleo algo mais do que uma simples relutância em aceitar a pressão que o Departamento de Estado fazia para atirá-las nos negócios petrolíferos do Irã. Afinal, Washington havia encorajado e até mesmo abençoado os "grandes acordos do petróleo" — o consórcio da Aramco, a Companhia Kuaitiana de Petróleo, a reconstrução da Companhia Iraquiana de Petróleo e os contratos de longo prazo envolvendo a Jersey, a Soconye a Anglo-Iraniana — com base em que elas iriam "servir aos interesses nacionais americanos", conforme dizia o memorando do Departamento de Estado em 1947. Agora, o Departamento de Justiça preparava-se para acusar as companhias de uma conspiração criminosa por aquelas ações, exatamente ao mesmo tempo que o Departamento de Estado tentava persuadi-las a entrarem no Consórcio Iraniano — arriscando-se, sem dúvida, à fúria do Departamento de Justiça em algum momento no futuro!

Dean Acheson, receoso das consequências tanto no Irã quanto para os objetivos globais da política externa americana, esforçou-se ao máximo para suspender a ação do Departamento de Justiça. Ladeado pelo secretário da Defesa, Robert Lovett, e pelo general Omar Bradley, presidente da Junta de Chefes do Estado-Maior, procurou persuadir o secretário de Justiça, James McGranery, a voltar atrás. Mas sem resultado. A decisão de dar início à ação estava nas mãos do presidente Truman. O tempo era curto. Eisenhower fora eleito em novembro de 1952 e as últimas semanas da administração Truman estavam se passando rapidamente.

O que iria decidir o presidente? Harry Truman conhecia alguma coisa sobre petróleo. Quando jovem, fora sócio de uma companhia que estava iniciando a exploração de petróleo em diversos estados. Naquela ocasião, Truman fora motivado pelo costumeiro sonho de prosperidade e riqueza, mas esse sonho não se realizou, e ele perdeu seu dinheiro. Paradoxalmente, um grupo que comprou algumas propriedades arrendadas de Truman logo descobriu uma enorme jazida. Truman às vezes conjeturava sobre o que poderia ter acontecido caso ele e seus sócios descobrissem o petróleo. Talvez ele chegasse a ficar milionário com o petróleo e não tivesse chegado à presidência. Truman permaneceu cético e crítico com o Big Oil; ele presidira o comitê do Senado que havia exposto a Jersey ao ridículo em 1942 pelas suas relações antigas com a I.G. Farben. Mas, independentemente da tendência populista de Truman e de seu senso de certo e errado e do que consistia fazer boa política interna, os riscos, em sua opinião, eram grandes demais. O Irã era um país que o preocupava. Certa vez, em meio a uma discussão a respeito da Guerra da Coreia, Truman colocou o dedo sobre o Irã no globo terrestre: "Aqui é o lugar onde eles irão começar a dar trabalho se não formos cuidadosos", disse a um auxiliar. "Se nós não interferirmos, eles irão se deslocar para o Irã e tomar conta de todo Oriente Médio". "Eles", eram os soviéticos.

No dia 12 de janeiro de 1953, a menos de duas semanas do final de sua administração, Truman anunciou sua decisão. A investigação criminal foi suspensa. Ela seria substituída por uma ação civil. A administração Eisenhower deu início à causa civil, em abril de 1953, acusando as cinco companhias americanas de participar de uma "combinação e conspiração ilegais para restringir o comércio interestadual e internacional, nos Estados Unidos, de petróleo e de produtos derivados". A única razão pela qual o Departamento de Justiça deixou de levar adiante a causa criminal foi, conforme disse L.J. Emmerglick, um advogado antitruste, "o julgamento ponderado de dois presidentes, dois secretários de Estado e seus principais representantes, dois secretários da Defesa, e, além deles, o presidente da Junta dos Chefes de Estado-Maior, a CIA e vários membros do gabinete atual e do anterior".

Para implementar a decisão da nova administração, o Conselho de Segurança Nacional emitiu uma instrução ao secretário de Justiça para que a execução das leis antitruste dos Estados Unidos contra as companhias de petróleo do Ocidente operando no Oriente Próximo pudesse ser considerada secundária em nome dos interesses de segurança nacional. Mas estava absolutamente claro que as companhias de petróleo não entrariam no consórcio iraniano a menos que tivessem uma garantia específica de não processo que sobrevivesse a todas as administrações futuras. Em janeiro de 1954, o secretário de Justiça e o Conselho de Segurança Nacional providenciaram a garantia explícita. "O plano para o consórcio iraniano", disse o secretário de Justiça de Eisenhower, Herbert Brownell, "não violaria as leis antitruste dos Estados Unidos".[19]

Criando o consórcio

Iniciava-se verdadeiro esforço para criar um novo consórcio de companhias ocidentais para operar no Irã. Ele se tornaria um caso maravilhoso de diplomacia multidimensional. Além da Anglo-Iraniana, as companhias participantes incluíam as quatro sócias da Aramco — Jersey, Socony, Texaco e Standard of California — mais a Gulf, que era sócia da Anglo-Iraniana no Kuait; a Shell, que estava ligada à Gulf no Kuait; e a companhia francesa CFP. Os governos americano e britânico também estavam intimamente envolvidos. O que qualificava essas sete companhias específicas para serem membros do consórcio era o fato de fazerem parte das *joint ventures* que produziam petróleo em várias partes do Oriente Médio e que, junto com a Anglo-Iraniana, eram responsáveis pela maior parte do petróleo naquela região. Durante os anos em que o Irã esteve afastado do mercado mundial do petróleo, a produção nos países vizinhos aumentou sensivelmente, demonstrando para todos os envolvidos que a repentina alta de produção teria que ser controlada para dar espaço às exportações iranianas. O único modo de assegurar a aceitação das sete companhias seria dar a cada uma delas uma participação no novo consórcio.

Antes mesmo de se tratar da situação do Irã, os demais países produtores de petróleo precisavam ser acalmados. As sócias da Aramco foram ao encontro do idoso rei Ibn Saud, um pouco antes de sua morte, com a delicada missão de explicar o motivo de estarem recorrendo ao petróleo iraniano, reduzindo assim o crescimento da produção saudita. Elas explicaram que estavam entrando para o consórcio iraniano "somente pelo fato de que poderia haver um caos na região caso não entrássemos". Explicaram que tomavam essa atitude não porque desejavam mais petróleo, mas devido à "obrigação política de atendermos a nossos governos". Ibn Saud compreendeu. As implicações geopolíticas estavam óbvias: o Irã poderia cair nas mãos dos comunistas, com todos os perigos que isso poderia acarretar à Arábia Saudita. O rei autorizou as sócias da Aramco a seguirem em frente. Mas fez um importante aviso: "Em hipótese alguma vocês deverão extrair mais do que o estritamente necessário para satisfazer as exigências desse trabalho".

As companhias enviaram, uma pequena equipe a Teerã para negociar com os iranianos. Uma vez mais, as negociações se transformaram naquelas intermináveis discussões persas, nas quais as questões, as definições e os objetivos sofriam constantes alterações. Embora Mossadegh já não estivesse no poder e os funcionários iranianos fossem a favor de reiniciar as exportações de petróleo, não poderiam correr o risco de comprometer a soberania do Irã ou sua arrecadação. Além disso, o xá e seus assessores tinham um medo totalmente compreensível de um outro levante e de serem expulsos do país — ou de coisas bem piores. Por isso eram inflexíveis e insistentes.

A certa altura, as equipes de negociações das companhias se desencorajaram e perderam as esperanças. Prepararam-se para voltar a Londres, deixando, porém, alguns membros em Teerã a quem denominaram, em tom de brincadeira, de "reféns". Howard Page, da Jersey, chamou os assessores de volta a Teerã em junho de 1954 para uma outra tentativa. Finalmente, no dia 17 de setembro de 1954, Page, que desempenhou para as companhias o papel principal, e o ministro das Finanças do Irã iniciaram um acordo envolvendo o consórcio e a Companhia Nacional de Petróleo Iraniana. O xá assinou o acordo em 29 de outubro de 1954. No dia seguinte, três anos após os britânicos terem sido forçados a se retirar de maneira humilhante da refinaria de Abadã ao som de "Coronel Bogey", havia um outro tipo de cerimônia em Abadã. Enquanto Page e o ministro das Finanças proferiam discursos de celebração, o petróleo começou a fluir para os tanques que já estavam preparados. O primeiro a deixar as docas foi o *British Advocate*, da Anglo-Iraniana. O Irã estava de volta ao mundo do petróleo.

O consórcio foi um dos grandes momentos decisivos para a indústria do petróleo. O conceito da concessão nas mãos de estrangeiros foi, pela primeira vez, substituído pelo de negociação e acordo mútuos. A experiência no México foi de expropriação imposta. Mas agora, no Irã, todas as partes reconheciam novamente, pela primeira vez, que o Irã era o proprietário dos bens, por princípio. Sob esta nova perspectiva, a Companhia Nacional de Petróleo Iraniana deveria se apropriar dos recursos e das instalações do petróleo no país. Na prática, porém, ela não poderia ditar as diretrizes ao consórcio. O consórcio, como agente contratual, iria administrar a indústria iraniana e comprar toda a produção, e cada companhia consorciada venderia sua parcela de petróleo através de seu sistema independente de mercado. Embora modesta, a Anglo-Iraniana ainda era a sócia majoritária, com 40% das ações do consórcio. A Shell possuía 14%, e cada uma das cinco companhias americanas 8%, inicialmente. A CFP possuía 6%.

Poucos meses depois, o consórcio assumiu uma composição ligeiramente diferente. Por uma combinação prévia feita com o governo americano, cada uma das companhias americanas cedeu 1% de suas ações para uma nova entidade denominada Iricon — um tipo de "pequeno consórcio" inserido no maior. Ele era composto por nove companhias americanas de petróleo independentes, entre elas a Phillips, a Richfield, a Standard of Ohino e a Ashland. O governo americano havia insistido na participação delas por razões políticas e antitruste. Sem a participação delas, o consórcio talvez não tivesse sobrevivido à política interna dos Estados Unidos. Howard Page declarou depois em tom de galhofa que existia uma sensação de que "devido a constantes comentários populares, achamos mais conveniente colocar algumas independentes no consórcio". Os britânicos ficaram furiosos com a ideia. "Nós não sabíamos quem eram os independentes", relembrou um funcionário britânico que exercia importante papel nas negociações. Não achávamos que eles fossem negociantes confiáveis. Achávamos que eles pudessem causar diversos transtornos no Oriente Médio, que eles não eram o tipo de pessoas indicadas para se fazer negócio." Os britânicos, porém, não tiveram outra escolha senão ceder à insistência dos americanos.

O "pequeno consórcio" estava aberto a qualquer independente americana cuja capacidade financeira passasse pela análise e recebesse a aprovação da empresa de contabilidade Price Waterhouse. Porém, com o intuito de aplacar a fúria do governo britânico, o Departamento de Estado assegurou a Londres que o próprio Estado havia assumido a responsabilidade de "administrar a entrada dos independentes" e fez firmes promessas de que "apenas aceitariam a admissão de independentes boas e confiáveis".

Com a criação do consórcio iraniano, os Estados Unidos passaram a ser os parceiros majoritários do petróleo e da política volátil do Oriente Médio. Mesmo com a solução relativamente simples para a confusão provocada pela suspensão do fornecimento de petróleo pelo Irã, ainda havia algumas pessoas que se preocupavam com as implicações da crescente dependência do petróleo do Oriente Médio. Alguns meses depois da queda de Mossadegh e do retorno do xá, Loy Henderson, o embaixador americano em Teerã e ex-assistente responsável pelo Oriente Médio, tentou coordenar suas ideias. Ele não pôde estar confiante de que o mero desaparecimento de Mossadegh significava que os riscos a longo prazo haviam diminuído, em especial com relação à segurança do fornecimento de petróleo. "Parece quase inevitável que em algum momento no futuro (...) os países do Oriente Médio (...) se reunirão para determinar políticas unificadas que poderão ter efeitos desastrosos para as operações das companhias". Essa previsão foi feita em 1953. "A dependência contínua e intensiva do Ocidente pelo petróleo do Oriente Médio poderá submeter os consumidores europeus aos seus caprichos."

O processo antitruste contra as companhias de petróleo continuava se arrastando. A aprovação do consórcio iraniano pelo secretário de Justiça teve o efeito de isolar outros acordos, produzidos em conjunto, dos efeitos da ação antitruste, como, por exemplo, o da Aramco. Assim, o processo ficou reduzido aos recursos de mercado e distribuição — resultando, no início da década de 1960, na quebra da Stanvac, companhia conjunta da Jersey e da Socony no Extremo Oriente. O sistema de escoamento da Caltex na Europa, de propriedade conjunta da Socal e da Texaco, foi dissolvido por razões comerciais. Mesmo com a entrada de mais e mais companhias independentes e nacionais no mercado mundial do petróleo, foi apenas em 1968 que o governo americano finalmente pôs um ponto final no processo. Nessa época, o consórcio já estava em funcionamento há quase quinze anos no Irã.

De sua parte, a Anglo-Iraniana saiu-se surpreendentemente bem do tumulto iraniano. Desde o princípio, ela insistia em ser recompensada por suas propriedades nacionalizadas, como parte da negociação do acordo. O inflexível *sir* William Fraser era firme em seu propósito de obter compensação, a ponto de enfurecer todos os demais participantes, corporativos e governamentais, durante as várias negociações. Mas Fraser não estava disposto a recuar demais. Por pura persistência finalmente foi recompensado, embora a recompensa não tivesse partido do Irã, que mesmo na época do xá recusava-se a admitir sua dívida, mas das outras companhias que se juntaram ao consórcio. Elas pagaram cerca de 90 milhões de dólares à Anglo-Iraniana adiantados, pelos 60% de direitos que a companhia disse ter perdido. Além disso, a Anglo-Iraniana receberia um *royalty* de dez centavos por barril sobre a produção total controlada pelo consórcio até que outros quinhentos milhões de dólares fossem pagos. Portanto, a despeito da aceitação oficial da nacionalização e do fato de que o Irã era o proprietário de seus recursos de petróleo e da indústria, as demais companhias estavam pagando à Anglo-Iraniana, e não ao governo iraniano, pelos direitos sobre o petróleo. "Este foi um excelente negócio de Fraser, o melhor já feito por Willie", declarou John Loudon, o diretor administrativo da Royal Dutch-Shell. "Afinal de contas, a Anglo-Iraniana nada tinha a vender. Ela já havia sido nacionalizada."[20]

O outro velho irascível que desempenhou um importante papel na crise iraniana não se saiu tão bem. Mohammed Mossadegh foi levado a julgamento pelo xá, proferiu discursos apaixonados em sua própria defesa e passou três anos na prisão. Viveu até o fim de seus dias em prisão domiciliar no seu estado, dando continuidade às suas experiências com remédios homeopáticos, o mesmo que fizera quando o pai do xá o colocara sob prisão domiciliar três décadas atrás. Nesse meio tempo, o volume de rendimentos vindos do petróleo estava transformando as inseguranças do jovem xá, agora firmemente refestelado em seu "Trono do Pavão", em pretensões de um monarca insistente com aspirações mundiais.

CAPÍTULO XXIV

A crise do Suez

O CANAL DE SUEZ — UMA ESTREITA PASSAGEM com 161 quilômetros e meio de extensão, escavada no deserto egípcio, ligando o mar Vermelho ao Mediterrâneo — foi um dos maiores empreendimentos do século XIX. O responsável por essa obra foi Ferdinand de Lesseps, um francês consagrado para sempre como o "Grande Engenheiro". Na verdade ele não era engenheiro, embora fosse um homem de talentos notáveis como diplomata, empresário e promotor. Mas seus talentos não terminavam por aí. Com 64 anos, casou-se com uma mulher de 20, com quem teve 12 filhos.

Esse canal, embora longamente planejado, foi considerado como curso líquido inviável até que Lesseps abrisse sua própria empresa, a Companhia do Canal de Suez, que recebeu uma concessão do Egito para construir o canal e iniciasse as obras em 1859. Uma década mais tarde, em 1869, o canal finalmente ficou pronto. Os britânicos, assim que o viram, ficaram entusiasmados, especialmente porque reduzia substancialmente o trajeto para a Índia, a joia do império. Arrependeram-se por não terem participado diretamente do "caminho para a Índia", como o príncipe de Gales apelidou o canal. Por sorte, em 1875, os 44% das ações pertencentes ao Egito foram para o mercado, graças à insolvência do seu soberano, Khedive. Com a velocidade de um raio e a assistência financeira oportuna da família Rothschild da Inglaterra, o primeiro-ministro britânico Benjamin Disraeli agilizou a compra das ações. A Companhia do Canal de Suez tornou-se um empreendimento anglo-francês e Disraeli coroou seus esforços com uma nota vigorosa e imortal que enviou à rainha Vitória: "Ele é todo seu, senhora".[1]

Uma dádiva maravilhosa aos viajantes e homens de negócios, o canal reduzia pela metade o tempo de viagem para a Índia. O maior significado do canal era, no entanto, estratégico; ele era, com certeza, a principal via de comunicação, a linha vital para o Império Britânico, ligando a Inglaterra à Índia e ao Extremo Oriente. A "defesa das comunicações com a Índia" tornou-se o fundamento lógico para a segurança estratégica da Grã-Bretanha. As forças britânicas ficavam permanentemente posicionadas na

Zona do Canal. A importância militar do canal demonstrou-se absolutamente clara na II Guerra Mundial, quando os britânicos montaram acampamento em El Alamein para poder defender o canal contra o exército de Rommel.

Em 1948, porém, o canal perdeu repentinamente seu fundamento lógico tradicional. Nesse ano, a Índia tornou-se independente, e o controle sobre o canal já não podia ser mantido, devido a sua importância para a defesa da Índia e de um império que estava sendo desfeito. No entanto, nesse exato momento, o canal passava a ter uma nova utilidade — não como rodovia do império, mas do petróleo. O canal de Suez foi o caminho por onde se escoou a maior parte do enorme volume de petróleo do Golfo Pérsico para a Europa, reduzindo uma jornada de dezoito mil quilômetros, em torno do cabo da Boa Esperança até Southampton, em até dez mil quilômetros. Em 1955, o petróleo era o responsável por dois terços de todo o tráfego do canal, e, por conseguinte, dois terços do petróleo para a Europa passavam por ele. Ladeado ao norte pela Tapline e pelos oleodutos da CIP, o canal era o elo vital na estrutura pós-guerra da indústria internacional do petróleo. Além disso, era uma passagem marítima de importância inigualável para as potências ocidentais que estavam se tornando cada vez mais dependentes do petróleo do Oriente Médio.[2]

O nacionalista: o personagem encontrou seu herói

A Grã-Bretanha havia exercido controle sobre o Egito e consequentemente sobre o canal de Suez por quase oitenta anos, primeiro por invasão e ocupação militar declarada e depois por dominação política e econômica de uma série de regimes clientelistas. Porém existia, há algum tempo, uma corrente de nacionalistas egípcios rebeldes, que se tornou mais sólida nos primeiros anos do pós-guerra. Em 1952, um grupo de oficiais do exército teve êxito na execução de um golpe que despachou o efeminado rei Farouk para o exílio na Riviera. Lá, ele ganhou nova reputação tanto pelas suas muitas namoradas quanto pelo porte avantajado. Em 1954, o coronel Gamal Abdel Nasser havia deposto o general Mohammed Naguib, o líder titular do golpe de 1952, surgindo como o indiscutível ditador do Egito.

Filho de um funcionário do correio e um desenhista nato, Nasser iniciara suas manobras antibritânicas pessoais uma década antes, durante a II Guerra Mundial, e daí para a frente dedicava-se com prazer ao jogo da intriga secreta. Um perfil confidencial de Nasser, feito pela CIA, concluiu que "ele tinha um prazer infantil pela conspiração". Mesmo sendo chefe de Estado, dizia aos visitantes e assistentes que ainda se sentia um conspirador. Ele possuía, também, a habilidade de captar e dirigir o novo espírito do nacionalismo no mundo árabe. Um discípulo aplicado de Mohammed Mossadegh, ele dominava a utilização da retórica e do rádio para inflamar e agitar as massas, mobilizando dezenas ou centenas de milhares de pessoas para as ruas, em demonstrações de paixão fervorosa. Tornou-se, em seguida, o modelo para os oficiais militares das nações emergentes do Terceiro Mundo, transformados em ferozes líderes nacionalistas.

Nasser era, com certeza, um nacionalista dedicado à restauração e independência do Egito. Ele queria, no entanto, ir muito além das fronteiras do Egito — de um lado a outro do mundo árabe, do lado ocidental do norte da África às praias do Golfo Pérsico. "A Voz dos Árabes" era o nome de sua poderosa estação de rádio, cuja transmissão cobria o Oriente Médio, levando ao ar seus apaixonados discursos, clamando pela rejeição do Ocidente e ameaçando outros regimes árabes na região. Seu programa incluía o pan-arabismo, a criação de um novo mundo árabe, liderado por Gamal Abdel Nasser, a eliminação da barreira israelense que dividia o mundo árabe e a reparação do que ele chamava de "maior crime internacional da história" — a criação de Israel.

O canal de Suez — com navios guiados através dele por pilotos estrangeiros sob um sol forte, franceses e britânicos, impecavelmente uniformizados com meias três quartos, calções, camisas brancas e chapéus de capitão — era um símbolo bastante evidente e embaraçoso do antiquado colonialismo do século XIX, bem no meio do que deveria ser o novo Egito de Nasser. Os símbolos, entretanto, não eram as únicas evidências. Assim como acontecia nas concessões do Irã antes de Mossadegh, a maior parte dos ganhos da Companhia do Canal, proveniente de tarifas, estava indo parar nas mãos de acionistas europeus, incluindo o maior de todos eles, o governo britânico. Se o Egito conseguisse assegurar o controle completo sobre o canal, as tarifas abririam uma nova fonte de rendimentos para um país desesperadamente pobre, cujos novos líderes militares eram muito mais experientes em retórica nacionalista do que em administração econômica.

De qualquer modo, os dias da concessão estavam contados. De acordo com o tratado, seu prazo de expiração seria 1968 e a influência britânica já batia em retirada. Os britânicos ainda mantinham uma base militar e um enorme galpão de suprimentos na Zona do Canal, em obediência aos termos do acordo anglo-egípcio de 1936; os egípcios porém, impacientes pela retirada, estavam levando a efeito uma campanha para importuná-los, incluindo ataques terroristas, assassinatos e sequestros. De que adiantava manter uma base para proteger o Oriente Médio, se essa base estava sendo atacada por um dos principais territórios sob sua proteção? Em 1954, Anthony Eden, secretário das Relações Exteriores, conduziu a negociação de um acordo que previa a retirada das últimas tropas britânicas estacionadas na Zona do Canal no prazo de vinte meses. No ano seguinte, apenas dois meses antes de tomar o lugar de Churchill como primeiro-ministro, Eden fez uma escala no Cairo, surpreendendo Nasser ao conversar com ele em árabe e ao citar provérbios dessa língua.

Havia esperanças, é claro, de que o governo britânico pudesse manter um relacionamento razoável com o Egito, mas essa esperança se esvaiu quando Nasser tentou incorporar o Sudão, um país independente, ao seu Grande Egito.[3] Washington era mais tolerante com Nasser, já que a administração e muitos membros do Congresso tinham uma tendência em adotar uma atitude de superioridade moral com relação às potências colonialistas europeias, combinada com um desejo de vê-las despojadas de seus impérios o mais rápido possível. Os americanos acreditavam que as relíquias do colonialismo eram uma imensa desvantagem para o Ocidente em sua luta contra o comunismo e contra a União Soviética. A Companhia do Canal de Suez, a despeito da importância política e estratégica do Canal, era um desses resíduos mais visíveis. O presidente da Companhia do canal responderia posteriormente, com certa amargura, que, para os americanos, "a companhia tinha um certo ranço, um odor do século passado, proveniente daquele lamentável período colonialista".

Além disso, o alerta contra Nasser começou a se intensificar não só em Londres, mas também em Washington, no outono de 1955, quando se soube que o ditador egípcio havia solicitado armas para a União Soviética. Será que isso significava a expansão da influência soviética? Será que o canal de Suez seria fechado para o transporte de petróleo do Ocidente e para o tráfego naval? Logo no início de 1956, o Departamento de Estado levantou junto às companhias de petróleo a possibilidade de revisão do Acordo Voluntário de 1950 — utilizado originalmente para administrar as perdas do fornecimento iraniano de petróleo —, que lhes daria a possibilidade de cooperação mútua e com o governo caso o canal fosse fechado, por qualquer motivo, ao tráfego de petroleiros. Para as companhias, entretanto, a proposta da administração para uma ação conjunta parecia impraticável devido à ameaça da denúncia antitruste. Essa ameaça não poderia ser descartada; afinal, o Departamento de Justiça continuava importunando as maiores companhias de petróleo com sua ação antitruste. As companhias, no entanto, estavam preocupadas com a possibilidade de uma quebra no fornecimento. Em abril de 1956, a Standard Oil of New Jersey encarregou-se de fazer um estudo particular sobre alternativas para o transporte do petróleo oriundo do Golfo Pérsico, caso o canal fosse realmente bloqueado.

Por volta desse mesmo período, o secretário das Relações Exteriores britânico, Selwyn Lloyd, visitou Nasser no Egito. Até onde os britânicos sabiam, explicou Lloyd, o canal era uma parte integrante do complexo petrolífero do Oriente Médio, que era vital para eles. A isso Nasser respondeu que os países produtores recebiam 50% dos lucros pelo seu petróleo, mas o Egito não recebia 50% dos lucros pelo seu canal. Se o canal de Suez era parte integrante do complexo petrolífero, declarou, então o Egito deveria ter direito aos mesmos 50% do acordo firmado com os produtores de petróleo. Mesmo assim, nada foi feito para rever o acordo existente.

Ao final de 1955, em um esforço para apaziguar Nasser e fortalecer a economia egípcia, os americanos e os britânicos, juntamente com o Banco Mundial, começaram a pensar em liberar um empréstimo para que o Egito construísse uma imensa barragem em Assuã, no rio Nilo. Esse projeto parecia estar sendo tocado em frente. Nasser ficou mais satisfeito quando, em 13 de junho de 1956, as últimas tropas britânicas foram retiradas da Zona do canal, obedecendo ao acordo feito com Eden dois anos antes. No entanto, os acordos de armas feitos por Nasser com a União Soviética já tinham alarmado e ofendido Washington. Acreditava-se que os egípcios poderiam empenhar seus parcos recursos para pagar as armas soviéticas, em vez de darem sua contribuição à construção da barragem. Além do mais, as esperadas dificuldades econômicas e privações causadas pelo imenso projeto poderiam gerar antagonismos e censuras contra os países financiadores e talvez fosse melhor deixar que os soviéticos arcassem com esse custo a longo prazo. De qualquer modo, a oposição crescia nos Estados Unidos. Os senadores do sul hostilizavam o projeto da barragem porque temiam que ela pudesse colaborar para o aumento da safra de algodão egípcio, que por sua vez iria competir com as exportações americanas no mercado mundial. Os membros do Congresso simpatizantes de Israel não estavam exatamente dispostos a facilitar qualquer ajuda externa a um governo implacavelmente contrário à existência de Israel. Nasser havia reconhecido a "China Vermelha", como era conhecida na época, alarmando ainda mais a administração e os membros do Congresso. Porém, o golpe de misericórdia foi dado quando os senadores republicanos comunicaram a Dulles que a ajuda externa iria ser aprovada para apenas um dos dois líderes "neutralistas" indicados: Tito, da Iugoslávia, ou Nasser, do Egito. Mas não para os dois. Dulles escolheu Tito. Eisenhower confirmou a decisão. Os britânicos estavam de acordo. No dia 19 de julho de 1956, Dulles cancelou o empréstimo proposto para a barragem de Assuã, deixando Nasser e o Banco Mundial paralisados pela surpresa.[4]

Código "De Lesseps": Nasser se movimenta

Nasser estava irritado, humilhado e ansioso por vingança. As tarifas cobradas pelo uso do canal, pensou, poderiam servir para financiar a barragem de Assuã; o odiado símbolo do colonialismo em seu território seria exorcizado. No dia 26 de julho ele proferiu um discurso na mesma esquina de Alexandria, onde ele, quando menino, havia participado pela primeira vez de uma manifestação contra os britânicos. Agora, como líder do Egito, proferiu repetidas calúnias contra De Lesseps, o construtor do canal. Não era apenas uma lição de história."De Lesseps" era o código para que as forças militares egípcias entrassem em ação; ao terminar o discurso, o exército já estava com a Zona do canal sob controle. O canal de Suez havia sido expropriado.

Foi um ato audacioso e de muita repercussão. A tensão cresceu rapidamente e de modo dramático, imediatamente após o bloqueio. Na Inglaterra, o ministro das Finanças, Harold Macmillan, repetindo os presságios dos romances vitorianos de que tanto gostava, escreveu, apreensivo, em seu diário: "Ontem à noite e hoje durante todo o dia, ocorreu o maior vendaval do qual me recordo". No Cairo, Nasser decidiu que era conveniente escapar da crescente tensão e dirigiu-se furtivamente ao cineteatro Metro para assistir Cyd Charisse em *Meet Me in Las Vegas*.

Seguiram-se três meses de confusão diplomática e de esforços inúteis para se chegar a um acordo conciliatório. Em meados de setembro, os pilotos britânicos e americanos que continuaram a conduzir os navios pelo canal foram retirados, de acordo com instruções da Companhia do canal de Suez. Essa função era considerada a mais elevada da Marinha Mercante, e os funcionários do alto escalão em Londres e em Paris tinham certeza de que os egípcios não seriam capazes de tomar conta do canal sozinhos. Na verdade, exigia-se muita habilidade para pilotar um navio pelo canal, devido à baixa profundidade de suas águas e aos fortes ventos vindos do Sinai. O governo egípcio insistiu durante vários anos para que os egípcios fossem treinados como pilotos e, quando ocorreu a nacionalização, um quadro razoável de oficiais egípcios capacitados estava apto para conduzir o leme, auxiliados por pilotos enviados imediatamente pelo bloco soviético. Assim, o canal nacionalizado, sob o comando de Nasser, continuou a funcionar dentro de uma relativa normalidade.[5]

Desde o princípio e durante a crise que se agravava, os britânicos e os franceses deixaram uma coisa muito clara: não queriam tomar nenhuma atitude que interrompesse o tráfego e especialmente a passagem do petróleo pelo canal. Mas e os Estados Unidos, como se posicionavam nessa questão? A posição dos americanos durante esses meses parecia confusa, até mesmo para alguns funcionários do governo americano. Para piorar as coisas, ressentimentos pessoais e choque de estilos provocavam exasperação no relacionamento entre Eden e Dulles. Depois de um encontro problemático entre os dois, o secretário particular de Eden escreveu para um amigo: "Foster fala tão devagar que o Mestre (Eden) não quer ouvir o que ele diz, enquanto o nosso Eden fala com tantos rodeios e é tão evasivo que o outro, sendo advogado, se retira sem conseguir fazer as previsões certas". O próprio Eisenhower anotou com precisão em seu diário o que parecia ser uma parte do problema. "Dulles", escreveu ele, "não é especialmente persuasivo em suas apresentações e, às vezes, curiosamente, parece não compreender o efeito de suas palavras e atitudes sobre pessoas com personalidade diferente". De sua parte, Dulles, assim como outros americanos, achava que Eden era arrogante e apático. Mas a discordância entre ambos ia além do estilo pessoal; havia também queixas específicas. Eden e Dulles já haviam entrado em conflito devido à guerra franco-indochinesa, dois anos atrás. Eden era a favor da diplomacia e Dulles não estava interessado nesse tipo de resolução pacífica. Agora, com relação ao Suez, eles iriam trocar os papéis.

Em agosto de 1956, poucos dias depois da nacionalização, Dulles reafirmou aos ministros das Relações Exteriores, britânico e francês, que "era preciso encontrar um modo de fazer Nasser devolver o canal". Essa expressão soou como um alívio aos ouvidos de Eden durante os dois meses seguintes. Os americanos, porém, sugeriram uma série de estratégias diplomáticas que pareciam pouco realistas na opinião dos britânicos — ou, sob o prisma do ceticismo, parecia ter o propósito de adiar uma ação mais direta da parte dos britânicos e dos franceses.

Na realidade, a política americana não era determinada por Dulles, mas por Eisenhower, e o presidente não tinha, desde o princípio, dúvidas sobre qual deveria ser a posição dos Estados Unidos. Para ele, a força não significava garantia nem justificativa, e a essência da política seria evitar uma intervenção militar britânica ou francesa. O presidente acreditava que os dois países europeus simplesmente não seriam capazes de estabelecer um governo flexível no Egito em condições de sobreviver. Qualquer tentativa militar iria colocar não só os árabes, mas todo o mundo desenvolvido, contra o Ocidente e o jogaria nas mãos dos soviéticos, permitindo a eles que reivindicassem, nas palavras de Ickes, o "cetro da liderança mundial". Além do mais, dizia o presidente a Eden, "Nasser cresce com o drama", e o melhor a fazer, portanto, seria impedir que a situação se transformasse.em drama. Para seus próprios consultores, Eisenhower reclamava que as ideias dos britânicos eram um tanto "antiquadas", enquanto Nasser personificava os anseios do povo da região em "dar um basta ao homem branco". Um ataque militar contra o Egito iria, com certeza, fazer Nasser passar por herói em todas as nações em desenvolvimento, além de minar todos os amistosos líderes árabes, pondo em risco o petróleo do Oriente Médio. Eisenhower advertiu Londres várias vezes e de modo severo, contra o uso da força; e, para ele e seus assessores, a política americana estava clara como um cristal. Os acontecimentos iriam provar, entretanto, que a política americana não era, de modo algum, tão criStálina para aqueles a quem se direcionava, os britânicos e os franceses.

Para Eisenhower era de suprema importância que os Estados Unidos não surgissem associados aos responsáveis, mesmo indiretamente, o que poderia dar a ideia de volta à era de dominação colonialista. Ao contrário, a situação do Egito deveria servir como prova de que era uma oportunidade para as nações desenvolvidas manifestarem seu apoio — mesmo que isso resultasse em estranheza aos tradicionais aliados americanos, Grã-Bretanha e França. Depois de ouvir o relato de uma declaração de Eisenhower, Nasser brincou com um auxiliar: "De que lado ele está?".[6]

Havia um outro fator. Eisenhower estava em campanha para reeleição em novembro de 1956; ele acabara com a luta na Coreia, no início de sua administração, e estava concorrendo como um homem de paz; a última coisa que ele desejaria agora seria uma crise militar que amedrontasse o eleitorado e ameaçasse sua campanha. Paralisados por um erro estúpido, os britânicos e os franceses deixaram de considerar em seus cálculos o calendário da eleição presidencial americana. Enquanto o espetáculo diplomático público prosseguia, eles iam também trabalhando secretamente, numa trilha paralela, planejando uma intervenção militar na Zona do Canal, embora nenhum dos dois países estivesse bem preparado para desenvolver tal ação. Os britânicos chegaram à conclusão de que precisavam utilizar navios de carreira no auge da estação turística e até mesmo pedir auxílio de uma companhia particular de transportes, a Pickford Removals, para rebocar os tanques reservatórios.[7]

"Não queremos ser estrangulados até morrer"

Tanto Paris quanto Londres estavam fortemente motivadas para a intervenção militar. Os franceses viam em Nasser uma ameaça à sua posição no norte da África. O líder egípcio não se limitava a atiçar os rebeldes na Argélia, que já haviam iniciado uma guerra pela independência dois anos antes; também lhes fornecia treinamento e suprimentos. Os franceses estavam determinados a passar Nasser para trás e reivindicar para si o canal que De Lesseps havia construído com a ajuda financeira da França. Eles já haviam aberto negociações militares com os israelenses, que tinham suas próprias razões para atacar Nasser. O presidente egípcio já estava preparando seus armamentos em uma aparente mobilização para uma guerra contra Israel. Além disso, era também responsável por ataques de guerrilhas em Israel e estabelecera um bloqueio ao porto de Eilat, ao sul de Israel, que nada mais era do que um ato beligerante.

Mas por que o canal era tão importante para os britânicos? O petróleo era a questão crucial. O canal era a veia jugular. Poucos meses antes da expropriação do canal, em abril de 1956, chegou a Londres a equipe do "sr. B" e do "sr. K", como eram conhecidos os dois líderes soviéticos pós-Stálin, Nikolai Bulganin e Nikita Kruchev. Antes do encontro, Eden fez uma revisão completa com Eisenhower sobre o que estava planejando dizer aos soviéticos e Eisenhower concordou plenamente. "Não podemos ser condescendentes em nenhuma medida", alertou o presidente, "que possa colocar nas patas do urso o controle sobre a produção ou o transporte do petróleo, que é tão vital para a defesa e a economia do mundo ocidental". No decorrer das discussões com líderes soviéticos, Eden advertiu-os para que não interferissem no Oriente Médio. "Preciso ser absolutamente sem cerimônia sobre o petróleo", disse ele, "porque lutaremos por ele". E acrescentou, insistindo no assunto: "Não podemos viver sem o petróleo e não queremos ser estrangulados até morrer".[8]

O bloqueio do canal por Nasser tornou essa perspectiva bastante real. As finanças britânicas internacionais estavam precárias; sua balança de pagamentos, frágil. De maior credor mundial, passou a ser o maior devedor mundial. Suas reservas de ouro e dólar eram suficientes para cobrir apenas três meses de importações. As propriedades da Grã-Bretanha no Oriente Médio eram as grandes responsáveis por todos os seus rendimentos externos. A sua perda teria um efeito arrasador na economia. E uma vitória de Nasser no Egito teria a mesma repercussão que a vitória de Mossadegh teria tido no Irã. O prestígio dos britânicos se reduziria a pó, e para eles, que já estavam perdendo terreno em todos os lugares, o prestígio tinha um enorme significado. Nasser, triunfante, poderia passar a subverter e a derrubar regimes simpáticos à Grã-Bretanha e a minar a posição do petróleo britânico — e americano — no Oriente Médio. Poderia chegar uma hora em que "Nasser negue petróleo para a Europa Ocidental, e estaremos todos à sua mercê", advertiu Eden a Eisenhower.

As inquietações de Eden não se resumiam ao petróleo e à economia, mas também à possibilidade de um afluxo indiscriminado do poder soviético no vácuo do Oriente Médio. "Eden estava muito preocupado com a expansão soviética no Oriente Médio", relembrou um funcionário do Ministério das Relações Exteriores que se reportava diretamente a Eden sobre questões do petróleo. "Os americanos não estavam preparados para arrebatar o comando do Oriente Médio dos britânicos; portanto, estes ficaram com o encargo de manter os russos distantes."

Harold Macmillan, o ministro das Finanças, pensava exatamente como Eden a respeito da ameaça ao fornecimento de petróleo e das perigosas implicações resultantes. Ele também estava convencido de que a Grã-Bretanha se encontrava em uma posição bastante perigosa e desprotegida. Para falar a verdade, ele não emitia os mesmos sinais externos da ansiedade de Eden. Nas primeiras duas semanas da crise, na verdade, ele conseguiu ler, apesar de todas as suas obrigações, milhares de páginas de romances do século XIX e outras milhares de páginas de outras obras — *Northanger Abbey* e *Persuasion*, de Jane Austen, *Our Mutual Friend*, de Dickens, *Scenes from a Clerical Life*, *Middlemarch* e *Adam Bede*, de George Eliot, antes de ir adiante, nas semanas seguintes, com *Vanity Fair*, de Thackeray, *History of the English Speaking Peoples*, de Churchill, várias biografias de Maquiavel e Savonarola, e um romance recente de C.P. Snow. Macmillan declarou posteriormente que, se não tivesse feito todas essas leituras, "teria, ficado maluco!" Ele, porém, defendia como ninguém os prognósticos sombrios de Eden e a necessidade de entrar em ação. "A verdade é que estamos enfrentando um terrível dilema", escreveu ele em seu diário. "Se tomarmos uma atitude enérgica contra o Egito, e, como resultado, o canal for fechado, os oleodutos para o Levante serão interrompidos, o Golfo Pérsico se rebela e a produção de petróleo pára — e então o Reino Unido e a Europa Ocidental estarão 'fritos'. No entanto, "se sofrermos uma derrota diplomática, se Nasser conseguir 'escapar impune' — e os países do Oriente Médio, na excitação, nacionalizarem o petróleo (...) nós também 'estaremos fritos'. O que devemos fazer, então? A mim parece claro que devemos aproveitar a única chance que temos — empreender uma ação enérgica e torcer para que nossos amigos do Oriente Médio resistam, que nossos inimigos sejam derrotados e que o petróleo possa ser salvo. Mas esta é uma decisão terrível."[9]

Novamente na "Renânia" — vinte anos depois

Na medida em que se confrontavam com a crise, Eden, Macmillan e aqueles que com eles trabalhavam, além do premiê Guy Mollet, da França, e seus colegas, sentiram-se influenciados por acontecimentos históricos marcantes. Na opinião de todos eles, Nasser era um Mussolini ressuscitado, ou mesmo um futuro Hitler. Apenas dez anos depois da derrota do Eixo, pensavam eles, um outro conspirador transformado em ditador demagógico havia surgido para pavonear-se no cenário mundial e inflamar as massas, promovendo a violência e a guerra em troca de suas vastas ambições. A experiência básica dos líderes do Ocidente tinha sido as duas guerras mundiais. Para Eden, a falha diplomática que evitaria uma tragédia havia começado em 1914. "Nós todos somos marcados de alguma forma por uma imagem de nossa geração. A minha foi o assassinato em Sarajevo e tudo o que decorreu dele", escreveu mais tarde. Revendo a diplomacia e a política da *entente* naquelas semanas críticas de 1914, disse ele: "É impossível ler o registro agora e não nos sentirmos responsáveis por termos ficado sempre uma volta atrás (...) sempre uma volta atrás, a volta fatal".

A incapacidade dos governos de responder a tempo estava gravada ainda mais forte na memória pelos fatos ocorridos na década de 1930. O ano de 1956 marcava o vigésimo aniversário da remilitarização da Renânia por Hitler, violando os compromissos assumidos no tratado. Os britânicos e os franceses poderiam ter contido o ditador alemão em 1936. Hitler teria perdido seu ímpeto e seu prestígio e poderia até mesmo ter sido deposto, e isso teria evitado a morte de milhões de pessoas. Mas as potências ocidentais não agiram. Novamente em 1938, as nações ocidentais não conseguiram proteger a Tchecoslováquia e, em vez disso, apaziguaram Hitler em Munique. Lá, também, Hitler poderia ter sido detido e a terrível carnificina da II Grande Guerra, evitada.

Eden havia renunciado corajosamente como secretário das Relações Exteriores em 1938 em protesto pela política do apaziguamento a favor de Mussolini e de Hitler. Agora, no final do verão de 1956, tinha a impressão de que Nasser estava aventurando-se em um programa já conhecido de autoengrandecimento. Para Eden, a *A Filosofia da Revolução*, de Nasser, lembrava a leitura do *Mein Kampf*, de Hitler. Nasser, como Hitler, desejava esculpir um grande império, e em seu livro ele enfatizava que o mundo árabe deveria fazer uso do poder conseguido pelo controle sobre o petróleo — "o nervo vital da civilização" — em sua luta contra o "imperialismo". Sem o petróleo, proclamava Nasser, todas as máquinas e ferramentas do mundo industrializado nada mais seriam do que "meros pedaços de ferro, corroídos, imóveis e sem vida". Eden já havia tentado chegar a um acordo. Ele investira seu enorme prestígio pessoal no acordo de 1954 com o Egito, sobre a retirada das forças britânicas da Zona do Canal, e por causa disso fora submetido a violentas críticas por um segmento de seu próprio partido conservador, Tory. Agora sentia que havia sido pessoalmente traído por Nasser. Assim como acontecera com Hitler, as promessas de Nasser não valiam o papel onde estavam escritas. Teria sido a captura do canal, violando acordos internacionais, uma outra Renânia? Seriam as tentativas de apaziguar e favorecer Nasser meramente uma outra Munique? Eden não gostaria de passar por tudo aquilo novamente. Dois dos seus irmãos haviam morrido na I Guerra Mundial; seu filho mais velho havia sido morto na II Guerra Mundial. Ele se sentia pessoalmente obrigado a fazer alguma coisa por eles, e por todos os milhões que haviam morrido devido à excessiva lentidão dos países ocidentais, em 1914, em deter a crise, e à grande indecisão na década de 1930 em parar Hitler. Se a força tinha que ser utilizada contra Nasser, melhor agora do que mais tarde.

O premiê Mollet fora prisioneiro no campo de concentração de Buchenwald, na Alemanha, e pensava como Eden. Da mesma forma, o ministro das Relações Exteriores belga, Paul Henri Spaak, escreveu ao secretário das Relações Exteriores britânico durante a crise: "Não posso deixar de dizer que me sinto obcecado pelas recordações dos erros cometidos no início da era Hitler, erros que nos custaram muito caro".[10]

As analogias eram muito menos constrangedoras em Washington do que na Europa Ocidental. Porém, se não havia um consenso sobre o modo de lidar com Nasser, os países do Ocidente estavam, pelo menos, elaborando planos para uma eventual crise do petróleo que pudesse resultar da disputa pelo canal de Suez. Eisenhower autorizou a criação de um comitê de emergência para o Oriente Médio, incumbido de resolver o abastecimento da Europa Ocidental, caso o canal fosse bloqueado. O Departamento de Justiça garantiu imunidades antitrustes limitadas para as companhias que participassem do plano, mas não o bastante para trabalharem juntas na distribuição de suprimentos, para trocarem informações relativas à demanda de petróleo, a petroleiros e a todos os demais dados logísticos que fossem necessários para armar uma operação de abastecimento conjunta. No entanto, o comitê estabeleceu estreita comunicação com o British Oil Supply Advisory Commitee (Comitê Consultivo para o Fornecimento de Petróleo Britânico) e com a Organization for European Economic Cooperation (Organização para Cooperação Econômica Europeia), sobre planos para administração de crises.

No geral, as companhias de petróleo acreditavam que o grosso das necessidades da Europa Ocidental poderia ser satisfeito com o aumento da produção no hemisfério ocidental, que poderia contar com a imensa capacidade de superávit dos Estados Unidos e da Venezuela. No último dia de julho, o Comitê Executivo da Standard Oil of New Jersey finalmente recebeu o relatório sobre as alternativas para o canal de Suez que havia solicitado em abril. Em vez de construir petroleiros maiores, o estudo recomendava a construção de oleodutos de maior calibre, desde o Golfo Pérsico, passando pelo Iraque e pela Turquia, até o Mediterrâneo. O custo estimado para o oleoduto era de meio bilhão de dólares. Havia, no entanto, um pequeno entrave no prazo; a construção levaria quatro anos. Além do mais, o perigo de depender excessivamente dos oleodutos ficou demonstrado poucos dias depois, quando a Síria suspendeu o fluxo de petróleo pelo Tapline por 24 horas, como advertência ao Ocidente.

Em setembro, Eisenhower enviou uma carta a Eden, insistindo sobre o perigo de "dar a Nasser uma importância muito maior do que ele realmente tem". *Sir* Ivone Kirkpatrick, o subsecretário permanente do Ministério das Relações Exteriores, respondeu prontamente que "desejaria que o presidente estivesse certo. Mas estou convencido de que não está (...) Se nos acomodarmos enquanto Nasser consolida sua posição e adquire controle gradual sobre os países produtores, ele poderá nos arrasar. E, de acordo com informações que temos, já está fazendo isso. Se o petróleo do Oriente Médio nos for negado por um ou dois anos, nossas reservas de ouro irão desaparecer. Se nossas reservas de ouro desaparecerem, a libra esterlina se desintegrará. Se a libra se desintegrar e não tivermos reservas, não conseguiremos manter um exército na Alemanha, ou, certamente, em nenhum outro lugar. Duvido que consigamos garantir um mínimo necessário a nossa defesa. E um país que não pode garantir sua defesa está acabado".

Naquele mesmo mês, com a crise de Suez ainda em ebulição, Robert Anderson, um rico homem do petróleo do Texas, a quem Eisenhower admirava muito, fez uma viagem secreta à Arábia Saudita, na qualidade de emissário pessoal do presidente. O objetivo era conseguir que os sauditas fizessem pressão para Nasser aceitar um acordo. Em Riad, Anderson informou ao rei Saud e ao príncipe Faissal, o ministro das Relações Exteriores, que os Estados Unidos haviam desenvolvido grandes avanços técnicos responsáveis por fontes de energia muito mais baratas e mais eficientes do que o petróleo, tornando as reservas sauditas e de todo o Oriente Médio potencialmente sem valor. Os Estados Unidos poderiam sentir-se obrigados a tornar essa tecnologia disponível para os europeus, caso o canal se tornasse um instrumento de extorsão.

"E qual seria esse substituto?", perguntou o rei Saud.

"A energia nuclear", respondeu Anderson.

Nem o rei Saud, nem o príncipe Faissal, que já haviam lido alguma coisa a respeito, se mostraram impressionados e tampouco demonstraram qualquer preocupação quanto à capacidade de competição do petróleo saudita no mercado energético mundial. Eles desprezaram a advertência de Anderson.

Enquanto isso, os políticos britânicos e franceses mais influentes haviam se tornado bastante céticos em relação às perspectivas de um acordo diplomático para a crise, que estava naquele momento centralizado nas Nações Unidas. Apenas a força militar poderia ter sucesso com Nasser e detê-lo em sua "Renânia", concluíram.[11]

O uso da força

No dia 24 de outubro de 1956, altos funcionários do corpo diplomático e militar da Grã-Bretanha e da França, incluindo seus respectivos primeiros-ministros, mantiveram uma reunião secreta em uma casa de campo, em Sèvres, nos arredores de Paris, com uma delegação da cúpula israelense, incluindo David Ben-Gurion, Moshe Dayan e Shimon Peres. As três nações chegaram a um acordo: Israel, em resposta às ameaças e à pressão militar do Egito, iria desencadear um ataque militar através da desabitada região da península do Sinai em direção ao canal de Suez. A Grã-Bretanha e a França iriam emitir um ultimato pela proteção do canal, e então, caso a luta continuasse, como certamente continuaria, eles invadiriam a Zona do Canal a fim de proteger a passagem marítima internacional. Os britânicos e os franceses tinham como objetivo final conseguir um acordo para o canal e, se possível, derrubar Nasser durante o processo.

Havia um entendcmento muito mais amplo entre Israel e França do que entre Israel e Grã-Bretanha, em cujos círculos oficiais era possível detectar-se uma considerável aversão por Israel e pelos judeus. Por ironia, o próprio Eden, que tinha uma simpatia pelos árabes e sua cultura e que durante a Segunda Guerra confidenciara ao seu secretário particular, "deixe-me dizer baixinho em seus ouvidos que prefiro os árabes aos judeus", estava agora se preparando para enfrentar o autodenominado líder do mundo árabe. Em compensação, o ministro das Finanças, Harold Macmillan, achava que os judeus "tinham caráter"; Em Sèvres, porém, o secretário das Relações Exteriores, Selwyn Lloyd, e seus representantes trataram os israelenses com certo desprezo. Na verdade, durante as várias semanas que precederam o encontro, o governo da Grã-Bretanha já vinha pensando na possibilidade de auxiliar a Jordânia, caso eclodisse um conflito entre Israel e Jordânia, e já havia advertido os israelenses quanto a isso. Uma das razões que levaram os franceses a tomar a iniciativa em Sèvres, de incluir os israelenses nos planos anglo-franceses, foi assegurar que os britânicos e os israelenses não acabassem entrando em luta por causa da Jordânia, em meio a um confronto com o Egito.[12]

Um dia antes do acordo secreto em Sèvres, o Egito e a Síria estabeleceram um comando militar conjunto sob o controle do Egito. No dia seguinte, a Jordânia aceitou formalmente o comando. A sorte estava lançada. Nesse momento, porém, ocorreu um desses estranhos feixes de acontecimentos pessoais e políticos que iriam complicar ainda mais a crise de Suez. No dia 24 de outubro, o mesmo dia do encontro em Sèvres, as tropas do Exército Vermelho invadiram Budapeste para debelar uma revolução que havia irrompido na Hungria contra o controle soviético.

Além disso, havia o estado de saúde de Anthony Eden. Em 1953, durante uma cirurgia de vesícula, um cirurgião descuidado danificou seu ducto biliar, que foi recuperado apenas parcialmente em operações subsequentes, deixando Eden com "as entranhas muito estranhas", como disse ele certa vez, e com uma tendência a enfermidades e a dores quando submetido a estado de tensão. Algumas pessoas diriam depois que tal condição poderia, literalmente, envenenar-lhe a mente. Para piorar os fatos, depois disso, Eden passou a viver de drogas para aliviar suas dores de estômago, bem como de estimulantes (talvez anfetaminas) para abrandar os efeitos dos analgésicos. A interação e os efeitos colaterais desses diversos medicamentos ainda não eram muito bem conhecidos. Eden era agressivo quando estava agitado. A dosagem desses remédios teve de ser aumentada consideravelmente depois que Nasser bloqueou o canal. No início de outubro, Eden sofreu um colapso e foi levado a um hospital com uma febre de 41 graus. Embora tivesse reassumido suas tarefas logo depois, continuava a demonstrar sinais de pouca saúde, sendo submetido a doses cada vez mais altas de medicamentos. Evidenciou-se para alguns uma certa alteração em sua personalidade. Um funcionário do serviço secreto britânico confidenciou a um colega americano que "alguns amigos em Downing Street disseram que nosso chefe se sente desequilibrado e está muito nervoso". Às vezes, Eden procurava alívio para sua tensão e para seu próprio estado de saúde na sala de sua mulher, em Downing Street. Ficava lá, sentado, admirando uma estátua de bronze de Degas, representando uma garota no banho, que o produtor de cinema *sir* Alexander Korda havia lhe dado.[13]

Eden não era o único a sofrer os efeitos da enfermidade. Eisenhower sofrera um ataque cardíaco em 1955 e depois, em junho de 1956, fora atacado por ileíte, que o fez passar por uma cirurgia. Assim, na iminência de um confronto, dois dos principais atores em ambos os lados do Atlântico estavam debilitados pela doença. Um terceiro logo iria se juntar a eles.

Após meses de indecisão e delongas, os fatos começaram a se desenrolar com rapidez. No dia 29 de outubro, Israel desferiu seu ataque no Sinai, conforme determinava o Acordo de Sèvres. No dia 30 de outubro, Londres e Paris emitiram seu ultimato e anunciaram sua intenção de ocupar a Zona do Canal. No mesmo dia, tropas russas foram retiradas de Budapeste com uma promessa de não intervenção. No dia seguinte, 31 de outubro, os britânicos bombardearam os campos de aviação egípcios, e o exército egípcio iniciou sua rápida retirada através do Sinai.

A operação do Suez como um todo pegou os americanos de surpresa. Eisenhower tomou conhecimento do ataque israelense durante uma viagem em campanha pelo sul dos Estados Unidos. Ele ficou absolutamente furioso. Eden o havia traído. Seus aliados o haviam enganado deliberadamente. Eles poderiam provocar, inadvertidamente, uma crise internacional muito mais ampla, envolvendo um confronto direto com a União Soviética. E tinham agido quando a América estava em época de eleição presidencial, a apenas uma semana dela. Eisenhower estava tão furioso que ligou para Downing Street e mandou Eden pessoalmente "para o inferno". Ou, pelo menos, foi o que pensou estar fazendo. Na verdade, ele estava tão enfurecido que confundiu um dos assistentes de Eden, que atendeu o telefone, com o próprio primeiro-ministro e, sem esperar que o interlocutor se identificasse, descarregou os insultos sobre o infeliz e, em seguida, bateu o telefone antes que Eden fosse chamado.

No dia 3 de novembro, foi a vez de Dulles ser levado para o hospital; um agudo câncer de estômago foi diagnosticado, e uma parte substancial foi retirada. Portanto, três dos principais atores estavam doentes. Com Dulles afastado desse dia em diante, o controle diário da política externa norte-americana ficou em mãos do subsecretário Herbert Hoover jr., que havia traçado as diretrizes para o consórcio iraniano e era visto em Londres como avesso aos britânicos.

Por várias razões — problemas logísticos, planejamento inadequado, vacilações de Eden — houve um espaço de vários dias antes que as tropas franco-britânicas pudessem acompanhar seu ultimato e concluir a invasão na Zona do Canal. Enquanto isso, Nasser agiu rápido onde os maiores estragos poderiam ser feitos. Ele pôs a pique dezenas de navios carregados de pedras, cimento e garrafas de cerveja, bloqueando efetivamente o canal e, portanto, interrompendo o fornecimento de petróleo, cuja segurança havia sido a razão imediata do ataque. Engenheiros sírios, instruídos por Nasser, sabotaram as estações de bombeamento ao longo do oleoduto da Companhia Iraquiana de Petróleo, reduzindo ainda mais o abastecimento.[14]

Durante os meses do planejamento conjunto para evitar a escassez do petróleo, no caso de um bloqueio do canal, os britânicos sempre contaram que os Estados Unidos os ajudariam em alguma emergência com seus suprimentos. Essa suposição provou ter sido um grande e decisivo equívoco, um erro de cálculo tão grande quanto o da falta de atenção com a data da eleição presidencial. Eisenhower não deu permissão para qualquer medida emergencial ser posta em ação. "Sinto-me inclinado a pensar que aqueles que começaram esta operação devem se encarregar de resolver seus próprios problemas de petróleo — a se cozinharem em seu próprio petróleo, por assim dizer." O petróleo forneceria os meios para Washington punir e pressionar seus aliados na Europa Ocidental. Em vez de fornecer suprimentos para os aliados, Eisenhower iria impor sanções.

No dia 5 de novembro, os israelenses já haviam consolidado o controle sobre Sinai e o aeroporto de Gaza e fechado o estreito de Tiran. Naquele mesmo dia, as forças franco-britânicas iniciaram seu ataque aéreo sobre a Zona do Canal. "Lembro-me de um telefonema de Eden", comentou um diplomata britânico das Nações Unidas, falando com aquela pronúncia aristocrática entrecortada da I Guerra Mundial: "Os paraquedistas estão saltando". Era um mundo irreal, como se ele estivesse telefonando de Marte. No dia anterior, as tropas soviéticas voltaram a atacar Budapeste e deram início a uma brutal repressão à rebelião da Hungria. A coincidência do ataque em Suez impossibilitou qualquer resposta efetiva do Ocidente à revolta na Hungria e à intervenção soviética. Na verdade, Moscou insultou os britânicos, os franceses e os israelenses de uma maneira ultrajante, sem um mínimo de embaraço, chamando-os de "agressores". Os soviéticos também ameaçaram intervir militarmente, talvez até mesmo com ataques nucleares, em Paris e em Londres. Eisenhower deixou claro que qualquer um desses ataques resultaria em contra-ataques devastadores sobre a União Soviética — "e isso era tão certo quanto um dia após o outro".

Purgatório

A despeito da resposta de Ickes, a ira do governo americano para com a Grã-Bretanha não diminuíra. O recado de Washington permanecia o mesmo: eles não aprovavam a ação militar e, por isso, os britânicos e os franceses teriam que suspendê-la. No dia 6 de novembro, Eisenhower obteve uma vitória esmagadora sobre Adlai Stevenson. Naquele mesmo dia, os britânicos e os franceses concordaram com um cessar-fogo, mantidas as posições; naquela altura, eles haviam conseguido apenas uma cabeça de ponte ao longo do canal. A guerra havia durado apenas um dia e o uso irrestrito do canal, que era o objetivo da guerra, já estava perdido. Mas Washington deixou claro que um cessar--fogo não era suficiente. Eles teriam que se retirar do local. Inclusive Israel, sob pena de enfrentar represálias econômicas de Washington. Eisenhower comunicou a seus consultores que era imperativo impedir que os árabes ficassem magoados com eles todos, porque poderiam embargar os carregamentos de petróleo de todo o Oriente Médio.

Sem a ajuda dos americanos, toda a Europa Ocidental logo sentiria a escassez do petróleo. O inverno estava chegando e os níveis dos estoques eram suficientes somente para algumas semanas. A rota normal para três quartos do petróleo chegarem à Europa Ocidental estava agora interrompida duplamente pelo prejuízo ao trânsito do canal e dos oleodutos do Oriente Médio. Além disso, a Arábia Saudita instituiu um embargo contra a Grã-Bretanha e a França. No Kuait, atos de sabotagem destruíram o sistema de abastecimento daquele país. Quando chegaram notícias ao Comitê Egípcio do Gabinete Britânico de que os Estados Unidos estavam preparando sanções petrolíferas contra a Grã-Bretanha e a França, Harold Macmillan levantou os braços sobre a cabeça. "Sanções ao petróleo!", disse ele. "Era o que estava faltando!" No dia 7 de novembro, o governo britânico anunciou que o consumo deveria ser reduzido em 10%. Ao chegar à Câmara dos Comuns, Eden foi recebido com vaias pela oposição trabalhista, que havia sido contra o vigoroso endosso inicial dado por ele a uma política severa contra Nasser. Críticos no Parlamento passaram a declarar que, caso cupons de racionamento fossem postos em circulação, eles iriam exibir um retrato de *sir* Anthony Eden.

No dia 9 de novembro, Eisenhower encontrou-se com o Conselho de Segurança Nacional para começar a elaborar um plano de auxílio aos europeus. Ele falou em conseguir a cooperação das companhias de petróleo para um programa de abastecimento completo. "A despeito de meu obstinado procurador geral", disse sorrindo, ele iria fornecer às companhias um certificado de que estavam operando pelo interesse da segurança nacional, protegendo-as, portanto, de qualquer ação antitruste. Mas o que aconteceria se os presidentes das companhias terminassem na prisão por participarem desse tipo de programa? Ora, disse o presidente sorrindo, ele os perdoaria. Mas Eisenhower também deixou absolutamente claro que isso tudo eram apenas planos, para uma eventualidade. Absolutamente nenhum programa emergencial de abastecimento seria efetivado até que os britânicos e os franceses tivessem iniciado realmente a retirada do Egito. Os europeus deploravam acerbamente que os Estados Unidos estavam querendo punir a Grã-Bretanha e a França, "mantendo-as no purgatório". As companhias internacionais de petróleo, vendo a escassez se agravar, imploraram à administração para ativar o Comitê de Emergência do Oriente Médio. Porém, como disse um executivo de uma das companhias, "a administração simplesmente recusou-se".

A Grã-Bretanha via-se economicamente vulnerável por um outro motivo. Suas finanças internacionais estavam bastante instáveis, e teve início uma grande corrida pela libra. Os britânicos acreditavam que a corrida tinha a aprovação, talvez o suporte e até mesmo o incentivo da administração Eisenhower. O Fundo Monetário Internacional, sob o incentivo dos americanos, recusou os pedidos de Londres para um auxílio financeiro emergencial. O assessor de economia na embaixada britânica, em Washington, relatou a Londres que ele estava encontrando "uma muralha a cada passo" que dava em Washington na sua busca por um apoio financeiro urgente. "Os americanos", acrescentou, "pareciam determinados a nos tratar como garotos travessos que devem ser ensinados a não sair por aí agindo por sua própria conta, sem antes pedir permissão para a mamãe".[15]

Em meados de novembro, as tropas "de paz" das Nações Unidas começavam a chegar ao Egito. Mas a administração Eisenhower deu indícios de que o purgatório não tinha chegado ao fim: o Comitê de Emergência do Oriente Médio não iria ser ativado até que as tropas britânicas e francesas estivessem fora do Egito. Uma escassez de petróleo parecia iminente. Eisenhower escreveu a um velho companheiro dos tempos da guerra, o general britânico Lorde Ismay, agora presidente da OTAN, sobre a "tristeza na qual se envolveu o mundo democrático". Ele não estava "indiferente ao apuro financeiro e à falta de combustíveis da Europa Ocidental", mas reiterou seu desejo de não "entrar em conflito com o mundo árabe". Esse último motivo, disse ele, era "um assunto extremamente delicado", que "não podia ser tratado publicamente". Ismay respondeu à mensagem expressando seu apreço, mas confidencialmente advertiu Eisenhower que "as forças da OTAN poderão estar praticamente imobilizadas, na próxima primavera, pela falta de petróleo". Finalmente, ao final de novembro, Londres e Paris prometeram formalmente uma rápida retirada de suas forças do canal de Suez. Apenas nesse momento, Eisenhower autorizou a ativação do Comitê de Emergência para o Oriente Médio. Os americanos haviam levado a melhor. Além disso, contribuíram para o refrão da derrota e humilhação que os britânicos e os franceses já haviam sofrido nas mãos de Nasser. Ao final de toda essa confusão, Nasser saiu-se como o único vencedor.

No entanto, em meados de novembro, enquanto as tropas franco-britânicas ainda estavam no Egito, o secretário das Relações Exteriores, Selwyn Lloyd, fez uma visita a John Foster Dulles em seu quarto no Hospital Walter Reed. Uma conversa bastante enigmática teve lugar ali, pelo menos de acordo com as lembranças de Lloyd.

"Selwyn, por que você não seguiu em frente?", perguntou Dulles. "Por que você não foi até o fim e derrubou Nasser?"

Lloyd ficou estupefato. Afinal, esse era o mesmo secretário de Estado que, aparentemente, havia feito todo o possível para interceptar uma ação franco-britânica e cujo governo havia de fato acabado com a ação, quando essa teve início.

"Bem, Foster", respondeu Lloyd. "Se você tivesse fingido que não nos via, nós poderíamos ter ido adiante."

Dulles respondeu a ele que não poderia ter feito aquilo.[16]

A "Alavanca do Petróleo" e o "Açucareiro": vencendo a crise

No início de dezembro, um mês depois do fechamento do canal, com a Grã-Bretanha e a França frustradas e toda a Europa Ocidental à beira de uma crise energética, o programa emergencial de abastecimento finalmente entrou em operação. A Alavanca do Petróleo, como era chamada, constituía-se em risco cooperativo entre governantes e companhias de petróleo, tanto na Europa quanto nos Estados Unidos.

A maior parte da produção de petróleo no Oriente Médio não havia sido interrompida. O problema estava, principalmente, no transporte. A solução era fazer conexão com outras formas de suprimento. Em virtude de distâncias mais curtas e do menor tempo de viagem, qualquer petroleiro poderia transportar duas vezes mais petróleo do hemisfério ocidental até a Europa do que do Golfo Pérsico, contornando o cabo da Boa Esperança, até a Europa. Entretanto, o principal foco dos comitês de emergência convergia para o completo deslocamento dos petroleiros, de forma que o hemisfério ocidental pudesse, uma vez mais, ser a principal fonte de suprimentos para a Europa, como já havia sido até o final dos anos 1940. As rotas dos petroleiros foram modificadas, repartidas com outras companhias, os suprimentos foram permutados — tudo com o objetivo de transportar o petróleo do modo mais rápido e mais eficiente possível.

Na Europa, faziam-se extensos esforços para assegurar que os suprimentos de emergência — que ficaram conhecidos como "açucareiros" — fossem distribuídos equitativamente entre os vários países. A Organização para a Cooperação Econômica Europeia (Organization for European Economic Cooperation — OCEE) criou um Grupo de Emergência para o Petróleo que era de fato quem fazia as distribuições baseando-se em uma fórmula que refletia o uso do petróleo, os níveis de estoque e os suprimentos locais de energia, anteriores a Suez. A Alavanca do Petróleo era completada pelo racionamento e por outras medidas limitadoras da demanda. A Bélgica baniu o uso privado dos automóveis aos domingos. A França limitou as vendas das companhias de petróleo a 70% dos níveis anteriores a Suez. A Grã-Bretanha aplicou novas taxas sobre o petróleo, que provocaram a elevação dos preços da gasolina e do óleo combustível e um aumento das tarifas de táxi em Londres, que se imortalizou como "o meio-xelim de Suez". As centrais elétricas foram incentivadas a substituir o petróleo pelo carvão; ao final de dezembro, a Grã-Bretanha estava racionando gasolina.

Embora a movimentação dos petroleiros fosse o problema número um, o próprio abastecimento de petróleo vinha logo em seguida. Estimou-se que a produção do hemisfério ocidental teria que ser substancialmente aumentada para atender às necessidades da Europa — com a maior parte desse suprimento extra partindo dos Estados Unidos, onde havia uma imensa capacidade de armazenamento. As companhias internacionais exploraram agressivamente os mercados de petróleo bruto dos Estados Unidos, para conseguirem todo o suprimento extra que pudessem obter para a Alavanca do Petróleo. Porém, nem as companhias nem os governos envolvidos haviam ajustado contas com a Comissão das Ferrovias do Texas, que, para a consternação de muita gente, impediu abertamente qualquer aumento na produção durante o período crítico dos meses de inverno de 1957 e, basicamente, manteve armazenada a produção-armazenada. Armava-se uma nova arena para a antiga batalha entre produtores independentes e grandes companhias. Como explicava um memorando interno para o conselho da Jersey, a Comissão de Ferrovias representava os produtores independentes do Texas, "cujos interesses normalmente eram totalmente domésticos". A comissão temia que um crescimento nos estoques de petróleo bruto no país, bem como os de gasolina, para os quais não houvesse procura da Europa, poderia aviltar os preços. E é óbvio que o desejo deles era aumentar, e não diminuir os preços.

A recusa da comissão em permitir uma alta significativa na produção provocou uma onda violenta de desaprovação. Eric Drake, da British Petroleum, referiu-se a ela como "nada menos que uma calamidade para a Europa". Um dos representantes europeus da Jersey disse que ela era "desastrosa" e que levaria a uma queda de 50% no fornecimento da companhia para a Europa. Eden e Macmillan protestaram pessoalmente contra a política da Comissão das Ferrovias do Texas, e a imprensa britânica denunciou essa agência desconhecida e misteriosa localizada em pleno coração do Texas. O *Daily Express* noticiou: "Nenhum petróleo extra — dizem os sábios do Texas". O respeitável diretor da Ferrovia do Texas, coronel E. O. Thompson, não hesitou em revidar. Às queixas da Grã-Bretanha respondeu "já lhe enviamos muitos barris de petróleo bruto e, em troca, só recebemos críticas por não termos obedecido completamente suas ordens. Temos a impressão de que a Inglaterra ainda nos considera sua província ou colônia".

O clima entre os produtores do Texas melhorou acentuadamente quando conseguiram o que queriam das grandes companhias e do mercado. Humilde, a filial da Jersey no Texas, temendo uma escassez no fornecimento, anunciou que iria aumentar o preço de compra nos campos de petróleo em 35 centavos por barril. Outras companhias seguiram o exemplo; o acesso ao petróleo bruto do Texas foi alcançado e o forne-cimento para a Alavanca do Petróleo aumentou rapidamente. Logo surgiu uma nova onda de denúncias — desta vez contra as companhias de petróleo, acusadas de coni-vência para elevação dos preços. Diante da escassez, os preços mais altos emitiram um necessário duplo aviso: o aumento do fornecimento e a redução da demanda não só eram bem recebidos e construtivos em meio à crise de Suez, mas provavelmente neces-sários para fazer funcionar a Alavanca do Petróleo. No entanto, sendo o petróleo e política o que são, o aumento dos preços gerou muita controvérsia e levou a audiências do Congresso altamente ameaçadoras, que preencheram mais de 2,8 mil páginas, e a uma nova ação antitruste do Departamento de Justiça contra 29 companhias de petró-leo. O processo seria finalmente rejeitado em 1960, quando um juiz federal decretou que houvera "justificativa econômica" para os aumentos e que as evidências do governo "não passaram de suspeita".

A Alavanca do Petróleo exigiu um imenso trabalho de coordenação e de habili-dade logística. Aproveitou a experiência e os recursos humanos que haviam sido utili-zados no sistema de abastecimento dos Aliados no Atlântico, durante a II Guerra Mundial. Ainda assim, complicações burocráticas e administrativas teriam que ser superadas. Um grande número de governantes, companhias e comitês de abasteci-mento tinham que estabelecer pautas, ordenar as informações e comunicá-las, bem como certificar-se de que os programas seriam implementados adequadamente. Havia muitos momentos de confusão, mas a alavanca funcionava tão bem que dava a impres-são de fazê-lo quase espontaneamente. Mas não era. Posteriormente, um dos executi-vos das companhias de petróleo tentou explicar o quanto era ilusório pensar que durante uma crise "tudo o que você tem a fazer é apertar um botão, e tudo se resolve". Essa era uma advertência a ter em mente em crises futuras.[17]

Na primavera de 1957, a crise do petróleo finalmente chegou ao fim, graças prin-cipalmente à eficiência não prevista da Alavanca do Petróleo. Quase 90% dos supri-mentos perdidos haviam sido compensados. Na Europa, as medidas imediatas de conservação, favorecidas pelo clima ameno, compensaram a maior parte das perdas restantes, de maneira que a escassez real foi muito pequena. No geral, a economia Europeia não estava tão vulnerável aos distúrbios do petróleo como mais tarde viria a estar. Em 1956, o petróleo era o responsável único por cerca de 20% do total de energia consumida. Embora em transformação, a Europa ainda era uma economia baseada principalmente no carvão. Esse quadro iria se alterar nos anos subsequentes.

Em março de 1957, os oleodutos da Iraque Petroleum foram reabertos parcial-mente, e em abril o canal de Suez já estava livre o suficiente para que os petroleiros retomassem viagem. Nasser tinha vencido; o canal agora pertencia inequivocamente ao Egito, e por ele era operado. Embora os pilotos do canal de Suez egípcio não se vestis-sem com a mesma ostentação de seus antecessores britânicos e franceses, conduziam de modo adequado suas tarefas navais. Os países produtores do Golfo Pérsico estavam ansiosos para reiniciar o transporte de suprimentos; o Kuait enfrentou uma queda de

50% em sua produção, graças à ausência de meios para o transporte do petróleo. Em abril, o governo americano suspendeu a Alavanca do Petróleo. Em meados de maio, o governo britânico pôs fim ao racionamento de gasolina e tomou as últimas providências, determinando "navegação britânica de volta ao canal de Suez". Com isso a crise do Suez estava realmente terminada.[18]

A saída de *sir* Eden

Um dos participantes americanos lembrou mais tarde a crise como "uma época curiosa. Naqueles meses passados em Suez, havia alta comédia, baixa conspiração e profunda tragédia, principalmente tragédia — para os indivíduos e para as nações". Ela representou uma tragédia pessoal para o primeiro-ministro Anthony Eden — a quem Nasser chamava "*sir* Eden" — que tinha, até então, acumulado uma história extraordinária de lucidez, coragem e habilidade diplomática, mas cuja reputação viria abaixo de modo humilhante, juntamente com os navios que Nasser mandou para o fundo do canal. Eden, que passara tanto tempo se preparando para o cargo de primeiro-ministro, esteve sob constante pressão emocional durante toda a crise. Em novembro, no auge da crise, sua saúde debilitada forçou-o a tirar férias prolongadas na Jamaica, em uma casa cedida por Ian Fleming, o criador de James Bond. Em seu retorno, o médico comunicou-lhe que sua saúde não lhe permitiria continuar na função de primeiro-ministro. Passou os dias, entre o Natal e o Ano-Novo, calmamente em casa, jogando xadrez, pensando sobre seu futuro. Em uma carta que escreveu a um amigo, confessou-se "nem um pouco arrependido (...) Acho estranho que tão poucos, ou ninguém, tenham comparado esses eventos aos de 1936 — embora sejam tão semelhantes". Em janeiro de 1957, ele renunciou.

Um dos primeiros a serem comunicados foi Harold Macmillan, vizinho de Eden na Downing Street, nº 11, quando foi chamado à pequena sala de recepção do nº 10, Downing Street, ao lado. Nas notas de seu diário, Macmillan registrou: "Posso vê-lo naquela tarde triste de inverno com uma aparência ainda tão jovial, tão alegre, tão cortês, a personificação de tudo o que havia sido na juventude, quando serviu na Guerra de 1914-1918 (...) Os sobreviventes daquele terrível holocausto sempre se sentiram com um dever especial, tal qual homens sob juramento. Foi com esse espírito que ele e eu entramos na política. Agora, depois desses longos anos de trabalho, no auge de sua autoridade, ele foi derrubado por uma misteriosa, mas inescapável fatalidade". Atordoado, Macmillan voltou cabisbaixo pela passagem de conexão à residência do chanceler à Downing Street, nº 11. Na manhã seguinte, para tranquilizar o espírito, lia sossegadamente o livro *Pride and Prejudice,* ao lado de um retrato de Gladstone, quando foi interrompido por um telefonema convocando-o a comparecer ao palácio, para ser investido como primeiro-ministro.

Suez foi um marco divisório na história da Grã-Bretanha. Foi a causa de uma grave ruptura na cultura britânica, bem como na política e na posição internacional dessa nação. Mesmo assim, Suez não foi o prenúncio do declínio da Grã-Bretanha; ao invés disso, tornou aparente o que já vinha acontecendo. A Grã-Bretanha já não fazia parte do alto escalão das potências mundiais. A sangria das duas guerras mundiais e as divisões internas consumiram pesadamente não apenas seu ministro da Fazenda, mas também sua confiança e determinação política. Eden tinha certeza de ter agido corretamente em Suez. Anos mais tarde, o *Times* de Londres escreveu sobre Anthony Eden: "Ele foi o último primeiro-ministro a acreditar que a Grã-Bretanha era uma grande potência e o primeiro a enfrentar uma crise que provou que ela não era...". Essa declaração foi como o "epitáfio de um império e o estado mental de um homem".[19]

O futuro da segurança: oleodutos *versus* petroleiros

A crise de Suez proporcionou à indústria petrolífera internacional bastante material para reflexão. A despeito da retomada das operações no canal, as companhias de petróleo já não confiavam em poder contar com ele. Seguiram-se longas discussões entre companhias e governantes sobre a possibilidade de construção de outros oleodutos. A interdição do trecho sírio da Companhia Iraquiana de Petróleo havia mostrado o quanto os oleodutos eram vulneráveis a obstruções. Com certeza, não eram as únicas alternativas para a importante questão da segurança do percurso. Os riscos eram óbvios demais.

Durante toda a agitada discussão em 1956 sobre o papel de veia jugular que desempenhava o canal de Suez, era preciso atentar primeiramente para uma questão: se o canal e os oleodutos do Oriente Médio eram vulneráveis, havia uma alternativa mais segura — a rota pelo cabo da Boa Esperança. No entanto, para que o abastecimento da Europa Ocidental fosse prático e econômico seriam necessários petroleiros maiores, capazes de transportar muito mais petróleo. A opinião generalizada da indústria, porém, era de que não havia condições materiais para se construir tais petroleiros. Os estaleiros japoneses, entretanto, já com a vantagem dos avanços dos motores diesel e da melhor qualidade do aço, logo provariam o contrário. "Em 1956, os construtores diziam que navios maiores seriam muito dispendiosos, que os custos de seus combustíveis seriam altos demais", relembrou John Loudon, diretor administrativo da Shell. "É espantosa a rapidez dos japoneses na fabricação desses petroleiros." Eles não só demonstraram ser altamente econômicos como também dotados da indispensável segurança. Assim, entre as consequências da crise de Suez, juntamente com o declínio da influência britânica e a ascensão do prestígio de Gamal Abdel Nasser, estavam os superpetroleiros. Como declarou um funcionário do governo britânico: "Os petroleiros eram obviamente muito menos vulneráveis aos riscos políticos".[20]

O fim do sismo de Suez

Nas águas de Suez restou muita amargura dos britânicos e dos franceses em relação aos americanos. O embaixador britânico em Washington fez, no início de 1957, um ácido comentário. "Eisenhower", dizia ele, "tem a visão de um escoteiro americano a respeito do colonialismo, das Nações Unidas e da eficácia das frases como atos políticos. A necessidade de poupar sua saúde, acrescida de uma natural inclinação, fez dele um dos presidentes mais ociosos (ainda que o mais reverenciado) que a história americana já conheceu."

Durante a crise, os Estados Unidos priorizaram a tentativa de defender sua posição junto aos produtores árabes de petróleo. O próprio Eisenhower deu grande ênfase ao reconhecimento do rei Saud como a figura mais importante do Oriente Médio, como alternativa a Nasser e também para deixar claro aos produtores árabes que os Estados Unidos tencionavam trabalhar para "devolver à Europa Ocidental os mercados petrolíferos do Oriente Médio". Por detrás dessa consideração, havia também a intenção de amparar governos pró-ocidentais estáveis no Oriente Médio, como fortaleza contra o expansionismo soviético. Sem dúvida, a Grã-Bretanha e a França compartilhavam desses objetivos estratégicos. Suas diferenças estavam nos meios, e não nos fins.[21]

No entanto, em ambos os lados do Atlântico havia o reconhecimento da necessidade de sanar o sismo de Suez. O processo seria bastante facilitado pelo fato de que o novo primeiro-ministro era Harold Macmillan, que ficaria conhecido por sua "impassividade", embora ele admitisse, posteriormente, que no íntimo sofria frequentemente de "agonias e perturbações nervosas". Ele e Eisenhower haviam servido juntos durante a II Guerra e haviam mantido uma amizade e alta estima recíproca. Quando Macmillan foi mencionado como possível sucessor de Eden, Eisenhower descreveu-o como "um homem honesto e refinado". De certa forma, em nada influía o fato de a mãe de Macmillan ter vindo de uma pequena cidade em Indiana. Macmillan era também um realista. Após a dura lição de Suez, disse ele, "o destino de todos nós está depositado, em grande parte, nas mãos dos governantes em Washington". Isso era uma simples constatação. Às boas-vindas de Eisenhower, Macmillan respondeu: "Não tenho ilusões com relação às dores de cabeça que me esperam, mas 33 anos de vida parlamentar me deixaram razoavelmente maduro, sem com isso ver atrofiado meu senso de humor".

O Oriente Médio e o petróleo estavam, sem dúvida, entre suas mais incômodas dores de cabeça, juntamente com a brecha aberta na aliança com os americanos. O processo formal de cicatrização teria início na Conferência das Bermudas entre Eisenhower e Macmillan, realizada em março de 1957 no Mid-Ocean Gulf Club. O petróleo foi uma das maiores preocupações de Macmillan, ao se preparar para o encontro. Ele solicitou um mapa que mostrava a posição das diversas companhias de petróleo no Oriente Médio, bem como uma "árvore genealógica" das próprias companhias. Os assuntos sobre petróleo e segurança no Oriente Médio, agrupados em um só bloco, constituíam assunto central do encontro. Como declarou Eisenhower posteriormente, houve uma abordagem bastante franca sobre a questão do petróleo, incluindo a possibilidade de incentivar a construção de superpetroleiros. Suez havia alertado todas as potências do Ocidente sobre a volatilidade do Oriente Médio; e agora, nas Bermudas, os britânicos enfatizaram a importância de manter a independência do Kuait e dos outros Estados ao longo do Golfo, cujos governantes pareciam muito vulneráveis aos golpes de Estado de nasseristas. Ambos os lados concordaram com a necessidade de a Grã-Bretanha fazer tudo o que fosse possível para garantir a segurança do Golfo. Chamando o petróleo do Oriente Médio de "o maior prêmio do mundo", Macmillan clamou pela cooperação entre os dois países a fim de garantir a paz e a prosperidade naquela área por um longo período — o tipo de "aproximação comum" que eles haviam conseguido durante a guerra, disse ele.

A Conferência das Bermudas ajudou a encerrar a cisma existente entre a Grã-Bretanha e a América. Eisenhower e Macmillan prometeram trocar correspondência pessoal, exprimindo livremente seus pontos de vista, pelo menos uma vez por semana. Afinal, os dois países tinham, com certeza, objetivos comuns no Oriente Médio. Porém, como Suez havia demonstrado, de modo tão contundente, nos anos seguintes, o predomínio seria americano, e não britânico.

Em 1970, catorze anos depois da crise de Suez, os conservadores ganharam as eleições gerais na Grã-Bretanha e Edward Heath tornou-se o primeiro-ministro. Ele organizou um jantar na Downing Street, nº 10, para Lorde Avon, título dado a Anthony Eden, de quem Heath fora o principal líder de bancada em 1956, durante a crise de Suez. Para Eden, a noite de seu retorno como convidado de honra ao nº 10 foi um acontecimento maravilhosamente emocionante. Heath proferiu um discurso espirituoso e fascinante e Eden levantou-se para uma resposta de improviso. Ele ofereceu uma prece especial ao povo britânico — para que logo conseguissem descobrir "um lago de petróleo" sob o mar do Norte. Isso era exatamente o que estavam começando a fazer em 1970, embora não tivessem conseguido beneficiar-se dele a tempo de evitar que Edward Heath fosse surpreendido por outra crise energética. Como as coisas poderiam ter sido diferentes em 1956 se os britânicos tivessem tomado conhecimento ou, pelo menos, suspeitado da existência de um lago assim.[22]

CAPÍTULO XXV

Os elefantes

NO JARGÃO DA INDÚSTRIA PETROLÍFERA, um campo de petróleo gigante é conhecido como "elefante". No início dos anos 1950, o número de "elefantes" descobertos no Oriente Médio estava se expandindo rapidamente. Em 1953, o geólogo Everette DeGolyer escreveu a um amigo, F.E. Wellings, geólogo-chefe da Companhia Iraquiana de Petróleo, que acabara de descobrir três elefantes, um por mês. "O Oriente Médio", dizia DeGolyer, "está passando rapidamente a uma condição que tem sido quase crônica nos Estados Unidos desde os primeiros dias da indústria, ou seja, o problema é o mercado mais escasso que a produção." Disse, ainda, que sua empresa, a DeGolyer e McNaughton, dirigida por dois dos principais engenheiros petrolíferos da época, estava acabando de elaborar um estudo secreto para o governo da Arábia Saudita, sobre suas reservas. Muitas coisas foram descobertas sobre os recursos petrolíferos desse país desde 1943, ano em que DeGolyer fez sua primeira viagem à Arábia Saudita a mando de Harold Ickes. DeGolyer estava ciente que as reservas descobertas em seu novo estudo iriam exceder em muito as estimativas preliminares que ele havia feito dez anos antes. Embora os resultados talvez não fossem "números completamente astronômicos", disse ele a Wellings, "são tão altos que acrescentar um bilhão de barris ao petróleo disponível não faz diferença alguma".[1]

A indústria petrolífera havia entrado nitidamente em uma nova era, em que um bilhão de barris não representava uma diferença significativa. Do início dos anos 1950 ao final dos anos 1960, o mercado mundial de petróleo foi dominado por um crescimento extraordinariamente rápido, um enorme vagalhão que, como uma poderosa e assustadora ressaca, arrastava aqueles à testa da indústria, com sua força aparentemente, irresistível. O ritmo do consumo chegou a um nível jamais imaginado no início do pós-guerra. No entanto, quanto mais rápido ele crescia, mais rápido aumentava a disponibilidade de suprimentos.

O desenvolvimento da produção de petróleo no mundo livre era gigantesco: dos 8,7 milhões de barris diários em 1948, pulou para 42 milhões de barris diários em

1972. Ao mesmo tempo que a produção dos Estados Unidos elevou-se de 5,5 milhões de barris para 9,5 milhões de barris diários, a margem de participação americana na produção total mundial caiu de 64% para 22%. O motivo desse declínio foi o extraordinário deslocamento para o Oriente Médio, onde a produção havia passado de 1,1 milhão de barris para 18,2 milhões de barris diários — um aumento de 1.500%!

Muito mais dramático foi o deslocamento das reservas comprovadas de petróleo — ou seja, petróleo de um determinado lençol que, já com alguma certeza conhecido publicamente, poderia vir a ser economicamente produtivo. As reservas mundiais comprovadas de petróleo em países não comunistas cresceram quase nove vezes, passando de 62 bilhões de barris em 1948 para 534 bilhões de barris em 1972. As reservas americanas tinham aumentado de 21 bilhões de barris em 1948 para 38 bilhões de barris em 1972. Seu significado estatístico, no entanto, diminuíra despencando dos 34% do total das reservas mundiais para meros 7%. Enquanto o maior crescimento havia sido registrado na África, o aumento mais surpreendente ocorreu, sem dúvida, no novo centro de gravidade, o Oriente Médio, cujas reservas passaram de 28 bilhões para 567 bilhões de barris. Para cada dez barris que se acrescentavam às reservas de petróleo no mundo, entre os anos 1948 e 1972, mais de sete vinham do Oriente Médio. Esses números indicavam que, quanto mais rápido o mundo consumia petróleo, mais velozmente ainda essas reservas eram repostas. Em 1950, a indústria estimava que, com as reservas comprovadas existentes, às taxas correntes de produção, o mundo contava com petróleo suficiente para 19 anos. Em 1972, depois de todos aqueles anos de rápido crescimento, de aumento frenético no consumo e da confusa marcha da produção, a vida estimada das reservas era de 35 anos.[2]

A abundância absoluta dos "elefantes" do Oriente Médio, como não poderia deixar de ser, provocou esforços vigorosos de novos jogadores para entrarem no jogo e uma feroz competição por mercados, uma batalha ininterrupta em que a redução dos preços era a arma mais poderosa. Para as companhias, tais reduções eram decisões comerciais necessárias. Provaram, porém, ser faíscas altamente inflamáveis atiradas na pira do nacionalismo, nos países produtores de petróleo — já acesa, no Oriente Médio, devido à vitória de Nasser em Suez.

A ordem pós-guerra do petróleo repousava em dois fundamentos. Um deles era composto pelos grandes acordos do petróleo da década de 1940, que tinham firmado as relações básicas entre as companhias que operavam no Oriente Médio. Esses acordos mobilizaram os recursos necessários exigidos para o rápido desenvolvimento das reservas de petróleo, ligaram a produção aos sistemas de refinação e marketing exigidos pelo volume das reservas, além de desenvolver e assegurar demanda muito maior que a requerida. O segundo fundamento se compunha das relações de concessão e contratuais entre as companhias e os governos dos países produtores, em cujo âmago jazia o acordo 50/50, conseguido com sacrifícios. Esperava-se que sobre essas duas bases se pudesse construir uma relativa estabilidade.

Temendo pelo que pudesse advir, nem as principais companhias de petróleo, nem os governantes das nações consumidoras queriam arredar pé do princípio 50/50. De acordo com declarações do Comitê de Petróleo do Oriente Médio do British Cabinet Office (Ministério Britânico) em 1954, "acabamos de alcançar uma base razoável para uma parceria entre as companhias de petróleo e os governos do Oriente Médio (...) qualquer intromissão adicional dos governantes do Oriente Médio (...) prejudicaria seriamente nosso sistema de abastecimento". No entanto, para os governantes dos países produtores, a questão era um tanto diferente. Por que não elevar seus lucros, se isso era possível, uma vez que eles não alienaram irrevogavelmente as companhias a Washington e a Londres?

Com certeza, era assim que pensava o xá do Irã. Em meados dos anos 1950, já se tinha passado muito tempo desde que declarara não saber se era um rato ou um homem. Já havia feito declarações confidenciais de que "o Irã estava destinado a se tornar uma grande potência". A fim de satisfazer sua ambição e apetite, queria mais recursos provenientes do petróleo. Além disso, queria perseguir uma política de maior independência com relação ao petróleo, reduzindo e restringindo, dessa forma, o poder dos consórcios de companhias, que havia sido um dos resultados de sua humilhante batalha com Mossadegh. Mas ele não podia dar-se ao luxo de perturbar as relações exteriores básicas e a segurança do Irã. Precisava de um interlocutor. Essa pessoa não podia pertencer à categoria das grandes companhias, nem às poderosas independentes americanas, quase todas elas participantes do consórcio. Quem poderia ser?

Um europeu, um italiano que tinha seus próprios compromissos com o petróleo — Enrico Mattei.[3]

Um novo Napoleão

Em uma época em que as principais companhias haviam se transformado em grandes burocracias, complexas e bem estruturadas demais para refletir a imagem de qualquer homem, Enrico Mattei estava determinado a criar uma nova grande companhia, a estatal italiana AGIP, que fosse bem o reflexo de sua própria imagem. Ele era um fanfarrão atrevido, um *condottiere*, um estereótipo dos empresários do tempo de Napoleão. Mattei, atarracado e com traços agressivos, tinha a aparência de um jesuíta fervoroso, mas mundano, do século XVI. Seus olhos escuros e sombrios eram emoldurados por sobrancelhas altas e arqueadas; seus cabelos finos, penteados para trás. Era determinado, hábil, manipulador e desconfiado. Tinha talento para a improvisação e uma propensão para as apostas e para o risco, unidos a um comprometimento inflexível com seus objetivos básicos, que se resumiam em conseguir um lugar ao sol para a Itália e a AGIP, e para Enrico Mattei.

Filho ilegítimo de um policial do norte da Itália, Mattei deixou a escola aos 14 anos para ir trabalhar em uma fábrica de móveis. Com pouco mais de trinta, já estava dirigindo sua própria indústria química em Milão, e lá, durante a II Guerra Mundial, tornou-se um líder partisan (dos democratas cristãos). Ao final da guerra, suas habilidades administrativas e políticas fizeram com que ele fosse incumbido de dirigir o que restava da AGIP no norte da Itália. A AGIP — Azienda Generali Italiana Petroli — tinha, na época, pouco menos de vinte anos de existência. A Itália, seguindo o exemplo da França nos anos 1920, tinha decidido pela criação de uma refinaria estatal, uma nacional de primeira linha, para competir com as companhias internacionais. Em meados da década de 1930, a AGIP havia conquistado uma parcela do mercado na Itália comparável ao da Esso e da Shell. Mas fora da Itália não contava. Com uma grande explosão de energia e um magistral domínio da política, ao estilo italiano, Mattei começou a transformar a AGIP em uma empresa muito maior. No entanto, isso não podia ser feito sem dinheiro, e a Itália no pós-guerra era um país miserável. O dinheiro necessário foi conseguido no vale do rio Pó, ao norte da Itália, com a descoberta e o desenvolvimento de reservas significativas de gás natural, que geraram altos ganhos para custear tanto a expansão da AGIP na Itália quanto suas ambições ultramarinas.

Em 1953, Mattei deu um passo decisivo em direção à realização de suas ambições quando as diversas companhias estatais de hidrocarboneto uniram-se em uma nova entidade, a ENI — Ente Nazionale Idrocarburi, um vasto conglomerado com um total de 36 subsidiárias, abrangendo desde petróleo bruto, petroleiros e postos de gasolina até grandes propriedades, hotéis, pedágios em autoestradas e sabão. Embora a ENI estivesse sob a influência governamental, as diversas companhias operadoras (AGIP para o petróleo, a companhia do oleoduto SNAM e várias outras) deveriam ser dirigidas de uma forma autônoma, como entidades comerciais. Todavia, o presidente da ENI e, coincidentemente, os presidentes ou diretores administrativos da AGIP e de todas as outras companhias operadoras eram um e o mesmo, Enrico Mattei. O embaixador americano em Roma reportou com certa surpresa, em 1954, que, "pela primeira vez na história econômica da Itália, uma entidade governamental italiana encontra-se na posição singular de solvência econômica, liderança competente e respondendo a ninguém mais do que o seu líder". O futuro da ENI seria moldado fundamentalmente, continuava o relatório, pela "ambição ilimitada evidenciada na pessoa de Enrico Mattei".

O próprio Mattei tornara-se um herói popular, o homem de maior notoriedade no país. Ele personificava grandes sonhos para a Itália pós-guerra: antifascismo, ressurreição e reconstrução da nação e o surgimento do "novo homem" que atingiu o sucesso por si mesmo, sem o auxílio de antigos sistemas. Ele prometia também aos italianos seu próprio seguro suprimento de petróleo. A Itália era um país pobre em recursos, que não só estava muito consciente de suas carências, mas também as culpava por muitas de suas desgraças, inclusive as derrotas militares. Agora, com Mattei, esses problemas, ao menos em termos de energia, seriam solucionados. Ele apelava para o orgulho nacional e sabia como conquistar a imaginação do público. Ao longo das autoestradas e ruas da Itália, a AGIP construiu novos postos de gasolina, maiores e mais atraentes, com mais comodidade do que os de seus concorrentes internacionais. Tinham até restaurantes.

Mattei logo se tornou conhecido como o homem mais poderoso da Itália. A ENI era a proprietária do jornal *Il Giorno*, subsidiava vários outros, desde os de direita até os de extrema esquerda, e financiava os democratas cristãos, bem como políticos de outros partidos. Mattei, particularmente, não gostava muito de políticos, mas usava a influência deles naquilo que fosse necessário. "Lidar com o governo é como engolir pregos", reclamava Mattei. Falava um italiano entrecortado, prosaico, rústico, que contrastava pobremente com a eloquência e a retórica dos políticos italianos. No entanto, tinha magnetismo, um charme convincente e persuasivo, combinados a uma intensa emoção e sinceridade, tudo isso apoiado por uma impetuosa, vulcânica e irresistível energia. Muitos anos mais tarde, um de seus auxiliares diria, relembrando: "Qualquer um que trabalhasse com ele, seria capaz de se atirar no fogo por ele, embora não soubesse explicar exatamente por quê".

Parecia que, à medida que a ENI crescia, crescia também a opinião de Mattei sobre si mesmo, o que às vezes contava negativamente. Certa vez, Mattei foi a Londres para um almoço com John Loudon, diretor administrativo da Royal Dutch-Shell. Ali estavam o antigo e o novo, o *establishement* e o novo-rico. O pai de Loudon, Hugo, havia sido um dos fundadores da Royal Dutch-Shell; e em meados do século, seu filho, alto e aristocrático, não era apenas o ilustre líder corporativo do petróleo internacional, mas também seu principal diplomata. Ele era, além disso, um árbitro sagaz da reputação alheia. Nesse momento, Mattei desejava muito algo que a Shell não estava particularmente inclinada a lhe oferecer. Esse foi o motivo do almoço. "Mattei era um homem muito difícil", relembrou Loudon. "Era também intensamente vaidoso." Pelo menos foi essa a opinião de Loudon e de seus colegas da Shell. No início do almoço, Loudon perguntou a Mattei, com aparente inocência, como ele havia entrado para o mundo do petróleo. Mattei, sem dúvida lisonjeado por ser levado tão a sério por uma das grandes companhias, falou sem parar, daí em diante, durante praticamente o almoço todo, sem dar oportunidade para que os demais falassem, ao contar toda a história de sua vida. "Finalmente, quando chegamos à sobremesa, ele nos pediu alguma coisa", disse Loudon. "Nós não podíamos atendê-lo e assim encerramos o assunto". Não foi, entretanto, a última vez que ouviram falar de Mattei.[4]

A maior batalha de Mattei

O objetivo principal de Mattei era assegurar que a ENI — e a Itália — tivesse seu próprio abastecimento internacional de petróleo, independente das companhias "anglo-saxônicas". Ele queria participar dos lucros do petróleo bruto do Oriente Médio. Atacava constantemente, para quem quisesse ouvir, o "cartel", como chamava as grandes companhias, e a ele se atribuiu o termo *Sette Sorelle,* as "Sete Irmãs", ridicularizando sua íntima associação e múltiplas *joint ventures*. Entre as "Sete Irmãs" estavam as quatro parceiras da Aramco — a Jersey (Exxon), a Socony-Vacuum (Mobil), a Standard of California (Chevron) e a Texaco — além da Gulf, da Royal Dutch-Shell e da British

Petroleum, que estavam associadas no Kuait. (Em 1954, a Anglo-Iraniana, assumiu o nome da subsidiária que havia encampado na I Guerra Mundial, readotando o nome de British Petroleum.) Na verdade, havia uma oitava irmã, a líder nacional francesa, CFP, que estava nos dois consórcios iranianos, com as "Sete Irmãs", e com a Companhia Nacional de Petróleo Iraniana, junto com a Jersey, Socony, British Petroleum e Royal Dutch-Shell. Mas como a CFP não cabia na denominação "anglo-saxônica", Mattei deixou-a, convenientemente, de lado. Sua verdadeira queixa contra esse clube exclusivo de grandes companhias, não era contra sua existência, mas pelo fato de não fazer parte dele.

É claro que Mattei tentou associar-se. Acreditava que devido à escrupulosa cooperação ao embargo imposto pelas grandes contra o petróleo iraniano, depois da nacionalização de Mossadegh, havia ganho um lugar no consórcio iraniano que as companhias e os governos britânico e americano ajustaram após a queda de Mossadegh. Os franceses foram convidados a fazer parte desse novo consórcio iraniano, devido à sua sociedade na Iraq Production Company (Companhia Produtora do Iraque). As nove independentes americanas foram incluídas nele também, devido às questões antitruste americanas, embora não tivessem grandes interesses externos e nenhuma necessidade real de produzir no Irã. A Itália, no entanto, que quase não dispunha de recursos e que era tão dependente do petróleo do Oriente Médio, foi excluída. Mattei ficou furioso. Ele iria esperar por sua oportunidade e por vingança.

Ele conseguiu ambas quando em 1956 a crise de Suez colocou as companhias de petróleo na defensiva e deixou claro o grau de retração do poder e da influência britânicas no Oriente Médio. Isso representava um espaço que Mattei iria fazer de tudo para preencher. E em sua própria retórica anticolonialista e em seus ataques ao "imperialismo", satisfazia o fervor nacionalista dos países exportadores.[5]

O ponto de partida de Mattei foi conversar seriamente com o xá do Irã. Se as grandes companhias haviam se tornado especializadas em interrelacionar-se dentro de suas *joint ventures*, ele iria jogar mais alto que elas: pensando dinasticamente em sua busca pelo acesso italiano ao petróleo iraniano, lançou a ideia de conseguir uma princesa italiana para o xá, que precisava urgentemente de um herdeiro varão. O xá tinha também uma necessidade urgente de conseguir uma participação maior nos rendimentos do petróleo do que a que vinha obtendo através do consórcio. Um dos legados de Mossadegh, a nacionalização, deu ao xá uma relativa flexibilidade. Nos demais países produtores as concessionárias — companhias estrangeiras — ainda eram proprietárias das reservas no solo. Ao contrário, o governo do Irã era dono de todas as reservas de petróleo, e o xá não estava menos comprometido que Mossadegh em controlar as reservas petrolíferas do país.

Mattei tirou proveito dessa situação e, durante toda a primavera e o verão de 1957, movimentou-se para conseguir um acordo completamente sem precedentes com o Irã, que levava em conta a nova posição iraniana e as ambições do xá. O xá lutou pessoalmente para promover o acordo dentro de seu governo, baseando-se nos termos de que a Companhia Nacional de Petróleo Iraniana iria ser a parceira da ENI, bem como sua locadora. Isso significava, na prática, que o Irã ficaria com 75% dos lucros, contra os 25% da ENI — rompendo o valioso acordo 50/50. Como J. Paul Getty e outros já tinham experimentado, é mais caro participar do jogo quando se é retardatário.

Assim que os termos propostos para o novo acordo entre o xá e Mattei vieram a público, eles perturbaram bastante o restante do mundo do petróleo. As companhias já estabelecidas no Irã e no Oriente Médio, bem como os governos britânico e americano, ficaram estarrecidas. O que desejava Mattei? Por que estaria fazendo isso? Alguns imaginavam se o novo acordo não seria apenas "uma forma de chantagem para assegurar a admissão da Itália no consórcio". Mattei, com certeza, não tinha escrúpulos em insinuar que estava disposto a ser subornado. Apenas algumas poucas moedas, murmurou, digamos 5% do consórcio iraniano e 10% da Aramco. As companhias estavam chocadas com o descaramento de suas exigências. Mattei não deixava por menos.[6]

Começou-se a cogitar da possibilidade de trabalhar com Mattei. "Os italianos estão determinados a forçar de um modo ou de outro o caminho em direção ao petróleo do Oriente Médio", disse um funcionário do governo britânico em março de 1957. "Minha visão pessoal, que certamente não será bem recebida pelas companhias de petróleo, é que seria mais sensato para a BP, a Shell e para as americanas levarem em consideração se o mal não seria menor caso déssemos uma chance aos italianos, ao invés de dar-lhes motivos para atacar às cegas no Oriente Médio." Esta era, entretanto, uma opinião decididamente minoritária e severamente combatida. "O sr. Mattei é uma pessoa em quem não se pode confiar", disse um outro funcionário. "Não estou certo se queremos incentivar sua megalomania, dando a entender que chegaremos a um acordo com ele." Certamente, a visão generalizada era a de que Mattei não poderia ser admitido no consórcio, pois se isso acontecesse a companhia belga Portofino em breve estaria batendo à porta, assim como várias companhias alemãs, e sabe-se lá quantas mais. E, basicamente, seria impossível trabalhar com Mattei. Todo o poder de persuasão possível teria que ser utilizado para tentar deter o acordo 75%/25%.

Os americanos e os britânicos protestaram ao governo iraniano e ao xá, avisando que contrariar o princípio 50/50 seria "prejudicar seriamente a estabilidade do Oriente Médio", além de ameaçar a segurança do abastecimento da Europa. O secretário-geral do Ministério das Relações Exteriores italiano, indignado com o poder e a independência de Mattei, aconselhou os britânicos, bastante confidencialmente, de tal forma que suas observações não fossem relatadas pelos canais usuais, a adotarem uma linha bastante dura com Mattei. Qualquer sinal de que se desejava chegar a uma acomodação com ele, até mesmo qualquer delicadeza, disse o secretário-geral, seria interpretada por Mattei como "um sinal de fraqueza".[7]

Todas as objeções foram em vão. Em agosto de 1957, o acordo com Mattei já estava praticamente concluído, e havia motivos para se suspeitar que ele estava mesmo em Teerã. "A embaixada italiana o mantinha, a princípio, escondido", reportou o embaixador britânico no Irã. "Mas tínhamos absoluta certeza de que ele estava aqui. Assim, aproveitei uma chance num sábado à noite e (...) fui a cavalo de Gulhak até a embaixada italiana em Farmanieh." Como era de esperar, o embaixador deparou-se com ninguém menos do que o próprio Enrico Mattei, sentado sob uma árvore, tomando um uísque celebrando alegremente sua vitória — pois nesse mesmo dia havia assinado o acordo com o Irã. E estava afável e falava sem rodeios. "Nenhum mistério no acordo com a AGIP", disse Mattei cordialmente. "Afinal de contas, isso tudo já é de conhecimento público." Deu início então a uma dissertação "sobre a tese de que o Oriente Médio deve passar a ser o Oriente Médio da Europa industrial". Posteriormente o embaixador ponderou, de maneira um tanto vaga, que "Mattei certamente se utiliza de pinceladas precisas e de um grande pincel sobre uma tela ampla".

Para pessoas de seu círculo íntimo, Mattei expressava perplexidade pela reação das grandes companhias. "Eles nos cederam dois minúsculos espaços no Irã, e fazem todo esse barulho." É lógico que ele sabia a causa. No entanto a parceria entre a ENI e o Irã não deu muito certo, não pelo acordo em si, mas pelas condições geológicas. Nas áreas destinadas à ENI não foram detectadas quantidades significativas de petróleo comercializável. Assim, a entrada no Irã não concretizou o sonho de Mattei de obter suprimentos seguros de petróleo para a Itália. Ele conseguiu realizar, porém, uma outra parte de sua ambição; o princípio 50/50 foi atingido, enfraquecendo muito a fundamentação sobre a qual, em sua opinião, havia se sustentado o poder das "Sete Irmãs". "Utilizando-se de diversas acrobacias verbais, o xá e seus ministros estão tentando manter uma fachada de inocência, fingindo que tudo ainda permanece intacto", comunicou a embaixada britânica em Teerã, com certa resignação, em agosto de 1957. "Mas, na verdade, todos nós sabemos que o 50/50 está prestes a ser derrubado como os quatro minutos da prova atlética de milha. E isso é inevitável."[8]

O Japão adentra o Oriente Médio

A Itália não era o único país industrializado que procurava seu próprio espaço no Oriente Médio. O Japão era um país extremamente sensível à questão do petróleo, tanto pela sua história quanto pela sua posição numa época de dependência quase total às importações, a um tempo em que estava iniciando sua extraordinária escalada econômica. A crise de Suez deixou o Japão ainda mais nervoso. Ele também queria segurança para suas próprias provisões, e diversos comitês de políticas reguladoras, tanto públicas quanto privadas, estavam chegando à conclusão que — independentemente dos esforços diligentes para proteger a indústria carbonífera interna — o petróleo importado estava começando a se tornar o combustível mais importante do Japão. Porém o fluxo de petróleo para o Japão era controlado, em sua maior parte, pelas grandes companhias americanas e britânicas, através de suas próprias subsidiárias japonesas, através de *joint ventures*, ou mediante contratos de longo prazo com refinadores japoneses independentes, que tinham sido autorizados a reiniciar os negócios poucos anos antes.

Na primavera de 1957, exatamente na época em que a crise de Suez estava chegando ao fim e Mattei ajustava sua nova parceria com o Irã, soube-se que um consórcio de companhias japonesas estava buscando uma concessão dos sauditas e kuaitianos para explorar a área marítima da Zona do Canal. Era uma manobra audaciosa; afinal um grupo poderoso — a Shell, a British Petroleum, a Gulf e a Jersey — estava manifestando interesse na mesma área.

A ideia toda havia surgido durante uma viagem de trem na Itália, quando um funcionário do Banco de Desenvolvimento Japonês encontrou-se por acaso com um homem de negócios japonês e ficou sabendo que ele tinha contato com pessoas relacionadas ao petróleo do Oriente Médio. De volta ao Japão, o funcionário relatou a conversa a seu pai, Taro Yamashita, um empresário que havia enriquecido antes da II Guerra Mundial, construindo casas para alugar aos funcionários da Estrada de Ferro Sul-Manchuriana. Depois da guerra, além de seus interesses comerciais no Japão, ele se tornou muito bem relacionado na área política. Yamashita comprou a ideia, organizou o consórcio — que ficou conhecido como Companhia Arábica de Petróleo —, organizou as finanças e recebeu a bênção e o auxílio do governo japonês. Tudo teve que ser improvisado; nenhuma das companhias participantes tinha experiência significativa na indústria petrolífera.

A falta de experiência, entretanto, não era o principal motivo da preocupação das companhias estabelecidas e dos governos do Ocidente, mas, exatamente, o fato de que os japoneses, em sua ânsia de participar, poderiam cometer o pecado fundamental — aquele que o Ministério das Relações Exteriores Britânico chamou de "uma verdadeira violação aos 50/50". Para falar a verdade, o acordo de Mattei havia camuflado o 50/50 com a retórica sobre "parceria". Se o acordo 50/50 não podia ser mantido sacrossanto, ao menos em princípio, qual a fundamentação possível para as relações estáveis entre companhias e governos? E, de que outro modo, exceto desprezando princípios, poderia um retardatário como o Japão, sem o fôlego financeiro dos jogadores já firmados, conseguir entrar no Oriente Médio?[9]

Os japoneses iniciaram suas negociações primeiro com os sauditas, que insistiram em receber vários adiantamentos. O Japão, no entanto, era um país bastante descapitalizado, e o grupo japonês não contava com recursos para fazer tais pagamentos. Os sauditas então propuseram a redução dos pagamentos adiantados, caso os japoneses aceitassem reduzir sua participação abaixo de 50%. Depois de muitas idas e vindas, os japoneses concordaram em ficar com apenas 44%, deixados os 56% restantes para os sauditas. Além disso, os sauditas teriam o direito a uma participação no lucro líquido, caso a companhia encontrasse petróleo.

Quando as companhias americanas e britânicas tomaram conhecimento dos termos, os alarmas dispararam. Toda a estrutura das relações no Oriente Médio ficaria ameaçada. Mas o que poderia ser feito? Deveriam Londres e Washington protestar diretamente aos japoneses? "A sensação do ministro das Relações Exteriores britânico era que não havia perspectivas favoráveis na aproximação direta com os japoneses", disse um funcionário. "Estavam muito próximos de tomar tal aproximação como indício de sua esperteza, cuja consequência seria concluir que o seu acordo do não aos

50/50, em meio a uma grande quantidade de desculpas diplomáticas, não teria qualquer consequência."

Estaria o governo japonês disposto a retirar seu apoio ao projeto? Ao contrário, o gabinete japonês reafirmou seu endosso. Quanto aos sauditas, também estavam satisfeitos com o acordo. O rei Saud telegrafou ao emir do Kuait no início de outubro de 1957, comunicando que "um acordo foi firmado, a princípio, entre nós e a companhia", acrescentando que os japoneses estavam aguardando um convite do Kuait. O emir respondeu: "Não há dúvidas de que há um interesse mútuo em proteger os interesses de nossos países, e tenho esperança de que, com a ajuda de Deus, sejamos bem-sucedidos em nosso esforço de realizar uma boa sociedade".

Pouco tempo depois, o Kuait também firmou contrato com a Companhia Arábica de Petróleo. Sua cautela em permitir que os sauditas saíssem na frente rendeu dividendos imediatos; enquanto os sauditas conseguiram 56% dos rendimentos, os kuaitianos conseguiram ir um pouco além, chegando aos 57%. No devido tempo, os sauditas corrigiram essa disparidade.

A Companhia Arábica começou a perfuração marítima em julho de 1959 e fez sua primeira descoberta em janeiro de 1960 e depois disso os governos sauditas e kuaitianos receberam 10% de participação nos lucros líquidos da companhia. Visto que a Companhia Arábica de Petróleo não possuía distribuidores próprios, o Ministério do Comércio Internacional e da Indústria do Japão fez com que os refinadores japoneses comprassem o petróleo proporcionalmente, dando à operação o título de "projeto nacional". A Companhia Arábica permaneceu, por algum tempo, como uma exceção para o Japão, que continuava a ser um país tão desprovido de capital quanto de tecnologia. Na maioria dos casos, permanecia dependente do sistema desenvolvido nos anos do pós-guerra, baseado no suprimento recebido das mãos das grandes companhias. A Companhia Arábica, no entanto, conseguiu proporcionar ao Japão uma fonte independente de petróleo e em meados dos anos 1960 já era responsável por quase 15% do suprimento total do Japão.[10]

Até mesmo as americanas...

Qualquer que fosse a nacionalidade, quem quisesse entrar na briga do Oriente Médio teria que pagar dali em diante um preço cada vez mais alto e observar os procedimentos em voga — até mesmo as companhias americanas. A Standard Oil of Indiana lamentava-se há muito tempo que, no ponto mais baixo da Grande Depressão de 1932, havia vendido sua produção venezuelana para a Jersey. Agora, no fim da década de 1950, a Indiana decidiu que ela também teria que fazer parte da grande onda expansionista das companhias americanas e, uma vez mais, procurar no além-mar "oportunidades para operações lucrativas, onde quer que elas possam existir", conforme diziam aos acionistas. Ficar só com o mercado interno era arriscado demais.

Um acordo em princípio foi firmado rapidamente em 1958 entre o Irã e a Indiana, nos mesmos moldes do *joint* 75/25 de Mattei — com a diferença que a Indiana teve que pagar também um vultoso bônus de adiantamento. O xá acabara de se divorciar de sua esposa, devido à incapacidade dela de lhe proporcionar o que ele descreveu, em uma conversa com um visitante, como sua "continuidade", ou seja, um herdeiro varão. O xá pareceu ao visitante, no momento seguinte ao divórcio, "um homem em uma encruzilhada emocional (...) um homem num estado sensível e delicado, um homem solitário, sem nenhum amigo realmente íntimo e com poucos relacionamentos, lançando-se ainda mais fundo no trabalho". Este era o momento mais conveniente para que o acordo com a Standard of Indiana se convertesse em outro marco na busca do xá por *status* e em sua luta contra o consórcio e as grandes companhias de petróleo. Afinal, a Indiana não era nenhuma retardatária italiana; era uma companhia americana bem estabelecida e respeitada, uma das sucessoras mais preeminentes, ilustres e tecnologicamente avançadas da Standard Oil de Rockefeller. A fim de enfatizar a importância do acordo, o xá em pessoa insistiu para que Frank Prior, o presidente da Indiana, voasse a Teerã para a assinatura.

O xá abriu o primeiro encontro com um discurso surpreendente, que desconcertou Prior." Você sabe —, não somos árabes", disse o xá. "Somos arianos, de uma raça semelhante à sua e temos uma grande história. E temos muito orgulho dela."

"Ora, com certeza", respondeu o presidente da Indiana, "nós sabemos, Sua Majestade."

Com o orgulho do xá mitigado, o restante da discussão correu muito bem, e o acordo foi assinado sem delongas, para, mais tarde, o enfurecimento das outras companhias de petróleo. Diferentemente da ENI, a Indiana conseguiu um bom acordo iniciando com uma jazida marítima enorme ao sul da ilha de Kharg, no Golfo Pérsico. Para bajular o xá, foi dado a ela o nome do antigo rei persa Darius. Logo depois, o xá casou-se novamente, e sua esposa deu à luz um menino. Sua "continuidade" agora parecia assegurada.[11]

A influência de Nasser

O xá certamente não estava sozinho em sua campanha de afirmação nacional contra a posição firmada das grandes companhias de petróleo. Por todo o Oriente Médio, o nacionalismo estava se erguendo em um crescendo e Nasser era sua força condutora. Suez tinha sido uma grande vitória para ele, provando que um país do Oriente Médio poderia triunfar não só contra as companhias "imperialistas", mas também contra o poder dos governantes ocidentais. Ele havia extirpado a ignomínia do fracasso de Massadegh. E agora uma notável inovação tecnológica, o barato rádio transistor, estava levando sua voz vibrante às massas pobres por todo o mundo árabe, fazendo dele um herói por toda parte.

Em 1958, como acréscimo adicional aos louros de Nasser, o Egito finalmente convenceu uma União Soviética relutante e cética a oferecer os fundos necessários para a construção de Assuã. No mesmo ano, simbolizando a grande atração de Nasser, a Síria se uniu ao Egito, formando a República Árabe Unida, aparentemente o primeiro passo para a realização de seu sonho de pan-arabismo. A aparente fusão aproximou perigosamente os dois países, que, devido ao canal de Suez no Egito e aos oleodutos sauditas e iraquianos que passavam pela Síria, dominavam as rotas do petróleo do Oriente Médio. Nasser estava, pelo menos teoricamente, em posição de, sozinho, ameaçar, ou até mesmo realmente parar, a maior parte desse suprimento. Com o intuito de conter o que o embaixador britânico no Iraque chamou de "força retrógrada" de Nasser, estabeleceram-se discussões sobre a rápida construção de oleodutos iraquianos até o Golfo Pérsico, assim como um terminal de exportação em Fao, no Golfo. A situação na região e no próprio Iraque ia de mal a pior, assemelhando-se a um desastre total.

Por três anos, Nasser vinha conduzindo uma virulenta propaganda bélica contra o Iraque e os Hashemitas, uma família real apoiada pelos britânicos, que havia sido por eles instalada no trono, recriado em Bagdá logo depois da I Guerra Mundial. Em julho de 1958, oficiais que estavam planejando um golpe contaram às suas tropas uma mirabolante história segundo a qual eles haviam recebido uma ordem para marchar até Israel e entregar suas armas. Isso foi o suficiente para arrebanhar soldados para uma rebelião. O golpe que se seguiu desencadeou uma explosão de violência e selvageria. Multidões foram às ruas, ostentando imensas fotografias de Nasser, junto com cachorros vivos se debatendo, representando a família real iraquiana. O próprio rei Faissal II foi decapitado pelas tropas que provocaram distúrbio no palácio. O príncipe da Coroa foi baleado e suas mãos e pés foram cortados e carregados pela cidade espetados em lanças de ferro. Seu corpo mutilado, juntamente com corpos de funcionários do palácio, foi arrastado pelas ruas e depois dependurado em uma sacada no Ministério da Defesa. O primeiro-ministro pró-ocidental Nuri es-Said foi reconhecido quando tentava fugir da cidade disfarçado de mulher e linchado no mesmo instante por uma multidão. Seu corpo, assim como os outros, foi arrastado pelas ruas e esmagado por um carro que ia e vinha sobre ele, achatando-o a ponto de ficar irreconhecível.

Imediatamente o novo governo em Bagdá ordenou revisões completas nas diversas concessões da Companhia Iraquiana de Petróleo. O pavoroso golpe em Bagdá provocou tremores em quase todos os governantes da região; o nasserismo parecia destinado a reinar supremo no Oriente Médio.[12]

O petróleo era o foco central do crescente nacionalismo árabe. Desde o início dos anos 1950, vinham se realizando diversos encontros e contatos entre os que eram chamados semioficialmente de "Especialistas Árabes do Petróleo". No início o assunto predominante tinha sido a guerra econômica contra Israel: o estabelecimento de um bloqueio no petróleo contra o novo Estado e sua imposição sobre as companhias internacionais ameaçadas de lista negra, hostilização e expropriação. Com o passar do tempo, entretanto, a agenda se estendeu. Embora o Egito não fosse um exportador de petróleo, Nasser se utilizava desses encontros para envolver-se diretamente na política do petróleo. Ele procurava incitar e moldar a opinião pública, martelando nas questões da soberania e na luta contra o "colonialismo", além de assegurar sua influência sobre o petróleo e sobre os países do Golfo. Era um caso típico dos "pobres" que procuravam melhorar sua posição com os recursos dos "ricos". Em uma reunião entre especialistas árabes no Egito, na primavera de 1957, os delegados propuseram a construção de uma refinaria própria de alta capacidade e o estabelecimento de uma frota de petroleiros árabes, além de um oleoduto árabe até o Mediterrâneo. Eles discutiram também a criação de um "corpo internacional" ou "consórcio internacional" árabe que fosse capaz de administrar a produção do petróleo do Oriente Médio e aumentar os lucros, bem como contrabalançar o poder das companhias de petróleo. O grupo enfatizava a necessidade de desenvolver as habilidades técnicas e a perícia dos árabes para desafiar seu misticismo.

Os alvos do forte espírito de nacionalismo e confrontação desse encontro estendiam-se além das grandes companhias, para as próprias nações ocidentais. O petróleo, declarou Abdullah Tariki, da Arábia Saudita, era "a mais poderosa das armas que os árabes empunhavam". E como que para celebrar a crescente conscientização do poder que tinham, os delegados suspenderam por instantes os trabalhos para observar e festejar a passagem do primeiro petroleiro através do canal de Suez, depois de sua reabertura sob o incontestável controle egípcio. O navio carregava petróleo da Zona Neutra para J. Paul Getty.[13]

No entanto, o diálogo entre os delegados sobre a criação de um consórcio ou sobre a organização de Estados exportadores de petróleo permanecia rudimentar, ainda muito voltado para o mundo árabe, isoladamente. Para tornar-se uma realidade iria exigir-se a participação de outros grandes produtores, particularmente a Venezuela e o Irã. E iria posteriormente exigir a participação catalítica de um homem, Juan Pablo Pérez Alfonzo.

Juan Pablo Pérez Alfonzo

Em 1948, pouco depois de codificar o princípio do 50/50, o novo governo democrático da Venezuela foi deposto por um golpe militar e o controle passou para as mãos do coronel Marcos Pérez Jiménez, um ditador brutal e corrupto. Sob esse regime, a produção de petróleo avançou a passos bastante rápidos, dobrando em 1957. Em janeiro de 1958, o apoio a Pérez Jiménez se esgotou e seu regime veio abaixo, abrindo caminho para um retorno à democracia na Venezuela. Muitos dos líderes do novo governo haviam sido figuras preeminentes no governo democrático da década de 1940 e, depois disso, veteranos do exílio e do cárcere durante o período de Pérez Jiménez. O novo presidente era Rômulo Betancourt, que havia sido líder da Junta Revolucionária de 1945. Durante seus anos de exílio, ele não só fora um oponente eloquente de Pérez Jiménez como também um crítico fervoroso das companhias internacionais de petróleo, cuja "estreita identificação com a ditadura", dizia ele, havia transformado a Venezuela em uma "fábrica de petróleo" que representava um retrocesso aos dias negros da ditadura de Gómez.

Betancourt e seus colegas, no entanto, haviam aprendido as lições do golpe de 1948: a necessidade de manter coalizões e unidade de um lado a outro do espectro político democrático e de não afastar outros partidos e interesses. Nos primeiros anos, o novo governo tinha de competir com os ataques tanto da direita quanto da esquerda, incluindo guerrilhas comunistas. Havia um sentimento antiamericano generalizado, devido à simpatia demonstrada pela administração Eisenhower a Pérez Jiménez. Em visita ao país em 1958, o vice-presidente Richard Nixon por pouco não foi ferido e até morto quando uma multidão enraivecida atacou o cortejo que o levava do aeroporto até Caracas. Em 1960, o próprio Betancourt sofreu sérias queimaduras quando seu carro explodiu em uma tentativa de assassinato. Com o golpe de 1948 ainda vivo em sua mente, Betancourt procedeu com precaução. Embora tivesse feito denúncias contra as companhias de petróleo, ele precisava delas. Como declarou, ele e seus colegas não eram "românticos". O homem a quem Betancourt recorreu para tratar do petróleo foi Juan Pablo Pérez Alfonzo. Embora Pérez Alfonzo também fosse um homem realista e, com certeza, um analista cuidadoso e pragmático, era também austero, moralista autossuficiente, com o fervor não de um político, mas de um intelectual. "Ele era um homem de determinação férrea", declarou um venezuelano que trabalhava com ele, "ainda que de fala mansa e quase monástico."

Nascido em uma família de posses em Caracas, Pérez Alfonzo havia estudado Medicina na Universidade Johns Hopkins, em Baltimore, e então voltado a Caracas, onde estudou Direito. Sua família perdeu todos os bens, e encargos imensos recaíram sobre Pérez Alfonzo, pois, como filho mais velho, ele se viu responsável pelos dez irmãos. Essa experiência chocou-o profundamente; e, daí em diante, um compromisso com a preservação e com o planejamento passou a fazer parte de seu caráter. Já um inconformista, com opiniões rígidas quando se casou em 1932, recusou-se que a cerimônia fosse celebrada por um certo juiz de Caracas a quem julgava incompetente e corrupto. Ao invés disso, Pérez Alfonzo e sua esposa foram para o campo e encontraram um juiz local para casá-los. Depois do fim do regime de Gómez, Pérez Alfonzo, trabalhando de comum acordo com Betancourt, despontou como o especialista em petróleo oposicionista, na Câmara dos Deputados. A partir de 1945, primeiramente na Junta Revolucionária e depois no governo democrático, foi ministro do Desenvolvimento. Como tal, pôs-se a reparar o que considerava inadequações da lei de 1943, para assegurar que a Venezuela realmente ficasse com 50% dos lucros, bem como com um controle maior sobre a indústria.

Em novembro de 1948, Pérez Alfonzo recebeu um telefonema do embaixador dos Estados Unidos em Caracas. Um golpe estava em andamento, disse o embaixador, e ele queria oferecer a Pérez Alfonzo a hospitalidade da embaixada. Pérez Alfonzo refletiu, rejeitou, disse que correria o risco e foi para casa almoçar e aguardar os acontecimentos. Foi capturado e, tido como eminência parda do governo democrático, mandado para a cadeia. Posteriormente, brincou com sua família dizendo que vinha trabalhando muito como ministro e que a cadeia eram suas férias, uma oportunidade para descansar. Mas, na realidade, não houve brincadeiras; ele foi tratado de modo rude, passando boa parte do tempo confinado em solitárias.

Finalmente lhe deram permissão para ir ao exílio e ele deixou o país desgostoso com o dia a dia da política, prometendo a sua família que jamais retomaria à vida pública. Encontrou refúgio primeiramente na região de Wesley Heights de Washington, D.C., onde ele e sua família iam vivendo com o aluguel que recebiam de sua casa em Caracas. Escrevia artigos para jornais no exílio e dedicava-se a trabalhos em marcenaria, mas, acima de tudo, devotava-se ao estudo da indústria petrolífera. Era frequentador regular da Biblioteca do Congresso. Examinava com cuidado a gama de revistas americanas que assinava, desde a *Forbes* e a *Fortune* até a *Nation* e a *Oil and Gas Journal*. E devotava um tempo considerável ao estudo de uma instituição que o fascinava particularmente — a Comissão das Ferrovias do Texas, a agência que havia começado a regular a produção petrolífera no Texas, e dessa forma em toda a nação, no princípio da década de 1930, durante os dias negros dos dez-centavos-o-barril de petróleo. Depois de vários anos de exílio em Washington, Pérez Alfonzo viu diminuírem seus recursos, indo, ele e sua família, para a cidade do México. Outra razão para a mudança era a preocupação que seus filhos ficassem americanizados demais para poderem voltar a viver confortavelmente na Venezuela — presumindo que esse dia pudesse chegar.

Esse dia chegou em 1958, quando caiu a ditadura. A esposa de Pérez Alfonzo implorou a ele que não voltasse a trabalhar no governo. Mas Betancourt insistiu para que voltasse a Caracas e assumisse o cargo de ministro das Minas e Hidrocarbonetos, o que Pérez Alfonzo aceitou. Surpreendeu-se com a opulência da Caracas de 1958, graças aos rendimentos do petróleo, em contraste com a Caracas que havia deixado uma década antes. Sua resposta não foi, de modo algum, favorável. Para ele, a riqueza do petróleo era uma dádiva da natureza e da política, e não do trabalho árduo, e logo encontrou um símbolo perfeito para representar aquilo que considerava como consequências perniciosas. Enquanto ainda estava exilado no México, a família conseguiu juntar dinheiro para comprar um Singer 1950, um carro inglês muito parecido com o MG. Pérez Alfonzo apreciava demais o carro; era um de seus poucos prazeres. Ao voltar à Venezuela, tratou de embarcar o Singer logo atrás. O carro chegou às docas, onde permaneceu por dois meses, enferrujando; ninguém se incomodou em avisar Pérez Alfonzo que o automóvel estava lá. Por fim, sabendo de sua chegada, Pérez Alfonzo enviou um mecânico ao porto para trazer o carro a Caracas. Durante o trajeto, o carro enguiçou. O mecânico se esqueceu de verificar o óleo, constatando que não havia óleo algum no motor. O carro não tinha mais condições de continuar. O motor estava totalmente fundido. Foi enviado um guincho para transportá-lo. Finalmente foi conduzido para o bairro onde Pérez morava, no subúrbio. O carro estava completamente corroído pela ferrugem. Pérez Alfonzo viu nesse episódio um sinal dos céus; mandou colocar o carro ao lado de uma mesa de pingue-pongue no jardim, como um grande e corroído altar; símbolo do que ele considerava serem os perigos da riqueza do petróleo para a nação — a preguiça, o espírito de despreocupação, o compromisso com a compra e o consumo e com o desperdício.

Pérez Alfonzo havia jurado que jamais se deixaria seduzir pelas armadilhas do poder e, uma vez de volta ao ministério, levaria uma vida simples, disciplinada e parcimoniosa. Levava seus próprios sanduíches de sardinha ao escritório para o almoço. Trouxe consigo em suas novas atribuições uma compreensão sofisticada da estrutura da indústria petrolífera, assim como seus próprios objetivos claramente definidos. Ele não só desejava aumentar a participação governamental nas rendas como também efetuar uma transferência de poder e autoridade ao governo sobre a produção e o mercado, afastando-se das companhias de petróleo. Argumentava que o preço muito baixo do petróleo era ruim para os consumidores, já que poderia causar uma exaustão prematura de um recurso não renovável e o desestímulo para novos desenvolvimentos. Para os países produtores, o petróleo era uma herança nacional e seus benefícios pertenciam às gerações atuais e futuras. Nem as reservas nem as riquezas dele provenientes deveriam ser desperdiçadas. Ao invés disso, os rendimentos deveriam ser utilizados para desenvolver o país de modo mais abrangente. Eram os governos soberanos e não as corporações estrangeiras que deveriam tomar as decisões básicas sobre a produção e a distribuição de seu petróleo. Não se deve permitir que o homem esbanje esse precioso recurso.[14]

No entanto, Pérez Alfonzo também foi motivado por um astuto pensamento comercial. Ele sabia que, embora a Venezuela tivesse uma afinidade com as nações produtoras de petróleo no Oriente Médio, essas nações eram competidores perigosos. A Venezuela era um produtor com custos relativamente elevados, de aproximadamente oitenta centavos o barril, de acordo com estimativas, comparados com os vinte centavos dos produtores do Golfo Pérsico. Dessa forma, a Venezuela ficaria inevitavelmente em desvantagem em uma corrida da produção. Ela perderia participação no mercado. Portanto, tinha uma razão muito boa para tentar persuadir os produtores do Oriente Médio a elevarem suas taxas sobre as companhias e dessa forma o custo de seu petróleo.

As alterações que Pérez Alfonzo implantou para aperfeiçoar a posição da Venezuela baseavam-se, na verdade, na Comissão das Ferrovias do Texas, a que ele devotara tantos estudos na época do exílio. Ele chegou ao ponto de contatar a comissão e de reter um de seus consultores para que explicasse os mistérios e os milagres do rateio e como aplicá-lo na Venezuela. Percebeu também que o modo de ir além do mero diálogo com os produtores do Oriente Médio consistia em estabelecer uma aliança global estruturada nos moldes da Comissão das Ferrovias do Texas. A Venezuela poderia proteger sua participação no mercado não só auxiliando a elevar os custos no Oriente Médio, mas também conseguindo que os produtores com custos menores concordassem com um sistema de rateio e distribuição internacionais dentro da orientação que havia se tornado uma arte no Texas. O estabelecimento de tal frente comum iria evitar que a Venezuela tivesse sua indústria petrolífera, sua principal fonte de receitas, inundada por milhões e milhões de barris de petróleo barato do Oriente Médio, graças à regularização da produção.

A relutante decisão da administração Eisenhower, no início de 1959, de estabelecer quotas sobre o petróleo estrangeiro a fim de proteger os produtores internos, atingiu a Venezuela mais duramente que qualquer outro país, visto que os Estados Unidos eram o destino de 40% de sua exportação total. Os Estados Unidos tomaram uma providência adicional. Para aplacar seus vizinhos mais próximos, os americanos abriram exceções na quota, para o petróleo transportado por terra — isto é, do Canadá e do México — com base na segurança nacional. Com a "Batalha do Atlântico" da II Guerra Mundial em mente, a administração Eisenhower dizia que o petróleo transportado por terra era mais seguro porque não corria o risco de ser interceptado por submarinos inimigos. Para os venezuelanos, isso era simplesmente uma ficção de conveniência, empregada para reduzir o atrito com o Canadá e com o México e para deixá-los enfurecidos. "Os americanos estão nos atirando os ossos", disse Pérez Alfonzo com mordacidade a um de seus auxiliares. A Venezuela protestou vigorosamente. Afinal, ela havia sido a fornecedora mais importante e confiável durante a II Guerra e seria, no futuro, uma fonte estratégica de recursos. Além do mais, foi o México e não a Venezuela, que nacionalizou as companhias americanas. Por que punir a Venezuela?

Reclamando muito, Pérez Alfonzo voou para Washington, agora não mais na condição de exilado político, lutando para levar uma vida precária, mas como ministro das Minas e Hidrocarbonetos de uma das grandes potências mundiais do petróleo. Ele chegou propondo a criação de um sistema petrolífero do hemisfério ocidental, mas que fosse administrado pelos governos, e não pelas companhias. Na vigência desse sistema, a Venezuela, como nação, poderia receber uma quota — uma participação garantida do mercado norte-americano. Não seria mais uma prerrogativa das companhias decidir de qual dos países produtores recolher petróleo. O que Pérez Alfonzo estava pedindo não era assim tão bizarro; afinal, salientava, era exatamente assim que o sistema americano de quotização do açúcar funcionava — cada país tinha sua parcela. No entanto, petróleo não era açúcar.

O governo dos Estados Unidos não estava interessado na proposta de Pérez Alfonzo; na verdade ele nem mesmo respondeu. O novo governo democrático em Caracas sentia-se insultado. E Pérez Alfonzo iria procurar ouvidos mais atentos em outro lugar — no Cairo.[15]

O "Sheik Vermelho"

O saudita Abdullah Tariki era filho de um proprietário de camelos que organizava caravanas entre cidades da Arábia Saudita e do Kuait. Seu pai queria que ele seguisse essa mesma trilha. Mas a inteligência de Tariki foi logo percebida e ele foi mandado para uma escola no Kuait. Mais tarde, passou 12 anos estudando no Cairo, onde absorveu as causas nacionalistas que alimentaram o nasserismo. Uma bolsa de estudos levou-o para a Universidade do Texas, onde estudou química e geologia, indo trabalhar como geólogo estagiário na Texaco. Sua opinião a respeito da América foi formada no Texas, onde, em várias ocasiões, dizia-se, ele fora expulso de bares e outros estabelecimentos comerciais por ter sido confundido com um mexicano. Em 1948, retornou à Arábia Saudita, como possivelmente o primeiro dos tecnocratas sauditas a serem educados na América e, com certeza, o primeiro saudita habilitado tanto em Geologia quanto em Química. Era casado com uma americana. Em 1955, aos 35 anos, Tariki foi escolhido para chefiar o recém-criado Diretório dos Negócios das Minas e do Petróleo. Desde o princípio, pretendia fazer mais do que simplesmente montar estatísticas do petróleo da Aramco e passá-las para a família real. Ele formou uma equipe de especialistas, incluindo um advogado americano e um jovem tecnocrata saudita, Hisham Nazir, e preparou-se para desafiar não só as bases da concessão da Aramco mas as próprias companhias ocidentais de petróleo.

Tariki era uma combinação estranha — não só um partidário extremado de Nasser, mas também um fervoroso nacionalista árabe, crítico da família que havia criado a moderna Arábia Saudita, conquanto fosse, ao mesmo tempo, um servidor dessa mesma família na função econômica talvez a mais importante do reino. Esse Tariki, conhecido por alguns como o "Sheik Vermelho", ocupava aquela posição, a despeito de suas opiniões, devido a uma luta interna pelo poder que se travava na família real entre o rei Saud e seu irmão mais novo, Faissal. Como já se temia nos últimos anos de vida do velho Ibn Saud, o excêntrico rei Saud, seu filho mais velho, estava trazendo problemas para o país com sua política externa e provava ser um fraco e indeciso, além de claramente esbanjador. Faissal, ao contrário, era o filho astuto, frio e calculista, aquele a quem o pai havia confiado o mais importante negócio diplomático e político, a começar pela visita oficial de Faissal à Inglaterra quando tinha 14 anos, Faissal insistia em que o pródigo esbanjador tinha que ser refreado. Em contraste a Saud que achava Nasser divertido, Faissal desejava alinhar-se a regimes mais tradicionais, com os Estados Unidos e o Ocidente. Com tanta atenção e energia focalizadas nessa disputa pelo poder e na ausência de uma personalidade individual marcante, Tariki estava capacitado a moldar a política com uma autonomia considerável em uma área absolutamente crítica, que iria gerar toda a riqueza do reino.

A princípio Tariki concentrou-se na tentativa de ganhar controle sobre a refinaria e sobre os ativos do mercado, como um meio de elevar as receitas sauditas sobre o petróleo. Queria criar uma companhia saudita de petróleo integrada "que chegasse até os postos de gasolina" nos países consumidores. Ele desenvolveria, inclusive, uma ideia que faria as grandes companhias americanas estremecerem: a completa nacionalização da Aramco. No início de 1959 toda a sua estratégia alterou-se abruptamente. De repente ele decidiu que o controle sobre os preços e a produção era mais importante do que a nacionalização e a integração. A causa da mudança de opinião foi uma inesperada queda nos preços do petróleo.[16]

Pressões competitivas

Enquanto crescia na década de 1950 a demanda mundial de petróleo, a capacidade de produção crescia ainda mais rapidamente. Sempre em busca de lucros maiores, a grande maioria dos países exportadores procurava alcançá-los aumentando o volume das vendas, e não os preços. Havia mais petróleo à procura de mercados do que mercados à procura de petróleo. Em consequência, as companhias eram forçadas a oferecer descontos mais e mais altos no preço do petróleo proveniente do Oriente Médio.

Os descontos estavam conduzindo a indústria mundial do petróleo a uma crucial divergência entre o preço oficial ou fixado, que se mantinha constante, e os reais preços de mercado pelos quais o petróleo bruto era vendido e que estavam em declínio. E era sobre os primeiros — os preços fixados — que os países produtores computavam seu quinhão de taxas e *royalties*. Originalmente, os preços tabelados deveriam acompanhar os preços de mercado, como de fato ocorria. Mas, com a política de descontos disseminada, iniciou-se e expandiu-se uma diferença entre os dois. O preço fixado não podia ser facilmente reduzido devido a sua importância nas receitas dos países produtores. Isso significava que eles continuavam a retirar 50% dos lucros baseados nos preços fixados. Porém, no final da década de 1950, este preço era fictício, só existindo para o cálculo dos rendimentos. Na verdade, os países produtores estavam cobrando uma porcentagem maior — talvez 60 ou 70% — dos lucros realizados sobre o preço vigente. Em outras palavras, os governos do Oriente Médio se mantinham incólumes, enquanto as companhias absorviam todos os efeitos da queda de preços. A questão dos descontos acentuou-se a partir de 1958. A imposição das quotas de importação pelos Estados Unidos reduziu, a um nível considerável, o mais vasto mercado mundial do petróleo e imprimiu um rápido aumento de produção fora dos Estados Unidos. Como consequência, aqueles barris adicionais tinham que disputar um lugar num mercado reduzido.

Havia, porém, uma razão ainda mais importante para a manutenção da prática do desconto: a chegada ao mercado mundial de um grande estreante, ou melhor, de um reestreante — a União Soviética. Quase doze anos haviam se passado desde quando Stálin matutava com amargura sobre as fraquezas e insuficiências da indústria petrolífera soviética. Mas os enormes investimentos e esforços haviam saldado a dívida, levando a indústria soviética a uma elevação de sua produção a níveis muito acima do esperado. A recém-descoberta área do Volga-Urais provou ser uma mina de ouro. Entre os anos de 1955 e 1960, a produção de petróleo soviético na verdade dobrou e, ao final da década, a União Soviética já havia superado a Venezuela como segunda maior produtora mundial de petróleo, depois dos Estados Unidos. Na realidade, a produção soviética era igual a cerca de três quartos da produção total do Oriente Médio.

A princípio, a maior parte da produção soviética foi consumida pelo próprio bloco soviético. Mas, por volta de 1955, a Rússia retomou as exportações de petróleo para o Ocidente, em escala comercial. De 1958 em diante, as exportações avolumaram-se e tornaram-se um fator primordial no mercado mundial — "uma força para ser considerada no campo internacional do petróleo", declarou a Agência Central de Serviços Secretos. A União Soviética estava pronta para reassumir o papel que a Rússia havia desempenhado no século XIX, como um importante fornecedor do Ocidente. Ela queria conquistar todos os compradores que pudesse, e para isso reduzia os preços como parte do que ficou conhecido em Washington como "Ofensiva Econômica Soviética". Em uma reunião do Gabinete em 1958, Allen Dulles, o diretor da CIA, advertiu: "O mundo democrático enfrenta uma situação muito perigosa, causada pela capacidade dos soviéticos em desarrumar mercados estabelecidos."[17]

Para as companhias de petróleo, o único modo de enfrentar os desafios e manter os russos encurralados, evitando grandes restrições dos governos ocidentais à importação de petróleo soviético, era a resposta competitiva — redução dos preços. As companhias, no entanto, enfrentavam um dilema. Se apenas os preços de mercado fossem reduzidos, então as companhias estariam absorvendo sozinhas a redução toda. Seria possível arriscarem-se a reduzir também os preços fixados, de modo que os países produtores pudessem dividir o fardo na competição com os russos?

Foi o que fizeram no início de 1959. A British Petroleum fez o primeiro corte — dezoito centavos por barril, cerca de 10% do preço total. Sua ação desencadeou uma torrente de denúncias dos exportadores de petróleo. Juan Pablo Pérez Alfonzo sentiu-se ultrajado. Abdullah Tariki estava furioso. Com uma penada, uma grande companhia de petróleo havia, unilateralmente, provocado um corte nas receitas nacionais dos produtores de petróleo. Os exportadores juntaram-se para entrar em ação.

O Congresso Árabe do Petróleo

Durante certo tempo, um Congresso Árabe do Petróleo havia programado sua abertura no Cairo para abril de 1959. A realização do encontro era um símbolo da ascendência de Nasser sobre o mundo árabe. Quatrocentas pessoas compareceram à conferência, inclusive, é lógico, Tariki. Juan Pablo Pérez Alfonzo — furioso com a redução dos preços pela BP e pelas restrições ao petróleo venezuelano, na vigência das novas quotas estabelecidas pelos americanos, sentindo ainda as pontadas pela recente rejeição sumária de Washington ao seu esquema para o petróleo do hemisfério ocidental — participou como "observador", acompanhado por uma delegação venezuelana que carregava textos sobre a legislação tarifária do país e outras legislações sobre o petróleo, traduzidos para a língua árabe. Uma ausência notada foi a do Iraque. A despeito da influência da ideologia nasserista no mundo árabe, os novos governantes em Bagdá não estavam dispostos a subordinar-se a Nasser e, pouco tempo depois do sangrento golpe, o Iraque estava em desavença quase total com o Egito. Como consequência, o Iraque boicotou oficialmente o Congresso Árabe, por estar sendo realizado no Cairo e pelo perigo de colocar um poder de decisão muito grande nas mãos de Nasser, no que dizia respeito às questões do petróleo.

Os participantes viram-se rodeados pela papelada preparada com antecedência, a maior parte da área técnica. No entanto, a redução dos preços da BP às vésperas da conferência alterou o clima, levando os irados participantes-chaves a procurar uma frente comum contra tal prática. Preocupadas com a possibilidade de haver fala sobre nacionalização, as grandes companhias enviaram seus próprios observadores ao Cairo.

Mas aquilo que os representantes viram e ouviram acalmou suas mentes. "A conferência pode ser considerada um sucesso na medida em que as questões políticas não predominaram", assegurou Michael Hubbard, um representante da British Petroleum, ao presidente da companhia. Discussões informais entre árabes e delegados ocidentais eram conduzidas "em uma atmosfera predominantemente amistosa", acrescentou ele. "O desconhecimento de fatos que para as mentes ocidentais eram elementares a respeito da indústria do petróleo foi a principal característica do Congresso." Um outro representante da BP disse que o conclave "pôde ser marcado como um *plus* às futuras relações da indústria petrolífera com os países árabes hospedeiros".

A BP fez uso de sua própria diplomacia secreta no encontro. Hubbard relatou ao presidente que, por intermédio de Wanda Jablonski, da *Petroleum Week*, que "agia ativamente nos bastidores", ele poderia conseguir marcar um encontro com Abdullah Tariki. Jablonski assegurou-lhe que, "por experiência própria, sabia ser possível discutir fatores econômicos" com os sauditas. "Infelizmente", disse Hubbard, "isso não se confirmou e nós fomos submetidos a uma descortesia pela iniquidade do rápido aumento da produção de petróleo no Kuait, com uma população de poucas centenas de milhares de pessoas, em contraste com a produção da Arábia Saudita, com seus milhões de desprivilegiados". Hubbard foi além: "Ficou provado ser impossível qualquer ponto de contato". (Os funcionários da Aramco reclamaram posteriormente que, quando os ocidentais começaram a falar com Tariki nos termos "se você tivesse a mesma experiência que eu tenho, meu garoto...", eles já haviam causado mais danos do que talvez pudessem trazer benefícios.)[18]

"Lembranças a todos, Wanda"

Wanda Jablonski estava mais ocupada no Cairo do que Hubbard pudesse imaginar. Como correspondente da *Petroleum Week* e mais tarde, editora da *Petroleum Intelligence Weekly*, ela foi a mais influente jornalista especializada em petróleo da época. Loura e elegante, possuía o *savoir faire* europeu exigido para sair-se bem em qualquer situação. Apesar de possuir a firmeza e independência de Ida Tarbell, não fazia críticas à indústria, mas, em vez disso, proporcionava um canal para a comunicação e a informação, em seus magníficos anos de expansão global. Espirituosa e inflexível, uma mulher desacompanhada, abrindo caminho no mundo supermasculino dos engenheiros e nacionalistas, ela captava intuitivamente até onde deveria ir em seus combates e até onde deveria alfinetar as pessoas com quem mantinha contato, embora sempre com modos cativantes, até que obtivesse a história que desejava. Conhecia virtualmente todas as pessoas importantes na indústria petrolífera. De tempos em tempos, no decorrer dos anos, ela enfurecia uma ou outra companhia, ou país, com seus furos de reportagem; outras vezes, as companhias cancelavam em massa suas assinaturas, até que ela os fazia passar vergonha, ao ter que renová-las. Para concluir, ninguém que estivesse em posição de mando ou responsabilidade na indústria do petróleo podia passar sem o seu jornal.

Nascida na Tchecoslováquia, Jablonski era filha de um eminente botânico que se transformou em geólogo e que se juntou a uma companhia polonesa que finalmente tornou-se parte da Socony-Vacuum, mais tarde Mobil. Sua função era viajar pelo mundo investigando os indícios geológicos de locais onde fosse possível encontrar petróleo em nível competitivo, em países onde a Socony planejava comercializar. Jablonski aprendeu com seu pai mais sobre plantas do que sobre petróleo; ele lhe dava um centavo para cada planta que conseguisse identificar e certa vez ganhou mais de cem dólares durante uma viagem pela América. Ela seguia seu pai, que trabalhava ao redor do mundo, embora frequentemente com longas separações na época em que entrou na Universidade de Cornell. Já tinha frequentado escolas em Nova Zelândia, Egito, Inglaterra, Marrocos, Alemanha, Áustria e Texas e já havia passado quase um mês viajando em um camelo desde o Cairo até Jerusalém (teve depois que ser limpa de piolhos). "Minha atitude em relação ao mundo é diferente", disse ela certa vez. "Não consigo adaptar-me em um único lugar, com exceção de Nova York."

Em 1956, logo depois da crise de Suez, Jablonski fez uma viagem memorável a doze países do Oriente Médio, coletando dados para uma reportagem e disputando um convite para entrevistar o rei Saud, em Riad. "Adivinhem onde eu passei ontem à noite?", escreveu ela para seus colegas em Nova York. "No harém do rei da Arábia Saudita! Antes que vocês tirem conclusões apressadas, deixem que eu diga que estive lá... tomando chá (com água de rosas), jantando e participando de uma alegre 'reunião de senhoras'... Esqueçam tudo o que já viram nos filmes ou que já leram nas 'Mil e uma noites'. Nada de bugigangas extravagantes ou de cinema. Somente uma atmosfera simples, comum, aconchegante e familiar — exatamente como em nossa própria casa, embora, é claro, em uma escala familiar consideravelmente maior! Lembranças a todos, Wanda." Ela não mencionou os eunucos que guardavam o harém do rei e que olhavam diretamente em sua direção.

Jablonski encontrou-se não só com o rei Saud mas também com Abdullah Tariki, a quem descreveu como "o homem nº 1 a se observar no Oriente Médio — no que se refere às políticas de concessão de petróleo (...) ele é um homem jovem com uma missão". Ela transcreveu detalhadamente a virulenta denúncia de Tariki contra as companhias americanas de petróleo que operavam na Arábia Saudita. Por ocasião de um segundo encontro, anos mais tarde, quando Tariki não foi menos truculento em suas críticas; ela passou também uma importante informação. "Existe um outro cara que é tão obstinado quanto você", disse ela a Tariki. Essa pessoa era Juan Pablo Pérez Alfonzo, e ela prometeu fazer com que eles se encontrassem.

Em 1959, no Congresso Árabe do Petróleo do Cairo, manteve sua palavra e convidou Pérez Alfonzo para ir até seu quarto no Cairo Hilton para tomar uma coca-cola. Lá o apresentou a Abdullah Tariki. "Já ouvi falar muitas coisas sobre você", disse Pérez Alfonzo. Naquele momento, o verdadeiro motivo da presença de Pérez na conferência poderia se revelar. Os dois homens concordaram que deveriam conversar confidencialmente com representantes de outras grandes companhias. Mas onde? Havia o Iate

Clube de Maadi, um subúrbio do Cairo; não era temporada e o clube estava praticamente deserto. Eles poderiam reunir-se lá novamente, sem serem observados.

As discussões seguintes em Maadi foram conduzidas em um sigilo tão grande e cercado de tantas precauções que, posteriormente, o participante iraniano diria: "Encontramo-nos numa atmosfera de James Bond". Entre os envolvidos, além de Pérez Alfonzo e Tariki, havia um kuaitiano; o iraniano insistia em dizer que estava presente apenas como observador e que não tinha autorização para representar seu governo; e um iraquiano que, pela ausência de seu país na conferência devido ao boicote, estava lá como funcionário da Liga Árabe. Dadas todas essas considerações, eles não tinham como firmar um acordo oficial. Mas Pérez Alfonzo sabia como evitar esse obstáculo; eles fariam um "acordo de cavalheiros", que conteria meras recomendações a seus governos. Todos assinaram o acordo, sem hesitação, exceto o iraniano. Ele estava com tanto medo de agir sem a autorização do xá que desapareceu, e os demais tiveram que recorrer à polícia do Cairo para encontrá-lo, a fim de que também pudesse apor sua assinatura.

As recomendações do acordo de cavalheiros refletiam ideias que Pérez Alfonzo já tinha na cabeça antes de sair de Caracas: que os respectivos governos estabelecessem uma comissão consultiva do petróleo, que defendessem uma estrutura de preços e que criassem companhias nacionais de petróleo. Os governos seriam também persuadidos a abandonar oficialmente a valiosa regra do 50/50 — preciosa, quer dizer, no Ocidente — e mudar para 60/40, pelo menos, a favor deles. Além disso, iriam construir sua própria capacidade de refinação, fazê-la fluir e tornar-se mais integrados a fim de "assegurar mercados estáveis" para si próprios e, dessa forma, proteger melhor os rendimentos governamentais. Em todas essas dimensões, o acordo de cavalheiros, embora secreto, foi um marco divisório para a mudança de dinâmica da indústria petrolífera. Marcou os primeiros passos na criação de uma frente comum contra as companhias de petróleo. Quanto a Wanda Jablonski, ela estava, como sempre, próxima do centro dos acontecimentos; havia atuado como mediadora de uma aliança que se desenvolveria para desembocar na Organização dos Países Exportadores de Petróleo — OPEP.[19]

CAPÍTULO XXVI

A OPEP e o caldeirão borbulhante

SEM EMBARGO, O EXCEDENTE DE PETRÓLEO CONTINUAVA a avolumar-se. Seguiram-se descontos adicionais sobre o preço tabelado, em grande parte como resultado do marketing agressivo da União Soviética, que aprimorou sua ofensiva para vender petróleo no Ocidente, reduzindo preços e fazendo barganhas. Naqueles anos de Guerra Fria, muita gente no Ocidente acreditava que a intensa campanha soviética do petróleo não representava somente uma investida comercial, mas também uma escalada política, com o propósito de gerar dependência na Europa Ocidental, enfraquecendo a unidade da OTAN e subvertendo a posição ocidental do petróleo no Oriente Médio. "A guerra econômica está especialmente bem adaptada aos seus objetivos de conquista global", disse o senador Kenneth Keating sobre os russos. E, a respeito do tempestuoso líder da União Soviética, comentou: "Kruchev já nos ameaçou afundar em mais de uma ocasião. Está ficando cada vez mais evidente que, se nós o deixarmos agir impunemente, ele fará de tudo para nos ver submergindo em um mar de petróleo".

A União Soviética, sem dúvida, estava provando ser uma concorrente bastante forte. Os soviéticos precisavam de dólares e de outras moedas fortes para poder comprar equipamentos industriais e produtos agrícolas. Naquela época, como agora, as exportações de petróleo eram uma das poucas coisas que tinham para oferecer ao Ocidente. Em termos puramente econômicos não era fácil resistir aos preços da União Soviética. Em dado momento, o petróleo russo podia ser carregado nos portos do mar Negro por cerca da metade do preço do petróleo do Oriente Médio. As companhias temiam perdas significativas nas vendas de petróleo, a favor dos russos, na Europa Ocidental, que era também o principal mercado para o petróleo do Oriente Médio. A agitação das companhias ocidentais aumentou ainda mais quando tomaram conhecimento que o comprador mais proeminente do petróleo russo era ninguém menos que a *bête noire* número um, o italiano Enrico Mattei.[1]

Uma vez mais, como em 1959, o único caminho aberto para as companhias competirem com a oferta excessiva e, principalmente, conter a ameaça soviética (barrando as restrições governamentais à importação do petróleo soviético) era dar uma resposta competitiva: reduzir os preços. Mas que preço? Se apenas os preços de mercado fossem reduzidos, as perdas totais seriam absorvidas apenas pelas companhias de petróleo. No entanto, poderiam arriscar-se a fazer uma nova redução no preço tabelado? O primeiro, firmado em fevereiro de 1959, excitou o Congresso Árabe do Petróleo e conduziu ao acordo de cavalheiros. O que aconteceria se eles repetissem a façanha?

Régua T *versus* régua de cálculo

Em julho de 1960, um ano e três meses depois do Congresso do Cairo, a diretoria da Standard Oil of New Jersey encontrou-se em Nova York para discutir a irritante questão dos preços tabelados. A reunião foi tempestuosa. A companhia tinha um novo presidente, o nada absurdo Monroe Rathbone, conhecido como "Jack". A vida de Rathbone era praticamente um livro sobre a indústria petrolífera americana. Tanto seu pai quanto seu tio haviam sido refinadores da Jersey no oeste da Virgínia. O próprio Rathbone tinha estudado engenharia química, indo trabalhar, logo depois da I Guerra Mundial, na imensa refinaria da Jersey, em Baton Rouge. Foi o primeiro membro da nova safra que, como declarou um dos empregados da Jersey, afastou a ideia de a refinação ser "uma combinação de adivinhação e arte", transformando-a numa ciência.

Com 31 anos, Rathbone era gerente-geral da refinaria de Baton Rouge. Ali, desenvolveu habilidade política considerável aparando os ataques predatórios de Huey Long, demagogo chefão da Louisiana que tinha o costume de "ser um contestador dos cargos da Standard Oil". (Como parte de sua guerra pessoal contra a Standard, Long ofereceu certa vez a Ida Tarbell, já idosa na ocasião, cem dólares por um exemplar já esgotado da sua história sobre a Standard Oil.) Rathbone subiu na organização Jersey até atingir a posição máxima. Como patrão, era autoconfiante, decidido, insensível e avesso a mexericos. Um colega descreveu-o como "um engenheiro com uma régua T". O grande inconveniente era que toda a sua carreira havia se desenvolvido nos Estados Unidos, de forma que não compreendia intuitivamente a mudança de mentalidade dos produtores de petróleo estrangeiros. Aparar o ataque de Huey Long não foi uma preparação tão eficiente quanto Rathbone havia imaginado para lidar com os líderes nacionalistas dos países exportadores de petróleo. Ele simplesmente não conseguia imaginar qual seria o efeito provocado por outra redução nos preços fixados. Não achava necessário nem mesmo consultar os produtores, por quem nutria certa impaciência. "Dinheiro é um vinho inebriante para alguns desses países pobres e para alguns desse povos pobres", disse ele certa vez.

A Jersey, na época, era dirigida por algo que se assemelhava a um número infinito de comitês, conhecidos internamente como "o comitê da companhia de New Jersey". Esse sistema tinha o intuito de impedir decisões precipitadas e certificar-se de que um problema seria cuidadosamente analisado e considerado sob todos os ângulos. Mas, como declarou certa vez um associado, Rathbone possuía "o tipo de determinação que exige terrível quantidade de evidências para se deixar vencer". E Rathbone, naquele momento, estava preocupado com o problema estratégico de ganhar mercados em meio ao excesso e determinado a dominar o sistema de comitês e forçar uma redução no preço tabelado.[2]

Howard Page, o especialista da Jersey para negociações no Oriente Médio e organizador do consórcio iraniano, discordava vigorosamente de Rathbone. Ele e outros diretores da Jersey julgavam que Rathbone não compreendia totalmente o problema ou as prováveis reações. Ele e Rathbone tinham discordado algumas vezes sobre esse assunto. Page tinha uma ampla experiência internacional — ajudara a organizar o fornecimento de petróleo entre os Estados Unidos e a Grã-Bretanha durante a guerra, sob as ordens de Harold Ickes, e, posteriormente, tornou-se coordenador da Jersey no Oriente Médio. "Ele era um homem inflexível", comentou uma pessoa que havia negociado com Page. "Estava sempre com uma régua de cálculos no colo para poder calcular, até o último centavo, o preço sobre cada barril. Mas era também um homem de certa visão e tinha muita capacidade para entender o ponto de vista dos outros." Page compreendia a força explosiva do nacionalismo no Oriente Médio e temia que seus colegas na Jersey, Rathbone em particular, não compreendessem.

Em uma tentativa de informar seus companheiros da diretoria, Page organizou um encontro da intrépida jornalista Wanda Jablonski, recém-chegada do Oriente Médio, com a diretoria da Jersey. Ela contou-lhes, conforme o relato de um diplomata britânico, que conversou com Jablonski posteriormente, que havia "uma bajulação quase universal a Nasser, disseminada por todas as classes, e uma hostilidade em relação ao Ocidente que se havia acentuado notavelmente. Na área do petróleo, isso tomou a forma de um clamor pela volta ao sistema de arrendamento. Ela ouvira de muitas pessoas graves injúrias contra as companhias internacionais de petróleo que, formadas com capitais estrangeiros, estavam exaurindo a riqueza dos países árabes! Não se podia tolerar que, de suas localidades longínquas em Londres, Nova York, Pittsburgh etc., altos executivos das companhias de petróleo pudessem controlar os destinos econômicos dos países produtores de petróleo do Oriente Médio". Jablonski disse ainda à diretoria da Jersey, que a estrutura atual da Companhia Iraquiana de Petróleo e a da Aramco poderiam estar com seus dias contados. Isso era a última coisa no mundo que eles gostariam de ouvir.

Durante um encontro privado com Jablonski, Rathbone discordou veementemente de seu discurso sobre a força do nacionalismo. Recém-chegado do Oriente Médio, rejeitou suas considerações por julgá-las excessivamente pessimistas.

"Você nunca vai além da superfície", respondeu Jablonski com mordacidade. "Jack, faça a si mesmo um favor. Você foi recebido como um visitante ilustre e ficou lá durante uns poucos dias. Seria mais sensato de sua parte não fazer esse tipo de afirmação."

Ao mesmo tempo que a diretoria da Jersey discutia a redução de preços tabelados, Page colocava-se na oposição. A Jersey estaria reduzindo a receita interna dos países. Consultem os governos", dizia ele, "façam acordos com eles, mas não tomem decisões unilaterais." Page apresentou uma sugestão de redução, mas que ela fosse posta em prática apenas depois de alguma discussão e de um acordo com os governantes. Os demais diretores aprovaram a ideia. Jack Rathbone foi contra e ele era o presidente. Reservadamente, menosprezou Page chamando-o de "sabe-tudo". Ele decidiu que a Jersey deveria ir em frente e reduzir os preços, e isso seria feito da forma que a companhia julgasse conveniente, sem consultar governo algum, ou qualquer outra pessoa. E encerrou o assunto.

No dia 9 de agosto de 1960, sem nenhum comunicado direto aos exportadores, a Jersey anunciou redução superior a catorze centavos por barril sobre o preço fixado do petróleo bruto do Oriente Médio — uma redução em torno de 7%. As outras companhias seguiram seu exemplo, embora sem nenhum entusiasmo e em certos casos bastante alarmadas. Para John Loudon, da Shell, aquilo era um "lance fatal. Não se pode deixar guiar por pressões do mercado em uma indústria tão essencial a tantos governos. Deve-se levar outros fatores em consideração. É preciso ser extremamente cuidadoso". A BP, que aprendera a lição quando reduziu os preços tabelados em 1959, "lamentou quando recebeu a notícia".

As reações dos países produtores de petróleo foram muito além do "arrependimento". A Standard Oil of New Jersey havia provocado uma significativa redução nas receitas desses países. Além disso, uma decisão tão importante para sua situação fiscal e para sua identidade como nação havia sido conduzida unilateralmente, sem qualquer tipo de consulta. Eles se sentiram ultrajados. "Os céus vieram abaixo", recordou Howard Page. Um outro executivo da Jersey, que também se posicionara contra a redução, estava em Bagdá quando a redução foi anunciada. Ele declarou posteriormente que estava "satisfeito por ter escapado de lá com vida".[3]

"Nós conseguimos!"

Os exportadores estavam furiosos e não perderam tempo. Algumas horas depois de a Standard Oil ter anunciado a redução dos preços tabelados em agosto de 1960, Abdullah Tariki telegrafou a Juan Pablo Pérez Alfonzo e embarcou apressadamente para Beirute, onde ficaria um dia. O que pretendia fazer?, perguntaram-lhe os jornalistas. "Vocês ficarão sabendo", respondeu. Tariki e Pérez Alfonzo desejavam reunir os demais signatários do Acordo de Cavalheiros, firmado no Cairo, o mais rapidamente possível. Nesse turbilhão de ódio e indignação, os iraquianos identificaram uma oportunidade política. O governo revolucionário de Abdul Karim Kassem não tinha intenção alguma de se submeter à ordem nasserista no Oriente Médio e era radicalmente contra a influência que Nasser pudesse vir a exercer na política petrolífera por meio da dominação da Liga Árabe e das diversas conferências árabes. Os iraquianos viam, naquele momento, uma possibilidade de isolar a política nasserista para o petróleo, utilizando-se da redução de preços como catalisador para estabelecer uma nova organização composta exclusivamente por exportadores de petróleo, incluindo dois países não árabes, o Irã e a Venezuela. Os iraquianos também tinham esperança de que tal agrupamento teria o poder de protegê-los no caso de um confronto com a Companhia Iraquiana de petróleo — e garantir as receitas adicionais de que tanto necessitavam. Animados com a oportunidade de reunir os outros países exportadores sob o patrocínio do Iraque, enviaram rapidamente os convites para o encontro em Bagdá.

Quando o telegrama do governo iraquiano chegou ao escritório de Pérez Alfonzo, em Caracas, ele ficou exultante. Esse era um feito da "associação do Texas" internacional, que defendia com tanto fervor. "Nós conseguimos!", declarou emocionado. "Nós conseguimos!"

As companhias de petróleo logo se deram conta que a redução unilateral dos preços foi um erro terrível. No dia 8 de setembro de 1960, a Shell propôs a paz e aumentou seus preços tabelados de dois para quatro centavos. Mas já era muito tarde. No dia 10 de setembro, representantes dos maiores países exportadores — Arábia Saudita, Venezuela, Kuait, Iraque e Irã — chegaram a Bagdá. Catar compareceu na qualidade de observador. Os presságios para o encontro não eram particularmente bons. Pérez Alfonzo teve que adiar sua partida de Caracas devido a uma tentativa de golpe contra o novo governo democrático. A própria Bagdá estava tomada por tanques e soldados armados; o novo regime revolucionário estava em estado de alerta na expectativa de um golpe. Guardas armados foram colocados para proteger cada delegado durante as discussões.

Mesmo assim, no dia 14 de setembro, o grupo havia concluído o seu trabalho. Uma nova entidade havia sido formada com a finalidade de enfrentar as companhias internacionais de petróleo. Ela foi chamada de Organização dos Países Exportadores de Petróleo (OPEP) e deixou sua intenção explícita: defender o preço do petróleo, mais especificamente trazê-lo de volta ao patamar anterior à redução. Dali em diante, os países-membros fariam questão que as companhias os consultassem nas questões relativas aos preços, que afetavam de modo tão direto suas receitas internas. Além disso, exigiam um sistema de "regulação da produção", o sonho de Tariki e Pérez Alfonzo de uma Comissão das Ferrovias do Texas difundida pelo mundo. E comprometeram-se a solidarizar-se contra as companhias, caso elas decidissem impor "sanções" a qualquer país-membro.

A criação da OPEP deu às companhias bons motivos para ponderações, recuos criativos e desculpas sinceras. "Se vocês desaprovam o que fizemos, pedimos desculpas", declarou um representante da Standard Oil, de modo servil, durante uma conferência árabe poucas semanas depois. "Sempre que de algum modo, em pequena ou grande escala, vocês discordem de alguma coisa que tenhamos feito, lamentamos. Não importa se o que fizemos foi na realidade certo ou errado, o fato de vocês julgarem errado e não terem entendido nossos motivos também é falha de nossa parte."

As desculpas eram providenciais, pois os cinco países fundadores da OPEP eram responsáveis por mais de 80% das exportações mundiais de petróleo bruto. Além do mais, a criação da OPEP representou "o primeiro ato coletivo de afirmação da soberana por parte dos exportadores de petróleo e o primeiro momento decisivo nas relações econômicas internacionais em direção ao controle dos Estados sobre os recursos naturais", conforme declarou Fadhil Al-Chalabi, posteriormente eleito secretário-geral adjunto da OPEP.

No entanto, apesar de toda a movimentação e retórica, a recém-criada OPEP não aparentava ser muito ameaçadora ou impositiva. Além disso, as companhias com certeza não levavam essa organização muito a sério, apesar de suas desculpas iniciais. Howard Page, da Standard Oil, declarou que, por não acreditarem que a OPEP fosse funcionar, atribuíam pouca importância a ela. Fuad Rouhani, o representante iraniano na conferência de fundação e primeiro secretário-geral da OPEP, observou que as companhias a princípio fingiram que a OPEP não existia. Os governos do Ocidente tampouco deram muita atenção a ela. Em um relatório secreto de 43 páginas sobre o petróleo do Oriente Médio, datado de novembro de 1960, dois meses depois da fundação da OPEP, a CIA dedicou apenas quatro insignificantes linhas à nova organização.[4]

A OPEP nos anos 1960

Na verdade, a OPEP poderia reivindicar apenas duas conquistas em seus primeiros anos de existência. Assegurou a cautela da parte das companhias de petróleo quando tomassem qualquer medida unilateral importante sem consulta, e estas nunca mais se atreveram a reduzir os preços fixados. Além disso, havia bons motivos para a OPEP ter tão pouco a mostrar em seus primeiros dez anos de existência. Em todos os países-membros, com exceção do Irã, as reservas de petróleo no solo pertenciam, na verdade, por contrato, às companhias concessionárias, limitando dessa maneira o controle dos países. Além do mais, o mercado mundial de petróleo estava sobrecarregado pelo excedente e os países exportadores eram concorrentes e tinham de se preocupar em conservar mercados a fim de garantir seus rendimentos. Dessa forma não poderiam se dar ao luxo de isolar as companhias de que tanto dependiam para ter acesso a esses mercados.

A década de 1960 foi testemunha de um contínuo processo de descolonização e do surgimento de questões e controvérsias acerca do Terceiro Mundo. As questões da soberania no mundo do petróleo, que foram tão básicas e rígidas na formação da OPEP em 1960, acalmaram-se nos anos seguintes, à medida que as companhias procuravam satisfazer os países exportadores em suas exigências por receitas maiores, ao pressionar para cima a produção. Havia, além disso, alguns fatores políticos mais abrangentes. Na Arábia Saudita, o rei Faissal estava no comando total e, ao contrário de seu irmão Saud, tinha uma predileção pelo Ocidente. De fato, não demorou a se desencadear uma competição política entre a Arábia Saudita e o Egito, que culminou com uma guerra por procuração no Iêmen. Fora do Oriente Médio, a Venezuela estava interessada em ir ao encontro de uma relação estável com os Estados Unidos e tornar-se um país-chave na Aliança para o Progresso das administrações Johnson e Kennedy. No geral, as circunstâncias da política internacional, incluindo o predomínio dos Estados Unidos e sua importância para a segurança de várias das nações produtoras, evitavam que as companhias desafiassem os Estados Unidos e outros países industrializados de forma direta.

Além disso, ao mesmo tempo que os países-membros da OPEP possuíam uma meta econômica em comum — aumentar suas receitas — as rivalidades políticas eram consideráveis. Em 1961, quando o Kuait tornou-se totalmente independente da Grã-Bretanha, o Iraque não só reivindicou a posse do pequeno país como também ameaçou invadi-lo. O Iraque só retrocedeu depois que a Grã-Bretanha enviou um pequeno esquadrão militar para ajudar na defesa do Kuait. O Iraque suspendeu temporariamente sua filiação à OPEP, como forma de protesto. Os dois principais produtores, o Irã e a Arábia Saudita, olhavam-se com apreensão e inveja, enquanto a ascensão de Nasser e do nacionalismo no Egito e em todo Oriente Médio ameaçava suas dinastias e lideranças políticas na região. O xá desejava aumentar suas receitas o mais rapidamente possível e acreditava que só se conseguiria com o aumento no volume das vendas e não com a contenção da produção e o aumento de preços. Ele desejava ter certeza de que o Irã recuperaria e manteria uma posição proeminente, à altura de suas próprias ambições. "O Irã precisa recuperar sua posição de produtor número um", disse ele. "O rateio internacional do petróleo é bom na teoria mas irreal na prática."[5]

Abdullah Tariki, o proponente saudita do rateio, alinhara-se ao rei Saud. Foi uma escolha infeliz, visto que Faissal ganhou a luta pelo poder. Em 1962, Tariki foi exonerado e substituído, como ministro do Petróleo, pelo jovem consultor jurídico do gabinete, Ahmed Zaki Yamani, que não tinha nenhum compromisso específico com a criação de uma Comissão das Ferrovias do Texas internacional. Tariki foi desligado da OPEP. Passou os quinze anos seguintes em exílio itinerante como consultor, assessorando outros países produtores, e também como jornalista e polemista, denunciando as companhias de petróleo e incitando os árabes a assumirem controle total sobre seus recursos.

O outro pai da OPEP, Pérez Alfonzo, foi ficando desiludido não só da política como também da OPEP. O desgaste físico para o desempenho de suas tarefas, exigido em tantas viagens, também cobrou seu tributo, levando-o finalmente à renúncia, em 1963. Ele declarou que tinha uma missão, a de reunir os produtores de petróleo, e que ela já estava cumprida. Poucas semanas depois da renúncia, despejou um bombardeio contra a OPEP por sua ineficácia e por não ter conseguido produzir qualquer benefício em favor da Venezuela. Recolheu-se a sua casa de campo para ler, escrever e estudar filosofia, procurando preservar a casa e seus jardins, um enclave para contemplação e crítica, numa cidade violentada pelo crescimento, pelo tumulto e pelos automóveis. Pérez Alfonzo já não falava em "fomentar" o petróleo; em vez disso, passou a chamá-lo de "excremento do demônio". Guardou o velho automóvel Singer enferrujado em seu jardim como um monumento contra o esbanjamento e a fartura do petróleo. Seus interesses, nos últimos anos de vida, continuavam a concentrar-se na necessidade de poupar recursos e de não desperdiçá-los e na poluição gerada pela sociedade industrializada. "Eu sou, antes de mais nada, um ecologista", declarou pouco antes de sua morte, em 1979. "Eu sempre fui, antes de tudo, um ecologista. Agora, o petróleo já não me interessa. Eu vivo para as minhas plantas. A OPEP, como grupo ecológico, na verdade desapareceu."

As companhias de petróleo procuraram arduamente evitar negociações diretas com a OPEP durante a maior parte da década de 1960. "Assumimos a posição de donos de concessão e lidávamos com países onde se localizavam as concessões", relembrou um executivo de uma das grandes companhias. A própria OPEP continuou a ser, durante a década de 1960, um espetáculo secundário como a denominou um outro executivo: "A realidade do mundo petrolífero", dizia ele, "eram as quotas americanas de importação, as exportações russas e a competição. Era isso o que preenchia as colunas da imprensa mercantil, as mentes dos executivos do petróleo e os memorandos dos que elaboravam a política governamental. Essas eram as preocupações fundamentais da indústria petrolífera". O notável era o crescimento desconcertante da demanda e o crescimento ainda mais desconcertante das reservas disponíveis. Dava a impressão que para a OPEP havia passado o momento de opor um desafio efetivo ao poder das grandes companhias de petróleo — ou mesmo que esse momento jamais chegaria.[6]

"A nova fronteira" — e mais elefantes

Ao mesmo tempo que a OPEP foi criada, os países-membros haviam perdido quase totalmente o controle sobre as exportações mundiais de petróleo. Novas províncias petrolíferas foram encontradas e abertas nos anos 1960, aumentando as reservas que inundavam o mercado. Enquanto isso, os países produtores em sua maioria puderam finalmente tornar-se membros da OPEP, ingressaram no mercado mundial primeiro como competidores, conquistando parte do mercado dos exportadores já estabelecidos.

A África foi considerada a *nova fronteira* do petróleo mundial naquele período. A França tomou a iniciativa de explorá-lo, trazendo consigo as políticas que haviam sido anunciadas após a I Guerra Mundial, quando Clemenceau afirmou que o petróleo era o "sangue da terra" — e decidiu que não poderia mais contar com seu "atacadista", sustentado por companhias estrangeiras, para conseguir uma mercadoria tão crucial. Se a França queria continuar sendo uma grande potência, deveria possuir suas próprias reservas petrolíferas. Poucos meses após o fim da II Grande Guerra, Charles De Gaulle ordenou esforços máximos no desenvolvimento das reservas de petróleo do império francês. O objetivo era manter a produção de petróleo francês no estrangeiro em patamares pelo menos equivalentes ao seu próprio consumo, equilibrando assim a balança de pagamentos e promovendo estabilidade. A CFP, a grande companhia nacional francesa, estava preocupada com a organização da Companhia Iraquiana de Petróleo e com a sua posição no Oriente Médio, e, por isso, o governo encarregou um novo grupo de companhias estatais, sob o comando do Bureau de Recherches Petroliers (BRP), para explorar petróleo em qualquer parte do império. Depois de alguns anos descobriu-se petróleo no Gabão, na África Ocidental.

No norte da África, o alto comissário francês no Marrocos havia divulgado o potencial do Saara, embora enfrentando certo ceticismo. O professor de geologia mais proeminente da Sorbonne anunciou que estava tão certo de que não havia petróleo no Saara que beberia com prazer as gotas de petróleo que por acaso fossem encontradas. No entanto, o território era grande, havia pouquísssima competição por concessões e outra companhia estatal, a Régie Autonome de Pétroles (RAP) iniciou a exploração. E, em 1956, a RAP descobriu óleo na Argélia.

A descoberta argelina, no Saara, gerou entusiasmo na França. Pela primeira vez, a França teria o controle das reservas de petróleo localizadas fora do Oriente Médio e fora do alcance dos anglo-saxões (embora a Shell fosse parceira do empreendimento argelino). Mais tarde, naquele mesmo ano, a crise de Suez apenas reforçou a importância do Saara para a França, demonstrando novamente os perigos da dependência do petróleo e certamente do apoio político dos irresponsáveis anglo-saxões — neste caso, os americanos. Os franceses sentiram que haviam sido traídos pelos seus aliados americanos. Além disso, a crise havia sido um golpe sério para a estabilidade econômica e para o orgulho dos franceses. O Conselho Econômico do Governo, foi chamado para dinamizar a campanha de exploração internacional, especialmente na África. "A diversificação das fontes de suprimentos", declarou o conselho, "é condição essencial para a segurança de nosso país".

Tudo isso tornou as novas descobertas de petróleo argelino e seu rápido desenvolvimento ainda mais cruciais. "Saara" tornou-se uma palavra mágica na França. O "Saara" poderia libertar a França da dependência estrangeira e da dolorosa crise do câmbio externo; o "Saara" tornaria possível a revitalização da indústria francesa; o "Saara" seria a resposta francesa ao Ruhr alemão, onde acontecia o milagre econômico alemão do pós-guerra. O próprio De Gaulle fez uma visita particular aos campos de petróleo do Saara, em 1957, um ano antes de seu retorno ao poder. "Aqui está a grande oportunidade do nosso país que vocês trouxeram ao mundo", disse ele aos petroquímicos do campo petrolífero do deserto. "E isso pode mudar todo o nosso destino."

Trazer o petróleo à superfície era muito difícil. Os campos estavam distantes no deserto; mesmo as coisas mais simples, como a água, tinham de ser transportadas por caminhões por centenas de quilômetros através do deserto sem estradas. Ainda assim, em 1958, dois anos após a descoberta, o petróleo começou a brotar das areias do deserto para ser exportado para a França. Entretanto, havia uma grande inconveniência com o petróleo do Saara. A Argélia estava envolvida numa guerra sangrenta pela independência, que se iniciara em 1954, e os rebeldes argelinos consideravam o Saara como parte integrante da Argélia, apesar dos protestos dos franceses. O futuro da produção de petróleo do Saara não podia ser considerado rigorosamente seguro. Além disso, em alguns grupos franceses acreditava-se que os anglo-saxões, bem como o *signor* Mattei, da Itália, estavam de conluio com os rebeldes para obter acesso preferencial ao petróleo do Saara, no caso de uma independência posterior da Argélia.

A investida política francesa funcionou. Quaisquer que fossem os riscos, em 1961, as companhias petrolíferas, que originalmente pertenciam e eram controladas pelos franceses, estavam com uma produção mundial equivalente, em volume, a 94% da demanda francesa. No ano seguinte, a Argélia conseguiu formalmente a independência. Mas o Acordo Evian, que De Gaulle negociou com os argelinos, garantiu a conservação da posição francesa no petróleo do Saara.

Contudo, não se sabia por quanto tempo o acordo com a Argélia iria durar. Para fortalecer totalmente a posição petrolífera dos franceses e para competir mais efetivamente com as principais companhias estabelecidas no local, a RAP fundiu-se, em 1965, com o grupo de companhias estatais BRP, que, entre outras coisas, havia descoberto e desenvolvido um importante campo de gás natural na França. "Nós escolhemos nos adaptar à situação internacional de maneira realista", explicou André Giraud, o diretor de combustíveis. A nova companhia foi batizada de Entreprise de Recherches et d'Activités Pétrolières, ou, mais simplesmente, Elf-ERAP. Finalmente, tornou-se mais conhecida com Elf, que era o nome de uma das marcas de gasolina. Construída sobre bases argelinas, a Elf lançou uma campanha de exploração global e tornou-se não apenas a principal e maior companhia de petróleo recém-criada, mas também um dos maiores grupos industriais do mundo.

A produção de outros países começava a crescer, auxiliada por produtores independentes ávidos que esperavam descobrir um veio rico em petróleo. As grandes companhias também se movimentavam expeditamente. Apesar dos vastos conglomerados no Oriente Médio, queriam diversificar suas fontes, de modo a não ficarem vulneráveis ao que pudesse acontecer nos países do Golfo Pérsico. Como declarou, em 1957, um diretor da Shell, eles queriam estar numa posição "comercialmente mais defensável do que colocar todos os ovos numa só cesta". Uma *joint venture* entre a Shell e a BP, que havia iniciado a exploração na Nigéria, em 1937, finalmente deu os primeiros sinais de petróleo no caudaloso delta do rio Niger, em 1956. Mas nada, em nenhum outro lugar do mundo, se comparava ao fenômeno extraordinário que se revelava no desolado reino desértico da Líbia. Tal fato transformou a indústria petrolífera mundial e iria, em última análise, transformar a política mundial.[7]

A sorte grande da Líbia

Milhares de tanques iam e vinham sobre o solo pedregoso da Líbia, durante a II Guerra Mundial, na titânica batalha do deserto entre alemães e britânicos. E foi lá que as forças de Rommel, com escassez crônica de combustível, foram finalmente derrotadas. Nenhum dos lados sabia que, enquanto o nível de combustível baixava, eles lutavam, algumas vezes, a apenas uns 160 quilômetros de uma das maiores reservas de petróleo do mundo.

Na década seguinte à II Guerra Mundial, a Líbia era vista como nação de importância militar moderada. Sediava a Base Aérea de Wheelus, uma das principais bases americanas de bombardeiros do Hemisfério Oriental. Mas isso não queria dizer muita coisa em termos internacionais. Três "províncias" distintas foram arbitrariamente reunidas para criar o país escassamente povoado. No topo desse fraco sistema político estava o velho rei Idris, que na verdade não gostava de ser rei. Certa vez, escreveu uma carta de renúncia, mas as tribos do deserto tomaram conhecimento e o impediram de abdicar. A Líbia era um país muito pobre, atormentado por secas e por gafanhotos. Suas perspectivas econômicas dificilmente poderiam ser chamadas de promissoras; nos anos seguintes à II Guerra Mundial, as suas principais exportações eram duas: esparto, um tipo de grama usada para produzir papel-moeda, e sucata metálica, retiradas dos tanques, dos caminhões e das armas enferrujados que haviam sido abandonados pelos exércitos Aliados e pelo Eixo.

Mais ou menos na metade da década de 1950, havia crescente suspeita entre os geólogos que o país poderia produzir petróleo. Para encorajar a exploração e o desenvolvimento, a Lei do Petróleo Líbio, de 1955, permitia concessões menores em maior quantidade, no lugar das extensas áreas de concessão características dos países do Golfo Pérsico. "Eu não queria que a Líbia começasse como o Iraque, como a Arábia Saudita ou como o Kuait", explicou o ministro do Petróleo líbio, que supervisionou a implantação da lei. "Eu não queria que o meu país ficasse nas mãos de uma companhia de petróleo." A Líbia poderia distribuir muitas das concessões para as companhias independentes, que não possuíam produção de petróleo, nem concessões a proteger em outros países do Ocidente e, portanto, não tinham motivo para conter a exploração e a produção em quantidade tal e tão rapidamente como seria possível fazê-lo na Líbia. A lei oferecia outro incentivo. A receita que o governo obtinha com o petróleo seria equilibrada com o preço real de mercado para o seu petróleo, que era mais baixo do que os crescentes aumentos irreais dos preços tabelados. Isso significava que o petróleo líbio seria mais lucrativo do que o petróleo de outros países, o que seria um excelente motivo para que qualquer companhia elevasse sua produção na Líbia. O objetivo central do acordo foi resumido pelo ministro do petróleo líbio: "Nós queremos descobrir petróleo o mais depressa possível."[8]

A estratégia de divulgação funcionou: na primeira rodada de negociações, em 1957, 17 companhias bem-sucedidas ofereceram-se para 84 concessões. O "carro de Jaganath" líbio estava começando a rodar. Entretanto, as condições de trabalho eram bastante pesadas. O país era muito atrasado. Não havia linhas telefônicas para o exterior. Quem quisesse fazer uma ligação para os Estados Unidos tinha de ir até Roma. A tecnologia trazida pelos geólogos dos campos petrolíferos não podia ser usada por causa de certos obstáculos que eles nunca haviam enfrentado antes: uma quantidade estimada de 3 milhões de minas deixadas pela II Guerra. Os geólogos e operários dos campos petrolíferos eram frequentemente feridos ou mortos pelas explosões das minas não detectadas. As companhias formavam equipes de detecção e desarmamento de minas. Num dado momento, alguns dos alemães que as haviam colocado, para atender o general Rommel, foram recrutados para removê-las.

Os primeiros resultados da exploração foram decepcionantes e o desânimo se instaurou. A BP estava começando a dispor de suas reservas de suprimentos, de suas locações e de suas vilas de casas, preparando-se para ir embora. Porém, em abril de

1959, num poço chamado Zelten, localizado a cerca de duzentos quilômetros ao sul da costa do Mediterrâneo, a Standard Oil of New Jersey fez uma grande descoberta. O Departamento de Estado resumiu o fato para o Ministério das Relações Exteriores britânico: "A Líbia tirou a sorte grande." Ironicamente, a Jersey esteve perto de decidir que entregaria o jogo à Líbia. Apesar de tudo, ganhou trinta por cento da concessão da Aramco, que parecia capaz de fornecer estoques infinitos de petróleo e era também membro da Companhia Iraquiana de Petróleo e do consórcio iraniano, além de ser o maior produtor da Venezuela. Embora os riscos parecessem muito grandes, também haveria uma vantagem significativa em possuir petróleo na Líbia. "Uma de nossas propostas ao ir para a Líbia era tentar encontrar petróleo em quantidade que pudesse competir com o Oriente Médio", disse o coordenador de produção mundial da Jersey, M.A. Wright. "Nós ficaríamos mais bem posicionados com os sauditas se tivéssemos outra fonte de petróleo bruto." Além do mais, a Jersey, como as outras companhias, tendia a acreditar que os riscos políticos na Líbia eram muito menores do que os riscos nos países do Golfo Pérsico ou da Venezuela.

Com a descoberta em Zelten, iniciou-se a corrida. Por volta de 1961, haviam sido descobertos dez jazidas e a Líbia estava exportando petróleo bruto de alta qualidade, "doce" (isto é, com baixo teor de enxofre). Em contraste com o petróleo pesado e grosso do Golfo Pérsico, que fornecia uma grande proporção de óleo combustível, o petróleo bruto líbio, depois de refinado, produzia uma proporção muito maior de gasolina e outros produtos "limpos" e leves, perfeitos para as frotas de automóveis velozes da Europa e excelentemente adequados ao início da era ambientalista. Além disso, a produção líbia não podia estar mais bem localizada: não estava no Oriente Médio nem requeria a travessia do canal de Suez ou do cabo Horn, na África. Partindo da Líbia, a jornada através do Mediterrâneo até as refinarias da Itália e da costa meridional da França era rápida e segura. Por volta de 1965, a Líbia era o sexto maior exportador de petróleo, responsável por 10% de todas as exportações de petróleo. No final da década de 1960, estava produzindo mais de 3 milhões de barris por dia e, em 1969, sua produção excedeu a da Arábia Saudita. Era uma façanha incrível para um país no qual dez anos antes nenhuma reserva de petróleo havia sido descoberta.[9]

Mas com uma prosperidade tão rápida e inesperada, os ambientes comerciais líbios tornaram-se nitidamente corruptos. Todos pareciam querer levar vantagem. Um executivo do petróleo queixou-se de que sua empresa estava sendo "invadida por níqueis e moedas" até a morte. A maioria dos vigaristas estava procurando muito mais do que meros níqueis e moedas. "Se vocês estivessem utilizando os serviços de contratantes locais, haveria extorsão", lembrou Bud Reid, um geólogo da Occidental Petroleum, uma pequena companhia americana independente que havia obtido concessões líbias importantes. "As pressões vinham de todos os lugares. Se o cunhado fosse um funcionário da alfândega, então de repente alguma peça do equipamento de que você necessitasse e que tivesse de passar pela alfândega não chegava no prazo marcado. Se você quisesse certificar-se de que seu equipamento chegaria, então seria preciso negociar com determinada empresa de transporte ou de contratação." A família que cuidava da casa real era particularmente bem conhecida por seu interesse em gratificações extremamente generosas. A morte do chefe dessa família num acidente automobilístico causou uma crise medíocre no país; por ocasião de sua morte, explicou um executivo do petróleo americano, "criou-se uma verdadeira incerteza a respeito de quem subornar".

A intensa onda de petróleo líbio afetou dramaticamente os preços mundiais do petróleo, gerando pressões adicionais para a queda que havia se iniciado depois de Suez. A inundação do petróleo líbio atingiu os locais abandonados pelo petróleo soviético. Na Líbia, mais da metade da produção estava nas mãos das companhias de petróleo independentes, muitas das quais, diferentemente das grandes, não possuíam mercados próprios. Também não enfrentavam nenhuma barreira, uma vez que não tinham outras fontes de suprimentos para proteger. Além do mais, foram excluídos de quotas do mercado americano que protegiam e encorajavam o dispendioso petróleo doméstico. A política, bem como a economia e a geografia, forçou as companhias independentes que operavam na Líbia a avançar rumo ao mercado da Europa e a tentar vender seu petróleo agressivamente, a qualquer custo. E não apenas na Europa, mas no mundo todo, havia mais petróleo para suprir os mercados do que demanda. O resultado foi uma competição acirrada. Entre 1960 e 1969, o preço de mercado do petróleo caiu cerca de 36 centavos por barril; uma queda de 22%. Corrigida pela inflação, a queda foi exorbitante — um declínio de 40%. "O petróleo estava disponível para todos, em qualquer época, em qualquer lugar e sempre pelo preço mais baixo", relembrava Howard Page, de Jersey. "Quero dizer que nunca havia visto um mercado tão competitivo. O mercado estava fracassando de modo ridículo."[10]

O último voo de Mattei

E o que houve com Enrico Mattei, o homem que moveu o desafio ao poder das grandes companhias e à própria estrutura da indústria? Quando ele transformou a ENI e sua subsidiária petrolífera AGIP em empresas de prestígio mundial, foi de batalha em batalha, superando não só as companhias petrolíferas estabelecidas como também os governos dos Estados Unidos e a Organização do Tratado do Atlântico Norte (OTAN), que ficaram alarmados quando ele anunciou que iria se tornar um grande comprador do petróleo barato da União Soviética. Pretendia unir seu sistema de oleodutos situados no Mediterrâneo ao sistema da União Soviética voltado para o Ocidente e, no processo, permutar os oleodutos italianos com o petróleo russo. Mas também estava trabalhando em favor de uma solução de compromisso em suas querelas amargas com a Standard Oil of New Jersey e outras grandes companhias e estava se preparando para uma viagem aos Estados Unidos, onde se encontraria com o novo presidente, John Kennedy. O governo americano apoiou os esforços da companhia petrolífera para elaborar uma *détente* com Mattei e, conforme as palavras do embaixador americano na Itália, em abril de 1962, "abrandar o seu ego ferido o suficiente para minimizar polêmicas no futuro".

Em 27 de outubro de 1962, Mattei deixou a Sicília em seu jato particular. Sua única companhia a bordo era o chefe do escritório da revista *Time* em Roma, que estava fazendo uma matéria de capa sobre o magnata italiano, antecipando uma visita sua à América. Seu destino era Milão. Mas eles nunca chegaram. O avião espatifou-se no solo após enfrentar uma tempestade terrível a cerca de dez quilômetros da pista de pouso do aeroporto Linate, em Milão.

Houve muita especulação sobre as causas do acidente, porque aconteceu na Itália, porque foi com Mattei e porque ele era tão polêmico. Alguns disseram que os serviços de inteligência ocidentais havia sabotado o seu jato por causa de suas negociações com a União Soviética. Outros disseram que a Organização do Exército Secreto Francês, os reacionários que lutavam contra a independência argelina, haviam sabotado o avião por causa da crítica de Mattei ao colonialismo e do papel dos franceses na Argélia e em represália ao seu flerte com os rebeldes argelinos, que desejavam posicionar a AGIP a favor da independência argelina. Mas o mais provável é que sua morte tenha sido um acidente, causado pelo mau tempo e pelo seu próprio caráter. Mattei estava sempre com pressa e sua personalidade impaciente, impetuosa, não permitiria que uma tempestade o impedisse de aterrissar se tinha tantas coisas importantes para fazer em terra. Ele frequentemente impelia seu hesitante piloto a lutar contra o mau tempo de Milão e sempre se dera bem. Desta vez, ele simplesmente pressionou demais.

A época de sua morte, Mattei tinha 56 anos e estava no comando do seu império. Parecia invulnerável, e invencível. Os colunistas estrangeiros do *New York Times* o chamavam de "a individualidade mais importante da Itália", mais importante do que o primeiro-ministro em Roma e do que o papa no Vaticano. Dizia-se que ele era mais responsável do que qualquer outro homem por conseguir sustentar o *boom* do pós-guerra, conhecido como "Milagre Italiano". Posteriormente, o local dos escritórios da ENI, em Roma, foi chamado "Piazza Enricco Mattei" e a ENI e a AGIP continuaram a desenvolver pesquisas para sua expansão. Mas, sem Mattei, os dias aventurosos da ENI como companhia de petróleo independente número um do mundo haviam terminado.[11]

Os novos competidores

Mesmo após ter partido, Mattei instigou uma revolução que, finalmente, derrotou o domínio global das grandes companhias. Para falar a verdade e contrariamente à imagem habitual, a estrutura das indústrias mudava constantemente. A história do petróleo internacional no século XX era tal que "recém-chegadas" continuamente quebravam a ordem estabelecida. Para a maior parte, até o final da década de 1950, sempre pareceu haver um caminho onde poderiam ser acomodadas; também poderiam, mais ou menos, tornar-se parte do sistema. Essa possibilidade terminou em 1957, quando Mattei fez seu acordo com o Irã e os japoneses seguiram o exemplo nas águas da Zona Neutra. A frenética atividade na Líbia, durante a década de 1960, levou adiante a revolução que Mattei havia iniciado e representava o quanto tudo havia mudado. Agora, havia vários participantes no jogo internacional do petróleo, — com interesses completamente divergentes e muitos outros a favor da colaboração amistosa da era das Sete Irmãs.

Os motivos para a explosão do número de parceiros eram muitos. O avanço e a difusão da tecnologia reduziam os riscos geológicos e tornavam disponíveis as técnicas de exploração e produção. Os governos dos países produtores e futuros produtores adotaram políticas concessionárias que favoreciam a entrada de independentes e de novos parceiros. Os avanços nos transportes, comunicações e informação nos países da América Latina, do Oriente Médio e da África tornaram-nos menos distantes e mais acessíveis. As altas taxas de retorno sobre os investimentos em petróleo internacional, pelo menos até meados da década de 1950, provocavam um forte apelo. O código tributário dos Estados Unidos tornou os investimentos estrangeiros menos arriscados e mais atrativos. O rateio nos Estados Unidos também encorajou as companhias a irem para o exterior para explorar sua capacidade de poder produzir a plena força. A demanda de petróleo entre as nações industrializadas estava atingindo novos recordes, ao mesmo tempo que os governos dos países consumidores e produtores encaravam o petróleo como um motor para o crescimento econômico e como um símbolo tangível de segurança, orgulho e poder.

Havia um outro fator em ação: a superioridade dos Estados Unidos na aliança ocidental e na economia mundial. A despeito de crises geradas pelo nacionalismo e pelo comunismo, a influência americana era difundida, suplantando a dos antigos impérios colonialistas. O poderio militar americano era amplamente respeitado e seu sucesso econômico alvo de admiração e inveja. O dólar dominava supremo e os Estados Unidos estavam no centro de uma ordem econômica que encorajou, entre outras coisas, o escoamento do capital americano, da tecnologia e da excelência administrativa na indústria petrolífera, assim como em outras. E os Estados Unidos estavam em condições de formular uma ordem política na qual os riscos e as ameaças seriam administráveis. As empresas privadas corresponderam.

A proliferação de parceiros no jogo do petróleo era digna de nota, especialmente no Oriente Médio. Em 1946, nove companhias de petróleo operavam na região; em 1956, 19; e, em 1970, o número subiu para 81. Mesmo assim, isso era apenas parte de uma expansão maior. Entre 1953 e 1972, de acordo com estimativas, mais de 350 companhias passaram a fazer parte da indústria estrangeira (não americana) de petróleo, ou expandiram significativamente suas participações. Entre essas "novas internacionais" estavam 15 grandes companhias de petróleo americanas, vinte de porte médio, dez grandes companhias de gás natural, produtos químicos e aço e 25 empresas não americanas. Como era diferente essa situação daquela do início do período pós-guerra, quando somente seis empresas americanas, juntamente com as cinco maiores companhias americanas conhecidas, não tinham absolutamente nenhuma atividade de exploração, em qualquer parte do estrangeiro. Em 1953, as sete maiores companhias privadas de petróleo do mundo detinham o equivalente a 200 milhões de barris de reservas comprovadas no exterior; em 1972, pelo menos 13 das "internacionais recém-criadas" já possuíam, cada uma, 2 bilhões de barris das reservas externas. Ao todo, as estreantes eram donas de 112 bilhões de barris de reservas comprovadas — um quarto do total do mundo livre. Em 1972, as "novas internacionais" tinham entre si uma produção diária total de 5,2 milhões de barris.

Um dos resultados mais óbvios dessa arena tão lotada foi o declínio da rentabilidade. A indústria havia conquistado altos índices de retorno sobre seus investimentos externos até meados de 1950 — essa era a recompensa, diriam alguns, pelos riscos corridos em regiões distantes e inacessíveis durante o turbulento período pós-guerra ou, diriam outros, o resultado de um oligopólio de uma indústria dominada por um punhado de atores importantes. A série de crises — Mossadegh e o Irã, Guerra da Coreia e Suez continuava a manter o índice de lucros acima de 20%. Porém, com a reabertura do canal de Suez, em 1957, a intensa competição na venda de suprimentos começou a forçar a queda tanto dos preços quanto dos lucros. Daí em diante e durante toda a década de 1960, os investimentos em petróleo estrangeiro renderam entre 11% e 13%, o que representava quase o mesmo índice das indústrias manufatureiras. Ao mesmo tempo que os países exportadores estavam contabilizando mais dinheiro do que jamais haviam visto antes, a indústria petrolífera propriamente dita já não estava sendo tão bem recompensada como havia sido no passado.[12]

Andando na corda bamba — Irã *versus* Arábia Saudita

A batalha global pela produção intensificou a rivalidade há muito existente entre os dois países-chave do petróleo no Oriente Médio — o Irã e a Arábia Saudita. O aumento gradativo do volume de produção ao redor do mundo colocou as maiores companhias em um dilema político. Elas precisavam tentar equilibrar a oferta com a procura, enquanto a produção continuava provindo das novatas, e isso significava ter de restringir a produção na maior reserva do mundo, a região do Golfo Pérsico. Mesmo que a produção do Golfo Pérsico aumentasse rapidamente, não conseguiria alcançar o potencial das reservas ou o desejo dos governantes da região. Nos Estados Unidos, a produção era administrada e limitada pela Comissão das Ferrovias do Texas e por agências semelhantes em outros estados. Nas províncias petrolíferas, muito mais generosas ao redor do Golfo Pérsico, a produção era controlada de acordo com as estimativas das grandes companhias, de acordo com o que julgavam necessário para preencher a lacuna entre a procura prevista e a produção disponível de outras partes do mundo. Dessa forma, o Golfo Pérsico tornou-se o estabilizador, o mecanismo de controle para o equilíbrio entre a oferta e a demanda. O Golfo era a "área do vaivém" ou, como gostavam de chamá-lo alguns petroquímicos, "o caldeirão borbulhante". Porém, distribuir o crescimento, principalmente entre o Irã e a Arábia Saudita, não era uma tarefa fácil. Foi necessário muito engenho e aplicação para tentar, ainda que com um sucesso relativo, satisfazer um Irã cujo xá já se estava inflando de grande ambição e uma Arábia Saudita que não tinha intenção alguma de reconhecer a liderança iraniana na produção do petróleo e, na realidade, em nenhuma outra área.

Havia muitos pontos de conflito entre as duas nações: uma era árabe e a outra não; uma era muçulmana *sunita* e a outra muçulmana *xiita*. As duas queriam ser líderes, tanto na região do petróleo quanto entre os produtores de petróleo, e ambas tinham ambições territoriais mal resolvidas. A competição entre as duas no tocante aos níveis de produção de petróleo sublinhava a inveja fundamental e a suspeita entre os dois países. Pois produção se traduzia em riqueza e riqueza significava poder, influência e respeito.

A rivalidade entre o Irã e a Arábia Saudita gerou problemas enormes para as grandes companhias. Era como "andar sobre uma corda bamba", disse J. Kenneth Jamie son, futuro presidente da Exxon. Os interesses eram enormes. As companhias não queriam perder suas posições em nenhum dos dois países. Uma questão singular sobressaiu para as quatro companhias da Aramco — Jersey, Mobil (ex-Socony-Vacuum), Standard of California e Texaco. Nada que pudesse pôr em risco a concessão saudita deveria ser feito. O desafio, disse Howard Page, diretor da Jersey, responsável pelo Oriente Médio, seria manter os sauditas suficientemente satisfeitos para manter a posição da Aramco, "porque esta foi a concessão mais importante do mundo e nós não queremos nos arriscar a perdê-la". Se ficasse evidente aos olhos da Arábia que estavam privilegiando o Irã ao interromperem a produção, a concessão estaria ameaçada.

Mas o Irã era, em potencial, o poder dominante na região e o xá precisava ser acalmado, mesmo que não pudesse ser satisfeito sempre. "Ninguém poderia ter extraído uma quantidade suficiente de petróleo bruto que satisfizesse a todos os governantes do Golfo naquele período", disse George Parkhurst, coordenador da Standard of California no Oriente Médio. O potencial da oferta, supondo que o investimento apropriado tivesse sido feito, simplesmente iria ultrapassar a procura em qualquer circunstância. O crescimento potencialmente lucrativo das necessidades deveria ser distribuído, de modo que nenhum dos dois governos sentisse que o outro estava levando vantagem. O ganho para a Arábia Saudita seria a perda para o Irã e vice-versa. "Isso é como um balão", disse Page, da Jersey. "Aperte de um lado e ele explode do outro e, por isso, se cedermos a todas as exigências, levaremos na cabeça."

Para tornar as coisas ainda mais complicadas, as grandes companhias eram parceiras em diversos países e tinham interesses divergentes e conflitantes. Algumas tinham mais petróleo bruto do que precisavam e outras estavam com falta de petróleo bruto. "Na realidade, somos obrigados a negociar com nossas parceiras o tempo todo, dia e noite", disse Page. "Elas estão sempre brigando." Além disso, para piorar as coisas, havia as independentes americanas que tinham sido admitidas no consórcio iraniano. Não tinham outras fontes de petróleo bruto ou outras concessões maiores para proteger. Estavam menos interessadas na situação mundial como um todo e muito mais preocupadas em obter o máximo possível de petróleo do Irã e comercializá-lo da maneira mais agressiva possível. Apressavam a produção iraniana constantemente, e as grandes companhias suspeitavam que estivessem instigando o xá. Porém, se a produção iraniana aumentasse, isso significaria que as independentes teriam mais petróleo para "mascatear" com as grandes, nas palavras de Page, enquanto as grandes teriam de refrear a produção saudita e explicar isso tudo para um Ahmed Zaki Yamani irado e até mesmo para o próprio rei Faissal.

O problema da distribuição da produção entre a Arábia Saudita e o Irã não era uma questão econômica, no sentido restrito da palavra. A diferença de custos entre os dois países era normalmente de apenas um ou dois centavos, "trocados", disse Page. Era, antes de mais nada, uma decisão política e estratégica, e, em várias ocasiões, a responsabilidade de explicar e justificar os atos da companhia recaía sobre Howard Page, para o bem das quatro parceiras da Aramco. Zaki Yamani, o ministro saudita do petróleo, era um adversário terrível. Ele sabia que Page tinha uma predileção pessoal pelos iranianos e não hesitava em expressar claramente suas suspeitas de que Page estava demonstrando favoritismo pelo Irã à custa da produção saudita.[13]

Lidar com os iranianos não era menos complicado. O acordo para o consórcio de 1954 havia garantido que a produção iraniana iria se desenvolver com uma rapidez pelo menos equivalente à taxa de crescimento médio anual da região toda, mas o xá estava convencido de estar sendo ludibriado pelas companhias de petróleo. Durante um almoço na Casa Branca, em 1964, falou a Lyndon Johnson sobre seus receios de que as companhias dessem tratamento preferencial aos produtores de petróleo árabes. A OPEP, acrescentou o xá, havia se tornado um "instrumento do imperialismo árabe". O xá, exasperado pela sua própria visão imperialista e decidido a reconquistar o primeiro posto entre os exportadores do Oriente Médio, tentou todas as táticas e abordagens para persuadir as companhias, esforçando-se até mesmo para convencer o Departamento de Estado e o Ministério Britânico das Relações Exteriores a pressionarem as companhias, sob alegações geopolíticas.

O xá deixou bem claro qual era sua exata posição, durante um encontro com seu velho amigo Kim Roosevelt, o mesmo que o havia auxiliado a orquestrar o contragolpe que o recolocaria de volta ao poder, uma década antes. Ele "estava cansado de ser tratado como um colegial" pelos Estados Unidos, disse o xá a Roosevelt. Relacionou tudo o que estava fazendo a favor dos interesses ocidentais, incluindo a "luta acirrada do Irã contra as invasões de Nasser". Mas a "indiferença" e o "maltrato" era tudo o que ele recebia em troca. "A América faz mais por seus inimigos do que por seus amigos", acrescentou ele. A relação especial existente entre o Irã e a América, advertiu, "está chegando ao fim". Para enfatizar seu ponto de vista, retomou suas relações com os russos, fez o acordo do gás com Moscou e ameaçou reorientar as importações iranianas em direção oposta ao Ocidente, em direção à União Soviética.

A tática do xá funcionou. Tanto os americanos quanto os britânicos instaram as companhias de petróleo a fazerem "o melhor que pudessem para atender às exigências iranianas". Os iranianos mantiveram também uma pressão constante diretamente sobre as companhias para aumento de produção. Todas as alternativas foram utilizadas para manter o xá satisfeito. As companhias chegaram a adotar o calendário iraniano a fim de dinamizar a produção naquele ano específico. Nas negociações, ninguém se atrevia a contrariar o xá quando ele cometia um engano, até mesmo um simples erro matemático, e ele cometia muitos erros. A pressão adicional que ele exerceu, em meados da década de 1960, atingiu o efeito desejado. Durante muitos anos, entre 1957 e 1970, a produção iraniana cresceu em um ritmo mais intenso do que a produção saudita: no total, a produção iraniana durante aqueles anos cresceu 387%, contra os 258% da produção saudita. Como a Arábia Saudita havia começado com uma base mais vantajosa, as respectivas produções dos dois países, em termos absolutos, ficaram com uma variação de 5% entre uma e outra, em 1970. O esforço para atingir um equilíbrio, a despeito das controvérsias contínuas, havia sido bem-sucedido.

Por essa conquista, entretanto, as companhias, bem como os governos saudita e iraniano, contraíram uma dívida considerável com uma outra parte, o radical Iraque, embora o serviço prestado por esse país tenha ocorrido inadvertidamente. No início da década de 1960, o Iraque cancelou 99,5% da concessão feita pela Companhia Iraquiana de Petróleo, originalmente criada por Calouste Gulbenkian, deixando-lhe somente a região onde estava efetivamente produzindo petróleo. A CIP, por sua vez, interrompeu seus investimentos em novas explorações e produção naquela área. A consequência foi que a produção iraquiana, que deveria ter acompanhado o aumento iraniano e saudita, gerando um problema insolúvel de distribuição, aproximou-se delas, gradualmente, apenas durante a década de 1960.

A certa altura, no decorrer daqueles anos, Omã, a sudeste da Península Arábica, emergiu como uma muito interessante cartada petrolífera. A Standard Oil of New Jersey, como era de esperar, tinha chances de lá se encaixar. Mas quando a pauta foi apresentada ao comitê executivo da companhia, Howard Page foi contra. Ele havia gasto tanto tempo negociando com os sauditas e iranianos que precisou se esforçar pouco para imaginar quão furiosos eles ficariam. Ele conseguia adivinhar muito bem o que Yamani, especialmente, iria dizer-lhe caso a Jersey e a Aramco tentassem restringir a produção saudita para dar espaço a uma nova concessão em um país vizinho. Isso iria contradizer, com certeza, o princípio número um da Jersey, que era não fazer nada que pudesse "colocar em perigo nossa concessão da Aramco".

Mas os membros do departamento de produção da Jersey discordavam de Page. Afinal, eles eram geólogos e, até onde lhes dizia respeito, descobrir e desenvolver novas reservas fazia parte do jogo. A ambição deles era encontrar novos elefantes e estavam muito entusiasmados com Omã. "Tenho certeza de que existe uma jazida de 10 bilhões de barris de petróleo lá", relatou ao comitê executivo um geólogo que havia acabado de voltar de Omã.

"Bem, então", respondeu Page, "tenho absoluta certeza de que não queremos participar desse negócio e a questão está resolvida. Eu poderia pôr algum dinheiro nisso se tivesse certeza de que não encontraríamos petróleo lá, porque estamos sujeitos a perder a concessão da Aramco se encontrarmos." Com essa lógica, a Jersey ficou fora de Omã. Os geólogos, entretanto, estavam certos. Omã tornou-se um produtor de petróleo importante, com a Shell na liderança.[14]

"Nós, os sugadores independentes de petróleo"

Consumidores de todo o mundo aprovaram o petróleo barato da Venezuela e do Oriente Médio. Os governantes dos países industrializados também aprovaram, depois de certa hesitação. Houve uma única exceção — os Estados Unidos. A abundância crescente de petróleo estrangeiro barato já não era para ser encorajada e aplaudida como um modo de atenuar as pressões sobre as reservas norte-americanas. Ao contrário, a avalanche de petróleo importado era encarada, pelo menos entre os produtores americanos independentes, como uma perigosa ameaça que estava nivelando por baixo os preços internos e minando a própria indústria. Logo no início de 1949, um geólogo irado de Dallas, chamado "Tex" Willis, escrevera ao senador Lyndon B. Johnson para perguntar-lhe se ele estava "planejando fazer algo pelos nossos produtores independentes com relação ao petróleo estrangeiro que destruiu um mercado no valor de 2 bilhões de dólares para os independentes do Texas este ano". Tex Willis queria certificar-se de que Johnson havia entendido os seus próprios sentimentos e os de seus companheiros do petróleo do Texas. Na sua opinião, não fazia sentido "levar todos os homens do petróleo independentes do Texas à falência por causa de uns poucos príncipes árabes e porque a Standard Oil of New Jersey alegava precisar de dinheiro".

Johnson e os outros membros das delegações de outros estados petrolíferos com assento no Congresso ouviram Tex Willis e seus companheiros com atenção e pressionaram com firmeza para dar à indústria petrolífera nacional alguma proteção frente ao petróleo da Venezuela e do Oriente Médio. A certa altura, Johnson enviou seu auxiliar John Connally ao Departamento de Estado, acompanhado de um grupo de congressistas texanos, que queriam pressionar um funcionalismo pouco simpático que "sua reeleição iria depender de uma resposta aos seus constituintes." Os representantes estaduais do petróleo buscavam elevar a tarifa de importação em dez vezes, dos 10,5 centavos de dólar o barril para 1,05 dólar, e limitar as importações a 5% do consumo interno. Tais esforços não deram resultado com o presidente Harry Truman, que disse a um senador: "Deve haver alguma coisa radicalmente errada com o raciocínio das pessoas que desejam interromper nosso comércio externo em benefício da turma do petróleo".

Após o final da Guerra da Coreia e do retorno do petróleo iraniano ao mercado com a queda de Mossadegh, as importações de petróleo fizeram uma incursão ainda maior sobre o petróleo e o carvão nacionais. Como resultado, os estados produtores de carvão e petróleo formaram uma coalizão insólita para tentar limitar tais importações. Porém, uma das últimas coisas que a nova administração Eisenhower gostaria de fazer era impor tarifas ou quotas sobre o petróleo importado. A administração queria encorajar o comércio, para expandir as relações econômicas com os países em desenvolvimento e para mantê-los presos na órbita ocidental. No entanto, o Congresso insistia em dar ao presidente o poder de restringir as importações de petróleo através de uma "Emenda de Segurança Nacional" à Lei do Comércio de 1955 que lhe permitisse controlar o nível das importações quando ele julgasse que a segurança ou o bem-estar econômico da nação estivessem ameaçados.

Eisenhower estava pouco inclinado a fazer uso de seu novo poder. Em vez de restrições obrigatórias ao petróleo estrangeiro, sua administração preferia contar com restrições "voluntárias" por parte dos importadores. A administração lançou uma vigorosa campanha dirigida às companhias importadoras, enviando-lhes cartas de persuasão, mas a campanha mostrou-se um tanto ineficaz, em vista da crescente capacidade de estocagem do suprimento do Oriente Médio e do preço vantajoso do petróleo importado.

A crise de Suez em 1956 ressaltou as preocupações com a segurança nacional. A queda dos preços ao final da crise aumentou ainda mais o clamor entre os independentes por proteção, em forma de tarifas ou quotas. As grandes companhias, com sua produção estrangeira, não aderiram ao clamor. Eisenhower, ele mesmo ainda contra o protecionismo, surgiu com uma alternativa. Se a segurança nacional exigia acesso ao petróleo em caso de emergência, então por que o governo não poderia estocar petróleo em quantidade?, perguntou. Em uma reunião com o gabinete, relembrou a seus colegas o que chamou de "uma antiga sugestão" — que o governo comprasse o petróleo estrangeiro barato e o estocasse em poços esgotados. Talvez tivesse lembrado o que havia acontecido em 1944, quando as tropas do general Patton ficaram sem combustível e ele havia enfrentado a ingrata tarefa de ter de escolher entre liberar suprimentos ao furioso Patton ou ao inflexível Montgomery, no "minuto inexorável". A estocagem talvez não beneficiasse a saúde da indústria petrolífera nacional, mas iria harmonizar as questões da segurança nacional com a política econômica do livre comércio adotada por sua administração. Eisenhower, no entanto, não conseguiu obter apoio para sua ideia. Na verdade, o comitê especial que ele designou para fazer um relatório sobre toda a questão da importação de petróleo e da segurança nacional rejeitou esta alternativa específica, julgando-a totalmente impraticável.[15]

A segurança nacional e um "belo equilíbrio"

Os homens do petróleo independentes queriam os controles obrigatórios — e rápido. Eles intensificaram sua campanha pela implantação de uma lei tarifária, visto que as importações continuavam a aumentar, elevando-se de 15% da produção nacional, em 1954, para mais de 19%, em 1957. Defrontando-se em junho daquele ano com três senadores favoráveis às restrições, um Eisenhower relutante descreveu em linhas gerais o grande número de temas que ele estava tentando conciliar: a saúde da indústria nacional, a segurança nacional, o imposto de renda dos vários estados, o esgotamento geral das reservas norte-americanas e o encorajamento da exploração sem provocar no comércio uma quantidade excessiva de petróleo doméstico, reduzindo assim de modo indevido as reservas internas. "Em resumo", disse o presidente, "é preciso encontrar um belo equilíbrio". Numa tentativa de atingir esse equilíbrio, a administração adotou, em

1957, um sistema de controles voluntários mais explícitos. O governo passou a encarregar-se de distribuir, informalmente, direitos de importação.

Ninguém em particular gostava do mecanismo de distribuição "voluntário". No entanto, ele funcionaria se *todo mundo* cooperasse. Só que diversas companhias decididamente não estavam dispostas a cooperar. Uma razão era óbvia: elas se encontravam desproporcionalmente em desvantagem porque haviam assumido vários compromissos com o petróleo estrangeiro. E isso não se aplicava somente às grandes companhias. J. Paul Getty havia embarcado em um programa de expansão de 600 milhões de dólares para a construção de petroleiros, postos de gasolina e uma nova e imensa refinaria, tudo isso contando com sua recente produção na Zona Neutra do Kuait. Getty adotou a atitude de simplesmente ignorar o sistema voluntário de quotas. Afinal, era voluntário. A Sun Oil estava preocupada com as implicações antitruste por cooperar com um programa "voluntário" cujo efeito era manter os preços. Naquele exato momento, o Departamento de Justiça estava processando as grandes companhias com base na Lei Antitruste Sherman, por atos praticados durante a crise de Suez, respondendo a estimulações feitas por outras áreas do governo federal, que se preocupavam com a escassez. Robert Dunlop, o presidente da Sun, relembrou também o "Caso Madison", da década de 1930, quando o Departamento de Justiça havia processado com êxito a indústria do petróleo com base na lei antitruste, por ter colaborado com um esquema de estabilização de mercado, promovido por Harold Ickes e pelo Departamento do Interior. Que segurança o governo poderia agora dar de que a Sun, assim como as demais companhias, não seria repreendida uma vez mais com ameaças antitruste por cooperar com um assim chamado sistema voluntário — que mais se assemelhava a um esquema patrocinado pelo governo para proteger os preços!

A recessão de 1958 arruinou o programa voluntário. Enquanto a demanda de petróleo caiu substancialmente, as importações se intensificaram e a pressão política por controles obrigatórios estava se tornando irresistível. Clarence Randall, o presidente do Conselho da Política Econômica Externa, relatou exasperado ao secretário de Estado Dulles que aqueles que invocavam a "segurança nacional" como motivo para restringir as importações estavam completamente confusos. Se a segurança nacional era o motivo, então o melhor a fazer seria encorajar as importações a fim de preservar as reservas internas. "Nossa política deveria ser a de conservar aquilo que temos, antes de tomar medidas que possibilitem o esgotamento mais rápido dos nossos suprimentos", declarou ele.

Ainda assim, a administração Eisenhower resistiu às quotas obrigatórias. "Esse negócio de segurança nacional é um pretexto para dourar a pílula", reclamou Dulles ao secretário de Justiça Herbert Brownell durante uma conversa telefônica. "O que eles estão tentando fazer", prosseguiu Dulles, referindo-se aos texanos que exigiam controles obrigatórios, "é elevar os preços do petróleo, colocar mais poços texanos em produção e acelerar o ritmo de perfuração de novos poços, o que só poderá acontecer se houver aumento nos preços". Os estados petrolíferos e os interesses dos Independentes estavam poderosamente representados no Congresso por políticos experientes e astutos. O presidente da casa, Sam Rayburn, era do Texas e, para ele, conforme escreveu seu biógrafo, "petróleo e Texas eram inseparáveis. O líder da maioria no Senado, Lyndon Johnson, era do Texas e não menos sensível aos seus eleitores. Ele já havia se colocado, em 1940, como o elo essencial na arrecadação de fundos para os políticos do Partido Democrata, entre os ricos homens do petróleo do Texas. Um dos senadores mais influentes era Robert Kerr, um milionário petroleiro de Oklahoma. Eisenhower podia prever o que estava para acontecer. "A menos que o Executivo tome alguma providência, o Congresso o fará", disse, finalmente, a Dulles, e duvidava que um veto presidencial fosse bem recebido.

O presidente, insatisfeito com a posição na qual se encontrava, desabafou sua irritação em uma reunião de gabinete, criticando a "propensão dos interesses específicos nos Estados Unidos em pressionar de maneira quase irresistível pela criação de programas como este", que estavam "em conflito com as aspirações básicas dos Estados Unidos de promover a expansão do comércio entre as nações". No entanto, quatro dias depois, em 10 de março de 1959, Eisenhower anunciou a imposição de quotas obrigatórias sobre as importações de petróleo para os Estados Unidos. Uma década inteira depois do início da batalha, os Estados Unidos finalmente adotaram os controles formais. Esses controles talvez tivessem representado merecidamente a mais influente e importante política energética americana dos anos pós-guerra. Os produtores independentes estavam em júbilo; as grandes companhias, desapontadas.[16]

"Uma indústria nacional muito saudável"

As quotas persistiram por catorze anos: sob a administração Eisenhower, o petróleo importado não podia exceder a 9% do consumo total. A administração Kennedy restringiu as quotas um pouco mais em 1962. Mais tarde, na segunda metade da década de 1960, a administração Johnson fez um certo esforço para relaxar as quotas como um modo de reduzir os preços do petróleo, ajudando assim a contra-atacar a inflação que estava começando a surgir devido à guerra do Vietnã. Mas, na essência, o sistema de quotas permaneceu intacto.

As quotas de importação de petróleo pareciam simples, fáceis de compreender. Mas não eram. À medida que o tempo passava, sua administração se tornava cada vez mais mesquinha. Na verdade, sob a orientação do Programa Obrigatório de Importação de Petróleo, como ficou conhecido, havia disputas constantes pela distribuição, brigas causadas por falhas de interpretação, tentativas de desistências e uma busca cada vez mais intensa por exceções e isenções. Com o passar dos anos, o programa tornou-se cada vez mais inoportuno e distorcido. Desenvolveu-se um comércio ativo não de petróleo propriamente dito, mas de "cupons" de importação do petróleo, ou seja, de direitos para trazer petróleo. Algumas indústrias refinadoras acabaram, na realidade, subsidiando outras.

No entanto, jamais surgiu algo que se comparasse ao sistema que ficou conhecido tanto como "Carrossel Mexicano" quanto por "A Curva em U de Brownsville". Estando ainda muito vivas na memória as lembranças da II Guerra Mundial e dos ataques dos submarinos alemães U-boats aos petroleiros e sendo a "segurança nacional" supostamente o principal objetivo das quotas, considerava-se que o petróleo chegado aos Estados Unidos proveniente do México ou do Canadá, "via terrestre", era mais seguro do que o transportado por petroleiros e a ele se dava certa preferência e isenção, o que também contribuiu para auxiliar nas relações políticas com o México e o Canadá. Mas o subterfúgio estava justamente aí: não havia oleodutos no México e o petróleo certamente não poderia ser transportado por caminhões através de centenas de quilômetros desde os centros produtores do México. Por esse motivo, o petróleo mexicano era transportado por petroleiros até a cidade fronteiriça de Brownsville, no Texas, colocado em caminhões e conduzido de volta até o México através de uma ponte. Os caminhões circundavam a praça rotatória e depois cruzavam novamente a ponte de volta a Brownsville, onde o petróleo era recarregado nos petroleiros para ser transportado ao nordeste dos EUA. Caracterizava-se, assim, o transporte "terrestre" qualificando-se legalmente para a isenção.

No período da administração Johnson, certo funcionário denominou o programa geral de quotas como "um pesadelo administrativo". Ele causou efeitos ainda mais extensos. Conforme era seu objetivo inicial, aumentou os níveis de investimentos nas explorações internas de petróleo, em detrimento das explorações externas, que de outro modo teriam sido privilegiadas. Direcionou investimentos externos de companhias americanas para o Canadá, devido ao acesso preferencial daquele país ao mercado americano. Resultou no desenvolvimento de uma capacidade de refinação substancial nas Ilhas Virgens americanas e em Porto Rico, graças a isenções especiais para as quotas concedidas às refinarias daquelas localidades, com premissas justificadas em seu desenvolvimento econômico. E, finalmente, o programa deu um importante ímpeto ao tráfego petrolífero comercial global. Se as companhias americanas não podiam introduzir o petróleo estrangeiro nos seus próprios sistemas nos Estados Unidos, que era o objetivo da integração, então elas teriam de encontrar e desenvolver mercados em outros lugares do mundo.

Como consequência extra ao programa, os preços estavam mais altos nos Estados Unidos do que estariam sem a proteção. Além disso, as quotas reconduziriam os sistemas de rateio no Texas e em outros estados à posição de estabilizadores de preços internos. Na verdade, internamente, os dez anos que se seguiram desde a implantação das quotas obrigatórias faziam lembrar a estabilidade dos preços que se seguiu à completa implementação do sistema de rateio na década de 1930. Em 1959, nos Estados Unidos, o preço médio do petróleo na fonte era de 2,9 dólares o barril; uma década depois, em 1968, o preço era de 2,94 dólares — estável certamente e, além disso, 60% ou 70% acima do petróleo bruto do Oriente Médio nos mercados da Costa Leste. Ao contrário, isolando o mercado americano, o controle obrigatório resultou em preços baixos fora dos Estados Unidos.

A despeito de todas as isenções, complicações e pesadelos administrativos, as quotas de importação atingiram sua meta principal: forneceram proteção ampla para a produção interna de petróleo contra o petróleo estrangeiro barato. Em 1968, a produção de petróleo bruto nos Estados Unidos era 29% mais alta do que havia sido em 1959, ano em que as quotas obrigatórias foram introduzidas. Sem essa proteção, a produção americana teria certamente estacionado ou declinado. As companhias, grandes ou pequenas, adaptaram-se às quotas obrigatórias. As grandes, apesar de suas críticas vorazes iniciais finalmente reconheceram o mérito de um programa que protegia a lucratividade de suas próprias operações nacionais, se bem que à custa de suas operações internacionais. A adaptação delas foi facilitada pelo fato de que a procura em outros países estava crescendo com velocidade suficiente para absorver sua produção externa.

O programa obrigatório também ensinou uma lição às companhias internacionais. Embora fossem as detentoras dos recursos financeiros, das dimensões e do *know--how,* as independentes exerciam a influência política e foi a elas que os deputados e senadores do segmento petrolífero responderam. Algumas vezes, era necessário explicitar os detalhes. Em meados da década de 1960, o senador Russell Long, de Louisiana, sentiu-se constrangido em proferir uma pequena homilia a um grupo de executivos que representavam as maiores companhias. Os deputados dos Estados petrolíferos, explicou ele, "estão especialmente interessados nas fases nacionais da indústria, por serem as responsáveis pelos empregos de nossa população e por significarem receitas para nossos governos estaduais. Isso é fundamental para nossa economia". Long desejava que os executivos ponderassem as implicações. "Gostaríamos que vocês, cidadãos que produzem petróleo no estrangeiro, se dessem conta de que, quando se apresentam problemas relativos às suas tributações no exterior ou mesmo à expiração das licenças no estrangeiro, ou no tratamento tarifário especial para seus funcionários no exterior, os companheiros com quem vocês podem contar para proteger suas atividades são as mesmas pessoas que estão empenhadas na produção interna de petróleo." Para resumir sua mensagem, Long acrescentou que "é muito mais vantajoso para vocês terem uma indústria interna saudável e fazer tudo o que estiver ao seu alcance para cooperar na realização dessa meta."[17]

As companhias internacionais assimilaram, de má vontade, a lição.

CAPÍTULO XXVII

O Homem Hidrocarboneto

INDEPENDENTEMENTE DAS REVIRAVOLTAS NA POLÍTICA global, ou dos altos e baixos do poder imperial e do orgulho nacional, durante as décadas subsequentes à II Guerra Mundial, uma tendência manteve-se em progressão rápida e direta — o consumo de petróleo. Se, em geral, pode-se dizer que a energia do planeta é proveniente do Sol, coube ao petróleo prover agora a força motriz para a humanidade, tanto em sua conhecida forma de combustível, quanto na proliferação de novos produtos petroquímicos. O petróleo surgiu triunfante, um rei incontestre, um monarca trajado com uma deslumbrante roupagem de matéria plástica. Ele foi generoso com seus leais súditos, repartindo sua riqueza, e mais além, ao limite do desperdício. Seu reinado foi um período de confiança, de crescimento, de expansão, de desempenho econômico impressionante. Sua generosidade modificou seu reino, anunciando uma nova civilização motorizada: a Era do Homem Hidrocarboneto.

A explosão

O total mundial de consumo de energia triplicou entre 1949 e 1972. No entanto, esse crescimento eclipsou-se diante do aumento do consumo de petróleo, que no mesmo período cresceu mais de cinco vezes. Em todos os lugares, houve um drástico aumento na demanda do petróleo. Entre 1948 e 1972, o consumo triplicou nos Estados Unidos, indo dos 5,8 milhões para 16,4 milhões de barris diários — um número sem precedentes, exceto se comparado ao que estava acontecendo em alguma outra parte do mundo. Nesses mesmos anos, a demanda pelo petróleo na Europa Ocidental aumentou 15 vezes, passando dos 970 mil barris para 14,1 milhões de barris diários. No Japão, a alteração não foi nada menos que espetacular: o consumo aumentou 137 vezes, passando de 32 mil para 4,4 milhões de barris diários.

Qual teria sido a força propulsora deste repentino crescimento mundial no uso do petróleo? Em primeiro lugar, o rápido e intenso crescimento econômico e o aumento nas receitas que se harmonizavam com ele. No final da década de 1960, a população de todas as nações industrializadas estava gozando de um padrão de vida com o qual jamais poderia ter sonhado há apenas vinte anos. As pessoas tinham dinheiro para gastar e gastavam na compra de casas, de aparelhos elétricos para equipá-las, de sistemas de aquecimento central para aquecê-las e de aparelhos de ar-condicionado para refrigerá-las. As famílias compravam um automóvel e logo depois um segundo. O número de veículos automotores nos Estados Unidos passou de 45 milhões em 1949 para 119 milhões em 1972. Fora dos Estados Unidos, o aumento foi ainda mais monumental, passando de 18,9 milhões de veículos para 161 milhões. Para produzir os carros, os utensílios e as embalagens, para satisfazer direta ou indiretamente as necessidades e os desejos dos consumidores, as fábricas tinham que manter um intenso ritmo de produção, utilizando cada vez mais o óleo como combustível. A nova indústria petroquímica transformou o petróleo e o gás natural em matéria plástica e em grande número de produtos químicos, e em qualquer tipo de aplicação o plástico começou a substituir os materiais tradicionais. Em uma cena memorável do filme *The Graduate*, de 1967, um ancião confidenciava a um jovem indeciso quanto ao seu futuro o verdadeiro segredo do sucesso: "o plástico". Nessa época o segredo já era bem conhecido em todos os lugares.

Durante as décadas de 1950 e 1960, o preço do petróleo baixou até que se tornasse bem barato, o que também contribuiu enormemente para o inchaço do consumo. Muitos governos incentivavam sua utilização para atingir a pujança no crescimento econômico, bem como para atingir objetivos sociais e ambientais. Havia ainda uma última razão para o crescimento tão rápido do mercado petrolífero. Todo país exportador queria vender volumes cada vez maiores do seu petróleo a fim de obter rendimentos cada vez mais altos. Fazendo uso de um misto de incentivos e ameaças, muitos desses países pressionavam suas concessionárias para produzirem mais, e isso, consequentemente, deu às companhias um poderoso ímpeto para empurrarem petróleo agressivamente em qualquer mercado novo que pudessem encontrar.

Todos os números — produção, reservas e consumo — apontavam para uma só realidade: escalas cada vez mais altas. Em todos os aspectos, a indústria do petróleo tomou proporções elefantinas. Pois todo o crescimento da produção e do consumo não poderia ter sido levado a efeito sem uma infraestrutura. Uma profusão de novas refinarias foram construídas, cada vez maiores em tamanho, visto que já eram projetadas para atender rapidamente a mercados em expansão e para investir em economias de escala. Novas tecnologias capacitaram algumas refinarias a aumentar o retorno de produtos de alto valor — gasolina, gasolina para aviões, óleo diesel e óleo para calefação —, passando de 50% para 90% do barril de petróleo bruto. O resultado foi uma rápida conversão dos aviões a jato, das locomotivas e caminhões a diesel e do aquecimento a óleo nas residências. As frotas de petroleiros se multiplicaram e os de tamanhos convencionais deram lugar às imensas máquinas de longo percurso chamadas de superpetroleiros. Os postos de gasolina, cada vez mais sofisticados, surgiam subitamente nos cruzamentos e ao longo de rodovias dos países industrializados. "Maior é melhor" — esse era o tema dominante na indústria petrolífera. "Maior é melhor" também fascinava os consumidores de petróleo. Movidos por grandes motores e adornados com cromados e extravagantes "rabos de peixe", os automóveis americanos tornavam-se cada vez mais compridos e mais largos. Eles todos rodavam 13 quilômetros com um galão de gasolina.[1]

O velho rei carvão é deposto

Durante as promissoras décadas que se seguiram à II Guerra Mundial, uma nova guerra estava sendo travada, ainda que não do tipo das que aparecem em reportagens de primeira página, mas das que ficam enterradas nas páginas da imprensa mercantil diária. Um astuto estudioso dos assuntos petrolíferos, Paul Frankel, chamou-a de "guerra de movimento". Era também uma guerra que refletia enorme transformação histórica na direção das modernas sociedades industriais. Acarretava enormes consequências políticas e econômicas, além de um profundo impacto sobre as relações internacionais e sobre a organização e os padrões da vida cotidiana. Era a batalha entre o carvão e o petróleo na conquista dos corações, mentes e bolsos dos consumidores.

O carvão havia abastecido a Revolução Industrial nos séculos XVIII e XIX. Barato e disponível, era um verdadeiro rei. "O carvão", escreveu o economista W.S. Jevons no século XIX, "mantém-se não ao lado, mas completamente acima de todos os outros produtos. É a energia material do país, a ajuda universal, o agente de tudo que fazemos. Com o carvão, quase todas as façanhas são fáceis e possíveis; sem ele, somos atirados de volta à penosa pobreza das eras primitivas. O rei carvão manteve-se em seu trono durante a primeira metade do século XX. No entanto, ele não conseguiria resistir, não conseguiria manter-se intocado diante da gigantesca onda de petróleo que se originou da Venezuela e do Oriente Médio e inundou todo o planeta depois da II Guerra. O petróleo era abundante. Era ambientalmente mais atrativo, mais fácil e cômodo de administrar. Além disso, tornou-se mais barato que o carvão, o que se mostrou a mais desejável e decisiva entre todas as suas características. O seu uso representava uma vantagem competitiva para as indústrias de uso intenso de energia. Dava vantagem competitiva também aos países que o adotavam como fonte de energia.

A onda rebentou primeiro nos Estados Unidos. A despeito do automóvel, mesmo os Estados Unidos ainda tinham uma economia essencialmente baseada no carvão até metade do século XX. Nessa época, porém, a própria estrutura de custos da indústria carbonífera fez dela uma presa fácil. Com as sucessivas reduções nos preços, o petróleo estava ficando mais barato que o carvão, em termos de energia liberada por dólar. Havia ainda uma razão adicional a compelir a mudança para o petróleo: as divergências trabalhistas nas minas de carvão americanas. As greves dos mineiros, lideradas por

John L. Lewis, o combativo presidente do Sindicato dos Trabalhadores em Minas de Carvão (United Mine Workers), consistiam em um ritual que se repetia praticamente uma vez por ano. As sobrancelhas cerradas de Lewis tornaram-se um símbolo familiar entre os cartunistas da imprensa nacional, ao mesmo tempo que seus pronunciamentos belicosos abalaram a confiança dos consumidores tradicionais do carvão. Interrompam a produção de carvão, gabava-se ele, e poderão interromper "todas as áreas de nossa economia". Para qualquer fabricante preocupado com a continuidade de sua linha de produção, para qualquer gerente de empresa de serviços públicos ansioso quanto a sua capacidade de satisfazer as exigências de energia elétrica disponível no período mais rigoroso do inverno, a retórica irascível de Lewis e sua militância no sindicato constituíam-se um poderoso convite para buscar um substituto para o carvão. Esse substituto era o petróleo, para o qual não havia uma ameaça tão óbvia, o óleo combustível, em especial, que vinha em grande parte da Venezuela. Certa vez um homem do petróleo venezuelano disse brincando que eles deveriam "organizar uma subscrição pública em toda a Venezuela que arrecadasse fundos para erguer uma estátua em homenagem a John L. Lewis na praça central de Caracas, como um dos grandes benfeitores e herói da indústria petrolífera venezuelana".[2]

A conversão da Europa

O declínio do rei carvão seguiu um rumo um tanto diferente na Europa, estimulado principalmente pelo petróleo do Oriente Médio, barato e facilmente disponível. A primeira crise energética do pós-guerra, em 1947, foi a acentuada falta de carvão na Europa. O legado dessa crise para a Inglaterra foi o espectro da escassez. Temendo por uma inadequação no fornecimento de carvão, o governo passou a encorajar as usinas elétricas a substituírem o carvão pelo petróleo, temporariamente. O petróleo, porém, jamais fora um quebra-galho. Ele era um concorrente implacável. A crise de Suez em 1956 criou um enorme ponto de interrogação para os britânicos e para os demais países europeus a respeito da segurança dos suprimentos de petróleo vindos do Oriente Médio. Imediatamente após a crise de Suez, a Grã-Bretanha decidiu avançar com seu primeiro programa completo de energia nuclear que reduzisse a dependência do petróleo importado. Os países industrializados faziam planos conjuntos para manterem estoques acima do necessário, ou seja, estoques emergenciais, como uma forma de se assegurarem contra futuras interrupções. No entanto, as preocupações com a segurança dissiparam-se com uma rapidez surpreendente e a substituição do carvão seguiu inabalável.

Parte dos motivos que contribuíram para a vitória do petróleo sobre o carvão foi ambiental, especialmente na Grã-Bretanha. Londres sofria há muito tempo com os "nevoeiros assassinos" resultantes da poluição causada pela queima do carvão, particularmente nas lareiras abertas das residências. Esses nevoeiros eram tão intensos que motoristas confusos não conseguiam, literalmente, encontrar o caminho de casa pelas suas próprias ruas, avançando com seus carros sobre os gramados próximos. Sempre que o nevoeiro baixava, os hospitais de Londres ficavam lotados com pessoas atacadas por crises respiratórias agudas. Em consequência, estabeleceram-se "áreas sem fumaça" onde a queima de carvão para a calefação foi proibida e, em 1957, o Parlamento aprovou a Lei do Ar Limpo (*Clean Air Act*), que favorecia o petróleo. No entanto, a maior força propulsora da mudança foi o custo; os preços do petróleo estavam caindo, os preços do carvão não. De 1958 em diante, o petróleo passou a ser um combustível industrial mais barato que o carvão. Os cidadãos mudaram para o petróleo (bem como para a eletricidade e depois para o gás natural). A indústria carbonífera respondeu com uma vigorosa campanha publicitária baseada no tema "Chama Viva". A despeito da retórica, quando se tratava de aquecer residências, o carvão já era uma chama agonizante.

Tentando equilibrar as vantagens econômicas do petróleo barato contra os custos, os transtornos e as perdas de trabalho de uma indústria carbonífera encurralada, o governo britânico debatia-se com políticas que pudessem dar ao carvão nacional alguma proteção contra o petróleo barato importado. Porém, em meados da década de 1960, o governo já havia chegado à conclusão que a posição comercial internacional da Grã-Bretanha exigia um rápido aumento no uso do petróleo. Caso contrário, os fabricantes britânicos sofreriam desvantagem competindo com empresas estrangeiras que utilizavam o petróleo barato. Um funcionário do governo britânico fez uma síntese da transformação: "o petróleo tornou-se o fluido vital da economia britânica, assim como de todos os outros países industrializados, e isso produz um efeito generalizado sobre a economia".

O mesmo modelo estava, com certeza, sendo copiado em toda a Europa Ocidental. Em 1960, o governo francês havia se comprometido oficialmente com a racionalização e a redução da indústria carbonífera nacional e com uma completa substituição pelo petróleo. O governo enfatizou que o uso do petróleo proporcionava um meio de promover a modernização de seu sistema industrial. John Maynard Keynes havia declarado certa vez que "o império germânico estava, na verdade, mais fundamentado sobre o carvão e o ferro que sobre o sangue e o ferro". Os germânicos, no entanto, também se converteram ao petróleo assim que ficou mais barato do que o carvão. A completa extensão da conversão foi dramática. Em 1955, o carvão era à responsável por 75% do total da energia utilizada na Europa Ocidental, contra apenas 23% do petróleo. Em 1972, a participação do carvão havia se reduzido para 22%, ao passo que o petróleo havia crescido para 60% — quase uma reviravolta completa.[3]

O Japão deixa de ser pobre

O Japão demorou um pouco mais para iniciar a substituição pelo petróleo. O carvão era sua fonte tradicional básica de energia. Antes e durante a II Guerra Mundial o petróleo havia sido o combustível prioritário das forças armadas, com uma pequena fatia de consumo para o transporte de cidadãos e um uso contínuo do querosene para a iluminação. As refinarias e o restante da infraestrutura petrolífera estavam arruinados ao final da II Guerra Mundial. Até 1949 a ocupação americana ainda não havia permitido o restabelecimento da refinação de petróleo no Japão, e a partir de então apenas sob a tutela das companhias ocidentais — Jersey, Socony-Vacuum, Shell e Gulf. Com o fim da ocupação, a retomada da independência política e a Guerra da Coreia, o Japão embarcou em seu extraordinário processo de crescimento econômico.

A primeira fase, baseada no rápido desenvolvimento da indústria pesada e da indústria química, teve tanto sucesso que em 1956 o governo já estava capacitado a fazer uma declaração memorável: "Nós já não estamos vivendo dias de reconstrução pós-guerra". O Japão não iria continuar pobre para sempre e esperava-se que o carvão continuasse abastecendo o contínuo crescimento. No início dos anos 1950, o carvão era o responsável por mais da metade do total de energia do Japão e o petróleo por apenas 7% — menos do que a lenha! Os preços do petróleo, porém, continuavam a cair. No início dos anos de 1960 não havia dúvidas de que o governo e a indústria japonesa iriam apostar no petróleo. Como nos demais lugares, ele iria libertar a economia da ameaça de agitação entre os trabalhadores das minas e, uma vez mais, o petróleo estava muito mais barato do que o carvão.

À medida que o próprio petróleo tornava-se mais importante para a economia japonesa, o governo, por questões políticas, procurou reduzir a influência estrangeira em sua indústria petrolífera. O ministro do Comércio Internacional e da Indústria reestruturou a indústria petrolífera japonesa de forma que os refinadores japoneses independentes iriam obter uma participação substancial no mercado, em concorrência com aquelas companhias ligadas diretamente às grandes internacionais. Os independentes eram considerados mais confiáveis, mais comprometidos exclusivamente com os objetivos econômicos do Japão e mais seguramente ligados com seu sistema político e econômico. Uma nova lei do petróleo de 1962 deu ao Ministério a autoridade de conferir licenças para importação de petróleo e distribuição das vendas. Ele fez uso desse poder para favorecer os refinadores independentes e para promover a competição que iria ajudar a manter o custo do petróleo o mais baixo possível. Seguiram-se guerras de preços, visto que os refinadores lutavam arduamente para conseguir mercados. E, mesmo se recuperando do tempo perdido, o Japão concluiu a conversão para o petróleo em um ritmo fenomenalmente rápido. Na segunda metade da década de 1960, enquanto a própria economia japonesa crescia a uma taxa plenamente extraordinária de 11% ao ano, a demanda de petróleo estava crescendo a uma taxa ainda mais extraordinária de 18% ao ano. No final da década de 1960, o petróleo era o responsável por 70% da energia total consumida no Japão, comparados aos 7% do início da década anterior!

Muito do aumento na demanda do petróleo refletia o dinamismo da indústria japonesa. Mas uma outra força também estava cooperando — a revolução automobilística japonesa. Em 1955, a indústria japonesa produzia apenas 69 mil carros; num espaço de apenas 13 anos, em 1968, essa mesma indústria produzia 4,1 milhões de carros, dos quais 85% eram adquiridos e usados no próprio Japão, e apenas 15% exportados. Isso significou um tremendo aumento no consumo interno de gasolina. O enorme *boom* na exportação de automóveis, que iria ajudar a firmar o Japão como uma fantástica potência econômica mundial, ainda estava para começar.

Os dois *wunderkinder* do mundo pós-guerra eram o Japão e a Alemanha, cada um deles não só recuperado da derrota mas posto em invejável e surpreendente padrão de atuação econômica. Analisando suas conquistas, o historiador econômico Alfred Chandler resumiu sucintamente a receita para seu sucesso: "Os milagres alemão e japonês estavam baseados em acordos institucionais vantajosos e no petróleo barato". Nem todos os seus aliados e concorrentes tinham, de modo algum, o mesmo acesso aos "acordos institucionais vantajosos", mas todos tinham os benefícios do petróleo abundante. Consequentemente, nos anos do *boom*, entre 1950 e 1970, o crescimento econômico em todo o mundo industrializado era abastecido pelo petróleo barato. Em meras duas décadas teve lugar uma mudança maciça nos sustentáculos da sociedade industrial. O carvão havia proporcionado dois terços da energia mundial em 1949. Em 1971, o petróleo, juntamente com o gás natural, estava proporcionando dois terços da energia mundial. Aquilo que o economista Jevons havia dito no século XIX a respeito do carvão era agora, um século depois, verdadeiro não para o carvão, mas para o petróleo. Ele se mantinha acima de todos os outros produtos; era a ajuda universal, o fator de quase tudo que fazemos.[4]

A luta pela Europa

Devido ao rápido crescimento econômico e à expansão industrial, aliados à substituição do carvão pelo petróleo, além do advento do automóvel a preços populares, a Europa passou a ser o mercado mais competitivo do mundo durante as décadas de 1950 e 1960. Com as quotas protecionistas limitando a quantidade de petróleo que poderia ser importado pelos Estados Unidos, todas as companhias americanas que haviam ido para o além-mar a fim de descobrir petróleo viram-se obrigadas a encontrar outros mercados e isso queria dizer Europa mais do que qualquer outro lugar. Ao mesmo tempo, as nações produtoras mantinham uma pressão sobre as companhias para que estas aumentassem o volume da produção. "Todo ano nossos funcionários fazem uma peregrinação até o Kuait", disse o executivo da Gulf, William King. "E todas são geralmente idênticas. É um encontro difícil, com muitas ameaças e elogios de ambas as partes. Os kuaitianos nos dizem o quanto eles desejariam que aumentássemos a extração no Kuait e nós respondemos que o volume já está bom demais, que não há mercados para tanto." Os kuaitianos nos mostram que os iranianos já conseguiram um acréscimo. "Finalmente, ambos os lados concordam com um número — um aumento de 5% ou 6%."

Onde todo esse petróleo poderia ser vendido? Havia algumas oportunidades nos países em desenvolvimento. A Gulf construiu uma fábrica de fertilizantes na Coreia do Sul para ajudá-la a obter o direito de construir uma refinaria e um sistema de distribuição naquele país; emprestou dinheiro também para companhias japonesas, tais como a Idemitsu e a Nippon Mining, para que elas construíssem refinarias, tendo como garantia um contrato de longo prazo para compra de petróleo bruto. Mas a Europa era, de longe, o mercado mais importante. O ingresso e a expansão no mercado europeu exigiam não apenas capacidade econômica mas também habilidade política, visto que havia muito mais regulamentações e controles governamentais diretos e indiretos lá do que nos Estados Unidos. As companhias, por exemplo, não podiam simplesmente comprar um lote de terra e construir um posto de gasolina; os governos exerciam controles rígidos na distribuição de locais, resultando em tremendas manobras para a obtenção de lotes. "A competição era terrivelmente intensa na Europa, já que as quantias envolvidas também eram grandes", disse King. "Os funcionários das diferentes companhias conseguiam conversar educadamente entre si e agir amigavelmente, saindo todos a seguir, para tentar roubar mercados uns dos outros".

A Shell era a líder do mercado europeu, o que significava que ela estava na defensiva e que precisava aprender a ser mais competitiva. Na Alemanha Ocidental, por exemplo, a Deutsche Shell anunciou com orgulho que seus 220 jovens vendedores eram treinados no "estilo agressivo americano de vendas". A Jersey era obrigada a ser ainda mais agressiva porque estava tentando estabelecer sua posição relativa. Na Grã-Bretanha, um único posto de gasolina tinha, muitas vezes, até seis bombas de diversas companhias, com diferentes marcas de gasolina. Para a Jersey isso era uma heresia. Ela queria postos que vendessem sua gasolina Esso e somente a Esso, e conseguiu realizar esse objetivo. A fim de angariar a simpatia dos fazendeiros de todo o continente, que estavam se mecanizando, ela patrocinou uma Competição Mundial de Lavradores na Europa. Apelando para a importante tradição americana, seus postos na Europa passaram a oferecer mapas rodoviários e informações turísticas locais sem cobrar nada por isso, com a finalidade de conseguir a preferência dos europeus e do crescente número de turistas americanos que adquiriram o hábito de contar com os mapas como um direito constitucional, grátis.

Em meio aos Golias que cruzavam vigorosamente a Europa, havia também um grande número de ágeis Davis que tinham desenvolvido produção e estavam disputando mercados. Com essa disputa estimulavam ainda mais a sede de petróleo. Entre todas, a mais representativa era a Continental Oil Co., Conoco. A Continental iniciou suas atividades em 1929, surgida de uma fusão entre a Rocky Mountain, uma empresa de marketing, originalmente uma componente do império Standard Oil, com uma produtora e refinadora de petróleo bruto com sede em Oklahoma. A nova empresa era uma companhia regional americana estritamente definida. Em 1947, o Conselho empossou um novo presidente, Leonard McCollum, que já fora coordenador mundial de produção da Standard Oil of New Jersey. McCollum queria concentrar-se no desenvolvimento da produção norte-americana da companhia. Mas logo descobriu que a Continental estava com uma desvantagem competitiva. Petróleo estrangeiro de baixo custo inundava os Estados Unidos, no final da década de 1940, vencendo a crescente demanda, enquanto a produção interna da Continental estava sendo restringida pelo rateio no Texas, em Oklahoma e em outros locais. McCollum resolveu que a Continental teria que procurar mercados no exterior. A Companhia desperdiçou uma grande soma perfurando poços vazios no Egito e na África durante a década seguinte. No entanto, a despeito das dores de cabeça e dos dissabores, McCollum estava convencido de que era melhor, tratando-se de petróleo bruto, ser uma companhia "rica" do que uma companhia "pobre". "Se você decidiu ser 'rico'", disse ele, "você deve ter a audácia de adquirir o máximo de terras possível para abocanhar o pedaço maior. Embora um pedaço menor possa parecer uma coisa mais segura, é melhor apossar-se do máximo possível para não errar".

Em meados da década de 1950, a Continental abocanhou um pedaço considerável na Líbia em parceria com a Marathon e com a Amerada, que foi chamada de Grupo Oásis. No final da década, a Oásis começou a descobrir petróleo em grande quantidade na Líbia. Mas, bem naquele momento, as regras estavam sendo drasticamente alteradas em Washington, dando um golpe baixo na fundamentação lógica da estratégia original de McCollum. Naquela época, as novas quotas de importação impediram a Continental de colocar seu petróleo líbio mais barato no mercado norte-americano, como havia sido planejado. Isso significava que o petróleo tinha que ser levado para outro lugar e esse "outro lugar", é claro, era a Europa Ocidental, o mercado petrolífero mais competitivo do mundo.

Primeiro, a Continental vendeu sua repentina produção líbia para as grandes companhias estabelecidas e para os refinadores da Europa. "Nós éramos novos em folha e tínhamos que fazer uma sondagem", relembrou um executivo da Continental. Mas a companhia tinha pouca versatilidade e era obrigada a oferecer consideráveis concessões no preço para seus compradores. Portanto, ela enfrentava o clássico dilema — a dependência. Na virada do século, William Mellon havia transformado a Gulf em uma companhia integrada, com seu próprio sistema de refinação e distribuição, para que não precisasse pedir licença para a Standard Oil ou para qualquer outra. Agora, sessenta anos depois, McCollum faria o mesmo.

Assim, num espaço de três anos, começando em 1960, a companhia estabeleceu seu próprio sistema de refinação e distribuição na Europa Ocidental, na Grã-Bretanha, comprando onde pudesse, começando do nada onde não pudesse. Seu petróleo líbio de alta qualidade, particularmente apropriado para a produção de gasolina, impeliu a Continental a desenvolver sua rede de postos de gasolina próprios. Além disso, a Continental negociou contratos de longo prazo com refinadores independentes estrategicamente localizados. Ela construiu uma eficiente refinaria na Grã-Bretanha, onde vendia gasolina a um preço muito baixo, sob a marca "Jet". Em 1964, 16 anos depois de McCollum ter iniciado a busca pelo petróleo estrangeiro, a Continental estava produzindo mais no Exterior que nos Estados Unidos. Ela se tornara uma importante companhia internacional integrada de petróleo, o que nunca tinha estado nos planos iniciais de McCollum.

A proliferação de tais companhias, cada qual organizada como elos mais ou menos autônomos, aumentava as pressões competitivas no mercado, incrementando ainda mais a queda dos preços do petróleo. Além disso, seu sucesso iria despertar o sentimento nacionalista nos países que lhes forneciam o petróleo. Em resumo, as companhias eram mais vulneráveis nas extremidades da cadeia produtora, isto é, nas fontes e nas bombas.[5]

Cortejando o consumidor

O consumidor, em particular o consumidor de gasolina, de posse de seu símbolo de *status* motorizado, estava ganhando altura, espaço e beleza nas décadas de 1950 e 1960 na América. A privação e o racionamento dos anos da guerra já faziam parte de um passado distante. Maciços investimentos na construção de refinarias e no seu aperfeiçoamento, adicionados ao crescente volume de petróleo disponível, constituíam uma receita perfeita para uma acirrada competição entre os fornecedores de gasolina, jogando os preços para baixo.

Isso servia bem às necessidades dos motoristas americanos, especialmente por serem os principais beneficiários dessa constante "guerra de preços". Com os postos de gasolina brotando em cada esquina, seus proprietários espalhavam cartazes escritos à mão por todos os cantos, anunciando que seu preço estava meio centavo menor que o do posto em frente. O primeiro tiro na guerra dos preços era sempre disparado por postos independentes, não filiados às grandes companhias e que recolhiam gasolina excedente barata do mercado secundário. As grandes que não eram particularmente favoráveis à guerra dos preços corriam o risco de sofrerem acusações de prática de preços predatórios — e sempre adotavam uma atitude de "fomos forçados a". No entanto, apesar dos protestos, as grandes iniciavam guerras de preços quando pretendiam ingressar competitivamente em novos mercados.

A competição também assumia outras formas. Jamais os motoristas haviam sido tão bem servidos. Os pneus e o óleo eram verificados, os para-brisas lavados, distribuíam-se copos, relação dos competidores do sweepstake — tudo gratuitamente — com o intuito de ganhar e manter a simpatia dos motoristas. No início da década de 1950, os cartões de crédito foram introduzidos para vincular o cliente a uma determinada companhia. A televisão servia como a nova mídia completa para anunciar marcas nacionais e atrair a lealdade do consumidor. A Texaco ia além dos seus fãs da rádio Metropolitan Opera, atingindo uma audiência mais ampla na televisão, com o programa da *Texaco Star Theater*, de Milton Berle, incitando os milhões de fiéis telespectadores com o apelo "confie seu carro ao homem que usa a estrela". A Texaco garantia orgulhosamente aos seus clientes que, para seu benefício, tinha chegado ao ponto de "registrar" todos os banheiros dos postos espalhados pelos 48 estados.

Depois veio a grande algazarra dos aditivos para a gasolina. O objetivo geral era consolidar a imagem de uma marca, para um produto — a gasolina — que, afinal de contas, era praticamente igual, independentemente da marca. No período de um ano e meio, em meados da década de 1950, 13 dos 14 principais negociantes começaram a vender suas novas gasolinas premium numa disputa acirrada para ultrapassar os demais com apelos extravagantes. Nos anos que assistiram aos primeiros testes da bomba de hidrogênio, a Richfield anunciava que sua gasolina "utilizava o hidrogênio com fins pacíficos", uma afirmação audaciosa mas um tanto corriqueira, visto que todos os hidrocarbonetos, inclusive a gasolina, são compostos de moléculas que contêm hidrogênio. A Shell reivindicava que sua TCP (tricresyl fosfato), idealizada para combater a sujeira das velas de ignição, era o "maior aperfeiçoamento para a gasolina dos últimos 31 anos". A Power X da Sinclair continha aditivos antiferrugem. A Cities Service, para não ficar atrás, concluiu que, se um aditivo era bom, cinco seriam fantásticos e introduziu a 5-D premium. E, à medida que a lista aumentava, a única reivindicação comum a todas as companhias era que seu aditivo, qualquer que fosse, decorria de "anos de pesquisa".

A Shell, graças à TCP, aumentou suas vendas em 30% em um ano. Não se poderia permitir tal afronta sem uma contestação. A Socony-Vacuum apressou-se em emitir um memorando "confidencial" aos seus distribuidores Mobilgas advertindo-os que a TCP não tinha nenhum valor e que poderia na verdade prejudicar os motores dos automóveis. "Não há outra gasolina como essa!", proclamava a Socony a respeito de sua própria gasolina Mobil de "ação dupla". A Standard Oil of New Jersey foi mais além, declarando que a TCP era um embuste mercadológico, a cura para um problema inexistente; visto que na realidade a sujeira nas velas já não ocorria com tanta frequência. A Jersey preferiu aumentar a octanagem e introduziu sua própria novidade, a "Total Power". Com a proliferação da gasolina "verdadeira" produzida por tantas companhias, os consumidores passaram a poder escolher entre a chamada gasolina "regular" ou standard e uma variedade de premiums de "alta octanagem" ou *high-test*. No devido tempo, a Mobil apresentou uma outra variante "a gasolina de alta energia", explicando que em seu processo exclusivo de refinação "os átomos leves, de baixa energia, são substituídos por outros mais robustos de alta energia". Naturalmente, quem dirigisse um automóvel de "alto desempenho" sentia-se impelido a comprar um combustível de "alto desempenho" — por muitos centavos a mais por galão — ao menos pelo prazer, real ou imaginário, de deixar alguns outros desafortunados comendo poeira nos semáforos.

Os aditivos eram apenas um dos modos de conquistar os corações dos consumidores. Na Grã-Bretanha, em 1964, como parte de seu esforço para dar "uma cara nova" no marketing da gasolina, a Jersey apresentou a primeira versão do tigre da Esso e o *slogan* "Ponha um tigre no seu tanque". O tigre abriu seu caminho para todo o sistema mercadológico da Esso na Europa, ajudando a estabelecer um amplo reconhecimento da marca. Entretanto, sua primeira aparição nos Estados Unidos não teve todo esse sucesso. "Esse tigre não tem uma aparência muito boa", foi o comentário azedo de um executivo da Jersey. Meia década depois do aparecimento do tigre original, ele foi redesenhado por um jovem artista que já havia trabalhado para a Walt Disney Productions. Esse novo tigre, aperfeiçoado, também o resultado de "anos de pesquisas", tinha uma aparência amistosa, cordial, bem-humorada, prestativa — um tremendo vendedor.

Um tigre em seu tanque, ao que parecia, tinha um efeito maior na venda de gasolina do que qualquer um dos novos aditivos. Irritados pela popularidade do tigre da Esso e de sua presença em um número cada vez maior de tanques de gasolina nos Estados Unidos, os gerentes da Shell Oil passaram a referir-se ao seu popular aditivo TCP, em ocasiões informais, como "Tom Cat Piss" (o xixi do gato Tom).[6]

O novo estilo de vida: "seis estradas para a Lua"

O fluxo inexorável de petróleo transformava tudo em sua passagem. Em nenhum outro lugar essa transformação foi mais dramática do que na paisagem americana. A abundância de petróleo gerou a proliferação dos automóveis, que por sua vez gerou um novo estilo de vida. Esta foi sem dúvida a Era do Homem Hidrocarboneto. As faixas do transporte público, essencialmente para trilhos, que haviam indicado os limites dos centros da cidade de densidade relativamente alta, foram arrancadas devido à violenta investida dos automóveis, e uma enorme onda de suburbanização espalhou-se pela nação.

Apesar de o deslocamento para os subúrbios ter começado na década de 1920, ele foi interrompido por uma década e meia, primeiro, pela Depressão e, depois, pela II Guerra. Recomeçou imediatamente depois da guerra. Na verdade, o ponto de partida foi 1946, quando uma família de construtores, chamada Levitt, adquiriu uma quantidade de fazendas de batata, totalizando quatro mil acres, na cidade de Hempstead, em Long Island a 40 quilômetros da cidade de Nova York. Logo as máquinas começaram a terraplenagem e os materiais de construção começaram a ser despejados por caminhões a exatos intervalos de 18 metros. Mudas de macieira, cerejeira e sempre-verde foram plantadas em cada lote. Esta primeira Levittown, com casas avaliadas entre 7.990 dólares e 9.500 dólares, teria, ao final, 17.400 residências que abrigaram 82 mil pessoas. Levittown se tornaria, a seu tempo, o protótipo do subúrbio de pós-guerra, a materialização de uma versão do sonho americano e de uma afirmação dos valores americanos em um mundo de incertezas. Conforme explicou William Levitt, "nenhum homem que é dono de sua própria casa e de um lote pode ser um comunista. Ele tem muita coisa para fazer".

A suburbanização logo ganhou uma velocidade espantosa. O número de habitações familiares começa a subir de 114 mil em 1944 para 1,7 milhão em 1950. Com a mágica dos empreendedores, qualquer tipo de terreno — fazendas de brócolis, espinafre e gado leiteiro, pomares de maçãs, plantações de abacates e laranjas, ameixas e figos, antigas propriedades rurais, pistas de corrida e depósitos de lixo, encostas ou apenas simples desertos — dava margem à subdivisão. Entre 1945 e 1954, nove milhões de pessoas mudaram-se para os subúrbios. Muitos milhões mudaram-se depois disso. Ao todo, entre 1950 e 1976, o número de americanos habitando em grandes centros cresceu em 10 milhões e o número habitando nos subúrbios, 85 milhões. Em 1976, viviam mais americanos nos subúrbios do que nos grandes centros ou nas áreas rurais. Com o passar do tempo tornou-se intelectualmente bem aceito criticar os subúrbios por tudo, desde sua arquitetura até seus valores morais; porém, para os milhões que lá construíram seus lares, o subúrbio provou ser um lugar mais apropriado para acalentar o *baby boom*, fornecendo privacidade, autonomia, áreas livres para as brincadeiras das crianças, melhores escolas e maior segurança — um paraíso para o otimismo e esperança de uma América pós-Depressão e pós-guerra.

A suburbanização fez do carro uma necessidade virtual e as paisagens originariamente rurais foram remodeladas pela sua invasão. O horizonte dessa nova América era curto e novas instituições surgiram para atender às necessidades dos proprietários suburbanos. Os shopping centers, com dezenas de metros quadrados de estacionamentos gratuitos, tornaram-se mecas para o consumidor e um local estratégico para varejistas. Em 1946, havia somente oito shopping centers em todos os Estados Unidos. O primeiro grande shopping varejista planejado foi construído em Raleigh, no norte da Califórnia, em 1949. No início dos anos 1980, havia vinte mil grandes shoppings, que registraram quase dois terços do total de vendas a varejo. O primeiro shopping center cercado e climatizado surgiu perto de Minneapolis, em 1956.

A palavra "motel", pelo que se sabe, foi cunhada em 1926 em San Luis Obispo, na Califórnia, e se referia aos conjuntos de cabines que proliferavam, geralmente próximas aos postos de gasolina, ao longo das rodovias nacionais. Porém, a reputação dessa criação característica da era da gasolina não dava, a princípio, nenhum motivo de orgulho. No final de 1940, J. Edgar Roover, o diretor da FBI, fez um alerta à nação advertindo que os motéis eram "acampamentos do crime" e "antros de vício e corrupção". Seus principais objetivos, disse o tira mais poderoso da nação, era servir de rendez-vous para a prática de sexo ilícito ou de esconderijo para criminosos. Advertindo a nação sobre a iminente ameaça da "alta rotatividade", Roover revelou que as cabines de alguns motéis eram alugadas para o sexo aproximadamente dezesseis vezes por noite. Porém, a respeitabilidade surgiu da necessidade, posto que as famílias americanas invadiram as estradas nos anos pós-guerra. Foi no ano de 1952 que dois empresários inauguraram um Hollyday Inn em Memphis. Daí em diante os motéis proliferaram como fungos em todos os lugares. Para os pais, nos limites de suas forças, devido ao cansaço, ao mau humor e às brigas das crianças no banco traseiro do carro, a visão do Hollyday Inn no lusco-fusco verde, depois de um longo dia de viagem, era um sinal de trégua, alívio e até mesmo salvação. E por toda América a família inteira conseguia encontrar quartos à vontade nas hospedarias, respeitavelmente equipadas com televisões, sabonetes individuais, camas vibratórias e, nos corredores, máquinas de sorvetes e refrigerantes.

As pessoas também tinham que se alimentar, mesmo quando saíam para um simples passeio de carro pelos arredores, portanto a característica dos restaurantes também precisou sofrer alterações. O primeiro restaurante do país que servia seus fregueses em seus próprios carros — *drive-in* —, o Pig Stand de Royce Railey, foi inaugurado em Dallas no ano de 1921. Mas foi somente em 1948 que os dois irmãos McDonald dispensaram os garçons que atendiam os fregueses nos carros em seu restaurante em San Bernardino, na Califórnia, reduzindo significativamente os pratos do cardápio, introduzindo a comida feita em linha de produção. A nova era do fast-food (refeição rápida), contudo, começou realmente para valer em 1954, quando um vendedor de máquinas de *milkshake*, chamado Ray Kroc, juntou-se aos dois irmãos McDonald. No ano seguinte, eles inauguraram a primeira unidade chamada McDonald's, em um subúrbio de Chicago e, bem, o resto é história.

A América havia se tornado uma sociedade dos *drive-in*. No município de Orange, Califórnia, era possível assistir a cultos religiosos dentro do próprio carro na "maior igreja *drive-in* do mundo". No Texas, as pessoas podiam fazer as matrículas para seus cursos nas faculdades locais em guichês de *drive-in*. Filmes eram projetados nas imensas telas dos cinemas *drive-in*, apelidados pelos seus frequentadores adolescentes de "campo das paixões". A renovação anual dos modelos nas lojas de automóveis em todo início de outono era uma ocasião de celebração nacional, quando toda população parecia parar para reverenciar com muitos "oohs" e "aahs" as últimas novidades de Detroit — "banheiras" revestidas com muito cromado, ou rabos-de-peixe eram anunciados como necessários para conter o complexo sistema de luzes traseiras que passaram a fazer parte dos carros. Às vezes, usavam o argumento de que "essas elaboradas caudas tinham um efeito estabilizador sobre os veículos em movimento". Como bem notou um especialista, essa explicação poderia ter sentido "se o carro fosse movimentado pelo ar". Mas não era. Ao contrário, ele queimava borracha no chão, zunindo a velocidades cada vez maiores, carregando seus passageiros do trabalho para casa, servindo até mesmo como um escritório móvel — um privilégio para os vendedores viajantes. Noventa por cento das famílias americanas saíam em férias de carro e, em 1964, algum motorista sortudo colocou em seu porta-luvas o mapa rodoviário de número cinco bilhões oferecido gratuitamente por um posto de gasolina. Conseguir permissão para aprender e depois para tirar carteira de motorista tornou-se o grande rito de passagem pelos anos da adolescência, ter seu próprio "volante", o mais importante de sua maturidade e independência. O automóvel era também absolutamente necessário para o namoro, o noivado, para a aquisição do conhecimento carnal e para os rituais da paquera. Uma pesquisa no final da década de 1960 revelou que quase 40% de todos os casamentos na América eram propostos nos carros.

As artérias e as veias desse novo estilo de vida eram as ruas e rodovias. E nesse, assim como em tantos outros estilos, a política pública apoiava o necessário desenvolvimento. Com um aumento nos preços da gasolina na Califórnia, em 1947, começou para valer a construção de autoestradas em Los Angeles — incluindo todos os "trevos" fundamentais da parte central da cidade, que ligavam cada autoestrada a um único grande sistema. No mesmo ano, do outro lado do país, em New Jersey, o governador Alfred E. Driscoll revelou em seu discurso inaugural um sonho para a fantástica sociedade em seu estado — uma autoestrada com cobrança de pedágios indo de um lado ao outro do Garden State, que iria acabar com o congestionamento e com o permanente engarrafamento de tráfego que ameaçava New Jersey nos anos pós-guerra e iria poupar ao motorista uma hora e dez minutos na travessia do estado todo. Driscoll acreditava que nada era mais importante para o futuro de New Jersey do que essa estrada.

A construção começou em 1949, provocando um entusiasmo enorme em todo estado, onde foi aclamada como "a autoestrada miraculosa" e "a rodovia do amanhã construída hoje". Não se faziam estudos de impacto ambiental naquele tempo, não se abriam questões judiciais antidesenvolvimentistas, havia somente a sensação de que na América era possível conseguir rapidez na execução de coisas importantes, sendo que o trabalho todo, desde o primeiro esboço até a última cabine de pedágio, foi realizado em menos de dois anos. A inauguração foi celebrada com um memorável café da manhã, acompanhado em cada detalhe por ninguém menos do que o grande mestre dos cardápios das rodovias americanas, o restaurateur Howard Johnson, em pessoa.

Em pouco tempo a autoestrada de New Jersey tornou-se a mais movimentada estrada com pedágio dos Estados Unidos e provavelmente do mundo inteiro. Seus pontos de referência eram as áreas de descanso — a Walt Whitman, perto da Saída 3, a Thomas Edison, a Dolley Madison, a Vince Lombardi e as outras — além dos restaurantes com telhados cor de laranja de Howard Johnson. Na inauguração da autoestrada, o governador Driscoll anunciou: "A autoestrada permitiu que New Jersey saísse de trás dos tapumes, das barracas de cachorro-quente e dos depósitos de sucatas. Os motoristas podem apreciar agora a verdadeira beleza de New Jersey". Poucos motoristas concordavam com essa descrição. Outras estradas eram muito mais bonitas: a Merrit Parkway, de Connecticut, ou a Taconic Parkway em Nova York. "É muito difícil conseguir ocultar todas as características importantes da paisagem de uma só vez", escreveu um crítico, "mas a autoestrada (de New Jersey) conseguiu." No entanto, ela havia sido construída para a rapidez e a conveniência e não para a beleza, um monumento funcional para as urgentes necessidades do Homem Hidrocarboneto de locomover-se prontamente de um lugar a outro. E era apenas uma pequena trilha de um labirinto que se prolongaria cada vez mais.

Em 1919, o major Dwight D. Eisenhower havia conduzido sua expedição militar motorizada através dos Estados Unidos sem ao menos um sistema rodoviário para seguir. Isso o fez imaginar as rodovias do futuro. Trinta e sete anos depois, em 1956, o presidente Dwight D. Eisenhower assinava o Interstate Highway Bill (Lei das Autoestradas Interestaduais), que propunha um sistema de super autoestradas (com quatro ou mais pistas de rodagem) de 65 mil quilômetros (mais tarde estendido para 68 mil quilômetros) que iria entrecruzar a nação. O Governo Federal cobriria 90% do custo, retirando a maior parte do dinheiro de um fundo de crédito para autoestradas, especialmente criado, mantido com a taxação da gasolina. O programa foi ativamente defendido e promovido por uma ampla coligação de interesses que ficou conhecida como "o *lobby* da autoestrada" — fabricantes de automóveis, governos estaduais, caminhoneiros, comerciantes de automóveis, companhias de petróleo, companhias de borracha, sindicatos, empreendedores de bens imobiliários. Até mesmo a Associação Americana de Estacionamentos estava envolvida; afinal, não importava a distância a ser percorrida: num dado momento, os motoristas chegariam a seus destinos — e teriam que estacionar seus carros.

O próprio Eisenhower defendia o programa interestadual de autoestradas por diversos motivos: segurança, congestionamento, os muitos bilhões de dólares gastos com um sistema de transportes rodoviários ineficiente e — evocando os temores mais sombrios da Guerra Fria — as exigências da Defesa Civil. "No caso de um ataque atômico sobre nossas cidades", disse ele, "a rede de estradas precisa dar conta da rápida evacuação das áreas-alvo." O programa resultante foi amplo e Eisenhower ficou muito orgulhoso da amplitude das obras, fazendo uso de comparações maravilhosas e hipnotizantes. "O total da pavimentação do sistema daria para construir um estacionamento grande o suficiente para guardar dois terços de todos os automóveis dos Estados Unidos", disse ele. "A quantidade de concreto despejada nessas rodovias daria para construir oito barragens Hoover ou seis estradas para a Lua. Para construí-las, tratores e escavadeiras movimentarão entulho e pedras suficientes para enterrar a cidade de Connecticut inteira a setenta centímetros de profundidade. Mais que qualquer outra ação especial do governo desde o final da guerra, esse sistema irá mudar a face da América." Suas palavras eram, quando nada, uma estimativa modesta. Enquanto isso, os grandes perdedores eram o transporte público e as estradas de ferro, à medida que os americanos, e os produtos americanos, começaram a ser transportados por vias cada vez mais amplas ao longo de infindáveis tiras de estradas. Se, naqueles anos de expansão, maior era melhor, mais longo e mais largo também eram.

Até mesmo nas salas de estar dos americanos, o petróleo tornou-se parte de suas vidas. Mais de sessenta milhões deles entretinham-se todas as semanas com as divertidas situações apresentadas na comédia *The Beverly Hillbillies,* que se tornou um sucesso instantâneo quando entrou no ar em 1962 e foi considerado o espetáculo número um por alguns anos. Muitos milhões de espectadores viam o programa em outras partes do mundo. Era a história da família Clampetts, caipiras de Ozark que tiraram a sorte grande quando descobriram um poço de petróleo em seu quintal e sem demora trocaram Hooterville por uma mansão em Beverly Hills. A graça estava em sua ingenuidade e inocência diante dos "costumes da cidade grande". Quem assistia não só ficava encantado com o espetáculo e com os adoráveis multimilionários do petróleo como também descobria que não conseguia tirar a música-tema da cabeça:

> Venha e ouça a história de um homem chamado Jed
> Um pobre montanhês que mal conseguia alimentar sua família,
> E, então, um dia, estava caçando
> Quando, de repente, surgiu do solo um 'burburejo' —
> petróleo é, ouro negro, o chá do Texas.

The Beverly Hillbillies era uma festa para as várias classes. Pois, na realidade, o petróleo não era "ouro negro" apenas para os sortudos Clampetts, mas também para os consumidores, enriquecendo o mundo industrial, tornando-o possível. No entanto, havia uma dúvida persistente: quão confiável seria o fluxo de petróleo do qual dependia o Homem Hidrocarboneto? Quais eram os riscos?[7]

Outra vez crise: "um pesadelo recorrente"

Gamal Abdel Nasser, do Egito, não tinha petróleo para ajudá-lo a afirmar sua determinação, tinha força militar. Estava decidido a reerguer no mundo árabe o prestígio perdido na década de 1960. Queria vingar os sucessos obtidos por Israel nos campos de batalha em 1956 e reiterava seus clamores pela "liquidação" de Israel. Sua vitória final em 1956 tornou-o confiante demais em sua sorte. Estava, também, sendo arrastado pela Síria, que estava patrocinando ataques terroristas em Israel, e não poderia permitir que o julgassem um combatente deficiente. Em maio de 1967, Nasser ordenou a saída dos observadores das Nações Unidas, que estavam a postos desde o término da Crise de Suez, em 1956, do Egito. Ele montou um bloqueio à frota mercante israelense no golfo de Aqaba, interceptando o acesso ao porto de Eilat ao sul e ameaçando interromper sua capacidade de importar petróleo, além de enviar tropas egípcias de volta ao Sinai. O rei Hussein, da Jordânia, colocou suas forças armadas sob o comando egípcio, para o caso de um conflito. O Egito iniciou o transporte aéreo de soldados e de equipamento bélico para a Jordânia, e outros Estados árabes já estavam enviando, ou planejando enviar, suas próprias tropas para o Egito. No dia 4 de junho, o Iraque aderiu ao novo acordo militar entre a Jordânia e o Egito. Para os israelenses, que observavam a mobilização da força militar árabe ao seu redor, o cerco parecia estar se fechando muito rápido.

Às oito horas da manhã seguinte, 5 de junho, os israelenses responderam atacando e passando para a ofensiva. A Terceira Guerra árabe-israelense, a Guerra dos Seis Dias, havia começado. Apostando tudo, Israel conseguiu, nas primeiras horas, abater toda a força aérea do Egito e dos demais estados beligerantes, eliminando-as rapidamente. Com o predomínio aéreo garantido, as forças israelenses rechaçaram o exército árabe. Na realidade, para o Egito e a Jordânia, o resultado da Guerra dos Seis Dias foi decidido em três dias. As forças egípcias no Sinai sucumbiram. No dia 8 de junho, o exército israelense tinha atravessado completamente o Sinai, destruindo no processo 80% de todo equipamento egípcio, de acordo com cálculos do próprio Nasser, e havia atingido a margem leste do canal de Suez. Durante os poucos dias que se seguiram, vários cessar-fogo foram rapidamente ordenados. Mas deixaram os israelenses no comando do Sinai, de Jerusalém inteira, da Cisjordânia e das Colinas de Golan.[8]

Os árabes já vinham discutindo há mais de uma década o exercício da "arma do petróleo". Sua chance era aquela. Em 6 de junho, no dia seguinte ao início das hostilidades, os ministros árabes do petróleo exigiram um embargo contra todos os países simpatizantes de Israel. A Arábia Saudita, o Kuait, o Iraque, a Líbia e a Argélia, em seguida, suspenderam os carregamentos para os Estados Unidos, Grã-Bretanha e, em menor grau, para a Alemanha Ocidental. "De acordo com a decisão do Conselho de

Ministros tomada durante a sessão da noite passada", informava Ahmed Zaki Yamani às companhias Aramco, no dia 7 de junho, "solicitamos que suas companhias deixem de enviar, a partir de agora, petróleo para os Estados Unidos da América e para o Reino Unido. Vocês devem ter em mente que esta é uma decisão rigorosa e que essa companhia será gravemente responsabilizada caso uma só gota de nosso petróleo venha a ser desembarcada em qualquer das nações mencionadas".

Qual seria a razão para esses países exportadores de petróleo interromperem deliberadamente sua principal fonte de rendimentos? Para alguns, a decisão foi influenciada por distúrbios dentro de suas próprias fronteiras — greves de trabalhadores nos campos de petróleo, motins, sabotagem — e pelo temor à capacidade de Nasser, mesmo frustrado politicamente, em incitar as massas e a turba das ruas pelos rádios transistores. Os distúrbios mais graves aconteceram na Líbia, onde companhias de petróleo estrangeiras tiveram seus escritórios destruídos e seus funcionários agredidos pela multidão; logo montou-se um enorme programa de evacuação, com aviões partindo de Wheelus a cada meia hora, levando os funcionários das companhias ocidentais e suas famílias. A produção também fora interrompida por greves e sabotagens na Arábia Saudita e no Kuait.

No dia 8 de junho, o fluxo de petróleo árabe havia sido reduzido a 60%. A Arábia Saudita e a Líbia estavam completamente paralisadas. A imensa refinaria em Abadã estava fechada devido à recusa dos pilotos navais iraquianos em continuarem operando no canal de Shatt-al-Arab. A perda inicial total de petróleo no Oriente Médio era de seis milhões de barris por dia. Além disso, a logística estava um caos total não só pelas paralisações mas também pelo fechamento do canal de Suez e dos oleodutos do Iraque e da Arábia Saudita para o Mediterrâneo, como havia ocorrido em 1956. "A crise é mais séria do que na época do bloqueio de Suez em 1956-1957", declarou o subsecretário americano do Interior no dia 27 de junho. "Naquela época nenhum grande produtor, exceto o norte do Iraque, estava fechado e o problema se restringia ao transporte. Agora três quartos do petróleo da Europa Ocidental provêm de regiões árabes do Oriente Médio e do norte da África, metade do qual está fora de produção. A Europa enfrenta, portanto, uma escassez iminente de petróleo, de proporções críticas."[9]

A situação tornou-se ainda mais ameaçadora no final de junho e início de julho quando, por coincidência, irrompeu a guerra civil na Nigéria. A Região Leste daquele país, na qual se concentrava uma recém-desenvolvida produção significativa de petróleo, exigia uma participação maior nos rendimentos governamentais provenientes do petróleo. O governo nigeriano negou. Ocultos sob a luta pelas receitas havia conflitos étnicos e religiosos profundamente enraizados. A Região Leste, que se autodenominava Biafra, separou-se, e o governo nigeriano determinou um bloqueio às exportações de petróleo. O conflito resultante retirou outros 500 mil barris diários do mercado mundial, em um momento crítico.

Em parte pela concentração esmagadora de tropas no Vietnã, o plano político americano para a Guerra dos Seis Dias exibiu tal qualidade que ficou conhecido pelos beligerantes como *floating crap game* (jogo dos dados flutuantes). Num esforço para melhorar a coordenação política, o presidente Johnson criou um Ex-Com especial, presidido por McGeorge Bundy e inspirado no Ex-Com que John Kennedy havia usado durante a crise dos Mísseis Cubanos — que ficou conhecido posteriormente como "O Ex-Com Desconhecido". O Comitê de Bundy passou a maior parte de seu tempo analisando as implicações do fechamento do canal de Suez. Enquanto isso, as companhias de petróleo foram compelidas a tomar uma atitude apressada e drástica. O Departamento do Interior, em Washington, retomando uma vez mais à autorização vigente no período da guerra da Coreia, ativou um Comitê de Fornecimento de Petróleo Estrangeiro, composto por aproximadamente duas dúzias de companhias de petróleo americanas. Se fosse preciso, as leis antitrustes poderiam ser suspensas de maneira que as companhias conseguissem administrar conjuntamente a logística e montar outra alavancagem de petróleo para a Europa. Era esse o mesmo comitê que havia sido convocado durante a crise iraniana da nacionalização de 1951-1953 e depois novamente durante a crise de Suez, em 1956-1957. Disse um advogado que se tornou, por já ter participado de crises anteriores, um consultor do Comitê: "É como um pesadelo recorrente".

A suposição corrente era que o Comitê do Petróleo, da Organização para a Cooperação Econômica e Desenvolvimento, representando os países industrializados, poderia, no caso de uma crise, declarar uma emergência e implementar um "sistema de Suez", como já fora feito em 1956, e coordenar a distribuição global entre os países do Ocidente. No entanto, quando os Estados Unidos solicitaram tal providência, muitos países pertencentes à OCED, confiantes em que iriam ser capazes de fazer seus próprios acordos de fornecimento, resistiram. Os funcionários do governo americano ficaram chocados. Sem o reconhecimento por parte da OCED de que uma emergência estava prestes a acontecer, o Departamento de Justiça não iria admitir a renúncia ao direito antitruste, necessária para que as companhias americanas cooperassem umas com as outras. Quando os Estados Unidos advertiram que, sem uma declaração da OCED, as companhias americanas não poderiam trocar informações (e, por consequência, petróleo) com as companhias estrangeiras, a OCED com unanimidade aprovou uma moção reconhecendo a existência de "ameaça de uma emergência", embora com a abstenção de França, Alemanha e Turquia, permitindo que as medidas da coordenação americana e internacional fossem postas em ação.

Os maiores problemas, uma vez mais, mostraram ser os petroleiros e a logística. O fluxo normal de petróleo tinha que ser maciçamente reorganizado. O petróleo vindo das fontes não árabes foi desviado para os países embargados (ou, no caso dos Estados Unidos, transportados da Costa do Golfo para a Costa Leste) enquanto o petróleo árabe originalmente destinado aos Estados Unidos, Grã-Bretanha e Alemanha foi enviado para outros lugares. O fechamento do canal de Suez e dos oleodutos do Mediterrâneo significava, como em 1956, travessias muito mais longas, passando pelo Cabo da Boa Esperança, resultando, portanto, em uma louca disputa por petroleiros. A BP achou o trabalho de reorganização dos transportes tão complexo que suspendeu o uso dos computadores — eles não conseguiam imprimir os programas suficientemente rápido — e voltou ao lápis e papel. No entanto, as exigências de viagens muito mais longas poderiam ser atendidas com certa facilidade devido ao surgimento dos superpetroleiros, uma inovação estimulada pela Crise de Suez, em 1956. Em 1967, apenas 11 anos depois daquela crise, superpetroleiros cinco vezes maiores do que os petroleiros de 1956 já estavam disponíveis. Além disso, seis superpetroleiros de construção japonesa, cada um com 300 mil toneladas de peso bruto, sete vezes maior do que os petroleiros-padrão de 1956, foram liberados para participar dos trabalhos, fazendo a rota Golfo Pérsico-Europa.

A despeito da grande ansiedade e incerteza, os problemas se revelaram menos graves do que era de se esperar. A cena doméstica nos países árabes se acalmou e, uma vez que os exportadores árabes reiniciaram as operações de Produção, a perda máxima ficou em torno de 1,5 milhão de barris por dia — a quantia de petróleo árabe que normalmente seguia para os três países embargados, Estados Unidos, Grã-Bretanha e Alemanha. Esse 1,5 milhão de barris perdidos poderia ser recuperado em pouco tempo, recorrendo-se aos imensos estoques e, com o passar do tempo, à produção extra de algum outro país. Sete anos antes, em 1960, o Conselho de Segurança Nacional Americano havia descrito a produção reservada só para os Estados Unidos como "o principal fator de segurança da Europa, no caso de negação do petróleo do Oriente Médio". Essa hipótese foi corroborada em 1967. Os argumentos de segurança nacional defendidos por algumas pessoas no governo americano — e pelos independentes do Texas — a favor do rateio foram justificados; a América possuía uma grande capacidade de reserva de petróleo estocado, que poderia ser rapidamente trazido à produção (embora esse estoque talvez não fosse tão grande quanto se afirmasse publicamente). Com o gerenciamento da Comissão das Ferrovias do Texas e de agências semelhantes em outros estados, a produção americana saltou para quase um milhão de barris diários. A produção da Venezuela aumentou para mais de 400 mil barris diários e a do Irã para aproximadamente 200 mil barris. A Indonésia também elevou sua produção.[10]

Em julho de 1967, um mês depois da Guerra dos Seis Dias, ficou claro que a "arma árabe do petróleo" e o "embargo seletivo" foram um fracasso; os suprimentos estavam sendo redistribuídos para onde fossem necessários. O Comitê de Fornecimento de Petróleo Estrangeiro manteve os papéis informativo e consultivo; os mecanismos de emergência formais para operações conjuntas e para isenções antitrustes jamais precisaram ser implementados. As próprias companhias internacionais, trabalhando individualmente, haviam conseguido controlar a situação.

Os países que instituíram o embargo foram os maiores perdedores. Eles estavam anunciando a lucros substanciais sem nenhum resultado aparente. Além do mais, estavam sendo chamados a pagar as contas e garantir grandes e constantes subsídios ao Egito e a outros Estados árabes da "linha de frente". Zaki Yamani passou a questionar publicamente a relevância do embargo sob tais circunstâncias. Nem todos concordaram. O Iraque pediu um embargo completo por três meses a todos os carregamentos de petróleo para todos os usuários, a fim de dar uma lição ao Ocidente. Ele, porém, não encontrou respaldo entre seus irmãos árabes. Em um encontro de cúpula árabe em Cartum, no final de agosto de 1967, Nasser, que havia deixado 150 altos oficiais presos no Cairo para prevenir um golpe, admitiu que seu país estava completamente falido e necessitando desesperadamente de dinheiro. Os líderes reunidos concluíram que bombear petróleo e receber rendimentos do petróleo era a coisa mais sensata que poderiam fazer; isso representava uma afirmação da estratégia árabe "positiva". No início de setembro, o embargo das exportações para os Estados Unidos, Grã-Bretanha e para a Alemanha havia sido suspenso.

Nesse momento, o risco de qualquer escassez havia desaparecido. Mesmo em agosto, enquanto ainda cumpriam o embargo seletivo, os produtores árabes haviam elevado sua produção total para compensar o volume perdido e para continuar a participar do mercado como um todo. O resultado foi que a produção árabe total ficou, na verdade, 8% mais alta em agosto do que estava em maio, antes da Guerra dos Seis Dias! O crescimento da produção árabe foi o dobro das perdas causadas pela guerra civil nigeriana.

Embora essa última ruptura tenha sido administrada com relativa facilidade, ela poderia ter sido muito mais grave e difícil, caso a produção total dos vários países exportadores continuasse a sofrer interrupções, por decisão ou por agitação política, ou caso tivesse ocorrido sob diferentes condições de mercado. O Departamento do Interior americano, em seu relatório sobre a administração da crise, deixou claras duas lições: a importância de diversificar as fontes de suprimentos e de manter "uma grande e flexível frota de petroleiros". Na sequência da crise, o xá, sempre ávido por produção, propôs uma engenhosa ideia que, em sua concepção, iria interessar aos políticos de Washington e receber seu endosso para ajudá-lo na luta constante contra as companhias de petróleo. O Irã, disse ele, poderia obter uma quota americana especial de importação de petróleo, que poderia ficar estocado como reserva estratégica, em antigas minas de sal. Isso daria uma segurança maior aos Estados Unidos e flexibilidade de suprimento, além de lhe garantir um novo mercado comprador. Haveria, porém, uma nova crise de petróleo antes que a sensata ideia da estocagem fosse levada adiante.

Estava claro, no outono de 1967, que os suprimentos disponíveis iriam, pelo menos a curto prazo, realmente ultrapassar a demanda, como consequência do surto de produção posterior à Guerra dos Seis Dias. Em outubro, a matéria principal do *Wall Street Journal* tinha a seguinte manchete: "O medo da escassez gerado pela guerra do Oriente Médio dá lugar à ameaça de nova saturação": *Oil and Gas Journal* já estava advertindo para uma nova crise — "superabastecimento". Os executivos da indústria já não se preocupavam com a disponibilidade de suprimento mas, em vez disso, recordavam o quanto a reação à Crise de Suez, em 1956, havia intensificado a saturação no final da década de 1950, resultando na imposição das quotas de importação americanas, em reduções nos preços tabelados — e na criação da OPEP. Uma vez mais, o pêndulo parecia estar balançando num sentido bastante conhecido, da escassez para a saturação.[11]

A cassandra no Conselho do Carvão

O resultado da Guerra dos Seis Dias parecia confirmar quão seguro estava o abastecimento de petróleo. E o Homem Hidrocarboneto continuava a ter seu petróleo como uma dádiva. O petróleo definiu e motivou sua vida, mas por estar em toda parte e tão prontamente disponível, o Homem Hidrocarboneto quase nem pensava nele. Afinal, o petróleo estava lá, era infinitamente abundante e era barato. Ele jorrava como água. O superávit durou quase vinte anos e a opinião generalizada era que iria ser assim para sempre, uma condição permanente. Era assim que muitas pessoas encaravam os fatos na indústria petrolífera. "A 'projeção' do lucro do excedente de petróleo bruto é muito grande", dizia um estudo feito pela Standard Oil of California (Chevron), no final de 1968. "Algumas áreas serão pressionadas a continuar produzindo mais do que as exigências do mercado." Se os consumidores tivessem dado alguma importância a esse assunto, eles também teriam encarado o petróleo barato como um virtual direito inato e não como um produto circunstancial que poderia se alterar; e sua preocupação principal não teria sido outra além de ter que dirigir dois quarteirões a mais para economizar dois centavos por galão durante uma guerra de preços.

Havia algumas pessoas céticas, independentes, que questionavam e diziam coisas deselegantes, mas eram poucas. Uma delas era o economista alemão E. F. Schumacher, que havia estudado em Oxford como bolsista da Rhodes alemã e depois na Universidade de Columbia, tendo imigrado definitivamente para a Inglaterra no final da década de 1930. Antigo colaborador da *Economist* e da *Times* de Londres, tornou-se em 1950 o consultor econômico do National Coal Board (Conselho Nacional do Carvão) que controlava a indústria nacionalizada pela Grã-Bretanha depois da guerra. Foi um cargo que ele conseguiu manter em virtual anonimato por duas décadas. Mas Fritz Schumacher era dono de uma mente fértil e aberta. Ficou fascinado pelo budismo e investigou o que chamava de "tecnologias intermediárias" para os países em desenvolvimento, como uma alternativa aos projetos industriais exibicionistas e de alto custo, que eram copiados do Ocidente.

Como consultor econômico do Conselho do Carvão, Schumacher também tinha uma agenda específica para cumprir. Ele foi designado para fornecer embasamento intelectual para a indústria carbonífera em sua grande disputa com o petróleo pela participação no mercado. Foi um dos cérebros mais brilhantes, ao qual coube – como era inevitável – a parte perdedora dessa disputa e foi com amargura e pesar que observou a deposição, sem cerimônia, do carvão de seu posto de "ajuda universal". Posteriormente, seria festejado pelos ambientalistas, embora defendesse o carvão, um combustível muito mais sujo que o petróleo. Seu foco, porém, era o problema do esgotamento de um recurso natural e não o efeito da combustão, que muito iria preocupar seus seguidores, duas décadas mais tarde.

"Não há substitutos para a energia", disse Schumacher em 1964, fazendo eco a Jevons, economista do século XIX e defensor do carvão. "Toda estrutura da vida moderna está baseada nela. Embora a energia possa ser comprada e vendida como um Outro produto qualquer, ela não é 'apenas mais um produto' , mas o prerrequisito de todos os produtos, um fator fundamental comparável ao ar, a água, e a terra." Schumacher argumentava vigorosamente a favor do uso do carvão para prover as necessidades energéticas mundiais. O petróleo, acreditava ele, era um recurso finito, que não deveria ser usado de modo leviano. Também achava que o petróleo não seria sempre barato, na medida que as reservas minguassem e os exportadores buscassem abocanhar parcelas cada vez maiores de lucros. Mais especificamente, ele advertia contra a dependência ao Oriente Médio. "As reservas mais abundantes e as mais baratas estão localizadas em alguns dos países mais instáveis do mundo", escreveu ele. "Diante de tal incerteza, temos a tentação de abandonar a busca de uma perspectiva de longo prazo e simplesmente esperar pelo melhor."

Num período de otimismo, as perspectivas a longo prazo do próprio Schumacher eram sombrias. Ele expressava os riscos em termos econômicos. Advertia que "com o rápido crescimento das taxas de consumo e preços baixos "o suprimento mundial de petróleo não estará assegurado para os próximos vinte anos, pelo menos não com esses preços baixos". Certa vez, esteve a ponto de colocar suas advertências em termos mais metafísicos. Citando um eminente professor de Economia de Oxford, declarou que o "crepúsculo dos deuses do combustível recairá sobre nós em um futuro não muito distante".

Sua voz pregava no deserto. Ainda havia um imenso excedente de petróleo e Schumacher continuava descarregando suas lamúrias a um público indiferente e desinteressado. Em 1970, desencorajado e supondo que já havia feito tudo que podia em sua batalha contra o petróleo, retirou-se do Conselho do Carvão. Não tinha marcado muitos pontos com seus argumentos; na verdade, os anos em que estivera no Conselho do Carvão coincidiram quase exatamente com as duas décadas nas quais o petróleo havia destronado impiedosamente o velho rei carvão e adquirido soberania na sociedade industrial. "As galinhas estão para retomar ao poleiro", dizia Schumacher com resignação. A essa altura, ele parecia um desmancha-prazeres mal-humorado, que havia se recusado a aproveitar a festa. Porém, logo publicaria um livro que iria contestar os preceitos da Era Hidrocarboneto e os fundamentos básicos do fascinante lema "Maior é melhor". E, dentro de muito pouco tempo, os acontecimentos iriam fazê-lo parecer-se menos com um desmancha-prazeres e mais com um profeta.[12]

O "coronel" Edwin Drake, de cartola, em frente do primeiro poço de petróleo perto de Titusville, na Pensilvânia, em 1859. O título de "coronel" foi inventado para impressionar os caipiras do lugar, que o consideravam louco por tentar perfurar à procura de petróleo.

A Shoe and Leather Petroleum Company, em primeiro plano, junto ao Oil Creek, na Pensilvânia, em 1865.

John D. Rockefeller, afastado do caos dos negócios petrolíferos, criou a grande Standard Oil Trust, que logo dominou a indústria e o tornou o homem mais rico dos Estados Unidos.

Para gente com garra, os negócios petrolíferos eram um caminho seguro para a fama e a fortuna.

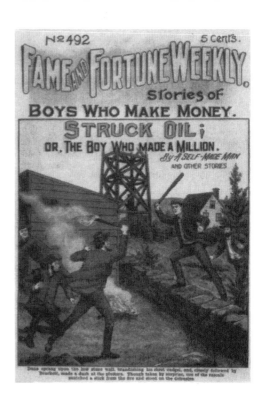

Arthur Bates, um negociante de petróleo em Geneva, no estado de Ohio, entregava querosene – a "nova luz" – de porta em porta com sua carroça-tanque.

Em 1905, Tarbell deu prosseguimento a seu ataque à Standard Oil com um contundente esboço de personalidade do próprio Rockefeller.

No dia 10 de janeiro de 1901, jorrou petróleo no poço do capitão Anthony Lucas, em Spindletop. Foi o dramático começo da indústria petrolífera no Texas.

Os campos petrolíferos de Baku, incendiados durante a Revolução de 1905. A convulsão política e social acabou por fazer com que os Rothschild e os Nobel saíssem da Rússia.

Henri Deterding, o "camarada empreendedor" que forjou a fusão da Royal Dutch com a Shell, foi, nos 25 anos que se seguiram, o homem mais poderoso do ramo petrolífero.

Henry Ford sentado no primeiro carro construído por ele, em 1896. O automóvel criou um novo mercado para o petróleo exatamente quando a indústria perdia o seu principal mercado — o do querosene — para as inovações de Thomas Edison na eletricidade.

Em setembro de 1914, com o imenso exército alemão aproximando-se de Paris, os franceses recrutaram os táxis da cidade para levar às pressas tropas para o *front*. O petróleo entrou na guerra.

Depois de cinco anos de trabalho duro e desapontamento, o engenheiro George Reynolds (à esquerda) – o "sólido carvalho inglês" – finalmente descobriu petróleo na Pérsia em 1908, iniciando a exploração do petróleo no Oriente Médio.

A rápida mecanização do campo de batalha na I Guerra Mundial, que incluiu o tanque e o avião, trouxe à guerra uma nova mobilidade e tornou o petróleo um artigo estratégico essencial.

O romance dos Estados Unidos com o automóvel começou na década de 1920, quando a gasolina era abundante e barata.

A década de 1920 viu o nascimento de um templo secular da moderna civilização americana — o posto drive-in de gasolina. Acima o primeiro posto de gasolina da Phillips em Wichita, no Kansas, em 1927, no dia de sua inauguração.

Na década de 1920 as companhias de petróleo promoveram marcas e nomes para diferenciar os seus produtos e ganhar a lealdade do cliente.

Calouste Gulbenkian, o voluntarioso e tenaz "Sr. Cinco por Cento", tornou-se imensamente rico defendendo os seus interesses no petróleo do Iraque. Tinha sempre pelo menos uma amante menor de dezoito anos, mesmo nos seus oitenta anos, porque o médico insistia na necessidade de manter o seu vigor.

A Standard Oil of New Jersey (posteriormente Exxon) surgiu do desmembramento da Standard Oil Trust como a maior e mais poderosa companhia de petróleo dos Estados Unidos. Era dominada pelo "patrão", Walter Teagle, neto do primeiro sócio de Rockefeller.

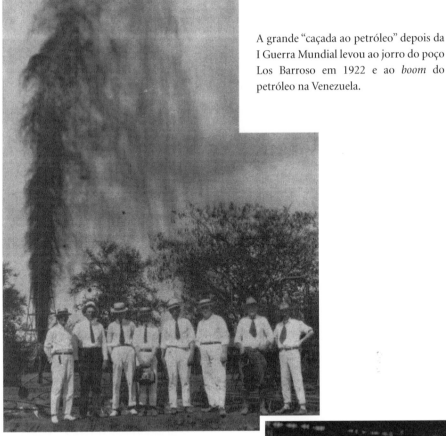

A grande "caçada ao petróleo" depois da I Guerra Mundial levou ao jorro do poço Los Barroso em 1922 e ao *boom* do petróleo na Venezuela.

O rei Ibn Saud, fundador da moderna Arábia Saudita. Quando começou a campanha para restaurar a dinastia saudita, ele podia carregar todo o seu tesouro no alforge de um camelo.

No dia 18 de março de 1938, o presidente Lázaro Cárdenas anuncia a expropriação das companhias estrangeiras de petróleo no México – e alimenta o encarniçado conflito entre os países produtores e a indústria petrolífera internacional.

Durante a II Guerra Mundial, Adolf Hitler fez do petróleo a base de sua estratégia de conquista. Sua invasão mal concebida à União Soviética foi detida bem perto das ricas reservas de petróleo do Cáucaso.

O petróleo também foi primordial para a estratégia japonesa na guerra do Extremo Oriente. O almirante Isoroku Yamamoto planejou o ataque a Pearl Harbor para proteger o flanco japonês em sua busca de petróleo nas Índias Orientais.

A inauguração, em 1937, da usina de combustíveis sintéticos de Magdeburg (esquerda). Tais combustíveis proveram mais que a metade dos suprimentos de petróleo da Alemanha durante a guerra. A mesma usina (direita), após o lançamento de três mil bombas pelos bombardeiros aliados.

O rei Ibn Saud reuniu-se com o presidente Franklin Roosevelt em 1945, a bordo de um navio americano, no canal de Suez. A imensidão dos campos de petróleo do Oriente Médio começava a ser reconhecida.

Os dias felizes voltaram. A vitória trouxe o fim do racionamento de combustível nos EUA.

O petróleo e seus derivados tornaram-se o tijolo e a argamassa na era do hidrocarboneto. "Garotas Shell" demonstram o bambolê plástico no alto do edifício da matriz Shell, em 1957, Londres.

Em Londres, como na América, as mulheres se ocuparam dos postos de gasolina e de outros serviços essenciais, enquanto os homens iam para a guerra.

Em 1951, o primeiro-ministro iraniano, Mohammed Mossadegh, nacionalizou a British Petroleum, criou a primeira crise petrolífera do pós-guerra, desencadeando forças políticas que não podia controlar.

Gamal Abdel Nasser e Anthony Eden, antes que Nasser nacionalizasse o canal de Suez, em 1956, desencadeando a segunda crise petrolífera do pós-guerra.

Em 1957, o general Charles De Gaulle, ao visitar o novo campo petrolífero na Argélia, declarou: "Isso pode alterar todo o nosso destino". A França tinha ansiado longamente por um suprimento de petróleo próprio e independente.

Os dois fundadores da OPEP: Abdhullah Tariki, o "sheik vermelho" e primeiro-ministro da Arábia Saudita, e o ministro venezuelano, Juan Péres Alfonzo.

A guerra de Yom Kipur em 1973 levou os preços da gasolina para a estratosfera e os americanos para as filas dos postos de gasolina. O mesmo ocorreu novamente em 1979, quando o xá do Irã foi deposto.

Quando Jimmy Carter saudou o xá do Irã na Casa Branca em 1978, seus olhos se encheram de lágrimas — não de emoção, mas do gás lacrimogênio utilizado para conter manifestações.

Com a queda do xá, o aiatolá Ruhollah Khomeini foi delirantemente aplaudido em Teerã, ao retornar do exílio em fevereiro de 1979.

O homem do petróleo George Bush, então presidente da Zapata Off-Shore, com seu filho George, em 1956. Trinta anos depois, em 1986, como vice-presidente, encontrou com o rei Fahd, da Arábia Saudita e, em 1990, como presidente dos EUA mobilizou-se contra Saddam Hussein após a invasão do Kuait pelo Iraque e da batalha pelo petróleo do Oriente Médio.

Cidade São Vicente, Campo de Tupi, 2009.

PARTE V

A batalha pela hegemonia mundial

CAPÍTULO XXVIII

Os anos críticos:
países *versus* companhias

PERSÉPOLIS, A CAPITAL DO ANTIGO IMPÉRIO PERSA, foi saqueada por Alexandre, o Grande, em 330 a.C. e abandonada, em ruínas desertas, por mais de dois milênios. Em outubro de 1971, voltou a viver seus dias de glória. Foram montadas três tendas enormes e outras 59 menores naquele local desolado. O evento era o que a revista *Time* chamou de "uma das maiores festas de toda a história" oferecida pelo xá do Irã para comemorar a criação do Império Persa há 25 séculos. Entre os dignatários reunidos incluíam-se o presidente da União Soviética, o vice-presidente dos Estados Unidos, o marechal Tito, da Iugoslávia, 20 reis e sheiks, 5 rainhas, 21 príncipes e princesas, mais 14 presidentes, 3 vice-presidentes, 3 primeiros-ministros e 2 ministros de Relações Exteriores. No decorrer das cerimônias, o xá comungou publicamente com o espírito do rei Ciro, o Grande, fundador do império, prometendo continuar a tradição e as obras daquele monarca, morto há cerca de 25 séculos. Os convidados, adornados com joias e condecorações, foram transportados em ônibus à colina acima de Persépolis para assistir a um extraordinário *son et lumière* sob as estrelas, que dramatizava, por estranho que pareça, a destruição de Persépolis por Alexandre.

Antecipando a comemoração de Persépolis, o governo iraniano solicitou urgentemente o parecer da Inglaterra sobre um dos mais delicados assuntos da alta diplomacia: como resolver o problema da distribuição dos lugares com a presença de tão grande número de VIPs. Era grande a possibilidade de ofensa a vários potentados. A seção é protocolo do Ministério das Relações Exteriores, em Londres, apresentou um plano inovador baseado numa mesa especialmente idealizada com curvas ondulantes de tal modo que ninguém ficaria longe de um membro importante da família Pahlavi.

Como prova marcante de sua magnificência o xá havia convidado a rainha Elizabeth II para assistir à festa. Mas coube ao embaixador de Sua Majestade em Teerã a difícil tarefa de explicar que a rainha já havia se comprometido com uma visita oficial a outro lugar. O "outro lugar", no entanto, era por acaso a vizinha Turquia, uma provocação para o xá. Ele, então, convidou o príncipe Charles. Pena, mas Charles não estava disponível; encontrava-se a serviço da marinha numa fragata no mar do Norte. Não importava que Persépolis não fosse somente uma outra festa, mas sim uma celebração que ocorria a cada 25 séculos — e que o xá se achava, entre outras coisas, no processo de encomendar várias centenas de tanques desenvolvidos pelo comando britânico, que coincidentemente tinham importância crítica para o balanço de pagamentos da Inglaterra. Londres lhe ofereceu o príncipe Philip e a princesa Anne. O xá aceitou, mas não ficou particularmente satisfeito.

O evento foi organizado pelo Maxim's de Paris. Os cardápios, criados e elaborados por 165 cozinheiros-chefes, confeiteiros e garçons, todos vindos de Paris, eram magníficos. Para acompanhar as refeições, vieram também da França 25 mil garrafas de vinho. (Como todo o acontecimento se caracterizava por uma forte influência francesa, o presidente da França, Georges Pompidou, se fez notar por sua ausência. "Se eu fosse", tinha explicado confidencialmente um pouco antes, "eles provavelmente teriam me transformado no chefe dos garçons".) O custo da pompa e das comemorações foi estimado em algo em torno de cem milhões a duzentos milhões de dólares. Quando alguém questionava tal extravagância, o xá não conseguia conter sua irritação. "De que o povo está reclamando?", perguntou. "Que estamos oferecendo um par de banquetes para cinquenta chefes de Estado? Não podemos apenas lhes oferecer pão e rabanetes, podemos? Graças aos céus, a Corte Imperial do Irã ainda tem como arcar com as despesas dos serviços do Maxim's."

Depois de Persépolis, a Inglaterra, num esforço para apaziguar o xá e reduzir as diversas tensões entre os dois países, convidou-o a passar o fim de semana real em Ascot, com a família real, no castelo de Windsor. A visita foi um grande sucesso. O único senão surgiu durante a cavalgada *à deux* do xá com a rainha. Horas antes do horário combinado para o passeio, percebeu-se com horror que o xá, varão iraniano, não montaria uma égua ou cavalo castrado, mas somente um garanhão. Nenhum garanhão estava disponível. Quando o desespero já tomava conta do lado britânico, a rainha lembrou-se de que a princesa Anne possuía um garanhão. Observou-se, com novo horror, que o cavalo chamava-se Cossaco. O xá do Irã, naturalmente, era filho de um oficial das Brigadas Cossacas, que haviam tomado o poder na década de 1920. Dada a sensibilidade do xá a respeito de seu pai e o papel da Inglaterra ao depô-lo, como também sua desconfiança em geral dos britânicos, bem poderia ser tomado o oferecimento de tal cavalo como um novo acintoso insulto, na verdade, uma grosseria. O xá acabou por montar Cossaco. O nome do cavalo foi habilmente mantido longe de seus ouvidos, a cavalgada e o resto do fim de semana correram perfeitamente bem. A rainha Elizabeth e o príncipe Philip, o xá e a imperatriz percorreram a pista de Ascot em carruagem aberta. Depois disso, o xá já poderia escrever à rainha como "minha querida prima soberana". A Inglaterra voltava a desfrutar de seus favores.

O objetivo principal da grande comemoração do xá em Persépolis era firmar-se nitidamente na linhagem de Ciro, o Grande, O Eleito por Deus. A visita à rainha realçou seu *status* de equivalência em realeza. Não era mais um boneco, um fantoche, meramente nomeado para ocupar o trono. Era agora um homem de enorme riqueza, poder — e orgulho — que estava assumindo novos e fundamentais papéis no Oriente Médio e na cena internacional.[1]

A retirada anglo-americana

No período do pós-guerra, a ordem petrolífera no Oriente Médio foi desenvolvida e mantida sob a ascendência anglo-americana. Na segunda metade da década de 1960, o poder político de ambas as nações estava em recessão e isso significava que a base política em relação ao petróleo também estava se enfraquecendo. Os Estados Unidos estavam envolvidos em dificuldades no Vietnã há vários anos, numa guerra dispendiosa, impopular e, no final das contas, malsucedida. Ao mesmo tempo, o antiamericanismo havia se tornado moda e uma grande indústria, organizada em quase todo o mundo, em torno de denúncias do imperialismo, neocolonialismo e exploração econômica. Os próprios americanos encontravam-se profundamente divididos não apenas pela guerra do Vietnã, mas também pelas discussões sobre as "lições do Vietnã", relacionadas com a extensão e o caráter do papel dos Estados Unidos no mundo. Entretanto, para alguns países do mundo em desenvolvimento, as lições do Vietnã eram bem diferentes: os perigos e os custos de desafiar os Estados Unidos eram menores do que costumavam ser no passado, e certamente nem de longe tão grandes como tinham sido para Mossadegh, ao mesmo tempo que os ganhos poderiam ser consideráveis.

Os Estados Unidos eram neófitos no Oriente Médio se comparados com a Inglaterra, presente no Golfo Pérsico desde o início do século XIX, combatendo os piratas que ali navegavam e estabelecendo tréguas nas lutas crônicas entre os sheiks ao longo do lado árabe do Golfo. Em troca, os ingleses assumiram a responsabilidade de manter a paz por meio de acordos que evoluíram para garantias de proteção à independência e à integridade desses vários Estados "em trégua". No final do século XIX e começo do século XX, tratados semelhantes e acordos desse tipo foram concedidos a Bahrain, Kuait e Catar. Mas a Inglaterra, na década de 1960, era um país preocupado com o seu próprio declínio econômico, que coincidia com o declínio político, tanto nacional como internacional, e fazia da liquidação do império o drama central da nação no período pós-guerra. A Grã-Bretanha retirara-se do porto de Áden, no extremo sul da Península Arábica. Criação inteiramente britânica, Áden estava estrategicamente localizado nas rotas do petróleo, Partindo do Golfo Pérsico, e era um dos portos mais movimentados do mundo. Estava, agora, desorganizado. Na partida do governador inglês, uma banda militar tocou *Fings ain't wot they used to be*. E, de fato, não eram mesmo. Com a retirada da Inglaterra, Áden foi absorvido pelo duro Estado marxista-Lêninista do Iêmen do Sul. No início de janeiro de 1968, reagindo a uma crise no balanço de pagamentos, o primeiro-ministro Harold Wilson anunciou que a Inglaterra poria fim a seu compromisso de defesa ao leste de Suez.

Retiraria completamente sua força militar do Golfo Pérsico até 1971 eliminando assim o último e importante vestígio da grande Pax Britannica do século XIX e da soberania britânica.

Os sheiks e outros governantes do Golfo Pérsico ficaram aturdidos com a decisão do governo Wilson; apenas três meses antes, o Ministério das Relações Exteriores os tranquilizara afirmando que a Inglaterra não tinha qualquer intenção de deixar o Golfo. Os sheiks suplicaram à Inglaterra que mantivesse sua presença. "Quem pediu a eles para partirem?", perguntou o governador de Dubai. O emir de Bahrain foi mais franco. "A Inglaterra poderia se beneficiar se tivesse outro Winston Churchill", disse ele. "A Inglaterra é agora fraca onde costumava ser tão forte. Você sabe que nós e, todo o povo do Golfo, acolheríamos de bom grado sua permanência."

A presença britânica no Golfo era constituída, de fato, por apenas uma tropa de infantaria com cerca de seis mil soldados, mais as unidades de apoio aéreo, ao custo equivalente a doze milhões de libras por ano. Isso poderia ser considerado uma quantia pouco significativa, um prêmio de seguro, levando-se em conta o vasto investimento feito na região pelas companhias de petróleo britânicas, gerando tanto lucros, de impacto muito positivo na balança de pagamentos, como enormes rendimentos para os cofres do governo. Alguns dos sheiks disseram que ficariam satisfeitos em financiar os 12 milhões de libras necessários para a manutenção das forças britânicas na área. A oferta foi rejeitada com indignação. O ministro da Defesa, Denis Healey, ridicularizou a ideia de os ingleses se tornarem "mercenários por causa de gente que gosta de ter tropas britânicas por perto". Lembrou, porém, que pagamentos equivalentes a esse foram aceitos para guarnecer com tropas britânicas a Alemanha Ocidental ou Hong Kong. Não foi apenas a necessidade econômica que motivou Healey; o crescimento do nacionalismo o persuadiu de que seria "politicamente insensato" manter uma presença militar no Oriente Médio.

Os ingleses ajudaram a criar a Federação dos Emirados Árabes Unidos, juntando vários pequenos Estados, na esperança de que assim poderiam se proteger melhor. Depois disso, prepararam-se para partir, deixando o Golfo em novembro de 1971. A partida marcou a mudança mais importante no Golfo desde a II Guerra Mundial, assinalando o fim do sistema de segurança que havia funcionado naquela área por mais de um século. Deixou para trás um perigoso vácuo de poder numa região que fornecia 32% do petróleo ao mundo livre e que, na época, detinha 58% das reservas comprovadas de petróleo.

Como havia demonstrado no mês anterior com a grande comemoração em Persépolis, o xá do Irã estava ansioso para preencher esse vácuo. "A segurança do Golfo Pérsico tinha", disse ele, "que ser garantida, e quem melhor do que o Irã para exercer essa função?" Os americanos não estavam nada satisfeitos com a retirada da Inglaterra. Sem os ingleses, ficavam com o xá. Afinal de contas, viviam na era da doutrina Nixon, que tentava contornar as recentes restrições políticas e econômicas ao poderio americano apoiando-se em potentes Forças Aliadas locais como sua polícia regional. Ninguém melhor para desempenhar o papel do que o xá. O próprio Nixon passara a ter um grande respeito pelo xá, a quem havia encontrado pela primeira vez em 1953, alguns meses após a reconquista do trono. "O xá está começando a ter mais coragem", havia dito então ao presidente Eisenhower. "Se o xá assumisse o comando, as coisas melhorariam." Quando Nixon perdeu a eleição para governador da Califórnia, em 1962, partiu para uma viagem ao redor do mundo. O xá foi um dos poucos chefes de Estado a recebê-lo cordialmente. Nixon nunca se esqueceu dessa demonstração de respeito quando estava por baixo. Agora, no princípio dos anos 1970, o xá tem a intenção de assumir o comando, não apenas do Irã, mas de toda a região, e a administração Nixon o apoia. Embora esse fato não fosse frequentemente reconhecido, não havia outra escolha. Os armamentos soviéticos estavam circulando em grande quantidade no vizinho Iraque, que há muito tempo tinha suas próprias ambições em relação à hegemonia do Golfo e seu petróleo. Daí em diante, um sistema de segurança bem diferente iria reinar na região.[2]

O fim do excedente de vinte anos: em direção a um mercado vendedor

A década de 1970 presenciou também uma virada dramática em relação ao petróleo mundial. A demanda estava se nivelando à produção disponível e o excedente acumulado em vinte anos havia se acabado. Em consequência, o mundo estava se tornando cada vez mais dependente do Oriente Médio e do norte da África para obter seu petróleo. O final da década de 1960 e o início da década de 1970 foram, em grande parte, anos de alto crescimento econômico para o mundo industrializado e, em alguns anos, houve uma verdadeira explosão de negócios. Esse crescimento foi movido a petróleo. A demanda de petróleo no mundo livre aumentou de quase dezenove milhões de barris por dia em 1960 para mais de 44 milhões de barris por dia em 1972. O consumo de petróleo explodiu em todo o mundo além da expectativa, à medida que quantidades cada vez maiores eram queimadas nas fábricas, nas usinas, nas casas e nos carros. Nos Estados Unidos, o consumo de gasolina aumentou não só porque as pessoas percorriam distâncias maiores, mas também porque os carros estavam se tornando mais pesados e carregando mais "equipamentos opcionais", tipo ar-condicionado. O baixo preço do petróleo na década de 1960 e no início da década de 1970 indicava que não haveria nenhum incentivo para automóveis eficientes no item consumo de combustível.

O final da década de 1960 e o início da de 1970 foram os anos que estabeleceram uma linha divisória na indústria petrolífera nacional dos Estados Unidos. O país tinha esgotado sua capacidade excedente. Por décadas, desde o tempo de Dad Joiner, do campo de East Texas, e de Harold Ickes, a produção era regulamentada pela Comissão Ferroviária do Texas, pela Comissão das Corporações de Oklahoma, pela Comissão de Conservação da Louisiana e por entidades similares em outros Estados. Fez-se um racionamento preventivo da produção, mantendo a produção real bem abaixo da capacidade a fim de se conservar as reservas e se manteve os preços numa posição de super-abundância potencial crônica. O resultado inesperado das medidas foi o de abastecer os Estados Unidos e todo o mundo ocidental com uma reserva garantida, bem como com a capacidade de aumentar rapidamente a produção, que poderia ser utilizada em tempos de crise — da magnitude da I Guerra Mundial ou das crises muito mais restritas de 1951, 1956 e 1967.

Mas a necessidade de limitar a produção foi anulada pela demanda crescente, pelo pequeno investimento devido aos preços baixos e aos índices de exploração relativamente inexpressivos, e pelas cotas restritivas de importação. Havia agora um comprador ansioso para cada barril de petróleo que pudesse ser produzido nos Estados Unidos. No período entre 1957 e 1963, a capacidade excedente dos Estados Unidos era de aproximadamente quatro milhões de barris por dia. Por volta de 1970, sobravam apenas um milhão de barris por dia, e mesmo esse número pode ter sido um tanto exagerado. Nesse ano, a produção americana de petróleo atingiu 11,3 milhões de barris por dia. Foi a produção máxima, o nível mais alto jamais alcançado. Daí em diante, começou a cair. Em março de 1971, pela primeira vez em 25 anos, a Comissão Ferroviária do Texas permitiu a produção máxima — cem por cento da capacidade. "Sentimos que essa é uma ocasião histórica", declarou o presidente da comissão. "Uma ocasião histórica maldita e melancólica. Os campos de petróleo do Texas têm sido um velho e confiável guerreiro que poderia realizar a tarefa quando necessário. Agora o velho guerreiro não pode mais se levantar." Com o contínuo aumento do consumo, os Estados Unidos precisaram dirigir-se ao mercado mundial de petróleo para satisfazer a demanda. As cotas originalmente estabelecidas por Eisenhower diminuíram e as importações líquidas subiram rapidamente de 2,2 milhões de barris por dia, em 1967, para seis milhões de barris por dia, em 1973. Nesse período as importações subiram de 19 para 36% do consumo total de petróleo.

O fim da capacidade excedente dos Estados Unidos teria implicações importantes, pois significava que a "margem de segurança", da qual o mundo ocidental dependia, havia terminado. Em novembro de 1968, o Departamento de Estado comunicou aos governos europeus, numa reunião da OCED (Organização para a Cooperação Econômica e Desenvolvimento) em Paris, que a produção americana atingiria em breve os limites de sua capacidade. Em caso de emergência, não haveria reserva de segurança; os Estados Unidos não teriam condições de fornecer suprimentos extras. Os outros participantes da reunião foram apanhados de surpresa. Esse episódio ocorreu em 1967, somente um ano apenas após o embargo promovido pela OPEP, e evidentemente não se podia mais confiar no Oriente Médio.

Na verdade, o fio da navalha era a crescente dependência do petróleo do Extremo Oriente. Novos campos surgiram na Indonésia e Nigéria (neste último caso, após o final da guerra civil no início de 1970), mas a produção nesses locais foi limitada pelo crescimento da produção do Oriente Médio. Entre 1960 e 1970, a demanda de petróleo do mundo livre cresceu cerca de 21 milhões de barris por dia. Nesse mesmo período, a produção no Oriente Médio (incluindo o norte da África) aumentou cerca de treze milhões de barris por dia. Em outras palavras, dois terços do extraordinário aumento de consumo de petróleo estavam sendo supridos pelos poços do Oriente Médio.[3]

Impacto ambiental

Outra mudança significativa estava ocorrendo nos países industrializados. A concepção do homem a respeito do meio ambiente e sua relação com ele também estava mudando, criando o paradoxo da demanda crescente do petróleo e da regulamentação de seu uso. A partir de meados da década de 1960, as questões ambientais começaram a competir com sucesso no processo político, tanto nos Estados Unidos como em outros países. A poluição do ar levou usinas e fábricas no mundo todo a substituir o carvão pelo petróleo menos poluidor, aumentando, assim, a demanda. Em 1965, o prefeito de Nova York se comprometeu a acabar com o uso do carvão na cidade. Uma crise de poluição do ar atingiu a cidade de Nova York no Dia de Ação de Graças, em 1966; a fumaça tomou conta da cidade, e a queima de carvão foi limitada. Em dois anos, a Consolidated Edison, empresa pública de fornecimento de energia que servia a cidade de Nova York, passou a usar petróleo. Em 1967, o Senado dos Estados Unidos aprovou um projeto de despoluição do ar com 88 votos a favor e três contra. Em 1970, a legislação federal aprovou um conjunto de leis que estabelecia o que se tornou conhecido como posturas de impacto ambiental: as possíveis consequências de novos grandes projetos para o meio ambiente tinham que ser previstas e levadas em consideração antes de sua aprovação. Nesse mesmo ano, cem mil pessoas desfilaram pela Quinta Avenida, na cidade de Nova York, comemorando o Dia da Terra.

Nada refletiu tanto a nova consciência ambiental como a extraordinária repercussão pública de *Os Limites do Crescimento: Um Relatório para o Projeto do Clube de Roma sobre "A Situação Crítica da Humanidade"*. Publicado em 1972, o livro argumentava que, se as diversas tendências básicas do mundo — no que se refere a população, industrialização, poluição, produção de alimentos, consumo de energia e esgotamento de recursos (incluindo o petróleo e o gás natural) — persistirem, poderão tornar a civilização industrial contemporânea insustentável, e "os limites de crescimento neste planeta serão alcançados nos próximos cem anos". O estudo não apenas chamava a atenção sobre o esvaziamento de recursos, mas também sobre as consequências ambientais da queima de hidrocarbonetos, do acúmulo de dióxido de carbono na atmosfera e de um nova preocupação com o aquecimento global da Terra. Tratava-se de uma advertência geral: o *timing* das crises futuras era altamente incerto.

O próprio estudo foi publicado num momento crítico. Uma explosão econômica mundial, com inflação alta e um crescimento ainda maior do uso dos recursos, estava ocorrendo a um tempo em que as reservas de petróleo americanas vinham diminuindo. Tanto as importações como o uso de energia estavam aumentando dramaticamente em todo o mundo. Além disso, a nova conscientização ambiental torna importante a orientação política para o bem-estar público no mundo industrializado e força mudanças na estratégia corporativa das empresas. Isso significava, nas palavras de um executivo da Sun Oil, um "novo jogo" para as companhias energéticas. O livro *Os Limites de Crescimento* tornou-se uma atração nos debates sobre energia e meio ambiente. Seus argumentos representavam um elemento de peso em relação ao medo e ao pessimismo sobre a iminente escassez e esgotamento de recursos, tão difundidos na década de 1970, dando forma às políticas e ao comportamento tanto dos países importadores de petróleo como dos exportadores.

O impacto do ambientalismo no equilíbrio energético foi múltiplo. A diminuição do uso do carvão foi acelerada, e cresceu a confiança no petróleo como combustível menos poluidor. A energia nuclear foi considerada um progresso ambiental se comparada à combustão de hidrocarbonetos. Cresceram os esforços na busca de novos lençóis de petróleo e, por volta do final da década de 1960, aumentaram as esperanças de maior produção na Costa da Califórnia. Afinal de contas, esse foi o local da primeira perfuração submarina feita no cais perto de Santa Bárbara antes do fim do século XIX. Agora, mais de setenta anos depois, os equipamentos voltavam a fazer parte do pitoresco litoral do sul da Califórnia. Mas, em janeiro de 1969, na perfuração de um poço próximo à praia, no canal de Santa Bárbara, encontrou-se uma inesperada anomalia geológica e, como resultado, uma estimativa de que seis mil barris de petróleo se infiltraram imprevistamente numa fissura não prevista e vieram borbulhar na superfície. Uma camada aderente e gordurosa de petróleo cru e pesado fluiu sem barreiras para as águas da costa marítima e, levada pelas ondas, espalhou-se por 45 quilômetros de praia. O clamor público nacional atingiu diretamente o espectro político. A administração Nixon impôs moratória à continuidade da exploração nas praias da Califórnia, praticamente encerrando todas as atividades. Não obstante a grande necessidade de petróleo, o vazamento fez crescer a oposição ao desenvolvimento de fontes de energia em outras áreas sensíveis ao meio ambiente, incluindo a mais promissora área em toda a América do Norte, aquela que mais provavelmente impediria o declínio da produção petrolífera americana e equilibraria a crescente dependência do Oriente Médio — o Alasca.[4]

O elefante do Alasca

Já em 1923, o presidente Warren Harding havia criado uma reserva petrolífera marítima na costa ártica do Alasca, e nos anos subsequentes exploradores autônomos de petróleo perfuraram toda a região. Após a crise de Suez, em 1956, a Shell e a Standard Oil de New Jersey começaram a prospectar no Alasca, mas em 1959, após a mais dispendiosa perfuração de poços secos da época, suspenderam as operações.

Um outro interessado era a British Petroleum. Em decorrência do episódio Mossadegh, no Irã, e depois da crise de Suez, a BP estava extremamente ansiosa para reduzir sua quase total dependência do Oriente Médio. Em 1957, um ano após a crise de Suez, tomou-se a decisão estratégica de procurar fontes alternativas de produção, particularmente no Ocidente. Esse procedimento tinha total apoio do governo britânico. "As empresas petrolíferas britânicas estão bastante conscientes da incerteza do fornecimento de petróleo pelo Oriente Médio, com o qual contavam principalmente para dar sustentação a seus negócios na Europa Ocidental e, na realidade, em todo o hemisfério oriental", escreveu confidencialmente o primeiro-ministro Harold MacMillan ao primeiro ministro-australiano, Robert Menzies, em 1958. "Também sabem que o governo do Reino Unido, por razões políticas e econômicas, acolheria muito bem qualquer atitude que elas viessem a tomar no sentido de reduzir sua dependência do Oriente Médio. A British Petroleum Company, especialmente, tinha suas próprias razões comerciais para expandir as fontes de fornecimento: foi a mais atingida pela Crise de Suez do que qualquer das outras grandes companhias internacionais de fornecimento de petróleo e, dentro dos recursos de que dispõe, está tentando diminuir sua vulnerabilidade com relação a um bloqueio de fornecimento do Oriente Médio."

A Sinclair Oil ofereceu à BP uma panaceia para aliviar sua dependência do Oriente Médio — uma sociedade para a exploração de petróleo no Alasca. Mas, após a perfuração seguida de seis dispendiosos poços secos, na Encosta Norte, no gelado e longínquo norte do Alasca, as duas empresas cancelaram a tentativa. A Gulf Oil também demonstrou certo interesse pelo Alasca. Alguns de seus especialistas em exploração argumentaram com determinação que, apesar dos poços secos, a geologia era promissora e a empresa devia tentar explorar a Encosta Norte. A cúpula administrativa da empresa categoricamente recusou até mesmo considerar o pedido. "Custaria cinco dólares o barril", declarou enfaticamente um alto executivo, "e um barril de petróleo nunca chegará a cinco dólares, enquanto vivermos".

Mais uma outra empresa, com matriz na Califórnia, que ainda continuava pesquisando o Alasca — a Richfield estava particularmente atraída pelos depósitos compactos de sedimentos marinhos na praticamente inacessível Encosta Norte. Em 1964, a Jersey decidiu voltar ao Alasca, e com pagamentos e compromissos assumidos totalizando um pouco mais de cinco milhões de dólares, sua subsidiária Humble tornou-se sócia da Richfield. Em 1965, essa nova sociedade obteve cerca de dois terços dos contratos de arrendamento para exploração de petróleo na formação da baía de Prudhoe, na Encosta Norte. A associação BP-Siclair era a outra principal vencedora da concorrência.

Nesse mesmo ano, a Richfield associou-se com a Atlantic Refining, formando a Atlantic Richfield, que posteriormente se tornou a ARCO. A empresa coligada era liderada por Robert O. Anderson. Embora Anderson frequentemente impressionasse as pessoas como sendo surpreendentemente tranquilo, quase informal, talvez até um pouco distraído, tinha a determinação e a concentração que convinham a um homem que foi um dos últimos grandes exploradores autônomos e magnatas de petróleo do século XX. Anderson era filho de um banqueiro de Chicago que, na década de 1930, havia se tornado especialista em conceder empréstimos com garantia a exploradores de petróleo autônomos do Texas e de Oldahoma numa época em que ninguém o faria de modo algum. O jovem Anderson cresceu junto à Universidade de Chicago, frequentou-a no auge dos currículos baseados nos *Great Books* da *Encyclopaedia Britannica* e chegou a pensar em tornar-se professor de filosofia. Porém, exploradores de petróleo, clientes de seu pai, excitavam sua imaginação muito mais do que os acadêmicos que conhecera na universidade e, em 1942, rumou para o Novo México, assumindo a direção de uma refinaria com capacidade de produção de 1,5 mil barris/dia. Em pouco tempo, passou a explorar petróleo, tornando-se um dos mais conhecidos profissionais independentes nesse tipo de negócio. Tinha o mesmo talento de Rockefeller e de Deterding para o rápido raciocínio aritmético. No princípio, podia ganhar de uma régua de cálculo e, mais tarde, de uma calculadora de bolso. Tinha o hábito de corrigir as pessoas em pontos decimais. "Eu nunca fui particularmente consciente dessa habilidade", explicou. "A maior vantagem que vejo nisso é que o ajuda a livrar-se de uma porção de coisas e ir em frente. Nas negociações, pode-se eventualmente abrir espaço para alguma coisa cuja importância a outra pessoa ainda não tenha percebido. Você se coloca na dianteira."

Ao longo dos anos, Anderson mostraria ser um homem de interesses amplos e diversificados, especialmente um dissidente intelectual na indústria petrolífera. Atraído pelas ideias, sentindo-se à vontade com os professores de ciências sociais, curioso a respeito de assuntos como valores, funções do governo e mudanças sociais, apreciava os seminários onde homens de negócios discutiam assuntos tão variados como tecnologia e humanismo, meio ambiente e Aristóteles. Em resumo, apesar dos muitos sucessos, ele nunca representou exatamente o modelo típico do magnata do petróleo. Acreditava em muitas coisas que eram um tanto anormais entre seus pares. Ainda assim, no fundo, ele era a quintessência do explorador de petróleo e não acreditava em nada tão fervorosamente como no petróleo cru e nas reservas geológicas — "o próprio coração da indústria", ele diria. "A mesma lição se repete sempre nesse negócio: se você não absorve os desapontamentos, não deve entrar nele, uma vez que 90% das perfurações redundam em fracassos. É preciso ser capaz de enfrentar a derrota normalmente." Todavia, os outros 10% foram muito vantajosos para Anderson. Não apenas o fizeram muito rico, mas também, entre outras coisas, permitiram que ele se tornasse o maior proprietário individual de terras dos Estados Unidos.

No inverno de 1966, porém, parecia que o Alasca acabaria na coluna dos 90% de fracassos. A ARCO, com a participação da Humble, perfurou um dispendioso poço a 95 quilômetros ao sul da Costa Norte do Alasca. Estava seco. Havia mais um poço a ser perfurado, na baía de Prudhoe, na Encosta Norte. Havia uma dúvida considerável sobre a continuidade da operação. Dependia de Anderson. A decisão estava em suas mãos. Ele acreditava na exploração dos poços e no petróleo cru. Mas o poço seco da própria ARCO apareceu no topo da lista dos seis poços secos da BP e Sinclair, e ele não estava ali para perder dinheiro. Aprovou o prosseguimento, embora sem muita convicção. Apenas porque o equipamento de perfuração já se encontrava no Alasca e seria transportado por apenas 95 quilômetros. "Foi mais uma decisão de não cancelar um poço de perfuração já programado do que propriamente ir em frente", disse ele posteriormente.

Na primavera de 1967, a ARCO-Humble começou a perfuração daquele que seria certamente o último poço a ser explorado se tivesse fracassado. O poço foi chamado Prudhoe State Bay número 1. No dia 26 de dezembro de 1967, um som ruidoso e vibrante atraiu um grupo de aproximadamente quarenta homens para o poço. Eles estavam embrulhados em pesados agasalhos — a temperatura era de trinta graus abaixo de zero — e precisavam fazer um grande esforço para se manter em seus lugares com um vento à velocidade de sessenta quilômetros por hora. O ruído foi aumentando cada vez mais — o estrondo do gás natural. Para um dos geólogos era como se quatro Jumbos voassem bem sobre sua cabeça. Um jato de gás natural espirrou repentinamente de um tubo, subindo em grande velocidade até cem metros, desafiando o vento extremamente forte. Eles haviam encontrado petróleo. Em meados de 1968, um "poço alternativo", perfurado a doze quilômetros do recém-descoberto, confirmou a hipótese de que se tratava de um grande lençol, um campo de petróleo de categoria mundial. Um verdadeiro elefante. Segundo estimativas da DeGolyer e MacNaughton, especialistas em engenharia petrolífera, a baía de Prudhoe poderia conter dez bilhões de barris de reservas recuperáveis. Não obstante a falta de convicção de Anderson ao permitir a continuidade dos trabalhos de perfuração em Prudhoe, essa foi a decisão mais importante que poderia ter tomado como um homem do petróleo. A baía de Prudhoe foi o maior campo de petróleo jamais descoberto na América do Norte, uma vez e meia maior do que o campo de Dad Joiner no leste do Texas, que havia derrubado o preço do petróleo no início da década de 1930.

No estreito mercado do petróleo mundial, a baía de Prudhoe não iria destruir nenhuma estrutura de preços, mas tinha potencial para desacelerar o crescimento das importações de petróleo americanas e reduzir dramaticamente a tensão no balanço mundial do petróleo. As estimativas sugeriam que a produção total aumentaria rapidamente para mais de dois milhões de barris/dia, tornando-o o terceiro maior campo produtor do mundo, depois de Ghawar, na Arábia Saudita, e Burgan no Kuait. Inicialmente, a ARCO e a Jersey, juntamente com a subsidiária da Jersey, a Humble, pensaram que o campo poderia estar em funcionamento em três anos. Seu desenvolvimento poderia ser acelerado com a simplificação da estrutura administrativa da Encosta Norte: a ARCO adquiriu a Sinclair, arrebatando-a a tempo das garras do conglomerado Gulf & Western, no que consistiu na maior fusão de empresas petrolíferas até aquela data nos Estados Unidos. Agora as Três Grandes da Encosta Norte eram a ARCO, a Jersey e a BP. A fusão também fez da ARCO a sétima maior empresa de petróleo dos Estados Unidos.

O grande obstáculo ao desenvolvimento era o ambiente físico no isolado norte: inacessível, gelado, inóspito e extremamente hostil — "um lugar difícil, duro e insuportável para se trabalhar", comentou um geólogo. Era um local diferente de qualquer outro em que se extraíra petróleo; não existia tecnologia para a produção em tal ambiente. A tundra, com pouco mais de um metro de altura, se congelava, tornando-se dura como concreto, no inverno, quando as temperaturas caíam até 55 graus abaixo de zero. No verão, o descongelamento transformava os campos numa terra esponjosa. Não havia nenhuma estrada cruzando a tundra. No subsolo, uma camada permanentemente congelada estendia-se, por vezes, por alguns milhares de metros de profundidade. O estaqueamento de aço comum comportava-se como canudinhos de refresco quando fincado nessa camada congelada.

Superado esse obstáculo, existiria ainda o desafio intimidador de fazer com que o petróleo chegasse ao mercado passando por condições extremamente difíceis. Cogitou-se seriamente em utilizar petroleiros equipados com quebrador de gelo para fazer a travessia dos mares gelados do Ártico em direção ao oceano Atlântico. Outras sugestões incluíam um monotrilho ou um comboio de caminhões em permanente circulação numa autoestrada de oito pistas cruzando o Alasca (isso até se calcular que a operação usaria a maior parte dos caminhões existentes na América). Um proeminente físico nuclear recomendou que uma esquadra de navios-tanques submarinos, movidos a energia nuclear, navegasse sob a camada de gelo polar em direção a um porto de águas profundas em Greenland — um porto a ser criado através de uma explosão nuclear. As empresas Boeing e Lockheed examinaram a ideia de se usar jatos Jumbo como petroleiros.

Finalmente, ficou decidida a construção de um oleoduto. Mas em que direção? Uma das propostas era a construção de um oleoduto de 1,3 mil quilômetros desde o sul dos campos de petróleo até o porto de Valdez, onde o petróleo seria carregado em navios-tanques despachados através do canal Príncipe William, área ambiental sensível, e depois para o mercado. A outra proposta era construir um oleoduto inteiramente terrestre na direção leste através do Alasca até o Canadá, e então para o sul em direção aos Estados Unidos, terminando talvez em Chicago. Aqueles que se opunham a um oleoduto trans-Alasca argumentavam que este poderia resultar em "um volume provavelmente maior de acidentes com os navios-tanques", enquanto a rota pelo Canadá era mais segura, especialmente em relação ao meio ambiente e reduziria o custo de um outro dispendioso oleoduto para o gás natural do Alasca. A rota do Alasca, entretanto, tinha a vantagem de ser uma "rota totalmente americana", e portanto supostamente mais segura, além da vantagem adicional da flexibilidade: o petróleo do Alasca poderia ir tanto para os Estados Unidos como para o Japão. E os empresários do petróleo teriam que tratar apenas com dois tipos de governo — o estadual e o federal, ambos americanos. Eliminaria também negociações com o governo federal do Canadá em Ottawa e com outras três ou quatro jurisdições regionais e territoriais, cada uma com seus próprios sistemas fiscais, como também com os ambientalistas canadenses e alguns estados americanos. Além disso, o governo do Canadá parecia estar se posicionando contra o oleoduto transcanadense. Entre todas essas considerações, prevaleceu o argumento: o oleoduto através do Alasca seria construído mais rapidamente do que através do Canadá. A rota trans-Alasca foi a escolhida.

A construção do oleoduto apresentou inúmeros desafios de engenharia que exigiram considerável inovação e criatividade. Por exemplo, o petróleo que saía do solo a 160

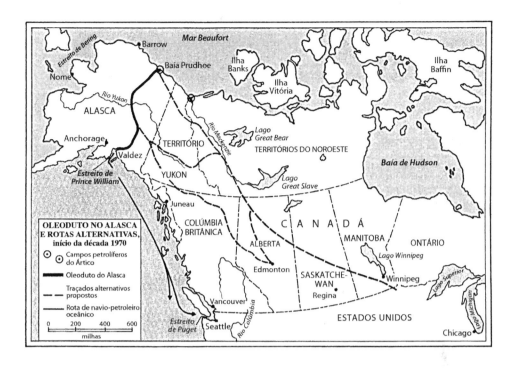

graus teria que ser canalizado para o oleoduto no subsolo permanentemente congelado a muitos graus abaixo de zero. Se atravessasse a superfície em regiões onde o subsolo congelado tivesse um alto teor de água, transformaria a área em lama; e o oleoduto, sem nenhum apoio, poderia se romper. Porém, quaisquer que fossem os problemas de construção a serem enfrentados, o grupo organizado para montar o oleoduto trans-Alasca — composto pela ARCO, Jersey e BP e mais algumas empresas com posições bem menos expressivas na Encosta Norte — apressou-se em comprar 500 mil toneladas de tubos de 1,2 metro de diâmetro de uma empresa japonesa. Acharam que não havia tempo a perder esperando que os fabricantes americanos de tubos começassem a se equipar. Estavam errados. O oleoduto sofreria parada total antes mesmo de começar.

Foi se atrasando por causa de reclamações dos esquimós e de outros povos nativos do Alasca e também por disputas entre os sócios. Mas foi interrompido mesmo por algo bem diferente: uma determinação da Corte Federal a favor dos ambientalistas em 1970. Revigorado pelo episódio do vazamento de petróleo em Santa Bárbara, em 1969, o recém-formado mas ativo movimento ambientalista uniu-se para bloquear o oleoduto do Alasca. Alguns ambientalistas comentaram que as empresas estavam tentando andar depressa demais, sem dispor de estudos suficientes, visão dos problemas da área, experiência ou cuidado, enfim que o oleoduto projetado estava mal planejado. As consequências de um eventual acidente seriam catastróficas para o meio ambiente. A rota canadense era mais adequada, envolvendo menos riscos para o meio ambiente. Antes de prosseguir, eles disseram, os Estados Unidos deveriam instituir um programa de conservação de energia. Outros ambientalistas argumentaram que recursos naturais não renováveis e o meio ambiente como um todo seriam prejudicados ou destruídos, e o projeto deveria ser cancelado. O petróleo do Alasca não era necessário.

As empresas de petróleo, ávidas e confiantes de que poderiam superar a oposição, trouxeram, ao custo de 75 milhões de dólares, caminhões e tratores para um ponto estratégico às margens do rio Yukon, prontos para iniciar a construção de estradas e a colocação de tubos. Os caminhões, os tratores e os tubos estocados não foram tocados durante cinco anos. As proibições com relação ao oleoduto de fato permaneceram. O petróleo, vindo do Alasca, que havia sido aguardado para 1972, não chegou a fluir, e, em vez disso, as importações americanas de petróleo estrangeiro continuaram a crescer. Quanto aos caminhões e tratores estacionados às margens do rio Yukon, as empresas petrolíferas despenderam milhões de dólares mantendo seus motores ajustados e bem aquecidos, esperando pelo dia de serem usados.

Justamente quando se tornou claro que o Alasca e o litoral da Califórnia eram locais muito problemáticos como novas fontes, apareceu uma alternativa promissora com a descoberta de petróleo no mar do Norte. Mas o desenvolvimento no mar do Norte era muito incerto. O esforço seria enorme, tanto em escala como por ser extremamente dispendioso. O ambiente era duro e traiçoeiro. Como a Encosta Norte do Alasca, a produção do mar do Norte exigiria uma criação de tecnologia inteiramente nova. E levaria tempo, muito tempo. O Alasca e o mar do Norte ainda tinham um ponto em comum: embora suas reservas fossem localizadas fisicamente em lugares de difícil acesso, politicamente não eram locais instáveis. Mesmo assim, nenhum deles poderia trazer qualquer alívio imediato para o equilíbrio global da oferta e da procura, que estava se tornando cada vez mais tenso. Isso queria dizer que ainda havia apenas um lugar para onde se voltar em busca dos suprimentos adicionais necessários à satisfação do apetite, quase insaciável, do mundo pelo petróleo — o Oriente Médio.[5]

O médico

Pouco antes do amanhecer, num dia do fim de agosto de 1970, um jato French Falcon fretado entrou no espaço aéreo da Líbia. Logo pousou no aeroporto de Trípoli. A porta do jato abriu-se, e um homem baixo e atarracado, acabando de completar 72 anos de idade, surgiu à luz da manhã. Estava muito preocupado, tão preocupado que havia voado praticamente sem parar de Los Angeles, com escala em Turim apenas o tempo suficiente para trocar de avião. Temia estar prestes a perder o que chamava sua "estrela brilhante", a concessão do petróleo líbio, bastante vantajosa para sua empresa. Mas, como sempre, tentava mostrar-se confiante. Sua vida foi dedicada a tratar de negócios, e acreditava firmemente, como uma questão de fé, como disse certa vez: "Não existe nada pior que não fechar um negócio".
O homem era o dr. Armand Hammer, presidente da Occidental Petroleum.

Tratando-se de negócios, poucos foram, em todo este século, os que rivalizaram com Armand Hammer. Nasceu em 1898, na cidade de Nova York, numa família de imigrantes judeus originária de Odessa, no mar Negro. Entre outros dados, um tio rico era o proprietário da concessionária Ford local, em Odessa. No século XIX, Odessa era um grande centro comercial onde os industriais do Ocidente encontravam-se com mercadores do Oriente Médio, e, de certa forma, Odessa sempre esteve no sangue de Armand Hammer. Seu pai, dr. Julius Hammer, não era apenas médico e farmacêutico, mas também um partidário da esquerda, que havia conhecido Lênin na Europa, em 1907. Foi também um dos fundadores do Partido Comunista Americano. Armand não compartilhava das tendências socialistas de seu pai; ele estava interessado em ganhar dinheiro e fazer negócios — em resumo, um capitalista.

Em 1921, ao acabar a faculdade de medicina, Hammer partiu para a Rússia. Levou consigo suprimentos médicos para aliviar o país dilacerado pela guerra e visava, nessa viagem, cobrar 150 mil dólares que os soviéticos deviam à empresa de medicamentos da família. Através das ligações de seu pai, tornou-se conhecido de Lênin, que estava permitindo alguma competição na economia russa arruinada e encorajando atividades comerciais com os burgueses do Ocidente. Lênin concedeu uma bênção especial a Hammer, recomendando-o a Stálin como sendo "um atalho que conduziria ao mundo dos 'negócios' americano e que deveríamos usar isso de todas as formas possíveis". Desse modo, Hammer, auxiliado por seu irmão Victor, permaneceu na Rússia para fazer negócios nos quadros da Nova Política Econômica de Lênin — uma concessão de amianto, uma agência concessionária de tratores da Ford e de outros produtos e a concessão, em nível nacional, de lápis. Até mesmo dirigiu seus próprios pontos-de-venda de peles na Sibéria, com caçadores de animais trabalhando para ele. Quando Stálin subiu ao poder, no final da década, Hammer interpretou com precisão os presságios ameaçadores e foi logo arrumando as malas. Ele e Victor levaram consigo uma carga contendo objetos de arte russos, que venderam nas lojas de departamento nos Estados Unidos. Hammer continuou ganhando milhões numa variedade de outros negócios, desde barris de cerveja e uísque tipo Bourbon até sêmen de touro.

Chegou a Los Angeles em 1956, aos 58 anos, um homem rico — e, como tantos outros, pretendendo se aposentar. Ele agora era o eminente proprietário de uma galeria de arte e um colecionador. Para defender-se dos impostos, fez alguns investimentos na área de petróleo, comprando, quase por esporte, uma pequena empresa, praticamente falida, chamada Occidental. Não conhecia nada a respeito de petróleo. Por volta de 1961, a Occidental já tinha feito sua primeira descoberta significativa na Califórnia. Hammer, o negociante inveterado, adquiriu algumas outras empresas e, por volta de 1966, as vendas anuais da Occidental atingiam quase 700 milhões de dólares.

Por meio de hábeis negociações e senso de oportunidade, Hammer conseguiu finalmente transformar a Occidental numa das maiores empresas de energia do mundo. Um organograma normal não servia para ele. Comunicando-se por telefone com qualquer lugar do mundo quase o tempo todo, ele mesmo dirigia as coisas, a seu próprio modo, como um Marcus Samuel moderno. Suas ligações políticas eram incomparáveis; a habilidade de introduzir-se nos ambientes, infindável; e sua fortuna pessoal imensa. Nas suas intermináveis negociações, Hammer podia ser, como certa vez comentou um de seus adversários, "paternal e muito amável", sempre desfazendo a tensão com uma anedota. Mas também era extremamente sério na busca dos objetivos. Para favorecer seus interesses, tinha um grande talento para fazer as pessoas ouvirem o que elas queriam ouvir. "O doutor é um dos maiores atores do mundo", foi o comentário ácido de um dos muitos homens que, por engano, julgavam-se herdeiros legítimos de Hammer.

Hammer renovou seus contatos com a União Soviética sob o comando de Nikita Kruchev e acabou servindo como mediador de cinco primeiros-ministros soviéticos e sete presidentes dos Estados Unidos. Seu acesso ao Kremlin era sem igual. Ele foi de fato a única pessoa a contar para Mikhail Gorbachev histórias de primeira mão a respeito de Lênin, cuja morte tinha ocorrido uma década antes do nascimento de Gorbachev. Até 1990, com a idade de 92 anos, Hammer ainda era o atuante presidente do conselho de administração da Occidental, e os acionistas leais seguiam elogiando-o. Pertencia, na verdade, à estirpe dos grandes descobridores-piratas do petróleo: Rockefeller, Samuel e Deterding, Gulbenkian, Getty e Mattei. Representava também um anacronismo, era um corsário do passado com a mentalidade de um "mercador de Odessa" que percorria o globo no jato da empresa em busca do próximo grande negócio. Porém, foi um acordo com a Líbia que lhe tornou possível alcançar o *status* de magnata mundial.[6]

A louca corrida pelo petróleo líbio já estava bem adiantada quando, em 1965, a Occidental ganhou a concessão na segunda rodada da licitação. A vistosa apresentação da Oxy distinguiu-se no meio de outras 119 porque havia sido exibida, sob a supervisão pessoal de Hammer, em manuscritos de papel-pergaminho e envolvida com laços vermelhos, pretos e verdes — as cores da bandeira líbia. Como brinde, a Oxy prometeu instalar uma fazenda agrícola experimental num oásis do deserto, o lugar da infância do rei Idris e onde seu pai estava sepultado. Hammer presenteou o rei com um jogo completo de xadrez em ouro. A empresa também pagou os supostos favorecimentos e comissões especiais para aqueles que pudessem ajudar a obter a concessão.

Os lotes que couberam à Occidental, os números 102 e 103, abrangiam quase 5,2 quilômetros quadrados de deserto desolado sombrio e ressecado na bacia de Sirte, a mais de 160 quilômetros da costa do Mediterrâneo. "A coisa mais difícil de se conviver é com poços secos", comentou certa vez Hammer, e os poucos primeiros poços que foram perfurados no local estavam bem secos. Foram também dispendiosos. O conselho de diretores da Occidental começou a reclamar em voz alta a respeito da "loucura de Hammer". A Líbia era um lugar para "gente grande". Mas, Hammer era persistente.

Sua persistência foi bem recompensada. No outono de 1966, a Occidental encontrou petróleo no número 102. Representou, porém, um volume inexpressivo quando comparado ao que aconteceu no número 103, a 65 quilômetros oeste, mais tarde chamado campo de Idris. A Occidental perfurou exatamente abaixo da antiga base do acampamento da Mobil Oil, que havia obtido a concessão e depois abandonado. O primeiro poço começou a produzir 43 mil barris por dia; outro poço chegou a alcançar o número fenomenal de 75 mil barris por dia. A Occidental tinha encontrado um dos mais férteis depósitos de petróleo do mundo. A utilização da tecnologia sísmica, recentemente desenvolvida, havia permitido a esse insignificante produtor da Califórnia encontrar o que a gigantesca Mobil deixara passar despercebido. Com a descoberta, exclamou Hammer: "Que vá tudo para o inferno. Nós nos tornamos gente grande".

Num outro golpe de sorte em 1967, a Guerra dos Seis Dias bloqueou o canal de Suez, e o petróleo líbio alcançou um valor ainda mais elevado. A explosão do petróleo da Líbia causou um verdadeiro "frenesi". Estimativas da DeGolyer e McNaughton, a empresa de engenharia especializada em petróleo, mostraram que, baseando-se nas descobertas feitas até aquela data, a Occidental sozinha detinha três bilhões de barris em reservas recuperáveis, quase um terço das reservas descobertas, na mesma época, na Encosta Norte do Alasca! Mas o que não podia ser feito no Alasca — construir um oleoduto — podia certamente ser viabilizado na Líbia. Em condições normais, levaria três anos para construir um oleoduto de 210 quilômetros através do deserto; imprimindo-se um ritmo acelerado, o duto ficou pronto em menos de um ano. Menos de dois anos após receber sua concessão, a Occidental já estava enviando petróleo para a Europa. Em pouco tempo, alcançou um volume de produção superior a 800 mil barris/dia, na Líbia. Partindo do nada, a Occidental Petroleum tinha se tornado a sexta maior empresa produtora de petróleo do mundo e conseguido seu lugar no competitivo mercado europeu, tanto por contrato como pela compra de seus próprios sistemas de fornecimento.

Esse gigante repentino ainda era muito vulnerável, ligava-se seu grande sucesso a uma dependência exagerada da Líbia. O rei Idris estava velho e não poderia durar muito tempo. Para diversificar, Hammer procurou adquirir a Island Creek Coal, o maior produtor de carvão dos Estados Unidos. Mas, antes de chegar a um acordo, William Bollano, o presidente da Island Creek, decidiu que seria melhor investigar as perspectivas de estabilidade política na Líbia. Bonano trocou ideias com gente do Departamento de Estado, do Banco Chase Manhattan e do Citibank. A resposta geral era a mesma: podia-se ainda esperar estabilidade política na Líbia por cinco ou seis anos, e "era fácil antecipar a transferência pacífica do poder com a morte do rei". A fusão das empresas se consumou. Isso ocorreu em 1968. Todos estavam completamente enganados.[7]

O aperto da Líbia

Na noite de 31 de agosto para 1º de setembro de 1969, um oficial militar superior líbio foi inesperadamente despertado em seu próprio quarto por um oficial menos graduado e respondeu ao insistente rapaz que ele tinha chegado cedo demais; o golpe estava marcado para alguns dias mais tarde. Infelizmente para o oficial superior este era um outro golpe de Estado. Durante meses, todas as forças militares da Líbia fervilhavam em conspirações, de vez que vários grupos de oficiais e políticos preparavam-se para derrubar o enfraquecido regime do rei Idris. Um grupo de jovens oficiais radicais, liderado pelo carismático Muammar al-Kaddafi, derrubou todos os outros, inclusive seus superiores militares, que haviam marcado seu próprio golpe para uns três ou quatro dias depois. Na verdade, muitos militares participaram do golpe de 1º de setembro sem saber quem estava no comando e tampouco de que golpe se tratava.

Kaddafi e seus companheiros haviam começado a conspirar uma década antes, ainda adolescentes, na escola secundária, inspirados por Gamal Abdel Nasser, em seu livro, *Filosofia da Revolução*, e em sua estação de rádio, a Voz dos Árabes. Decidiram fazer de Nasser o modelo de suas vidas e de sua causa. Decidiram também que o caminho para o poder não era exatamente por meio de partidos políticos, mas pelo mesmo caminho seguido por Nasser, ou seja, a academia militar. Na mente de Kaddafi, como salientou um observador perspicaz, as doutrinas revolucionárias de Nasser estavam ligadas "às ideias do Islã no tempo de Maomé". O grupo estava, de fato, sujeito às ideias de Nasser e a sua visão da unidade árabe. No devido tempo, Kaddafi vestiria o manto de Nasser. Conspirador nato, como Nasser, e também excêntrico e volúvel, com as grandes oscilações de humor características de um maníaco-depressivo, ele tentaria tornar-se não apenas o líder, mas de fato a própria personificação do mundo árabe. Assim, poderia conspirar e agir indefinidamente contra Israel, o sionismo, outros Estados árabes e o Ocidente. Fornido com os enormes lucros do petróleo se tornaria banqueiro, patrocinador e responsável pelo pagamento dos diversos grupos terroristas ao redor do mundo.

Entre os primeiros atos do novo Conselho do Comando Revolucionário de Kaddafi, após o bem-sucedido golpe de Estado de setembro, estavam o fechamento das bases militares britânicas e americanas na Líbia e a expulsão da grande população italiana. Kaddafi também fechou todas as igrejas católicas do país e ordenou que suas cruzes fossem retiradas e seus pertences levados a leilão. Em dezembro de 1969, um contragolpe foi abortado. A consolidação do poder de Kaddafi tornou-se completa. Ele agora estava pronto para negociar com toda a indústria do petróleo. Em janeiro de 1970, os oficiais do Conselho do Comando Revolucionário lançaram sua ofensiva exigindo um aumento dos preços fixados. Kaddafi advertiu os dirigentes das 21 companhias de petróleo em funcionamento na Líbia que iria fazer cessar a produção, se necessário, para obter o que queria. "Gente que viveu cinco mil anos sem petróleo", proclamou, "pode viver sem ele outra vez, por alguns anos, a fim de conseguir seus legítimos direitos."

Inicialmente, houve muita pressão sobre a Esso-Líbia. O governo militar solicitou um aumento de 43 centavos por barril sobre o preço fixado: "43 centavos naqueles dias", recorda o dirigente da Esso-Líbia. "Bom Deus! Isso era o fim do mundo." A Esso ofereceu cinco centavos. As outras empresas não estavam empenhadas em se mexer. Bloqueados pela Jersey e por outras grandes companhias, a maior parte das quais dispunha de fontes alternativas, os líbios se voltaram para uma empresa que não tinha qualquer alternativa, a Occidental. Perceberam a sua vulnerabilidade. Como explicou um líbio, "essa empresa tem todos os seus ovos numa única cesta". Ao final da primavera de 1970, a Occidental recebeu ordem de cortar sua produção, o sangue vital da empresa, de 800 mil barris/dia para cerca de 500 mil. No caso de a Occidental não cumprir a determinação, os policiais líbios começariam a parar, investigar e molestar os executivos da empresa. Embora os cortes e provocações também atingissem outras empresas, a Occidental foi especialmente visada com esse tipo de ação.

O regime de Kaddafi havia escolhido uma ocasião muito propícia para iniciar sua campanha. A Líbia estava abastecendo 30% do petróleo da Europa. O canal de Suez ainda estava fechado, mantendo pressão no transporte. Em maio de 1970, um trator rompeu o oleoduto de Tapline num ponto de junção em território sírio, impedindo a exportação de 500 mil barris/dia do petróleo da Arábia Saudita, através desse oleoduto, para o Mediterrâneo. As tarifas dos navios-tanques imediatamente triplicaram. Não havia falta de petróleo, mas sim de transporte. A Líbia e Kaddafi ganhavam, assim, uma posição estratégica: tinham petróleo disponível do outro lado do Mediterrâneo *vis-à-vis* dos mercados europeus. Os líbios iriam de bom grado tirar partido de sua vantagem. Seus próprios cortes de produção contribuíram dramaticamente para a dificuldade e as tensões do mercado; somando o fechamento do oleoduto e os cortes líbios, um total de 1,3 milhão de barris/dia foi abruptamente retirado do mercado. Além do mais, os jovens oficiais militares líbios não estavam exatamente agindo no escuro quando se tratava da economia e estratégia do petróleo; Abdullah Tariki, o nacionalista radical e antiocidente, que havia sido demitido oito anos antes como ministro saudita de Assuntos Petrolíferos, encontrava-se agora em Trípoli, aconselhando o governo revolucionário.

À medida que a pressão aumentava, Hammer foi ficando agitado. Ele embarcou para o Egito com a finalidade de pedir ao herói de Kaddafi, o presidente Nasser, que intercedesse junto a seu "discípulo". Preocupado com a possibilidade de que uma paralisação da produção de petróleo na Líbia ameaçasse os subsídios líbios ao exército egípcio, Nasser aconselhou Kaddafi a ir com calma. Disse também ao líder da Líbia que não repetisse seus próprios erros — o Egito havia pago um preço elevado por sua política de nacionalização e pela expulsão dos indispensáveis técnicos estrangeiros. Seus conselhos não foram ouvidos.

Hammer tentou encontrar outras empresas que pudessem fornecer a qualquer custo a reposição do petróleo para a Occidental para não ter que se submeter às exigências da Líbia. Permaneceu numa posição firme contra Kaddafi. A Occidental acabou sendo nacionalizada. Não foi bem-sucedido. Até mesmo uma visita a Kenneth Jamieson, presidente da Exxon, não produziu os efeitos necessários para a obtenção do petróleo que Hammer queria, pelo menos não nos termos desejados. Hammer estava muito amargurado. Talvez Jamieson simplesmente não o tivesse levado a sério. Era "perfeitamente compreensível que Jamieson rejeitasse a oferta de Hammer", disse confidencialmente um dos principais conselheiros de Hammer. "Neste caso, o presidente da Exxon, a maior corporação mundial, se defrontou com um comerciante de arte, um tipo que não pertencia ao grupo, com um esquema vulnerável de âmbito internacional".

Desesperado para encontrar uma fonte alternativa de fornecimento para o petróleo, Hammer ainda apresentou um outro esquema global. Durante o jantar no rancho de Lyndon Johnson, no Texas, tentou armar um acordo de intercâmbio por meio do qual intermediaria a troca de aviões de guerra da McDonnell Douglas por petróleo iraniano. Essa tentativa também fracassou. Justamente quando todas as alternativas haviam se esgotado, no final de agosto de 1970, recebeu uma chamada telefônica urgente de George Williamson, seu gerente na Líbia, advertindo-o que os líbios poderiam nacionalizar as operações da Occidental. E foi essa advertência que fez com que ele saísse correndo, cruzando os céus noturnos até Trípoli.

Do lado da Líbia, as negociações eram conduzidas pelo primeiro-ministro Abdel Salaam Ahmed Jalloud, considerado mais descontraído do que o puritano Kaddafi, mas mesmo assim um implacável negociador. Certa vez, para mostrar seu descontentamento durante uma discussão com representantes da Texaco e da Standard of California, fez uma bola de papel com a proposta e a jogou no rosto deles. Em outra ocasião, entrou numa sala cheia de executivos do petróleo com uma metralhadora pendurada no ombro. Nesse primeiro encontro com Hammer, Jalloud, após oferecer ao "doutor" bolinhos quentes e café, desafivelou o cinto e colocou seu revólver 45 em cima da mesa, bem em frente a Hammer. Este sorriu. Mas estava desconcertado. Nunca antes havia negociado do outro lado do cano de um revólver.

Durante o dia, Hammer enfrentava negociações árduas e extenuantes. À noite, voava a Paris, para que, de sua suíte no Hotel Ritz, pudesse telefonar com segurança para seu conselho de diretores em Los Angeles. Havia uma outra razão para essas viagens diárias. A despeito da oferta de Jalloud de hospedá-lo em um palácio que pertencera ao deposto rei Idris, Hammer temia que ele pudesse ser "detido" por uma longa temporada. Não obstante, baixou um pouco a guarda. Na primeira vez, por precaução, havia fretado um jato francês para chegar a Trípoli, temendo que os líbios pudessem se apoderar de seu avião particular. Depois disso, um pouco mais seguro, voltou atrás, nas suas viagens constantes a Paris, e passou a voar no seu próprio Gulfstream II, mais familiar com seu quarto revestido de cortiça. Ele podia chegar a Paris às duas horas da manhã e sair de novo às seis horas. Ao longo de sua vida, ele havia tido a notável capacidade de cochilar em qualquer situação e faz agora nos ares bom uso dessa capacidade.

Enquanto as intensas discussões se arrastavam, o povo lá fora, preparando-se para comemorar o primeiro aniversário do golpe, entoava cantos pedindo a morte dos adversários do regime. Finalmente chegou-se ao ponto decisivo das negociações, mas quando Hammer e Jalloud foram a um canto e apertaram-se as mãos. Fecharam, em princípio, um acordo, mas, quando o documento estava para ser assinado, apareceu subitamente um novo obstáculo com relação aos termos do contrato. Desconfiado, Hammer decidiu partir do país imediatamente, deixando que George Williamson completasse as negociações. No dia seguinte, escondido no Ritz em Paris, Hammer soube que havia sido firmado contrato comercial definitivo. Os líbios conseguiram um aumento de vinte por cento em *royalties* e impostos. A Occidental teria a permissão de ficar. Com relação às outras empresas, estas hesitaram, mas, por volta do final de setembro, todas virtualmente deram-se por vencidas, embora com muita relutância. Os líbios prometeram solenemente que cumpririam esses novos acordos por cinco anos.

Mas o que havia acontecido era muito mais significativo do que o aumento de trinta centavos no preço fixado e um salto de 50% para 55% na margem de lucro da Líbia. O acordo com os líbios alterou decisivamente o equilíbrio de poder entre os governos dos países produtores e as empresas petrolíferas. Para os países exportadores de petróleo, a vitória dos líbios era estimulante; não apenas reverteu abruptamente o declínio do preço real do petróleo, mas também trouxe de volta a reivindicação dos exportadores pela supremacia e pelo controle sobre seus recursos petrolíferos, que se havia iniciado uma década antes, com a fundação da OPEP, mas que fora então interrompida. Para as companhias, era o começo de uma retirada. O diretor da Jersey, responsável pela Líbia, resumiu sucintamente o significado dos novos acordos quando disse: "A indústria petrolífera, como a conhecemos, não vai existir por muito tempo". George Williamson, da Occidental, teve um pressentimento de quão grande seriam as mudanças. Quando estava se preparando para apor sua assinatura nos documentos finais, observou para um outro gerente da Occidental: "Todas as pessoas que dirigem um trator, um caminhão ou um carro no mundo ocidental serão afetadas por isto". Assinaram os documentos, Williamson e seus companheiros esticaram-se nas cadeiras com os líbios, sorvendo um refrigerante de laranja, o melhor que se podia encontrar num país sem bebida alcoólica, contemplando silenciosamente o futuro duvidoso.[8]

A escalada dos preços

O xá do Irã não iria certamente deixar-se sobrepujar por alguns pretensiosos jovens oficiais militares líbios. Em novembro de 1970, transpôs a velha barreira da margem de lucro 50/50 e ganhou 55% dos lucros das companhias consorciadas. As empresas decidiram que a única opção era oferecer 55% também para os outros países do Golfo. Com isso, começou a escalada. A Venezuela introduziu a legislação que aumentaria sua margem de lucro para 60% e também tomaria providências para aumentar os preços do petróleo unilateralmente, sem avisar ou negociar com as empresas. Uma conferência da OPEP endossou os 55% como taxa mínima dos países-membros e ameaçou um corte de fornecimento caso as exigências não fossem cumpridas. Insistiu também que as empresas petrolíferas negociassem com os grupos regionais de exportadores, em vez de fazê-lo com a OPEP como uma entidade. No início de 1971, a Líbia passou à frente do Irã e fez novas exigências. Obviamente, o jogo poderia não ter fim, a menos que as empresas estabelecessem uma frente comum e tivessem sucesso em mantê-la.

David Barran, presidente da Shell Transporte e Comércio, tornou-se o principal defensor dessa frente comum. "Nossa visão na Shell era que a avalanche havia começado", disse Barran. Sem uma frente única, as empresas seriam "eliminadas uma a uma". Além da insistência de Barran, surgiu a possibilidade de uma abordagem conjunta, pela qual as empresas negociariam com a OPEP como entidade única enquanto organização, em vez de negociar com países individualmente. Dessa maneira, tinham a esperança de que a avalanche de exigências competitivas pudesse ser contida. Vencendo uma ação de renúncia antitruste, ou seja, contrária à formação de grandes consórcios industriais no Departamento de Justiça dos Estados Unidos, as empresas petrolíferas começaram a criar uma "Frente Unida", retomando a que haviam criado para enfrentar a União Soviética na década de 1920. Mas o mundo agora era muito mais complicado, tinha um número maior de participantes. Essa Frente Unida moderna contava possivelmente com umas vinte e tantas empresas — americanas e não americanas — representando quatro quintos da produção de petróleo do mundo livre. As empresas também criaram a Rede de Segurança Líbia, um acordo secreto que significava que, se alguma empresa sofresse cortes em sua produção por ter enfrentado o governo de Kaddafi, as outras empresas forneceriam o petróleo para reposição. O acordo institucionalizou o tipo de proposta que Hammer tentara sem sucesso seis meses antes junto à Exxon. Foi também, nas palavras de James Placke, representante americano para assuntos de petróleo na Líbia, uma "trégua" entre as grandes empresas e as independentes.

No dia 15 de janeiro de 1971, as empresas despacharam, às pressas, uma "Carta à OPEP", na qual exigiam um entendimento global "totalmente abrangente" com os exportadores de petróleo. O objetivo era manter uma frente unida e negociar com a OPEP como um todo, em lugar de exportadores ou subgrupos individualmente, como era o desejo da OPEP. Caso contrário, as empresas estariam sempre vulneráveis à escalada de preços.

O xá, porém, opôs-se firmemente ao plano das empresas, com relação a um entendimento "totalmente abrangente", argumentando que os "moderados" não seriam capazes de conter os "radicais" — a Líbia e a Venezuela. Além do mais, se as empresas fossem razoáveis e negociassem com cada país do Golfo separadamente, o xá prometia um acordo estável que seria mantido por cinco anos. "Se as empresas tentassem qualquer tipo de trapaça", ele acrescentou, "todo o Golfo encerraria suas atividades e não haveria mais petróleo".

O processo de negociação foi iniciado em Teerã, com a frente das empresas petrolíferas representada por George Piercy, o diretor da Exxon responsável pelas atividades da empresa no Oriente Médio, e Lorde Strathalmond, um diretor da BP e advogado de profissão. Este último era um homem genial e simpático, que gostava de brincar com o ministro para Assuntos Petrolíferos do Kuait chamando-o de "Groucho" devido a sua aparência. Era filho de William Fraser, o presidente da BP na época do caso Mossadegh, que tinha se tornado bastante impopular no Irã — a tal ponto que Lorde Strathalmond se sentia constrangido em dizer para alguns iranianos confusos: "Eu não sou como meu pai".

As empresas achavam que tinham o apoio do governo dos Estados Unidos na sua luta com o xá; mas Piercy e Strathalmond descobriram, ao chegar em Teerã, que Washington aceitara tacitamente a posição do xá. Os dois homens representando a indústria petrolífera ficaram estupefatos e furiosos. "Isso fez com que todo o empenho parecesse extremamente ridículo", disse Piercy.

No dia 19 de janeiro, Piercy e Strathalmond encontraram-se com o comitê da OPEP do Golfo: o ministro das Finanças iraniano, Jamshid Amouzegar (que havia estudado em Cornell e na Universidade de Washington), o ministro de Assuntos Petrolíferos da Arábia Saudita, Zaki Yamani (que havia estudado na Universidade de Nova York e na Faculdade de Direito de Harvard) e o ministro de Assuntos Petrolíferos do Iraque, Saadoun Hammadi (Ph.D em Economia Agrícola na Universidade de Wisconsin). Os três ministros estavam inflexíveis. Discutiriam o preço do petróleo para os países do Golfo, e apenas para esses países, não para o restante da OPEP, e ponto final. O próprio xá denunciou as empresas e acenou com a possibilidade de um embargo caso elas não concordassem com seu ponto de vista. Invocou até mesmo o fantasma de Mossadegh. "As condições do ano de 1951 já não existem mais", advertiu severamente. "Ninguém mais no Irã está de cabeça coberta ou atrás de uma barricada". A tentativa de conseguir uma negociação única "totalmente abrangente", comentou ele, era ou "uma piada ou uma perda de tempo".

Nada se concluiu nessa primeira fase de negociações em Teerã. Yamani advertiu Piercy que sim, era verdade o que ele tinha ouvido dizer. Havia mesmo uma conversa entre os países exportadores a respeito de um embargo para reforçar sua posição contra as corporações. Além disso, admitiu Yamani, os sauditas e outros produtores do Golfo apoiaram a ideia. Piercy ficou chocado. Os sauditas nunca haviam embargado petróleo, exceto em tempo de guerra. Isso, perguntou, tem também o apoio do rei Faissal? Sim, respondeu Yamani, e também do xá. Piercy insistiu para que Yamani não desse esse passo.

"Não creio que você esteja compreendendo o problema na OPEP", disse Yamani. "Eu tenho que seguir adiante."[9]

As empresas chegaram à conclusão, embora relutantes, de que teriam de desistir de sua insistência de uma abordagem totalmente abrangente. Não havia mais escolha. Concordaram em negociar separadamente. De outro modo, não haveria acordo algum negociado; os exportadores simplesmente decidiriam, por conta própria, a respeito dos preços. As empresas precisavam, a qualquer custo, manter as aparências, mesmo que fossem apenas aparências, de que os exportadores negociariam os assuntos com eles, em vez de simplesmente decidirem as coisas sozinhos.

Assim, existiriam agora duas séries de negociações: uma em Teerã e outra em Trípoli. No dia 14 de fevereiro de 1971, as empresas renderam-se em Teerã. O novo acordo sepultou o princípio do meio a meio. O consagrado meio a meio havia desempenhado seu papel e durado duas décadas, mas agora seu tempo tinha acabado. O novo acordo estabelecia 55% como o valor mínimo correspondente à parte do governo e aumentava o preço de um barril de petróleo em 35 centavos, com o compromisso de outros aumentos anuais. Os exportadores prometeram solenemente: nenhum outro aumento para os próximos cinco anos além do que já havia sido estabelecido.

O Acordo de Teerã foi um divisor de águas; a iniciativa havia passado das empresas para os países exportadores. "Era o momento decisivo para a OPEP", comentou um de seus funcionários. "Depois do Acordo de Teerã, a OPEP saiu fortalecida." Logo após, o xá, das pistas de esqui em St. Moritz, na Suíça, deu suas bênçãos ao acordo. "Não haverá escalada de preços", prometeu, "aconteça o que acontecer". David Barran, o presidente da Shell, era um profeta mais qualificado. "Não há dúvida", disse ele, "que o mercado do comprador de petróleo acabou".

Era chegada a hora do segundo tempo das negociações sobre o preço do petróleo da OPEP no Mediterrâneo. O comitê do Mediterrâneo incluía a Líbia e a Argélia, assim como a Arábia Saudita e o Iraque, uma vez que parte de sua produção chegava ao Mediterrâneo através dos oleodutos. Poucos dias depois do Acordo de Teerã, começaram as discussões em Trípoli, com a Líbia — e o major Jalloud muito claramente o responsável pelo lado árabe nas negociações. Jalloud recorreu a todas as suas táticas já familiares bravatas, intimidação, sermões revolucionários e ameaças de embargo e estatização. No dia 2 de abril de 1971, foi anunciado o acordo. O preço fixado foi aumentado em noventa centavos — bem além do que havia sido sugerido no Acordo de Teerã. O governo da Líbia tinha aumentado seus rendimentos com o petróleo em quase 50%.

O xá estava fora de si de raiva. Mais uma vez, ele tinha sido passado para trás.[10]

Participação: "indissolúvel, como um casamento católico"

A garantia de estabilidade por cinco anos nos acordos de Teerã e Trípoli mostrou-se ilusória. Seguiu-se, pouco depois, uma nova batalha quando a OPEP procurou aumentar o preço prefixado para compensar a desvalorização do dólar, no início da década de 1970. Mas essa luta foi ofuscada por um conflito mais significativo, que iria alterar dramaticamente o relacionamento entre empresas e países. A contenda era sobre a questão da "participação": a obtenção por parte dos países exportadores da posse parcial dos recursos petrolíferos dentro de suas fronteiras. Se os exportadores vencessem essa batalha, significaria uma reestruturação radical da indústria e uma mudança fundamental no papel de todos os participantes.

Em sua maioria, as atividades petrolíferas fora dos Estados Unidos haviam se baseado no sistema de concessão, cuja história remontava a William Knox D'Arcy e sua aventura tão cega quanto arrojada na Pérsia, em 1901. No sistema de concessão, a empresa petrolífera obtinha, de um soberano, direitos contratuais para explorar e produzir petróleo por conta própria em um determinado território, que poderia ser tão grande quanto os 1,25 milhão de quilômetros quadrados originais de D'Arcy, na Pérsia, ou 5,2 mil quilômetros quadrados da Occidental, na Líbia. Mas, agora, no que dizia respeito aos exportadores de petróleo, as concessões eram coisa do passado, remanescentes da extinta época do colonialismo e imperialismo, inteiramente inadequadas a uma nova era de descolonização, autodeterminação e nacionalismo. Esses países não queriam ser meros cobradores de impostos. Não era apenas uma questão de acumular mais rendas. Para os exportadores, a questão mais importante era a soberania sobre seus recursos naturais. Tudo o mais avaliado em face desse objetivo.

A estatização total havia sido um recurso óbvio para alguns regimes exportadores — na Rússia, após a Revolução Bolchevista, no México, no Irã. O conceito de "participação", posse parcial adquirida por meio de negociação, foi criado conscientemente como uma alternativa de estatização e de posse total porque satisfazia os interesses de alguns dos principais exportadores de petróleo. O petróleo era não somente um símbolo de orgulho e poder nacionais, representava também um negócio. A estatização total iria interromper as relações com as companhias internacionais e levar o país produtor de petróleo a participar diretamente do negócio da venda de petróleo. O país iria, assim, enfrentar o mesmo obstáculo que atormentou os exploradores independentes que haviam acumulado grandes reservas de petróleo no Oriente Médio — o problema da distribuição. Isso conduziria a uma encarniçada disputa pelos mercados com outros exportadores. As empresas petrolíferas não só teriam liberdade de comprar de quem bem entendessem, buscando um preço mais baixo por barril, como também teriam um forte incentivo para fazê-lo, uma vez que agora estariam lucrando mais com as vendas nos mercados consumidores do que propriamente com a produção.

"Nós, os países produtores — se nos tornássemos operadores e vendedores de nosso petróleo —, estaríamos envolvidos numa corrida competitiva de produção", disse o sheik Yamani em 1969, advertindo contra a total estatização. O resultado seria "um dramático colapso da estrutura de preços, na qual cada um dos países produtores tentaria garantir os rendimentos necessários para cobrir seu orçamento, movimentando quantidades cada vez maiores de petróleo no mercado com os preços em declínio". Os custos e riscos não seriam somente econômicos. "A instabilidade financeira levaria inevitavelmente a uma instabilidade política." Yamani insistia em que a participação — associação com as maiores companhias, em lugar de sua expulsão — era o meio de atingir os objetivos dos exportadores e manter o sistema de aumento de preços. Criaria, disse, um vínculo "indissolúvel, como um casamento católico".

A participação adaptava-se à situação da Arábia Saudita; significava uma mudança gradual, em vez de uma reviravolta radical na distribuição do petróleo. Porém, para outros exportadores, a participação gradual era insuficiente. A Argélia, sem nenhuma pretensão à negociação, ficou com a propriedade de 51% das atividades petrolíferas francesas no país, que haviam sido mantidas uma década antes, quando a Argélia conquistou sua independência. A Venezuela aprovou a legislação segundo a qual todas as concessões reverteriam automaticamente para o governo quando expirasse seu prazo, no início da década de 1980.

A própria OPEP exigiu a implementação imediata da participação sob a ameaça de "ação em comum acordo" — cortes de fornecimento —, caso não recebesse nenhuma satisfação. Yamani foi encarregado de representar a OPEP. A pressão para que as companhias cooperassem estava crescendo. Com a saída dos ingleses do Golfo, no final de 1971, o Irã havia se apoderado de ilhas muito pequenas perto do estreito de Hormuz. Para os militantes árabes, era uma grande afronta a tomada de território árabe por países não árabes. Para punir os ingleses de "conluio" nesse ato traiçoeiro, a Líbia, distante quatro mil quilômetros, estatizou as empresas que compunham a BP no país. O Iraque estatizou a última remanescente da Companhia Iraquiana de Petróleo no país, a concessão da Kirkuk, o grande campo produtor descoberto na década de 1920, que tinha sido o foco de toda a disputa de Gulbenkian com as grandes empresas e a base de grande parte da produção iraquiana. "Existe uma tendência mundial favorável à estatização e os sauditas não podem permanecer isolados contra essa posição", Yamani as advertiu as empresas petrolíferas. "A indústria deve compreender isso e chegar a um acordo, de forma a poder salvar o que for possível dentro das circunstâncias."

Contudo, antes que qualquer acordo pudesse ser feito, foi necessário discutir questões fundamentais em detalhes, incluindo a questão básica da avaliação de preço. Por exemplo, dependendo da fórmula contábil escolhida, o valor de 25% da Companhia de Petróleo do Kuait poderia variar entre sessenta milhões e um bilhão de dólares. Nesse caso, os dois lados concordaram em criar um novo conceito de contabilidade, "valor registrado atualizado", que incluía a inflação e muitos outros fatores sem importância. Em outubro de 1972, chegou-se finalmente a um "acordo de participação" entre os estados do Golfo e as empresas. Previa, de imediato, um dividendo de participação de 25%, subindo para 51% por volta de 1983. Mas, apesar de todo o apoio da OPEP, o acordo foi menos popular, entre os outros países da OPEP, do que Yamani esperava. A Argélia, a Líbia e o Irã ficaram todos fora dele. O ministro para Assuntos Petrolíferos do Kuait o aprovou, mas o Parlamento do país o rejeitou e, desse modo, o Kuait também estava fora do acordo.

As empresas da Aramco finalmente concordaram em juntar-se à Arábia Saudita mesmo porque a outra opção era pior — a estatização total. O presidente da Exxon disse, esperançoso, que esperava "um relacionamento futuro mais estável" como resultado do acordo, que "mantinha o papel intermediário essencial das empresas privadas internacionais". Outros não estavam tão certos disso. Em uma reunião de executivos das empresas petrolíferas, presidida por John McCloy, em Nova York, a Aramco anunciou sua decisão inicial de concordar com a associação. Ao final de uma discussão tumultuada, McCloy pediu a opinião de Ed Guinn, executivo de uma empresa de petróleo independente, a Blunker Hunt, que exercia suas atividades na Líbia. Guinn estava preocupado. Qualquer concessão efetuada no Golfo Pérsico, acreditava, somente estimularia a Líbia a fazer exigências ainda maiores. O plano da Aramco que acabara de ouvir, acrescentou, lembrava a história de dois esqueletos pendurados num armário; um esqueleto disse para o outro: "Como chegamos aqui?". O outro respondeu: "Não sei, mas se tivéssemos alguma coragem deveríamos ter saído".

"Reunião encerrada!", gritou imediatamente McCloy, e todos se retiraram.

Depois do acordo de Yamani com a Aramco, a Líbia assumiu o controle de 50% das operações da ENI, a companhia de petróleo estatal italiana, e completou, com a total desapropriação das empresas da *holding* Bunker Hunt. Tendo ao lado o violento ditador de Uganda, Idi Amin Dada, Kaddafi anunciou orgulhosamente que, ao assumir o comando da Bunker Hunt, dava "um grande tapa" na "face fria e insolente" dos Estados Unidos. E prosseguiu estatizando 51% das outras empresas que exerciam suas atividades na Líbia, incluindo a Occidental Petroleum de Hammer.

O xá tinha a intenção de assegurar a obtenção de um melhor acordo do que o da Arábia Saudita. Mas, para o Irã, a participação era irrelevante. Devido à estatização de 1951, o Irã já possuía o petróleo e as instalações; mas era o consórcio criado em 1954, e não a Companhia Nacional de Petróleo Iraniana, que realmente dirigia a indústria. Desse modo, o xá pretendia não apenas maior produção e equivalência financeira com o acordo que Yamani havia conseguido, mas também um controle mais amplo. Obteve o que desejava. A CNPI estava prestes a se tornar não somente proprietária, mas também operadora; as empresas consorciadas de 1954 iriam constituir uma nova empresa para atuar como uma contratadora de serviços para a CNPI, substituindo o antigo consórcio. Pela primeira vez, uma companhia petrolífera estatal, a Companhia Nacional de Petróleo Iraniana, era reconhecida como responsável pelas atividades operacionais, uma vitória de considerável simbolismo na cruzada do xá para transformar a CNPI na primeira companhia petrolífera do mundo. Era uma vitória pessoal para ele, que estava agora entrando em sua fase mais grandiosa. "Finalmente obtive o sucesso", declarou o xá. "Chegaram ao fim os 72 anos do controle operacional estrangeiro sobre nossa indústria petrolífera."[11]

Os anos críticos

Ao obter maior controle sobre as empresas petrolíferas, por meio de participação ou estatização total, os países exportadores conseguiram também maior controle sobre os preços. Em lugar de tentar aumentar os rendimentos apenas enfatizando o volume e competindo para colocar cada vez mais barris no mercado, como vinham até recentemente fazendo, o que parecia apenas provocar a queda dos preços, as empresas agora buscariam preços mais elevados. Sua nova abordagem foi favorecida pelo apertado equilíbrio entre a oferta e a procura. O resultado foi o novo sistema idealizado em Teerã e Trípoli, pelo qual os preços eram submetidos a negociações entre empresas e países, ficando a cargo dos países a iniciativa de forçar a subida dos preços estabelecidos. As empresas mostraram-se incapazes de formar uma nova frente bem-sucedida. Tampouco seus respectivos governos. De fato, os governos dos países consumidores não estavam particularmente empenhados em apoiar ou amparar as empresas no confronto com os exportadores. Preocupavam-nos outras questões. Os preços do petróleo não representavam, aparentemente, uma prioridade absoluta, e alguns achavam que os aumentos de preço eram, de qualquer maneira, justificados e seriam úteis para estimular a conservação e o desenvolvimento de uma nova fonte de energia.

Porém, havia um elemento adicional para justificar a reação dos dois principais governos do Ocidente. Ambos os países, Inglaterra e Estados Unidos, tinham fortes motivos para buscar a colaboração, em vez do confronto, tanto com o Irã como com a Arábia Saudita, não lhes regateando, de passagem, melhores rendimentos. No início da década de 1970, o Irã e a Arábia Saudita atenderam ao apelo do sultão de Omã, no sentido de auxiliá-lo a sufocar uma rebelião radical e assumindo seu papel de polícias regionais. Suas compras de armamentos estavam aumentando rapidamente, um ajuste na interação entre a subida dos preços do petróleo e a nova situação da segurança no Golfo.

Deixando de lado a política e as personalidades, o equilíbrio entre a oferta e a procura estabelecido no começo da década de 1970, transmitia uma mensagem mais importante: o petróleo barato tinha possibilitado um tremendo *boom* econômico, mas isso não conseguiria se manter. A demanda não poderia continuar aumentando na velocidade em que vinha ocorrendo; era preciso desenvolver novos suprimentos. Esse era o significado do fim da capacidade de manter reservas. Era necessário ter algo a oferecer e esse algo era preço. Mas como e quando? Todas essas questões eram críticas. Algumas pessoas achavam que o ano decisivo seria 1976, quando expiravam os prazos dos acordos de Teerã e de Trípoli. Mas o equilíbrio entre a oferta e a procura já estava muito prejudicado.

Naturalmente, enquanto as reservas recuperáveis no Oriente Médio se mantivessem enormes, a capacidade disponível de produção estaria muito mais próxima de se ajustar à demanda real. No final de 1970, havia ainda cerca de três milhões de barris/dia de capacidade excedente no mundo, fora os Estados Unidos, a maior parte concentrada no Oriente Médio. Por volta de 1973, a capacidade adicional, em termos puramente físicos, havia sido cortada pela metade, ficando abaixo de mais ou menos 1,5 milhão de barris/dia — aproximadamente 3% da demanda total. Nesse ínterim, alguns países do Oriente Médio, liderados pelo Kuait e pela Líbia, estipularam cortes na produção. Em 1973, a capacidade de produção excedente, que poderia ser considerada realmente "disponível", significava apenas 500 mil barris/dia. Isso representava exatamente 1% do consumo do mundo livre.

Não apenas no petróleo, mas em quase todo tipo de indústria, mesmo na ausência de fatores políticos, um índice de utilização de 99% e 1% de margem de segurança seria considerado um equilíbrio extremamente precário entre a oferta e a procura. A política potencializava os perigos.

O que tudo isso poderia significar para o futuro? Quem observava os fatos, pressentindo grandes problemas, era James Placke, um diplomata americano, ex-adido para Assuntos Econômicos da Embaixada dos Estados Unidos em Bagdá, uma década antes, durante a formação da OPEP, e, agora, encarregado dos Assuntos Petrolíferos na Embaixada dos Estados Unidos em Trípoli. No final de novembro de 1970, sentou-se para rascunhar algumas ideias a fim de preparar um boletim para o Departamento de

Estado. Quinze meses haviam se passado desde que um grupo de oficiais desconhecidos tinha dado um golpe militar em Trípoli e quase três meses decorridos desde que esses mesmos jovens oficiais aplicaram um golpe no preço do petróleo. Placke havia preparado relatórios diários durante todo o período da batalha dos líbios com a Occidental, a Esso, a Shell, e com as outras empresas, mas agora era hora de recuar. O tempo estava ficando mais frio e um tanto tempestuoso, sons agudos e estranhos vinham do Mediterrâneo, com o odor penetrante do sal e do mar no ar. Um sentimento permanente de desconforto e até de temor tinha tomado conta da comunidade ocidental da Líbia. Rumores constantes davam conta de quem havia sido hostilizado, detido ou deportado, e tanto funcionários das empresas como os diplomatas ocidentais se viam seguidos por seguranças do governo, geralmente identificáveis através do espelho retrovisor em seus fuscas brancos.

Foram necessárias várias semanas para que Placke pudesse elaborar um relatório daquilo que queria revelar a Washington. Não desejava exagerar os fatos para não correr o risco de não ser levado a sério. Conforme escreveu, podia olhar para fora, por uma janela do seu escritório, e, através de uma estreita viela, para o escritório da Occidental, onde os engenheiros debruçados sobre suas pranchetas trabalhavam como se tudo estivesse normal e nada mudado. Mas, como Placke observou, tudo havia mudado. O velho jogo do petróleo tinha acabado, ainda que ninguém em Washington ou em Londres tivesse se dado conta disso. A situação internacional do petróleo havia sido irremediavelmente alterada. No relatório que finalmente enviou a Washington em dezembro argumentou que o que havia acontecido na Líbia muito provavelmente faria com que os países produtores "fossem capazes de superar suas divergências para se unir em torno do controle de produção e do aumento de preços".

Porém, não era apenas uma questão de preço, mas de poder. "A extensão da dependência dos países industrializados do Ocidente ao petróleo, como fonte de energia e praticidade do controle de suprimento como um meio de pressão por maiores preços", foi dramaticamente demonstrada. Como observou, os Estados Unidos e seus aliados, juntamente com a indústria petrolífera, não estavam simplesmente despreparados tanto intelectual quanto politicamente para "lidar com a mudança no equilíbrio de poder que ocorrera com o fornecimento de petróleo". As apostas eram altas. Entre outras coisas, embora a "arma do petróleo" não tenha funcionado em 1967, o "raciocínio feito pelos partidários do uso do petróleo árabe como uma arma no conflito do Oriente Médio também tem sido reforçado nas atuais circunstâncias".

E acrescentou elucidando um ponto obscuro: "O controle do fluxo de recursos tem sido de interesse estratégico ao longo da história. Assegurar o controle sobre uma fonte vital de energia permitiria aos estados do Oriente Médio recuperar sua posição de poder frente ao Ocidente, perdida há muito tempo". Placke enfatizou que não pedia a manutenção do Estado atual. Isso era impossível. Mas era importante compreender como o mundo estava mudando e se preparar para isso. O maior pecado era a desatenção.

O embaixador dos Estados Unidos ficou tão impressionado com o relatório de Placke que, para dar-lhe maior peso, o enviou em seu próprio nome. Entretanto, ao que se saiba, ninguém em Washington prestou maior atenção na seriedade da mensagem. Certamente, ele nunca teve resposta sobre o assunto.[12]

CAPÍTULO XXIX

A arma do petróleo

APENAS ALGUNS MOMENTOS ANTES DAS 14 HORAS do dia 6 de outubro de 1973 — que, pelo calendário daquele ano, era o Yom Kippur, o mais sagrado dos feriados judaicos — 222 aviões a jato egípcios roncaram no céu. Seus alvos eram os postos de comando e as posições israelenses na margem oriental do canal de Suez e no Sinai. Alguns minutos depois, mais de três mil peças de artilharia abriram fogo ao longo de todo o *front*. Quase simultaneamente, aviões sírios atacaram a fronteira norte de Israel, seguidos imediatamente por uma barragem de setecentas peças de artilharia. Assim, começou a Guerra de Yom Kippur, a quarta entre as guerras entre árabes e israelenses a mais destruidora e intensa de todas e a que trouxe consequências de maior alcance. Os armamentos de ambos os lados do conflito tinham sido fornecidos pelas superpotências, os Estados Unidos e a União Soviética. Porém, uma das armas mais potentes era exclusiva do Oriente Médio. A arma do petróleo, usada em forma de embargo cortes de produção e restrições às exportações, de acordo com as palavras de Henry Kissinger, "alterava irrevogavelmente o mundo, conforme se desenvolveu no período "pós-guerra".

O embargo, como a própria guerra, chegou como uma surpresa e um choque. Contudo, numa análise retrospectiva, o caminho para ambos parecia de certa forma inconfundível. Em 1973, o petróleo havia se tornado o sangue vital das economias industriais no mundo e estava sendo pouco bombeado e circulando com muita escassez para que fosse desperdiçado. Nunca antes, em todo o período do pós-guerra, a equação entre oferta e procura havia sido tão apertada, enquanto prosseguia o relacionamento entre os países exportadores de petróleo e as empresas petrolíferas. Tratava-se de uma situação em que qualquer pressão extra poderia precipitar uma crise — neste caso, de proporções mundiais.

Os Estados Unidos unem-se ao mercado mundial

Em 1969, quando a nova administração Richard Nixon chegou a Washington, o petróleo e a energia começavam a surgir na ordem do dia da política americana. A preocupação número um era o rápido crescimento das importações de petróleo. O Programa Compulsório de Importação de Petróleo, relutantemente estabelecido pelo presidente Eisenhower, uma década antes, estava funcionando sob pressão, criando controvérsias e flagrantes disparidades entre empresas e regiões. Suas lacunas e exceções eram muito lucrativas para aqueles que haviam aprendido como capitalizá-las e também inteiramente visíveis. Nixon criou uma Comissão Governamental para estudar o controle da importação de petróleo, chefiado pelo secretário do Trabalho, George Shultz, destinada a rever o programa das cotas e recomendar mudanças.

Os políticos dos Estados americanos, consumidores de petróleo e os usuários de petróleo, tais como empresas públicas de fornecimento de energia e petroquímicas, estavam ansiosos para ver as restrições afrouxadas, de forma que pudessem obter suprimentos mais baratos. No entanto, empresários de petróleo independentes defendiam firmemente as cotas, que lhes asseguravam preços mais altos do que o mercado mundial. As companhias de grande porte que uma década antes haviam lutado pelas cotas tinham, por essa época, de um modo geral, se reconciliado e se ajustado ao sistema, e estavam satisfeitas com ele. Tinham preços garantidos para a produção nacional e sistemas independentes de distribuição, fora dos Estados Unidos, para vender seu petróleo estrangeiro. Muitas delas estavam alarmadas com a perspectiva de mudança e mantiveram-se contra as restrições.

O que aconteceu foi que o comitê de George Shultz recomendou que as cotas fossem todas canceladas e substituídas por uma tarifa, acabando assim com a necessidade de distribuição por decreto administrativo, deixando essa tarefa para o mercado. A reação política ao estudo de Shultz não foi apenas vigorosa, mas também surpreendentemente negativa. O petróleo americano e a indústria da gasolina já estavam em profunda depressão; o número de equipamentos de perfuração diminuíra consistentemente desde 1955, chegando em seu nível mais baixo em 1970-1971 — pouco mais de um terço do que era em meados da década de 1950. Uma centena de congressistas, temendo que a proposta pudesse significar ainda mais importações de petróleo, assinou uma carta denunciando o relatório de Shultz como uma ameaça para a indústria nacional. Nixon, um político perspicaz, engavetou o relatório e manteve as cotas.

Naturalmente, esse procedimento desapontou aqueles que desejavam ver o sistema de cotas desmantelado, um grupo que não se limitava apenas aos interesses relacionados com o consumo de petróleo nos Estados Unidos. O xá do Irã escreveu a Nixon, argumentando que, por razões de segurança e desenvolvimento econômico, o Irã precisava ultrapassar os limites de cotas e vender volumes maiores de petróleo diretamente aos Estados Unidos. A administração Nixon aprovava a iniciativa iraniana de aumentar a produção e obter, assim, maiores receitas, devida, nas palavras de um conselheiro da Casa Branca, ao "vácuo de poder no Golfo Pérsico" em consequência da retirada da Inglaterra. Mas a administração não estava empenhada em acabar com as restrições nas importações, nem mesmo para agradar ao xá. "Seu desapontamento por não termos encontrado um meio de aumentar as vendas do petróleo iraniano aos Estados Unidos é compreensível", escreveu Nixon ao xá. "Nosso insucesso é devido à grande complexidade de nossos mecanismos de importação de petróleo." Apesar das desculpas, Nixon prometeu enviar ao xá, uma cópia do relatório da Comissão Governamental sobre a política de importação de petróleo, para pô-lo pessoalmente a par do assunto.[1]

Nessa época, já existiam sinais claros e politicamente inquietantes de tensão em todo o sistema de fornecimento de energia dos Estados Unidos. Durante o inverno de 1969-1970, o mais frio em trinta anos, tanto o petróleo quanto o gás natural estavam escassos. A demanda pelo petróleo com baixo teor de enxofre, importado de países como a Líbia e a Nigéria, aumentou repentinamente nesses meses, quando as empresas públicas de eletricidade mudaram do carvão para o petróleo. No verão seguinte, a queda da capacidade de produção no serviço público de eletricidade levou a uma redução de energia elétrica disponível em vários pontos da costa do Atlântico. Enquanto isso, estava extinta a capacidade excedente da produção de petróleo nos Estados Unidos. A indústria bombeava cada barril que podia para atender o aumento crescente da demanda.

Com os problemas de abastecimento tomados crônicos no início da década de 1970, a frase "crise energética" começou a surgir como parte do vocabulário político americano. Em círculos reservados, havia o consenso de que os Estados Unidos enfrentavam um problema grave. A razão principal era o rápido crescimento da demanda por todas as formas de energia. Os controles no preço do petróleo, imposto por Nixon em 1971, como parte de seu programa anti-inflacionário global, desencorajavam a produção nacional e estimulava o consumo. Os suprimentos de gás natural estavam se tornando reduzidos, principalmente por causa de um sistema regulador que controlava os preços, não permitindo que se ajustassem às flutuações do mercado. Os preços, artificialmente baixos, representavam um pequeno incentivo, seja para novas explorações, seja para a economia de combustível. Em várias regiões do país, as usinas geradoras de eletricidade estavam se aproximando de sua capacidade máxima de produção com ameaças de racionamento ou até mesmo de cortes totais de energia. As empresas de serviço público rapidamente encomendavam novas usinas de energia nuclear como solução para inúmeros problemas, incluindo a demanda crescente de eletricidade, a perspectiva de aumento dos preços do petróleo, e novas restrições ambientais à combustão de carvão.

A demanda do petróleo continuava aumentando nos primeiros meses de 1973. Refinadores independentes estavam tendo problemas em adquirir suprimentos, e era previsto um racionamento de gasolina para a alta estação do verão. Em abril, Nixon fez o primeiro discurso presidencial sobre energia, com um pronunciamento de longo alcance: abolia o sistema de cotas. A produção nacional, mesmo com a proteção das cotas, não poderia, por muito tempo, acompanhar o apetite voraz da América. A administração Nixon, pressionada pelo Congresso, prosseguiu no processo de abolição das cotas com a introdução de um sistema de distribuição "voluntária", destinado a assegurar os suprimentos aos refinadores e comerciantes independentes. Esses dois atos, um após o outro, simbolizavam perfeitamente como as circunstâncias haviam mudado: as cotas destinavam-se a manipular e limitar os suprimentos num mundo de produção excedente, enquanto a distribuição tinha o objetivo de dividir proporcionalmente os suprimentos disponíveis num mundo de racionamento.

"O lobo está aqui"

Com as questões energéticas tornando-se cada vez mais importantes na agenda política, James Akins, um alto e sombrio funcionário do Ministério das Relações Exteriores e também um de seus principais especialistas em assuntos petrolíferos, recebeu da Casa Branca a tarefa especial de trabalhar com esses assuntos. Ele havia recentemente dirigido, no Departamento de Estado, um estudo secreto sobre o petróleo, no qual concluía que a indústria petrolífera mundial estava dando "seu último suspiro no mercado dos compradores". Prosseguiu acrescentando: "Até 1975 e provavelmente antes disso, estaremos num mercado permanente de vendedores, e nenhum dos principais fornecedores será capaz de criar uma crise de abastecimento por interrupção do fornecimento de petróleo". Era tempo, dizia, "de dar um fim aos 'intermináveis' estudos de problemas energéticos". Em vez disso, os Estados Unidos deveriam tratar de reduzir a taxa de crescimento do consumo, aumentar a produção nacional e empenhar-se em importar de "fontes seguras". Tais atitudes, disse ele, "serão tão impopulares quanto dispendiosas". A impopularidade nunca foi testada, nem tampouco o custo, pois nenhum desses procedimentos foi adotado. Na verdade, com o rápido crescimento das importações, estava acontecendo exatamente o oposto.

Em abril de 1973, no mesmo mês em que Nixon aboliu as cotas, Akins, agora ocupando um cargo na Casa Branca, fez nova tentativa. Preparou um relatório secreto cheio de propostas para a contenção da crescente ameaça de falta de energia, entre as quais estava a utilização mais ampla do carvão, o desenvolvimento dos combustíveis sintéticos, maiores esforços de economia (incluindo taxação elevada para a gasolina) e investimentos pesados em pesquisa e desenvolvimento de tecnologia alternativa ao uso de hidrocarbonetos. Suas ideias foram recebidas com descrença. "A economia de consumo não representa os princípios éticos republicanos", disse-lhe, enfaticamente, John Ehrlichman, o conselheiro-chefe de Nixon para assuntos nacionais. Nesse mesmo mês, Akins trouxe a público suas preocupações. Escreveu um artigo na *Foreign Affairs*, cujo título simbolizava as tendências políticas e econômicas: "A crise do petróleo: dessa vez o lobo está aqui". Teve ampla repercussão, mas também provocou controvérsias. Os argumentos de Akins estavam bem longe de ser endossados ou até mesmo aceitos. Ao mesmo tempo, a revista *Foreign Policy*, insolente rival da *Foreign Affairs*, publicou um ensaio intitulado: "O racionamento de petróleo é real?". O artigo afirmava enfaticamente que não. Anunciando que "a crise mundial de energia, ou 'racionamento de energia', era uma ficção", parecia sugerir que o próprio Akins fazia parte de uma conspiração formada pelo Departamento de Estado e por exportadores de petróleo. As advertências haviam sido feitas, mas não houve reação especial, nem, é claro, o necessário consenso indispensável tanto nos Estados Unidos quanto entre os países industrializados para a formação de um grupo que teria uma ação profilática conjunta.[2]

Sem as barreiras de importação, os Estados Unidos eram agora participantes irrestritos e sequiosos do mercado mundial de petróleo. Juntaram-se a outros países consumidores na demanda clamorosa pelo petróleo do Oriente Médio. Dificilmente haveria qualquer escolha, a não ser eliminar as cotas; mas esse fim significava um aumento da demanda em um mercado já efervescente. As empresas estavam comprando todo o petróleo disponível. "Apesar de todo o óleo cru que possuímos", recordou o presidente de suprimento e assessor comercial da Gulf Oil, "eu achava que tínhamos que sair comprando mais. Precisávamos diversificar". No verão de 1973, as importações dos Estados Unidos alcançaram 6,2 milhões de barris/dia comparadas com os 3,2 milhões de barris/dia em 1970 e com os 4,5 milhões em 1972. Os refinadores independentes também se precipitaram para os mercados mundiais, juntando-se a um frenético grupo de compradores, elevando os preços de tais suprimentos, desde que disponíveis. O jornal comercial *Petroleum Intelligence Weekly* relatou em agosto de 1973 que "as aquisições de compradores independentes americanos, europeus e japoneses à beira do pânico" estão levando "os preços do petróleo para o espaço".

Quando a demanda do mundo inteiro emergiu de repente diante do limite de suprimento disponível, os preços de mercado excederam os preços oficiais. Foi uma mudança decisiva, salientando de fato o fim de um excedente de vinte anos. Por muito tempo, como reflexo do crônico excesso de suprimentos, os preços de mercado tinham permanecido abaixo dos preços fixados, perturbando as relações entre as empresas e os governos. Mas, agora, a situação se invertera, e os países exportadores certamente não estavam dispostos a ficar para trás; não queriam que a diferença cada vez maior entre os preços oficiais e os preços de mercado fosse carreada para as empresas.

Os exportadores buscaram sem perda de tempo revisar sua participação e os acordos de recompra, de forma a obter um quinhão maior no aumento dos preços. A Líbia foi a mais agressiva. Em 1º de setembro de 1973, quarto aniversário do golpe de Kaddafi, foram estatizados 51% das atividades das empresas que ainda não estavam sob o controle líbio. O próprio presidente Nixon divulgou uma nota de advertência em resposta: "Petróleo sem mercado, como o sr. Mossadegh constatou há muitos anos, não é bom negócio para um país". Mas a severa repreensão não produziu o efeito desejado. Não eram apenas vinte anos que separavam Mossadegh e Kaddafi, havia também uma dramática diferença nas condições de mercado. Quando Mossadegh estatizou a Anglo-Iraniana, novas fontes com grande capacidade de produção se desenvolviam em outras regiões do Oriente Médio. Porém, em 1973, não havia mais capacidade de reserva, o mercado certamente estava ativo e faminto. A Líbia não teve problemas para vender petróleo com baixo teor de enxofre e baixo impacto sobre o meio ambiente.

Os países radicais da OPEP — o Iraque, a Argélia e a Líbia — começaram a pressionar por uma nova revisão nos textos considerados sagrados, os acordos de Teerã e de Trípoli. No final da primavera e no verão de 1973, os outros países exportadores, vendo os saltos cada vez altos dos preços no mercado aberto, fizeram coro a essa ideia. Mencionaram o aumento da inflação e a desvalorização do dólar, mas, acima de qualquer outra coisa, enfatizaram o que estava acontecendo com os preços. Entre 1970 e 1973, o preço de mercado do petróleo cru havia dobrado. Os lucros dos exportadores por barril estavam subindo, mas a participação das empresas nos rendimentos no mercado flutuante também estava crescendo, que representava uma nítida contradição com os objetivos e a ideologia dos exportadores. A parte das empresas nos lucros deveria diminuir, e não crescer. O sistema de preços, baseado no Acordo de Teerã de 1971, encontrava-se "agora em completa confusão", comentou Yamani com o presidente da Aramco em julho de 1973. Em setembro, Yamani mostrava-se disposto a fazer a elegia do Acordo de Teerã. O acordo estava "morto ou morrendo", afirmou. Se as empresas não concordassem em elaborar um novo acordo de preços, acrescentou, os países exportadores iriam "exercer seus direitos por conta própria". A economia petrolífera estava mudando, assim como a política que a rodeava — de forma dramática.[3]

O segredo: o jogo de Sadat

Ao subir ao poder após a morte de Nasser, em 1970, Anuar Sadat era considerado por muitos como uma nulidade, e todos consideravam que provavelmente iria governar apenas uns poucos meses, ou até semanas. O novo presidente do Egito foi subestimado. "O legado que Nasser me deixou estava em condições lastimáveis", comentou posteriormente. Herdara um país que, em sua opinião, encontrava-se política e eticamente falido debaixo da imponente retórica da liga pan-árabe. As ambições exageradas e a autoconfiança decorrentes do sucesso na crise do Suez, em 1956, foram reduzidas a pó, particularmente em consequência da derrota de 1967 e pelo fato de o país encontrar-se economicamente arruinado. Sadat não tinha a ambição de liderar uma nação árabe unida que se estendesse do Atlântico até o Golfo Pérsico; como um nacionalista egípcio, ele queria concentrar-se não nas visões da liga pan-árabe, mas sim na recuperação do Egito.

O Egito consumia mais de 20% de seu Produto Interno Bruto em despesas militares. (Israel estava logo atrás, com 18%). Como poderia progredir economicamente em tais circunstâncias? Sadat queria interromper o ciclo de conflito com Israel e acabar com o impasse diplomático. Desejava algum tipo de estabilização ou de acordo, mas, depois de alguns anos de negociações e discussões infrutíferas, concluiu que isso não poderia ocorrer enquanto Israel estivesse plantado na margem oriental do canal de Suez. Israel não tinha interesse em negociar, e ele não poderia discutir um acordo em posição desvantajosa e humilhante, certamente não enquanto o Sinai inteiro estivesse nas mãos de Israel. Teria que fazer alguma coisa. Movimentou-se, em primeiro lugar, no sentido de consolidar sua própria posição interna e assegurar para si um livre tráfego internacional. Expurgou os egípcios pró-soviéticos, e, em julho de 1972, expulsou os arrogantes conselheiros militares soviéticos, num total de vinte mil, embora continuasse recebendo suprimentos militares soviéticos. Apesar disso, Sadat não obteve a resposta que esperava do Ocidente e, em particular, dos Estados Unidos.

No final de 1972 e início de 1973, Sadat tomou sua decisão fatal: a guerra era o único meio para alcançar seus objetivos políticos. "O que ninguém literalmente compreendeu de antemão era a mentalidade do homem", comentou posteriormente Henry Kissinger. "Sadat não visava tanto a vantagem territorial, mais do que isso objetivava uma crise que alteraria as atitudes das partes interessadas, até então insensíveis — desse modo abriria caminho para as negociações. O choque habilitaria os dois lados, incluindo o Egito, a mostrar uma flexibilidade impossível enquanto Israel se considerasse militarmente superior e o Egito estivesse paralisado pela humilhação. Sua intenção, em resumo, era muito mais psicológica e diplomática do que militar."

A decisão de Sadat era bem calculada. Estava agindo com base na opinião de Clausewitz de que a guerra era a continuação da política por outros meios. Ao mesmo tempo, havia nele um profundo sentimento de fatalismo, sabia que estava blefando. Embora a possibilidade de uma guerra fosse sugerida e até discutida de uma forma geral, não era levada muito a sério, especialmente por aqueles que seriam o alvo dela — os israelenses. Em abril de 1973, Sadat havia começado a formular com o presidente da Síria, Hafez al-Assad, planos estratégicos para um ataque conjunto do Egito e da Síria. O segredo de Sadat — os detalhes e a realidade de seus preparativos para a guerra — foi completamente mantido. Uma das poucas pessoas fora dos altos comandos do Egito e da Síria que participaram desse segredo foi o rei Faissal da Arábia Saudita. E isso significava que o petróleo seria fundamental para o conflito que estava por vir.[4]

A arma do petróleo desembainhada: Faissal muda de opinião

Desde a década de 1950, os membros do mundo árabe discutiam sobre o uso da vagamente definida "arma do petróleo" para atingir seus vários objetivos a respeito de Israel. Esses objetivos variavam desde o total extermínio até forçá-lo a desistir de territórios. Apesar disso, a arma havia sido sempre descartada pelo fato de que o petróleo árabe, embora parecesse inesgotável, não era o único suprimento do mundo. Texas, Louisiana e Oklahoma eram Estados americanos que poderiam rapidamente suprir o mercado mundial de petróleo adicional. Porém, uma vez que os Estados Unidos haviam atingido 100% de sua capacidade de produção, esse velho guerreiro, a produção americana, não poderia levantar-se novamente para defender-se contra a arma do petróleo.

No início da década de 1970, à medida que o mercado ficava mais restrito, várias vozes no mundo árabe se levantaram a favor do uso da arma do petróleo para atingir seus objetivos econômicos e políticos. O rei Faissal da Arábia Saudita não era uma delas. Ele odiava Israel e o sionismo tanto quanto qualquer outro líder árabe. Estava certo de que existia uma conspiração sionista-comunista para assumir o comando do Oriente Médio — advertiu tanto Gamal Abdel Nasser como Richard Nixon de que os israelenses eram os verdadeiros responsáveis pelo pagamento dos terroristas radicais palestinos. Apesar disso, Faissal havia deixado seu caminho para recusar o uso do petróleo como arma. No verão de 1972, quando Sadat sugeriu a manipulação de suprimentos de petróleo para fins políticos, Faissal foi rápido em discordar energicamente. Não apenas era inútil, ele disse, mas "até perigoso pensar nisso". A política e o petróleo não deveriam se misturar. Essa era a lição aprendida pela Arábia Saudita, durante a guerra de 1967, quando cortara exportações em vão, apenas para ver perdidos seus lucros e mercados. Faissal acreditava ser pouco provável que os Estados Unidos fossem afetados por quaisquer cortes de fornecimento, uma vez que não precisariam do petróleo do golfo Árabe antes de 1985. "Portanto, na minha opinião essa proposta deve ser recusada", disse ele enfaticamente. "Não vejo nenhuma vantagem em discutir esse assunto no momento."

Existiam razões políticas e econômicas para a cautela de Faissal. Já havia se estabelecido um Estado marxista, na Península Arábica, no Iêmen do Sul, onde há pouco a bandeira britânica tremulava sobre o porto de Aden. Guerrilheiros marxistas lutavam em outras regiões da península. Em 1969, no mesmo ano em que as conspirações militares haviam derrubado a monarquia na Líbia e o governo civil no Sudão, outra conspiração foi descoberta entre alguns oficiais da força aérea na Arábia Saudita. Faissal temia a expansão do radicalismo em todo o mundo árabe, em desafio à legitimidade da realeza, e rejeitou o plano dos conspiradores. Ele sabia que havia ligações estratégicas e econômicas profundas entre o seu país e os Estados Unidos, num relacionamento que era fundamental para seu reinado, não apenas com relação à prosperidade, mas também por razões de segurança. Não queria participar de uma ação hostil contra um governo que era tão importante para sua própria sobrevivência. No entanto, no início de 1973, Faissal estava mudando de ideia. Por quê?

Parte da resposta residia no mercado. Muito antes do que se supunha, o petróleo do Oriente Médio, não o americano, havia se tornado o suprimento de recurso extremo. A Arábia Saudita, em particular, era considerada fornecedor extraordinário para todo o mundo, inclusive aos Estados Unidos. A dependência americana do Golfo surgiu não no amplamente prognosticado ano de 1985, mas já em 1973. A Arábia Saudita tinha, finalmente, sido promovida à posição até então ocupada pelo Texas; o reino do deserto era agora o produtor alternativo para o mundo inteiro. Os Estados Unidos não poderiam mais aumentar a produção para abastecer seus aliados na iminência de uma crise, e os próprios Estados Unidos estavam, finalmente, vulneráveis. O equilíbrio entre oferta e procura ajudava a tornar a Arábia Saudita ainda mais poderosa. Sua parte nas exportações mundiais havia aumentado rapidamente, de 13%, em 1970, para 21%, em 1973, e continuava a subir. A média de sua produção em julho de 1973, de 8,4 milhões de barris/dia, era 62% mais elevada que o nível de julho de 1972, 5,4 milhões de barris/dia, e ainda estava aumentando. A Aramco produzia a toda capacidade e tinha mesmo aumentado rapidamente a produção para suprir a corrida inesperada da demanda. Havia alegações de que, o que quer que acontecesse, a Arábia Saudita deveria reduzir a produção para evitar danos aos campos e permitir o desenvolvimento maior de sua capacidade.

Além disso, crescia na Arábia Saudita a visão de que os lucros eram excessivos, muito acima do que poderia ser gasto. Duas desvalorizações do dólar americano haviam cortado abruptamente o valor das aplicações financeiras de países com grandes reservas em dólares, incluindo a Arábia Saudita. A Líbia e o Kuait haviam imposto limitações na produção. "Qual a vantagem de produzir mais petróleo e vendê-lo em um papel-moeda sem garantia?", perguntou retoricamente o ministro para Assuntos Petrolíferos do Kuait. "Por que produzir petróleo, que representa meu pão com manteiga e minha força, para trocá-lo por uma soma de dinheiro cujo valor irá despencar no próximo ano de tanto e tanto por cento?" Talvez, argumentaram alguns sauditas, seus próprios países devessem fazer o mesmo e reduzir substancialmente sua produção.

Essas alterações nas condições do mercado, tornando a arma do petróleo árabe cada dia mais potente, coincidiram com importantes acontecimentos políticos. Faissal havia se distanciado bastante de Nasser, a quem considerava um radical da liga pan-árabe cujo objetivo era derrubar os regimes tradicionais. Anuar Sadat, sucessor de Nasser, apresentava um perfil diferente; era um egípcio nacionalista que estava procurando desmantelar a maior parte do legado de Nasser. Sadat havia se aproximado dos sauditas através da Conferência Islâmica, e Faissal simpatizava com Sadat pelo fato deste tentar escapar da sufocante e dura aliança que Nasser havia concertado com a União Soviética. Sem o apoio dos sauditas, Sadat poderia ter sido forçado a se voltar para o lado soviético, e os russos iriam, em consequência disso, aproveitar todas as oportunidades para expandir sua influência por toda a região, exatamente o contrário dos interesses da Arábia Saudita. Na primavera de 1973, Sadat pressionou Faissal energicamente para que considerasse a utilização do petróleo como arma para apoiar o Egito em um confronto com Israel e, talvez, com o Ocidente. O rei Faissal também sentiu crescer a pressão por parte de elementos de dentro de seu reinado e de todas as partes do mundo árabe. Ele não poderia se dar ao luxo de ser considerado outra coisa que não um enérgico defensor dos Estados árabes da "linha de frente" e dos palestinos. Caso contrário, correria o risco de ter seu território, começando com as instalações petrolíferas, exposto às atividades da guerrilha. Confirmando essa vulnerabilidade, homens armados atacaram o terminal de Tapline, em Sidon, na primavera de 1973, destruindo um tanque e danificando outros. Alguns dias mais tarde, o próprio oleoduto foi atingido. Ocorreram alguns outros incidentes, incluindo um ataque que rompeu o oleoduto no interior da Arábia Saudita.

Assim, política e economia juntaram-se para mudar a opinião de Faissal. Os sauditas iniciaram uma campanha para divulgar suas ideias, advertindo que não iriam aumentar sua capacidade de produção petrolífera para satisfazer a demanda e que, de alguma forma, o petróleo árabe iria ser usado como arma, a menos que os Estados Unidos se aproximassem mais do ponto de vista árabe e se afastassem de Israel. No início de maio de 1973, o próprio rei se reuniu com os executivos da Aramco. "Sim, era um amigo leal dos Estados Unidos", disse. Porém, era "absolutamente prioritário" que os Estados Unidos "tomassem uma providência para mudar a direção dos atuais acontecimentos no Oriente Médio".

"Ele mal tocou na ideia da conspiração, mas enfatizou que o sionismo, juntamente com o comunismo, estava a ponto de conseguir que os interesses americanos fossem banidos da área", relatou posteriormente o presidente da Aramco. "Ele mencionou que, atualmente, com exceção da Arábia Saudita, os interesses americanos estavam em situação crítica no Oriente Médio." Declarou que "dependia daqueles americanos e das empresas americanas — que eram amigos dos árabes e que tinham interesses na área para tomar urgentemente uma atitude para mudar a postura do governo dos Estados Unidos. Uma simples desaprovação aos atos e à política de Israel contribuiria muito para superar as tendências antiamericanas na região", disse o presidente da Aramco, acrescentando que havia "extrema urgência" com referência às observações do rei.

Para alívio dos apreensivos executivos da Aramco, o assunto petróleo propriamente dito não foi especialmente mencionado uma vez sequer durante a reunião. Entretanto, surgiu explicitamente, poucas semanas depois, quando os executivos das empresas que formavam a Aramco reuniram-se com Yamani no Hotel Intercontinental de Genebra. "Os senhores gostariam", perguntou Yamani, "de fazer uma visita de cortesia ao rei, que casualmente se encontra repousando em Genebra, após uma viagem a Paris e ao Cairo?" É claro que os empresários do petróleo gostaram do convite. De passagem, Yamani mencionou que o rei acabava de passar "maus momentos" no Cairo; Sadat o havia pressionado muito em busca de maior apoio político. "O tempo está se esgotando com relação aos interesses dos Estados Unidos no Oriente Médio", disse o rei aos empresários quando se encontraram. "A Arábia Saudita está ameaçada de ficar isolada de seus amigos árabes, devido ao fracasso do governo dos Estados Unidos em dar-lhe um apoio efetivo." Faissal foi enfático; não iria permitir que tal isolamento ocorresse. "Vocês perderão tudo", afirmou aos empresários.

Não tiveram dúvida alguma quanto ao que ele queria dizer. "A concessão está claramente em risco", disse um dos executivos posteriormente. Culparam a mídia americana e mostraram que eles mesmos não estavam imunes às teorias de conspiração. A agenda, como esses executivos constataram, era clara: "Assuntos prioritários que devemos tratar primeiro: informar o público dos Estados Unidos sobre seu verdadeiro interesse na área (nesse momento estava sendo mal informado pela mídia); segundo, informar os líderes do governo — imediatamente".

Uma semana depois, os executivos da empresa encontravam-se em Washington, na Casa Branca e nos departamentos de Estado e de Defesa. Resumiram as advertências de Faissal. "É preciso tomar uma atitude urgentemente, caso contrário tudo estará perdido." Encontraram uma audiência atenta, mas receptiva até certo ponto. Havia certamente um problema, reconheciam os funcionários do governo. Mas eles também expressaram, de acordo com os representantes da empresa, "um considerável grau de descrença em relação ao fato de que qualquer atitude drástica fosse iminente ou que quaisquer medidas além daquelas já adotadas seriam necessárias para evitar o pior". Os sauditas, afirmaram os funcionários do governo, já enfrentaram uma pressão muito maior por parte de Nasser no passado. "Eles conseguiram ser bem-sucedidos naquela época e vão sair-se igualmente bem agora." Em todo caso, os Estados Unidos pouco podem fazer a curto prazo, foi a informação recebida pelos empresários em Washington. "Algumas pessoas acham que o rei está gritando 'lobo' quando o lobo só existe em sua imaginação." Um dos funcionários mais graduados dos Estados Unidos comentou que as observações do rei no encontro de Genebra destinavam-se ao "consumo interno" — ao que um dos executivos respondeu asperamente que ninguém pertencente ao "mundo árabe" estava lá presente.

Três empresas — a Texaco, a Chevron e a Mobil – exigiram publicamente uma mudança na política americana no Oriente Médio. O mesmo fez Howard Page, diretor aposentado da Exxon, para os assuntos do Oriente Médio. O rei Faissal decidiu de repente colocar-se à disposição da imprensa americana, que, a despeito de ser supostamente "controlada", manifestou-se ansiosa. Sem mais delongas, ele foi entrevistado pelo Washington Post, pelo Christian Science Monitor, pelo Newsweek e pela rede de Televisão NBC. Sua mensagem foi a mesma para cada um deles. "Nós não desejamos, de nenhuma forma, restringir nossas exportações de petróleo para os Estados Unidos", afirmou aos telespectadores americanos, mas, "o total apoio da América ao sionismo e sua atitude contra os árabes fazem com que seja extremamente difícil, para nós, continuar fornecendo petróleo para os Estados Unidos ou até mesmo permanecer amigos dos Estados Unidos".[5]

Líderes nervosos

Em junho de 1973, Richard Nixon estava hospedando o secretário geral soviético, Leonid Brezhnev, para uma reunião de cúpula na sua fazenda, em S. Clemente, na Califórnia. Depois que ambos já tinham se recolhido, na última noite da reunião, ocorreu um fato inesperado. Um Brezhnev agitado, perturbado e incapaz de dormir solicitou subitamente uma reunião não agendada com Nixon. Apesar da quebra do protocolo diplomático, Nixon foi despertado pelo serviço secreto. Um tanto desconfiado, o presidente recebeu Brezhnev, no meio da noite, em seu pequeno escritório de frente para o escuro Pacífico. Durante três horas, frente a uma pequena lareira, Brezhnev, em termos rudes e emocionais, argumentava que o Oriente Médio era explosivo, que breve uma guerra poderia lá estourar. O único meio de evitá-la, insistiu o líder soviético, era tomar uma nova iniciativa diplomática. Brezhnev estava comunicando que os soviéticos sabiam alguma coisa a respeito da intenção de Sadat e de Assad, em termos gerais, senão específicos — afinal de contas, eles estavam fornecendo as armas — e que, como consequência, a nova *détente* entre os soviéticos e os americanos estaria ameaçada. Porém, Nixon e o assessor de Segurança Nacional, Henry Kissinger, acharam que o estranho comportamento de Brezhnev era uma desastrosa estratégia para obter vantagem e para forçar um acordo com o Oriente Médio nos termos soviéticos, não representando uma advertência genuína. Rejeitaram-na.

No dia 23 de agosto de 1973, Sadat viajou inesperadamente para Riyad, para se entrevistar com o rei Faissal. O líder egípcio trazia notícias de grande impacto. Contou ao rei que estava considerando iniciar uma guerra contra Israel. Iria começar com um ataque-surpresa e queria o apoio e a cooperação da Arábia Saudita. E os conseguiu. Faissal supostamente chegou até a prometer meio bilhão de dólares para os fundos de guerra de Sadat. E, garantiu o rei, não iria deixar de usar o petróleo como arma. "Mas nos dê tempo", teria dito o rei. "Não queremos utilizar nosso petróleo como arma numa batalha que irá durar apenas dois ou três dias. Queremos ver uma luta que continue e dure o tempo suficiente para mobilizar a opinião mundial."

O efeito que o plano de Sadat produziu no rei Faissal era bem evidente. Menos de duas semanas depois, em 27 de agosto, Yamani contou para um executivo da Aramco que o rei, de repente, solicitara relatórios detalhados e completos sobre a produção da Aramco, sobre seus planos de expansão e sobre as consequências da redução da sua produção nos países consumidores — em particular, com relação aos Estados Unidos. Num dado momento, o rei perguntou qual seria o efeito se a produção da Aramco fosse reduzida em dois milhões de barris/dia. "Este é um fenômeno completamente novo", explicou Yamani. "O rei nunca se incomodou com esses detalhes."

Yamani fez soar o alarme. Existe gente nos Estados Unidos liderada por Kissinger, afirmou, que "está fazendo com que Nixon se engane a respeito da seriedade" das intenções da Arábia Saudita. "Por essa razão, o rei tem dado entrevistas e feito declarações públicas com a intenção de eliminar qualquer dúvida eventualmente existente" nos Estados Unidos. "Quem conhece nosso regime e sabe como ele funciona percebe que a decisão de limitar a produção é tomada apenas por um homem, isto é, o rei, e ele toma tal decisão sem pedir o consentimento de ninguém." O rei, continuou Yamani, está "100% determinado a efetuar uma mudança na política dos Estados Unidos e a usar o petróleo para essa finalidade. O rei acha que sente a obrigação pessoal de fazer alguma coisa e sabe, agora, que o petróleo representa efetivamente uma arma". Prosseguiu Yamani: "Além disso, ele está, sob constante pressão da opinião pública árabe e dos líderes árabes, particularmente de Sadat. Está perdendo a paciência". Yamani aduziu outro detalhe. O rei andava agora muito nervoso.

Setembro de 1973 : "pressão de todos os lados"

Em setembro de 1973, falar sobre a garantia de fornecimento e de uma crise iminente de energia estava se tornando um assunto bem difundido. A *Middle East Economic Survey* estampava a manchete: "A cena do petróleo: pressão por todos os lados". Nesse mesmo mês, as maiores empresas petrolíferas e a administração Nixon estavam discutindo sua preocupação comum de que a Líbia pudesse acabar com toda a produção das grandes empresas. O governo, depois um bom período de debate, decidiu impor distribuições obrigatórias para alguns produtos derivados do petróleo que estavam com o estoque nacional bem reduzido.

O rei Faissal afirmava aos executivos das empresas petrolíferas que uma "simples restrição", dos Estados Unidos à política israelense ajudaria a desviar o uso do petróleo como arma. E, até certo ponto, essas restrições estavam sendo feitas agora. "Embora nossos interesses em muitos aspectos sejam os mesmos de Israel", declarou para a televisão israelense, Joseph Sisco, assessor do secretário de Estado americano, "eles não são sinônimos. Os interesses dos Estados Unidos estão acima de qualquer nação da área (...) Existe uma crescente preocupação em nosso país, por exemplo, com relação à questão da energia, e creio ser temerário pensar que esse fator não seja importante nessa situação." Perguntaram-lhe, então, se os produtores do petróleo árabe poderiam usar o petróleo como uma arma política contra os Estados Unidos algum dia no futuro — digamos, na década de 1980. "Não sou vidente para prever isso", respondeu Sisco. Mas "existem obviamente vozes no mundo árabe que estão pressionando no sentido de estabelecer uma ligação entre o petróleo e a política".

O "repúdio" americano partiu também de níveis mais altos. Numa coletiva para a imprensa, perguntaram ao presidente Nixon se os árabes "usariam o petróleo como arma para forçar uma mudança na política do Oriente Médio". Tratava-se de "um assunto da maior preocupação", respondeu. Todos os países consumidores, inclusive os Estados Unidos, podem ser afetados. "Quanto a isso, estamos todos no mesmo barco", disse Nixon, e continuou culpando os dois lados, incluindo Israel, pelo impasse. "Israel não pode simplesmente esperar que a poeira se assente e os árabes também não podem esperar que a poeira se assente no Oriente Médio. Ambos os lados têm culpa. Os dois lados precisam começar a negociar. Essa é a nossa posição... Um dos dividendos que ganharemos com uma negociação bem-sucedida será a redução da pressão sobre o petróleo."

Essa pressão era sentida por todos os países consumidores mais importantes. Na Alemanha, em setembro, o governo de Bonn revelou, finalmente, seu primeiro programa de energia, com alguma ênfase na garantia do abastecimento. O principal proponente do programa era o secretário de Estado, Ulf Lantzke, cuja própria inquietação fora despertada em 1968 pela advertência americana à OCED de que suas reservas estavam se evaporando. "Para mim", declarou Lantzke posteriormente, "aquele foi um ponto de partida. Dali para a frente eu estava tentando reverter a política de energia na Alemanha. A questão não era mais como resolver nossos problemas com o carvão, mas como introduzir a garantia de abastecimento em nossa política. Era muito difícil. Levei cinco anos para preparar o terreno e convencer as pessoas, tão arraigada era a crença política de que os suprimentos energéticos não constituíam problema algum".

No Japão, nesse mesmo inquietante mês de setembro, a recém-criada Agência para Recursos e Energia do Ministério do Comércio Internacional e da Indústria

(MITI) distribuiu um documento oficial sobre energia tratando da total insegurança japonesa quanto ao abastecimento de petróleo, enfatizando a necessidade de criar medidas para enfrentar uma emergência. Era o resultado de preocupações surgidas ao longo do ano anterior sobre o significado do desenfreado crescimento da demanda japonesa de petróleo, em termos de dependência e vulnerabilidade. A maior parte do petróleo consumido no país vinha direta ou indiretamente das empresas internacionais, e tanto os funcionários do governo quanto os empresários podiam perceber a rápida transferência do poder das empresas em direção aos países exportadores de petróleo. "O sistema de gerenciamento do abastecimento de petróleo, que até então era montado pelas companhias internacionais, havia se desintegrado", salientou, sem rodeios, o documento oficial. E, para o Japão, isso significava que "a comunidade internacional não poderia mais permanecer na atitude passiva da década de 1960."

Nessa época, balançando ao sabor do vento da nova situação, surgiu uma nova corrente na política externa japonesa, até então firmemente apoiada na aliança com os Estados Unidos. Era chamada "recurso diplomático" e tinha por objetivo reorientar a política externa japonesa, de forma a tentar garantir o acesso ao petróleo. O seu principal defensor era o ministro Yasuhiro Nakasone, do MITI (futuro primeiro-ministro), que argumentava: "É inevitável que o Japão siga seus próprios caminhos competitivamente. Chegou o fim da era da obediência cega". Eram os Estados Unidos que não deveriam ser mais seguidos cegamente. Em junho de 1973, Nakasone exigiu uma nova política de recursos energéticos, "colocando-se do lado dos países produtores de petróleo". Nessa época, a preocupação de uma crise de energia já era lugar-comum em alguns círculos no Japão. No inverno anterior já ocorrera racionamento de querosene e de gasolina, e agora, no verão de 1973, havia sinais, assim como nos Estados Unidos, de queda na produção de energia elétrica. Parecia, pelo menos para um visitante, que quase todos os políticos japoneses que se ocupavam com energia haviam lido o artigo de James Akins, "A crise do petróleo: desta vez o lobo está aqui", e tinham se convencido. A única questão era: "Quando?" Em 26 de setembro, o primeiro-ministro japonês, Kakuei Tanaka, declarou a um entrevistador de televisão: "Com relação a uma crise energética, a falta de petróleo está claramente prevista para daqui a dez anos".

Parecia mais ser dez dias. Porque Anuar Sadat, naquele exato momento, começava sua contagem regressiva para a guerra.[6]

Nada de novo para negociar

Numa reunião em Viena, em meados de setembro de 1973, os países da OPEP haviam exigido um novo acordo com as empresas petrolíferas. Os acordos de Teerã e de Trípoli haviam caducado. Os membros da OPEP estavam determinados a conseguir para si mesmos o que diziam ser os "lucros caídos do céu" que as empresas estavam ganhando com o aumento nos preços de mercado. Os representantes das empresas petrolíferas foram convocados para um encontro em Viena, com uma equipe liderada por Yamani, no dia 8 de outubro.

Para negociar em grupo as empresas petrolíferas teriam, mais uma vez, que obter um documento comercial legal, fornecido pelo Departamento de Justiça, dando-lhes garantia de que não estavam violando as leis antitruste. O advogado contratado pelas empresas, o venerável John J. McCloy, requisitou essa permissão em Washington, em 21 de setembro, iniciando um árduo trabalho diplomático, não apenas entre as empresas e o Departamento de Justiça, mas também entre um Departamento de Justiça cético e um preocupado Departamento de Estado. Numa acalorada reunião com o departamento de Justiça, McCloy invocou os nomes dos procuradores gerais anteriores, chegando até Robert Kennedy, que haviam permitido às empresas elaborar estratégias conjuntas sobre assuntos complicados que envolvessem relações exteriores. "Se o Departamento de Justiça não desse seu aval", afirmou, "seria o responsável pelo fato de as empresas serem engolidas uma a uma." Kenneth Jamieson, presidente da Exxon, argumentou: "A indústria petrolífera era indispensável para segurar as pontas contra um volúvel mundo árabe". Os advogados do Departamento de Justiça, citando um livro de autoria de um professor do MIT (Massachusetts Institute of Technology) que atribuía pouca importância à crise política em questão, insistiam que os preços do petróleo estavam subindo por causa de maquinações armadas pelas grandes empresas petrolíferas, e não pelas condições de mercado ou pelo movimento da OPEP, para delas se aproveitar. Jamieson não queria acreditar, mas, finalmente, em 5 de outubro, três dias antes da data marcada para o início da reunião de Viena, a Divisão Antitruste concedeu relutantemente aos clientes de McCloy a autorização de que necessitavam para negociar em conjunto.

Embora na primavera anterior houvesse em Washington certa apreensão em relação à possibilidade de um conflito militar no Oriente Médio, ela se dissipara no verão, e, durante meses, a maior parte do serviço secreto americano descartara a possibilidade de guerra. Não fazia sentido: os israelenses não tinham razão alguma para começar as hostilidades, nem ousariam iniciar um ataque por antecipação, como fizeram em 1967. Além disso, eram considerados militarmente superiores, o que faria parecer loucura dos árabes apenas pensar em provocar uma guerra na qual seriam violentamente batidos. Os israelenses, cuja sobrevivência estava em jogo, também descartaram consistentemente a perspectiva de guerra, o que muito influenciou a interpretação dos americanos sobre a situação.

Havia uma exceção neste consenso. Ao final de setembro, a National Security Agency relatou uma repentina intensificação de movimentação militar que sugeria a possibilidade de guerra iminente no Oriente Médio. A advertência foi ignorada. No dia 5 de outubro, os soviéticos subitamente retiraram suas famílias da Síria e do Egito. O significado óbvio dessa operação também foi desconsiderado. Naquele dia, uma análise da CIA para a Casa Branca dizia: "Os preparativos militares ocorridos não indicam que qualquer das partes pretenda iniciar as hostilidades". Às 17h30 do dia 5 de outubro, a mais recente avaliação dos israelenses foi passada à Casa Branca: "Consideramos muito pouco provável o início de operações militares contra Israel por parte dos dois exércitos (do Egito e da Síria)". O Comitê de Vigilância, representando todo o serviço secreto americano, examinou a evolução dos fatos e as perspectivas. A guerra, a seu ver, era muito pouco provável.

Nesse mesmo dia, enquanto a tarde ainda corria em Washington, já era noite no Oriente Médio e, em Israel, o país começava a parar para celebrar o mais sombrio e mais sagrado dos feriados judaicos — o de Yom Kipur. Em Riad os membros da delegação saudita da OPEP embarcavam num jato com destino a Viena. Aproveitaram o tempo de voo concentrando-se na documentação técnica — em assuntos como preço, inflação, lucro das empresas e diferenças de densidade. Somente quando os delegados chegaram a Viena, em 6 de outubro, é que souberam das dramáticas notícias — o Egito e a Síria desfecharam um ataque-surpresa contra Israel. Naquela manhã, pelo fuso horário da Costa Leste dos Estados Unidos altos funcionários do governo americano e executivos ligados ao petróleo acordaram com o Oriente Médio em guerra.

O início das hostilidades provocou grande comoção entre os delegados da OPEP em Viena. medida que os funcionários das empresas petrolíferas chegavam para os debates, viam os delegados árabes excitados, trocando entre si artigos e fotografias dos jornais. Não havia dúvida alguma que os membros árabes da OPEP estavam, no mínimo, recebendo apoio e ganhando confiança do que parecia ser uma vitória árabe nos campos de batalha. Os empresários, por seu lado, não podiam deixar de ficar nervosos. Não apenas estavam na defensiva na questão do preço, mas, a qualquer momento, de alguma forma, o petróleo poderia ser usado como arma e entrar em cena. O ministro iraniano para Assuntos Petrolíferos observou que os empresários mostravam "certo pânico". Ele percebeu também outra coisa mais profunda: "Estavam perdendo sua força".

Enquanto a guerra se intensificava no Oriente Médio, as companhias sentavam-se à mesa de negociações para oferecer um aumento de 15% em relação ao preço fixado, cerca de 45 centavos mais por barril. Para os países exportadores de petróleo, isso era ridículo e completamente sem sentido. Queriam um aumento de 100% — mais três dólares. A diferença era enorme. A equipe de negociação das empresas, liderada por George Piercy, da Exxon, e por André Bénard, da Shell, nada podia contestar sem antes consultar suas respectivas matrizes na Europa e nos Estados Unidos. Poderiam continuar negociando? Que outra proposta poderiam fazer? As respostas cruciais de Londres e de Nova York eram essencialmente as mesmas — "nenhuma oferta" —, pelo menos por enquanto. A diferença era tão grande que as empresas não ousaram correr o risco de um comprometimento perigoso para resolver esse impasse, sem antes, por sua vez, consultar os governos dos principais países industrializados. Qual seria o efeito na economia do mundo ocidental? Seria possível repassar aumentos tão grandes para os consumidores? Além disso, as empresas tinham sido criticadas por terem feito concessões à OPEP com muita facilidade no passado. A decisão agora era por demais momentosa e política para ser tomada sozinha. Assim, as diversas matrizes recomendaram a Piercy e a Bénard que não mais negociassem, e sim solicitassem um adiamento para que os governos do mundo ocidental pudessem ser consultados. Entre os dias 9 e 11 de outubro, foram sondados os governos dos Estados Unidos, do Japão e mais uma meia dúzia de países da Europa Ocidental. A resposta foi praticamente unânime: o aumento pretendido pelos países exportadores era fora de propósito, e as companhias definitivamente não deveriam melhorar suas ofertas ao ponto que a OPEP admitisse realmente aceitá-las.

Logo após a meia-noite, nas primeiras horas de 12 de outubro, seis dias depois de a guerra ter começado, Piercy e Bénard foram se encontrar com Yamani em sua suíte do Hotel Intercontinental. Não tinham nada a oferecer naquele momento, explicaram, e pediram mais duas semanas para formular uma resposta. Yamani ficou em silêncio. Pediu então uma coca-cola para Piercy, cortou um limão e o espremeu na bebida. Esperava. Queria manter as coisas funcionando. Ofereceu a coca-cola a Piercy, mas nem Piercy nem Bénard tinham algo para lhe dar em troca.

"Eles não vão gostar", disse finalmente Yamani. Ligou para Bagdá, falou energicamente em árabe, durante certo tempo, virou-se para os dois e disse: "Estão furiosos com vocês".

Yamani discou para um dos apartamentos da delegação do Kuait, cujos membros também estavam hospedados no Intercontinental, o ministro para Assuntos Petrolíferos kuaitiano, ainda de pijama, logo apareceu. Houve mais discussões acaloradas em árabe. Yamani começou a consultar os horários das linhas aéreas. Ainda não havia o que negociar. Finalmente, nas primeiras horas da manhã, interrompeu-se a reunião improvisada. Ao sair, George Piercy perguntou o que aconteceria a seguir.

"Ouça pelo rádio", replicou Yamani.[7]

A surpresa de Sadat

A escolha do Yom Kipur como a data para lançar o mais recente ataque árabe se destinava a apanhar Israel de surpresa no momento em que o país estava menos preparado. Toda a estratégia israelense de defesa dependia de uma rápida e total mobilização e do deslocamento das tropas de reserva em prontidão. Em nenhum outro dia, esse tipo de reação seria tão difícil. O país havia paralisado suas atividades para a meditação, introspecção, busca espiritual e oração. Além disso, Sadat havia se concentrado na estratégia da surpresa e para isso caprichara na prática da simulação. Pelo menos duas vezes antes, havia blefado, dando a impressão de estar pronto para a guerra. Em ambas, Israel havia se mobilizado desnecessariamente, com um custo muito elevado e grande pressão orçamentária. A experiência produziu os efeitos desejados — tornou-os céticos e complacentes. De fato, o chefe do Estado Maior de Israel foi publicamente criticado por ter determinado uma mobilização dispendiosa e desnecessária em maio de 1973. Assad fez a sua parte na tática da simulação. Uma organização terrorista ligada à Síria raptou alguns emigrantes soviéticos judeus que viajavam de Moscou para Viena, e a primeira-ministra israelense, Golda Meir, foi à Áustria tratar da crise que absorveu a atenção da liderança israelense até 3 de outubro.

Existiam, entretanto, sinais genuínos de advertência de um ataque iminente. Tanto os israelenses como os americanos os haviam desconsiderado. Poucas semanas antes do ataque, uma fonte síria forneceu aos Estados Unidos informação surpreendentemente exata, incluindo a ordem de batalha síria, mas essas informações só foram identificadas mais tarde, perdidas, como tantas outras, em meio a centenas de informações, algumas bastante contraditórias. Na Síria, Assad mandara preparar vastos cemitérios, outro sinal sinistro. Em 3 de outubro, um membro do Conselho de Segurança Nacional dos Estados Unidos perguntou a um funcionário da CIA sobre o grande movimento de tropas egípcias. "Os ingleses quando ainda estavam no Egito, costumavam realizar suas manobras militares de outono nesta época do ano", respondeu o agente da CIA. "Os egípcios continuam fazendo a mesma coisa." Alguns funcionários americanos receberam relatórios dando conta de que as camas dos hospitais egípcios estavam subitamente sendo desocupadas, mas tais relatórios foram descartados como mais um elemento sem maior importância dos exercícios militares egípcios. Em 1º de outubro e novamente em 3 de outubro, um jovem tenente israelense enviou a seus superiores os relatórios a respeito da movimentação das forças egípcias apontando para uma guerra iminente. Também foram ignorados. As forças armadas israelenses, especialmente seu serviço secreto, estavam completamente dominadas pela "concepção", uma determinada visão das condições necessárias para a guerra, que, por definição, excluía um ataque egípcio nas atuais circunstâncias. Nos primeiros dias de outubro, uma importante fonte de informação israelense, baseada no Egito, enviara um sinal urgente. Foi imediatamente desembarcada e despachada para a Europa, onde fez seu relatório. Não havia nenhuma dúvida sobre o que contou. Mas, inexplicavelmente, suas advertências foram transmitidas a Tel Aviv com um dia de atraso. Era tarde demais.

Os americanos, assim como os israelenses, cometeram o erro fundamental de não pensar do mesmo modo que Sadat, de não se colocar em seu lugar, de não considerar o que dizia, nem levá-lo suficientemente a sério. Atitudes e ideias impediram que advertências vitais do serviço secreto fossem identificadas, analisadas e corretamente interpretadas. Kissinger admitiu mais tarde que até outubro de 1973, pensava em Sadat mais como ator do que como estadista. O jogo de Sadat foi bem recompensado. A magnitude da surpresa do ataque árabe teria para os israelenses o que Pearl Harbor tivera, 32 anos antes, para os americanos. Os israelenses mais tarde se perguntariam como puderam ter sido apanhados tão desprevenidos. Os sinais eram todos muito claros. Mas não poderiam ser facilmente extraídos da confusão de informações contraditórias permeadas com simulações deliberadas, especialmente quando prevaleciam a complacência e a confiança excessivas.

Nove horas e meia antes do ataque, quando os israelenses tiveram a confirmação das iminentes hostilidades, ainda assim continuavam paralisados. Isso não era 1967. Não eram os primeiros a se mobilizar, não poderiam adotar ações preventivas. Além do mais, num exemplo fatal de desinformação, pensaram que a guerra começaria quatro horas mais tarde do que realmente ocorreu. De qualquer forma, não estavam preparados e, logo nos primeiros dias, os israelenses recuaram desordenadamente diante do ataque violento, enquanto os egípcios e os sírios registravam sólidas vitórias.[8]

"O terceiro templo está desabando"

Uma vez estourada a guerra, o objetivo primeiro da América do Norte foi de rapidamente conseguir uma trégua, por meio da qual os beligerantes se retirariam para suas posições anteriores ao início das hostilidades, seguindo-se intensa busca de uma solução diplomática. Os Estados Unidos queriam, como prioridade máxima, manter-se longe do envolvimento direto. Não desejavam o comprometimento óbvio de fornecer armas aos israelenses contra os árabes, que, por sua vez, eram abastecidos pela União Soviética. Isso, porém, era considerado improvável devido à pretensa superioridade israelense. Apesar de a política americana não admitir uma derrota israelense, considerariam o melhor resultado, nas palavras de um alto funcionário, no qual "Israel venceria, mas sairia arranhado no processo", tornando-se assim mais acessível à negociação.

Entretanto, a possibilidade de algo muito pior que um arranhão surgiu de repente, graças ao segundo grande erro de cálculo por parte de Israel (o primeiro foi de que não haveria guerra alguma). Israel julgou suficientes suprimentos para três semanas de guerra, uma premissa baseada na experiência da Guerra dos Seis Dias de 1967. Mas a guerra de 1967 havia sido muito mais fácil do ponto de vista israelense, que, naquela época, contava tanto com a superioridade militar quanto com a vantagem da surpresa. Agora, imediatamente colocados na defensiva pelo Egito e pela Síria, ambos muito bem equipados com armas soviéticas, os israelenses viram-se devorando equipamentos numa velocidade alarmante, muito além do previsto. Esse erro de cálculo relativo às suas necessidades mostrou-se muito grave para Israel. Conduziria também diretamente a uma mudança contundente em relação ao petróleo mundial.

Na segunda-feira, 8 de outubro, dois dias após o ataque-surpresa, Washington avisou aos israelenses que poderiam se abastecer nos Estados Unidos com um avião sem prefixo da El Al. Acharam que isso seria suficiente. Israel, porém, ainda não havia se recuperado dos efeitos do ataque inicial. Um Moshe Dayan desesperado, ministro da Defesa de Israel, comunicou à primeira-ministra, Golda Meir, que "o Terceiro Templo está desabando", e a própria Meir preparou uma carta confidencial dirigida a Richard Nixon, advertindo que Israel estava sendo esmagado e logo poderia ser destruído. Em 9 de outubro, os Estados Unidos perceberam que as forças israelenses estavam em situação grave, necessitando desesperadamente de suprimentos. Em 10 de outubro, a União Soviética iniciou o reabastecimento maciço da Síria, cujas forças começavam a recuar, e logo depois fez o mesmo com o Egito. Os soviéticos puseram as tropas de paraquedistas de prontidão e começaram a encorajar outros Estados árabes a entrar na guerra. Os americanos então começaram a discutir sobre a vinda de mais aviões sem prefixo da El Al aos Estados Unidos para abastecimentos adicionais. Ao mesmo tempo, o Departamento de Estado começou a pressionar as companhias aéreas comerciais para fornecer aviões fretados que transportariam equipamentos para Israel. Kissinger achou que esse tipo de procedimento seria relativamente discreto e evitaria a identificação óbvia dos Estados Unidos com Israel. "Estávamos conscientes da necessidade de preservar o autorespeito dos árabes", comentou Kissinger posteriormente. Mas o reabastecimento soviético em grande escala logo se tornou evidente. E na quinta-feira, 11 de outubro, os americanos se deram conta de que Israel poderia perder a guerra, sem novo suprimento. Na formulação de Kissinger e até na de Nixon, os Estados Unidos não poderiam permitir que um aliado americano fosse derrotado por armas soviéticas. Além disso, quem poderia saber as consequências de uma luta até a morte?

Na sexta-feira, 12 de outubro, duas cartas confidenciais foram enviadas a Nixon. Uma delas era dos presidentes das quatro empresas que formavam a Aramco — Exxon, Mobil, Texaco e Standard of California — enviada às pressas, via John McCloy. Diziam que o aumento de 100% no preço fixado do petróleo, exigido pela delegação da OPEP em Viena, era "inaceitável". Mas que algum tipo de aumento de preço havia sido garantido, uma vez que "a indústria do petróleo no mundo livre estava agora funcionando 'a todo o vapor', sem nenhuma capacidade ociosa". Tinham algo de mais urgente, ainda, que desejavam comunicar. Se os Estados Unidos aumentassem seu apoio militar a Israel, poderia haver um "efeito de bola de neve", em termos de retaliação, "que produziria uma grande crise no fornecimento de petróleo". Havia outra advertência. "A posição global dos Estados Unidos no Oriente Médio corria o risco de ficar seriamente prejudicada, pelo fato de os interesses japoneses, europeus e talvez russos suplantarem de longe a presença dos Estados Unidos na região, em detrimento de nossa economia e segurança."

A segunda carta era uma mensagem desesperada da primeira-ministra de Israel, Golda Meir. A sobrevivência de sua nação e da vida de seu povo, escreveu ela, encontrava-se, naquele momento, no mais precário equilíbrio. Sua advertência foi confirmada por volta da meia-noite naquela sexta-feira, quando Kissinger soube que Israel poderia ficar sem munições essenciais durante os próximos dias. Também soube pelo secretário de Defesa, James Schlesinger, que todos os esforços para conseguir os fretamentos comerciais haviam falhado. As companhias aéreas americanas não ousavam arriscar um embargo árabe ou um ataque terrorista e certamente não estavam interessadas em enviar seus aviões para uma zona de guerra. Se o governo dos Estados Unidos quisesse convocá-las, disseram, o presidente teria que declarar emergência nacional. "Se quisermos abastecê-los", disse Schlesinger a Kissinger, "teremos que utilizar a força aérea dos Estados Unidos. Não há alternativa. Não haverá reabastecimentos sem a força aérea americana".

Kissinger foi obrigado a concordar. Entretanto pediu a Schlesinger para obter a palavra dos israelenses de que os aviões da Força Aérea dos Estados Unidos aterrissariam protegidos pela escuridão da noite, seriam descarregados e decolariam ao amanhecer. Se não fossem vistos, o reabastecimento poderia ser mantido, na medida do possível, em sigilo. Antes que o dia clareasse na manhã de sábado, 13 de outubro, Schlesinger obteve a promessa dos israelenses, e o Comando Militar das Forças Aéreas iniciou o transporte de munições partindo de suas bases nos Estados nas Montanhas Rochosas e no Centro-Oeste para um campo de pouso de Delaware. Mas os aviões americanos precisariam fazer uma escala para reabastecimento na rota para Israel. No sábado de manhã, os Estados Unidos solicitaram a permissão de Portugal para pousar seus aviões nos Açores. Foi necessário que o próprio presidente Nixon pressionasse direta e energicamente o governo português para conseguir a permissão necessária.

Ainda assim, Washington esperava manter a discrição, mas a presunção do sigilo não levou em conta um ato inesperado da natureza. Havia fortes correntes de vento no aeroporto de Lajes, nos Açores, que puseram em perigo os enormes aviões de transporte C-5A e, por essa razão, ficaram detidos em Delaware, abarrotados de suprimentos. As correntes de vento não diminuíram até o final da tarde, o que significou um atraso de meio dia. Assim, os C-5As não chegaram a Israel na escuridão da noite de sábado, mas atravessaram o céu roncando durante o domingo, 14 de outubro, exibindo para quem quisesse ver suas enormes estrelas brancas. Os Estados Unidos, em lugar de conservar sua posição de intermediários honestos, eram agora considerados aliados ativos de Israel. A ajuda havia sido ampliada para contrabalançar o imenso reabastecimento soviético para os árabes, mas isso não importava. Ignorando o extremo esforço dos americanos em manter discreta sua ajuda a Israel, os líderes árabes entenderam que isso significava um sinal dramático e bastante visível de apoio.

Os israelenses conseguiram deter a ofensiva egípcia antes que cruzassem as críticas passagens montanhosas do Sinai e, em 15 de outubro, lançaram a primeira de uma série de ofensivas bem-sucedidas contra os egípcios. Enquanto isso, a OPEP havia anunciado em Viena, em 14 de outubro, o malogro de suas negociações com as companhias. Os países da OPEP no Golfo agendaram uma reunião na cidade do Kuait para retomar a questão do preço do petróleo por sua própria conta. Porém, a maior parte dos delegados tinha permanecido em Viena, desde o fracasso das conversações com as companhias, e agora se achava encalhada. Tentavam freneticamente fazer suas reservas, mas, por causa da guerra, as empresas aéreas praticamente cancelaram todos os voos para o Oriente Médio. Parecia que não conseguiriam partir de jeito nenhum, o que significava que a reunião já marcada no Kuait não se realizaria. Finalmente, descobriram que ainda havia um voo da Air India passando por Genebra que fazia uma escala na cidade do Kuait. Na noite de 15 de outubro, muitas delegações correram para o aeroporto e precipitadamente embarcaram no avião.

Em 16 de outubro, os delegados dos países do Golfo — cinco árabes e um iraniano — reuniram-se na cidade do Kuait para retomar as discussões interrompidas poucos dias antes na suíte de Yamani, em Viena. Não esperariam mais pela resposta das companhias. Tomaram uma atitude. Anunciaram sua decisão de aumentar o preço fixado do petróleo em 70%, para 5,11 dólares o barril, alinhando-o aos preços de um mercado à vista em pânico.

O significado de sua atitude foi duplo — pelo aumento do preço em si e pela forma unilateral com que foi imposto. A asserção de que os países exportadores negociariam com as companhias pertencia agora ao passado. Haviam assumido total e inteiramente o encargo da fixação do preço do petróleo. A transição agora se completava partindo dos dias em que as companhias fixavam o preço unilateralmente, passando pelos dias em que os países exportadores tinham pelo menos direito a veto para os preços negociados conjuntamente, até esta nova fase em que os exportadores assumiam a condição de suseranos únicos. Quando a decisão foi tomada, Yamani comentou com um dos delegados na cidade de Kuait: "Esperei muito tempo por este momento. E enfim chegou. Somos os donos da nossa própria mercadoria".

Os exportadores estavam preparados para as angustiadas reclamações sobre o tamanho do aumento. Anunciaram que os governos dos países consumidores ficavam com 66% do preço do petróleo no varejo a título de impostos, enquanto eles receberiam o equivalente a apenas 9%. O ministro iraniano para Assuntos Petrolíferos, Jamshid Amouzegar, disse que os países exportadores estavam meramente ajustando os preços de acordo com as forças do mercado e, no futuro, fixariam os preços com base no que os consumidores estivessem dispostos a pagar. Era essa a decisão que Yamani recomendou a George Piercy, da Exxon, ouvir pelo rádio em 16 de outubro. Do jeito que as coisas aconteceram, Piercy ficou sabendo por notícias de jornais.

Se os países exportadores da OPEP podiam aumentar o preço do petróleo unilateralmente, o que não fariam em seguida? E o que aconteceria nos campos de batalha? No dia seguinte, 17 de outubro, na Casa Branca, Richard Nixon expressou sua preocupação a seus principais assessores em segurança nacional. "Ninguém está mais agudamente consciente daquilo que está em risco: o petróleo e nossa posição estratégica." Nesse mesmo dia, essa mesma afirmação adquiriria um significado histórico, do outro lado do mundo, mais uma vez na cidade do Kuait. O ministro iraniano do Petróleo havia se retirado da reunião, e os outros ministros árabes chegaram para participar de um conclave exclusivamente árabe. O assunto era a utilização do petróleo como arma. Todos tinham isso em mente e o ministro kuaitiano para Assuntos Petrolíferos declarou: "Agora a atmosfera está mais propícia do que em 1967".[9]

Embargo

Permanecia ainda a questão do que exatamente faria a Arábia Saudita. Apesar da insistência de Sadat, o rei Faissal relutava em tomar qualquer atitude contra os Estados Unidos sem um contato prévio com Washington. Enviou uma carta a Nixon, advertindo-o que, se o apoio americano a Israel continuasse, as relações saudita-americanas tornar-se-iam apenas "mornas". Era 16 de outubro.

Em 17 de outubro, enquanto os ministros do petróleo se reuniam no Kuait, Kissinger em primeiro lugar e depois Kissinger e Nixon juntos recebiam quatro ministros de Relações Exteriores árabes. Eram liderados pelo saudita Omar Saqqaf, a quem

Kissinger caracterizaria como "cortês e prudente". As discussões foram cordiais e parecia existir certa concordância. Nixon havia prometido empenhar-se por um cessar-fogo que permitiria "discutir os termos da Resolução 242", a resolução das Nações Unidas que traria Israel de volta às suas fronteiras de 1967. O ministro de Estado saudita pareceu afirmar que Israel tinha o direito de existir, desde que fosse dentro de suas fronteiras de 1967. Kissinger explicou que o reabastecimento americano não devia ser tomado como uma atitude antiárabe, mas sim uma disputa "entre os Estados Unidos e a União Soviética". Os Estados Unidos precisavam reagir diante do procedimento russo. Acrescentou que o *status quo ante* na região era insustentável e que, após a guerra, os Estados Unidos assumiriam desempenhar um efetivo papel diplomático e se empenhariam em estabelecer acordos de paz positivos.

Para Saqqaf, Nixon fez uma promessa importantíssima: os serviços de Henry Kissinger como negociador, que parecia ser, segundo Nixon, uma garantia certa de sucesso. Nixon também assegurou a Saqqaf e aos outros ministros de Relações Exteriores que, apesar de suas origens judaicas, Kissinger "não estava sujeito a pressões da comunidade judaica americana". Prosseguiu acrescentando: "Percebo que estão preocupados pelo fato de Henry Kissinger ser um americano de ascendência judaica. Um americano de ascendência judaica pode ser um bom americano, e Kissinger é um bom americano. Trabalhará com os senhores". Kissinger retorceu-se de embaraço e cólera com as observações gratuitas do presidente, mas Saqqaf permaneceu impávido. "Somos todos semitas", respondeu habilmente. O secretário de Estado dirigiu-se então ao Jardim de Rosas da Casa Branca, onde afirmou aos repórteres que as conversações haviam sido construtivas e amigáveis. De acordo com a imprensa, tudo eram sorrisos, cortesia e elogios mútuos. Após as reuniões com Saqqaf e com os outros ministros de Relações Exteriores árabes, Kissinger comentou com seus assessores que estava surpreso por não ter havido nenhuma menção ao petróleo e que seria pouco provável que os árabes usassem o petróleo como arma contra os Estados Unidos.

Entretanto, era exatamente o que os ministros árabes do petróleo estavam pretendendo na cidade do Kuait. No início de 1973, em um de seus discursos "pensando em voz alta" sobre as opções do Egito, Sadat havia discutido sobre a possibilidade de usar o petróleo como arma. Nessa época, a seu pedido, especialistas do Egito e de outros países árabes começavam a esboçar um plano sobre o uso do petróleo como arma, levando em consideração a crescente crise de energia nos Estados Unidos. As delegações árabes reunidas no Kuait tinham uma noção desse conceito antes da reunião de 17 de outubro. Na própria reunião, porém, o radical Iraque tinha outras ideias. O chefe da delegação iraquiana conclamou os Estados árabes a fazer dos Estados Unidos o alvo de sua ira — estatizar todas as empresas americanas no mundo árabe, sacar todos os fundos árabes dos bancos americanos e estabelecer um embargo total de petróleo contra os Estados Unidos e contra outros países em boas relações com Israel. O ministro argelino e presidente da reunião rejeitou a proposta, por ser impraticável e inaceitável. Yamani, seguindo instruções de seu rei, também se opôs ao que teria sido uma declaração de guerra econômica total contra os Estados Unidos, cujas consequências seriam, no mínimo, muito incertas para todas as partes envolvidas. Os delegados iraquianos, furiosos, se retiraram da reunião e de todo o plano de embargo.

Em vez disso, os ministros árabes do petróleo concordaram com um embargo, cortando a produção em 5% ao nível de setembro e continuando a cortar em 5% nos meses subsequentes, até alcançarem seus objetivos. O fornecimento normal de petróleo seria mantido para "os países aliados". Os nove ministros presentes também adotaram uma resolução secreta, recomendando "que os Estados Unidos fossem submetidos aos cortes mais rigorosos", com o propósito "de essa redução progressiva levar a uma paralisação total no fornecimento de petróleo para os Estados Unidos da parte dos países participantes da resolução". Diversos países anunciaram imediatamente que começariam por cortar 10%, em vez de 5%, a produção de óleo. Qualquer que fosse sua proporção, os cortes de produção seriam mais efetivos do que uma proibição nas exportações contra um único país, uma vez que o petróleo sempre poderia ser transportado de um lugar para outro, como havia acontecido nas crises de 1956 e de 1967. As reduções na produção assegurariam absoluto rebaixamento nos níveis de fornecimento disponível. O plano global era muito engenhoso. A perspectiva de reduções mensais, acrescida da diferenciação entre os países consumidores, maximizaria a incerteza, a tensão e a rivalidade dentro e entre os países importadores. Um claro objetivo do plano era dividir os países industrializados logo no início.

As duas reuniões no Kuait — em 16 e 17 de outubro — não tinham uma ligação formal. O aumento de preço e o fato de a OPEP se revestir da autoridade exclusiva da fixação de preços eram uma continuação lógica daquilo que já vinha acontecendo há muito tempo. A decisão de usar o petróleo como arma seguia um pista separada. Entretanto, "é preciso afirmar", comentou o Middle East Economic Survey, "que a nova guerra árabe-israelense provavelmente fortaleceu a resolução dos negociadores árabes". E, demonstrando ser um percuciente analista, acrescentou: "Provavelmente, nessas circunstâncias, os cortes na produção aumentarão ainda mais os preços do petróleo".

Os acontecimentos se sucediam rapidamente após as reuniões do Kuait. Em 18 de outubro, Nixon convocou uma reunião ministerial. "Quando ficou claro que a luta podia se prolongar e que os soviéticos recomeçaram um esforço de suprimentos maciço dos países árabes, tivemos que intervir para evitar que eles alterassem o equilíbrio militar, prejudicando Israel", disse aos membros do Conselho de Ministros. "Por essa razão, neste último fim de semana, iniciamos um programa de reabastecimento para Israel." Pensando em suas discussões no dia anterior com Saqqaf e outros ministros prosseguiu: "Na reunião de ontem com os ministros das Relações Exteriores Árabes, ressaltei que somos favoráveis a um cessar-fogo e apoiamos acordos de paz baseados na Resolução 242 das Nações Unidas. Até o momento, a reação dos árabes ao suprimento foi contida, e esperamos continuar de maneira a evitar confronto com eles". Estava sendo otimista.

No dia seguinte, 19 de outubro, Nixon propôs publicamente um pacote de ajuda militar de 2,2 bilhões de dólares a Israel. Isso havia sido decidido um ou dois dias antes e sua divulgação foi feita a vários países árabes antecipadamente, para que não se surpreendessem com o comunicado. A estratégia era tentar garantir que nem o Egito nem Israel acabassem numa posição predominante, para que ambos tivessem motivos para se dirigir à mesa de negociação. Nesse mesmo dia, a Líbia anunciou que estava embargando todo o carregamento de petróleo para os Estados Unidos.

Às duas horas da manhã de sábado, 20 de outubro, Kissinger embarcou para Moscou na tentativa de estudar uma fórmula para o cessar-fogo. A bordo do avião, tomou conhecimento de outras notícias surpreendentes. Em represária à proposta de ajuda aos israelenses, a Arábia Saudita foi além das reduções progressivas. Cancelaria todos os carregamentos de petróleo, até o último barril, para os Estados Unidos. Os outros países árabes tinham feito ou estavam fazendo a mesma coisa. O petróleo estava agora sendo usado totalmente como arma na batalha — uma arma, nas palavras de Kissinger, "de chantagem política". O sistema que funcionara por trinta anos após a guerra acabava de morrer definitivamente.

O embargo surgiu quase como uma perfeita surpresa. "A possibilidade de um embargo nem passou pela minha cabeça", declarou um alto executivo de uma das empresas da Aramco. "Penso que, se houvesse eclosão de uma guerra e os Estados Unidos ficassem do lado de Israel, as companhias americanas instaladas em países árabes teriam que ser nacionalizadas." Tampouco o governo dos Estados Unidos deu muita atenção à perspectiva de um embargo, apesar das evidências disponíveis: quase duas décadas de discussões no mundo árabe sobre o "uso do petróleo como arma", a malograda tentativa de 1967, as ameaças de embargo em 1971, por ocasião das negociações de Teerã, a afirmação pública de Sadat a respeito da "opção do petróleo", no início de 1973, e o mercado petrolífero extremamente apertado, em 1973. Para ser preciso, qualquer que fosse a natureza das discussões de Faissal com Sadat e que promessas Sadat possa ter ouvido, Faissal e outros líderes árabes conservadores estavam relutantes em desafiar diretamente os Estados Unidos, um país do qual dependiam para garantir a sua segurança. Além do mais, estariam surpresos, e de certo modo chocados, se os Estados Unidos não tivessem fornecido suprimentos para Israel. O que transformou a situação e finalmente galvanizou as posições a favor dos cortes de produção e do embargo contra os Estados Unidos foi exatamente a natureza pública do reabastecimento — resultado das correntes de vento no aeroporto de Lajes nos Açores – e, depois, o pacote de ajuda de 2,2 bilhões de dólares. Alguns líderes árabes acharam que, se não tivessem agido, poderiam ter colocado certos regimes à mercê de tumultos de rua. A demonstração pública de apoio a Israel também lhes forneceu pretexto suficiente para se voltarem contra os Estados Unidos, uma atitude que outros queriam claramente adotar.

Mas o próprio embargo não seria o fim dos surpreendentes acontecimentos de 20 de outubro. Foi só em Moscou, no domingo de manhã, que Kissinger soube o que havia transpirado em Washington, na noite anterior. No que se tornou conhecido como o Massacre de Sábado à Noite, num momento crítico de seu mandato presidencial, Nixon exonerou o promotor público, Archibald Cox, que havia sido especialmente designado para investigar o escândalo de Watergate, fora o autor da intimação para a apresentação em juízo das fitas com as gravações secretas do gabinete do presidente. O acesso a essas fitas se tornou a peça central da disputa entre o presidente e o Senado para averiguar o quanto o próprio Nixon estava diretamente envolvido num labirinto de ilegalidades. Imediatamente após essa demissão, o procurador geral Elliot Richardson e seu principal assessor, William Ruckelshaus, pediram demissão em protesto. "E agora", disse o chefe do Estado Maior da Casa Branca, Alexander Haig, a Kissinger, no telefone, "o diabo está à solta".[10]

Roubo de terceira categoria

Durante todo o conflito armado no Oriente Médio e as semanas de crise do petróleo, um ator-chave preocupava-se com outra coisa. Richard Nixon estava totalmente implicado numa série de acontecimentos que se desenrolaram a partir do que ele chamou de um "roubo de terceira categoria" na série sem precedentes dos escândalos de Watergate, no centro do qual se encontrava o próprio presidente. Os Estados Unidos não haviam presenciado nada sequer que fosse remotamente parecido, desde "Teapot Dome". O desdobramento da saga de Watergate durante o período da Guerra de Outubro, a obsessão de todo o país por esse assunto, seus efeitos na guerra e no embargo, nas possibilidades americanas e no que se podia perceber dentro dos Estados Unidos — tudo interagiu para dar uma dimensão estranha e surrealista ao drama central no palco do mundo. Por exemplo, em 9 de outubro, dia em que Golda Meir, desesperada, acenara com a possibilidade de ir pessoalmente a Washington implorar ajuda, Nixon preparava a demissão do vice-presidente Spiro Agnew, que, por sua vez, pedira ajuda para encontrar trabalho como consultor e reclamava que a Receita Federal tentava descobrir quanto gastara com suas gravatas. Em 12 de outubro, dia em que altos funcionários do governo americano perceberam que Israel poderia perder a guerra e tentavam resolver o problema do suprimento, foram convocados à Casa Branca para o que Kissinger descreveu como uma "cerimônia lúgubre", na qual Nixon apresentou Gerald Ford como sendo sua escolha para o cargo de novo vice-presidente da República.

Nas semanas seguintes, embora Nixon abandonasse temporariamente sua própria crise pessoal, assumisse a crise mundial e depois novamente a abandonasse, o controle efetivo da política americana ficou nas mãos de Henry Kissinger, que, além de ser assessor especial para a Segurança Nacional, também acabara de ser designado secretário de Estado. A origem de Kissinger era dupla — o Centro de Relações Exteriores de Harvard, alojado num espaço emprestado pelo Museu Semítico de Harvard, e o período em que trabalhou para Nelson Rockefeller, o grande rival de Nixon. Esse ex-professor, que havia fugido para os Estados Unidos ainda menino, como refugiado judeu da Alemanha nazista, cuja ambição um dia não foi mais que um diploma de contador, alcançava agora, através dos estranhos meandros do Watergate e da desagregação da autoridade presidencial, a própria personificação da legitimidade do governo americano. A personalidade pública de Kissinger assumiu proporções grandiosas ao preencher o vácuo deixado por uma presidência desacreditada. Surgiu — para Washington, para a mídia, para as capitais ao redor do mundo — como a figura desesperadamente necessitada de autoridade e de continuidade num momento em que a confiança estava sendo rigorosamente testada na América.

Coisas demais pareciam estar acontecendo. A mídia e a mente do público estavam sobrecarregadas. Porém, o caso Watergate e a difícil situação do presidente provocaram consequências diretas e graves para o Oriente Médio e para o petróleo. Sadat, poder-se-ia pelo menos argumentar, nunca teria entrado em guerra se um presidente enérgico tivesse sido capaz, após a eleição de 1972, de usar sua influência para abrir um diálogo entre Egito e Israel. Um presidente mais atento poderia também ter abordado a questão da energia com um enfoque mais amplo. E, quando a guerra começou, Nixon estava tão preocupado, com sua credibilidade tão reduzida, que não poderia exercer a liderança presidencial exigida para tratar com os países em guerra, com os exportadores de petróleo e com a explícita guerra econômica contra os Estados Unidos — e com os russos. Por outro lado, os líderes estrangeiros não podiam compreender esse processo singular de Watergate, parte ritual, parte circo, parte tragédia, parte suspense, que havia tomado conta da política americana e da presidência dos Estados Unidos.

Watergate também aduziu um elenco duradouro de problemas aos problemas de energia da década de 1970. Um conjunto casual de coincidências — o embargo e o Massacre de Sábado à Noite, Watergate e a Guerra de Outubro — parecia implicar ligações lógicas. As coisas se mesclavam de forma confusa e misteriosa, e essa impressão deixou suspeitas profundas e permanentes que alimentavam as teorias de conspiração e impediam respostas mais racionais para os problemas relacionados com a energia. Alguns argumentavam que Kissinger havia planejado e manipulado a crise do petróleo para melhorar a posição econômica dos Estados Unidos em relação à Europa e ao Japão. Outros acreditavam que Nixon havia deliberadamente começado a guerra e, de fato, encorajado o embargo para desviar a atenção de Watergate. O embargo de petróleo e as contribuições ilegais da campanha eleitoral feitas por algumas empresas petrolíferas, que faziam parte da pilhagem ilegal arrancada do combinado de empresas Americanas pelo Comitê de Releeição do Presidente, afluíam ao mesmo tempo na mente do público, ampliando grandemente a já tradicional desconfiança na indústria do petróleo e levando muitos a crer que a Guerra de Outubro, o embargo e a crise de energia haviam todos sido criados e magistralmente manipulados pelas companhias petrolíferas em nome da ambição. Essas ideias durariam muito mais do que a Guerra de Outubro ou o próprio mandato presidencial de Nixon.

Alarme

Em Riad, na tarde de 21 de outubro, dia seguinte ao Massacre de Sábado à Noite, o sheik Yamani encontrou-se com Frank Jungers, o presidente da Aramco. Utilizando dados sobre exportações e suas destinações solicitados pelos sauditas aos computadores da Aramco, poucos dias antes, Yamani estabeleceu as regras básicas para os cortes de produção e o embargo que os sauditas estavam a ponto de impor. Reconheceu que a administração do sistema seria muito complicada. Mas os sauditas estavam "contando com a colaboração da Aramco nesse sentido", disse ele. "Quaisquer desvios das regras básicas por parte dos compradores da Aramco", acrescentou, "seriam tratados com muito rigor". A certa altura, Yamani deixou os detalhes operacionais de lado para fazer a Jungers uma pergunta mais filosófica. O que acabou de acontecer foi surpresa para o senhor? Não, respondeu Jungers, "exceto pelo fato que os cortes foram superiores ao que prevíamos".

Yamani intencionalmente perguntou então se Jungers ficaria "surpreso com um passo seguinte caso esse não produzisse resultados".

"Não", disse Jungers. "Não ficaria surpreso."

A própria suposição de Jungers, baseada em conversas anteriores com Yamani e em outras informações, era de que o procedimento subsequente seria "a completa nacionalização dos interesses americanos e até uma ruptura das relações diplomáticas". Isso foi sugerido por Yamani no seu sinistro comentário final para Jungers: "O próximo passo não será apenas uma dose maior do mesmo remédio".

Enquanto isso, em Moscou, Kissinger e os russos completavam um plano para cessar-fogo. Mas, na sua implementação no decorrer dos poucos dias seguintes, surgiram sérias dificuldades. Nem os israelenses nem os egípcios pareciam estar cumprindo o cessar-fogo, e havia a iminente possibilidade que o Terceiro Exército do Egito fosse capturado ou aniquilado. Chegou, então, uma carta brusca e provocante de Leonid Brezhnev para Nixon. A União Soviética não permitiria que o Terceiro Exército fosse destruído. Se isso acontecesse, a credibilidade soviética também acabaria no Oriente Médio e Brezhnev, nas palavras de Kissinger, "pareceria um idiota". Brezhnev exigiu que uma força conjunta americana-soviética se deslocasse para separar os dois lados. Se os Estados Unidos não cooperassem, os soviéticos interviriam unilateralmente. "Devo dizer isso de forma direta", escreveu ameaçadoramente Brezhnev. Sua ameaça foi levada muito a sério. Era sabido que as tropas de paraquedistas soviéticas estavam de prontidão e os navios soviéticos no Mediterrâneo pareciam estar procedendo de modo hostil. Mais preocupante era o fato de terem sido detectadas emissões de nêutrons que poderiam ser armas nucleares num cargueiro soviético passando pelo estreito de Dardanelos em direção ao Mediterrâneo. Seria o Egito seu destino?

Meia dúzia dos mais altos funcionários da segurança nacional americana foi convocada às pressas para uma reunião de emergência, tarde da noite, no salão da situação, na Casa Branca. O próprio Nixon, a conselho de Alexander Haig, não foi acordado para participar da reunião. Haig comunicou a Kissinger que o presidente estava "demasiadamente perturbado" para se reunir com eles. Alguns dos participantes ficaram admirados ao saber que o presidente não estaria presente. As autoridades do governo examinaram sombriamente a mensagem de Brezhnev. A intervenção militar soviética direta não poderia ser tolerada, transformaria toda a ordem internacional. Não se podia deixar Brezhnev pensar que a União Soviética poderia se aproveitar de um presidente enfraquecido pelo Watergate. Havia ainda outras razões para alarme. Poucas horas antes, o serviço secreto americano havia "perdido contato" com o transporte aéreo soviético que conduzia armas para o Egito e a Síria e que estava sendo rastreado. Ninguém sabia agora onde estavam os aviões. Será que voltavam às bases soviéticas para apanhar as tropas de paraquedistas, já de prontidão, e transportá-las para o Sinai?

As autoridades reunidas na Casa Branca concluíram que os riscos haviam subitamente aumentado. Os Estados Unidos teriam que reagir com energia ao desafio de Brezhnev. Força deveria ser enfrentada com força. O estado de prontidão das forças armadas americanas foi elevado para DefCon 3 e, em alguns casos, em níveis mais altos, o que significava que, nas primeiras horas da manhã de 25 de outubro, as tropas militares americanas encontravam-se em estado de alerta nuclear ao redor do mundo. A mensagem era clara. Os Estados Unidos e a União Soviética estavam diretamente se colocando em posição de ataque, o que não acontecia desde a crise cubanos dos mísseis. Um simples erro de cálculo, conduziria a um confronto nuclear. As horas que se seguiram foram de muita tensão.

No dia seguinte, a luta no Oriente Médio chegou ao fim, o Terceiro Exército do Egito foi reabastecido e o cessar-fogo entrou em vigor. Já não era sem tempo. As superpotências saíram do estado de alerta. Dois dias depois, os representantes militares do Egito e de Israel se encontraram para negociações diretas pela primeira vez em 25 anos. O Egito e os Estados Unidos iniciaram um novo diálogo. Esses eram os objetivos de Sadat quando ele concebera seu jogo um ano antes. As armas nucleares foram novamente embainhadas. Os árabes, porém, continuavam usando o petróleo como arma. O embargo do petróleo permaneceu ativo, com consequências que se prolongariam muito além da Guerra de Outubro.[11]

CAPÍTULO XXX

"Lances pela nossa vida"

O EMBARGO ASSINALOU UMA NOVA ERA PARA O PETRÓLEO MUNDIAL. Assim como a guerra fora importante demais para ser deixada a cargo dos generais, também o petróleo era agora um problema claramente importante demais para ser resolvido pelos empresários do petróleo. O petróleo havia se tornado um assunto da competência de presidentes e primeiros-ministros, de ministros de relações exteriores, finanças e energia, de congressistas e parlamentares, de legisladores e *czars*, de ativistas e autoridades, e, em particular, de Henry Kissinger, que, conforme admitiu orgulhoso, até 1973 não entendia nada de petróleo e muito pouco sobre economia internacional. Política e estratégia global era do que gostava. Nos meses que se seguiram ao embargo, dissera a seus assessores: "Não me falem a respeito de barris de petróleo. Poderiam muito bem ser garrafas de coca-cola. Não entendo disso!" Mas, quando o petróleo entrou em cena como arma, esse acrobata diplomático se empenharia mais do que ninguém para que a espada voltasse à bainha.

"A perda"

O que foi chamado de "embargo do petróleo árabe" tinha dois elementos. O mais amplo era composto pelas restrições progressivas da produção que afetava todo o mercado — as reduções iniciais e, depois, os 5% adicionais a cada mês. O segundo elemento era a total proibição da exportação de petróleo, que inicialmente foi imposta somente a dois países, os Estados Unidos e a Holanda, embora subsequentemente fosse estendida a Portugal, África do Sul e Rodésia. Numa estranha reviravolta, o embargo também se estendeu às forças militares americanas do hemisfério oriental, incluindo a Sexta Frota, cujas responsabilidades incluíam, na verdade, a proteção de alguns desses Estados que agora impunham o embargo. As companhias petrolíferas devem ter pensado que superariam esse corte em particular com um "piscar de olhos", insinuando que essa falta de petróleo seria suprida por outras fontes. Mas não foi assim, a piscadela não foi percebida pelo Pentágono, onde, em meio de uma grande crise militar, que poderia envolver as forças armadas americanas, a reação foi de fúria. Também passou despercebida no Congresso, onde foi rapidamente aprovada uma emenda tornando crime a discriminação contra o Departamento de Defesa. Enquanto isso, os suprimentos às forças armadas americanas recomeçaram.

No começo de novembro de 1973, apenas duas semanas depois da decisão inicial de usar o petróleo como arma, os ministros árabes decidiram aumentar os cortes de forma generalizada. Mas quanto petróleo fora realmente perdido? O petróleo árabe disponível na primeira quinzena de outubro totalizava 20,8 milhões de barris por dia. Em dezembro, no momento mais crítico do embargo, era de 15,8 milhões de barris por dia, uma perda bruta de 5 milhões de barris diários de abastecimento do mercado. Desta vez, entretanto, não havia capacidade de reserva nos Estados Unidos. O fim dessas reservas representou uma mudança significativa na dinâmica básica da política e do petróleo, como vinham sendo praticados até seis anos antes, durante a Guerra dos Seis Dias em 1967. A capacidade da reserva americana se mostrara isoladamente o elemento mais importante na margem de segurança de energia no mundo ocidental, não apenas em cada crise de energia do pós-guerra, mas também durante a II Guerra Mundial. E agora aquela margem não existia mais. Sem ela os Estados Unidos tinham perdido sua capacidade crítica de influir no mercado mundial do petróleo. Outros produtores, liderados pelo Irã, foram capazes de aumentar sua produção num total de 600 mil barris por dia. O Iraque, tendo sua proposta de guerra econômica total contra os Estados Unidos rejeitada pelos outros produtores árabes, não apenas ficou descontente, mas realmente aumentou sua produção e, portanto, seus rendimentos. Para explicar a política de seu país, Saddam Hussein censurou os governos da Arábia Saudita e do Kuait como "círculos de governantes reacionários bem conhecidos por seus vínculos com os interesses monopolísticos da América" e atacou as reduções de fornecimento aos europeus e japoneses como medida que os fariam voltar para os braços dos americanos insultados.

Os aumentos de produção em outros lugares significavam que a perda líquida de abastecimento em dezembro era de 4,4 milhões de barris por dia, ou cerca de 9% do total de 50,8 milhões de barris por dia, que haviam estado disponíveis no mundo livre dois meses antes — à primeira vista, não era uma perda particularmente expressiva, considerando-se em proporções. Mas montava a 14% do comércio internacional de petróleo. E seus efeitos se tornaram ainda mais graves devido à rápida taxa de crescimento do consumo de petróleo no mundo — 7,5% ao ano.

Só se tomou conhecimento da extensão e dos limites da perda após o fato consumado. Em meio aos cortes de produção, havia grande incerteza sobre quanto petróleo estava disponível, combinado com uma inevitável tendência para exagerar a perda. A confusão resultou da natureza contraditória e fragmentada das informações e da interrupção maciça de canais de abastecimento estabelecidos, tudo permeado por emoções violentas e intempestivas. As questões não respondidas aumentaram mais ainda o temor e a desordem. Haveria reduções mensais de produção? Novos países sofreriam o embargo? Haveria uma evolução dos países considerados "neutros" para o *status* de "preferenciais" ou mesmo para a lista de "mais favorecidos" — significando que os árabes os recompensariam por bom comportamento fornecendo-lhes mais petróleo? Outros países seriam punidos mais rigorosamente?

Existia uma outra grande incerteza. Os países exportadores de petróleo, em última análise, pensavam em termos de rendimentos. Em 1967, haviam desistido de um embargo porque descobriram que seus rendimentos brutos diminuiriam. Tendo aprendido essa lição, o rei Faissal estava relutante, pelo menos até 1972, em recorrer ao petróleo como arma. Mas agora, com o preço por barril chegando às alturas, os países exportadores poderiam reduzir volumes e ainda aumentar sua renda total. Poderiam vender menos e ainda lucrar mais. Considerando seus rendimentos, poderiam tornar esses cortes permanentes e nunca devolver ao mercado os barris retirados, o que poderia significar um racionamento crônico, temor permanente — e preços ainda mais elevados.[1]

Pânico no abastecimento

Que melhor receita poderia haver para preços em pânico que a situação de abastecimento de petróleo nos memoráveis últimos meses de 1973? Os ingredientes incluíam guerra e violência, cortes no abastecimento, embargos, racionamentos, consumidores desesperados, o espectro de cortes adicionais e a possibilidade de que os árabes nunca restabelecessem a produção. O medo e a incerteza eram generalizados e tinham um efeito de autorrealização: tanto as companhias de petróleo como os consumidores buscavam freneticamente abastecimentos adicionais, não apenas para uso corrente, mas também para acumular estoques de segurança contra o futuro desconhecido e os racionamentos. Comprar movido pelo pânico significava uma demanda extra no mercado. Na verdade, os compradores estavam lutando desesperadamente para obter qualquer petróleo que pudessem encontrar. "Não estávamos dando lances apenas pelo petróleo", afirmou um refinador independente que não possuía fonte segura de abastecimento. "Estávamos dando lances pela nossa vida."

Os lances impeliram os preços para cima. Conforme o acordo de 16 de outubro, um barril de petróleo iraniano valia 5,4 dólares. Em novembro, o petróleo da Nigéria foi vendido por dezesseis dólares. Em meados de dezembro, o Irã decidiu promover um grande leilão para testar o mercado. As ofertas foram dramáticas — acima de 17 dólares por barril, 600% acima do preço anterior a 16 de outubro. Num leilão nigeriano cheio de boatos e habilmente manipulado, uma companhia trading japonesa — sem experiência na compra de petróleo, sob pressão para ajudar a garantir o suprimento japonês, competindo com cerca de outras oitenta companhias — ofereceu 22,6 dólares por barril. Na sequência dos acontecimentos, a companhia trading não pôde encontrar compradores por aquele preço e o negócio não se consumou. Ninguém tinha condições de saber disso naquele momento. Houve relatos de ofertas ainda maiores.

O embargo e suas consequências fez irradiar choques através do sistema social das nações industrializadas. A perspectiva pessimista do Clube de Roma parecia ter fundamento. E.F. Schumacher, ao que parecia, tinha sido mesmo um profeta. Suas advertências sobre os perigos da enorme taxa de crescimento da demanda de petróleo e os riscos de dependência do Oriente Médio mostraram-se corretos. Com a publicação oportuna de *Small is Beautiful* em 1973, descobriu, após décadas de anonimato, sua função como porta-voz daqueles que desafiavam o princípio do crescimento ilimitado e a filosofia do "quanto maior melhor" dominante nos anos 1950 e 1960. Agora, na velhice, o antigo campeão do carvão e Cassandra da energia havia se tornado um homem de seu tempo. O título de seu livro e a sua interpretação — "menos é mais" — se tornaram estribilhos do movimento ambientalista que se seguiu ao embargo, e Schumacher foi tratado como uma celebridade ao redor do mundo. A rainha Elizabeth agraciou-o com uma comenda e o convidou a almoçar no Palácio de Buckinghan, depois jantou privadamente com o príncipe Philip. "A festa acabou", declarou Schumacher ao mundo. Mas então perguntou: "De quem era mesmo a festa?"

A era da escassez estava próxima. A perspectiva, na melhor das hipóteses, era melancólica: queda do crescimento econômico, recessão e inflação. O sistema monetário internacional poderia estar sujeito a grandes mudanças. A maior parte do mundo em desenvolvimento certamente sofreria um retrocesso significativo, e havia boas razões para considerações sombrias sobre os efeitos políticos da perda de crescimento econômico nas democracias dos países industrializados, que haviam garantido estabilidade social no pós-guerra. Os problemas econômicos prolongados provocariam um ressurgimento dos conflitos nacionais de consequências tão terríveis quanto dos anos entre as guerras? Além disso, os Estados Unidos, a primeira superpotência do mundo e fiadora da ordem internacional, haviam sido colocados na defensiva, humilhados por um punhado de pequenas nações. O sistema internacional se desorganizaria? O declínio do Ocidente significaria o inevitável crescimento da desordem mundial? Os consumidores individuais começaram a se preocupar com os altos preços, seus salários e a queda de seu padrão de vida. Temiam que o fim de uma era estivesse próximo.

Os efeitos do embargo na psique dos europeus ocidentais e dos japoneses foram dramáticos. A desorganização os levou instantaneamente de volta às privações e aos racionamentos dos anos amargos do pós-guerra. De repente, as realizações econômicas das décadas de 1950 e de 1960 pareceram muito precárias. Na Alemanha Ocidental, o Ministério da Economia se encarregou da alocação de suprimentos e se achou afogado quase imediatamente num mar de telex de indústrias desesperadamente preocupadas. O primeiro foi da indústria de açúcar de beterraba, cuja safra estava em pleno andamento. Se faltasse combustível por apenas 24 horas, todo o processo seria interrompido, e o açúcar se cristalizaria nos tubos da fábrica. O espectro da indústria alemã de açúcar de beterraba imobilizada, sua produção perdida para sempre, foi tal que as refinarias de açúcar receberam rapidamente quantidade suficiente de óleo combustível.

No Japão, o embargo veio como um choque ainda mais devastador. A confiança que havia sido erguida com o intenso crescimento econômico foi subitamente esmagada. Todos os antigos temores sobre a vulnerabilidade voltaram. Os japoneses se perguntavam se isso significava que, a despeito de seus esforços, voltariam a ser pobres. Os temores suscitados pelo embargo provocaram um tal pânico nas bolsas de mercadorias que relembraram os violentos "tumultos do arroz" que tinham balançado os governos japoneses no final do século XIX e começo do século XX. Os motoristas de táxi protagonizavam demonstrações de descontentamento e as donas de casa corriam para comprar e armazenar sabão detergente para lavar roupa e papel higiênico — em alguns casos, suficientes para mais de dois anos de consumo. O preço do papel higiênico teria quadruplicado, como o do petróleo, não fosse o controle governamental. No Japão, o racionamento do petróleo foi acompanhado por um racionamento de papel higiênico.

Nos Estados Unidos, a escassez atingiu a crença fundamental na abundância interminável dos recursos, convicção tão profundamente arraigada no caráter e na experiência de vida dos americanos que grande parte do público nem mesmo sabia, até outubro de 1973, que os Estados Unidos importavam petróleo. Mas, inexoravelmente, em questão de meses os motoristas americanos viram o preço da gasolina no varejo subir 40% — e por razões que não podiam compreender. Nenhuma outra alteração de preço teve efeitos tão visíveis, imediatos e viscerais como a da gasolina. Os motoristas não apenas tiveram que desembolsar mais dinheiro para encher os tanques como também passavam por postos que chegavam a elevar o preço do galão uma vez por dia. Mas o racionamento se tornou ainda mais intenso com o aparecimento do que John Sawhill, do Departamento Federal de Energia, chamou de "medidas de restrição para abastecer uma única vez" — mais bem conhecidas como "filas de gasolina".

As filas de gasolina se tornaram o símbolo mais visível do embargo e a experiência mais direta que dele teve a América. Um sistema de distribuição havia sido introduzido nos Estados Unidos exatamente antes do embargo, devido ao crescimento das necessidades do mercado. Destinava-se a abastecer uniformemente o mercado em todo o país. Com isso, garantia, de maneira perversa, que a gasolina não poderia ser deslocada de uma área bem abastecida para outra onde se fazia necessária. À medida que os relatórios e os boatos proliferavam, os americanos tornaram-se presa de seu próprio pânico — não para detergentes ou papel higiênico, e sim para a gasolina. Os motoristas que se contentavam em dirigir até que o marcador estivesse praticamente no zero agora se apressavam em completar seus tanques, ainda que se tratasse da compra no valor de um dólar, contribuindo assim para o aumento das filas de gasolina. Era prudente; ninguém queria correr o risco de ficar sem gasolina no dia seguinte. Em alguns postos, as compras eram distribuídas de acordo com o dia da semana e o número final, par ou ímpar, da placa do carro. Os motoristas, esperando na fila uma ou duas horas com motores funcionando e mal-humorados, por vezes pareciam gastar mais gasolina do que eram capazes de comprar. Em muitas partes do país, postos de gasolina colocavam cartazes com o anúncio "Desculpe, não temos gasolina hoje" — muito diferente daqueles da "guerra da gasolina" dando descontos, tão comuns na década da abundância precedente. O embargo e a escassez que ele causou significaram um brusco rompimento com o passado da América, e esta experiência solaparia seriamente a confiança dos americanos no futuro.[2]

"Preços da carne"

Richard Nixon queria restaurar aquela confiança. No início de novembro, numa reunião de gabinete dedicada à energia, um funcionário do governo sugeriu apagar as luzes dos edifícios públicos. "Mas terá que contratar mais policiais", argumentou o presidente da lei e da ordem. Tinha em mente algo muito mais importante e de maior alcance. Em 7 de novembro de 1973, fez um pronunciamento sobre energia para uma nação alarmada e temerosa. Ofereceu um vasto rol de propostas. Os cidadãos deveriam abaixar seus termostatos e usar organizadamente seus carros. Solicitava autoridade para tornar menos rígidos os padrões ambientais, para interromper a substituição de carvão por petróleo nas usinas de energia elétrica e estabelecer uma administração de desenvolvimento e pesquisa de energia. Anunciou um novo grandioso empreendimento nacional, Projeto Independência. "Fixemos nosso objetivo nacional no espírito do Projeto Apolo, com a determinação do Projeto Manhattan, que, ao final desta década, teremos desenvolvido o potencial para suprir nossas próprias necessidades de energia sem depender de nenhuma fonte externa." Chamar esse plano de ambicioso era pouco; seriam necessários inúmeros avanços tecnológicos, vasta soma de dinheiro e um desvio significativo na nova tendência do ambientalismo. Sua equipe lhe havia dito que o objetivo da independência energética para 1980 seria impossível e sugeriu que era uma tolice proclamá-la. Nixon desconsiderou o parecer de seus assessores. A energia agora era tanto uma crise quanto tema de alta política.

O presidente demitiu seu antigo *czar* da energia, John Love, um remanescente dos dias anteriores ao embargo, substituindo-o por William Simon, subsecretário do Tesouro. Ao informar o gabinete do novo cargo de Simon, Nixon comparou-o àquele de Albert Speer, como senhor todo-poderoso dos armamentos do Terceiro Reich. Se Speer não tivesse recebido o poder de anular a burocracia alemã, explicou Nixon, a Alemanha teria sido derrotada muito antes. Simon sentiu-se um tanto desconfortável com essa comparação. Nixon disse ainda que Simon teria "autoridade absoluta". O que era impossível numa Washington fragmentada e propensa aos desentendimentos. O novo *czar* da energia se viu preso a uma série infindável de audiências com os comitês e subcomitês do Congresso que pareciam durar quase o dia inteiro. Certa vez, saindo rapidamente de uma reunião para responder às questões de uma dessas audiências, Simon estava caminhando de costas, a fim de poder terminar a conversa com dois vice-governadores. Ao entrar em seu carro, bateu a cabeça, cortando o couro cabeludo. Embora Simon precisasse de alguns pontos na cabeça, o presidente do comitê não adiou a audiência, e assim o *czar da energia* se submeteu a cinco horas de interrogatório com o sangue escorrendo do seu ferimento. Tão intensas foram as emoções durante esses meses de filas de gasolina que a mulher de Simon desistiu de usar qualquer cartão de crédito que levasse o nome do marido.

A administração resistiu ao contínuo clamor para a instituição do racionamento de gasolina. Finalmente, quando a gritaria se tornou ainda mais ruidosa, Nixon ordenou que se imprimissem cartões de racionamento e os deixou de reserva. "Talvez isso os mantenha calados", disse ele. Embora sua administração continuasse a gerar políticas e programas, o próprio Nixon queria ser cauteloso ao reagir à crise. Um de seus auxiliares, Roy Ash, escreveu-lhe um memorando recomendando grande cautela: "Insisto que não permitamos que as pressões dos próximos um ou dois meses, baseadas na escassez real e imediata, bastante potencializada pela tendência atual e pela histeria dos semanários, resultem em políticas de energia desnecessárias e até contraproducentes", afirmou Ash. "Em apenas alguns meses, tenho a impressão, consideraremos a crise de energia como hoje vemos os preços da carne — um problema permanente e rotineiro de governo —, mas não como uma crise presidencial." Nesse comunicado Nixon rabiscou a mão dois comentários: "Absolutamente correto" e "Tem muito sentido". Mas para a população o que havia acontecido com os preços da gasolina transcendia de longe o preço da carne. Seus direitos de nascimento como americanos pareciam estar comprometidos.

De quem era a culpa? A indústria do petróleo era tida, por muitos, como responsável pelo embargo, pela escassez e pelo aumento de preço. Depois das próprias companhias de petróleo, a administração Nixon tornou-se o outro grande alvo das animosidades. No início de dezembro, o analista de opinião pública, Daniel Yankelovich, enviou ao general Alexander Haig, em atenção ao presidente, um memorando que ele havia preparado por solicitação do secretário do Tesouro, George Shultz, sobre "os sinais incipientes de pânico" entre a população. As pessoas "estão começando a acreditar que o país esgotou suas fontes de energia", explicou Yankelovich. "Uma combinação de circunstâncias gerou uma sensação de instabilidade, um misto de desinformação, desconfiança, confusão e medo." Essas circunstâncias incluíam Watergate, desconfiança da indústria do petróleo (a quem se atribuía a manipulação da escassez de gasolina para aumentar os preços injustamente), um declínio geral de confiança nos negócios e a crença que a administração Nixon estava "excessivamente próxima dos grandes negócios". Watergate, acrescentou Yankelovich, "criou um sentimento de tristeza amplamente difundido sobre o estado da nação", e, como resultado imediato, a confiança pública de que "as coisas estão indo bem no país" tinha caído de 62% em maio de 1973 para meros 27% no final de novembro de 1973.

Evidentemente, Watergate fez crescer a necessidade de uma administração enfraquecida fazer "algo" positivo. O escândalo perseguia a Casa Branca de Nixon em cada etapa de seus esforços para reagir à crise do petróleo e para desviar seguidamente a atenção não apenas do público, mas também dos políticos mais importantes. "Devido a Watergate, havia uma sensação geral de paralisia", relembrou Steven Bosworth, diretor do Setor de Combustíveis e Energia do Departamento de Estado. "O Congresso estava hipnotizado por Watergate, o Executivo atolado nele e a Casa Branca na defensiva. Era difícil ter-se uma definição política a respeito de qualquer assunto interdepartamental. Não havia nenhum dispositivo real de tomada de decisões em Washington — a não ser Henry Kissinger."

Watergate foi, como o próprio Kissinger definiria, uma "hidra de muitas cabeças". Ele era o único capaz de vencê-la. Lutou para manter a política externa, inclusive a que envolvia o petróleo, isolada de Watergate, mas a política interna de energia não teve a mesma sorte. Em novembro de 1973, um funcionário da Casa Branca discutiu com Haig sobre um pronunciamento previsto das ações da administração na questão da energia. "Reconheço por inteiro a necessidade de um dia cheio de notícias na segunda-feira eclipsando as fitas gravadas da questão Sirica", disse ele, referindo-se à transferência das fitas gravadas secretamente no Salão Oval da Casa Branca para um juiz federal. "Mas estamos nos iludindo se pensarmos que qualquer ação enterrará aquele assunto." Várias semanas mais tarde, o assessor da Casa Branca, Roy Ash, acrescentou que notícias sobre qualquer ato presidencial referente à energia, não importa em que dia fosse divulgado, não teria boa cobertura da imprensa. "Talvez nada possa ganhar de Watergate em interesse", disse ele. Parecia aos que o cercavam que Nixon estava sempre buscando algum acontecimento político "espetacular" envolvendo o petróleo e o Oriente Médio, na tentativa de desviar a atenção do país obsecado com Watergate e com cada nova revelação do escândalo. Se esta era sua estratégia, ela fracassou.[3]

"Penúria igual"

Em circunstâncias de agitação, de raiva e de suspeita geral, como seria distribuída entre as nações a redução no suprimento de petróleo — por governos ou por empresas? Muitas das empresas haviam advertido sobre a instabilidade dos suprimentos de petróleo. Para as companhias americanas, em particular para os sócios da Aramco, o problema maior era a disputa árabe-israelense. Se ao menos os Estados Unidos abandonassem Israel ou restringissem bastante seu apoio, tudo poderia voltar ao normal. Nessa formulação, os israelenses eram geralmente intransigentes; os árabes não. Para companhias europeias, o problema era distinto: o equilíbrio apertado entre oferta e procura havia se tornado inerentemente instável e inseguro. O mundo industrializado desenvolvera uma dependência em relação à outra parte do mundo muito volúvel e tornara-se vulnerável a ela. A resposta real seria desacelerar o crescimento da demanda por petróleo e, nesse ínterim, adotar algumas medidas formais de segurança em matéria de energia. A Shell/Royal Dutch havia distribuído para os líderes governamentais um "Livro Rosa" confidencial advertindo que a situação do suprimento estava perigosamente fora de controle e que poderia ocorrer uma "luta pelo petróleo". Ao contrário das companhias americanas, a Shell havia feito uma campanha visando um acordo intergovernamental para dividir os suprimentos em caso de crise e, na verdade, já tinha começado a delinear, no seu grupo de planejamento, como esse sistema poderia funcionar.

Antes de outubro de 1973, já tinha havido discussões entre os governos ocidentais sobre um plano de divisão das reservas, como o que fora adotado em 1956 e 1967. Cada governo, entretanto, insistia num sistema que fosse adequado às suas próprias posições e necessidades. Além disso, antes da crise real, as questões eram muito complexas, não se chegava a um acordo quanto a vantagens e riscos, a motivação era insuficiente, e tal coordenação teria sido muito controvertida para os políticos americanos. Estavam, portanto, pouco preparados para a crise. Em junho de 1973, as nações industrializadas haviam concordado em criar "um grupo de trabalho informal para desenvolver e avaliar as várias opções". E foi até onde chegaram antes da crise.

Em meio à crise — com toda a sua incerteza, com as relações entre a América e a Europa tão frágeis e com a astuta intenção dos árabes de separar os aliados ocidentais — tal mecanismo não poderia ser montado rapidamente. Existia um acordo de distribuição de emergência entre os membros da Comunidade Econômica Europeia, que nunca foi posto em prática. Afinal, o grande alvo dos cortes eram os Estados Unidos. Além do mais, ao colocar os vários países europeus em categorias diferentes, de embargados a "mais favorecidos", os exportadores árabes tinham percorrido um longo caminho na direção de frustrar a habilidade dos europeus em unir-se e implementar um acordo de distribuição.

O governo dos Estados Unidos poderia ter invocado o Ato de Defesa da Produção de 1950, que dava isenção antitruste, de modo que as companhias poderiam usar o *pool* de suprimentos e informações durante uma determinada crise. Esse recurso havia sido usado em maior ou menor grau em crises desde a Guerra da Coreia até a estatização iraniana de 1951-1953. Sua utilização agora poderia ter posto lenha na fogueira, minando a possibilidade das empresas petrolíferas de usar seus talentos para sair da crise, tornando os conflitos com os árabes e os aliados ocidentais mais explícitos e mais difíceis. Além disso, a invocação de tais recursos em meio ao Watergate teria provocado suspeitas e críticas de conluio entre a administração e as companhias petrolíferas. Nixon simplesmente não tinha condições de pedir credibilidade em favor dos interesses nacionais.

Isso deixou apenas uma saída para lidar com a crise — as próprias companhias, principalmente as mais importantes. As companhias já haviam se gabado de seu papel intermediário entre países consumidores e produtores — "a fina camada lubrificante", como o chamou David Barran, da Shell. Mas, agora, descobriam como era difícil e desagradável exercer essa função em um período de crise aguda, quando a lubrificação do óleo havia sido abruptamente removida.

Por um lado havia a pressão intensa e mortalmente séria por parte dos governos árabes. A ameaça era explícita; as companhias poderiam perder completamente sua posição no Oriente Médio. Quando os sauditas ordenaram a primeira redução de 10% na produção em 18 de outubro, a Aramco reagiu imediatamente e cortou apenas um pequeno adicional por medida de segurança. Aqui se abriria a visão anômala, indigesta de uma companhia americana — na opinião de alguns, a joia mais preciosa de todos os investimentos americanos no exterior — numa postura que se tentou evitar a todo o custo: provocar um embargo contra os Estados Unidos. Mas qual era a escolha? Não era melhor cooperar e colocar no mercado mundial tanto petróleo quanto possível, em vez de ser estatizada e expulsa? "A única alternativa era não embarcar petróleo algum", disse mais tarde George Keller, da Chevron, um diretor da Aramco. "Obviamente, era melhor para os Estados Unidos transportar 5,6 ou 7 milhões de barris por dia para países amigos ao redor do mundo do que não embarcar nada."

Do outro lado estavam os governos dos países consumidores, todos em busca do petróleo de que sua população necessitava. O mais poderoso deles era, sem dúvida, os Estados Unidos, não apenas o país de origem de cinco das sete maiores companhias, mas também o alvo principal de todas essas medidas. As companhias sabiam que qualquer atitude que tomassem estava sujeita a um exame minucioso e a uma posterior avaliação. Não queriam perder mercados, nem serem fechadas, nem dar motivo de investigação e retaliação pelos consumidores e seus governos.

Em tais circunstâncias, a única reação lógica era a de "sofrimento igual" e de "penúria igual". Ou seja, as companhias tentariam alocar a mesma porcentagem de corte do total de suprimentos para todos os países, transportando o petróleo árabe e não árabe pelo mundo. Já haviam adquirido alguma experiência em organizar um sistema de distribuição durante o embargo que se seguiu à guerra de 1967. Porém, a escala e os riscos em 1973 eram muito maiores. Como base para o rateio das reduções, elas usaram o consumo real nos primeiros nove meses de 1973 ou as projeções para o período que se seguiria. O sofrimento igual "era a única medida protetora caso os governos não chegassem a um acordo coletivo sobre qualquer outro sistema alternativo", afirmou um alto executivo da Shell. Para as companhias, acrescentou, "esse era o único modo de evitar a própria destruição". Qualquer outra coisa, para as companhias internacionais, seria suicídio. Um outro fator reforçou o princípio do sofrimento igual — a existência do "mercado interno" dentro das companhias internacionais de petróleo. O chefe das operações no Extremo Oriente que tivesse, por exemplo, que dar explicações ao Japão e a outros governos daquela parte do mundo ficaria furioso se descobrisse que seu igual para a Europa estava recebendo quantidades proporcionalmente maiores.

Embora as companhias fossem, devido à longa experiência, especialistas em alocar suprimentos em circunstâncias normais, tinham agora de improvisar freneticamente. "Era um grande tormento", relembrou o executivo responsável pelo fornecimento de petróleo no Golfo. "Trabalhávamos 24 horas por dia. Havia turnos à noite abastecendo países, calculando valores e elaborando planos de fornecimento para satisfazer os clamores angustiados do mundo. Precisávamos reduzir nossos compromissos mundiais. Promovemos um rateio no mundo inteiro. Isso significava promover cortes em nossas próprias refinarias, bem como para nossos clientes. Tive que lutar por nossa terça parte de clientes. A Gulf e as outras companhias estavam sendo bombardeadas diariamente. 'Por que estão vendendo para os coreanos e para os japoneses, quando poderiam trazer esse petróleo para os Estados Unidos? Afinal, vocês são uma companhia americana.' Estávamos sendo atacados pela imprensa todos os dias. As pressões eram muito grandes para trazer outras cargas para as refinarias americanas. Precisei lembrar a nossa diretoria que havíamos fechado contratos a longo prazo com clientes prometendo que os trataríamos como a nós mesmos. Foi necessário contatar pessoas do ramo, comunicar aos velhos amigos que tínhamos que reduzir-lhes o fornecimento e sair pelo mundo explicando o equilíbrio entre oferta e procura e, portanto, o rateio. Era muito difícil lidar com tudo isso."

Uma realocação maciça trazia um problema logístico considerável. Mesmo em circunstâncias previsíveis e relativamente calmas, administrar um sistema integrado de petróleo era um assunto extremamente complexo. Suprimentos de qualidades diversas procedentes de diferentes fontes deviam estar ligados ao sistema de transporte e então deslocados para as refinarias projetadas para funcionar com aquele petróleo específico. O livre-arbítrio não era uma opção em se tratando de distribuir petróleo cru. O petróleo cru "inadequado" poderia causar um dano considerável aos equipamentos de uma refinaria, bem como reduzir a eficiência e a rentabilidade. E, uma vez que os suprimentos de petróleo cru tivessem sido refinados e se transformado numa série de produtos, teriam que ser transportados para um sistema de distribuição e ligados a uma "demanda de mercado" que solicitasse aquelas quantidades particulares de produtos — tanto de gasolina, tanto de combustível para aviões a jato, tanto de óleo combustível para aquecimento.

E, para tornar as coisas ainda mais difíceis, as empresas precisavam calcular o custo real de seu petróleo, para não vender com prejuízo ou provocar críticas por margem excessiva de lucro. O custo para os *royalties* do petróleo, acrescido da participação do governo, de preços de recompra, de volumes – tudo estava mudando semanalmente, com complicações adicionais pela escalada de preços e aumento retroativos por parte dos vários governos dos países exportadores. "Era impossível saber se o cálculo feito com base em todos os fatos conhecidos num determinado dia seria desconsiderado pela mudança daqueles mesmos fatos um mês depois", comentou um executivo da Shell. Na verdade, a única certeza era que o preço do petróleo estava novamente subindo cada vez mais.

A escala de operações era muito grande; os pontos de decisão, quase inumeráveis. Normalmente, os cálculos complexos que orientavam a movimentação do petróleo através de um sistema integrado eram executados por computadores, com base em critérios econômicos e técnicos. Contudo, os critérios políticos tinham, no mínimo, a mesma importância – não se ignorando os árabes e suas restrições e ainda satisfazendo, na medida do possível, as nações importadoras. Muita habilidade foi necessária para alcançar ambos os objetivos. As companhias, em grau considerável, fizeram com que tudo funcionasse.

Diferentes governos reagiram distintamente ao rateio dos cortes de produção pelas companhias. Washington forneceu pouca orientação direta. John Sawhill, chefe do Departamento Federal de Energia, insistiu com as companhias "para fazer para os Estados Unidos tanto quanto possível", mas ao mesmo tempo reconhecer "o interesse de todos os países do mundo em receber uma parcela justa do suprimento mundial". Numa reunião com executivos do petróleo, Henry Kissinger fez questão de pedir-lhes que "cuidassem da Holanda", que havia se tornado um alvo especialmente visado pelos árabes graças a sua tradicional amizade com Israel.

O Japão se sentiu especialmente vulnerável. Tinha poucos recursos energéticos próprios e tocava seu formidável crescimento econômico graças ao petróleo importado. Não era apenas o fato de sua população estar em pânico, mas o Japão dependia muito das grandes companhias, a maioria americanas. Numa reunião, um burocrata de alto nível do MITI advertiu os representantes dessas companhias para que não desviassem o petróleo não árabe destinado ao Japão para os Estados Unidos. Os representantes retrucaram que estavam fazendo o melhor e que ficariam muito felizes em passar todo esse trabalho ingrato para as mãos dos governos, incluindo o Japão, se assim desejassem. O governo japonês recuou. Daí em diante, parecia estar satisfeito com o que vinha sendo feito, embora continuasse a monitorar a operação bem de perto.[4]

A reação mais violenta foi a do governo britânico. Os governos árabes haviam colocado o Reino Unido entre as "nações amigas", devendo supostamente receber o equivalente a cem por cento de seu suprimento de setembro de 1973, apesar dos cortes. O secretário do Comércio e Indústria relatou confiante à Câmara dos Comuns sobre as "garantias concedidas pelos países árabes". Foi pessoalmente à Arábia Saudita negociar um acordo de governo para governo. O governo britânico também possuía metade das ações da BP, mas, por um acordo da época em que Churchill as comprara em 1914, não deveria intervir em questões comerciais. Esse caso era comercial ou de segurança? Além de tudo, havia a possibilidade de um confronto entre mineiros do carvão e o governo conservador do primeiro-ministro Edward Heath, ameaçando uma greve geral que poderia cortar o fornecimento de carvão, ao mesmo tempo que os suprimentos de petróleo estavam racionados. Uma escassez de petróleo fortaleceria muito os mineiros. Heath queria obter o máximo de petróleo possível a fim de estar preparado para uma batalha com os mineiros.

Heath convocou *sir* Eric Drake, presidente da BP, e *sir* Frank McFadzean, presidente da Shell Transportes e Trading, para uma reunião em Chequers, em sua casa de campo. O primeiro-ministro estava acompanhado de vários de seus colegas de gabinete. Ficou claro que, se não conseguisse persuadir as companhias de petróleo a aceitar seu ponto de vista, tentaria intimidá-las. A Inglaterra deve ter um tratamento preferencial, disse-lhes Heath. As duas companhias não deveriam cortar seus fornecimentos para o Reino Unido. O fluxo de petróleo deveria ser mantido em 100% das necessidades normais.

Os dois presidentes observaram que as companhias não tinham escolhido essa posição. Tinham sido tragadas por um vácuo que resultara, conforme McFadzean expressou posteriormente, "do fracasso dos governos em planejar como enfrentar uma escassez de petróleo". Todas as companhias tinham um emaranhado de obrigações legais e morais a cumprir nos diversos países com os quais negociavam. Na eventualidade de precisarem administrar a escassez de combustível, a única política que poderiam adotar era a de igualdade de sacrifícios, embora reconhecessem que esse princípio se tornaria cada vez mais difícil de ser mantido. McFadzean acrescentou uma outra dimensão ao problema. Sentia muito, mas a Holanda detinha 60% das ações da Royal Dutch-Shell Group, e apenas 40% pertenciam à Inglaterra. Assim, mesmo que tivesse que concordar com Heath, o que "decididamente não aconteceria", não seria possível desconsiderar os interesses holandeses.

Refutado e irritado, Heath se apoiou mais insistentemente em Drake em busca de um tratamento especial. Uma vez que o governo possuía 51% das ações da BP, disse Health rudemente, Drake faria o que o primeiro-ministro ordenasse. Mas Drake era muito direto e certamente não estava acostumado a recuar. Como gerente-geral da BP no Irã, em 1951, enfrentara Mossadegh, por quem fora ameaçado de morte e depois disso se rebelara com a mesma firmeza contra o presidente da BP, o despótico William Frazer, por quem havia sido ameaçado de exílio para uma refinaria da BP na Austrália. Certamente não cederia agora diante de Edward Heath e não permitiria que o primeiro-ministro, segundo comentou mais tarde, "destruísse minha companhia". Tendo enfrentado uma estatização no Irã, Drake não pretendia participar de quaisquer outras, o que por certo seria o destino das instalações da BP nos outros países, se aquiescesse ao pedido do primeiro-ministro.

Assim, ao ser pressionado por Heath, Drake se defendeu com uma pergunta: "O senhor está me pedindo para fazer isso como acionista ou como governo? Se o senhor estiver me pedindo para fornecer 100% do suprimento normal ao Reino Unido, como acionista deveria saber que, em represália, poderíamos ser estatizados na França, na Alemanha, na Holanda e no restante dos países. Significaria um grande prejuízo para os acionistas minoritários". Drake então fez uma ácida exposição a Heath sobre os regulamentos da companhia, que proíbem dar a um acionista tratamento diferenciado em relação aos outros. Todos os diretores tinham a responsabilidade fiduciária de preservar os interesses da companhia como um todo, e não privilegiar determinados acionistas. Desse modo, não apenas a companhia estaria se arriscando a uma represália por parte dos países que haviam sofrido cortes mais expressivos como o governo britânico também estaria sujeito a ser processado pelos sócios minoritários por abuso de poder de majoritário. "Se o senhor está me pedindo para adotar esse procedimento como governo", prosseguiu Drake, "será necessário fazê-lo por escrito. Podemos assim alegar 'força maior' perante os outros governos, já que estou sob instruções do meu governo. Talvez, e só assim, possamos evitar a estatização".

A essas alturas, Heath perdeu a paciência. "Sabem perfeitamente bem que não posso fazer esse pedido por escrito", explodiu ele. Afinal, era o grande responsável pelo ingresso da Inglaterra na Comunidade Europeia e pela cooperação com os europeus.

"Pois então não o farei", respondeu Drake com absoluta firmeza.

Naturalmente, Heath teria sempre o recurso de pedir ao Parlamento para aprovar uma lei forçando a BP a dar preferência à Inglaterra, mas depois de alguns dias de reflexão — ponderando, sem dúvida, inclusive sobre os efeitos que essa decisão teria nas relações dos britânicos com seus aliados europeus — Heath esfriou e desistiu da insistência num tratamento diferenciado.

Os servidores civis de Whitehall percebiam melhor o quadro geral do que os políticos. Reconheciam os méritos do princípio da "distribuição justa" e eram mais hábeis em procurar contorná-lo. Pressionaram as companhias internacionais, fazendo-as, inclusive, lembrar que era o governo britânico que decidiria quem obteria licenças de exploração no mar do Norte. Dessa forma, garantiam que a Inglaterra receberia o que "elas" interpretavam como "a parte justa" — e um pouco mais.

O deslocamento era a essência da aplicação dos princípios de igual sofrimento e distribuição justa. O petróleo não árabe era deslocado para os países que haviam sofrido embargo ou estavam na lista dos neutros, enquanto o petróleo árabe era direcionado para os países que constavam da lista dos preferenciais. As cinco maiores companhias americanas acabaram, assim, desviando, ao todo, aproximadamente um terço de seu petróleo. De modo geral, o princípio de igual sofrimento foi adotado com relativa eficácia. Ajustando os dados devido às grandes diferenças nas taxas de crescimento de petróleo e de energia, a perda do Japão no período do embargo foi de 17%; dos Estados Unidos de 18%; e da Europa Ocidental de 16%. A Administração Federal de Energia preparou subsequentemente, para o Subcomitê Multinacional do Senado, uma análise retrospectiva de como havia funcionado o sistema de distribuição informal. Depois de todas as considerações, o relatório dizia: "É difícil imaginar que qualquer outro plano pudesse alcançar uma distribuição mais equitativa de suprimentos escassos". As companhias "foram chamadas a tomar decisões políticas difíceis e potencialmente instáveis durante o embargo — decisões além dos limites das responsabilidades de uma corporação normal". O que o relatório enfatizava era algo que não queriam absolutamente ter que fazer nunca mais.[5]

Um novo mundo de preços

Foi em meio ao febril leilão de preços no mercado à vista que os ministros do petróleo da OPEP se encontraram em Teerã, no final de dezembro de 1973, para discutir o preço oficial. As propostas iam desde a da Comissão Econômica da OPEP, que recomendava preços de até 23 dólares o barril, até a oferta da Arábia Saudita, de oito dólares. A Arábia Saudita temia que uma súbita alta de preços resultasse em depressão, o que afetaria a Arábia Saudita, juntamente com todos os outros. "Se vocês caíssem", disse Yamani, referindo-se ao mundo industrializado, "nós também cairíamos". Argumentou que as enormes altas de preços dos leilões não eram indicativas das condições reais de mercado, mas refletiam o fato de que os leilões se realizavam em meio a embargos e cortes políticos na produção do petróleo. O rei Faissal também desejava manter o "caráter político" do embargo. Não queria que parecesse pretexto para obter mais dinheiro. Apesar disso, a perspectiva da multiplicação dos lucros oriundos da única fonte de renda dos exportadores poderia certamente aplacar qualquer sensação de desconforto que pudessem sentir.

O Irã era de longe o país mais agressivo e atrevido. O xá tinha finalmente encontrado a oportunidade de ganhar o tipo de receita considerado necessário para financiar suas grandes ambições. O Irã brigou por 11,65 dólares como o novo preço fixado, o que significaria que o governo ficaria com sete dólares. Os iranianos tinham uma explicação para seus preços. Não se baseava na oferta e procura, mas no que o xá chamava de um "novo conceito", o custo das fontes alternativas de energia — líquidos e gases provenientes do carvão e do petróleo obtido do xisto betuminoso. Era o preço mínimo necessário para que os outros processos se tornassem econômicos, ou assim pensava o xá. Reservadamente citava com orgulho um estudo encomendado pelo Irã a Arthur D. Little Consultores sobre o assunto. As premissas dos consultores, por sua vez, circularam por muitas companhias de petróleo. O estudo parecia uma análise bem elaborada, mas de fato, na melhor das hipóteses, era muito conjectural, uma vez que, de todos esses processos alternativos de energia, apenas um estava funcionando comercialmente e era um único e limitado projeto de liquefação de carvão na África do Sul. O principal consultor da Shell no Oriente Médio resumiu a questão do seguinte modo: "A fonte alternativa de energia, no volume necessário, existia apenas na teoria econômica, não na realidade". Como nos períodos de escassez anteriores, o milagre da obtenção do petróleo a partir do xisto betuminoso era realmente uma quimera.

Depois de muita discussão, a posição do xá foi aceita pelos ministros do petróleo reunidos em Teerã. O novo preço seria 11,65 dólares. Era um aumento de preço carregado de importância histórica e de significação. O preço fixado aumentara de 1,80 em 1970 para 2,18 em 1971, para 2,90 em meados de 1973, para 5,12 em outubro de 1973 — e agora para 11,65 dólares. Portanto, os dois aumentos de preço desde que a guerra havia começado — em outubro e agora em dezembro — quadruplicaram o valor do barril. O novo preço foi atribuído a um tipo especial de petróleo cru da Arábia Saudita, o árabe leve, que serviu "como referencial". Os preços de todos os outros petróleos crus da OPEP deveriam estar vinculados a essa referência, com os "diferenciais" em preços baseados na qualidade (menor ou maior teor de enxofre), na densidade e nos custos de transporte para os mercados mais importantes. Enfatizando que o novo preço era consideravelmente mais baixo do que os 17,04 dólares que haviam sido propostos no recente leilão do Irã, o xá afirmou, condescendente, que este era um preço fixado com "bondade e generosidade".

No final de dezembro, Richard Nixon escreveu uma carta confidencial muito enfática para o xá. Sublinhando "o impacto da desestabilização" do aumento de preço e os "problemas catastróficos" que poderia gerar na economia mundial, pedia que o assunto fosse reconsiderado e o aumento abolido. "Esse drástico aumento de preço é particularmente irracional porque chega num momento em que o suprimento de petróleo está artificialmente baixo", afirmou o presidente. A resposta do xá foi breve e totalmente inoportuna. "Estamos conscientes da importância dessa fonte de energia para a prosperidade e estabilidade da economia internacional", disse ele, "mas também sabemos que para nós esta fonte de riqueza pode se esgotar em trinta anos".

O xá havia encontrado um novo papel; o de moralista do petróleo mundial. "O petróleo é, na realidade, quase um produto nobre", declarou. "É quase uma negligência usar o petróleo para aquecer as casas ou mesmo gerar eletricidade, quando o carvão poderia perfeitamente ser utilizado para esse fim. Por que esgotar esse nobre produto em, digamos, trinta anos, quando milhares de bilhões de toneladas de carvão permanecem no subsolo." O xá estava também inclinado a se tornar um moralista da civilização em geral. Dava conselhos às nações industrializadas: "Terão que se convencer de que acabou a era de espantoso progresso com lucros e riqueza ainda mais fantásticos graças ao petróleo barato. Será necessário descobrir novas fontes de energia. Terão que eventualmente apertar os cintos. Os filhos de famílias abastadas, que têm abundância de alimentos a cada refeição, carros à mão, agindo quase como terroristas atirando bombas aqui e ali, deverão repensar sobre todos esses aspectos do mundo industrializado desenvolvido. E terão que trabalhar duro (...) Seus jovens com gordas mesadas terão que pensar que, de alguma forma, têm que ganhar sua própria vida". Sua postura arrogante, em meio à escassez e grandes aumentos de preço, lhe custaria muito caro, apenas alguns anos mais tarde, quando tão desesperadamente precisou de amigos.[6]

Aliança estressada

O embargo foi um ato político que se beneficiou de circunstâncias econômicas e requereu ação política em três frentes interligadas: entre Israel e seus vizinhos árabes; entre a América do Norte e seus aliados; e entre os países industrializados, principalmente os Estados Unidos e os exportadores de petróleo.

Na primeira frente, Kissinger se tornou o centro de um turbilhão de atividade. Procurava tirar vantagem da nova realidade criada pela guerra: Israel havia perdido uma boa parte de sua autoconfiança, enquanto os árabes, particularmente o Egito, tinham reconquistado uma parte da deles. A "Diplomacia Itinerante" passou a ser a marca registrada de seu desempenho de virtuose, dramático e incansável. Houve vários marcos ao longo do caminho, incluindo um acordo de desengajamento de forças militares egípcias e israelenses em meados de janeiro de 1974 e, finalmente, o desengajamento de contingentes militares sírios e israelenses no final de maio. As negociações foram árduas, incertas e duvidosas, mas lançaram as bases para um acordo mais amplo quatro anos depois. Durante todo o tempo, Kissinger teve um parceiro especial, Anuar Sadat, que conhecia seus próprios objetivos. Sadat tinha recorrido à guerra, em primeiro lugar, para efetuar mudanças políticas. Como resultado da guerra, teve melhores oportunidades de fazer as mudanças em colaboração com os americanos, porque, como declarou publicamente, "os Estados Unidos têm 99% das cartas desse jogo". Naturalmente, Sadat era um político consciente de sua audiência e, certa vez, confidencialmente, admitiu: "Na verdade, os Estados Unidos têm apenas 60% das cartas, mas soa melhor se eu disser '99%'". E mesmo 60%, na busca de seus objetivos, certamente era razão mais do que suficiente para se inclinar em direção aos Estados Unidos. Numa reunião no Cairo, menos de um mês após a guerra, Sadat não deixou nenhuma dúvida na mente de Kissinger, que, tendo conseguido provocar um choque, estava agora pronto para iniciar um processo de paz — e, com um risco enorme, procurar transformar a psicologia do Oriente Médio.

O embargo do petróleo precipitou uma das mais graves rupturas na aliança ocidental desde sua formação, logo após a II Guerra Mundial, e, certamente, a pior desde a crise de Suez em 1956. As relações já estavam tensas antes da Guerra de Outubro. Uma vez iniciado o embargo, os aliados europeus, liderados pela França, apressaram-se em dissociar-se dos Estados Unidos o quanto antes, para assumir posturas mais pró-árabes, processo acelerado pela viagem que Yamani e seu colega argelino fizeram pelas capitais europeias. Em cada escala, os dois ministros pressionavam os europeus a se oporem aos Estados Unidos e a sua política no Oriente Médio e a apoiarem os árabes. Yamani imprimia seu toque especial ao trabalho. "Lamentamos muito ter causado tanto transtorno à Europa devido aos cortes do petróleo árabe", disse, se desculpando. Mas Yamani não deixou dúvidas sobre o que se esperava deles.

À medida que os dóceis europeus mudavam sua política, procurando se afastar dos Estados Unidos e promover "diálogos" e "cooperações" com os países árabes e a OPEP, altos funcionários americanos passaram a se referir de forma cáustica ao comportamento tolerante dos europeus em relação à OPEP, sobre como os bajulavam na pressa de os obsequiar e apaziguar. Por seu lado, os europeus insistiam em que os Estados Unidos eram confrontadores e beligerantes demais em sua postura frente aos países exportadores. Para ser exato, havia diferenças significativas entre os países da Europa. A França e a Inglaterra eram os mais incisivos ao se distanciar dos Estados Unidos e cortejar os países produtores. Os alemães, um pouco menos, e os holandeses, em contrapartida, eram muito firmes em manter seus compromissos com as alianças tradicionais. Alguns europeus enfatizavam a necessidade de proteger grandes e imediatos interesses. "Os americanos dependem dos árabe em apenas 10% de seu consumo", disse o presidente francês Georges Pompidou enfaticamente a Kissinger. "Nós dependemos inteiramente deles."

Na postura europeia havia elementos tanto de ressentimento quanto de justiça poética. Os franceses, já há muito tempo, achavam que os "anglo-americanos" os haviam injustamente excluído do petróleo do Oriente Médio, especialmente na Arábia Saudita, com o fim do Acordo da Linha Vermelha no pós-guerra. Achavam que os americanos os tinham solapado na luta com a Argélia. Seguiu-se, então, a crise do canal de Suez em 1956. Haviam se passado dezessete anos desde que os americanos tinham manifestamente desconsiderado a França e a Inglaterra no confronto com

Nasser, apressando a retirada das duas nações de suas funções globais e dando assim um grande impulso ao nacionalismo árabe. Mas, como disse o primeiro-ministro Edward Heath, privada e pontualmente, aos americanos: "Não quero levantar a questão do Suez, mas ela ainda existe para muita gente". Estava vividamente "presente" para o próprio Heath. Ele havia sido um correligionário leal de Anthony Eden durante aqueles dias penosos de Suez. Em meados de novembro de 1973, a Comunidade Europeia aprovou a proposta de apoio à posição árabe no conflito árabe-israelense. Alguns funcionários árabes ainda estavam insatisfeitos. Um deles descreveu a declaração como "um beijo soprado de longe — que tudo isso é muito bonito, mas preferíamos algo mais caloroso e próximo". A proposta, entretanto, representava claramente o tipo de conciliação que os árabes tentavam forçar e foi o suficiente para que os europeus conseguissem a suspensão dos 5% do corte de dezembro. Porém, só para se assegurar de que os europeus manteriam um bom comportamento, os ministros árabes do petróleo advertiram que os cortes voltariam se os europeus não continuassem "pressionando os Estados Unidos ou Israel".

Havia um assunto muito difícil para a Comunidade Europeia. Enquanto muitos de seus membros estavam sendo colocados na lista dos "amigos", um deles, a Holanda, ainda era alvo do embargo. Se os outros membros decidissem embargar os carregamentos para a Holanda, estariam violando os preceitos básicos da Comunidade, isto é, a circulação livre de mercadorias. Não obstante, estavam inclinados a proceder exatamente assim, até que a Holanda os lembrasse, energicamente, que ela era a maior fonte de gás natural da Europa, incluindo 40% do suprimento total da França e a maior parte do gás usado no aquecimento e nas cozinhas das casas parisienses. Um compromisso sigiloso foi elaborado, envolvendo uma "posição comum" não especificada entre os membros da Comunidade Europeia e o envio imediato dos suprimentos não árabes das companhias internacionais.

Os japoneses, que se julgavam bem distantes da crise do Oriente Médio, ficaram preocupados ao descobrir que estavam sendo colocados na lista dos "hostis". Quarenta e quatro por cento do petróleo do Japão vinha dos Estados árabes do Golfo. Se todos os países industrializados, era o mais dependente do petróleo como fonte de energia — 77%, em comparação com os 46% dos Estados Unidos. Tinham como certo o fato de o petróleo ser o combustível essencial e confiável para o crescimento econômico. Não era mais. Direto ao assunto, Yamani explicou, categórico, a nova política árabe de exportação para os japoneses: "Se forem hostis para conosco, não obterão petróleo. Se forem neutros, obterão algum petróleo, mas não tanto como antes. Se forem amigos, terão a mesma cota de antes".

Antes do embargo do petróleo, a "facção encarregada dos recursos" no governo japonês e os círculos de negócios começaram a pedir uma reorientação na política japonesa com relação ao Oriente Médio. Não fizeram muito progresso porque, segundo o vice-ministro das Relações Exteriores, Fumihiko Togo, "antes de 1973, sempre podíamos comprar petróleo desde que tivéssemos dinheiro", e também porque o

Japão adquiria o petróleo principalmente das companhias internacionais, e não diretamente dos países do Oriente Médio. Após o início da crise, a facção encarregada dos recursos intensificou muito seus esforços para achar uma solução. Em 14 de novembro, no mesmo dia em que Kissinger estava em Tóquio tentando persuadir o ministro das Relações Exteriores do Japão a não romper com os Estados Unidos, líderes empresariais preocupados reuniram-se privadamente com o primeiro-ministro, Kakuei Tanaka, para fazer um "pedido direto" de substanciais alterações na política. Poucos dias depois, os países exportadores árabes isentaram de futuros cortes os países europeus que haviam divulgado declarações pró-árabes. Aqui estava a prova tangível da recompensa resultante da mudança de política. Enquanto isso, emissários japoneses, em missão não oficial, enviados às pressas em viagens secretas ao Oriente Médio, relataram que os árabes consideravam a "neutralidade" insuficiente e, na verdade, contrária a sua causa. Em 22 de novembro, Tóquio divulgou sua própria declaração, endossando a posição árabe.

Essa declaração representava a maior cisão da política externa do Japão com relação aos Estados Unidos, na era pós-guerra. Era muito difícil tomar essa atitude despreocupadamente, uma vez que a aliança entre o Japão e os Estados Unidos constituía a base da política externa japonesa — ou havia sido. Quatro dias após a divulgação da declaração, o Japão obteve sua própria recompensa: foi excluído dos cortes de fornecimento de dezembro pelos países exportadores árabes. Como parte de seus novos recursos diplomáticos, Tóquio enviou ao Oriente Médio inúmeros representantes de alto nível para acompanhar os negócios com uma política bem definida — assessoria econômica, empréstimos, novos projetos, associações de empreendimentos, acordos bilaterais, obras. Pelo próprio fato das alocações e cortes, a maioria afirmou que não poderia suprir o Japão como haviam feito no passado. O Japão não poderia, portanto, contar com esses exportadores e teria que fazer seus próprios acordos em busca de fornecimento seguro. Os japoneses se recusaram, entretanto, a romper relações diplomáticas e econômicas com Israel, apesar da constante insistência árabe. Os japoneses que forçaram o rompimento desses liames, argumentou o vice-ministro de Relações Exteriores, Togo, sofriam de uma epidemia já bem conhecida — "obsessão pelo petróleo".[7]

Ainda que seus aliados tradicionais tivessem cedido às instâncias dos árabes, os Estados Unidos tentaram promover uma reação coordenada entre os países industrializados. Washington temia que recorrer ao bilateralismo — acordos de troca país a país — resultaria num mercado de petróleo muito mais rígido e permanentemente politizado. A corrida já havia começado. "Acordos bilaterais: o negócio de todos", foi a manchete do *Middle East Economic Survey* em janeiro de 1974. A indústria petrolífera encarava com ceticismo a luta entre os políticos para adquirir os suprimentos nacionais. Frank McFadzean, da Shell, assistia admirado, embora com certo ceticismo, ao "espetáculo de dois importantes ministros de Estado encenando um melodrama normalmente associado à libertação de uma fortaleza sitiada, para assinar um acordo de troca envolvendo uma quantidade de petróleo cru menor que o equivalente ao consumo do país em quatro semanas. Delegações e emissários, políticos e amigos de políticos, a maioria deles conhecendo muito pouco sobre petróleo, caíram sobre o Oriente Médio como pragas em proporções quase bíblicas". Por sua vez, Henry Kissinger temia que esses acordos bilaterais minassem seus esforços para negociar um acordo que pusesse fim à guerra árabe-israelense. Se os países industrializados continuassem a manter abordagens confusas e apressadas, como já haviam feito antes — as ofertas competitivas baseadas no pânico e na falta de informações, no mercantilismo, no *sauve qui peut* ("salve-se quem puder") — era provável que todos acabassem pior.

Os Estados Unidos convocaram uma conferência sobre energia, a se realizar em Washington, em fevereiro de 1974. Queriam aplacar temores a respeito da concorrência sobre suprimentos, esclarecer as profundas divergências entre aliados e assegurar que o petróleo não se tornaria uma fonte permanente de discórdia na aliança ocidental. Os ingleses haviam chegado à conclusão de que ficar na lista "dos amigos" não lhes tinha adiantado muito. Ainda tinham que enfrentar os mesmos aumentos de preço e estavam muito interessados na reunião. De fato, a situação política na Grã-Bretanha havia mudado dramaticamente. Para a Inglaterra, a falta de petróleo foi bastante ampliada devido ao confronto dos mineiros de carvão com o primeiro-ministro Heath, que acabou se tornando não apenas uma greve, mas uma guerra econômica completa. Não havia petróleo suficiente para substituir rapidamente o carvão nas usinas de energia elétrica. A economia do país nunca estivera tão paralisada desde a escassez de carvão em 1947. O fornecimento de eletricidade foi interrompido e a indústria passou a trabalhar apenas três dias por semana. Até a água quente nas casas foi racionada e os pastores debatiam solenemente na BBC sobre a questão moral de os membros de uma família tomarem banho juntos, economizando assim a água quente, como contribuição à prosperidade nacional. Nas últimas semanas do governo de Heath, a Inglaterra foi uma ativa participante da Conferência Sobre Energia em Washington.

Os japoneses também. Acreditavam ser importante uma reação coordenada por parte dos países industrializados. Estavam muito preocupados em encontrar um meio de neutralizar o que consideravam, segundo as palavras de um funcionário, a "tendência da política norte-americana de tornar-se bastante confrontadora". Os alemães também estavam ansiosos para discutir sobre uma base multilateral. Os franceses nem tanto. Permaneciam irredutíveis. Embora tivessem relutantemente comparecido à reunião de Washington, demonstravam claramente seu antagonismo. O ministro das Relações Exteriores, Michel Jobert, gaulista extremado, iniciou a convenção dos participantes da Comunidade Europeia em Washington com uma mordaz saudação: *Bonjour les traitres* ("Olá traidores").

Os americanos, por sua vez, insinuaram muito claramente que os compromissos americanos com a segurança internacional, incluindo a manutenção de tropas americanas na Europa, seriam prejudicados por discordâncias nas questões de energia. A maioria dos participantes da Conferência de Washington concordou sobre as vantagens de se chegar a um consenso e estabelecer algumas estratégias em comum sobre os assuntos energéticos internacionais. A conferência levou à criação de um programa de distribuição de emergência para a "próxima" crise e à formação da International Energy Agency, que administraria o programa e, mais amplamente, cuidaria de harmonizar e tornar coerentes as políticas energéticas dos países do Ocidente. A IEA ajudaria a desviar a tendência ao bilateralismo e a estabelecer as bases para uma reação conjunta, tanto política como tecnicamente. Antes do final de 1974, a IEA se instalaria numa área arborizada do décimo sexto distrito em Paris, em um anexo da Organização para Cooperação Econômica e Desenvolvimento. Um dos países industrializados mais importantes se recusou a participar — a França. A IEA, afirmou o irredutível ministro das Relações Exteriores, Jobert, era uma *machine de guerre,* um "instrumento de guerra".[8]

Embainhando a arma do petróleo

Quando e como terminaria o embargo? Ninguém realmente sabia, nem mesmo os árabes. Nos últimos dias de dezembro de 1973, os produtores árabes amenizaram um pouco o embargo, à medida que se fazia algum progresso na disputa árabe-israelense. Na concepção sarcástica de Kissinger, no início de janeiro, o embargo tinha se tornado "cada vez menos conveniente". Ele mesmo foi duas vezes à Arábia Saudita para se encontrar com o rei Faissal. Na primeira viagem, ao atravessar um imponente salão onde as figuras importantes do reino, de roupas pretas e turbantes brancos, se sentavam junto às paredes, Kissinger, um judeu que emigrou para a América do Norte, viu-se refletindo, "com certo espanto, quão incríveis reviravoltas do destino haviam feito um refugiado da perseguição nazista acabar na Arábia como representante da democracia americana". Também não tinha precedentes em sua experiência a forma como as coisas eram discutidas. "O rei sempre falava em voz suave, mesmo quando se tratava de afirmações graves. Gostava dos comentários elípticos que poderiam ter várias interpretações." Kissinger sentou-se à direita do reino meio do salão. "Quando falava comigo, olhava diretamente para a frente, espraitando de vez em quando à volta de seu turbante para se certificar de que eu havia compreendido a intenção de algum enigma em particular." Faissal era sempre assim, quer estivesse falando a respeito da conspiração dos judeus e dos comunistas para assumir o comando do Oriente Médio, quer falasse sobre as questões políticas práticas que impediam o fim do embargo. O rei falava em tom de desculpas mas era firme. Ele não tinha liberdade para pôr fim ao embargo. A utilização do petróleo como arma havia sido uma decisão conjunta de todos os árabes. A suspensão teria que ser também uma decisão em comum. "O que preciso", disse o rei, "é um meio de chegar aos meus colegas e apressá-los." Insistiria também que para ele era uma condição fundamental que Jerusalém se tornasse cidade árabe islâmica. E o Muro das Lamentações?, perguntaram-lhe. Outro muro poderia ser construído em qualquer outro lugar, replicou, onde os judeus pudessem se lamentar.

Percebendo que seria pouco provável a suspensão do embargo, Washington voltava-se agora para um novo aliado, Anuar Sadat. O principal responsável e maior beneficiário do embargo se tornava agora o principal advogado de seu cancelamento. Como a própria guerra, disse, o embargo tinha atingido seus objetivos e deveria terminar. Admitiu que, na verdade, a continuação do embargo seria agora contrária aos interesses do Egito. Os próprios Estados Unidos iriam somente até certo ponto em direção à paz no Oriente Médio sob a ameaça da arma do embargo. Além disso, a perpetuação do embargo, que afinal era um ato da guerra econômica, poderia causar danos a longo prazo em todos os aspectos das relações da América do Norte com nações como a Arábia Saudita e o Kuait, em detrimento desses países. Para finalizar, com ou sem Watergate, uma superpotência como os Estados Unidos não poderia se dar ao luxo de permanecer nessa posição por mais tempo.

Mas os países exportadores árabes, tendo jogado com sucesso seu trunfo, não estavam dispostos a retirá-lo muito rapidamente da mesa. Nem queriam ser vistos cedendo depressa demais às lisonjas dos americanos. Mesmo assim, à medida que o embargo se prolongava, cada vez mais petróleo vazava de volta ao mercado e os cortes eram cada vez menos efetivos. Os sauditas deram a entender aos americanos que o embargo não poderia acabar sem alguma movimentação na frente síria e sem, pelo menos, a tácita aquiescência de Hafez al-Assad, da Síria, que estava furioso com Sadat devido aos progressos diplomáticos da frente egípcia. De fato, Assad tinha poder de veto na decisão da suspensão do embargo. Para acabar com o impasse, os sauditas facilitaram as negociações entre a Síria e os Estados Unidos para o desengajamento nas Colinas de Golan. Em meados de fevereiro de 1974, Faissal encontrou-se em Argel com Sadat, Assad e o presidente da Argélia. Sadat deixou claro que o embargo havia exaurido toda a sua utilidade e bem poderia se voltar contra os interesses árabes. Afirmou que os americanos estavam tomando a dianteira na direção de uma nova realidade política. Faissal concordou em acabar com o embargo, desde que os Estados Unidos fizessem "esforços construtivos" para acabar com o conflito entre os sírios e os israelenses. Nas semanas que se seguiram, entretanto, Assad manteve-se numa posição particular de linha-dura, o que evitou que os outros endossassem publicamente o fim do embargo. Mas levaram a sério a advertência de que os esforços de paz realizados pelos Estados Unidos poderiam ser interrompidos sem a suspensão do embargo. Em 18 de março, os ministros árabes concordaram com a suspensão. A Síria e a Líbia se mantiveram dissidentes.

Após vinte anos de discussão e várias tentativas malogradas, o petróleo como arma havia sido usado com sucesso e impacto não apenas convincente, mas esmagador e muito maior que seus proponentes ousariam imaginar. Havia redirecionado o alinhamento e a geopolítica tanto do Oriente Médio quanto do resto do mundo, transformado o petróleo mundial e as relações entre produtores e consumidores e remodelado a economia internacional. Agora, a arma poderia ser novamente embainhada. Mas a ameaça permaneceria.

Em maio, Henry Kissinger conseguiu garantir o fim das hostilidades entre Síria e Israel, e parecia ter-se iniciado um processo de paz. Em junho, Richard Nixon visitou

Israel, Egito, Síria e Arábia Saudita. O embargo agora era história do passado, embora de um passado muito recente, pelo menos no que dizia respeito aos Estados Unidos (ainda vigorava contra a Holanda). Os Estados Unidos poderiam, com razão, reivindicar os méritos pelo início de alguns consideráveis resultados na diplomacia do Oriente Médio. Watergate, entretanto, era uma realidade sempre presente, e o comportamento de Nixon na viagem surpreendeu a muitos pela sua inflexibilidade. Em reunião com o gabinete israelense em Tel Aviv, anunciou subitamente que sabia qual a melhor maneira de lidar com os terroristas. Levantou-se e, com uma metralhadora imaginária nas mãos, fingiu eliminar todo o gabinete, ao estilo de Chicago, fazendo ao mesmo tempo o som "brrr". Os israelenses ficaram perplexos e um tanto preocupados. Em Damasco, Nixon disse a Assad, da Síria, que os israelenses deveriam ser repelidos até caírem no abismo e, para dar mais ênfase ao caso, fez gestos estranhos e agitados. Depois disso, em outras reuniões com os americanos, Assad insistiria em lembrar da exposição de Nixon.

No entanto, foi no Egito que Nixon teve seu grande momento. Os dias que lá passou poderiam ter sido classificados de triunfais. Milhares de egípcios entusiasmados e delirantes o aclamavam. Foi, na verdade, sua última ovação. Havia muita coisa nesse episódio para quem apreciava a ironia. Afinal de contas, era a terra de Gamal Abdel Nasser, que havia sido um mestre em conclamar grandes multidões para denunciar o imperialismo do Ocidente, em particular dos Estados Unidos. Mas nesse momento o país em que Richard Nixon seria provavelmente saudado por multidões hostis não era o Egito, e sim os Estados Unidos. O duro antagonismo de que foi vítima em seu próprio país, nos últimos meses de seu mandato presidencial, constituiu um contraste marcante comparado ao clamor e à excitação com que foi saudado nas ruas do Cairo. Para os egípcios, era a comemoração da restauração promovida por Sadat do Egito e de seu prestígio, bastante embaçado nos últimos anos de Nasser. Para Nixon, também era uma celebração tanto do fim do embargo quanto da eficiência diplomática de sua administração. Mas dificilmente teria condições de desfrutar desse momento. Não estava bem de saúde durante a viagem, uma perna inchada pela flebite, passava a maior parte de seu tempo livre ouvindo a gravação das fitas do Salão Oval da Casa Branca que o incriminavam e que finalmente o levariam à renúncia.[9]

CAPÍTULO XXXI

O império da OPEP

OS TEMPOS MUDAM, OS IMPÉRIOS VEM E VÃO. O moderno edifício comercial no Karl Lueger Ring, em Viena, com a pequena livraria no térreo, costumava ser chamado de Edifício Texaco, em homenagem a seu principal inquilino. Mas, em meados da década de 1970, devido à presença de outro inquilino, passara repentinamente a ser conhecido como o Edifício da OPEP. A mudança simbolizava um processo profundo de transformação global: a rapidez com que os países exportadores de petróleo assumiram a posição anteriormente ocupada pelas companhias internacionais.

A OPEP foi parar em Viena quase por acaso. No começo, se instalara em Genebra. Os suíços porém duvidaram da seriedade de suas intenções e até mesmo de sua importância e recusaram conceder-lhe o *status* diplomático indispensável a uma organização internacional. Os austríacos, entretanto, estavam ansiosos para conseguir o que pudessem em termos de prestígio internacional e demonstraram-se dispostos a serem complacentes. Assim, em 1965, apesar da pequena oferta de conexões aéreas internacionais na Áustria, a OPEP mudou-se para Viena. A instalação da OPEP em Viena, no Edifício da Texaco, demonstrou claramente, logo no início, como essa organização um tanto misteriosa e peculiar havia sido levada pouco a sério anteriormente. Apesar do clamor inicial da época de sua fundação, havia falhado quanto ao seu principal objetivo político — a afirmação da "soberania" dos países exportadores sobre seus recursos.

Mas agora, em meados dos anos 1970, tudo havia mudado. A ordem internacional estava de cabeça para baixo. Os membros da OPEP eram cortejados, lisonjeados, injuriados e denunciados. Havia boas razões para isso. Os preços do petróleo eram o coração do comércio mundial e quem os controlasse seria considerado o novo senhor da economia mundial. Pertencer à OPEP, em meados da década de 1970, era o mesmo que fazer parte de todos os exportadores mundiais de petróleo, com exceção da União Soviética. Os membros da OPEP determinariam se haveria inflação ou recessão. Seriam os novos banqueiros mundiais. Tentariam estabelecer uma nova ordem econômica internacional, que iria além da redistribuição de rendas de consumidores para produtores, para uma ordem que definisse uma redistribuição do mercado tanto no poder econômico quanto político. Dariam um exemplo para o resto do mundo desenvolvido. Os países-membros da OPEP influiriam sobre a política de relações exteriores e mesmo sobre a autonomia de alguns dos países mais poderosos do mundo. Não era de admirar que um ex-secretário geral da OPEP se lembrasse daqueles anos, entre 1974 e 1978, como a "Era de Ouro da OPEP".

A nostalgia cobria por certo ainda suas recordações. Na verdade, os países-membros da OPEP em meados dos anos 1970 assumiram de fato o controle completo de seus próprios recursos. Não haveria mais quaisquer dúvidas sobre quem era o dono do seu petróleo. Esses anos, porém, foram marcados por uma dura luta não apenas com os consumidores mas também dentro da própria OPEP sobre o preço desse valioso bem. Essa discussão dominaria as estratégias econômicas e a política internacional por toda a década.

O petróleo e a economia mundial

A quadruplicação dos preços disparada pelo embargo do óleo árabe e o fato de os exportadores assumirem o controle completo da fixação desses preços provocaram grandes mudanças em todos os segmentos da economia mundial. Os rendimentos dos exportadores com o cartel do petróleo aumentaram de 23 bilhões de dólares, em 1972, para 140 bilhões de dólares, em 1977. Os exportadores acumularam grandes superávits financeiros e o temor de que não pudessem gastar todo esse dinheiro provocou sérias preocupações entre banqueiros e políticos: as dezenas de bilhões de dólares paradas em contas bancárias ociosas poderiam causar graves retrações e distorções na economia mundial.

Não precisavam ter se preocupado tanto. Os exportadores, repentinamente na opulência e certamente muito mais ricos do que jamais poderiam ter sonhado, embarcaram num vertiginoso programa de gastos: industrialização, infraestrutura, subsídios, serviços, artigos necessários e de luxo, armas, desperdícios e corrupção. Com a avalanche de desembolso, os portos estavam atravancados muito além de sua capacidade e os navios esperavam semanas pela sua vez de descarregar. Distribuidores e vendedores de todo tipo de mercadorias e serviços correram dos países industrializados para as nações exportadoras de petróleo disputando acomodações nos hotéis superlotados, lutando pelo acesso às salas de espera dos ministros de governo. Tudo estava à venda para os produtores de petróleo e eles agora tinham dinheiro para comprar.

Transações de armamentos se tornaram um grande negócio. Para as nações industrializadas do Ocidente, a interrupção dos suprimentos de 1973 e seu alto grau de dependência do Oriente Médio tornaram a garantia de acesso ao petróleo uma preocupação estratégica de primeira ordem. A venda de armas, agressivamente perseguida, era um meio de aumentar essa garantia além de manter ou ganhar influência. Os países da região estavam tão ansiosos para comprar quanto o Ocidente para vender. Os acontecimentos de 1973 demonstraram a volatilidade do equilíbrio existente na área. Não só as rivalidades regionais e nacionais eram profundas e as ambições enormes, como as duas superpotências aí se enfrentavam criando um estado de alerta nuclear no Oriente Médio.

Mas as armas eram apenas parte do conteúdo da vasta cornucópia pós 1973, que incluía tudo, desde bens de consumo até sistemas de telefonia completos. A proliferação do uso das caminhonetes Datsun na Arábia Saudita era um sinal dos tempos. "É muito dispendioso sustentar camelos", disse um executivo da Nissan, "é mais econômico manter uma caminhonete Datsun." Na verdade, uma caminhonete Datsun custava 3.100 dólares na Arábia Saudita na metade da década de 1970, enquanto o preço estipulado de um camelo era de apenas 760 dólares. Comparando-se, porém, o preço da gasolina a 12 centavos o galão com o da ração para camelos, era muito mais econômico abastecer uma Datsun do que alimentar um camelo. Quase de um dia para o outro, a Nissan se tornou o principal fornecedor de veículos para a Arábia Saudita e a caminhonete Datsun era a favorita dos pastores beduínos cujos pais e avós haviam sido o sustentáculo dos exércitos de Ibn Saud, montando camelo. No total, os gastos maciços dos países exportadores, combinados à inflação galopante de suas economias superaquecidas, asseguravam que seus superávits financeiros logo desapareceriam. E, de fato, desapareceram completamente — apesar do temor inicial dos banqueiros. Em 1974, a OPEP tinha 67 bilhões de dólares de superávit no seu balanço de pagamentos em mercadorias, serviços e outros "invisíveis" a título de receita de investimentos. Em 1978, o superávit havia se transformado em um déficit de dois bilhões de dólares.

Para os países desenvolvidos do ocidente industrializado, o súbito aumento nos preços do petróleo deu origem a profundas distorções. Os lucros do petróleo que inundavam o tesouro dos países exportadores significavam uma grande retração de seu poder aquisitivo — o que se tornou conhecido como o "imposto da OPEP". A imposição desse "imposto" levou os países industrializados a uma profunda recessão. O PNB dos Estados Unidos caiu 6% entre 1973 e 1975, enquanto o desemprego dobrou para 9%. O PNB do Japão caiu em 1974 pela primeira vez desde o fim da II Guerra Mundial. À medida que os japoneses se preocupavam com o possível fim de seu milagre econômico, os controlados estudantes pararam de gritar "maldito PNB" nas demonstrações em Tóquio e, em vez disso, descobriram novas virtudes no trabalho árduo e na promessa de emprego vitalício. Ao mesmo tempo, os aumentos de preços provocaram um grande choque inflacionário em economias já dominadas por forças inflacionárias. Se o crescimento econômico foi retomado em 1976 no mundo industrializado, a inflação se tornou tão profundamente arraigada nas economias do ocidente, que passou a ser considerada como o mais completo desafio da era moderna.

O grupo que mais sofreu com o aumento de preços foi o dos países em desenvolvimento que não tiveram a sorte de serem abençoados com o petróleo. O choque dos preços causou a maior devastação no desenvolvimento econômico dos anos 1970. Esses países em desenvolvimento não só foram atingidos pelos mesmos choques recessivos e inflacionários, mas o aumento de preços prejudicou também sua balança de pagamento, constrangendo sua capacidade de crescer ou inibindo por completo seu crescimento. Foram ainda mais atingidos pelas restrições do comércio e investimentos mundiais. A saída para alguns países foi fazer empréstimos e, desta forma, uma boa quantidade desse superávit em dólares da OPEP foi "reciclada" através do sistema bancário para os países em desenvolvimento. Assim, lidaram com o choque do petróleo endividando-se. Inventou-se também uma nova categoria — o "quarto mundo" — para designar a camada mais baixa dos países em desenvolvimento, que haviam sido nocauteados e cuja pobreza aumentara ainda mais.

Os novos e delicados problemas dos países em desenvolvimento colocaram os exportadores de petróleo numa situação complicada e até embaraçosa. Afinal, eles também eram países em desenvolvimento e agora se proclamavam a vanguarda do "Sul", o mundo em desenvolvimento, esforçando-se para acabar com a "exploração" por parte do Norte, o mundo industrializado. Seus objetivos, diziam, era forçar uma redistribuição global da riqueza do Norte para o Sul. Inicialmente, outros países em desenvolvimento, pensando na sua própria exportação de mercadorias e perspectivas gerais, aplaudiram ruidosamente a vitória da OPEP, proclamando sua solidariedade. Nessa época, "a nova ordem internacional" foi muito discutida. Os novos preços da OPEP, porém, representavam um grande retrocesso para o resto do mundo em desenvolvimento. Alguns países exportadores de petróleo instituíram seus próprios programas de empréstimos e suprimentos de petróleo para ajudar outros países em desenvolvimento. Mas a principal reação dos exportadores foi defender um amplo "diálogo Norte-Sul" entre os países, desenvolvidos e em desenvolvimento, e insistir em vincular os preços do petróleo a outras questões do desenvolvimento, com o objetivo declarado de promover a redistribuição global de riqueza.

A Conferência sobre a Cooperação Econômica Internacional, concebida para abrir espaço ao diálogo Norte-Sul, realizou-se em Paris, em 1977. Algumas das nações industrializadas esperavam garantir o acesso ao petróleo em consequência de sua participação. Os franceses, ainda indignados com a liderança de Kissinger durante o embargo do petróleo, e há muito invejosos da posição da América do Norte no Oriente Médio, promoveram o diálogo como uma alternativa para a política norte-americana. Com mais serenidade, os outros países encararam a conferência como um meio de amortecer o confronto entre os importadores e exportadores e de fornecer um contrapeso aos preços do petróleo mais altos. Embora o diálogo prosseguisse por mais dois anos, absorvendo muito esforço, ao final, houve pouco o que mostrar. Os participantes nem mesmo conseguiram produzir um comunicado oficial. O que ficou claro para o resto do mundo em desenvolvimento, em termos práticos, não foi a retórica altamente intelectualizada em Paris, mas a realidade dos mercados em baixa no mundo industrializado, para suas próprias mercadorias e produtos manufaturados.[1]

Os sauditas *versus* o xá

A própria OPEP tornou-se um espetáculo internacional de primeira classe em meados da década de 1970. Os olhos do mundo inteiro estavam voltados para suas reuniões, com seus dramas, pompas e comoções. Ouvidos atentos para quaisquer indícios sobre o que aconteceria à economia mundial, esforçavam-se para captar a rápida resposta de um ministro a uma pergunta que lhe fora gritada enquanto atravessava um salão de hotel. Seguindo o rastro da OPEP, o jargão do petróleo — "diferenciais", "oscilações sazonais", "estoque acumulado" — havia agora se tornado a linguagem de estrategistas do governo, jornalistas e especuladores financeiros. Embora a OPEP fosse geralmente considerada um "cartel" durante esse período, na verdade não o era. "Pode-se chamar a OPEP de um clube ou de uma associação mas não, precisamente falando, de um cartel", observou Howard Page em 1975, o primeiro coordenador da Exxon no Oriente Médio. Para comprovar seu ponto de vista, valeu-se de um dicionário Funk & Wagnall, em que se definia cartel como "uma associação de produtores que regula os preços e a produção de uma determinada mercadoria". A OPEP estava certamente tentando fixar os preços, mas não a produção — não ainda. Não havia cotas ou níveis de produção determinados. De acordo com uma formulação, o mercado estava, na realidade, dominado não por um cartel mas por um "oligopólio meio desordenado". Durante esse período, a maior parte dos exportadores estava produzindo praticamente a plena capacidade. A exceção era a Arábia Saudita que controlava sua produção para tentar alcançar o preço a que se propunha.

Em resposta às críticas referentes aos aumentos de preço do petróleo, os exportadores geralmente enfatizavam que, decompondo-se os preços pagos pelos consumidores dos países industrializados tendo como base um barril, se constataria que os governos do Ocidente ganhavam mais em impostos do que os países da OPEP recebiam pela venda de seu produto. Tratava-se da Europa Ocidental, onde era longa a história de grandes impostos na gasolina. Em 1975, por exemplo, cerca de 45% do que os consumidores da Europa Ocidental pagavam pelos produtos do petróleo ia para o governo de seus países, enquanto o preço da OPEP respondia por apenas 35%. Os outros 20% correspondiam ao custo do transporte, refinação, margem dos revendedores e assim por diante. O argumento era menos válido para os Estados Unidos, onde o componente imposto era de apenas 18%, enquanto a parte do exportador da OPEP era mais, na ordem de 50%. No Japão, o governo recolhia 28%, com 45% para a OPEP. Qualquer que fosse a divisão, os governos consumidores reagiam às reclamações da OPEP dizendo que aquilo que faziam dentro de suas fronteiras e como cobravam os impostos de seus cidadãos era só de sua conta, e que as consequências macroeconômicas de seus impostos sobre as vendas eram muito diferentes dos "impostos da OPEP".

Mas, a verdadeira questão era sobre o futuro. A principal preocupação dos países consumidores entre os anos de 1974 e 1978 se resumia numa simples pergunta: o preço do petróleo continuaria a subir ou permaneceria mais ou menos estável e assim seria corroído pela inflação? Da resposta a essa questão dependiam, entre outras coisas, o crescimento ou o colapso econômico, o emprego, a inflação e o fluxo de dezenas de bilhões de dólares ao redor do mundo. Embora a OPEP fosse comumente considerada como dividida em "radicais" e "moderados", essa mesma questão foi também o foco de uma batalha travada entre os dois maiores produtores do Oriente Médio, a Arábia Saudita e o Irã. Não era uma rivalidade recente. Nos anos 1960, os dois países tinham competido pela condição de maior produtor de petróleo. Agora, as duas nações lutavam por preço e supremacia.

Para o xá, o aumento de preço de dezembro de 1973 tinha sido sua grande vitória, e além disso, uma vitória muito pessoal. Daí em diante, achou que havia chegado seu momento e oportunidade — a perspectiva de rendimentos aparentemente infindáveis, fornecidos como que pela Divina Providência — para realizar sua ambição de criar o que chamava a Grande Civilização do Irã e, de quebra, solucionar os crescentes problemas econômicos nacionais. "Uma das poucas coisas que meu marido gosta de fazer na vida", afirmou a imperatriz em meados da década de 1970, "é voar, pilotar carros e dirigir barcos — a velocidade!" O xá utilizava sua paixão pela velocidade por todo o país numa tentativa de lançar o Irã no século XXI. Ao fazer isso, ignorou a agitação e a desorientação causadas por tal velocidade, bem como o ressentimento e infelicidade entre os muitos cidadãos que não compartilhavam de sua obsessão pela modernidade. O Irã, proclamou o xá, se tornaria a quinta maior potência industrial do mundo. Seria uma nova Alemanha Ocidental, um segundo Japão. "O Irã será um dos países *sérios* do mundo", gabava-se ele. "Tudo aquilo com que se pode sonhar será realizado aqui."

Fora da realidade pelo extraordinário afluxo de dinheiro proporcionado pelo petróleo, o xá se deixou levar por suas ambições e sonhos. Começou também a acreditar em todas as fantasias imperiais. Quem ousaria discordar do xá, aconselhar cautela, ou ser o mensageiro de más notícias? Quanto às críticas aos aumentos de preços, o xá era sarcástico e as repudiava com arrogância. A inflação no Ocidente, dizia, justificava a tendência para preços ainda mais altos, não levava em consideração a noção de que preços mais altos de petróleo possivelmente poderiam por si sós alimentar a inflação. "Foi-se o tempo em que os grandes países industrializados podiam usar táticas de pressão política e econômica impunemente", afirmou ele ao embaixador dos Estados Unidos. "Quero que o senhor saiba que o xá não cederá a pressões externas sobre os preços do petróleo." Além disso, as reservas de petróleo do Irã, menores pelo menos quando comparadas às de seus vizinhos, favoreciam a prática de preços mais altos mais cedo do que os outros. Porque, quando o "mais tarde" chegar, as reservas de petróleo do Irã podem já estar esgotadas. E, finalmente, havia o orgulho do xá. Todas as humilhações do passado poderiam agora ser postas de lado e as zombarias esquecidas. "Algumas pessoas pensavam — e talvez algumas delas ainda pensem — que sou um brinquedo nas mãos dos americanos", disse em 1975. "Por que aceitaria ser um brinquedo? Há razões para nosso poder que nos tornarão cada vez mais fortes. Por que então nos contentarmos com o papel de instrumento?"

Mas quando tentou forçar outros aumentos de preço, o xá colidiu com seus vizinhos do outro lado do golfo. Os sauditas nunca haviam aprovado o tamanho do aumento de preço de dezembro de 1973. Achavam muito grande e muito perigoso para sua própria posição. Temiam consequências econômicas. E ficaram alarmados ao perceberem que estavam perdendo o controle da OPEP e das decisões básicas sobre o petróleo, tão importantes para a existência e para o futuro do reino. Não tinham interesse em perpetuar os ciclos de recessão e inflação que seriam estimulados por novos aumentos nos preços do petróleo. Graças às dimensões de suas reservas de petróleo, os sauditas tinham, em contraste com o Irã, uma atuação decisiva na relação com os mercados a longo prazo do petróleo. Os sauditas temiam que os preços mais altos e os efeitos advindos desse fato pudessem dar início a um afastamento do petróleo para a conservação de energia e para outras fontes de combustível que poderiam modificar e reduzir o mercado de petróleo a longo prazo e, portanto, diminuir o valor de suas reservas.

Essas considerações levaram a outras preocupações. A Arábia Saudita era um país com território grande mas população pequena, não muito maior em termos de número do que, por exemplo, a geograficamente minúscula Hong Kong. O rápido acúmulo de lucros do petróleo poderia criar tensões sociais e políticas, bem como expectativas perigosas, enfraquecendo laços que mantinham o reino unido. Os sauditas também não queriam que os preços mais elevados complicassem, enfraquecessem ou interferissem em seus objetivos no conflito árabe-israelense. E se preocupavam com os efeitos dos preços altos na estabilidade política do mundo industrializado e em desenvolvimento, porque essa instabilidade poderia, no decorrer do tempo, vir a ameaçá-los. As dificuldades econômicas na Europa em meados dos anos 1970 pareciam estar abrindo as portas de seus governos aos comunistas, particularmente a Itália. A perspectiva dos comunistas subirem ao poder na costa mediterrânea da Europa era profundamente inquietante para um governo saudita já temeroso com os projetos soviéticos para envolver o Oriente Médio.

Havia ainda uma outra preocupação entre Riad e Irã. O xá, tinham certeza, era muito imediatista na sua ânsia por preços maiores, muito dominado por suas próprias ambições. Novos e maiores aumentos no preço do petróleo apenas trariam ainda mais dinheiro e poder ao Irã, permitindo a aquisição de mais armas, deslocando assim o equilíbrio estratégico e encorajando o xá a reivindicar a hegemonia sobre o golfo. Por que, se perguntaram os sauditas, os americanos estavam tão obcecados pelo xá? Em agosto de 1975, o embaixador dos Estados Unidos em Riad relatou a Washington a afirmação de Zaki Yamani: "A conversa de eterna amizade entre o Irã e os Estados Unidos lhe dava náuseas e também a outros sauditas. Sabiam que o xá era megalomaníaco e bastante instável mentalmente. Se não reconhecêssemos isso, devia haver qualquer coisa errada com nossa capacidade de observação". Yamani fez uma advertência: "Se o xá sair de cena, poderemos ter também em Teerã um violento regime antiamericano".

Por muitas e variadas razões, políticas e econômicas, os sauditas mantinham resoluta e vigorosamente sua linha de ação contra novos aumentos de preço, reunião após reunião da OPEP. A firmeza de sua postura num dado momento forçou até mesmo a OPEP a aceitar dois preços diferentes: um preço mais baixo para os sauditas e seus aliados, os Emirados Árabes Unidos, e um outro mais alto para os onze membros restantes. Enquanto os outros exportadores procuravam justificativas para aumentar os preços, os sauditas, ao contrário, aumentavam sua produção para tentar enfraquecer o mercado. Mas, ao proceder assim, fizeram uma descoberta desconcertante. A capacidade de produção sustentável não era tão alta como pensavam.[2]

Yamani

Em todas essas manobras sauditas, o foco das atenções recaía sobre um homem — Ahmed Zaki Yamani. Começando por toda a indústria do petróleo, passando por políticos, altos funcionários públicos, jornalistas e até o mundo em geral, Yamani se tornou o representante e, na verdade, o símbolo da nova era do petróleo. Seu rosto, com seus grandes e límpidos olhos castanhos, que pareciam não piscar, a barba aparada e levemente curva estilo Van Dyke, tornou-se conhecido em todo o planeta. Mas, na busca da simplificação e de personalidades e também em reação à estrutura política obscura da Arábia Saudita, o mundo algumas vezes confundiu seu papel e lhe atribuiu poder maior do que realmente tinha. Em última análise, ele era o representante da Arábia Saudita, embora fosse um representante de enorme importância. Não podia ditar ordens ou determinar sozinho a política saudita, mas podia delineá-la. Seu estilo diplomático, seu domínio das análises e negociações e sua habilidade no trato com a imprensa, tudo contribuiu para lhe conferir influência decisiva. Seu poder foi ampliado pela longevidade pura e simples: ele estava "lá" há mais tempo do que qualquer outro.

Embora Yamani fosse largamente conhecido como "sheik", no seu caso o título era honorífico, adotado por cidadãos importantes como ele próprio. Yamani era por origem um Hijazi, homem pertencente à área urbana da costa mais mundana e comercial da Arábia Saudita no mar Vermelho, ao invés de um Nejd, dos principados mais isolados do deserto que haviam fornecido a base de apoio original a Ibn Saud e que consideravam Riad como seu centro. Yamani nasceu em Meca em 1930, o ano em que St. John Philby convenceu o rei Ibn Saud de que o único meio de sair da desesperada situação financeira em que o reino se encontrava era permitir a exploração de petróleo e minérios em seu território. Durante sua infância, os camelos ainda se apertavam nas ruas de Meca e, à noite, podia ir ler à luz dos lampiões — ou ir para a mesquita, onde a eletricidade já havia sido instalada.

Tanto seu avô como seu pai ensinavam religião e a lei islâmica. Seu pai havia sido grande mufti (chefe religioso mulçumano) nas Índias Orientais Holandesas e na Malásia. Essa combinação de conhecimento e piedade forjou a visão do mundo e o desenvolvimento intelectual de Yamani. Após o retorno de seu pai à Arábia Saudita, a casa da família em Meca se tornou um lugar de encontro para seus alunos. "Muitos deles eram juristas famosos e discutiam a lei com meu pai e trocavam ideias sobre seus casos", contou mais tarde Yamani. "Comecei a me reunir a eles e frequentemente, depois que saíam, meu pai e eu ficávamos acordados por horas e ele me ensinava e criticava meus argumentos."

A inteligência considerável de Yamani foi logo reconhecida nas escolas sauditas. Continuou seus estudos na Universidade do Cairo e depois cursou a New York University Law School, seguindo para a Harward Law School onde estudou Direito Internacional por um ano. Desenvolveu uma compreensão intuitiva do Ocidente e, em particular, dos Estados Unidos, sabia se comunicar e sentir-se à vontade com os americanos. Quando retornou à Arábia Saudita, montou o primeiro escritório de advocacia no país. Trabalhou como consultor para vários ministérios do governo e elaborou o contrato para a concessão de 1957 com a Arabian Oil, o consórcio japonês que acabou com a hegemonia das grandes empresas americanas e inglesas no Oriente Médio.

Yamani também escreveu artigos sobre questões legais para vários jornais. Foi o que atraiu a atenção de um protetor dos mais valiosos, o príncipe Faissal, segundo filho de Ibn Saud. Faissal convidou Yamani para ser seu consultor para assuntos legais e, em 1962, quando Faissal ganhou a luta pelo poder travada contra seu irmão Saud, um de seus primeiros atos foi demitir o ministro nacionalista do Petróleo, Abdullah Tariki. Nomeou Yamani, então com trinta e dois anos de idade, para sucedê-lo com a tarefa inicial, de acabar com o confronto entre Tariki e a Aramco e estabelecer relações cordiais com mais sutileza e habilidade — e eficiência — a trabalhar pelos mesmos objetivos. "Prefiro, sem dúvida, a falação extravagante e os delírios de Tariki", queixava-se um executivo de uma das companhias da Aramco. "Yamani é capaz de nos encostar na parede com suave moderação."

Na época do embargo de 1973, Yamani já era ministro do petróleo há 11 anos e havia desenvolvido experiência e habilidade consideráveis, além de extraordinário talento como negociador. Sua voz era macia, forçando os adversários a se concentrar e a se manter silenciosos ouvindo o que dizia. Dificilmente perdia a paciência. Quanto mais furioso ficava, mais calado se tornava. A retórica extravagante não era o seu estilo. Analisava logicamente ponto por ponto, demorando em cada um o tempo suficiente para extrair a sua essência, suas conexões, os imperativos e as consequências. Era tudo tão simples e persuasivo e tão surpreendentemente óbvio e irrefutável que somente um louco ou um simplório discordaria. Era uma maneira de exposição que se mostrava irresistivelmente hipnotizante para muitos e absolutamente enfurecedora para outros.

Yamani elaborou cuidadosamente seu lado místico. Era o mestre da paciência e do olhar fixo sem pestanejar. Se necessário, apenas olhava para seu interlocutor, sem dizer uma única palavra, manuseando suas contas indefinidamente, até que se mudasse de assunto. Estava sempre jogando xadrez, ponderando cuidadosamente a posição de seu oponente e como alcançar o que queria. Embora adepto da tática, especialista em manobras exigidas pelas necessidades a curto prazo dentro e fora da Arábia Saudita, tentava também sempre pensar a longo prazo, como convinha ao representante de um país com população pequena e com um terço do petróleo mundial. "Na minha vida pública ou pessoal, em tudo que faço procuro pensar a longo prazo", afirmou certa vez.

"Quando se começa a pensar a curto prazo, surgem problemas porque isso é apenas uma tática para obter benefícios imediatos." O mundo ocidental, achava ele, era influenciado e sofria da praga do pensamento a curto prazo, resultado inevitável da democracia. Yamani também era, por natureza, cauteloso e calculista. "Não suporto o jogo", disse em 1975, quando estava no seu apogeu. "Sim, odeio jogar. Apodrece a alma. Jamais fui um jogador. Nunca serei." Na política do petróleo", insistia, "nunca lancei mão do jogo. É sempre um risco calculado. Ah, calculo bem meus riscos. E quando os assumo, significa que tomei todas as precauções necessárias para reduzi-los ao mínimo possível. Quase a zero".

Yamani provocou fortes reações. Muita gente o considerava brilhante, um diplomata de alta categoria, com uma esplêndida e abrangente compreensão do petróleo, da economia e da política. "Era um estrategista por excelência", afirmou alguém que lidara com ele durante 25 anos. "Nunca ia diretamente ao seu objetivo, mas jamais perdia de vista onde queria chegar." No Ocidente, tornou-se a personificação do império da OPEP e do poder do petróleo. Para muitos líderes ocidentais, era o único interlocutor razoável e influente e o que possuía maiores conhecimentos. Para o grande público, era quem mais aparecia e, portanto, o mais criticado e ridicularizado dos representantes dos países exportadores. Algumas pessoas na própria OPEP e no mundo árabe o odiavam, por inveja de sua notoriedade, por considerá-lo muito próximo do Ocidente ou simplesmente porque achavam que ele não era tão bom assim. Rivais ciumentos e céticos diziam que ele era "supervalorizado". Um funcionário da Aramco que negociava com ele frequentemente se confessara perplexo, mais do que tudo, pelo que descrevia como a capacidade de Yamani em se manter "ostensivamente calmo".

Henry Kissinger, que também negociou muito com Yamani, era um tanto sarcástico e quase deliberadamente despreocupado ao fazer comentários sobre ele: "Achava-o extraordinariamente inteligente e culto, podia discutir em profundidade sobre vários assuntos, inclusive sociologia e psicologia. Seus olhos atentos e a pequena barba no estilo Van Dyke o faziam se assemelhar a um jovem professor pedante discorrendo sobre a política do petróleo sem querer realmente dizer as coisas apocalípticas que falava, especialmente se apresentadas com voz suave e com sorriso de autocensura em desacordo com as implicações de seus atos... Em seu país, naquela época, barrado pela origem de assumir a liderança política reservada aos príncipes e por seu talento de uma existência comum, emergiu numa posição tão essencial quanto periférica ao exercício do verdadeiro poder político dentro do reino. Tornou-se o técnico por excelência."

Yamani era na verdade o homem de confiança de Faissal, devotado ao rei que o havia escolhido. O rei, por sua vez, considerava Yamani como o protegido favorito e o recompensava com a concessão de extensas propriedades, cujo valor subiu muito e rapidamente durante a explosão do petróleo, tornando-se a base da fortuna pessoal de Yamani. O relacionamento próximo e intenso de Yamani com o rei lhe deu carta branca para definir a política do petróleo, embora sempre sob o controle final de Faissal e sempre dentro das linhas definidas pela família real, cujo membro mais proeminente, no que se referia à política do petróleo, depois do próprio rei, era seu meio-irmão, o príncipe Fahd.

Em março de 1975, Yamani acompanhava o ministro do petróleo kuaitiano em visita à Arábia Saudita, a uma audiência com o rei Faissal. Um sobrinho de Faissal seguiu o grupo que adentrava a pequena sala de recepção. Quando o ministro kuaitiano se ajoelhou diante do rei, o sobrinho deu um passo à frente e disparou diversas vezes contra a cabeça de Faissal, matando-o quase instantaneamente. Mais tarde, disseram que o assassinato era vingança pela morte do irmão do sobrinho, há dez anos, ao liderar um ataque fundamentalista a uma estação de rádio em protesto contra a introdução da televisão no reino. Outros achavam que o jovem havia sido apanhado nos miasmas da extrema esquerda. Outros ainda simplesmente disseram que ele estava perturbado, desequilibrado mentalmente, e, lembrando que ele havia sido processado quando estudante no Colorado por vender LSD, talvez estivesse sofrendo os efeitos da droga.

Em dezembro daquele ano, o terrorista internacional conhecido por "Carlos", um fanático marxista venezuelano, liderou outros cinco terroristas num ataque a uma reunião ministerial no Edifício da OPEP, no Karl Lueger Ring em Viena. Em poucos minutos, três pessoas foram mortas. Os terroristas tomaram os ministros do petróleo e seus assessores como reféns e finalmente embarcaram numa angustiante viagem, voando inicialmente para Argel, depois para Trípoli e de volta para Argel, ameaçando o tempo todo matar os ministros. Repetiam sempre que duas pessoas já estavam absolutamente condenadas à morte: Jamshid Amouzegar, o ministro do petróleo iraniano, e Yamani, seu alvo principal. Durante os voos tensos, Yamani passou o tempo brincando com suas contas e recitando os versos do Alcorão, convencido que logo seria um homem morto. Quarenta e quatro horas após o ataque inicial de Viena, a provação chegou ao fim, em Argel, com a suspensão das "sentenças de morte" e a libertação de todos, inclusive de Yamani. Cogitou-se que uma facção de um dos governos árabes havia fornecido ajuda aos terroristas e até prometido grande recompensa.

Depois de 1975, Yamani compreensivelmente se tornou obcecado com a questão da segurança. Após o assassinato de Faissal, nunca mais pôde tomar decisões com a independência que havia tido anteriormente. O sucessor de Faissal, seu meio-irmão Khalid, já sofria de problemas cardíacos e não se projetou como um líder vigoroso. Fahd se tornou o príncipe herdeiro e vice-primeiro ministro. Era também o principal estrategista da política do petróleo e a pessoa a quem Yamani agora se reportava. Para o mundo externo, Yamani ainda era a figura número um, mas na Arábia Saudita era o cuidadoso e prudente príncipe Fahd quem tinha a palavra final sobre a política do petróleo. Nas ocasiões em que fazia pronunciamentos, Fahd deixava claro que a oposição aos preços altos do petróleo não era a posição de Yamani apenas, mas a política saudita. Elevar os preços ainda mais, declarou Fahd, significaria "desastre econômico". Na verdade, numa reunião confidencial com o presidente Carter em Washington, em 1977, Fahd chegou ao ponto de recomendar insistentemente que Carter pressionasse dois outros países da OPEP, Irã e Venezuela, para evitar novos aumentos de preços.

De vez em quando, a política saudita enfurecia os outros exportadores o suficiente para provocar uma chuva de insultos, muitas vezes cuidadosamente dirigidos a Yamani e não à família real. "Quem ouve as estações de rádio ou lê os jornais iranianos, acha que sou um demônio", queixava-se Yamani. Um dos principais jornais de Teerã censurou Yamani como "palhaço dos círculos capitalistas e traidor não apenas de seu próprio rei e de seu país, mas também do mundo árabe e do Terceiro Mundo como um todo". O ministro do petróleo iraquiano declarou que Yamani estava agindo "a serviço do imperialismo e do sionismo". A essa retórica, o imbatível Yamani reagiu com seu sorriso enigmático e seu olhar fixo sem pestanejar.[3]

A estratégia da América

Quaisquer que fossem as rivalidades dentro da OPEP, havia certamente um consenso geral de opiniões entre Riad e Washington quando se tratava de preço do petróleo. O governo dos Estados Unidos, durante as administrações de Nixon, Ford e Carter, se opôs firmemente aos preços altos devido aos danos que tais aumentos poderiam provocar na economia mundial. Washington, porém, não queria forçar a queda dos preços de forma agressiva. "A única possibilidade de baixar o preço do petróleo imediatamente seria uma maciça ofensiva política contra países como a Arábia Saudita e o Irã levando-os a por em risco sua estabilidade política e talvez sua segurança se não cooperassem", explicou Kissinger, secretário de Estado do governo Ford, em 1975. "Esse é um preço muito alto a se pagar, mesmo para uma redução imediata no preço do petróleo. Se provocássemos a deposição do governo da Arábia Saudita e um Kaddafi assumisse o comando, ou se destruíssemos a imagem do Irã de resistência às pressões externas, iríamos abrir caminho para tendências políticas que poderiam prejudicar nossos objetivos econômicos." De fato, havia certo temor de que os próprios exportadores pudessem, de repente, diminuir substancialmente o preço do petróleo e assim inviabilizar a custosa prospecção de novas fontes como as do mar do Norte. Em consequência, houve discussões entre os membros da International Energy Agency sobre o estabelecimento de um "preço mínimo de defesa" fornecendo um piso que protegeria os altos investimentos energéticos do Ocidente contra um corte brusco, talvez politicamente motivado, nos preços mundiais.

O objetivo principal de Washington era garantir a estabilidade, e os americanos promoveram árduas campanhas contra novos aumentos de preços temendo que provocassem inflação, paralisassem o sistema internacional de pagamentos e o comércio e retardassem o crescimento. Antes de cada reunião da OPEP, os Estados Unidos enviavam um grupo de emissários às partes interessadas em todo o mundo. Amparados por uma enorme quantidade de dados estatísticos sobre a inflação e o consumo de energia, os funcionários americanos argumentavam exaustivamente contra qualquer outro aumento. Às vezes, a enorme e contraditória burocracia que determinava as estratégias políticas e econômicas nos Estados Unidos produzia mensagens contraditórias. Havia ocasiões em que os sauditas chegavam a suspeitar de que os Estados

Unidos estavam lhes pregando uma peça, que havia um conluio secreto com o xá para aumentar os preços. Nixon, Ford e Kissinger, de fato, relutavam em pressionar o xá, dadas outras considerações estratégicas. Além disso, no cenário nacional americano, não havia consenso, ao contrário, uma série de batalhas fez da energia a questão política mais importante de meados dos anos 1970. Internacionalmente, entretanto, o firme objetivo central da diplomacia dos Estados Unidos era devolver estabilidade ao preço e deixar a inflação corroê-lo. Todos os instrumentos retóricos, da persuasão e lisonja às profecias apocalípticas e ameaças implícitas, foram utilizados por Washington em busca de estabilidade.

Tentaram-se ainda outras abordagens menos evidentes. Num esforço para controlar os preços e assegurar suprimentos adicionais para os Estados Unidos, Washington pensou até na possibilidade de entrar no negócio de petróleo em sociedade com nada menos do que a União Soviética. Kissinger tentou um acerto do tipo *barrels-for-bushels* (barril de petróleo por *bushels* — medida de capacidade em litros ou pés cúbicos), no qual os Estados Unidos importariam petróleo russo em troca do trigo americano. Uma carta de intenção preliminar foi assinada em Moscou em outubro de 1975. Pouco depois, altos funcionários soviéticos foram a Washington para intensas negociações. Era a chance de Kissinger alcançar uma "vitória" para sua *détente* americano-soviética, que seria extremamente bem-vinda considerando-se as crescentes críticas internas que vinha sofrendo. Poderia ainda significar uma "derrota" para a OPEP, com o gostinho extra de usar o petróleo soviético para "quebrar" o controle da OPEP.

Após alguns dias de discussões excessivamente longas, os russos se viram em Washington com um fim de semana ocioso pela frente. Para relaxar um pouco, foram levados num jato da Gulf Oil, com quem negociavam, para a Disney World. Na viagem para a Flórida, o chefe da delegação soviética explicou a seus anfitriões porque as negociações estavam tão difíceis: Kissinger insistia numa intensa publicidade para constranger a OPEP. Os russos gostariam muito de vender seu petróleo e não ter de gastar moeda forte com o trigo americano, mas a transação deveria ser mantida, se não secreta, pelo menos discreta. Não poderiam ser vistos prejudicando a OPEP e o nacionalismo do Terceiro Mundo. Havia também um problema de condições: Kissinger insistia que o trigo americano fosse cotado pelo mesmo valor dos preços do mercado mundial, enquanto o petróleo russo custaria perto de 12% a menos que o preço de mercado. Quando os russos perguntaram a razão dessa disparidade, os americanos explicaram que o trigo estava sendo vendido a um mercado já existente, enquanto um novo mercado estava sendo aberto para o petróleo russo e, portanto, os soviéticos teriam de fazer um desconto para entrar nele. A transação acabou fracassando. Mas os funcionários soviéticos adoraram a Disney World.[4]

O compromisso americano de estabilizar o preço do petróleo colocou os Estados Unidos em rota de colisão com o Irã. Afinal de contas, o xá era o mais eloquente e o mais influente dos defensores da política de preços e os Estados Unidos estavam o tempo todo lhe recomendando que agisse de forma contrária. Quando o presidente

Ford criticou os altos preços, o xá rebateu rapidamente, "ninguém pode nos impor nada. Ninguém vai nos apontar o dedo, porque apontaremos o nosso de volta". Na verdade, o Irã, tanto quanto a Arábia Saudita, estava política e economicamente ligado aos Estados Unidos. Mas à medida que os ministros do governo, empresários e comerciantes de armas prestavam serviços a domicílio se deslocando para Teerã e o xá continuava a promover suas pregações e lições de moral sobre as fraquezas e os problemas da sociedade ocidental, em Washington algumas pessoas se questionavam sobre quem exatamente era cliente de quem.

No início da década de 1970, Nixon e Kissinger haviam estabelecido a política do "cheque em branco", dando ao xá ampla liberdade para comprar quantos sistemas de armamentos americanos quisesse, até mesmo os de tecnologia mais avançada, desde que não fossem nucleares. Essa política era parte da "estratégia dos dois pilares", estabelecida para a segurança regional em consequência da retirada britânica do golfo. O Irã e a Arábia Saudita seriam as colunas, mas dos dois o Irã era claramente a "grande coluna", como comentou um funcionário americano e, em meados dos anos 1970, era o comprador de metade das armas americanas vendidas no exterior. O Departamento de Defesa estava alarmado com esses cheques em branco. A seu ver, o Irã precisava de um bom exército convencional, mas no de sistemas de armas de última geração, que teriam dificuldade em operar e que poderiam acabar caindo nas mãos dos russos. O secretário de Defesa, James Schlesinger, preveniu pessoalmente o xá que faltavam ao Irã recursos técnicos para assimilar tantos novos e complexos sistemas de armas. "Ele se apaixonou pelo F-15", disse Schlesinger. O xá ignorava em geral tais advertências, mas, no caso do F-15, aceitou o conselho e não comprou o avião.

O secretário do Tesouro, William Simon, foi mais duro. "O xá", disse ele, "é louco". O xá, é claro, reagiu energicamente ao adjetivo e Simon rapidamente desculpou-se: ele havia sido citado fora de contexto. Queria dizer, explicou engenhosamente, que o xá era um "louco" por preços de petróleo, como se diz que alguém é "louco por tênis ou golfe". O embaixador americano estava fora de Teerã quando surgiu o incidente e coube a seu encarregado a ingrata tarefa de explicar a declaração. Repetiu as desculpas de Simon ao ministro da Corte, que respondeu, "Simon pode ser um bom vendedor de títulos, mas não entende muito de petróleo". O próprio xá teria comentado saber inglês tão bem quanto Simon e que entendera "exatamente o que o sr. Simon queria dizer".

Apesar das censuras e críticas, um consenso se manteve estável durante as administrações de Nixon e de Ford. O Irã era um aliado essencial desempenhando importante papel de segurança no Oriente Médio e nada deveria ser feito para minar o prestígio e a influência do xá. Nixon, Ford e Kissinger tinham predileções pessoais e estratégicas pelo xá. Não havia participado do embargo de petróleo para os Estados Unidos em 1973 e o Irã poderia desempenhar um papel essencial nas estratégicas geopolíticas. Os sauditas, diria Kissinger a seus interlocutores, eram "gatinhos". Mas com o xá ele podia tratar de geopolítica. O Irã, afinal de contas, fazia fronteira com a União Soviética.

O xá tinha boas razões para se preocupar em 1977 com o novo presidente americano, Jimmy Carter. Nas palavras do embaixador britânico em Teerã, "o oportunismo calculista de Nixon e Kissinger era muito mais a gosto do xá". Duas das mais importantes políticas da administração Carter, direitos humanos e restrição à venda de armas, o ameaçavam diretamente. Apesar dessas políticas, a nova administração manteve a mesma orientação pró-xá de seus predecessores. Como escreveu mais tarde Gary Sick, funcionário para assuntos do Oriente Médio no Conselho de Segurança Nacional durante a administração Carter, "os Estados Unidos não têm nenhuma alternativa estratégica para substituir um relacionamento mais próximo com o Irã".

As relações foram facilitadas pela mudança de posição do xá na questão do preço do petróleo. Quando Carter foi para a Casa Branca, o xá já estava reconsiderando se valia a pena forçar a alta de preços. A agitação e a euforia, a corrida dos petrodólares e a própria expansão do petróleo estavam arruinando o sistema econômico e social do Irã. Os resultados já eram evidentes: caos, desperdício, inflação, tentações, corrupção e o aprofundamento das tensões políticas e sociais que estavam ampliando a oposição ao regime do país. Um número crescente de seus súditos não queriam ter nada a ver com a Grande Civilização do xá.

No final de 1976, o próprio xá arrependido resumiu o problema: "Ganhamos dinheiro que não poderíamos gastar". O dinheiro, tinha agora que reconhecer, não era remédio, mas a causa de muitos dos males de seu país. Petróleo mais caro não o ajudaria. Por que, então, se dar ao trabalho de desafiar os Estados Unidos quando precisava, com a chegada de Carter, mais do que nunca implementar suas boas relações com a América do Norte? De início, a administração Carter decidiu lançar e manter uma "ofensiva de congelamento de preços" como a política central dos Estados Unidos. E depois que o secretário de Estado, Cyrus Vance, em visita a Teerã em 1977, confirmou o apoio americano ao xá, o governo do Irã começou a surpreender os outros países exportadores de petróleo e até seus próprios funcionários, pregando moderação nos preços do petróleo. O xá chegou a dizer confidencialmente ao secretário do Tesouro, Michael Blumenthal que o Irã "não quer o papel de defensor dos preços altos". Tinha o xá se convertido ao jogo de mercado? O gavião número um dos preços teria virado pomba?

Em novembro de 1977, o xá foi a Washington encontrar-se com o presidente Carter. No momento em que chegava à Casa Branca, manifestantes contra e a favor do xá, na maioria estudantes iranianos nos Estados Unidos, envolveram-se numa escaramuça em uma área próxima à residência presidencial. A polícia dispersou os manifestantes com gás lacrimogêneo. A fumaça se espalhou pelo gramado na ala sul da Casa Branca, onde o presidente Carter recepcionava o xá. Carter começou a piscar e a esfregar seus olhos, enquanto o xá enxugava suas próprias lágrimas com um lenço. A transmissão completa da reportagem foi ao ar não apenas nos Estados Unidos, mas também no Irã, graças à recente política de liberalização — fornecendo à população iraniana uma visão constrangedora de seu monarca, uma perspectiva do tipo que nunca antes lhes tinha sido permitida. Essa cena, juntamente com as próprias demonstrações, convenceram alguns iranianos de que os Estados Unidos estavam a ponto de se livrar de Mohammed Pahlavi. Por que ademais, pensavam eles, não compreendendo o sistema americano, teria Carter "permitido" tais demonstrações?

Nas reuniões confidenciais, Carter defendeu uma política mais eficiente de direitos humanos e a estabilidade nos preços do petróleo. Na visão do xá, Carter estava lhe sugerindo uma troca: unir-se à Arábia Saudita na política de moderação dos preços do petróleo em troca do abastecimento contínuo de armas dos Estados Unidos e diminuição na pressão pelos direitos humanos. Carter enfatizou "o impacto punitivo do aumento dos preços do petróleo sobre as economias industrializadas". Contradizendo grande parte do que havia dito desde o final de 1973, o xá concordou com Carter e prometeu instar os outros países-membros da OPEP "a dar uma folga para as nações do Ocidente".

O Irã havia agora se juntado à Arábia Saudita no que dizia respeito à moderação. Os dois países representavam 48% da produção da OPEP, podiam dizer aos outros o que fazer mantendo os preços do petróleo sob controle. Assim, acabou a disputa entre o xá e os sauditas. O xá tinha se convencido. De 1974 a 1978, houve apenas dois pequenos aumentos do preço geral na OPEP: dos 10,84 dólares fixados em Teerã, em dezembro de 1973, para 11,46 dólares, em 1975, e para 12,70 dólares no final de 1977. A inflação, porém, aumentava em ritmo mais rápido e, como havia sido antecipado, corroía o preço real. Em 1978, o preço do petróleo, corrigido pela inflação, era cerca de 10% menor que em 1974, logo após o embargo. Em resumo, restringindo os aumentos àqueles dois, relativamente pequenos, o preço real do petróleo havia até caído. O petróleo não era mais uma mercadoria barata, de jeito nenhum, mas o preço também não foi parar nas alturas, como muita gente temia.[5]

O Kuait e os "nossos amigos"

Se os exportadores de petróleo não precisavam mais negociar preços, exceto entre si, restavam ainda as concessões de petróleo, remanescentes da época em que as companhias de petróleo tinham influência, relíquias dos dias em que os exportadores eram pobres. A própria existência de concessões, diziam agora as nações petrolíferas, era degradante. A concessão no Irã naturalmente havia sido eliminada pela estatização de Mossadegh, em 1951, e o Iraque completara a estatização da concessão da CIP em 1972. Enquanto algumas concessões iriam permanecer após o choque de preço de 1973, o fim das últimas grandes — no Kuait, na Venezuela e na Arábia Saudita — marcaria o desaparecimento final dos acordos de concessões do século XX que tinham começado com os compromissos audaciosos e arriscados de William Knox D'Arcy na Pérsia, em 1901.

A concessão kuaitiana foi a primeira de uma série. A Companhia de Petróleo do Kuait foi fundada em 1934 pela BP e Gulf para pôr fim a sua acirrada concorrência, alimentada pelo incontrolável major Frank Holmes e aguçada pela determinação do embaixador Andrew Mellon. Quarenta anos depois, no início de 1974, o Kuait adquiriu 60% da participação na Companhia de Petróleo do Kuait, deixando 40% para a BP e a Gulf. Então, no começo de março de 1975, o Kuait anunciou que estava assumindo o controle dos 40% restantes sem manter qualquer ligação especial com a BP e a Gulf. Seriam simplesmente tratados como os outros compradores. E o que aconteceria se a BP e a Gulf não concordassem com os termos do Kuait? "Diremos apenas muito obrigado e até logo", disse o ministro do petróleo kuaitiano, Abdel Mattaleb Kazemi. O objetivo, acrescentou, era "assumir o completo controle dos recursos petrolíferos do país". Foi direto ao ponto essencial: "O petróleo é tudo para o Kuait".

James Lee, da Gulf, e John Sutcliffe, da BP, foram rapidamente convocados à cidade do Kuait. Sutcliffe disse ao ministro do petróleo: "Deveria haver alguma consideração para tão antigo relacionamento". A resposta kuaitiana foi enfática. "Não devemos nenhuma compensação." Em reunião com o primeiro-ministro, Sutcliffe e Lee alinhavaram uma breve história de como, em consequência da batalha sobre os rendimentos, a divisão dos lucros tinha se deslocado ao longo dos anos, "dos 50/50 no começo da década de 1960 até a atual divisão de 98% para o governo e 2% para as companhias". Esperavam agora chegar a um acordo satisfatório. Mas foram informados, com bastante firmeza, que o Kuait pretendia assumir o controle de cem por cento das ações, que era uma questão de soberania e que o assunto não estava aberto a debates.

Por alguns meses, o Kuait lutou com as duas companhias, que continuavam querendo garantir algum tipo de acesso preferencial. A certa altura, um negociador de alto nível da BP, P.I. Walters, meio de brincadeira, sugeriu aos kuaitianos que fariam melhor negócio se investissem uma parte de sua recente riqueza em ações da BP em vez de adquirir os ativos físicos da Companhia de Petróleo do Kuait. Os kuaitianos não estavam interessados, pelo menos não naquela ocasião. Finalmente, em dezembro de 1975, os dois lados chegaram a um acordo — nos termos indicados pelo Kuait. A Gulf e a BP haviam pedido uma indenização de dois bilhões de dólares. Os kuaitianos riram da proposta. As companhias conseguiram uma ínfima fração daquela quantia, cinquenta milhões de dólares.

Firmado o acordo, as duas companhias internacionais supunham que ainda conservariam acesso preferencial. Era o que pensava Herbert Goodman, presidente da Gulf Oil Trading Company, quando chefiou uma pequena equipe à cidade do Kuait para dar os toques finais no novo relacionamento. Goodman logo percebeu o quanto tudo realmente havia mudado. Não que fosse ingênuo. Pelo contrário, Goodman era um dos mais experientes empresários e negociantes de petróleo do mundo. Na verdade, sua carreira personificava o extraordinário desenvolvimento e expansão das companhias de petróleo internacionais na década de 1960. Goodman, um ex-funcionário do Serviço das Relações Exteriores dos Estados Unidos começou a trabalhar na Gulf em 1959, conquistando seu lugar no hall da fama do petróleo. Em quatro anos de atividade em Tóquio, distinguiu-se por vender mais de um bilhão de barris de petróleo numa série de contratos a longo prazo com compradores japoneses e coreanos. Os anos sessenta foram os anos de glória, tanto para um negociante de petróleo quanto para um americano no exterior. "Naquela época, os executivos americanos tinham grande prestígio, com enorme acesso a toda parte", recordava-se Goodman. "Passávamos a nos comportar como se isso nos fosse devido. As pessoas prestavam atenção. Havia um respeito pela credibilidade, influência, poder. Por quê? Eram os negócios seguindo a bandeira — a enorme credibilidade e respeito que os Estados Unidos gozavam. Um passaporte americano era na verdade um *laissez-passer* — uma salvaguarda. De repente isso começou gradualmente a desaparecer. Eu podia sentir isso em toda parte. Era a decadência do poder americano — a retirada dos romanos do Muro de Adriano. Digo-lhes, podia senti-lo em toda parte." Veio, então, o embargo do petróleo, o aumento do preço, a humilhação, a renúncia de Nixon e a retirada abrupta dos americanos do Vietnã. E, agora, em 1975, lá estava Goodman, numa reunião na cidade do Kuait com os kuaitianos também insistindo que os anos dourados haviam acabado.

Ainda assim, Goodman e os outros executivos de sua equipe esperavam que a Gulf obtivesse algum tipo de preço especial ou de preferência, refletindo um relacionamento que havia durado quase meio século, com o treinamento de muitos jovens kuaitianos que iam a Pittsburgh e eram hospedados por famílias da Gulf, toda a hospitalidade, relações pessoais e outras ligações. Mas não, para sua surpresa, Goodman foi informado que a Gulf seria tratada como qualquer outro cliente. Além disso, disseram os kuaitianos, a Gulf obteria apenas o petróleo suficiente para suas próprias refinarias e não para repassá-lo a seus clientes no Japão e na Coreia. Goodman argumentou que a Gulf havia suado sangue para desenvolver esses mercados. Sabia bem disso, pois era o seu sangue que havia sido suado. Não, disseram os kuaitianos. Aqueles mercados eram deles próprios, baseados no petróleo kuaitiano e passariam a vender seu petróleo para aqueles mercados.

Os executivos da Gulf não podiam deixar de observar a diferença de tratamento que recebiam agora em comparação ao passado. "Íamos do nosso hotel ao ministério, dia após dia, e esperávamos", disse Goodman. "Às vezes, aparecia um jovem funcionário. Às vezes, nem isso." A certa altura, Goodman tentou fazer lembrar a um funcionário kuaitiano a história, pelo menos como a compreendia ou como a Gulf a interpretava, de tudo o que a Gulf havia feito pelo Kuait. O kuaitiano ficou muito irritado. "Qualquer coisa que tenham feito, foram recompensados por isso", disse ele. "Nunca nos fizeram nenhum favor." E, então, retirou-se da reunião.

A Gulf finalmente obtêve um pequeno desconto para o petróleo que ia para suas próprias refinarias, mas nenhum outro para o petróleo que poderia vender a terceiros. "Para os kuaitianos, era a destruição do poder colonial", refletiu mais tarde Goodman. "Houve um equívoco. Nós, americanos, estávamos convencidos de que éramos amados porque havíamos feito tanto por eles. Ingenuidade americana. Pensávamos que tínhamos boas relações. O ponto de vista deles era diferente." Sentiam-se sempre tratados com condescendência e se lembravam disso. Em todos esses relacionamentos, existia essa coisa de amor-ódio.

"Mesmo assim", acrescentou, "era transitório. Era só porque estavam a ponto de se tornar muito ricos".[6]

Venezuela: O gatinho morreu

As grandes concessões na Venezuela também estavam sendo removidas. Já no começo dos anos 1970, não havia mais dúvidas do que iria acontecer. Afinal de contas, esse era o país de Juan Pablo Pérez Alfonzo, nacionalista do petróleo e cofundador da OPEP. Em 1971, a Venezuela aprovou a "lei de reversão", pela qual todas as concessões feitas às companhias de petróleo e outros ativos investidos no país reverteriam para a Venezuela quando os termos da concessão findassem, com limitada indenização. As primeiras concessões começariam a expirar em 1983. O efeito econômico da lei da reversão, somado à política da Venezuela de "sem novas concessões", era inevitável: as companhias reduziram seus investimentos, o que significou o declínio da capacidade de produção da Venezuela. Esse declínio, por sua vez, quase inevitavelmente, incentivou a antipatia nacionalista para com as companhias. "Era como a galinha e o ovo", relembrou Robert Dolph, presidente da Creole, subsidiária da Exxon na Venezuela. "A política era não nos dar novas áreas para explorar. Assim não estávamos mais alimentando o gatinho e, então, se queixavam que o gatinho estava morrendo."

Em 1972, o governo havia aprovado um certo número de leis e decretos que lhe deu o efetivo controle administrativo sobre cada fase da indústria, desde a exploração até a comercialização. Aumentou também o imposto efetivo para 96%. Desse modo, atingiam muitos de seus objetivos de nacionalização sem ainda estatizar. Mas a estatização era apenas uma questão de tempo. O aumento de preço de 1973 e as aparentes vitórias da OPEP reforçaram rapidamente o espírito de nacionalismo e a autoconfiança, acelerando o último ato. Nessa nova situação, 1983 era longe demais para esperar. A possessão estrangeira simplesmente não era mais tolerável, a estatização tinha de se consumar o mais rápido possível. Praticamente, todas as facções políticas pareciam concordar com isso.

Seguir-se-iam duas rodadas de negociações — não uma apenas. A primeira com as companhias internacionais, Exxon e Shell, seguidas pela Gulf e por uma série de outras empresas. A segunda foi entre os próprios venezuelanos. O primeiro conjunto de negociações não foi suave. "Ao final de 1974, o país ainda se encontrava em meio a um debate febril sobre a questão da nacionalização do petróleo", disse um dos participantes. "Havia uma divisão clara entre os que desejavam o confronto violento com as companhias petrolíferas estrangeiras e os que preferiam um acordo não violento e negociado." Juan Pablo Pérez Alfonzo, do jardim de sua casa, inclinou-se para o lado dos que desejavam o confronto: declarou que não apenas a indústria petrolífera mas todos os investimentos estrangeiros na Venezuela deveriam ser imediatamente nacionalizados.

Ainda assim, o processo de decisão prosseguiu com menos rancor do que seria de esperar, em parte, devido ao realismo das companhias. Podia chamar-se a isto fatalismo. A Venezuela havia sido a fonte de uma parte substancial de seus lucros nos primeiros anos, a certa altura a metade do lucro global da Exxon. Era também o lugar ideal para aqueles que tivessem qualquer pretensão de ocupar altos cargos na Shell, se não mesmo na Exxon. Mas, na nova era, não havia como resistir. Para as empresas, o problema mais crítico era conservar o acesso ao petróleo. "Não podíamos vencer", disse Dolph, da Creole. "Os preços eram altos, as circunstâncias do mercado encorajavam os exportadores a pensar que o que estava acontecendo duraria para sempre. A nacionalização real nos deixou muito pouco espaço para manobras."

A Venezuela faria duas exigências após a nacionalização. Uma delas era manter o fluxo de tecnologia e de especializações do mundo exterior, a fim de manter a indústria tão eficiente e atualizada quanto possível. As companhias negociaram contratos de serviço com a Venezuela de acordo com os quais, em troca de uma contínua transferência de pessoal e de tecnologia, as ex-concessionárias receberiam 14 ou 15 centavos por barril. A segunda era o acesso aos mercados; a indústria estatizada produziria uma grande quantidade de petróleo. Não possuía seu próprio sistema internacional de comercialização e precisava viabilizar a venda do petróleo. As ex-concessionárias, por sua vez, ainda necessitavam de petróleo para repassar a seus clientes. Assinaram contratos a longo prazo com a Venezuela garantindo levar o petróleo ao mercado. No primeiro ano após a nacionalização, a Exxon assinou com a Venezuela o que foi considerado o maior contrato para fornecimento de petróleo até aquela data — novecentos mil barris por dia.

A segunda negociação — entre políticos e empresários do petróleo venezuelanos — foi muito mais difícil e emocional. Duas gerações de venezuelanos tinham crescido dentro da indústria do petróleo. Nessa época, 95% de todos os cargos até os níveis mais altos eram ocupados por venezuelanos, muitos dos quais treinados no exterior, com experiência internacional adquirida em companhias multinacionais. Esses executivos achavam que haviam sido tratados muito bem. A questão agora se resumia no seguinte: a indústria petrolífera venezuelana, da qual dependiam os rendimentos do governo, se tornaria uma entidade essencialmente política, com sua agenda estabelecida por políticos e à mercê do jogo político nacional, ou passaria a ser uma entidade do governo gerenciada como um negócio, com um horizonte amplo e agenda estabelecida por especialistas no ramo do petróleo? Por trás daquela questão, naturalmente, estava a luta pelo poder e pela primazia na Venezuela pós-nacionalização, assim como a batalha sobre o futuro da economia da nação.

Algumas considerações inevitáveis moldaram o resultado. A indústria do petróleo e a sua saúde eram primordiais para o bem-estar geral da economia da Venezuela. Em Caracas, havia um temor generalizado de que se pudesse criar uma "outra Pemex", ou seja, uma companhia nacional extremamente poderosa como a Petróleos Mexicanos, um estado impenetrável dentro do próprio estado. Ou, temia-se, o resultado poderia ser uma indústria do petróleo enfraquecida, politizada e corrupta, com um efeito devastador para a economia da Venezuela. O resultado também foi afetado pelo fato de que havia um grande grupo de pessoas ligadas ao petróleo muito talentoso e tecnicamente sofisticado não apenas atuando nas subsidiárias venezuelanas, mas em seu alto comando. Se a indústria se tornasse politizada, poderiam simplesmente arrumar as malas e partir.

Nessas circunstâncias, o presidente Carlos Andrés Pérez, que havia recentemente obtido uma esmagadora vitória como candidato da Accion Democrática, optou por uma solução "moderada" e pragmática, da qual a própria indústria petrolífera pudesse participar. Foi criada uma companhia estatal – Petróleos de Venezuela, conhecida como PDVSA — para desempenhar um importante papel financeiro, de planejamento e de coordenação, e servir como intermediária entre os políticos e os negociantes do petróleo. Uma série de companhias operacionais também foram criadas, com base nas organizações pré-estatização e das quais quatro e depois três se consolidaram. Cada qual era uma empresa de petróleo totalmente integrada, indo até seus próprios postos de gasolina. Essa quase competição, esperava-se, asseguraria eficiência e evitaria o crescimento de uma outra companhia estatal burocrática e inchada. Essa estrutura também ajudaria a manter os vários aspectos da cultura corporativa — tradição, eficiência e espírito de equipe — que melhorariam as operações. No primeiro dia de 1976, foi efetuada a nacionalização. O presidente Pérez qualificou-a como "um ato de fé". A companhia de petróleo do país recém-nacionalizada logo se tornaria uma força significativa na luta por seus direitos no novo mundo da indústria petrolífera.[7]

Arábia Saudita: a concessão se rende

Restava a maior de todas as concessões — a da Aramco na Arábia Saudita. A partir dos anos desanimadores do início da década de 1930, quando o empobrecido rei Ibn Saud mais desejava água que petróleo, a Aramco havia se transformado num vasto empreendimento econômico. Em junho de 1974, a Arábia Saudita, funcionando de acordo com o princípio de participação de Yamani, assumiu 60% das ações da Aramco. Mas, no final do ano, os sauditas comunicaram às empresas americanas que formavam a Aramco — Exxon, Mobil, Texaco e Chevron — que 60% simplesmente não era suficiente. Queriam 100%. Menos que isso, na nova era do nacionalismo do petróleo, seria humilhante. As companhias fincaram os pés. Afinal de contas, seu refrão número um era "nunca desistir da concessão". Era a mais valiosa em todo o mundo. Mesmo que essa regra não resistisse às pressões políticas de meados dos anos 1970, as companhias tentariam, pelo menos, fazer o melhor acordo possível. Os sauditas, por seu lado, não eram menos insistentes em obter o que queriam e, quando necessário, exercer a pressão econômica. No devido tempo, as companhias foram persuadidas e concordaram com as exigências sauditas — em teoria.

Para transformar a teoria em prática, entretanto, foi necessário outro ano e meio, enquanto os dois lados argumentavam sobre questões operacionais e financeiras cruciais. Essas negociações que determinariam a quem pertencia um terço das reservas do petróleo mundial foram árduas e difíceis. Tornaram-se também nômades. Durante um mês, em 1975, os representantes das companhias da Aramco acamparam com Yamani em Beit Meri, uma cidade acima das colinas de Beirute. Todas as manhãs, os empresários caminhavam pela pequena rua de seu hotel até um velho mosteiro que Yamani havia transformado em uma de suas casas. Lá debatiam como avaliar recursos tão extraordinários e como manter acesso a eles. Foram, então, informados de que um grupo terrorista poderia estar planejando atacá-los ou sequestrá-los e subitamente a pequena rua parecia não tão pitoresca, mas perigosa. Retiraram-se imediatamente e, dali em diante, os negociadores seguiram Yamani em suas peregrinações pelo mundo.

Finalmente, bem tarde de uma noite na primavera de 1976, chegaram a um acordo na suíte de Yamani, no Hotel Al-Yamama, em Riad. Quarenta e três anos antes, ali mesmo, em Riad, depois que a Standard of California concordou relutante em pagar 175 mil dólares adiantados pelo direito de prospecção no deserto desconhecido, Ibn Saud havia ordenado a assinatura do documento original de concessão. Em 1976, as reservas comprovadas naquele deserto eram estimadas em 149 bilhões de barris — mais de um quarto das reservas totais do mundo livre. E agora a concessão seria revogada de uma vez por todas. "Era realmente o fim de uma era", afirmou um dos americanos presentes naquela noite no Hotel Al-Yamama.

Mas o acordo não provocou, sob nenhum aspecto, a quebra dos laços existentes. Os dois lados precisavam muito um do outro. Era a mesma e antiga questão que havia mantido juntos os sócios da Aramco desde o começo: a Arábia Saudita possuía petróleo suficiente para durar por muitas gerações, enquanto as quatro companhias dispunham dos gigantescos sistemas de comercialização necessários para movimentar todo esse petróleo. Assim, conforme o novo acordo, a Arábia Saudita passaria a controlar todos os ativos e direitos da Aramco dentro do país. A Aramco continuaria a ser responsável pelas operações e a fornecer serviços para a Arábia Saudita, pelos quais receberia 21 centavos por barril; em troca, comercializaria 80% da produção saudita. Em 1980, a Arábia Saudita pagou uma indenização, baseada no valor líquido contábil, para todas as empresas pertencentes à Aramco dentro do reino. E, assim, finalmente deu-se o ocaso das grandes concessões. Os produtores de petróleo haviam alcançado seu objetivo máximo: controlar o próprio petróleo. Essas nações-Estado tinham se tornado sinônimos de petróleo.

Havia apenas uma coisa estranha em relação ao acordo entre a Arábia Saudita e as quatro empresas da Aramco. Os sauditas não o haviam assinado até 1990, 14 anos após o acordo ter sido decidido. "Era muito prático", disse um dos negociadores da companhia. "Eles conseguiram o que queriam — controle total — mas não queriam atrapalhar a Aramco". Como consequência, foram produzidos e comercializados 33 bilhões de barris de petróleo e mais de setecentos bilhões de dólares em negócios foram geridos por quatorze anos, e tudo, nas palavras de um diretor da Aramco, *in limbo*.

Se no início as companhias petrolíferas ainda estavam ligadas por contratos de fornecimento às suas antigas concessões, na Arábia Saudita, na Venezuela e no Kuait essas ligações se enfraqueceriam ao longo do tempo devido à política de diversificação tanto por parte dos países como dos governos e também devido às oportunidades e vínculos alternativos existentes no mercado. Além disso, ao mesmo tempo que acabavam as "grandes concessões", surgia um novo relacionamento entre os vários países exportadores e as companhias internacionais de petróleo. Em vez de serem "concessionárias", com direitos de propriedade sobre o petróleo do solo, as empresas estavam agora se tornando meras "contratadas", com acordos de "participação na produção", que lhes davam o direito a uma parte de qualquer lençol de petróleo descoberto. Os pioneiros desse novo tipo de relacionamento foram a Indonésia e a Caltex, no final da década de 1960. Os "serviços" prestados eram os mesmos de sempre: exploração, produção e comercialização do petróleo. Mas a diferença de terminologia refletia uma mudança política da maior importância: a soberania do país era reconhecida por ambas as partes e de forma a ser aceita pela política interna dos países. O que restava de aura de um passado colonial foi banido. Agora, as companhias estavam ali meramente como contratadas. Em meados da década de 1970, tais contratos de participação de produção estavam se tornando comuns em muitas partes do mundo.

Nesse ínterim, a quantidade de petróleo vendida diretamente pelos próprios exportadores ao mercado, sem beneficiar as companhias no seu tradicional papel de intermediárias, aumentava dramaticamente — quintuplicando, de 8% da produção total da OPEP, em 1973, para 42% em 1979. Em outras palavras, as companhias estatais dos países produtores de petróleo se infiltravam em todos os níveis do negócio, movendo-se, além da produção do óleo, nos mercados internacionais fora de suas próprias fronteiras. Assim, em muitos aspectos, a indústria global do petróleo havia em pouco mais de cinco anos se transformado completamente sob o império da OPEP. Mudanças ainda mais dramáticas estavam por vir.[8]

CAPÍTULO XXXII

O ajuste

O FIM DO PETRÓLEO BARATO SIGNIFICARIA o fim da estrada do Homem dos Hidrocarbonetos? Teria ele condições de comprar o petróleo que tocava suas máquinas e lhe proporcionou os bens materiais que aprendera a apreciar na sua vida diária? Nas décadas de 1950 e 1960, o petróleo fácil e barato havia impulsionado o crescimento da economia e assim, indiretamente, promovido a paz social. Agora, ao que parecia, o petróleo caro e sem garantias de fornecimento restringiria, limitaria ou até impediria o crescimento econômico. Quais seriam as consequências políticas e sociais? Os riscos, contudo, pareciam ser grandes, pois uma das maiores lições das miseráveis décadas entre as duas guerras mundiais foi o quão importante era o crescimento econômico para a vitalidade das instituições democráticas. Os exportadores de petróleo haviam, até então, se queixado de que sua soberania estava sendo prejudicada por causa do petróleo. Depois de 1973, foram as nações industrializadas que tiveram sua soberania diminuída e atacada, sua segurança ameaçada e sua política de relações exteriores limitada. A própria essência do poder na política internacional parecia ter sido transformada pela sua reação escorregadia com o petróleo. Não é de se admirar que a década de 1970 tenha sido, para o Homem dos Hidrocarbonetos e para o mundo industrializado como um todo, uma época de rancor, tensão, apreensão e entranhado pessimismo.

Ainda assim, o homem dos hidrocarbonetos não desistiria facilmente de sua herança do pós-guerra e deu início a um processo de maciço ajustamento à nova realidade. A International Energy Agency mostrou ser não o agente de confrontação prognosticado pelos franceses, mas um instrumento de coordenação entre os países do Ocidente e um meio de tornar coerentes suas políticas energéticas. Foram desenvolvidos procedimentos para um programa de emergência de distribuição de energia, assim como objetivos para as reservas estratégicas de petróleo controladas por governos, que poderiam ser requisitadas para enfrentar a escassez em caso de uma interrupção de fornecimento. A IEA também abriu espaço para a avaliação das políticas nacionais e para pesquisa tanto das fontes de energia convencionais como das novas.

O objetivo fundamental para o mundo ocidental na metade dos anos 1970 ficou reduzido ao que Kissinger descreveu como mudar as "condições objetivas" do mercado que originaram o poder do petróleo — isto é, alterar o equilíbrio da oferta e procura e a dependência generalizada do petróleo pelas economias industrializadas. Praticamente todos os países industrializados, reagindo ao preço e às preocupações de segurança, instituíram políticas de energia destinadas a reduzir sua dependência ao petróleo importado. Na tentativa de modificar essas "condições objetivas", cada um dos grandes países consumidores procedeu conforme suas próprias características, refletindo sua cultura política e idiossincrasias — os japoneses com um consenso público-privado; os franceses com sua tradição de dirigismo, direção estatal; e os Estados Unidos com seu habitual debate político fragmentado. Os meios podem ter sido diferentes, mas os elementos necessários para reduzir o novo poder do petróleo eram os mesmos: o uso de combustíveis alternativos, a busca por fontes diversificadas de petróleo e a conservação da energia.

A reação das nações

Após o pânico inicial e o choque do embargo do petróleo árabe, o Japão começou a ordenar suas reações. O Ministério do Comércio Internacional e da Indústria fez uma espécie de "sumário" de diversas soluções de caráter pessoal. Reduziu o serviço dos elevadores no prédio de sua sede. Para diminuir a necessidade do uso de aparelhos de ar condicionado nos meses de verão no Japão, promoveu-se também uma engenhosa inovação na moda masculina: o *shoene rukku* ou *"look* conservação de energia" — ternos sociais com paletós de manga curta. Enquanto o serviço dos elevadores permaneceu reduzido, os novos ternos, embora recomendados pelo próprio primeiro-ministro, Masayoshi Ohira, nunca pegaram.

No Japão travou-se intensa luta pela liderança nas decisões sobre questões de energia. Apesar disso, em todas as dimensões, o país estava comprometido em alterar drasticamente seu posicionamento sobre a questão da energia, desde o início da década de 1960, baseado no acesso ao petróleo barato e seguro do Oriente Médio. Já não era mais barato ou garantido e a completa vulnerabilidade do Japão estava, mais uma vez, muito evidente. A linha de resposta e mudança foi largamente aceita e colocada em prática. Incluíam a conversão da geração dos sistemas de eletricidade e da produção industrial de petróleo para outras fontes de combustíveis, a aceleração do desenvolvimento da energia nuclear, a expansão das importações de carvão e de gás natural liquefeito e a diversificação das fontes de fornecimento do petróleo importado além do Oriente Médio para a Orla do Pacífico. "A diplomacia de recursos" tornou-se importante nas relações internacionais do Japão, à medida que o país buscava cortejar os produtores de petróleo e fornecedores de energia, tanto no Oriente Médio como na Orla do Pacífico.

Sem dúvida, nenhum outro esforço foi mais concentrado nem mais imediatamente significativo do que a ação conjunta governo-atividade empresarial para promover a conservação da energia na indústria e, em particular, reduzir o uso do petróleo. O sucesso da campanha superou em muito as expectativas e teve importância decisiva para a renovada competitividade internacional dos produtos japoneses. A reação, de fato, estabeleceu o padrão para o restante do mundo industrializado. "Tanto trabalhadores quanto líderes empresariais ficaram muito apreensivos após 1973", lembrou Naohiro Amaya, então vice-ministro do Ministério da Tecnologia e Indústria. "Temiam pela sobrevivência de suas empresas e assim trabalharam juntos." Em 1971, a MTI concluiu um estudo sobre a necessidade de transformar a indústria de "consumo intensivo de energia" para "conhecimento intensivo", baseado na premissa de que a demanda japonesa de petróleo crescia tão rapidamente que logo pressionaria o mercado mundial do petróleo. A indústria pesada não gostou do estudo, o que mostrava sua ineficiência nessa questão. O relatório elaborado, ainda na época dos preços baixos, foi muito criticado. Mas a crise de 1973 deu força para implementar a nova estratégia em velocidade espantosa. "Em vez de usar os recursos do solo, usaremos os recursos de nossas cabeças", disse Amaya. "O povo japonês está acostumado a crises como terremotos e tufões. O choque da energia foi como um terremoto e, embora tenha sido um grande choque, estávamos preparados para nos ajustar.

"De um certo modo", acrescentou, "foi uma espécie de bênção, porque forçou uma rápida mudança da indústria japonesa".

Na França, o mais alto funcionário na questão da energia era Jean Blancard, um engenheiro e membro da elite do Departamento de Minas e Energia com longa experiência na indústria do petróleo. Como Delegado Geral de Energia no Ministério da Indústria, coordenava as políticas do governo e das companhias estatais. No início de 1974, quando Paris tentava pôr em ação sua política bilateral conciliatória em relação aos produtores de petróleo, Blancard argumentava com o presidente George Pompidou, "daqui para frente teremos um período bem diferente — uma transformação, não uma crise (...) Não é bom para um país como o nosso depender das decisões árabes. Precisamos adotar uma política de diversificação de energia e tentar diminuir a necessidade de petróleo — ou pelo menos não permitir que aumente".

Blancard encontrou em Pompidou grande receptividade para suas ideias. No início de 1974, o chefe de Estado convocou uma reunião com seus assessores mais importantes. Gravemente doente, Pompidou estava inchado pelo efeito do tratamento a que se submetia e demonstrou muita dor durante a longa reunião. Apesar de tudo, a discussão confirmou os três pontos fundamentais da política energética francesa: o rápido desenvolvimento da energia nuclear, o retorno ao carvão e a grande ênfase em relação à conservação de energia — tudo com o propósito de restabelecer a autonomia da França. Pompidou faleceu menos de um mês após a reunião, mas seu sucessor, Valery Giscard d'Estaing, levou adiante os três programas.

Com um sistema de governo muito mais independente que o de outros países do Ocidente em relação a intervenções externas como aos ambientalistas, a França em poucos anos ultrapassaria todos os outros no uso da energia nuclear. Porém, a energia nuclear também se desenvolvia em outras partes e, no começo da década de 1980, a geração de eletricidade constituía um dos grandes mercados perdidos pelo petróleo no Ocidente, como era de fato a intenção. Em nenhum outro lugar, porém, em escala tão grande como na França.

A França desenvolveu ainda a mais eficiente política governamental de conservação de energia. Os inspetores organizavam "batidas" em bancos, lojas de departamentos, escritórios e faziam *le check up* — mediam a temperatura interna com termômetros especiais. Se a temperatura fosse maior que os vinte graus centígrados oficiais, a administração dos edifícios seria multada. Mas talvez o aspecto mais notável de todo o programa de conservação de energia da França, de iniciativa totalmente francesa, foi a proibição de qualquer publicidade que "encorajasse" o consumo de energia. Um fabricante poderia anunciar que seu aquecedor elétrico portátil era mais eficiente quando comparado com outros aquecedores, mas não poderia afirmar que o aquecimento elétrico era a melhor forma de aquecimento, pois isso estimularia o consumo de energia. Os funcionários da Agência de Conservação de Energia da França ouviam os comerciais pelo rádio a caminho do trabalho e se julgassem que estimulavam o consumo, os tiravam do ar pelo meio-dia.

A proibição da propaganda criou certa perplexidade nas companhias de petróleo acostumadas a promover campanhas agressivas para ganhar até mesmo um por cento do mercado de seus concorrentes. Isso nunca mais. O máximo que podiam fazer agora era alardear as propriedades de vários aditivos para economizar gasolina. O tigre da Exxon foi domado na França, longe dos tanques, e discretamente aconselhava os motoristas a verificar os pneus e a regular seus motores a fim de economizar gasolina. As companhias não podiam mais distribuir brindes ou prêmios como faziam os postos de gasolina em todo o mundo — canecas, copos, colheres e decalques. Afinal, tais presentes encorajariam o consumo. A única coisa que podiam distribuir eram jogos baratos de ferramentas, desde que contivessem uma escova para limpar as velas de ignição melhorando a eficiência do motor.

Uma das duas estatais petrolíferas francesas, a Total, buscava desesperadamente uma maneira de manter seu nome exposto ao público. Por fim, teve uma ideia brilhante. Espalhou *outdoors* mostrando uma bela cena do campo no interior do país e uma legenda simples dizendo: "Isto é a França", assinado "Total". O anúncio foi proibido. A Total, assombrada quis saber por quê. "É fácil", respondeu Jean Syrota, o diretor da Agência de Manutenção de Energia. "Os consumidores olham para esse anúncio e dizem: 'as companhias de petróleo estão desperdiçando muito dinheiro nesses anúncios, portanto devem estar ricas, então não deve haver nenhum problema de energia, tudo bem se eu desperdiçar energia.'"[1]

"Lucros obscenos"

O riso era algo que o dramaturgo Eugene O'Neill jamais poderia ter previsto e até ficaria perplexo. Numa temporada popular de sua peça *A Moon for the Misbegotten* (A Lua para os Bastardos), na Broadway, no começo do segundo ato, um dos personagens grita, "Abaixo os tiranos! Maldita Standard Oil!" Noite após noite a audiência desatava a rir e por vezes aplaudia. Era o início de 1974, três décadas depois da peça ter sido escrita, mas a exclamação encontrava eco em outro drama representado simultaneamente nas salas do Congresso, onde os senadores e congressistas realizavam audiências sobre a crise de energia e o papel das companhias de petróleo. De todas as audiências, as mais dramáticas eram as realizadas pelo Sub-Comitê Permanente de Investigações do Senado. Eram presididas pelo senador Henry Jackson, que, ainda menino, fora apelidado de "Scoop" por sua irmã, devido a sua semelhança com um personagem de desenho animado. O poderoso presidente do Comitê do Interior, no Senado, ainda era conhecido como Scoop. Considerava-se um democrata obstinado, tipo Truman, um realista, que, como gostava de dizer, tinha sua cabeça "bem no lugar". Nixon reservadamente se irritava com o que chamava "a demagogia de Scoop Jackson". Mas um assessor da Casa Branca tentou explicar ao irado Nixon que "nosso pessoal do Comitê do Interior tem um grande complexo de inferioridade quando se trata de Jackson, porque, francamente, tira o que quer deles".

Agora, nas audiências, a encenação populista era irresistível e Jackson conseguiria um dos maiores tentos políticos de sua longa carreira. Altos executivos das sete maiores companhias de petróleo foram alinhados em frente a uma mesa para testemunhar sob juramento. Então, de frente para Jackson e seus colegas numa sala lotada, inundada pelos *spots* da televisão, foram submetidos a um interrogatório fulminante sobre as operações e os lucros de suas companhias. Qualquer que fosse o conhecimento desses executivos de geologia, engenharia química ou administração geral, certamente não eram páreo para Jackson e outros senadores em se tratando de encenação política. Passaram por ineptos, egoístas, presunçosos e insensíveis.

O desenrolar das audiências era estranho: as companhias de petróleo mostravam grandes aumentos de lucros ainda na vigência do embargo do petróleo árabe. Numa atmosfera impregnada de desconfiança e hostilidade, Jackson anunciou que seu subcomitê descobriria se realmente havia escassez de petróleo. "O povo americano", declarou, "quer saber se a assim chamada crise de energia é apenas um pretexto, uma cobertura para eliminar a maior fonte de competição de preços — os independentes, para aumentar os preços, obstruir as leis de proteção do meio ambiente e forçar a adoção de novos subsídios aos impostos (...) Senhores, espero que tenhamos respostas a essas e a outras perguntas antes de sairmos daqui hoje". Acrescentou ameaçadoramente, "caso contrário, posso lhes assegurar que, de um modo ou de outro, obteremos as respostas nos próximos dias".

Jackson e os outros senadores caíam então sobre os executivos das companhias, que se defendiam como podiam. "A teoria do artifício é um completo absurdo", protestou sem muita firmeza o presidente da Gulf dos Estados Unidos, embora acrescentando, "sei que as pessoas estão um tanto confusas pela rápida sucessão dos acontecimentos nos Estados Unidos". Um infeliz vice-presidente da Texaco declarou "não enganamos nem iludimos ninguém e se algum membro do subcomitê tiver provas de quaisquer atos desse tipo praticados pela Texaco, gostaríamos que nos fossem apresentadas". Quando um vice-presidente de alto nível da Exxon não foi capaz de se lembrar o valor dos dividendos de sua companhia em 1973, Jackson afirmou sarcasticamente que estava sendo "infantil".

Os executivos do petróleo foram humilhados, desconsiderados e enfurecidos especialmente por Jackson, autor de uma tirada, talvez não à altura de Eugene O'Neill, mas que lhe rendeu aplausos estrondosos em todo o país, especialmente daqueles que ainda perdiam seu tempo nas filas de gasolina no inverno de 1974. As companhias, disse Jackson, eram culpadas de obterem "lucros obscenos". Os empresários do petróleo, acostumados com certa deferência, não estavam preparados para essa chacina. "Não tivemos nenhuma chance", se queixou o irado presidente da Gulf após as audiências. Jackson, porém, sabia que falava em nome de muitos americanos porque sentia o mesmo que eles. Os dois postos de gasolina perto de sua residência estavam agora sempre fechados quando voltava para casa. "Temos que mandar um *office boy* no meio do dia para tentar achar um posto aberto", disse com alguma frustração depois das audiências. Sentia-se ultrajado pelo que considerava como arrogância e ambição das companhias de petróleo e propôs que operassem sob alvará do governo federal. Jackson conseguiu fazer de "lucros obscenos" uma frase que pegou nacionalmente, o bordão daquela época. Quando a Exxon teve a infelicidade de divulgar seus rendimentos de 1973 coincidindo com o terceiro dia das audiências, mais de 59% sobre 1972, Kenneth Jamieson, o presidente da companhia, se sentiu constrangido ao declarar: "Não me sinto embaraçado". Muita gente pensava de forma diferente.

A Standard Oil amaldiçoada na peça de O'Neill quebrava em 1911, mas a referência ainda parecia apropriada. John D. Rockefeller lançava novamente sua sombra escura sobre a terra, com o cortejo sinistro dos conluios, manipulações e acordos secretos. As companhias de petróleo figuravam agora entre as instituições mais impopulares da América do Norte. O mesmo estava acontecendo nos outros países industrializados. Algumas publicações japonesas, por exemplo, continham artigos a respeito de como as companhias de petróleo americanas haviam planejado a crise a fim de aumentar seus lucros. Na verdade, tal era o clamor público e a exigência por verificação contábil e controle que o principal documento de confidencial planejamento enviado para diretoria de uma das maiores companhias petrolíferas em 1976 advertia: "O futuro das companhias privadas de petróleo é bastante incerto. As operações de compra de petróleo cru tendem a passar para as mãos do governo, com as empresas desempenhando o papel de contratadas, formalmente ou de fato. Um maior envolvimento do governo, direta ou indiretamente, deve ser esperado também nas operações de refinação e distribuição nos países consumidores. No ano seguinte, 1977, um alto executivo da Shell em

Londres chegou ao ponto de opinar: "Paradoxalmente, a ameaça para a viabilidade de uma companhia de petróleo hoje em dia é maior da parte dos governos importadores do que dos exportadores".

Tinha razão. Afinal, entre os países produtores de petróleo o pior já havia acontecido: as companhias tinham sido estatizadas, não eram mais proprietárias do petróleo, não fixavam mais os preços ou índices de produção. No que dizia respeito aos países exportadores de petróleo, as companhias eram fornecedoras, prestadoras de serviço. E agora perguntavam-se os executivos, nossas companhias serão malhadas pelos governos consumidores? Alguns dos países industrializados iniciaram investigações antitruste sobre as práticas das companhias petrolíferas. O risco político, na avaliação dos executivos mais experientes, se deslocara para os países industrializados, particularmente para os Estados Unidos. O sagrado sangramento de preços por escassez de recursos, que permitiu a redução dos impostos sobre a produção do petróleo, foi severamente cortado. Em menor grau, o mesmo aconteceu com o crédito de impostos no exterior, o "truque" que havia dado excelentes resultados depois da II Guerra Mundial, facilitando o desenvolvimento da indústria do petróleo na Venezuela e no Oriente Médio e protegendo a posição americana em ambos os lugares. O Congresso continuava seus esforços para baixar os preços do petróleo e aumentava a pressão política para manter baixos os preços do gás natural. Não menos ameaçador foi o movimento para "alienação de bens", o que significava a fragmentação das companhias integradas em empresas totalmente independentes para cada segmento da operação: petróleo cru e produção de gás natural, transporte, refinação e comercialização. Num dado momento, 45 dos cem senadores votaram a favor da alienação de bens. A opinião da indústria do petróleo sobre esse movimento se resumia no termo pelo qual preferiam chamá-lo — "desmembramento".

E continuavam os ataques constantes aos "lucros obscenos". Que fatos estavam por debaixo deste assunto de grande disputa e raiva? Os lucros das maiores companhias de petróleo tinham permanecido quase perfeitamente estáveis por cinco anos até 1972, apesar do crescimento explosivo da procura. Em 1972, subiram de 6,9 bilhões de dólares para 11,7 em 1973 e logo depois para 16,4 bilhões de dólares em 1974. As razões para esse comportamento eram várias. Grande parte do aumento imediato provinha das operações no exterior. À medida que os países exportadores elevavam os preços, as companhias ganhavam também porque ainda possuíam participação na venda do petróleo não americano. O valor e os preços de mercado das reservas de petróleo americano também subiram. Além disso, haviam comprado petróleo a preços mais baixos, por, digamos, 2,90 dólares, antes dos aumentos e finalmente ganharam dinheiro vendendo os estoques desse mesmo petróleo a 11,65 dólares. Suas atividades na indústria química também tiveram bons resultados, auxiliadas por um dólar fraco. Então, os lucros caíram para 11,5 bilhões de dólares em 1975, inferiores a 1973. Novamente, as razões eram diversas. A demanda geral por petróleo estava em baixa devido à recessão. Os países exportadores perceberam que as companhias lucravam com a participação sobre a venda de seu petróleo e rapidamente aumentaram os impostos e os *royalties*, garantindo que o dinheiro fosse para seus cofres e não para o das companhias. Naquele ano foram também cortados alguns incentivos fiscais. Nos anos seguintes, os lucros aumentaram novamente, alcançando 15 bilhões de dólares em 1978, o que em termos reais significava que estavam apenas acompanhando a inflação. Em termos absolutos, os lucros das companhias foram enormes, mas suas taxas de retorno exceto em 1974 foram um pouco abaixo da média da indústria americana.

Um outro aspecto do quadro da lucratividade era significativo. Os ganhos estavam concentrados na produção de petróleo cru e gás natural. O valor das reservas das companhias em lugares como os Estados Unidos e o mar do Norte havia crescido junto com o preço do petróleo. Os sistemas de processamento, transporte e distribuição — refinarias, navios-tanques, postos de gasolina e assim por diante — haviam sido implantados antes de 1973, com expectativa de crescimento anual na demanda por petróleo de 7% a 8%. A demanda real era muito menor e todo esse sistema ficou com uma capacidade ociosa enorme. Um terço da frota de navios petroleiros era excedente. A combinação dessa capacidade ociosa com a perda da participação nos lucros do petróleo cru do Oriente Médio levou as companhias de petróleo internacionais a questionarem a lógica e o valor dos grandes sistemas de processamento, transporte e distribuição que haviam sido implantados na Europa nas décadas de 1950 e de 1960 para a distribuição do petróleo do Oriente Médio — cujo petróleo lhes é agora tirado.[2]

A política energética dos Estados Unidos: tortura chinesa

Apesar do surpreendentemente forte consenso e da continuidade das diretrizes da política internacional de energia das administrações Nixon, Ford e Carter, não havia um acordo similar na política interna. Pelo contrário, o lado interno da equação da energia continuava a ser marcado por um debate divisor, irado, amargo e confuso sobre o controle de preços e sobre práticas e políticas das companhias. Nixon havia renunciado em agosto de 1974, mas o desastre de Watergate tinha deixado uma frustrante crise de confiança no governo e ampla suspeita sobre a própria crise de energia.

O petróleo e a energia já estavam a caminho de se transformar no ponto crítico da política nacional, ainda mais agravado pela "ameaça" ao estilo de vida americano e pelos altos interesses em termos de poder e de dinheiro. Já em agosto de 1971, num esforço para erradicar a inflação (então girando em 5%, considerada inaceitavelmente alta), Nixon havia imposto controles de preços em toda a economia. A maior parte dos controles foram admitidos para terminar em 1974, exceto os do petróleo. Em vez disso, a política e a intensa pressão da época abriram espaço para o assustador sistema de controle de preços de Rube Goldberg, com concessões e alocações que fizeram o programa obrigatório de importação de petróleo de 1960 parecer simples como um *haiku*.

O público queria que Washington fizesse "alguma coisa" — a volta aos preços dos velhos e bons tempos, mas ao mesmo tempo queria a garantia de fornecimento adequado. Os mercados estavam confusos e distorcidos, consequências imprevisíveis surgiam constantemente a cada decisão. "Para cada problema resolvido, parece que se criam mais dois", lamentava-se um assessor legal do governo. Quem idealizasse um jeito de lidar com o sistema poderia se sair muito bem. Por exemplo, adquirir direito a cotas de petróleo cru tornou-se um grande negócio e o ideal era conseguir nos ferros-velhos qualquer "sucata de refinaria" que pudesse ser encontrada — ressuscitando as obsoletas e ineficientes refinarias tipo "chaleira" desaparecidas desde o surgimento de petróleo nos campos do leste do Texas, no começo da década de 1930. Os diversos programas suscitaram muita movimentação inútil, audiências intermináveis no Congresso e tanto trabalho para os advogados que foi um dos maiores programas de "ajuda à carreira" do século. Como escreveu um professor, "Para a indústria do petróleo, o Registro Federal se tornou mais importante do que o relatório dos geólogos". Quaisquer que fossem os ganhos a curto prazo em termos de participação, os custos com ineficiência, confusão no mercado, desvio de esforços e má distribuição de recursos e de tempo eram enormes. Só os itens do relatório padrão para a Administração Federal de Energia deveriam ser respondidos por cerca de duzentas mil pessoas da indústria, comprometendo anualmente estimados cinco milhões de homens/hora. Os custos diretos do sistema de regulamentação — medidos simplesmente pelas despesas das agências governamentais e pela indústria nas questões de legislação — eram da ordem de muitos bilhões de dólares em meados dos anos 1970. Toda a campanha de regulamentação fez pouco para impulsionar a prosperidade nacional, porém causou uma crônica dor de cabeça de enormes proporções na política nacional. Mas eram as inclinações do momento.

Nesse meio tempo, algo realmente tinha de ser feito, e grande. Em janeiro de 1975, o presidente Gerald Ford, retomando o tema do Projeto Independência de Nixon, propôs um imponente plano para em dez anos construir duzentas usinas nucleares, 250 grandes minas de carvão, 150 grandes usinas de energia elétrica tocadas a carvão, trinta grandes refinarias de petróleo e vinte grandes usinas de combustível sintético. Não muito tempo depois, o vice-presidente Nelson Rockefeller, neto do homem que personificara o monumento ao petróleo, defendeu um programa ainda mais arrojado de cem bilhões de dólares para subsidiar os combustíveis sintéticos e outros projetos de energia de alto custo que o mercado comercial não poderia suportar. Mas a oposição questionou os custos desses projetos e as iniciativas de Rockefeller deram em nada. Houve, entretanto, duas realizações bastante significativas durante os anos da administração Nixon-Ford. Como consequência imediata do embargo, o Congresso deu sinal verde para o oleoduto do Alasca. O projeto acabou custando dez bilhões de dólares. Os ambientalistas afirmaram que os atrasos e as reconsiderações resultaram num oleoduto mais seguro e melhor do ponto de vista do meio ambiente. Assim, a TAPS — Trans-Alasca Pipeline — tornou possível o que se mostrou ser a maior contribuição para o suprimento de energia americana desde a descoberta do campo do leste do Texas por Dad Joiner nos anos 1930.

O outro ponto decisivo foi a determinação de padrões de eficiência de consumo de combustível para a indústria automobilística, em 1975. De acordo com os novos padrões, a eficiência média de um carro novo teria de dobrar num período de dez anos, do padrão comum de vinte quilômetros por galão para 44 quilômetros por galão. Considerando-se que, naquela época, um em cada sete barris de petróleo consumidos diariamente no mundo era queimado como combustível de motor nas estradas e rodovias americanas, tal mudança teria um grande impacto não apenas na América do Norte mas também no equilíbrio mundial do petróleo. A legislação que incluía os padrões de eficiência de combustível também estabelecia uma reserva estratégica de petróleo: ideia que Eisenhower havia proposto após a crise do canal de Suez em 1956 e que o xá tentara vender para os Estados Unidos em 1969. O plano era excelente, tal reserva daria condições de suprimento rápido para compensar qualquer interrupção de fornecimento. Na prática, entretanto, a velocidade de acúmulo da reserva mostrou-se fatalmente lenta.[3]

Em 1977, Jimmy Carter tornou-se presidente, apresentando-se, durante a campanha, como um independente que traria a renovação moral para resgatar a decaída política americana desacreditada pelo Watergate. A energia era um assunto que lhe chamava a atenção há muitos anos. Ele tinha servido em um submarino da marinha dos Estados Unidos e sempre se lembrava de uma advertência que o almirante Hyman Rickover, o pai do submarino nuclear, pronunciara certa vez sobre como a humanidade estava exaurindo as ofertas de reservas naturais de petróleo. Durante a campanha, Carter prometera uma política nacional de energia dentro de noventa dias a partir da posse e esperava poder cumprir sua palavra.

Delegou a tarefa a James Schlesinger, um Ph.D em economia, que originalmente se tornara conhecido como um especialista em economia da segurança nacional. Schlesinger reunia uma poderosa inteligência analítica a um rigoroso senso de dever, o que foi descrito como "zelo intelectual e fervor moral". Tinha ideias claras sobre o que achava certo quando o assunto era política e governo e não hesitava e nem usava de subterfúgios para expressá-las. Ele próprio tinha pouca paciência com o complacente "toma-lá-dá-cá" e poderia certamente pôr à prova a paciência de seus oponentes. Expressava-se de forma lenta, comedida e enfática parecendo às vezes sugerir a seus interlocutores, fossem eles generais, senadores ou mesmo presidentes, que eram alunos de primeiro ano e não tinham conseguido entender o teorema mais evidente.

Richard Nixon arrebatara Schlesinger da Rand Corporation para o Bureau de Orçamento, depois para a presidência da Comissão de Energia Atômica, designou-o então diretor da Agência Central de Inteligência, mas logo após nomeou-o secretário da Defesa. Nas manhãs de sábados ou domingos ensolarados, entretanto, ele podia ser encontrado no campo nos arredores de Washington, com binóculos na mão. Não estava no exercício de suas atividades profissionais, procurando russos, mas dedicando-se a seu passatempo predileto, observar pássaros, de que era um apaixonado. Sua gestão no Departamento de Defesa chegou ao fim na administração Gerald Ford, quando

Schlesinger divergiu da política de *détente* de Kissinger e da posição americana em relação à última agonia do Vietnã do Sul que levou à queda de Saigon — deixou seus sentimentos bem claros nas reuniões do Gabinete. Após a Convenção Nacional dos Democratas em 1976, Jimmy Carter telefonou para Schlesinger e o convidou para ir a sua casa em Plains, Georgia, para falar de política e estratégia. Schlesinger era amigo íntimo do senador Henry Jackson, que, tratando-se de energia, era o político mais importante e disputara com Carter a indicação democrata. Depois da eleição, Jackson pressionou Carter para transformar Schlesinger no defensor da energia na nova administração. Carter estava mais que predisposto a concordar. Não apenas havia ficado impressionado com Schlesinger mas, como este comentou posteriormente, "seria muito conveniente se o presidente da Comissão de Energia do Senado fosse amigo de seu secretário para assuntos de energia".

Durante as primeiras semanas da administração Carter, a "energia" foi considerada sua questão prioritária. Carter leu um relatório da CIA, elaborado no final de 1976, prevendo futura escassez de petróleo. Achou-o instigante e persuasivo, levando-o a prosseguir no caminho que adotara. Schlesinger, como Carter, estava convencido de que os hidrocarbonetos estariam sob pressão crescente, impondo aos Estados Unidos grandes perigos econômicos e políticos. Schlesinger, um economista, não acreditava em exaustão completa, mas numa alta inevitável de preços para equilibrar o mercado. Ambos compartilhavam de uma profunda preocupação sobre as implicações de um mercado com escassez de petróleo na política externa. Carter escreveu em suas memórias que muitos americanos, ele e James Schlesinger incluídos, "se ressentiam profundamente ao ver a maior potência do mundo ser sacudida por uns poucos países do deserto".

Em 1972, bem antes da crise e enquanto ainda era presidente da Comissão de Energia Atômica, Schlesinger expressara uma ideia então herética: a de que os Estados Unidos deveriam promover a conservação de energia por razões de segurança nacional, de política econômica externa e para melhorar o meio ambiente. "Podemos fazer algo melhor que automóveis que percorrem dezesseis quilômetros com um galão de gasolina e edifícios com isolamento precário que são simultaneamente aquecidos e esfriados", dissera naquela época. Na verdade, tinha aconselhado aos ambientalistas que o "coração" do caso deles seria "desafiar o pressuposto" que "a demanda por energia aumenta mais ou menos automaticamente". Agora, em 1977, estava mais convencido do que nunca que a conservação era primordial para qualquer política energética. Infelizmente, essa premissa era bem mais óbvia para ele do que para muita gente.

A nova administração continuava dedicada ao compromisso de divulgar seu programa de energia completo nos primeiros noventa dias. Tal pressa fez com que não houvesse tempo suficiente para estabelecer o consenso necessário e costurar acordos não apenas com os presidentes dos comitês do Congresso, mas também com uma base mais ampla de congressistas interessados — ou até mesmo dentro da própria administração. A elaboração dos programas foi, na medida do possível, mantida em segredo. Além disso, Schlesinger precisou dedicar um terço daqueles primeiros noventa dias acelerando os trâmites da legislação de emergência para o gás natural, para ajudar a reduzir a escassez de 1976-1977 e mais um tempo com a legislação que criava o Departamento de Energia. Com tanta coisa acontecendo, Schlesinger pediu a Carter que reconsiderasse o prazo dos noventa dias. "Eu disse noventa dias", replicou Carter com firmeza. "Empenhei minha palavra e pretendo cumpri-la."

Mesmo Carter não estava totalmente satisfeito com o plano energético de emergência. "Nossa questão básica e a mais difícil é como aumentar o preço da energia escassa com alteração mínima do nosso sistema econômico e maior equidade em relação à distribuição da carga financeira", escreveu numa nota a Schlesinger. "Não estou muito satisfeito com sua abordagem. É extremamente complicada." Para terminar sua argumentação, Carter queixou-se: "Não consigo compreendê-la".

O plano deveria ser divulgado no início de abril em um importante pronunciamento presidencial. No domingo anterior, Schlesinger foi a um programa de entrevistas na televisão, onde citou William James na tentativa de encontrar uma metáfora para captar a magnitude do desafio da energia — "o equivalente moral de guerra". Entre seus telespectadores daquele domingo estava Jimmy Carter que, impressionado com a frase, a incluiu no seu discurso. Assim, em abril de 1977, Carter, aparecendo com um casaco de lã para uma conversa descontraída junto à lareira, apresentou à nação seu programa de energia como o "equivalente moral de guerra". E por essa alcunha viria a ser conhecido doravante. Seus detratores preferiam usar — o acrônimo *meow* (*moral equivalent of war*).

O programa de Carter incluía uma série de iniciativas destinadas a mudar a posição americana em relação à energia, introduzindo a racionalidade econômica nos preços e reduzindo a necessidade de importar petróleo. Schlesinger considerava como prioritário encontrar a fórmula que nivelasse os preços do petróleo nacional, sob controle, aos preços do petróleo mundial, de forma que os consumidores reagissem a indicadores de preço corretos. O sistema vigente misturava o petróleo nacional com preços controlados e o importado com preços mais altos, assim o preço final pago pelos consumidores seria tal que os Estados Unidos acabavam subsidiando o petróleo importado. Assim, o programa de Carter promulgou decisões que eliminavam os controles de preço sobre petróleo produzido internamente por meio de um "imposto de equiparação do petróleo cru". Havia aí uma certa ironia: a administração republicana de Richard Nixon tinha originalmente imposto o controle de preços em agosto de 1971 e, agora, era a administração democrata que tentava suspendê-lo. Carter e Schlesinger também recorreram a um método engenhoso, apesar de muito complexo, para tirar o país da camisa de força do controle de preços do gás natural. A administração deu ênfase muito maior à conservação e ao uso do carvão do que seus predecessores. Procurou introduzir alguma concorrência no setor de eletricidade e estimular o desenvolvimento de fontes de energia alternativas e renováveis, incluindo a energia solar.

A administração procedia como se houvesse uma crise que uniria a nação; a população, entretanto, não via crise alguma. No decorrer da implantação de seu programa, Carter aprendeu depressa como os interesses especiais atuam no sistema americano, incluindo liberais, conservadores, produtores de petróleo, grupos de consumidores, a indústria automobilística, ativistas nucleares a favor e contra, produtores de carvão, companhias de serviço público e ambientalistas — todos com agendas conflitantes. Para Schlesinger, porém, a questão era absolutamente clara. Os Estados Unidos enfrentavam "um problema nacional grave e a longo prazo". Não achava que o petróleo mundial estava prestes a se esgotar, mas apenas que o aumento do consumo que havia sustentado o desenvolvimento econômico nas décadas de 1950 e 1960 não poderia mais ser mantido. "Temos que parar de depender do petróleo cru para o crescimento econômico", explicaria mais tarde. "Temos que nos desvincular disso." Confiante na sua rigorosa análise da questão, estava despreparado para a tempestade de discussões e amargura das batalhas subsequentes. Assistindo às audiências do Congresso uma atrás da outra, lembrou-se do conselho que um veterano da Comissão de Energia Atômica lhe deu quando ainda era seu presidente: "Existem três tipos de mentira — mentiras, malditas mentiras e mentiras sobre energia". Mais tarde Schlesinger diria: "Tenho uma espécie de mentalidade da II Guerra Mundial. Se o presidente dissesse algo de interesse nacional, acharia que teria maior apoio do que poderia imaginar. Mas a nação tinha mudado. Como secretário de Defesa, quem não estiver contra você, está a seu favor. Aqui, na energia, havia grupos de interesse contra grupos de interesse. Não era possível chegar a um consenso. Era desgastante".

De todas as questões ligadas à energia, a do gás natural se mostrou a mais contenciosa e difícil de tratar. A administração Carter tinha caído bem no meio de uma luta política de décadas quase teológica sobre o preço do gás natural e se esse preço deveria ser controlado pelo governo ou ditado pelo mercado. As discussões que Schlesinger presenciou durante as sessões do Senado sobre o gás natural foram tão difíceis que o levaram a afirmar: "Sei agora o que é o inferno. O inferno são sessões intermináveis e eternas sobre gás natural". Mesmo assim, de algum modo chegou-se a um compromisso, apesar de bastante intrincado. Os preços do gás natural poderiam ser aumentados de forma diferenciada. Um tipo de gás, normalmente controlado, sairia do controle, enquanto outro tipo, não controlado, voltaria a sofrer um controle temporário para depois ser liberado. Para efeito de preço criaram-se diferentes categorias de uma mercadoria que, em grande parte, era composta das mesmas moléculas-padrão formadas por um átomo de carbono e de quatro átomos de hidrogênio.

Apesar das cruéis batalhas políticas e o consequente desgaste de grande parte de seu capital político, a administração Carter pôde reivindicar uma série de realizações importantes no *front* energético. "A aprovação do Ato Nacional de Energia representa a linha divisória onde começa o ajuste de nossa demanda aos recursos disponíveis", declarou Schlesinger numa entrevista em Londres. "Essa viravolta nos foi imposta — a todos nós — pelos limites, físicos e políticos, do fornecimento futuro de petróleo." Mas, à medida que olhava para trás em quase dois anos de luta que se seguiram à convocação inicial de Carter para a ação, Schlesinger não podia deixar de observar pesaroso: "A reação estava menos próxima ao equivalente moral de guerra de William James do que do equivalente político da tortura chinesa".[4]

Tempos de rápido crescimento

No final de 1978, as políticas pós-embargo em outros países, bem como nos Estados Unidos, começavam a surtir efeito. Houve, entretanto, uma reação ao embargo de efeito praticamente instantâneo. Os aumentos de preço, a expectativa de novos aumentos, grande expansão do fluxo de caixa e a sanha dos investidores, tudo combinado, desencadeou em todo o mundo uma caça frenética e inflacionária por petróleo. Solicitado a caracterizar a loucura mundial, o gerente adjunto da Exxon resumiu simplesmente: "É selvagem". O negócio de exploração, em recessão até 1972, funcionava agora a plena capacidade e o custo de tudo, fosse um equipamento de perfuração semissubmersível ou um navio perfurador ativamente posicionado ou uma antiquada instalação para perfuração em terra firme em Oklahoma, valia o dobro do preço de 1973.

Além disso, o fluxo de investimentos fora redirecionado de forma muito substancial. O primeiro mandamento era evitar, a todo custo, o nacionalismo do Terceiro Mundo. De qualquer maneira, a exploração na maioria dos países da OPEP estava condenada por causa da nacionalização e havia forte pressuposição de que, se uma empresa fosse bem-sucedida em outros países em desenvolvimento, os frutos lhe seriam tomados antes que pudessem ser ingeridos, deixando para a companhia apenas as sobras. Assim, as companhias redirecionaram seus gastos com exploração, na medida do possível, para os países industrializados do mundo ocidental: para os Estados Unidos, apesar do crescente pessimismo em relação ao seu potencial de petróleo, para o Canadá e para os setores ingleses e noruegueses do mar do Norte. Em 1975, a Gulf empreendeu uma revisão completa de seu orçamento global. Cada dólar investido que não estivesse seguro ou comprometido era rapidamente retirado do Terceiro Mundo e trazido de volta para a América do Norte e para o mar do Norte. Em 1976, a Royal Dutch-Shell estava com 80% de seus investimentos mundiais em produção, excluindo os Estados Unidos, concentrados no mar do Norte. "Depois de 1973 e da nacionalização, era preciso caçar os coelhos em outros campos", recordava um executivo da Exxon, "e fomos atrás de outros lugares onde ainda pudéssemos ter lucros justos, propriedade, tudo isto em petróleo".

As companhias petrolíferas começaram também a diversificar, entrando em negócios totalmente diferentes. Isso era um tanto difícil de justificar, no momento em que as empresas pediam a suspensão do controle de preços alegando necessitar de todo o dinheiro que pudessem obter para investir em energia e, na verdade, minaram seu argumento. A diversificação, porém, refletia a concepção de que os negócios e o ambiente político para as companhias petrolíferas poderiam se tornar cada vez mais limitados, difíceis e restritos pela intervenção e regulamentação do governo. Havia mais, o medo não apenas subliminar de que os dias estivessem contados para as companhias e para o próprio petróleo devido à exaustão das reservas geológicas. Entre 1970 e 1976 as reservas americanas de petróleo conhecidas diminuíram 27% e as de gás, 24%. O petróleo americano parecia estar chegando ao fim. Embora fossem pequenos os investimentos reais em outros negócios além da energia, se comparados à potência financeira que cada companhia representava, ainda assim significavam grandes volumes de dinheiro. A Mobil adquiriu a cadeia de lojas de departamentos Montgomery Ward, a Exxon entrou no ramo de automação de escritórios e a ARCO investiu em cobre. Nada, porém, suscitou tantas piadas e tanto ridículo como a oferta da Gulf a Ringling Bros. and Barnum & Bailey Circus. Isso, mais do que qualquer outra coisa, parecia mostrar que a clamorosa nova era — do império da OPEP e dos preços altos, da confusão, dos debates implacáveis e das guerras de energia em Washington — era realmente um circo.[5]

Novas provisões: Alasca e México

A OPEP continuou a dominar o mercado mundial do petróleo ao longo dos anos 1970. Era responsável por 65% da produção total de petróleo do "mundo livre" em 1973 e 62% em 1978. Mas, discretamente, seu domínio começava a declinar. O incentivo do preço e razões de segurança estimulavam o desenvolvimento da produção de petróleo fora da OPEP e, em questão de anos, essas novas fontes transformariam o sistema de suprimento mundial de petróleo. A atividade era geral mas três das novas regiões petrolíferas teriam influência dominante: Alasca, México e mar do Norte. Cada uma delas, ironicamente, havia sido identificada antes do aumento de preços de 1973, mas não tinham sido desenvolvidas devido a diferentes combinações de obstáculos políticos, econômicos, técnicos, oposição ambientalista e o simples fator tempo, componentes indispensáveis para grandes projetos energéticos.

A aprovação do oleoduto do Alasca em caráter emergencial nas semanas pós-embargo, permitiu que o trabalho lá finalmente começasse. A tubulação de aço e os tratores, adquiridos com tanto otimismo em 1968, permaneciam convenientemente guardados nas margens congeladas do rio Yukon, os motores dos tratores tinham sido devidamente ligados de acordo com a programação nos últimos cinco anos. Estavam em boas condições de utilização e o trabalho prosseguiu rapidamente. Em 1977, o oleoduto de 1.300 quilômetros de extensão estava terminado, parte dele suspenso com estacas sobre a tundra. O petróleo inaugural já fizera o percurso da Encosta Norte até o porto de embarque em Valdez no sul do Alasca. Em 1978, mais de um milhão de barris por dia escoavam através do oleoduto. Em poucos anos, seriam dois milhões de barris por dia, um quarto da produção americana de petróleo cru.

No México, após a feroz batalha da nacionalização no final da década de 1930, a indústria petrolífera voltou-se para a produção interna. O México não se empenhava mais em ser um dos maiores exportadores mundiais. Em vez disso, a Pemex, a companhia estatal de petróleo que personificava o nacionalismo mexicano, se dedicou a suprir o mercado interno. O controle da própria companhia era objeto de disputa entre o governo e o poderoso sindicato dos trabalhadores do petróleo, que não por coincidência ocupava a insólita posição de um dos principais contratantes da Pemex. Por décadas, a Pemex foi uma companhia submetida a pressão. Seus lucros eram limitados pelos preços internos baixos. Seu programa de desenvolvimento era dirigido por engenheiros cautelosos, orientados por uma ética conservadora baseada na convicção de que os recursos deveriam ser economizados para as gerações futuras. A Pemex pouco fez para expandir suas reservas básicas. Embora a produção aumentasse, não acompanhava a demanda do rápido crescimento do "milagre econômico mexicano". Portanto, o México não apenas deixou de ser exportador mas na verdade se tornou um pequeno importador de petróleo, embora, para proteger sua reputação, fizesse um grande empenho para encobrir esse fato quando, por exemplo, precisou comprar às pressas uma carga de petróleo cru da Shell da Venezuela.

Em busca de mais petróleo, a Pemex iniciou um programa de exploração com perfurações profundas nas planícies áridas e ondulantes no estado de Tabasco, ao sul do país. Em 1972, descobriu-se petróleo numa estrutura extraordinária denominada Reforma. Os poços dos campos da Reforma eram tão produtivos que a região foi apelidada de "Pequeno Kuait". As descobertas de Reforma foram seguidas por outras grandes descobertas na área marítima vizinha, a baía de Campeche.

Tornou-se claro que o México possuía reservas de petróleo de categoria mundial. Em 1974, o país começou, em escala reduzida, a exportar petróleo novamente, embora a exportação fosse criticada por ser contrária aos princípios do nacionalismo mexicano. Enquanto a produção aumentava, os engenheiros da Pemex continuavam muito cautelosos na estimativa das reservas, nos últimos anos do mandato presidencial do radical e nacionalista Luis Echeverria Alvarez. Mas a questão mudou de enfoque com a eleição do novo presidente, José López Portillo, em 1976. López Portillo, que havia sido ministro da Economia de Echeverria, herdou a pior crise econômica do México desde a Grande Depressão. O milagre econômico mexicano perdera seu ímpeto, a economia estava estagnada, o valor do peso tinha desabado e o país era considerado investimento de risco pelas instituições financeiras internacionais. Para piorar a situação, a população crescia mais rapidamente do que a economia — um em cada dois mexicanos tinha menos de 15 anos — e 40% da força de trabalho estava desempregada ou tinha um subemprego. Nos meses que antecederam a posse efetiva de López Portillo, a situação era tão grave que circulavam rumores de um possível golpe militar.

O novo petróleo era uma dádiva divina, como o choque de preços de 1973 que valorizou ainda mais o petróleo. López Portillo decidiu fazer das novas descobertas o elemento fundamental na nova estratégia econômica. Designou um velho amigo, Jorge Díaz Serrano, para dirigir a Pemex. Ao contrário de seu antecessor, um engenheiro especialista em construção de pontes, Díaz Serrano era um conhecedor da indústria petrolífera. Tornara-se um milionário como prestador de serviços nessa área e agarrou a potencialidade que tinha agora às mãos. O petróleo traria para o México os rendimentos externos desesperadamente necessários, eliminaria as restrições da balança de pagamentos sobre o crescimento econômico, forneceria garantias para a obtenção de novos empréstimos internacionais e colocaria o México no centro da nova economia internacional baseada no petróleo. Em resumo, seria o motor de um crescimento renovado.

O presidente López Portillo, entretanto, pediu cautela: "A capacidade de absorção monetária é semelhante à do corpo humano. Não se pode comer mais do que é possível digerir ou se fica doente. Acontece a mesma coisa com a economia". Mas as atitudes de López Portillo falaram bem mais alto do que suas palavras e com uma ênfase bem diferente. Os investimentos, vindos, em grande parte, de empréstimos feitos no exterior, foram injetados na indústria. A comprovação e a expansão das reservas foram a um rápido ritmo impulsionadas. Rumores sancionados por fontes oficiais davam conta de um potencial de reservas de petróleo cada vez maiores. A produção prosseguia em ritmo de aventura, além do planejado. Elevou-se a produção diária de 500 mil barris em 1972 para 830 mil barris em 1976 para 1,9 milhão de barris em 1980 — um aumento de quase quatro vezes em menos de uma década.

O México, que fora um país evitado pelas instituições financeiras internacionais até 1976, tornava-se agora um dos maiores tomadores de empréstimos do mundo. "Por que os banqueiros de repente se apaixonaram pelo México" era o título de um artigo da revista *Fortune*. A razão, naturalmente, era o petróleo. "Os banqueiros estão todos batendo em sua porta", disse o vice-presidente do Manufacturers Hanover Trust. Um funcionário do governo mexicano foi escolhido "o tomador de empréstimos do ano", em 1978, por um informativo financeiro de Nova York. O título poderia ter sido ganho pelo país todo. Parecia não haver restrições: o governo mexicano estava fazendo empréstimos no exterior, a Pemex fazia empréstimos, outras empresas estatais também, as empresas privadas faziam empréstimos, todos estavam tomando dinheiro emprestado no exterior. Quanto estava sendo emprestado no total? Ninguém sabia. Mas não tinha importância. O crédito mexicano, abrigado pelo petróleo, era bom. Ou assim pensavam os banqueiros e seus clientes mexicanos. Uma coisa era certa: o México se tornara uma força grande e nova no mercado mundial do petróleo, o que não acontecia desde a década de 1920 e seria mais uma importante fonte alternativa de fornecimento, enfraquecendo o império da OPEP.[6]

O mar do Norte: a maior de todas as cartadas

Por muitos séculos, os pescadores desfrutaram sozinhos do mar do Norte, pescando os arenques que constituíam o maior negócio do norte da Europa na Idade Média e, mais recentemente, o hadoque e o bacalhau. Mas em meados dos anos 1970, um novo tipo de navegante podia ser visto de um helicóptero nas águas lá embaixo, o equipamento de perfuração flutuante, barcos de suprimento, plataformas, barcaças para fixação de tubulação — isolados a princípio e, às vezes, em tal profusão, chegando quase a lotar o mar. Aqui nas águas do mar do Norte, entre a Noruega e a Grã-Bretanha, estava a maior cartada da indústria mundial do petróleo e sua maior concentração individual de investimentos e esforços. Nenhuma grande companhia ousou ficar de fora e muitos parceiros novos entraram no jogo, começando pelas companhias industriais passando pelos sóbrios monopólios de investimento de Edimburgo até Lord Thompson, o magnata dos meios jornalísticos, proprietário do *Times* de Londres. Era um sócio de Armand Hammer.

Desde 1920, milhares de poços tinham sido perfurados ao longo da costa da Europa Ocidental por exploradores esperançosos. O resultado foi decididamente desapontador, a produção total na área nunca excedeu a 250 mil barris por dia. A crise de Suez em 1956 deu um novo impulso na busca de recursos seguros de petróleo e de gás na Europa. Em 1959, a Shell e a Esso descobriram um vasto campo de gás, em Groningen, na Holanda, o maior então conhecido fora da União Soviética. Percebendo que a geologia do mar do Norte era semelhante à da Holanda, as companhias de petróleo começaram a explorar em águas adjacentes. Em 1965, no mesmo ano em que a Grã-Bretanha e a Noruega concordaram formalmente em dividir o mar do Norte bem no meio entre os dois países, inclusive os direitos sobre os recursos minerais, grandes depósitos de gás natural foram encontrados em extensões relativamente pouco profundas ao sul e plataformas primitivas comparadas aos padrões futuros foram instaladas para explorar o gás. Algumas companhias continuaram procurando petróleo, com interesse moderado sem nenhum açodamento.

Entre elas estava a Phillips Petroleum de Bartlesville, Oklahoma. Em 1962, o vice-presidente da companhia, de férias na Holanda, notara um guindaste de perfuração perto de Groningen, o que lhe chamara a atenção. Dois anos mais tarde, depois que os principais executivos da empresa passaram uma tarde analisando metros de papel contendo dados sísmicos na quadra de basquete da companhia em Bartlesville, a Phillips decidiu iniciar um programa de exploração. Cinco anos e vários poços secos mais tarde, em 1969, a companhia estava pronta a desistir do projeto. Incluindo os próprios esforços da Phillips, cerca de 32 poços tinham sido perfurados na plataforma continental da Noruega e nenhum deles era comercial. Poço por poço, o mar do Norte era muito mais dispendioso e difícil do que qualquer outra coisa que a companhia já havia tentado. A mensagem de Bartlesville para os gerentes da Phillips na Noruega era clara: "Não perfurem mais poços".

No entanto, na esteira da grande tradição que remontava ao poço do Coronel Drake na Pensilvânia, em 1859, e à primeira descoberta na Pérsia em 1908, a Phillips decidiu relutantemente tentar mais uma vez — só porque já tinha pago pelo uso do equipamento, o *Ocean Viking* não havia encontrado ninguém para sublocá-la. A Phillips teria de pagar as despesas diárias com o equipamento funcionando ou não. Fazia mau tempo e o mar estava agitado. A certa altura, o equipamento se soltou da âncora e começou a se afastar da perfuração. Numa outra noite, a tempestade era tão forte que um naufrágio se tornou iminente e iniciou-se uma evacuação de emergência logo ao amanhecer. Mas o *Ocean Viking* fez seu trabalho. Em novembro de 1969, fez uma grande descoberta no Bloco 2/4 no campo de Ekofisk, no lado norueguês da linha divisória. Foi um grande momento para a tecnologia. Os astronautas americanos acabavam de descer na lua. Quando o superintendente responsável pela perfuração do *Ocean Viking* examinou uma amostra de petróleo trazida de uma profundidade de três mil metros abaixo do fundo do mar, ficou admirado pela sua aparência, que prenunciava uma alta qualidade. "O que os astronautas fizeram foi extraordinário", disse ao geólogo do equipamento, "mas o que dizer disto?" Ergueu a amostra de petróleo que tinha um brilho dourado, quase transparente, quase como ouro.

A descoberta da Phillips levou todas as companhias a reavaliarem seus dados sísmicos e a aumentarem suas atividades. Não haveria mais equipamentos de perfuração órfãos no mar do Norte. Alguns meses mais tarde, um alto executivo da Phillips em meio a uma agitada reunião técnica em Londres respondia sobre os métodos utilizados pela Phillips para diagnosticar a geologia do campo.

"Sorte", respondeu.

No final da década de 1970, a British Petroleum comunicou a descoberta de petróleo no campo de Forties, do lado britânico, 160 quilômetros a nordeste de Ekofisk. Era um grande reservatório. Uma série de grandes descobertas seguiram-se em 1971, incluindo a descoberta da Shell e da Exxon do enorme campo de Brent. A corrida pelo petróleo no mar do Norte estava a pleno vapor. A crise do petróleo de 1973 transformou a corrida em estrondo.

Felizmente, havia tecnologia de nova geração disponível ou em desenvolvimento, permitindo prosseguir a produção no mar do Norte — um tipo de região nova e diferente para a indústria. Todo o empreendimento era arriscado e perigoso — física e economicamente. Os equipamentos de perfuração tinham de ser instalados em águas mais profundas do que jamais fora tentado antes e, a partir daí, ainda perfurar mais seis quilômetros e meio abaixo do fundo do mar. Todo o equipamento e os trabalhadores tinham de conviver com um mar revolto e traiçoeiro, um dos piores climas do mundo. "Não há nada mais terrível do que o mar do Norte quando está agitado", lamentava um capitão de barco. Não só o tempo era ruim mas também podia mudar três ou quatro vezes por dia; tempestades súbitas se armavam em poucas horas; ondas de quinze metros e ventos de cem quilômetros por hora não eram incomuns. As plataformas permanentes através das quais o petróleo era bombeado — na verdade pequenas cidades industriais adaptadas a ilhas construídas pelo homem — não apenas tinham de se fixar em lodo, areia movediça, barro e no fundo do mar ondulado, mas também tinham de ser construídas suportando a fúria de uma "onda de cem anos", com 27 metros de altura, bem como ventos de duzentos quilômetros por hora.

O desenvolvimento do projeto do mar do Norte foi um dos maiores investimentos do mundo, tanto mais dispendioso quanto os custos rapidamente inflacionados. Mas era também uma maravilha tecnológica de primeira ordem, realizada de forma surpreendentemente eficiente. A 18 de junho de 1975, o secretário de Estado britânico para a Energia, Anthony Wedgwood Benn, em cerimônia no estuário do rio Tâmisa, abriu uma válvula em um petroleiro e o primeiro petróleo do mar do Norte correu para uma refinaria em terra firme. Em público, Benn declarou entusiasmado que dali em diante 18 de junho seria dia de comemoração nacional. Pessoalmente, entretanto, não aproveitou absolutamente a inauguração. Era líder da esquerda do Partido Trabalhista, ferrenho defensor da estatização, com uma ojeriza inata pelo capitalismo, especialmente o representado pela indústria do petróleo e de natureza extremamente desconfiada. Contrariado, anotou em seu diário que fora forçado a participar da cerimônia em companhia de "uma amostra completa do capitalismo internacional e do Partido Conservador". Quando abriu a válvula, o petróleo "supostamente fluiu em direção à terra", acrescentou com grande desconfiança.

Benn encontrou um meio melhor para dar vazão à raiva que tinha das companhias de petróleo. Desempenhou papel de liderança da tradicional batalha entre o governo e as companhias de petróleo na Inglaterra. As reservas do mar do Norte haviam sido comprovadas e os riscos foram bem reduzidos; em consequência disso, o governo britânico decidiu que, como os outros, queria uma participação maior nos lucros e também maior controle sobre seu "destino", talvez mesmo a estatização formal. "As companhias de petróleo podem saltar as fronteiras nacionais para escapar dos impostos mais facilmente do que um canguru perseguido por um cão selvagem pula uma cerca", reclamou Lord Balogh, ministro de Estado. O resultado da disputa foi a criação de um imposto especial sobre receitas de petróleo e a formação de uma nova companhia estatal de petróleo, a British National Oil Company, detentora de títulos de participação do governo no petróleo: poderiam comprar 51% da produção do mar do Norte e deveriam defender os interesses nacionais. A pressão do governo britânico por mais receita e maior controle sobre o petróleo do mar do Norte provocou a fúria de um executivo de uma companhia: "Não vejo mais qualquer diferença entre os países-membros da OPEP e a Inglaterra".

De certa forma, era o que pensava o primeiro-ministro britânico, Harold Wilson. Sentado numa saleta no segundo andar de Downing Street 10, tirava baforadas de seu cachimbo, no verão de 1975, poucas semanas após a inauguração das instalações no mar do Norte. Wilson já era um dos primeiros-ministros há mais tempo no cargo. Havia contribuído muito para a teoria política com uma frase que merecia ser gravada nas paredes de todos os parlamentos e congressos do mundo: "Tratando-se de política, uma semana é muito tempo". Assumira o poder pela primeira vez em 1964 com a promessa de conduzir a Inglaterra estagnada à "chama branca da revolução tecnológica", mas agora, dez anos depois, parecia ser a tecnologia e o petróleo e não os computadores ou as naves espaciais a melhor opção econômica para a Inglaterra. Naquele particular dia de verão, Wilson pensava sobre como a produção britânica de petróleo pôde aumentar de uma gota para talvez dois milhões e meio de barris por dia, transformando as perspectivas econômicas da Inglaterra e certamente modificando o equilíbrio do poder do petróleo no mundo. Pensava como o primeiro-ministro de um país produtor de petróleo. Na época, a administração Ford combatia os preços altos do petróleo. Wilson afirmou: "Temos interesse em que o preço do petróleo não caia muito.

Se a América do Norte quiser realmente baixar o preço, não haveria aqui muita gente necessariamente de acordo".

Havia uma grande ironia nisso tudo. Wilson agora ocupava a sala que fora usada por Anthony Eden há vinte anos, quando Eden lutava com Nasser, o nacionalismo, a crise de Suez e as ameaças ao fornecimento de petróleo para a Inglaterra. Tão grave era a ameaça em 1956 que Eden decidiu usar a força militar planejando um ataque abortado na Zona do Canal. Foi o fim do papel histórico da Europa no Oriente Médio — e, certamente, da carreira de Eden. Wilson não teve o mesmo destino. De fato, confessou uma ambição que teria chocado Eden. Como líder de uma potência emergente do petróleo, Wilson genialmente disse que tinha esperanças de presidir a OPEP em 1980.[7]

"A ruidosa trituração"

Um efeito peculiar do choque de preços de 1973 foi o aparecimento de nova linha de trabalho — a previsão dos preços do petróleo. Antes de 1973, isso não era realmente necessário. As alterações de preço eram de centavos, não de dólares e durante muitos anos os preços mantiveram-se mais ou menos estáveis. Depois de 1973, entretanto, as previsões vieram à luz. Afinal, a flutuação do preço do petróleo era agora decisiva não apenas para a indústria energética, mas também para os consumidores e para uma multiplicidade de negócios de linhas aéreas e bancos às cooperativas agrícolas, para os governos nacionais e para a economia internacional. Todo mundo agora parecia estar envolvido no negócio das previsões: as companhias de petróleo, os governos, os bancos centrais, as organizações internacionais, corretoras e bancos. Fazia lembrar Cole Porter: *Birds do it, bees do it, even educated fleas do it* (Pássaros o fazem, abelhas também e até mesmos pulgas amestradas).

Esse tipo de previsão, como todas as previsões econômicas, podia ser considerada tanto arte quanto ciência. Julgamentos e suposições comandam profecias. Além disso, tal previsão era muito afetada pela "comunidade" que a produziu. Portanto, era também um fenômeno psicológico e sociológico, refletindo as influências de outros membros do grupo e a forma pela qual indivíduos e grupos buscavam segurança e conforto mútuos em um mundo de incertezas. O resultado final era, quase sempre, uma forte tendência ao consenso, mesmo se o consenso mudasse completamente de tom a cada dois anos.

Em 1978, tal consenso poderia certamente ser observado pelo conjunto dos que faziam previsões sobre o petróleo e entre os que tomavam decisões baseados nelas: enquanto o Alasca, o México e o mar do Norte acrescentassem juntos seis a sete milhões de barris por dia ao mercado mundial entre o início e meados da década de 1980, essas novas fontes serviriam apenas como um complemento e um tipo de Fabius dos tempos modernos, resistindo e adiando, mas, decisivamente, não eliminando os dias inevitáveis da escassez e do ajuste de contas. A maioria dos que faziam prognósticos concordavam que era muito provável a ocorrência de outra crise do petróleo em dez anos, portanto, na segunda metade dos anos 1980, quando a demanda estaria novamente no limite do suprimento disponível. A consequência, na linguagem popular, seria provavelmente um "vácuo de energia", a escassez. Em termos econômicos, tal desequilíbrio seria resolvido por outro grande aumento de preço, um segundo choque do petróleo, como havia acontecido no início da década de 1970. Embora houvesse discrepâncias entre as previsões, havia considerável unanimidade em relação aos temas fundamentais, quer a fonte fosse as grandes companhias de petróleo, a CIA, os governos do Ocidente, as agências internacionais, os eminentes especialistas independentes ou a própria OPEP. Não eram apenas os que faziam as previsões que estavam convencidos, mas também os que tomavam as decisões igualmente confiavam nos prognósticos para definir suas políticas e investimentos e escolher a linha de ação.

Individualmente, a suposição mais importante que servia de base para essa visão comum era a crença na "Lei de Feno" — isto é, que existia um relacionamento íntimo, inevitável e inquestionável entre as taxas de crescimento econômico e as taxas de consumo de energia e de petróleo. Se a economia crescesse de 3 a 4% ao ano, como em geral se presume, a demanda por petróleo também aumentaria de 3 a 4% ao ano. Em outras palavras, a renda era o principal fator determinante do consumo de energia e de petróleo. E os fatos, segundo estimativa feita em 1976, 1977 e 1978, pareciam confirmar essa avaliação. O crescimento econômico do mundo industrializado estava relacionado com a profunda recessão e estimado em 4,2% naqueles três anos; a demanda por petróleo havia aumentado a uma taxa média de cerca de 4%. O quadro do mundo futuro como vinha emergindo era a projeção das circunstâncias correntes: as economias em crescimento continuariam a exigir maiores volumes de petróleo. O progresso econômico dos países em desenvolvimento contribuiria para aumentar a demanda, descontados os efeitos futuros da conservação de energia. O cenário estaria preparado para uma repetição de 1973.

Ahmed Zaki Yamani, o principal proponente de uma Estratégia a Longo Prazo para a OPEP, começou a se afastar da sua habitual defesa de estabilidade de preços e, em vez disso, passou a advogar aumentos de preços menores e regulares que encorajariam a conservação e o desenvolvimento de fontes alternativas. Isso, disse, era preferível e menos desestabilizador do que os violentos aumentos de preço que haviam se tornado a expectativa mais comum. "Considerando nossos próprios estudos e todas as avaliações confiáveis que li", disse ele em junho de 1978, "existem fortes indicações que haverá uma escassez de suprimento de petróleo por volta de meados da década de 1980, senão antes (...) Não importa o que façamos, essa data está chegando".

Yamani expressava o que era a visão geral mais difundida nos países importadores e exportadores. Até mesmo em Washington, algumas pessoas, observando a queda do preço real do petróleo e o aumento da demanda, começaram a pensar que aumentos de preço mais modestos poderiam evitar mais tarde maiores agonias. A trituração viria sem dúvida em dez anos, um ano a mais ou a menos. Mas, também havia uma concordância generalizada que as condições não apontavam para qualquer aumento significativo de preços a curto prazo. Isso, do ponto de vista econômico. A política, naturalmente, era outra coisa. A política nunca se adaptara facilmente a modelos que lidavam com taxas de crescimento econômico e flexibilidade de demanda. Ainda assim, não poderia ser desconsiderada. E, além disso, a política não permitia a ninguém se dar ao luxo de uma estratégia a longo prazo.

No último dia de 1977, o presidente Jimmy Carter, viajando de Varsóvia a Nova Delhi, numa maratona febril aos três continentes, chegou a Teerã. Disse ter perguntado à sra. Carter onde ela gostaria de passar o Ano-Novo e ela respondera que com o xá e sua esposa, tão agradável tinha sido a temporada dos Carter com o casal real em Washington seis semanas antes. Na verdade, as razões políticas eram tão fortes quanto as sentimentais para essa escolha. Carter tinha ficado impressionado com o xá. O xá, por sua vez, estava tomando providências significativas no sentido da liberalização e já falava sobre direitos humanos. Com um novo entendimento entre os dois estadistas, Carter estava agora em posição de apreciar melhor o papel estratégico do Irã e de seu líder do que quando assumira o governo. O Irã era um país essencial, o fulcro da estabilidade da região, um elemento crítico para contrabalancear o poder e as ambições soviéticos nessa área, bem como dos radicais e das forças antiocidentais. Era fundamental para a garantia dos fornecimentos do petróleo mundial, tanto por ser um dos dois maiores exportadores do mundo quanto pelo seu poder regional.

Carter também queria demonstrar sua gratidão ao xá pelos progressos em relação aos direitos humanos e por sua mudança de posicionamento na questão dos preços do petróleo, o que era considerado como uma grande concessão da parte do monarca. Além disso, o presidente lamentava e sentia-se embaraçado pelos tumultos e o gás lacrimogêneo com os quais o xá fora saudado ao chegar na Ala Sul da Casa Branca e queria esclarecer qualquer mal-entendido dentro e fora do Irã, enfatizando claramente o apoio americano. Assim, no banquete de Ano-Novo, ele se levantou para fazer um brinde memorável. "O Irã, graças à grande liderança do xá, é uma ilha de estabilidade em uma das áreas mais conturbadas do mundo", disse. "Esta é uma grande homenagem a Sua Majestade e a sua liderança, ao respeito, admiração e amor que seu povo lhe dedica." Com esta demonstração cheia de esperança, o presidente e o xá saudaram o importante Ano-Novo de 1978.

Nem todo mundo via a ilha de estabilidade descrita pelo presidente Carter. Logo após a visita do presidente, o dirigente de uma das companhias americanas independentes em atividade no Irã voltou a Teerã com uma mensagem confidencial que queria urgentemente compartilhar com um de seus diretores. "O xá", disse, "está numa situação muito difícil".[8]

CAPÍTULO XXXIII

Um segundo choque: o grande pânico

NA SEMANA SEGUINTE À PARTIDA DE JIMMY CARTER do Irã, um jornal de Teerã publicou selvagem ataque contra o implacável opositor do xá, um velho religioso *xiita* chamado Aiatolá Ruhollah Khomeini, que vivia então exilado no Iraque. O artigo, apesar de anônimo, parecia ser obra de algum membro do regime do xá. Talvez a visita de Carter tenha gerado alguma confiança. O artigo certamente já estava em preparação, uma vez que era crescente a irritação provocada pelos severos ataques do próprio Khomeini ao governo do xá, que circulavam clandestinamente pelo Irã em forma de cassetes.

A animosidade entre a casa real do Irã e os fundamentalistas da seita islâmica dominante, Xía, remontava à época da violenta batalha pelo poder travada por Reza Pahlav contra o clero *xiita* nos anos 1920 e 1930. Era parte de uma luta muito mais ampla entre forças seculares e religiosas. Mas aquele artigo de jornal, datado de 7 de janeiro de 1978, detonou toda uma nova etapa na luta.

Desilusão e oposição

Em meados dos anos 1970, tinha ficado evidente que o Irã simplesmente não conseguiria absorver o vasto aumento dos lucros oriundos do petróleo que inundaram o país. Os petrodólares, megalomaniacamente jogados fora em extravagantes programas de modernização ou perdidos em desperdício e corrupção, estavam gerando o caos econômico, provocando tensões sociais e políticas por toda a nação. A massa rural fluía das vilas, despejando-se nos já superlotados centros urbanos, a produção agrícola diminuía, enquanto aumentavam as importações de alimento. A inflação havia tomado conta do país, gerando todos os inevitáveis descontentamentos. Em Teerã, um gerente de nível médio ou um trabalhador civil gastavam até 70% de seu salário com aluguel. A infraestrutura iraniana não podia suportar a pressão exercida repentinamente sobre ela. O sistema de transportes ferroviários estava sobrecarregado, as ruas de Teerã congestionadas pelo tráfego. A rede elétrica do país, não conseguindo suprir a demanda, entrou em colapso. Bairros inteiros de Teerã e outras cidades sofriam blecautes regulares, às vezes por quatro ou cinco horas diárias, um desastre para a produção industrial e a vida doméstica, uma fonte a mais de revolta e descontentamento.

Iranianos de todos os setores da vida nacional perdiam a paciência com o regime do xá e sua insensata corrida para a modernização. Buscando ancorar-se em alguma certeza em meio a confusão geral, prestavam atenção, de modo crescente, à chamada ao Islã tradicional e a um fundamentalismo cada vez mais fervoroso. O beneficiário era o aiatolá Khomeini, cuja retidão religiosa e inabalável resistência faziam dele a encarnação da oposição ao xá e seu regime e, na verdade, ao próprio caráter e aos tempos do Irã em meados dos anos 1970. Khomeini nasceu por volta de 1900 numa cidadezinha a 270 km de Teerã de uma família de instrutores religiosos. Seu pai morrera poucos meses após seu nascimento, dizia-se que assassinado por um funcionário do governo, quando seguia uma peregrinação. Adolescente, perdeu a mãe. Voltou-se, então, para os estudos religiosos e nas décadas de 1930 e 1940, dava conferências bastante apreciadas sobre a filosofia e a lei islâmicas, divulgando a ideia de uma República Islâmica sob o austero controle do clero.

Por muitos anos Khomeini havia considerado o regime de Pahlavi tanto corrupto quanto ilegítimo. Porém, só se tornou politicamente ativo aos sessenta anos, quando surgiu como a figura mais importante da oposição à Revolução Branca, nome do programa de reformas do xá. Em 1962, Khomeini reagiu violentamente à proposta de que os lugares em assembleias locais não mais fossem restritos exclusivamente aos muçulmanos homens. Quando, sob a rubrica da Revolução Branca, o governo promoveu uma reforma agrária, redistribuindo grandes propriedades, incluindo as vastas possessões do clero *xiita*, Khomeini mostrou-se como um de seus mais irredutíveis opositores, indo para a prisão mais de uma vez e acabando, finalmente, exilado no Iraque. Seu ódio ao xá era comparável apenas ao horror que devotava aos Estados Unidos, que considerava o principal elemento de apoio ao regime de Pahlavi. As denúncias que fazia do exílio, no Iraque, eram moldadas na retórica do sangue e da vingança. Parecia motivado por um ódio implacável, de extraordinária intensidade, tornando-se ele próprio o ponto de concentração do descontentamento crescente. As palavras de outros aiatolás, mais moderados, eram abafadas pela dura e irredutível voz do exílio.

Outra dimensão da oposição veio à tona. Tendo Jimmy Carter sido indicado candidato pelo Partido Democrata e depois eleito presidente, em 1976, os direitos humanos se tornaram um tema importante na política externa dos Estados Unidos. O desempenho do xá no que dizia respeito aos direitos humanos não era dos melhores. Era também típica da maior parte do Terceiro Mundo e melhor que a de alguns paises da região. Um membro da Comissão Internacional de Juristas, conhecido por suas críticas ao xá, investigando as condições dos direitos humanos no Irã em 1976, concluiu que o soberano estava "bem baixo na lista de tiranos. Ainda assim fora da lista dos piores". Mesmo assim, a Savak, a polícia secreta do Irã, era brutal, ágil e especialmente terrível na tortura. Era dura, estúpida, invasora, arbitrária e bem informada. Nada disso combinava com a imagem da Grande Civilização de um Irã que ambicionava a condição de potência mundial – e cujo xá criticava o mundo industrializado por suas próprias faltas de caráter. Dessa forma, a atuação iraniana em relação aos direitos humanos se tornou mais visível e mais bem divulgada que os abusos que aconteciam em outros países em desenvolvimento, contribuindo para aumentar a já crescente hostilidade ao xá e a seu regime tanto dentro quanto fora do Irã. O próprio xá sofreu intensa pressão dos Estados Unidos sobre a questão dos direitos humanos e, ironicamente, mesmo com o aumento das críticas, estava determinado a prosseguir na direção da liberalização política.[1]

"De 40 em 40"

As palavras de Khomeini cobriram-se de uma nova fúria ao final de 1977, quando seu filho mais velho foi assassinado em circunstâncias misteriosas. O assassinato foi atribuído à Savak. Surgiu, então, o artigo de jornal de 7 de janeiro de 1978. Ridicularizava o aiatolá, questionava suas credenciais religiosas e suas atribuições, discutia sua nacionalidade iraniana e o acusava, de forma sensacionalista, da prática de vários atos imorais, inclusive atribuindo-lhe a autoria de sonetos eróticos na juventude. Esse ataque jornalístico a Khomeini desencadeou revoltas na cidade santa de Quom, que se mantinha como seu lar espiritual. Tropas foram mobilizadas e manifestantes mortos. Os distúrbios em Quom provocaram um novo confronto entre as lideranças religiosas muçulmanas e o governo. A confrontação assumiu uma forma bastante peculiar. O ramo *xiita* da religião islâmica declarou um período de luto de quarenta dias. Conforme previsto, o fim dos quarenta dias de luto pelo massacre em Quom tornou-se a ocasião para novas demonstrações, mais mortes, mais luto e, então, depois de quarenta dias, mais demonstrações — e ainda mais mortes. Um dos líderes desse ciclo vicioso de protestos o chamou mais tarde de "de 40 em 40". Os distúrbios e as demonstrações se espalharam pelo país, com mais conflitos dramáticos, mais gente morta e mais mártires.

Os ataques da polícia e do exército aos que criticavam o regime serviam apenas para ampliar as fileiras dos antagonistas do xá. A retirada dos subsídios às instituições religiosas *xiitas* provocou o afastamento e em seguida aumentou o ódio do clero. Na realidade, a oposição declarada estava se tornando parte do sistema da vida nacional. Apesar disso, durante todo o primeiro semestre de 1978, seu significado foi minimizado. Sim, o xá afirmou ao embaixador britânico que a situação era séria, mas que ele estava determinado a continuar pressionando pela liberalização. Seus inimigos mais implacáveis e poderosos eram os *mullahs*, pelo domínio que exercem sobre a mente das massas. "Não havia acordo possível com eles", disse. "Era um confronto direto e aberto, um lado teria que perder." O xá deixou claro que não considerava a possibilidade de ficar do lado perdedor.

No governo americano também quase ninguém imaginava que o xá pudesse falhar. Para Washington qualquer alternativa era praticamente inconcebível. Afinal, o poderoso monarca do Irã reinava de seu trono há 37 anos. Era cortejado pelo mundo todo. Estava modernizando seu país. O Irã era uma das duas grandes potências petrolíferas do mundo, com uma riqueza muito maior do que conhecera há apenas alguns anos. O xá era um aliado estratégico, o guarda regional de uma área crucial, o "Grande Pilar". Como poderia ser deposto?

A inteligência americana no Irã tinha ação limitada. À medida que os Estados Unidos foram se tornando mais dependentes do xá, havia menos disposição de arriscar-se a incorrer em sua ira tentando descobrir o que se passava no seio da desprezada oposição. Em Washington, surpreendentemente, havia pouca gente com capacidade analítica necessária, especializada no Irã. Mesmo com o correr dos dias, não parecia haver grande demanda entre os "consumidores" dos serviços de inteligência, forma como são tratados os funcionários mais antigos do conselho de segurança nacional americano, para análise sobre a estabilidade do regime do xá. Talvez porque supunham que as informações fossem desnecessárias ou, em algum nível, temessem que as conclusões pudessem ser demasiadamente indigestas. "Nem de graça queriam informações sobre o Irã," comentava um frustrado analista da inteligência.

A comunidade americana de inteligência lutou durante todo o ano de 1978 para produzir uma Estimativa da Inteligência Nacional sobre o Irã, mas não teve sucesso. Havia fartura de boletins diários, mas grande dificuldade em avaliar como todas as diferentes forças de descontentamento e oposição iriam interagir e no que resultaria. O boletim matinal do Departamento de Estado, *Morning Summary,* de fato sugeriu, em meados de agosto, que o xá estava perdendo o controle da situação e que o sistema social do Irã estava se esgarçando. Mas, até 28 de setembro de 1978, o prognóstico da Defense Intelligence Agency era: "espera-se que o xá permaneça ativamente no poder nos próximos dez anos". Afinal, considerava-se, ele havia contornado outras crises no passado.

Havia, no entanto, naquele mesmo momento, vários sinais, alguns especialmente terríveis, da fúria das forças que se levantavam contra o xá. Durante duas semanas, em agosto de 1978, meia dúzia de cinemas foram incendiados no país por fundamentalistas que se opunham aos filmes "pecaminosos". Em meados de agosto, em Abadã, sede de uma grande refinaria, cerca de quinhentas pessoas estavam num cinema quando um grupo trancou as portas e ateou fogo, atingindo os assistentes confinados. Apesar da incerteza que pairou, achava-se que os autores eram fundamentalistas. No início de setembro, as demonstrações sangrentas ocorreram na própria Teerã. Foi o momento decisivo. Daí em diante, o governo do xá entrou em colapso como força de controle efetiva. Mesmo assim, o xá prosseguia com sua liberalização, incluindo conversações sobre eleições livres em junho de 1979.

Aos que tinham acesso ao monarca, algo parecia errado com o próprio xá. Ele parecia distante e mais isolado. Há anos circulavam rumores sobre sua saúde. Teria câncer? Ou alguma doença venérea incurável? A 16 de setembro, o embaixador inglês foi visitá-lo uma vez mais. "Fiquei preocupado com a mudança em sua aparência e maneiras. Ele parecia encolhido, com a pele amarelada, movendo-se lentamente. Parecia exausto e sem ânimo." A verdade é que o xá sofria mesmo de câncer, especificamente uma forma de leucemia, diagnosticada por médicos franceses pela primeira vez em 1974. Mas tanto o soberano quanto sua esposa foram mantidos na ignorância sobre a gravidade da doença por vários anos. De toda forma, ele insistia em que seu tratamento fosse cercado do maior sigilo. Mais tarde, algumas pessoas em Washington suspeitaram que elementos do governo francês deveriam, apesar de tudo, ter conhecimento dos fatos. O governo britânico e certamente o americano de nada sabiam. Estivessem eles informados do fato e da natureza de sua doença, os cálculos em muitas circunstâncias poderiam ter sido diferentes à medida que o tempo foi passando, o xá começou a sentir cada vez mais os efeitos de sua doença e a temer pelas consequências, o que pode ajudar a explicar sua indecisão, seu estranho desligamento e mesmo o mal-estar e o fatalismo que pareciam ter tomado conta dele.[2]

"Como neve na água"

Enquanto a situação política em seu país se deteriorava, o xá vacilava. Não declarava guerra total contra a rebelião crescente; "a opinião pública mundial" estava observando muito de perto. E esse era o seu povo. Mas também não cedia. Confundia-se com os conselhos contraditórios emitidos pelo governo americano. Sentia-se traído por um e por todos. Frequentemente, expressava suas suspeitas de que a CIA americana, a inteligência britânica — e a BBC, a linha de comunicações de emergência de seus opositores — estavam conspirando contra ele, embora por razões nunca muito bem esclarecidas.

À medida que as semanas se passavam, mais setores do país entravam em greve, incluindo os técnicos da indústria petrolífera. No início de outubro de 1978, por insistência do Irã, o Aiatolá Khomeini foi expulso do Iraque. Afinal, o regime Bath, em Bagdá, tinha sua própria população *xiita* com que se preocupar. Tendo-lhe sido negado asilo no Kuait, Khomeini foi para a França, estabelecendo-se sua comitiva num subúrbio de Paris. O governo iraniano deve ter pensado, longe dos olhos, longe do coração, mas estava enganado. A França deu a Khomeini e a seus seguidores acesso ao serviço telefônico de discagem direta internacional que o xá havia instalado em Teerã, facilitando enormemente a comunicação. O velho e irado religioso, que tão pouco sabia do mundo ocidental e o desprezava tanto, mostrou-se, apesar disso, um mestre da propaganda diante da mídia que acampou em sua porta.

Ainda assim, o xá prosseguia com seu programa de liberalização. Liberdade acadêmica, liberdade de imprensa, liberdade de reunião — todas eram praticadas, mas tais direitos ao estilo ocidental pouco interessavam a uma população que estava se levantando contra o monarca, sua dinastia e todo o processo de modernização. No final de outubro, tudo o que o xá podia afirmar era que "nós estamos nos dissolvendo dia a dia como neve na água". Greves imobilizavam a economia e o governo, os estudantes estavam fora de controle e demonstrações e distúrbios aconteciam sem ser enfrentados.

A indústria petrolífera iraniana caminhava numa escalada para o caos. A principal área de produção, conhecida como "The Fields", localizava-se a sudeste, incluindo Masjid-i-Suleiman, onde a Anglo-Persian havia feito sua descoberta pioneira em 1908. Agora, setenta anos mais tarde, as operações em The Fields eram controladas pela Oil Service Company of Iran, a Osco, sucessora do consórcio criado em 1954, após a queda de Mossadegh e o *retorno* do xá. O escritório central da Osco, em Ahwaz, cerca de 120 quilômetros ao norte de Abad, funcionava com trabalhadores expatriados, oriundos em sua maioria das outras companhias, membros do consórcio. Em outubro, alguns dos trabalhadores grevistas de The Fields mudaram-se para o edifício-sede da Osco, em Ahwaz. Ninguém tentou tirá-los de lá. Em novembro, uns duzentos deles estavam morando nos corredores, comendo e dormindo lá, numa tática destinada a aumentar a pressão sobre a Osco e a Companhia Nacional de Petróleo Iraniana. Os executivos da Western continuavam em suas tarefas, tentando cuidadosamente evitar pisar nos trabalhadores. Enquanto isso, no pátio externo, começavam orações improvisadas. No início, apenas uma meia dúzia participava. Em pouco tempo, porém, os executivos podiam ver de suas janelas que o número de fiéis que cantava crescia a cada reunião, montando a várias centenas.

O impacto das greves foi imediatamente sentido. O Irã era o segundo maior exportador de petróleo depois da Arábia Saudita. Dos mais de 5,5 milhões de barris produzidos diariamente no Irã, perto de 4,5 milhões eram exportados, o restante era consumido internamente. No início de novembro, as exportações haviam caído para menos de um milhão de barris diários e trinta navios petroleiros se enfileiravam nos ter, minais de Kharg Island esperando pelo petróleo que lá não chegara, no exato momento em que estava começando, no mercado internacional, o aumento da demanda causado pelo inverno. As companhias petrolíferas, respondendo à tranquilidade geral no mercado, tinham deixado seus estoques baixarem. Haveria escassez no mercado mundial. Além disso, a própria estabilidade do Irã dependia dos lucros do petróleo, que constituíam a base de toda a economia do país. O presidente da Companhia Nacional de Petróleo Iraniana foi para o sul, até The Fields, buscando abrir um diálogo com os grevistas — pelo menos foi o que ele imaginou. Ao chegar foi atacado por grevistas enraivecidos. Decidiu imediatamente abandonar as negociações e, fugir do país. Parecia não haver jeito de acabar com a greve.

Na tentativa de conter o caos crescente, o xá tomou uma decisão crítica que havia sempre querido evitar; instalou um governo militar. Era essa a sua última chance, mas colocou um general fraco no comando. O general logo sofreu um ataque cardíaco e nunca exerceu a autoridade. O novo governo conseguiu, pelo menos temporariamente, restaurar alguma ordem na indústria petrolífera e retomar a produção novamente. Agora os soldados também se mudaram para o escritório central da Osco, em Ahwaz, onde coexistiam de forma desconfortável com os grevistas, que continuavam acampados nos corredores.

Enquanto os acontecimentos caminhavam desordenadamente em direção a sua conclusão, a política dos Estados Unidos, o mais importante aliado do Irã, estava confusa, desordenada e em estado de choque. Durante a maior parte de 1978, os membros mais importantes da administração Carter estavam preocupados e voltados para outros. acontecimentos momentosos e que exigiam muita atenção: os acordos de paz de Camp David entre Egito e Israel, negociações sobre armas estratégicas com os russos, normalização das relações com a China. A estratégia americana havia se baseado na premissa de que o Irã era um aliado confiável e seria o grande pilar na região. Em deferência ao xá e porque não queriam irritá-lo, os membros do governo americano haviam mantido distância dos vários oponentes ao seu regime, o que significava que não tinham canais de comunicação com a oposição emergente. Não havia sequer relatórios para Washington do que o aiatolá estava realmente dizendo naquelas agora famosas fitas cassete. Algumas pessoas em Washington insistiam que as turbulências no Irã eram uma conspiração secreta, orquestrada pela União Soviética. E, como sempre, a mesma questão: o que poderia o governo dos Estados Unidos fazer, qualquer que fosse o caso? Apenas alguns funcionários do governo americano pensavam que os militares iranianos, nos conseguiriam resistir à persistência das greves em escala nacional e à deserção de soldados por razões religiosas. Na verdade, os últimos meses de 1978 presenciaram uma dura batalha burocrática em torno da política adotada em Washington. Como apoiar o xá ou assegurar a continuidade de um regime sucessor favorável? Como apoiar o xá sem se comprometer, de *modo* a garantir o relacionamento com seus sucessores antagônicos, caso ele viesse a cair? Como se afastar, caso o afastamento seja necessário, sem solapar o xá, caso ele possa sobreviver politicamente? Indecisão e vacilação em Washington resultavam em sinais contraditórios para o Irã: o xá deveria aguentar firme, o xá deveria abdicar, as forças militares deveriam ser mobilizadas, os direitos humanos deveriam ser respeitados, os militares deveriam dar um golpe, os militares deveriam permanecer de fora, deveria se estabelecer uma regência. "Os Estados Unidos nunca enviaram um sinal claro e consistente", lembrou um alto funcionário do governo. "Em vez de oscilar para a frente e para trás entre um curso e outro de ação, nunca se decidindo, teria sido melhor se tivéssemos jogado uma moeda e então fixado uma política." A cacofonia americana certamente confundia o xá e os membros de seu governo, minaram seus cálculos e enfraqueceram drasticamente seu poder de decisão. E ninguém em Washington sabia o quanto o xá estava doente.

Os esforços para construir apressadamente alguma nova posição americana ficaram complicados pelo fato de que o xá era objeto de antipatia e de críticas da mídia nos Estados Unidos e em outros lugares, o que resultava num padrão conhecido, críticas moralistas da estratégia americana associadas à projeção feita por alguns de uma visão romântica e pouco realista do Aiatolá Khomeini e seus objetivos. Um proeminente professor universitário escreveu no *New York Times* sobre a tolerância de Khomeini, de como "o círculo de seus conselheiros mais próximos é homogeneamente formado por indivíduos moderados e progressistas", e de como Khomeini forneceria "um modelo desesperadamente necessário de governo humanitário para um país de Terceiro Mundo". O embaixador americano nas Nações Unidas, Andrew Young, foi ainda mais longe. Khomeini, disse ele, seria eventualmente louvado como "um santo". Um embaraçado presidente Carter achou imediatamente necessário esclarecer "que os Estados Unidos não estão no negócio de canonização".

A falta de coerência era tão grande que um membro do governo, participante de todas as crises no Oriente Médio desde o início dos anos 1960, notou o fato "extraordinário" de que a "primeira reunião sistemática" de alto nível sobre o Irã não havia sido convocada até o início de novembro — muito tarde no curso dos acontecimentos. A 9 de novembro, William Sullivan, o embaixador americano em Teerã, finalmente enfrentou a desagradável realidade numa mensagem dramática a Washington intitulada "Pensando o Inconcebível". Talvez o xá não fosse mesmo capaz de sobreviver, disse ele; os Estados Unidos deveriam começar a considerar contingências e alternativas. Mas, em Washington, onde as batalhas burocráticas continuavam violentas, não houve reação significativa, exceto o fato de o presidente Carter ter enviado bilhetes do próprio punho ao seu secretário de Estado, ao chefe do Conselho de Segurança Nacional, ao secretário da defesa e ao Diretor da CIA perguntando por que não havia sido informado antes da situação no Irã. O embaixador Sullivan, entretanto, chegava à conclusão de que os Estados Unidos enfretavam a situação no Irã "sem qualquer plano estratégico".[3]

"Torrentes de sangue"

Dezembro de 1978 foi um mês de luto, procissões e autoflagelação no credo *xiita*. O ponto alto era a comemoração de Ashura, assinalando o martírio do imã Hussein, simbolizando a resistência inabalável a um tirano sem legitimidade. Khomeini prometera que seria um mês de vingança e de "torrentes de sangue". Convocava novos mártires. "Deixem que matem cinco mil, dez mil, vinte mil", declarou. "Provaremos que o sangue é mais forte que a espada." Enormes demonstrações eclodiram em todo o país. Algumas verdadeiramente assombrosas em tamanho. Toda a oposição parecia ter-se unido e o exército estava se esfacelando. O xá estava esgotando suas opções. "Um ditador pode sobreviver matando seu povo, um rei não pode agir desse modo", disse reservadamente. Mas o que deveria fazer? Para somar a todas as outras indignidades e humilhações que sofrera, havia um trote telefônico. O xá foi avisado que o senador Edward Kennedy estava ligando de Washington. Preparando-se, sem dúvida, para uma conversa com um dos mais importantes liberais americanos e defensor dos direitos humanos, o xá tomou o telefone — apenas para ouvir uma voz baixa repetindo sem parar um simples feitiço: "Mohammed, abdique. Mohammed abdique".

Um grupo de trabalho da Oil Service Company já havia começado a preparar discretamente um plano de evacuação para os mil e duzentos trabalhadores expatriados e suas famílias em The Fields. O grupo reuniu mapas, procurando pistas no deserto que poderiam ser utilizadas para aterrissagem de aviões, caso os aeroportos fossem fechados. Esse trabalho, porém, não era levado muito a sério. Foi então que, numa tarde, quando George Link, funcionário da Exxon e gerente geral da Osco estava voltando para o trabalho após o almoço, seu motorista parou e saiu do carro para abrir um portão. Nesse instante, um assaltante pulou do lado da estrada e jogou alguma coisa dentro do carro. Num ato reflexo, Link abriu a porta e pulou para fora. Em alguns momentos, o carro explodiu. Após esse incidente, o plano de evacuação foi encarado com nova seriedade.

As greves mais uma vez tomaram conta de The Fields e a produção iraniana novamente despencou. A tensão era muito grande. O assistente da gerência geral para operações da Osco era Paul Grimm, emprestado pela Texaco. Sua posição o colocava em confronto direto com os trabalhadores. Grimm, um homem grande e falante, advertiu francamente alguns operários expatriados, que estavam aderindo às greves por medo e confusão, que seriam demitidos se não voltassem ao trabalho. Ele, por sua vez, foi apontado como o homem que estava tentando furar a greve. Em meados de dezembro, dirigindo-se para o trabalho, Grimm foi atingido por um tiro disparado do carro que estava atrás do seu. Morreu instantaneamente, com uma bala na cabeça. A evacuação dos dependentes teve início imediatamente.

Por volta de 25 de dezembro, dia de Natal, as exportações de petróleo iranianas haviam cessado completamente. Esse acontecimento teria consequências fundamentais no mercado mundial de petróleo. Os preços do dia em alguns lugares da Europa subiram de 10% a 20% acima do oficial. A queda na produção de petróleo também deixou o Irã sem suprimentos para consumo interno. Longas filas se formavam em Teerã para conseguir qualquer pequena quantidade disponível de gasolina ou querosene, o combustível padrão usado para cozinhar. Os soldados mantinham a ordem atirando para o ar. Os trabalhadores das refinarias recusavam-se a fornecer qualquer derivado de petróleo para os militares, contribuindo para imobilizá-los. Finalmente, numa irônica inversão de papéis, um navio petroleiro americano foi desviado para o Irã levando o combustível desesperadamente necessário. Durante as difíceis semanas que se seguiram, o petroleiro permaneceu nas vizinhanças, às vezes ancorado longe da praia, outras vezes navegando rio acima em direção a Abadã, mas nunca conseguiu descarregar seu conteúdo por falta de condições suficientemente seguras de desembarque.

"Estou me sentindo cansado"

Ao final de dezembro, os círculos do poder concordaram relutantes que deveria se formar um governo de coalizão e o xá deixaria o Irã, ostensivamente, para tratamento médico no exterior. Mas não havia muita dúvida do que estava realmente acontecendo. A dinastia Pahlavi parecia estar acabada. Assim, praticamente, pelo menos por algum tempo, haveria produção de petróleo em The Fields. Na semana seguinte ao Natal, a Osco resolveu retirar de lá todos os seus funcionários ocidentais. Pouco informados sobre o que se passava em Teerã, nas proximidades do Trono do Pavão ou em Washington, os expatriados pensavam que sua saída era apenas temporária, uma questão de semanas ou, no máximo, de meses até que a ordem fosse restabelecida. Foi-lhes dada permissão para levar apenas duas malas. Deixaram suas casas intactas, com quase tudo no lugar, esperando a volta. Estavam enfrentando dificuldades semelhantes àquelas vividas pelos trabalhadores que haviam sido forçados por Mossadegh a deixar Abadã em 1951 — o que fazer com seus cães de estimação, já que não poderiam levá-los. Já que não sabiam por quanto tempo estariam ausentes, fizeram o mesmo que seus predecessores, levaram os cachorros para o quintal e os mataram a tiros ou golpes na cabeça.

Reuniram-se no aeroporto em Ahwaz. Seu destino final era Atenas, onde deveriam passar o tempo em passeios turísticos, esperando o aviso de que tudo se normalizara e que poderiam voltar. Mais uma vez, os herdeiros de William D'Arcy Knox e George Reynolds estavam ignominiosamente deixando o Irã. Porém, não era como o "adeus a Abadã" em 1951, não havia guarda de honra, saudações, bandas nem versos cantados da "Marcha Coronel Bogey". Ahwaz já fora um aeroporto muito movimentado, com inúmeros voos domésticos, além do fluxo constante de pequenos aviões e helicópteros, fazendo conexão entre os vários campos de produção. Mas, agora, os voos domésticos tinham acabado, a indústria petrolífera estava fechada e o céu sobre o abandonado aeroporto de Ahwaz estava vazio e silencioso, cheio de presságios.

Em 8 de janeiro, o embaixador inglês foi despedir-se do xá. A monarquia que sobrevivera a todo tipo de vicissitudes, durante quase meio século, chegava ao fim. A pompa com que foram celebrados em Persépolis os 2.500 anos da monarquia persa se fora, assim como o poder. Alexandre, o Grande, conquistou Persépolis em 330 a.C. e incendiou o palácio real; agora o aiatolá Khomeini ridicularizava o autoproclamado herdeiro de Persépolis. Como o Mágico de Oz, Mohammed Pahlavi revelou-se, afinal, um simples mortal. O espetáculo terminara.

Conversando com o embaixador, o xá estava calmo e distante. Falava sobre os acontecimentos como se não tivessem nenhuma relevância para ele pessoalmente. Isso tornou tudo ainda mais comovente para o embaixador, que, apesar de todos os seus anos de prática em controlar as próprias emoções para ser um profissional autodisciplinado, não pôde conter as lágrimas. Tentando confortá-lo desajeitadamente, o xá disse: "Não se preocupe, sei como se sente". Considerando suas circunstâncias relativas, era uma observação estranha. O xá falou sobre os conselhos contraditórios que recebia continuamente. Então, num gesto curioso, olhou para seu relógio. "Se dependesse de mim, eu iria embora — em dez minutos." O espetáculo estava mesmo acabado.

Ao meio-dia de 16 de janeiro, o xá chegou ao aeroporto de Teerã. "Estou me sentindo muito cansado e preciso de um descanso", disse ele a um pequeno grupo que se juntara, mantendo a aparência patética de que estava apenas saindo de férias. Embarcou, então, no seu avião e deixou Teerã pela última vez, levando na bagagem uma pequena caixa com solo iraniano. Sua primeira escala seria no Egito.

Com a partida do xá, toda a Teerã mergulhou em celebrações como não se viam desde seu próprio retorno triunfante em 1953. Buzinas e sirenes soavam estrepitosas, limpadores de para-brisas decorados com fotografias de Khomeini balançavam de um lado e de outro, multidões gritavam, comemoravam e dançavam nas ruas. Os jornais eram distribuídos febrilmente com a inesquecível manchete estampada em toda a primeira página: "O xá se foi". Em Teerã e em todo o país as grandes estátuas equestres de seu pai e dele próprio eram derrubadas de seus pedestais pelas multidões em delírio. A dinastia Pahlavi e sua era desmancharam-se na poeira.

E quem governaria? Um governo de coalizão havia sido deixado em Teerã, liderado por um antigo opositor do xá. Mas, em 1º de fevereiro, Khomeini voltava ao Irã num jato 747 fretado da Air France. Os lugares do avião haviam sido vendidos para jornalistas ocidentais a fim de custear o voo, o próprio Khomeini passou a viagem descansando num tapete no chão da primeira classe. Trazia com ele um segundo governo, um conselho revolucionário liderado por Mehdi Bazargan, cujas credenciais como oponente do xá eram impecáveis. De fato, em 1951, vinte e oito anos antes, Bazargan havia sido escolhido por Mohammed Mossadegh para chefiar a indústria petrolífera nacionalizada e foi ele próprio que se dirigiu imediatamente aos campos de produção com cartazes e placas onde se lia "Companhia Nacional de Petróleo Iraniana". Mais tarde, sob o regime do xá, passou um certo tempo na prisão. E agora, apesar do duradouro ódio que Khomeini devotava a Mossadegh como um nacionalista secular, Bazargan, dada a conjunção de forças políticas, era o candidato do aiatolá para liderar o novo Irã. Assim, por um curto período, dois governos rivais coexistiam em Teerã. Mas, é claro, só poderia haver um governo. Na segunda semana de fevereiro, numa base aérea nos subúrbios de Teerã deflagrou-se uma luta entre oficiais não comissionados, os *homafars*, pró-revolução, e tropas da Guarda Imperial. O apoio militar ao governo de coalizão entrou em colapso e Mehdi Bazargan assumiu. O adido americano de Defesa forneceu um lacônico sumário da situação numa mensagem a Washington: "O exército se rendeu, Khomeini venceu. Destruindo toda informação classificada".[4]

O último a sair

Nem todos os trabalhadores petroleiros haviam deixado The Fields. Uns vinte ou mais foram requisitados para ficar a fim de manter a fictícia presença legal da Osco, caso houvesse alguma discussão posterior com o governo. Entre eles estava Jeremy Gilbert, um matemático irlandês que, tendo se tornado engenheiro especializado em petróleo, foi designado pela British Petroleum para a Osco, assumindo então a função de gerente de planejamento financeiro. Depois de apenas alguns dias, esse grupo também decidiu ir embora em face da situação que se deteriorava cada vez mais. Gilbert, porém, estava no hospital, acometido repentinamente por uma hepatite grave, e não lhe foi dada permissão para embarcar no avião que levaria os outros funcionários. Durante os tumultuados dias de janeiro, permaneceu no hospital mergulhado num delírio febril. À noite, de sua cama ouvia os cânticos e o tiroteio e, no dia em que o xá partiu, os clamores da gigantesca celebração. Seu único contato com o mundo fora de Abadã, além da BBC, era um enorme arranjo de flores, cortesia da Osco.

Muito fraco e incapaz de se mover pelo pavilhão do hospital, Gilbert foi erroneamente tomado por americano pelos pacientes iranianos do hospital. Um grupo de enfermeiras passou a reunir-se sob sua janela para cantar "Morte aos Americanos". Um outro paciente, sem qualquer aviso, atacou-o a golpes de muleta, proferindo imprecações contra os americanos. A verdadeira nacionalidade de Gilbert, porém, lhe trazia um outro problema. A única saída possível do Irã era através do Iraque, mas uma força irlandesa em missão de paz estacionada no Líbano havia recentemente se envolvido num tiroteio com soldados iraquianos, assim, o visto de Gilbert para o Iraque foi negado. Para obtê-lo, ele precisou literalmente cair de joelhos diante de um agente do consulado iraquiano local e desculpar-se por todos os pecados dos irlandeses.

No final de janeiro, finalmente, sentiu-se forte o suficiente para tentar sair do país. Na poeirenta passagem da fronteira os funcionários iranianos o deixaram passar sem muito mais que um olhar. Mas os guardas iraquianos, suspeitando que fosse um espião, o detiveram, revistaram e interrogaram durante várias horas. Enquanto isso, o único meio de transporte disponível para Basra, um táxi, havia partido. Quando finalmente foi liberado, Gilbert perguntou: "Como posso chegar a Basra?"

"Ande", respondeu um dos guardas.

Não havia escolha. Cansado, fraco, carregando duas malas, ele se arrastou ao longo da estrada de terra que levava a Basra. Após umas duas horas, uma perua passou por ele e parou. O motorista concordou em levá-lo a Basra mediante um pagamento, mas deu gargalhadas quando o irlandês mostrou-lhe dinheiro iraniano. Não valia nada, argumentou o motorista. Assim, Gilbert gastou seus últimos dólares pagando a condução que o levaria ao aeroporto de Basra. Agora estava sem dinheiro. Como chegaria em qualquer outro lugar? Lembrou-se, então, de que havia acabado de receber um cartão de crédito American Express que pôs na carteira e não havia usado. Agradecendo aos céus por não ter saído de casa sem ele, conseguiu lugar num voo para Bagdá. Chegou à capital do Iraque tarde da noite e depois de várias tentativas achou um hotel. Telefonou para sua família, que ficou atônita. Pensavam que ele estivesse confortavelmente instalado no hospital em Abadã.

Gilbert não saiu do quarto do hotel por três dias. Quando se considerou bastante forte para arriscar a outra parte da viagem, tomou outro avião, de Bagdá para Londres. Chegou a Heathrow numa sexta-feira, tarde da noite, e ligou do aeroporto para o departamento pessoal da British Petroleum para contar que finalmente havia conseguido voltar. O último funcionário ocidental dos The Fields, o grande complexo petrolífero, tinha conseguido sair. Mas, o funcionário do departamento pessoal que recebeu a ligação, distraído por uma conversa sobre seus planos para o fim de semana, ouviu mal e pensou que Gilbert era uma outra pessoa telefonando para dar notícias do engenheiro desaparecido. "Jerry Gilbert", disse ele, "estamos imaginando por onde andará. Você teve contato com ele"?

Foi a última afronta. Da cabine aberta do telefone público de Heathrow, juntando o que de forças lhe restava, soltou aos gritos todas as pragas e insultos que sabia e não apenas para o atônito rapaz do departamento pessoal, mas também para toda a indústria petrolífera do mundo.[5]

Começa o pânico

No Irã, o velho regime estava acabado e o novo se instalara no poder, ainda bastante desconfortável; já havia lutas amargas a controlar. E, do Irã, como se tivesse sido sacudido por um violento terremoto, uma onda gigante espalhou-se pelo mundo, varrendo tudo. Nada nem ninguém escapou. Quando, finalmente, dois anos mais tarde tudo se acalmou, os sobreviventes olhavam em volta e se viam jogados num terreno totalmente novo. Tudo era diferente, as relações entre todos eles estavam alteradas. A onda gerou o Segundo Choque do Petróleo, elevando os preços de treze para trinta e quatro dólares o barril, desencadeando mudanças maciças não apenas na indústria petrolífera internacional, mas também, pela segunda vez em menos de uma década, na economia e na política mundiais.

O novo choque do petróleo passou por vários estágios. O primeiro prolongou-se do final de dezembro de 1978, quando cessaram as exportações de petróleo iranianos, até o outono de 1979. A perda da produção iraniana foi parcialmente compensada por aumentos em outros lugares. A Arábia Saudita expandiu sua produção além de seu teto autoimposto de 8,5 milhões de barris diários para 10,5 milhões, no final de 1978. Baixou para 10,1 milhões de barris diários no primeiro trimestre de 1979, mas isso ainda era bem superior ao "teto" de 8,5 milhões. Outros países da OPEP também aumentaram sua produção. No cômputo geral, a produção de petróleo do mundo livre, durante o crítico primeiro trimestre de 1979, foi perto de 2 milhões de barris diários abaixo da produção do último trimestre de 1978.

Houve uma queda real, o que não era surpreendente. Afinal, o Irã era o segundo maior exportador do mundo. Porém, comparada à demanda mundial de 50 milhões de barris por dia, a perda não era maior do que 4% a 5%. Como então explicar que uma diminuição de 4% a 5% no fornecimento resultou num aumento de 150% no preço? A resposta estava no pânico gerado por cinco fatores. O primeiro deles era o aparente crescimento do consumo de petróleo e o sinal que esse fato representou para o mercado. A demanda aumentara rapidamente a partir de 1976, o impacto da economia e do petróleo produzido fora dos países-membros da OPEP ainda não era claro e praticamente todos imaginavam que a demanda continuaria a crescer.

O segundo fator era o rompimento de acertos contratuais dentro da indústria petrolífera resultantes da revolução no Irã. Apesar das grandes convulsões por que passara, a indústria petrolífera do mundo permanecia integrada. As relações, no entanto, não eram mais formais, de propriedade, mas sim relações frouxas, de contratos de longo prazo. O corte iraniano atingiu de maneira desigual as companhias, na medida de sua dependência do Irã, provocando interrupções no fluxo contratual de suprimentos. Essa ruptura lançou no mercado hostes de novos compradores ansiosos, lutando para assegurar o mesmo número de barris perdidos. Todos fariam tudo que pudessem para evitar a falta de suprimento. Esse foi o verdadeiro fim da clássica indústria petrolífera integrada. Os elos entre corrente abaixo e corrente acima foram, finalmente, rompidos. O que antes constituía a periferia, o mercado à vista, tornou-se o centro. E o que era considerada uma atividade de pouca reputação, o comércio, se tornaria agora uma preocupação fundamental.

O terceiro fator eram as estratégias contraditórias e conflitantes dos governos consumidores. O sistema internacional de segurança energética, promovido por Kissinger na Conferência sobre Energia de Washington em 1974, ainda estava em desenvolvimento, com muitos pontos a serem testados. Atitudes adotadas pelos governos por razões internas eram tidas como importantes políticas internacionais, aumentando o estresse e a tensão no mercado. Enquanto os governos prometiam cooperação para estabilizar os preços, as companhias dessas mesmas nações procuravam febrilmente aumentar o preço.

Quarto, a convulsão presenteou os exportadores de petróleo com a chance de ganhar rendimentos extras, rendimentos extremamente grandes. Mais uma vez, eles podiam afirmar seu poder e influência no cenário mundial. A maioria, porém não todos, continuava a subir o preço em todas as oportunidades e alguns manipulavam os estoques para agitar o mercado e ter receitas extras.

Finalmente, havia o forte poder da emoção. Incerteza, ansiedade, confusão, medo, pessimismo — esses eram os sentimentos que alimentavam e dirigiam as ações durante o pânico. Depois dos acontecimentos, estando tudo esclarecido, quando o equilíbrio entre a oferta e a procura foi dissecado em retrospectiva, tais emoções pareciam irracionais, não faziam sentido. Apesar disso, no coração dos acontecimentos, elas eram, sem dúvida, bem reais. Todo o sistema petrolífero internacional parecia ter se desestruturado, mas não estava fora de controle. O que dava força adicional às emoções era a crença de que uma profecia havia se cumprido. A crise esperada para meados da década de 1980 chegara em 1979, a segunda fase da turbulência desencadeada em 1973-1974. Essa não era uma perturbação temporária, mas a antecipação da chegada de uma crise petrolífera mais profunda, o que significaria preços permanentemente altos. E havia ainda a questão não respondida sobre quão longe chegaria a revolução iraniana. A Revolução Francesa atravessara toda a Europa até os portões de Moscou antes de perder seu fôlego. Alcançaria a Revolução Iraniana o vizinho Kuait, chegaria a Riad, ao Cairo e mais além? Os fundamentalistas religiosos de braços com o nacionalismo fervoroso haviam tomado o Ocidente de surpresa. Apesar de incompreensível e extraordinário, uma de suas forças motrizes era óbvia: a rejeição ao Ocidente e ao mundo moderno. O reconhecimento desse fato causou um medo gelado, profundo.

Foram os compradores, aturdidos pelo desdobramento do espetáculo, temerosos de uma repetição de 1973, tomados pelo pânico, que inadvertidamente agravaram a situação de escassez, acumulando estoques — como haviam feito em 1973. A indústria petrolífera mundial mantém bilhões de barris estocados — suprimentos de reserva em condições normais de operação. Em circunstâncias ordinárias, esses estoques eram necessários para garantir a regularidade das operações que iam do campo de produção, passando pelas refinarias até o posto de gasolina, prevenindo interrupções num "sistema" de altíssimo investimento de capital. Um dado barril de petróleo poderia levar noventa dias para fazer a viagem de um poço no Golfo, através das refinarias e do mercado, até chegar ao depósito subterrâneo de um posto de gasolina. Arriscar interromper essa cadeia em qualquer ponto por falta de matéria-prima não só sairia muito caro como poderia também interferir em outros pontos do sistema. Por isso, a manutenção de estoques era fundamental no esforço constante de equilibrar a oferta e procura e manter a cadeia de operações na mais estrita normalidade. Além dessa necessidade básica, a indústria mantinha uma espécie de seguro contra eventualidades: estoques adicionais garantiam proteção contra alterações inesperadas na oferta ou na procura — um súbito aumento do consumo de petróleo devido a uma onda de frio mais forte, por exemplo, ou um atraso de duas semanas na chegada de um petroleiro devido a danos provocados por uma tempestade nos terminais de embarque no Golfo. Nessas circunstâncias, o suprimento necessário era retirado dos estoques.

É claro que manter estoques custava caro. Significava dinheiro imobilizado no petróleo estocado, na manutenção de instalações, por isso as companhias não armazenavam além do que a experiência lhes indicava. Se suspeitassem que haveria queda no preço por diminuição de consumo, imediatamente desfaziam-se do petróleo guardado para recuperá-lo mais adiante a preços menores. E, assim, a indústria comportou-se, durante a maior parte de 1978, em condições de mercado estável. Se, ao contrário, achassem que haveria escalada nos preços, as companhias investiriam mais na compra de barris de hoje a preços mais baixos para que pudessem comprar menos do petróleo mais caro de amanhã. E foi o que aconteceu, revestido de extraordinária fúria e vingança, no pânico de 1979 e 1980. Na realidade, as companhias compraram muito além do consumo previsto, não só pelo preço, mas principalmente porque não estavam certas de que conseguiriam petróleo mais tarde. Essa aquisição extra, além das reais necessidades de consumo, associadas à especulação, levou a um aumento absurdo nos preços, exatamente o que as companhias e seus clientes mais lutavam para evitar. Em resumo, o pânico de 1979-1980 viu a autossuficiência e por fim a autoderrota, profecia numa verdadeira e colossal escala. As companhias petrolíferas, porém, não foram as únicas a entrar em pânico. Mais adiante, na cadeia de consumo, usuários industriais e do serviço público também estocavam furiosamente, garantindo-se contra o aumento de preços e possível escassez. O mesmo ocorreu com o motorista. Antes de 1979, um motorista típico no mundo ocidental circulava com um quarto de tanque. De repente, preocupado com a escassez de gasolina, ele também começou a estocar, o que queria dizer que agora circulava com três quartos de tanque. Da noite para o dia, bilhões de litros de combustível foram bombeados dos reservatórios dos postos de gasolina pelos temerosos motoristas americanos.

A corrida das companhias petrolíferas para armazenar estoques, reforçada pela dos consumidores, resultou numa "demanda" extra de três milhões de barris diários, acima das necessidades reais de consumo. Acrescentando-se os dois milhões de barris diários de suprimentos que realmente deixaram de ser produzidos, chegamos a uma perda de cinco milhões de barris por dia, equivalentes a mais ou menos 10% do consumo. Em suma, as compras geradas do pânico para formar estoques mais que dobraram a escassez real, alimentando em seguida o próprio pânico. Esse foi o mecanismo que elevou o preço do barril de treze para trinta e quatro dólares.

Force majeure

Haveria chances de se controlar o pânico se a escassez tivesse sido mais bem distribuída. Mas não foi. A British Petroleum, como resultado de sua posição histórica, era muito mais dependente do Irã que qualquer outra companhia. Quarenta por cento de seu produto vinha dos poços iranianos. Foi a mais duramente atingida pela interrupção. No jargão da indústria, a BP era "crude long", isto é, seu fornecimento de óleo cru ultrapassava em muito as necessidades de suas próprias refinarias e do sistema de mercado. Por isso era um "atacadista" vendendo a maior parte de seu petróleo a "terceiros" através de contratos de longo prazo — ou para outras grandes, como a Exxon, ou para refinadores independentes, especialmente no Japão. Mas agora, com a perda do fornecimento iraniano, a BP invocou a cláusula *force majeure* (ato de Deus) de seus contratos e cortou o fornecimento a seus compradores. Cancelou completamente seu contrato de fornecimento com a Exxon ao mesmo tempo que buscava desesperadamente comprar petróleo de outros fornecedores. Nem a Shell nem a BP eram membros da Aramco, não tendo portanto acesso direto à produção árabe em crescimento. Essa era distribuída entre as quatro companhias americanas membros da Aramco.

Os dominós começaram a tombar. Outras companhias, preocupadas com o problema, privadas de petróleo diretamente pela interrupção da produção iraniana ou indiretamente pelos cortes da BP, também recorreram à *force majeure* para suspender carregamentos aos seus clientes ou cancelar contratos. Em março, a Exxon, vendo aproximar-se a data da renovação de seus contratos com os compradores japoneses em 1º de abril, tornou público que iria cancelar por etapas a maioria de seus contratos com terceiros, à medida que chegasse a época da renovação. A Exxon vinha avisando seus compradores desde 1974 para diversificar o suprimento e "não contar com a Exxon". Nas palavras de Clifton Garvin, presidente da Exxon, "o aviso estava dado. A Venezuela havia sido tirada de nós. Não tínhamos mais a concessão da Arábia Saudita. Não víamos sentido em sermos os intermediários entre os sauditas e o consumidor japonês. A decisão da Exxon não foi tomada levianamente. O mundo estava mudando". A Exxon já havia então começado a desfazer seus contratos com terceiros. Mas, no contexto da crise, a mensagem de março de 1979 assumiu um significado inesperado.

A reação em cadeia atingiu duramente o Japão. Depois da primeira crise do petróleo, os japoneses haviam consistentemente tentado garantir um nicho no Irã, e tiveram sucesso. Como resultado, tornaram-se relativamente mais dependentes do petróleo iraniano que outros países industrializados. Em 1978, o Irã fornecia quase 20% de todo o petróleo importado pelo Japão. Além disso, estava claro que agora não se poderia mais contar com as grandes companhias. Os refinadores japoneses não podiam deixar suas refinarias ociosas por falta de matéria-prima. O governo, uma vez mais, confrontava-se com a acintosa falta de recursos naturais do país. O milagre econômico japonês estava com a faca no pescoço, pelo fato de que sua base econômica assentava-se em grande parte no petróleo importado. O pânico era mais disseminado no Japão que em qualquer outro lugar. Os vinte anos de crescimento econômico, duramente conseguidos, pareciam prestes a se desmanchar. Por ordem do governo, as luzes brilhantes do bairro de Ginza foram diminuídas para economizar energia. Mais importante que isso, insistiu para que os compradores japoneses se dirigissem diretamente ao mercado mundial, o que nunca haviam feito antes. As formidáveis empresas japonesas de comércio exterior assumiram a liderança, correndo o mundo em busca de fornecedores. Era necessário, com frequência, um considerável engenho para conseguir acesso a canais de que nunca antes haviam necessitado. Uma dessas empresas descobriu que um excelente meio para ter acesso aos elementos certos nos ministérios e companhias petrolíferas estatais era dar luvas de presente às secretárias. Para cultivar as relações com o ministro iraquiano do petróleo essa empresa lhe ofereceu os serviços de um acupunturista de fama mundial.

Outros refinadores independentes de muitas nações juntaram-se às companhias tradicionais e aos japoneses na busca frenética por petróleo. O mesmo fizeram as companhias petrolíferas estatais, como a da Índia, que também era dependente do Irã. De repente, onde havia relativamente poucos compradores, agora havia muitos — uma situação excelente do ponto de vista dos vendedores, poucos ainda. Subitamente, toda a ação se concentrou no mercado à vista, que era até então uma espécie de coadjuvante, responsável por não mais que 8% do fornecimento total, incluindo o óleo cru e sub--produtos. Era um mecanismo de manutenção de equilíbrio, ao qual os compradores recorriam para conseguir petróleo mais barato, como, por exemplo, o excedente das refinarias, em vez dos suprimentos mais caros garantidos por contratos. Mas era o mercado marginal e, à medida que os compradores corriam para ele, os preços subiam e subiam. No final de fevereiro de 1979, os preços do mercado à vista eram o dobro dos oficiais. Era conhecido como o "Mercado de Roterdam," nome do enorme porto petrolífero europeu, mas, na realidade, um mercado mundial, interligado por uma rede febril de telefones e telexes.[6]

Escalada de preços e disputa pelo mercado

Era a oportunidade perfeita para os exportadores e eles reagiram de duas maneiras. Passaram a acrescentar bônus aos preços oficiais, como novas condições mensais de venda passadas por telex ao redor do mundo. Depois foram embarcando o máximo de fornecimento, o mais rápido possível, de contratos a longo prazo para os mercados a vista, muito mais lucrativos. "Eu seria louco de abrir mão de dez dólares a mais por barril no mercado à vista", disse confidencialmente um ministro-membro da OPEP, "sabendo que se não vendermos a esse preço, outro o fará". Os exportadores insistiam para que seus compradores a longo prazo levassem juntamente com o petróleo vendido a preço oficial, garantido por contrato, o petróleo mais caro, a preços de mercado à vista. Invocando também, *force majeure,* cancelaram completamente seus contratos. Certa manhã, a Shell recebeu um telex de um país exportador comunicando que, com base na *force majeure,* um fornecimento garantido por contrato não seria mais entregue. Naquela mesma tarde, a Shell recebeu outro telex, do mesmo país, informando a disponibilidade de óleo cru, com base no preço à vista. Miraculosamente, o volume disponível era exatamente o mesmo que fora cancelado, algumas horas antes. Qual era a única diferença? O preço 50% mais caro. Considerando as circunstâncias, a Shell aceitou a oferta.

Porém, no começo de março de 1979, muito antes que o esperado, o petróleo iraniano começou a voltar ao mercado mundial, embora em níveis muito menores que antes da queda do xá. Refletindo a aparente distensão do mercado, os preços à vista começaram a cair, aproximando-se dos preços oficiais. Esse seria o momento, ainda longe do desastre, no qual teria sido possível restabelecer alguma ordem. No início de março, os países-membros da International Energy Agency comprometeram-se em reduzir a demanda em 5% para ajudar a estabilizar o mercado. Mas o pânico e a competição febril do mercado haviam agora adquirido vida própria. Quem podia garantir que o Irã manteria seu novo fornecimento? Apesar de Khomeini ter afirmado estar no controle da indústria petrolífera, The Fields, no Irã, até onde o mundo exterior sabia, era controlado por um grupo de esquerda radical — um "Comitê dos 60", composto principalmente de trabalhadores militantes — que funcionava praticamente como um governo independente, mandando ao bel-prazer para a prisão administradores e outros funcionários. Além disso, outros países da OPEP começaram a anunciar ameaçadoramente a diminuição de sua produção. Com os preços em alta, seria mais interessante manter o petróleo no solo e vendê-lo mais tarde.[7]

No fim de março, a OPEP se reuniu. Os preços à vista haviam aumentado 30% e os derivados até 60%. A OPEP decidiu, então, que os países-membros poderiam acrescentar a seus preços oficiais sobretaxas e algum bônus "que julgassem necessários à luz dos fatos". O que isso queria realmente dizer, Yamani afirmou francamente, era "cada um por si". Os exportadores estavam abandonando qualquer ideia de uma estrutura de preços oficiais. Cobrariam o que o mercado suportasse. Haveria agora dois jogos no mercado mundial do petróleo. Um o da "escalada de preços", com os produtores rivalizando entre si por maiores preços. O outro da "disputa pelo mercado" — uma furiosa competição por fornecimento entre os compradores. Fregueses ansiosos — companhias que haviam perdido seus fornecimentos, refinadores, governos, uma nova espécie de comerciantes e, é claro, as companhias tradicionais — se atropelavam para cortejar os diferentes exportadores. Mas nada dessa atividade febril e perigosa serviu para produzir novos suprimentos, tudo o que fazia era intensificar a competição pelo petróleo disponível e aumentar o preço. "Ninguém controlava nada", disse o coordenador de suprimentos da Shell. "Nós só brigávamos pelo óleo. Em todos os níveis, tínhamos a sensação de que era preciso comprar agora, qualquer que fosse o preço era bom se comparado com o que custaria amanhã. Tínhamos que dizer 'sim' ou fracassaríamos. Essa era a psicologia do comprador. Por piores que fossem as condições do nosso ponto de vista, amanhã seriam ainda mais terríveis."

Apenas um exportador colocou-se claramente contra a cobrança de sobretaxas, ágios e outros mecanismos para o aumento rápido de preços — a Arábia Saudita. Tendo lutado contra outros aumentos de preço após a quadruplicação de 1973, opunha-se agora à escalada de preços temendo que as vantagens a curto prazo, por maiores que fossem, pudessem ser seguidas por grandes e talvez nocivas perdas para os exportadores. O petróleo acabaria se colocando fora do mercado competitivo como fonte de energia. Os produtores do Oriente Médio se tornariam, mais uma vez, o resíduo, para serem descartados porque não ofereciam confiabilidade como fornecedores de energia. Sua importância para o mundo industrializado e seu impacto iriam declinar.

Os sauditas emitiram o que se tornou conhecido como o "Decreto de Yamani", afirmando que a Arábia Saudita manteria os preços oficiais, sem sobretaxas. Além disso, insistiam que as quatro companhias da Aramco vendessem ao preço oficial, tanto às suas associadas quanto a terceiros. Caso a Arábia Saudita descobrisse que estavam acrescendo ágios a seus preços, o céu cairia sobre suas cabeças, correriam o risco de serem cortadas da lista de fornecimento dos sauditas, isso numa época em que todas as companhias penavam com a falta de suprimentos. A Arábia Saudita era virtualmente o único país entre os exportadores a assumir essa posição, tanto na reunião da OPEP, em março, quanto nos meses seguintes. Apesar de seu único aliado na OPEP serem os Emirados Árabes, havia muita pressão nos bastidores e a clara súplica das nações ocidentais. Um após outro, os altos funcionários dos governos percorriam a rota Washington-Bonn-Paris-Tóquio até Riad para pedir aos sauditas moderação nos preços e aplaudir qualquer atitude que tomassem naquela direção.

Porém, no segundo trimestre de 1979, os sauditas baixaram sua produção, ajustando-a ao "teto" pré-crise de 8,5 milhões de barris por dia. Apesar de sua insistência em ater-se aos preços oficiais, esse corte provocou um aumento astronômico nos preços do mercado à vista. Várias razões foram aventadas. Estariam os sauditas tentando emitir sinais conciliatórios de boa vizinhança ao novo regime islâmico do aiatolá Khomeini, abrindo espaço no mercado para o retorno da produção iraniana e evitando assim um confronto regional? Ou estariam buscando uma forma de expressar seu descontentamento pelos acordos de paz de Camp David entre Israel e Egito, assinados em 26 de março? Ou, ainda, estariam preocupados apenas com sua própria situação financeira? Os sauditas discutiam entre si a conservação de suas reservas petrolíferas e "toda a questão da produção excedente à real necessidade de receitas", principalmente numa época em que viam aumentar a importação americana de petróleo. Ou observaram a volta do fornecimento iraniano ao mercado, supondo simplesmente que a crise estava melhorando e logo cessaria? Qualquer que fosse a razão, o fato claro era que apenas a Arábia Saudita tinha agora o tipo de capacidade disponível que os americanos tiveram no passado, o que poderia, caso fosse colocada em produção, acalmar o pânico. Assim, ao mesmo tempo que os emissários ocidentais elogiavam a política de moderação de preços dos sauditas, os exortavam repetidamente a aumentar a produção com a maior urgência e enviar mais suprimentos ao mercado, o que aplacaria o pânico.

"Vivendo perigosamente"

Por uma dessas estranhas coincidências da história, várias horas após o fim da última reunião da OPEP, nas primeiras horas da manhã de 28 de março, uma bomba e, ao mesmo tempo, uma válvula falharam na usina nuclear de Three Mile Island, perto de Harrisburg, na Pensilvânia. Como resultado, centenas de milhares de litros de água radioativa foram despejados no edifício que abrigava o reator. Dias de quase pânico se passaram antes que a extensão do acidente pudesse ser avaliada. Alguns insistiam que não era um "acidente", mas simplesmente um "incidente". O que quer que fosse, o inconcebível e supostamente impossível havia acontecido numa usina nuclear; algo de muito sério deu errado.

O evento de Three Mile Island, por si, levantou grandes dúvidas sobre o futuro do desenvolvimento da energia nuclear. O mundo ocidental viu ameaçada sua convicção de que a energia nuclear poderia ser uma das principais respostas à crise petrolífera de 1973. O acidente em Three Mile Island, limitando a opção nuclear, significaria que o mundo industrializado estaria mais dependente do petróleo do que pensava? De um modo geral, o acidente contribuiu para a depressão, o pessimismo e até mesmo o fatalismo que havia se abatido sobre o mundo ocidental. "A situação que prevíamos para meados dos anos 1980, quando haveria uma verdadeira luta pelo petróleo, já está presente", disse o chefe encarregado dos assuntos energéticos da Comunidade Europeia. "Todas as alternativas são difíceis e a maioria delas muito dispendiosa", declarou David Howell, o secretário britânico de Energia. "Amigos, estamos vivendo perigosamente."

Os esforços dos governos ocidentais para mobilizar reduções de demanda, para coibir a espiral de aumentos nos preços estavam se mostrando insuficientes. Apesar disso, relutavam em recorrer ao sistema emergencial de distribuição recentemente criado pela International Energy Agency temerosos de que introduziria mais rigidez no mercado. E, de qualquer forma, não estava claro para o sistema se o momento do disparo, uma queda de 7%, havia sido realmente atingido. Os governos estavam divididos entre dois objetivos fundamentais: obter petróleo a preços relativamente baixos e garantir fornecimento seguro a qualquer preço. Houve épocas em que eram capazes de ambas as coisas. Agora, porém, esses dois objetivos eram contraditórios. Os governos falavam do primeiro. Porém, quando as pressões internas se faziam sentir, buscavam o segundo.

A prioridade máxima era manter os consumidores internos, que também eram eleitores, abastecidos. As questões de energia haviam se tornado, nas palavras de um ministro europeu, "política a muito, muito curto prazo". Os vários governos ocidentais se tornaram promotores e defensores de agressivas caçadas mundiais para aquisição de petróleo, indiretamente através das companhias ou diretamente através das negociações entre um país e outro. O resultado eram suspeitas, acusações, denúncias e ódio entre nações supostamente aliadas. Para os grandes consumidores, assim como para as companhias petrolíferas, parecia ser cada um por si. Os preços continuavam a subir.

Para o público americano, a volta das filas de gasolina, que se estendiam por quarteirões ao redor dos postos, se tornou a encarnação do pânico. O pesadelo de 1973 estava de volta. Graças à interrupção do fornecimento iraniano, havia, de fato, uma escassez de gasolina. Refinarias equipadas para processar o petróleo "light" iraniano não conseguiam produzir a mesma quantidade de gasolina com os óleos crus, mais pesados, usados como substitutos. Os estoques de gasolina da Califórnia estavam baixos e, depois dos noticiários e rumores de escassez no mercado à vista, todos os 12 milhões de veículos do Estado pareciam ter vindo aos postos de gasolina ao mesmo tempo para se abastecer. Os regulamentos de emergência por todo o país tornaram as coisas piores, proibiam que cada motorista comprasse mais que cinco dólares de gasolina por vez. O resultado foi exatamente o contrário do que se pretendia. Os motoristas tinham que voltar aos postos com muito maior frequência. Enquanto isso, o controle de preços limitou o efeito do racionamento e, na realidade, se os preços da gasolina tivessem ficado fora do controle, as filas poderiam ter se acabado bem rapidamente. Ao mesmo tempo, o sistema de distribuição do próprio governo federal congelou seus padrões de distribuição em bases históricas e negou ao mercado a flexibilidade de movimentar seus suprimentos para satisfazer a demanda. Como consequência, a gasolina, escassa nos grandes centros urbanos, sobrava na zona rural ou nas áreas turísticas, onde só o que faltava eram os turistas. Em resumo, a nação, devido ao seu próprio imobilismo político, racionava gasolina através das filas nos postos. E, para piorar as coisas, as próprias filas provocavam mais filas. Um carro normal consumia a septuagésima parte de um galão de gasolina por hora, ficando ocioso numa fila. Uma estimativa sugeria que, na primavera e no verão de 1979, os motoristas americanos desperdiçaram 150 mil barris de petróleo por dia esperando em filas para encher os tanques!

À medida que as filas se espalhavam pelo país, as companhias petrolíferas se tornaram novamente os inimigos públicos número um. As acusações corriam abundantes e rápidas: as companhias estavam ocultando o petróleo, petroleiros eram mantidos no mar para elevar os preços, a indústria estava especulando deliberadamente com o petróleo, gerando escassez para aumentar os preços. Clifton Garvin, o presidente da Exxon, decidiu "vir a público" pessoalmente, tentando refutar essas acusações. Garvin era um homem calmo e controlado, que gostava de pesar as coisas cuidadosamente. Havia se formado em engenharia química e trabalhara em todos os setores do negócio relacionado com o petróleo. Como seu pai, era um apaixonado observador de pássaros, atividade que lhe custava gozações da parte de seus companheiros. (Mais tarde, tornou-se membro da diretoria da National Audubon Society.) Dispôs-se a atender a mídia, foi entrevistado na televisão, apareceu no programa *Phil Donahue Show*, com certeza uma estreia para o principal executivo da maior companhia petrolífera do mundo. Mas parecia que toda vez que Garvin começava a explicar a questão básica dos estoques e a complexa logística do sistema, os entrevistadores, de olhos esgazeados, o interrompiam e mudavam de assunto.

Garvin não tinha dificuldades quando se tratava de interpretar os sentimentos do público. "O americano é uma pessoa engraçada", lembrou-se ele. "Adora o resultado de coisas grandes, economias de escala, produção em massa, mas odeia tudo o que é grande e poderoso, e a indústria petrolífera é considerada a maior e a mais poderosa das indústrias." Era um ódio impessoal, mas Garvin não estava disposto a correr nenhum risco. Um dia, esperando no fim de uma fila de gasolina, no posto da Exxon local, na Post Road, no coração de Greenwich, Connecticut, o dono do posto, ao reconhecê-lo, aproximou-se e convidou-o a dar a volta por trás do posto e passar à frente da fila.

"Como você vai explicar isso para todas as outras pessoas que estão esperando?", perguntou Garvin.

"Ora, vou contar-lhes quem é o senhor", respondeu o proprietário, prestativo.

"Prefiro ficar aqui mesmo", disse Garvin enfático.[8]

O petróleo e o presidente

As filas nos postos de gasolina assinalaram o começo do fim do governo de Jimmy Carter. Ele foi mais uma vítima da revolução no Irã e da convulsão do mercado do petróleo. Carter chegara a Washington dois anos antes, em 1977, com uma missão paradoxal que refletia os dois lados de sua experiência: um de oficial da marinha que se tornara plantador de amendoim e o outro de cristão recém-convertido. Era um pregador, buscando a reabilitação da América pós-Watergate com seu governo sem rebuscamento suficientemente realista. Era também o engenheiro que tentava administrar de perto as minúcias da máquina política americana e demonstrar seu comando tanto nas grandes questões como nos pequenos detalhes.

Carter parecia especialmente talhado para a liderança em meio ao pânico de 1979. Afinal, seu programa e interesses, tanto como pregador quanto engenheiro, haviam convergido para a energia e para o petróleo, fazendo deles questões internas prioritárias em seu governo. Ele agora se confrontava com a crise que previra. Mas não haveria recompensa ou crédito para o profeta, apenas culpa. Em meados de março de 1979, após dois meses de crise, Eliot Cutler, assessor-chefe da Casa Branca para Assuntos de Energia, já prevenia sobre os "dardos e flechas lançados contra nós partindo de todas as direções — de pessoas que querem se livrar da estrutura de regulamentações, de pessoas preocupadas com a inflação, de pessoas que querem um programa administrativo excitante e positivo, de pessoas que não querem ver as companhias petrolíferas enriquecer cobrando preços exagerados e, no geral, de pessoas que querem acabar conosco politicamente". Pouco depois disso, aconteceu o acidente em Three Mile Island e a nação, ansiosa, viu fotografias do engenheiro nuclear, Jimmy Carter, com botinhas amarelas de segurança, percorrendo e inspecionando pessoalmente a sala de controle da usina danificada.

Em abril, Carter pronunciou um discurso sobre a política energética que simplesmente intensificou o fogo de artilharia. Anunciou o fim do controle sobre os preços do petróleo. Isso certamente enfureceria os liberais, que atribuíam tudo quanto acontecesse de ruim às companhias petrolíferas. E juntou ao fim do controle de preços uma taxa sobre o lucro de emergência "extra" das companhias petrolíferas, o que enraiveceria também os conservadores que atribuíam a culpa pelo pânico à ação intervencionista do governo, criando excesso de controles e regulamentos.

Um grupo de trabalho especial, indicado pelo presidente, reunia-se regularmente em segredo tentando encontrar alguma solução para a escassez de gasolina. O único caminho rápido para combater a falta de petróleo no mundo e acabar com as filas de gasolina, antes que elas acabassem com o governo Carter, era conseguir que os sauditas aumentassem novamente sua produção. Em junho, o embaixador americano em Riad entregou uma carta oficial do presidente Carter juntamente com uma nota pessoal manuscrita. Ambas pediam encarecidamente aos árabes que aumentassem a produção. O embaixador também se reuniu durante horas com o príncipe Fahd, chefe do Conselho Supremo de Petróleo, buscando um compromisso para elevar a produção e tentar manter os preços. Naquele mesmo mês, Carter foi a Viena concluir a negociação do acordo para controle de armamentos Salt II com o presidente soviético Leonid Brejnev. A assinatura do Salt II, em negociação há sete anos, durante três governos, poderia ter sido celebrada como um feito memorável. Mas não naquele momento. Simplesmente não contava. Só o que importava eram as filas de gasolina e elas eram culpa de Carter.

"A pior época"

Grande parte do país estava agora sofrendo a escassez de gasolina. Uma pesquisa feita pela American Automobile Association mostrou que dos 6.286 postos de gasolina dos Estados Unidos, 58% fecharam no sábado, 23 de junho, e 70% fecharam no domingo, 24, deixando os americanos com muito pouco combustível no primeiro fim de semana do verão. Caminhoneiros independentes estavam promovendo uma dura e violenta greve, de âmbito nacional, há três semanas, para protestar contra a escassez de combustível e a escalada de preços. Uma centena de caminhoneiros promoveu uma operação tartaruga na hora de pico do movimento no Long Island Expressway, enfurecendo dezenas de milhares de motoristas. O aumento alucinado dos preços de gasolina não era o único problema. A inflação também estava atingindo níveis sem precedentes na história.

Como já acontecera antes, em épocas de escassez de fornecimento ou de pânico declarado, crescia em Washington o apoio a um enorme programa para o desenvolvimento de "combustíveis sintéticos" que deveria reduzir a dependência dos americanos ao petróleo importado. Na visão de muitos, Three Mile Island havia fechado a porta para a energia nuclear. A alternativa seria um programa para produzir vários milhões de barris diários de combustíveis sintéticos, principalmente líquidos, semelhantes ao petróleo, e gases, através de técnicas de química e engenharia. Os principais métodos seriam a hidrogenação do carbono — um processo semelhante ao usado pelos alemães durante a II Guerra Mundial — e a pulverização e aquecimento do xisto betuminoso das Montanhas Rochosas a mais de 500° centígrados. Tal programa custaria com certeza no mínimo dezenas de bilhões de dólares, levaria anos para ser implementado, traria problemas ambientais importantes e não se sabia ao certo se funcionaria na realidade, pelo menos na escala proposta. Politicamente, entretanto, o conceito parecia irresistível.

Enquanto o crescente apoio aos "combustíveis sintéticos" aumentava a pressão sobre sua já combalida administração, Carter partia para sua viagem seguinte ao exterior — Tóquio —, onde se reuniria com líderes de outros importantes países do Ocidente para uma conferência sobre economia. Temendo o impacto da escassez de petróleo na saúde da economia internacional, os sete líderes do mundo ocidental transformaram Tóquio numa reunião só sobre energia. E foi péssima. Os humores estavam fortemente abalados. "Esse é o primeiro dia da reunião econômica e um dos piores dias da minha vida diplomática", escreveu Carter em seu diário. As discussões na conferência foram duras e azedas. Até o almoço, notou Carter, "era muito amargo e desagradável". O chanceler alemão Helmut Schmidt "me insultou pessoalmente (...) Alegou que a interferência americana no Oriente Médio, tentando buscar um tratado de paz, era a causadoos problemas com o petróleo no mundo todo". Referindo-se à primeira-ministra britânica Margareth Thatcher, Carter descreveu-a como "uma senhora bastante dura, com opiniões bem formadas, vontade forte, não se pode admitir que ignore alguma coisa".

A próxima parada de Carter deveria ser um período de férias no Havaí. Mas Stuart Eizenstat, o assessor-chefe da Casa Branca para assuntos internos, temia que tirar férias a essas alturas fosse um desastre político de primeira ordem. Achou que a comitiva do presidente, fora do país por quase um mês, sentia exatamente o clima que dominava os americanos. O próprio Eizenstat, a caminho da Casa Branca, certa manhã, ao enfrentar uma fila de 45 minutos para conseguir gasolina no posto que frequentava na Connecticut Avenue, viu-se tomado pela mesma fúria quase incontrolável que afligia seus concidadãos de uma ponta a outra do país. E a fúria nacional não era dirigida apenas aos desafortunados frentistas e companhias petrolíferas, mas ao próprio governo. "Foram tempos escuros, sombrios", disse Eizenstat mais tarde. "Todos os problemas, inflação e energia, formavam um organismo único. Havia um sentimento de estar acuado e uma incapacidade de superar a situação." O presidente, preocupado com os assuntos do exterior, precisava entender o que se passava em casa.

Assim, no último dia da Conferência de Tóquio, Eizenstat despachou um memorando sombrio e depressivo para Carter sobre a escassez de combustível: "Nada frustrou, confundiu e enraiveceu tanto o povo americano — ou dirigiu com tanta ênfase o seu descontentamento à pessoa de seu presidente". Acrescentou: "Sob muitos aspectos, pareceria a pior das situações, mas creio honestamente que podemos transformá-la numa das melhores oportunidades". O exausto Carter cancelou o Havaí e ao voltar para casa, direto de Tóquio, descobriu que sua popularidade nas pesquisas de opinião havia despencado para 25%, igualada apenas a Nixon nos últimos dias de governo, antes de sua renúncia. Retirou-se para Camp David, nas montanhas de Maryland, onde, equipado com uma análise minuciosa de 107 páginas sobre a opinião nacional elaborada por Patrick Caddell, seu perito favorito em pesquisa de opinião pública, pretendia meditar sobre o futuro da nação. Deu com um diagrama sobre líderes americanos e leu um novo livro que considera o "narcisismo" o coração dos problemas americanos.

Em julho, os sauditas aumentaram sua produção de 8,5 para 9,5 milhões de barris diários. Haviam atendido às súplicas dos Estados Unidos e responderam à avaliação de seus próprios interesses quanto à segurança. O aumento da produção árabe ajudaria a diminuir a escassez durante os próximos meses, mas não era uma solução a longo prazo, nem, como os acontecimentos haviam sugerido nos dois últimos meses, algo em que fundamentar o bem-estar dos Estados Unidos e de todo o mundo ocidental. O suprimento extra também não iria de imediato esfriar o ânimo efervescente do público americano.

Carter estava obrigado a fazer alguma coisa ou a ser visto fazendo alguma coisa — algo grande, algo de positivo, algo que parecesse oferecer uma solução a longo prazo. Ele abraçou a ideia de um vasto plano para combustíveis sintéticos, essencialmente baseado no programa de cem milhões de dólares proposto por Nelson Rockefeller em 1975. Esse seria o "programa excitante e positivo", desesperadamente necessário, e seus assessores trabalharam febrilmente para transformá-lo numa proposta concreta. Algumas vozes se levantaram expressando dúvidas. O *New York Times* de 12 de julho publicou na primeira página uma reportagem sobre um novo estudo feito por um grupo de pesquisadores da Harward Business School afirmando que os Estados Unidos poderiam reduzir sua importação de petróleo mais rapidamente e com custos muito mais baixos através de um programa de economia de energia do que através de combustíveis sintéticos. Outros advertiram que o programa de combustíveis sintéticos teria consequências ambientais devastadoras. Mas, no discurso pronunciado em julho para uma nação confusa, falando sobre a "crise de confiança" americana, Carter anunciou seus planos para a produção de 2,5 milhões de barris diários de combustíveis sintéticos até 1990, principalmente a partir de carvão existo betuminoso. A ideia original era propor 5 milhões de barris diários, mas ele havia sido dissuadido disso. Apesar de a palavra não ter sido mencionada, essa fala ficou conhecida como o discurso da *malaise* de Carter.

Carter também queria fazer alterações em seu próprio ministério, em particular para forçar a renúncia de dois de seus membros, o secretário do Tesouro, Michael Blumenthal, e o secretário da Saúde, Joseph Califano. Seus assessores políticos Hamilton Jordan e Jody Powell o haviam convencido de que os dois ministros não eram fiéis. Stuart Eizenstat argumentou o contrário, disse ao presidente que havia trabalhado diariamente com ambos e que tanto um como o outro eram profundamente comprometidos com a administração. Eizenstat insistiu com o presidente como jamais o fizera antes, sobre qualquer outro assunto, para que não despedisse Califano, que contava com forte apoio político, e Blumenthal, o principal elemento do governo no combate à inflação. Mas Carter já havia tomado sua decisão. Eles teriam que sair. Mas como? Pouco antes de uma reunião ministerial, Carter comunicou a alguns de seus principais assessores que pediria a todo o ministério que se demitisse e ele, então, manteria apenas os que desejasse. Alguns dos assessores tentaram veementemente dissuadi-lo. Poderia gerar pânico. Não, insistiu o presidente, seria considerada uma atitude positiva por uma nação esgotada pela crise, o virar de uma nova e bem-vinda página.

Carter dirigiu-se imediatamente para uma tensa reunião de ministério, dominada pela sombria situação em que se achava o governo. Conforme combinado, o secretário de Estado Cyrus Vance propôs que todos os membros do ministério entregassem suas demissões para que Carter pudesse começar de novo. O presidente concordou. Poucos minutos depois, Robert Strauss, o negociador da paz no Oriente Médio, entrou na sala e, sem saber o que tinha acabado de acontecer, nem por que o ambiente estava tão sombrio, disse, brincando, que deveriam todos se demitir. Sua observação caiu no mais profundo silêncio. Finalmente, um dos outros secretários inclinou-se e sussurrou "Bob, cale a boca". Eles haviam mesmo acabado de se demitir.

No total, cinco pessoas deixaram o ministério, alguns foram demitidos, outros se demitiram. O objetivo era enfatizar a capacidade de liderança do presidente. O efeito foi bem o oposto. A notícia repentina das mudanças provocou abalos de incerteza por todo o país e o mundo ocidental. Naquele dia, durante o almoço, o editor nacional do *Washington Post* resmungou sombrio que o governo dos Estados Unidos havia entrado em colapso.[9]

A dialética do gato e do rato

Os preços do mercado à vista baixaram ligeiramente no verão de 1979, mas só um pouco. Alguns países da OPEP continuaram a reduzir sua produção. O Iraque anunciou que estenderia seu embargo ao Egito — o campeão do nacionalismo árabe e do petróleo como arma em 1973 — para punir Anuar Sadat pelo pecado de ter assinado os acordos de paz de Camp David com Israel em 1978. A Nigéria, fazendo o uso mais dramático do "petróleo como arma" desde 1973, nacionalizou as extensas "*holdings* da British Petroleum em seu território", em retaliação às alegadas vendas indiretas da companhia para a África do Sul e, logo depois, leiloou seus suprimentos recém-nacionalizados a preços mais altos.

Enquanto isso, os compradores continuavam sua busca por petróleo, acumulando estoques e enchendo seus tanques de estocagem até a boca diante da incerteza e medo do futuro. Supunha-se que a demanda continuaria a crescer. Foi um erro de cálculo fatal. Na realidade, já havia começado a cair refletindo os primeiros efeitos da diminuição nos gastos, assim como uma calma na economia, mas, no início, essa queda era quase imperceptível. As compras continuavam frenéticas. Um dos coordenadores de suprimentos da Shell observou: "Cada negociação com um governo produtor tornou-se um exercício duro de roer: havia um ideia dominante tanto na mente dos presidentes das companhias como na dos negociadores — agarrar-se ao petróleo garantido por contrato e limitar as necessidades de aquisições no mercado à vista. Os produtores, é claro, percebiam isso, o que ocasionava uma dialética de gato e rato (...) Tanto os termos dos contratos quanto os preços a serem pagos continuavam cada vez piores".

Como na maioria das situações de pânico, a informação — ou melhor, a falta dela — era a chave. Se houvesse disponibilidade de dados atualizados, confiáveis e amplamente aceitos, as companhias teriam reconhecido logo que estavam aumentando seus estoques a um nível desnecessariamente alto e que a demanda subjacente estava recuando. Não havia muitas estatísticas e nem se dava atenção aos poucos indicadores que existiam. Assim, o acúmulo de estoques continuou inabalado, bem como o aumento de preços.

Os aumentos não eram de modo algum limitados apenas aos países da OPEP. A recém-constituída companhia petrolífera inglesa, BNOC, aumentava os preços de seu procurado e seguro óleo cru do mar do Norte e, por vezes, estava até liderando o mercado. "Se a BNOC e, por implicação, o governo inglês estavam se comportando como a OPEP, quem poderia esperar que a OPEP fosse pôr um fim na espiral do preço do petróleo?", perguntava um observador do mercado petrolífero. Com exceção da Arábia Saudita, os outros países da OPEP não perdiam tempo em equiparar seus preços. O mercado ainda era mais convulsionado por negociantes, para quem a volatilidade, o desarranjo e a confusão faziam da situação uma ocasião de grande prosperidade. Alguns eram de empresas já estabelecidas no mercado de *commodities*, outros haviam entrado no mercado depois de 1973 e outros ainda, oportunistas de última hora, que entraram na briga tendo como único capital o necessário para instalar um telefone e um telex. Pareciam estar em todos os lugares, envolvidos em todas as transações, competindo com as companhias tradicionais pela propriedade, enquanto as cargas ainda em alto-mar eram vendidas e revendidas — o mesmo carregamento, 56 vezes. O único interesse desses negociantes era uma venda rápida. Somas fantásticas estavam em jogo. Um único carregamento num super petroleiro poderia valer 50 milhões de dólares.

A razão de ser desses negociantes era a falência dos sistemas integrados das grandes companhias. Nos velhos tempos, o petróleo se mantinha dentro dos canais integrados de uma companhia ou era negociado entre as companhias. Agora companhias petrolíferas estatais eram responsáveis por parcelas cada vez maiores da produção total e como não tinham seus próprios canais de repasse o vendiam para um amplo espectro de compradores: as grandes companhias, refinadores independentes e negociantes. Esses negociantes lucravam mais quando podiam tirar vantagem da enorme diferença entre os baixos preços do mercado de contratos a longo prazo e os preços mais altos, mais voláteis, do mercado à vista. "O negociante poderia colocar-se numa posição soberba", observou um alto executivo de uma importante companhia. "Tudo o que ele tinha a fazer era arranjar algum tipo de contrato a longo prazo." Podia então virar-se e vender seu petróleo 8 dólares mais caro por barril no mercado à vista, fazendo uma enorme fortuna num único carregamento. E como conseguiria esse negociante um contrato de longo prazo fantasticamente lucrativo? "O que tinha a fazer para arranjar o contrato era pagar uma comissão ridícula a pessoas certas. Às vezes essas propinas eram dispensadas." Em comparação com o que o negociador ganharia, isso era pouco mais que nada.

Assim, no verão e começo do outono de 1979, o mercado petrolífero estava num tal estado de anarquia que os efeitos globais ultrapassavam em muito os do início dos anos 1930, quando Dad Joiner fez suas descobertas no leste do Texas, ou os dos primeiros dias da indústria no oeste da Pensilvânia. Enquanto os bolsos dos produtores e negociantes se enchiam de dinheiro, os consumidores eram obrigados a mergulhar cada vez mais fundo em seus próprios bolsos para pagar o preço do pânico. Para muitos dos exultantes exportadores, era uma outra grande vitória do poder do petróleo. Não havia limite, pensavam eles, na capacidade de absorção do mercado e no que eles ganhariam. Alguns começaram a pensar, no Ocidente, que estava em jogo não só o preço da mais importante mercadoria do mundo ou o crescimento econômico e a integridade da economia, mas talvez até a ordem internacional e a sociedade como se conhece.

"A crise mundial"

Entre os que deixaram o ministério de Jimmy Carter naquele verão de 1979 estava James Schlesinger. Deprimido com o desenrolar da situação dos mercados de petróleo e da política internacional — e pela posição dos Estados Unidos —, Schlesinger decidiu expressar seus sentimentos num discurso de despedida em Washington, como havia feito quatro anos antes, quando Gerald Ford exigira sua renúncia como secretário de Defesa. O discurso parecia bastante sombrio, mesmo para o próprio Schlesinger, que pretendia fazer dele uma exortação e uma advertência. Começava invocando em seu texto, *The World Crisis*, a história da I Guerra Mundial escrita por Winston Churchill. Foi nessas páginas que Churchill registrou seus esforços para converter a marinha inglesa do carvão para o petróleo, apesar do risco que significaria a dependência do petróleo do Irã. Agora, sessenta anos depois, estranha e misteriosamente o risco se tornava realidade.

"Enfrentamos hoje uma crise mundial de dimensões muito maiores que a descrita por Churchill há meio século — agora agravada por problemas de petróleo", disse

Schlesinger. "Há poucas perspectivas de alívio, caso haja alguma. Qualquer interrupção importante — causada por decisões e instabilidade políticas, atos terroristas ou problemas técnicos — acarretaria graves problemas... O futuro quanto à energia é sombrio e tende a tornar-se ainda pior na próxima década." Mas, como Schlesinger diria mais tarde a seu próprio respeito, "não sou um filósofo", e naquelas circunstâncias nada mais havia a fazer. Com aquele discurso cheio de predições, e também com um certo alívio, despediu-se da vida pública. Pouquíssimo tempo depois, o pessimismo refletido em suas observações e as negras preocupações quanto à crescente vulnerabilidade ocidental — o que se chamava agora de declínio do Ocidente — assumiriam um significado ainda mais bizarro e devastador.[10]

CAPÍTULO XXXIV

"Estamos afundando"

POUCO DEPOIS DAS TRÊS DA MADRUGADA de 4 de novembro de 1979, Elizabeth Ann Swift, funcionária da embaixada dos Estados Unidos em Teerã, entrou em contacto telefônico com o Centro de Operações, o centro nervoso das comunicações, no sétimo andar do Departamento de Estado em Washington, D.C. Suas palavras sacudiram os plantonistas do outro lado da linha, tirando-os de um silêncio sonolento. A manhã já ia alta em Teerã, e Swift relatava que uma enorme multidão de jovens iranianos havia invadido os jardins da embaixada, cercado o prédio da chancelaria e forçava a entrada de outros edifícios. Hora e meia depois, Swift voltava ao telefone contando que os atacantes haviam incendiado parte da embaixada. Outra meia hora e o relato agora dava conta que alguns invasores ameaçavam matar dois americanos desarmados. Do lado de fora da sala, a mesa e o sofá que bloqueavam a porta foram postos abaixo e os iranianos irromperam no escritório enquanto funcionários da embaixada continuavam desesperadamente tentando contacto telefônico com alguma autoridade do governo iraniano. Os americanos estavam agora sendo amarrados, Swift prosseguia num tom profissional, quase informal, a chocar seus ouvintes do outro lado da linha. "Estamos afundando" foram suas últimas palavras, antes que um dos jovens iranianos, com uma foto de Khomeini pregada ao peito, lhe tomasse o telefone das mãos. Swift, com os outros americanos, todos de olhos vendados, foram conduzidos ao cativeiro. A ligação telefônica continuou no ar por muito tempo mas não havia ninguém do outro lado — depois caiu.

Perto de 63 americanos — o mínimo necessário que havia permanecido na embaixada após as sucessivas evacuações dos quatrocentos funcionários do tempo do xá — haviam sido tomados como reféns por um enorme, ruidoso e violento bando de fanáticos que seriam a partir daí conhecidos no mundo como "estudantes". Alguns americanos logo foram libertados, deixando um total de cinquenta no cativeiro. A crise dos reféns iranianos começara e o segundo choque do petróleo entrava em nova fase com um conjunto de personagens geopolíticos ainda mais tenebrosos.

A raiva específica dos sequestradores tinha como alvo o xá Mohammed Pahlavi e suas relações com os Estados Unidos. Seu pai, xá Reza, havia encontrado exílio na África do Sul. O filho, no entanto, ao procurar exílio tornou-se uma versão moderna do Holandês Voador. Não encontrava refúgio em ponto algum e parecia condenado a vagar para sempre. Foi do Egito, ao Marrocos, às Bahamas, ao México. Ninguém lhe dava permissão para ficar, era um rejeitado, um pária, um personagem que contava muito pouco com a simpatia do mundo e virtualmente nenhum governo queria arriscar a ira do imprevisível novo Irã. Todo o cortejar de poucos anos atrás, toda a bajulação, a disputa pelas boas graças, os primeiros-ministros respeitosos, os suplicantes secretários de Estado de nações industrializadas, as gentilezas e rapapés dos poderosos de todo o mundo — era como se nada houvesse acontecido. Para tornar pior as coisas — o câncer e doenças correlatas devastavam a saúde do xá. É extraordinário que, apenas no final de setembro de 1979, quase oito meses após sua saída forçada do Irã, os altos escalões do governo americano tomaram conhecimento da grave doença do xá e apenas em 18 de outubro descobriram que era câncer. Carter se recusava terminantemente a permitir a entrada do xá nos Estados Unidos para tratamento médico. Finalmente, após meses de controvérsias e acusações nos mais altos escalões de seu governo, de uma vigorosa campanha promovida por Henry Kissinger, David Rockefeller, John McCloy e outros, o xá foi recebido. Chegou a Nova York em 23 de outubro e apesar de ter sido registrado no New York Hospital, Centro Médico de Cornell, sob o pseudônimo de David Newson, nome verdadeiro do subsecretário de Estado, sua presença, para seu constrangimento, foi imediatamente reconhecida e amplamente divulgada.

Poucos dias depois, enquanto o xá se submetia a tratamento em Nova York, o assessor de Carter para assuntos de segurança, Zbigniew Brzezinski foi assistir ao 25º aniversário da revolução argelina em Argel. Lá encontrou o novo primeiro-ministro do Irã, Mehdi Bazargan, acompanhado de todo o seu ministério. O tema da discussão foi como os Estados Unidos poderiam se relacionar com o novo Irã. Brzezinski afirmou-lhes que seu país não promoveria nem apoiaria qualquer conspiração contra o Irã. Bazargan e seus ministros protestaram contra o ingresso do xá nos Estados Unidos. Insistiam para que médicos iranianos pudessem examiná-la e confirmar sua doença, eliminando a possibilidade de que tudo não passasse de farsa para encobrir uma conspiração.

As notícias sobre o encontro em Argel, mais as informações sobre a chegada do xá nos Estados Unidos, alarmaram os rivais teocráticos e mais radicais de Bazargan, assim como os jovens militantes fundamentalistas. O xá era inimigo e arquivilão. Sua presença nos Estados Unidos reavivou as lembranças de 1953, da queda de Mossadega, da fuga do xá para Roma e seu retorno triunfal ao trono, semeando o medo de que os Estados Unidos estavam prontos a promover um novo golpe e restaurar o governo real. Afinal, o Grande Satã — os Estados Unidos — era capaz de promover as piores vilanias. E lá estava Bazargan, de prosa com Zbigniew Brzezinski — um dos principais agentes do Grande Satã, apenas dez dias após a chegada do xá a Nova York. Por quê?

"Morte à América"

Encontrou-se assim o momento e o pretexto para a invasão da embaixada. É possível que a intenção inicial tenha sido apenas uma concentração ao redor do prédio, mas logo virou uma ocupação e um rapto em massa, assim como um circo bizarro com ambulantes na frente da embaixada vendendo fitas cassete com textos revolucionários, calçados, camisetas, chapéus e beterraba cozida. Os ocupantes passaram até a responder ao telefone da embaixada: "ninho de espiões". Parecia que o aiatolá Khomeini e seus assessores imediatos tinham algum conhecimento do plano de assalto e o encorajaram. Ficou bastante claro que tiraram vantagem do evento, usando-o para seus próprios fins. Usariam a incipiente crise para descartar-se de Bazargan e todos os outros que tivessem ligações com o Ocidente ou com a vida secular para consolidar seu próprio poder, eliminar seus oponentes, incluindo o que Khomeini chamava "as mentes podres admiradoras dos americanos", substituindo-as por elementos do regime teocrático. Até que tudo isso fosse feito, a crise dos reféns se arrastaria por quase quinze meses — 444 dias para ser preciso. Todos os dias os americanos liam sobre "os americanos no cativeiro". Todas as noites, os americanos eram submetidos ao espetáculo televisionado dos "americanos reféns", incluindo o coro repetitivo dos fanáticos cantando "Morte à América". Ironicamente, foi com seus programas de fim de noite sobre a crise dos reféns, que a cadeia de televisão ABC finalmente encontrou um jeito de conquistar a audiência de Johnny Carson, entrevistador do *Tonight Show*.

A crise dos reféns transmitia uma mensagem poderosa: a mudança de poder no mercado de petróleo nos anos 1970 era apenas parte de um drama muito maior que estava acontecendo na política mundial. Parecia dizer que os Estados Unidos e o Ocidente estavam realmente em declínio, na defensiva e incapazes de fazer qualquer coisa para proteger seus interesses políticos ou econômicos. Carter colocou as coisas de forma clara e sucinta dois dias após a captura dos reféns: "Nos pegaram pelo saco". O Irã não era o único palco de conflitos. Os impotentes americanos estavam na linha de ataque de vários oponentes no Oriente Médio que os queriam fora da área. No final de novembro de 1979, poucas semanas após a captura dos reféns, uns setecentos fundamentalistas armados, encarniçadamente contrários ao governo Saudita e suas ligações com o Ocidente, tomaram a Grande Mesquita em Meca, no que se supunha ser a primeira etapa de uma rebelião. Foram desalojados com muita dificuldade. A grande rebelião nunca aconteceu mas o ataque provocou ondas de choque em todo o mundo islâmico. No início de dezembro houve um protesto *xiita* em Al-Hasa, coração da região petrolífera, a leste da Arábia Saudita. Outro choque, maior e mais dramático aconteceu algumas semanas mais tarde, no final de dezembro. A União Soviética invadiu o Afeganistão, vizinho do Irã a oeste, afetando tanto os estados do Golfo quanto o Oriente. Na visão de muitos observadores políticos, a Rússia ainda estava determinada a satisfazer suas ambições de século e meio, indo em direção ao Golfo aproveitando-se da incapacidade do Ocidente para se posicionar, capturando tudo o que pudesse no

Oriente Médio. O russo também estava ficando cada vez mais audacioso: foi a primeira incursão em larga escala das forças militares soviéticas fora do bloco comunista desde a II Guerra Mundial.

Em janeiro de 1980, o presidente Carter reagiu anunciando o que se tornou público como a Doutrina Carter: "Queremos deixar nossa posição absolutamente clara. Qualquer tentativa de assumir o controle da região do Golfo Pérsico por parte de forças estrangeiras será considerada como um ataque aos interesses vitais dos Estados Unidos e como tal será repelido por quaisquer meios que se façam necessários, incluindo forças militares". A doutrina Carter explicitou o que os presidentes americanos vinham afirmando desde a promessa de Harry Truman a Ibn Saud em 1950. Com repercussão histórica ainda maior, a doutrina tinha semelhanças extraordinárias com a Declaração de Lansdowne de 1903 pela qual o então secretário das Relações Exteriores inglês advertiu a Rússia e a Alemanha de que deveriam afastar-se do Golfo Pérsico.

Carter havia granjeado grande respeito no mundo do petróleo em 1977, seu ano de estreia na presidência, como o homem que havia forçado o xá a curvar-se, renunciando a sua linha de obter maiores preços. Carter fôra o mágico que havia domado o xá, transformando a águia dos preços em pomba complacente. Havia estruturado os acordos de Camp David entre Israel e Egito. Agora, porém, todos esses feitos pareciam sobrepujados. O xá era um pária, a revolução iraniana havia detonado o pânico do petróleo em 1979 e Carter continuava amaldiçoado pelos acontecimentos no Irã, com o próprio Carter feito refém político por uma gangue de militantes "estudantis" em Teerã.

Após o sequestro dos reféns, o xá agonizante e toda a sua comitiva, pedindo desculpas, deixaram os Estados Unidos rapidamente, passando os últimos momentos antes da partida no patético isolamento de um pavilhão psiquiátrico, com janelas gradeadas e tudo mais numa Base Aérea Americana. Foram para o Panamá e de lá voltaram ao Egito onde o soberano moribundo faleceu, em julho de 1980, ano e meio após sua fuga de Teerã. Ninguém se importou muito. Àquela altura, Mohammed Pahlavi, filho de um oficial da Brigada Cossaca, se tornara irrelevante para o desenrolar da crise dos reféns, para o pânico no mercado de petróleo e para o jogo internacional das nações no qual tivera, um dia, papel tão importante.[1]

Logo após a captura dos reféns, Carter reagiu embargando as importações de petróleo iraniano para os Estados Unidos e congelando os bens iranianos. Os iranianos contra-atacaram proibindo a exportação de petróleo iraniano para qualquer companhia americana. O cancelamento das importações e o bloqueio de bens eram na realidade os únicos recursos que Carter tinha à mão. O bloqueio de bens afetava o Irã, o cancelamento das importações de petróleo, não. Mas tomam necessária uma redistribuição do produto pelo mundo, complicando ainda mais a situação dos canais de distribuição, despejando no mercado à vista mais compradores ansiosos que contribuíam para elevar o preço a novos recordes. Alguns carregamentos foram vendidos por 45 dólares o barril. Cinquenta dólares o barril era a cotação do petróleo iraniano oferecido a preocupadas *tradings* japonesas. A redistribuição ampliou a ansiedade e o nervosismo geral que havia tomado o mercado depois do episódio dos reféns, contribuindo para agravar os intermináveis ciclos do pânico de compra e aumento de preços. Um executivo de uma das grandes companhias observou secamente, quatro dias após a captura dos reféns: "Nesse ambiente as companhias precisam manter estoques maiores do que o considerado normal". Os estoques acumulados eram, em linguagem industrial, "suprimentos de garantia", em outras palavras, seguro.

A crise dos reféns teve ramificações ainda mais amplas. Serviu para demonstrar a aparente fraqueza, a nudez mesmo, dos países consumidores — especialmente dos Estados Unidos cujo poderio era a base da ordem política e econômica do pós-guerra. Parecia confirmar que a hegemonia do mundo realmente estava nas mãos dos exportadores de petróleo. Pelo menos era o que parecia mas havia forças em ação no mercado de petróleo ainda mais poderosas que os governos. Era a vez dos exportadores fazerem erros de cálculo fatais.

O bazar

Os crescentes preços do petróleo haviam se tornado objeto de atenção constante por parte de presidentes e primeiros-ministros. Eram também causa de profunda consternação para os líderes da Arábia Saudita. Mais uma vez, eles estavam alarmados tanto pela própria perda de controle sobre o mercado quanto pelo fato de que tal controle parecia ter passado às mãos de rivais militantes e inconsequentes, como a Líbia e o Irã. Consideravam que a alucinada escalada de preços ameaçava a economia mundial com recessão, depressão, até ruína e em consequência ameaçava seu próprio bem-estar. Já se iam longe os dias em que o futuro econômico da Arábia Saudita era determinado pelo número de peregrinos que vinham a Meca. Agora o que importava para Riad eram as "taxas" — taxa internacional de juros, taxa de câmbio, taxa de inflação, taxa de crescimento. Os sauditas temiam ainda que sua posição fosse prejudicada de outra forma: o aumento de preços iria minar a confiança dos consumidores no petróleo estimulando assim, a longo prazo, a concorrência ao petróleo da OPEP, bem como o desenvolvimento, em larga escala, de combustíveis alternativos. Isso seria especialmente ameaçador para um país com reservas de petróleo imensas, cuja duração se estenderia, e muito, pelo século XXI.

Os sauditas reagiram ao problema usando de recursos em que eram especialistas. Yamani, mais que qualquer líder ocidental, se tornou o paladino da necessidade de economia de consumo para diminuir a escalada de preços. Tentaram segurar seus próprios preços oficiais mesmo que isso implicasse perder dinheiro, pelo menos comparando-os aos preços praticados por outros exportadores. Procuravam contrabalançar a alta dos preços com o aumento de sua produção. Seu objetivo era claro: usar o peso crescente do excesso de suprimento para forçar a queda dos preços. Os efeitos não se fizeram sentir rapidamente. "Estamos perdendo controle sobre tudo", queixava-se Yamani em meados de outubro de 1979, após mais um aumento de preços dos líbios e iranianos.

"Estamos muito descontentes, não gostamos de ver as coisas se passarem assim." Então, em poucas semanas, começou a crise dos reféns. Num mercado ainda mais agitado e desequilibrado os preços atingiam e quebravam recordes um atrás do outto, apesar das medidas sauditas. Seria possível algum tipo de estabilização? As atenções se voltavam para a 55ª reunião da OPEP, no final de dezembro de 1979, em Caracas.

Quando Juan Pablo Pérez Alfonzo se tornou ministro do Petróleo da Venezuela pela primeira vez nos anos 1940, a encosta ao sul de Caracas era uma plantação de cana. Agora ali se espalhava o Tamanaco, um luxuoso hotel internacional com alas mais antigas e anexos recentes, uma enorme piscina ao ar livre que faziam dele um monumento ao crescimento da indústria petrolífera venezuelana. Era o lugar para se hospedar quando se ia a Caracas negociar petróleo e foi lá que os ministros da OPEP se reuniram. Seu trabalho era tentar reunificar a estrutura de preços da OPEP, em estado caótico. O preço oficial da Arábia Saudita era 18 dólares o barril, outros preços oficiais podiam chegar a 28 dólares, no mercado à vista o preço variava entre quarenta e cinquenta dólares. Antes da reunião, os sauditas anunciaram que subiriam seu preço de 6 para 24 dólares, com a ideia de que os outros baixassem seus preços e se estabelecesse um alinhamento. Não funcionou, os iranianos imediatamente aumentaram em cinco dólares seu barril. Mais uma vez, como vinha acontecendo desde a década de 1950, a fenda mais profunda era entre a Arábia Saudita e o Irã.

Na maior parte do ano, os sauditas tinham consistentemente produzido petróleo extra para combater os aumentos de preço. Em 1979, a produção da OPEP estava de volta aos 31 milhões de barris diários, o que, mesmo computando a interrupção da produção iraniana, era três milhões de barris por dia maior que a média de 1978. Para onde ia a produção extra? Com certeza não para o consumo, pensava Yamani, mas para os estoques de companhias temerosas com a perspectiva de futuras interrupções no fornecimento. Em algum momento esse petróleo extra transbordará dos estoques para o mercado e os preços cairão. "Decisões políticas não podem negar permanentemente as leis divinas da oferta e da procura", Yamani explicaria mais tarde. "Os preços sobem, a demanda cai, é simples, é ABC."

Ao chegar a Tamanaco, Yamani instalou-se na suíte presidencial do último andar, reservada pelo ministro do Petróleo da Venezuela a seu pedido e começou a fazer campanha em favor de seus pontos de vista. Os ministros do Petróleo se reuniam reservadamente na suíte saudita numa verdadeira maratona. Yamani os advertia do perigo como o via: fazia-os ver que estavam prejudicando seus próprios interesses, mostrando que a demanda já dava sinais de enfraquecimento e que a corrida de preços causaria "uma catástrofe para a economia internacional". Uns poucos dentre os outros ministros concordaram com ele, a maioria não. Quando Yamani dizia que a demanda pelo petróleo da OPEP cairia dramaticamente, que teriam que diminuir a produção para proteger os preços e chegaria a um ponto que os preços cairiam de qualquer jeito, eles zombavam. Um dos ministros disse que Yamani estava brincando, outro achou que ele, evidentemente, andava consumindo drogas. Durante onze horas seguidas, os ministros iam e vinham discutindo na suíte de Yamani, mas não chegaram a nenhum acordo. Não havia, na realidade, qualquer preço oficial. A OPEP e o mercado de petróleo, disse Yamani desistindo, havia se tornado um bazar. Tinha ainda uma advertência para os outros produtores e uma promessa aos consumidores. "Haverá uma saturação no mercado. Está chegando." Os preços cairiam.

Os outros exportadores, entretanto, ignoraram a advertência, acreditavam em sua própria retórica. "Em nome de Deus Todo-Poderoso, não haverá excesso de produção e os preços não cairão", entoava o ministro iraniano. A maioria dos exportadores acreditava que a demanda era tão inflexível que poderiam exigir dos consumidores o preço que bem entendessem. Sua autoconfiança ficou demonstrada logo após a reunião, quando a Líbia, Argélia e Nigéria promoveram imediatamente mais um aumento de preços. No que foram logo seguidos pelos outros.

Caracas, naqueles últimos dias do tumultuado ano de 1979, foi o momento que os exportadores perderam contato com a realidade do mercado. A demanda estava realmente se enfraquecendo, novas fontes de fornecimento estavam sendo desenvolvidas, o pânico de compra estava diminuindo, os estoques se acumulavam e os preços começaram a cair no mercado à vista. E os sauditas continuavam firmes na sua produção. Outros produtores, entretanto, continuavam aumentando seus preços enquanto alguns diminuíam a produção, o que ajudava a sustentar os preços. Havia um boato sobre uma "minissaturação" mas foi mais que abafado pelo que se tornou conhecido como o novo "minipânico". Diante da crise dos reféns, Washington buscava promover um embargo geral e declarava sanções contra o Irã, em cooperação com a Europa Ocidental e o Japão, tentativa essa que acentuou o nervosismo do mercado.[2]

Foi assim que, em abril de 1980, frustrado ao extremo pelo impasse sobre a situação dos reféns, o governo Carter montou uma operação militar de resgate no Irã. Oito helicópteros levantaram voo do porta-aviões *Nimitz* em direção a um ponto isolado e deserto no Irã, codinominado Desert One. Lá, protegidos pela noite, encontrariam seis aviões C-130. Esses enormes aviões de transporte reabasteceriam os helicópteros e levariam tropas de choque que passariam para os helicópteros e assim chegariam a Teerã. Sua missão era recapturar a embaixada, libertar os reféns, levá-los para um aeroporto próximo a Teerã que deveria então já estar sob o controle de outros elementos da força aérea americana.

Não demorou nada para dar tudo errado. Um dos helicópteros caiu em ação, a caminho, por problema de navegação e outro por problemas mecânicos. Então, no meio da noite, três veículos iranianos, incluindo um ônibus com 44 passageiros cruzaram com as naves americanas, passando perto delas o suficiente para poder observá-las. Dos helicópteros restantes, um perdeu-se em meio a uma tempestade de areia e colidiu com um C-130 explodindo em chamas, matando vários soldados americanos. Restavam apenas cinco helicópteros disponíveis, a missão requeria um mínimo de seis. Foi abortada por ordem direta do presidente Carter. O fracasso tornou-se público imediatamente e estampado na mídia do mundo todo. Os iranianos não perderam tempo em dispersar os reféns por todo o Irã, caso os Estados Unidos tentassem novamente. O fato em si da missão de resgate dos reféns e seu fracasso monumental aumentaram bastante a tensão no mercado. Além disso, a produção iraniana caíra novamente o que, juntando-se aos outros fatos, colocaram novamente o mercado num pânico de compra. As companhias continuavam concentradas em sua vulnerabilidade, na possibilidade de novos problemas e continuavam a acumular estoques como "segurança".

As perspectivas eram sombrias. A "minissaturação", conforme a visão de consenso do mercado, estaria terminada ao final da primavera de 1981. O Comitê de Estratégias a Longo Prazo da OPEP apresentou seu plano prevendo um aumento anual de 10% a 15% no preço do petróleo aplicados sobre os preços correntes, o que significava pagar sessenta dólares o barril em cinco anos. Nas sombrias condições do momento parecia muito pouco provável que não conseguissem seu intento. O diretor da CIA, depondo para uma comissão do Senado cinco dias após a desastrosa tentativa de resgate dos reféns, disse: "Politicamente a questão principal é quão desonesta poderá se tornar a luta pelo fornecimento de petróleo". O clima sombrio da época estava sintetizado no título de um artigo da revista *Foreign Affairs* no verão de 1980: "O Petróleo e o Declínio do Ocidente".

A OPEP reuniu-se novamente em Argel, em junho de 1980. Os sauditas, agora com o reforço dos kuaitianos, tentaram novamente acabar com o bazar do mercado de petróleo e estabilizar os preços — e novamente sem sucesso. O preço médio era de 32 dólares o barril, quase três vezes o que havia sido um ano e meio antes. Foi numa reunião em que Yamani, sentado no bar do hotel, cuidadosamente evitado por vários outros delegados e ainda pensando nas "leis divinas da oferta e da procura", confiou seus sentimentos para um amigo: "Eles são muito gananciosos, muito gananciosos", disse, "vão pagar por isso".

De fato, o mercado do petróleo estava novamente sucumbindo aos perigos que Yamani previra e, a julgar pelas tendências do mercado durante o verão de 1980, sua profecia em Argel parecia estar se tornando realidade rapidamente. Os estoques eram abundantes; uma forte recessão econômica se prenunciava; nos países consumidores tanto os preços quanto a demanda estavam caindo; e o excesso de estoque continuava a crescer. As companhias estavam começando a estocar petróleo em superpetroleiros por mais que isso custasse caro, para não vendê-lo com prejuízo no mercado. Agora era a vez dos compradores evitarem os contratos. A demanda pelo petróleo da OPEP diminuía cada vez mais. De fato, em meados de setembro, alguns países da OPEP combinaram diminuir voluntariamente a produção em 10% numa tentativa de manter os preços.

Aproximava-se o vigésimo aniversário da OPEP. Em duas décadas, a organização saíra do nada para tornar-se um colosso na economia internacional, e uma grande comemoração estava sendo planejada para a reunião dos países-membros em novembro. Um comitê especial trabalhava antecipadamente nas estratégias a longo prazo. Uma história oficial havia sido encomendada e também um filme e 1.500 jornalistas seriam convidados para o grande evento a ser realizado em Bagdá onde a OPEP havia sido fundada em 1960. Na manhã de 22 de setembro de 1980, ministros do petróleo, das finanças e das relações exteriores dos países-membros, autoconfiantes, se reuniam no Palácio de Habsburgo em Viena para continuar o planejamento das celebrações em Bagdá. Poucos minutos após o início, a reunião tornou-se um caos, explodindo em confusão, brigas e discussões. A conferência geral foi rapidamente transformada em sessão fechada.

Outros planos haviam sido traçados em Bagdá.[3]

A segunda batalha de Qadisiyah: Iraque *versus* Irã

Naquele mesmo dia, enquanto os ministros se preparavam para a reunião em Viena, esquadrões de jatos iraquianos atacaram, sem aviso prévio, uma dúzia de alvos no Irã ao mesmo tempo que tropas de infantaria invadiam a extensa fronteira entre os dois países, castigando cidades e instalações chaves com artilharia pesada. A guerra sacudia novamente o Golfo Pérsico, colocando mais uma vez em risco o sistema de fornecimento de petróleo, ameaçando um terceiro choque do petróleo.

Os incidentes na fronteira entre o Irã e o Iraque vinham ocorrendo há semanas antes de 22 de setembro e, de fato, a probabilidade de uma guerra entre os dois países aumentava desde abril. A hostilidade entre o Irã e o Iraque vinha de longe; para alguns observadores a invasão de setembro não passava de uma manifestação atual de conflitos que se iniciaram há quase cinco mil anos, nos primórdios da civilização do Crescente Fértil quando soldados da Mesopotâmia, onde se encontra agora o moderno Iraque e soldados de Elam, onde está agora o moderno Irã, costumavam se envolver em disputas e mortes. Um antigo poema lamentava a visão da grande e orgulhosa cidade de Ur, cujas muralhas eram "tão altas quanto uma montanha brilhante" devastada, saqueada e destruída por soldados de Elam há quatro séculos.

> Mortos e não vasos quebrados
> Cobriam as vizinhanças
> Muros destruídos
> Portais, estradas
> Cheias de cadáveres
> Nas ruas, onde outrora as multidões festejavam
> Jaziam agora, espalhados
> Corpos se dissolvendo — como gordura ao sol

A cena não era muito diferente quando, quatro milênios mais tarde, herdeiros distantes da Mesopotâmia, de um lado, e de Elam, do outro, se barbarizavam nos mesmos pântanos e nos mesmos desertos escaldantes.[4]

A guerra havia sido detonada por uma fiada de rivalidades: étnicas e religiosas, políticas e econômicas, ideológicas e pessoais, por uma luta pela supremacia no Golfo, pela incerteza da coesão nacional, e pela forma arbitrária com que se criaram "nações" e fronteiras no Oriente Médio sobrepostas ao mapa do defunto Império Otomano. Na verdade, a geografia estava, sem dúvida, no coração do conflito.

O xá mantinha grandes desavenças com o regime secular Ba'thista de Bagdá desde que assumira o poder em 1968. Uma das questões mais importantes em disputa entre os dois países era o Shatt-al-Arab, um sinuoso rio que morria no delta criado pela confluência entre dois rios iraquianos — Tigre e Eufrates — com vários afluentes vindos do Irã. O Shatt-al-Arab servia como fronteira ao longo de duzentos quilômetros entre os dois países. Era crucial para o Irã como seu principal meio de acesso ao Golfo — a refinaria de Abadã havia sido construída numa parte plana e lamacenta do delta — mas, certamente não o único. O Shatt-al-Arab, porém, era crítico para o Iraque porque representava seu único acesso ao alto-mar. Toda a costa iraquiana chegava a uns 42 quilômetros e pouco de comprimento, comparada aos 2.250 quilômetros de costa iraniana. O porto mais importante do Iraque, Basra, ficava, na realidade, a quase oitenta quilômetros rio acima nas margens do Shatt-al-Arab que necessitava frequentemente ser dragado devido à sua pouca profundidade e acúmulo de sedimentos. A soberania sobre o Shatt-al-Arab havia assim assumido grande significação simbólica. Para piorar a situação, uma boa parte da infraestrutura petrolífera de ambos os países — campo, estações de bombeamento, refinarias, condutos e instalações de carregamento e tanques de estocagem — se concentravam próximo ao Shatt-al-Arab ou dele dependiam de alguma forma. O xá havia, prudentemente, construído oleodutos como alternativa ao transporte fluvial, assim como um terminal marítimo acessível a super-petroleiros, na ilha Kharg. O Iraque, entretanto, exportava boa parte de sua produção através do estreito funil do Shatt-al-Arab e suas circunvizinhanças, apesar de existirem oleodutos através da Síria e da Turquia.

O xá e os militantes Ba'thistas haviam acertado suas várias pendências num acordo fechado em Argel, em 1975, assinado por Saddam Hussein como representante do Iraque. Do ponto de vista da soberania, o Iraque se saíra melhor. Os iraquianos desistiram de insistir que o limite entre os dois países era a margem iraniana do rio, reconhecido por quarenta anos e aceitaram a proposta iraniana de que o limite era o meio do leito navegável. Mas, em troca, o xá deu aos iraquianos algo de que precisavam muito. Concordou unicamente em cortar a considerável ajuda que dava aos curdos, um grupo étnico que compunha quase 20% da população iraquiana e estava, na ocasião, combatendo duramente os Ba'thistas em busca de autonomia e identidade como nação, numa região onde se encontrava a maior parte do petróleo iraquiano. O fato de o xá descartar-se dos curdos foi uma excelente troca, talvez mesmo uma condição essencial para a sobrevivência do regime Ba'thista. Bagdá não perdeu tempo. Seis horas após a emissão do comunicado oficial dos acordos com o Irã em Argel, desencadeou um ataque decisivo contra os curdos. Três anos mais tarde, em 1978, o Iraque retribuiu o favor de uma forma que pareceu um tanto menor. A pedido do xá, o aiatolá Khomeini foi expulso do território iraquiano onde estava exilado há quatorze anos. À luz do que posteriormente ocorreu, isso dificilmente poderia ter sido considerado um favor.

O próprio Khomeini estava cheio de ódio pelo regime iraquiano e desejava ardentemente uma oportunidade para vingar-se do tratamento recebido. Sua ira se concentrava sobre o presidente Saddam Hussein. Saddam se mostrara um campeão em conspirações na considerável história de conspirações Ba'thistas. O próprio movimento emergira de uma União de Estudantes Árabes fundada por dois intelectuais sírios enquanto cursavam a universidade em Paris, no início dos anos 1930. Dez anos depois, de volta a Damasco, lançaram o partido Ba'th — ou "renascimento". O partido era pan-árabico militante, tendo em mira criar uma única nação árabe, e candente nas suas denúncias ao Ocidente e ao imperialismo. Fanaticamente dedicado a sua ideologia e reivindicações, era agressivo e abertamente hostil a seus opositores e aos que não se juntavam a seu grupo. Pregava a violência e o absolutismo na busca de seus objetivos. O partido se dividiu em dois ramos, um dos quais finalmente tomou o poder na Síria e o outro no Iraque. Apesar de sua origem comum, as duas alas se tornaram rivais irreconciliáveis na luta pelo poder.

Saddam Hussein ficou órfão pouco antes de nascer, em 1937, e ao crescer encontrou sua identidade no nacionalismo extremado e o mundo violento e conspirador dos Ba'thistas. Foi criado pelo tio Khayr Allah Talfah, que assumiu sua guarda, exercendo influência decisiva em sua formação. Nacionalista fervoroso, pertencente à minoria Sunni, Talfah odiava e desprezava a cultura Europeia. Para tio e sobrinho, um evento culminante foi o golpe nacionalista pró-nazista de Rashid Ali em 1941 durante o qual aviões alemães atacaram forças britânicas no Iraque. Quando as forças iraquianas ameaçaram derrubar um avião que transportava mulheres e crianças inglesas para fora do país, foram atacados pelas forças britânicas e o golpe fracassou. Talfah participara da conspiração fracassada e foi parar na prisão por cinco anos o que o encheu de amargura, ressentimento e ódio por muito tempo, sentimentos que transmitiu ao sobrinho órfão. O golpe de Rashid Ali tornou-se um mito central para o movimento Ba'th. Saddam Hussein também recebeu forte influência da cultura de sua cidade natal Tikrit, distante da vida nacional do Iraque e voltada para o deserto implacável. Os valores de Tikrit para sobrevivência no deserto — a desconfiança, a capacidade de ser sorrateiro, de surpreender, e o uso irrestrito da força para alcançar seus objetivos — foram assimilados por Saddam Hussein.

Foi durante o tumulto e o entusiasmo que acompanharam a vitória de Nasser no Suez em 1956 que Saddam Hussein, ainda adolescente, foi recrutado pelo partido Ba'th. A retórica anti-imperialista do Nasser dos anos 1950 conviveu com ele anos depois. Conta-se que logo após entrar para o partido cometeu seu primeiro assassinato — a vítima era uma personalidade política local em Tikrit. Seu compromisso com o Ba'thismo estava selado e os alicerces de sua reputação, firmados. Em 1959 era um dos participantes do atentado contra Abdul Karim Kassem, governante do Iraque, num ataque desfechado na principal avenida de Bagdá. O atentado fracassou. Hussein, ferido no tiroteio e condenado à morte, fugiu para o Egito. Só voltaria para o Iraque em 1963, para cuidar da organização da milícia secreta do partido Ba'th. Apesar de ter sido durante muitos anos o homem forte do regime que assumiu o poder em 1968, Saddam tornou-se presidente apenas em 1979, substituindo o primo de seu tio Almad Hasan Al-Bakr, durante um expurgo no qual vários membros do partido foram executados. Para garantir que os Ba'thistas, na prisão, confessassem corretamente antes das suas execuções, Saddam Hussein tomou como reféns membros de suas famílias. Em 1979 já era há muito tempo considerado um *shaqawah*, homem duro e implacável, a quem se deveria temer. Era impiedoso e desprovido de emoções com quem considerasse inimigo, ameaça e obstáculo a seus objetivos ou com quem fosse simplesmente útil ou conveniente passar por cima.

O novo regime iraquiano — especialmente o partido, as forças militares e os serviços de segurança — era dominado por gente de Tikrit, muitos deles de alguma forma ligados a Saddam Hussein. O controle que exerciam era tão óbvio que, em meados da década de 1970, o governo baniu o uso de nomes que indicavam clã, tribo ou local de origem. A cúpula era formada por membros da família Talfah de Hussein e de duas outras famílias com parentesco muito próximo, as únicas pessoas em quem podia confiar na medida em que conseguiria confiar em alguém. Já havia se casado com a prima, filha de seu tio Kahyr Allah Talfah. Agora Adnan Kahyr Allah Talfah — filho de seu tio, irmão de sua esposa, seu próprio primo — era ministro da Defesa (posto que ocupou até sua morte num misterioso acidente de helicóptero, em 1989). Hussein Kamil al-Majid, primo de Hussein e também seu genro, tornou-se o principal negociante de armamentos e responsável pelo desenvolvimento de armas químicas, nucleares e mísseis. A influência do próprio Khayr Allah Talfah continuava a se fazer sentir. Em 1981, a imprensa do governo distribuiu um panfleto de autoria de Talfah. O título dava uma boa ideia das inclinações de seu pensamento político: *Três Criaturas Que Deus Não Deveria Ter Inventado: Persas, Judeus e Moscas.*

Apesar de o aiatolá Khomeini ter sido expulso do Iraque em 1978, antes de Hussein ter assumido completo domínio sobre o poder no Iraque, ele o responsabilizava pessoalmente por seus problemas e o colocava entre seus principais opositores. Perguntado sobre quem eram seus inimigos, Khomeini respondeu: "Primeiro o xá, depois o Satã americano e Saddam Hussein e seu partido Ba'th de infiéis". Khomeini e seu círculo consideravam os socialistas e seculares Ba'thistas como inimigos implacáveis de seu próprio credo e os atacavam como "a ideologia racista do Arabismo". Se tudo isso não fosse ruim o suficiente, Khomeini tinha coisas ainda piores — chamava Hussein publicamente de "faraó anão".

Saddam tinha boas razões para temer os ataques verbais de Khomeini. Estimava-se que quase a metade da população iraquiana era *xiita* enquanto o regime Ba'thista era secular e baseado na minoria árabe *sunita*. Os santuários *xiitas* mais sagrados estavam em território iraquiano e a agitação entre os *xiitas*, alimentada pelo Irã, era crescente. Em abril de 1980, após a tentativa de assassinatos de seu vice-primeiro-ministro,

Saddam Hussein ordenou a execução do mais importante aiatolá *xiita* no Iraque e, como exemplo, executou também a irmã dele. A partir daí passou a referir-se ao líder religioso iraniano como "Khomeini, o podre" ou como "um xá vestido de religioso".

À medida que cresciam os incidentes e recriminações entre os dois países, o Iraque imaginou vislumbrar sua oportunidade. O Irã parecia desorganizado e caótico; dizia-se em Bagdá que "há um governo em cada esquina no Irã". O exército estava desorganizado, em total confusão e submetido a um sangrento expurgo. Era a oportunidade para o Iraque promover um ataque em massa, destituir Khomeini, acabar com a ameaça revolucionária *xiita* ao Iraque e garantir a soberania sobre o Shatt-al-Arab, protegendo as posições petrolíferas iraquianas. A situação apresentava ainda outros atrativos. Hussein poderia apelar para a minoria étnica árabe na região iraniana do Khuzistão (apesar de que menos da metade da população nessa região, a sudoeste do Irã, era de descendência árabe) apresentar como seu "libertador" e talvez incorporar aquele território, conhecido como Arabistão pelos iraquianos, ao Iraque ou pelo menos colocá-lo sob sua influência. A recompensa não era meramente a reunificação fraternal — 90% das reservas de petróleo iraniana estavam no Khuzistão! Além do mais, os Ba'thistas poderiam curar seu orgulho ferido, fora humilhante em 1975 ter que dar lugar aos iranianos na soberania do Shatt-al-Arab. Havia mais que um vácuo a ser preenchido. O xá, o gendarme regional no golfo, já se havia ido. Hussein poderia assentar a primazia iraquiana, e a sua própria, naquela região de importância internacional. Mais ainda, com o Egito isolado do resto do mundo árabe pelos acordos assinados em Camp David, o Iraque poderia emergir como o novo líder e militante defensor do mundo árabe, aquele que havia esmagado a ameaça do Leste. E também poderia se tornar uma das potências petrolíferas dominantes. Tudo em conta, as oportunidades eram irresistíveis.

Desde o começo, Saddam vestiu-se com o manto da liderança árabe o que estava em perfeita consonância com a ideologia pan-árabe Ba'thista. Se Khomeini fosse tomar como base simbólica de sua legitimidade eventos que se passaram no século VII, Saddam faria o mesmo. Chamou a nova guerra de: "Segunda Batalha de Qadisiyah" — a primeira ocorrera em 636/637 a.C. quando os árabes derrotaram os persas perto de Najaf, hoje o centro-sul do Iraque. Essa vitória, por sua vez, levou a outro triunfo sobre os persas em 642 a.C. que foi celebrado pelos árabes como a "Vitória das Vitórias" e selou a sorte do Império Persa Sassanida. O rei fugiu para o leste onde acabou assassinado por um sátrapa local. Um século depois, aconteceu a fundação de Bagdá, destinada a exercer por muitas centenas de anos papel de importância na região. Agora, em 1980, era a vez de Bagdá, novamente. Pelo menos, foi o que se passou.

Hussein dirigiu seu ataque para o coração da indústria petrolífera iraniana, incluindo Abadã e Ahwaz, a mesma cidade que tinha aberto caminho para o golpe de misericórdia contra o Império Persa há 13 séculos. Hussein achou que poderia alcançar todos os seus objetivos com uma *blitzkrieg* iraquiana numa dura e impiedosa série de ataques. Essa visão não era restrita apenas a Bagdá. Em Viena, onde a reunião triministerial da OPEP havia sido interrompida pelas notícias do ataque, o consenso geral era de que a guerra estaria acabada em uma ou no máximo duas semanas. Mas a estratégia iraquiana mostrou estar baseada em graves erros de cálculo porque os iranianos não só resistiram ao primeiro ataque, como imediatamente contra-atacaram alvos iraquianos com igual dureza e insistência. A agressão possibilitou a Khomeini consolidar o seu poder, silenciar os críticos, livrar-se dos elementos seculares em seu governo e continuar a moldar a República Islâmica — enquanto mobilizava a população para resistir. Iranianos de virtualmente todas as tendências políticas juntaram-se para a defesa comum. Os árabes do Khuzistão não mostraram desejo algum de serem libertados pelo Iraque e não acolheram os iraquianos como "irmãos" mas como invasores. Os iraquianos não estavam preparados para as "ondas humanas" que os atacavam em campo de batalha. Centenas de milhares de jovens, atraídos pela visão *xiita* do martírio, sem nenhuma consideração por suas próprias vidas, avançavam sobre as posições iraquianas na frente das tropas iranianas regulares. Alguns dos jovens chegavam ao *front* carregando seus próprios esquifes, exortados por Khomeini certos de que "a maior alegria no Islã é matar e ser morto por Deus". Carregavam chaves do céu, de plástico, no pescoço. Crianças eram utilizadas para limpar campos minados por onde deveriam passar os tanques, mais raros e muito mais valiosos, e milhares delas morreram.[5]

O fim da linha

A guerra sacudiu o mercado de petróleo. Em 23 de setembro de 1980, segundo dia da guerra, os aviões iraquianos iniciaram um ataque contínuo contra a refinaria iraniana de Abadã, a maior do mundo, e prosseguiram durante um mês causando danos graves. Atacaram ainda todos os portos ou cidades iranianas ligadas ao petróleo. Os iranianos contra-atacaram as instalações iraquianas estrangulando totalmente as exportações do país através do golfo. Além disso, o Irã persuadiu a Síria, governada pelo partido Ba'th rival, a cortar os oleodutos de exportação que passavam por aquele país, deixando o Iraque com apenas um limitado oleoduto através da Turquia. As exportações iranianas foram reduzidas por causa da guerra, mas as do Iraque quase zeraram. Saddam Hussein não havia contado com isso.

Em seus estágios iniciais, a guerra Irã-Iraque tirou abruptamente do mercado quase quatro milhões de barris de petróleo por dia — 15% da produção total da OPEP e 8% da demanda total do mundo livre. Preços no mercado à vista rapidamente aumentaram. O petróleo árabe leve atingiu seu maior preço — 42 dólares o barril. O medo estava uma vez mais conduzindo o mercado. Seria o Terceiro Choque, o estágio seguinte no colapso do Oriente Médio e sua indústria petrolífera, mergulhados no caos e militância? O Iraque seria eliminado da balança internacional de petróleo? O Irã desapareceria como fornecedor outra vez? A batalha entre *sunitas* e *xiitas*, entre árabes e persas, desestabilizaria todo o Golfo? Ou, talvez pior, o Irã, com uma população três vezes maior que a do Iraque, prevaleceria e continuaria sua revolução fundamentalista, antiocidental penetrando cada vez mais profundamente no coração do Oriente Médio? Ponderando sobre essas questões, havia duas leituras possíveis para os indicadores econômicos. Uma delas certamente apontava para um novo choque, a outra, em direção oposta. Qual delas se mostraria correta?

A demanda por petróleo estava, com certeza, diminuindo. Mesmo assim, não se podia dizer se era resultado da recessão, o que significaria uma baixa temporária da economia, que teria efeitos mais duradouros. A retração econômica já começara, resultante do aumento de preços associado à decisão das nações do Ocidente de lutarem contra a inflação a qualquer custo, mesmo se implicasse recessão profunda. Qualquer que fosse o motivo, era claro que a demanda estava diminuindo.

Enquanto isso, os governos, trabalhando através da infraestrutura da International Energy Agency haviam aprendido as lições de 1979 e orientavam esforços conjuntos no sentido de dissuadir as companhias da compra por pânico, da guerra por fornecimento e do leilão de preços — instruindo para que recorressem aos seus estoques. A mensagem emitida pela IEA significava assegurar: as coisas eram contornáveis, não era a repetição de 1979, vá devagar, evite "aquisições indesejáveis" (comprar petróleo acima do preço de mercado). A mensagem fazia sentido, mesmo porque a situação das companhias em relação ao suprimento era muito diferente dessa vez. Desde o início de 1979, elas haviam gasto muito dinheiro, comprando petróleo a qualquer preço — incluindo muitos barris a mais que a demanda. Esses barris extras não haviam sido consumidos pelos motores dos carros nem pelas caldeiras das fábricas ou por usinas elétricas, mas haviam sido estocados. O Grande Pânico havia, pela sua própria lógica, se transformado no Grande Acúmulo de Estoque e quando a guerra começou os tanques de estocagem estavam cheios até a boca e as companhias petrolíferas alugavam superpetroleiros para utilizá-los como depósitos flutuantes. Era caro guardar petróleo. Num prolongado período de calma, podendo escolher entre comprar petróleo extra ou recorrer aos estoques existentes, muito provavelmente uma companhia optaria por utilizar o estoque.[6]

Mas agora a guerra entre Irã e Iraque perturbava brutalmente a calma que retomava, reacendendo o pânico de compra. Nem todas as companhias estavam inclinadas, pelo menos inicialmente, a seguir os conselhos do IEA e evitar as "aquisições indesejáveis". "Não importa quais sejam nossas restrições", queixava-se um refinador em novembro de 1980, "ainda há sempre alguém disposto a pagar mais caro, inflacionando o mercado". A questão principal era como as companhias administrariam seu estoque durante essa nova crise. Em tempos de ansiedade e incerteza a tendência inevitável era se aguentar, armazenar e ver o que acontecia. Altos custos eram preferíveis à falta de suprimento, especialmente se no dia seguinte os custos fossem ainda maiores. Assim, muitos participantes do jogo estavam novamente garimpando à procura de suprimentos. Entre eles, as companhias japonesas de comércio exterior e petróleo, refletindo o temor corrente em Tóquio de que um prolongado corte de fornecimento estaria por acontecer. Mas os japoneses não eram os únicos. Um executivo de uma companhia americana resumiu bem o assunto quando afirmou que utilizar os estoques "pode nos deixar em situação grave mais tarde". E explicou: "Estabelecimentos comerciais não podem se dar ao luxo de tomar tais atitudes. As sugestões da qual lançamos mão dos novos estoques implica saber quando será o fim da crise. Se soubéssemos que a produção do Irã e do Iraque estaria restabelecida aos níveis anteriores à guerra, até julho, eu certamente recorreria a menos estoque". Mas ele não poderia saber.

Em dezembro de 1980, os ministros da OPEP se reuniram em Bali, uma vez mais para discutir os preços. Havia, no entanto, um assunto bastante constrangedor que deveria ser discutido antes que as conversações pudessem prosseguir. Em novembro, o ministro do petróleo iraniano fora visitar o campo de batalha perto de Abadã. Infelizmente ninguém o informara que a área havia sido conquistada pelo Iraque até que ele próprio foi capturado e levado à prisão. Com OPEP ou sem OPEP, os iraquianos se recusavam a libertá-lo. Os iranianos estavam tão enfurecidos que ameaçaram boicotar todas as reuniões da OPEP. Nesse contexto, poderia a reunião de Bali prosseguir? Coube ao hábil diplomata, dr. Subroto, ministro do Petróleo da Indonésia, estudar um acordo satisfatório. Os lugares eram normalmente marcados por ordem alfabética e assim Irã e Iraque estavam destinados pelo alfabeto a se sentarem lado a lado, que seria bastante desagradável. Subroto estabeleceu um precedente e inseriu a Indonésia entre Irã e Iraque. Alguns observaram que — pensando no rio entre os dois países que era também o centro das suas disputas — a Indonésia estava agora ocupando o Shatt-al-Arab. Apesar de um problema estar resolvido, outro apareceu. A delegação iraniana entrou na sala de conferências portando um grande retrato do ministro capturado, e insistia em dizer que ainda era o chefe de sua delegação. Eles estavam simplesmente fazendo valer seus desejos. O dr. Subroto lhes permitiu que acomodassem o retrato na cadeira reservada ao ministro ausente, para que ele pudesse, mesmo ausente, continuar a inspirar, se não a comandar sua delegação. Evitados outros constrangimentos, a conferência poderia começar. Iria encerrar-se com um novo aumento nos preços da OPEP, na marca de 36 dólares para todos, com exceção dos sauditas. Parecia mesmo que um Terceiro Choque estava a caminho.

Quase ao mesmo tempo, do outro lado do mundo, os ministros de energia das nações industrializadas estavam em Paris para sua própria reunião. Ulf Lantzke, diretor da IEA, costumava promover uma reunião informal em seu escritório depois de um jantar ministerial, para uma discussão mais descontraída e troca de ideias antes das sessões formais do dia seguinte. Nessa reunião, após o jantar, o clima estava sombrio, os esforços da IEA para promover o uso dos estoques no lugar da compra por pânico não estavam tendo muito sucesso. Como observou um funcionário do MITI, a expressão "aquisições indesejáveis" era imprecisa e poderia ter significados diferentes para pessoas diferentes". A compra frenética efetuada por algumas companhias de comércio japonesas surgiu como assunto difícil e provocara grandes discussões em meio ao uísque e charutos no escritório de Lantzke naquela noite.

Finalmente, ao aproximar-se a meia-noite, o imponente conde Etienne Davignon da Bélgica, proeminente e impetuoso Comissário da Comunidade Europeia, perdeu a paciência. Virou-se para o representante japonês e disse, de chofre: "Se o senhor não mantiver suas *tradings* sob controle, pode esquecer a importação Europeia de toyotas e sonys".

O silêncio desceu sobre a sala. O representante japonês ficou parado um momento, absorvendo o aviso e pesando sua resposta. "O senhor é um grande servidor civil internacional", disse finalmente e calou-se.

Mas a MITI reforçou sua "orientação administrativa" para que as companhias mantivessem a calma. Elas receberam o recado e começaram a restringir as compras. Assim agiram as americanas e as inglesas. O mercado, porém, reagia além das políticas governamentais. No final de 1980, o quadro estava se tornando mais claro. Enquanto os estoques se mantinham muito altos, a demanda continuava em queda livre e os preços no mercado estavam se debilitando. Era uma combinação que tornava cada vez mais antieconômico segurar estoques e assim havia um crescente incentivo para dispor deles, como queria a IEA, em vez de comprar petróleo adicional.

Não só o consumo estava realmente diminuindo como a produção de outras fontes estava compensando a perda do petróleo do Irã e do Iraque. Na maior parte do tempo, desde o fim de 1978, os sauditas estavam bombeando um barril atrás do outro de petróleo extra num esforço para contrabalançar o contínuo aumento de preços e pôr um fim na sua confraria da OPEP. "Nós planejamos o excedente", disse Yamani certa vez, "e queremos vê-lo estabilizar o preço". Os sauditas não iam deixar que algo tão inconveniente quanto a guerra entre Irã e Iraque derrotasse sua estratégia e, em apenas alguns dias após as primeiras batalhas, anunciaram o aumento de novecentos mil barris da sua produção diária, atingindo o limite sustentável de sua capacidade. Só esse aumento equivalia a um quarto da produção perdida nos países beligerantes. Outros produtores da OPEP aumentaram sua produção e até mesmo algum petróleo do Irã e do Iraque estava voltando ao mercado. Ao mesmo tempo, aumentava a produção do México, da Inglaterra, da Noruega e de outros países fora da OPEP, bem como a do Alasca. Não era mais só um "miniexcedente". Nessas circunstâncias, qualquer relutância em usar os estoques desapareceu. Na verdade, seu uso como alternativa à compra de petróleo, tornou-se irresistível. Os compradores agora começavam a se revoltar contra preços altos. Os produtores fora da OPEP, ansiosos para aumentar sua fatia no mercado, faziam descontos significativos em seus preços oficiais. Seu ganho era perda para a OPEP e a demanda por petróleo da OPEP caiu. Como resultado, a produção da OPEP em 1981 foi 27% menor que a de 1979 e, na realidade, era a menor desde 1970. A profecia de Yamani finalmente se tornava realidade.

A OPEP se aproximava do fim da linha, apesar de que nem os países exportadores, nem a indústria ou os países consumidores do Ocidente fizessem a menor ideia do que estava por vir. O governo Carter também chegava ao fim. Como a última das humilhações que Jimmy Carter sofreria nas mãos dos iranianos, os reféns capturados na embaixada americana em Teerã não foram libertados até o último dia de sua permanência no governo. Sucedido por Ronald Reagan, cuja esperançosa confiança em si e nos Estados Unidos se mostraram muito mais palatáveis ao eleitorado que a *malaise* de Carter.

Enquanto isso o mercado reagia aos aumentos de preço colossais da década de 1970 e à insegurança dos consumidores quanto ao futuro. Os exportadores continuavam se recusando a enfrentar o fato de que as "condições objetivas" do mercado estavam realmente mudando. Não encaravam um corte nos preços, cuja situação ainda era confusa. Finalmente, em outubro de 1981, chegaram a um acordo. A Arábia Saudita aumentaria seus preços de 32 para 34 dólares o barril enquanto os outros baixariam seus preços de 36 para 34 dólares o barril. Assim os preços estariam reunificados. Considerando-se todas as alterações, o preço médio do petróleo no mercado ainda aumentaria um ou dois dólares, devido ao aumento saudita. Para outros produtores o acordo, é claro, significou preços menores. Havia consolos. A Arábia Saudita finalmente concordara em voltar ao seu teto diário de 8,5 milhões de barris diários.

Irã e Iraque continuaram engalfinhados em sua amarga disputa. Mesmo uma guerra entre os dois exportadores mais importantes poderia apenas retardar mas não anular as poderosas forças que haviam sido colocadas em movimento pelos dois choques do petróleo anteriores. Em outubro de 1981, os preços do petróleo da OPEP aumentariam pela última vez, pelo menos por uma década. As "leis divinas da oferta e da procura" já estavam em ação para baixar os preços, mas não ainda com a clamorosa vingança que estava por vir. Como Yamani dissera, era simples como ABC.[7]

CAPÍTULO XXXV

Apenas outra mercadoria qualquer

NENHUM DOS SURTOS DE CRESCIMENTO ANTERIORES, numa indústria caracterizada por surtos de crescimento, podia ao menos se rivalizar com a magnitude e a loucura da febre que se instalou no final dos anos 1970 com o Segundo Choque do Petróleo. Foi o maior surto de crescimento de todos. Com o súbito aumento para 34 dólares o barril, o volume de dinheiro envolvido tornava insignificante qualquer coisa que já havia sido ganho ou gasto em negócios. As companhias petrolíferas reinvestiam seus lucros em novos negócios. Algumas tomavam emprestado de bancos, levantavam mais dinheiro dos investidores ansiosos, comprometendo tudo o que podiam para participar do jogo selvagem. Era a idade de ouro dos empresários de petróleo independentes. Davam tapinhas nas costas, batalhavam seus negócios, alugavam mais equipamentos para perfuração, e exploravam em maiores profundidades e gastavam cada vez mais. Para celebrar isso tudo, bem no final da década de 1970, a série de televisão *Dallas* foi ao ar, apresentando o voraz J.R. Ewing — substituindo os amáveis Clampetts de *Beverly Hillbillies** — para os espectadores dos Estados Unidos e de todo o mundo, materializando para muitos deles, nos anos seguintes, a imagem do empresário de petróleo americano independente.

Nos Estados Unidos, a indústria alcançou um nível alucinado e sem precedentes de atividade. Esse ritmo frenético significava, inevitavelmente, que os custos sairiam do controle. O preço de todos os produtos associados ao petróleo dispararam. Os custos das áreas medidas em acres — terras a serem perfuradas — foram para o espaço, bem como os imóveis em cidades petrolíferas — Houston, Dallas e Denver. O custo de uma equipe de perfuração se multiplicou várias vezes. Jovens geólogos eram assediados, cortejados e chegavam a receber cinquenta mil dólares por ano em

---

* A série *The Beverly Hillbillies* contava as aventuras de uma família de caipiras que, tendo enriquecido com o petróleo que encontrara por acaso em seu sítio, resolvera mudar-se para Beverly Hills. (N.T.)

seu primeiro emprego depois de formados. Os que tinham vinte anos de experiência estavam abandonando seus empregos nas grandes companhias para montar seu próprio negócio e pegar uma parte do bolo, sonhando tornar-se quem sabe um novo H.L. Hunt ou o próximo J. Paul Getty. Foram os anos em que médicos e dentistas dos Estados Unidos investiam em fundos de perfuração. Se não aplicassem em petróleo, diziam, suas economias poderiam ser devastadas pela inflação e pelo aumento dos preços de petróleo.

Podia-se considerar que a indústria estivesse à beira do perigoso precipício que alguns chamavam "a montanha do petróleo". Os suprimentos começariam a cair rápida e precipitadamente como se fosse de um penhasco. A queda de suprimentos associada à militância da OPEP garantiria preços elevados e em alta para uma mercadoria cada vez mais escassa. Como resultado, entre outras coisas, a tecnologia e a engenharia teriam que criar alternativas para o petróleo o que, por sua vez, estabeleceria um teto para o preço do petróleo. Isso significava que, finalmente, após setenta anos, o petróleo de xisto betuminoso encerrado nas formações rochosas da Encosta Oeste nas Montanhas Rochosas do Colorado e Utah seria liberado e trazido para o mercado, conforme prometido toda vez que o petróleo no mundo parecia perigosamente escasso. Era exatamente o que o presidente Carter propusera em 1979 como solução para os problemas de abastecimento de energia do país.

Algumas companhias como a Occidental e a Unocal, já estavam desenvolvendo tecnologia para extração de petróleo do xisto betuminoso. Em 1980, a maior companhia de petróleo do mundo, a Exxon antecipando o que parecia ser a inevitável escassez, de pronto comprou sua participação no Colony Shale Oil Project na Encosta Oeste. Há sessenta anos, durante outro período de escassez, a companhia havia comprado terras na região para tentar implementar o uso do petróleo de xisto betuminoso como combustível. Não dera em nada. Agora a Exxon liderava, de longe, investindo um bilhão de dólares, o desenvolvimento de tecnologia para o aproveitamento do xisto betuminoso, preparando-se para a "nova era" da energia. "A Exxon, tinha um caso de amor com o xisto betuminoso há muito tempo", lembrou-se Clifton Garvin, o presidente da companhia. "Era um desafio extraordinário, tecnicamente, e, com certeza, do ponto de vista econômico." O país parecia estar comprometido com a tarefa de desenvolver fontes confiáveis de combustíveis líquidos. E a tecnologia parecia estar disponível.

Porém, nos dois anos seguintes, as perspectivas econômicas se alteraram rápida e drasticamente. Em termos reais, o preço do petróleo declinava, assim como a demanda. As previsões para ambos também eram de queda. A capacidade de produção extra estava aumentando nos países exportadores. E, nesse tempo todo, as estimativas de custo do Colony Project só aumentavam. "Nós considerávamos gastar seis ou oito bilhões de dólares para produzir cinquenta mil barris por dia," lembra-se Garvin. "E não se esperava que parasse por aí. Uma noite eu disse a mim mesmo: 'não posso gastar o dinheiro dos acionistas assim.'" No dia seguinte, Garvin convocou um grupo da alta gerência e perguntou quais seriam as consequências da suspensão do projeto. "Foi uma decisão dura. Optei por ela."

Em 2 de maio de 1982, a Exxon anunciou em poucas palavras que estava encerrando o Colony Project. Do ponto de vista da companhia as perspectivas econômicas atuais não justificavam o projeto de extração de petróleo a partir do xisto betuminoso.

O *boom* da Encosta Oeste do Colorado acabou praticamente em questão de horas. As cidades de Rifle, Battlement Mesa e Parachute seguiram a tradição que se estabeleceu em Pithole, no oeste da Pensilvânia que, em apenas dois anos, 1885 e 1886, passou de floresta densa para cidade com 15 mil habitantes, em pleno crescimento, para cidade fantasma, tétrica, cujas casas e lojas desertas eram saqueadas para se obter madeira para construir em outro lugar em Oil Regions. Nas três cidades do Colorado, casas recém-construídas estavam vazias, as ervas daninhas logo tomaram conta dos loteamentos, metade dos apartamentos ficaram desalugados, os trabalhadores do Meio-Oeste arrumaram as malas e voltaram para casa, os carros sumiram das ruas e os adolescentes sem nada o que fazer começaram a destruir as casas e os escritórios parcialmente construídos. "Meu negócio simplesmente acabou", disse o proprietário de uma loja de artigos para escritório em Rifle. A cidade também. O crescimento, que seria o maior de todos os tempos, não durou.

Os fundamentais

O que acontecera com o mercado de internacional de petróleo e com o próprio preço do petróleo? Uma inflação virulenta ameaçava não só o desempenho econômico, mas toda a estrutura social do mundo ocidental. O Banco Central (Federal Reserve) dos Estados Unidos reagiu instituindo uma política monetária extremamente restritiva que resultou em acentuado aumento nas taxas de juros com a *prime,* a certa altura alcançando o pico de 21,5%. A escassez de dinheiro somou-se ao enxugamento do poder de consumo do mundo industrial devido aos aumentos nos preços de petróleo. A consequência de tal combinação foi a recessão mais profunda desde a Grande Depressão, com dois patamares, o primeiro em 1980 e o segundo, ainda pior, em 1982. O desaquecimento da atividade econômica reduziu substancialmente a demanda por petróleo nas nações industrializadas. Esperava-se que o mundo em desenvolvimento fosse uma nova fonte importante de demanda, o que ajudaria a manter os preços. Em vez disso, muitos países desse bloco, assolados pelas dívidas com os compradores de suas matérias-primas no mundo industrializado e atingidos pela recessão, entraram em crise econômica profunda, estrangulando sua demanda de petróleo.

Mudanças fundamentais estavam ocorrendo na própria economia da energia. Os precedentes temores de escassez no início dos anos 1920, em meados dos anos 1940, tinham acabado em superprodução e excedentes porque o aumento dos preços estimulara o desenvolvimento de tecnologia mais sofisticada e exploração de novas áreas. O mesmo padrão se repetiria agora com o barril a 34 dólares e a expectativa de preços ainda maiores. Novas fontes de produção, com capacidade extraordinária, estavam sendo desenvolvidas fora da OPEP. Os maiores aumentos de produção no México, no Alasca e no mar do Norte coincidiram com o tumulto do Segundo Choque do Petróleo. O Egito também estava se tornando um exportador significativo. Assim como a Malásia, Angola e China. Vários outros países se tornaram produtores e exportadores, uma pequena liga se considerados individualmente, mas importantes quando tomados em conjunto. Grandes inovações estavam incrementando a tecnologia de exportação, produção e transporte. A capacidade inicial do oleoduto do Alasca era de 1,7 milhão de barris por dia. Adicionando-se ao petróleo transportado uma substância química que facilitava o fluxo dentro dos dutos, a capacidade subiu para 2,1 milhões de barris por dia. Recursos de exploração e produção que podiam ser tentados ao custo de 34 dólares o barril não eram econômicos a 13 dólares o barril. A produção do campo "Lower Forty-Eight" nos Estados Unidos continuava em níveis mais altos que o previsto. Tudo isso somado ao aumento da produção no Alasca significava que a produção americana realmente aumentara na primeira metade dos anos 1980.

Mudanças significativas aconteciam também com a demanda. A dependência crescente do petróleo como fonte de energia dentre todas as outras possibilidades, observada no século XX, foi revertida pelo impacto dos preços altos, por considerações sobre segurança e estratégias de governo. O carvão apresentou maciço retorno na geração de energia elétrica e na indústria. A energia nuclear também surgiu rapidamente em cena na geração de eletricidade. No Japão, o gás natural liquefeito aumentou sua participação na economia energética e no fornecimento de eletricidade. A combinação de tudo isso, ao redor do mundo, mostrava que o petróleo estava sendo expulso de seus mercados mais importantes e perdendo terreno rapidamente. Sua participação no mercado da energia total consumida nos países industrializados caiu de 53% em 1978 para 43% em 1985.

Não só o petróleo passava por uma queda em sua participação no bolo da energia como o próprio bolo estava diminuído, como reflexo do impacto profundo do aumento da eficiência energética ou melhor da economia de energia. Apesar de frequentemente desprezada ou até ridicularizada, a economia mostrou um impacto maciço. Na moderna sociedade industrializada, a economia de energia significava, quase sempre, não à privação, não ao "pouco é bom", mas uma maior eficiência e inovação tecnológica. Em 1975, a nova legislação, que tornava obrigatória a duplicação da eficiência média do consumo de combustível em carros novos estabelecendo como padrão a ser alcançado até 1985 a média de 45 quilômetros por galão (3,6 litros), reduziria o consumo de petróleo nos Estados Unidos em dois milhões de barris diários — o equivalente à produção adicional do Alasca. Considerando todos esses fatores, em 1985 os Estados Unidos tinham se tornado 25% mais eficientes no consumo de energia e 32% mais eficientes no consumo de petróleo, em relação a 1973. Se tivessem mantido os níveis de eficiência de 1973, teriam gasto o equivalente a treze milhões de barris a mais do que realmente consumiram em 1985. A economia foi extraordinária. Outros países também fizeram grandes economias. No mesmo período, o Japão se tornou 31% mais eficiente no consumo de energia e 51% mais eficiente no consumo de petróleo.

Em 1983, no primeiro ano de recuperação econômica, o impacto da economia de energia e da substituição de combustíveis era evidente. O consumo de petróleo no mundo não comunista era de 45,7 milhões de barris por dia, quase seis milhões de barris a menos que o nível de 51,6 milhões de barris/dia em 1979, quando se atingiu o pico do consumo. Assim, enquanto a demanda caíra seis milhões de barris por dia entre 1979 e 1983, a produção extra-OPEP aumentara quatro milhões de barris/dia. Além disso, as companhias de petróleo buscavam avidamente dispor dos tremendos estoques que haviam acumulado na previsão de um nível de demanda que nunca se materializou.

Essas três tendências — a queda na demanda, o crescimento ininterrupto da produção fora da OPEP, a grande liberação dos estoques — reduziram a procura pelo petróleo da OPEP em quase 13 milhões de barris/dia, uma queda de 43% em relação aos níveis de 1979! A revolução iraniana, seguida da guerra Irã-Iraque havia afetado seriamente a capacidade de exportação daqueles dois países. Mesmo assim, em vez da temida escassez, o que se viu de repente foi uma capacidade de produção muito maior que a demanda do mercado — em resumo, o aparecimento de maciço excedente de produção.[1]

Finalmente, o cartel

Para a OPEP, o dia do acerto de contas estava chegando. Até 1977, a OPEP produzira dois terços de todo o petróleo cru consumido no mundo livre. Em 1982, pela primeira vez, a produção extra-OPEP tomou a dianteira em um milhão de barris por dia e continuava crescendo. Até mesmo as exportações soviéticas para o Ocidente estavam aumentando substancialmente, na medida em que a URSS buscava beneficiar-se dos preços altos para aumentar seus ganhos em moeda forte do Ocidente.

A maior parte do petróleo novo, especialmente o do mar do Norte, era vendido no mercado à vista, o que o tornava bastante responsável pela situação geral do mercado. Há apenas um ou dois anos, os preços à vista haviam subido muito além do oficial. Agora caíam bem abaixo. Muitas companhias que pagavam preços oficiais perdiam grandes quantidades de dinheiro na refinação e na revenda. Dependendo do tipo de petróleo, os preços à vista eram até oito dólares por barril mais baratos do que os preços estabelecidos por contrato. Essa lacuna, nas palavras do principal executivo da Mobil alemã, era a diferença entre ter "uma margem de lucro" e "sofrer perdas formidáveis". Nessas circunstâncias, qualquer comprador capaz de efetuar a mais elementar aritmética iria ao mercado à vista procurar o barril mais barato. Os novos produtores extra-OPEP, tentando entrar no mercado como vendedores, estavam oferecendo preços "estimulantes", isto é, os mais baixos para ganhar freguesia.

A OPEP estava em dificuldades. O mercado a confrontava com uma escolha indigesta: baixar os preços para recuperar o mercado ou cortar a produção e manter os preços. Mas os países-membros não queriam reduzir os preços, temiam que isso fosse minar toda a sua estrutura de preços, neutralizar vantagens políticas e econômicas, diminuindo assim o poder e a influência recém-adquiridos. Além disso, se realmente temiam que reduzissem seus preços, os países industrializados poderiam ver aí a oportunidade de aumentar taxas e impostos sobre a gasolina, transferindo lucros dos cofres da OPEP para os seus próprios — voltando à mesma situação de trinta anos atrás quando haviam iniciado as disputas sobre quem auferia os lucros do petróleo.

A realidade tinha que ser enfrentada. Se a OPEP não ia baixar seus preços para preservar os níveis de produção, teria então que cortar a produção para preservar os preços. Em março de 1982, a organização que produzira 31 milhões de barris/dia em 1979, há apenas três anos, estabelecia agora um limite de produção de 18 milhões de barris/dia para todo o grupo, com cotas individuais de produção para cada país, exceto a Arábia Saudita que ficaria na posição de apoio ao sistema e ajustaria sua produção conforme as necessidades. Finalmente, a OPEP fazia algo sobre o que falara muitas vezes no passado. Assumia o papel reservado à Texas Railroad Commission no passado, manipulando a produção para preservar o preço. Nas palavras francas de um dos mais importantes analistas do mundo dos exportadores — havia se tornado um cartel, administrando e alocando a produção bem como estabelecendo preços.

Nos meses que se seguiram ao estabelecimento das cotas, novos fatores vieram aumentar as incertezas do mercado. O Irã estava ganhando a guerra com o Iraque e se tornando cada vez mais beligerante em sua atitude e retórica para com a Arábia Saudita e outros países conservadores do Golfo. Essa não era a única guerra no Oriente Médio. Em junho de 1982, Israel intervinha diretamente no Líbano. Numa reunião da OPEP, levantou-se a possibilidade de um novo embargo contra os Estados Unidos como "punição". Mas, a sofrida situação do mercado, associada aos riscos geopolíticos imediatos aos quais o Irã submetia os exportadores do Golfo, tornavam a proposta inconcebível, tendo sido rapidamente rotulada de irrelevante, perigosa e potencialmente muito prejudicial aos interesses dos exportadores. Nesse meio tempo, em junho de 1982, faleceu o rei Khaled, da Arábia Saudita, figura bissexta, que sofria de doença cardíaca crônica. Sucedeu-o o príncipe Fahd, que já vinha administrando o país e era, entre outras coisas, o especialista em petróleo da família real.

As novas quotas significavam um expediente temporário. Mas, no outono de 1982, várias coisas tinham ficado claras: a demanda não estava aumentando, a produção extra-OPEP só crescia e os preços à vista continuavam a cair. Mesmo com quotas de produção, o petróleo árabe continuava superabundante e supercaro.[2]

"Nosso preço está muito alto..."

Em 1983, a competição continuava a crescer rapidamente no mercado de petróleo. Só o setor britânico do mar do Norte, que até 1975 não tinha sequer começado a produzir, vertia agora mais petróleo que a Argélia, a Líbia e a Nigéria juntas e ainda tinha mais a caminho. Para neutralizar a competição, os descontos e os cortes de preços extraoficiais tornavam-se a regra geral entre os países da OPEP. Mais uma vez, a exceção era a Arábia Saudita que mantinha os 34 dólares fixados, preço que outros só praticavam quando podiam. Os compradores logo abandonaram a Arábia Saudita em busca de petróleo mais barato, inclusive os sócios da Aramco. Não era fácil impingir petróleo mais caro aos clientes e aos associados que competiam com outras companhias que tinham acesso a petróleo mais barato. A produção saudita atingiu seu nível mais baixo desde 1970.

No início de 1983, Yamani apresentou uma explicação filosófica sobre as origens da crise na OPEP, agora evidente. "Perdoem a comparação," disse, "mas a história da crise é semelhante àquela de uma esposa grávida (...) A crise começou como uma gravidez normal — com paixão e alegria. Naquele momento, todos os outros países-membros queriam que nós aumentássemos o preço cada vez mais, apesar de nossas advertências sobre as consequências negativas que daí adviriam. Todos ganhavam muito e se engajavam em projetos de desenvolvimento como se os lucros financeiros fossem crescer sempre (...) Nós nos consumíamos com nossos momentos de prazer." Mas agora as consequências tinham que ser enfrentadas. "Nosso preço está muito alto em relação ao mercado internacional", disse Yamani.

No final de fevereiro de 1983, um completo colapso parecia iminente. A British National Oil Company baixou em três dólares o preço do petróleo do mar do Norte, agora a trinta dólares o barril. As consequências foram devastadoras para a Nigéria, país membro da OPEP com cem milhões de habitantes, cuja economia havia se tornado perigosamente superdependente do petróleo. O óleo cru nigeriano era de qualidade equivalente aos do mar do Norte. Quando os compradores da Nigéria tiveram acesso ao petróleo do mar do Norte, simplesmente desertaram do país africano. Quase que totalmente sem comprador, a Nigéria praticamente parou de exportar petróleo. A política interna do país, recentemente democratizado, se abalou. Mas respondeu que devolveria na mesma moeda. "Estamos prontos para uma guerra de preços", afirmou claramente Yahaya Dikko, ministro nigeriano do Petróleo.

No começo de março de 1983, os ministros do Petróleo e suas comitivas se reuniram às pressas em Londres, ironicamente a sede de seu maior competidor fora da OPEP, a Grã-Bretanha. Encontraram-se no Hotel Intercontinental, no Hyde Park, para o que seriam doze dias de intermináveis e frustrantes reuniões — uma experiência que provocaria em alguns deles reações alérgicas toda vez que tinham que voltar ao hotel. Mas qualquer que fosse a natureza da oposição aos cortes de preços: ideológica ou simbólica, apesar da raiva e da frustração, a realidade não poderia mais ser ignorada. A OPEP cortou os preços em 15% — de 34 a 29 dólares o barril. Era a primeira vez que isso acontecia na história da organização. Os exportadores concordaram ainda com a cota de 17,5 milhões de barris/dia para o grupo todo.

Mas quem ficaria com qual parte da cota? Bilhões de dólares estavam em jogo nessa divisão. País por país, cada um disputou sua parte no sistema de distribuição. Os doze dias da maratona do petróleo em Londres haviam evitado um colapso no preço, pelo menos por enquanto. A OPEP reajustara seu preço para adequar-se ao mercado, não um mercado em alta como no passado, mas em queda. Havia também estabelecido novas quotas, sem as hesitações do ano anterior.

Apenas um país não tinha nenhuma quota oficial: a Arábia Saudita. Se tivesse recebido uma, insistia Yamani, teria sido bem menor que os seis milhões de barris/dia, o mínimo aceitável para Riad, de acordo com as instruções que havia recebido. Em vez disso, o comunicado explicitava que a Arábia Saudita "agiria como o produtor de ajuste fornecendo as quantidades necessárias para suprir as exigências do mercado". Pela primeira vez, a Arábia Saudita, com um terço das reservas do mundo livre, era explicitamente encarregada da responsabilidade de aumentar ou diminuir sua produção para equilibrar o mercado e manter o preço. Mas esse novo sistema de administração de preços dependia de desviar e burlar a parte de 12 dos membros e da boa vontade e da habilidade do décimo terceiro, a Arábia Saudita, para desempenhar o papel fundamental de produtor do ajuste.[3]

A Bolsa de Mercadorias

Por trás do drama aparente da maratona das reuniões da OPEP em Londres e sua mudança em um verdadeiro cartel havia uma transformação de muito maior alcance da própria indústria petrolífera. Acabara o período de dominação das grandes companhias, altamente integradas. Instalava-se agora a liberdade total com chances para todos, o mundo barulhento de um grande número de compradores e vendedores. Dizia-se, às vezes com simpatia, outras vezes com horror, que o petróleo estava se tornando "apenas outra mercadoria qualquer".

O petróleo, é claro, havia sido sempre uma mercadoria, desde o princípio de sua vida comercial nas décadas de 1860 e 1870, quando os preços flutuavam alucinadamente na Pensilvânia. Mas um dos resultados do esforço constante em direção à integração era absorver a volatilidade do preço dentro da própria companhia, ligada do poço até a bomba de gasolina. Além disso, o petróleo era visto como uma mercadoria diferente das outras. "Deve-se lembrar que o petróleo não é uma mercadoria comum como chá ou café", entoava Yamani. "O petróleo é uma mercadoria estratégica, importante demais para ser deixada às oscilações do mercado à vista ou de futuro, ou qualquer modalidade de especulação." Mas foi exatamente o que começou a acontecer. Uma das razões foi o aparecimento de um enorme excedente de produção no mercado. Numa reversão completa em relação aos anos 1970, os produtores agora tinham que se preocupar com o seu acesso ao mercado e não mais os consumidores sobre seu acesso ao fornecimento. Os compradores queriam descontos, nem lhes passava pela cabeça pagar ágio como haviam sido forçados a fazer no final da década de 1970 e início dos anos 1980 ágio, como observou um empresário do petróleo, que era geralmente pouco eficiente para garantir o fornecimento e muito mais eficiente para aumentar o lucro do fornecedor!" A garantia de fornecimento não importava mais. O importante era ser competitivo num mercado superabastecido.

Uma segunda razão era a mudança de estrutura da própria indústria. Ancorados no nacionalismo e na busca de lucros, os governos dos países exportadores haviam assumido a propriedade das reservas de petróleo em seus países, bem como a responsabilidade de comercializar a mercadoria. Assim procedendo quebravam as ligações entre suas reservas e determinadas companhias, refinarias e mercados internacionais. Tendo lhe sido negado o acesso direto ao produto em muitas partes do mundo, as companhias procuravam desenvolver novas fontes. Também estava claro que teriam que encontrar uma nova identidade ou pereceriam por obsolescência. Se não podiam mais ser companhias integradas, tornar-se-iam compradoras e comerciais. Assim, seu foco de atenção mudou-se dos contratos a longo prazo para o mercado à vista. Até o final dos anos 1970, não mais do que 10% do total do petróleo comercializado no mundo era encontrado no mercado à vista, pouco mais que uma atividade marginal quando comparada ao negócio principal, uma forma de absorver o excesso produzido pelas refinarias. No final de 1982, após o transtorno do Segundo Choque do Petróleo, mais da metade do óleo cru comercializado no mundo era vendido no mercado à vista ou a preços do mercado à vista.

A BP liderava o processo, apesar de não ter escolhido esse papel. Devido à revolução iraniana e às estatizações na Nigéria, havia perdido 40% de seu fornecimento além do que já havia perdido no Kuait, no Iraque e na Líbia. Desesperadamente exposta e agindo em defesa própria, foi para o mercado à vista e começou a comprar e vender petróleo em escalas cada vez maiores. Com o surgimento dos mercados à vista e a curto prazo, as virtudes da integração no "estilo antigo" não eram mais tão evidentes. A nova BP podia escolher e comprar o óleo cru mais barato, aumentar a eficiência de suas unidades operadoras, vencer a concorrência, ser mais empreendedora. A companhia tornou-se mais descentralizada, com unidades individuais responsáveis por seu próprio lucro. A cultura corporativa, dominada pelo responsável da distribuição de suprimentos nos anos 1970, mudou para outra, dominada por comerciantes e pessoal de vendas. A companhia, considerada de burocracia quase governamental, se adaptou no que um executivo chamou "abordagem orientada para a rapidez". Mas e as históricas virtudes da integração? "É bom ter alguma integração, é claro, mas não pagaríamos ágio por isso", disse, a certa altura, o novo presidente da BP, P.I Walters. "Somos mais oportunistas agora."

O próprio Walters liderou o ataque. Ele havia, há muito tempo, chegado à conclusão de que a integração tradicional, cada vez mais controlada por modelos computadorizados, não fazia sentido. A revelação havia lhe ocorrido enquanto cortava a grama de sua casa em Highgate, ao norte de Londres, num sábado de manhã, em junho de 1967, poucos dias após a eclosão da Guerra dos Seis Dias. Chamaram-no para atender uma ligação urgente do encarregado das operações de frete da BP. As notícias eram de que o magnata dos petroleiros, Aristóteles Onassis, havia subitamente cancelado todos os acordos de frete existentes e oferecia à BP toda a sua frota, com as taxas duplicadas em relação às anteriores. Esperava uma resposta até o meio-dia e a decisão caberia a Walters que acabara de assumir a responsabilidade pela logística da BP. Dez milhões de dólares estavam em jogo. Em silencioso desespero, pensou que nenhum programa de computador poderia ajudá-lo agora, só o seu juízo comercial. Ligou de volta — aceitaria a oferta. E voltou a cortar sua grama. Os acontecimentos não tardaram a mostrar que a decisão fora acertada; na segunda-feira, o frete dos petroleiros quadruplicaram.

Dali em diante, Walters se tornou um defensor do desmembramento das operações da BP. "Aquilo me pôs a refletir sobre toda nossa forma de negociar", disse. "Vi que os proponentes de maior integração estavam na contramão do curso natural das coisas. Delegavam aos computadores o que deveriam ser decisões gerenciais." A certa altura parecia que as pregações de Walters lhe custariam o emprego, mas aguentou-se e em 1981 se tornara o presidente da companhia, numa hora em que todas as suas operações estavam em profunda crise. "Pressupostos sólidos na indústria do petróleo estavam em ruínas", disse Walters. Os iranianos tinham iniciado o desmembramento da BP, ele terminaria o serviço. "Para mim, nenhuma estratégia é desvinculada do lucro", explicava. Walters tornou-se famoso por dizer a seus gerentes que "não há nenhuma vaca sagrada na BP" e "você me diz quais coisas fazem sentido do ponto de vista econômico e quais não e eu lhe digo quais manteremos e quais não." A necessidade havia realmente se tornado uma virtude.

As outras companhias haviam sido empurradas na mesma direção pelas mesmas forças. Em quase todas as companhias, o resultado era o embate entre os que estavam acostumados e condicionados à indústria petrolífera integrada dos anos 1950 e 1960 e os que acreditavam haver chegado uma nova era para o comércio de petróleo. Não apenas os sistemas operacionais, mas crenças fundamentais, profundamente arraigadas, estavam sendo colocados em questão. "Da maneira como fui ensinado, movimentávamos nosso próprio petróleo através de nossas próprias refinarias e encaminhávamos os produtos para nossos sistemas de distribuição", dizia George Keller, presidente da Chevron. "Era tão óbvio que se tornara um dogma." Passar a tratar o petróleo como uma mercadoria comum foi uma mudança à qual os tradicionalistas em muitas companhias resistiram, considerando essa linha como grosseira, imoral e como procedimento completamente inadequado em se tratando de negócios de petróleo, quase contra as leis da natureza. Persuadi-los levou tempo, mas deu certo. O que aconteceu, na maior parte das companhias, foi o estabelecimento da *trading* como um centro de lucros separado, uma forma de fazer dinheiro de acordo com as regras daquele jogo, não apenas como uma forma de assegurar que a oferta e a procura ficassem equilibradas dentro das operações da própria matriz. Em tempos de crise, os exportadores não tinham sido fiéis às companhias, portanto, agora em tempos de excedentes, as companhias não deviam nenhuma lealdade aos exportadores. Os compradores procurariam o petróleo mais barato em qualquer lugar do mundo, fosse para uso próprio ou para renegociá-lo — tudo para se tornar o mais competitivo possível.

As quatros companhias que formavam a Aramco — Exxon, Mobil, Texaco e Chevron — apesar de alguns cortes, continuavam a comprar grande volume do petróleo da Arábia Saudita mesmo sabendo que pagavam o "preço oficial" a um custo muito mais alto do que os crus competitivos. O preceito fundamental havia sido sempre preservar o acesso ao petróleo saudita e as companhias resistiam em romper essas ligações. Mas em 1983 e 1984 tiveram que admitir, relutantes, que o preço ao acesso estava muito caro. "Nós da Chevron sempre consideramos a Aramco como operação nossa", disse George Keller. "Foi algo que começamos, desenvolvemos e na qual tivemos um papel-chave. Era um problema, mas não poderíamos continuar a jogar dinheiro fora. Tínhamos que voltar atrás e por fim tivemos que dizer a Yamani que não havia jeito de continuar como estávamos." Apesar de não terem sido rompidas as ligações com a Aramco, foram significativamente reduzidas. A Arábia Saudita perdera o *status* de fornecedor especial. A alteração das relações comerciais entre as quatro companhias e a Arábia Saudita foi um dos grandes símbolos da transformação da indústria do petróleo.

A mudança para o mercado de *commodities* foi facilitada por uma alteração fundamental na indústria. Com o descontrole nos preços do petróleo e o fim de vários outros tipos de controle, os Estados Unidos não estavam mais isolados do mercado internacional do petróleo. Na verdade, tornavam-se agora intimamente ligados ao resto do mercado. Os Estados Unidos não apenas eram o maior país consumidor, mas, como resultado da queda na produção mundial, a produção americana chegava a totalizar 25% do petróleo do mundo livre. A produção era altamente orientada para o mercado e podia fazer sentir sua influência no resto do mundo. Um tipo especial de óleo cru americano chegou a tornar-se o novo líder na indústria mundial.[4]

De ovos a petróleo

O aparecimento desse tipo de cru, chamado West Texas Intermediate, refletia ainda uma outra inovação importante nas operações da indústria do petróleo. Foi também no ano da virada, 1983, mas não em Viena, Riad ou Houston e sim na Lower Manhattan, no oitavo andar do World Trade Center, que a New York Mercantile Exchange, conhecida como Nymex, introduziu um contrato de futuros de óleo cru.

Quando uma mercadoria é muito vendida em mercados à vista, com preços que são voláteis e incertos, compradores e vendedores tentam achar um mecanismo que minimize seus riscos. Foi assim que nasceram as bolsas de futuro, que permitem a um comprador adquirir o direito de comprar a mercadoria em alguma data futura a um preço específico, pré-determinado. Ele pode fechar seu preço de compra, conhece seu risco. Da mesma forma, um produtor pode dispor de seu produto antecipadamente, mesmo antes de sua produção ou, no caso de produtos agrícolas, antes da safra. Ele também fecha o seu preço. Tanto comprador quanto vendedor tentam neutralizar as perdas. Seu objetivo é minimizar os riscos e reduzir sua exposição à variação de preços. A "liquidez" é fornecida pelos especuladores que esperam lucrar colocando-se do lado certo das variações entre oferta e procura — e pela psicologia do mercado. Vários tipos de mercadorias diferentes, tais como cereais e tripas de porco, têm sido comercializados nas diversas bolsas de futuro nos Estados Unidos. medida que a economia mundial se tornou menos estável nos anos 1970 e as regulamentações foram progressivamente abolidas, as bolsas de futuro surgiram para o ouro, os juros, as moedas e, finalmente, o petróleo.

No que diz respeito às bolsas de futuro, a New York Mercantile Exchange não havia feito uma carreira exatamente brilhante. Foi fundada em 1872, no mesmo ano em que John D. Rockefeller lançara o "nosso plano" para assumir a indústria americana de petróleo e acabar com a concorrência. A bolsa tinha ambições bem mais modestas, refletindo os interesses de 72 negociantes em Nova York que procuravam um lugar para comercializar laticínios. Seu nome original era Bolsa de Queijos e Manteiga. Os ovos foram logo incluídos no cardápio e, em 1880, tornou-se Bolsa de Queijos, Manteiga e Ovos. Dois anos mais tarde, houve nova mudança de nome, agora para New York Mercantile Exchange. Na década de 1920, a bolsa de futuros de ovos já havia sido incluída e estava sendo negociada, além dos próprios ovos.

Em 1941, uma nova mercadoria transpôs os portais da bolsa — a batata do Maine. Mais tarde, juntaram-se aos futuros cebolas tipo amarelas, maçãs (McIntosh e Golden Delicious), batatas do Idaho, compensados de madeira e platina. Mas, a estrela da bolsa era a batata do Maine até que o equilíbrio entre a oferta e a procura das batatas começou a alterar-se dramaticamente. As batatas do Maine estavam perdendo mercado para as batatas de outras regiões do país; além disso, o volume absoluto de batatas do Maine produzido anualmente também estava em declínio. Como resultado dessa combinação de fatores, os contratos de futuro para as batatas do Maine estavam em dificuldades. Em 1976, e novamente em 1979, os contratos de batatas foram alvo de escândalos vários, inclusive a mortificante situação em que os estoques entregues não foram aprovados pela inspeção sanitária da cidade de Nova York. A bolsa, sob pressão, acabou abruptamente com o comércio de batatas do Maine, ficando ela mesma ameaçada de extinção.

Bem a tempo, no entanto, a Nymex havia introduzido um novo produto, um contrato de óleo para aquecimento doméstico, considerado interessante pelos distribuidores locais de óleo para aquecimento. Em 1981, introduziu-se a bolsa de futuros para gasolina, mas a maior inovação surgiu em 30 de março de 1983. Naquele dia, a bolsa inaugurou os futuros em óleo cru, apenas duas semanas após o término da maratona de reuniões da OPEP no Intercontinental Hotel de Londres. A sincronia era irônica, uma vez que os contratos de futuros iriam certamente minar os poderes da OPEP para fixar preços. Os direitos a um único barril de petróleo poderia agora ser comprado e vendido várias vezes com os lucros, às vezes imensos, indo para os comerciantes especuladores.

Os operadores de pregão reagiram entusiasticamente à bolsa de futuros para petróleo cru em Nova York. Empurrando-se e acotovelando-se entre a multidão no pregão da Nymex, gritavam e sacudiam os braços furiosamente para registrar seus pedidos de contratos. Os especuladores também estavam se empurrando e se acotovelando em busca de um lugar na indústria do petróleo, que não os via com bons olhos. A reação inicial das companhias estabelecidas no mercado de futuros foi de ceticismo e franca hostilidade. O que esses jovens barulhentos e gesticuladores, para quem longo prazo era talvez duas horas, tinham a ver com uma indústria na qual a engenharia e a logística eram extremamente complexas, onde relacionamentos carinhosamente cultivados eram a base de tudo e onde as decisões de investimento de hoje só começariam a se pagar em dez anos? Um alto executivo de uma das grandes companhias desconsiderou os futuros de petróleo "como um jeito de os dentistas perderem dinheiro". Mas a prática — de futuros, não de odontologia — caminhou rapidamente em direção da aceitação e respeitabilidade. Em poucos anos, a maior parte das grandes companhias e alguns países exportadores, assim como outros investidores, incluindo grandes financeiras, participavam da bolsa de futuros de petróleo cru da Nymex. Com os preços onde estavam, nenhum deles podia se dar ao luxo de ficar de fora. À medida que o volume das transações crescia astronomicamente, as batatas do Maine se tornavam lembrança distante, pitoresca e embaraçosa, no quarto andar do World Trade Center.

Houve época em que o preço era estabelecido pela Standard Oil, depois foi a vez da Texas Railroad Commission nos Estados Unidos e das grandes companhias no resto do mundo. Depois, a OPEP. E agora o preço era estabelecido a cada dia, instantaneamente, no mercado aberto, por meio da interação entre operadores de pregão na Nymex e compradores e vendedores colados às suas telas de computadores no mundo inteiro. Tudo muito parecido com os negócios de petróleo realizados na Pensilvânia ao final do século XIX, mas renascido com moderna tecnologia. Todos os investidores recebiam as mesmas informações ao mesmo tempo e poderiam tomar suas decisões logo em seguida. As "leis divinas da oferta e da demanda" ainda prevaleciam, mas agora eram reveladas de forma diferente, muito mais ampla e sem demora. O preço básico em todas as transações era o do WTI, West Texas Intermediate, um tipo abundante de petróleo cru, facilmente comercializado, sendo, portanto, um bom padrão para o preço mundial do petróleo, que havia até então se guiado pelo "árabe leve". Há vinte anos, o árabe leve havia suplantado o petróleo da costa do Texas como padrão de preço para o petróleo cru de todo o mundo. Agora, quase fechando o ciclo, estava de volta para o Texas. Com o crescimento rápido da bolsa de futuros para petróleo, as cotações WTI juntaram-se ao preço do ouro, às taxas de juros, à média industrial da Dow Jones como as medidas vitais e cuidadosamente monitoradas do batimento cardíaco da economia mundial.[5]

Novas guerras do petróleo: o tiroteio da diferença de valor

Com a reestruturação geral dos mercados internacionais, a própria indústria do petróleo passou por uma reorganização completa da qual nenhuma das grandes companhias escapou. A desregulamentação de uma indústria elimina o protecionismo e aumenta a pressão competitiva o que resulta, classicamente, em incorporações, desmembramentos, aquisições do controle e umas tantas outras mudanças corporativas. O petróleo, completamente desregulamentado nos Estados Unidos em 1981 não foi exceção. A abundância e os preços em baixa estimulavam as incorporações e o enxugamento, aumentando a eficiência e, portanto, os lucros. Ao mesmo tempo, investidores institucionais — as pensões, fundos mútuos e gerentes financeiros que tradicionalmente controlavam três quartos das ações das grandes corporações americanas — se tornavam mais agressivos exigindo maiores retornos para seus investimentos. Pressionados a mostrar eficiência em relatórios trimestrais, não se dispunham a esperar resultados a longo prazo. A seus olhos, a indústria petrolífera estava perdendo seu esplendor após grande surto de progresso.

O ponto nevrálgico da reestruturação da indústria petrolífera se baseava, entretanto, na "diferença de valor", termo usado quando o valor das ações de uma companhia não reflete totalmente o valor que suas reservas de gás e petróleo alcançariam no mercado. Quanto maior era a diferença entre o preço das ações e o valor de mercado de seus ativos, mais vulnerável era a companhia. Em tais casos, a implicação óbvia era que uma nova administração poderia elevar o preço da ação e assim enfatizar esta nobre causa o "valor dos acionistas", coisa que a administração anterior deixou de fazer. Havia uma outra distorção: custava três a quatro vezes mais caro obter mais barris da exploração do que comprá-los dos ativos de uma operação já existente. Ficou claro para as companhias que buscam petróleo no chão da Bolsa de Valores de Nova York — isto é, comprar companhias subavaliadas — que era muito mais barato que explorar o subsolo do Texas ou o leito marítimo do golfo do México. Aqui, mais uma vez, o "valor do acionista" era uma força propulsora. Muitas companhias haviam reinvestido os enormes lucros decorrentes dos dois choques de petróleo na exploração de novos campos nos Estados Unidos, buscando alternativas seguras ao petróleo da OPEP. Os resultados foram desanimadores, as reservas continuavam diminuindo. Tão grande investimento havia se mostrado ineficiente e dispendioso. Em vez de continuar a gastar atabalhoadamente, por que não devolver uma parte maior do dinheiro aos acionistas por meio de maiores dividendos ou recompra de ações e deixar a eles a decisão de como reinvesti-lo? Ou melhor ainda, por que não adquirir ou fundir-se com outras companhias de valor conhecido, aumentando as reservas sem maiores gastos?

Assim a diferença de valor, como uma falha geológica, facilitou uma grande revolução na indústria do petróleo. O resultado foi como uma série de batalhas corporativas, jogando uma companhia contra as outras, com uma variedade de guerreiros de Wall Street no meio ou, às vezes, no comando. Era um tipo inteiramente novo de guerra de petróleo.

O gatilho

Apesar de a indústria estar pronta para uma mudança no final do Segundo Choque do Petróleo, era preciso um gatilho. Esse detonador seria encontrado em Amarillo, uma cidade de 150 mil habitantes, no elevado plano e seco planalto de Panhandle, noroeste do Texas — uma região isolada, árida, varrida por ventos fortes, mais perto de Denver do que de Houston. O petróleo e o gás eram os grandes negócios em Amarillo, em geral administrados por empresas independentes de pequeno porte. Outro grande negócio na região era o gado. Como também armamentos nucleares. Amarillo era o único centro nacional para a finalização na produção de bombas atômicas, fabricando, segundo estimativa, quatro ogivas por dia. Era também a matriz de um produtor independente de petróleo chamado T. Boone Pickens, que, mais que qualquer outro, detonou as explosões que remodelaram a paisagem das corporações de petróleo, destruindo no processo alguns marcos bem conhecidos.

Boone Pickens se tornou uma espécie de celebridade, especialista em despistar, com um riso seco, os repórteres que lhe perguntavam solenemente se era o J.R. Ewing da "vida real", referindo-se ao personagem da série de televisão *Dallas*. Na comunidade financeira, Pickens era bastante aplaudido entre os investidores, fazia as coisas acontecerem, aumentava o valor das ações. Na indústria petrolífera, porém, as coisas eram um pouco diferentes, se era admirado por uns, era detestado por outros. Colocando-se estrategicamente na confluência entre a indústria petrolífera e Wall Street, afirmava estar pressionando a indústria petrolífera para uma volta aos valores básicos, combatendo seus desperdícios, livrando-a de seus próprios excessos, ilusões e arrogância, servindo aos interesses frequentemente ignorados dos, até então, destituídos acionistas. Seus adversários diziam que ele não passava de um oportunista inteligente, que usava de seus excepcionais dotes de vendedor para embrulhar a velha ambição no manto dos direitos dos acionistas. Uma coisa ficou bastante clara: Pickens viu as fraquezas e vulnerabilidades da indústria petrolífera por trás do Segundo Choque do Petróleo com maior clareza e antes que a maioria de seus pares. E a partir daí, não só pensou no que fazer como também elaborou uma ideologia para fundamentar seus atos. Num certo nível, sua campanha, pois era do que se tratava, representou a vingança dos empresários independentes contra as odiadas companhias petrolíferas.

Nascido em 1928, Pickens cresceu nos campos de petróleo, perto de Seminole, sede de uma das maiores descobertas de Oklahoma nos anos 1920. Seu pai era um negociante de terras que comprava direitos de exploração dos fazendeiros e os vendia às companhias de petróleo. Sua mãe era a encarregada do racionamento de gasolina em três condados durante a II Guerra Mundial. Filho único, cresceu tornando-se um jovem insolente, confiante, independente, dono de uma língua afiada e bem falante. Não costumava aceitar a ordem estabelecida das coisas, mas fazia com que acontecessem de seu modo. Competidor inveterado, detestava perder.

Quando a sorte da família virou, mudaram-se para Amarillo, onde seus pais foram trabalhar para a Phillips. O jovem Boone formou-se em geologia e também foi trabalhar com a Phillips. Mas, detestou. Não suportava a burocracia ou a hierarquia. E, certamente, não gostou quando um de seus chefes lhe disse: "Se quiser fazer carreira nessa companhia, é melhor aprender a calar a boca." Em 1954, depois de três anos e meio de casa, demitiu-se da Phillips e foi estabelecer-se por conta própria como empresário independente, atuando como consultor, estruturando negócios que vendia para gente endinheirada em Amarillo. Viajava por todo o Sudoeste, convivendo com os ventos quentes e a poeira constante que lhe entravam pelo nariz e pela boca — face itinerante do sonho americano. Fazia a barba nos banheiros dos postos de gasolina das estradas onde se viam os letreiros das grandes companhias petrolíferas, pelas quais já nutria considerável aversão. Eram os dias difíceis dos meados da década de 1950, durante uma das recessões cíclicas da indústria. Pickens era um dentre os milhares que percorriam os estados produtores de petróleo, usando cabines de telefone público como escritório, movimentando-se, arrumando negócios, passando-os adiante, juntando uma equipe, perfurando poços e, com sorte, conseguindo gás ou petróleo, sonhando o tempo todo com a fortuna, a grande fortuna.

Pickens foi mais longe que a maioria. Era inteligente e astucioso, tinha a capacidade de analisar um problema avaliando-o, passo a passo. No devido tempo, foi a Nova York levantar dinheiro e iniciou uma operação bem-sucedida no Canadá. Em 1964, já havia reunido suas várias operações numa companhia, a Mesa Petroleum. Depois que a empresa abriu seu capital, T. Boone ficou fascinado com a diferença entre o valor das ações e o valor real dos ativos de gás e petróleo. Ficou de olho na Hugoton Production, uma empresa sonolenta mas bastante grande, com extensas reservas de gás em Hugoton, no Kansas, onde ficavam, na época, os maiores campos de gás do país. O preço das ações era muito menor que o valor alcançado pelas suas reservas de gás caso fossem vendidas. Os acionistas poderiam ser conquistados com a promessa de maiores dividendos, com base no aumento do valor da ação e gerenciamento mais eficiente da empresa. Eis o conceito, muito simples, que teria vasto impacto 15 anos mais tarde. Em 1969, Pickens concluiu uma compra da Hugoton e incorporou a empresa, muito maior, à Mesa, criando uma companhia independente de petróleo de tamanho considerável.

Como a maioria das pessoas que estava no negócio, Pickens foi pego pela febre do petróleo pós-1973. Alugou quantos equipamentos de perfuração pôde arranjar nos Estados Unidos e foi procurar petróleo no estrangeiro, no mar do Norte e na Austrália. Ainda era um negociante inveterado e com grande experiência na bolsa de futuro muito antes que a maioria dos negociantes de petróleo tivesse sequer ouvido falar do assunto. Sua especialidade anterior fora a bolsa de futuro de gado. A certa altura levou a Mesa a investir em rações, fazendo da pequena companhia de petróleo, a segunda maior empresa de rações do país, tudo como investimento secundário. A aventura acabou mal e ele retirou a empresa dos pastos. Mesmo assim, no pico das disputas petrolíferas em meados dos anos 1980, com bilhões de dólares em jogo, Pickens olhava pela janela de seu avião enquanto sobrevoava o Texas e contava as cabeças de gado para ver se os rebanhos eram grandes ou pequenos, decidindo investir mais ou menos na bolsa de futuro de gado. Por esporte.

Pickens fora exímio jogador de basquete e depois de racketball, isso queria dizer velocidade, jogadas rápidas e inesperadas, excelentes reflexos e improvisações constantes.

Era como fazia negócios. "Costumávamos nos juntar no escritório de Boone aos sábados de manhã, alguns de nós nos sentávamos no chão," disse um de seus gerentes, lembrando os anos 1970, "e Boone nos perguntava como iríamos ganhar dinheiro na semana seguinte." Ele se orgulhava de ser o único empresário de petróleo em Amarillo que ainda trabalhava aos sábados. Seu estilo — planejado como um jogo, atento aos detalhes mas também altamente improvisado — o fazia um duro rival para as grandes e burocráticas companhias que enfrentasse. E ele não corria da briga. Quando alguém da sua equipe lhe contava que um competidor ou um gasoduto fizera algo que ele não aprovava, Pickens dava sua resposta padrão: "Diga-lhes que vão beijar a bunda de um gordo."

No início dos anos 1980, Pickens percebia a fragilidade do negócio do petróleo. Os Estados Unidos eram um produtor em declínio, com perspectivas cada vez mais limitadas e um histórico de descobertas desapontador. Ao mesmo tempo, o preço das ações das companhias de petróleo não refletia o valor de venda de suas reservas comprovadas de gás e petróleo. Aqui estava o jeito da Mesa ganhar dinheiro. Como com a Hugoton Production.

Seu alvo inicial, em 1982, foi a Cities Service, descendência de Harry Doherty, magnata do petróleo e serviços que primeiro pregou as virtudes da economia na produção de gás e petróleo para uma indústria hostil, na década de 1920. A Cities Service era a 19ª entre as maiores companhias de petróleo americanas e a 38ª na lista das corporações industriais da revista *Fortune 500*. Era três vezes maior que a Mesa. O valor de venda das suas ações era um terço do valor estimado de suas reservas de gás e petróleo, o que não era exatamente um grande benefício para os acionistas. A mesa comprou um bloco maior de ações da companhia. Enquanto a Mesa estudava os planos de aquisição, a Cities Service fazia uma oferta para Mesa, que, por sua vez, apresentava sua contraproposta. A Gulf interveio oferecendo pela Cities quase o dobro do preço pelo qual as ações tinham sido vendidas antes do rebuliço, mas depois desistiu. Finalmente, a Occidental de Armand Hammer comprou todas as ações da Cities. O lucro da Mesa Petroleum foi de trinta milhões de dólares com as ações que detinha. Foi o primeiro lance.

A essa altura, reestruturações e megafusões proliferavam na indústria petrolífera. Tudo começara, na verdade, em 1979, quando a Shell adquiriu a Belridge, grande produtora de petróleo na Califórnia. No início dos anos 1920, a Shell havia feito uma oferta pela Belridge, coisa da ordem de oito milhões de dólares, mas acabou desistindo. Agora, em 1979, pagou um pouco mais, um total de 3,6 bilhões de dólares — a maior aquisição feita até aquela data. Em 1981, a Conoco escapou da tentativa de ter seu controle acionário assumido pela Dome Petroleum do Canadá, caindo nas mãos da DuPont por 7,8 bilhões. A Mobil fez uma oferta pela Marathon, a companhia produtora que pertencera à Standard Oil e dona de parte do campo de Yates, uma das maiores reservas do país na Permian Basin do Texas. Buscando uma alternativa à Mobil, a Marathon vendeu-se por 5,9 bilhões de dólares para a U.S. Steel, que por sua vez buscava alternativas de diversificação para o desastre em que se convertera a indústria de aço americana. A Mesa fez uma oferta pela General American, grande produtora de óleo cru, foi coberta pela Phillips que pagou 1,1 bilhão de dólares. Fora daquela briga, Pickens pediu tempo. Outro alvo certamente iria aparecer.[6]

O fim de semana mexicano

Enquanto isso, a grande explosão mundial do petróleo começava a dar para trás. A exploração nos Estados Unidos diminuiu. O número de falências e refinanciamentos saltou entre as companhias menores. As grandes deram início à primeira rodada de contenção de despesas — cortes, congelamento de contratações e antecipação de aposentadorias. Os investidores, não mais preocupados com a inflação, começaram a abandonar os campos de petróleo pelo mercado de ações. Fundos mútuos de investimentos e gerentes financeiros desbancaram o petróleo, os cronogramas de perfuração e os geólogos como assuntos preferidos em jantares.

À medida que a crise prosseguia ficava claro quão interdependente o petróleo se tornara do sistema financeiro global. Em nenhum outro lugar isso ficou tão bem demonstrado como no México que, no início da década de 1980, havia contraído uma dívida externa extraordinária, mais de 84 bilhões de dólares, baseando-se unicamente em sua condição de potência emergente na produção de petróleo. Naquele ano, Jesüs Silva Herzog foi nomeado ministro das Finanças. Era homônimo de seu pai que havia chefiado, em 1937, a comissão nacional que julgara as companhias petrolíferas em operação no México culpadas de auferir lucros extraordinários e forneceu todo o embasamento técnico para sua nacionalização pelo presidente Cárdenas. Dali em diante assumiu o comando de parte da Pemex, a companhia de petróleo mexicana, onde ficou até renunciar por causa de uma disputa sobre salários com o sindicato dos trabalhadores da indústria petrolífera. O filho havia tomado o rumo dos modernos tecnocratas mexicanos, incluindo pós-graduação em economia na Universidade de Yale, nos Estados Unidos, de onde saiu para fazer carreira na burocracia do governo mexicano até abril de 1982, quando o presidente López Portillo o nomeou ministro das Finanças.

Silva Herzog, chocado, viu que o país estava à beira de uma grave crise econômica, resultante da associação de uma série de fatores: a queda dos preços do petróleo, as altas taxas de juros, a supervalorização do peso, os gastos governamentais incontidos e o enfraquecimento da demanda do mercado americano em recessão por outros produtos de exportação mexicanos. Além disso, tudo havia uma imensa fuga de capitais. Silva Herzog reconheceu que o México era incapaz de fazer frente as suas enormes dívidas. Não podia sequer pagar os juros, quanto mais repor o principal. Mas o presidente López Portillo continuava surdo a qualquer outra argumentação que não fosse a dos que o cercavam, afirmando sua condição de mais extraordinário presidente da história do México. "Foi uma experiência horrível", disse, mais tarde, Silva Herzog.

O ministro das Finanças começou a empreender viagens secretas a Washington, D.C., saindo da Cidade do México na quinta-feira à noite para encontrar-se com Paul

Volcker, presidente do Federal Reserve System, na sexta. Voltava ao México na própria sexta-feira para estar presente nos acontecimentos sociais do fim de semana, de tal modo que ninguém percebesse que saíra do país. Conseguiu levantar novecentos milhões de dólares a título de empréstimo de emergência do Federal Reserve, mas o dinheiro se dissipou numa semana por causa da evasão de capital. Em 12 de agosto de 1982, Silva Herzog chegou à conclusão de que não adiantava improvisar. O México não tinha como pagar os juros. Poderia, é claro, dar o calote. Mas isso poderia provocar o colapso do sistema financeiro internacional. Os nove maiores bancos americanos haviam emprestado ao México o equivalente a 44% do total de seus capitais. Quantos bancos cairiam na primeira onda e quantos mais seriam carregados por eles na segunda? Como o México operaria na economia mundial depois disso?

Em 13 de agosto, Silva Herzog voltou a Washington, D.C. Aqueles poucos dias seriam lembrados mais tarde como "o fim de semana mexicano". Em sua primeira reunião com o secretário do Tesouro, Donald Regan, Silva Herzog lhe explicou que havia esgotado as reservas cambiais. "Temos que pensar em algo", disse, "ou enfrentaremos consequências muito sérias no plano internacional."

No final da discussão, Regan disse: "Vocês têm realmente um problema grave."

"Não, senhor Secretário," replicou Silva Herzog, "*nós* temos um problema grave."

Mexicanos e americanos lançaram-se ao trabalho na sexta-feira à tarde e continuaram sem interrupções até a madrugada de domingo. Montaram um pacote multibilionário de empréstimos e créditos e compras antecipadas de petróleo mexicano para a reserva estratégica americana. Foi então que por volta das três horas da madrugada de domingo, as negociações chegaram à beira do fracasso total. Silva Herzog descobriu uma taxa de serviços de 100 milhões de dólares embutida no contrato, candidamente explicada por um dos americanos assim: "bem, quando alguém está em sérias dificuldades e a gente lhes empresta dinheiro, eles têm que pagar uma taxa". Silva Herzog ficou furioso. "Isso não é um negócio", fuzilou. "Sinto muito, mas não posso aceitar essas condições." Ligou para Lopez Portillo que, igualmente furioso, lhe disse que encerrasse a conversa e voltasse ao México imediatamente.

Mais tarde, naquele mesmo dia, Silva Herzog mastigava soturnamente um hamburger na embaixada do México, preparando-se para partir, quando recebeu um telefonema do Tesouro dos Estados Unidos informando sobre o cancelamento da taxa dos 100 milhões. Os americanos não podiam arriscar um colapso. Quem poderia prever os efeitos na segunda-feira? E assim, encerrou-se o fim de semana mexicano, com a primeira parte do pacote de emergência acertada.

Silva Herzog encontrou a Cidade do México em convulsão. Munido de uma lousa, foi à televisão e, de improviso, por 45 minutos, explicou o que estava acontecendo. Voltou à Nova York na sexta-feira seguinte para encontrar-se com funcionários do Federal Reserve e representantes dos atemorizados bancos para elaborar um plano de reestruturação das dívidas mexicanas. O plano constituía numa moratória da dívida, mas ninguém queria usar esse termo. Chamaram-no de "rolagem da dívida" — um jeito delicado de dizer que, pelo menos em parte, o México havia dado o calote.

Exausto, mais uma vez Silva Herzog voltava ao México. Assim que chegou, retirou-se para uma cidadezinha nas montanhas, longe da Cidade do México. "Precisava me afastar de tudo que havíamos passado. Pensei em meu pai e no papel que desempenhara na nacionalização do petróleo mexicano. Naquela época, eu tinha três anos de idade. Nos anos que se seguiram, meu pai frequentemente me falava do assunto. Era um de seus temas prediletos. E agora aqui estava eu, no meio de uma das piores crises mexicanas desde a de 1938 e também associada ao petróleo. Havíamos cometido erros terríveis por conta do petróleo. Mas, instalava-se no México essa sensação de vitória. Vivêramos a maior fase de progresso na história mexicana. Pela primeira vez em nossa história, naqueles anos entre 1978 e 1981, fomos cortejados pelas pessoas mais importantes do mundo. Pensamos que éramos ricos. Tínhamos petróleo."

Os mercados financeiros internacionais tremeram em pânico naquele agosto de 1982, mas o pronto improviso do "fim de semana mexicano" e dos dias que se seguiram, conseguiram estabilizar o sistema financeiro mundial. O drama da dívida mexicana serviu, entretanto, para evidenciar a realidade de que o surto de expansão do petróleo no mundo estava acabado e, o fato de que o "poder do petróleo" era menor do que se pensava. O petróleo podia trazer riquezas mas também crises e dificuldades para uma nação. Além do mais, ocorria um processo de transição. A crise mundial de petróleo cedia lugar à crise mundial da dívida e muitos dos credores internacionais eram nações ricas em petróleo que haviam tomado emprestado muito dinheiro ancoradas na premissa de que sempre haveria mercado para seu petróleo e a bom preço.

Ao mesmo tempo que o México se equilibrava à beira da falência, um pequeno banco com a imponente denominação de Penn Square, sediado num obscuro shopping center de Oklahoma City, também beirava a insolvência. Emprestara dinheiro a rodo, para investimentos em energia, cujos padrões de prudência eram sugeridos pelos hábitos preferidos de seu gerente encarregado dos empréstimos — gostava de beber Amareto e soda e calçar mocassinos Gucci. O Penn Square tornou-se alvo de intensas deliberações por parte da Federal Reserve e outras entidades regulamentadoras. Por que um banco pequeno com sede num shopping center de subúrbio merecia tanta atenção quando o México estava prestes a naufragar? A razão era que o Penn Square havia gerado um volume enorme de empréstimos para gás e petróleo, muitos deles bastante questionáveis e os havia vendido, por perto de dois bilhões de dólares, para grandes bancos como o Continental Illinois, o Bank of America e o Chase Manhattan. O portfólio de empréstimos que Penn Square tinha que receber nada valiam, o banco tornou-se insolvente e foi fechado pelas comissões de regulamentação. Mas a história não acabava aí.

Nacionalmente, o mais agressivo dos grandes bancos em créditos para energia era o Continental Illinois, o maior banco do Centro-Oeste e o sétimo do país. No geral, era o que mais rapidamente crescia no setor de empréstimos nos Estados Unidos, ganhava todos os prêmios de excelência em administração e seu presidente havia sido escolhido o "Banqueiro do Ano". Segundo um de seus competidores no setor de crédito para energia, o Continental Illinois estava "roubando nossa merenda". Aumentava rapidamente sua participação no mercado de ações em crédito para gás e petróleo, assim como em outros setores. O *Wall Street Journal* o considerou como "o banco a ser superado".

Quando os preços do petróleo começaram a cair, ficou claro que o Continental Illinois, com sua enorme carteira de empréstimos destinados à energia obtida através do Penn Square e de outras fontes, caminhava em terreno não mais sólido do que o ar. O resultado, em 1984, foi a maior corrida de saques de que se tem notícias. Companhias e bancos do mundo todo queriam seu dinheiro de volta. O Continental Illinois não tinha mais crédito. A integridade de todo o sistema bancário interligado estava em risco. O governo federal interveio com uma fiança enorme — 5,5 bilhões de dólares em capital novo, 8 bilhões de dólares em empréstimos emergenciais e, naturalmente, uma nova administração. Embora o termo tenha sido aplicado raramente nos Estados Unidos, o Continental Illinois havia sido, pelo menos temporariamente, nacionalizado. Os riscos da não intervenção em circunstâncias dessa magnitude, seriam perigosos demais para serem encarados.

Com o colapso do Continental Illinois, o crédito para energia saiu de moda instantaneamente. Os bancos que ainda se dispusessem ou fossem capazes de emprestar dinheiro para as companhias energéticas refizeram sua linha de crédito de forma tão restritiva, que conseguir empréstimos para investir em gás ou petróleo ficou quase tão difícil quanto passar pelo proverbial buraco de uma agulha. E, sem capital, não havia combustível para exploração e desenvolvimento, muito menos para um surto de progresso.[7]

Dr. Broca

Outro drama de repercussões duradouras para a indústria petrolífera se desenrolava nas águas remotas da costa do Alasca. Pensava-se que a metade do petróleo e gás ainda não descobertos nos Estados Unidos estavam no próprio território do Alasca ou em águas adjacentes. Todos os olhos se voltavam para um lugar — Mukluk, o termo esquimó para botas de pele de foca. Era uma vasta estrutura subterrânea, a 23 quilômetros da Costa Norte do Alasca, onde o mar Beaufort se transforma no Oceano Ártico — uns 105 quilômetros a noroeste das prolíficas reservas de North Slope na Baía de Prudhoe. Mukluk provocou enorme alvoroço em toda a indústria petrolífera. As várias companhias que se associaram na prospecção e perfuração de um poço pioneiro, liderados pela Sohio, afiliada à BP e pela Diamond Shamrock, esperavam outro elefante, outro East Texas, outra Baía de Prudhoe, talvez, quem sabe, uma descoberta do nível de um campo saudita importante. Mukluk era a perspectiva mais emocionante em uma geração. "É uma coisa com a qual a gente sonha", disse o presidente da Diamond Shamrock, empresa de exploração. Os geólogos da BP afirmaram se tratar de um dos poços exploratórios de menor risco já tentados pela companhia — as chances de sucesso eram de um para três ao invés de um para oito normais. Entretanto, o esforço para perfurar os tesouros de Mukluk custaria caro — mais de dois bilhões de dólares. Em meio a um ambiente físico desencorajador, as companhias tinham que construir sua própria ilha de cascalho a partir da qual poderiam perfurar na águas geladas. Esse trabalho só podia ser feito durante o curto verão antes que o mar se congelasse. No inverno a temperatura podia cair para sessenta graus abaixo de zero.

À medida que a perfuração para valer prosseguia durante o verão e o outono de 1983, o poço de Mukluk tomou conta da imaginação da indústria petrolífera e da comunidade financeira. O valor das ações das companhias engajadas na prospecção deram um salto. Em caso de sucesso, a Mukluk mudaria tudo: a posição das companhias, a perspectiva da prospecção nos Estados Unidos, o equilíbrio mundial do petróleo, até mesmo a relação do mundo industrializado com os paises exportadores. Mas, como dizia o grande explorador do século XIX, John Galey, só o dr. Broca sabe com certeza. E na primeira semana de dezembro de 1983, o dr. Broca se manifestou, sua palavra correu mundo rapidamente. A 2,4 mil metros abaixo do fundo do mar onde deveriam aparecer os primeiro sinais de petróleo, a broca bateu num lençol de água salgada. Mukluk não tinha petróleo.

Havia evidência clara de que Mukluk abrigara petróleo, alguma vez, no passado. Mas, ou a estrutura rachara e o petróleo vazara para a superfície — um vazamento de proporções gigantescas, apesar de não haver sinais dele no meio ambiente — ou talvez movimentos subterrâneos provocaram a migração do petróleo para a estrutura da Baía de Prudhoe, numa brincadeira da natureza. "Nós perfuramos no lugar certo," disse Richard Bray, presidente da Sohio. "Só estávamos 30 milhões de anos atrasados."

O poço seco de Mukluk não foi apenas o furo mais caro da história, mas também o ponto crítico da exploração nos Estados Unidos. O poço seco parecia anunciar que os Estados Unidos eram mesmo uma perspectiva pobre. Apostar tão alto em exploração era por demais arriscado e muito caro. Os administradores seriam punidos, no futuro, se continuassem a arriscar e perder dinheiro nessa escala. Para muitos executivos de companhias petrolíferas, Mukluk foi uma mensagem clara: deveriam passar da exploração de petróleo para a aquisição de reservas comprovadas tanto sob a forma de propriedades individuais como de companhias inteiras. Depois de Mukluk, a compra seria mais do seu estilo.[8]

Assuntos de família

As questões de ordem econômica e geológica não foram as únicas responsáveis pela reestruturação da indústria petrolífera. Os ódios, ressentimentos e disputas que grassaram dentro das famílias, tiveram participação importante. A guerra entre os herdeiros da fortuna da família Keck resultou na aquisição da Superior Oil, a maior empresa independente do país, pela Mobil que pagou por ela 5,7 bilhões de dólares. Mas, os problemas familiares foram mais agudos na Getty Oil, a rica e enorme companhia integrada que J. Paul Getty começara a construir na década de 1930, transformando-a em internacional nos anos 1950 com as descobertas da Zona Neutra entre a Arábia Saudita e o Kuait. Getty, firme adepto da crença no valor, morreu em 1976. Nos anos oitenta, a Getty Oil não vinha substituindo as suas reservas e as ações eram vendidas a preços muito baixos quando comparados ao valor real dos ativos da companhia. Um dos filhos de Getty, Gordon, estava mais interessado em fazer música do que procurar petróleo — acabara de compor um ciclo de canções baseadas em poemas de Emily Dickinson — mas começou a se questionar sobre para onde tinham ido seus valores. Foi o suficiente para entrar em atrito com os administradores profissionais que dirigiam a Getty. Eles devem ter pensado que controlavam as alavancas do poder, mas Gordon Getty e seus aliados controlavam as ações. J. Paul Getty tratara mal seus filhos, inclusive Gordon, e o mais moço, Getty, não tinha grandes razões para ser leal à memória ou ao trabalho de seu pai. Quando a oportunidade bateu, ele estava pronto a abrir a porta.

Na realidade foram duas as oportunidades e Gordon Getty, infelizmente considerando-se as complicações posteriores, abriu a porta a ambas. A primeira partiu da Pennzoil, uma empresa independente de bom tamanho, administrada por Hugh Liedtke, magnata, ex-sócio de George Bush na indústria de petróleo, amigo de Boone Pickens. De alguma forma, Getty aceitou a oferta da Pennzoil, mas o que realmente aconteceu se tornaria razão de uma disputa considerável e bastante difícil. A segunda oportunidade veio da Texaco, cujo presidente apareceu no Pierre Hotel, ex-patrimônio de Getty pai e, já na calada da madrugada, fez uma contraoferta ao jovem Getty que também aceitou — na mesma hora. A Texaco pagou 10,2 bilhões de dólares pela Getty Oil. E foi também processada pela Pennzoil.[9]

A morte de uma das grandes

Ainda na fase inicial da saga Texaco-Pennzoil-Getty, Boone Pickens fez uma aparição rápida, porém decisiva, assessorando pessoalmente Gordon Getty sobre como avaliar bens e propriedades na indústria petrolífera. Mais de uma vez, Pickens havia comprado ações da Texaco. Mas, seu coração estava em outro lugar. A Mesa passava por uma grave dificuldade que, aliás, estava afligindo quase toda a indústria petrolífera. Quando a explosão de crescimento se transformou em fracasso, a companhia estava envolvida com gastos de exploração da ordem de 300 milhões de dólares. Tinha 51 poços em processo de perfuração, incluindo cinco extremamente dispendiosos no Golfo do México, que necessitavam de um verdadeiro exército de trabalhadores, barcos, helicópteros, todos devorando dinheiro numa velocidade fantástica. "Gente," anunciou Pickens numa reunião de diretoria em Amarillo em julho de 1983, "é isso aí. Temos que imaginar um jeito de fazer dinheiro, 300 milhões de dólares e depressa. Perdemos muito no Golfo do

México. Perfurar não vai nos tirar desse embrulho. Não adianta só a posse da bola — precisamos de um gol."

O lugar para se conseguir aquela quantia de dinheiro, rapidamente, era alguma grande companhia, cujas ações fossem vendidas por uma fração do valor de seus ativos. Os olhos de Pickens se voltaram para a caça — a Gulf Oil, uma das Sete Irmãs. Constituída pela família Mellon a partir das descobertas de Guffey e Galey em Spindletop, em 1901, cresceu para se tornar uma instituição americana importante e uma companhia internacional. Plantara solidamente a bandeira americana no Kuait. Os Mellons já há muito tempo haviam se retirado da administração ativa da companhia. Muito de seu patrimônio fora fragmentado e vendido pelos herdeiros. Na visão de Pickens, a Gulf era a mais vulnerável das grandes companhias de petróleo — suas ações estavam sendo negociadas por pouco mais do que um terço de seu valor real.

Pickens tivera ocasião de observar de perto a administração da Gulf durante a disputa pela Cities Service — concluíra que era ineficiente e indecisa, sua pesada estrutura burocrática dificultaria uma reação rápida. A companhia sofria os efeitos de dez anos de lutas internas e profundas dissensões nos altos níveis da administração. Contribuições políticas ilegais nos Estados Unidos, algumas ligadas a Watergate e pagamentos discutíveis no exterior levaram a companhia a uma convulsão interna, incluindo o expurgo de executivos muito antigos e sua substituição por administradores cuja qualificação mais importante era a aparência de probidade.

O presidente que assumiu na segunda metade dos anos 1970 era frequentemente chamado de "sr. Limpeza" ou de "Escoteiro". A Gulf era, com certeza, a única das grandes companhias que tinha uma freira na diretoria. "Esses problemas foram responsáveis por seis anos de estagnação," lembrava um executivo da Gulf. "Isso num período crucial na indústria petrolífera, durante a turbulência da OPEP, numa época em que tudo no Extremo Oriente Médio estava de pernas para o ar e nós estávamos perdendo as calças na Europa."

A Gulf tinha bem do que se lamentar. Em 1975, sua concessão no Kuait, responsável por uma parte substancial dos lucros da companhia fora nacionalizada. Haviam perdido um vultoso processo antitruste relacionado com a comercialização de urânio. Apesar dos grandes investimentos que fizera desde os meados da década de 1970, buscando fontes politicamente seguras nos Estados Unidos e em outros países, tinha pouco a mostrar em termos de novas reservas. Suas reservas domésticas se esgotavam rapidamente, declinando em 40%, apenas entre 1978 e 1982. Teve que desviar seus gastos com exploração para tentar encontrar centenas de milhões de dólares em gás natural para honrar um contrato desastroso que fechara há alguns anos. Com a perda do Kuait, em 1975, a Gulf não estava bem posicionada para ser bastante competitiva. Havia perdido grande parte de sua antiga *raison d'être* como companhia mundial investindo pesadamente na exploração internacional e em produção. E não tinha ainda encontrado outra.

A atual administração mal começou a atacar o problema de tornar a companhia mais enxuta, mais competitiva e eficiente. O novo presidente, sucessor do "sr. Limpeza", era Jimmy Lee. Sua carreira refletia a evolução das grandes companhias e tanto quanto Boone Pickens encarnava os empresários independentes. Ele já trabalhara para a Gulf, na Filadélfia, no final dos anos 1940 quando chegaram os primeiros carregamentos de petróleo do Kuait. Depois disso, na época de ouro da expansão industrial, fez carreira internacional. Construiu refinarias e sistemas de comercialização nas Filipinas e na Coreia, liderou toda a operação no Oriente Médio, era o homem da Gulf no Kuait quando os produtores do Oriente Médio digladiavam entre si e pressionavam as companhias para aumentar seus respectivos volumes de produção. Chegou a comandar, de Londres, todas as operações da Gulf no Oriente, o que significava estar encarregado de tudo, desde ganhar a simpatia dos motoristas europeus até providenciar equipamento para perfurar em Angola. Agora estava de volta a Pittsburgh para reconstruir a companhia em crise. Não teria tempo.

Em agosto de 1983, a Mesa começou a acumular ações da Gulf usando contas numeradas em bancos espalhados por todo o país, com códigos de transferência conhecidos por apenas uma ou duas pessoas. Em outubro, a Mesa formou um Grupo de Investidores da Gulf, GIG, granjeando sócios que forneceriam o instrumento financeiro necessário ao prosseguimento da ofensiva. No final do mês, o grupo da Mesa aumentou a pressão. Seu objetivo, afirmaram, era obrigar a Gulf a transferir metade de suas reservas de gás e petróleo nos Estados Unidos para um truste de *royalties*, que pertenceria diretamente aos acionistas, dando-lhes fluxo de caixa e eliminando a dupla taxação sobre os dividendos.

A Gulf iniciou o contra-ataque. O alvo eram seus quatrocentos mil acionistas, que votariam a favor da administração ou de Pickens. A companhia, no entanto, tinha um grande problema. Seus diretores estavam completamente divididos quanto as providências a tomar, o que retardou a resposta da Gulf a Pickens, fazendo-a parecer indecisa e ineficiente, como bem ele previra. Pickens, ao contrário, foi rápido, flexível, criando e improvisando o tempo todo. Sabia como cortejar os acionistas institucionais que detinham uma grande parte das ações da Gulf. Sabia como agir em público. Era muito mais eficiente com a imprensa do que os engenheiros da Gulf. Apresentou-se como defensor dos acionistas, um autêntico empresário do petróleo, alguém conhecido e não um burocrata anônimo "do clube dos bons e velhos amigos das grandes companhias".

"Nunca pensei que tivesse que brigar por procuração", disse Lee. "Nunca me preparei para isso." Mas a Gulf lutou e duro. Lee e colaboradores seduziram os investidores institucionais e a Gulf conseguiu uma vitória apertada na votação de dezembro de 1983 — 52% a 48%. Era só uma trégua. Pickens continuava a se movimentar. Submeteu à diretoria da Gulf uma proposta escrita para repassar as reservas de gás e petróleo diretamente aos acionistas. Foi recusada no ato. Pickens foi consultar o rei dos bônus de pouco valor, Michael Milken, na Drexel Burnham em Beverly Hills, cogitando da possibilidade de levantar o dinheiro que precisava com tais bônus para fazer uma proposta firme e responsável.

Jimmy Lee sabia que seu tempo era contado. Tinha que levantar o preço das ações. Procurou desenvolver operações de refinação e comercialização e operações com derivados químicos nas diversas subsidiárias. Havia uma única boa notícia. A Gulf havia substituído 95% de suas reservas em 1983. Ainda assim, a companhia estava vulnerável. Muito vulnerável. No final de janeiro de 1984, Lee recebeu um telefonema de Robert O. Anderson, presidente da ARCO, dizendo que queria tratar de assuntos de interesse material. Combinaram um jantar em Denver, numa sala reservada no Brown Palace Hotel, cada qual acompanhado de um único colaborador. Anderson sabia exatamente o que queria — a produção da Gulf fora dos Estados Unidos. Não estava interessado em postos de gasolina ou refinarias. Acreditava que o futuro das grandes companhias residia nas reservas estrangeiras e que seu sucesso ou fracasso dependeria, em última análise, do quanto conseguissem entrar no "circuito internacional". A seu ver, seria difícil para as companhias estabelecer uma posição sólida no petróleo internacional — a menos que fosse uma das Sete Irmãs e já estivesse lá. A Gulf era o atalho de que a ARCO precisava. "Quando a Gulf perdeu o Kuait, perdeu muito," disse Anderson mais tarde, "mas ainda tinham uma massa crítica." Durante o jantar, Anderson disse que estava disposto a pagar 62 dólares por ação da Gulf, um aumento substancial sobre os 42 dólares que ela valia há seis meses. Lee respondeu propondo uma fusão das operações de ambas as companhias nos Estados Unidos, o que daria à Gulf metade das valiosíssimas reservas da ARCO em North Slope. Anderson nem teve que pensar para dizer "não, obrigado".

Na sequência, Lee recebeu uma segunda ligação de Anderson. "Acho que devo lhe contar que jantei com Boone Pickens, ontem, em Denver", disse ele. "Contei-lhe que oferecemos 62 dólares por ação da Gulf."

"Obrigado por me dar a notícia," disse Lee, mal reprimindo seu sarcasmo. O objetivo de Anderson ao se encontrar com Pickens era saber exatamente o que "Pickens estava tentando fazer e garantir que ele não bloquearia quaisquer acertos". Mas certamente não era bem assim que Lee via as coisas. Assim que desligou o telefone, convocou sua equipe para tempos de crise. "Bem," disse, "Bob Anderson acaba de nos cortar as pernas. Para todos os efeitos práticos, continuamos em campo."

O segundo telefonema de Anderson acabara com quaisquer esperanças que Lee ainda pudesse acalentar sobre a independência da Gulf. "O jogo estava definido, não adiantava mais disfarçar," disse mais tarde. Havia uma aversão tradicional entre as grandes companhias de petróleo contra a formalização de ofertas hostis de uma para outra. Mas, a proposta de Anderson, após o recente assédio da Mobil sobre a Marathon, deixava claro que a regra não era mais válida e as grandes companhias certamente possuíam enormes recursos financeiros para saírem umas atrás das outras. A Gulf tinha a cabeça a prêmio, logo todos saberiam, e era apenas questão de tempo para que alguém comprasse a companhia. Só faltava saber quem. Já que esse era o caso, Lee decidiu vendê-la pelo melhor preço. Ligou para os dirigentes de outras grandes companhias. Era uma situação extremamente desagradável, mas a mudança das circunstâncias provocada por Anderson não lhe deixou escolha. Falava a mesma coisa a cada um: "Estamos vulneráveis e temos informações de que alguém vai tentar nos comprar. Se você estiver interessado em dar uma olhada, faça suas contas."

Pickens jogou a carta seguinte, cobrindo os 62 dólares oferecidos pela ARCO com uma proposta de 65 dólares. "Eu sabia que era pouco," disse Lee. "Se alguém vai comprar sua companhia, é melhor você conseguir o máximo possível." Mais uma vez, voltou a telefonar para os executivos chefes das outras grandes companhias, desta vez enfático: a Gulf está à venda.

Entre as pessoas para quem ligara estava George Keller, presidente da Chevron, que já havia manifestado interesse pela Gulf. Originária das operações da Standard Oil Trust no oeste, a Chevron mantinha sua matriz em São Francisco, longe dos campos de petróleo, cenário improvável para qualquer grande companhia de petróleo. Mas, a companhia possuía um currículo admirável em assumir riscos e achar petróleo, incluindo, naturalmente, a Arábia Saudita nos anos 1930. No passado, Keller havia se manifestado contra as mudanças de comando na indústria petrolífera, pelo menos quando eram hostis. As companhias fariam melhor uso de seus recursos se investissem na exploração de novos recursos. Mas, como outros altos executivos do ramo, Keller se abalara com o estrondoso fracasso de Mukluk. "Depois disso," disse, "todo mundo resolveu fazer apostas melhores."

Na noite do Ano-Novo em 1984, o presidente da Getty Oil ligara para Keller perguntando se a Chevron não gostaria de dar uma olhada na Getty, então em plena batalha com sua própria mudança de comando. Assim que voltou a São Francisco, Keller colocou um grupo de analistas para trabalhar com a tarefa de determinar qual era a posição da Getty em comparação com outras companhias: Superior, Unocal, Sun e Gulf. A Getty logo saiu do páreo, comprada pela Texaco, mas a Chevron continuou de olho na Gulf. Depois do segundo telefonema de Jimmy Lee, Keller colocou os funcionários da Chevron para trabalhar intensamente no problema usando tanto dados de domínio público quanto material fornecido pela Gulf, após a assinatura de um apressado acordo garantindo a confidencialidade. Com pouco mais de uma semana para fixar o valor de uma das maiores companhias do mundo, a Chevron se empenhou freneticamente na tarefa de atribuir um preço à Gulf. Em 29 de fevereiro, chegaram a um valor, em 2 de março a outro e em 3 de março, às quatro horas da tarde, a um terceiro. Atribuíram à Gulf um valor pessimista de 62 dólares por ação ou, na melhor das hipóteses, 105 dólares por ação — isto é, um total que variava de 10,2 a 17,3 bilhões de dólares. "Era uma variação dos diabos," disse Keller. A diretoria da Chevron aceitou a recomendação da administração e autorizou Keller a oferecer até 78 dólares por ação, reconhecendo que a proposta real dependeria das regras básicas da proposta. Um dos membros da diretoria sugeriu que não se estabelecesse um limite, mas que se deixasse o preço a critério de Keller. "Pelo amor de Deus, estabeleçam um limite," pediu Keller, nervoso com a perspectiva de tamanha responsabilidade. "Cada dólar a mais por ação significa um aumento de 135 milhões de dólares no total."

Em 5 de março, a diretoria da Gulf reuniu-se na matriz em Pittsburgh, uma estrutura ornada, construída nos anos da Depressão. O edifício estava praticamente deserto, a maior parte das operações da Gulf eram efetuadas em Houston e o grupo da Chevron ganhou um andar só para eles. A diretoria da Gulf certamente não ia se render à proposta dos bônus de Pickens. Mas existiam mais três outras ofertas sobre a mesa. Uma era a da Chevron. A outra era uma alternativa elaborada por executivos da própria empresa que propunham a compra usando bônus numa operação a ser elaborada pela firma Kohlberg, Kravis e Roberts. A ARCO também fizera sua oferta. A diretoria da Gulf tinha assim três pretendentes sérios a considerar.

Antes da reunião, Lee estabeleceu as regras da operação: "Cada um tem apenas uma chance — sem outra oportunidade. Façam suas ofertas ao mesmo tempo". O presidente da ARCO, William Kieschnick, foi o primeiro — ofereceu 72 dólares por ação. Kohlberg, Kravís foram os seguintes, propuseram 87,50 dólares por ação: 56% à vista — 48,75 dólares. O restante — 38,75 dólares — seria pago em papéis a serem emitidos.

Esperando sua vez, Keller tinha a oferta no bolso, numa carta com um único espaço em branco — o preço. Sabia que havia dois grandes riscos: que o preço do petróleo cru caísse e que as taxas de juros aumentassem. Achava, porém, pouco provável que ocorressem simultaneamente. A diretoria da Chevron insistia que a oferta final ficasse a seu critério. Keller debatia-se com o problema sabendo bem que cada dólar a mais em sua oferta aumentaria o preço da companhia em 135 milhões de dólares. Mas, não queria perder a Gulf, uma oportunidade dessas não aparecia todos os dias. Pegou sua caneta e preencheu o espaço — oitenta dólares por ação. A oferta totalizava 13,2 bilhões de dólares, em dinheiro. Levou sua carta à diretoria da Gulf e argumentou a seu favor o melhor que pôde. Em seus quarenta anos de Chevron, ele nunca havia se encontrado em tal posição. Teve a impressão de que foi recebido friamente.

Sem nenhuma indicação clara dos resultados, Keller voltou ao andar da Chevron e esperou a decisão da Gulf. A única coisa de que tinha certeza era que acabara de fazer a maior oferta em dinheiro da história. Kieschnick, da ARCO, também esperava. Robert O. Anderson havia convocado uma reunião de diretoria em Dallas e junto com outros diretores conduzia os negócios de rotina, mas também esperava ansioso, com uma linha telefônica aberta para Pittsburgh. De vez em quando, falavam com Kieschnick.

Ao todo, a diretoria da Gulf ficou reunida durante sete horas naquele dia. Discutiram as três ofertas. A da ARCO podia ser descartada sumariamente, era muita baixa. A da Kohlberg, Kravis, não. Em tese, era mais alta, mas também a mais arriscada, considerando-se que a metade seria paga em papéis e os consultores financeiros da Gulf, Merryl Lynch e Salomon Brothers não podiam avaliar o quanto esses "papéis" realmente valiam. Tinha a grande vantagem de manter no poder a administração atual, mas alguns dos diretores achavam que, por essa mesma razão, aceitar a oferta pareceria servir à própria causa. Além disso, a KKR ainda não tinha conseguido assegurar seu financiamento. "Se ainda não conseguiram todo o financiamento," disse Lee, "então, a oferta de Boone vale ainda e ele está atrás de nós com mais ações que o necessário" para renovar sua tentativa de mudança de comando.

As horas não passavam. Keller ainda esperava, pensando nos riscos da sua oferta quando o telefone tocou. Era Jimmy Lee. Ele tentou parecer indiferente. "Alô, George", disse. "Você acaba de comprar uma companhia de petróleo." A única coisa que Keller conseguia pensar era que se sentia como alguém que, pela primeira vez na vida, deu um lance por uma casa e descobriu, chocado, que ganhara. Era uma casa de 13,2 bilhões de dólares. A diretoria da Gulf decidira que era mais seguro aceitar a oferta da Chevron, em dinheiro. Seria melhor para os acionistas. Era o fim da Gulf Oil. Spindletop, Guffey e Galey, os Mellon, Kuait e o Major Holmes — tudo acabado. Tudo era história.

Anderson aceitou a perda filosoficamente. Nunca pensou que a Chevron chegasse a oitenta dólares. Seu limite absoluto era 75 dólares. "Achamos que nossas ofertas seriam próximas. Mas, se a gente perde uma aquisição é melhor perder por margem ampla do que por margem estreita. Dá ódio perder por um dólar a ação."

Quanto a Pickens, foi uma grande vitória para os acionistas. Graças aos seus esforços, uma administração ineficiente fora impedida de continuar a gastar dinheiro em vão em busca de glória. Desde que ele lançara sua campanha, em poucos meses o preço das ações da Gulf passara de 41 para oitenta dólares cada e sua capitalização total no mercado aumentara de 6,8 bilhões para 13,2 bilhões de dólares, proporcionando aos acionistas um lucro de 6,5 bilhões de dólares — "que jamais teriam sido ganhos se a Mesa e a GIG não tivessem entrado em cena," disse Pickens. Os direitos dos acionistas foram justificados. Quer Pickens estivesse atrás de lucro rápido ou quisesse mesmo tornar-se dono de uma importante companhia de petróleo internacional, seu Grupo de Investidores na Gulf ganhou 760 milhões de dólares, dos quais perto de quinhentos milhões de dólares foram para a Mesa. Descontados os impostos, sobraram mais ou menos os trezentos milhões de dólares que a Mesa precisava desesperadamente no verão de 1983. Como disse Pickens, a Mesa precisava do dinheiro, e muito!

A primeira reação de Jimmy Lee foi de alívio. Tudo estava acabado e a diretoria fora unânime em sua decisão, o que diminuía a probabilidade de processos por parte dos acionistas. Começou imediatamente a conversar com os funcionários da Gulf em todo o país, tranquilizando-os sobre o futuro. Nos dias que se seguiram, Lee foi tomado pelo cansaço. E também pela tristeza, às vezes tinha crises de choro. "Nunca tive outra intenção que não a sobrevivência da Gulf, para sempre", disse ele. "Era toda a minha vida, toda a minha carreira. Pensar que tudo tinha acabado, realmente me abalou."

A Gulf foi completamente absorvida pela Chevron e George Keller nunca teve qualquer motivo para lamentar os oitenta dólares que escrevera no último instante em sua proposta. A Chevron não havia superestimado sua compra. "Foi uma boa aquisição", disse ele uns cinco anos mais tarde. "Pudemos adquirir ativos numa escala que não seria possível de outra forma." Por que, então, a Gulf estava em dificuldades? "Eles haviam ignorado a posição sólida que possuíam", disse Keller. "Queriam ter um único e enorme elefante branco. Era como se em vez de investir no futuro da cidade natal, decidir arriscar a sorte em Las Vegas. Acabaram perdendo em todas." Isso, é claro, poderia ter acontecido com quaisquer das grandes companhias no clima febril que se seguiu aos choques dos anos 1970. A Gulf foi quem pagou mais caro.[10]

O valor da ação

Pickens não tinha acabado ainda. Num jogo rápido, fez propostas pela Phillips, em Bartlesville, Oklahoma e pela Unocal, em Los Angeles. Na Phillips, foi seguido por um agressivo investidor de Wall Street, Carl Icahn que já havia abocanhado a Trans World Airlines. Ambas as companhias, entretanto, foram bem-sucedidas na luta contra as tentativas de serem encampadas tanto por meio dos tribunais quanto assumindo uma grande dívida que lhes possibilitou comprar de volta suas ações a um preço muito mais alto que o anterior, aumentando assim os dividendos dos acionistas. Em ambos os casos, a Mesa teve lucros importantes. Apesar disso, o clamor sobre o "valor das ações" parecia estar perdendo seu apelo populista. Após a Unocal ter sobrevivido intacta ao ataque, Fred Hartley, presidente da companhia, recebeu um telefonema de Armand Hammer da Occidental, dizendo-lhe que merecia um Prêmio Nobel por sua coragem. Outra das grandes companhias, a ARCO, percebeu que também poderia ficar vulnerável a um Pickens ou aos Pickens que assolavam o ambiente financeiro nos meados dos anos 1980. "Nós éramos alvos fáceis", disse Robert O. Anderson, "a menos que conseguíssemos aumentar o preço de nossas ações tornando-o mais próximo do valor real dos ativos de nossa companhia". Assim, a ARCO promoveu uma espécie de autoaquisição, comprando suas ações por um preço maior e, ao mesmo tempo, consolidando fortemente suas próprias atividades e empregos.

A reestruturação dos gigantes da indústria por meio de fusões e aquisições continuou nos anos que se seguiram. A Royal Dutch-Shell pagou 5,7 bilhões de dólares para comprar os 31% que lhe faltavam da Shell Oil dos Estados Unidos. Para os executivos no comando da Royal Dutch-Shell em Haia e em Londres, pareceu a melhor das oportunidades dentre os investimentos disponíveis. A BP associara-se à Standard Oil de Ohio — companhia original de John D. Rockefeller e base da Standard Oil Trust — para garantir a distribuição nos Estados Unidos de seu petróleo do Alasca. Como parte da transação do Alasca, a BP havia se tornado proprietária de 53% da Sohio, que, por sua vez, ficou sendo sua representante nos Estados Unidos. Desiludida com a administração da Sohio, devido ao seu calamitoso e extremamente caro programa de explorações, incluindo o fiasco de Mukluk, a BP pagou 7,6 bilhões de dólares pelas ações restantes da Sohio e tornou-se proprietária de toda a companhia, de forma a poder controlar diretamente o enorme fluxo de dinheiro do Alasca.

Uma companhia tinha ficado fora da área de grande visibilidade das fusões e aquisições, pelo menos até o início dos anos 1990. Era a Exxon, duramente atingida por seu recorde de más aquisições. Quando a revista *Fortune* publicou a lista das cinco piores transações dos anos 1970, duas delas haviam sido feitas pela Exxon. Os bilhões de dólares investidos e perdidos no projeto de extração de óleo combustível de xisto betuminoso no Colorado ainda se faziam sentir. A Exxon chegou à conclusão de que não havia como investir bem todo o seu enorme fluxo de caixa em exploração e aquisição ou em novos negócios. Além disso, seus diretores tinham como ideologia política e quase como dogma de fé, que não poderiam adquirir outras grandes companhias de petróleo. A Exxon tinha, nas palavras de seu presidente Clifton Garvin, "uma fobia por aquisição".

Tudo isso restringiu bastante as opções da companhia. "Tínhamos um enorme fluxo de caixa e poucas boas opções de investimento", disse Garvin. Melhor pegar o dinheiro que não podia investir com eficiência e devolvê-lo aos acionistas, deixando a seu critério a forma de gastá-lo. Foi o que a Exxon fez por meio de uma recompra de ações na qual gastou 16 bilhões de dólares entre 1983 e meados de 1990, assegurando a seus acionistas um preço em alta e boa rentabilidade de suas ações, garantindo assim que nem Boone Pickens nem qualquer outro pudesse argumentar que os acionistas da Exxon estavam sendo prejudicados. Dezesseis bilhões de dólares era muito mais do que a Texaco pagou pela Getty ou mesmo do que a Chevron pagou pela Gulf. A Exxon acabou gastando um bom dinheiro em aquisições, talvez um bilhão e tanto de dólares por ano, mas estava interessada em propriedades específicas, não em companhias inteiras, operando na maior discrição, mantendo-se afastada das manchetes o quanto possível. Também diminuiu em 40% o número de seus funcionários. Como resultado, tornou-se uma companhia menor tanto em termos absolutos quanto relativos, conforme podia ser avaliado através de suas reservas e de seu faturamento quando comparada à sua arqui-rival Royal Dutch-Shell. Marcus Samuel e Henri Deterding teriam ficado orgulhosos.

A reestruturação significou, no geral, uma indústria petrolífera menor e mais consolidada. Geólogos principiantes não eram mais contratados por cinquenta mil dólares por ano; na verdade, não eram sequer contratados. Outros, supostamente no auge de suas carreiras, viram-se obrigados a uma aposentadoria precoce. Os grandes perdedores, porém, foram aqueles cujos empregos desapareceram. "Fiquei achando que trabalhava para uma grande instituição de caridade," disse um executivo cuja função foi eliminada na aquisição da Gulf pela Chevron. "Investira 25 anos de minha vida, com tudo o que isso custou para minha família e recebia em troca alguns pedaços de papel." Os grandes beneficiários da reestruturação da indústria foram os acionistas. Toda essa atividade — grandes fusões e aquisições, recapitalizações e recompra de ações — levaram mais que cem milhões de dólares para os bolsos de investidores individuais e institucionais, fundos de pensão, intermediários e outros. Os acionistas, consequentemente, saíram ganhando.

Quando a administração era acionista saía ganhando também. O presidente da Gulf, Jimmy Lee, perdeu o emprego, mas ganhou 11 milhões de dólares com suas ações. Mas Boone Pickens não era para ser jogado fora. Em 1985, a diretoria da Mesa, em Amarillo, concedeu a Pickens 18,6 milhões de dólares em bônus de cortesia pela manobra da aquisição da Gulf que rendera à sua própria empresa trezentos milhões de dólares. Naquele ano, Pickens foi o executivo mais bem pago do país.[11]

A nova segurança

Em maio de 1985, os líderes das sete maiores potências ocidentais reuniram-se, desta vez em Bonn, para sua conferência de cúpula econômica anual. Os temas eram as políticas do mercado livre, desregulamentação e privatização. Prometendo um "novo alvorecer" nos Estados Unidos, Ronald Reagan havia sido recentemente reeleito com grande margem de votos. Seu governo vira o fim do pessimismo e da sensação de derrota tão característicos dos anos 1970 e que poderiam ser, em grande parte, considerados como efeitos diretos e indiretos das crises do petróleo. Ao invés do mal-estar da inflação e da recessão, o país desfrutava agora de uma economia florescente e mercados fortes. Margaret Thatcher estava a pleno vapor no trabalho de reconstrução da sociedade inglesa: o comércio, o trabalho duro e reuniões no café da manhã haviam se tornado valores positivos na Inglaterra de Thatcher. Até mesmo François Mitterrand, o presidente socialista da França e o mais extraordinário sobrevivente na política mundial, havia substituído a estatização e o clássico *étatisme* francês pelo mercado livre. O Ocidente vivia seu terceiro ano de um crescimento econômico relativamente vibrante. Porém essa recuperação econômica era fundamentalmente diferente dos períodos anteriores de crescimento pós-guerra — não era impulsionado por um crescimento na demanda do petróleo. As economias das nações industrializadas haviam se adaptado rapidamente aos altos preços do petróleo e seu consumo estava estabilizado.

A única questão mais séria sobre energia com a qual os líderes tiveram que se defrontar nos anos anteriores era uma batalha, que provocava discórdia desde o início dos anos 1980, sobre os planos europeus ocidentais para aumentar substancialmente suas compras de gás russo. O gás era parte das estratégias europeias para diversificação de fontes de energia e redução da dependência de petróleo. Esperavam ainda estimular o emprego nas indústrias de aço e engenharia. O governo Reagan se opunha pois temia que um aumento nas importações desse aos soviéticos um maior poder político na Europa e não queria ver os russos aumentando seus ganhos em moeda forte, o que fortaleceria sua economia e máquina militar. Medida que a controvérsia aumentava, Washington proibiu a exportação de equipamento americano para o projeto e buscou proibir também a exportação de equipamento europeu com tecnologia americana.

Esse discutível exercício de extraterritorialidade provocou uma crise. O resultado foi o mais grave conflito euro-americano desde a Guerra de Outubro (1956) e o embargo de 1973. Duas visões diferentes de segurança estavam em discussão: a ênfase europeias na criação de empregos e na estabilidade nacional *versus* o enfoque americano com relação à ameaça militar russa. A proibição americana poderia significar o desemprego em várias indústrias europeias e seria um grande prejuízo para a importante empresa de engenharia inglesa, John Brown, e a própria Margaret Thatcher telefonou para Reagan. "John Brown vai falir, Ron", disse com firmeza. E, para tornar clara sua posição, foi para a Escócia, prestigiar com sua presença, o início da exportação de equipamentos da John Brown para a União Soviética, num desafio explícito à proibição americana.

Após várias declarações irritadas e acusações mútuas, chegou-se a um acordo: os europeus limitariam sua importação de gás soviético a 30% do total de seu consumo e promoveriam o desenvolvimento dos extensos campos noruegueses como fonte alternativa de gás dentro dos limites seguros da OTAN. Assim terminou a controvérsia sobre o gasoduto, e dali em diante as questões referentes à segurança em energia poderiam ser postas de lado pelos líderes das potências do Ocidente.

Os temas agendados para a cúpula econômica de Bonn, em 1985, mostravam desse modo como o mundo havia mudado: tratavam principalmente de relações comerciais entre os países industrializados — protecionismo, o dólar, como acomodar o desafio econômico japonês. Eram questões "Ocidente-Ocidente". Petróleo e energia, a importante questão "Norte-Sul," não estavam sequer em discussão. Como na década de 1960, o petróleo e a energia eram abundantes e não representavam um obstáculo ao crescimento econômico. O fornecimento estava novamente assegurado. A capacidade excedente no mundo todo superava a demanda em dez milhões de barris por dia, o equivalente a 20% do consumo total do mundo livre. Além disso, os Estados Unidos, a Alemanha e o Japão estavam estocando quantidades significativas de petróleo em suas reservas estratégicas. A "margem de segurança" ausente durante os anos 1970 estava agora recuperada.

Enquanto isso, no Oriente Médio, Irã e Iraque quebravam todos os supostos "tabus" na sua luta interminável. Não só atacavam as cidades uns dos outros, mas também as refinarias, os campos de petróleo e os navios-tanques — tanto os deles como os de outros países. Há alguns anos, bombardear um petroleiro seria o suficiente para que o preço fosse para o espaço. Agora, entretanto, se um navio fosse atingido, o preço poderia aumentar ou diminuir no mercado à vista ou futuramente. Em suma, os líderes do Ocidente não precisavam mais incluir a energia entre o restrito número de assuntos importantes com os quais teriam que se preocupar, num dado momento, como chefes de estado. O petróleo havia sido o tema dominante e frequentemente acrimonioso nas cúpulas anteriores. Agora, em 1985, pela primeira vez desde que essas conferências foram instituídas há dez anos, os líderes emitiram um comunicado no qual não havia menção de petróleo e energia. Nem uma única palavra.

A omissão em si mostrava claramente até que ponto a economia mundial absorvera e se ajustara aos extraordinários transtornos políticos e econômicos associados ao petróleo na década de 1970. O petróleo agora parecia não necessitar de cuidados especiais, era apenas outra mercadoria qualquer. Metade da equação que contribuíra para o crescimento econômico efervescente dos anos 1960 — fornecimento seguro de petróleo — parecia estar voltando ao lugar. A outra metade, entretanto, não estava. O petróleo ainda não era barato — não ainda.[12]

CAPÍTULO XXXVI

Um bom suadouro:
até onde o preço vai baixar?

O PREÇO DO PETRÓLEO EQUILIBRAVA-SE precariamente em meados da década de 1980. O risco era tamanho que a cada oscilação todas as atenções se voltavam para ele. Conforme declarou em 1984 o presidente da Esso Europa, "atualmente o preço do petróleo é a principal variante em nossa equação e a maior fonte de incerteza com relação ao futuro".

Será que os preços iriam começar a subir novamente, a enfraquecer ou a despencar? À medida que se passavam os meses, ouvia-se com uma frequência cada vez maior no mundo inteiro o refrão "até onde o preço vai baixar?", não só nas companhias energéticas mas também nas instituições financeiras, nos corredores governamentais e em todos os lugares onde houvesse um bom motivo. A resposta, é claro, viria a causar um impacto profundo sobre as companhias de petróleo. Mas além disso, ela iria determinar o futuro vigor da "força do petróleo" na política mundial e iria afetar enormemente as perspectivas econômicas globais e o deslocamento do equilíbrio do poder político e econômico no mundo. Os preços altos favoreceriam os exportadores de petróleo, desde a Arábia Saudita até a Líbia, o México e a União Soviética. A URSS dependia do petróleo, bem como do gás natural, para conseguir a maior parte da moeda forte destinada à aquisição de tecnologia ocidental da qual necessitava desesperadamente para sua modernização econômica. Os preços baixos favoreceriam os países importadores de petróleo, incluindo as duas potências econômicas, Alemanha e Japão. Em uma posição intermediária e incerta encontravam-se os Estados Unidos, que tinham interesses em ambas as posições. Os Estados Unidos eram os maiores importadores e os maiores consumidores de petróleo do mundo, além de serem o segundo maior produtor mundial de petróleo, sendo que boa parte de seu sistema financeiro havia apostado sua sorte nos altos preços do petróleo. Se os Estados Unidos fossem impelidos a tomar uma decisão, de que lado se alinhariam?

Tendo se tornado ainda mais restritivo em 1984, o novo sistema de quotas da OPEP não estava funcionando. A produção dos países não pertencentes à OPEP continuava a aumentar; o carvão, a energia nuclear e o gás natural continuavam a tomar mercados do petróleo; e a economia de combustível seguia sufocando a demanda. À medida que os vários exportadores membros da OPEP viam seus lucros minguarem, as fraudes entre eles com relação às quotas tornavam-se mais evidentes. Já que não conseguiam satisfazer a receita ambicionada através dos preços, dariam desconto e tentariam alcançá-la pelo aumento no volume. Em um ato de autoprovocação a OPEP contratou os serviços de uma empresa internacional de contabilidade para fazer o policiamento das quotas. Os contadores receberam promessas de acesso a cada fatura, a cada conta, a cada ordem de embarque. Eles não conseguiram obter tal acesso; na verdade, tiveram muitas dificuldades até mesmo para conseguir entrar em alguns dos países-membros da OPEP e foram totalmente impedidos de ter acesso a algumas das instalações fundamentais. Enquanto isso, vários exportadores, com o intuito de contornar o problema das quotas e do comércio petrolífero em declínio, passaram a fazer barganha — trocando petróleo diretamente por armas, aviões e produtos industriais — o que resultou na ampliação do super abastecimento de petróleo do mercado mundial.

Alto ou baixo?

A força do mercado não poderia ser contida com facilidade. Ao oficializar a Companhia Nacional Britânica de Petróleo na década de 1970, o governo trabalhista britânico não só fez dela o receptáculo para a parcela governamental das reservas de petróleo e gás no mar do Norte, como também lhe conferiu uma função comercial específica; ela compraria mais de 1,3 milhões de barris de petróleo diários, provenientes dos produtores do mar do Norte para depois vendê-los aos refinadores. Dessa forma, a CNBP tinha uma importante função, a de fixar preços para o mercado mundial, pois anunciava os preços que iria pagar e por quanto iria vender o petróleo. Porém, com o declínio dos preços, a CNBP viu-se na incômoda posição de ter comprar mais de um milhão de barris diários dos operadores do mar do Norte por um preço e depois vendê-los por um preço mais baixo! Isso resultou em uma perda significativa para a CNBP e para o Tesouro. Como explicou de modo emocional um dos mandarins da Whitehall, "obviamente, é muito doloroso para o ministério possuir um organismo no setor público comprando petróleo a 28,65 dólares e vendendo-o a um preço menor; isso nos causa muita, muita dor, tenham certeza disso!" Ninguém lamentava mais do que a própria Margaret Thatcher. Por princípio, ela não gostava de companhias estatais — na verdade, ela era muito mais a favor do "mercado livre" e contra a intervenção governamental do que Ronald Reagan; e a privatização de empresas estatais era um dos pontos mais importantes de sua plataforma política. Ela não via motivos de segurança para manter a CNBP e na primavera de 1985 simplesmente aboliu-a. Com essa ação, o governo britânico retirou-se da participação direta nos negócios. A extinção da CNBP eliminou mais um importante suporte dos preços da OPEP: foi uma outra vitória para o mercado.

Na indústria do petróleo, a opinião generalizada era que, ao mesmo tempo que o preço poderia baixar alguns poucos dólares, havia chance de se recuperar e voltar a subir no final da década de 1980 ou início dos anos 1990. Ainda assim, a fraca demanda acrescida de uma crescente capacidade de suprimento e de uma mudança no mercado de produtos, apontavam muito mais fortemente em uma única direção, e era para baixo. Mas até onde?

O profundo dilema da OPEP

Em meados da década de 1980 a OPEP se viu frente a uma opção crítica. Ela poderia reduzir o preço, mas onde iria parar esse preço em declínio? Ou então ela poderia continuar a sustentar altos os preços. Mas se fizesse isso, estaria abrindo um guarda-chuva sob o qual prosperariam o petróleo não pertencente à OPEP, as fontes de energia concorrentes e a economia de petróleo, garantindo a si própria uma parcela muito reduzida do mercado. Para piorar as coisas, o petróleo continuaria a chegar dos próprios países-membros dá OPEP. Mesmo com o cansativo prolongamento da guerra Irã- Iraque, as exportações dos dois países estavam se recuperando. A Nigéria também elevou sua produção e, ávida por receitas, adotou por um período a política de "Nigéria em primeiro lugar", voltada à maximização das exportações.

Como não poderia deixar de ser, muita coisa dependia dos sauditas. Em 1983, a Arábia Saudita engajou-se explicitamente na função de produtor móvel, alterando sua produção para manter estável o preço da OPEP. Mas, por volta de 1985, os custos em relação aos demais produtores começavam a se tornar desproporcionalmente altos. Defender os preços significava uma enorme queda na produção e uma vasta perda de participação no mercado, bem como uma redução imensa na receita. O ponto mais alto dos ganhos da Arábia Saudita foi em 1981 com 119 bilhões de dólares. Em 1984, sua receita havia caído para 36 bilhões de dólares e cairia ainda mais em 1985, para 26 bilhões de dólares. Enquanto isso, a exemplo dos demais exportadores, a Arábia Saudita havia se empenhado em grandes gastos em programas de desenvolvimento, que agora teriam que ser reduzidos dramaticamente. O país começava a enfrentar um volumoso déficit orçamentário e as reservas externas estavam baixando. A situação estava de tal forma confusa que a promulgação de um orçamento nacional foi adiada indefinidamente.

A perda de mercado teve outra consequência; estava reduzindo a Arábia Saudita a um papel marginal no cenário mundial. O rápido enfraquecimento da influência e significado político e a probabilidade de uma erosão mais extensa, corriam contra os preceitos fundamentais da política de segurança do reino, quando a guerra Irã-Iraque ameaçava a região e o aiatolá Khomeini corria atrás de vingança contra a Arábia Saudita. A perda dramática de mercado reduziu também a influência saudita na política do Oriente Médio e na disputa árabe-israelense, bem como nos países ocidentais industrializados. O poder do petróleo estava perdendo sua importância. "Teoricamente, precisamos fazer uma distinção entre economia e política", declarou Yamani em uma emissora de televisão saudita. "Em outras palavras, as decisões políticas não devem afetar os fatos e as leis da economia. Mas o petróleo bruto é uma força política e ninguém pode negar que a força política árabe em 1973 era baseada nele e que sua influência atingiu o ápice no mundo ocidental em 1979, devido ao petróleo. No momento, estamos sofrendo graças à fraqueza do poder político árabe baseado no petróleo. Esses fatos são elementares, do conhecimento até mesmo de qualquer cidadão da rua."

Os sauditas enviaram avisos e mais avisos aos demais membros da OPEP e aos produtores não pertencentes à OPEP. Eles não iriam continuar a aceitar a perda da participação no mercado; eles não iriam tolerar e subscrever as violações às quotas por parte de outros países-membros e a crescente produção das nações não associadas à OPEP; eles não poderiam ser considerados produtores alternativos. Se fosse necessário, a Arábia Saudita inundaria o mercado. Seriam essas advertências uma indicação de ameaça séria, uma inconfundível declaração de intenções? Ou seriam apenas um blefe, com o intuito de amedrontar? No entanto, se os sauditas não fizessem algumas mudanças, logicamente poderiam esperar por uma queda na produção para um milhão de barris diários, ou menos, à medida que os mercados exportadores desaparecessem completamente. Sob tais circunstâncias e fundamentalmente até onde o petróleo pode definir a identidade e a influência do país, a Arábia Saudita quase deixou de ser, no cenário mundial, a Arábia Saudita.[1]

A participação no mercado

Nos primeiros dias de junho de 1985, os representantes da OPEP reuniram-se em Taif, na Arábia Saudita. Yamani leu a todos uma carta do rei Fahd, que criticava de maneira cortante as trapaças e descontos feitos pelos demais países-membros, que tinham sido a causa de uma "perda de mercados para a Arábia Saudita". A Arábia Saudita não iria submeter-se a tal situação para sempre. "Se os países-membros sentirem que possuem plenos poderes para agir", dizia o rei, "então que todos tirem proveito dessa situação. A Arábia Saudita saberá certamente defender seus próprios interesses".

Após a leitura da mensagem do rei, o representante da Nigéria disse que esperava que "essa sábia mensagem tivesse penetrado no espírito de todos os presentes". Nas semanas seguintes, não havia evidências de tal fato. E a produção do petróleo caiu para 2,2 milhões de barris diários, a metade do nível da quota e pouco mais de um quinto do que aquele país vinha produzindo há meia década. As exportações para os Estados Unidos, que já haviam chegado a 1,4 milhões de barris diários em 1979, sofreram uma queda brusca para meros 26 mil barris diários em junho de 1985, que praticamente nada representavam.

Por vezes, durante o verão de 1985, a produção de petróleo saudita foi menor do que a do setor britânico do mar do Norte. Esta foi a última afronta. Para os sauditas isso significava que estavam sustentando a alta dos preços, de forma que os britânicos pudessem produzir mais, a um tempo em que a primeira ministra Margaret Thatcher continuava a exaltar seu compromisso com os mercados livres e a apregoar sua indiferença com relação aos preços baixos do petróleo. Uma ameaça maior estava ainda mais próxima. Os iraquianos estavam remontando sua capacidade de exportação, expandindo e acrescentando novos oleodutos, alguns deles passando pela Arábia Saudita. Independente do que ainda pudesse acontecer, grandes quantidades adicionais de petróleo iraquiano logo seriam lançados ao já congestionado mercado. A situação era insustentável. Alguma coisa teria que ser sacrificada e, mais uma vez, como na década de 1970, seriam os preços, só que na direção oposta. Ainda assim, até onde iriam cair?

Uma sombra do passado estava ressuscitando — John D. Rockefeller e a perspectiva de uma verdadeira guerra de preços. No final do século XIX e início do século XX, Rockefeller e seus companheiros tinham muitas vezes posto em prática um "bom suadouro" contra seus concorrentes, inundando o mercado e reduzindo o preço. Os concorrentes eram forçados a fazer uma trégua, obedecendo as regras da Standard Oil, ou, na falta de capacidade de resistência, seriam eliminados dos negócios ou encampados. As circunstâncias eram, é claro, completamente diferentes em meados da década de 1980; mas nem tanto, afinal de contas. Uma vez mais tinham ao alcance "um bom suadouro".

Os sauditas passaram da defesa dos preços à defesa dos volumes — ao seu próprio nível desejado de produção — e escolheram uma arma engenhosa: acordos de lucros garantidos, com as parcerias da Aramco e de outras companhias de petróleo estrategicamente localizadas em mercados chaves. Segundo tais acordos, a Arábia Saudita não cobraria um preço fixo dos refinadores. Em vez disso, os preços seriam pagos com base no que os produtos refinados rendessem. O refinador, entretanto, teria a garantia de um lucro pré-determinado — digamos, 2 dólares o barril. Não interessava qual fosse o preço final de venda, 29, 19 ou 9 dólares, ele teria seus 2 dólares e os sauditas ficariam com o restante (menos custos diversos). O lucro dos refinadores estaria garantido. Dessa forma não teriam qualquer intenção particular de esforçar-se para conseguir preços mais altos ou mais baixos na hora da venda; eles simplesmente desejariam movimentar o maior volume possível. Sabiam que cada barril adicional significaria um lucro de 2 dólares, independente do seu preço. Um volume crescente e uma preocupação reduzida com relação aos preços de venda iriam combinar-se em uma receita perfeita, para a redução dos preços. Os sauditas, por sua vez, tinham a esperança de que o que perdiam devido aos preços baixos poderia ser compensado com o aumento do volume. Os sauditas, porém, também tiveram o cuidado de não serem desafiadores demais; o objetivo era recuperar o seu nível de quotas da OPEP e nada mais e pensaram bastante no volume necessário para cobrir seus novos acordos de lucros garantidos. Ao fazer isso, eles estavam apontando sua nova política tanto para os demais membros da OPEP, que vinham trapaceando e portanto apoderando-se de sua parcela do mercado, como para os países não membros da OPEP.

No verão de 1985, um alto executivo de uma das parceiras da Aramco recebeu uma chamada telefônica de Yamani. O ministro do petróleo ressaltou que o executivo havia dito anteriormente que ele estaria interessado em incrementar os negócios com a

Arábia Saudita, caso o preço fosse competitivo e, explicou Yamani, esse era o caso. O executivo voou para Londres em agosto, para discutir os termos do acordo do lucro garantido. "Parece competitivo", disse o executivo e assinou prontamente. Um grande número de outras companhias, parceiras e não parceiras da Aramco, igualmente concordaram com contratos semelhantes.

Os contratos de lucros garantidos obviamente significavam que já não havia mais um preço saudita oficial. O preço seria aquele alcançado pelo petróleo no mercado. E aquilo significava que já não haveria um preço estabelecido pela OPEP. À medida que as notícias circulavam pelo mercado global no final de setembro e início de outubro de 1985 a respeito dos acordos sauditas, sobrevieram o nervosismo e a ansiedade. No entanto, uma vez que os sauditas haviam se comprometido com uma estratégia de participação no mercado, outros exportadores passaram a seguir o exemplo por pura autodefesa competitiva. Os acordos de lucro garantido começaram a proliferar. Para os sofridos setores de produtos derivados da indústria petrolífera este era um presente dos céus, uma oportunidade de afinal fazer dinheiro com a refinação, que parecia estar além da inventividade humana desde o início da década de 1970.

Estaria o preço agora posicionado para uma grande queda? A maioria dos exportadores pensava que sim, mas eles esperavam uma queda de não mais que 18 ou 20 dólares o barril, abaixo do que, julgavam eles, a produção no mar do Norte não seria economicamente viável. Estavam enganados. As porcentagens de tributação no mar do Norte eram tão altas que, por exemplo, em um dos campos, o de Ninian, uma queda no preço do petróleo de vinte para dez dólares custaria para as companhias apenas 85 centavos. O maior perdedor seria o Tesouro Britânico, detentor da maior parte dos rendimentos. Os custos operacionais reais em Ninian — os custos à vista para a extração do petróleo — eram de apenas seis dólares por barril, de forma que não haveria motivos para reter a produção a preço acima desse. Além do mais, era tão dispendioso e complicado encerrar as operações temporariamente que haveria relutância em tomar essa medida, mesmo que o preço caísse abaixo dos seis dólares. Como disse na época o presidente da Chevron, George Keller, "não existe a menor importância no preço mínimo". Poucos achavam que as coisas pudessem chegar tão próximas desse extremo. Não seria sensato.

Desde o início de novembro de 1985, com a aproximação do inverno, o preço para a West Texas Intermediate no mercado futuro continuava a subir, atingindo o que era até então o ponto mais alto já registrado na Nymex — 31,75 dólares — em 20 de novembro de 1985, contradizendo a ameaça de um colapso nos preços. Com certeza, pensavam muitos, os sauditas não estavam falando sério. Era somente uma elaborada advertência, com o intuito de amedrontar os demais países-membros da OPEP e restaurar a ordem.

Uma semana e meia depois da alta de novembro, a OPEP reuniu-se ainda uma vez. Por seus atos, a Arábia Saudita já tinha declarado, na verdade, guerra pela participação no mercado, contra os demais países-membros da OPEP. Agora, a OPEP como um grupo, incluindo a Arábia Saudita, anunciava sua intenção de disputar com os países não membros a recuperação dos mercados perdidos. O boletim oficial da conferência continha a nova fórmula: a OPEP já não praticava o protecionismo nos preços; seu objetivo era "assegurar e defender para a OPEP uma parcela razoável no mercado mundial de petróleo, compatível com os rendimentos necessários para o desenvolvimento dos países-membros".

No entanto, quão significativas eram, na realidade, tais palavras? Quando, em 9 de dezembro, o texto do boletim oficial foi levado ao salão onde se reuniam altos planejadores de um dos países-membros para falar a respeito do futuro, um deles disse ao finalizar a reunião: "Oh, é apenas mais um dos boletins de inverno da OPEP".

A partir de então, os preços começaram a desabar.[2]

O terceiro choque do petróleo

O que veio a seguir não foi menos turbulento e dramático que as crises ocorridas em 1973-1974 e 1979-1981. A West Texas Intermediate reduziu rapidamente, nos meses seguintes, em 70% o preço máximo de 31,75 dólares o barril, registrado no final de novembro de 1985, para 10 dólares. Alguns cargueiros do Golfo Pérsico comercializavam por cerca de seis dólares o barril. Nos dois choques anteriores, perdas marginais e interrupções no fornecimento tinha sido o suficiente para mandar os preços para o alto. Aqui, a variação real no volume também era marginal. A produção da OPEP nos primeiros quatro meses de 1986 variava numa média de 17,8 milhões de barris diários — cerca de apenas 9% acima da produção de 1985 e quase no mesmo nível da quota de 1983. Ao todo, a produção adicional não significava muito mais do que um acréscimo de 3% no suprimento total de petróleo no mundo livre. No entanto, tudo isso, associado ao compromisso com a participação no mercado, foi o suficiente para fazer caírem os preços a níveis tão baixos, virtualmente inimagináveis poucos meses antes.

Foi, com certeza, o Terceiro Choque do Petróleo, mas todas as consequências seguiram na direção oposta. Dessa vez, os exportadores engalfinhavam-se por mercados em vez de serem os compradores a brigar por suprimentos. E os compradores, não os vendedores, estavam brincando de pular carniça, cada qual saltando sobre o outro na busca do menor preço. Esta situação desconhecida trouxe uma vez mais à tona a questão da segurança, mas em novas dimensões. Uma delas era a segurança da demanda para os exportadores de petróleo — ou seja, acesso garantido aos mercados. Essa preocupação poderia parecer nova. Mas, na verdade, era a mesma questão que havia feito dos países exportadores concorrentes acerbos, durante as décadas de 1950 e 1960, e levado Juan Pablo Pérez Alfonzo a buscar um mercado garantido nos Estados Unidos, antes de ir ao Cairo, o primeiro passo em direção à OPEP. Para os consumidores, parecia que todas as preocupações dos anos 1970 com relação à segurança do fornecimento haviam se tornado irrelevantes na batalha pela participação nos mercados. Mas, e o que dizer do futuro? Iria o petróleo importado de baixo custo solapar a segurança energética, reconstruída de maneira tão laboriosa, durante os 13 anos passados?

Não se tratava apenas do colapso dos preços; eles estavam também fora de controle. Era a primeira vez que se ouvia dizer que não havia estrutura de fixação de preços. Não havia nem mesmo um preço oficial da OPEP. O mercado estava vitorioso, pelo menos temporariamente. O preço seria estabelecido, não pela negociação árdua entre os países-membros da OPEP, mas pelas milhares e milhares de negociações individuais. Acordos de lucros garantidos, "acordos à vista", acordos de permutas, acordos de beneficiamento, acordos de remates, acordo assim, acordo assado — parecia não haver limite para as variações e manobras adotadas, enquanto os exportadores lutavam para manter e recuperar mercados. Não eram apenas os membros da OPEP se debatendo com os não membros, mas os próprios países da OPEP, individualmente, em disputa uns contra os outros pela conquista de clientes, sem levar em conta o boletim oficial de dezembro de 1985. E, nesse ambiente fortemente competitivo, a questão se reduziu em oferecer descontos em cima de descontos a fim de assegurar mercados. "Todo mundo se cansou das infinitas negociações em torno de cada cargueiro, de cada barril", declarou o chefe da Comissão Mercadológica Estatal do Iraque em meados de 1986. "No fim, o indolente negociador do exportador de petróleo bruto simplesmente oferece descontos indiscriminados, a fim de assegurar a venda por um preço inferior a todos os outros barris da OPEP." Não era um tipo específico de acordo — o de lucros garantidos ou o que fosse — que causava o colapso dos preços, mas sim dois fatores fundamentais, um deles que havia mais petróleo à procura de mercados do que mercados à procura de petróleo e o outro que a mão de um regulador, no caso a OPEP e em especial a Arábia Saudita, fora eliminada.

O choque foi a reação generalizada de todos os que lidavam com o petróleo. A OPEP iria tomar alguma providência? Será que conseguiria? Por desgraça, a organização estava dividida. O Irã, a Argélia e a Líbia queriam que a OPEP adotasse uma nova quota muito mais baixa, a fim de restabelecer o preço de 29 dólares o barril. Os países produtores de grandes volumes, principalmente a Arábia Saudita e o Kuait, permaneciam comprometidos com a reconquista de parcelas do mercado, embora Yamani, quase melancolicamente, se sentisse impelido a colocar a culpa nos compradores. Contou ao executivo de uma das grandes companhias, "eu jamais vendi um só barril que fosse, contra a vontade de alguém". Enquanto isso, o Irã e o Iraque, dois dos principais membros da OPEP, continuavam envolvidos em uma luta mortal, a par da hostilidade do Irã contra os exportadores árabes não ter sido ainda aplacada.

Os países não membros da OPEP não estavam sofrendo menos com a perda de seus rendimentos. Com atraso, levaram mais a sério as advertências da OPEP e iniciaram um "diálogo". O México, o Egito, Omã, a Malásia e Angola participaram de um encontro da OPEP como observadores, na primavera de 1986. O governo conservador da Noruega declarou a princípio que por ser membro do Ocidente não poderia negociar com a OPEP. Entretanto, o petróleo era responsável por cerca de 20% dos rendimentos governamentais e o governo não conseguia cumprir seu orçamento. O partido dominante caiu e foi substituído pelo partido trabalhista de oposição. O novo primeiro ministro anunciou imediatamente que a Noruega tomaria providências para ajudar a estabilizar o preço do petróleo. O representante do petróleo do novo governo embarcou no iate de Zaki Yamani, em Veneza, para um cruzeiro onde discutiria os preços do petróleo. Porém, no geral, o diálogo entre a OPEP e os países não membros da OPEP não produziu resultados substanciais. Portanto, com poucos acordos, tanto na OPEP quanto entre a OPEP e os países não membros, o "bom suadouro" continuou pela primavera de 1986.

"Uma pequena ação"

Muitas companhias de petróleo não estavam preparadas para esta última crise e seus executivos tinham consciência que "eles" — a OPEP — não fariam algo tão estúpido como erradicar uma grande parte de seus próprios rendimentos. Uns poucos haviam pensado de modo diferente. Planejadores da Shell em Londres; lendo cuidadosamente os princípios fundamentais, haviam se preparado para um "CCP — Cenário de Colapso do Petróleo". A companhia havia insistido para que seus gerentes — executivos levassem esse assunto a sério, mesmo que o julgassem improvável, que discutissem qual poderia ser sua resposta e que começassem a tomar medidas profiláticas. Dessa forma, quando o colapso ocorreu, ao contrário do choque observado em muitas outras companhias de petróleo, havia uma calmaria e uma ordem extraordinárias no Shell Centre, na margem sul do rio Tâmisa. Os gerentes ali, bem como nos campos de prospecção, ocupavam-se de suas tarefas como se estivessem pondo em prática uma operação de emergência de defesa civil, para a qual já haviam sido treinados.

No geral, a indústria havia assimilado a realidade do choque, e respondeu com um rápido e maciço corte nos gastos. Um golpe particularmente árduo era a exploração e a produção nos Estados Unidos. O país era uma das províncias de petróleo com os mais altos custos e havia provado ser uma elas mais decepcionantes. Quem poderia esquecer Mukluk, o poço seco de dois bilhões de dólares no mar do Alasca? As companhias tinham a maior flexibilidade para reagir nos Estados Unidos; elas não tinham a preocupação de pôr em risco acordos longamente negociados com os governos nacionais, como haviam feito por todo o mundo em desenvolvimento.

É claro que os consumidores estavam em júbilo. Todos os seus temores quanto a uma escassez permanente de petróleo haviam sido postos de lado. Seu padrão e estilo de vida já não estavam mais em risco. Depois de anos de incertezas, o petróleo estava barato novamente. As profecias de Juízo Final haviam sido uma miragem ao que tudo indicava e a força do petróleo era uma ameaça inofensiva e sem sentido. As "guerras das gasolinas" nos postos de abastecimento, que haviam supostamente desaparecido no final das décadas de 1950 e 1960, estavam agora de volta. E, até onde os preços poderiam realmente baixar? O mínimo irredutível foi sem dúvida estabelecido no posto de Billy Jack Mason, da Exxon, na região norte de Austin, no Texas, durante uma promoção de um dia no início de abril de 1986, patrocinada por uma estação de música sertaneja local. O preço de Billy Jack para a gasolina sem chumbo, naquele dia, foi zero centavos o galão. Grátis. Era um acordo que não podia ser desrespeitado e o resultado foi um estouro de boiada. Às nove horas da manhã, a fila de carros para abastecer se estendia por dez quilômetros; algumas pessoas chegavam de lugares distantes, como Waco, por exemplo. "O que você deve fazer é criar um pouco de movimento", explicou Billy Jack. E quando pediram sua opinião de especialista em petróleo a respeito do futuro dos preços, Billy Jack declarou, "isso é no estrangeiro. Nada podemos fazer com relação a isso, até que os árabes ponham ordem nos preços".

Um outro texano, adotivo, concordava com Billy Jack Mason de que esse era um assunto para os árabes, pelo menos em uma esfera maior. Ele era o vice-presidente dos Estados Unidos, George Bush e quando Billy Jack vendia sua gasolina por zero centavos o galão, Bush se preparava para partir em missão internacional no Oriente Médio para discutir o petróleo, entre outras coisas. Uma visita à Arábia Saudita e aos estados do Golfo já estavam marcadas há vários meses, antecipando o colapso. Porém, agora ele estava embarcando numa época em que a indústria americana interna de petróleo e gasolina, os exportadores de petróleo, os consumidores, os aliados da América — todos — estavam fazendo a mesma pergunta. O que estaria por fazer o governo dos Estados Unidos com relação ao colapso dos preços? Por sua posição e senso de oportunidade e por sua própria história, Bush tornou-se o homem perfeito para solucionar os dilemas da administração Reagan e da política norte-americana nesse momento tão delicado das relações internacionais.[3]

George Bush

Poucos anos mais tarde, em 1989, às vésperas de sua própria posse como presidente, Bush diria, "meu modo de pensar é o seguinte: eles têm um presidente dos Estados Unidos saído da indústria petrolífera, que a conhece e conhece muito bem". Ele conhecia, em especial, o mundo dos riscos e dos acordos dos homens do petróleo independentes, que eram a espinha dorsal da exploração de petróleo nos Estados Unidos e que foram golpeados pelas costas com o colapso dos preços. Esse tinha sido o mundo onde se formara. Ao graduar-se em Yale, em 1948, Bush deixou passar empregos óbvios na Wall Street para alguém com sua formação; afinal de contas seu pai havia sido sócio da Brown Brothers, Harriman, antes de se tornar senador por Connecticut. Depois de ter sido reprovado em uma entrevista com a Procter and Gamble, pegou o seu Studebaker vermelho, ano 1947, e partiu para o Texas, passando primeiro por Odessa e depois por sua vizinha Midland, que logo seria chamada de "capital do petróleo no oeste do Texas". Ele começou por baixo, como estagiário encarregado da pintura do equipamento de bombeamento, sendo depois promovido a vendedor itinerante, visitando instalações de poço em poço, perguntando aos clientes qual o tamanho da broca de perfuração que necessitava e qual o tipo de rocha que estava sendo perfurada, para então anotar o pedido.

Bush era um habitante do Leste, com uma formação que alguns poderiam chamar de nobre, mas não era completamente atípico. Havia uma tradição nobre de habitantes do Leste que buscavam conseguir fortuna com o petróleo do Texas, a começar pelos Mellons e pelos Pews em Spindletop e continuando com o que a revista *Fortune* chamou certa vez de invasão dos jovens *Ivy Leaguers* (Liga da Hera) que nos anos seguintes à II Guerra, Bush entre eles, haviam "invadido uma cidade petrolífera isolada do oeste do Texas" — Midland — "e criado um dos mais imprevistos pontos fronteiriços de trabalhadores ricos", bem como "uma união entre o cacto e a hera". Não era por coincidência que a melhor loja para homens de Midland, a de Albert S. Kelley, vestia seus clientes quase exatamente da mesma maneira que os Brooks Brothers vestiam.

Ágil o suficiente nesse pequeno mundo, como disse Bush mais tarde, ele entrou na onda e formou uma companhia independente de petróleo em sociedade com outro jovem ambicioso, não menos impaciente para fazer fortuna. "Alguém possuía um poço, identificava um negócio e estávamos todos procurando capital", disse um de seus sócios. "O petróleo era a última moda em Midland." Eles estavam procurando um nome que pudesse marcar; um outro sócio sugeriu que esse nome iniciasse com A ou com Z, de forma que fosse o primeiro ou o último nas agendas telefônicas e não ficasse perdido pelo meio. O filme *Viva Zapata!* com Marlon Brando no papel de mexicano revolucionário estava sendo exibido em Midland, de forma que a companhia chamou-se Zapata.

Bush assimilou rapidamente as habilidades de um homem do petróleo independente, voando para o norte de Dakota sob péssimas condições meteorológicas, para tentar adquirir de fazendeiros desconfiados participação nos *royalties*, vasculhando registros nas sedes dos municípios, para verificar quem era o proprietário dos direitos sobre os minerais nas proximidades das novas descobertas, providenciando boas turmas de perfuradores de poços do modo mais rápido e barato possível – e, é lógico, fazendo peregrinações pelo Leste para recolher dinheiro dos investidores. Em uma estimulante manhã em meados da década de 1950, próximo a Union Station em Washington, D.C., ele quase fechou um acordo com Eugene Meyer, o respeitável editor do Washington Post, no banco traseiro da limusine de Meyer. Meyer envolveu também seu genro no acordo. Meyer permaneceu um dos investidores de Bush ao longo dos anos. E o nome Zapata, ajudou Bush em sua nova aventura comercial? "Ele agia de duas formas", disse Hugh Liedtke, um dos sócios de Bush. "Os acionistas que chegavam antes e faziam um investimento lucrativo, bem, esses achavam que Zapata era um patriota. Porém, aqueles que chegavam com o mercado em alta e depois se deparavam com uma queda, julgavam Zapata uma vilão."

Por fim, os sócios dividiram a Zapata, amigavelmente, em duas e Bush assumiu a parcela dos negócios que cuidava dos serviços petrolíferos marítimos, fazendo dela uma das pioneiras e líderes no dinâmico desenvolvimento da perfuração e da produção marítima no Golfo do México e ao redor do mundo. Ainda nos dias de hoje, ríspidos corretores de valores institucionais de Nova York ainda se lembram que, quando telefonavam para os escritórios da Zapata em Houston para descobrir como seriam os resultados no trimestre seguinte, eles não ouviam do outro lado da linha a fala arrastada de algum bom camarada texano, mas o sotaque *yankee* modificado de George Bush. Ele era funcionário meio expediente do escritório encarregado de travar relacionamento com investidores. Sobreviveu aos erráticos ciclos da indústria petrolífera doméstica no pós-guerra. Ele conseguia ver como a atividade industrial era sensível aos preços do petróleo e também quão vulnerável poderia ser à descontrolada competição externa, naqueles anos de grande desenvolvimento do petróleo no Oriente Médio — pelo menos até que Eisenhower impusesse as quotas em 1959. Ele também se cuidou bem. A família Bush foi uma das primeiras a construir uma piscina na vizinhança de Midland.

Em meados da década de 1960, Bush chegou à conclusão que já havia ganho dinheiro o suficiente; seu pai havia sido um senador durante dez anos e ele poderia seguir na mesma direção. Suspendeu os negócios com o petróleo e entrou para a política. O Partido Republicano estava na época começando a se formar no Texas. Porém, a perene obstrução dos democratas sobre o estado não era o único problema a ser enfrentado. O pseudorreconstituído Partido Republicano estava sob a mira da direita e a uma certa altura Bush teve que se defender da acusação da John Birch Society de que seu sogro era um comunista — baseado no fato de que o acusado era por casualidade o editor de uma revista feminina com o desaforturado título de *Redbook* (Livro Vermelho).

Bush passou de dirigente de condado ao Congresso. Ao contrário de Calouste Gulbenkian, ele não achava que as amizades conseguidas com o petróleo fossem traiçoeiras; seus associados desde a época de Midland permaneceram entre seus mais íntimos amigos. Como congressista por Houston esperava-se que ele defendesse a indústria do petróleo, o que foi feito com firmeza. Em 1969, quando Richard Nixon estava pensando em acabar com o sistema de quotas que restringia as importações de petróleo, Bush tomou providências para que o Secretário da Fazenda, David Kennedy, se encontrasse com um grupo de homens do petróleo, em sua casa, em Houston. Depois, escreveu a Kennedy para agradecer-lhe por agir com calma nas discussões. "Eu também fiquei muito grato por você ter-lhes dito o quanto eu sofri e morri pela indústria petrolífera", disse Bush. "Isso poderia ter me aniquilado no *Washington Post*, mas com certeza ajuda em Houston." O petróleo, porém, já não era o ponto predominante em sua agenda política, uma vez que Bush circulava em outras funções — de Embaixador dos Estados Unidos na ONU e presidente do Comitê Nacional Republicano durante o caso Watergate a enviado dos Estados Unidos à República Popular da China, para chefiar a CIA e então para uma campanha malsucedida de quatro anos para sua indicação pelos republicanos para a Presidência da República. Em 1980, o homem que o derrotou, Ronald Reagan, escolheu-o para companheiro de chapa, o que o levou para a vice-presidência.

Ao contrário de Jimmy Carter, que fez da energia a peça central de sua Administração, Ronald Reagan estava determinado a fazer dela uma nota de rodapé. Ele sustentava que a crise energética era resultado principalmente da falta de regulamentação e de políticas mal dirigidas por parte do governo dos Estados Unidos. A solução estava em manter o governo afastado da energia e retornar aos "mercados livres". Afinal de contas, Reagan havia dito durante a campanha que havia mais petróleo no Alasca do que na Arábia Saudita. Um dos primeiros atos da Administração Reagan foi aumentar a velocidade da liberação dos preços do petróleo que a Administração Carter havia iniciado. Nesta mudança para uma política de "negligência benevolente" em relação à energia, a nova Administração, para falar a verdade, foi auxiliada pelo que estava ocorrendo no mercado mundial do petróleo. A desgraça de Jimmy Carter, a elevação dos preços, havia se transformado na sorte de Ronald Reagan, pois justamente por volta da época em que ele se instalou na Casa Branca em 1981, meia década antes do colapso do preço, o preço do petróleo ajustado à inflação começou realmente seu longo declínio diante do crescente fornecimento vindo dos países não membros da OPEP e da queda da demanda. Não só o declínio no preço real afastou a energia do centro das questões, como também serviu como o mais importante estímulo para o crescimento renovado da economia e para o declínio da inflação, duas características marcantes do *boom* de Reagan. É claro que a abordagem do "mercado livre" baseava-se em uma contradição; afinal, um cartel, a OPEP, estava evitando uma grande queda nos preços do petróleo, proporcionando assim os incentivos para a economia e para o desenvolvimento energético nos Estados Unidos e em outros lugares. Esta contradição, no entanto, permaneceu latente e tranquila até o colapso dos preços em 1986.

De acordo com palavras do Secretário Geral Interino da OPEP, Fadhil Al-Chalabi foi desencadeada naquele ano nada menos do que uma "competição absoluta". E os resultados foram devastadores para a indústria petrolífera americana. Avisos de demissão estavam explodindo em um ritmo impressionante; estruturas de perfuração estavam se enfileirando por todos os canteiros de petróleo; e a infraestrutura financeira do sudoeste estava estremecendo, à medida que a região encaminhava-se para uma depressão econômica. Além disso, caso os preços permanecessem baixos, a demanda do petróleo nos Estados Unidos poderia ir para o alto, a produção interna poderia despencar e as importações poderiam reeditar a inundação, como já havia acontecido na década de 1970. Talvez, quando atingisse as forças de mercado, pudesse vir a trazer muitas coisas boas. Entretanto, não havia muita coisa que o governo dos Estados Unidos pudesse fazer, ainda que tão estimulado, diante de forças tão poderosas de oferta e demanda. Uma possibilidade era lançar uma tabela de preços e assim proteger a produção energética interna e continuar a fornecer incentivo para a economia. Havia muitas solicitações por uma tabela de preços, nenhuma delas provinha da Administração Reagan. Outra opção era tentar convencer a OPEP a reunir novamente seus esforços. Assim foi que a longa desatenção oficial de George Bush ao petróleo chegou abruptamente ao fim. Quem mais, na Administração Reagan, tinha vivido uma experiência tão longa para falar melhor sobre petróleo com os sauditas?[4]

"Eu sei que estou certo"

No início de seu plano, o principal objetivo da viagem de Bush ao Golfo Pérsico, em meio à Guerra do Irã-Iraque, aparentemente interminável, tinha sido pôr ênfase no apoio dos Estados Unidos aos estados árabes moderados da região. Mas ninguém poderia esperar ir até a Arábia Saudita e não falar sobre petróleo, especialmente quando seu preço havia caído para menos de dez dólares o barril. Tinham as posições se invertido? Durante a década de 1970, altos funcionários do governo americano haviam marchado para Riad a fim de pedir aos sauditas que ajudassem a manter baixos os preços. Agora, em 1986, iria o vice-presidente dos Estados Unidos para a Arábia Saudita pedir-lhes que jogassem os preços para cima?

Certamente, Bush sentia que o suficiente era o suficiente. As condições estavam tão ruins ou até piores no Texas e na indústria do que ele jamais havia visto durante sua época de homem do petróleo. Além do mais, os clamores e as críticas vindas de suas bases políticas no sudoeste, particularmente no Texas, de repente tornaram-se bastante intensas. Bush também não era o único a se preocupar com essas questões na Administração Reagan; o secretário de Energia, John Herrington, já vinha advertindo que a queda no preço do petróleo havia sido tanta a ponto de ameaçar a segurança nacional. Os dois, porém, eram minoria na Administração.

No início de abril de 1986, na véspera de sua viagem, Bush disse que "iria negociar vigorosamente" a fim de convencer os sauditas de "nosso próprio interesse e portanto do interesse da segurança nacional. Penso que é essencial conversarmos sobre estabilidade para evitarmos uma queda livre contínua, como a de um paraquedista que pula sem paraquedas". Ele reconheceu ritualisticamente o preceito central do mercado livre da Administração Reagan. "Nossa resposta é mercado — mercado — deixem as forças do mercado agirem", disse ele como se pronunciasse uma fórmula mágica. Porém, acrescentou, "acredito e sempre acreditei, que uma sólida indústria norte-americana está nos interesses da segurança nacional, nos interesses vitais deste país". Bush estava declarando claramente que as forças do mercado tinham ido longe demais. E foi desmentido de modo rápido e embaraçoso pela Casa Branca de Reagan, cujo porta-voz declarou, "o meio de encaminhar a estabilidade do preço é deixar o mercado livre funcionar". A declaração da Casa Branca deixava bem claro que Bush deveria enfatizar ao rei Fahd que as forças do mercado, e não os políticos, deveriam determinar o nível dos preços.

A primeira escala de Bush foi em Riad, onde inaugurou o novo prédio da Embaixada dos Estados Unidos. Durante o jantar com diversos ministros, Yamani entre eles, a conversa, como era de se esperar, foi conduzida parcialmente em torno do petróleo e Bush comentou que, se os preços continuassem tão baixos, aumentariam as pressões para um tabelamento no Congresso norte americano e ficaria cada vez mais difícil resistir a essa pressão. Os sauditas levaram a observação bastante a sério. A próxima escala do vice-presidente foi em Dahram, na província do leste, onde o rei estava residindo temporariamente. A comitiva americana foi presenteada com um banquete no Palácio Oriental do rei, servido por garçons que usavam espadas e pistolas em seus cinturões e tinham cartuchos suspensos ao redor do tórax. Seus rifles, para alívio do Serviço Secreto Americano, estavam arrumados ao longo das paredes.

Um encontro privativo com o rei havia sido marcado para o dia seguinte, mas os americanos foram informados depois do banquete que ele havia sido transferido para imediatamente após o ataque iraniano a um petroleiro saudita. Bush foi convocado para uma reunião tarde da noite com o rei, que prolongou-se até bem depois das duas horas da manhã e durou ao todo mais de duas horas e meia. Os sauditas estavam irritados com os ataques militares e com as ameaças dos iranianos e o objetivo principal do encontro, bem como de toda missão de Bush, era a segurança do Golfo Pérsico e o fornecimento de armas norte-americanas. O petróleo foi mencionado apenas de relance, mas, de acordo com funcionários do governo americano, Fahd expressou sua esperança em uma "estabilidade no mercado". Os funcionários acrescentaram que o rei "sentia que estavam querendo dar um chute no traseiro da Arábia Saudita," usando uma linguagem não real, "por meio de histórias sobre seu papel no mercado petrolífero".

Apesar das intensas críticas domésticas, o vice-presidente manteve-se firme em sua posição a respeito dos preços do petróleo. "Eu sei que estou certo", declarou ele depois de seu encontro com o rei. "De algumas coisas a gente tem absoluta certeza." Disso eu tenho — de que os preços baixos poderiam causar estragos na indústria energética americana doméstica, com graves consequências para a Nação. No dia seguinte, durante o café da manhã com homens de negócio americanos em Dahran, Bush declarou, "existe um momento decisivo, no qual o interesse da segurança nacional dos Estados Unidos alerta, 'Hey! Temos que manter a indústria interna forte e viável.' Eu tenho sentido isso durante toda minha carreira política e não vou mudar de opinião a esta altura. Eu sinto assim e sei que o presidente dos Estados Unidos sente também".

Bush orgulhava-se de sua lealdade e havia provado nesses últimos cinco anos ser um vice-presidente bastante leal. Nunca antes ele havia divergido da linha da Casa Branca. Mas agora, ao que tudo indicava, estava divergindo e a reação desfavorável tornou-se mais explícita. "Pobre George", foi como um alto funcionário da Casa Branca referiu-se a ele, acrescentando que a posição de Bush não representava a "política da Administração". Mas Bush recusou-se a recuar, muito. "Não sei se estou ajudando a indústria (petrolífera americana). O que pretendo é defender uma posição que percebo muito, muito fortemente... Se isso consiste em uma ajuda ou em um prejuízo político, não faz com que me preocupe menos."

A opinião geral era de que Bush estava cometendo não um mero engano mas uma enorme asneira, que poderia prejudicar sua ambição política e que apontava para uma tendência de autodestruição. Seus satisfeitos oponentes, candidatos republicanos à presidência, mal se continham para usar as imagens das afirmações de Bush num estado extremamente importante — e decididamente não petrolífero — como o de Nova Hampshire. Os colunistas o acusaram de enroscar-se com a OPEP e afirmaram solenemente que este poderia ser o lance fatal para o lançamento de sua próxima candidatura presidencial. É lógico que nos estados petrolíferos comentou-se muito sobre tudo o que ele disse. Porém, fora do setor petrolífero, a única voz que parecia ter algo de bom para dizer a seu favor era ninguém menos do que o editorial do Washington Post, o mesmo jornal que Bush certa vez receou fosse aniquilá-lo, por ele ter expressado sentimentos favoráveis à indústria petrolífera. Ao contrário, o Post agora dizia que o vice-presidente deu-se conta de uma questão bastante importante quando advertiu como os preços baixos poderiam debilitar a indústria energética nacional, mesmo que ninguém quisesse admiti-lo. "O sr. Bush está se debatendo com um problema real", comentou o Post. "Uma dependência crescente e constante do petróleo importado não é, como sugere o homem, uma perspectiva favorável." Em resumo, dizia o *Post*, Bush estava correto.

Mas o que realmente havia dito Bush sobre tabelamento do petróleo aos ministros sauditas? Tinham sido meros comentários feitos de passagem ou algo mais consistente? O que quer que fosse dito ou ouvido — e sempre existe uma enorme diferença entre os dois em diplomacia — alguns sauditas, depois disso, insistiam que Bush havia emitido uma advertência explícita de que os Estados Unidos iriam impor um tabelamento caso os preços continuassem baixos, mesmo que o tabelamento fosse absolutamente contrário à linha da Administração Reagan. E os japoneses haviam indicado que se os Estados Unidos lançassem uma tabela sobre o petróleo importado, eles iriam seguir o exemplo, a fim de proteger seu próprio programa de diversificação de energia e também para recolherem rendimentos extras para seu Ministério da Finanças. Poucas coisas conseguiriam fazer os exportadores se manifestarem com tanta fúria do que a perspectiva de um tabelamento nos países importadores de petróleo, pois tal arrecadação iria desviar os rendimentos de seu próprio tesouro e devolvê-los aos bolsos dos consumidores.

Mas o tabelamento era apenas parte de uma reflexão mais ampla. Os sauditas juntamente com outros exportadores, estavam preocupados com as imensas perdas financeiras causadas pelo colapso contínuo dos preços. Além do mais, eles estavam muito insatisfeitos com toda crítica externa e com pressões políticas que estavam convergindo sobre eles devido a esse colapso. A viagem de Bush chegou como um incentivo adicional para restaurar alguma estabilidade aos preços. Alguns dos consultores do próprio vice-presidente podem ter pensado que suas observações sobre o petróleo tinham o único intuito de estimulante para os canteiros petrolíferos americanos, mas os sauditas não os interpretaram dessa maneira. O que eles ouviram foi o presidente dos Estados Unidos dizer que o colapso dos preços era desestabilizador e que ameaçava a segurança dos Estados Unidos: as importações de petróleo americano iriam aumentar substancialmente e os Estados Unidos ficariam militarmente e estrategicamente enfraquecidos face à União Soviética. Os sauditas confiavam nos Estados Unidos para sua própria segurança; com certeza, pensaram eles, logo depois da visita de Bush, teriam que ficar atentos às necessidades de segurança dos Estados Unidos. Eles haviam pensado na questão da segurança em 1979, quando elevaram a produção. E pensaram novamente em segurança na primavera de 1986. Eles estavam sentindo a pressão vindo de muitos países, inclusive o Egito e o Iraque, fatigado pela guerra. Eles estavam muito preocupados com a guerra entre Irã e Iraque e suas prováveis consequências. A missão Bush, no auge do tumulto e de outras dificuldades, deu motivos para os sauditas reconsiderarem a furiosa batalha pela participação no mercado que havia feito os preços entrarem em parafuso — e procurarem por uma saída. Além do mais, os outros exportadores haviam finalmente aprendido que a fraude tinha seu preço.[5]

Haraquiri e 18 dólares o barril

Ninguém tinha ainda uma ideia real de como se comportar em um ambiente competitivo e com certeza, nenhuma experiência. Um veterano da OPEP, Alirio Parra, um alto funcionário da Petróleos de Venezuela esforçou-se para encontrar alguma referência histórica. Ele iniciou sua carreira como assistente de Juan Pablo Pérez Alfonzo durante a formação da OPEP e, na verdade, estava em reunião com ele quando o convite para a reunião inicial chegou, em 1960. Agora, a dissolução da OPEP parecia estar prestes a acontecer. Vasculhando a sua mente em busca de algum ponto de partida, Parra lembrou-se de um livro que havia lido há muito tempo, *The United States Oil Policy*, publicado em 1926 por John Ise, um professor de economia da Universidade de Kansas. Parra encontrou por fim uma cópia esfarrapada em Caracas e levou-a consigo a Londres, onde a leu com cuidado.

"As características desafortunadas da história do petróleo da Pensilvânia têm se repetido na história mais recente de quase todas as demais regiões produtoras", escreveu Ise na época. "Tem se verificado a mesma instabilidade na indústria, a mesma super produção recorrente ou crônica, as mesmas vastas flutuações nos preços, com a consequente redução dos acordos, o mesmo desperdício de petróleo, capital e energia." Ise descreveu um episódio ocorrido na década de 1920 como um "espetáculo de imensa superprodução desse recurso natural limitado, estoques crescentes, reservatórios transbordantes e preços em declínio, esforços frenéticos para estimular usos menos importantes, ou para vender por quase nada (...) era o caso de 'ficar chocado e dominado e entulhado, pelo que o povo mais desejava — petróleo'." Ise acrescentou, "os produtores de petróleo estavam praticando *haraquiri* ao produzir tanto petróleo. Todos enxergavam o remédio mas não o adotavam. O remédio era, sem dúvida, uma redução na produção". Embora Ise tivesse escrito o livro há sessenta anos, a linguagem e o diagnóstico soavam bastante familiares a Parra. Ele fazia anotações.

Doravante, Parra seria um dos poucos entre os membros dos países exportadores a tentar iniciar a elaboração de um novo sistema de preços que levasse em conta o fato de que os mercados do petróleo e da energia eram, afinal de contas, competitivos. Os consumidores tinham escolhas. Isso levou Parra e outros, a enfocar uma nova margem de preços de 17 a 19 dólares — mais especificamente, 18 dólares o barril — 11 dólares a menos daquele que havia sido o preço oficial de 29 dólares, poucos meses antes. De qualquer maneira, esse parecia ser o preço "correto". Parra e alguns outros passaram uma semana de maio hibernados na embaixada kuaitiana em Viena, discutindo a base racional para um novo preço. Corrigindo pela inflação, os preços do petróleo voltaram para onde haviam estado em meados da década de 1970, nas vésperas do Segundo Choque do Petróleo. Agora, 18 dólares parecia ser o ponto em que o petróleo se tornaria novamente competitivo com outras fontes de energia e com a economia de consumo. Parecia ser o nível mais alto que os exportadores conseguiriam atingir e ainda executar suas metas de estimular o crescimento econômico no resto do mundo e, dessa forma, a demanda de energia. O novo preço iria reacender a demanda por petróleo, ou talvez até mesmo reverter a produção aparentemente incontrolável dos países não membros da OPEP. Dezoito dólares "é inconveniente para meu país", disse um alto funcionário da OPEP a um amigo, "mas você não acha que é o melhor que podemos fazer?"

Na última semana de maio de 1986, seis ministros do petróleo encontraram-se em Taif na Arábia Saudita. Um dos ministros criticou alguns dos colegas que estavam prevendo uma queda nos preços do petróleo para cinco dólares o barril. "Nenhum dos presentes quer vender petróleo barato ao consumidor ou dar a ele um presente", observou o ministro kuaitiano. Porém, acrescentou, os antigos 29 dólares tinham causado à OPEP "mais prejuízos do que benefícios".

Yamani expressou categoricamente a posição da Arábia Saudita: "Queremos uma correção na tendência do mercado. No momento em que readquirirmos o controle do mercado, aumentando nossa participação, seremos capazes de agir corretamente. Queremos reconquistar nossa força de mercado".

Todos os ministros presentes confirmaram seu apoio ao preço do barril entre 17 e 19 dólares e concordaram com a necessidade de um novo sistema de quotas para acompanhá-lo. Aquilo que teria parecido uma heresia há poucos meses era agora recebido como sensatez. Em meio a toda confusão e desordem desta mais recente crise do petróleo, um novo consenso a favor dos 18 dólares: o barril estava indiscutivelmente emergindo dos destroços da crise antiga. "Foi um processo de osmose", disse Alirio Parra. Não só os produtores, mas também os consumidores, o aprovaram. Dos japoneses, como importadores de mais de 99% de seu petróleo, poderia se esperar que preferissem o preço mais baixo possível. Mas não era bem assim. Dois problemas poderiam surgir caso os preços ficassem baixos demais. Em primeiro lugar, isso iria golpear o grande e dispendioso compromisso que haviam assumido com as fontes alternativas de energia, levando com certeza, de volta a uma dependência maior do petróleo e finalmente a uma vulnerabilidade renovada, além de deixar o cenário preparado para uma outra crise. Em segundo lugar, uma vez que o petróleo se constituía em uma parte substancial das importações do Japão, preços baixos demais poderiam expandir enormemente o já imenso superávit comercial do Japão, acentuando ainda mais os graves conflitos com os parceiros comerciais americanos e europeus ocidentais. Dessa forma, descobriu-se por toda indústria petrolífera japonesa e nas esferas do governo uma crença nos "preços razoáveis", que veio a ser fixado em torno de 18 dólares o barril.

O novo consenso era evidente também nos Estados Unidos — no governo, em Wall Street, nos bancos e entre os analistas econômicos. Os ganhos com a queda dos preços do petróleo (maior crescimento e inflação mais baixa) seriam mais importantes que as perdas (os problemas das indústrias energéticas e do sudoeste). Mas isso era verdadeiro só até certo ponto, pelo menos de acordo com a nova perspectiva. Num dado nível, a aflição e o transtorno do sistema financeiro, juntamente com o desconforto dos políticos, começariam a anular os benefícios, e esse ponto, pelo consenso geral, incidia em algum ponto entre 15 e 18 dólares. A administração Reagan estava torcendo para que os esforços restabelecessem o preço em torno dos 18 dólares, o ponto de equilíbrio. Esse preço daria um forte impulso ao desenvolvimento econômico, ao mesmo tempo que ajudaria a conter a inflação, e era também um valor com o qual a indústria doméstica de petróleo poderia ir convivendo e que reduziria a pressão por um tabelamento. Como consequência, a Administração poderia manter seu compromisso com o "mercado livre" e não seria obrigada a tomar nenhuma providência. Quando todas as coisas eram levadas em consideração dentro dessas circunstâncias, o mais desejável a fazer era nada.

Mas, consenso era uma coisa. Organizar um novo acordo era outra bem diferente. E os esforços nesse sentido estavam sendo insuficientes, ainda que a perda de receita estivesse se tornando penosa para muitos exportadores. Os estados do Golfo Árabe, que aumentaram muito o volume de suas vendas, foram os menos prejudicados. As receitas do Kuait caíram só 4% e os da Arábia Saudita, 11%. Os "falcões" dos preços, os mais beligerantes e hostis no trato com seus clientes do Ocidente, eram os que golpeavam com mais força. Os ganhos da Líbia e do Irã no primeiro semestre de 1986 ficaram 42% abaixo, comparados com o mesmo período de 1985. A Argélia perdeu ainda mais. Por mais que simples razões econômicas. O Irã era o país que estava em maior desvantagem. Suas receitas vinham despencando, e tinha que arcar com as despesas da guerra contra o Iraque, que tinha entrado em uma nova fase, mais intensa. A guerra aérea iraquiana contra os petroleiros e instalações estavam exigindo uma taxação crescente sobre a capacidade iraniana de exportação. Como o Irã poderia levar adiante a Guerra Santa do aiatolá Khomeini contra o Iraque e Saddam Hussein, sem dinheiro?

Alguma coisa precisava ser feita, logo. A Arábia Saudita vinha mantendo sua produção e o antigo nível de quotas, mas agora dava indícios de que iria impulsionar sua produção a níveis mais elevados. Uma quantidade ainda maior de petróleo estaria sendo despejada no mercado. Em julho de 1986, o petróleo bruto do Golfo Pérsico caiu para 7 dólares o barril, ou menos. O suficiente era o suficiente e os líderes da Arábia Saudita e do Kuait estavam ansiosos para acabar com o "bom suadouro". Estavam também preocupados com as perspectivas de receita. Além do mais, a volatilidade e a incerteza eram perturbadoras demais, com muita probabilidade de ampliar riscos políticos ao redor do mundo. Virtualmente, todos os que, na OPEP, tomam decisão, haviam chegado à conclusão que a estratégia de divisão do mercado era, pelo menos a curto prazo, um fracasso. Mas como escapar dela sem voltar a mergulhar nos inconvenientes que a tinham precipitado? A única saída seria o estabelecimento de novas quotas. Mas quem ficaria com o quê? Alguns dos exportadores insistiam que a Arábia Saudita reassumisse sua função reguladora, ao que Yamani respondia, "de jeito nenhum. Ou todos trabalhamos em conjunto, ou nada feito. Nesse ponto, sou tão teimoso quanto a sra. Thatcher".

Por volta de julho, os especialistas da OPEP tinham posto no papel uma exposição de motivos para os novos preços: uma variação entre 17 e 19 dólares o barril conduziria a uma perspectiva econômica mundial aperfeiçoada, estimulando a demanda por petróleo: "Isso poderia servir como instrumento efetivo para diminuir o ritmo e até impedir a substituição de combustível, além de desencorajar futuro desenvolvimento de petróleo de alto custo." Porém, se os preços caíssem mais um pouco, os exportadores passariam a correr um grave risco: "fortes medidas protecionistas nos maiores países consumidores do mundo industrializado", incluindo "a imposição de tarifa de importação do petróleo tanto nos EUA quanto no Japão." Eles se recordavam das restrições às importações de Eisenhower, muito melhor que a maioria dos americanos.

Havia ainda a questão das quotas, que iria exigir a cooperação renovada entre os exportadores rebeldes da OPEP. Parecia haver poucas esperanças de que alguma coisa pudesse ser concluída por ocasião do próximo encontro da OPEP em Genebra, no final de julho e começo de agosto de 1986. O Irã, em particular, havia sinalizado sua oposição às novas quotas. Durante o encontro, o ministro iraniano do petróleo, Gholam Reza Aghazadeh, surgiu no apartamento de Yamani para uma conversa privada. Ele falava por um intérprete. Yamani ficou tão surpreso com sua mensagem que exigiu que o intérprete traduzisse novamente. Ela foi confirmada. O Irã, disse o ministro, estava, naquele momento, disposto a aceitar as quotas temporárias e voluntárias lançadas por Yamani e outros. O Irã, na verdade, voltou atrás. Sua política petrolífera era mais pragmática do que sua política externa.

A estratégia da divisão de mercado tinha acabado. Mas, ao anunciar o restabelecimento das quotas, a OPEP insistia que não carregaria o fardo sozinha; os países não membros da OPEP teriam que cooperar. E vários acordos realizados subsequentemente com vários países não membros indicavam que eles iriam cumprir sua parte. O México reduziria sua produção. A Noruega prometeu não cortar, mas desacelerar o crescimento de sua produção. Pelo menos já era alguma coisa. A União Soviética manteve-se afastada da maior parte das discussões. Em maio de 1986, um alto funcionário da área energética da União Soviética havia zombado da ideia de que a União Soviética algum dia pudesse cooperar formalmente com a OPEP. A URSS não era um país do Terceiro Mundo, insistia ele. "Nós não somos produtores de bananas." De certa forma era verdade; não se achava bananas em Moscou. Mas, com ou sem bananas, funcionários soviéticos conseguiam ler seu balanço de saldo comercial e, caso continuassem as perdas, em termos de ganhos em moeda forte provenientes do petróleo e do gás, o efeito poderia ser devastador para os incipientes planos de reforma e reavivamento da economia soviética estagnada a serem formulados sob o comando de Mikhail Gorbachev. A União Soviética prometeu contribuir com uma redução de cem mil barris diários para os esforços da OPEP. A promessa era suficientemente vaga e o transporte das exportações por via férrea suficientemente difícil para que os países da OPEP pudessem ter certeza de que os russos eram tão bons quanto suas promessas. O próximo passo para esfriar o "bom suadouro" era que a OPEP formalizasse as quotas e que fizesse alguma coisa a respeito do preço. Porém, haveria um interlúdio.[6]

Tocando de ouvido

Em setembro de 1986, a Universidade de Harvard estava celebrando seu 350º aniversário. Os preparativos para este grande evento vinham sendo feitos há vários anos; ele iria mostrar o lugar de Harvard na vida americana e sua contribuição para o ensino mundial. Não se mediu esforços para o "350º", desde arrebanhar os ilustres ganhadores do Prêmio Nobel, à fabricação de chocolates comemorativos, especialmente desenhados para a ocasião. Para coroar a celebração, a Harvard escolheu, entre os cinco bilhões de habitantes do planeta, duas pessoas para proferir os discursos mais importantes. Uma delas era o príncipe Charles, herdeiro do trono britânico; afinal de contas, John Harvard havia emigrado da Inglaterra para Massachusetts, tendo posteriormente, em 1636, doado sua coleção particular de 300 livros para o pequeno colégio, mais tarde rebatizado com seu nome. O outro palestrante era o ministro saudita Ahmed Zaki Yamani, que havia estudado em Harvard por um ano, na Faculdade de Direito, agora um importante doador do acervo islâmico da Universidade. Uma delegação de Harvard chegou a voar a Genebra para fazer-lhe o convite.

O jovial príncipe Charles proferiu um discurso animado e interessante, deliciando a todos que o ouviram. Yamani preferiu pronunciar um discurso denso e bastante explícito, recheado de números que iam até a segunda casa decimal. O texto foi distribuído com antecedência, enquanto os participantes procuravam seus lugares no lotado Forum ARCO da Kennedy School. Dessa maneira, poderiam acompanhar o discurso, lendo. Foi um discurso preparado especialmente para a ocasião, formando um panorama dos tumultuosos e agitados eventos ocorridos em 1986, que mudaram todos os indicadores econômicos. Era também uma explicação e uma justificativa. Lendo em tom de leve sussurro, apenas ocasionalmente se permitindo um pequeno meio sorriso ou um pequeno desvio do texto, Yamani relembrou suas batalhas pelos preços junto às companhias de petróleo, no início da década de 1970 e com os seus irmãos da OPEP, no início da década de 1980. Ele pedia por estabilidade e pelo reconhecimento de que o petróleo era um "produto especial". E demonstrou esperança de retorno a esse tipo de estabilidade: o preço do petróleo a 15 dólares o barril com um aumento gradual tanto nos preços quanto na produção da OPEP. Era a perspectiva de um mundo bastante disciplinado. Será que ele acreditava realmente nisso?

Ao final do discurso, Yamani dispôs-se a ouvir a plateia. Como última pergunta, um professor alto de ar pensativo levantou-se para ressaltar como era difícil fazer política energética nos Estados Unidos: o Congresso brigava com o presidente, o Senado com a Câmara, as várias agências umas com as outras, todo mundo brigava com todo mundo. Na Arábia Saudita seria menos controvertido? Poderia Yamani descrever o processo pelo qual se fazia política petrolífera na Arábia Saudita?

Suavemente e sem um momento de hesitação, o ministro do petróleo respondeu: "Nós tocamos de ouvido".

A plateia explodiu em gargalhadas. Foi uma resposta surpreendente, que captou a verdade da improvisação na política, qualquer que fosse o governo. Ainda assim, era um tanto estranho, vindo de um autoproclamado discípulo do pensamento a longo prazo, que havia estado no centro das decisões do mundo petrolífero por um quarto de século. Desconhecidas, na época, pelas pessoas da plateia, tais palavras poderiam estar entre as últimas declarações oficiais de Yamani.

Um mês depois, em outubro, Yamani estava em uma reunião em Genebra para decidir a próxima etapa da reconstrução da OPEP. Cumpriu seu papel conforme fora instruído; o reino não só desejava proteger suas quotas e assegurar seus volumes, mas também receber um preço mais alto — os 18 dólares de consenso, que eram muito diferentes dos 15 dólares que Yamani havia mencionado em Harvard. Yamani chegou a sugerir, semipublicamente, que era contraditório tentar perseguir volumes altos e preços altos ao mesmo tempo, o que parecia ser explicitamente contra aquilo que o rei havia anunciado. Yamani iria fazer o melhor possível e, na realidade, houve um progresso com a reconstituição do sistema de quotas. Certa noite, uma semana após o encontro, Yamani estava de volta a Riad jantando com amigos, quando recebeu um chamado telefônico avisando-o para ligar a televisão no noticiário. Uma notícia, ao final do programa, dizia concisamente e sem nenhum floreio que Ahmed Zaki Yamani havia sido "substituído" em seu cargo de ministro do petróleo. Foi assim que soube que havia sido demitido. Yamani ocupara o cargo durante vinte e quatro anos, um longo e bom período para qualquer posto em qualquer lugar. Ainda assim, foi um fim abrupto, embaraçoso e desconcertante.

Os motivos para essa demissão e o modo como foi executada tornaram-se objeto de intensa discussão na Arábia Saudita e no mundo inteiro. As explicações oferecidas, como era de se esperar, foram muitas e algumas vezes contraditórias: ele havia causado embaraços à família real, não só por deixar de seguir com vigor suas instruções em Genebra, mas também por criticar a validade dessas instruções; ele havia conseguido inimigos poderosos por se opor a acordos de permuta; sua demissão refletiu o abandono por políticas com as quais estivera publicamente associado. Também comentava-se que havia ressentimentos contra ele em Riad, devido ao que muitos descreviam como arrogância, modos condescendentes, exibicionismo e ao *status* de celebridade que tinha fora do país. Yamani fora o braço direito do rei Faissal e o elaborador da política do petróleo. Em 1986, Yamani tinha poucos e preciosos aliados, enquanto muitos dos outros ministros e conselheiros acreditavam que Yamani havia usurpado a própria autoridade deles. Finalmente alguns disseram que o Rei Fahd simplesmente não gostava de Yamani.

Talvez, em última análise, fosse o declínio e depois o colapso no preço do petróleo que conduziu à própria derrocada de Yamani. Havia, no entanto, a questão específica do discurso em Harvard. Antes daquele evento, algumas pessoas em Riad tinham a impressão que Yamani iria apenas proferir algumas poucas palavras genéricas, mais ou menos de improviso, e não que ma fazer uma importante afirmação política. Um discurso de dezessete páginas, porém, não era o que alguém pudesse chamar de fala de improviso. Além do mais, a política que ele advogava não era exatamente a mesma da política oficial da Arábia Saudita. E a observação do "tocar de ouvido", uma expressão idiomática que não era conhecida por todas as pessoas, foi interpretada em Riad como uma crítica ao governo saudita. Assim, Yamani retomou à vida privada, à administração de sua fortuna, à montagem de um instituto de pesquisa em Londres. Tentou contratar um relojoeiro suíço, voltou a presidir sua fábrica de perfumes em Taif, a lecionar meio período na Faculdade de Direito de Harvard e, como era de se esperar, a fazer comentários esporádicos sobre o mundo do petróleo.[7]

O restabelecimento dos preços

Os países-membros da OPEP finalmente acabaram com o "bom suadouro" no encontro de Genebra em dezembro de 1986. Foi o primeiro grande encontro da OPEP no qual o novo ministro saudita do petróleo, Hisham Nazir, apareceu. Ele, como Yamani, pertencia à primeira geração de tecnocratas da Arábia Saudita. Apenas dois anos mais novo do que Yamani, era formado na UCLA e havia sido auxiliar de Abdullah Tariki, o primeiro ministro saudita do petróleo. Nazir havia servido por vários anos como ministro do planejamento, o que deixou-o particularmente atento às ligações entre o petróleo e a economia nacional e à questão global das receitas, que causava problemas a Riad. E ele não tinha nenhuma responsabilidade ou comprometimento com a agora repudiada estratégia da participação de mercado.

O restabelecimento dos rendimentos era o comentário central em Genebra. Os exportadores concordaram com um "preço de referência" de dezoito dólares, baseado em uma composição de preços de diversos petróleos brutos. Eles concordaram também com uma quota que, esperavam, pudesse manter os preços. Havia apenas uma brecha. Nenhum acordo era possível entre o Irã e o Iraque, com relação à quota do Iraque, devido à guerra que continuava e às exportações em expansão no Iraque. Dessa forma, as quotas se aplicavam a apenas doze países; o Iraque estava fora, livre para fazer o que pudesse. Ele havia entrado uma vez mais em dissidência temporária com a OPEP, como já acontecera várias vezes durante o ano de 1961. Mesmo assim, uma quota "imaginária" foi designada ao Iraque, 1,5 milhões de barris diários, que elevou o total para 17,3 milhões de barris diários.

Para surpresa de muitos, a estrutura do acordo funcionou, embora com considerável remontagem, para resistir durante os anos de 1987, 1988 e 1989, mesmo em face de pressões recorrentes e muitas vezes intensas do mercado. Para falar a verdade, na maioria das vezes, o preço da OPEP não era 18 dólares, mas oscilava entre 15 e 18 dólares. Os preços eram voláteis e às vezes pareciam afundar novamente. Mais de uma vez, o sistema de quotas pareceu prestes a desintegrar-se. Os produtores porém, em face da alternativa, refizeram-se. Afinal, os próprios países da OPEP haviam sentido todo o impacto do "bom suadouro" e eles já haviam sofrido o suficiente.

Os novos preços do petróleo, reconstituídos num nível mais baixo, apagaram completamente o aumento do Segundo Choque do Petróleo de 1979-1981. Os benefícios econômicos aos consumidores foram enormes. Se os dois choques dos preços do petróleo da década de 1970 constituíram a "taxa da OPEP a ser paga pela", uma imensa transferência de riqueza dos consumidores para os produtores, o colapso dos preços era o "corte da taxa da OPEP", uma transferência de 50 bilhões de dólares só em 1986 de volta aos países consumidores. Esta redução nos tributos serviu para estimular e prolongar o crescimento econômico no mundo industrial, que havia começado quatro anos antes, e levar a inflação para baixo. Em termos econômicos, a longa crise estava, com certeza, debelada.

Irã *versus* Iraque : a mudança da maré

Havia, entretanto, uma grande ameaça política e estratégica na guerra aparentemente interminável entre o Irã e o Iraque, que poderia se expandir progressivamente até transformar-se em um conflito mais amplo, ameaçando a produção de petróleo e de suprimentos por toda a região e a própria segurança dos estados petrolíferos. Em 1987, em seu sétimo ano, a guerra transpôs barreiras que a tinham mantido restrita aos dois países beligerantes e pela primeira vez internacionalizou-se, atraindo tanto os demais países árabes do Golfo, quanto as duas superpotências. Um ano antes, o Irã havia conquistado a península de Fao, no extremo sul do Iraque, na fronteira com o Kuait. Dava a impressão que Fao poderia ser o portão de entrada para a conquista da cidade iraquiana de Basra, fazendo dela a solução potencial para o desmembramento e o desaparecimento do estado unificado do Iraque criado pela Grã-Bretanha após a I Guerra Mundial. Mas, apesar dos iranianos terem chegado até Fao, eles não conseguiram ir mais além. Atolaram-se nas areias pantanosas, bloqueados por um revigorado exército iraquiano. Daí em diante, a guerra virou-se contra o Irã. Os sucessos aéreos do Iraque e seus ataques com mísseis sobre a frota mercante do Golfo — "a guerra dos petroleiros" — conduziram a uma escalada de ataques iranianos sobre os petroleiros de um terceiro país. O Irã concentrou os ataques sobre o Kuait, que estava auxiliando o Iraque. As tropas de Khomeini não só bombardearam os navios que iam e vinham do Kuait, como também lançaram pelo menos cinco ataques com mísseis diretamente sobre o próprio Kuait.

Assim como os demais estados árabes, o Kuait havia levado a sério a campanha norte-americana contra a venda de armas aos revolucionários iranianos. Dessa maneira, ficaram extremamente desconcertados com as revelações de que os Estados Unidos haviam secretamente vendido armamentos ao Irã, numa tentativa de conseguir a liberdade para os prisioneiros americanos detidos no Líbano e de iniciar, de algum modo, um diálogo com "moderados" em Teerã, quem quer que fossem. As revelações intensificaram muito o sentimento de insegurança inerente ao pequeno país. Foram "porém" os ataques do Irã que impeliram o Kuait, em novembro de 1986, a pedir aos Estados Unidos que protegessem suas embarcações (embora o embaixador americano no Kuait tenha insistido posteriormente que a solicitação havia sido feita no verão de 1986). Washington ficou surpresa ao saber que os kuaitianos haviam tomado precauções adicionais de solicitar proteção aos russos. Quando essa informação alcançou os níveis mais elevados da Administração Reagan, a solicitação do Kuait, pelas palavras de um funcionário, "não sobreviveu". A significação potencial da aproximação a Moscou deu motivo para uma resposta rápida. O envolvimento russo poderia se expandir e chegar a exercer uma influência no Golfo — algo que os americanos vinham tentando evitar por mais de 40 anos e os britânicos por não menos que 165 anos. No entanto, à parte as rivalidades entre Ocidente e Oriente, era imperativo proteger o fluxo do petróleo no Oriente Médio.

O próprio presidente Reagan mencionou a necessidade de autodefesa no Golfo, mas também reafirmou sua garantia que os Estados Unidos iriam salvaguardar o fluxo do petróleo. E, em março de 1987, a Administração Reagan, com a intenção de excluir os russos, informou aos kuaitianos que os Estados Unidos iriam assumir toda a tarefa de repor as bandeiras americanas, de qualquer maneira. Eles não iriam "dividir" nada com os russos. Assim, a bandeira norte-americana foi recolocada em onze petroleiros, qualificando os navios para as escoltas navais. Poucos meses mais tarde, navios de guerra americanos estavam patrulhando o Golfo. O fretamento de alguns dos petroleiros russos em retirada para o Kuait foi tudo que restou aos russos. As unidades navais britânicas e francesas, juntamente com navios vindos da Itália, da Bélgica e dos Países Baixos, também entraram no Golfo para ajudar a assegurar a liberdade de navegação. Os japoneses, impedidos por sua constituição de enviar navios, mas altamente dependentes do petróleo do Golfo, contribuíram, aumentando os fundos para contrabalançar os custos da permanência das forças americanas no Japão e investindo em um sistema demarcador preciso no Estreito de Hormuz. A Alemanha Ocidental deslocou alguns de seus navios de guerra do mar do Norte para o mar Mediterrâneo, liberando os navios americanos para tarefas no Golfo e em suas cercanias. Com os Estados Unidos tomando a liderança, havia agora a possibilidade de uma confrontação militar maior sua com o Irã.

Na primavera de 1988, o Iraque, fazendo uso de armas químicas, estava vencendo claramente. A capacidade e a vontade do Irã em levar a guerra adiante esvaiam-se rapidamente. Sua economia estava em grande desordem. As derrotas estavam esvaziando o apoio para o regime de Khomeini. Os voluntários, fervorosos ou não, já não estavam tão disponíveis. O cansaço da guerra assolou o país; em um só mês, 140 mísseis iraquianos caíram sobre Teerã.

Em meio a toda essa movimentação por posições no Irã pós-Khomeini — visto que o aiatolá estava velho e seriamente doente como todos sabiam — estava Ali Akbar Hashemi Rafsanjani, o presidente do Parlamento Iraniano e comandante interino do exército. Ele pertencia a uma rica família de produtores de pistache, cuja fortuna havia sido aumentada por favores do estado real durante a década de 1970, sob o domínio do xá. Ele próprio era um clérigo, aluno e discípulo de Khomeini, que havia iniciado sua oposição ao xá em 1962. Embora profundamente envolvido nas negociações das "armas e reféns" com os Estados Unidos, ele havia se desviado das críticas e, à medida que conduzia seu caminho pelos labirintos teocráticos da política iraniana, arranjou-se o apelido de *kuseh* — o tubarão. Ele era, depois de Khomeini, o homem mais importante na República Islâmica. Chegou à conclusão que já era tempo de procurar pôr um fim à guerra. O Irã já não tinha chances de vitória. Os custos da guerra eram imensos e não tinham obviamente um limite. O regime do aiatolá e suas próprias perspectivas, poderiam estar ameaçadas pelas perdas contínuas. Além do mais, o Irã estava diplomática e politicamente isolado do mundo, ao passo que o Iraque parecia estar ficando mais forte.

Nessa ocasião, a presença naval americana no Golfo conseguiu, de fato, levar a um grande confronto com o Irã, mas de uma forma inesperada e trágica. No início de julho de 1988, o destróier norte-americano *Vincennes* envolvido em uma permuta com navios de guerra iranianos, confundiu um airbus iraniano, com 290 passageiros, com uma aeronave inimiga e derrubou-a. Foi um engano pavoroso. Para alguns líderes iranianos, entretanto, não se tratou de um engano, mas de um sinal que os Estados Unidos estavam despindo suas luvas e se preparando para pôr em ação seu grande poder em um confronto militar direto com o Irã, com a intenção de destruir o regime de Teerã. O Irã, enfraquecido, talvez não resistisse. Ele não suportaria enfrentar os Estados Unidos. Além do mais, ao falhar na tentativa de arregimentar apoio diplomático logo depois do acidente, o Irã descobriu o quanto ele estava isolado politicamente. Todos esses fatores somaram-se à urgência em reconsiderar o implacável comprometimento do Irã com a guerra.

Rafsanjani teve ainda que enfrentar uma força implacável: o aiatolá Khomeini, para quem a vingança, incluindo a cabeça de Saddam Hussein, era o preço da paz. Porém, a realidade da posição iraniana estava evidente para outros que cercavam Khomeini, e Rafsanjani finalmente triunfou. No dia 17 de julho, o Irã informou às Nações Unidas de sua disposição em dar apoio ao cessar-fogo. "Tomar essa decisão foi mais mortal do que ingerir veneno", declarou Khomeini. "Eu me submeto à vontade de Deus, e tomo esta bebida para sua satisfação". A vingança, porém, ainda era sua ambição. "Se for a vontade de Deus, retiraremos a angústia de nossos corações no momento apropriado, conseguindo a vingança sobre Al-Saud e a América", acrescentou. O aiatolá não viveu para ver esse dia; em menos de um ano estava morto.

Depois da mensagem iraniana às Nações Unidas, outras quatro semanas e muitas negociações se passaram antes que o Iraque também aceitasse o cessar-fogo. Ele finalmente foi posto em prática no dia 20 de agosto de 1988, com o reinício imediato de carregamentos simbólicos de petróleo iraquiano de seus portos no Golfo, algo que o Iraque estivera incapacitado de realizar durante oito anos. O Irã anunciou sua intenção de reconstruir a imensa refinaria de Abadã, que havia sido o marco inicial da indústria petrolífera no Oriente Médio no início do século e que havia sido quase que completamente destruída em 1980, nos primeiros dias da guerra. Faltando apenas um mês para completar oito anos desde o seu início, a guerra entre o Irã e o Iraque terminou empatada, embora com certa inclinação para o Iraque. Para Bagdá, o Iraque havia ganho a guerra, e tinha pretensões de ser o poder político dominante no Golfo e uma das maiores potências mundiais do petróleo. Mas o significado político do fim da guerra entre Irã e Iraque era muito mais abrangente. Parecia que a ameaça à livre vazão de petróleo do Oriente Médio havia sido afinal removida; e, com o silenciar das armas ao longo da costa do Golfo Pérsico, a era da crise duradoura no mundo petrolífero iniciado com a Guerra de Outubro, 15 anos antes, ao longo das margens de outro canal, o de Suez, finalmente parecia ter chegado ao fim.

Não foi apenas o fim da guerra que apontou para uma nova era. Assim o fizeram as relações modificadas entre os exportadores de petróleo e os países consumidores. A grande controvérsia da soberania havia sido resolvida; o petróleo pertencia aos exportadores. O que passou a ter importância para eles na década de 1980 foi o acesso seguro aos mercados. Quando os países produtores descobriram que os consumidores tinham mais flexibilidade e escolhas mais amplas do que se havia imaginado, eles perceberam que a "segurança da demanda" era tão importante para eles quanto era a "segurança do fornecimento" para os consumidores. A maior parte dos exportadores queria agora demonstrar que eram fornecedores confiáveis e que o petróleo era um combustível seguro.

Com a questão da soberania decidida, com a má reputação do socialismo e com o confronto Norte-Sul se apagando da memória, os exportadores poderiam atuar mais sob circunstâncias econômicas do que políticas. Na busca por capital, alguns estavam reabrindo as portas para a exploração por companhias privadas dentro de suas fronteiras — portas que haviam sido fechadas com estrépito na década de 1970.

Outros foram mais longe, à medida que a lógica da integração — um tema tão poderoso na história da indústria — reafirmava-se", procurando reunir as reservas aos mercados. As companhias estatais de alguns dos exportadores, seguindo o curso histórico das companhias privadas, rumaram para as atividades de ponta para conseguir mercados compradores. A Petróleos de Venezuela construiu um grande sistema refinador e mercadológico nos Estados Unidos e na Europa Ocidental. O Kuait converteu-se em uma companhia de petróleo integrada, com refinarias na Europa Ocidental e centenas de postos de gasolina na Europa, operando sob a marca "Q-8". O Kuait não parou por aí. Em 1987, Margaret Thatcher inverteu a histórica decisão de 1914 de Winston Churchill e vendeu a participação de 51% do governo na British Petroleum. Em sua opinião, a BP já não servia a nenhum propósito nacional e o governo ficaria satisfeito em ter esse dinheiro em caixa. Em vista disso, o Kuait agarrou imediatamente 22% da BP — a mesma companhia que, junto com a Gulf, havia sido a proprietária e desenvolvido o petróleo no Kuait até 1975. O governo britânico enfureceu-se e forçou o Kuait a reduzir seus títulos para 10%.

Quase no mesmo momento em que a guerra Irã-Iraque terminou, a Arábia Saudita e Texaco, uma das parceiras originais da Aramco, anunciaram uma nova *joint venture*. A administração da Texaco estava preocupada não só com o problema imediato da companhia — uma ação de 10 bilhões de dólares que a Pennzoil havia ganho contra ela numa corte do Texas pelo controle de Getty — mas também como intensificar suas perspectivas a longo prazo, em uma indústria mundial petrolífera dramaticamente diferente. A Arábia Saudita queria assegurar que teria acesso aos mercados. De conformidade com os termos de seu novo acordo, a Arábia Saudita adquiriu metade das participações nas refinarias e nos postos de gasolina da Texaco em 33 estados ao leste e ao sul dos Estados Unidos. A transação garantia aos sauditas, caso desejassem, a venda de 600 mil barris diários nos Estados Unidos, comparados aos insignificantes 26 mil barris diários ao qual se haviam reduzido em 1985, à vésperas do colapso dos preços. Tal "reintegração" representava um esforço para aumentar a estabilidade a longo prazo para a indústria e para administrar os riscos enfrentados tanto por produtores quanto por consumidores.

Poucos meses depois do cessar fogo entre Irã e Iraque, George Bush, o ex-homem do petróleo, sucedeu a Ronald Reagan na Presidência dos Estados Unidos. E com a surpreendente derrubada das barreiras, simbólicas e reais, que há muito vinham separando os países do bloco soviético das democracias ocidentais, perspectivas sem precedentes de uma paz global pareciam muito próximas no final da década de 1980 e começo da década de 1990. A competição entre as nações nos anos vindouros, algumas previstas, não teria mais o cunho ideológico, mas em vez disso seria primordialmente econômica — uma batalha para vender seus produtos e serviços e administrar seu capital em um mercado realmente internacional. Se assim verdadeiramente os fatos transcorressem, o petróleo como combustível permaneceria certamente como um produto vital para as economias tanto dos países industrializados quanto dos países em desenvolvimento. Como uma peça de negociação entre os produtores e os consumidores de petróleo, ele também continuaria a ter extrema importância na política do poder mundial.

Lições importantes foram extraídas do tumulto das décadas de 1970 e 1980. Os consumidores tinham aprendido que não poderiam considerar o petróleo, o fundamento de suas vidas, como se ele fosse uma dádiva. Os produtores haviam aprendido que não poderiam contar com mercados e clientes como certos. O resultado foi a prioridade da economia sobre a política, a ênfase na cooperação sobre a confrontação, ou pelo menos, assim parecia. Mas, seriam essas cruciais lições relembradas à medida que os anos passassem e que os participantes ativos desses grandes episódios fossem se retirando do cenário, dando lugar a novos participantes? Afinal, a tentação de apossar-se de grandes fortunas e poder sempre foi endêmica na sociedade humana, desde seus primórdios. Durante uma discussão na cidade de Nova York, na primavera de 1989, o ministro do petróleo de um dos grandes países exportadores, um homem que havia estado no centro de todas as batalhas dos anos 1970 e 1980, falou longamente sobre a nova realidade dos produtores e dos consumidores e das lições aprendidas por ambos. Mais tarde, foi-lhe perguntado quanto tais lições permaneceriam na lembrança.

A pergunta pegou-o um pouco de surpresa e ele pensou por uns momentos. "Cerca de três anos", disse ele.

Um ano depois dessa nova realidade, ele próprio já não era mais ministro. E um mês depois, seu país foi invadido.[8]

CAPÍTULO XXXVII

Crise no Golfo

DURANTE O VERÃO DE 1990, O MUNDO AINDA estava eufórico com o fim da Guerra Fria e com o prenúncio de um mundo novo e mais pacífico. Pois 1989 havia sido, com certeza, o *annus mirabilis* — o ano do milagre — no qual a ordem internacional havia sido refeita. O confronto Ocidente-Oriente estava terminado. Os regimes comunistas da Europa Oriental haviam caído, juntamente com o próprio Muro de Berlim, o grande símbolo da Guerra Fria. A União Soviética estava em meio a uma profunda transformação, surgida não só da mudança política e econômica, mas também da erupção de um nacionalismo étnico há muito tempo reprimido. A democracia parecia estar tomando conta de muitos dos países onde, até pouco tempo antes, tal possibilidade teria sido descartada como completamente irreal. A reunificação da Alemanha já não era um objeto abstrato de retórica e discussões, mas uma realidade iminente; e a Alemanha reunificada seria a potência predominante na Europa. O Japão já era agora reconhecido como a casa de força das finanças mundiais; e os confrontos do futuro se tornariam, com certeza, competições globais por dinheiro e por mercados, uma perspectiva tão universal que algumas pessoas diziam que o que estava prestes a acontecer não era o fim da Guerra Fria, mas também "o fim da história".

O petróleo continuou no alto da agenda das questões ambientais mas, quanto ao mais, parecia que havia se tornado um tanto insignificante, com certeza apenas uma mercadoria qualquer. Os consumidores estavam felizes, pois os preços do petróleo estavam baixos. Em termos reais, os motoristas americanos pagavam, de fato, agora pela gasolina menos do que jamais haviam pago em qualquer outra época, desde o final da II Guerra. Não parecia que, a longo prazo, haveria qualquer problema de fornecimento. Afinal, as reservas mundiais comprovadas de petróleo tinham aumentado imensamente — dos 670 bilhões de barris, em 1984, para um trilhão de barris, em 1990.

No entanto, em meio a toda essa complacência, havia motivo para cautela. Vastos acréscimos tinham ocorrido nas reservas mundiais, mas eles estavam todos concentrados nos cinco maiores produtores do Golfo Pérsico, além da Venezuela. Não havia qualquer grande estoque de petróleo de procedência diversificada, não proveniente da OPEP, esperando para entrar no sistema, como foi o caso do Alasca, México e mar do Norte na época da crise de 1973. A parcela do Golfo Pérsico nas reservas mundiais de petróleo tinha realmente aumentado para dois terços do total.

Em termos econômicos, a conjuntura do petróleo assemelhava-se muito menos ao início da década de 1980 do que ao início da década de 1970, que havia montado o cenário para o choque de 1973. O mercado mundial de petróleo estava se comprimindo. A demanda estava crescendo com um certo vigor. A produção americana decaía — entre 1986 e 1990 cerca de dois milhões de barris diários, um volume maior do que a produção individual de 10 dos 13 países da OPEP em 1989. As importações de petróleo dos Estados Unidos estavam em seu nível mais alto e ainda assim continuavam subindo. O mundo voltava a depender muito do Golfo Pérsico. A "margem de segurança" — a distância entre a demanda e a capacidade de produção — estava encurtando, o que poderia tornar o mercado mais suscetível a conflitos e a acidentes. A margem havia sido grande o suficiente, no início e em meados da década de 1980, para absorver a Guerra entre o Irã e o Iraque, com todas as suas rupturas e perda de produção, mas não era mais tão grande assim.

Até onde os preços iriam subir? Isso dependia de quão rapidamente a nova capacidade de produção seria acrescida ao redor do mundo. Com preços baixos e a renovada confiança na segurança do fornecimento, a economia de petróleo ficou sem força. O esforço para desenvolver fontes alternativas tinha se tornado ainda mais anêmico. Além disso, uma imobilidade total havia se instalado em muitos países, refletindo a falta de habilidade para resolver o conflito entre as questões energéticas e ambientais. Ainda assim, a crise de energia parecia pertencer ao passado. Numa audiência no Senado americano, na primavera de 1990, argumentou-se que a probabilidade de uma grande ruptura era mínima, pelo menos nos próximos anos. E alguns futurólogos e analistas anunciaram, na primavera de 1990, que possivelmente nesta década não haveria qualquer crise de petróleo.

O Iraque se movimenta

Às duas horas da manhã de 2 de agosto de 1990, acabaram-se as ilusões. Cem mil homens das tropas iraquianas iniciaram a invasão do Kuait. Encontrando pouca resistência, os tanques logo avançaram pela rodovia de seis pistas em direção à cidade do Kuait. E, assim, a primeira crise pós-Guerra Fria veio a ser uma crise geopolítica petrolífera.

No decurso dos diversos anos precedentes, a maioria dos exportadores de petróleo tinha procurado reconstruir os vínculos com os países consumidores, que estiveram quebrados na década de 1970. Graças à enorme ampliação das reservas, esses produtores já não mais se preocupavam com o fato de que estavam desperdiçando rapidamente um recurso exaurível. Ao contrário, desejavam demonstrar que eram confiáveis, fornecedores para longo prazo, que poderiam ser considerados seguramente como as reservas de energia do inundo industrializado — e que se poderia contar com o petróleo. O petróleo precisava de mercados e os mercados precisavam de petróleo; a previsão de autointeresse mútuo poderia ser a base para um relacionamento estável, construtivo e não conflitante, que se estenderia pelo século XXI.

O Iraque era uma das exceções. Ele não escondia sua hostilidade contra o principal cliente, o mundo industrializado. Em junho de 1990, o ditador do Iraque, Saddam Hussein, advertiu ao Ocidente que a arma do petróleo poderia ser acionada novamente. Embora afirmasse estar na vanguarda, Saddam Hussein era uma figura estranhamente anacrônica, uma espécie de retrocesso. Ele fazia valer seus direitos com a retórica nacionalista e com a ira dos anos 1950 e 1960. Ele dizia que Josef Stálin era um de seus ídolos, no mesmo momento em que a Europa Oriental e a União Soviética tentavam desembaraçar-se do legado de terror e hipocrisia de Stálin. Saddam Hussein criou seu próprio culto maciço da personalidade.

Além dos enormes retratos e fotografias dele espalhados por todo o país, seu domínio era tão onipresente que ele declarou com orgulho em 1990, um mês antes da invasão do Kuait que "Saddam Hussein (...) deve ser encontrado em qualquer quantidade de leite oferecido a uma criança e em qualquer casaco novo e limpo usado por um iraquiano".[1] Ele tinha também uma considerável reputação de brutalidade pessoal. Videocassetes circulavam no Oriente Médio mostrando a reunião na qual Hussein havia expurgado seus rivais e os corpos dos oficiais militares executados, pendurados em ganchos de frigorífico. As forças militares de Hussein haviam se utilizado de gás venenoso contra iranianos e contra mulheres e crianças curdas, em seu próprio país. Quando um visitante do Ocidente perguntou-lhe bruscamente, no final de junho de 1990, sobre sua reputação de crueldade, ele respondeu gentilmente: "A fraqueza não assegura o cumprimento dos objetivos exigidos de um líder."[2]

Desde 1985, o Iraque vinha sendo o maior comprador mundial de armas, e estava envolvido em uma campanha vigorosa para aperfeiçoamento e compra de armamentos, mantida por uma secreta e intrincada rede internacional de lenocínio. Os israelenses tinham destruído as fábricas de armamentos nucleares de Hussein em 1981, mas ele retornou uma violenta ofensiva por armas nucleares e alardeou publicamente que iria montar um arsenal de armas químicas. O Iraque era um fechado estado totalitário, mas os objetivos de Saddam Hussein pareciam claros: dominar o mundo árabe, ganhar hegemonia sobre o Golfo Pérsico para fazer do Iraque uma potência petrolífera dominante — e finalmente, transformar o Grande Iraque em uma potência militar global. Mas o Iraque estava passando por uma considerável debilidade financeira. A guerra Irã-Iraque, que Saddam Hussein havia desencadeado, custara ao país meio milhão de mortos e sérias baixas militares e tinha acabado em empate. Ainda assim, uma nação de dezoito milhões de habitantes continuava a sustentar um exército de um milhão de homens. Hussein desejava preços maiores do petróleo e logo, pois o Iraque estava destinando cerca de 30% de seu Produto Interno Bruto para a máquina de guerra e, mesmo ameaçando o mundo com novas, mortais e, por vezes, bizarras armas, não estava pagando seus débitos internacionais.

Em julho de 1990, o Iraque deslocou cem mil homens para suas fronteiras com o Kuait, que estava identificado a uma estratégia de petróleo a preços reduzidos. As tropas foram encaradas como peças de uma guerra de nervos, como ferramentas do novo papel "coator" de Hussein, garantindo que países como o Kuait e os Emirados Árabes cumprissem suas quotas, forçando para cima os preços da OPEP. Depois de alguma hesitação, os kuaitianos reagiram. O emir substituiu abruptamente o ministro kuaitiano do petróleo que era o foco dos ataques iraquianos. Juntamente com os Emirados Árabes Unidos, o Kuait conteve sua produção e começou a respeitar as quotas da OPEP. Em meados de julho de 1990, apenas um país estava trapaceando, excedendo a quota determinada pela OPEP, e esse país era o autodenominado "coator" da OPEP — o Iraque. Pensava-se que os soldados iraquianos também estivessem sendo utilizados para ameaçar o Kuait a desistir de uma disputa de fronteira que envolvia um imenso campo de petróleo e a abrir mão de duas ilhas em favor do Iraque. No entanto, Bagdá tinha, desde o princípio, alguma coisa mais em vista — a invasão e a anexação do país todo. Era o máximo da surpresa estratégica: as tropas estavam lá, à vista de todos. Sabia-se que eram ameaçadoras, os satélites filmavam, e mesmo assim, praticamente ninguém imaginava que elas pudessem ser utilizadas da forma como o foram. As advertências de última hora, em caráter de urgência, feitas pelos analistas do serviço de inteligência foram desprezadas devido às promessas pessoais de Hussein a diversos outros líderes, incluindo o presidente Mubarak do Egito e o rei Hussein da Jordânia, de que ele não estava planejando qualquer ação hostil. Com a invasão, a família real kuaitiana fugiu e o pequeno país ficou nas mãos dos iraquianos. Os kuaitianos haviam sobrevivido por mais de dois séculos por serem espertos e por saberem como jogar vizinhos e as grandes potências uns contra os outros; e mesmo quando as tropas iraquianas concentraram-se em suas fronteiras, julgaram que poderiam passar a perna nos iraquianos, como vinham fazendo há tanto tempo. Desta vez, no entanto, foram pegos de surpresa.

Erro de cálculo

Para justificar seus atos, Hussein apresentou uma pletora de fundamentações lógicas. Ele proclamou que o Kuait pertencia por direito ao Iraque e que os imperialistas ocidentais tinham-no roubado. Na verdade, as origens do Kuait remontavam a 1756, duas décadas antes que os Estados Unidos declarassem sua independência e certamente muito antes dos primórdios do atual Iraque, que fora consolidado em 1920, a partir de três províncias que haviam pertencido ao Império Otomano por quatro séculos e, por muitos séculos antes disso, tinham sido províncias remotas de vários outros impérios. Os iraquianos alegaram que os britânicos haviam deslocado suas fronteiras com o Kuait a fim de negar ao Iraque seus direitos — e seu petróleo. Na verdade, a fronteira adotada na conferência de 1922 (que privou o Kuait de dois terços de seu território) era uma simples cópia daquela determinada no acordo que os turcos haviam ajustado em 1913, antes da I Guerra Mundial. Além disso, em 1922, na opinião dos experts, não havia petróleo no Kuait.

Em 1980, ao iniciar a guerra contra o Irã, Saddam Hussein havia cometido um grave erro de cálculo, que quase lhe custou o cargo: ele presumiu que em poucas semanas pudesse abater o Irã. Estava errado e o Iraque chegou próximo da derrota. Uma década depois, em 1990, ele julgou que poderia absorver o Kuait com tranquilidade e confrontar o mundo com um *fait accompli*, que iria levantar alguns protestos e pouco mais. Nesse ínterim, ele já teria saldado seus problemas financeiros da noite para o dia e conseguido recursos para financiar suas grandiosas ambições militares e políticas. Seria o herói do mundo árabe; o Iraque passaria a ser a potência petrolífera mundial número um e gostassem ou não, os países do ocidente teriam que se curvar diante dele.

Uma vez mais calculou mal. E esta foi a segunda surpresa. A oposição a seus movimentos criou uma unanimidade sem precedentes na comunidade internacional e na maior parte do mundo árabe. Poucos dias depois da invasão, George H. W. Bush declarou "Não vamos tolerar essa agressão contra o Kuait". E ele falava a sério. Os Estados Unidos, utilizando-se de contatos pessoais com outros líderes que Bush havia mantido durante vinte anos, tomou a dianteira na direção e na coordenação da oposição. Foi a mais bem-sucedida e assombrosa façanha que Saddam Hussein e, com certeza, muitos outros, jamais poderiam ter imaginado. Os iraquianos tinham falhado em perceber quão drasticamente os interesses e a posição da União Soviética, uma aliada até pouco tempo atrás, haviam se alterado. As Nações Unidas fizeram o que a Liga das Nações tinham deixado de fazer na década de 1930 — impuseram um embargo para frustrar a agressão. O Kuait, porém, não era o que importava. A disposição das forças do Iraque e a maneira como estavam sendo reabastecidas sugeria a disposição de lançar-se em direção aos indefesos campos petrolíferos da Arábia Saudita. Temerosos de que a Arábia Saudita pudesse ser a próxima na lista de Hussein, muitos países enviaram rapidamente forças militares para a região. As forças americanas eram, de longe, as mais numerosas, espelhando garantias que remontavam à época da carta de Harry Truman a Ibn Saud em 1950.

As possíveis repercussões da crise para a década de 1990 e para o século XXI eram enormes. Caso tivesse sucesso em firmar-se no Kuait, Saddam Hussein controlaria diretamente 20% da produção da OPEP e 20% das reservas mundiais de petróleo e ficaria em posição de intimidar países vizinhos, inclusive outros grandes exportadores. Ele seria o poder dominante no Golfo Pérsico, bem equipado para retomar sua guerra contra o Irã. Teria a liberdade econômica para dar passos ainda maiores.O colapso do comunismo e a agonia da União Soviética haviam deixado apenas uma única superpotência no mundo — os Estados Unidos. A absorção do Kuait poderia abrir caminho para o Iraque tornar-se uma nova superpotência. Onze anos antes, quatro entre cinco dos maiores produtores do Golfo Pérsico eram pró-ocidente. Com o Kuait anexado ao Iraque, haveria apenas dois produtores amigos. George H. W. Bush recapitulou os perigos da maneira como os via: "Nossos empregos, nosso modo de vida, nossa própria liberdade e a liberdade dos países amigos, todos sofreriam se o controle das grandes reservas de petróleo do mundo caíssem nas mãos de Saddam Hussein."[3]

O debate público no Ocidente foi marcado por uma busca contínua de um único fator que explicasse a resposta da administração Bush. Mas, como geralmente acontece em grandes eventos, não havia o prazer de uma única explicação. Agressão, soberania e a forma da ordem pós-Guerra Fria, todos eram considerações importantes. Diferentes pessoas nos Estados Unidos buscavam dar diferentes analogias. Alguns alertavam para outro Vietnã e os perigos de um lamaçal. Ao mesmo tempo em que George Bush estava determinado a evitar "outro Vietnã", ele próprio era um produto da sua geração e sua experiência, e fazia relembrar o final dos anos 1930, Adolf Hitler e as origens da II Guerra Mundial. Cinquenta milhões de vidas foram perdidas nesse conflito. Se Hitler fosse impedido de entrar na Renânia, em 1936 ou na Tchecoslováquia, em 1938 — quando a Tchecoslováquia tinha mais tanques do que a Alemanha — essas vidas poderiam ter sido poupadas. Uma vez mais, temos aqui um ditador que mentiu e dissimulou descaradamente, que era totalitário no modo como conduzia o país, que era obcecado por armas e poder, e parecia não ter escrúpulos, e cujas ambições pareciam ser ilimitadas. As doutrinas Ba'ath proporcionavam o racional para chegar muito além das atuais fronteiras do Iraque. Um Iraque maior, que tinha conseguido absorver o Kuait, estaria no caminho certo de transformar-se em um formidável estado de armas nucleares.

Este foi o real significado do "fator petróleo", a forma pela qual o petróleo seria traduzido em dinheiro e poder: político, econômico — e militar. Saddam Hussein sabia o que significaria adquirir um adicional de 10% das reservas mundiais de petróleo, não da forma como a população poderia saber. Se ele mantivesse o controle sobre o Kuait, o Iraque seria a potência dominante do petróleo no planeta e os outros produtores de petróleo se dobrariam aos seus ditames, da mesma forma como haviam começado a fazer no verão de 1990, antes da invasão. Ele poderia dar a palavra final sobre a economia mundial e seria cortejado pelos líderes econômicos e políticos. Seu esforço agressivo de compras de armas seria muito maior e fornecedores de todo o tipo de tecnologia, ansiosos para atingir o maior mercado de armas e tecnologias relacionadas, bateriam no devido tempo à sua porta oferecendo-lhe as mais avançadas. Não levaria muito tempo até que Saddam Hussein, equipado com *know-how* em armas nucleares e químicas, transformasse o Iraque em uma potência regional e, talvez, à medida que Hussein estendesse seu alcance, em uma superpotência global. Num determinado momento, se tornaria demasiado caro e demasiado perigoso tentar detê-lo. E a ordem pós-Guerra Fria viria a ser diferente e muito menos benigna do que geralmente se imaginava — e esperava — no início de 1990. Em suma, o petróleo era fundamental para a crise, não o "petróleo barato", mas sim o petróleo como um elemento fundamental no equilíbrio global de poder, como tinha sido desde a I Guerra Mundial. Essa é uma das grandes lições dos últimos cem anos.

A nova crise do petróleo

Devido à interrupção e ao embargo, quatro milhões de barris de petróleo foram abruptamente retirados do mercado mundial de petróleo — na mesma escala da crise de 1973 e 1979. A incerteza era muito alta, e, como em crises anteriores, as empresas e os consumidores inseguros acumularam estoques. Os preços do petróleo dispararam e os mercados financeiros desabaram. Um novo choque do petróleo estava bem próximo — a sexta crise do petróleo no pós-guerra.

A OPEP foi lançada em sua pior crise com a invasão do Iraque. Era agora a soberania e a sobrevivência nacional e não apenas o preço do petróleo que estavam em jogo e a maioria dos membros explicitamente deu um passo a frente para aumentar a produção para compensar a produção perdida do Kuait e do Iraque, isolando ainda mais o Iraque e, com efeito, enfatizando seu compromisso com um novo alinhamento com os seus clientes.

O aumento acentuado dos preços foi motivado não só pela perda do suprimento em si, mas também pela ansiedade, medo e expectativa de conflito. Quando, no final de setembro de 1990, Hussein ameaçou destruir o sistema de fornecimento de petróleo saudita, os preços nos mercados futuros saltaram para 40 dólares o barril, mais que o dobro do que eram antes da crise. Os altos preços reforçaram as tendências recessivas da economia nos Estados Unidos. Assim como os preços do petróleo bruto subiram, o mesmo aconteceu com os preços da gasolina, acompanhados de críticas e investigações. Desta vez, porém, em contraste com 1973 e 1979, não havia verbas ou controles nos Estados Unidos para impedir as respostas do mercado, nem ocorreram grandes filas nos postos ou qualquer distorção significativa no abastecimento.

O sistema de abastecimento global respondeu tanto aos elevados preços como aos apelos urgentes para aumentar a produção. Em dezembro de 1990, a produção perdida foi completamente compensada com petróleo "alívio" produzido a partir de outras fontes. Somente a Arábia Saudita trouxe três milhões de barris por dia de petróleo de reserva de volta à produção, constituindo três quartos do suprimento perdido. Outros grandes incrementos da oferta adicional chegaram da Venezuela e dos Emirados Árabes Unidos. Mas qualquer país que pudesse aumentar sua produção em 25 mil ou 50 mil barris por dia, também se apressou a fazê-lo.

Ao mesmo tempo, a demanda foi se enfraquecendo, à medida que os Estados Unidos e outros países caminhavam para uma recessão econômica, o que significou uma redução na necessidade de petróleo. Ao mesmo tempo em que a International Energy Agency não ativou formalmente seu programa emergencial de segurança, ela assumiu um papel de liderança na coordenação informal.

Do ponto de vista do petróleo, uma grande questão se destacou. Será que os Estados Unidos usariam sua Reserva Estratégica de Petróleo, criada em meados da década de 1970 e, agora, com cerca de 600 milhões de barris de petróleo, no caso de uma interrupção mais longa? Por alguns meses, houve um debate acalorado sobre a "intenção original". A REP era para ser usada somente em caso de "escassez física", ou era também para ser usada para evitar uma alta maior do preço que pudesse prejudicar seriamente a economia? Alguns assinalaram que uma escassez física pode existir com 20 dólares o barril, mas seria eliminada a 40 dólares — embora, nesse meio tempo, a duplicação do preço do petróleo representaria um forte golpe para a economia. Em novembro de 1990, o debate foi resolvido. Em caso de conflito, o princípio da "liberação antecipada", anteriormente promovido pela Administração Reagan, seria aplicado, e a REP poderia muito bem ser usada para inundar o mercado com petróleo, evitando aumentos agudos nos preços impulsionados por um acúmulo frenético de estoques, como tinha acontecido em 1973 e 1979.

Em resumo, ao final do outono, o quadro oferta-demanda foi melhorando dia após dia e os preços começaram a declinar. Ainda assim, como a crise se arrastou para o inverno, a questão fundamental manteve-se: "O que aconteceria se um conflito militar realmente acontecesse?"

E, tão irracional quanto pudesse parecer, a perspectiva se tornava cada vez mais provável. Apesar das várias manobras diplomáticas e da manipulação de reféns ocidentais, o Iraque deu poucos sinais de que iria retirar-se do Kuait. Exteriormente, poderia parecer, Saddam Hussein estava correndo um risco enorme, mas ele não pensava necessariamente assim. Ele estava jogando para ganhar tempo e estava convencido de que o tempo estava do seu lado. O Iraque estava se movendo rapidamente para absorver o Kuait, brutalmente e com terror e para expulsar a população do Kuait. Ao mesmo tempo, Hussein estava convencido de que ele poderia vencer pela persistência e sobreviver à pesada coligação preparada contra ele. Ele tinha 19 anos na época da Crise de Suez de 1956, e tinha observado como Nasser tinha conseguido rachar a aliança ocidental. Certamente, ele iria encontrar oportunidades para fazê-lo com esta coalizão muito maior e desajeitada de nações. Em algum lugar, haveria uma chance de jogar a "carta israelense" e assim forçar os países árabes a saírem da coalizão. Ou ele poderia fazer aberturas para alguns dos países ocidentais e semear discórdia. Ou ele poderia atrair a União Soviética. Com o tempo, ele poderia encontrar formas de contornar as sanções, ou elas poderiam simplesmente desaparecer. Com Vietnã em mente, bem como a retirada rápida dos EUA do Líbano após a morte de várias centenas de membros da marinha americana, em 1983, ele fundamentalmente duvidava que os americanos decidissem.

A administração Bush também reconheceu o fator tempo e que o tempo poderia trabalhar contra a coalizão de trinta e três nações. Quanto tempo poderia a frente unida ser mantida? Quanto tempo durariam as sanções? E quanto levaria até que Saddam Hussein desmantelasse e destruísse efetivamente Kuait e o "Iraquizasse"? A União Soviética estava uma situação nova e altamente instável, com o seu próprio sistema político sob grande estresse. Os militares soviéticos tinham laços muito estreitos e antigos com o Iraque. Será que a URSS mudaria de posição saindo da coligação e voltando-se para o Iraque? E por quanto tempo a administração americana continuaria com o comprometimento que estava se desenrolando desde 2 de agosto?

A Administração Bush chegou com tristeza à mesma conclusão que Saddam Hussein: quanto mais demorasse a crise, maiores as chances de que Saddam fosse capaz de reivindicar uma "vitória". No final de outubro e nos primeiros dias de novembro, o governo americano decidiu que a coligação deveria estar preparada para fazer mais do que defender a Arábia Saudita. Tinha de pôr em prática uma capacidade ofensiva. Em 8 de novembro, Bush anunciou um grande aumento nas forças americanas no Golfo "para garantir que a coligação tenha uma opção ofensiva militar adequada". Isso significava uma duplicação de forças americanas na região.

Ainda assim, havia propaganda, mas nenhum movimento de Bagdá. Saddam Hussein tinha imposto 500 mil vítimas aos seus compatriotas na Guerra Irã-Iraque — o equivalente, se ajustados à população, a 7,5 milhões de vítimas para um país do tamanho dos Estados Unidos. Este foi o resultado de seu próprio erro, mas ele não expressou qualquer remorso. Com efeito, no enorme monumento que Saddam construiu pela "vitória" do Iraque na Guerra Irã-Iraque, as mãos gigantes segurando as duas espadas eram modelos de suas próprias mãos. Enquanto Saddam poderia forçar baixas ainda maiores sobre o Iraque, ele duvidava que os Estados Unidos estivessem dispostos a absorver até mesmo uma pequena fração das baixas. Ele olhou com superioridade para os Estados Unidos e, como Hitler antes da II Guerra Mundial, considerou seu povo fraco e frouxo, sem poder de permanência. Ele havia sinalizado seu pensamento em uma reunião com o embaixador americano no Iraque no final de julho, oito dias antes da invasão, quando ele declarou com desprezo que a América "é um país que não pode aceitar 10 mil mortos em uma batalha". Agora, para afirmar seu ponto de vista, ele exibia o uso de armas químicas. Mas Saddam ainda não estava levando a sério os sinais claros emitidos pelas capitais dos membros da coalizão, e mostrava indícios constantes de que subestimava George Bush. Será que Hussein estava novamente errado em seu julgamento?

Agora, como já havia acontecido antes no século XX, o relógio começou a sinalizar inequivocamente. Em 29 de novembro, o Conselho de Segurança das Nações Unidas aprovou a Resolução 678, dando ao Iraque "uma pausa de boa vontade" — até 15 de janeiro de 1991 — para dar cumprimento à Resolução 600 e retirar-se do Kuait. Caso contrário, "todos os meios necessários" poderiam ser empregados para garantir o cumprimento. Várias figuras públicas — desde ex-primeiros ministros dos vários parceiros da coligação, aspirante a candidato presidencial democrata até um boxeador aposentado — foram em grupo a Bagdá para promover planos de paz e ajudar a libertar reféns. Em dezembro, Saddam libertou várias centenas de reféns estrangeiros, pensando que tal ato iria minar a decisão da coalizão. Mas isso não funcionou como ele havia previsto, especialmente quando as atrocidades do Iraque no Kuait ecoaram para o resto do mundo.

A espera continuava. Em jornais e emissoras de televisão ao redor do mundo, redações estavam sendo reestruturadas para prover "estações de guerra", e os editores e os produtores estavam tentando descobrir como iriam distribuir seus funcionários em caso de conflito militar. E ainda assim muitos ainda não acreditavam, fundamentalmente, que seus planos teriam que ser postos em prática. A racionalidade teria que prevalecer; Saddam Hussein certamente encontraria uma maneira de livrar-se, deixando os líderes da coalizão potencialmente muito expostos, talvez até mesmo parecendo bastante tolos.

Em 9 de janeiro de 1991, o secretário de Estado James Baker se reuniu em Genebra com o Ministro das Relações Exteriores iraquiano Tariq Aziz. Será que o impasse seria rompido? Após mais de seis horas de conversações, um Baker amargo surgiu para informar que não havia encontrado flexibilidade na posição iraquiana e que Bagdá estava prestes a cometer "mais um trágico erro de cálculo". Baker tinha procurado dar a Aziz uma carta pessoal do presidente Bush para levar a Hussein, mas Aziz se recusou a aceitá-la.[4]

No sábado, 12 de janeiro, o Congresso americano concluiu um debate de três dias, dando ao presidente o poder de ir para a guerra — por uma votação apertada de 52 a 47 no Senado e, com uma margem um pouco maior, de 250 a 183 na Câmara dos Deputados. Muitos dos que votaram a favor das resoluções o fizeram sem entusiasmo, e havia um apelo contínuo para deixar que as sanções entrassem em vigor. Protestos foram realizados nos Estados Unidos, e grandes manifestações contra a coligação foram realizadas na Europa Ocidental. George H. W. Bush parecia solitário e isolado.

A data limite, 15 de janeiro, chegou e passou. Não houve manobras de última hora — mas sim, um silêncio sombrio. A "pausa da boa vontade" já tinha passado. Será que a coligação faria bom uso de sua autoridade? Cabia a George H. W. Bush. Talvez o presidente deixasse passar várias semanas ou mesmo um mês e permitisse que as sanções ocorressem no futuro. Em 16 de janeiro, Bush falou com dois padres. Ele já havia advertido publicamente que se o Iraque não começasse a retirada, a resposta da coalizão para as agressões do Iraque contra o Kuait seria massiva — e rápida. E de fato foi. Na madrugada de 17 de janeiro, hora do Golfo, 700 aeronaves da coalizão lançaram um enorme ataque sobre o Iraque.

"A mãe de todas as batalhas"

A crise do Golfo tinha enfim se transformado em uma guerra, embora, como algumas pessoas salientaram pungentemente, a guerra realmente começou quando o Iraque invadiu o Kuait em 2 de agosto. A guerra aérea continuou por um mês, com ataques sistemáticos aos centros de comando e controle iraquianos e a uma ampla gama de alvos militares e estratégicos. A maior surpresa, pelo menos para a Força Aérea americana, não foi que as aeronaves e mísseis da coalizão nocauteassem completamente a capacidade de defesa aérea do Iraque, mas que isso aconteceu tão facilmente e tão rapidamente e com uma perda tão mínima de aeronaves.

A escala e o impacto do ataque aéreo da primeira noite foram a chave para a reação no mercado do petróleo. Para começar, o preço do petróleo reagiu conforme o esperado

— subiu 10 dólares por barril, passando de 30 dólares a 40 dólares. Poucas horas depois, no entanto, caiu 20 dólares — de volta aos 20 dólares o barril, abaixo do que estava antes da invasão. A situação de abastecimento continuou a melhorar, não havia dúvida de que a Reserva Estratégica de Petróleo seria usada, se necessário; a demanda estava caindo com o final do pico do inverno. Agora, o ataque aéreo inicial parecia ter destruído a capacidade do Iraque de impor qualquer lesão grave no sistema de abastecimento da Arábia Saudita. O medo estava, portanto, removido do preço do petróleo, e as realidades da oferta e demanda física levaram o preço para baixo. Como resultado, o preço do petróleo foi simplesmente retirado da mesa no início da guerra, algo que teria sido impossível dois ou três meses antes.

Os iraquianos responderam à guerra aérea com uma guerra aérea própria — lançando seus mísseis soviéticos Scud modificados contra Israel e Arábia Saudita. Os iraquianos poderiam ter esperado que um ataque sobre Israel incitaria sua entrada na guerra e tinham certeza de que isso dividiria os membros árabes da coalizão e criaria uma situação insustentável para a Arábia Saudita em particular. Ou talvez, eles pudessem iniciar uma guerra precoce por terra com uma coalizão mal preparada. Mas os israelenses, sob grande pressão, seguraram o ataque. Os ataques com Scud inspiraram medo intenso, devido ao medo de que eles estivessem transportando armas químicas. Mas, como mostraram os eventos, eles não estavam, e a devastação real do Scuds foi limitada.

À medida que a guerra aérea continuava, Saddam Hussein foi prometendo que "a mãe de todas as batalhas" teria início com o início das hostilidades no solo. Mas quando a guerra em solo começou após cinco semanas do início da batalha aérea, a profetizada "mãe de todas as batalhas" se transformou em uma derrota. Os soldados iraquianos estavam desmoralizados, triturados pela guerra aérea, limitados pela doutrina, e não dispostos a se sacrificar para a glória de Saddam Hussein se pudessem evitá-lo.

Além disso, os aliados tinham habilmente aplicado a indução ao erro. O comandante americano no Golfo, o General Norman Schwarzkopf, mantinha uma cópia de um livro do general alemão Erwin Rommel em sua mesa de cabeceira. Rommel não era apenas o mestre da guerra móvel, mas um especialista em combate no deserto — e que tinha aprendido em primeira mão, no norte de África, a importância estratégica do petróleo. Schwarzkopf absorveu as lições estratégicas de Rommel, e não tinha intenção de ser arrastado para um ataque direto sobre as posições do Iraque. "A guerra no deserto", Schwarzkopf havia observado, "é uma guerra de mobilidade e mortalidade". Schwarzkopf dirigiu uma campanha ampla, incluindo exercícios de treinamento, para convencer os iraquianos de que os aliados estariam atacando diretamente de frente e com um enorme ataque anfíbio. Ao mesmo tempo, forças importantes estavam sendo secretamente movidas, no distante deserto da Arábia, e, quando a guerra terrestre iniciou, as forças arranjaram-se em forma de arco vindas do oeste, vindo por trás das posições iraquianas entrincheiradas e as detiveram. A guerra no solo não levou mais de cem horas e terminou com as forças iraquianas em total retirada.

Mas as forças de Saddam Hussein já haviam lançado o que era, de longe, o maior derramamento de óleo na história. E eles agora se retiravam do Kuait com a vingança e rancor. Se Hussein não podia ter o Kuait, ele tentaria destruí-lo. Ao contrário das tropas de Hitler, que desobedeceram a ordem do *führer*, em 1944, para incendiar Paris quando partissem, os soldados de Saddam deixaram Kuait em chamas. Mais de 600 poços de petróleo foram incendiados, criando uma mistura infernal de fogo, fumaça asfixiante e escuridão e graves danos ambientais. Mais de seis milhões de barris de petróleo foram incendiados por dia — muito mais do que as importações diárias de petróleo do Japão.

Um cessar-fogo entrou em vigor em 28 de fevereiro de 1991. Enquanto isso, rebeliões eclodiram entre os *xiitas*, no sudeste do Iraque, e no norte do país entre os curdos (cuja terra natal, devido às prospecções de petróleo, tinham feito parte do Iraque quando o país foi fundado em 1920). Os dois levantes estavam ocorrendo agora nas regiões onde a produção atual de petróleo do Iraque estava concentrada. Os iraquianos derrubaram os levantes com brutalidade, embora não antes de milhões de pessoas tornarem-se refugiados. As forças da coalizão pararam perto de Bagdá. Os parceiros da coalizão esperavam que oficiais militares ressentidos rapidamente derrubassem Saddam Hussein em um golpe, mas tinham subestimado o seu poder sobre o país e sua devoção fanática à sua própria segurança. Apesar de toda a devastação que ele tinha trazido para seu próprio país, Saddam Hussein agarrou-se ao poder imediatamente após o fim da Guerra do Golfo. Mas ele já não tinha uma máquina ofensiva militar. Mas, estaria a crise do Golfo realmente no fim?

As lições da segurança

Após o choque do petróleo de 1973, ficou claro que as companhias petrolíferas não podiam e não iriam gerenciar crises futuras sozinhas, e que cabia aos governos a assumir esse papel. Nos anos posteriores, os países industrializados desenvolveram um sistema de segurança energética, construído em torno da International Energy Agency e dos estoques estratégicos, como a Reserva Estratégica de Petróleo dos Estados Unidos e de reservas semelhantes na Alemanha e no Japão e outros países, que poderiam ser postas em ação para evitar uma escassez e combater o pânico. A IEA provê uma estrutura para uma resposta coordenada e para o intercâmbio de informações precisas e oportunas entre as nações — uma exigência absoluta para impedir qualquer pânico ou evitar precipitações para o fornecimento. Os anos de crise do petróleo demonstraram que, com o tempo, os mercados se ajustam e fazem a distribuição. Aqueles anos também apresentaram provas de que os governos fazem bem em resistir à tentação imediata de controlar e micro gerenciar o mercado. Naturalmente, é difícil para os governos resistirem à ação quando a incerteza é grande, o pânico é crescente e as acusações se avolumam. No entanto, o curso das seis grandes interrupções, do início da década de 1950 até 1991, revelou que os sistemas de abastecimento e logístico podem se adaptar a um ponto tal que a escassez acaba sendo menos terrível do que se esperava. Na verdade, o problema real na década de 1970 acabou por não ser uma escassez absoluta, mas a interrupção do sistema de abastecimento e a confusão pela posse do petróleo, com a consequente corrida para reordenar o sistema em condições de elevada incerteza. E, em 1990 e 1991, as lições de crises anteriores, juntamente com os mecanismos desenvolvidos desde os anos 1970 e o aperfeiçoamento da informação, fizeram o impacto da interrupção que acompanhou a crise do Golfo menos grave do que poderia ter sido.

Mesmo que a experiência aponte o caminho para melhor gerenciar reações, existem outras questões importantes. Durante a crise do petróleo na década de 1970, o sistema político dos Estados Unidos ficou paralisado, em face de uma das maiores e mais caras perturbações da era pós-guerra. Raiva, recriminações, culpa — tudo se tornou um substituto para o desenvolvimento de uma reação racional para um problema muito sério. Watergate, naturalmente, fazia parte da explicação. Além disso, o espetáculo daquela resposta fragmentada e contenciosa ofereceu razões para ponderar como, mesmo após a Crise do Golfo, os Estados Unidos iriam responder em longo prazo às necessidades energéticas e crises futuras?

A terceira onda ambientalista

Apesar do mundo continuar a progredir graças ao petróleo, e da economia viver do petróleo, um novo desafio à Sociedade Hidrocarboneto vem surgindo, desta vez originado dela mesma, pressagiando um grande confronto que provavelmente irá afetar a indústria do petróleo e , com certeza, nosso modo de vida nos próximos anos. O mundo industrializado está enfrentando agora uma onda ressurgente do movimento ambientalista. A primeira, no final da década de 1960 e início da década de 1970, concentrou-se na qualidade do ar e da água e tinha um rótulo proeminente de *made-in--América*. Ela possuía implicações energéticas mais amplas, pois proporcionava o ímpeto para a rápida mudança do carvão para o óleo combustível, uma das principais forças que aglutinou tão rapidamente o mercado mundial do petróleo, preparando o cenário para a crise de 1973. Durante a década de 1970, à medida que a segurança passou para primeiro plano e o período de dificuldades econômicas conduziu a uma ênfase renovada nos empregos e no desempenho econômico, o movimento ambientalista perdeu uma parte de seu ímpeto. Em uma segunda onda, o enfoque foi mais delimitado, com muita concentração na diminuição e na interrupção do desenvolvimento da energia nuclear. O movimento foi bem-sucedido na maior parte dos maiores países industrializados, alterando decisivamente o que já se presumia ser a grande resposta para a crise do petróleo.

Uma terceira onda, poderosa, teve início na década de 1980. Ela forneceu amplo suporte, ultrapassando diferenças ideológicas, demográficas e partidárias. Foi um fenômeno internacional, gerado tanto na Europa quanto na América do Norte, cujas considerações incluem cada risco ambiental, desde o desmatamento das florestas tropicais úmidas ao acondicionamento do lixo e da sucata e – crescentemente – mudanças crimáticas.[5]

O evento decisivo isolado, catalizador da nova onda ambientalista talvez tenha tido seu início em abril de 1986, quando os operadores de um reator nuclear em Chernobyl, na Ucrânia, perderam seu controle. O próprio reator foi destruído durante a fusão nuclear parcial e nuvens de emissões radiativas foram expelidas e carregadas pelos ventos por vastas extensões do continente europeu. A reação inicial do governo soviético foi negar o acidente, denunciando as notícias do desastre nuclear como sendo uma criação maligna da mídia ocidental. No entanto, à medida que se passaram os dias, chegaram até Moscou rumores de tumultos na estação ferroviária de Kiev, de evacuação em massa, de mortes e desastres. As críticas internacionais se avolumaram. Ainda assim, mantinha-se uma cortina de silêncio, alimentando especulações sobre desastres horríveis. Finalmente, mais de duas semanas depois do acidente, Mikhail Gorbachev apareceu na televisão. Seu discurso fugia completamente às características da liderança soviética e representava uma brusca ruptura do modo como o Kremlin se comunicava tradicionalmente com seu próprio povo e com o resto do mundo. No discurso não havia propaganda e não havia desmentido; em vez disso, tratava-se do reconhecimento sério e sombrio de que um grave acidente havia ocorrido com certeza, mas que as providências já estavam sendo tomadas para controlá-lo. Só então o povo soviético e o resto do mundo deram-se conta do incrível perigo que esses primeiros dias tinham representado. Alguns dos líderes soviéticos viriam a declarar posteriormente que Chernobyl tinha sido um grande ponto de mutação política ocorrido na URSS na direção da *glasnost* e da *perestroika*. Aqueles que na Europa Ocidental culpavam o capitalismo ocidental de todos os males ambientais foram forçados a repensar sua ideologia. Tanto na Europa Oriental quanto na União Soviética, o ambientalismo tornou-se um dos pontos de reunião mais importantes para a oposição ao comunismo e com bons motivos. Com o rompimento da Cortina de Ferro, revelou-se que, entre os legados dominantes do cínico regime comunista estava um padrão ameaçador de degradação e desastres ambientais, alguns deles talvez irreversíveis. As questões ambientais aparecem entre as mais importantes nos novos parlamentos democráticos da Europa Oriental.

Chernobyl, com sua ameaça invisível mas mortalmente perigosa e com sua advertência sobre a tecnologia fora de controle, proporcionou um valioso empurrão para o surgimento da nova onda ambientalista. Ele (o acidente) ajudou a desencadear o movimento "verde" na Europa. Nos Estados Unidos, o *Clean Air Act* de 1990 foi um marco em termos de controle da poluição atmosférica e do *smog*. Porém, uma agenda ambiental mais ampla — na verdade — global, já estava começando a emergir em torno da mudança climática e do aquecimento global.

Ainda assim, a década de 1990 não havia começado com outro drama ambiental, mas com uma luta pelos recursos do petróleo do Golfo Pérsico dos quais o mundo estava, mais uma vez, tornando-se extremamente dependente. A Crise do Golfo pressionou a segurança energética de volta à agenda política, estimulando os governos a concentrar-se novamente em assegurar o abastecimento. Essa busca de segurança, no entanto, iria coexistir cada vez mais — e às vezes estar em aparente contradição —, com a terceira onda de ambientalismo.

A era do petróleo

O grito que ecoou em agosto de 1859 através dos estreitos vales do oeste da Pensilvânia — de que o maluco *yankee*, o Coronel Drake, havia encontrado petróleo — deu início a uma imensa corrida ao petróleo, que nunca mais teve fim desde então. E, daí em diante, na guerra e na paz, o petróleo ganharia o poder de construir ou destruir nações e seria decisivo nas grandes batalhas políticas e econômicas do século XX. Mas, repetidas vezes, durante a infindável aventura, as grandes ironias do petróleo se tornaram aparentes. Seu poder tem um preço.

Por quase um século e meio o petróleo vem trazendo à tona o melhor e o pior de nossa civilização. Vem se constituindo em privilégio e em ônus. A energia é a base da sociedade industrializada. E, entre todas as fontes de energia, o petróleo vem se mostrando a maior e a mais problemática devido ao seu papel central, ao seu caráter estratégico, a sua distribuição geográfica, ao padrão recorrente de crise em seu fornecimento — e à inevitável e irresistível tentação de tomar posse de suas recompensas. Ele tem sido o palco para o nobre e o desprezível do caráter humano. Criatividade, dedicação, espírito empresarial, engenho e inovação tecnológica, vêm coexistindo com a avareza, a corrupção, a ambição política cega e a força bruta. O petróleo ajudou a tornar possível o domínio sobre o mundo físico. Ele nos deu nossa vida cotidiana e, literalmente, nosso pão de cada dia, através dos produtos químicos agrícolas e dos transportes. Ele abasteceu, ainda, as lutas globais por supremacia política e econômica. A feroz e, muitas vezes violenta, busca pelo petróleo — e pelas riquezas e poder inerentes a ele irão continuar com certeza enquanto ele ocupar essa posição central. Pois o nosso é um século no qual cada faceta de nossa civilização vem sendo transformada pela moderna e hipnotizante alquimia do petróleo. Foi isso que fez a era do petróleo.

Epílogo
A nova era do petróleo

É RARO HAVER UM ÚNICO DIA sem que o petróleo — ora a respeito de seu preço ou de seu impacto na economia, ora sobre seu papel nas relações internacionais ou no meio ambiente — seja mencionado em alguma matéria principal dos jornais ou nos noticiários de televisão ou em alguma notícia quente nos blogs.

São muitas as perguntas. Como o petróleo altera a política internacional as estratégias e posicionamento das nações? Quais são os riscos políticos e econômicos que acompanham o petróleo, e como gerenciá-los? O petróleo do mundo vai se esgotar? Ou a demanda irá mudar? Como, dentro de um período único de dez anos, o preço do barril de petróleo pôde cair até 10 dólares, subir até 147,27 dólares, e em seguida cair mais de 100 dólares antes de cair ainda mais, e qual é a prospecção para os preços? Há ainda toda a questão das alterações climáticas. Qual é o futuro do Homem Hidrocarboneto?

No entanto, nenhuma dessas perguntas é essencialmente nova. De um modo ou de outro, elas são lançadas repetidamente nas páginas de *O petróleo*. De fato, é difícil compreender estas questões hoje em dia sem compreender de onde elas vêm e como o petróleo passou a exercer papel tão definitivo no mundo moderno, em todas as coisas, desde nossas vidas diárias até o jogo político entre nações. A partir destas páginas, os leitores podem tirar muitas lições e conhecer ideias que são relevantes para as políticas energéticas saudáveis, para a segurança energética e — assim espera-se — para reflexões claras sobre energia.

A concorrência por petróleo e a luta por segurança energética parecem não ter fim. Ainda assim, com a rápida vitória na Guerra do Golfo em fevereiro de 1991, a luta estratégica pelo petróleo parecia ter acabado. A ameaça de que uma potência hostil pudesse dominar o Golfo Pérsico deixou de existir. Aquilo, hoje assim parece, foi parte de uma transformação maior. O ano que começou com a Operação Tempestade no Deserto, no Iraque, terminou em dezembro de 1991 com Mikhail Gorbachev, presidente da União Soviética, fazendo um pronunciamento de 12 minutos através da cadeia de televisão russa em que anunciou aquilo que teria sido considerado impossível poucos anos antes: a dissolução da União Soviética. O império comunista havia colapsado, a União Soviética havia se desintegrado e a Guerra Fria terminado. A ameaça de guerra nuclear que havia pairado sobre o planeta por quatro décadas dissipou-se, e uma nova era de paz estava ao alcance.

Apesar da União Soviética ter sido um exportador de petróleo significativo, sua indústria havia permanecido isolada por trás da Cortina de Ferro. Não mais. Com a dissolução da União Soviética, a indústria petrolífera da Federação Russa e dos novos Estados independentes, notavelmente as do Cazaquistão e do Azerbaijão, passariam a integrar a indústria global. Mais tarde, após anos de brigas, um oleoduto de Baku-Tbilisi-Ceyhan conectaria a histórica Baku, no mar Cáspio, a um porto turco no Mediterrâneo — em parte, um paralelo do século XX à rota aberta pioneiramente pelos Nobels, Rothschilds e Samuels no final do século XXI. Este oleoduto, ao criar uma alternativa ao transporte de petróleo através do sistema de oleodutos russo, ajudaria a assegurar a posição dos novos Estados independentes da antiga União Soviética.

Fora de Pauta?

Naquele momento, no início da década de 1990, a eclosão da Guerra do Golfo e o colapso da União Soviética transformaram o sistema internacional. Alguns falavam de forma otimista de uma nova ordem mundial. O foco da comunidade internacional mudou, de segurança para economia e crescimento, e para aquilo que viria a ser conhecido como globalização. Nos anos seguintes, houve uma vasta expansão do comércio internacional, à medida que a globalização levava a uma economia mundial mais aberta e interconectada e ao aumento de renda em países que até então pareciam ser permanentemente pobres.

Durante a maior parte da década de 1990, o petróleo retrocedeu como questão de grande importância estratégica. O fornecimento petrolífero era abundante e os preços eram baixos. Muita atenção foi dada ao "milagre econômico da Ásia Oriental" e ao que começava a se delinear por trás dele, o papel ascendente da China na economia mundial.[1] Mas, em 1997-1998, o milagre econômico na Ásia, permeado por flutuações de moeda e especulação imobiliária, superaqueceu e, começando pela Tailândia, explodiu. O resultado foi um contágio letal — uma epidemia de pânico financeiro, falências e inadimplências, e uma profunda retração econômica que se espalhou por toda a Ásia (exceto a China e a Índia) e, em seguida, engolfou outros mercados emergentes, incluindo a Rússia e o Brasil.

O colapso do PIB levou a uma queda na demanda por petróleo mesmo com o aumento da oferta. Como resultado, os tanques de armazenamento eram enchidos até transbordar, até que não houvesse mais lugar para armazenar o petróleo adicional. Uma vez mais, como em 1986, o preço do petróleo colapsou até 10 dólares o barril e, em alguns casos, caiu ainda mais. Os exportadores de petróleo enfrentaram, uma vez mais, uma desordem econômica, como em 1986. O colapso nos preços do petróleo levou a Rússia, que há apenas sete anos encontrava-se organizada como um país independente, à inadimplência e à falência e ao que acabou se tornando uma agonizante reavaliação de suas relações com o resto do mundo.

Mas, para as nações importadoras de petróleo — tanto para os países desenvolvidos, como os Estados Unidos, Japão e países da Europa, quanto para muitos países em desenvolvimento — a queda dos preços do petróleo funcionou como um corte de impostos gigantesco, um pacote de estímulos que aqueceu o crescimento econômico. Ela colocou uma trava na inflação, acelerando o crescimento. Na bomba de gasolina nos Estados Unidos, considerados os ajustes inflacionários, os preços caíram ao menor nível jamais atingido. Isto iniciou um grande novo romance — a paixão por veículos esportivos utilitários de aproveitamento pouco eficiente de combustível e outras camionetes leves, que logo viriam a compreender metade dos veículos novos vendidos nos Estados Unidos.

Reestruturação

Os preços baixos fizeram enorme pressão na estrutura da indústria. À medida que as receitas caíam, os gestores das sociedades empresariais lutavam para encontrar estratégias de sobrevivência. Os orçamentos precisavam receber cortes imediatamente e os projetos foram adiados ou cancelados totalmente. Havia outra forma de sobreviver também. Era crescendo, ganhando ainda mais escala. O objetivo: reduzir os custos e aumentar a eficiência. A necessidade de escala corporativa neste ambiente fazia-se ainda mais urgente devido aos projetos de petróleo e gás maiores e mais complexos que surgiam adiante e aos recursos financeiros ainda maiores que seriam necessários para colocá-los em prática. Nos anos 1990, megaprojetos, muitos deles em águas profundas, foram definidos, possivelmente, em termos de centenas de milhões de dólares, talvez até mesmo um bilhão. Mas o termo "megaprojeto" precisaria ser redefinido, já que a indústria começava a planejar projetos para o século XXI que viriam a custar cinco ou até mesmo dez bilhões de dólares.

Tudo isso criou o imperativo do que veio a ser conhecido como reestruturação. Isso significava não apenas dar novas formas a empresas individuais, mas à indústria como um todo. As grandes empresas de petróleo, que o magnata italiano Enrico Mattei havia apelidado de "as sete irmãs", (menos a Gulf, que já havia sido excluída) seriam remodeladas. As grandes empresas de petróleo mesclaram-se para tornar-se gigantes do petróleo. A BP e a Amoco fundiram-se na gigante BPAmoco, e depois fundiram-se com a ARCO, transformando-se numa BP muito maior. A Exxon e a Mobil — anteriormente "Standard Oil of New Jersey" e "Standard Oil of New York" — viraram a Exxo-Mobil. A Chevron e a Texaco fundiram-se com o nome de Chevron. A fusão da Conoco com a Phillips criou a ConocoPhillips. Na Europa, aquelas que já haviam sido as duas empresas nacionais campeãs francesas, Total e Elf Aquitaine, fundiram-se com a empresa belga Petrofina, formando uma única empresa, a Total. Apenas a Royal

Dutch Shell, que já possuía *status* de gigante do petróleo por si só, permaneceu como estava. Ou, melhor dizendo, passou por uma autofusão. Ela finalmente extinguiu o complexo sistema de duas *holdings* separadas, a Royal Dutch e a Shell, administradas desde Hague e Londres, que haviam sido fundadas por Henri Deterding e Marcus Samuel em 1907 como sua grande pechincha. Em vez disso, transformou-se em uma empresa unitária, de modo a, entre outras questões, melhorar a eficiência de suas operações e acelerar os processos de tomada de decisões. Com todas estas fusões, o panorama da indústria internacional do petróleo mudou.

De modo global, no final da década de 1990, na concepção do grande público e dos reguladores, o petróleo perdeu importância. Assim como as preocupações com segurança energética. As pessoas assumiram, se pensassem a respeito, que o petróleo seria barato e estaria prontamente acessível ainda por muitos anos. Ao contrário, havia coisas novas e "novas coisas novas" com as quais as pessoas podiam ficar empolgadas. Especificamente, tratava-se da internet, que trouxe a Nova Economia e uma revolução nas comunicações. O mundo viria a ficar interconectado 24 horas por dia e as distâncias iriam desaparecer. Tecnologia da informação, *start-ups*, Vale do Silício, ciberespaço — estes eram os lugares onde permanecer. Poucas coisas assemelhavam-se tanto à velha economia quanto a indústria do petróleo, e sua relevância parecia estar em declínio. Cada vez menos jovens interessavam-se por conseguir empregos na indústria, o que não era ruim, já que havia menos empregos disponíveis.

A volta do petróleo

Mas três acontecimentos na primeira metade desta década viriam a alterar este cenário.

O primeiro foi o 11 de setembro de 2001. Aquilo que era impensável, mas que ainda assim havia sido prevenido em um breve parágrafo de um relatório presidencial diário (*Presidential Daily Brief*) em agosto de 2001, ocorreu quando duas aeronaves sequestradas colidiram com o World Trade Center e uma terceira atingiu o Pentágono, e quando o ataque planejado de uma quarta aeronave ao Congresso dos Estados Unidos foi abortado ao sobrevoar a Pensilvânia. Pela primeira vez desde a invasão de Pearl Harbor, em 7 de dezembro de 1941, que levou os Estados Unidos a entrarem na II Guerra Mundial, os Estados Unidos foram atacados, e com perdas de vidas em quantidades enormes. O inimigo era o movimento jihadista Al-Qaeda.

As relações internacionais sofreram transformações. No outono de 2001 — em resposta aos ataques de 11 de setembro a Nova York e Washington — os Estados Unidos e seus aliados contra-atacaram, o que ficou conhecido como "guerra contra o terror". Eles levaram a guerra de volta ao Afeganistão, a base de onde a Al-Qaeda operava. Rapidamente removeram do governo do país os Talibãs, aliados da Al-Qaeda, conquistando o que na época parecia ser uma rápida vitória.

As atenções voltaram-se para o Iraque. A vitória na Guerra do Golfo também havia sido rápida. Mas não tinha sido completa. Com medo de um atoleiro e dos riscos de uma ocupação, a coalizão, liderada pelos americanos, havia sido interrompida repentinamente em Bagdá em 1991. Saddam Hussein havia permanecido no poder, apesar de controlado por sanções econômicas, isolamento, inspeções e zonas de restrição aérea ao norte, sobre o Curdistão, e ao sul, predominantemente sobre Shia. Mas, após o 11 de setembro, os defensores de uma invasão ao Iraque argumentaram que Saddam possuía ligações com a Al-Qaeda e que ainda estava secretamente desenvolvendo armas de destruição em massa. O presidente George W. Bush determinou o início desta guerra a partir da orientação de alguns dos melhores conselheiros de seu pai, agora atuantes em seu próprio governo — mas também contra os fortes avisos de outros dos conselheiros de seu pai. "Uma invasão ao Iraque agora prejudicaria enormemente, se não destruiria, a campanha contraterrorista global que empreendemos", aconselhou o consultor para segurança nacional de seu pai, Brent Scowcroft, em Agosto de 2002. "Não ia ser uma moleza (...) Para atingir nossos objetivos estratégicos no Iraque, uma campanha militar no Iraque teria que ser seguida por uma ocupação militar de longo prazo, em larga escala".[2] Mas o ímpeto em direção à guerra era muito forte.

Em 20 de março de 2003, aos 12 anos e 21 dias após o fim da Guerra do Golfo anterior, a Guerra do Iraque começou. Os historiadores podem muito bem vir a denominá-la como a Segunda Guerra do Golfo. Desta vez a coalizão era bem mais reduzida em termos do número de países envolvidos — a "coalizão dos dispostos". A Inglaterra foi o parceiro mais importante. Outros aliados-chave dos Estados Unidos, especialmente a França e a Alemanha, se opuseram à guerra e não participaram da coalizão. Eles achavam que o governo americano estaria sendo excessivamente otimista e estaria subestimando os riscos e as dificuldades que os aguardavam no Iraque do pós-guerra.

A suposição evidente entre os que eram à favor da guerra era de que ela seria rápida — uma "vitória relâmpago".[3] A guerra propriamente dita, de fato, ocorreu bem de acordo com o planejado e foi bem rápida. Já em 9 de abril de 2003, os civis iraquianos e os fuzileiros navais americanos estavam reunidos para juntos derruba-rem a gigantesca estátua de Saddam Hussein no centro de Bagdá. Mas virtualmente nada do que se seguiu ocorreu conforme o planejado. Saddam desapareceu, em um esconderijo. Nenhuma arma de destruição em massa jamais foi encontrada. Múltiplas rebeliões ocorreram por todo o país, à medida que uma guerra civil extensa instaurava-se entre os Sunnis e os Shias. Mas de meia década depois do início da guerra, as tropas americanas ainda estavam no Iraque, políticos iraquianos ainda discutiam a respeito da responsabilidade sobre os recursos de petróleo entre o governo central e cada região, e a indústria petrolífera iraquiana, com escassez de tecnologia, qualificação e segurança, ainda lutava para recuperar os níveis de produção que precederam a guerra.

Contudo, enquanto a violência continuava a dominar o Iraque, mudanças impressionantes estavam acontecendo em outra parte do Golfo Pérsico e no grande Oriente Médio. Em uma reviravolta dramática, a Líbia renunciou às armas nucleares em dezembro de 2003 e voltou a incorporar-se à comunidade internacional. Com o acúmulo de receita advinda do petróleo e gás natural, os emirados de Abu Dhabi, Catar e Dubai emergiram como elementos-chave e novos centros da economia global no século XXI. Quando uma crise bancária e de crédito tumultuada varreu os Estados Unidos e a Europa em 2007 e 2008, alguns destes emirados ajudaram a financiar as instituições financeiras ocidentais.

Mas a missão que o governo de Bush havia tomado para si — levar a democracia para a região — provou ter vida curta. Ao contrário, houve apreensão generalizada de que o Irã pudesse ser o grande vitorioso da Guerra do Iraque, cuja revolução islâmica havia iniciado o segundo choque do petróleo em 1978 e que, agora, via a si mesmo como a grande potência regional do Golfo — a função exata que primeiramente o xá do Irã, e depois, em seguida, Saddam Hussein lutaram para obter. Mas também era evidente que nem a Arábia Saudita nem os outros países do Golfo tinham qualquer intenção em permanecer sob tal domínio.

O segundo grande acontecimento desta era foi a globalização.[4] Entre 1990 e 2009, a economia mundial quase triplicou de tamanho. E em 2009, uma parcela significativa do PIB mundial estava sendo gerado pelos países em desenvolvimento, e não pelo agrupamento tradicional da América do Norte, Europa e Japão.

Apesar da Nova Economia e da internet, a globalização fez com que o petróleo voltasse a ser mais importante novamente. O período de 2003-2007 foi de importância crucial, pois foi testemunha do melhor crescimento econômico global em uma geração. O crescimento econômico elevado e o aumento de renda na China, Índia e Oriente Médio e em outros países emergentes significaram forte aumento na demanda por petróleo — para alimentar a indústria de energia, para gerar eletricidade e para abastecer as frotas de carros e caminhões que se expandiam rapidamente.

O crescimento repentino da demanda por petróleo — o terceiro acontecimento — pegou de surpresa não apenas os consumidores, mas também a própria indústria de petróleo global. As décadas anteriores, de aumento lento da demanda, haviam se traduzido em níveis relativamente baixos de investimento em novos fornecedores de óleo e gás. No final da década de 1990 e nos primeiros anos da seguinte, Wall Street exigiu que a indústria fosse "disciplinada" — muito cautelosa e até mesmo restritiva em seus investimentos — ou teria que encarar desforras, com os preços de ações mais baixos. Agora a indústria teria que recuperar o tempo perdido em termos de investimentos em nova capacidade de produzir petróleo. Este esforço não podia acontecer da noite para o dia, nem mesmo em poucos anos. O equilíbrio entre a demanda e a oferta disponível diminuiu de forma dramática. A geopolítica, de um tipo ou de outro, restringiu ainda mais a oferta. No final de 2002 e no início de 2003, greves e conflitos políticos na Venezuela encerraram temporariamente sua produção de petróleo, o primeiro passo na escalada da elevação de preços. Iniciados em 2003, ataques de milícias e gangues criminosas prejudicaram a produção na Nigéria, um dos fornecedores líderes do mundo — algumas vezes com reduções de até 40%. Ao longo dos anos seguintes, a capacidade de produção caiu tanto na Venezuela, onde o presidente Hugo Chávez manteve controle político estrito sobre a indústria nacional, quanto no México, onde políticas internas restringiram os investimentos necessários.

A produção de petróleo na Rússia havia despencado nos anos 1990 após o colapso da União Soviética. Mas ela começou a se recuperar no final da década de 1990 e em seguida cresceu em 50% na primeira metade da década seguinte. Em algumas épocas, foi o maior produtor de petróleo do mundo, à frente da Arábia Saudita. Mas nos últimos anos a taxa de crescimento de sua produção diminuiu e, em seguida, estabilizou-se totalmente.

Uma nova crise do petróleo

Aumento repentino da demanda, lenta resposta da oferta, e equilíbrio estreito entre as duas — esta combinação teria elevado os preços de qualquer maneira. Mas esta elevação foi amplificada pelo Irã, que estava imprimindo, como havia feito recorrentemente ao longo de quatro décadas, seu próprio impacto agudo no mundo do petróleo. O Irã havia relançado um programa agressivo de desenvolvimento nuclear, que incluía tecnologias de enriquecimento de combustível que permitiriam chegar facilmente às armas nucleares. Ao mesmo tempo em que alardeava seu programa, o Irã insistia que estava apenas buscando desenvolver um poderio nuclear civil. A União Europeia e os Estados Unidos observaram que o Irã possui as segundas maiores reservas de gás natural do mundo. Eles tinham poucas dúvidas de que o objetivo real do Irã fosse a capacidade de desenvolver armas nucleares. Com certeza, a possibilidade de um Irã armado nuclearmente causou, inevitavelmente, profunda apreensão em Israel, quando o presidente iraniano ameaçou repetidamente "eliminar esta mancha desgraçada do mundo islâmico" e declarou que Israel "deve ser varrida do mapa".[5] Além disso, especialmente entre os países da União Europeia, as ambições nucleares do Irã eram vistas como um enorme risco de proliferação, pois um Irã nuclear poderia disparar uma corrida nuclear por todo o Oriente Médio. Nestas circunstâncias, um "adicional Iraniano" — a preocupação sobre se um impasse e divergências em relação ao programa nuclear iraniano levaria a conflitos e ameaçaria o fluxo de petróleo através do Estreito de Hormuz — tornou-se um elemento adicional no alto preço do petróleo.

Outros dois fatores levaram os preços a níveis sem precedentes. Um deles foi o aumento dramático dos custos de desenvolvimento de novos campos de petróleo e gás — mais que duplicaram entre 2004 e 2008. Isto ocorreu devido a diversos tipos de escassez — de pessoas qualificadas, equipamentos e capacidade de engenharia — combinados com uma elevação rápida do preço de outros *commodities*, como o aço, necessários para construir plataformas de petróleo offshore e outros equipamentos.[6]

O outro fator foi o envolvimento crescente de investidores financeiros com o petróleo e outros *commodities*. O petróleo veio a ser visto como uma classe de ativo que oferecia uma alternativa a ações, títulos, e bens imóveis para fundos de pensão, doações universitárias, e outros investidores em busca de retornos maiores. Ao mesmo tempo, os investidores tradicionais de *commodities*, os especuladores e os negociantes de bolsa também colocaram dinheiro na mesa. O papel complexo dos negociadores financeiros no mercado de petróleo tornou-se uma questão muito controvertida, à medida que as pessoas questionavam o papel dos investidores e o impacto da especulação sobre o preço do petróleo. O enfraquecimento contínuo do dólar face ao euro e ao iene japonês elevou ainda mais o preço do petróleo e de outros *commodities* enquanto os investidores buscavam se proteger da queda do dólar.[7] Um dólar mais fortalecido viria acompanhado de uma reversão nos preços do petróleo.

As expectativas tornaram-se importantes à medida que os preços do petróleo aumentaram continuamente a partir de 2003. Houve uma apreensão generalizada, especialmente nos mercados financeiros, de que as demandas da China e Índia iriam para o topo e de que uma escassez de petróleo seria inevitável nos próximos anos. Todos estes fatores reunidos — oferta e demanda, geopolítica, custos, mercados financeiros e expectativas — levaram os preços de 30 dólares no início da Guerra do Iraque para 100 dólares, 120 dólares e mais adiante, em 2008, para mais de 145 dólares o barril. Neste momento, as expectativas criaram uma bolha em que os preços estavam divorciados de forma crescente dos fundamentos. E assim à medida que os preços subiam, a demanda teve — inevitavelmente — que começar a perder força.

As crises do petróleo dos anos 1970 foram deflagradas por acontecimentos específicos — a Guerra do Yom Kipur, em 1973, e o embargo ao petróleo árabe, e a revolução islâmica no Irã, em 1978-1979. Desta vez foi diferente, pois não houve um único acontecimento dramático. Ainda assim, não havia dúvida de que a elevação extraordinária dos preços constitui outra crise do petróleo por si só. Nos Estados Unidos, o doloroso impacto econômico da crise do petróleo foi ainda agravado pela crise de crédito que irrompeu nos setores bancários e hipotecários. Além disso, a crise foi sentida em todo o mundo de forma crescente. Foi apenas quando o crescimento da demanda desacelerou de forma significativa — em resposta à alta dos preços, uma crise financeira pior do que a Grande Depressão, uma retração econômica mundial — que os preços caíram dramaticamente.

O aumento dos preços do petróleo na metade da década anterior trouxe mudanças significativas na economia global e transformações dramáticas de renda. Trilhões de dólares deslocaram-se dos países importadores de petróleo para os exportadores — uma das maiores transferências de renda na história do mundo. O acúmulo de riqueza derivada do petróleo nas contas de poupança dos exportadores — seus fundos de riqueza soberana — converteu muitos deles em forças poderosas na economia mundial.

As mudanças econômicas também trouxeram consequências políticas. Um dos principais temas de *O petróleo* é a disputa contínua entre consumidores e produtores pelo dinheiro e pelo poder que é acumulado a partir dos recursos do petróleo. Este é um equilíbrio que está sempre oscilando. Nesta era de preços elevados, aquilo que chamamos de nacionalização de recursos novamente está em evidência, embora de muitas formas diferentes. A riqueza derivada do petróleo permitiu que o presidente da Venezuela, Chávez, ampliasse sua influência na América Latina e perseguisse sua agenda de um "socialismo para o século XXI" através do palco mundial. Em 1998, a Rússia quebrou. Uma década depois, sustentada por quase 800 bilhões de dólares de reservas internacionais e poupança de seus fundos de riqueza soberana, a Rússia voltou a projetar seu poder e influência pelo mundo. Sua posição como exportador de petróleo e como o principal exportador de gás natural para a Europa — além de sete anos de forte crescimento econômico — levou-a a um novo patamar de primazia. Em outros países, o processo de tomada de decisão nos governos, que é necessário para o desenvolvimento do novo petróleo, teve seu ritmo reduzido e desacelerado e, consequentemente, o desenvolvimento de novos recursos também ficou mais lento.

Companhias Estatais de Petróleo (NOCs)

A reestruturação da indústria de petróleo mundial, que havia sido iniciada com o surgimento das gigantes do petróleo no final da década de 1990, foi apenas o começo. Mais uma fusão — das norueguesas Statoil e Norsk Hydro — criou a StatoilHydro, uma nova gigante do petróleo, apesar de parcialmente estatal. Mas o equilíbrio entre as empresas e os governos foi alternado dramaticamente. Em conjunto, todo o petróleo que as gigantes do petróleo produzem por sua conta equivale a menos de 15% da oferta mundial total. Mais de 80% das reservas mundiais são controladas por governos e suas empresas nacionais de petróleo. Das vinte maiores empresas de petróleo do mundo, 15 são estatais.[8] Consequentemente, muito do que ocorre com o petróleo é resultado de decisões que, quaisquer que sejam, são tomadas por governos. E de modo geral, as empresas nacionais de petróleo de propriedade dos governos assumiram um papel proeminente na indústria de petróleo mundial.

Nestas circunstâncias, o elenco de personagens no mundo tornou-se mais complexo, com uma multidão de empresas unindo-se àquelas cujos nomes são mencionados neste livro. Algumas destas empresas já apareceram nestas páginas, outras são novas. Saudi Aramco — a sucessora da Aramco, agora estatal — continua a ser, de longe, a maior empresa de produção de petróleo do mundo, sendo responsável por produzir sozinha aproximadamente 10% ou mais de todo o petróleo mundial com desenvolvimento maciço de tecnologia e coordenação. Os principais produtores do Golfo Pérsico controlam em maior parte a sua produção, assim como as empresas estatais tradicionais na Venezuela, México, Argélia e em muitos outros países. As empresas chinesas — parcialmente estatais, parcialmente pertencentes a acionistas espalhados pelo mundo — continuam a produzir a maior parte do petróleo na China, mas também tornaram-se de forma crescente cada vez mais ativas e visíveis na arena internacional. Da mesma forma, ocorreu com as empresas indianas. A indústria russa é liderada pelas gigantes Gazprom e Rosneft, controladas pelo Estado, assim como por empresas privadas, como a Lukoil e TNK-BP que são grandes, ou melhores, por mérito próprio.

A Petrobras, a empresa de petróleo nacional brasileira, pertence em 68% a investidores e em 32% ao governo brasileiro, embora o governo retenha a maioria das ações com direito a voto. A Petrobras já havia se estabelecido na dianteira em termos de capacidade de exploração e de desenvolvimento de petróleo nas complicadas águas profundas. Inicialmente com a Tupi, encontrada em 2006, descobertas de enorme potencial estão sendo feitas naquilo que até agora havia sido considerado como recursos inacessíveis em águas profundas do Brasil, abaixo de depósitos de sal. Estas descobertas poderiam transformar a Petrobras — e o Brasil — em um novo poço de energia de petróleo mundial. A Petronas, da Malásia, tornou-se uma empresa internacional significativa, operando em 32 países fora da Malásia. Empresas estatais em outros países da antiga União Soviética — KazMunayGas, no Cazaquistão, e SOCAR, no Azerbaijão — também despontaram como peças importantes. Ao mesmo tempo em que o Catar é exportador de petróleo, suas enormes reservas de gás natural posicionam o país na dianteira da indústria de gás natural liquefeito (NLG) e, junto com a argelina Sonatrach e outros exportadores, no centro do crescente comércio global de gás natural.

As empresas chinesas têm e atingem, cada vez mais, posição proeminente na indústria global. Durante alguns anos, houve um temor de que uma batalha por recursos de petróleo entre os Estados Unidos e a China fosse quase inevitável. Apesar de desentendimentos entre os dois países com relação a assuntos específicos, o temor global pareceu desaparecer conforme ficava claro que os dois países compartilham interesses comuns como importadores e consumidores de petróleo e que a energia faz parte de um sistema maior de integração econômica e de interesses coincidentes entre os dois países.

"Está se esgotando?"

O aumento dos preços do petróleo nos anos 1990 alimentou o temor de que o petróleo do mundo está acabando. Esta ansiedade recebeu um nome — "pico do petróleo". Ainda assim, esse tipo de temor também faz parte de uma antiga tradição mundial. A linguagem e as apreensões atuais carregam semelhança avassaladora com períodos anteriores. Como foi descrito nestas páginas, havia uma convicção generalizada na década de 1880 de que quando os poços secassem no oeste da Pensilvânia, os dias do petróleo chegariam ao fim. Temores similares foram registrados nos anos posteriores à I Guerra Mundial. Tais preocupações voltaram a aparecer nos anos seguintes à II Guerra Mundial, com lembranças frescas sobre o papel estratégico do petróleo na guerra, e conforme o local de produção mundial se deslocava do Golfo do México americano para o Golfo Pérsico, conforme a profecia de 1944 de Everette DeGolyer. E foi esta mesma convicção quanto à escassez que esteve subjacente ao pânico que tomou a indústria do petróleo e a comunidade internacional durante a crise do petróleo na década de 1970. Em cada caso, novos territórios, novos horizontes e novas tecnologias derrotaram os temores dentro de poucos anos e a escassez deu lugar ao excedente. Um novo excedente desenvolvido com a recessão de 2008 e 2009.

Mas desta vez a situação é diferente? Esta é uma pergunta controvertida, que trás à tona grandes paixões. Trata-se também de uma pergunta que exige, apropriadamente, análise considerável e cuidadosa, pois os riscos são muito altos. Uma análise campo a campo sugere que há recursos em ampla quantidade abaixo do solo para atender a demanda mundial por muitos anos.

Mas há três ressalvas importantes. A primeira é que os riscos acima do solo — geopolítica, custos, tomada de decisão pelos governos, complexidade, restrição ao acesso e a investimentos — podem atrapalhar o desenvolvimento e levar a escassez de oferta e a altos preços. É impressionante ver a mudança de foco, onde estes riscos que ocorrem acima do solo passam a ser fatores cruciais. A segunda é que uma parcela crescente do fornecimento de líquido será de petróleo não tradicional — seja advindo de ambientes desafiadores como as águas ultraprofundas do Ártico, ou das areias betuminosas canadenses, seja de líquidos relacionados que são produzidos a partir dos volumes crescentes de gás natural. Muitos desses tipos não tradicionais são mais complexos e difíceis — e caros — de serem trazidos à superfície. A terceira é o reconhecimento da escala crescente nos próximos anos entre os novos gigantes, China e Índia, e outras economias em desenvolvimento e o imenso desafio de alcançá-los.

Mudanças climáticas

Outro fator crítico para o futuro do petróleo tornou-se fator decisivo apenas após a virada do século: as mudanças climáticas. Inicialmente, representantes de 84 países assinaram o Protocolo de Kyoto, em 1997, com objetivo de reduzir as emissões de CO_2. Os países europeus, mais tarde, adotaram o tratado e passaram a tratar as mudanças climáticas como a pedra angular de suas políticas. Mas o senado dos Estados Unidos efetivamente rejeitou o tratado de Kyoto em votação por 95 a 0. Havia três preocupações principais. A primeira era com o impacto das restrições de CO_2 na economia como um todo e no crescimento econômico. A segunda estava relacionada especificamente às restrições de carvão, de onde metade da energia elétrica da nação era gerada. E a terceira era que o tratado exigiria cortes dos países industrializados, mas não dos países em desenvolvimento.

Uma década depois o posicionamento mudou dramaticamente nos Estados Unidos. A questão das alterações climáticas foi abraçada por quase todo o espectro político dos Estados Unidos, e de um modo geral, espera-se que uma política nacional sobre mudanças climáticas entrem em vigor. Contudo, questões complexas ainda precisarão ser abordadas. Há discussões sobre os custos de transformação das sociedades com menor emissão de carbono, bem como sobre a escolha entre um mecanismo de "*cap-and-trade*" ("limite e comércio") e um imposto sobre o carbono. Metade da eletricidade dos Estados Unidos ainda é gerada por carvão; e como conseguir um impacto menor de carbono com o carvão ainda precisa ser demonstrado em escala. Neste meio tempo, diversos tipos de desenvolvimento na economia mundial vêm enfatizando esta terceira preocupação mencionada anteriormente — a necessidade de atrair as principais economias em desenvolvimento para um sistema de mudanças climáticas. No final de 2007, a China ultrapassou os Estados Unidos como o emissor de CO_2 número um no mundo. A gestão do carbono deverá ser um foco controvertido para a diplomacia internacional nos anos vindouros.

Segurança energética

As importações de petróleo vêm gerando preocupações políticas e estratégicas desde que os Estados Unidos saíram da posição de exportadores e passaram a importar petróleo no final da década de 1940. Hoje estas preocupações foram ampliadas, tanto pelo fluxo de dinheiro quanto pela turbulência e extremismo em algumas partes do Oriente Médio, a base de recrutamento da Al-Qaeda. Mas alguns esclarecimentos relacionados aos números das importações precisam ser feitos. Tornou-se comum afirmar que os Estados Unidos importam 70% de seu petróleo. Na verdade, em 2008, em termos líquidos, eles importavam aproximadamente 56% de seu petróleo — ainda assim uma quantidade bastante significativa. Havia também uma crença generalizada de que a maior parcela ou todo o petróleo importado pelos Estados Unidos viria do Oriente Médio. Na verdade, este não é o caso. Em torno de 22% da importação vem do Canadá, como parte dos fluxos comerciais globais com o país que é o maior parceiro comercial dos Estados Unidos, e 12% vêm do México. O fornecimento que vem do Oriente Médio (inclusive do Iraque) constitui 22% do total importado e aproximadamente 12% do consumo total de petróleo nos Estados Unidos. Em conjunto, o petróleo total — tanto aquele produzido internamente quanto o importado — gera aproximadamente 40% da energia total sobre a qual a economia de 14 trilhões de dólares dos Estados Unidos está estruturada. Contudo, uma confluência de preocupações fez com que a expressão "acabar com o vício do petróleo" passasse a ser comum no discurso político nos Estados Unidos, ainda que a definição de vício ainda precisasse de mais esclarecimento.

A necessidade de novos fornecimentos — convencionais, renováveis e alternativos — somada às preocupações com o preço, a segurança e o clima desencadeou uma onda de inovações e pesquisas entre todas as indústrias energéticas. Mas qual será a velocidade das mudanças? Certamente as questões energéticas estarão no foco das principais políticas. O presidente Barack Obama descreveu a energia como "prioridade numero um".[9] A tecnologia e os mercados darão as respostas ao longo do tempo. Muitas energias renováveis, como as eólicas e as fotovoltaicas, fornecem eletricidade e pouco farão para suplantar as importações de petróleo, já que apenas 2% da eletricidade dos Estados Unidos é gerada por petróleo — a menos que haja um grande crescimento do transporte abastecido por eletricidade. De fato, o setor dos transportes passa por uma situação crítica. Quaisquer que sejam as inovações — e muito está sendo desenvolvido — a frota de automóveis não vai mudar da noite para o dia. Pode-se levar de cinco a seis anos, e um bilhão de dólares, para que novos modelos de automóveis sejam colocados no mercado. Apenas 8% da frota de automóveis é renovada a cada ano, logo serão necessários muitos anos para que o impacto possa ser sentido.

Mas, é quase certo que em cinco ou dez anos a frota de automóveis será modificada e terá uma imagem bem diferente da atual, em termos de fontes de energia e, talvez, de seus motores. Certamente os carros serão mais eficientes. Os novos padrões de eficiência de combustíveis de automóveis, em vigor desde o fim de dezembro de 2007, representam o primeiro aumento obrigatório por lei em 32 anos. Os padrões de eficiência de combustíveis originais, definidos em 1975, foram equivalentes a uma das duas decisões sobre política energética mais importantes da década de 1970 (a outra foi a aprovação do oleoduto de petróleo trans-Alasca). Estes novos padrões certamente terão impacto semelhante. Mas quais serão as mudanças? Que tipos de avanços serão desenvolvidos em termos de biocombustíveis, além do etanol derivado do milho? De uma maneira ou de outra, haverá mais eletricidade no transporte automobilístico. Os híbridos vão ganhar participação no mercado. A utilização dos veículos elétricos híbridos vai significar que a indústria de energia elétrica vai abastecer parte da frota de automóveis? O gás natural passará a ser um combustível de motores significativo?

As mudanças dramáticas na indústria do petróleo mundial estão levando inevitavelmente a uma renovação de foco na questão perene sobre segurança energética. A duas Grandes Guerras Mundiais demonstraram de forma duríssima que a energia tem importância estratégica, particularmente o petróleo. Mas, conforme descrito nestas páginas, o atual sistema internacional de segurança energética surgiu apenas nos anos 1970, em torno da International Energy Agency, e desde então evoluiu ao longo das décadas. Mas muitas coisas mudaram nos últimos anos. Os principais novos consumidores, a China e a Índia, precisam ser trazidos para o sistema internacional de segurança energética, e para isso, será necessário haver mais confiança e comunicação entre eles e os países importadores tradicionais. Ao mesmo tempo, há uma necessidade urgente de abordar-se a questão da segurança física da infraestrutura energética — oleodutos, usinas elétricas e linhas de transmissão — e das cadeias de fornecimento que transportam petróleo e gás natural para os consumidores a partir de cabeças de poços no Golfo Pérsico, África Ocidental, Ásia Central e outras partes do mundo. A integração da China e da Índia e o foco em infraestrutura são essenciais para a segurança energética no século XXI.

Uma maior eficiência na utilização do petróleo e outras fontes de energia vem sendo considerada como objetivo de regulamentação importante e comum aos países. O mundo industrializado é duas vezes mais eficiente em termos de energia do que era nos anos 1970. O potencial para eficiência no futuro é ainda muito grande. No entanto, parece provável que uma economia mundial em expansão, com renda ascendente e população crescente, precisará de mais petróleo — talvez 40%, ou mais, ao longo do próximo quarto de século, ao menos de acordo com algumas estimativas. Talvez as inovações reduzam este número. As respostas dependem das políticas, dos mercados, da tecnologia, e da escala e caráter das pesquisas e do desenvolvimento.

Ainda assim, durante as várias décadas que estão por vir — seja com preços altos, baixos ou em algum lugar no meio do caminho —, o petróleo será um fator central na política mundial e na economia global, no cálculo global de poder, e no modo como as pessoas vivem. E é por isso que esta história proporciona um enquadre para as questões que enfrentamos hoje e, espera-se, é por esta razão que ela ajuda a trazer luz, tão necessária, sobre as escolhas críticas com as quais nos deparamos e sobre as oportunidades, riscos — e certamente as surpresas — que se encontram mais adiante. E como tal, *O petróleo* não é apenas uma narrativa sobre os últimos 150 anos. É também um ponto de partida para que se compreenda como a energia moldará o mundo do amanhã.

Cronologia

1853	George Bissel visita as fontes de petróleo no oeste da Pensilvânia.
1859	Coronel Drake fura o primeiro poço em Titusville.
1861-65	Guerra Civil Americana.
1870	John D. Rockefeller funda a Standard Oil Company.
1872	A South Improvement Company incita a guerra em Oil Regions. Rockefeller lança o "Nosso Plano".
1873	Iniciam-se operações petrolíferas em Baku. A família Nobel entra no negócio petrolífero da Rússia.
1882	Thomas Edison demonstra o funcionamento da lâmpada elétrica. Forma-se a Standard Oil Trust.
1885	Os Rothschild entram no negócio petrolífero da Rússia. A Royal Dutch descobre petróleo em Sumatra.
1892	Marcus Samuel envia o Murex através do canal de Suez; começo da Shell.
1896	Henry Ford constrói seu primeiro carro.
1901	William Knox D'Arcy adquire uma concessão na Pérsia. Jorra petróleo em Spindletop, Texas; começo da Sun, da Texaco, da Gulf.

1902-04	A história da Standard Oil Company, de Ida Tarbell, é publicada em série na *McClare's*.
1903	Primeiro voo dos irmãos Wright.
1904-05	O Japão derrota a Rússia.
1905	Revolução de 1905 na Rússia; os campos de petróleo de Baku ardem. Glenn Pool descobre petróleo em Oklahoma.
1907	A Shell e a Royal Dutch se associam sob a direção de Henry Deterding. O primeiro posto de gasolina *drive-in* é aberto em St. Louis.
1908	Descoberta de petróleo na Pérsia; liderança para a Anglo-Persian (mais tarde British Petroleum).
1910	Descoberta no México a Golden Lane.
1911	Crise de Agadir. Churchill torna-se Primeiro Lorde do Almirantado. A Corte Suprema dos Estados Unidos ordena a dissolução da Standard Oil Trust.
1913	Patenteado o processo de craqueamento para refino, de Burton.
1914	O governo britânico adquire 51% da Anglo-Persian Oil Company.
1914-18	I Guerra Mundial e mecanização dos campos de batalha.
1917	Revolução bolchevique.
1922-28	Negociação com a Turkish Petroleum Company (Iraque), orientada pelo "Acordo da Linha Vermelha".
1922	Descoberta de Los Barroso na Venezuela.
1924	Irrompe o escândalo da "Tampa do Bule".
1928	Abundância de petróleo leva a reunião no Castelo de Achnacarry e ao acordo "Como Está". Lei francesa do petróleo.

1929	Colapso do mercado de ações anuncia a Grande Depressão.
1930	A descoberta do Dad Joiner no leste do Texas.
1931	O Japão invade a Manchúria.
1932	Descoberta de petróleo no Bahrain.
1932-33	O xá Reza Pahlavi cancela a concessão da Anglo-Iraniana. A Anglo-Iraniana obtém-na de volta.
1933	Franklin Roosevelt torna-se presidente dos Estados Unidos. Adolf Hitler toma-se chanceler da Alemanha. A Standard of California ganha concessão na Arábia Saudita.
1934	A Gulf e a Anglo-Iraniana ganham uma concessão conjunta no Kuait.
1935	Mussolini invade a Etiópia; a Liga das Nações fracassa ao impor o embargo do petróleo.
1936	Hitler remilitariza a Renânia e inicia preparativos para a guerra, inclusive um grande programa de fabricação de combustível sintético.
1937	O Japão começa a guerra na China.
1938	Descoberto petróleo no Kuait e na Arábia Saudita. O México nacionaliza as companhias estrangeiras de petróleo.
1939	A II Guerra Mundial começa com a invasão da Polônia pela Alemanha.
1940	A Alemanha invade a Europa Ocidental. Os Estados Unidos impõem limites à exportação de gasolina para o Japão.
1941	A Alemanha invade a União Soviética (junho). A tomada da Indochina do Sul pelos japoneses leva os Estados Unidos, a Grã-Bretanha e a Holanda a embargarem o petróleo para o Japão (julho). O Japão ataca Pearl Harbor (dezembro).
1942	Batalha de Midway (julho). Batalha de El Alamein (setembro). Batalha de Stálingrado (começa em novembro).

1943	O primeiro acordo 50/50 na Venezuela. Os Aliados vencem a Batalha do Atlântico.
1944	Desembarque na Normandia (junho). Esgota-se o combustível de Patton (agosto). Batalha de Leyte Gulf, Filipinas (outubro).
1945	A II Guerra Mundial termina com a derrota da Alemanha e do Japão.
1947	Plano Marshall para a Europa ocidental. Começa a construção do oleoduto Tapline para o petróleo saudita.
1948	A Standard of New Jersey (Exxon) e a Socony-Vacuum (Mobil) associam-se à Standard of California (Chevron) e à Texaco na Aramco. Israel declara sua independência.
1948-49	Concessões da Zona Neutra do Oriente Médio para a Aminoil e J. Paul Getty.
1950	Acordo 50/50 entre Aramco e Arábia Saudita.
1950-53	Guerra da Coreia.
1951	Mossadegh nacionaliza a Anglo-Iraniana no Irã (primeira crise do petróleo no pós-guerra). O pedágio de New Jersey é inaugurado.
1952	O primeiro Holiday Inn é aberto.
1953	Mossadegh cai; o xá retorna.
1954	É criado o Iranian Consortium.
1955	Começa a campanha soviética para a exportação de petróleo. É aberto o primeiro Mc Donald's, num subúrbio de Chicago.
1956	Crise de Suez (segunda crise do petróleo no pós-guerra). Descoberta de petróleo na Argélia e na Nigéria.
1957	Criada a Comunidade Econômica Europeia (CEE). Acordo de Enrico Mattei com o xá. A Arabian Oil Company do Japão ganha a concessão marítima da Zona Neutra.

1958	Revolução iraquiana.
1959	Eisenhower impõe quotas de importação. Congresso Árabe do Petróleo no Cairo. Descoberta o campo de gás natural de Groningen, na Holanda. Campo de Zelten descoberto na Líbia.
1960	Fundação da OPEP, em Bagdá.
1961	Tentativa iraquiana para anexar o Kuait é frustrada por tropas britânicas.
1965	Avoluma-se a guerra do Vietnã.
1967	Guerra dos Seis Dias; é fechado o canal de Suez (terceira crise do petróleo no pós-guerra).
1968	Descoberto petróleo no declive do norte do Alasca. Ba'athistas tomam o poder no Iraque.
1969	Kadafi toma o poder na Líbia. Descoberto petróleo no mar do Norte. Esgotamento do petróleo de Santa Bárbara.
1970	A Líbia "aperta" as companhias de petróleo. Dia da Terra.
1971	Acordo de Teerã. Celebração do xá em Persépolis. Retirada da força militar britânica do Golfo.
1972	Projeto do Clube de Roma
1973	Guerra do Yom Kipur; embargo árabe do petróleo (quarta crise do petróleo no pós-guerra). Preço do petróleo sobe de 2,90 dólares o barril (setembro) para 11,65 dólares (dezembro). Aprovado o oleoduto alasquiano. Escândalo Watergate se amplia.

1974	Embargo árabe termina.
	Nixon renuncia.
	É fundada a International Energy Agency (IEA).
1975	É criado nos Estados Unidos o padrão de eficiência para os combustíveis automotivos.
	Primeira extração de petróleo no mar do Norte
	O Vietnã do Sul cai em poder dos comunistas.
	Concessões na Arábia Saudita, Kuait e Venezuela chegam ao fim.
1977	O petróleo do declive norte do Alasca chega ao mercado.
	Incremento de produção mexicana.
	Anuar Sadat vai a Israel.
1978	Demonstração contra o xá; greve dos trabalhadores do petróleo no Irã.
1979	O xá vai para o exílio; o aiatolá Khomeini toma o poder.
	Acidente no reator nuclear de Three Mile Island.
	O Irã captura reféns na embaixada dos Estados Unidos.
1979-81	Pânico eleva o petróleo de 13 dólares para 34 dólares o barril (quinta crise do petróleo no pós-guerra).
1980	O Iraque desencadeia guerra contra o Irã.
1982	Primeiras quotas da OPEP.
1983	A OPEP reduz o preço para 29 dólares.
	A Nymex lança o contrato futuro para o óleo cru.
1985	Michail Gorbachev toma-se líder da União Soviética.
1986	O preço do petróleo despenca.
	Acidente nuclear em Chernobyl, URSS.
1988	Cessar-fogo na guerra Irã-Iraque.
1989	Acidente com o petroleiro *Exon Valdez*, no Alasca.
	Cai o muro de Berlim; o comunismo entra em colapso na Europa oriental.

1990	O Iraque invade o Kuait. As Nações Unidas impõem embargo ao Iraque; força multinacional é despachada ao Oriente Médio (sexta crise do petróleo no pós-guerra).
1991	Guerra do Golfo. Campos de petróleo incendiados no Kuait. Colapso da União Soviética. Tratado de Maastricht determina uma moeda Europeia Única.
1993	O Congresso Americano aprova o Acordo de Livre Comércio da América do Norte (NAFTA).
1994	Inicia-se o Comércio Eletrônico.
1995	Usuários da internet chegam a 16 milhões.
1997	Inicia-se a Crise Financeira Asiática. Protocolo de Kyoto sobre Mudança Climática.
1998	O petróleo despenca para o limite de 10 dólares o barril. A crise financeira se alastra – A Rússia entra em moratória.
1998- 2002	Consolidação entre os maiores do petróleo.
2000	Vladimir Putin eleito presidente da Rússia. A explosão das empresas Pontocom começa a entrar em colapso. A Oferta Pública de Venda (IPO) da primeira empresa de petróleo chinesa PetroChina. O Prius hybrid começa a ser vendido nos EUA.
2001	11/09 – Ataque da Al-Qaeda ao World Trade Center e ao Pentágono. Começa a guerra no Afeganistão.
2002	Greves e conflitos políticos interrompem a produção de petróleo na Venezuela.
2003	Inicia-se a guerra no Iraque — o petróleo no Iraque é interrompido.
2004	A demanda mundial de petróleo dá um salto sob forte crescimento econômico mundial, impulsionando o mercado. Empresas petrolíferas nacionais (NOCs) entram em vantagem.

2005	EUA autoriza etanol na gasolina.
	O Oleoduto Baku-Tbilisi-Ceyhan inicia as operações, unindo o mar Cáspio ao mar Mediterrâneo.
2006	Presidente Bush pede o fim do "vício do petróleo".
	"Tupi" — primeira descoberta importante na nova reserva petrolífera offshore brasileira.
	Primeira sanções da ONU visam o programa nuclear iraniano.
2007	A crise do crédito começa nos EUA.
	As vendas de automóveis chineses excedem 7 milhões.
2008 galão.	Petróleo atinge 147,27 dólares — gasolina americana acima de 4 dólares o
	"Especulação" e os preços do petróleo tornam-se principais questões políticas.
	"A pior crise financeira desde a Grande Depressão."
	EUA e Europa injetam recursos maciços para salvar bancos.
	A demanda de petróleo enfraquece à medida que o mundo entra em recessão.

Preços e Produção de Petróleo

Preços Nominais do Petróleo Bruto *

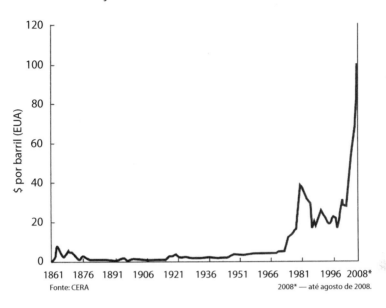

Fonte: CERA

2008* — até agosto de 2008.

Preços Reais do Petróleo Bruto*
(Ano Base 2007)

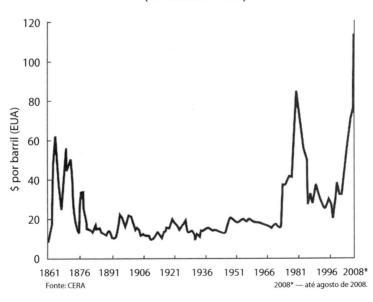

Fonte: CERA

2008* — até agosto de 2008.

Produção Líquida Mundial*
1946-2007

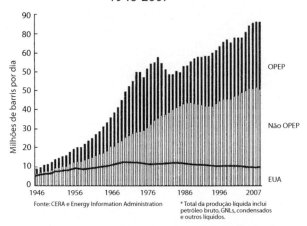

Fonte: CERA e Energy Information Administration * Total da produção líquida inclui petróleo bruto, GNLs, condensados e outros líquidos.

Preços Nominais da Gasolina nos EUA*

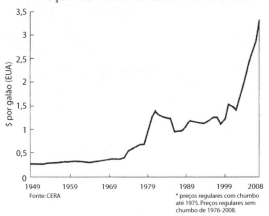

Fonte: CERA * preços regulares com chumbo até 1975. Preços regulares sem chumbo de 1976-2008.

Preços Reais da Gasolina nos EUA*
(Ano Base 2007)

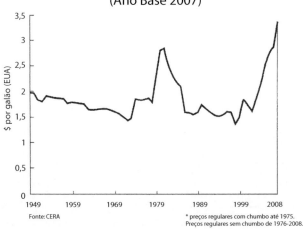

Fonte: CERA * preços regulares com chumbo até 1975. Preços regulares sem chumbo de 1976-2008.

Notas

Upstream, Downstream, em todas as direções de fluxos

O mundo do petróleo é dividido em três áreas de atuação. O *upstream* compreende a exploração e produção. O *midstream* compreende os navios-tanques e oleodutos que transportam petróleo para refinarias. O *downstream* inclui refino, comercialização e distribuição, até o posto de gasolina ou loja de conveniência mais próxima. Considera-se "integrada" a empresa que possui atividades significativas de *upstream* e *downstream*.

Pela teoria geralmente aceita, o petróleo é o resíduo de restos orgânicos — principalmente de plâncton microscópico flutuando no mar e também plantas terrestres — que se acumularam no fundo dos oceanos, lagos e zonas costeiras. Durante milhões de anos, essa matéria orgânica rica em carbono e átomos de hidrogênio foi coletada sob níveis sucessivos de sedimentos. Pressão e calor subterrâneo "cozinharam" a matéria vegetal, convertendo-a em hidrocarbonetos — petróleo e gás natural. As gotículas de líquido de petróleo migraram através de pequenos poros e fraturas nas rochas, até que ficaram presas em rochas permeáveis, seladas por rochas de xisto no topo e por água salgada mais densa na parte inferior. Normalmente, em um reservatório desse tipo, o gás mais leve preenche os poros da rocha reservatório como uma "cápsula de gás" acima do petróleo. Quando a broca penetra no reservatório, a pressão menor no interior da broca permite que o líquido de petróleo flua para o poço e depois à superfície como um poço jorrando. *Gushers* — ou "fontes de petróleo", como eram chamadas na Rússia — resultou da falha (ou, no momento, a incapacidade) de gerir a pressão do petróleo nascente. Como a produção continua ao longo do tempo, a pressão subterrânea diminui e os poços precisam de ajuda para continuar, a partir de bombas de superfície ou de gás reinjetado de volta para o poço, conhecido como *gas lift*. O que vem à superfície é petróleo bruto quente, por vezes acompanhado de gás natural.

Mas da forma como flui de um poço, o petróleo em si é uma *commodity*, com poucos usos diretos. Praticamente todo petróleo bruto é processado em uma refinaria para se transformar em produtos úteis, como gasolina, querosene de aviação, óleo para aquecimento doméstico e óleo combustível industrial. Nos primeiros anos da indústria, uma refinaria era pouco mais que uma destilaria onde o petróleo bruto era fervido e em seguida os diferentes produtos eram condensados em diferentes temperaturas. As competências exigidas não eram assim tão diferentes do que as exigidas para fazer aguardente, razão pela qual os fabricantes de uísque entraram para o refino de petróleo no século XIX. Hoje, a refinaria é muitas vezes uma grande fábrica, complexa, sofisticada e cara.

O petróleo bruto é uma mistura de líquidos e gases de petróleo em várias combinações. Cada um desses compostos tem algum valor, mas somente quando estão isolados no processo de refino. Assim, o primeiro passo no refino é separar o petróleo bruto em partes constituintes. Isso é feito por destilação térmica — aquecimento. Os vários componentes evaporam em diferentes temperaturas e, em seguida, podem ser condensados novamente em *streams* puros. Alguns *streams* podem ser vendidos como estão. Outros são submetidos a outros processos para obter produtos de maior valor. Em refinarias simples, estes processos são principalmente para a remoção de impurezas indesejáveis e para fazer pequenas alterações nas propriedades químicas. Em refinarias mais complexas de reestruturação, a principal reestruturação das moléculas é realizada através de processos químicos que são conhecidos como *cracking* ou "conversão". O resultado é um aumento na quantidade de produtos de alta qualidade, tais como gasolina e uma diminuição na saída de produtos de menor valor como óleo combustível e asfalto.

O petróleo bruto e produtos refinados são atualmente da mesma forma transportados por navios-tanque, oleodutos, barcaças e caminhões. Na Europa, o petróleo é muitas vezes medido oficialmente em toneladas, no Japão, em quilolitros. Mas, nos Estados Unidos e Canadá e informalmente no mundo todo, a unidade básica continua a ser o barril, embora não haja atualmente um só profissional do petróleo que tenha visto um barril antigo de petróleo bruto, exceto em um museu. Quando o petróleo começou a jorrar dos poços no oeste da Pensilvânia na década de 1860, os homens do petróleo desesperados saquearam fazendas, celeiros, adegas, lojas e quintais a procura de qualquer tipo de barril — melaço, cerveja, uísque, cidra, terebintina, sal, peixe e tudo o que estive à mão. Mas, à medida que os tanoeiros começaram a fazer barris especialmente para o comércio de petróleo, um tamanho padrão surgiu e continua a ser a norma até o presente. O tamanho são 42 galões. O número foi emprestado da Inglaterra, onde uma lei em 1482, quando o rei era Edward IV, estabeleceu 42 galões como o tamanho padrão de barril para o arenque, a fim de terminar trapaça e "diversos enganos" no acondicionamento do peixe. Naquela época, a pesca do arenque era o maior negócio no mar do Norte. Em 1866, sete anos após o Coronel Drake perfurar o seu poço, os produtores da Pensilvânia confirmaram o barril de 42 galões como padrão, ao contrário de, por exemplo, o barril de vinho de 31 ½ galões ou do barril de bebidas de 32 galões de Londres ou do barril de cerveja de 36 litros de Londres. E aquilo, de uma forma indireta, nos traz de volta aos dias atuais. Pois o barril de 42 galões ainda é usado como medida padrão, mesmo que não o seja como um receptáculo físico, no maior dos negócios no mar do Norte — que hoje não é, claro, o arenque, mas o petróleo.

Prólogo

1. Randolph S. Churchill, *Winston Churchill*, vol. 2 *Young Statesman*, 1901-1914 (Londres: Heinemann, 1968), p. 529; Winston S. Churchill, *The World Crisis*, vol. 1 (Nova York: Scribners, 1928), pp. 130-36.
2. Entrevista com Robert O. Anderson.

Capítulo I

1. "George Bissel: Compilado pelo seu neto, Pelham St. George Bissel," Biblioteca da Universidade de Dartmouth; Paul H. Giddens, *The Birth of the Oil Industry* (Nova York: Macmillan, 1938), p. 52, cap. 3; Harold F. Williamson e Arnold R. Daum, *The American Petroleum Industry*, vol. 1, *The Age of Illumination, 1859-1899* (Evanston: Northwestern University Press, 1959), pp. 23-24. Giddens, Williamson e Daum são fontes de referência básicas. Paul H. Giddens, *Pennsylvania Petroleum, 1750-1872: A Documentary History* (Titusville: Comissão Histórica e Museológica da Pensilvânia, 1947) p. 54 ("seneca oil"); J. T. Henry, *The Early and Later History of Petroleum* (Filadélfia: Jas. B. Rodgers Co., 1873) pp.82-83; Henry H. Townsend, *New Haven and the First Oil Well* (New Haven, 1934), pp. 1-3 ("curative powers" and poem).

2. Gerald T. White, *Scientists in Conflict: The Beginnings of the Oil Industry in California* (San Marino: Biblioteca de Huntington, 1968) pp. 38-45 (on Silliman); *Petroleum Gazette,* 8 de abril de 1897, p. 8; Paul H. Giddens, *The Beginnings of the Oil Industry: Sources and Bibliography* (Harrisburg: Comissão Histórica da Pensilvânia, 1941), pp. 23 ("I can promise"), 62 ("unexpected success"); Giddens, *Beginnings of the Oil Industry: Sources*, pp. 33-35, 40 ("hardest times"), 38, 8 ("turning point"); B. Silliman, Jr., *Report on The Rock Oil, or Petroleum,from Venango Co., Pennsylvania* (New Haven: J.H. Benham's, 1855), pp. 9-10, 20.

3. Abraham Gesner, *A Practical Treatise on Coal, Petroleum, and Other Distilled Oils*, ed. George W. Gesner, 2nd. ed. (Nova York: Bailliere Bros., 1865), chap. 1; Henry, *Early and Later History of Petroleum*, p. 53; Kendall Beaton, "O querosene do dr. Gesner: O Início da Refinação do Petróleo Americano," *Business History Review* 29 (Março de 1955), pp. 35-41 ("new liquid hydrocarbon"); Gregory Patrick Nowell, "Realpolitik vs. Transnational Rent-Seeking: French Mercantilism and the Development of the World Oil Cartel, 1860-1939" (Ph.D., Instituto de Tecnologia de Massachusetts, 1988), pp.104-08; Business History Review, ed. *Oil's First Century* (Boston: Faculdade de Administração de Harvard, 1960), pp. 8 ("coal oils"), 19 ("impetuous energy").

4. R.J. Forbes, *Bitumen and Petroleum in Antiquity* (Leiden: E.J. Brill, 1936), pp. 11-21, 57 ("incredible miracles"), 92 ("eyelashes"), 95-99; R.J. Forbes, *Studies in Early Petroleum History* (Leiden: E.J. Brill, 1958), pp. 150-53; R.J. Forbes, *More Studies in Early Petroleum History* (Leiden: E.J. Brill, 1959), pp. 20 ("unwearied fire"), 71 ("pitch and tow").

5. S.J.M. Eaton, *Petroleum: A History of the Oil Region of Venango County, Pennsylvania* (Filadélfia: J.B. Skelly & Co., 1865), pp. 211-13; Beaton, pp. 44-45.

6. "O Rápido Desenvolvimento da Indústria Petrolífera na Pensilvânia. Preparado por solicitação e sob a supervisão de James M. Townsend", D-14, Museu do Poço de Petróleo Drake ("Oh Townsend").

7. E.L. Drake, manuscrito, D-96, Museu do Poço de Petróleo Drake, p. 4 ("I had made up my mind"); Herbert Asbury, *The Golden Flood: An Informal History of America's First Oil Field* (Nova York: Knopf, 1942), pp.52-53 (de Drake para Townsend); Giddens, *Birth of the Oil Industry*, pp. 30-31, 59-61 ("Yankee").

8. Forbes, *More Studies in Early Petroleum History*, p.141 ("light of the age"); Giddens, *Beginnings of the Oil Industry: Sources*. pp. 81-83 (Bissel para a esposa), 59 ("I claim"); Leon Burr Richardson, "Breves Biografias das Construções-Bissel Hall", *Dartmouth Alumni Magazine*, Fevereiro de 1943, pp. 18-19; Henry, *Early and Later History of Petroleum*, p. 349 ("name

and fame"); Townsend, "Breve Desenvolvimento", D-14, Museu do Poço de Petróleo Drake ("whole plan"); Giddens, *Pennsylvania Petroleum*, p. 189 ("milk of human kindness").

9. Giddens, *Birth of the Oil Industry*, pp. 71 ("hive of bees"), 169, 95 ("mine is ruined").

10. Paul H. Giddens, *The American Petroleum Industry: Its Beginnings in Pennsylvania!* (Nova York: Newcomen Society, 1959), p. 28; Giddens, *Birth of the Oil Industry*, pp. 87, 123-24 ("profits of petroleum" and "assailed Congress"), cap. 9.

11. Giddens, *Birth of the Oil Industry*, p. 137 ("smells"); William C. Darrah, *Pithole: The Vanished City* (Gettysburg, Pa., 1972), pp. 34-35 ("liquor and leases" and "vile liquor"), 230-31; Giddens, *American Petroleum Industry*, p. 21 ("song titles"); Paul H. Giddens, *Early Days of Oil: A Pictorial History* (Princeton: Princeton University Press, 1948), p. 17 ("Oil on the brain").

12. Williamson e Daum, *Age of Illumination*, pp. 375-77, 759 ("hidden veins"), apêndix E; August W. Giebelhaus, *Business and Government in the Oil Industry: A Case Study of Sun Oil, 1876-1945* (Greenwich: JAI Press, 1980), p. 2.

13. Andrew Cone e Walter R. Johns, *Petrolia: A Brief History of the Pennsylvania Petroleum Region* (Nova York: D.Appleton, 1870), pp. 99-100 ("Oil Creek mud"); Henry, *Early and Later History of Petroleum*, p. 286; Giddens, *Birth of the Oil Industry*, pp. 125-26 ("oil and land excitement"); Samuel W. Tait, Jr., *The Wildcatters: An Informal History of Oil-Hunting in America* (Princeton University Press, 1946), pp. 26-31.

14. John J. McLaurin, *Sketches in Crude Oil*, 3ª ed. (Franklin, Penn., 1902) 3ª ed., pp. 316-21; Giddens, *Birth of the Oil Industry*, pp. 182-83 ("favorite speculative *commodity*"); John H. Barbour, "Crônica da Bolsa de Petróleo de Pittsburgh", *Western Pennsylvania Historical Magazine* 11 (Julho de 1928), pp. 127-43.

Capítulo II

1. John D. Rockefeller, *Random Reminiscences of Men and Events* (Nova York: Doubleday, Page & Co., 1909), p. 81 ("I'll go no higher"); Allan Nevins, *Study in Power: John D. Rockefeller, Industrialist and Philanthropist* (Nova York: Scribners, 1953), vol. 1, pp. 35-36 ("I ever point"). Nevins continua sendo a fonte bibliográfica padrão.

2. David Freeman Hawke, *John D.: The Founding Father of the Rockefellers* (Nova York: Harper & Row, 1980), pp. 2-6, 27; Grace Goulder, *John D. Rockefeller: The Cleveland Years* (Cleveland: Western Reserve Historical Society, 1972), p. 10 ("trade with the boys"); John K. Winkler, *John D.: A Portrait in Oils* (Nova York: Vanguard Press, 1929), p. 14; Nevins, *Study in Power*, vol. 1, pp. 10-14 ("something big" and "methodical"); Rockefeller, *Random Reminiscences*, p. 46 ("intimate conversations").

3. Nevins, *Study in Power*, vol. 1, p. 19 ("Great game"); Rockefeller, *Random Reminiscences*, pp. 81 ("All sorts"), 21 ("bookkeeper"); John Ise, *The United States Oil Policy* (New Haven: Yale University Press, 1928), pp. 48-49.

4. Edward N. Akin, *Flagler: Rockefeller Partner and Florida Baron* (Kent, Ohio: Kent State University Press, 1988), pp. 3-18, 19 ("competition" and "Keep your head"), 27 ("A friendship"); Rockefeller, *Random Reminiscences*, pp. 11 ("vim and push"), 13 ("walks"), 19; John T. Flynn, *God's Gold: The Story of Rockefeller and His Times* (Londres: George Harrap & Co., 1933), p. 172 ("bold, unscrupulous"); John W. Martin, *Henry M. Flagler (1830-1913): Florida's East Coast Is His Monument!* (Nova York: Newcomen Society, 1956), pp. 8-11 ("American Riviera").

5. John G. McLean e Robert W. Haigh, *The Growth of Integrated Oil Companies* (Boston: Faculdade de Administração de Harvard, 1954), pp. 59-63; W. Trevor Halliday, *John D. Rockefeller (1839-1937): Industrial Pioneer and Man* (Nova York: Newcomen Society, 1948), p. 14 ("standard quality"); Nevins, *Study in Power*, vol. 1, pp. 80-83 ("who would ever"), 97 ("idependently rich"), 99-100 ("idea was mine"); Hawke, *John D.*, pp. 44-46, 54 ("independence of *woman*"); Ditado pelo sr. Rockefeller, 7 de junho, 1904, família Rockefeller, JDR, Jr., Entrevistas Comerciais, Caixa 118, "S.O.Company-Misc." pasta, arquivos Rockefeller ("It was desirable").

6. Nevins, *Study in Power*, vol. 1, pp. 107 ("cruelest"), 117 ("Monster" and "Forty Thieves"), 128, 114-15 ("newspaper articles" and "private contracts"), 104 ("try our plan"), 172 ("mining camp"); ChesterMcArthur Destler, *Roger Sherman and the Independent Oil Men* (Ithaca: Cornell University Press, 1967), pp. 28, 34 ("but one buyer"), 37 ("dry up Titusville").

7. David Freeman Hawke, ed., *John D. Rockefeller Interview, 1917-1920: Conducted by William O. Inglis* (Westport, Comi.: Meckler Publishing, 1984), pp. 4 ("cut-throat"), 6 ("safe and profitable"); Hawke, *John D.*, pp. 79 ("war or peace"), 106 ("good sweating"), 170 ("brass band"); Nevins, *Study in Power*, vol. l, pp. 216 ("feel sick"), 224 ("barrel famine"), 223 ("Morose"); Akin, *Flagler*, p. 67 ("blankets"); McLean e Haigh, *Integrated Oil*, P. 63.

8. Archbold para Rockefeller, 2 de setembro, 1884, Caixa 51, pasta de Archbold (1.51.379), Participação nos Negócios, 1879-1894, RG 1.2, arquivos de Rockefeller; Jerome Thomas Bentley, "Os efeitos da Integração Vertical nos Transportes da Standard Oil sobre a Estrutura e Desempenho da Indústria Americana de Petróleo, 1872-1884" (Ph.D., Universidade de Pittsburgh, 1976), p. 27.

9. Archbold para Rockefeller, 15 de agosto de 1888, Caixa 51, pasta de Archbold (1.51.378), Participação nos Negócios, 1879-1894, RG 1.2, arquivos de Rockefeller; Destler, *Roger Sherman*, pp. 85 ("overweening"), 95 ("Autocrat"), 132 ("gang of thieves"); Nevins, *Study in Power*, vol. 1, p. 337 ("Rockefeller Will get you").

10. Entrevista com sr. Rogers, 1903, T-003, documentos de Tarbell ("every foot" and inheritance); Nevins, *Study in Power*, vol. 1, pp. 132-34 ("pleasant" and "clamorer"); pasta de C.T.White (87.1.59), Caixa 134, Participação nos Negócios, John D. Rockefeller Jr., documentos, arquivos de Rockefeller (ações); Ralph W. Hidy e Muriel E. Hidy, *History of Standard Oil Company (New Jersey)* vol. 1, *Pioneering in Big Business, 1882-1911* (Nova York: Harper & Brother, 1955), p. 6 ("you gentlemen").

11. Flynn, *God's Gold*, p. 131 ("everything count"); Standard Oil-*Grupo* Rachel Crothers, T-014, documentos de Tarbell (espionagem); Halliday, *Rockefeller*, p. 20; Hawke, *John D.*, p.50 ("Hope if"); Rockefeller, *Random Reminiscences*, pp. 6 ("not...easiest of tasks"), 10 ("just how fast"); Nevins, *Study in Power*, vol. 1, p.324 ("smarter than I").

12. Goulder, *Rockefeller*, p. 223 ("wise old owl"); Nevins, *Study in Power*, vol. 1, pp. 331, 326 ("expose as little"), 157 ("wonder how old"), 337 ("anxiety"), 328 ("ten letters"); vol. 2, p. 427 ("unemotional man"); Ida M.Tarbell, *The History of the Standard Oil Company* (Nova York: McClure, Phillips & Company, 1904), vol. 1, pp. 105-06.

13. Vinnie Crandall Hicks para Ida Tarbell, 29 de junho de 1905, T -020 e Marshall Bond para Ida Tarbell, 3 de julho de 1905, T-021, documentos de Tarbell ("Sunday school" and "Buzz"); Rockefeller, *Random Reminiscences*, pp. 25-26; Nevins, *Study in Power*, vol. 2, pp. 84 ("dentist's chair"), 91-95 ("poulets" and "life principle"), 193-94 ("best investment" and

"spare change"); William Manchester, *A Rockefeller Family Portrait, from John D. to Nelson* (Boston: Little, Brown, 1959), pp. 25-26; Flynn, *God's Gold*, pp. 232-35, 280.

14. Rockefeller, *Random Reminiscences*, p. 58 ("volume"); Williamson e Daum, *Age of Illumination*, p. 320 ("length of life"); Catherine Beecher e Harriet Beecher Stowe, *The American Women's Home or Principies of Domestic Science* (Nova York: J.B.Ford, 1869), pp. 362-63 ("explosions").

15. Williamson e Daum, *Age of Illumination*, pp. 526 ("gas bill"), 678, 249 ("sewing circles"); Gerald Carson, *The Old Country Store* (Nova York: Oxford University Press, 1954), p.188 ("lively country store").

16. Hidy e Hidy, *Standard Oil*, vol. 1, pp. l77-78 ("Our business" and "drink every gallon"), 8; Paul H. Giddens, *Standard Oil Company (Indiana): Oil Pionner of the Middle West* (Nova York: Appleton-Century-Crofts, 1955), p. 2 ("vanishing phenomena"); S. Cornifort para Archbold, 2 de junho de 1885, Caixa 51, pasta Archbold (1.5.379), Participação nos Negócios, 1879-1894, R.G. 1.2, arquivos de Rockefeller ("one hundred to one"); Nevins, *Study in Power*, vol. 2, p. 3; Edgar Wesley Owen, *Trek of the Oil Finders: A History of Exploration for Oil* (Tulsa: American Association of Petroleum Geologists, 1975), pp. 124-26.

17. Giddens, *Standard Oil Company (Indiana)*, pp. 2-7 ("skunk juice"); Rockefeller, *Random Reminiscences*, pp.7-9; Hawke, *JohnD.*, pp.182-83 ("conservative brethren"), 185; Nevins, *Study in Power*, vol. 2, pp. 3, 101 ("Buy").

18. Giddens, *Standard Oil Company (Indiana)*, p.19 ("entirely ignorant"); Hidy e Hidy, *Standard Oil*, vol. 1, pp. 279 (nascente), 87; Gilbert Montagu, *The Rise and Progress of the Standard Oil Company* (Nova York: Harper & Brothers, 1903), p.132 ("best possible consensus").

19. Rockefeller, *Random Reminiscences*, pp. 60 ("large scale"), 29; Halliday, *Rockefeller*, pp. 10 ("instinctively realized"), 16 ("conceived the idea"); Hidy e Hidy, *Standard Oil*, vol. 1, pp. 120-121, 38-39 *(Mineral Resources);* Destler, *Roger Sherman*, pp. 47 ("body and soul"), 192; Nevins, *Study in Power*, vol. 2, pp. 54, 78, 129 ("success unparalleled"); J.W. Fawcett, T-082, documentos de Tarbell.

20. Entrevista de Lockhart, p.3, T-003 (com a entrevista de Rogers), documentos de Tarbell ("Give the poor man"); Nevins, *Study in Power*, vol. 1, p. 402 ("day of combination"); vol. 2, pp. 379-87; Mark Twain com Charles Dudley Warner, *The Gilded Age: A Tale of Today* (Nova York: Trident Press, 1964), pp. 271 ("giant schemes"), 1; Flynn, *God's Gold*, pp. 4-5, *History of Standard Oil*, vol. 2, p. 31 ("cut to kill").

Capítulo III

1. Giddens, *The Birth of the Oil Industry*, pp. 96-98 ("Yankee invention"); Williamson e Daum, *Age of Illumination*, pp. 488-89 ("drill"); J.D. Henry, *Thirty-five Years of Oil Transport: Evolution of the Tank Steamer* (Londres: Bradbury, Agnew & Co., 1907), pp. 5, 172-74; Hidy e Hidy, *Standard Oil*, vol. 1, pp. 122-23 ("forced its way").

2. Giddens, *The Birth of the Oil Industry*, p. 99 ("safe to calculate"); Robert W. Tolf, *The Russian Rockefellers: The Saga of the Nobel Family and the Russian Oil Industry* (Stanford: Hoover Institution Press, 1976), caps. 1 e 2, pp. 41-46 ("pillars" and "walnut money"); Boverton Redwood, *Petroleum: A Treatise*, 4a. edição (Londres: Charles Griffen & Co., 1922), vol. 1, pp. 3-9 (Marco Polo), 36-46; Forbes, *Studies in Early Petroleum History*, pp.154-62; John P.

McKay, "Empresariado e o Surgimento da Indústria Russa do Petróleo, 1813-1883", *Research in Economic History* 8 (1982), pp. 63-64.

3. Owen, *Trek of the Oil Finders*, pp. 4, 150; Tolf, *Russian Rockefellers*, pp. 108 ("Oil king"), 149 ("Nobelites"); J.D. Henry, *Baku: An Eventful History* (Londres: Archibald, Constable & Co., 1905), pp. 51-52; Williamson e Daum, *Age of illumination*, pp. 637-41 ("difficulty"), 517; W.J. Kelly e Tsureo Kano, "A Produção de Petróleo Bruto no Império Russo, 1818-1919", *Journal of European Economic History*, 6, (Fall 1977), pp. 309-10; McKay, "Empresariado", pp. 48-55, 87 ("greatest triumphs").

4. Charles Marvin, *The Region of Eternal Fire: An Account of a Journey to the Petroleum Region of the Caspian in 1883*, nova edição. (Londres: W.H. Allen, 1891), pp. 234-35 ("chimney-pot"); Sidney Pollard e Colin Holmes, *Industrial Power and National Rivalry, 1870-1914*, vol. 2 do *Documents of European Economic History* (Londres: Edward Arnold, 1972), pp. 108-10 ("American kerosene") ; C.E. Stewart, "Campo de Petróleo do Sudeste da Rússia," 1886, dossiê da Rússia, Caixa C-8, documentos de Pearson; Tolf, *Russian Rockefellers*, pp. 80-86 ("main point" and "speculation"); Williamson e Daum, *Age of Illummation*, p. 519 ("2000 miles"), Bertrand Gille, Capitais Franceses e Petróleos Russos (1884-94)", *Histoire des Enterprises* 12 (Novembro, 1963), p.19; Virginia Cowles, *The Rothschilds: A Family of Fortune* (Londres: Weidenfeld and Nicolson, 1973), caps. 7-8; Henry: *Baku*, pp. 74, 79.

5. Archbold para Rockefeller, 19 de agosto de 1884 e 6 de julho de 1886, pasta de Archbold (1.5.381), Caixa 51, Participação nos Negócios, 1878-1894, R.G. 1.2, arquivos de Rockefeller. Tolf, *Russian Rockefellers*, pp. 47-48 ("fountains"); Nevins, *Study in Power*, vol. 2, p. 116; Hidy e Hidy, *Standard Oil*, vol. 1, pp. 138- 39 ("Russian competition").

6. Archbold para Rockefeller, 6 de julho de 1886, pasta de Archbold (1.5.381), Caixa 51, Participação nos Negócios, 1879-1894, R.G. 1.2, arquivos de Rockefeller; Hidy e Hidy, *Standard Oil*, vol. 1, pp. 147-53; Henry, *Baku*, p.116; Tolf, *Russian Rockefellers*, pp. 96-97, 107-09; Nicholas Halasz, Nobel: *A Biography of Alfred Nobel* (Nova York: Orion Press, 1959), pp. 3-5 ("dynamite king"), 211-13.

7. Robert Henriques, *Marcus Samuel: First Viscount Bearsted and Founder of the 'Shell' Transport and Trading Company, 1853-1927* (Londres: Bame and Rockhff, 1960), pp.74-75 ("go-between"), 44 ("lovely day"). A obra de Henriques não é apenas uma biografia de Samuel, mas também a mais completa obra sobre as origens da Shell. Geoffrey Jones, *The State and the Emergence of the British Oil Industry* (Londres: MacMillan, 1981), pp.19-20 ("Shady Lane").

8. Henriques, *Marcus Samuel*, pp. 80 ("powerful company"), 96, 83, 112 ("Hebrew influence"), 108 ("to block"); Henry, *Thirty-five Years of Oil Transport*, pp. 41-47.

9. "Petróleo a Granel e o canal de Suez," *Economist*, 9 de janeiro de 1892, pp. 36-38; Henriques, *Marcus Samuel*, pp. 109-11 ("got cheaper"), 138-40 ("wire handles"); Henry, *Thirty-five Years of Oil Transport*, p. 50; R.J. Forbes e D.R. O'Beirne, *The Technical Development of the Royal Dutchl-Shell, 1890-1940* (Leiden: E.J. Brill, 1957), pp. 529-30.

10. Henriques, *Marcus Samuel*, pp. 52-54 ("two brothers").

11. Archbold para Rockefeller, 15 de dezembro de 1891, pasta de Frank Rockefeller, Caixa 64; Archbold para Rockefeller, 13 de julho ("quite confident"), 22 de julho de 1892, pasta de Archbold (1.51.381), Caixa 51, Participação nos Negócios, 1878-1894, R.G. 1.2, arquivos de Rockefeller. Gille, "Capitais Franceses e Petróleos Russos", pp. 43-48 ("crisis"); Tolf, *Russian*

Rockefeller, pp. 116-17 ("on behalf"); F.C.Gerretson, *History of the Royal Dutch,* vol. 2 (Leiden: E.J. Brill, 1955), p. 35. O volume 4 da obra de Gerretson traz detalhes extensos sobre a ascensão da Royal Dutch.

12. Gerretson, *Royal Dutch,* vol. 1, pp. 22 ("earth oil"), 89-90 ("won't bend"), 129-34 "(do not feel" and "mighty storm"), 163-65 "(Half-heartedness" and "stagnate"), 171 ("things go wrong"), 224 ("object of terror"), 174 ("pretend to be poor").

13. Hidy e Hidy, *Standard Oil,* vol. 1, pp. 261-67 (representantes da Standard nas Indias Orientais, "Every Day", "Dutch obtacles" and "sentimental barrier"); Gerretson, *Royal Dutch,* vol. 1, pp. 282-84 ("into its power"); vol. 2, p. 48 ("pity"); Henriques, *Marcus Samuel,* pp. 181 ("Dutchman"), 184 ("still open").

Capítulo IV

1. Gerald T. White, *Formative Years in the Far West: A History of Standard Oil of California and its Predecessors Through 1919* (Nova York: Appleton-Century-Crofts, 1962), pp. 199, 267, 269.

2. Harold G. Passer, *The Electrical Manufacturers, 1875-1900* (Cambridge: Harvard University Press, 1953), pp. 180-81 ("fuzz on a bee"); Arthur A. Bright, Jr., *The Electric Lamp Industry: Technological Change and Economic Development from 1800 to 1947* (Nova York: MacMillan, 1949), pp. 68-69; Thomas P. Hughes, *Networks of Power: Electrification in Western Society, 1880-1930* (Baltimore: Johns Hopkins University Press, 1983), pp. 55, 73, 176, 227 ("Londoners"); Leslie Hannah, *Electricity Before Nationalization* (Londres: Macmillan, 1979), cap.1.

3. James J. Flink, *America Adopts the Automobile, 1895-1910* (Cambridge: MIT Press, 1970), pp. 42-50 ("Get a horse", "skeptical" and "theme for jokers"), 64 ("automobile is the idol"); John B. Rae, *American Automobile Manufacturers: The First Forty Years* (Filadélfia: Chilton Company, 1959), pp. 33 ("Horseless Carriage fever"), 31; George S. May, *A Most Unique Machine: The Michigan Origins of the American Automobile Industry* (Grand Rapids, Mich.: Eardmans Publishing, 1975), pp. 56-57, Allan Nevins, *Ford: The Times, the Man, the Company,* vol. 1 (Nova York: Scribners, 1954), pp. 133, 168, 237, 442-57.

4. Williamson e Daum, *Age of Illumination,* pp. 569-81; Arthur M. Johnson, *The Development of American Petroleum Pipelines: A Study in Private Enterprise and Public Policy, 1862-1906* (Ithaca: Cornell University Press, 1956), pp. 173-83 ("gloved hand"); Austin Leigh Moore, *John D. Archbold and the Early Development of Standard Oil* (Nova York: Macmillan, [1930]), pp. 197-202 ("champions of independence").

5. White, *Standard Oil of California,* pp. 8-13 ("fabulous wealth" and "without limit").

6. História Oral de Patillo Higgins, II, pp.7-9; Carl Coke Rister, *Oil! Titan of the Southwest* (Norman: University of Oklahoma Press, 1949), pp. 3-5, 34, 56-59; James A. Clark e Michael T. Halbouty, *Spindletop* (Nova York: Random House, 1952), pp. 4-5, 22, 27, 38-42 ("Tell that Capitain"); John O. King, *Joseph Stephen Cullinan: A Study of Leadership in the Texas Petroleum Industry, 1897-1937* (Nashville: Vanderbilt University Press, 1970), pp. 12-21, 17 ("Dash and push"). F.Lucas para E. DeGolyer, 6 de maio de 1920, 1074 ("visions"); John Galey para E. DeGolyer, 22 de agosto de 1941, 535, documentos de DeGolyer. Mody C. Boatwright e William A. Owen, *Tales from the Derrick Floor* (Garden City, N.Y.: Doubleday, 1970), p. 14

("dr. Drill"); W.L. Mellon e Boyden Sparkes, *Judge Mellon's Sons* (Pittsburgh, 1948), pp. 148-50 ("bewitched"); Robert Henriques, *Marcus Samuel*, p. 346 ("exemple").

7. A História Oral de Allen Hamil, I, pp. 20-21 ("Al!"), 34; A História Oral de James Kinnear, I, pp. 15-19, II, p. 16; T.A. Rickard, "Anthony F. Lucas e o Poço Jorrante de Beaumont," *Mining and Scientific Press,* 22 de dezembro de 1917, pp. 887-94; Rister, *Oil!,* pp. 60-67; Clark e Halbouty, *Spindletop,* pp. 88-89 ("X-ray eyes"); Burt Hull, "Fundação da Texas Company: Uma parte de sua História Inicial," pp. 8-9, Coleção 6850, Continental Oil, University of Wyoming.

8. Henriques, *Marcus Samuel*, pp. 353 ("pioneers"), 341-45 ("magnitude" and "opponent"), 349, 350 ("failure of supplies"); Harold F. Williamson, Ralph L. Andreano, Arnold R. Daum e Gilbert C. Klose, *The American Petroleum Industry,* vol. 2, *The Age of Energy, 1899-1959* (Evanston: Northwestern University Press, 1963), pp. 16, 22; Clark e Halbouty, *Spindletop,* pp. 100-01.

9. Mellon, *Judge Mellon's Sons,* pp. 153-162 ("epic card game" and "real way"), 269 ("We're out"), 276-78 ("just about as bad" and "good management"), 274-75 ("main problem"); Henriques, *Marcus Samuel*, pp. 462-66 (O diário de Samuel).

10. Mellon, *Judge Mellon's Sons,* pp. 272-73 ("Standard made the price", "at the mercy" and "by your leave"), 282 ("marketable"), 284 ("hitch onto"); John G. McLean e Robert Haigh, *The Growth of Integrated Oil Companies,* pp. 78-79; King, *Cullinan,* p. 179 ("throwed me out"). No destino dos pioneiros: Rickard, "Anthony F. Lucas", p. 892; *Oil Investors Journal,* 1 de março de 1904, p. 3 ("Owing" and "milked too hard"); Clark e Halbouty, *Spindletop,* pp. 123-27 ("whole honor"); Thomas Galey, "Guffey e Galey e a Gênese da Gulf Oil Corporation," janeiro de 1951, P448 (Gulf Oil), Petroleum Collection, Universidade de Wyoming ("Difficult times" and "lost track"); AI Hamil para Thomas W. Galey, 21 de fevereiro de 1951, P448 (Gulf Oil), Petroleum Collection, University of Wyoming ("dribble").

11. Augusto W. Giebelhaus, *Sun Oil, 1876-1945*, pp. 42-43 ("five cents").

12. História Oral de Curt Hamill, II, p. 29 ("Hogg's my name"); Robert C. Cotner, *James Stephen Hogg* (Austin: University of Texas Press, 1959), pp. 437-39 ("Northern men"); King, *Cullinan,* pp. 107 ("Tammany"), 180-82 ("time will come"), 186 ("butt into everything"), 190-94 ("Texas deals" and "boarding-house brawl").

13. Com o desenvolvimento da produção da Gulf Coast e California, o controle da produção interna de petróleo bruto da Standard caiu de 90% em 1880 para algo entre 60 e 65% em 1911. *Business History Review, ed., Oil's First Century* (Boston: Faculdade de Administração de Harvard, 1960), pp. 73-82; Hidy e Hidy, *Standard Oil,* vol. 1, pp. 416, 473, 462; Joseph A. Pratt, "A Indústria do Petróleo em Transição: Antitruste e o Declínio do Controle Monopolizado do Petróleo", *Journal of Economic History* 40 (dezembro, 1980), pp. 815-37; Ida Tarbell, *All in the Day's Work* (Nova York: Macmillan, 1939), p. 215 ("no end of the oil").

Capítulo V

1. Hidye Hidy, *Standard Oil,* vol. l, pp. 213-14 ("craze" and "Our friends"); Bruce Bringhurst, *Antitrust and the Oil Monopoly: The Standard Oil Cases, 1890-1911* (Westport, Conn.: Greenwood Press, 1979), pp. 25 ("Clam"), 52-58 ("democratic leader"), 63, 90 (anúncios da Republic Oil); Pratt, "Indústria do Petróleo em Transição", p. 832 "(blind tigers").

2. Nevins, *Study in Power*, vol. 2, pp. 276-78; Hidy e Hidy, *Standard Oil*, vol. 1, pp. 231-32 ("gentlemen"); Peter Collier e David Horowitz, *The Roekefellers: An American Dynasty* (Nova York: Holt, Rinehart e Winston, 1976), pp. 45-46, 645.

3. E.V. Cary para J.D. Rockefeller, 8 de novembro de 1907, pasta 1907-1912, Caixa 114, John D. Rockefeller Jr., Participação nos Negócios, arquivos de Rockefeller; Moore, *Archbold*, pp. 48-49 ("go ahead" and "hard job"), 17 ("God is willing"), 53 ("oil enthusiasm"), 119 ("not... entirely philanthropic"), 109 ("one flash"); Nevins, *Study in Power*, vol. 1, pp. 117-18 ("\$4 a barrel"); vol. 2, pp. 285-86 ("really a bank"), 293-94 ("three simple rules"), 457, n. 8 ("We told him"); Hidy e Hidy, *Standard Oil*, vol. 1, p. 67 ("unfortunate failing").

4. Edward C. Kirkland, *Industry Comes of Age: Business, Labor, and Public Policy, 1860-1897* (Nova York: Holt, Rinehart and Winston, 1961), p. 312 ("great moral...battle"); Lewis L. Gold, *Reform and Regulation: American Politics, 1900-1916* (Nova York: John Wiley, 1978), pp. 17, 23 ("trust question"); Richard Hofstadter, *The Age of Reform: From Bryan to FDR* (Nova York: Vintage, 1955), pp. 169, 185-86 ("critical achievement"); Alfred D. Chandler, *The Visible Hand: The Managerial Revolution in American Business* (Cambridge: Harvard University Press, 1977); Naomi R. Lamoreaux, *The Great Merger Movement in American Business, 1895-1904* (Cambridge: Cambridge University Press, 1985), cap. 7; Kathleen Brady, *Ida Tarbell: Portrait of a Muckraker* (Nova York: Seaview/Putnam, 1984), pp. 120-23 ("great feature" and "new plan of attacking"). H.H. Rogers queixou-se com Ida Tarbell de que ele não conseguia entender como a *Harper's* poderia ter publicado *Wealth Against Commonwealth* de William Demarest Lloyd, visto que ele "havia conhecido Harry Harper muito bem socialmente". Pela própria teoria de Tarbell foi "o desejo de manter as pessoas da Standard Oil fora da sociedade que teve algo a ver com a publicação desse livro pela *Harper's*". Entrevista com H.H. Rogers, T-004, documentos de Tarbell.

5. Brady, *Ida Tarbell*, pp. 115 ("*holding* people off"), 110 ("playing cards"), 123 ("Well, I'm sorry"); Tarbell, *All in the Day's Work*, pp. 19, 204 ("Pithole"), 207 ("Don't do it").

6. Joseph Siddell para Ida Tarbell, T-084 ("most interesting figure"); Standard Oil-Grupo Rachel Crothers, T-014, p. 3 ("confession of failure"), entrevistas com H.H. Rogers, T-004 ("ask us to contribute"), T-003 ("made right"), T-001, T-002, documentos de Tarbell. Albert Bigelow Paine, *Mark Twain: A Biography* (Nova York: Harper & Brothers, 1912), pp. 971-73 ("stop walking" and "affairs of a friend"), 1658-59 ("best friend"); Justin Kaplan, *Mr. Clemens and Mark Twain* (Nova York: Simon e Schuster, 1966), pp. 320-23 ("out for the dollars"); Tarbell, *All in the Day's Work*, pp. 217-20 ("born gambler" and "we were prospered"), 211-15 ("by all odds"), 10 ("as fine a pirate"), 227-28; Albert Bigelow Paine, ed., *Mark Twain's Letters* (Nova York: Harper & Brothers, 1917), pp. 612-13 ("only man I care for"); Hidy e Hidy, *Standard Oil*, vol. 1, p. 662; Brady, *Ida Tarbell*, pp. 125-29 ("straightforward narrative"); "Veria Miss Tarbell a Mr. Rogers?", *Harper's Magazine*, janeiro de 1939, p. 141.

7. Standard Oil-Grupo Rachel Crothers, T-014, p. 13, documentos de Tarbell ("turned my stomach"); Brady, *lda Tarbell*, pp. 137-57 ("very interesting to note", "most remarkable", McClure's comments, "guilty of baldness", "lady friend" and Rockefeller's response); Tarbell, *History of Standard Oil*, vol. 1, p. 158; vol. 2, pp. 207, 60, 230, 288 ("loaded dice"), 24; Hidy e Hidy, *Standard Oil*, vol. 1 , pp. 652 ("more widely purchased"), 663; Tarbell, *All in the Day's Work*, p. 230 ("never had an animus"); Hawke, *Rockefeller Interview*, p. 5 ("Miss Tar Barrel").

8. Gould, *Reform and Regulation,* pp. 25-26 ("steamroller", "meteor" and "wring the personality"), 48 (100 mil dólares de doação); Tarbell, *All in the Day's Work,* pp. 241-42 ("muckraker" and "vile and debasing"); George Mowry, *The Era of Theodore Roosevelt, 1900-1912* (Nova York: Harper & Brothers, 1958), pp. 131-32 ("levees"), 124; Henry F. Pringle, *Theodore Roosevelt* (Nova York: Harcourt, Brace and Company, 1931), pp. 350-51 ("read every book" and "Darkest Abyssinia"); Congresso dos Estados Unidos, Senado, Subcomitê do Comitê sobre Privilégios e Eleições, *Campaign Contributions,* 62d Congresso, 3a. sessão (Washington, D.C.: GPO, 1913), vol. 1, p. 133; vol. 2, pp. 1574, 1580; Moore, *Archbold,* p. 260 (visita de 1906 a TR).

9. Bringhurst, *Antitrust and the Oil Monopoly,* pp. 133, 140 ("Every measure"), 136 ("biggest criminals"). Starr J. Murphy paraJ.D. Rockefeller, 7 de setembro de 1907 ("Administration has started"); Telegrama, W.P. Cowan para J.D. Rockefeller, 3 de agosto de 1907, pasta 1907-1912, Caixa 114; Starr Murphy para J.D. Rockefeller, 9 de julho de 1907, Standard Oil Company — pasta diversos, Caixa 118, J.D.R. Jr., Participação nos Negócios, arquivos de Rockefeller. White, *Standard Oil of California,* p. 373 ("inordinately voluminous"); Moore, *Archbold,* pp. 295 ("forty-four years"), 220 ("Federal authorities"); Goulder, *Rockefeller,* pp. 84 ("insolence" and "inadequacy"), 204-5 (Rockefeller no campo de golfe); John K. Winkler, *John D.: A Portrait in Oils* (Nova York: Vanguard, 1929), p. 147.

10. David Bryn-Jones, *Frank B. Kellog: A Biography* (Nova York: Putnam, 1937), p. 66 ("signal triumphs"); Bringhurst, *Antitrust and the Oil Monopoly,* pp. 150, 156-57 ("I have also"); White, *Standard Oil of California,* p. 377 ("No disinterested mind"); *New York Times,* 16 de maio de 1911; Moore, *Archbold,* p. 278 ("one damn thing").

11. Giddens, *Standard of Indiana,* pp. 123-35 ("office boys"); Nevins, *Study in Power,* vol. 2, pp. 380-81 ("young fellows"); Hidy e Hidy, *Standard Oil,* vol. 1, pp. 416, 528, 713-14; White, *Standard Oil of California,* pp. 378-84.

12. Giddens, *Standard of indiana,* pp. 141-63 (Burton).

13. Moore, *Archbold,* p. 281; Nevins, *Study in Power,* vol. 2, pp. 383 (Roosevelt), 404-5.

Capítulo VI

1. Robert Henriques, *Marcus Samuel,* pp. 158 ("Mr. Abrahams"), 272 ("mere production"), 163 ("great disadvantage"), 165 ("berserk").

2. Henriques, *Marcus Samuel,* pp. 186-212 (correspondência), 267 ("tremendous role"), 272; Williamson e Daum, *Age of illumination,* pp. 336-37.

3. Henriques, *Marcus Samuel,* pp. 300-23.

4. Henriques, *Marcus Samuel,* pp. 319-35, 176-79, 223, 234, 298-99; Gerretson, *Royal Dutch,* vol. 1, pp. 121, 126, 177, 238-39; vol. 2, pp.324-27, 89, 92-146; Forbes e O'Beirne, *Royal Dutch-Shell,* p. 65.

5. Entrevista com John Loudon; Henriques, *Marcus Samuel,* pp. 330-31 ("nervous condition"), 333; Henri Deterding, *An International Oilman* (conforme relatado para Stanley Naylor), (Londres e Nova York: Harper & Brothers, 1934), pp. 28-30 ("lynx-eye" and "go a long way"), 37 ("sniftering"), 9-10 ("Simplicity rules"); Gerretson, *Royal Dutch,* vol. 1, pp. 199-202 ("first-rate businessman"); vol. 2, pp. 173-74 ("not aiming" and "heart and soul"); Robert Henriques, *Sir Robert Waley Cohen, 1877-1952* (Londres: Secker & Warburg,

1966), p. 98 ("charm"); Lane para Aron, 11 de janeiro de 1912, documentos de Rothschild ("terrible sort").

6. Gerretson, *Royal Dutch*, vol. 2, pp. 191-94 ("battledore" and "joint management"); Archbold para Rockefeller, 15 de outubro de 1901, GDR para JDR, 15 de outubro de 1901, pasta 1877-1906, Caixa 114, Participação nos Negócios, J.D.R. Jr., arquivos de Rockefeller ("There is here").

7. Gerretson, *Royal Dutch*, vol. 2, pp. 195-201 ("no solutions" and "cordially"), 234-38 ("Neither of us" and "Delay dangerous"); Henriques, *Marcus Samuel*, pp. 400-03 ("sincere congratulation").

8. Gerretson, *Royal Dutch*, vol. 2, pp. 187-88 ("not...worth a white tie"), 244-45 ("rightly and fairly"); Henriques, *Marcus Samuel*, pp. 436-41 (crítica de Lane), 446-52 ("rage", "ten Lord Mayors" and "Twenty-one years"), 470.

9. Gerretson, *Royal Dutch*, vol. 2, pp. 298-301 ("seize one's opportunities"), 345-46 (Deterding e Samuel): Henriques, *Marcus Samuel*, pp. 495 ("disappointed man"), 509 ("genius"); Mira Wilkins, *The Emergence of Multinational Enterprise: American Business Abroad from the Colonial Era to 1914* (Cambridge: Harvard University Press, 1970), p. 83; Henriques, *Waley Cohen*, pp. 129-48, caps. 8-10; Deterding, *International Oilman*, p.114 ("our chairman").

10. Gerretson, *Royal Dutch*, vol. 3, pp. 303 ("wipe us out"), 297-98 ("I am sorry"), 307 ("To America!"); Kendall Beaton, *Enterprise in Oil: A History of Shell in the United States* (Nova York: Appleton-Century-Crofts, 1957), pp. 123 ("Oil Capital"), 126 ("we *are* in America!").

11. Geoffrey Jones e Clive Trebilcock, "Indústria Russa e Negócios Britânicos, 1916-1930: Petróleo e Armamentos", *Journal of European Economic History* 11 (primavera de 1982), pp. 68-69 ("too hurried development"); Serge Witte, *The Memoirs of Count Witte*, trad. e ed. por Abraham Yarmolinsky (Garden City: Doubleday, Page & Co., 1921), pp. 27-29, 125, 198 ("imported mediums"), 183 ("'Byzantine' habits"), 247 ("tangle"), 279; Theodore Von Laue, *Sergei Witte and the Industrialization of Russia* (Nova York: Atheneum, 1974), pp. 255, 122-23, 250; A.A. Fursenko, *Neftyanye Tresty i Mirovaia Politika* (Moscou: Nauka, 1965), pp. 42-43. Sobre o tumulto de Baku, ver Richard Hare, *Portraits of Russian Personalities Between Reform and Revolution* (Londres: Oxford Umversity Press, 1959), pp. 305; Tolf, *Russian Rockefellers*, pp.151-55 ("revolutionary hotbed"); Adam B. Ulam, *Stálin: The Man and His Era* (Nova York: Viking, 1973), pp. 37, 59-60; Isaac Deustcher, *Stálin: A Political Biography* (Nova York: Oxford University Press, 1966), p. 47; Ronald G. Suny, "Um artífice para a Revolução: Stálin e o Movimento Trabalhista em Baku", *Soviet Studies* 23 (janeiro 1972), p. 393.

12. Witte, *Memoirs*, pp. 189 ("monkeys"), 250 ("Russia's internal situation"); Deutscher, *Stálin*, p. 66 ("hour of revenge"); Solomon M. Schwarz, *The Russian Revolution of 1905: The Worker's Movement and the Formation of Bolshevikism and Menshevikism*, trad. Gertrude Vaka (Chicago: University of Chicago Press, 1966), pp. 301-14; Adam B. Ulam, *The Bolsheviks & The Intellectual* (Nova York: Collier Books, 1965), pp. 219, 227; J.D. Henry, *Baku*, pp. 157-59 (Adamoff), 183-184 ("flames"); K.H. Kennedy, *Mining Tsar: The Life and Times of Leslie Urquhart*, (Boston: Allen & Unwin, 1986), caps. 2 e 3; Gerretson, *Royal Dutch*, vol. 3, p. 138; Hidy e Hidy, *Standard Oil*, p. 511; Ulam, *Stálin*, pp. 89-98; Suny, "Stálin", pp. 394, 386 ("unlimited distrust").

13. A. Beeby Thompson, *The Oil Fields of Russia* (Londres: Crosby Lockwood and Son, 1908), pp.195-97, 213; Maurice Pearton, *Oil and the Romaniam State* (Oxford: Oxford University

Press, 1971), pp. 1-45; Tolf, *Russian Rockefellers,* pp. 183-85; Lane para Aron, 21 de dezembro de 1911 ("I can assure you"), 13 de dezembro de 1911 ("his intention"), documentos de Rothschild; V.I.Bovykin, "Rossiyskaya Neffi Rotshir di," *V oprosy 1 storii* 4 (1978), pp. 27-41; Suny, "Stálin," p. 373 ("journeyman for the revolution").

Capítulo VII

1. Henry Drummond Woolf, *Rambling Recollections,* vol. 2 (Londres: Macmillan, 1908), p. 329 ("well versed"); Charles Issawi, ed., *The Economic History of Iran, 1800-1914* (Chicago: University of Chicago Press, 1971), p. 20 (finanças persas); R.W. Ferrier, *The History of the British Petroleum Company,* vol. 1, *The Developing Years, 1901-1932* (Cambridge: Cambridge University Press, 1982), p. 28 ("Shah's prodigality"); T.A.B. Corley, *A History of the Burmah Oil Company, 1886-1927* (Londres: Heinemann, 1983); Geoffrey Jones, *The State and the Emergence of the British Oil Industry* (Londres: Macmillan, 1981). Os livros de Ferrier, Corley e Jones — todos fazendo uso extensivo dos arquivos das companhias e governamentais — são as melhores obras em seus respectivos assuntos.

2. Ferrier, *British Petroleum,* pp. 29 ("capitalist"), 31 ("riches"), 35-36 ("morning coffee"). Sobre D'Arcy, veja ibid., pp. 30-32; Corley, *Burmah Oil,* pp. 96-97; Henry Longhurst, *Adventure in Oil: The Story of British Petroleum* (Londres: Sidgwick e Jackson, 1959), pp. 18-19, 25; David J. Jeremy e Christine Shaw, eds., *Dictionary of Business Biography* (Londres: Butterworths, 1984), vol. 2, pp. 12-14. Sobre as concessões da Reuter, veja Firuz Kazemzadeh, *Russia and Britain in Persia, 1864-1914* (New Haven: Yale University Press, 1968), pp. 100-34, 210-14.

3. Kazemzadeh, *Russia and Britain in Persia,* pp. 3 ("chessboard"), 8, 22 ("Insurance"), 325-28 ("raga-muffins"); Arthur H. Hardinge, *A Diplomatist in the East* (Londres:Jonatham Cape, 1928), pp. 280 ("elderly child"), 268 ("vassalage"), 328 ("detestable"); Ferrier, *British Petroleum,* pp. 39 ("ready money"), 43 ("no umbrage"); Hardinge para Lansdowne, 29 de janeiro de 1902, FO 60/660, PRO ("Cossacks"); Briton Cooper Busch, *Britain and the Persian Gulf* (Berkeley: University of California Press, 1967), cap. 4 e pp. 235-42.

4. Issawi, *Economic History of Iran,* p. 41 ("far-reaching effects" e "soil of Persia"); Jones, *State and British Oil,* pp. 131-32; Ferrier, *British Petroleum,* pp. 43 ("wild-catting"), 107.

5. Hardinge, *Diplomatist,* pp. 281, 273-74 ("Shiahs"), 306-11; Ferrier, *British Petroleum,* pp. 57 ("ex-pedite"), 65 ("heat", "Mohamedan Kitchen" and "Mullahs").

6. Ferrier, *British Petroleum,* pp. 59-62 ("Every purse" and "keep the bank quiet"); Jones, *State and British Oil,* pp. 97 -99 ("éminence grise"), 133; Corley, *Burmah Oil,* pp. 98-103 ("Glorious news").

7. Kazemzadeh, *Russia and Britain in Persia,* pp. 442-44 ("menace" and "Monroe Doctrine"). Lansdowne para Curzon, 7 de dezembro de 1903, FO 60/731 ("danger"); Cargill para Redwood, 6 de outubro de 1904, ADM 116/3807, PRO. Corley, *Burmah Oil,* pp. 99-102 ("imperial", "patriots" and "coincided exactly"); Jones, *State and British Oil,* pp. 133-34 ("British hands").

8. A.R.C. Cooper, "Uma Visita aos Campos de Petróleo da Anglo-Persa," *Journal of the Central Asian Society,* 13 (1926), pp. 154-56 ("thousand pities"); Kazemzadeh, *Russia and Britain in Persia,* pp. 444-45; Ferrier, *British Petroleum,* pp. 67, 86 ("beers and skittles"), 79 ("dung" and "teeth"); Arnold Wilson, *S.W. Persia: A Political Officer's Diary, 1907-14* (Londres: Oxford University Press, 1941), p. 112.

9. Wilson, *S.W. Persia*, p. 27 ("dignified" and "solid British oak"); Ferrier, *British Petroleum*, pp. 79 ("reasonable" and "beasts"), 96 ("type machine"), 73; Corley, *Burmah Oil*, p. 110 ("amuse me").

10. Ervand Abrahamian, *Iran Between Two Revolutions* (Princeton: Princeton University Press, 1982), pp. 80-85 ("luxury of Monarchs"); Gene R. Garthwaite, "Os Bakhtiar Khans, o Governo do Irã e os Britânicos, 1846-1915", *International Journal of Middle East Studies* 3 (1972), pp. 21-44; Ferrier, *British Petroleum*, p. 83 ("nightingale" and "Baksheesh"), 85 ("importance attached"). Harold Nicolson, *Portrait of a Diplomatist* (Boston: Houghton Mifflin, 1930), p. 171 ("spontaneous infiltration"); Spring-Rice para Grey, 11 de abril de 1907, FO 416/32, PRO ("great impetus"); Kazemzadeh, *Russia and Britain in Persia*, pp. 475-500.

11. Ferrier, *British Petroleum*, pp. 86-88 ("last throw", "cannot find" and "Psalm 104"), 96 ("stupid action"); Corley, *Burmah Oil*, pp. 128-39 ("go smash", "abandon operations", "telling no one" and "may be modified"); Wilson, *S.W. Persia*, pp. 41-42 ("endure heat").

12. Ferrier, *British Petroleum*, pp. 105-6 ("making public", "corns" and "immense benefit"), 98 ("great mistake"), 103 ("signing away"), 113 ("just as keen"). Enquanto Ferrier avaliava as ações de D'Arcy a 895 mil libras, Corley as avaliava em 650 mil libras — ainda um saudável retorno afinal de contas. Ferrier, *British Petroleum*, p. 112 e Corley, *Burmah Oil*, p. 142. Sobre as operações da Anglo-Persian depois do escoamento do estoque, veja Wilson, *S.W. Persia*, pp. 84, 103 ("spent a fortnight"), 211-12; Ferrier *British Petroleum*, pp. 152-53 ("one chapter"); Jones, *State and British Oil*, pp. 142, 144 ("serious menace"), 147; Corley, *Burmah Oil*, p. 189 ("hell of a mess").

Capítulo VIII

1. Ferrier, *British Petroleum*, p. 59; John Arbuthnot Fisher, *Memories* (Londres: Hodder e Stoughton, 1919), pp. 156-57; Henriques, *Marcus Samuel*, pp. 399-402; John Arbuthnot Fisher, *Fear God and Dread Nought: The Correspondence of Admiral of the Fleet Lord Fisher of Kilverstone*, vol. 1, ed. Arthur J. Marder (Cambridge: Harvard University Press, 1952), pp. 45 ("oil maniac"), 275 ("gold-mine" and "bought the south half").

2. Fisher, *Memories*, p.116 ("God-father of Oil"); Arthur J. Marder, *From the Dreadnought to Scapa Flow: The Royal Navy in the Fisher Era, 1904-1919*, vol. 1, *The Road to War, 1904-1914* (Londres: Oxford University Press, 1961), pp. 14 ("mixture"), 205 ("tornado"), 19 (Eduardo VII), 45; Fisher, *Fear God*, vol. 1, pp. 102 ("Full Speed"), 185 ("Wake up"); Ruddock F. Mackay, *Fisher of Kilverstone* (Oxford: Clarendon Press, 1973), p. 268 ("Golden rule"); R.H. Bacon, *The Life of Lord Fisher* (Garden City: Doubleday, 1929), vol. 2, pp. 157-59.

3. Paul M. Kennedy, *The Rise of the Anglo-German Antagonism* (Londres: George Allen & Unwin, 1982), pp. 416 ("naval question"), 417 ("freedom"), 457 ("strident"), 221-29 ("world domination", "mailed fist" and "weary Titan"); Zara S. Steiner, *Britain and the Origins of the First World War* (Nova York: St. Martin's Press, 1977), pp. 40-57, 127; Samuel Williamson, *The Politics of Grand Strategy: Britain and France Prepare for War, 1904-1914* (Cambridge: Harvard University Press, 1969), pp. 16, 18.

4. William H. McNeil, *The Pursuit of Power: Technology, Armed Force and Society Since AD.* (Chicago: University of Chicago Press, 1982), p. 277 ("technological revolution"); Marder,

Dreadnought to Scapa Flow, vol. 1, pp. 71, vii, 139 ("pensions"); Williamson, *Politics of Grand Strategy*, pp. 236, 238. Para a política interna alemã, veja Volker Berghahn, "Armamentos Navais e a Crise Social: Alemanha antes de 1914", em Geoffrey Best e Andrew Wheatcraft, eds., *War, Economy, and the Military Mind* (Londres: Croom Held, 1976), pp. 61-88. Randolph S. Churchill, *Winston S. Churchill*, vol. 1, *Youth, 1874-1900* (Londres: Heinemann, 1966), pp. 1888-89.

5. Randolph S. Churchill, *Winston S. Churchill*, vol. 2, *Young Statesman, 1901-1917* (Boston: Houghton Mifflin, 1967), pp. 494 ("nonsense"), 518-19 ("Indeed").

6. Churchill, *Young Statesman*, pp. 545-47 ("whole fortunes"); Churchill, *World Crisis*, vol. 1, pp. 71-78 ("intended to prepare", "important steps" and "veritable volcano"); Fisher, *Memories*, pp. 200-1 ("precipice"); Henriques, *Marcus Samuel*, p. 283; Randolph Churchill, *Winston S. Churchill*, vol. 2, *Companion Volume*, parte 3, (Boston: Houghton Mifflin, 1969), p. 1926 ("How right").

7. Churchill, *Churchill*, vol. 2, *Companion Volume*, parte 3, pp. 1926-27.

8. Fisher, *Fear God*, vol. 2, p. 404 ("Sea fighting"); Churchill, *World Crisis*, vol. 1, pp. 130-36 (sobre sua decisão).

9. Ferrier, *British Petroleum*, p. 158; Jones, *State and British Oil*, p. 170; Corley, *Burmah Oil Company*, p. 186; Fisher, *Fear God*, vol. 2, pp. 451 ("betrayed"), 467 ("no one else"); Mackay, *Fisher*, pp. 437-38; Churchill, *Young Statesman*, pp. 567-68; Churchill, *Churchill*, vol. 2, *Companion Volume*, parte 3, p. 1929 ("My dear Fisher").

10. Fisher, *Memories*, pp. 218-20 ("d-d fool"); Lord Fisher, *Records* (Londres: Hodder e Stoughton, 1919), p. 196; Mackay, *Fisher*, p. 439 ("overwhelming advantages"); Fisher, *Fear God*, vol. 2, p. 438 ("don't grow").

11. Ferrier, *British Petroleum*, p. 94 ("Champagne Charlie" and "decorous"); Jeremy e Shaw, *Dictionary of Business Biography*, vol. 2, pp. 639-41; Corley, *Burmah Oil*, pp. 184, 205; Jones, *State and British Oil*, pp. 96 ("Old Spats"), 151-52 ("Jewishness", "Dutchness", "under the control" and "moderate return").

12. Bacon, *Fisher*, vol. 2, p. 158 ("do our d-st"); Jones, *State and British Oil*, pp. 164 ("embracing as it did" and "pecuniary assistance"), 151 ("Shell menace"); Ferrier, *British Petroleum*, pp. 170-73 ("commercial predominance" and "Evidently").

13. Jones, *State and British Oil*, pp. 166-67 ("speculative risk"); Marian Kent, *Oil and Empire: British Policy and Mesopotamian Oil, 1900-1920* (Londres: Macmillan, 1976), pp. 47-48 ("keeping alive"); Churchill, vol. 2, *Companion Volume*, parte 3, pp. 1932-48; Corley, *Burmah Oil*, p. 191; Asquith para George V, 12 de julho de 1913, CAB 41/34, PRO ("controlling interest"); Ferrier, *British Petroleum*, pp. 181-82.

14. *Parliamentary Debates*, Commons, 17 de julho de 1913, pp. 1474-77 (exposição de Churchill); Corley, *Burmah Oil*, pp. 187, 191-95 ("scrap heap"); Ferrier, *British Petroleum*, pp. 195-96 ("thoroughly sound", "perfectly safe" and "national disaster").

15. Ferrier, *British Petroleum*, p. 185; Corley, *Burmah Oil*, pp. 195-97; Churchill, *Churchill*, vol. 2, *Companion Volume*, parte 3, p. 1964.

16. *Parliamentary Debates*, Commons, 17 de junho de 1914, pp. 1131-53, 1219-32; Bradbury para Companhia de Petróleo Anglo Persa, 20 de maio de 1914, POWE 33/242, PRO; Ferrier, *British Petroleum*, p. 199 (pergunta de Greenway).

17. Henriques, *Marcus Samuel*, p. 574; Churchill, *Churchill*, vol. 2, *Companion Volume*, parte 3, pp. 1951 ("Napoleon and Cromwell"), 1965 ("*Good Old Deterding*"); Gerretson, *Royal Dutch*, vol. 4, p. 293.

18. Gerretson, *Royal Dutch*, vol. 4, p. 185; Jones, *State and British Oil*, p. 144, 12 ("*premier cru*"); Ferrier, *British Petroleum*, p. 196; Churchill, *World Crisis*, p. 137; Churchill, *Churchill*, vol. 2,*Companion Volume*, parte 3, p. 1999 (war order).

Capítulo IX

1. William Langer, *Journal of Contemporary History* 3 (1968), pp. 3-17; McNeill, *Pursuit of Power*, pp. 334-35; Martin Van Creveld, *Supplying War: Logistics from Wallenstein to Patton* (Cambridge: Cambridge University Press, 1977), pp. 110-111, 124-25 (General Alemão); W.G. Jensen, "A Importância da Energia na Primeira e na Segunda Guerra Mundiais", *Historical Journal* 11 (1968), pp. 538-45. Llewellyn Woodward, *Great Britain and the War of 1914-1918* (Londres: Metheun, 1967), pp. 38-39.

2. Basil Liddell Hart, *A History of the World War, 1914-1918* (Londres: Fabere Faber, 1934), cap. 4, especialmente pp. 86-87, 115-22 ("No British officer", "*coups de téléphone*", "not commonplace" and "forerunner"); Henri Carré, *La Véritable Histoire des Taxis de La Marne* (Paris: Libraire Chapelot, 1921), pp. 11-39 ("How will we be paid?"); Robert B. Asprey, *The First Battle of the Marne* (Westport, Conn.: Greenwood Press, 1977), pp. 127 ("Today destiny"), 153 ("going badly").

3. Woodward, *Great Britain and the War of 1914-1918*, pp. 38-39 ("This isn't war"); Liddell Hart, *The World War*, pp. 332-43 ("antidote", "eyewitness", "black day" and "primacy"); Erich Ludendorff, *My War Memories, 1914-1918* (Londres: Hutchinson, [1945]), p. 679; J.EC. Fuller, *Tanks in the Great War, 1914-1918* (Londres: John Murray, 1920), p. 19 ("present war"); Churchill, *World Crisis*, vol.2, (Nova York: Scribners, 1923), pp. 71-91 ("caterpillar"... "tank"); AJ.P. Taylor, *English History, 1914-1945* (Nova York: Oxford University Press, 1965), p. 122; Francis Delaisi, *Oil: Its Influence on Politics*, trad. C. Leonard Leese (Londres: Labour Publishing e George Allen e Unwin, 1922), p. 29 (caminhão sobre a locomotiva).

4. Liddell Hart, *The World War*, pp. 457-60 ("good sport"), 554-59; Harald Penrose, *British Aviation: The Great War and Armistice, 1915-1919* (Londres: Pumam, 1969), pp. 9-12 ("Since war broke out"), 586 ("necessities of war"); Bernadotte E. Schmitte Harold C. Vedeler, *The World in the Crucible, 1914-1919* (Nova York: Harper & Row, 1984), pp. 301-04 ("Battle of Britain"); Jensen, "Energia na Primeira e na Segunda Guerra Mundiais", pp. 544-45; Richard Hough, *The Great War at Sea, 1914-1918* (Nova York: Oxford University Press, 1983), pp. 296-97.

5. F.J. Moberly, *History od the Great War based on Oficial Documents: The Campaign in Mesopotamia, 1914-1918* (Londres: HMSO, 1923), vol. 1, p. 82 ("little likelihood"); Ferrier, *British Petroleum*, p. 263 ("build up"); Kent, *Oil and Empire*, pp. 125-26; Corley, *Burmah Oil*, pp. 239, 253 ("All-British Company"); Jones, *State and British Oil*, pp. 182-83.

6. Corley, *Burmah Oil*, p. 258, cap. 16; Henriques, *Marcus Samuel*, pp. 593-619; Henriques, *Waley Cohen*, pp. 200-40; P.G.A. Smith, *The Shell That Hit Germany Hardest* (Londres: Shell Marketing CO., [1921]), pp. 1-11; Jones, *State and British Oil*, pp. 187-202; Ferrier, *British Petroleum*, pp. 250, 218 ("to secure navy supplies"); Slade, "Importância Estratégica do

Controle do Petróleo", "Fornecimento e Distribuição do Petróleo" e "Observações sobre o memorando da Junta do Comércio a respeito do petróleo", 24 de agosto de 1916, CAB 37/154, PRO.

7. Henriques, *Waley Cohen*, pp. 213-20; *Times* (Londres), 14 de janeiro de 1916, p. 5 ; 26 de maio de 1916, p. 5; G. Gareth Jones, "O Governo Britânico e as Companhias de Petróleo, 1912-24: A Busca por uma política do petróleo," *Historical Journal 20* (1977), pp. 654-64; C. Ernest Fayle, *Seaborne Trade*, vol. 3, *The Period of Unrestricted Submarine Warfare* (Londres: John Murray, 1924), pp. 465, 175-76, 319, 371, 196-97; George Gibb e Evelyn H. Knowlton, *History of Standard Oil Company (New Jersey)*, vol. 2, *The Resurgent Years, 1911-1927* (Nova York: Harper & Brothers, 1956), pp. 221-23; Beaton, p. 100.

8. Jones, "O Governo Britânico e as Companhias de Petróleo", pp. 661, 665; Paul Foley, "Os problemas do Petróleo na Guerra: Estúdio nas Práticas Logísticas", *United States Naval Institute Proceedings 50* (Novembro 1927), pp. 1802-03 ("out of action"), 1817-21; Burton J. Hendrick, *The Life and Letters of Walter H. Page* (Londres: Heinemann, 1930), vol. 2, p. 288 ("Germans are succeeding"); Ferrier, *British Petroleum*, pp. 248-49 (Walter Long); Henry Bérenger, *Le Pétrole et la France* (Paris: Flammarion, 1920), pp. 41-55; Edgar Faure, *La Politique Française du Pétrole* (Paris: Nouvelle Revue Critique, 1938), pp. 66-69; Pierre L'Espagnol de la Tramerye, *The World Struggle for Oil*, trad. Leonard Leese (Londres: George Allen & Unwin, 1924), cap. 8; Eric D. K. Melby, *Oil and the International System: The Case of France, 1918-1969* (Nova York: Amo Press, 1981), pp. 8-20 ("as vital as blood").

9. Mark L. Requa, "Relatório da Divisão do Petróleo 1917-19" em H.A Garfield, *Final Report of the U.S. Fuel Administrator* (Washington, D.C.: GPO, 1921), p. 261; Gerald D. Nash, *United States Oil Policy, 1890-1964* (Pittsburgh: University of Pittsburgh Press, 1968), p. 27. Sobre a política americana do petróleo praticada durante a I Guerra Mundial, veja Dennis J. O'Brien, "A Crise do Petróleo e a Política Externa da Administração Wilson, 1917-1921" (Ph.D.: University of Missoury, 1974), caps. 1-2 e Robert D. Cuff, *The War Industries Board: Business-Governments Relations During World War I* (Baltimore: Johns Hopkins University Press, 1973).

10. Joseph E. Pogue e Isador Lubin, *Prices of Petroleum and Its Products During the War* (Washington, D.C.: GPO, 1919), pp. 13-33, 289; Rister, *Oil!*, pp. 120-34. Sobre a escassez do carvão, veja David Kennedy, *Over Here: The First World War and American Society* (Oxford: Oxford University Press, 1980), pp. 122-24 ("Bedlam") e Seward W. Livermore, *Politics Is Adjourned: Woodrow Wilson and the War Congress, 1916-18* (Middletown: Wesleyan University Press, 1966), pp. 68-69, 86-88. Requa, "Relatório da Divisão do Petróleo," p. 270 ("no justification"); White, *Standard Oil of California*, p. 542. Para auto crescimento, veja Beaton, *Shell*, p. 171; White, *Standard of California*, p. 544. H.A. Garfield, *Final Report of the U.S. Fuel Administrator*, p. 8 ("walk to church").

11. Ludendorff, *War Memories*, pp. 287-88 ("As I now saw"), 358-59 ("did materially"); Liddell Hart, *The World War*, pp. 345-50; Schmitt e Vedeler, *World in the Crucible*, pp. 157-60; *Times* (Londres), 5 de dezembro de 1916, p. 7; Pearton, Oil *and the Romanian State* pp. 79-85 ("No efforts"); Gibb e Knowlton, *Standard Oil*, vol. 2, pp. 233-35. Sobre Norton Griffiths, veja R.K. Middlemas, *The Master-Buiders* (Londres: Hutchinson, 1963), pp. 270-83 ("dashing", "nicknames" and "blasted language"); sra. Will Gordon, *Roumania Yesterday and Today* (Londres: John Lane, 1919) cap. 9 ("sledgehammer"); *New York Times*, 16 de janeiro de 1917,

p. 1; 20 de fevereiro de 1917, p. 4 Sobre os efeitos na Alemanha, veja Fayle, *Seabor ne Trade,* vol. 3, pp. 180-81 ("just the difference"). Depois da guerra, John Norton-Grifiths foi reconhecido como um "engenheiro de fama mundial e empreiteiro. Em 1930, ele estava dirigindo o projeto de sua firma para ampliação da represa de Assuã. Desenvolveu-se um conflito com as autoridades egípcias locais sobre o tipo de aço que ele havia solicitado e se estaria passível de receber uma pesada multa — com um provável prejuízo à sua reputação profissional. Como era seu costume, às 7h45 da manhã de 27 de setembro de 1930, ele saiu com um bote salva-vidas do hotel em que estava em San Stefano na Alexandria, remando em direção ao mar. Pouco depois, um hóspede avistou o bote de Norton-Griffith boiando vazio. Observadores viram um homem nadando ou boiando a poucos metros de distância. Um outro bote, enviado para investigar, recuperou o corpo. Era Empire Jack, "o homem poderoso," com uma perfuração de bala em sua têmpora direita — suicídio. *Times* (Londres), 28 de setembro de 1930, p. 12; 29 de setembro de 1930, p. 14; *New York Times,* 28 de setembro de 1930, II, p. 8, 29 de setembro de 1930, p. 11.

12. Erich Ludendorff, *The Nation at War,* trad. A. S. Rappoport (Londres: Hutchinson, 1936), p. 79; Z.A.B. Zeman, ed., *Germany and the Revolution in Russia, 1915-1918* (Londres: Oxford University Press, 1958), pp. 107, 134-35; Ronald Suny, *The Baku Commune 1917-1918* (Princeton: Princeton University Press, 1972), pp. 284-85 ("we agreed" and "plunderers"), 328-43; Firuz Kazemzadeh, *The Struggle for Transcaucasia, 1917-1921* (Nova York: Philosophical Library, 1951), pp. 136-46 ("destroy"); Moberly, *Campaign in Mesopotamia,* vol. 4, pp. 182-212; Ludendorff, *War Memories,* pp. 659-60 ("serious blow"); Anastas Mikoyan, *Memoirs of Anastas Mikoyan,* vol. 1, *The Path of Struggle,* ed. Sergo Mikoyan, trad. Katherine T. O'Connor e Diane L. Burgin (Madison, Conn.: Sphinx Press, 1988), pp. 505-9.

13. Ludendorff, *War Memories,* p. 748; Schmitte Vedeler, *World* in *the Crucible,* p. 272; Pearton, *Oil and the Romanian State,* p. 93; Fayle, *Seaborne Trade,* vol. 3, pp. 230, 402; Leo Grebler e Wilhelm Winkler, *The Cost of the World War to Germany and to Austria-Hungary* (New Haven: Yale University Press, 1940), p. 85; Henriques, *Marcus Samuel,* p. 624. Sobre os discursos, veja *Times* (Londres), 22 de novembro de 1918, p. 6; Delaisi, *Oil,* pp. 86-91 (Curzon); Bérenger *Le Petróle et la France,* pp. 175-80.

Capítulo X

1. *Documents on British Foreign Policy, 1919-1939,* Primeiras Séries, vol. 4, pp. 452-54, 521; FRUS: *Paris Peace Conference,* 1919, vol. 5, pp. 3-4, 760, 763, 804; David Lloyd George, *The Truth About the Peace Treaties,* vol. 2 (Londres: Victor Gollancz, 1938), pp. 1037-38.

2. Memorandos confidenciais das negociações com a Companhia Turca de Petróleo, 15 de julho-5 de agosto de 1922, pp. 1-3, 800.6363/T84/48, RG 59, NA; Marian Kent, *Oil and Empire,* pp. 12-80; Edward Mead Earle, "A Companhia Turca de Petróleo: um Estudo sobre Diplomacia Petrolífera", *Political Science Qaurterly* 39 (June 1924), 267 ("Talleyrand"); V.H. Rothwell, "A Mesopotamia na linha de mira da Guerra Britânica", *Historical Journal* 13 (1970), p. 277.

3. Ralph Hewins, *Mr. Five Percent: The Story of Calouste Gulbenkian* (Nova York: Rinehart and Company, 1958), pp. 15-16 ("academic nonsense"), 24 ("fine and consistent"), 11 ("hand"), 188 (Kenneth Clark); *Financial Times,* 25 de julho de 1955 ("granite"); Gibb e Knowlton,

Standard Oil, vol. 2, p. 300; Nubar Gulbenkian, *Portrait in Oil* (Nova York: Simon and Schuster, 1965), p. 85 ("very close"); "Memórias de Calouste Sarkis Gulbenkian, com Relação Especial às Origens e Fundação da Companhia Iraquiana de Petróleo Ltda.", 4 de março de 1948, 890.G.6363/3-448, pp. 6-7 ("wild cat"), 11 ("not, in any way"), RG 59, NA.

4. Kent, *Oil and Empire*, pp. 86-93, 170-71 (Acordo do Ministério das Relações Exteriores); Hewins, *Mr. Five Percent*, p. 81.

5. Kent, *Oil and Empire*, pp. 109, 121-26; David *Fromkin, A Peace to End All Peace: Creating the Modern Middle East, 1914-1922* (Nova York: Henry Holt, 1989), pp. 188-95; Ellie Kedourie, *England and the Middle East: The Destruction of the Ottoman Empire, 1914-1921* (Londres: Bowes e Bowes, 1956); Jones, *State and British Oil*, p. 198; Helmut Mejcher, *Imperial Quest for Oil: Iraq, 1910-1928* (Londres: Ithaca Press, 1976), p. 37; Rothwell, "A Mesopotamia na linha de mira da Guerra Britânica", pp. 289-90 (Hankey e Balfour); William Stivers, *Supremacy and Oil: Iraq, Turkey and the Anglo-American World arder, 1918-1930* (Ithaca: Cornell University Press, 1982), pp. 71-72 (Lansing); Lloyd George, *Peace Treaties*, pp. 1022-38.

6. Melby, *France*, pp. 17-23 (o merceeiro de Clemenceau); Jukka Nevakivi, *Britain, France and the Arab Middle East, 1914-1920* (Londres: Athlone Press, 1969), p. 154; Paul Mantoux, *Les Délibérations du Conseil des Quatre (24 Mars-28 Juin 1919)*, vol. 2, (Paris: Editions du Centre National de la Recherche Scientifique, 1955), pp. 137-43; Jones, *State and British Oil*, p. 214; C.E. Callwell, *Field Marshal Sir Henry Wilson: His Life and Diaries*, vol2 (Londres: Casell, 1927), p. 194 ("dog-fight"); *Documents on British Foreign Policy*, 1919-1939, Primeiras Séries, vol. 8, pp. 9-10.

7. Melby, *France*, pp. 67 ("entirely French"), 100-4 ("industrial arm"); Richard Kuisel, *Ernest Mercier: French Technocrat* (Berkeley: University of California Press, 1967), pp. 31-32 ("instrument" and "international difficulties"), 25 ("Anglo-Saxon").

8. Kendall Beaton, *Shell in the United States*, pp. 229-32; B.S. McBeth, *British Oil Policy, 1919-1939* (Londres: Frank Cass, 1985), p. 41. Waley Cohen para o Diretor, Departamento de Petróleo, 15 de maio de 1923, FO 371/13540; Acordo Proposto das Companhias Royal Dutch Shell, Burmah Oil e Anglo Persa, Notas do Encontro, 2 de novembro de 1921, W 11691, FO 371/7027; Cowdray para Lloyd-Greame, 14 de fevereiro de 1922, POWE 33/92; Watson para Clarke, 31 de outubro de 1921, POWE 33/92, PRO. *Parliamentary Debates*, Commons, 18 de março de 1920, vol. 126, n. 28, cols. 2375/6; Jones, *State and British Oil*, pp. 223-26 ("over-production", "every action" and "Hottentots"); Ferrier, *British Petroleum*, pp. 372-80 ("whole revenue" and "did not go"); Shaul Bakhash, *The Reign of the Ayatollahs: Iran and the Islamic Revolution* (Nova York: Basic Books, 1984), pp. 20-23.

9. Martin Gilbert, *Winston S. Churchill*, vol. 5, *The Prophet of Truth, 1922-1939* (Boston: Houghton Mifflin, 1977), pp. 8-17 ("shall not starve"); Corley, *Burmah Oil*, pp. 298-307; Martin Gilbert, *Winston S. Churchill*, vol. 5, *Companion Volume*, parte 1, (Boston: Houghton Mifflin, 1981), pp. 54-55 (Churchill sobre Baldwin), 68-69; Ferrier, *British Petroleum*, pp. 382-85 ("His Majesty's Government").

10. Mark Requa, Carta ao Subcomitê das Matérias Primas Minerais, Comissão das Relações Econômicas, 12 de maio de 1919, Baker Library, Faculdade de Administração de Harvard; John De Novo, "O Movimento para uma Política Petrolífera Americana Agressiva no Exterior, 1918-1920", *American Historical Review* (Julho de 1956), pp. 854-76; O'Brien, "A Crise do Petróleo e a Política Externa da Administração Wilson", p. 176 (Wilson); *National Petro-*

leum News, 29 de outubro de 1919, p. 51 ("two to five years"); Guy Elliott Mitchell, "Bilhões de Barris empatados nas Rochas", *National Geographic,* fevereiro de 1918, pp. 195 ("gasoline famine"), 201 ("no man who owns"); George Otis Smith, "Onde o Mundo Consegue Petróleo e Onde Nossas Crianças Conseguirão quando os Poços Americanos pararem de Jorrar?" *National Geographic,* fevereiro de 1920, p. 202 ("moral support"); *Washington Post,* 18 de novembro de 1920 (nove anos e três meses); George Otis Smith, ed., *The Strategy of Minerais: A Study of the Mineral Factor en the World Position of America in War and in Peace* (Nova York: D.Appleton, 1919), p. 304 ("within a year"). Em 1919, David White, geólogo--chefe da Pesquisas Geológicas dos Estados Unidos, alarmado com o "angulo crescente entre a curva descendente da produção e a curva ascendente do consumo" nos Estados Unidos, fixou as reservas recuperáveis totais em 6,7 bilhões de barris. David White, "Os suprimentos inexplorados de Petróleo nos Estados Unidos", ensaio apresentado no encontro anual da Sociedade dos Engenheiros Automotores, 4-6 de fevereiro de 1919. John Rowland e Basil Cadman, *Ambassador for Oil: The Life of John First Baron Cadman* (Londres: Herbert Jenkins, 1960), pp. 95, 97. Requa to Adee, 13 de maio de 1920, 800.6363/112; Manning para Baker, 8 de março de 1920, 811.6363/35; Fali para Hughes, 15 de julho de 1921, 800.6363/324; Memorando para o Secretário, 29 de março de 1921, 890g.6363/69; Merle-Smith para o Secretário, 11 de fevereiro de 1921, 800.6363/325; memorando de Millspaugh, 14 de abril de 1921, 890g.6363/T84/9, RG 59, NA, *Scientific American,* 3 de maio de 1919, p. 474; Cadman para Fraser, 2 de dezembro de 1920, 4247, documentos de Cadman ("I don't expect"); Cadman, notas, Encontro dos Executivos do Petróleo, 16 de junho de 1919, GHC/Iraque/D1, arquivos da Shell; Memorando sobre a Situação do Petróleo, com despacho para o Embaixador da HM, 21 de abril de 1921, POWE 33/228, PRO.

11. Reino Unido, Tribunal da Marinha, Sessão Geográfica da Divisão de Inteligência Naval, *Geology of Mesopotamia and its Borderlands* (Londres: HMSO, 1920), pp.84-86, insistiu em uma "estimativa cautelosa" quanto ao potencial de petróleo da região. FRUS, vol.2, pp. 664-73; Jones, *State and British Oil,* pp.223, 221; De Novo, "Política Petrolífera Americana Agressiva", pp.87 1-72; Bennett H. Wall e George S. Gibb, *Teagle of Jersey Standard* (New Orleans: Tulane University Press, 1974). p. 130; Michal Hogan, *Informal Entente: The Private Structure of Cooperation in Anglo-American Economic Diplomacy, 1918-1928* (Columbia: University of Missouri Press, 1977), p. 165; Nash, *United States Oil Policy,* p. 53. Heizer para Ravndal, 31 de janeiro de 1920, 800.6363/134; Memorando de Millspaugh, 26 de novembro de 1921, 890 g.6363/134; Tyrrell para Gulbenkian, 10 de outubro de 1924, com Wiley ao secretário de Estado, 13 de março de 1948, 890 g.6363/3-448 ("instrumental"), RG 59, NA.

12. WWC para Dearing, 12 de maio de 1921 e memorando para o Secretário das Combinações Propostas das Companhias de Petróleo Americanas, 811.6363/73; Bedford para Hughes, 21 de maio de 1921, 890.6363/78. NA 890g.6363/T84: Hoover para Hughes, 17 de abril de 1922, 96; Hughes para Teagle, 22 de agosto de 1922, 41a; memorando de Allen Dulles, 15 de dezembro de 1922, 81, RG 59. Wall e Gibb, *Teagle,* p. 98 ("queer looking"); Joan Hoff Wilson, *American Business and Foreign Policy, 1920-1933* (Boston: Beacon Press, 1971), p. 189.

13. Wall e Gibb, *Teagle,* pp. 168 ("Boss"), 31-32 ("Come home"), 48-49 ("cigar"), 63-66 ("frequently changes"), 71-72 ("shoes" e "not going to drill"), 176-78 ("present policy"). Sobre a reorganização da Jersey, veja Alfred D. Chandler Jr., *Strategy and Structure: Chapters in the American Industrial Enterprise* (Cambridge: MIT Press, 1962), cap. 4, p. 173.

14. NA 890g.6363: Memorando Confidencial das Negociações com a Companhia Turca de Petróleo, 15 de julho-5 de agosto de 1922, T84/48; Wellman para Hughes, 24 de julho de 1922, 126; Piesse para Teagle, 12 de dezembro de 1922, T84/62, RG 59.

15. Fromkin, *Peace,* pp. 226 ("ripper"), 306; Elizabeth Monroe, *Britain's Moment in the Middle East, 1914-1971* (Londres: Chatto e Windus, 1981), 2a. ed., pp. 61-64 (Lansing), 68 ("vacant lot"); Peter Sluglett, *Britain in Iraq, 1914-1932* (Londres: Ithaca Press, 1976), pp. 64, 45, 112: Stivers, *Supremacy and Oil,* p. 78 ("supported"); Briton Cooper Busch, *Britain, India and the Arabs, 1914-1921* (Berkeley: University of California Press, 1971), pp. 467-69; *Review of the Civil Administration of Mesopotamia,* Cmd. 1061, 1920, p. 94, citado em Elie Kedourie, *The Chatham House Version and Other Middle East Studies* (Londres: Weidenfeld e Nicolson, 1970), p. 437. Wheeler para o secretário de Estado, 2 de fevereiro de 1922, 890 g.6363/72. NA 890g.6363/T84: Wadsworth Memo, 18 de setembro de 1924, 167; Dulles para Millspaugh, 21 de fevereiro de 1922, 31; Randolph ao secretário de Estado, 25 de março de 1926, 214; Memorando de Allen Dulles, 22 de novembro de 1924, 208 ("cocked hat"), RG 59. Edith Penrose e E.F. Penrose, *Iraq: International Relations and National Development* (Londres: Ernest Benn, 1978), pp. 56-74; Gibb e Knowlton, *Standard Oil,* vol. 2, pp. 295-97; "Memórias de Gulbenkian," p. 25 ("eyewash"); J.C. Hurewitz, *Diplomacy in the Near and Middle East,* vol. 2, *A Documentary Record, 1914-1956* (Princeton: Van Nostrand, 1956), pp. 131-42.

16. "Memórias de Gulbenkian", pp. 15 ("oil friendships"), 16 ("we worked"), 28 ("hook or... cook"); Hewins, *Mr. Five Percent,* p. 161 ("persnickety" and "overbearing"); Gulbenkian, *Portrait in Oil,* pp. 130-39 ("children"), 38-39 ("medical advice"), 94; Henriques, *Waley Cohen,* pp. 285-86; *Financial Times,* 25 de julho de 1955; Gibb e Knowlton, *Standard Oil,* vol. 2, pp. 298-301; Kuisel, *Mercier,* p. 34; Wall e Gibb, *Teagle,* p. 216 ("most difficult"). NA 890g.6363/T84; Memorando de Allen Dulles, 19 de janeiro de 1926, 236; Houghton para o secretário de Estado, 27 de janeiro de 1926, 238; Allen Dulles para o secretário de Estado, 11 de novembro de 1924, 176; Memo de Wadsworth, 18 de setembro de 1924, pp. 8, 167; Swain para Dulles, 8 de dezembro de 1925, 245 ("How would you like it"); Piesse para Teagle, 19 de janeiro de 1926, 284; Oliphant para Atherton, 12 de janeiro de 1926, 239, RG 59, NA. Sobre o almoço de Teagle e Gulbenkian, Wall e Gibb, *Teagle,* p. 215 e Memorando da conversa com Teagle, 18 de setembro de 1924, 18 de setembro de 1924, 167, pp. 4-5, RG 59, NA.

17. "Memorando para Submissão ao Ministério das Relações Exteriores estabelecendo a posição do sr. C.S. Gulbenkian", junho de 1947, pp. 3-4, POWE 33/1965, PRO; Daniel 3:4-6 ("fiery furnace"); FRUS, 1927, vol. 2, pp. 816-27. NA 890g.6363/T84: Memo de Allen Dulles, 2 de dezembro de 1925, 244; Wellman para Dulles, 8 de outubro de 1925, 224; Wellman para o secretário de Estado, 1 de abril, 11 de abril, 28 de abril de 1927, 271, 272, 273; Memo de Wadsworth, 3 de outubro de 1927, 279; Randolph para o Secretário de Esuido, 19 de outubro de 1927, 281.

18. William Stivers, "Uma nota sobre o Acordo da Linha Vermelha", *Diplomatic History,* 7 (Inverno de 1983), pp. 24-25; Hewins, *Mr. Five Percent,* p. 141 ("old Ottoman Empire"); Jones, *State and British Oil,* p.238. NA 890g.6363/T84: Acordo D'Arcy Companhia de Exploração Ltda. e Outras com Companhia Turca de Petróleo, 31 de julho de 1928, 360; Wellman para Shaw, 7 de dezembro de 1927, 292, 31 de janeiro de 1928, 297; Shaw para Wellman, 27 de dezembro de 1927, 293. Os mapas da Quai d'Orsay e do Ministério das Relações Exteriores

estão com Wellman para Shaw, 22 de março de 1928, 307, RG 59, NA. Wall e Gibb, Teagle, p. 209 ("bad move!"); Gulbenkian, *Portraits in Oil*, pp. 98-100.

Capítulo XI

1. Dwight D. Eisenhower, *At Ease: Stories I tell to Friends* (Garden City, N.Y.: Doubleday, 1967), pp. 155-68, 386-87 ("genuine adventure"); *New York Times*, 6 de julho de 1920, sec. 4, p. 11.
2. Kendall Beaton, *Shell*, p. 171 ("century of travel"); Williamson et. al., *Age Of Energy*, pp. 443-446; Frederick Lewis Allen, *Only Yesterday: An Informal History of the Nineteen-Twenties (Nova* York: BlueRibbon Books, 1931), p. 164 ("Villages"); Jean-Pierre Bardou, Jean-Jacques Chanaron, Patrick Fridenson, James M. Laux, *The Automobile Revolution: The Impact of an Industry* (Chapel Hill: University of North Carolina Press, 1982).
3. Warren C. Platt, "Competição: Seduzido pela Indústria do Petróleo", *National Petroleum News*, 5 de fevereiro de 1936, p. 208 ("new way"); McLean e Robert Wm. Haigh, *The Integrated Oil Companies*, pp. 107-8; Giddens, *Standard Oil Company (Indiana)*, pp.318-20, 283; Thomas F. Hogarty, "A Origem e a Evolução do Marketing da Gasolina", Ensaio de Pesquisa n. 22, Instituto Americano de Petróleo, 1 de outubro de 1981; Walter C, Ristow, "Meio século de Mapas Rodoviários das Companhias de Petróleo", *Surveying and Mapping* 34 (dezembro de 1964), pp. 617 ("uniquely American"); Beaton, *Shell*, pp. 267-79 ("careful in their attendance" and Barton on gasoline); Broce Barton, *The Man Nobody Knows* (Indianápolis: Grosset & Dunlap, 1925), pp. iv, v, 140.
4. Beaton, *Shell*, pp. 286-87; Senado dos Estados Unidos, Subcomitê do Coimitê dos Manufatureiros, *High Cost of Gasoline and Other Petroleum Products*, 67 Congresso, 2a. e 4a. sessões (Washington, D.C.: GPO. 1923), p. 28 ("manipulate oil prices"); John H. Maurer, "Combustível e a Frota de Guerra: Carvão, Petróleo e Estratégia Naval Americana, 1898-1925", *Naval War College Review* (Novembro-Dezembro 1981), p. 70 ("failure of supply"). O Secretário da marinha Josephus Daniels, preocupado com o fornecimento (e com os preços) defendeu que o Governo dos Estados Unidos seguisse o exemplo da liderança de Wmston Churchil com a Anglo-Persa e entrasse diretamente nos negócios do petróleo. John De Novo, "O Petróleo e a marinha dos Estados Unidos antes da Primeira Guerra Mundial", *Mississipi Valley Historical Review* 61 (Março de 1955), pp. 651-52. Burl Noggle, *Teapot Dome: Oil and Politics in the 1920s* (Baton Rouge: Louisiana State University Press, 1962), pp. 16-17 ("supply laid up"), 3-4 ("looked like a President" and "harmony"). Sobre a queda de Albert Fall, Bruce Bliven, "Petróleo dirige a Política", *The New Republic*, 13 de fevereiro de 1924, pp. 302-3 ("Zane Grey hero"); David H. Stratton, "Por traz do: Algumas Reflexões Pessoais", *Business History Review* 23 (Inverno de 1957), p. 386 ("unrestrained disposition"); Noggle, *Teapot Dome*, p. 13 ("not altogether easy"); John Gunther, *Taken at the Flood: The Story of Albert D. Lasker* (Nova York; Harper & Brothers, 1960), pp. 136-37 ("it *smells*"); J. Leonard Bates, *The Origins of Teapot Dome: Progressives, Parties, and Petroleum, 1909-1921* (Urbana: University ofillinois Press, 1963).
5. On Harry Sinclair, Sinclair Oil, *A Great Name in Oil: Sinclair Through 50 Years* (Nova York: F. W. Dodge/McGraw-Hill, 1966), pp. 13-20, 45. Noggle, *Teapot Dome*, pp. 30 ("oleaginous nature"), 35, 51-57 ("my...friends" and "illness"), 71-72 ("teapot"), 79, 85 ("like black bag"), 201 ("can't convict"); M.R. Werner e John Star, *The Teapot Dome Scandal* (Londres: Cassell,

1961), p. 146; Edith Bolling Wilson, *My Memoir* (Indianápolis: Bobbs-Merrill, 1939); pp. 298-99 ("Which way"); Bliven, "O Petróleo dirige a Política," pp. 302-3 ("shoulder deep"); Norman Nordhauser, *The Quest for Stability: Domestic Oil Regulation, 1917-1935* (Nova York: Garland, 1979), p. 20 (lamparina a óleo); William Allen White, *A Puritan in Babylon: The Story of Calvin Coolidge* (Nova York: Macmillan, 1938), pp. 272-77; J. Leonard Bates" O Escándalo de e as eleições de 1924", *American Historical Review* 55 (Janeiro de 1955), pp. 305-21.

6. Giddens, *Standard of Indiana,* pp. 366-434 (a batalha); M.A. & R., "Continental Trading Co. Ltd.", 10 de março de 1928, J.D.R. Jr., Participação nos Negócios, arquivos de Rockefeller; Brady, *Ida Tarbell,* pp. 210, 232 (Tarbell e Rockefeller, Jr.). Sobre John D. Rockefeller Jr., veja Collier e Horowitz, *Rockefellers,* pp. 79-83, 104-6.

7. Gibb e Knowlton, *Standard Oil,* vol. 2, pp. 485 (Teagle), 429-30; Owen, *Trek of the Oil Finders,* pp. 449-57, 502-20, 460; Instituto de Técnicos do Petróleo, Petroleum: *Twenty Five Years Retrospect, 1910-1935* (Londres: Instituto de Técnicos do Petróleo, 1935), pp. 33-73; Henrietta M. Larson e Kenneth Wiggins Porter, *History of Humble Oil and Refining Company: A Study in Industrial Growth* (Nova York: Harper & Brothers, 1959), pp. 139-42, 276; Frank J. Taylor e Earl M. Welty, *Black Bonanza: How an Oil Hunt Grew into the Union Oil Company of California* (Nova York: Whittlesley House, McGraw-Hill, 1950), p. 201; E.L. De-Golyer, "Como o Homem Encontra Petróleo", *Fortune,* agosto de 1949, p. 97; Walter A. Tompkins, *Little Giant of Signal Hill: An Adventure in American Enterprise* (Englewood Cliffs, N.J.: Prentice-Hall, 1964), p. 2; Comissão Federal do Comércio dos Estados Unidos, *Foreign Ownership in the Petroleum Industry* (Washington, D.C.: GPO, 1923), p.x ("rapidly depleted").

8. *Literary Digest,* 2 de junho de 1923, pp. 56-58 ("nearest approach"). Doherty para Smith, 2 de fevereiro de 1929 ("worse than Satan"); Doherty para Veasey, 13 de agosto de 1927 ("extremely crude"), documentos de Doherty. Doherty para Roosevelt, 14 de agosto de 1937, Petróleo, Fichário Oficial 56, documentos de Roosevelt; Erich W. Zimmennann, *Conservation in the Production of Petroleum: A Study in Industrial Control* (New Haven: Yale University Press, 1957), pp. 97 ("do likewise"), 122-24; Nordhauser, *Quest for Stability,* pp. 9-18; Williamson et. al., *Age of Energy,* pp. 317-19; Nash, *United States Oil Policy,* pp. 82-91; Leonard M. Fanning, *The Story of the American Petroleum Institute* (Nova York: Políticas Mundiais do Petróleo, [1960]), pp. 68, 104-9 ("crazy man"); Linda Lear, "Harold L. Ickes e a Crise do Petróleo nos Primeiros Cem Dias", *Mid-America* 63 (Janeiro 1981), p. 12 ("barbarian"); Robert E. Hardwicke, *Antitrust Laws, et. al. v. Unit Operations of Oil or Gas Pools* (Nova York: Instituto Americano de Engenheiros da Mineração e Metalúrgia, 1948), pp. 179-186 ("If the public").

9. Williamson et.al., *Age of Energy,* p. 311 ("supremacy"); Zimmennann, *Conservation,* pp. 126-128 (*commodity*); Larson e Porter, *Humble,* pp. 257-63 ("production methods"); Henrietta Larson, Evelyn H. Knowlton, e Charles H. Popple, *History of Oil Company* (New Jersey), vol. 3, *New Horizons, 1927-50* (Nova York: Harper & Row, 1971), pp. 6364, 88; Gieblhaus, *Sun,* p. 118 ("My father").

10. Rister, *Oil!,* pp. 244-46, 255, 293-97; Hartzell Spence, *Portrait in Oil: How the Ohio Oil Company Grew to Become Marathon* (Nova York: McGraw-Hill, 1962), pp. 118-29; Phillips Petroleum Company, *Phillips: The First 66 Years* (Bartlesville: Phillips Petroleum, 1983), p. 67; Comissão Federal do Comércio dos Estados Unidos, *Prices, Profits, and Competition*

in the Petroleum Industry, Documento do Senado dos Estados Unidos n. 61, 70º Congresso, 1ª. sessão (Washington, D.C.: GPO, 1928), pp. 108-16; McLean e Haigh, *Integrated Oil Companies,* pp. 90-91; Williamson et. al., *Ages of Energy,* pp. 394-97; Beaton, *Shell,* pp. 259-60.

11. SC7/G-32, documentos da Shell; Larson e Porter, *Humble,* pp. 307-9 ("industry is powerless"); Roger M. Olien e Diana D. Olien, *Wildcatters: Texas Independent Oilmen* (Austin: Texas Monthly Press, 1984), p. 52 (Tom Slick); Nordhauser, *Quest for Stability,* pp. 55 ("rather foolish"), 58; Nash, *United States Oil Policy,* pp. 102-3.

12. Joseph Stanislaw e Daniel Yergin, Associados da Pesquisa em Energia de Cambridge, "O Impulso da Reintegração: A Indústria do Petróleo nos anos 90", Relatório dos Associados da Pesquisa em Energia de Cambridge, 1987; Larson e Porter, *Humble,* pp. 72-75; Gibb e Knowlton, *Standard Oil,* vol. 2, pp. 42, 414; Wall e Gibb, *Teagle,* pp. 140-41, 249; Giddens, *Standard of Indiana,* cap. 9, p. 318; McLean e Haigh, *Integrated Oil Companies,* pp. 95-102; Phillips, *First 66 Years,* p. 37 (Phillips); Beaton, *Shell,* pp. 298-330, 353.

13. McLean e Haigh, *Integrated Oil Companies,* p. 105 ("protection"); Ida M. Tarbell, *The New Republic,* 14 de novembro de 1923, p. 301 ("crumbling"); FTC, *Prices, Profits and Competition,* pp. 22-23, xvii-xix ("no longer unit").

14. Beaton, *Shell,* pp. 206-7 (Deterding); FTC, *Prices, Profits and Competition,* p. 29; FTC, *Foreign Ownership,* p. 86 ("parties foreign"); Ralph Arnold para Herbert Hoover, 22 de setembro de 1921, Millspaugh para Dearing, 24 de setembro de 1921, 811.6363/75 ("viciously inimical"), RG 59, NA; Taylor e Welty, *Union Oil,* pp. 176-78; Phllhps, *First 66 Years,* p.31; Giddens, *Standard of indiana,* pp. 238-40; Wall e Gibb, *Teagle,* pp. 261-65 ("sunkist").

15. Doherty para Veasey, 6 de agosto de 1927; Doherty para Smith, 26 de janeiro de 1929; Doherty para Smith, 2 de fevereiro de 1929, documentos de Doherty.

Capítulo XII

1. Middlemas, *Master Builders,* pp. 169, 178 ("Dame Fortune" and "*autocrat*"), 211 ("move sharply"), 217 ("craven adventurer"); Jonathan C. Brown, "Políticas Internas e Investimentos Externos: O Aperfeiçoamento Britânico do Petróleo Mexicano 1889-1911", *Business History Review* 61 (Outono de 1987), p. 389 ("Poor Mexico"); Pearson para Body, 19 de abril de 1901, Caixa C-43 LCO 2313, documentos de Pearson ("oil craze"); Pan American Petroleum, *Mexican Petroleum,* (Nova York: Pan American Petroleum, 1922), pp. 13-28, 185-214; J.A. Spender, *Weetman Pearson: First Viscount Cowdray* (Londres: Cassei, 1930), pp. 149-55 ("entered lightly" and "superficial").

2. Memorando, 7 de outubro de 1918 ("peace of mind"), Cowdray para Cadman, 8 de maio de 1919 ("carry indefinitely"), fichário da Royal Dutch-Shell, Caixa C44, documentos de Pearson; Egan para Frost, memo anexo, 23 de abril de 1920, p. 4, 811.6363/352, RG 59, NA; Robert Waley Cohen, Economia da Industria do Petróleo", em *Proceedings of the Empire Mining and Metallurgical Congress,* 1924, p. 13; Beeby-Thompson, *Oil Pioneer,* p. 373; Wall e Gibb, *Teagle,* p. 186. Alguns anos depois, o auxiliar de Pearson, que originariamente havia percebido a infiltração do petróleo no México comentou, "Se o Chefe não tivesse perdido a conexão ferroviária em Laredo, ele teria ido rapidamente de um vagão para outro em direção ao compartimento reservado — e, como de costume, aberto sua bagagem contendo livros, começado a trabalhar, perdendo talvez uns poucos minutos lendo os jornais locais

em busca de notícias internacionais — e teria, dessa forma, perdido a chance de se meter na agitação do petróleo em Laredo e San Antonio. Assim ocorreu a coincidência que decidiu nossa entrada no petróleo mexicano." J.B. Body, "Como entramos no negócio do Petróleo", 21 de novembro de 1928, Caixa C43-LCO-2312, documentos de Pearson.

3. Lufkin para Dearing, 20 de abril de 1921, 800.6363/253; Subcomitê das Matérias Primas Minerais, Comitê das Relações Econômicas, "A Política Petrolífera dos Estados Unidos", p. 11, 11 de julho de 1919, 811.6363/45; "A Situação Geral do Petróleo", 19 de fevereiro de 1921, pp. 32-33, 800.6363/325, RG 59, NA. Gibb e Knowlton, *Standard Oil*, vol. 2, pp. 364-65; George Philip, *Oil and Politics in Latin America: Nationalist Movememts and State Companies* (Cambridge: Cambridge University Press, 1982), pp. 16-18; N. Stephen Kane, "Força Corporativa e Política Externa: Esforços das Companhias Americanas de Petróleo para Influenciar as relações dos Estados Unidos com o México, 1921-28", *Diplomatic History* 1 (Primavera de 1977), pp. 170-98; Lorenzo Meyer, *Mexico and the United States in the Oil Controversy, 1917-1942*, trad. Muriel Vasconcellos (Austin: University of Texas Press, 1976), pp. 24-99, O'Brien, "A Crise do Petróleo e a Política Externa da Administração Wilson", caps. 4-6.

4. FTC, *Foreign Ownership*, pp. 11-13 ("fight for new production"); "Situação Geral do Petróleo", 19 de fevereiro de 1921, p. 44, 800.6363/325, RG 59, NA; Stephen G. Rabe, The Road to OPEC: *United States Relations with Venezuela, 1919-1976* (Austin: University of Texas Press, 1982), pp. 4-5, 20 ("scoundrel"), 38 ("Monarch"); Thomas Rourke, *Gomez: Tyrant of the Andes* (Garden City, N.Y.: Halcyon House, 1936), cap. 11.

5. Philip, *Oil and Politics in Latin America*, pp. 13-15; Gibb e Knowlton, *Standard Oil*, vol. 2, pp. 384-90 ("malaria" and "spent millions"); B.S. McBeth, *Juan Vicente Gomez and the Oil Companies in Venezuela, 1908-1935* (Cambridge: Cambridge University Press, 1983), pp. 17-19, 67, 91-108; Gerretson, *Royal Dutch*, vol. 4, p. 280; Owen, *Trek of the Oil Pioneers*, pp. 1059-60 ("mirage"); Edwin Lieuwen, *Petroleum in Venezuela* (Berkeley: University of California Press, 1954), pp. 36-41; Ralph Arnold, George A. Macready e Thomas W. Barrington, *The First Big Oil Hunt: Venezuela, 1911-1916* (Nova York: Vantage Press, 1960), pp. 19, 343, 54, 164, 285.

6. McBeth, *Gomez and the Oil Companies*, pp. 114, 163-68; Mira Wilkins, *The Maturing of Multinational Enterprise: American Business Abroad from 1914 to 1970* (Cambridge: Harvard University Press, 1974), pp. 115-16 ("not live forever"), 507, n. 51; Giddens, *Standard Oil of Indiana*, pp. 489-93; Gibb e Knowlton, *Standard Oil*, vol. 2, p. 384 ("nonproducing"); Jonathan C. Brown, "Jersey Standard e a Política da Produção de Petróleo na América Latina, 1911-1930", em John D. Wirth, ed., *Latin American Oil Companies and the Politics of Energy* (Lincoln: University of Nebraska, 1985), pp. 38-39.

7. Wall e Gibb, *Teagle*, p. 222 ("bargain basement"); Jones, *State and British Oil*, pp. 209-11 ("be cleared"); Minutas do Encontro na Câmara Britânica, 26 de novembro de 1919, arquivo russo 2, Caixa C-8, documentos de Pearson ("establishment"); Tolf, *The Russian Rockefellers*, pp. 211-17.

8. Gibb e Knowlton, *Standard Oil*, vol. 2, pp. 332-35 ("no other alternative"); Richard H. Ullman, *Anglo-Soviet Relations, 1917-1920*, vol. 3, *The Anglo-Soviet Accord* (Princeton: Princeton University Press, 1972), pp. 93-99 ("every inch" and "Curzon!"), 117 ("swine"); E.H. Carr, *The Bolshevik Revolution, 1917-1923*, vol. 3 (Nova York: Norton, 1985), pp. 352 ("cannot by our own strength" and "quarter"), 349 ("best spies"). NA 861.6363: Teagle para

Hughes, 19 de agosto de 1920, 18; "Vitória Dupla," 49 ("liquid gold"); Bedford para Hughes, 11 de maio de 1922, 59; memo de Bedford, 22; memo de Bedford, 31 de dezembro de 1920, RG 59. *Times* (Londres), 22 de dezembro de 1920; *Jones, State and British Oil,* pp. 211-12 ("several good seats"). Para a nacionalização, William A. Otis, *The Petroleum Industry in Russia: Supplement to Commerce Reports* (Washington: *Bureau* do Comércio Interno e Externo, Divisão Mineral, 1924) e "Baku consolidou a Posição dos Campos de Petróleo de Propriedade Británica na Rússia", *Times* (Londres), 23 de dezembro de 1920.

9. *FRUS*, 1922, vol. 2, p. 773; *FRUS*, 1923, vol. 2, pp. 802-04; Tolf, *Russian Rockefellers,* pp. 221-24; Gibb e Knowlton, *Standard Oil*, vol. 2, pp. 340-47 ("sick child", "participation" and "look back"); Walk e Gibb, *Teagle,* pp. 222-25 ("old fashioned"), 350-53 ("encourage the thief", "new hopes" and "so glad"). NA 861.6363: Teagle para Bedford, telegrama, 19 de julho de 1922, 84; Sussdorf para Hughes, 27 de julho de 1922, 88, 19 de setembro de 1922, 104; memorando sem assinatura de Poole, 6 de outubro de 1922, 112; memo de De Vault, 8 de outubro de 1923, 169; telegrama de Deterding, fevereiro de 1926, 262 (Deterding para I.D.R., Ir.) RG 59.

10. Deterding para Riedemann, 20 de outubro de 1927 ("neither honor nor" and "enormous events"), pasta 5-5-35, caso 6, documentos das Companhias de Petróleo, *Financial Times,* 16 de janeiro de 1928; Gibb e Knowlton, *Standard Oil*, vol. 2, pp. 352-56 ("thinking people" and "buried Russia"). NA 861.6363: memo de Kelley, 8 de fevereiro de 1927, 222; Memo da conversa com Sir. John Broderick, 4 de fevereiro de 1928, 239 ("hot water" and "lost his head"); Tobin ao secretário de Estado, 18 de junho de 1928 — Standard Oil Company/4 ("suddenly attacked") ; Whaley a Kellog, 14 de março de 1928, 240, RG 59. Peter G. Filene, *Americans and the Soviet Experiment, 1917-1933* (Cambridge: Harvard University Press, 1967), p. 118 ("more unrighteous"); Joan Hoff Wilson, *Ideology and Economics: U.S. Relations with the Soviet Union, 1918-1933* (Columbia: University of Missouri Press, 1974), app. D.

Capítulo XIII

1. Olien e Olien, *Texas Independent,* pp. 15-16 (lotes promocionais de petróleo), 56-57 ("trendologist"); James A. Clark e Michael T. Halbouty, *The Last Boom* (Texas: Shearer Publishing, 1984), pp. 4-9 ("treasure trove" and "Medicine Show"), 43 ("Every woman"), 31-32 ("I'll drink"), 67 ("not an oil well"), 80 ("fires!"); Owen, *Trek of the Oil Finders,* p. 857; entrevista de História Oral com E. C. Laster, Centro Histórico do Texas.

2. *Henderson Daily News,* 4 de outubro de 1930; Olien e Olien, *Texas Independent,* pp. 57-58 ("teakettles"); Clark e Halbouty, *Last Boom,* pp. 67-72 ("second Moses"); Larson e Porter, *Humble,* pp. 451-54; Nordhauser, *Quest for Stability,* p. 72; Harry Hurt III, *Texas Rich: The Hunt Dynasty from the Early Days Through the Silver Crash* (Nova York: Norton, 1981), caps. 3 e 5; *C.M. Joiner, et. al. v. Hunt Production Company, et. al.,* n. 9650, "Petição Original de Plaintiff", 25 de novembro de 1932; "depoimento de H.L. Hunt", 16 de janeiro de 1933, pp. 44 ("flying start"), 83 ("had traded"); "Afirmação adicional de C.M. Joiner", 16 de janeiro de 1933, Corte Distrital de Rusk County, Texas. A descoberta de Dad Joiner foi, por consequência, um assunto extremamente desagradável para os geólogos profissionais. "A descoberta da jazida do leste do Texas", escreveu Wallace Pratt, geólogo-chefe da Jersey em 1941, "foi popularmente atribuído ao acaso". O fato do poço ter sido perfurado por um

aventureiro itinerante, em um local recomendado por um pseudogeólogo, parecia justificar o veredito de descoberta casual, sem o amparo da geologia. Mas, ponderando-se em cima do fato adicional de que por 15 anos vinham sendo conduzidas explorações geologicamente direcionadas nas proximidades... explorações geológicas persistentes haviam delimitado o possível território a ser perfurado em uma extensão de não mais que vinte quilômetros. A Humble, a Shell, a Atlantic e outras companhias já haviam perfurado uma grande quantidade de poços e a Humble possuía mais de 30 mil acres sob arrendamento, naquela que veio a se tornar a jazida do leste do Texas. "Os trabalhos prosseguiram até que apenas um espaço bastante estreito permaneceu sem verificação. O poço de exploração de Dad Joiner tinha que ser instalado nesse espaço para evitar cavidades secas existentes. Será que a geologia dá algum crédito a essa proeza?" Pratt para DeGolyer, 10 de julho de 1941, 1513, documentos de DeGolyer.

3. David F. Prindle, *Petroleum Politics and the Texas Railroad Commission* (Austin: University of Texas Press, 1981),p. 24 ("suicide"); Jacqueline Lang Weaver, *Utilization of Oil and Gas Fields in Texas:A Study of Legislative, Administrative, and Judicial Politics* (Washington: Pesquisas para o Futuro, 1986), pp. 48-50 ("deadly threat"); Lear, "Harold Ickes," pp. 6-7; Nordhauser, *Quest for Stability*, pp. 66-67 ("physical waste") , 85; Frederick Godber, "Notas de uma visita à América", maio-junho 1931, SC 7/G 30/12, documentos da Shell; Rister, *Oil!*, p. 264 ("one dollar"); Nash, *United States Oil Policy*, pp. 124, 116; Wiliamson et. al., *The Age of Energy*, p. 561.

4. Clark e Halbouty, *Last Boom*, pp. 168-73 ("insurrection", "rebellion", "worms" and "hot enough"); Olien e Olien, *Texas Independent*, p. 55 ("economic waste"); Owen, *Trek of the Oil Finders*, p. 471 ("water drive"); Larson e Porter, *Humble*, pp. 475-76 ("tooth and claw").

5. Graham White e John Maze, *Harold Ickes of the New Deal: His Private Life and Public Career* (Cambridge: Harvard University Press, 1985), pp. 98 ("plumb"), 174 ("Resignation"), 48 ("restless"), 31 ("pick losers"), 116 ("slaved away"), 104-7 ("oil-besmeared"); T.H. Watkins, *Righteous Pilgrim: The Life and Times of Harold L. Ickes, 1874-1952* (Nova York: Henry Holt, 1990), parte 6, Harold L. Ickes, *The Secret Diary of Harold L. Ickes*, vol. 1, *The First Thousand Days*, 1933-36 (Nova York: Simon e Schuster, 1953), p. 82 ("ghost of Albert B. Fall").

6. Ickes para Roosevelt, 1 de maio de 1933 ("Demoralization" and "ten cents"). Doherty para Roosevelt, 12 de maio de 1933 ("collapse"); Moffett para Roosevelt, 31 de maio de 1933, Petróleo, Fichário Oficial 56, documentos de Roosevelt. Lear, "Harold Ickes," p. 10 ("unprecedented authority"); Ickes, *Secret Diary*, vol. 1, pp. 31-32 ("beyond the control" and "crawling"); Ickes para Hiram Johnson, 31 de maio de 1933, Caixa 217, documentos de Ickes; Harold L. Ickes, "Depois do Dilúvio do Petróleo, Qual o Preço da Gasolina?" *Saturday Evening Post*, 16 de fevereiro de 1935, pp. 5-6 ("age of oil").

7. Ickes, "Depois do Dilúvio do Petróleo," p. 39 ("cunning"). Roosevelt para Raybum, 22 de maio de 1934 ("wretched conditions"); Grilling para Pearson, telegrama, com Ickes para McIntyre, 9 de junho de 1934 ("hot oil boys"); Assistente Pessoal para McIntyre, 19 de outubro de 1934 ("heaven and earth"); Cummings para Roosevelt, 30 de dezembro de 1934 ("good progress"), Petróleo, Fichário Oficial 56, documentos de Roosevelt, Ickes, *Secret Diary*, vol. l, pp. 65 ("broad powers"), 86 ("prepared the allocation"); Hardwicke, *Antitrust Laws*, pp. 51-53: Nordhauser, *Quest for Stability*, p. 124 ("now to doomsday"); James A. Veasey, "Controle Legislativo dos Negócios da Produção de Petróleo e Gás", em *Report of the*

15th Annual Meeting of the American Bar Association (Baltimore: Lord Baltimore Press, 1927), pp. 577-630.

8. Thompson para Roosevelt, n.d., 1937 ("this treaty"); Ickes para Roosevelt, 4 de maio de 1935, Petróleo, Arquivo Oficial 56, documentos de Roosevelt. Joe S. Bain, *The Economics of the Pacific Coast Petroleum Industry*, pt. I, *Market Structure* (Berkeley: University of California Press, 1944), pp. 60-66; Zimmermann, *Conservation*, p. 207; Wilkins, *Maturing of Multinational Enterprise*, pp.210-11; Fanning, *American Petroleum Institute*, pp. 133-36; Lieuwen, *Petroleum in Venezuela*, pp. 56-60; Departamento de Comércio dos Estados Unidos, *Minerais Yearbook, 1932-1933* (Washington, D.C.: GPO, 1933), p. 497 ("tariff").

9. Thompson para Roosevelt, n.d., 1937, Petróleo, Arquivo Oficial 56, documentos de Roosevelt ("cooperation and coordination"); McLean e Haigh, *Integrated Oil Companies*, p. 113; Robert E. Hardwicke, "Demanda do Mercado como um fator de Conservação do Petróleo", em *First Annual Institute on Oil and Gas Law* (Nova York: Matthew Bender, 1949), pp. 176-79; Nordhauser, *Quest for Stability*, p. 127; Williamson et al., *Age of Energy*, pp. 559-60.

Capítulo XIV

1. Pormenores Com Respeito ao Castelo de Achnacarry, Estação 1928, SC7/A24, arquivos da Shell (Malcolm e Hillcart); *Daily Express,* 13 de agosto de 1928 ("no warning"); Wall e Gibb, *Teagle,* pp. 259-61 ("hellions").

2. Minutas de Loxley e Collier, 4 de abril de 1930, N2149/FO 371/14816, PRO; Deterding para Riedemann 20 de outubro de 1927, fichário 5-5-35, caso 6, documentos das Companhias de Petróleo; Jones, *State and British Oil,* p. 236; Larson, *Standard Oil,* vol. 3, p. 306; Leslie Hannah, *The Rise of The Corporate Economy,* 2ª. edição (Londres: Methuen, 1976), caps. 2, 4, 7; Wilkins, *Multinational Enterprise.*

3. Rowland, *Cadman,* p. 55 (adversário acadêmico de Cadman). Discussão de Cadman com Fisher, Barstow et al., Fevereiro de 1928, T161/284/533045/2; Hopkins para o Ministro das Finanças, 10 de fevereiro de 1928, T161/284/533048/1 ("alliance"); Comitê sobre Defesa Imperial, Acordo Proposto, 16 de fevereiro de 1928, T8/T10, T161/284/33045/2; Ministério da Fazenda e Tribunal da Marinha, "Companhia de Petróleo Anglo-Persa: Esquema de Distribuição no Oriente Médio", T161/284/533048/1 ("irritability", "long run" and "similar alliances"); Churchill para Hopkins, 12 de fevereiro de 1928, T161/284/533048 ("singularly inopportune"); minuta Oliphant, 15 de fevereiro de 1928, A1270/6, FO 371/12835; Barstow e Packe para o Ministério da Fazenda, 15 de março de 1928, T161/284/33045/2; Wilson para Waterfield, 13 de fevereiro de 1928, T161/284/533048/1 ("amalgamation"), PRO. Ferrier, *British Petroleum,* pp. 514, 510.

4. Weill para o Barão, 5 de março de 1929, 132 AQ 1052, documentos de Rothschild; Congresso dos Estados Unidos, Senado, Comitê de Relações Exteriores, Subcomitê das Corporações Multinacionais, *Multinational Corporations and United States Foreign Policy*, parte 8 (Washington D.C.: GPO, 1975), pp. 30-33 ("As-is"), 35-39 ("problem", "destructive" and "Association") — mais adiante *Multinational Hearings;* Larson, *Standard Oil,* vol. 3, pp. 3089; Congresso dos Estados Unidos, Senado. Comitê de Pequenos Negócios, Subcomitê sobre Monopólio, *The International Petroleum Cartel; Staff Report to the Federal Trade Commission* (Washington, D.C.: 1952) — mais adiante FTC, *International Petroleum*

Cartel, pp. 199-229; Ferrier, *British Petroleum*, p. 513; Jones, *State and British Oil*, p. 236; Tolf, *Russian Rockefellers*, p. 224.

5. Campbell para Cushendun, 29 de outubro de 1928, A7452/1270/45, FO 371/12835; Jackson para Broderick, 26 de setembro, 17 de novembro de 1930, A6632, FO 371/14296, PRO.FTC, *International Petroleum Cartel*, p. 270 ("fringe"); Kessler para Teagle, 13 de setembro de 1928, fichários "diversos", caso 9, documentos das Companhias de Petróleo ("figures").

6. Roy Leigh, "Entrevista com Deterding", 18 de fevereiro de 1930, SC7/G32, arquivos da Shell; *Multinational Hearings*, parte 8, pp. 39-51 ("local arrangements" and "local cartels"). Sadler para Harden et. al., 2 de março de 1931, pasta 6-9-18, caso 1 ("abrogated"); Memo de Sadler para Teagle, 15 de junho de 1931, fichários "diversos", caso 9 ("great sacrifice" and "price war"), documentos das Companhias de Petróleo. Weill para o Barão, 14 de março de 1930, 132 AQ 1052; 23 de março de 1932, 132A AQ 1052, p. 572 ("bad everywhere"), documentos de Rothschild, Larson, *Standard Oil*, vol. 3, p. 311; John Cadman, "Petróleo e Política," em Instituto Americano de Petróleo, *13th Annual Meeting: Proceedings, 1932*; FTC, *International Petroleum Cartel*, pp. 235-50.

7. Minuta de Shuckburgh, 15 de janeiro de 1934, F.W.S., 12 de dezembro de 1933, Memorando do Departamento de Petróleo, 12 de janeiro de 1934, p.4, W 488, FO 371/18488, PRO; *Multinational Hearings*, parte 8, pp. 51-70 (sobre economias); FTC, *International Petroleum Cartel*, pp. 255, 264 ("standardized"), 266. Teagle para Kessler, 14 de agosto de 1931, fichários "vários números", caso 2; Memo de Harden, 19 de janeiro de 1935, fichário 12-1-3, caso 6; memo de Sadler, 15 de junho de 1931, caso 9 ("ambition"); Riedeman para Teagle, 26 de junho de 1935, e excerto de 6 de junho de 1935, encontro do Comitê Executivo, fichário 4-2-9, caso 4; para Harper, 29 de setembro de 1933, Envelope Marrom, caso 9; fichário "Gulf, SONJ, outras", caso 1, documentos das Companhias de Petróleo. Deterding para Riedemann, 4 de novembro de 1936, SC7/A14/1 ("much needed munitions"); Emmert para Parker, 21 de dezembro de 1934, SC7/A12 ("unanimously opposed" and "private walls"); Godber para Agnew, 31 de dezembro de 1934, SC7/A12, arquivos da Shell. Peter F. Cowhey, *The Problems of Plenty: Energy Policy and International Politics* (Berkeley: University of California Press, 1985), pp. 90-93.

8. Wilkins, *Multinational Enterprise*, pp. 234-38 ("defensive manner" "failure to cooperate" and "90 percent political"); minuta de Shuckburgh, 15 de Janeiro de 1934, F.W.S., 12 de dezembro de 1933, Memorando do Departamento de Petróleo, 12 de janeiro de 1934, p. 4 ("general tendency"), W 488, FO 371/18488 PRO; memo de Harden, 19 de janeiro de 1935, fichário 12-1-3, caso 6 ("nationalistic policies"), documentos das Companhias de Petróleo.

9. Peter J. Back, "A Disputa de Petróleo da Anglo-Persa de 1932-33," *Journal of Contemporary History* 9 (outubro 1974), pp. 127-43; Rowland, *Cadman*, pp. 123-33; Ferrier, *British Petroleum*, p. 610 ("suspicion"); Stephen H. Longrigg, *Oil in the Middle East: Its Diseovery and Development* (Oxford: Oxford University Press, 1968), 3a. edição, pp. 59-60 ("Persianization").

10. Jonathan C. Brown, "Por que as Companhias de Petróleo Estrangeiras Deslocaram sua Produção do México para a Venezuela Durante a Década de 20", *American Hitorical Review* 90 (abril 1985), pp. 362-85; Roosevelt para Daniels, 15 de fevereiro de 1939, Fichário Oficial 146, documentos de Roosevelt; Meyer, *Oil Controversy*, pp. 102, 127-54; Philip, *Oil and Politics*, p. 211.

11. O'Malley, "Personalidades Dominantes no México", 15 de março de 1938, A 1974/26, FO 371, PRO ("obsidian eyes", "chief" and "bugbear"); William Weber Johnson, *Heroie Mexico; The Violent Emergence of a Modern Nation* (Garden City, N.Y.: Doubleday, 1968), pp. 403-22; Meyer, *Oil Controversy*, pp. 152-56 ("conquered territory"); Anita Brenner, *The Wind that Swept Mexico: The History of the Mexican Revolution, 1910-1942* (Austin: University of Texas Press, 1977), p. 91. Body para DeGolyer, 21 de março de 1935, 128 ("quite Red"); DeGolyer para McCollum, 23 de agosto de 1945, 1110 (DeGolyer e Holman), documentos de DeGolyer. J.B. Body, "Aguila", 2 de agosto de 1935, pp. 4, 6, caixa C44, documentos de Pearson; Philip, *Oil and Politics*, pp. 206-9 ("incapable" and "half a Bolshevik"); Clayton R. Koppes, "A Política da Boa Vizinhança e a Nacionalização do Petróleo Mexicano: uma Reinterpretação", *Journal of American History* 69 (junho de 1982). Carta de Assheton, 21 de fevereiro de 1934, A 1947, FO 371; Murray para o Ministério das Relações Exteriores, 17 de setembro de 1935, A8586, FO 371/18708 (fulminação do administrador), PRO. Deterding para Riedemann, 4 de novembro de 1936, SC7 /A14/1, arquivos da Shell. Sobre outros confrontos latino americanos, veja Stephen J. Randall, *United States Foreign Oil Policy, 1919-1948* (Kingston: McGill-Queen's University Press, 1985), pp. 69-77, 91-96 e Herbert S. Klein, "Companhias Americanas de Petróleo na América Latina: A Experiência Boliviana", *Inter-American Economic Affairs* 18 (Outono de 1964), pp. 47-72.

12. Philip, *Oil and Politics*, p. 218 ("Men without respect"). Gallop para Eden, 17 de junho de 1937, 149/16/31/37, FO 371/20639 ("notorious but sincere"); Memo, "Relativo às Circunstâncias que Fazem Parte da Expropriação", A 2306/10/26, FO 371/21464; O'Malley para o Ministério das Relações Exteriores, 27 de dezembro de 1937, A9313, FO 371/20637; Murray para o Ministério das Relações Exteriores, 6 de fevereiro de 1937, A 1623, FO 371/20639 ("advisers and officials" and "completely unanimous"); O'Malley para o Ministério das Relações Exteriores, 8 de março de 1938, A1835, FO 371/21463, PRO. Godber para Starling, 25 de maio de 1938, SC7/G3/1, arquivos da Shell; Meyer, *Oil Controversy*, pp. 158-70; *FRUS, 1938*, pp. 724-27; sobre o programa de Cardenas, veja *Antologia de la Planeación en México (1917-1985)*, vol. 1, *Primeros Intentos de Planeación en México* (1917-1946) (Cidade do México: Ministério do Planejamento, 1985), p. 207.

13. Arquivos da Shell, SC7/G3: Davidson para Godber, 3; Godber para Starling, 27 de outubro de 1938, 4; Legh-Jones para Coleman, 25 de agosto de 1938, 3 ("precedent"); Memorando da conversação com sr. Hackworth, 24 de agosto de 1938, 3; conversa telefônica com Nova York, 27 de junho de 1938, 3; Conversa telefônica com Nova York, 27 de junho de 1938, 1; Wilkinson para Godber com memo, 30 de agosto de 1938, 3. Roosevelt para Daniels, 15 de fevereiro de 1939, OF 146, documentos de Roosevelt ("fair compensation"). Hohler para Halifax, 28 de agosto de 1938, A 7045/10/26, FO 371/21476; Davidson para Godber, 5 de março de 1940, FO 371/24215; Departamento de Petróleo, "A Expropriação das propriedades das Companhias de Petróleo no México pelo Governo Mexicano", 8 de abril de 1938, FO 371/21469 ("doubtful sources" and "Mexican policy"); Comitêda Defesa Imperial, "Expropriação das Propriedades das Companhias de Petróleo no México", maio de 1938, 1428-B, A3663, FO 371/29468; "Disputa pelo Petróleo Mexicano", 11 de outubro de 1940, A4486/57/26, FO 371/24216; Nota do Conselho do Petróleo, 9 de maio de 1938, A 3663/10/26/21469; Memorando, "A questão do Petróleo Mexicano", 1 de dezembro de 1938, pp. 2, 18, A 8808/10/26, FO 371/21477 ("paramount consideration"), PRO.

14. Meyer, *Oil Controversy*, pp. 219-24 ("Julius Caesar"). Halifax para Cadogan, 11 de junho de 1941, A4467 , FO 371/26063; Cadogan para Halifax, 12 de junho de 1941, FO 371/26063 ("put ideas"), PRO, Philip, *Oil and Politics*, p. 34; Arthur W. MacMahon e W.R. Dittman, "A Indústria Mexicana do Petróleo desde a Expropriação II", *Political Science Quarterly* 57 (junho de 1942), pp. 169-78.

Capítulo XV

1. Archibald H.T. Chisholm, *The First Kuait Oil Concession Agreement: A Record of the Negotiations* (Londres: Frank Cass, 1975), pp. 5-6, 93-95, 161; Thomas E. Ward, *Negotiations for Oil Concessions in Bahrein, El Hasa (Saudi Arabia), the Neutral Zone, Qatar, e Kuait* (Nova York: impresso confidencialmente, 1965), pp.11, 255; H.St.J.B. Philby, *Arabian Oil Ventures* (Washington: Instituto do Oriente Médio, 1964), p. 98 ("bluff, breezy").

2. Fox para o secretário de Estado, 24 de junho, 1933, 890F.6363/Standard Oil Co./17, RG 59, NA ("mischief"). Encontro Relativo aoa Petróleo no Golfo Pérsico em 26 de abril de 1933, parágrafo 16, POWE 33/241/114869 ("rover"); Entrevista relativa à Concessão Petrolífera Kuaitiana, 4 de janeiro de 1934 P.Z. 145/1934; p. 4, POWE 33/242/114864 (not... "particularly satisfactory"), PRO. Longrigg, *Oil in the Middle East*, pp. 42, 98-99; Chisholm, *Kuait Oil Concession*, p. 161 ("Father of oil"); Ward, *Negotiations*, pp. 23-26.

3. Randolph para o secretário de Estado, 19 de maio de 1924, 741.90G/30; 15 de agosto de 1924, 890G.6363/T84/164; 26 de novembro de 1924, 890G.6363/T84/189, RG 59, NA. Chisholm *Kuait Oil Concession*, pp. 127 ("little room"), 162; Ferrier, *British Petroleum*, p. 555 ("devoid").

4. Ballantyne para Gibson, 16 de dezembro de 1938, P.Z. 8299/38, POWE 33/195/114869, PRO; Chisholm, *Kuait Oil Concession*, pp. 106-9, ("not... any... promise" and "pure gamble") p. 13; Jerome Beatty, "A Face de John Buli é Vermelha?" *American Magazine*, janeiro 1939 ("worst nuisance").

5. P.T. Cox e R.O. Rhoades, "Um Relatório sobre Geologia e Prospecção de Petróleo no Território Kuatiano", 11 de junho de 1935, 638-107-393, arquivos da Gulf; Standard Oil da Califórnia, "Relatório sobre as Concessões em Bahrein e Arábia.Saudita", 5 de dezembro de 1940, 3465, documentos de DeGolyer; Ward, *Negociations*, pp. 80-81 (Sheiks de Nova York); Chisholm, *Kuait Oil Concessions*, pp. 13-14 ("greasy substance"); Frederick Lee Moore, Jr., Origem das Concessões de Petróleo Americanas em Bahrein, no Kuait e na Arábia Saudita (Tese da Universidade de Princeton, 1951), pp. 22-34; Irvine H. Anderson, *Aramco, The United States, and Saudi Arabia, 1933-1950* (Princeton University Press, 1981), pp. 22-23.

6. Stone e Wellman para Piesse, 5 de outubro de 1928, Brown para Piesse, 12 de novembro, 1928, fichário 5-5-35, caso 6, documentos das Companhias de Petróleo; Longrigg, *Oil in the Middle East*, pp. 26-27 ("clause" and "interests").

7. "Concessão de Petróleo de Bahrein e os Lucros dos Estados Unidos", memo de Rendel, 30 de maio de 1929, E 2521/281/91, FO 371/13730/115395, PRO; Standard Oil da Califórnia, "Relatório sobre as Concessões de Bahrein e da Arábia Saudita", 5 de dezembro de 1940, pp. 7-9, 21-22, 3465, documentos de DeGolyer.

8. Dickson para um Representante Político, 27 de abril de 1933, POWE 33/241/114869, PRO ("astute Bin Saud"); H.St.J.B. Philby, *Arabian Jubilee* (Londres: Robert Hale, 1952), p. 49;

Elizabeth Burgoyne, ed., *Gertrude Bell: From Her Personal Papers, 1914-1926* (Londres: Ernest Benn, 1961), p. 50 ("well-bred Arab").

9. Philby, *Arabian Jubilee*, pp. 5, 75; Karl S. Twitchell, *Saudi Arabia: With an Account of the Development of Its Natural Resources*, 3a. ed. (Princeton University Press, 1958), pp. 144-54; Jacob Goldberg, *The Foreign Policy of Saudi Arabia: The Formative Years* (Cambridge: Harvard University Press, 1986), cap. 2 (Mubarak), p. 136 ("our advantage"); H.St.J.B. Philby, *Saudi Arabia* (Londres: Ernest Benn, 1955), pp. 261-68 ("thirty thousand"), 280-92; Christine Moss Helms, *The Cohesion of Saudi Arabia: Evolucion of Political Identity* (Baltimore: Johns Hopkins University Press, 1981), p. 211 ("neutral zones"); David Holden e Richard Johns, *The House of Saud* (Londres: Pan Books, 1982), pp. 51, 80.

10. Clive Leatherdale, *Britain and Saudi Arabia, 1925-1939: The Imperial Oasis* (Londres: Frank Cass, 1983), pp. 114-20.

11. Mohammed Almana, *Arabia Unified: A Portrait of Ibn Saud* (Londres: Hutchinson Benham, 1980), p. 90.

12. Kim Philby para Monroe, 27 de outubro de 1960, pasta 3, caixa 23, documentos de Philby; Philby, *Arabian Jubilee*, p. 54; Kim Philby, *My Secret War* (MacGibbon & Kee, 1968), p. 99; Almana, *Arabia Unified*, pp. 153 ("true replica"), 151; Elizabeth Monroe, *Philby of Arabia* (Londres: Faber e Faber, 1973), pp. 158-62 ("how nice"); Philby, *Oil Ventures*, p. 126 ("traditional western dominance"); H.St.J.B. Philby, *Arabian Days: An Autobiography* (Londres: Robert Hale, 1948), pp. 282-283, 253("I was surely"); memo para S. Wilson, Ofícios do Gabinete, 13 de agosto de 1929, CO 732/41/3 ("Since he retired"), PRO; Leatherdale, *Britain and Saudi Arabia*, p. 194 ("humbug").

13. Diário da visita de Crane a Jidá, 25 de fevereiro — 3 de março de 1931, cap. 9 dos manuscritos de Edgar Snow, documentos de Crane; Philby, *Arabian Jubilee*, pp. 175-77 ("Oh, Philby"); "Negociações do Petróleo", fichário 3, caixa 29, Philby para Crane, 29 de dezembro de 1929, fichário 2, caixa 16, documentos de Philby ("one of his eyes").

14. Notas da viagem do Sheik Ahmad para Raith, incluso 2 no n. 44, 6 de abril de 1932, E 2469127/25, FO 406/69/115218, PRO; H.S. Villard, memo da conversa com Twitchell, 1 de novembro de 1932, 890 F.6363/10, RG 59, NA.

15. Lombardi para Philby, 30 de janeiro de 1933, Philby para Hamilton, 4 de março de 1933, fichários da Aramco/Socal, documentos de Philby; Loomis para o secretário de Estado, 25 de outubro de 1932, 890 F.6363/Standard Oil da Califórnia/1, RG 59, NA; Almana, *Arabia Unified*, pp. 191-99 (Suleiman); Ryan para Wamer, 15 de março de 1933, E 1750/487/25, POWE 33/320/114964, PRO ("stage is set").

16. Hamilton para Philby, 28 de fevereiro de 1932 ("get in touch"); Philby para Lees, 17 de dezembro de 1932 ("disposed to help"); Philby para Loomis, 1 de abril de 1933, fichário da Aramco/Socal, documentos de Philby. Twitchell para Murray, 26 de março de 1933, 890 F.6363/Standard Oil Co./9, RG 59, NA; Philby, *Oil Ventures*, p. 83 ("It is no good"); Wallace Stegner, *Discovery: The Search for Arabian Oil* (Beirute: Middle East Export Press, 1974), p. 19.

17. Philby, *Oil Ventures*, p. 106 ("did not need"); Philby para Hamilton, 14, 15 de março de 1933, fichário da Aramco/Socal, documentos de Philby. Ryan para Warner, 15 de março de 1933, E 1750/487/25, POWE 33/320 ("pig in a pòke"); Relatório de Jedda para abril de 1933, 9 de maio de 1933, E 2839/902/25, FO 4061/71, PRO. Longrigg, *Oil in the Middle East*, pp.

58-60, 73-75: Benjamin Shwadran, *The Middle East Oil and the Great Powers*, 3a. ed. (Nova York: John Wiley, 1973), pp. 43-47, 238.

18. Twitchell para Philby, 26 de março de 1933; Philby para Loomis, 1 de abril de 1933; Hamillton para Suleiman, 21 de abril de 1933, fichários da Aramco/Socal, documentos de Philby. Telegramas de Ryan, 30 de maio de 1933, E 2844/487/25, POWE 33/320/114964, PRO; Contrato entre o Governo da Arábia Saudita e a Standard Oil Company da Califórnia, 29 de maio de 1933, com Loomis para Hull, 2 de maio de 1938, 890F.6363/Standard Oil Co./97, RG 59, NA; Philby, *Oil Ventures*, pp. 100 ("unfortunate impasse"), 119 ("pack up"), 99 (*détente*), 124 ("pleasure"); Wilkins, *Maturing of Multinational Enterprise*, p. 215.

19. Chancelaria para o Departamento, 24 de agosto de 1933, E 5455/487/25, CO 732/60/10/115125, PRO; Philby, *Oil Ventures*, pp. 125 ("thunderstruck"), 46-48; Monroe, *Philby*, pp. 208-9 (Kim Philby).

20. Chisholm, *Kuait Oil Concessions*, pp. 19 ("stab to my heart"), 176 ("flank" and "sphere"). Telegrama de Ryan, 1 de junho de 1933, E 3073/487/25, POWE 33/320/114964; Rendel, Passeio pelo Golfo Pérsico e Arábia Saudita, fevereiro-março de 1937, CO 732/79/17/115218 ("dangerous policy"); Carta de um Representante Político no Golfo Pérsico, 13 de dezembro de 1927, P1341, CO 732/33/10; memo de Warner, 2 de novembro de 1932, E 5764/121/91, FO 371/16002/115578 ("jackal"); Rendel para Warner, 3 de fevereiro de 1933, POWE 33/241/114869 ("frittering away"), PRO.

21. Bisco e para o Ministério das Relações Exteriores, 29 de outubro de 1931, n. 18, FO 371/15277/115659; Bullard para Halifax, cap. 1-Arábia, 10 de janeiro de 1939, E246/246/25, FO 406/77, PRO. R.I. Lawless, *The Gulf in the Early 20th Century: Foreign Institutions and Local Responses* (Durham: Centro para Estudos Islâmicos e do Oriente Médio, 1986), pp. 91-92; Chisholm, *Kuait Oil Concession;* pp. 19, 37; Jacqueline S. Ismael, *Kuait: Social Change in Historical Perspective* (Syracuse: Syracuse University Press, 1982), pp. 61-71; Fatimàh H. Y. al-Abdul Razzak, *Marine Resources of Kuait: Their Role in the Development of Non-Oil Resources* (Londres: KPI Limited, 1984), pp. 59-60; Comitê para o Estudo da Cultura de Pérolas, *Report on the Study of the Mikimoto Culture Pearl* (Toquio: Associação para o Encorajamento de Invenções, 1926).

22. Tribunal da Marinha, Concessão de Petróleo no Kuait, 15 de março de 1932, FO 371/16001/115578; memo de Rendel, Concessões Propostas de Petróleo para o Kuait, 30 de janeiro de 1932, FO 371/160001/115578 ("protection"); Representante Político para o secretário de Estado para a India, 7 de fevereiro de 1932, FO 371/16001, 115578 ("losing influence"); OIiphant para Vansittart, 20 de janeiro de 1932, FO 371/16001/115578 ("oil war"); Oliphant para Wakely, 22 de janeiro de 1932, FO 371/16001/115578 ("Americans are welcome"); Petróleo no Kuait: Conclusões do Gabinete, 6 de abril de 1932, E 1733/121/91, FO 371/16002/115578; Simon para Atherton, 9 de abril de 1932, E 1733/121/91, FO 371/16002/115578; Oliphantpara secretário de Estado, 11 de abril de 1932, FO 371/16002/115578, PRO.

23. Dickson para um Representante Político, 1 de maio de 1932, POWE 33/241/114869 ("wonderful victory"); Memo, 20 de fevereiro de 1933, p. 2, POWE 33/241/114869, PRO. David E. Koskoff, *The Mellons: The Cronicle of America's Richest Family* (Nova York: Thomas Y. Crowell, 1978), pp. 271-98 ("precisely the same"); Chisholm, *Kuait Oil Concession*, p. 160.

24. P.T. Cox, "Um Relatório sobre as Prospecções de Petróleo no Território do Kuait", 12 de maio de 1932, pp. 26-27, 638-107-393, Arquivos da Gulf; Chisholm, *Kuait Oil Concession*, pp. 26

("two bidders"), 160 ("personal benefit"), 141 ("go easy"), 67, 27-30 ("dead body"). Memo de Rendel, 23 de dezembro de 1932, com Concessão de Petróleo no Kuait, E 6801/121/91, FO 371/16003/115659 ("so keen a personal interest"); Oliphant para Cadman, 30 de dezembro de 1932, E 6830/121/191, POWE 331/241/114869, PRO.

25. Fowle para Escritório Colonial,: Petróleo no Kuait, 27 de junho de 1933, POWE 33/241/114869, PRO. Chisholm, *Kuait Oil Concession,* pp. 27-28, 175-79 ("keep his hands" and Cadman and Sheikh Ahmad); Ward, *Negotiations,* p. 227.

26. Rendel para Laithwaite, 14 de dezembro de 1933, E 7701/12/91, POWE 33/241/114869 ("blessing" and "British hands"); Petróleo do Kuait: Acordo Político de 4 de março de 1934, E 2014/19/91, FO 905/17/115218; Concessoões de Petróleo no Kuait, 8 de março de 1935, pp. 8-11, POWE 33/246/114964, PRO. 1934 Acordo de Concessão, 23 de dezembro de 1934, 78-135-043, arquivos da Gulf, Chisholm, *Kuait Oil Concession,* p. 45 ("heavenly twins"); Ward, *Negotiations,* p. 229 ("pure in hear").

27. Nomland para Knabenshue, 7 de junho de 1935, com Knabenshue para Murray, 20 de junho de 1935, 890F.6363/Standard Oil Co./82 ("sure shot"), RG 59, NA, *Sun and Flare* (Aramco Magazine), 6 de fevereiro de 1957; "Pioneiro da Persian Gulf", [1956] ("camel days"); "A Exploração atingiu a maioridade na Arábia Saudita", *Standard Oil Bulletin,* dezembro de 1938, pp. 2-10; "Um Novo Campo de Petróleo na Arábia Saudita", *Standard Oil Bulletin,* setembro de 1936, pp. 3-16, fichários da Chevron. Wilkins, *Multinational Enterprise,* pp. 215-17 ("total loss").

28. Seidel para Teagle, 20 de novembro de 1935, 10 de fevereiro de 1936, fichário 5-5-36, caso 6; memo de Walden 7/26/34, fichários de vários números, caso 2; Halman para Sadler, 15 de novembro de 1938, fichários de vários números, caso 2, documentos das Companhias de Petróleo. Memo de Rendel, Petróleo na Arábia, 7 de julho de 1937, P.Z. 612/37, POWE 33/533/115294 ("irksome" and "buy them out"); Starling para Clauson, 3 de julho de 1936, P.Z. 674/36, FO 371/19965/115659 ("all to the good"), PRO. William Lenahan para Abdulla Suleiman, 10 de fevereiro de 1934, com Loomis para Hull, 2 de maio de 1938, 890 F.6363/Standard Oil Co./97, RG 59, NA; Anderson, *Aramco,* pp. 26-28; FTC, *International Petroleum Cartel,* pp. 73-74, 115; Wilkins, *Multinational Enterprise,* pp. 214-17.

29. P.T. Cox e R.O. Rhoades, "Relatório sobre a Geologia e as Prospecções de Petróleo no Território do Kuait", 1 de junho de 1935, 638-107-393; Memo para Bleecker, Summary Review of Burgan n. 1, 537-149-501; L.W. Gardner, História do Campo de Burgan, 621-74-107, arquivos da Gulf. Chisholm, *Kuait Oil Concession,* pp. 81, 250.

30. Murray, "A Luta por Concessões na Arábia Saudita", 2 de agosto de 1939, 890F.6363/Standard Oil Co./118 ("astronomical proportions"), RG 59, NA. Standard Oil da Califórnia, "Relatório das Concessões de Bahrein e da Arábia Saudita", pp. 75-77, 5 de dezembro de 1940, pp. 75-77, 3465, documentos de DeGolyer; Hull para Roosevelt, 30 de junho de 1939, OF 3500, documentos de Roosevelt; *New York Times,* 8 de agosto de 1939; Wilkins, *Multinational Enterprise,* p. 217; Uriel Dann, ed., *The Great Powers in the Middle East, 1919-1939* (Nova York: Holmes & Meier, 1988), cap. 19.

31. Standard Oil da Califórnia, "Relatório das Concessões de Bahrein e da Arábia Saudita", 5 de dezembro de 1940, p. 80, 3465, documentos de DeGolyer; Holden e Johns, *House of Saud,* pp. 121-22; Monroe, *Philby,* pp. 295-96 ("so bored" and "Greatest"); Chisholm, *Kuait Oil Concession,* pp. 93-95 ("my geolosist").

Capítulo XVI

1. Takehiko Yoshihashi, *Conspiracy at Mukden: The Rise of the Japanese Military* (New Haven: Yale University Press, 1963), p. 14 ("life line" and "living space"); Seki Hiroharu, "O Incidente da Manchúria, 1931", trad. Marius B. Jansen, in *Japan Erupts: The London Naval Conference and the Manchurian Incident, 1928-1932* ed. James William Morley (Nova York: Columbia University Press, 1984), pp. 139, 225-30; Sadako N. Ogata, *Defiance in Manchuria: The Making of Japanese Foreign Policy, 1931-32* (Berkeley: University of California Press, 1964), pp. 59-61, 1-16; G.R. Storry, "O Incidente de Mukden de 18-19 de Setembro, 1931", em *St. Antony's Papers: Far Eastern Affairs* 2 (1957), pp. 1-12.

2. Franklin D. Roosevelt, "Devemos Acreditar no Japão?" *Asia* 23 (Julho 1923), pp. 475-78, 526-28.

3. James B. Crowley, *Japan's Quest for Autonomy: National Security and Foreign Policy, 1936-1938* (Princeton: Princeton University Press, 1966), pp. 244-45 ("government by assassination"); Mira Wilkins, "O papel dos Negócios Norte Americanos", em *Pearl Harbor as History: Japanese-American Relations, 1931-1941*, eds. Dorothy Borg e Shumpei Okarnoto (Nova York: Columbia University Press, 1973), pp. 341-45; Stephen E. Pelz, *Race to Pearl Harbor: The Failure of the Second London Naval Conferenee and the Onset of World War II* (Cambridge: Harvard University Press, 1974), p. 15; Yoshihashi, *Conspiracy at Mukden*, cap. 6; *FRUS: Japan, 1931-1941*, vol. 1, p. 76.

4. *FRUS: Japan, 1931-1941*, vol. 1, pp. 224-25 ("mission" and "special responsibilities"); Crowley, *Japan's Quest*, pp. 86-90 ("national defense state"), 284-86 *(hokushu)*, 289-97 ("spirit"); Robert J.C. Butow, *Tojo and the Coming of the War* (Princeton: Princeton University Press, 1961), pp. 23, 55-70; Akira Iriye, *Across the Pacific: An Inner History of American-East Asian Relations* (Nova York: Harcourt, Brace & World, 1967), pp. 207-08; Jerome B. Cohen, *Japan's Economy in War and Reconstruction* (Mineápolis: University of Minnesota Press, 1949), pp. 133-37; Irvine H. Anderson, *The Standard-Vacuum Oil Company and the United States East Asian Policy, 1933-1941* (Princeton: Princeton University Press, 1975), pp. 221-31. Anderson é uma fonte essencial sob o ponto de vista do petróleo. Michael A. Barnhart, *Japan Prepares for Total War: The Search for Economic Security, 1919-1941* (Ithaca: Cornell University Press, 1987), pp. 28-29.

5. Laura E. Hein, *Fueling Growth: The Energy Revolution and Economic Policy in Post war Japan* (Cambridge: Harvard University Press, 1990), pp. 46-52; Anderson, *Standard- Vacuum*, pp. 81-90 ("frightening" and "resistence"); Ickes, Secret Diary, vol. 1, p. 192.

6. Crowley, *Japan's Quest*, p. 335 ("unpardonable crime"); Herbert Feis, *The Road to Pearl Harbor: The Coming of War Bet ween the United States and Japan* (Nova York: Atheneum, 1966), pp. 9-10 ("thoroughgoing blow"), 12. Feis permanece a história diplomática clássica, a ser complementada por Jonathan G. Utley, *Going to War with Japan, 1937-1941* Knoxville: University of Tennessee Press, 1985), James William Morley, ed., *The China Quagmire: Japan's Expansion on the Asian Continent, 1933-1941* (Nova York: Columbia University Press, 1983), pp. 233-86; Michael A. Barnhart, "A Segurança Econômica do Japão e as Origens da Guerra no Pacífico", *Journal of Strategic Studies* 4 (junho 1981), p. 113; Robert Dallek, *Franklin D. Roosevelt and American Foreign Policy, 1932-1945* (Oxford: Oxford University Press), pp. 147-55 ("quarantine" and "without declaring war").

945

7. Utley, *Going to War*, pp. 36-37 ("moral embargo"); Feis, *Pearl Harbor*, p. 19 ("not yet").

8. Diário de Joseph Grew, 1939, pp. 4083-84, documentos de Joseph Grew ("intercept her fleet"); Theodore H. White, *In Search of History: A Personal Adventure* (Nova York: Harper & Row, 1978), pp. 280-83 ("aerial terror"); Utley, *Going to War*, p. 54 ("Japan furnishes").

9. Anderson, *Standard-Vacuum*, pp. 118-21 (Walden e Elliott).

10. *New York Times*, 11 de janeiro de 1940; Ickes, *Secret Diary*, vol. 3, pp. 96, 132, 274; Edwin P. Hoyt, *Japan's War: Ther Great Pacific Conflict* (Nova York: McGraw HiII, 1986), p. 215 ("ABCD"); Butow, *Tojo*, p. 7 ("Razor"); James William Morley, ed., *The Fateful Choice: Japan's Advance in Southeast Asia, 1939-1941* (Nova York: Columbia University Press, 1980), pp. 122, 241-86.

11. Diário de Henry Stimson, 18 de julho, 19 ("only way out"), 24, 26, 1940, Henry Stimson Papers; Morgenthau Diary, vol. 319, p. 39, 4 de outubro de 1940; JohnMorton Blum, *From the Morgenthau Diaries: Years of Urgency, 1938-1941* (Boston: Houghton Mifflin, 1965), pp. 349-59; Nobutaka Ike,. ed., *Japan's Decision for War: Records of the 1941 Policy Conferences* (Stanford: Stanford University Press, 1967), pp. 7, 11; Ickes, *Diaries*, vol. 3, pp. 273, 297-99 ("needling"); Morley, *Fateful Choice*, pp.142-45, cap. 3; Cohen, *Japan's Economy*, p. 25. Veja H.P. Willmott, *Empires in the Balance: Japanese and Allied Pacific Strategies to April 1942* (Anápolis: Naval Institute Press, 1982), p. 68: "O que moldou essencialmente a estratégia japonesa no início da guerra foi a preocupação com a segurança de seu fornecimento de petróleo."

12. Roosevelt para Grew, 21 de janeiro de 1941, diário de Grew, p. 4793 ("single word conflict"); Sir Llewellyn Woodward, *British Foreign Policy in the Second World War*, vol. 2 (Londres: Her Majesty's Stationery Office, 1971), p. 137; Ickes, *Secret Diary*, vol. 3, p. 339; Ike, *Japan's Decision for War*, p. 39; Anderson, *Standard Vacuum*, p. 143 ("Europe first").

13. Congresso dos Estados Unidos, 79th Congress, 1ª. sessão, *Hearings Before the Joint Committee on the Investigation of the Pearl Harbor Attack* (Washington, D.C.: GPO, 1946), parte 17, p. 2463; Feis, *Pearl Harbor*, pp. 38-39 ("smallest particles"); Kichisaburo Nomura, "Degrau Para a Guerra", *United States Naval Institute Proceedings* 77 (setembro 1951); *FRUS: Japan, 1931-1941*, vol. 2, p. 387 ("friend"); *FRUS, 1941*, vol. 4, p. 836 (lábios e coração); Gordon W. Prange, *At Dawn We Slept: The Untold Story of Pearl Harbor*, with Donald M. Goldstein e Katherine V. Dillon (Nova York: McGraw-Hill, 1981), pp. 6 ("one pillar"), 119; Cordell Hull, *The Memoirs of Cordell Hull* (Nova York: Macmillam, 1948), vol. 2, p. 987; David Kahn, *The Codebreakers: The Story of Secret Writing* (Nova York: Macmillan, 1967), pp. 22-27; Roberta Wohlstetter, *Pearl Harbor: Warning and Decision* (Stanford: Stanford University Press, 1962), p. 178.

14. Prange, *At Dawn We Slept*, pp. 10-11 ("schoolboy" and "armchair arguments"); Hiroyuki Agawa, *The Reluctant Admiral: Yamamoto and the Imperial Navy*, trad. John Bester (Toquio: Kodansha International, 1982), pp. 2-13, 32, 70-91, 141, 148-58 ("scientist"), 173-89.

15. Prange, *At Dawn We Slept*, pp. 28-29 ("lesson" and "regretable"), 15-16 ("fatal blow" and "first day"); Morley, *Fateful Choice*, p. 274 ("whole world"); Grew para o secretário de Estado, 27 de janeiro de 1941, 711.94/1935, PSF 30, documentos de Roosevelt (advertência de Grew).

16. Feis, *Pearl Harbor*, p. 204 ("emergency"); Roosevelt para Ickes, 18 de junho, 30 de junho, Ickes para Roosevelt, 23 de junho, 1 de julho, 1941, fichário de Ickes, PSF 75, documentos de Roosevelt (troca de Ickes-FDR).

17. Morley, *Fateful Choice*, p. 255, cap. 4; Ike, *Japan's Decision*, pp. 56-90 ("life or death"); Congresso dos Estados Unidos, Comissão Mista sobre a Investigação do Ataque em Pearl Harbor, 79th Congresso, 1ª. Sessão, *Pearl Harbor: Intercepted Messages Sent by the Japanese Government Between July 1 and December 8, 1941* (Washington, D.C.: GPO, 1945), pp. 1-2 ("next on our schedule"); Diários Presidenciais de Morgenthau, vol. 4, 09146, 18 de julho de 1941 ("question" and "mean war"); "Exportação de Produtos Petrolíferos, Sucata de Ferro e Sucata de Aço", Gabinete do Secretário da Fazenda, Relatórios Semanais, PSF 918, Ministério da Fazenda, documentos de Roosevelt; Congresso dos Estados Unidos, *Pearl Harbor Hearings*, parte 32, p. 560; Feis, *Pearl Harbor*, pp. 228-29 ("always short"); *FRUS: Japan, 1931-1941*, vol. 2, pp. 527-30 ("bitter criticism" and "new move"). Para a crítica, veja Eliot Janeway, "O Parceiro do Japão", *Harper's Magazine*, junho 1938, pp. 1-8; Henry Douglas, "A América Financia a Nova Ordem do Japão", *Amerasia*, julho 1940, pp. 221-24; Douglas, "Um Pouco de História-Embargo bem-sucedido Contra o Japão em 1918", *Amerasia*, agosto de 1940, pp. 258-60. Woodward, *British Foreign Policy*, vol. 2, p. 138; Blum, *Morgenthau: Years of Uncertainty*, p. 378 ("day to day"); Waldo Heinrichs, *Threshold of War: Franklin D. Roosevelt and America Entry into World War II* (Nova York: Oxford University Press, 1988), pp. 134, 153, 178, 246-47; Dean Acheson, *Present at the Creation: My Years in the State Department* (Nova York: New American Library, 1970), pp. 50-52 ("state of affairs"); *FRUS, 1941*, vol. 4, pp. 886-87.

18. Peter Lowe, *Great Britain and the Grigins of the Pacific War: A Study of British Policy in East Asia, 1937-1941* (Oxford: Clarendon Press, 1977), pp. 239-40 ("as drastically"); Woodward, *British Foreign Policy*, vol. 2, pp. 138-39; Congresso dos Estados Unidos, *Intercepted Messages*, pp. 8 ("hard looks"), 11; Iriye, *Across the Pacific*, p. 218; *FRUS: Japan, 1931-1941*, vol. 2, p. 751 ("Japanese move").

19. Diário de Grew, julho de 1941, p. 5332 ("vicious circle"); Feis, *Pearl Harbor*, p. 249 ("cunning dragon"); Akira Iriye, *Power and Culture: The Japanese-American War, 1941-1945* (Cambridge: Harvard University Press, 1981), p. 273, n. 32; Arthur J Marder, *Old Friends, New Enemies: The Royal Navy and the Imperial Japanese Navy* (Oxford: Oxford University Press, 1981), pp. 166-67 ("scarecrows"); Congresso dos Estados Unidos, *Intercepted Messages*, p. 9; Blum, *Morgenthau: Years of Urgency*, p. 380 ("except force"); FRUS, 1941, vol. 4, pp. 342, 359.

20. Butow, *Tojo*, pp. 236-37 ("whole problem"); Fumimaro Konoye, "Memórias do Príncipe Konoye", em Congresso dos Estados Unidos, *Pearl Harbor Attack*, parte 20, pp. 3999-4003 ("receipt of intelligence"); Hull, *Memoirs*, vol. 2, p. 1025; Gordon W. Prange, *Pearl Harbor: The Verdict of History*, com Donald M. Goldstein e Katherine V. Dillon (Nova York: McGraw-Hill, 1986), p. 186.

21. Ike, *Japan's Decision*, pp. 154 ("weak point"), 139 ("day by day"), 133-57, 188, 201-16; Konoye, "Memórias", pp. 4003-12 (Imperador); Congresso dos Estados Unidos, *Intercepted Messages*, pp. 81-82 ("dead horse"), 141; Hull, *Memoirs*, vol. 2, pp. 1069-70 ("no last words"); *FRUS, 1941*, vol. 4, pp. 590-91; Grew Diary, outubro de 1941, p. 5834; Cohen, *Japan's Economy*, p. 135.

22. Grew para o secretário de Estado, 3 de novembro de 1941, 711.94/2406, PSF 30, documentos de Roosevelt; Diário de Stimson, 25 de novembro de 1941; Congresso dos Estados Unidos, *Intercepted Messages*, pp. 92, 101, 165 ("beyond your ability" and "automatically"); Ike, *Japan's Decision*, pp. 238-39 (Tojo's summation); Hull, *Memoirs*, pp. 1063-83; *FRUS: Japan, 1931-1941*, pp. 755-56.

23. Diário de Stimson, 26 de novembro ("fairly blew up"), 27 ("washed my hands"), 1941; Prange, At *Dawn We Slept*, p. 406 ("war warning"); Konoye, "Memória," pp. 4012-13; Congresso dos Estados Unidos, *Intercepted Messages*, p. 128.

24. Kahn, *Codebreakers*, p. 41; Agawa, *Yamamoto*, p. 245 ("here nor there"); Congresso dos Estados Unidos, *Intercepted Messages*, p. 215; Dallek, *Roosevelt*, p. 309 ("clouds" and "son of a man"); *FRUS: Japan, 1931-1941*, vol. 2, pp. 784-87; Feis, *Pearl Harbor*, pp. 340-42 ("foul play" and "nasty"); Hull, *Memoirs*, pp. 1095-97 ("Japanese have attacked"); Woodward, *British Foreign Policy*, vol. 2, p. 177 ("infamous falsehoods" and "dogs").

25. Stimson Diary, 28 de novembro, 30, 6 de dezembro, 7 ("caught by surprise"); Prange, *At Dawn We Slept*, p. 527,558; Forrest C. Pogue, *George C. Marshall: Ordeal and Hope, 1939-1942* (Nova York: Viking, 1966), p. 173 ("fortress"); Wohlstetter, *Pearl Harbor*, pp.3, 386-95; Prange, *Verdict of History*, p. 624.

26. Hoyt, *Japan's War*, pp. 236, 246; Anderson, *Standard-Vacuum*, p. 192; Prange, *At Dawn We Slept*, pp. 504, 539; Agawa, *Yamamoto*, pp. 261-65; Prange, *Verdict of History*, p. 566 (Nimitz).

Capítulo XVII

1. Joseph Borkin, *The Crime and Punishment of I.G.Farben* (Nova York: Free Press, 1978), p. 54 ("financial lords" and "money-mighty") Tribunais Militares de Nuremberg, *Trials of War Criminals*, vol.7 (Washington, D.C.: GPO, 1953), pp. 536-41 ("economy without oil"), 544-54.; Peter Hayes, *Industry and Ideology. J.G. Farben in the Nazi Era* (Cambridge: Cambridge University Press, 1987), pp. 64-68. Hayes e a principal fonte acadêmica sobre a I.G. Farben. Henry Ashby Turner Jr., *German Big Business and the Rise of Hitler* (Nova York: Oxford University Press, 1987), pp. 246-49 ("this man").

2. Esboço da Estratégia de Bombardeio Americana, *The Effects of Strategic Bombing on the German War Economy* (Washington, D.C.: USSBS, 1945), p. 90; Raymond G. Stokes, "A Indústria do Petróleo na Alemanha Nazista, 1936-45", *Business History Review* 59 (Verão 1985), p. 254; Terry Hunt Tooley, "O plano alemão para a Auto Suficiência em Combustível Sintético, 1933-1942" (Tese de Mestrado, Texas A & M University, 1978), pp. 25-26 ("turning point"); Esboço da Estratégia de Bombardeio Americana, *Oil Division Final Report* (Washington, D.C.: USSBS, 1947), p. 14.

3. Arnold Kramer, "Abastecendo o Terceiro Reich", *Technology and Culture* 19 (junho 1978), pp. 397-399; Neal P. Cochran, "Oleo e gás do carvão", *Scientific American*, maio de 1976, pp. 24-29; Ministério Britânico das Minas e Energia, *Report on the Petroleum and Synthetic Oil Industry of Germany* (Londres: HMSO, 1947), p. 82; Thomas Parke Hughes, "Momento Tecnológico na História: Hidrogenação na Alemanha, 1898-1933", *Past and Present* 44 (agosto 1969), pp. 114-23.

4. Teagle para Bosch, 27 de fevereiro de 1930, fichários vários n., caso 2, documentos das Companhias de Petróleo; Borkin, *I.G. Farben*, pp. 47-51 (Howard's telegram, "We were babies" and "the I.G."); Frank A. Howard, *Buna: The Birth of an Industry* (Nova York: Van Nostrand, 1947), pp.15-20 (Howard sobre hidrogenação); *New York Times*, 23 de maio de 1945, p. 21; W.J. Reader, *Imperial Chemical Industries: A History*, vol.1, *The Forerunners, 1870-1926* (Londres: Oxford University Press, 1970), pp. 456-66.

5. Tooley, "Combustível Sintético", pp. 14, 28 ("fixed in principle"), 72; Edward L. Homze, *Arming the Luftwaffe: The Reich Air Ministry and the German Aircraft Industry, 1919-1939* (Lincoln: University of Nebraska Press, 1976), p. 140; Tribunais de Nuremberg, *Trials*, vol. 7, pp. 571-73; Stokes, "A Indústria do Petróleo na Alemanha Nazista", p. 261; Berenice A. Carroll, *Design for Total War: Arms and Economics in the Third Reich* (The Hague: Mouton, 1968), pp. 123-30.

6. Anthony Eden, *The Eden Memoirs: Facing the Dictators* (Londres: Cassell, 1962), pp. 296-306 ("mad-dog" and Laval); Robert Goralski e Russel W. Freeburg, *Oil & War: How the Deadly Struggle for Fuel in WW II Meant Victory or Defeat* (Nova York: William Morrow, 1987), pp. 23-24 ("incalculable disaster"). Goralski e Freeburg são fontes importantes para este e para os capítulos de guerra seguintes. John R. Gillingharn, *Industry and Politics in the Third Reich: Ruhr Coal, Hitler, and Europe* (Londres: Methuen, 1985), pp. 69, 75 ("wasp's nest"); *New York Times*, 16 de fevereiro de 1936, p.1 ("motor mileage" and "political significance"); Alan Bullock, *Hitler: A Study in Tyranny* (Nova York: Harper Torch Books, 1964), ed, rev., p. 345 ("nerve-wracking").

7. Tribunais de Nuremberg, *Trials*, vol. 7, pp. 793-803 (O Plano de Quatro Anos de Hitler); Borkin, *I.G. Farben*, p. 72; Hayes, *I.G. Farben*, pp. 196-202, 183. USSBS, *Oil Division Final Report*, pp. 15 27, números 22, 23; Krarnmer, "Abastecendo o Terceiro Reich", pp. 398-403; USSBS, *German War Economy*, p. 75; Anne Skogstad, *Petroleum Industry of Germany During the War* (Santa Mônica: Rand Corporation, 1950), p. 34; Homze, *Luftwaffe*, p. 148; Gabinete de Guerra, Comitê sobre a Posição do Petróleo Inimigo, 1 de dezembro de 1941, apêndice 10, POG (L) (41) 11, CAB 77/18, PRO.

8. Norman Stone, *Hitler* (Boston: Little, Brown, 1980), pp. 107-8 ("life's mission"); Alan Clark, *Barbarossa: The Russian-German Conflict, 1941-1945* (Londres: Macmillan, 1985), p. 25 ("little worms"); Walter Warlimont, *Inside Hitler's Headquarters, 1939-1945*, trad. R.H. Barry (Londres: Weidenfeld e Nicolson, 1964), pp. 113-14; Paul Carell, *Hitler Moves East, 1941-1943* (Boston: Little, Brown, 1965), pp. 536-37 ("Hitler's obsession"); USSBS, *German War Economy*, p. 17; Robert Cecil, *Hitler's Decision to Invade Russia, 1941* (Londres: Davis-Poynter, 1975), p. 84; Barry A. Leach, *German Strategy Against Russia, 1939-1941* (Londres: Oxford University Press, 1973), pp. 146-48; USSBS, *Oil Division Final Report*, pp. 36-39 ("need for oil").

9. Pearton, *Oil and the Romanian State*, pp. 232-33, 249; USSBS, *German War Economy*, pp. 74-75; John Erickson, *The Road to Stálingrad* (Londres: Panther, 1985), pp. 80-87 ("substantial prop"), cap. 3; W.N. Medlicott, *The Economic Blockade*, vol. 1 (Londres: HMSO, 1952), pp. 658, 667; B.H. Liddell Hart, *History of the Second World War* (Nova York: Putnam, 1970), pp. 143-50 ("those oilfields"); Barton Whaley, *Codeword Barbarossa* (Cambridge: MIT Press, 1973); Gerhard L. Weinberg, *Germany and the Soviet Union, 1939-1941* (Londres: E.J. Brill, 1954), p. 165.

10. Earl F. Ziemke, *Stálingrad to Berlin: The German Defeat in the East* (Washington, D.C.: Gabinete do Chefe dos Arquivos Militares, marinha dos E.U.A., 1968), p. 7, USSBS, *German War Economy*, p. 18; Heinz Guderian, *Panzer Leader* (Londres: Michael Joseph, 1952), p. 151; Stone, *Hitler*, p. 109; Franz Halder, *The Halder Diaries* (Boulder, Colo.: Westview Press, 1976), p. 1000; B .H. Liddell Hart, *The Other Side ofthe Hill* (Londres: Cassell, 1973), p. 126.

11. Van Creveld, *Supplying War*, p. 169; H.R. Trevor-Roper, *Hitler's War Directives, 1939-1945* (Londres: Sidgwick e Jackson, 1964), p. 95 ("seize the Crimea"); Guderian, *Panzer Leader*,

p. 200 ("aircraft career" and "My generals"); Ronald Lewin, *Hitler's Mistakes* (Nova York: William Morrow, 1984), pp. 122-23 ("our Mississippi"); Leach, *German Strategy*, p. 224 ("end of our resources"). Sobre a destruição dos campos de petróleo, Comitê para impedir que o Petróleo Alcance as Forças Inimigas, de Lord Hankey, 19 de agosto, 30 de outubro, 4 de dezembro, 1941, POG (41) 16, CAB 77/112, PRO.

12. Warlimont, *Hitler's Headquarters*, pp. 226, 240; F.H. Hinsley, E.E. Thomas, C.F.G. Ranson e L.C. Knight, *British Intelligence in the Second World War*, vol. 2 (Londres: HMSO, 1981), pp. 80-100. Um antigo analista de petróleo, Walter J. Levy, trabalhando no OSS, conduziu um estudo sobre as tarifas ferroviárias da Alemanha. Ele descobriu uma nova declaração alfandegária cobrindo embarcações provenientes de Baku. Isto deu indicações de que a primeira tentativa dos alemães seria na direção do Cáucaso. Walter J. Levy, *Oil Strategy and Politics, 1941-1981*, ed. Melvin Conant (Boulder, Colo.: Westview Press, 1982), p. 36. Trevor-Roper, *Hitler's Directives*, p. 131; Liddell Hart, *Other Side of the Hill*, pp. 301- 5; USSBS, *German War Economy*, p. 18; Albert Seaton, *The Russo-German War, 1941-1945* (Londres: Arthur Barker, 1971), pp. 258, 266; Halder, *Halder Diaries*, p, 1513. Albert Speer, *Inside The Third Reich*, trad. Richard e Clara Winston (Nova York: Macmillan, 1970), pp. 238-39.

13. USSBS, *Oil Division Final Report*, fig. 23; Ziemke, *Stálingrad*, pp. 19, 355; Guderian, *Panzer Leader*, p.251 ("icy cold"); Erich von Manstein, *Lost Victories*, trad. Anthony G.Powell (Londres: Methuen, 1958), p. 339; Felix Gilbert, ed., *Hitler Directs His War* (Nova York: Octagon, 1982), pp. 17-18; USSBS, *German War Economy*, pp. 19,24, Alexander Stahlberg, *Bounden Duty: The Memoirs of a German Officer, 1932-1945*, trad. Patricia Crampton (Londres: Brassey's, 1990), pp. 226-27 (chamada telefônica de Manstein).

14. B.H. Liddell Hart, ed., *The Rommel Papers*, trad. Paul Findlay (1953; reed. Nova York: Da Capo Press, 1985), pp.198 ("complete mobility"), 58 ("never imagined"), 85 ("lightning tour"), 96 ("quarter master staffs"), 141 ("petrol gauge"), 191; James Lucas, *War in the Desert: The Eighth Army at El Alamein* (nova York: Beaufort Books, 1982), pp. 49-51.

15. Liddell Hart, *Rommel Papers*, pp. 514-15 ("conditions" and "colossus"), 235-37 ("Get passports"), 269: Goralski e Freeburg, *Oil & War*, pp. 203-7 ("Destiny"); Carell, *Hitler Moves East*, p. 519; Halder, *Halder Diaries*, p. 885; Van Creveld, *Supplying War*, cap. 6.

16. Bernard Montgomery, *The Memoirs of Field Marshal Montgomery* (1958; reed., Nova York: Da Capo Press, 1982), pp. 72 ("Everything I possessed"), 126 ("nip back"); Nigel Hamilton, *Monty*, vol. 1, *The Making of a General, 1887-1942* (Londres: Sceptre, 1984), p. 589 ("slightly mad"); Liddell Hart, *Other Side of the Hill*, p. 247 ("all his battles"); Liddell Hart, *Rommel Papers*, pp. 278-80 ("badly depleted").

17. Liddell Hart, *Rommel Papers*, pp. 359 ("petrol transport"), 380 ("proper homage"), 394 ("two years"); Hinsley, *British Intelligence*, vol. 1, pp. 454-55 ("catastrophic"); Denis Richards e Hilary St. George Saunders, *Royal Air Force, 1939-1945*, vol. 1 (Londres: HMSO, 1954), pp. 239-41; Hamilton, *Monty*, vol. 1, pp. 795-98. Para a constante privação de combustível de Rommel, veja *Rommel Papers*, pp. 342-89.

18. Alan Bullock, *Hitler*, p. 751 ("heart"); Liddell Hart, *Rommel Papers*, pp. 328 ("bravest men"), 453 ("weep").

19. Leach, *German Strategy*, p. 151. A própria memória de Speer, *Inside the Third Reich*, deve ser complementada com Matthias Schmidt, *Albert Speer: The End of a Myth* (Nova York:

Collier Books, 1982); J.K. Galbraith, *Economics, Peace and Laughter* (Boston: Houghton Mifflin, 1971), pp. 288-302; e o relato sobre o interrogatório original de Speer de Galbraith como parte do Esboço da Estratégia de Bombardeio Americana de 1945, reeditado na *Atlantic Monthly*, julho 1979, pp. 50-57. USSBS, *German War Economy*, pp. 23- 25, 7, 76; Liddell Hart, *Second World War*, p. 599 ("weakest point"); Williamson Murray, *Strategy for Defeat: The Luftwaffe*, 1933-1945 (Maxwell: Air University Press, 1983), pp. 272-74; Tooley, "Combustível Sintético", p.110; USSBS, *Oil Division Final Report*, pp. 19-20.

20. Lucy S. Dawidowicz, *The War Against the Jews, 1933-1945* (Nova York: Bantam, 1978), pp. 199-200; Tribunais de Nuremberg ,*Trials*, vol. 8, pp. 335 ("favorably located"), 386, 375, 393 ("unpleasant scenes"), 405 ("brute force"), 436-37, 455, 491-92 (grupo de caça); Borkin, *I.G. Farben*, pp. 117-27; Tooley, "Combustível Sintético", p. 106; Goralsky e Freeburg, *Oil and War*, pp. 282-83; Krammer, "Abastecendo o Terceiro Reich", p. 416 ("not run away"); Primo Levi, *Survival in Auschwitz and the Reawakening* : *Two Memoirs*, trad. Stuart Woolf (Nova York: Summit Books, 1985), pp. 72, 85, 171. Para a Conferência de Wannsee, veja J. Noakes e G. Pridham, eds., *Nazism 1919-1945: A History in Documents and Eyewitness Accounts*, vol. 2 (Nova York: Schocken Books, 1990), pp. 1127-36.

21. Speer, *Third Reich*, pp. 553, n. 3, 346-48 ("technological war" and "scatter-brained"); Wesley Frank Craven e James Lea Cate, *The Army Air Forces in World War II*, vol. 3 (Chicago: University of Chicago Press, 1951), pp. 172-79, 287 ("nightmare"); David Eisenhower, *Eisenhower at War, 1943-1945* (Nova York: Random House, 1986), pp. 154-57, 184-86; USSBS, *German War Economy*, p. 80; Murray, *Luftwaffe*, pp. 272-76. In *The Collapse of the German War Economy, 1944-1945: Allied Air Power and the German National Railway* (Chapel Hill: University of North Carolina Press, 1988), Alfred C. Mierzejewski argumenta que, em termos de ataque à economia de guerra alemã, os pátios de manobra ferroviários eram o alvo número 1. Mas ele reconhece que a destruição das usinas de combustível sintético poderia ter imobilizado as forças militares, ibid., p. 185.

22. Craven e Cate, *Army Air Forces*, vol. 3, p. 179; USSBS, *German War Economy*, pp. 4-5 ("primary strategic aim"); Borkin, *I.G. Farben*, pp. 129-30; Goralski e Freeburg, *Oil & War*, pp. 247-48 ("fatal blow"); Speer, *Third Reich*, pp. 350-52 ("committing absurdities"); USSBS, *Oil Division Final Report*, pp. 19-29, 87; Ministério das Minas e Energia do Reino Unido, *Synthetic Oil Industry*, p. 116; Milward, *War Economy and Society*, p. 316; Krammer, "Abastecendo o Terceiro Reich", p. 418; Paul H. Nitze, *From Hiroshima to Glasnost: At the Center of Decision* (Nova York: Grove Weidenfeld, 1989), pp. 35-36.

23. Bullock, *Hitler*, pp. 759-61; Liddell Hart, *Other Side of the Hill*, pp. 450-51 ("stand still"), 463; Hugh M. Cole, *The Ardennes: The Battle of the Bulge* (Washington, D.C.: Ministério do Exército, 1965), pp. 259-69; John S. D. Eisenhower, *The Bitter Woods* (Nova York: Putnam, 1969), pp. 235-42.

24. USSBS, *German War Economy*, p. 80; Speer, *Third Reich*, pp. 472 ("nonexistent divisions"), 406; Liddell Hart, *Second World War*, p. 679; Bullock, *Hitler*, pp. 772-73, 781; Warlimont, *Hitler Headquarters*, p. 497 ("last crazy orders"); Stone, *Hitler*, p.179. Durante a economia de guerra germânica, os combustíveis sintéticos chegaram a alcançar 60% do fornecimento total. A diminuição na produção ao final da guerra reflete a campanha de bombardeio dos Aliados. A maior parte dos combustíveis sintéticos eram produzidos por hidrogenação e

Fischer-Tropsch, mas também incluía álcool, benzeno e o produto da destilação do alcatrão de hulha.

Fornecimento germânico de petróleo, 1938-1945 (barris por dia)				
Ano	Sintético	Outro	Total	Parto sintético
1939	47.574	121.973	169.547	28.1%
1941	89.007	119.614	208.621	42.7%
1943	124.299	112.865	237.164	52.4%
1944				
Q1	131.666	100.782	232.448	56.6%
Q2	107.120	66.862	173.981	61.6%
Q3	48.473	40.245	88.719	54.6%
Q4	43.240	36.455	79.695	54.3%
1945				
Q1	5.437	17.726	23.163	23.5%

Fonte: USSBS, *German War Economy*, quadros 37, 38 e 41, pp. 75-76, 79.

Capítulo XVIII

1. Johan Fabricus, *East Indies Episode* (Londres: Shell Petroleum Company, 1949), pp. 1, 41-67, 57 ("no longer possible").
2. Woodburn Kirby, *The War Against Japan*, vol. 1, *The Loss of Singapore* (Londres: HMSO, 1957), p. 449; Butow, *Tojo*, p. 416; Cohen, *Japan's Economy*, pp. 52-53 ("victory fever"). Cohen proporciona uma análise bastante útil da economia japonesa. Esboço da Estratégia de Bombardeio Americana (Pacífico), *Interrogations of Japanese Officials*, vol. 2 (Toyoda), OPNAU-P-03-100, p. 320 ("victory drunk"); Ronald H. Spector, *Eagle Against the Sun: The American War with Japan* (Nova York: Vintage, 1985), pp. 418 (FDR), 146 (Nimitz). Spector é uma excelente fonte sobre a Guerra do Pacífico. E.B. Potte, *Nimitz* (Anápolis: Naval Institute Press, 1976), p. 48 ("primary objectives").
3. Agawa, *Yamamoto*, p. 299 ("adult's hour").
4. Jiro Horikoshi, *Eagles of Mitsubishi: The Story of the Zero Fighter* (Seattle: University of Washington Press, 1981), p. 130; Esboço da Estratégia de Bombardeio Americana, *The Effects of Strategic Bombing on Japan's War Economy* (Washington, D.C.: GPO, 1946), pp. 18, 135; *Pipeline to Progress: The Story of PT Caltex Pacific Indonesia* (Jakarta: 1983), pp. 27 -34; Saburo Ienaga, *The Pacific War, 1931-1945* (Nova York: Pantheon, 1978), p. 176.
5. USSBS, *Japan's War Economy*, p. 46 ("fatal weakness"); Japan, Ocupação dos Aliados, *Reports of General MacArthur: Japanese Operations in the Southwest Pacific Area*, vol. 2, parte 1 (Washington, D.C.: Exército Americano, 1966, pp. 48 ("Achilles heel"), 45 (originalmente impresso mas não publicado pelo quartel do General MacArthur em 1950); Goralsi e Freeburg, *Oil & Warpp*, pp. 191-93; Kirby, *War Against Japan*, vol. 3, *The Decisive Battles* (Londres: HMSO, 1961), p. 98; Esboço da Estratégia de Bombardeio Americana, Divisão dos

Produtos Químicos e Petróleo, *Oil in Japan's War* (Washington, D.C.: USSBS, 1946), p. 55 ("only American planes").

6. Ronald Lewin, *The American Magic: Codes Ciphers and the Defeat of Japan* (Nova York: Farrar Straus Giroux, 1982), pp. 223-24 ("noon positions"), 227-28; Cohen, *Japan's Economy*, pp. 104, 58 ("death blow"), 137-46 ("Japanese captain and "synthetic fuel"); Clay Blair Jr., *Silent Victory: The U.S. Submarine War Against Japan* (Filadélfia: J.B. Lippincott, 1975), pp. 361-62, 435-39, 553-54.

7. USSBS, *Interrogations of Japanese Officials* (Toyoda), p. 316 ("much fuel"); Cohen, *Japan's Economy*, pp. 142-145 ("very keenly" and "too much fuel"); Spector, *Eagle Against the Sun*, p. 370 ("Turkey Shoot"); Kirby, *War Against Japan*, vol. 4, *The Reconquest of Burmah* (Londres: HMSO, 1965), p. 87; *Reports of General MacArthur: Japanese Operations*, vol. 2, parte 1 , p. 305; Exército dos Estados Unidos, Comando do Extremo Oriente, Divisão do Serviço Secreto Militar, "Interrogatório de Soemu Toyoda", 1 de setembro de 1949, DOC 61346, pp. 2-3; USSBS, *Japan's War Economy*, p. 46.

8. Spector, *Eagle Against the Sun*, pp. 294 (MacArthur), 440 ("divine wind"); USSBS, *Interrogations of Japanese Officials* (Toyoda), p. 317; Cohen, *Japan's Economy*, pp. 144-45 ("shortage"); Rikihei Inoguchi, Tadashi Nakajima e Roger Pineau, *The Divine Wind: Japan's Kamikaze Force in World War II* (Westport, Conn.: Greenwood Press, 1978), pp. 74-75; *Reports of General MacArthur: Japanese Operations*, vol. 2, parte 2, p. 398. Toshikase Kase, *Journey to the Missouri*, ed. David N. Rowe (New Haven: Yale University Press, 1950), pp. 247-48. Liddell Hart em sua *History of the Second World War* oferece outras razões para a guinada de Kurita, pp. 626-27.

9. Samuel Eliot Morison, *History of United States Naval Operations in World War II*, vol. 7, pp. 107-9; vol. 8, pp. 343-45; James A. Huston, *The Sinews of War: Army Logistics, 1775-1953* (Washington, D.C.: Exército dos Estados Unidos, 1966), p. 546 ("long legs"); Goralski e Freeburg, *Oil & War*, pp. 316, 310 ("potatoes"); USSBS, *Japan's War Economy*, p. 32; Thomas R. H. Havens, *Valley of Darkness: The Japanese People and World War II* (Nova York: Norton, 1978), pp. 122, 130.

10. USSBS, *Interrogations of Japanese Officials* (Toyoda), p. 316 ("large-scale operation"); Spector, *Eagle Against the Sun*, p. 538 ("the end").

11. *Reports of General MacArthur: Japanese Operations*, vol. 2, parte 2, pp. 617-19, 673-74; Cohen, *Japan's Economy*, pp. 146-47; USSBS, *Oil in Japan's War*, p. 88 ("end of the road").

12. Robert J.C. Butow, *Japan's Decision to Surrender* (Stanford: Stanford University Press, 1954), pp. 30, 64, 77, 90-92, 121-22; Esboço da Estratégia de Bombardeio Americana, *Japan's Struggle to End the War* (Washington: GPO, 1946), pp. 16-18; Kase, *Journey to the Missouri*, pp. 171-76 ("utter hopelessness" and "ready to die").

13. Lewin, *American Magic*, p. 288; Richard Rhodes, *The Making of the Atomic Bomb* (Nova York: Touchstone, 1988), pp. 617-99; e Daniel Yergin, *Shattered Peace: The Origins of the Cold War* (Nova York: Penguin, 1990), pp. 120-22.

14. Exército dos Estados Unidos, Comando do Extremo Oriente, Divisão do Serviço Secreto Militar, "Declarações de Koichi Kido", 17 de maio de 1949, DOC 61476, pp. 13-15, DOC 61541, pp. 7-8; Butow, *Japan's Decision*, pp. 161, 205-19; Kase, *Journey to the Missouri*, p. 247; Cohen, *Japan's Economy*, pp. 144, 147.

15. D. Clayton Jones, *The Years of MacArthur*, vol. 2 (Boston: Houghton: Houghton Mifflin, 1975), pp. 785-86; Courtney Whitney. *MacArthur: His Rendez-vous with Destiny* (Nova York: Knopf, 1956), pp. 214-16; Robert L. Eichelberger, *Our Jungle Road to Tokyo* (Nova York: Viking, 1950); pp. 262-63; John Costello, *The Pacific War, 1941-1945* (Nova York: Quill, 1982), p. 599; Butow, *Tojo*, pp. 449-54.

Capítulo XIX

1. D.T. Payton-Smith, *Oil: A Study of War-Time Policy and Administration* (Londres: HMSO, 1971), pp. 21-23, 44 ("paraphernalia of competition"), 62 ("strategic oil reserve"), "Monopólio Espanhol do Petróleo", 18 de novembro de 1927, W 10770, FO 371/12719 ("Sir Henri's Word"); J.V. Perowne, Minuta, 30 de setembro de 1935, C6788; FO 371/18868 ("hatred of the Soviets"); Faulkner para Vansittart, 30 de setembro de 1935, C6788, FO 371/18868 ("suitable actions" and "getting na old man"); Thornton para Montgomery, 1 de janeiro de 1937, H2/1937, FO 371/2075 com C137/105/2/37 (Primeiro Ministro Holandês); Draft, Série Personalidades, 1938, FO 371/21795, PRO. Sobre o esforço para conseguir o controle da Shell, veja Bland para Halifax, 27 de abril de 1939, n. 228, 233, C 6277, C 6278, memo de Watkins, 12 de abril de 1939, C 5474, FO 371/23087, PRO e Anthony Sampson, *The Seven Sisters: The Great Oil Companies and the World They Shaped*, ed. rev. (Londres: Coronet, 1988), pp. 96-97; No outono de 1939, os britânicos e os franceses alocaram 60 milhões de dólares para pagar aos romenos, para que destruíssem seus poços de petróleo, a fim de negar petróleo romeno aos alemães. Os romenos, entretanto, queriam mais e o seu petróleo foi para os alemães. Gabinete de Guerra, Notas de Reunião, 22 de novembro de 1939, POG(S), CAB 77/16, PRO.

2. Payton-Smith, *Oil*, p. 85 ("basic ration"); George P. Kerr, *Time's Forelock: A Record of Shell's Contribution to Aviation in the Second World War* (Londres: Shell Petroleum Company, 1948), p. 40; Arthur Bryant, *The Turn of the Tide* (Garden City, N.Y.: Doubleday, 1957), p. 203.

3. Payton-Smith, *Oil*, pp. 195-99 ("arsenal"), 210-11; Huston, *Sinews of War*, p. 442 ("dollar sign"); Dallek, *Roosevelt and American Foreign Policy*, p. 443 ("dr. Win-the-war"). Roosevelt para Ickes, 28 de maio de 1941, OF 4435; FDR para Smith, 6 de maio de 1941, OF 56, documentos de Roosevelt. Capacidade de superávit extraída de John W. Frey e H. Chandler Ide, *A History of the Petroleum Administration for War, 1941-1945* (Washington, D. C.: GPO, 1946), p. 444, que é uma fonte importante sobre os suprimentos de petróleo dos Aliados. Para o processo, chamado de caso "Mother Hubbard", veja Comissão Tarifária dos Estados Unidos *Petroleum*, relatório n. 17, em *War Changes in Industry Series* (Washington, D.C.: GPO, 1946), p. 94.

4. Everett DeGolyer, "Governo e Indústria no Petróleo", 813; PAW, "Transporte de Petróleo para o leste dos Estados Unidos", 15 de maio de 1942, 4435, documentos de DeGolyer. Ickes para Roosevelt, 18 de julho de 1939, OF 56, documentos de Roosevelt; Nash, *United States Oil Policy*, pp. 152-63; Ickes; *Secret Diary*, vol. 3, p. 530; *Oil Weekly*, 2 de Junho de 1941; Harold Ickes, *Fightin'Oil* (Nova York: Knopf, 1943), p. 71.

5. Goralski e Freeburg, *Oil & War*, p. 109 (Raeder); Martin Gilbert, *Winston S. Churchill*, vol. 6, *Finest Hour, 1939-1941* (Boston: Houghton Mifflin, 1983), pp. 1020-21 ("measureless peril"), 1036 ("blackest cloud"); David para Ickes, 8 de julho de 1941, Ickes para Roosevelt, 9 de julho de 1941, PSF 12, documentos de Roosevelt ("shocking"); Ickes *Secret Diary*, vol. 3, pp. 561, 543 ("parking conditions"); Williamson et al., *The Age of Energy*, p. 758 (Domingos sem gasolina) Frey e Ide, *Petroleum Administration*, pp. 118-19 ("one-third less").

6. Beaton, *Shell*, p. 604 ("phony shortage"); Hinsley, *British Intelligence*, vol. 2, pp. 169-74 ("narrowest of margins"); Frey e Ide, *Petroleum Administration*, p. 119 ("shortage of surplus"); Ickes, *Secret Diary*, vol. 3, p. 617 ("fill it up"), 630-33 (reclamações de Ickes). Writz para lckes, 15 de maio de 1941, Ickes para Roosevelt, 19 de maio de 1941, OF 4435; Uoyd para lckes, 24 de novembro de 1941, OF 4226; Ickes para Roosevelt, 17 de janeiro de 1942, PSF 75 (Nova estratégia de Ickes), documentos de Roosevelt.

7. Goralski e Freeburg, *Oil & War*, pp. 108 ("ample targets"), 114-15. Davies para Ickes, 21 de março de 1942, Ickes para Roosevelt, 23 de março de 1942, PSF 75; Ickes para Roosevelt, 21 de abril de 1942, PSF 12 ("desperate"), documentos de Roosevelt. Morison, *Naval Operations*, vol. 1, pp. 254, 200-1, 130; Bryant, *Turn of the Tide*, pp. 295-96.

8. Ickes para Nelson, 17 de junho de 1942, caixa 209, documentos de Hopkins; Nash, *U.S. Oil Policy*, pp. 164-65.

9. NA 800.6363: Minutas do Conselho Federal do Petróleo, 20 de março de 1942, 411; Thorburg para Collado et. al., 25 de junho de 1942, 786 RG 59. John Keegan, *The Price of Admiralty: The Evolution of Naval Warfare* (Nova York: Viking, 1989), p. 229 ("Rescue no one"); Morison, *Naval Operations*, vol. 1, pp. 157, 198 ("enemy tonnage"); Michael Howard, *Grand Strategy*, vol. 4, *August 1942-September 1943* (Londres: HMSO, 1972), p. 54; Bryant, *Turn of the Tide*, p. 387; Goralski e Freeburg, *Oil & War*, p. 113 ("milk cows"), 116; Stanton Hope, *Tanker Fleet: The War Story of the Shell Tankers and the Men Who Manned Them* (Londres: Anglo-Saxon Petroleum, 1948), cap. 9.

10. Wilkinson para Ickes, 5 de dezembro de 1942, Ickes para Roosevelt, 10 de dezembro de 1942, PSF 75, documentos de Roosevelt, Martin Gilbert, *Winston S. Churchill*, vol. 7, *Road to Victory, 1941-1945* (Boston: Houghton Mifflin, 1986), pp. 265, 289; S.W. Roskill, *The War at Sea, 1939-1945*, vol. 2 (Londres: HMSO, 1956), pp. 355, 217 ("not look at all good"); Howard, *Grand Strategy*, vol. 4, pp. 244-245 ("strangle-hold"), 621; Liddell Hart, *Second World War*, pp. 387-90 ("never came so near" e "heavy losses"); Larson, *Standard Oil*, vol. 3, p. 529.

11. Ickes para Roosevelt, 4 de agosto de 1942, 7 de agosto de 1942, 3 de setembro de 1942, Smith para Roosevelt, 1 de outubro de 1942, OF 4435; Roosevelt para Land, 6 de novembro de 1941, OF 56; Memo do fichário de Nelson, 1 de maio de 1942, OF 12, documentos de Roosevelt. Ickes para Nelson, 26 de novembro de 1942, Caixa 209, documentos de Hopkins. Conselho das Reservas de Petróleo, Record, 25 de abril de 1944, pp. 88-91, RG 234, NA ("any oil matter"); Administração do Petróleo para a Guerra, *Petroleum in War and Peace* (Washington, D.C.: PAW, 1945), pp. 39-44.

12. Pratt para Farish, 16 de maio de 1941, Pratt para DeGolyer, 17 de março de 1942, 1513; DeGolyer para Hebert, 16 de janeiro de 1943, 3470, documentos de DeGolyer. Cole para Roosevelt, 22 de outubro de 1942, pp. 20, 22, OF 4435, documentos de Roosevelt; Ickes para Brown, 7 de abril, 10 de junho de 1943, Davies para Hopkins, 26 de julho de 1943, caixa 209, documentos de Hopkins; Frey e Ide, *Petroleum Administration*, p. 5 e tabelas estatísticas;

John G. Clarck, *Energy and the Federal Government: Fossil Fuel Policies, 1900-1946* (Urbana: University of Illinois Press, 1987), p. 327 ("commie outfit"); E. DeGolyer, "Exploração e Desenvolvimento do Petróleo na Guerra", *Mining and Metallurgy,* abril de 1943, pp. 188-90.

13. Roosevelt para Ickes, 12 de agosto de 1942, OF 4435, documentos de Roosevelt ("natural gas"); Clark, *Energy and Federal Government,* p. 316 (Bea Kyle para Ickes); Frey para Kyle, agosto de 1941, documentos de Davies; Minutas do Conselho Federal do Petróleo, 20 de março de 1942, 811.6363/411, RG 59, NA ("knew for sure").

14. Hertz para o Subsecretário de Guerra, 13 de agosto de 1942, 13 de agosto de 1942, Hertz para Hopkins, 13 de agosto de 1942, caixa 209, documentos de Hopkins; John Kenneth Galbraith, *A Life In Our Times: Memoirs* (Boston: Houghton Mifflin, 1981), p. 130 ("private skepticism"); James Conant, *My Several Lives: Memoirs of a Social Inventor* (Nova York: Harper & Row, 1970), p. 314 (jantar de Baruch) . Sobre a "escassez de borracha", veja Congresso dos Estados Unidos, Senado, Comite Especial de Investigação do Programa de Defesa Nacional, *Investigation of the National Defense Program,* parte 11, *Rubber.* 77 Congresso, 1ª. Sessão (Washington, D.C.: GPO, 1942) (mais adiante, *Truman Hearings);* Howard, *Buna;* Larson; *Standard Oil,* vol. 3, pp. 405-18, cap. 15.

Em um processo conduzido por Thurman Arnold, assistente do Secretário de Justiça encarregado da extinção de trustes e cartéis, em uma série de audiências do Congresso, a Jersey foi acusada de conluio e formação de cartel por seu relacionamento com a I.G. Farben, envolvendo borracha sintética. Os acordos entre as duas companhias, disseram os críticos, havia privado os Estados Unidos do *know-how* e da produção da borracha sintética. A borracha natural havia sido, antes de Pearl Harbor, o produto americano de maior importação. A interrupção abrupta do fornecimento, resultante da conquista das principais fontes no Sudeste Asiático pelo Japão, criou uma escassez de borracha nos E.U.A., ameaçando todo esforço bélico dos Aliados.

Arnold insistia em que a causa da escassez de borracha era o que ele chamava de "casamento perfeito" entre a Jersey e a I.G. Farben *(Truman Hearings,* p. 4811). No tocante à própria essência das ameaças, Amold dava prosseguimento ao processo de um modo especial, embora muitas vezes excluindo os eventos do contexto *(Truman Hearings,* pp. 4313, 4427, 4598). Jersey havia feito seus acordos com a I.G. Farben antes dos Nazistas tomarem o poder. Como resultado do acordo, consideráveis benefícios na química e na organização de pesquisa fluíram para os Estados Unidos, incluindo o *know-how* da borracha sintética. Afinal de contas, a Alemanha e a I.G. Farben, não a América e a Jersey, mantinham a liderança na química mundial. A direção da Jersey mostrara obtusidade considerável e ingenuidade política de 1937 em diante ao deixar de reconhecer o grau de subjugação ao Estado Nazista e o instrumento no qual a I.G. Farben havia se transformado. Veja Hayes, *Industry and Ideology.* Porém, a acusação de que a Jersey evitou a difusão da tecnologia da borracha sintética antes da II Guerra Mundial não levou em conta as realidades econômicas. Em um mundo em crise econômica, de preços de mercadorias baixos e grandes superávits, não havia incentivo econômico ou motivo lógico para desenvolver tecnologias sintéticas, a menos que o país estivesse se preparando para uma guerra. Se os Estados Unidos tivessem feito preparativos, então a inovação e a implementação teriam exigido subsídios governamentais substanciais ou proteção tarifária. Embora os preços de importação da borracha natural flutuassem substancialmente nos anos anteriores à entrada da América na II Guerra Mundial, estimava-se que os custos de produção da borracha sintética eram cinco vezes maiores do que os da borracha natural. Nenhuma companhia poderia esperar assumir compromisso com alto nível de produção, no quadro de uma economia dessa. Na verdade, de 1939 em diante, a Jersey, juntamente com outras companhias haviam tentado conseguir o apoio de Washington para o desenvolvimento da tecnologia e da produção da borracha sintética, mas o esforço fracassou, em vista dos desentendimentos administrativos e das rivalidades em Washington, da falta de consenso sobre a necessidade, e da forte aversão ao compromisso de grandes quantias de dinheiro por parte do governo. A visão generalizada era de que o fornecimento de borracha natural do sudeste asiático não poderia ser interrompido, além de haver um ceticismo sobre a viabilidade dos substitutos sintéticos (veja *Truman Hearings,* pp. 4285-89, 4407-79, 4805, 4937). A "escassez de borracha" não resultou das trocas privilegiadas entre a Jersey e a I.G. Farben, que, ao contrário, aumentaram o conhecimento americano a respeito da borracha sintética, mas de uma falha do programa de prevenção do governo nos três anos anteriores a Pearl Harbor. A "escassez de borracha" surgiu principalmente da mesma psicologia que excluiu a possibilidade de que poderia ocorrer um ataque a Pearl Harbor.

15. Clark, *Energy and the Federal Government,* pp. 337-44 ("nonessential driving").

16. Payton-Smith, *Oil,* pp. 249-53; Standard Oil (New Jersey), *Ships of the Esso Fleet in World War II* (Nova York: Standard Oil, 1946), pp. 151-54.

17. Ickes, *Fightin' Oil,* p. 6 (à saúde de Stálin); Erna Risch, *Fuels for Global Conflict* (Washington, D.C.: Divisão do Quartel General, 1945), pp. 1-2, ix-x, 59-60 (latões de gasolina).

18. Congresso dos Estados Unidos, Senado, Comitê das Relações Internacionais, Subcomitê das Corporações Multinacionais, *A Documentary History of the Petroleum Reserves Corporation* (Washington, D.C.: GPO, 1974) (Patterson para Ickes); Agnew para Lloyd, 15 de junho de 1942, POWE 331768 121286, PRO; "Gasolina de Aviação de 100 octanas: Relatório do Conselho de Produção Bélica", 16 de março de 1942, 29 de maio de 1942, pp. 9-10 ("eke out"), 15 de outubro de 1942; Ickes para Roosevelt, 19 de outubro de 1942, Nelson para Roosevelt, 28 de outubro de 1942, Roosevelt para Ickes, 7 de novembro de 1942, PSF 12, documentos de Roosevelt. Beaton, *Shell,* pp. 560-76, 579-87 ("out of a hat"); Charles Sterling Popple, *Standard Oil Company, (New Jersey) in World War II* (Nova York: Standard Oil (1952), pp. 29- 30; Conselho de Produção Bélica, *Industrial Mobilization for War: History of the War Production Board and Its Predecessor Agencies, 1940-1945,* vol. 1 (Washington, D.C.: GPO, 1947), pp. 39-41; James Doolittle História Oral (Shell e 100 octanas); Giebelhaus, *Sun,* caps. 7 e 9.

19. Administração do Petróleo para a Guerra, *Petroleum in War and Peace* (Washington, D.C.: GPO, 1945), p. 204 ("not a single operation"); van Creveld, *Supplying War,* p. 213; Roland G. Ruppenthal, *Logistical Support of the Armies,* vol. 1 (Washington, D.C.: Departamento de Exército, 1953), pp. 499-516; Goralski e Freeburg, *Oil & War,* p. 254 ("men and horses"); Martin Blumenson, *The Patton Papers,* vol. 2, 1941-1945 (Boston: Houghton Mifflin, 1974), p. 492 (poema); Dwight Eisenhower, *Crusade in Europe* (Garden City, N.Y.: Doubleday, 1948), p. 275; Alfred D. Chandler Jr., e Stephen E. Ambrose, *The Papers of Dwight David Eisenhower,* vol. 4, *The War Years* (Baltimore: Johns Hopkins University Press, 1970), pp. 2060, n. 4 ("great leader"); Martin Blumenson, *Patton: The Man Behind the Legend,*

1885-1945 (Nova York: William Morrow, 1985), p. 216; Forrest C. Pogue, *George C. Marshall*, vol. 3, *Organizer of Victory, 1943-1945* (Nova York: Viking, 1973), pp. 385 ("thoroughly weary" and "into the breach"), 371-72 ("Patton's good qualities").

20. Van Crevel, *Supplying War*, pp. 221; Nigel Hamilton, *Monty*, vol. 2, *Master of the Battlefield, 1942-1944* (Londres: Sceptre, 1987), p. 754 ("spectaculary successful"); Eisenhower, *Eisenhower at War*, p. 438 ("planning days"); Blumenson, *Patton Papers*, vol. 2, pp. 841, 571, 533, 529-30 ("chief difficulty").

21. Stephen E. Ambrose, *The Supreme Commander: The War Years of General Dwight D. Eisenhower* (Garden City, N.Y.: Doubleday, 1970), p. 515; Blumenson, *Patton Papers*, vol. 2, p. 523 ("blind moles"); Omar N. Bradley, *A Soldier's Story* (Nova York: Henry Holt, 1951), pp. 402-405 ("angry bull"); Ruppenthal, *Logistical Support*, vol. 1, quadro 10, p. 503; Hamilton, *Monty*, vol. 2, p. 777.

22. Blumenson, *Patton Papers*, vol. 2, p. 531 ("unforgiving minute"); Liddell Hart, *Second World War*, pp. 562-63 ("eat their belts"); Robert Ferreli, ed. *The Eisenhower Diaries* (Nova York: Norton, 1981), p. 127 ("get Patton moving").

23. Cole, *Battle of the Bulge*, pp. 13-14; Liddell Hart, *Second World War*, p. 563; Goralski e Freeburg, *Oil & War*, pp. 264-65; Blumenson, *Patton*, cap. 10, p. 216; Eisenhower, *Crusade in Europe*, pp. 292-93 ("late summer...inescapable defeat"); Ruppenthal, *Logistical Support*, esp. pp. 515-16; General George Marshall, Chefe do Estado-Maior do exército, compartilhava do ponto de vista de Eisenhower. Uma década depois da guerra ter terminado, ele declarou: "Claro que ele (Patton) queria mais gasolina; é óbvio que Montgomery queria mais gasolina e uma maior liberdade para agir. Isso é natural a líderes em tais circunstâncias. O que estava ocorrendo é que o Primeiro Exército estava efetuando avanços rápidos de uma maneira bastante positiva e conseguindo muito pouco crédito por isso no país. O Terceiro Exército estava conseguindo muito mais crédito por causa da energia e exibicionismo de Patton (...) Ele queria ficar livre — com uma grande tentação de ir correndo para o Reno — e quase não havia mais gasolina (...) *Penso* que Eisenhower agiu corretamente no controle das operações naquela época. Que todos os outros reclamassem era natural. Não há nada de excepcional nisso, a não ser que um era o supremo comandante das forças britânicas, que na época era bastante reduzida, e o outro era um líder enérgico e muito poderoso que tinha a imprensa à sua disposição — General Patton (...) Ao tentar julgar qual seria a correta distribuição da gasolina disponível, é preciso que não se esqueça muitos fatos e considerações secundárias. Por exemplo, tomemos a operação alemã no Bulge, posteriormente. Se ela tivesse tido êxito,teria sido uma grande ação. Mas ela não teve (...) Pode-se às vezes obter uma grande vitória com uma ação bastante arrojada. Mas muitas vezes, ou quase sempre, a ação muito arrojada expõe as pessoas a resultados fatais caso não seja bem-sucedida." Pogue, *Marshall*, vol. 3, pp. 429-30.

24. Hamilton, *Monty*, vol. 2, pp. 776-821; Nigel Hamilton, *Monty, vol.3, The Field-Marshal* (Londres: Sceptre, 1987), pp. 3-8; Liddell Hart, *Second World War*, pp. 565-67 ("best chance"). Este quadro do suprimento mundial de petróleo mostra como os Estados Unidos continuaram a dominar a produção mundial de petróleo durante os primeiros 85 anos da indústria. O quadro demonstra também a importância que a produção russa e mexicana ganharam e depois perderam, a importância da Venezuela na II Guerra Mundial e o início do impacto do Oriente Médio sobre o suprimento mundial.

A produção mundial de petróleo bruto, 1860-1945 (milhares de barris por dia)									
Ano	EUA	México	Venezuela	Rússia/ URSS	Romênia	Índias Or.	Pérsia/ Irã	Outros	Total
1865	6.8			0.2	0.1			0.3	7
1875	32.8			1.9	0.3			1.1	36
1885	59.9			38.2	0.5			2.2	101
1895	144.9			126.4	1.6	3.3		7.9	284
1905	369.1	0.7		150.6	12.1	21.5		35.3	589
1915	770.1	90.2		187.8	33.0	33.7	9.9	58.9	1.184
1925	2.092,4	316.5	53.9	143.7	45.6	70.4	93.3	112.8	2.929
1935	2.730.4	110.2	406.2	499.7	169.2	144.4	156.9	317.0	4.534
1945	4.694.9	119.3	885.4	408.1	95.3	26.6	357.6	521.6	7.109

As Índias Orientais incluem Indonésia, Sarawak e Brunei. Fonte: Instituto Americano do Petróleo. *Petroleum Facts and Figures: Centennial Edition, 1959* (Nova York: API, 1959), pp. 432-37.

Capítulo XX

1. Pratt para Farish, 3 de agosto de 1934, 1513, obituários, documentos de DeGolyer; Anderson, *Aramco*, p. 111; Philip O. McConnell, *The Hundred Men* (Peterborough: Currier Press, 1985); Lon Tinkle, *Mr. De: A Biography of Everette Lee DeGolyer* (Boston: Little, Brown, 1970), pp. 212, 227, 255; Herbert K. Robertson, "Everette Lee DeGolyer", *Leading Edge*, Novembro 1986, pp. 14-21.

2. DeGolyer, "Petróleo no Oriente Próximo", Palestra, 10 de maio de 1940, 2288 ("No such galaxy"); notas 3466; itinerário, 3459; e cartas para a esposa, 7 de novembro, 10 ("no Lindbergh"), 14, 1 de dezembro ("pretty barren land"), 1943, documentos de DeGolyer.

3. Leavell para Alling, 3 de fevereiro de 1943 ("single prize"), Resumo do Relatório sobre o Petróleo do Oriente Próximo, 800.6363/1511-1512, RG 59, NA; E. DeGolyer, "Relatório Preliminar sobre a Missão Petrolífera Técnica ao Oriente Médio", *Bulletin of the American Association of Petroleum Geologists* 28 (julho 1944), pp. 919-23 ("center of gravity").

4. Moffett para Roosevelt, 16 de abril de 1941, PSF 93; Hull para Roosevelt, 30 de junho de 1939, OF 3500, documentos de Roosevelt. Duce para DeGolyer, 29 de abril de 1941, 360, documentos de DeGolyer ("closer look"); Conversa com Ibn Saud, 10 de maio de 1942, com memo de Alling, 18 de junho de 1942, 890F.7962/45, RG 59, NA ("have the money"); Aaron David Miller, *Search for Security: Saudi Arabian Oil and American Oil Policy, 1939-1949* (Chapel Hill: University of North Carolina Press, 1980), pp. 29-35.

5. Knox para Roosevelt, 20 de maio de 1941, Hull com memo para Roosevelt, 25 de abril de 1941, Hopkins para Jones, 14 de junho de 1941, PSF 68, documentos de Roosevelt; Miller, *Search for Security*, pp. 38-39; Michael B. Stoff, *Oil, War, and American Security: The Search for a National Policy on Foreign Oil, 1941-47* (New Haven: Yale University Press, 1980),

pp. 52-54. Stoff juntamente com Anderson em nota 1, Miller em nota 4 e Painter em nota 9, são as monografias mais importantes sobre a política petrolífera do pós-guerra.

6. Pratt para Farish, 16 de maio de 1941, 1513; William B. Heroy, "O Fornecimento de Petróleo Bruto Dentro dos Estados Unidos", 29 de julho de 1943, pp. 4-9, 3417 ("diminishing returns" and "bonanza days"), documentos de DeGolyer; E. DeGolyer, "Exploração e Desenvolvimento do Petróleo na Guerra", *Mining and Metallurgy*, abril de 1943, pp. 189-90; Departamento de Pesquisa do Ministério das Relações Exteriores, "Uma política Externa para o Petróleo", Memorando dos Estados Unidos, 16 de maio de 1944, NA 1926, FO 371/38543/125169, PRO; Congresso dos Estados Unidos, Comitê Especial de Investigação dos Recursos do Petróleo, *Investigation of Petroleum Resources* (Washington, D.C.: GPO, 1946), pp. 276-77; "Evolução da Política Externa de Petróleo da Guerra no Pós-Guerra", 29 de maio de 1947, 811.6363/5-2947, RG 59, NA.

7. Harold Ickes, "Nós Estamos Ficando Sem Petróleo!", *American Magazine*, dezembro de 1943 ("America's Crown"); Campbell para Eden, 28 de setembro de 1943, A9193, FO 371/34210/120769, PRO ("private interest"); Herbert Feis, *Seen from E.A.: Three International Episodes* (Nova York: Knopf, 1947), p. 102 ("one point and place"). Mais tarde, em meados de 1944, Roosevelt pôs fim aos esforços do embaixador americano na Cidade do México que negociava a reentrada do capital privado americano e sugeriu ao invés disso que os Estados Unidos financiassem a exploração de petróleo para o governo mexicano. "Quando se encontra uma cúpula nova e adequada", disse Roosevelt, "ela pode ser posta totalmente de lado pelo governo do México, com o propósito de auxiliar na defesa do Continente" e o Governo dos Estados Unidos pagaria uma taxa anual pela propriedade ao México. Roosevelt para Ickes, 28 de fevereiro de 1942, Roosevelt para Hull, 19 de julho de 1944, OF 56, documentos de Roosevelt.

8. Moose para Hull, 12 de abril de 1944, 890F.6363/124; Stimson para Hull, 1 de maio *de* 1944, 890F.6363/123, RG 59, NA. Kline para Ickes, Resumo do Relatório da Dillon Anderson, 4 de março de 1944, 3459, documentos de DeGolyer; Subcomitê Multinacional, *History of the Petroleum Reserves Corporation*, p. 4 ("diddle"); Woodward, *British Foreign Policy*, vol. 4, pp. 402-5, 410; Feis, *Seen from E.A.:*, pp. 110-11. Standard Oil da California, "Planos para a *joint venture* Estrangeira", 7 de dezembro de 1942, fichário 25391-25617, caso 1, documentos das Companhias de Petróleo.

9. Kline para Ickes, Resumo do Relatório de Dillon Anderson, 4 de março de 1944, 3549, documentos de DeGolyer; vice-chefe das Operações Navais para a Junta de Chefes do Estado-Maior, 31 de maio de 1943, U69139 (SC)JJT/E6, RG 218, NA; A Posição do Departamento de Reservas de Petróleo, p. l, 800.6363/2-644, RG 59, NA. Feis, *Seen From E.A.*, p. 105: Congresso dos Estados Unidos, Senado, Comitê Especial de Investigação do Programa de Defesa Nacional, *Investigation of the National Defense Program*, Audiências, parte 42, pp. 25435, 25386-25387; Anderson, *Aramco*, pp. 46-48 ("purely American enterprise"), 51; David Painter, *Oil and the American Century: The Political Economy of U.S. Foreign Oil Policy, 1941-1954* (Baltimore: Johns Hopkins University Press, 1986), p. 37 ("richest oil field"); Stoff, *Oil, War, and American Security*, p. 54 ("far afield").

10. Thornburg para Hull, 27 de março de 1943, 800.6363/1141-1/2; Feis para Hull, 10 de junho de 1943, 890F.6363/80, RG 59, NA. Hull para Roosevelt, 30 de março de 1943, OF 3500, documentos de Roosevelt; Painter, *Oil and the American Century*, pp. 41 ("intense new

disputes" and "smell of oil"), 43 ("breath away"). Notas, 12 de junho de 1943, 3468 ("rapidly dwindling"); Corporação das Reservas de Petróleo, Registro das Negociações, 2, 3 de agosto de 1943, 3463 ("tremendous shock"), documentos de DeGolyer. Feis, *Seen from E.A.*, pp. 122 ("boyish note"), 129-30 ("caught a whale").

11. NA 890F.6363 Feis para Hull, 16 de setembro de 1943, 23 de setembro de 1943, 70; Merriam, memo da conversa com Paul Bohannon, 4 de outubro de 1943, 84, RG 59; Minutas do Encontro Especial dos Diretores da Corporação das Reservas de Petróleo, 3 de novembro de 1943, 3463, documentos de DeGolyer.

12. Herbert Feis, *Petroleum and American Foreign Policy*, (Stanford: Food Research Institute, 1944), p. 45 ("favored competition"); Ralph Zook, *The Proposed Arabian Pipeline: A Threat to Our National Security* (Tulsa: IPAA, 1944) ("move towards fascism"); Anderson, *Aramco*, p. 101 ("monopolies" and "military necessity"); RGH Jr. para Berle, 20 de abril de 1944, 890F.6363/122-1/2, RG 59, NA; Ickes para Roosevelt, 29 de maio de 1944, Roosevelt para Ickes, 31 de maio de 1944, PSF 68, documentos de Roosevelt; Kline para DeGolyer, 22 de maio de 1944, documentos de DeGolyer ("understatement").

13. Chefes do Estado-Maior para o Gabinete Civil, 5 de abril de 1944, WP (44) 187, FO 371/42693/120769 ("American assistance" and "continental resources"); Documento do Gabinete, "Política do Petróleo", MOC (44) 5, CAB 77/15/184, PRO. Minutas, Comitê Especial do Petróleo, 21 de setembro de 1943, 3468, documentos de DeGolyer.

14. Ickes para Roosevelt, 18 de agosto de 1943 ("available oil"), com memo da conversa de Duce sobre Jackson, 13 de agosto de 1943 (Jackson), PSF 68, documentos de Roosevelt. Eden para o Primeiro Ministro 11 de fevereiro de 1944, POWE 33/1495; Beaverbrook para o Primeiro Ministro, 8 de fevereiro de 1944, POWE 33/1495 ("pigeon hole"); Halifax para o Ministério das Relações Exteriores, 19 de fevereiro de 1944, n. 846, FO 371/42688 (mapa de Roosevelt), PRO. NA 800.6363: Feis para Ickes, com memo. 1 de outubro de 1943, /1330A; memo de Alling, 3 de dezembro de 1943, /1402; Sappington para Murray, 13 de dezembro de 1943, /1466, RG 59, Feis, *Seen from E.A.:* p. 126; Woodward, *British Foreign Policy*, vol. 4, pp. 393-94 ("shockingly"). Para os comentários de DeGolyer, memo com DeGolyer para Snodgrass, n.d., 3468, documentos de DeGolyer.

15. *FRUS, 1944*, vol. 3, pp. 101-05; Francis L. Loewenheim, Harold D. Langley e Manfred Jonas, eds., *Roosevelt and Churchill: Their Secret Wartime Correspondence* (Nova York: E.P. Dutton, 1975), pp. 440-41 ("wrangle"), 459 ("assurances"); Painter, *Oil and the American Century*, p. 55 ("horn in"); Stoff, *Oil, War and American Security*, p. 156 ("rationing of scarcity").

16. Duce para DeGolyer, 1 de agosto de 1944, 360, documentos de DeGolyer ("lamb chops"); Stoff, *Oil, War and American Secutity*, p. 167 ("monster cartel"); Minutas das Conversas da Anglo-American sobre Petróleo: Sessões Plenárias, 1 de agosto de 1944, 800.6363/7-2544, RG 59, NA ("As-Is' character" and "Petroleum Agreement"); Anderson, *Aramco*, pp. 218-23 ("reserves" and "give effect").

17. Duce para DeGolyer, 11 de setembro de 1944, 360, documentos de DeGolyer. NA 800.6363: Pew para Connally, 17 de agosto de 1944, com Pew para Hull, 23 de agosto de 1944, 8-2344, memo de Rayner, encontro com o Comitê do Senado, 17 de agosto de 1944, 8-1744, RG 59. Zook para Roosevelt, 28 de novembro de 1944, PSF 56, documentos de Roosevelt.

18. DeGolyer para Duce, 13 de novembro de 1944, 360, documentos de DeGolyer; Ickes para Roosevelt, 29 de novembro de 1944, 800.6363/12-344 RG 59, NA ("seeing ghosts").

19. Roosevelt para Ibn Saud, 13 de fevereiro de 1942, OF 3500, documentos de Roosevelt; William A. Eddy, *F.D.R. Meets Ibn Saud* (Nova York: Amigos Americanos do Oriente Médio, 1954), pp. 19-35 (FDR e Ibn Saud); *FRUS, 1945*, vol. 8, pp. 1-3, 7-9; Miller, *Search for Security*, pp. xi-xii, 130-31; Robert E. Sherwood, *Roosevelt and Hopkins: An Intimate History* (Nova York: Harper & Brothers, 1948), pp. 871-72; Charles E. Bohlen, *Witness to History, 1929-1969* (Nova York: Norton, 1973), p. 203.

20. Miller, *Search for Security*, p. 131 ("immense oil deposits"); William D. Leahy, *I was There* (Nova York: Whittlesey House, 1950), pp. 325-27; Martin Gilbert, *Winston S. Churchill*, vol. 7, *Road to Victory, 1941-1945* (Boston: Houghton Mifflin, 1986), pp. 1225-26 ("allow smoking" and "finest motor car"); Laurence Grafftey-Smith, *Bright Levant* (Londres: John Murray, 1970), pp. 253, 271 (Rolls-Royce). A irritação de Churchill está descrita claramente no rascunho de Eddy, *F.D.R. Meets Ibn Saud*, p. 5, com Kidd para DeGolyer, 22 de outubro de 1953, 3461, documentos de DeGolyer.

21. Roosevelt para Stettinius, 27 de março de 1945, PSF 115 ("remind me"), documentos de Roosevelt; Shinwell para o Ministro das Finanças, 24 de setembro de 1945, PREM 8/857/122019, PRO; Anderson, *Aramco*, pp. 224-28 (texto do Acordo Revisado); Congresso dos Estados Unidos, *Senado, Investigation of Petroleum Resources*, pp. 278-79, 34, 37 ("optimist"); Robert E. Wilson, "Petróleo para o Futuro da América", *Stanolind Record*, Outubro-Novembro 1945, pp. 1-4; Ickes para Truman, 12 de fevereiro de 1946, documentos de Davies; Harry S. Truman, *Year of Decision* (Garden City, N.Y.: Doubleday, 1955, p. 554 ("kind of letter"); Alonzo L. Hamby, *Beyond the New Deal: Harry S. Truman and American Liberalism* (Nova York: Columbia University Press, 1973), p. 73 ("lack of adherence"); Margaret Truman, *Harry S. Truman* (Nova York: William Morrow, 1973), p. 291 ("monarch").

22. Forrestal para o secretário de Estado, 11 de dezembro de 1944, 890F.6363/12-1144 ("cannot err"); Forrestal para Bymes, 5 de abril de 1946, 811.6363/4-546 ("cheering section"); Collado para Clayton, 27 de março de 1945, 890F.6363/3-2745, RG 59, NA. Walter Millis, ed., *The Forrestal Diaries* (Nova York: Viking, 1951), p. 81 ("first importance").

23. Wilcox para Clayton, 19 de fevereiro de 1946, 800.6363/2-1946 ("dangerous or useless" and "orphan"), RG 59, NA; Stoff, *Oil, War, and American Security*, p. 97 ("salvation").

Capítulo XXI

1. NA 811.6363: Sandifer para McCarthy, 2 de julho de 1948, 6-1847; Departamento de Estado, Situação Atual e Provável do Petróleo no Mundo, 17 defevereiro de 1948, 2-1748, RG 59. Larson, *Standard Oil*, vol. 3, pp. 667-72; Beaton, *Shell*, pp. 637-42; Shell Transporte e Comércio, *Annual Report, 1947*, p. 8 ("astonishingly"); Giddens, *Standard Oil of indiana*, pp. 682-84 ("jackrabbit"); Arthur M. Johnson, *The Challenge of Change: The Sun Oil Company, 1945-1977* (Columbus: Ohio State University Press, 1983), p. 40 ("Helpful Hints").

2. R. Gwin Follis para o autor, 18 de setembro de 1989 ("hardly touch" and "surprising enthusiasm"); Anderson, *Aramco*, p. 120 ("sufficient markets"), 140-45 (Forrestal); Hart para o secretário de Estado, 2 de julho de 1949, 890F.6363/7-249, RG 59, NA ("our oil market" and "greatest"); Robert A. Pollard, *Economic Security and the Origins of the Cold War, 1945-1950* (Nova York: Columbia University Press, 1985), p. 213; "Os Grandes Acordos do Petróleo", *Fortune*, maio de 1947, p. 176 (Collier).

3. Sellers para Foster, 12 de junho de 1946, fichários "memos da CIP, 1946", caso 5 ("bomb-shell"); "Memorando da CIP sobre Posição Legal Atual", 10 de julho de 1946, fichário 127274-127448, caso 2, documentos das Companhias de Petróleo, *Multinational Hearings*, parte 8, p. 111-15 ("inadvisable and illegal"), 124 ("supervening illegality"); Anderson, *Aramco*, pp. 148-51 ("aliens" and "frustrated"). NA 890F.6363: Meloy para o secretário de Estado, 12 de dezembro de 1948, 12-1248; Hart para o secretário de Estado, 2 de julho de 1949, 7-249, 6 de agosto de 1949; Sappington para o secretário de Estado, 5 de dezembro de 1945, 800.6363/12/545, RG 59.

4. *Multinational Hearings*, parte 8, pp. 115-19 ("mutual interest", Sheets, "restraints", "political question" and "family circle"); entrevista com Pierre Guillaumat ("angry with God"); CFP, "Eventos surgidos da Guerra", 27 de fevereiro de 1945; Gulbenkian para a Corporação do Desenvolvimento do Oriente Próximo, 6 de janeiro de 1947, fichário 4- 5- 35, caso 6, documentos das Companhias de Petróleo ("not acquiesce").

5. FTC, *International Petroleum Cartel*, p. 104; Nitze para Clayton, 21 de fevereiro de 1947, 800.6363/2-2147, RG 59, NA ("arrest" and "retard"), Carta de Paul Nitze ao autor, 3 de outubro de 1989. Sellers e Shepard para Harden e Sheets, 7 de fevereiro de 1947, fichário "Memos da CIP, 1946", Earl Neal, "Alternativas para a CIP", 19 de fevereiro de 1947, fichário 126898-127063, caso 2, documentos das Companhias de Petróleo. *Multinational Hearings*, parte 8, pp. 160-61 ("practicable plan").

6. Childs para o secretário de Estado, 3 de janeiro de 1947, 890F.6363/1-347, RG 59, NA (Aramco e Ibn Saud); R. Gwin Follis para o autor, 18 de setembro de 1989 ("off our shoulders"); Anderson, *Aramco*, pp. 158, 152; *Multinational Hearings*, parte 8, pp. 156-66 ("good thing" and "problems"); Daniel Yergin, *Shattered Peace: The Origins of the Cold War* (Nova York: Penguin, 1990), pp. 282-83 ("all-out").

7. "Notas sobre Calouste Sarkis Gulbenkian", 6 de junho de 1947, com Berthoud para Butler, 9 de junho de 1947, PE 650, POWE 33/1965, PRO (funcionário Britânico); Gulbenkian, *Portrait in Oil*, pp. 210-15 ("musts"), 251 ("father's practice"); Entrevista com John Loudon; Anderson, *Aramco*, pp. 155-59 ("drove as good"). Turner para Johnson, 15 de setembro de 1948, fichário 127274-127448; Dunaway para Grubb, 4 de abril de 1946, fichário "vários números", caso 2, documentos das Companhias de Petróleo. Gulbenkian e Raphael em John Walker, *Self-Portrait with Donors: Confessions of an Art Collector* (Boston; Atlantic Monthly Press, 1974), pp. 234-37.

8. Harden para Holman, 3 de novembro de 1948, Harding para Vacuum, 3 de novembro de 1948, fichário 128167-128229, caso 7, documentos das Companhias de petróleo: Gulbenkian, *Portraits in Oil*, pp. 225-27 (complexidade dos acordos e "caravana"); memo de Belgrave, "Fundação Gulbenkian", 13 de janeiro de 1956, POWE 33/2132, PRO; "Os Grandes Acordos do Petróleo", *Fortune*, maio de 1947, p. 176 ("moon").

9. Memo, Reunião, incluindo Clayton e Drake, 3 de fevereiro de 1947, 811.6363/2-347 ("long on crude oil" and "wholly American owned"); Loftus para Vernon, 5 de setembro de 1947, FW 811.6363/8-2047, RG 59, NA. Chisholm, *Kuait Oil Concession*, p. 187. Jennings para Sheets, 27 de setembro de 1946, fichário 17-3-4, caso 5; "Kuait — Provisões", fichário "Kuait", caso 1; fichários "Negociações da Shell", "vários números, incl. Gulf & Jersey", caso 2, documentos das Companhias de Petróleo. "Shell no Kuait", Comitê de Petróleo do Oriente Médio, CME (55), 16 de maio de 1955, CAB 134/1 086, PRO ("partner").

10. Yergin, *Shattered Peace,* cap. 7, pp. 163 ("What does...how far"), 180; entrevista com Niko-lai Baibakov; *FRUS, 1946,* vol. 6, pp. 732-36 (os temores do petróleo de Stálin); Bruce R. Kuniholm, *The Origins of the Cold War in the Near East: Great Power Conflict and Diplo-macy in Iran, Turkey and Greece* (Princeton: Princeton University Press, 1980), p. 138 ("south of Batum"); William Roger Louis, *The British Empire in the Middle East, 1945-1951: Arab Nationalism, the United States and Postwar Imperialism* (Oxford; Clarendon Press, 1985), pp. 55-62; Arthur Meyerhoff, "Petróleo Soviético", em Robert G. Jensen, Theodore Shabad, e Arthur W. Wright, eds., *Soviet Natural Resources in the World Economy* (Chicago: Univer-sity of Chicago Press, 1983), pp. 310-42; Owen, *Trek of the Oil Finders,* pp. 1371-73.

11. Cooperação Econômica Europeia, Comitê de Londres, Rascunhos para os caps. 1-3, 2 de agosto de 1947, UE 7237, FO 371/62564, PRO; Alec Cairncross, *Years of Recovery: British Economic Policy, 1945-51* (Londres: Methuen, 1985), pp. 367-70; Alan Bullock, *Ernest Bevin: Foreign Secretary* (Londres: Heinemann, 1984), pp. 361-62.

12. "A Responsabilidade da Anglo-American pelos preços do Petróleo", 4 de janeiro de 1951, fichário FOA 0453-4351, caso 1, documentos das Companhias de Petróleo; Painter, *Oil and American Century,* pp. 155-56; Programa de Recuperação Europeu, *Petroleum and Petroleum Equipment Commodity Study* (Washington, D.C.: Administração de Cooperação Econômi-ca, 1949), p. 1 ("Without pretoleum"); Walter J. Levy, "O Petróleo e o Plano Marshall", ensaio apresentado na Associação Econômica Americana, 28 de dezembro de 1988.

13. Holman para Hoffman, 23 de fevereiro de 1949; Harden para Foster, 19 de abril de 1950; Foster para Harden, 22 de agosto de 1950, Suman para Foster, 1 de setembro de 1950; Har-den para Daniels, 27 de dezembro de 1950; Foster para Holman, 18 de janeiro de 1951, fi-chário FOA 0453-4351-2, caso 1, documentos das Companhias de Petróleo. David Painter, "O Petróleo e o Plano Marshall", *Business History Review* 58 (outono de 1984), pp. 382, 376. Comitê do Programa de Gabinete, 9 de janeiro de 1949, P49, POWE, 33/1772; McAlpin para Trend, 8 de setembro de 1948, POWE 33/1557 (Bevin); "Preços do Petróleo, para R.W.B. Clarke, 3 de fevereiro de 1947, T2361/2161, PRO. Levy, *Oil Strategy and Polities,* p. 75; W.G. Jensen, *Energy in Europe, 1945-1980* (Londres: G.T. Foulis, 1967) p. 21.

14. Cooperação Econômica Europeia, Conversações em Londres, 2 de agosto de 1947, Rascunhos dos caps. 1-3, pp. 56-57, 65-66, UE 7237, FO 371/62564. PRO; Miller, *Search for Security,* pp. 177-78; Ethan Kapstein, *The Insecure Albance: Energy Crisis and Western Politics Since 1949* (Nova York: Oxford University Press, 1990), p. 61 (Dalton); Entrevista com T.C. Bailey, *GHS/2B/75,* arquivos da Shell ("no value").

15. Miller, *Search for Security,* p. 196 ("handicapped"); "Visita de Abdul Aziz à Aramco", janeiro 1947, pp. 36, 45, documentos da Aramco; Forrest C. Pogue, *George C. Marshall,* vol. 4, *States-man, 1945-1954* (Nova York: Viking, 1987), p. 350 ("famine"). Henderson para Marshall, 26 de maio de 1948, 890 F.6363/5-2648 (Duce); Eakens para Martin e "Impacto da Perda de Produção do Petróleo Arabe sobre a Situação Mundial do Petróleo", 8 de julho de 1948, 800.6363/7-848 ("hardship"), RG 59, NA.

16. Comentários feitos ao Coronel Eddy pelo Rei Ibn Saud", 17 de novembro de 1947, com memo de Merrian, 17 de novembro de 1947, 890F.6363/11-1347, RG 59, NA; Trott para McNeil, "Revisão Anual para 1949", 28 de fevereiro de 1950, ES 1011, FO 371/82638, PRO ("formal hostility"); *FRUS, 1949,* vol. 6, pp. 170, 1618, 1621; Louis, *British Empire,* p. 204

("Jewish pretensions"); Afirmação de James Terry Duce, e Comitê do Comércio Estrangeiro, 30 de janeiro de 1948, pp. 10-11, 3461, documentos de DeGolyer.

17. Declaração de James Terry Duce, House Armed Services Committee, 2 de fevereiro de 1948, 3461, documentos de DeGolyer; Bullock, *Bevin*, p. 113; James Forrestal, "Política Naval", Discurso, 18 de junho de 1947, Escola Nacional de Guerra; David A. Rosemberg, "A marinha Norte Americana e o Problema do Petróleo em uma Futura Guerra: O Esquema de Um Dilema Estratégico, 1945-1950", *Naval War College Review* 29 (Verão de 1976), pp. 53-61; Miller, *Search for Security*, p. 203; *Frus, 1950*, vol. 5, pp. 1190-91 (Carta de Truman para Ibn Saud); "Arábia Saudita: Relatório Econômico", 24 de setembro de 1950, POWE 33/323, PRO.

18. "Problema da Obtenção de Petróleo para uma Grande Guerra", documento 1741 da Junta dos Chefes do Estado-Maior, 29 de janeiro de 1947, pp. 3, 6 ("very susceptible"), RG 218, NA; McGinnis para Daniels, 26 de novembro de 1948, CS/A, 800.6363/11-2648, RG 59, NA; Eugene V. Rostow, *A National Policy for the Oil Industry* (New Haven: Yale University Press, 1948), pp. 147-48. Conselho dos Recursos de Segurança Nacional, "Uma Política Nacional de Combustíveis Líquidos", agosto de 1948, p. 1, 3526 ("storage place"); API Comitê da Política Nacional do Petróleo, Subcomitê da Disponibilidade a Longo Prazo de Sintéticos, 14 de julho de 1948, 3508, documentos de DeGolyer. Sobre os combustíveis sintéticos, veja Bernard Brodie, "Segurança Americana e Petróleo Estrangeiro", *Foreign Policy Reports*, 1 de março de 1948, pp. 297-312. Richard H.K. Vietor, *Energy Policy in America Since 1945: A Study of Business-Government Relations* (Cambridge: Cambridge University Press, 1984), pp. 44 *(New York Times)*, 54-59; Crauford D. Goodwin, ed., *Energy Policy in Perspective: Today's Problems, Yesterday's Solutions* (Washington, D.C.: Brookings Institution, 1981), pp. 148-56.

19. Owen, *Trek of the Oil Finders*, p. 801; John S. *Ezell, Innovations in Energy: The Story of Kerr-McGee* (Norman: University of Oklahoma Press, 1979), pp. 152-69; William Rintoul, *Spudding In: Recollections of Pioneer Days in the California Oil Fields* (Fresno: California Historical Society, 1978), pp. 207-9.

20. Standard Oil Company (New Jersey), "Gas Natural", agosto de 1945, 3680, documentos de DeGolyer. Standard Oil de New Jersey, "Considerações sobre os Custos do Petróleo Bruto do Oriente Médio", 28 de julho de 1950, "fichário de vários números 1937-47", caso 2; Holman para Hoffman, 23 de fevereiro de 1949, caso 1, documentos das Companhias de Petróleo ("crudes available"). Deale para Forrestal, 8 de maio de 1948, Gabinete do Secretário da Defesa, RG 218, NA ("pipelines"); Douglass R. Littlefield e Tanis C. Thorne, *The Spirit of Enterprise: The History of Pacific Enterprises from 1886 to 1989* (Los Angeles: Pacific Enterprises, 1990).

Capítulo XXII

1. Reunião no Ministério da Fazenda, setembro de 1950, ES 1532/18, FO 371/82691, PRO ("startling demands"); Richard Eden, Michael Postner, Richard Bending, Edmund Crouch e Joseph Stanislaw, *Energy Economics: Growth, Resources, and Politics* (Cambridge: Cambridge University Press, 1981), p. 264 ("uneasy"); John Maynard Keynes, *The General Theory of Employment, Interest and Money* [1936], volume 7 da *Collected Writings of John Maynard Keynes* (Londres: Macmillan, St. Martin's Press para a Royal Economic Society, 1973), p. 383;

David Ricardo, *On the Principies of Political Economy and Taxation* [1817], vol. 1 do *The Works and Correspondence of David Ricardo,* ed. Piero Sraffa (Cambridge: Cambridge University Press para a Royal Economic Society, 1951), pp. 11-83; M.A. Adelman, *The World Petroleum Market* (Baltimore: Johns Hopkins University Press, 1972), p. 42.

2. Romulo Betancourt, *Venezuela: Oil and Politics,* trad. Everett Bauman (Boston: Houghton Mifflin, 1979), pp. 29, 43, 67; Franklin Tugwell, *The Politics of Oil in Venezuela* (Stanford: Stanford University Press, 1975), p. 182; Rabe, *The Road to OPEC,* pp. 64-73.

3. Rabe, *The Road to OPEC,* pp. 102 ("suicidal leap"), 103 ("tax structure"); Larson, *Standard Oil,* vo1. 3, pp. 479-85; Romulo Betancourt, *Venezuela's Oil,* trad. Donald Peck (Londres: George Allen & Unwin, 1978), p. 162 ("ritual cleansing"); Godber para Starling, 10 de abril de 1943, A786/94/47, FO 371/34259, PRO (Godber); Christopher T. Landau, "A Ascensão e Queda do Petro-Liberalismo: Relações Norte-Americanas com a Venezuela Socialista, 1945-1948" (Tese de Doutorado, Universidade de Harvard, 1985), pp. 5 ("octopi"), 10 ("vast dollar resources"), 75-76 ("disheartening"); Betancourt, *Venezuela,* pp. 128-36 ("taboo"). Holman para Hoffman, 1 de novembro de 1948, fichário "FOA 0453-4357"; Mc Culloch para Orton, dezembro de 1948, fichário "CT 3028- 3293"; Miller para McCollum, 3 de setembro de 1947, fichário "Gulf 6, 9,18, etc." ("reap the profits"), caso 1, documentos das Companhias de Petróleo. "Creole Petroleum: Negócios da Embaixada", *Fortune,* February 1949, pp. 178-79.

4. Loftus e Eakens para McGhee e Nitze, 4 de março de 1947, 800.6363/3-447; "O Petróleo Não Continental da Arábia Saudita", 6 de agosto, 1948, 890F. 6363/8-1148, RG 59, NA; Entrevista com Jack Sunderland; *FRUS: Current Economic Developments, 1945-1954,* 19 de julho de 1948, p. 10 ("new companies"); John Loftus, "O Petróleo na Política Externa dos Estados Unidos", Discurso, 30 de julho de 1946; memo de Monsell Davis, "Concessão da Zona Neutra do Kuait", 16 de agosto de 1947, POWE 33/478, PRO; Painter, *Oil and the American Century,* p. 165 ("Aminoil"); Duce para DeGolyer, 16 de dezembro de 1944, 360, documentos de DeGolyer; Tompkins, *Little Giant of Signal Hill,* pp. 156-63 (Davies).

5. Somerset de Chair, *Getty on Getty* (Londres: Cassel,1989), pp. 15-20 ("best hotel" and "a casino"), 143 ("always let down"), 145, 76 e 158 (Madame Tallasou), 70 ("family life"), 156; Entrevista com Jack Sunderland ("thousand fights" and "value"); Robert Lenzner, *Getty: The Richest Man in The World* (Londres: Grafton, 1985), pp. 59-60 (Dempsey), 101, 118- 34 ("espionage"); Russel Miller, *The House of Getty* (Londres: Michael Joseph, 1985), p. 207 ("thinking about girls"); "O homem de cinquenta milhões de dólares", *Fortune,* novembro de 1957, pp. 176-78; Ralph Hewins, *The Richest American: J. Paul Getty* (Nova York: E.P. Dutton, 1960), pp. 289 ("Middle East"); Entrevista com Paul Walton.

6. Miller, *House of Getty,* pp. 191-93 ("expenses"), 200-4 ("Teach" and "seminar"); Lenzner, *Getty,* pp. 156- 57 ("insane"), 159-60 ("pathological fear"), 182 ("garbage oil"); Hewins, *Richest American,* pp. 309 ("favorably impressed"), 313 ("My bankers"); Munro para Rowe-Dutton, 22 de fevereiro de 1949, T 236/2161; para Furlonge, Ministério das Relações Exteriores, 1 de novembro de 1950, ES 1532/24, FO 371/82692 ("notorious"), PRO. Proctor para Drake, 28 de junho de 1949, fichário 12-2-4, caso 4, 644a; Dunaway para Grubb, 44a, 4 de abril de 1946, fichário "vários números", caso 2 (Gulbenkian), documentos das Companhias de Petróleo. Entre vistas com Paul Walton e Jack Sunderland; Bernard Berenson, *Sunset and Twilight: From the Diaries of 1947-1958 of Bernard Berenson,* ed. Micky Mariano (Nova York:

Harcourt, Brace & World, 1963), p. 309 (o homem mais rico); *Multinational Hearings,* parte 8 (Washington, D.C.: GPO, 1975), pp. 282-84.

7. Trott para Bevin, "Arábia Saudita: Retrospectiva Anual de 1950", 19 de março de 1951, ES 1011/1, FO 371/91757; Trott para McNeil, "Arábia Saudita: Retrospectiva Anual de 1949, 28 de fevereiro de 1950, ES 1011/1, FO 371/82638, "Arábia Saudita: Relatório Econômico", para o Ministério das Relações Exteriores, 24 de setembro de 1950, POWE 33/323. "Arábia Saudita: Relatório Econômico", 28 de janeiro de 1951, POWE 33/324, PRO. Cabograma de Duce para Wilkins, 25 de maio de 1950, 886A.2553/5-2550 ("large company profits"); "Problemas Tarifários das Companhias de Petróleo Arábico-Americanas", 20 de julho de 1949, 890F.6363/7-2049, RG 59, NA. *Multinational Hearings,* parte 8, pp. 342-50 ("rolling" and "horsetrading"), 357 (IRS); parte 7, pp. 168 ("spread the benefits"), 130-35 ("retreat"); Anderson, *Aramco,* pp. 188-96 ("welfare" and "Each time"); Betancourt, *Venezuela,* p. 89 ("grave threat"); Painter, *Oil and American Century,* p. 166 ("darn bit"); Entrevista com George McGhee ("Saudits knew"); John Blair, *The Control of Oil* (Nova York: Pantheon, 1976), pp. 196-99 (crítica da tributação).

8. Gulf para Anglo-Iranianaa, 20 de junho de 1951, fichário "vários nos., incl. Gulf e Jersey", caso 2; LWE para Larsen, 11 de março de 1952, Butte para EPL, 25 de janeiro de 1952 (as carteiras de trabalho da Jersey) fichários nos. 128253-128255, caso 3 ("We now know"), documentos das Companhias de Petróleo. Memo, "O Acordo de 30 de dezembro da Aramco", 10 de janeiro de 1951, 886A.2553/1-1051; "A Gulf Oil Conversa com a Anglo Iraniana", 29 de março de 1951, 886A.2553/3-2951; "Dificuldades da Companhia Gulf Oil", 4 de junho de 1951, 886D.2553/6-451, NA. Louis, *British Empire,* pp. 595, 647 (historiador); *Multinational Hearings,* parte 4, pp. 86, 89 (McGhee e senador).

Capítulo XXIII

1. Mohammed Reza Pahlavi, *The Shah's Story,* trad. Teresa Waugh (Londres: Michael Joseph, 1980), pp. 31-47 ("grief"); Barry Rubin, *Paved with Good Intentions: The American Experience in Iran* (Nova York: Penguin, 1984), p. 383, n. 9 ("mouse"); *FRUS, 1950,* vol. 5, pp. 463 ("Westernized"), 512; Brian Lapping, *End of Empire* (Londres: Granada, 1985), p. 205 ("bribed").

2. Pahlavi, *Shah's Story,* p. 39 ("miraculous failure"); Ervand Abrahamiam, *Iran Between Two Revolutions* (Princeton: Princeton University Press, 1982), pp. 249-50 ("the Great"); Entrevista com George McGhee; Louis, *British Empire,* pp. 636, 596 ("infant prodigy" and "nineteenth-century"); George McGhee, *Envoy to the Middle World: Adventures in Diplomacy* (Nova York: Harper & Row, 1983). pp. 320 ("kindly feeling"); Acheson, *Present at the Creation,* p. 646 ("stupidity").

3. Memo de Berthoud, 18 de abril de 1951, EP, 1531(204, FO 371/91527; Bevin para Frank, 12 de abril de 1950, EP 1531/37, FO 371/82395, PRO. "A Crise Iraniana de Petróleo", 3460, documentos de DeGolyer; Raymond Vernon, "Planejando um Mercado Petrolífero Proveitoso", em Daniel Yergin e Barbara Kates-Garnick, eds., *The Reshaping of the Oil Industry: Just Another Commodity?* (Cambridge: Cambridge Energy Research Associates, 1985), pp. 25-33 ("Minister and Manager"); Louis, *British Empire,* p. 56 ("no power or influence"); Francis Williams, *A Prime Minister Remembers: The War and Postwars of Earl Attlee* (Londres:

Heinemann, 1961), pp. 178-79; Robert Stobaugh, "A Evolução da Política Iraniana de Petróleo 1925-1975", em *Iran Under the Pahlavis*, ed. George Lenczowski (Stanford: Hoover Institutio Press, 1978), p. 206; James A. Bill e William Roger Louis, eds., *Mossadiq, Iranian Nationalism, and Oil* (Londres: I.B.Tauris & Co., 1988), p. 8 ("West End gentlemen").

4. NA 886D.2553 "Dificuldades da Gulf Oil Company", 4 de junho de 1951, 6-451; "A Gulf Oil Conversa com a Anglo-Iranianaa", 29 de março de 1951, 3-2951 ("did not dare"), RG 59, NA. Bill e Louis, *Mossadiq*, p. 247 ("fingertips" and "tough bargaining"); *Time*, 1 de agosto de 1949, p. 58 ("came with the shale"); Minutas da Reunião, 2 de agosto de 1950, EP 1531/40, FO 371/82375, PRO; Sampson, *Seven Sisters*, p. 134 ("Glasgow accountant"); Entrevistas com Robert Belgrave ("skinflint") e George McGhee.

5. Louis, *British Empire*, p. 645 (Fraser); Entrevista com Peter Ramsbotham ("bombshell"); Rouhollah K. Ramazani, *Iran's Foreign Policy, 1941-1973: A Study of Foreign Policy in Modernizing Nations* (Charlottesville: University of Virginia Press, 1975), pp. 192-96 ("misfortunes"); Abrahamian, *Iran*, p. 266 ("sacred mission" and "stooge"); Norman Kemp, *Abadan: A First Hand Account of the Persian Oil Crisis* (Londres: Allan Wingate, 1953), pp. 27-28. Encontro no Ministério das Relações Exteriores, 16 de janeiro de 1951, EP 1531/112, FO 371/91524; Shepherd para Morrison, "Situação Política na Pérsia", 9 de julho de 1951, EP 1015/269, FO 248/1514 (1951), parte IV ("Former Company", "abolished" and "no further"), PRO. Sobre o governador e a ovelha, veja Lapping, *End of Empire*, pp. 208-9; *Times* (Londres), 9 de junho de 1951; *New York Times*, 9, 10, 11 de junho, 1951.

6. Roy Mottahedeh, *The Mantle of the Prophet: Religion and Politics in Iran* (Londres: Penguin, 1987), pp. 122-25 ("pure"). "Esboço Biográfico, Mohammed Mossadehg", Memorando para o presidente, 22 de outubro de 1951; CIA, "Prováveis Desenvolvimentos no Irã no Ano de 1953", NIE-75/1, 9 de janeiro de 1953, fichário da secretária do presidente, documentos de Truman. H.V. Brands, *Inside the Cold War: Loy Henderson and the Rise of the American Empire, 1918-1961* (Oxford: Oxford University Press, a ser publicado), cap. 18 (acessos de desmaio); Anthony Eden, *Full Circle* (Boston: Houghton Mifflin, 1960), p. 219 ("Old Mossy"); Painter, *Oil and the American Century*, p. 173 ("colonial exploiter"); Acheson, *Present at the Creation*, p. 651 ("great actor"); Entrevista com George McGhee e Peter Ramsbotham ("Moslem"); Vernon Walters, *Silent Missions* (Garden City, N.Y.: Doubleday, 1978), p. 262; C.M. Woodhouse, *Something Ventured* (Londres: Granada, 1982), pp. 113-14; Louis, *British Empire*, pp. 651-53 ("lunatic" and "cunning"); Paul Nitze, *From Hiroshima to Glasnost*, pp. 130-37.

7. Entrevistas; Louis, *British Empire*, pp. 667-74 ("Suez Canal"); Notas, 27 de junho de 1951, EP 1531/870, FO 371/91555, PRO (Churchill); Alistair Home, *Harold Macmillan*, vol. 1, 1894-1956, (Nova York: Viking, 1988), p. 310; H.W. Brands, "A Conexão Cairo-Teerã na Rivalidade Anglo-Americana no Oriente Médio, 1951-1953", *International History Review*, 11 (1989), pp. 438-40 ("scuttle and surrender").

8. Entrevista com Richard Funkhouser, Comitê Multinacional de Entrevistas do Corpo de Assistentes ("Oracle"); entrevista com Walter Levy. Sobre as propostas de Levy, veja o memo de Logan, 31 de julho de 1951, com Minuta, 29 de julho de 1951, EP 1531/1290, FO 371/91575 ("camouflage"); Shepherd para o Ministério das Relações Exteriores, 10 de outubro de 1951, EP 1531/1837, FO 371/91599 (John Kennedy); Minutas do Gabinete, 30 de julho de 1951, CM (51), CAB 128/20, PRO. Acheson, *Present at the Creation*, p. 655; Louis, *British Empire*,

p. 677, n. 5 ("mongrelization" and "dilute"); Walters, *Silent Missions*, pp. 247-56 ("crafty", "Where else?", "certain principles" and Kashani); *FRUS: Iran, 1951-1954*, pp. 145 ("dream world").

9. Louis, *British Empire*, p. 678 ("jolly good"); Fergusson para Stokes, 3 de outubro de 1951, com Fergusson para Makins, 4 de outubro de 1951, EP 1531/1839; FO 371/91599; Ramsbotham para Logan, 20 de agosto de 1951, EP 1531/1391, FO 371/91580, PRO. Entrevista com Peter Ramsbotham ("last act of *Figaro*"); Peter Ramsbotham para o autor, 4 de julho de 1990; Painter, *Oil and American Century*, p. 177. John F. Thynne, "Política Britânica sobre Reservas Petrolíferas 1936-1951 com Referência Particular ao Departamento de Defesa Britânica do Controle do Petróleo no México, Venezuela e Persia" (Ph.D., Faculdade de Economia de Londres, 1987), pp. 211-12, 273 ("stock-in-trade"); Walters, *Silent Missions*, p. 259 ("failure").

10. Gabinete, Comitê Persa, "Medidas para Desencorajar ou Prevenir a Concessão do Petróleo Persa", 13 de dezembro de 1951, PO (0)(51)26, CAB 134/11445 ("stolen oil"); Atas de Gabinete, 27 de setembro de 1951, CM (51), CAB 128/20 ("humiliating"), PRO. Entrevista com Eric Drake ("sabotage" and "pistol"); Kemp, *Abadan*, pp. 235 ("day of hatred"), 241 ("Stand Firm"); Longhurst, *Adventure in Oil*, pp. 143-44 ("records").

11. "Os caminhos da Perda da Produção Persa" Apêndice D do texto "Medidas para Desencorajar ou Prevenir a Concessão de Petróleo Persa", 13 de dezembro de 1951 PO (0)(51), CAB 134/1145, "Petroleo Persa: Política Futura", 15 de abril de 1953, CAB 134/1149; "Capacidade Persa de Produzir e Comercializar Petróleo", 22 de novembro de 1951, PO (0)(51) 17, CAB 134/1145, PRO. "Plano de Ação No. 1 Sob Acordo Voluntário", julho de 1951, Lilley para Longon, 26 de abril de 1951, arquivo da "Texas Co. 1951", Exemplo 9, documentos das Companhias de Petróleo. Shell Transport and Trading, "Pesquisa de Atividades Recentes, 1951", arquivos Shell ("unnecessary"). C. Stribling Snodgrass e Arthur Kuhl, "A Resposta da U.S. Petroleum à Paralisação Iraniana", *Middle East Journal 5* (1951) pp. 501-4; Lenczowski, Iran, p. 212.

12. Robert Rhodes James, *Anthony Eden* (New York: McGraw-Hill, 1987), pp. 355 ("old brain"), 346 ("splutter of musketry"), 60, 347 (estoque Anglo-Iranianao); Eden, *Full Circle*, pp. 212-25 ("shaken"). Ata Eden sobre Bullard para o Ministério de Relações Exteriores, 7 de maio de 1941, n. 202, FO 371/27149; P. Dixon, "Conversa Infonnal sobre a Persia", 14 de novembro de 1951, CAB 134/1145; Fergusson para o Ministro, "Petróleo Persa", 30 de janeiro de 1952 e 7 de fevereiro de 1952 ("tell the U.S.A"), PO (M)(52), POWE 33/1929; Butler para o Secretário, 22 de maio de 1952, POWE 33/1934, PRO. Bill e Louis, *Mossadiq*, pp. 244, 246 ("cloud cuckoo").

13. Entrevista com George McGhee ("end of the world"); George McGhee para o autor, 5 de julho de 1990; Peter Ramsbotham para o autor, 4 de julho de 1990; McGhee, *Envoy*, pp. 401-3; Acheson, *Present at the Creation*, pp. 650 ("like Texas"); Walters, *Silent Missions*, p. 262 ("my fanatics"); Abrahamian, *Iran*, pp. 267-68 ("rabble rouser"); Sepehr Zabih, *The Mossadegh Era: Roots of the Iranian Revolution* (Chicago: Lake View Press, 1982), p. 46; Brands, *Loy Henderson*, cap. 20 ("secret contempt"); *FRUS: Iran, 1951-1954*, pp. 179 (future generations), 186 ("helpless").

14. "Ata de Reunião" 28 de junho de 1952, EP 15314/l63,CAB 134/1147 ("some stage"); Makins para o Ministério de Relações Exteriores, 21 de maio de 1953, EP 1943/1, FO 371/104659;

Churchill para Makins, 5 de junho de 1953, EP 1943/3G, FO 371/104659; Makins para o Ministério de Relações Exteriores, 4 de junhode 1953, n. 473, FO 371/104659, PRO. Churchill para Truman, 16 de Agosto e 20 de agosto ("very edge"), 22 de agosto, 29 de setembro de 1952 (com Acheson para Truman, 1 de outubro de 1952), Truman para Churchill, 18 de agosto de 1952 ("communist drain"), Henderson e Middleton para Bruce e Byroade, 27 de agosto de 1952 ("trap"), PSF, documentos Truman. Acheson, *Present at the Creation*, p. 650; Eden, *Full Circle*, p. 221 ("autograph"); Woodhouse, *Something Ventured*, pp. 110-27; Kermit Roosevelt, *Countercoup: The Struggle for the Control of Iran* (Nova York: McGraw-Hill, 1979), pp. 114-20; Pahlavi, *Shah's Story*, p. 55; *FRUS: Iran, 1951-1954*, pp. 742 ("mobocracy"), 693 ("communist control" and "feasible course"), 737-38 ("active"), 878.

15. Makins para o Ministério de Relações Exteriores, 4 de junho de 1953, FO 371/104659 (suspeitas do xá); Shuckburgh para Strang, 29 de agosto de 1953, FO 371/104659; Roe para o Ministério de Relações Exteriores, 25 de agosto de 1953 EP 1914/1, FO 371/104658; Bromley para Salisburg, 26 de agosto de 1953, EP 1941/12, FO 371/104658 (O Xá em Roma e Bagdá), PRO. *FRUS: Iran, 1951-1954*, pp.748 ("snuggle up"), 708-88 (description of events); William Shawcross, *The Shah's Last Ride* (Nova York: Simon e Schuster, 1988), pp. 68-70 ("bulletin" and "I knew they loved me"); Roosevelt, *Countercoup*, pp. 156-72 e passim; Mark T. Gasiorowski, "O golpe de estado iraniano de *1953*", *International Journal of Middle Eastern Studies* 19 (1987), pp. 261-86; Woodhouse, *Something Ventured*, pp. 115-16. Woodhouse foi, na época, o opositor de Kim Roosevelt, responsável britânico pela iniciativa do golpe de 1953.

16. Robert Belgrave para o autor, 16 de março de 1989; Entrevista com Wanda Jablonski; "Persia: Relatório Político Quadrimestral", julho-setembro de 1953, 19 de novembro de 1953, EP 1015/263, POWE 33/2089, PRO; Donald N. Wilber, *Adventures in the Middle East: Excursions and Incursions* (Princeton, N.J.: Darwin Press, 1986), p. 189; Stephen E. Ambrose, *Eisenhower: The President* (Nova York: Simon e Schuster, 1984), p. 129 ("dime novel"); Richard e Gladys Harkness, "Os Feitos Misteriosos da CIA", *Saturday Evening Post*, 6 de novembro de 1954, pp. 66-68; Brands, *Loy Henderson*, cap. 20.

17. Butler para o Secretário, 24 de agosto, 26 de agosto de 1953, POWE 33/2088 ("stumped"); "Esboço do Memorandum sobre o Petróleo do Oriente Médio", 17 de agosto de 1953, PO (0)(53)72, CAB 134/1149; "Esboço da Proposta/Walter Levy", 20 de outubro de 1952, POWE 33/1936, PRO. Entrevista com Wanda Jablonski; Bennet Wall, *Growth in a Changing Environment: The History of Standard Oil (New Jersey), 1950-1972, and the Exxon Company, 1972-1975* (New York: McGraw-Hill, 1988), pp. 487-88; Wilber, *Adventures in the Middle East*, p. 184, Nitze, *From Hiroshima to Glasnost*, pp. 133-37; Congresso dos Estados Unidos, Senado, Comitê de Relações Exteriores, Subcomitê de Corporações Multinacionais, 93º Congresso, 2ª Sessão, *Multinational Corporations and U.S. Foreign Policy* (Washington, D.C.: GPO, 1975), p. 60; *Multinational Hearings*, parte 7, p. 301 ("touch and go"); Entrevistas com George Parkhurst ("ouchy") e Howard Page ("beat us on the head"), Entrevistas com a Equipe do Subcomitê Multinacional; Burton I. Kaufinan, *The Oil Cartel Case: A Documentary Study of Antitrust Activity in the Cold War Era* (Westport, Conn.: Greenwood Press, 1978), pp. 162-170 (Funkhouser); Wilkins, *Maturing of Multinational Enterprise*, p. 322; Entrevista com George McGhee ("fiddler"); Congresso dos Estados Unidos, Senado, Comitê de Relações Exteriores, Subcomitê de Corpo rações Multinacionais, *The International*

Petroleum Cartel, the Iranian Consortium, and U.S. National Security (Washington, D.C.: GPO, 1974), pp. 57-58 ("strictly commercial viewpoint").

18. Wall, *Exxon*, pp. 453-55, 947, n. 33; Kaufman, *Oil Cartel Case*, pp. 27 ("rubber stamping"), 163 ("highly slanted"), 30 ("Soviet propaganda"); FTC, *International Petroleum Cartel*. Sobre a versão do Departamento de Justiça, ver Subcomitê Multinacional, *Iranian Consortium*, pp. 5-16 ("spot market"). Sobre o ponto de vista britânico, ver Eden em "Anotações da Secretaria de Estado sobre o Relatório da Comissão Federal de Comércio dos Estados Unidos", 4 de Setembro de 1952, POWE 33/1920 e "Indústria Petrolífera Internacional", Memorandum do Ministério de Relações Exteriores, 30 de setembro de 1952, C(52) 315, PREM 11/500; Churchill para o Secretário de Relações Exteriores, 30 de agosto de 1952, M 463/52, PREM 11/500, PRO. Lloyd para a Anglo-Iranianaa, 2 de outubro de 1952, embrulho marrom, Referência 9, documentos das Companhias Petrolíferas ("stale bread", wotchhunters" and "prejudicial"). Sobre política antitruste, ver Raymond Vernon e Debra L. Spar, *Beyond Globalism: Remaking American Foreign Economic Policy* (New York: Free Press, 1989), pp. 113-17 e Kingman Brewster Jr., *Antitrust and American Business Abroad* (Nova York: McGrow-Hill, 1958), pp. 8, 72-74, 330-31.

19. *FRUS: Current Economic Developments, 1945-1954*, 6 de janeiro de 1947 ("national interest"); Subcomitê Multinacional, *Iranian Consortium*, pp. 30-36 ("unlawful combination"), 52 ("enforcement"), 77 ("would not violate"); Burton I. Kaufinan, "Petróleo e Antitruste: O Caso do Cartel de Petróleo e a Guerra Fria", *Business History Review* 51 (1977), p. 38 ("start trouble"); Truman, *Memoirs*, pp. 126-27 (A Experiência de Truman com Petróleo); Wall, *Exxon*, pp. 481-86 ("considered judgment"); John Foster Dulles, memorandum do "Petróleo Iraniano", 8 de janeiro de 1954, *DDRS*, 1983, doc. 257C.

20. *Multinational Hearings*, parte 7, pp. 304 ("political matter" and "no case"), 297 ("yacking"), 248-249; Wall, *Exxon*, pp. 492-96 ("hostages"); Entrevista com Robert Belgrave ("apple cart"). "Irã — Base para o Ajuste Anglo-Iranianao", 16 de março de 1954, CAB 134/1085: Gabinete, Comitê do Petróleo do Oriente Médio, "Política Petrolífera do Oriente Médio", 2 de abril de 1954, O.M.E. (54) 21, CAB 134/1085 ("reliable independents"), PRO. *New York Times*, 1 de novembro de 1954, p. 1, Henderson para Jernegan, 12 de novembro de 1953, 880.2553/11-1253 ("almost inevitable"), RG 59, NA; Entrevista com Howard Page, Entrevistas com a Equipe do Subcomitê Multinacional; Entrevistas com Pierre Guillaumat, John Loudon ("wonderful deal") e Wanda Jablonski.

Capítulo XXIV

1. Chester L. Cooper, *The Lion's Last Roar* (Nova York: Harper & Row, 1978), pp. 12 ("Great engineer"), 16, 18 ("highway"), 20; Robert Blake, *Disraeli* (Nova York: St. Martin's, 1967), pp. 584-585 (Disraeli).

2. Bureau de Pesquisa de Inteligência, Departamento de Estado, "Trafego e Capacidade do canal de Suez", p. 10, 10 de agosto de 1956, relatórios do Conselho Nacional de Segurança; Harold Lubell, "Produção e Distribuição da Produção Mundial de Petróleo: Uma Autópsia em Suez", P-1274 (Rand Corporation, 1958), pp.17-18.

3. Selwyn Lloyd, *Suez 1956: A Personal Account* (New York: Mayflower Books, 1978), pp. 45, 69, 24, 2-19; Donald Neff, *Warriors at Suez: Eisenhower Takes the United States into the*

Middle East (Nova York: Simon and Schuster, 1981), p. 83 (perfil da CIA); Anthony Nutting, *Nasser* (Nova York: E.P. Dutton, 1972), p. 75 ("Voice of the Arabs"); Elizabeth D. Sherwood, *Allies in Crises: Meeting Global Challenges to Western Security* (New Haven: Yale University Press, 1990), cap. 3; Gamal Abdel Nasser, *The Philosophy of the Revolution* (Buffalo: Smith Keynes, and Marshall, 1959), p. 61; Y. Harkabi, *Arab Attitudes to Israel*, trad. Misha Louvish (Jerusalem: Israel Universities Press, 1974), p. 61 ("crime"); Jacques Georges-Picot, *The Real Suez Crisis: The End of a Great Nineteenth-Century Work*, trad. W.G. Rogers (Nova York: Harcourt Brace Jovanovich, 1978), pp. 34, 61-62; W.S.C. para o Ministro de Estado, 19 de agosto, 1952, Ata Pessoal do Primeiro Ministro, Egito (arquivo principal) parte 3, PREM 11/392, PRO. C. Mott-Radclyffe para o Embaixador, 4 de maio de 1954, D7 107-83, arquivos do Oriente Médio Central. Mohammed H. Heikal, *Cutting Through the Lion's Tale: Suez Through Egyptian Eyes* (Londres: Andre Deutsch, 1986), pp. 6, 13, 61-62 (Arabe de Eden).

4. Entrevista com Robert Bowie; Jacques Georges-Picot, *Real Suez Crisis*, p. 68 ("musty... odor"); Wall, *Exxon*, pp. 547-51; Mohammed Heikal, *The Cairo Documents* (Garden City, N.Y.: Doubleday, 1973), pp. 84-85 ("oil complex"); Anthony Nutting, *No End of a Lesson: The Story of Suez* (Londres: Constable, 1967), p. 40; Anthony Moncrieff, ed., *Suez: Ten Years After* (New York: Pantheon, 1966), pp. 40-41 (algodão).

5. Cooper, *Lion's Last Roar*, p. 103 ("De Lesseps"); Alistair Home, *Harold Macmillan*, vol. 1, 1894-1956 (New York: Vintage, 1989), p. 397 (Macmillan); Wm. Roger Louis e Roger Owen, eds., *Suez 1956: The Crisis and its Consequences* (Oxford: Clarendon Press, 1989), p. 110; Entrevista com John C. Norton (pilotos).

6. Evelyn Shuckburgh, *Descent to Suez: Diaries, 1951-1956* (Londres: Weindenfeld and Nicolson, 1986), p. 23 ("Master"); Neff, *Warriors at Suez*, p. 39 (Ike sobre Dulles); Entrevista com Winthrop Aldrich, p. 27, Fita 27, Box 244, documentos Aldrich; Eden, *Full Circle*, p. 487 ("disgorge"); Louis e Owen, *Suez 1956*, pp. 198-99 ("out of date" and "white men"), 210 ("mantle"); Dwight D. Eisenhower, *Waging Peace: The White House Years, 1956-1961* (Garden City, N.Y.: Doubleday, 1965), p. 670 ("drama"); Entrevista com Robert Bowie; Heikal, *Cairo Documents*, p. 103 ("Which side"); Deborah Polster, "A Demanda por Petróleo Molda a Resposta Diplomática Americana à Invasão de Suez" (Ph.D., Case Western Reserve University, 1985), pp. 65-66.

7. Herman Finer, *Dulles Over Suez: The Theory and Practice of His Diplomacy* (Chicago: Quadrangle Books, 1964), p. 397; Eisenhower para Hoover, 8 de outubro de 1956, documentos Dulles, Séries de Memorandos da Casa Branca, Biblioteca Eisenhower; Polster, "A Demanda por Petróleo", cap. 4.

8. 6 de abril, 1956, Série de Telegrama Pessoal, T 221/56, PREM 11/1177 ("Bear's claws"); Gabinete, Comitê Egípcio, 24 de agosto, 1956, E.C. (56), CAB 134/1216, PRO. Eden, *Full Circle*, p. 401 ("absolutely blunt").

9. Eden, *Full Circle*, pp. 520 (Eden para Eisenhower), 475; Lloyd, *Suez*, p. 42 ("very worried"); *Home, Macmillan*, vol. 1, p. 411 (leitura e diário de Macmillan).

10. Eden, *Full Circle*, pp. 576-78 ("stamp of our generation"); Entrevista com Robert Belgrave; Nasser, *Philosophy of the Revolution*, pp. 72-73 ("vital nerve"); Lloyd, *Suez*, p. 120 (Spaak).

11. Kenneth Love, *Suez: The Twice-Fought War* (New York: McGrow-Hill, 1969), pp. 367,403; Wall, *Exxon*, pp. 549-61; Louis e Owen, *Suez 1956*, p. 123 (Kirkpatrick); Wilbur Crane Eveland, *Ropes of Sand: America's Failure in the Middle East* (Nova York: Norton, 1980), pp. 209- 13 (Anderson); Eisenhower para o Rei Saud, 20 de agosto de 1956, *DDRS*, 1985,

doc. 655. Perspectivas semelhantes a de Anderson sobre energia nuclear foram expressas nas reuniões da Equipe da Junta de Inteligência em Londres. Chester Cooper para o autor, 30 de maio de 1989.

12. Moshe Dayan, *Story of My Life* (New York: Willian Morrow, 1976), p. 218. A atitude de Lloyd lembra Dayan "de um freguês negociando com mercadores extorsionários". Hugh Thomas, *The Suez Affair* (Londres: Weidenfeld e Nicolson, 1986), pp. 95-109, 224. Sobre a postura em relação aos judeus, ver Shuckburgh, *Descent to Suez,* passim; para Eden sobre os Judeus, ver Neff, *Warriors at Suez,* p. 206 e John Harvey, ed. *The War Diaries of Oliver Harvey* (Londres: Collins, 1978), pp. 191-94, 247. Harold Macmillan, *Riding the Storm, 1956-59* (Londres: Macmillan, 1971), p. 149; Louis e Owen, *Suez 1956,* p. 160; Stuart A. Cohen, "Um Ainda Estranho Aspecto do Suez: Planos Operacionais Britânicos para Atacar Israel, 1955-56", *International History Review* 10 (maio de 1988), pp. 261-81.

13. James, *Eden,* p. 597 ("artificial inside"); Cooper, *Lion's Last Roar,* p. 128 ("Chums"). Sobre a medicação e colapso de Eden, ver James, *Eden,* pp. 523, 597; Thomas, *Suez Affair,* pp. 43-44; Neff, *Warriors at Suez,* p. 182.

14. Ambrose, *Eisenhower,* p. 357; "Memorandum da Conferência com o presidente", 30 de outubro, 1956, documentos Dulles, Séries de Memorandos da Casa Branca (Eisenhower); Cooper, *Lion's Last Roar,* p. 167 ("unshirted hell"); Lloyd, *Suez,* p. 78 (Hoover); Heikal, *Cairo Documents,* pp. 112-13 (instruções de Nasser); Gabinete, Comitê Egípcio, "Direcionamento Político para o comandante em chefe Aliado", 3 de novembro, 1956, E.O.C. (56) 12, CAB 134/1225, PRO.

15. Gabinete, Atas do Comitê Egípcio, 7 de setembro, 1956, EC (56), cab 134/1216; Chefes da Equipe, "Revisão da Situação do Oriente Médio Resultante da Ocupação Anglo-Francesa do Porto Said", 8 de novembro de 1956, E.C. (56) 67, CAB 134/1217, PRO. Ambrose, *Eisenhower,* pp. 359 ("boil in"), 371 ("Attorney general"); Entrevista com Peter Ramsbotham ("paraboys"); Richard K. Betts, *Nuclear Blackmail and Nuclear Balance* (Washington, D.C.: Brookings Institution, 1987), pp. 62-65 ("night follows day"); Polster, "Demanda por Petróleo", p. 114 ("get the Arabs sore"); Wall, *Exxon,* p. 557 ("simply refused"); Macmillan, *Riding the Storm,* p. 164 (IMF); Lloyd, *Suez,* pp. 211, 206 (Macmillan sobre sanções ao petróleo); Louis e Owen, *Suez 1956,* p. 228 ("naughty boys"); Congresso dos Estados Unidos, Comitê sobre o Judiciário e Comitê sobre Assuntos Insulares e Internos, *Emergency Oil Lift Program and Related Oil Problems: Joint Hearings,* 85º Congresso, primeira sessão (Washington, D.C.: GPO, 1957), p. 2401 ("purgatory"). Estatísticas do *Emergency Oil Lift Program,* pp. 1046-64; Gabinete de Pesquisa de Inteligência, Departamento de Estado, "Consequências Econômicas do Fechamento do canal de Suez (e oleodutos CIP)", 7 de janeiro de 1957; Lubell, "Produção e Distribuição Mundial de Petróleo," p. 21; Harold Lubell, *Middle East Oil Crisis and Western Europe's Energy Supplies* (Baltimore: Johns Hopkins University Press, 1963); Peter Hennessy e Mark Laity, "Suez-O Que Mostram os Documentos", *Contemporary Record* 1 (1957), p. 8.

16. Eisenhower para Ismay, 27 de novembro de 1956, DDRS, 1989, doc. 2941 ("sadness" and "delicate"); Dillon para o Diretor (re: Ismay), DDRS, 1989, doc. 959 (Ismay); Lloyd, *Suez,* p. 219 (encontro no hospital com Dulles). Robert Rhodes James, ao aceitar as memórias de Lloyd, cita seu relatório um tanto ambíguo a Eden, no qual Dulles criticou "nossos métodos", mas "lamentou não termos conseguido derrubar Nasser". James, *Eden,* p. 577.

17. Atas do Gabinete, 26 de novembro de 1956 CAB 134/1216: Macmillan para Eden, 7 de janeiro de 1957, PREM 11/2014, PRO. *Emergency Oil Lift Program,* pp. 2406 ("sugar bowl"), 2353-57 ("whose interests"), 2404 (representante de Drake e Jersey), 810; Love, *Twice-Fought War,* p. 655 ("Suez sixpence"); Wall, *Exxon,* pp. 559 ("have already shipped"), 579 ("push a button"); *Financial Times* e *Daily Express,* 19 de janeiro, 1957 ("No Extra Oil"); Johnson, *Sun,* pp. 84-86 (caso antitruste).

18. Congresso dos Estados Unidos, Senado, Comitê Judiciário Subcomitê sobre Antitruste e Monopólio, *Petroleum, The Antitrust Laws and Government Policy,* 85º Congresso, primeira sessão (Washington, D.C.: GPO, 1957), pp. 97-98; Bureau de Pesquisa de Inteligência, Departamento de Estado, "Consequências Econômicas do Fechamento do canal de Suez", 7 de janeiro, 1957; Wall, *Exxon,* p. 582 ("British shipping"); "Petróleo do Oriente Médio", 23 de janeiro, 1957, UE S 1171/39, FO 371/127281, PRO.

19. Cooper, *Lion's Last Roar,* p. 281 ("curious time"); Moncrieff, *Suez: Ten Years After,* p. 45 ("Sir. Eden"); James, *Eden,* p. 593 ("so unrepentant"); Macmillan, *Riding the Storm,* p. 181 ("see him now"); Neff, *Warriors at Suez,* p. 437 (Times); Home, *Macmillan,* p. 460.

20. Entrevista com John Loudon ("tanker people"); Wall, *Exxon,* p. 582. Sobre oleodutos, ver "Transporte Petrolífero do Oriente Médio", n.d., UE S 1171/228, FO 371/127213: Bridgeman para Ayres, 11 de março de 1957, POWE 33/1967; Memorandum da Shell, 11 de março de 1957, POWE 33/1967, PRO. Sobre petroleiros, ver JWH para o secretário de Estado, 11 de outubro, 1956, e Rascunho do Memorandum para o presidente, documentos Dulles, séries de Memorandos da Casa Branca; "Conferência de Bermuda: Previsões de Petroleiros a Longo Prazo", Nota pelo Ministro das Energias e Ministro do Transporte, 15 de março de 1957, UE S 1172/5, FO 371/127210. "Petróleo do Oriente Médio", 18 de janeiro, 1957, para sr. Beely, FO 371/127200 ("political risk"); "Exigências a Longo Prazo para o Transporte de Petróleo do Oriente Médio", 28 de janeiro, 1957, UE S 1141/29, FO 371/127101, PRO.

21. Caccia para Gabinete de Relações Exteriores, 12 de fevereiro, 1957, AU 1051/A2, FO 371/126684, PRO ("boy scout"); "Memorandum das Conferências com o presidente", 21 de novembro, 1956, 4:00 P.M., 5:30 P.M., documentos Dulles, séries de Memorandos da Casa Branca (política de Ike para o Oriente Médio).

22. Macmillan, *Riding the Storm,* pp. 198 ("agonies"), 133 ("rulers"), 258 (weekly letters); "Memorandum da Conferência com o presidente", 21 de novembro, 1956, documentos Dulles, séries de memorandos da Casa Branca ("straight, fine man"). Macmillan para "Prezado Amigo" (carta para Eisenhower), 16 de janeiro, 1957, PREM 11/2199 ("no illusions"); COIR para Jarrett, 5 de março, 1957, PREM 11/2010 ("family tree"); Macmillan para C.E., 6 de março, 1957, PREM 11/2014: "Oriente Médio: Questões Gerais", Anotações da Conferência de Bermuda, PREM 11/1838 (Macmillan em Bermuda), PRO. Eisenhower, *Waging Peace,* p. 123 ("plain talk"); James, *Eden,* p. 617 ("lake of oil").

Capítulo XXV

1. Wellings para Degolyer, 10 de dezembro, 1953; Degolyer para Wellings, 24 de dezembro, 1953, 1982, documentos DeGolyer.

2. Instituto Americano de Petróleo, *Basic Petroleum Data Book,* vol. 6, setembro de 1986, IV-1,11-1.

3. Gabinete, Comitê do Petróleo do Oriente Médio, 7 de outubro, 1954, O.M.E. (54) 36, CAB 134/1086 ("reasonable basis"); Russel para Lloyd, 11 de outubro, 1957, EP 1013/4, FO 371/127073, PRO.

4. Hohler para Ministério das Relações Exteriores, 20 de agosto, 1957, UE S 1171/228, FO 371/1272211, p. 6; Ministério das Relações Exteriores, "Signor Enrico Mattei", FO 371/127210, PRO. "Enrico Mattei e o ENI", com Tasca e Phelan para o Departamento de Estado, 16 de dezembro, 1954, 865.2553/12-1654, RG 59, NA ("economic history"); Paul Frankel, *Mattei: Oil and Power Politics* (Nova York e Washington, D.C.: Praeger, 1966), pp. 122, 41-51 ("sucking needles"); Entrevistas com Marcello Colitti ("into the fire") e John Loudon ("difficult" and "dessert").

5. Entrevista com Robert Belgrave; Frankel, *Mattei*, p. 83 (Mattei sobre as Sete Irmãs). Beckett para Jardine, 22 de maio, 1957, FO 371/1272208; Falle para Gore-Booth, 6 de maio, 1957; UE S 1171/105/4, FO 371/127205: Gabinete, Comitê sobre o Oriente Médio, 6 de março, 1957, O.M.E. (57), CAB 134/2338; Gravação da Conversa entre o sr. Hannaford e Signor Mattei, com Cabinet, Comitê sobre o Oriente Médio, OME (57) 35, Eevise, 24 de maio, 1957, CAB 134/2339: Hohler para Lloyd, 20 de agosto, 1957, UE S 1171/228, FO 371/127211, PRO.

6. Frankel, *Mattei*, p. 141 (princesa italiana). Cabinet, Comitê sobre o Oriente Médio, 1 de maio, 1957, O.M.E. (57) 29, PRM 11/2032 ("blackmail"): Stevens para o Ministério de Relações Exteriores, 12 de abril, 1957, n. 47, PRM 11/2032; do Ministério de Relações Exteriores para Roma, 27 de março, 1957, n. 469, FO 371/127203; Ashley Clarke, "Signor Mattei e o Petróleo", 25 de setembro, 1957, FO 371/127212, PRO.

7. Wright para Coulson, com Gabinete, Comitê do Oriente Médio, 25 de março, 1957, O.M.E. (57) 24, CAB 134/2339 ("lesser evil"); Ministério de Relações Exteriores, "Interesse Europeu pelo Petróleo do Oriente Médio", Gabinete, Comitê sobre o Oriente Médio, OME 57 (35), 24 de maio, 1957, CAB 134/2339; ata de Pridham, 27 de agosto, 1957, UE S 1171/228, FO 371/127211; Conversações Anglo-Americanas, 15 de abril, 1957, FO 371/127206 ("unreliable person"); Joseph Addison para Wright, 11 de abril, 1957, UE S 1171/120 (C), FO 371/12706; Ministério, Comitê sobre o Oriente Médio, "Acordo do Petróleo Ítalo-Iraniano", 25 de março, 1957, O.M.E. 57 (24), CAB 134/2339 e Ministério de Relações Exteriores para Roma, 27 de março, 1957, n. 469, FO 371/127203 ("prejudice"); Hohler para Wright, 20 de agosto, 1957, EU S 1171/228, FO 371/127211 ("sign f weakness"); Hohler para o Gabinete de Relações Exteriores, 20 de agosto, 1957, n. 141 E, FO 371/127211, PRO.

8. Wright para Coulson, com Gabinete, Comitê sobre o Oriente Médio, "Acordo do Petróleo Ítalo-Iraniano", 25 de março, 1957, OME 57 (24), CAB 134/2339; anotações de Lattimer sobre a visita de Mattei, junho de 1957, E.G. 9956, FO 371/127210; Russel para Wright, 10 de agosto, 1957, UE S 1171/223, FO 371/127211 (meeting with Mattei Tehran and "four minute mile"); M. para Macmillan, 6 de maio, 1957, PREM 11/2032: Wright para Russel, 16 de agosto, 1957, UE S 1171/223, FO 371/127211, PRO. Entrevista com Marcello Colitti ("tiny places").

9. "Interesse Japonês na Concessão de Petróleo Para a Zona Neutra Kuait-Arábia Saudita", 27 de setembro, 1957, FO 371/127170: Embaixada Britânica, Toquio, para o Departamento Oriental, Ministério de Relações Exteriores, 12 de novembro, 1957, 1532/107/57, FO 371/127171; S. Falle, "Os Japoneses e as Concessões de Petróleo do Oriente Médio", 4 de outubro, 1957, POWE 33/2110 ("real breach"), PRO. Martha Caldwell, "Política Petrolífera

do Japão: Estado e Indústria em um Contexto Político em Transição" (Ph.D., Universidade de Wisconsin, 1981), pp. 84-86; CIA, "Taro Yamashita", *Biographic Register*, agosto de 1964, *DDRS*, doc. 31A.

10. Halford para o Ministério de Relações Exteriores, 19 de dezembro, 1957, n. 22, POWE 33/2110; Gabinete, Comitê Oficial do Oriente Médio, atas, 7 de novembro, 1957, p. 5 OME (57), CAB 134/2338; do Kuait para o Gabinete de Relações Exteriores, 21 de outubro, 1957, S 1534/29, FO 371/127171; P.J. Gore-Booth para J.A. Beckett, 4 de novembro, 1957, PD 1146/17, POWE 33/2110 ("feeling"); do Kuait para o Ministério de Relações Exteriores, 8 de outubro, 1957, ns. 363, 364, FO 371/127171 (telegramas reais); J.C. Moberly, "A Concessão da Zona Neutra Kuait-Arábia Saudita", 6 de novembro, 1957, ES 1534/37, FO 371/127171, Embaixada Britânica, Tóquio para Departamento do Oriente, Ministério de Relações Exteriores, 12 de novembro, 1957, S 1534/41; Shell para BPM, 11 de dezembro, 1957, FO 3711127171; Halford para Ministério de Relações Exteriores, 22 de dezembro, 1957, n. 477, POWE 33/2110, PRO. Caldwell, "Política do Petróleo", pp. 86-87 ("national project"); Tadahiko Ohashi para o autor, 16 de agosto de 1989 (informação do sr. Sakakibara).

11. Emmett Dedmond, *Challenge and Response: A Modern History of Standard Oil Company (Indiana)* (Chicago: Mobiun Press, 1984), pp. 203-05 ("opportunities" and "Aryans"); "Conversa com Sua Majestade Imperial", FO 371/1330A, PRO (vida doméstica do xá).

12. Wright para o Gabinete de Relações Exteriores, 11 de fevereiro, 1958, VQ 1015/11, FO 371/134197, PRO ("stranglehold"). Sobre o golpe do Iraque, ver Wright para o Gabinete de Relações Exteriores, 17 de julho, 1958, VQ 1015/100, FO 371/134199; Embaixada, Ankara para Rose, 17 de julho, 1958, VQ 1015/71 (c), FO 37/134199; Stout para Secretaria do Oriente Médio, 7 de agosto, 1958 VQ 1015/195, FO 371/134202; Johnston para Rose, 28 de julho, 1958, VQ 1015/171, FO 371/134/201; Wright para Lloyd "A revolução Iraquiana de 19 de Julho de 1958", EQ 1015/208, PREM 11/2368; Memorando Wright sobre Howard Page, 1 de setembro, 1958, EQ 1531/15, FO 371/133119, PRO.

13. Relatório da Comissão dos Especialistas em Petróleo Árabe, 15-25 de abril, 1957, à Secretaria Geral da Liga Árabe, pp. 2, 5, FO 371/127224; Nuttali para Falk, 4 de outubro, 1957, com atas da 2ª sessão do 5º Encontro dos Especialistas em Petróleo Arabe, pp. 2, 9, UE 511717/2, FO 371/127225, PRO, Entrevista com Fadhil Al-Chalabi.

14. Bridgett ao Departamento de Estado, 4 de março, 1959, 831. 2553/3-459, RG 59, NA; Philip, *Oil and Politics*, p. 83; Betancourt, *Venezuela*, pp. 323-24, 342 ("factory"); Richard M. Nixon, *Six Crises* (Garden City, N.Y.: Doubleday, 1962), pp. 213-27; Rabe, *The Rode to OPEC*, p. 157 ("romantics"); Tugwell, *Politics of Oil*, cap. 3; Entrevistas com Alirio Parra, Alicia Castillo de Pérez Alfonzo, Juan Pablo Pérez Castillo, Oscar Pérez Castillo.

15. NA 831.2553: Leddy ao Departamento de Estado, 10 de janeiro de 1951, 1-1051; Memorandum Davis, 8 de setembro, 1953, 9-853; Swihart para o Departamento de Estado 9 de maio, 1956, 5-956; Chaplin para o Departamento de Estado, 25 de maio de 1956, 5-2556; Sparks à Secretaria de Estado, 20 de dezembro de 1958, 12-2058; Memorandum de Anderson-Rubottom, 5 de junho de 1959, 6-559; Memorandum Boonstra, 5 de junho de 1959, 6-559; Eisenhower para Betancourt, 28 de abril de 1959, 4-2859, RG 59; Cox ao Departamento de Estado, 10 de setembro de 1959, 631.86B/9-1059, RG 59, Entrevista Alirio Parra ("bones").

16. Pierre Terzian, *OPEC: The Inside Story,* trad. Michael Pallis (London: Zed Books, 1985), pp. 85-97; *New York Times,* 4 de junho de 1958, p. 8; Diário de J.B. Slade-Baker, 20 de janeiro de 1958, Oriente Médio Central; Nadav Safran, *Saudi Arabia: The Ceaseless Quest for Security* (Cambridge: Harvard University Press, 1985), pp. 88-103; *Fortune,* agosto de 1959, pp. 97, 146 ("service station"); *Petroleum Week,* 20 de junho de 1958, p. 41; CIA, "Abdullah Ibn Hamud Al-Tariqi", 26 de fevereiro de 1970, *DDRS,* 1984, doc. 788.

17. CIA, "Petróleo do Oriente Médio", NIE 30-60, 22 de novembro de 1960, 83-542-9, documento 12-7 ("force"); Ata de Gabinete, 25 de julho de 1958, arquivos Whitman, 1953-1961, Cabinet Séries, Box 11 ("dangerous situation"); Biblioteca Eisenhower, NA 861.2553: Sundt para o Departamento de Estado, 28 de janeiro de 1954, 1-2854; 3 de fevereiro de 1954, 2-354, RG 59, NA. Wall, *Exxon,* p. 332; J.E. Hartshorn, *Oil Companies & Governments: An Account of the International Oil Industry in Its Political Environment* (Londres: Faber and Faber, 1962), pp. 211, 215.

18. Terzian, *OPEC,* pp. 23, 26; Bridgett para o Departamento de Estado, 4 de junho de 1959, 831.2553/6-459, RG 59, NA; Hubbard para BP, 29 de abril de 1959 ("considered successful" and "Miss Wanda Jablonski"); Chisholm para o presidente da BP, 30 de abril de 1959, Arquivo Deighton "Congresso do Cairo sobre Petróleo Árabe" ("'plus'"); Weir para Walmsley, 17 de junho de 1959, B 51532/8, FO 371/140378, PRO ("my boy").

19. Entrevistas com Wanda Jablonski e Alirio Parra ; "Relatórios de Wanda Jablonski sobre o Oriente Médio", Suplemento, *Petroleum Week,* 1957; "Eugene Jablonsky de volta a botânica" *Garden Journal,* maio-junho de 1963, pp. 102-3; Terzian, *OPEC,* pp. 26-29, 7 ("Gentlemen's Agreement").

Capítulo XXVI

1. Wall, *Exxon,* pp. 332-33; Angela Stent, *From Embargo to Ostpolítik: The Political Economy of Soviet-West German Relations, 1955-1980* (Cambridge: Cambridge University Press, 1981), p. 99 (Keating); Hartshorn, *Oil Companies & Governments,* pp. 252-53, 218.

2. "Rathbone da Jersey Standard", *Fortune,* maio de 1954, pp. 118-19; "Como Rathbone Dirige o Jersey Standard", *Fortune,* janeiro de 1963, pp. 84-89, 171-79.

3. Memorandum Wright sobre Howard Page, 1 de setembro de 1958, EQ 1531/15, FO 371/133119 ("tough man"); Williams para Stock, 23 de junho de 1958, 58/6/112, POWE 33/2200 (Jablonski em Jersey), PRO. Entrevistas com Wanda e John Loudon; Ian Skeet, *OPEC – Twenty-five Years of Prices and Politics* (Cambridge: Cambridge University Press 1988), p. 22 ("regret").

4. Terzian, *OPEC,* pp. 33-34 ("Just wait"), 42-46 ("regulation", "sanctions", "disapprove" and Page); Entrevistas com Alirio Parra ("We've done it") e Fadhil Al-Chalabi; Skeet, *OPEC,* p. 23; Fadhil Al-Chalabi, *OPEC and the International Oil Industry: a Changing Structure* (Oxford: Oxford University Press, 1980), p. 67; *New York Times,* 25 de setembro de 1960; CIA, "Petróleo do Oriente Médio", NIE 30-60, 22 de novembro de 1960, 83-542-9, Biblioteca Eisenhower, Robert Stobaugh e Daniel Yergin, eds., *Energy Future: Report of the Energy Project at the Harvard Business School,* 3ª Edição (Nova York: Vintage, 1983), p. 24 (Rouhani).

5. Abdul-Reda Assiri, *Kuait's Foreign Policy: City-States in World Politics* (Boulder, Colo.: Westview, 1990), pp. 19-26 (Iraque e Kwait); Skeet, *OPEC,* p. 29 ("nice in theory").

6. Entrevistas com Alicia Castillo de Pérez Alfonzo, Juan Pablo Pérez Castillo, Oscar Pérez Castillo ("sowing" and "devil"), Alfred DeCrane Jr., e Fadhil Al-Chalabi; Terzian, *OPEC*, pp. 80-85 ("ecologist"); Skeet, *OPEC*, p. 32 ("reality of the oil world").

7. Entrevista com Gilbert Rutman; Melby, *France*, pp. 253 (Conselho Econômico), 302 (Giraud); Alistair Home, *A Savage War of Peace: Algerza, 1954-1962* (Londres: Pengum, 1979), p. 242 (De Gaulle); Gilbert Burck, "Royal Dutch Shell e Sua Nova Competição", *Fortune*, outubro de 1957, pp. 176-78 ("all our eggs").

8. Ruth First, *Libya: The Elusive Revolution* (Londres: Penguin, 1974), p. 141; Subcomitê Multinacional, *Multinational Oil Corporations*, p. 98 ("one oil company" and "quickly").

9. Secretaria do Comércio para o Departamento Africano, Ministério de Relações Exteriores, 11 de junho de 1957, JT 1534/3, FO 371/126063; Washington para o Ministério de Relações Exteriores 21 de maio, 1959, PREM 11/2743/1239 ("Jack-pot"), PRO. Wall, *Exxon*, pp. 668-72 (Wright); Entrevistas com Robert Eeds, Ed. Guinn e Mohammed Finaish, Entrevistas com a Equipe do Subcomitê Multinacional. A defasagem nas medidas implantadas pelo governo com relação à Líbia, cujos impostos baseavam-se nos preços de mercado, e nos de outros produtores, e que usava preços tabelados, tornou-se tão ampla que em 1965, a Líbia revisou seu sistema para aumentar a receita voltando ao sistema de preços tabelados.

10. Entrevistas com a Equipe do Subcomitê Multinacional (corrupção na Líbia), *Multinational Hearings*, parte 7, p. 287 (Page).

11. Entrevista com Marcello Colitti; Reinhardt para McGhee, 25 de abril de 1962, *DDRS*, 1981, doc. 206B ("damaged ego"); *New York Times*, 28 de outubro de 1962, p. 16; 29 de outubro de 1962, p. 16; 5 de novembro de 1962, p. 30 ("most important individual"); *Times* (London), 29 de outubro de 1962, p. 12; *Time*, 2 de novembro de 1962; 18 de janeiro de 1963, p. 26.

12. Neil H. Jacoby, *Multinational Oil: A Study in Industrial Dynamics* (Nova York: Macmillan, 1974), pp. 138-39 ("new internationals"); *Multinational Hearings*, parte 7, p. 352.

13. Subcomitê Multinacional, *Multinational Oil Corporations*, p. 95 ("surge pot"); Wall, *Exxon*, pp. 616 (Jamieson), 610 ("always fighting"); *Multinational Hearings*, parte 7, pp. 287 ("most important concession"), 314, 288 ("balloon"); Entrevistas com George Parkhurst, Kirchner, Merrill, Shaffer, Howard Page, Entrevistas com a Equipe do Subcomitê Multinacional.

14. Departamento de Estado para a Embaixada de Teerã, 8 de junho de 1964, CM/Oil, Arquivos de Conferência ("Arab imperialism"); Carroll para o vice-presidente, 27 de julho de 1966. EX FO 5, 6/30/66-8/31/66, Box 42 (do xá para Kim Roosevelt), Biblioteca Johnson. Subcomitê Multinacional, *Multinational Oil Corporations*, p. 108 ("do their best"); Entrevista com Parkhurst, Entrevistas com a Equipe do Subcomitê Internacional; *Multinational Hearings*, parte 7, p. 309 (Oman).

15. Vietor, *Energy Policy*, p. 96 ("Tex" Willis); "Efeito das Importações de Petróleo sobre as Indústrias Petrolíferas do Texas", 15 de julho de 1949, 811.6363/7-1549, RG 59 NA ("re-election"); Goodwin, *Energy Policy*, pp. 227-28 ("old suggestion").

16. Reunião do presidente com os Senadores, 3 de junho de 1957 ("nice balance"); Atas Gabinete, 24 de julho 1957, p. 3, Eisenhower para Anderson, 30 de julho de 1957, Box 25; Eisenhower para Moncrief, 12 de maio de 1958, Box 33; chamada telefônica Dulles-Brownell, 2 de julho de 1957, Box 7, Diário de Eisenhower, arquivos Whitman ("window dressing"); Memorandum da Conversa com o presidente, 10 de novembro de 1958, Box 7, memorandos

Dulles da Casa Branca ("some action"), Biblioteca Eisenhower. Entrevista com Robert Dunlop; Lenzner, *Getty*, pp. 217-19; Goodwin, *Energy Policy*, pp. 247-51 (Randall e conselheiros econômicos); D.B. Hardeman e Donald C. Bacon, *Rayburn: A Biography* (Austin: Texas Monthly Press, 1987), p. 349; Robert Caro, *The Years Lyndon Johnson: The Path to Power* (Nova York: Knopf, 1982); Robert Engler, *The Politics of Oil: Private Power and Democratic Directions* (Chicago: University of Chicago Press, 1967) pp. 230-47.

17. Vietor, *Energy Policy*, pp. 119 ("nightmare"), 134 (Russel Long); *Fortune*, junho de 1969, pp. 106-107.

Capítulo XXVII

1. Jacoby, *Multinational Oil*, pp. 49-55.
2. P.H. Frankel, *Essentials of Petroleum: A key to Oil Economics*, nova ed. (Londres: Frank Cass, 1969), p. 1. O livro de Frankel, embora escrito em 1946, continua essencial ao entendimento da indústria petrolífera. David Landes, *The Unbound Prometheus: Technological change and Industrial Development in Western Europe from 1750 to the Present* (Cambridge: Cambridge University Press, 1979), p. 98; Carlo M. Cipolla, *The Economic History of World Population*, 7ª Edição (Londres: Penguin, 1979), p. 56 (Jevons); Senate, *Emergency Oil Lift Program*, pp. 2739, 2749, 2731-42. Joseph C. Goulden, *The Beast Years, 1945-50* (New York: Atheneum, 1976), pp. 123-24 (Lewis); Entrevista (estátua).
3. Senate, *Emergency Oil Lift Program*, pp. 2371-78; G.L. Reid, Kevin Allen e D.J. Harris, *The Nationalized Fuel Industries* (Londres: Heinemann, 1973) p. 23; arquivos do Departamento de Energia do Reino Unido; Willian Ashworth, *The History of the British Coal Industry*, vol. 5, (Oxford: Clarendon Press, 1986), pp. 672-73; Melby, *France*, pp. 227, 236, 303-04; W.O. Henderson, *The Rise of German Industrial Power, 1834-1914* (Londres: Temple Smith, 1975), p. 235 (Keynes); Raymond Vernon, ed., *The Oil Crisis in Perspective* (New York: Norton, 1976), pp. 94, 92.
4. Chalmers Johson, *MITI and the Japanese Miracle: The Growth of Industrial Policy, 1925-1975* (Stanford: Stanford University Press, 1982), p. 237 ("no longer living"); Hein, *Fueling Growth*, caps. 7, 10, 11; Richard J. Samuels, *The Business of the Japanese State: Energy Markets in Comparative Historical Perspective* (Ithaca: Cornell University press, 1987), pp. 191-92, 196; Mike A. Cusamano, *The Japanese Automobile Industry: Technology and Management at Nissan and Toyota* (Cambridge: Harvard University Press, 1985), pp. 392-94; Alfred D. Chandler Jr., "Revolução Industrial e Acordos Institucionais", *Bulletin of the American Academy of Arts and Sciences* 33 (maio de 1980), pp. 47-48.
5. Entrevistas com Willian King e James Lee; Conoco, *The First One Hundred Years* (New York: Dell, 1975), pp. 169, 193; *Fortune*, abril de 1964, p. 115 ("big bite"); Entrevistas com Kirchen ("beat the bushes"), Shaffer e Merril Entrevistas com a Equipe do Subcomitê Multinacional.
6. *Fortune*, setembro de 1961, pp. 98, 204-6 (Texaco); setembro de 1953, pp. 134-37, 150-62; setembro de 1954, pp. 34-37, 157-62; Robert O. Anderson, *Fundamentals of the American Petroleum Industry* (Norman: University of Oklahoma Press, 1984), pp. 280-81; Johnson, *Sun*, pp. 82-83; Wall, *Exxon*, pp. 300-1, 308, 132-33 (tigre). Para informações mais especifi-

cas sobre companhias petrolíferas, ver *Life*, 5 de julho, 12 de julho, 26 de julho de 1954; 17 de julho e 24 de julho de 1964.

7. Kenneth T. Jackson, *Crab grass Frontier: The Suburbanization of The United States* (Nova York: Oxford University Press, 1987), pp. 231-38 (Levitt), 248-49 (Eisenhower sobre o ataque atômico), 254 ("*drive-in* church"); Robert Fishman, *Burgeois Utopias: The Rise and Fall of Suburbia* (New York: Basic Books, 1987), p. 182; Warren James Belasco, *Americans on the Road: From Autocamp to Motel, 1910-1945* (Cambridge: MIT Press, 1979), pp. 141, 168; James J. Flink, *The Automobile Age* (Cambridge: MIT Press, 1988), pp. 166, 162; Ristow, "Mapas Rodoviários", *Surveying and Mapping* 34 (dezembro, 1964), pp. 617, 623; John B. Rae, *The American Automobile: a Brief History* (Chicago: University of Chicago Press, 1965), p. 109 (rabo de peixe). Angus Kress Gillespie e Michael Aaron Rockland, *Looking for America on the New Jersey Turnpike* (New Brunswick: Rutgers University Press, 1989), pp. 23-37. Dwight D. Eisenhower, *White House Years,* vol. 1, *Mandate for Change, 1953-1956* (Garden City, N.Y.: Doubleday, 1963), pp. 501-2, 547-49 ("six sidewalks to the moon").

8. Rusk para os Postos Diplomáticos Americanos, "Middle Sitrep as of June 7", 8 de junho de 1967, Cabo da Crise do Oriente Médio, vol. 4, junho de 1967, Arquivo NSF do País, Biblioteca Johnson; Nadav Safran, *Israel: The Embattled Ally* (Cambridge: Harvard University Press, 1978), pp. 240-56. Quando o presidente Havai Boumedienne da Algéria reclamou em Moscou em 1967 do apoio inadequado dado à causa árabe pela União Soviética durante a guerra, Leonid Brezhnev respondeu, "Qual a sua opinião sobre guerra nuclear?", Betts, *Nuclear Blackmail and Nuclear Balance,* p. 128.

9. Moore para Bryant, 27 de junho de 1967, com Moore para Califano, 28 de junho de 1967, Arquivos de Preços, janeiro-junho de 1967, documentos Ross-Robson, Arquivos Aides, Arquivos Centrais da Casa Branca, Biblioteca Johnson ("compliance" and "crisis"); Harkabi, *Arab Attitudes,* pp. 2-9 ("liquidation").

10. Entrevista com Harold Saunders ("floating crap game"); *Oil and Gas Journal,* 17 de julho de 1967, p. 43 ("bad dream"); 11 de setembro de 1967, p. 41; "Relatório Wright", 26 de junho de 1967, Arquivos de Preços, janeiro-junho de 1967, documentos Ross-Robson, Arquivos Aides, Arquivos Centrais da Casa Branca, Biblioteca Johnson; Carta de James Akins para o autor, 27 de julho de 1989; Kapstein, *Insecure Alliance,* pp. 130 ("Suez system"), 147 ("threat of an emergency"), 136 ("principal safety factor").

11. "Quadro da Exportação Mundial", 27 de julho de 1967, 15 de outubro de 1967, Arquivos de Preço, Petróleo, julho e agosto de 1967, documentos Ross-Robson, Arquivos Aides, Arquivos Centrais da Casa Branca, Biblioteca Johnson; Wall, *Exxon,* pp. 624-26 ("tanker fleet"); *Multinational Hearings,* parte 8, p. 589 (minas de sal); *Wall Street Journal,* 27 de outubro de 1967, p. 1; *Oil and Gas Journal,* 7 de agosto, pp. 96-98; 11 de setembro. p. 45; 14 de agosto de 1967, p. 8.

12. *Multinational Hearings,* parte 8, p. 764 ("surplus crude"); Geoffrey Kirk, ed., *Schumacher on Energy* (London: Sphere Books, 1983), pp. 1-5, 82, 14; Barbara Wood, *E.F. Schumacher: His Life and Thought* (Nova York: Harper & Row, 1984), p. 344 ("chickens").

A tabela seguinte mostra o crescimento explosivo do uso de automóveis nos Estados Unidos e no mundo desde a II Guerra Mundial.

	Registro de carros de passageiros (milhões de carros)		
	EUA	Resto do mundo	Total
1950	40.3	12.7	53.0
1960	61.7	36.6	98.3
1970	89.2	104.2	193.4
1980	121.6	198.8	320.4
1990*	147.9	292.8	440.7

*Estimativa, Cambridge Energy Research Associates

Fonte: Assoc. dos Fabricantes de Veículos Motorizados dos E.U.A., World Motor Vehicle Data, 1990, p. 35.

Capítulo XXVIII

1. Entrevista com Peter Ramsbotham; *Time,* 25 de outubro de 1971, pp. 32-33 (Pompidou); James A. Bill, *The Eagle and the Lion: The Tragedy of Amencan-Iranian Relations* (New Haven: Yale University Press, 1988), pp. 183-85 (xá sobre Maxim's).

2. Denis Healey, *The Time of My Life* (London: Michael Joseph, 1989), pp. 284 (faixa), 299 ("unwise"); J.B. Kelly, *Arabia, the Gulf & the West* (Nova York: Basic, 1980), pp. 47-53 ("mercenaries"), 80 (Dubai), 92 (Bahrain); Pahlavi *Shas's Story,* p. 135 ("safety of the Persian Gulf"); *FRUS: Iran, 1951-1954,* pp. 854-57 (Nixon sobre o xá); Entrevista com James Schlesinger.

3. Entrevista com Ulf Lantzke; Steven A. Schneider, *The Oil Price Revolution,* p. 110 ("old warrior"); Stobaugh e Yergin, *Energy Future,* p. 1 (notificação de 1968 do Departamento de Estado); Wall, *Exxon,* p. 828 (reunião da OECD de 1972); Vemon, *Oil Crisis,* pp. 31, 18, 23, 28.

4. Sobre os serviços de Nova York, entrevistas com Pierce, Swartz e Doyle, Entrevistas com a Equipe do Subcomitê Multinacional e *New York Times,* 25 de novembro de 1966, p. 1; 26 de novembro de 1966 p. 1; 18 de dezembro de 1966, p. 24. Donella Meadows, Dennis Meadows, Jorgen Randers e William Behrens III, *The Limits to Growth: A Report for the Club of Rome's Project on the Predicament of Mankind,* 2ª ed. (Nova York: Signet Books, 1974), pp. 29, 85-86, 75; Johson, *Sun,* p. 217 ("new game"). Sobre o jorro de petróleo em Santa Barbara, ver Cole para Nixon, "Concessões de Petróleo do canal de Santa Barbara", 9 de novembro de 1973, arquivos especiais da Casa Branca, arquivos do gabinete do presidente, documentos Nixon; *New York Times,* 27 defevereiro de 1969, p. 1; Willian Rintoul, *Drilling Ahead: Tapping California's Richest Oil Fields* (Santa Cruz: Valley Publishers, 1981), cap. 12.

5. Macmillan para Menzies, "Primeiro ministro: Telegrama Pessoal", T267/58, PREM 11/2441/PRO ("well aware"); Entrevistas com Robert Belgrave, James Lee ("never get to $5"), Robert O. Anderson e Frank McFadzean; Peter Kann, "Fatores da Batalha dos Operários para Perfurar Poços nas Terras e Aguas do Alaska", *Wall Street Journal,* 16 de fevereiro de 1967, p. 1; Charles S. Jones, *From the Rio Grande to the Artic: The Story of the Richfield Oil Corporation* (Norman: University of Oklahoma Press, 1972), cap. 45; Keneth Harris, *The Wildcatter: A Portrait of Robert O. Anderson* (Nova York: Weindenfeld e Nicolson, 1987), pp. 77-93; Força

Tarefa do Gabinete sobre o Controle de Importação de Petróleo, *The Oil Import Question: A Report on the U.S. Relationship of Oil Imports to the National Security* (Washington, D.C.: GPO, 1970). Sobre batalha ambiental, ver David R. Brower, "Quem Precisa dos Oleodutos do Alaska?", *New York Times*, 5 defevereiro de 1971, p. 31; Charles J. Cicchetti, "A Rota Errada", *Environment* 15 (junho de 1973), p. 6 ("probable major discharges"), Departamento do Interior dos Estados Unidos, *An Analysis of the Economic and Security Aspects of the Trans-Alaskan Pipeline*, vol. 1 (Washington, D.C.: GPO, 1971).

6. Entrevistas com Armand Hammer, Victor Hammer, James Placke e outros.

7. Entrevistas com Deutsch (partida de xadrez) e William Bellano ("orderly transfer"), Entrevistas com a Equipe do Subcomitê Multinacional; Armand Hammer com Neil Lyndon, *Hammer* (Nova York: Putnam, 1987), passim, pp. esp. 337 (Insensatez de Hammer), 340; Steve Weinberg, *Armand Hammer: The Untold Story* (Boston: Little, Brown, 1989), cap. 15.

8. Entrevista com James Placke; First, *Libya*, cap. 7, pp. 103, 265; Mohammed Heikal, *The Road to Ramadan* (Londres: Collins, 1975), pp. 185 ("Ideas of Islam"), 70; Wall, *Exxon*, pp. 704-11 ("5000 years", "Good God!" and Jersey director"); Entrevistas com William Bollano, Charles Lee, Northcutt Ely, Jack Miklos, Thomas Wachtell, Henry Schuler, James Akins, Mohammed Finaish ("eggs"), George Williamson ("perfectly understandable" and "everybody who drives"), George Parkhurst e Dennis Bonney, Entrevistas com a Equipe do Subcomitê Multinacional; Hammer, *Hammer,* p. 383 ("disciple"); *Fortune,* agosto de 1971, p. 116; John Wright, *Libya: A Modern History* (Baltimore: Johns Hopkins University Press, 1982), p. 239; *Multinational Hearings*, vol. 7, pp. 377-78.

9. *Multinational Hearings*, parte 8, pp. 771-73 ("picked off"); parte 6, pp. 64 ("tricks"), 84-87 ("year 1951"), 70-71 ("must go along"). Entrevistas com Fadhil Al-Chalabi e James Placke; Entrevistas com George Williamson e John Tigrett (Rede de Segurança Líbia), James Placke ("truce"), Dudley Chapman e John McCloy, Entrevistas com a equipe do subcomitê multinacional. *Fortune,* agosto de 1971, pp. 113, 197 ("Groucho"), 190 ("not my father"); Wall, *Exxon,* pp. 774-76 ("silly as hell"); Thomas L. McNaugher, *Arms and Oil: U.S. Military Strategy and the Persian* Gulf (Washington, D.C.: Brookings Institution, 1985), p. 12.

10. Entrevista com Fadhil Al-Chalabi ("OPEC got muscles"); Kelly, *Arabia*, p. 357 ("no leapfrogging"); Wright, Lybia, p. 244 ("buyer's market...is over"); Entrevistas com Henry Schuler, pp. 10-12, Joseph Palmer 11, Henry Moses, George Parkhurst e Dennis Bonney, Entrevistas com a equipe do subcomitê multinacional; Subcomitê Multinacional, *Multinational Hearings,* parte 6, p. 221 (Jalloud).

11. Zuhayer M. Mikdashi, Sherrill Clelande Ian Seymour, *Continuity and Change in the World Oil Industry* (Beirute: Centro de Publicação e Pesquisa sobre o Oriente Médio, 1970), pp. 215-16 (Yamani sobre participação); Sampson, *Seven Sisters,* p. 245 ("Catholic marriage"); *Multinational Hearings,* parte 6, pp. 44-45 ("concerted action"), 50 ("trend toward nationalization"); Schneider, *Oil Price Revolution,* pp. 176 ("updated book value" and "participation agreement"), 179, 182 (presidente da Exxon); Entrevista com Ed Gumn, Entrevistas com a Equipe do Subcomitê Multinacional (esboços); Wall, *Exxon,* pp. 840-42 ("hard blow" and "I won").

12. Sampson, *Seven Sisters,* pp. 240-42; *Multinational Hearings,* vol. 7, pp. 332-37 (capacidade excedente). Da Embaixada em Trípoli para Washington, 5 de dezembro de 1970, 02823; da Embaixada em Tripoli para Washington, 23 de novembro de 1970, A-220, documentos do Departamento de Estado.

Capítulo XXIX

1. Anwar el-Sadat, *In Search of Identity: An Autobiography* (Nova York: Harper & Row, 1978), pp. 248-52; Henry Kissinger, *Years of Upheaval* (Boston: Little, Brown, 1982), p. 854 ("altered irrevocably"). Sobre quotas, vide Kissinger a Nixon, 21 de novembro de 1969; Jamiesen e Warner a Nixon, 26 de novembro de 1969, Arquivos Centrais da Casa Branca [EX] CO 1-7; Flanigan ao Secretário de Gabinete, 20 de novembro de 1969, [CF] TA 4/Petróleo, Arquivos Especiais da Casa Branca, Arquivos Confidencais. Flanigan a Kissinger, 23 de janeiro de 1970, [EX] CO 128 ("power vacuum") ; Nixon a Mohammed Reza Pahlavi, 16 de abril de 1970, [EX] CO 68 ("disappointment"), Arquivos Centrais da Casa Branca, arquivos de Nixon.

2. Flanigan a Nixon, 11 de março de 1972, [EX] UT; Charles DiBona a John Ehrlichman e George Shultz, 19 de Março de 1973, Darrell Trent ao presidente, 4 de abril de 1973, [EX] CM 29, Arquivos Centrais da Casa Branca, arquivos de Nixon. O estudo de Akin é do Departamento de Estado", A Indústria Internacional do Petróleo até 1980", dezembro de 1971, em Estudantes, Muçulmanos Seguidores da Linha do Iman, *Documents from the U.S. Espionage Den*, vol. 57 (Teerã: Centro de Publicação dos Documentos do Local de Espionagem dos E.U.A., [1986]), pp. 42, i,ii; entrevista de James Akins (Ehrlichman); James Akins, "A Crise do Petróleo: Desta Vez o Lobo está Aqui", *Foreign Affairs*, abril de 1973, pp. 462-90; M. A. Adelman, "O Racionamento do Petróleo é Real? As Companhias de Petróleo como Coletoras de Impostos", *Foreign Policy*, inverno de 1972-1973, pp. 73, 102-3.

3. Entrevista com Herbert Goodman ("In spite"); Schneider, *The Oil Price Revolution*, pp. 195 ("nearpanic buying"), 202 (Nixon), 205-6 ("either dead or dying"); Vernon, *Oil Crisis*, p.47 (preços de mercado); *Multinational Hearings*, parte 7, p. 538 ("out of whack").

4. Sadat, *In Search of Identity*, pp. 210 ("legacy"), 237, 239 (Sadat e Faissal); Kissinger, *Years of Upheaval*, pp. 460 ("Sadat aimed"), 297-99; *New York Times*, 21 de dezembro de 1977, p. A14.

5. Sobre Faissal a respeito dos israelenses, vide Richard Nixon, *RN: The Memoirs of Richard Nixon* (Nova York: Grosset & Dunlap, 1978), p. 1012 e Heikal, *Road to Ramadam* (Londres: Collins, 1975), p. 79. Terzian, OPEC, pp. 164-65 (Faissal sobre o petróleo como arma), 167 (Faissal para a imprensa americana); *MEES*, 14 de setembro de 1973, pp. 3-5; 23 de junho de 1973, p. ii (ministro do petróleo do Kuait); 20 de abril de 1973; 21 de setembro de 1973, p. 11; *Multinational Hearings*, parte 7, pp. 504-09 (reuniões de Faissal com a Aramco, da Aramco com Washington); Entrevista com Alfred DeCrane Jr.

6. Raymond Garthoff, *Detente and Confrontation: American-Soviet Relations from Nixon to Reagan* (Washington, D.C.: Brookings Institution, 1985), pp. 364-66; Heikal, *Road to Ramadam*, p. 268 ("give us time"); *Multinational Hearings*, parte 7, p. 542 ("new phenomenon"); *MEES*, 3 de agosto de 1973, p. 8 (Sisco); 7 de setembro de 1973, pp. iii-iv (entrevista coletiva de Nixon); 21 de setembro de 1973, p. 1; Entrevistas com William Quandt, Harold Saunders e Ulf Lantzke; Caldwell, " A Política do Petróleo no Japão", pp. 182-88 (White Paper, Nakasone and Tanaka), 264 (artigo de Akins).

7. *MEES*, 21 de setembro de 1973, p. 2 ("windfall profits"); "Mr. McCloy Vem a Washington: Principais Aspectos da Recente Diplomacia do Petróleo de John J. McCloy", entrevistas do Gabinete do Subcomitê Multinacional ("picked off" and "indispensable"); Kissinger, *Years of Upheaval*, pp. 465 (análise da ClA), 466 (estimativa dos israelenses); Entrevista com

William Colby (Comitê de Vigilância); Subcomitê Multinacional, *Multinational Oil Corporations*, p. 149. Há um relato dramático do crucial encontro de 12 de outubro nos caps. 1 e 12 da clássica história da indústria internacional do petróleo de Anthony Sampson, *The Seven Sisters: The Great Oil Companies and the World They Shaped*, ed. rev. (Londres: Coronet, 1988), esp. PP. 262-64 e 32-33.

8. Entrevistas com William Quandt e Harold Saunders ("fall maneuvers"); Sadat, *In Search of Identity*, pp. 241-42; Kissinger, *Years of Upheaval*, pp. 482, 459-67; Safran, *Israel*, pp. 285-86, 484; Avi Shlaim, "Falhas nas Estimativas da Inteligência Nacional: O Caso da Guerra do Yom Kipur", *World Politics* 28 (1975), pp. 352-59 ("conception"); Moshe Ma'oz, *Asad: The Sphinx of Damascus* (Nova York: Grove Weidenfeld, 1988), pp. 91-92.

9. Safran, *Israel*, pp. 482-90 ("Third temple" and Meir's letters); Kissinger, *Years of Upheaval*, pp. 493-96 ("conscious"), 536 ("stakes"); *Multinational Hearings*, parte 7, pp. 546-47 (carta da Aramco), 217; Entrevistas com William Quandt, James Schlesinger e Fadhil Al-Chalabi; Schneider, *Oil Price Revolution*, pp. 225-26 (ministro do petróleo do Kuait); *MEES*, 19 de outubro de 1973, p. 6. Sobre a análise do reabastecimento soviético, vide William Quandt, "A Política Soviética na Guerra de Outubro no Oriente Médio", parte II, *International Affairs*, outubro de 1977, pp. 587-603. Devido à surpresa, declarou o general Haim Barlev, do lado israelense não houve "uma única área em que as coisas tivessem sido conduzidas de acordo com o planejado". A improvisação maciça e confusa exauriu ainda mais as provisões e equipamentos. Louis William, ed., *Military Aspects of the Arab-Israeli Conflict* (Tel-Aviv: Tel Aviv University Publishing Project, 1975), pp. 264-68.

10. Entrevistas com William Quandt e Fadhil Al-Chalabi; Kissinger, *Years of Upheaval*, pp. 526 ("luck-warm"), 534-36 (reunião de Saqaf), 854 ("political blackmail"), 552 ("All hell"); Terzian, *OPEC*, pp. 170-75 (resolução secreta); Heikal, *Road to Ramadan*, pp. 267-70; Sampson, *Seven Sisters*, pp. 300-1; William Quandt, *Decade of Decision: American Policy Toward the Arab-Israeli Conflict, 1967-1976* (Berkeley: University of California Press, 1977), p. 190; *New York Times*, 18 de outubro de 1973, p. 1; *MEES*, 19 de outubro de 1973, p. 1 ("Suffice it"); Reunião de Gabinete, 18 de outubro de 1973, Arquivos Especiais da Casa Branca, Reuniões com o presidente, arquivos de Nixon ("had to act"); Nixon, Memoirs, p. 933.

11. Entrevistas com William Colby e James Schlesinger; Nixon, *Memoirs*, p. 923 (Agnew); Kissinger, *Years of Upheaval*, pp. 501, 511 ("eerie ceremony"), 576 ("idiot"), 583 ("say it straight"), 585 ("too distraught"); Quandt, *Decade of Decisions*, pp. 194-200; *Multinational Hearings*, parte 7, pp. 515-17 (Jungers); Garthoff, *Détente and Confrontation*, pp. 374-85.

Capítulo XXX

1. Entrevistas com Steve Bosworth ("Coca Cola") e James Schlesinger; *MEES*, 2 de novembro de 1973, pp. 3,14-16 (Saddam Hussein); Vernon, *Oil Crisis*, pp. 180-181.

2. Stobaugh e Yergin, *Energy Future*, p. 27 ("bidding for our life"); Wood, *Schumacher*, pp. 352-355 ("party is over"); Entrevista com Ulf Lantzke. Sobre o Japão, Carta de Takahiko Ohashi, 19 de Agosto de 1989; Daniel Yergin e Martin Hillenbrand, eds., *Global Insecurity: A Strategy for Energy and Economic Renewal*, (Nova York: Penguin, 1983), pp. 134, 174-175; Caldwell, "A Política do Petróleo no Japão", *A Strategy for Energy and Economic Renewal* (Nova York: Penguin, 1983), pp. 224-91. Laird a Haig, 5 de novembro de 1973, CM 29;

Sawhill a Rush, 26 de junho de 1974, UT ("measures"), arquivos centrais da Casa Branca, arquivos de Nixon.

3. Notas das Reuniões de Gabinete, 6 de novembro de 1973, arquivos especiais da Casa Branca, arquivos do gabinete do presidente, reuniões com o presidente; Ash a Nixon, "Papel do governo Federal no Problema da Energia", arquivos especiais da Casa Branca, arquivos do gabinete do presidente, manuscrito do presidente ("I urge"); Yankelovich a Haig, 6 de dezembro de 1973, com memorando; Parker a Haig, 23 de novembro de 1973 ("heavy newsday"); Ash a Nixon, 28 de fevereiro de 1974 ("nothing could win"), UT, arquivos centrais da Casa Branca, arquivos de Nixon. D. Goodwin, *Energy Policy*, pp. 447-48 ("national goal"); William E. Simon, *A Time for Truth* (Nova York: Berkley Books, 1978), pp. 55-66; Wall, *Exxon*, p. 883; Entrevistas com Steven Bosworth e Charles DiBona; Henry Kissinger, *Years of Upheaval*, pp. 805 ("hydra-headed"), 567, 632 ("spectacular").

4. Pierre Wack, "Sinópse: Águas Inexploradas à Frente", *Harvard Business Review*, 63 (setembro-outubro de 1985), pp. 72-89; "Rateio do Fornecimento de Petróleo em Caso de Emergência entre os Países da OECD", com memorando de Knubel, Conselho Nacional de Segurança, 8 de novembro de 1973, [EX] MC, Arquivos Centrais da Casa Branca, arquivos de Nixon ("working group"); *Multinational Hearings*, parte 5, p. 187; parte 7, p. 418 (Keller); parte 9, pp. 190 ("only defensible course"), 33-34 ("equitable share"); Entrevistas com Eric Drake, Herbert Goodman ("torment") e Yoshio Karita; Administração de Energia Federal e Subcomitê Multinacional do Senado, *U.S. Oil Companies and the Arab Embargo: The International Allocation of Constricted Supply* (Washington, D.C.: GPO, 1975), p. 4; Skeet, *O   P   E   C   ,* p. 106 ("impossible to know"); Vernon, *Oil Crisis*, pp. 179-88 ("Holland"); Geoffrey Chandler, "Algumas Ideias Atuais sobre a Indústria do Petróleo", *Petroleum Review*, janeiro de 1973, pp. 6-12; Geoffrey Chandler em "A Transformação do Modelo da Indústria do Petróleo", *Petroleum Review*, junho, 1974.

5. Vemon, *Oil Crisis*, pp. 189-90 ("assurances"), 197; Entrevistas com Eric Drake e Frank McFadzean; Cartas de Drake ao autor, 2 de julho de 1990, e de McFadzean, 23 de Agosto de 1990; Sampson, *Seven Sisters*, pp. 275-77; FEA, *Internacional Allocation*, pp. 9-10 ("difficult to imagine").

6. Entrevista com James Akins; Sampson, *Seven Sisters*, p. 270 ("If you went down"); Schneider, *Oil Price Revolution*, p. 237; Entrevista com o xá, por Robert Stoubaugh ("new concept"); Skeet, *OPEC*, p. 103 ("alternative source"); Kissinger, *Years of Upheaval*, p. 888 (Nixon para o xá); Mohammed Reza Pahlavi a Richard M. Nixon, 10 de janeiro de 1974, com o Departamento de Estado para o Secretariado da CNS, CM 29, Arquivos Centrais da Casa Branca, arquivos de Nixon; *MEES*, 28 de dezembro de 1973, Suplemento, pp. 2-5 ("noble product").

7. Sadat, *In Search of Identity*, p. 293 ("99 percent"); Entrevistas com Steven Bosworth e William Quandt ("60 percent of the cards"); Schneider, *Oil Price Revolution*, p. 233 ("extremely sorry" e "If you are hostile"); Kissinger, *Years of Upheaval*, pp. 897 (Pompidou), 720 (Heath), 638-44, 883 ("putting pressure"); *MEES*, 30 de novembro de 1973, p. 13; 11 de novembro de 1973 ("kiss blown from afar"); Robert J. Lieber, *Oil and the Middle East War: Europe in the Energy Crisis* (Cambridge: Harvard Center for International Affairs, 1976), p. 15; Michael M. Yoshitsu, *Caught in the Middle East: Japan's Diplomacy in Transition* (Washington, D.C.: Heath, 1984), pp. 1-3 ("Always buy" e "oil on the brain"); Caldwell, "A Política do Petróleo no Japão", pp. 206-7 ("direct request"), 211 ("neutrality"), 217.

8. *MEES,* 18 de janeiro de 1974; Frank McFadzean, *The Practice of Moral Sentiment,* (Londres: Shell, s.d.), p. 30 ("spectacle"); entrevistas com Ulf Lantzke e Yoshio Karita; Helmut Schmidt, *Men and Power: A Political Perspective* (Nova York: Random House, 1989), pp. 161-64; Robert J. Lieber, *The Oil Decade: Conflict and Cooperation in the West* (Nova York: Praeger, 1983), p. 19 (Jobert).

9. Entrevistas com William Quandt e Harold Saunders; *MEES,* 4 de janeiro de 1974, p. 11 ("increasingly less appropriate"); *MEES,* 22 de março de 1974, pp. 4-5 ("constructive effort"); *MEES,* 30 de novembro de 1973, p. 11 ("Wailing Wall"); Kissinger, *Years of Upheaval,* pp. 663-64 (Kissinger e Faissal), 659; Quandt, *Decade of Decision,* pp. 231, 245.

Capítulo XXXI

1. Ali M. Jaidah, "A Fixação do Preço do Petróleo: Um papel em Busca de um Ator", *PIW,* Suplemento Especial, 12 de Setembro de 1988, p. 2 ("Golden Age"); *Business Week,* 26 de Maio de 1975, p. 49 (Datsun); Entrevista com Chief M.O. Feyide.

2. Howard Page, "A OPEC Está Sem Controle", 1975, documentos de Wanda Jablonski. Raymond Vernon descreve o período de 1973 até 1978, inclusive, como sendo de "um oligopólio um tanto indisciplinado, composto de um membro dominante (Saudi Arábia), uma dezena de seguidores pouco preparados para reconhecer sua liderança e um grande círculo exterior de produtores que fixam o preço sob a proteção do oligopólio. A esta altura, estava evidente que os membros principais tinham perdido o controle dos preços, mas não estava absolutamente claro qual a força organizada que tinha tomado seu lugar". Raymond Vernon, *Two Hungry Giants: The United States and Japan in the Quest for Oil and Ores* (Cambridge: Harvard University Press, 1983), p. 29. Divisão dos impostos calculada pela OPEC, *Petroleum Product Prices and Their Components in Selected Countries: Statistical Time Series, 1960-1983* (Viena: OPEC, [1984]). *Shawcross, Shah's Last Ride,* pp. 166-82 ("speed", "*serious*" and Yamani on Shah); Helms para o secretário de Estado, 10 de setembro de 1974, Teerã 07611 ("Day has passed"); Transcrição da Reunião de Yamani-Ingersoll, outubro de 1974, Documentos do Departamento de Estado. *MEES,* 5 de setembro de 1975, p. 49 ("toy").

3. Jeffrey Robinson, *Yamani: The Inside Story* (Londres: Simon and Schuster, 1988), pp. 41 (Yamani sobre seu pai), 153, 204 ("long term"); *New York Times,* 8 de outubro de 1972, parte 3, p. 7 ("sweet reasonableness"); Oriana Fallaci, "Um Sheik que Destesta Jogar", *New York Times Magazine,* 14 de setembro de 1975, p. 40 ("can't bear gambling"); Entrevistas ("consummate estrategist" and "ostentatiously calm"); Kissinger, *Years of Upheaval,* pp. 876-77 ("technician"); *Time,* 6 de janeiro de 1975, pp. 9, 27; Pierre Terzian, *OPEC,* cap. 11; *MEES,* 25 de abril de 1977 ("economic disaster"); 1 de maio de 1978; 10 de janeiro de 1977, p. 10 ("devil"); 27 de dezembro de 1976, p. iii ("stooge" and "in the service"). Sobre o encontro do Príncipe Fahd com Carter, vide William B. Quandt, *Camp David: Peace making and Politics* (Washington, D.C.: Brookings Institution, 1986), p. 68; "O Almoço do Secretário para o Príncipe Fahd", 24 de maio de 1977, Vance ao Príncipe Herdeiro Fahd, 18 de junho de 1977, Documentos do Departamento de Estado. Sobre a divisão de responsabilidade na política petrolífera dos sauditas, vide Cyrus Vance ao presidente, Memorando, "Política Petrolífera da Arábia Saudita", outubro de 1977, Dhahran ao secretário de Estado, 3 de fevereiro de 1977, Dhahran 00149, Documentos dos Departamento de Estado.

4. *Business Week,* 13 de janeiro de 1975, p. 67 ("only chance"); Cyrus Vance, *Hard Choices: Critical Years in America's Foreign Policy* (Nova York: Simon and Schuster, 1983), pp. 316-20. Uma análise de 1.021 telegramas e documentos obtidos sob o Ato de Liberdade de Informação mostra uma oposição consistente do governo dos Estados Unidos aos preços mais altos do petróleo a partir de 1974 e durante as administrações de Nixon, Ford e Carter. Por exemplo, o demissionário subsecretário de Estado para Assuntos Econômicos (administração Ford), William D. Rogers, escreveu uma longa carta pessoal a seu sucessor (administração Carter), Richard N. Cooper, delineando as principais questões e procedimentos econômicos internacionais relativos aos Estados Unidos. "Nossa diplomacia do petróleo", observou Rodgers, "se concentra naquilo que podemos fazer para impedir uma elevação do preço do petróleo". Rodgers a Cooper, 11 de janeiro de 1977, documentos do Departamento de Estado. Na realidade, nos últimos dias da administração Ford, Kissinger teve um encontro com o embaixador da Arábia Saudita para explicar que ele era "obrigado por sua consciência" a argumentar contra os aumentos de preço em nome da administração Carter! Reunião do secretário Kissinger com o embaixador saudita Alireza sobre a Decisão de Preços da OPEC, 9 de novembro de 1977, documentos do Departamento de Estado. Vide também Kissinger a Ford, 27 de agosto de 1974; Encontro de Kissinger com senadores e congressistas, 10 de junho de 1975; presidente Ford para o rei Khalid, 31 de dezembro de 1976, State 314138, documentos do Departamento de Estado. Sobre a negociação soviética, entrevistas com Herbert Goodman e em Moscou; Hormats para Scowcroft, 14 de novembro de 1975, TA 4/29, arquivo de 10/1/75-12/11/75, Arquivos Centrais da Casa Branca; Russel a Greenspan, 29 de Outubro de 1975, arquivo de "Russel(6)"; Russel a Greenspan, 4 de novembro de 1975, arquivo de "Russel(7)", Box 141, documentos da CEA, Biblioteca Ford.

5. Departamento de Estado dos Estados Unidos, Resumo de Informações sobre o Irã, 3 de Janeiro de 1977, em Estudantes Muçulmanos Seguidores da Linha do Iman, *U.S. Interventions in Iran* (1), vol. 8 dos *Documents from the U.S. Espionage Den* (Teerã: Centro para a Publicação de Documentos do Local de Espionagem dos E.U.A., [1986]) p. 129; Barry Rubin, *Paved with Good Intentions: The American Experience and Iran* (Nova York: Penguin, 1984), pp. 140 ("wave a finger"), 172; Entrevistas com Harold Saunders ("Big Pillar"), James Schlesinger, Steven Bosworth ("pussy cats") e James Akins. Sobre excentricidade: *New York Times,* 16 de julho de 1974, p. 4, 18 de julho de 1974, p. 57 e carta de Jack C. Miklos para o autor, 4 de setembro de 1990. A resposta do ministro da Corte Asadollah Alam foi, "Simon pode ser um bom vendedor de ações mas não sabe tudo sobre petróleo". Anthony Parsons, *The Pride and the Fall: Iran, 1974-1979* (Londres: Jonathan Cape, 1984), p. 47 ("calculating opportunism"); Gary Sick, *Ali Fall Down: America's Tragic Encounter with Iran* (Nova York: Penguin, 1987), pp. 16, 26 ("no visible"), 32-33; Robert Graham, *Iran: The Ilusion of Power* (Nova York: St. Martin's, 1979), p. 20 ("acquired money"). Richard Cooper ao Secretário, 12 de Agosto de 1978 ("price freeze offensive"); Blumenthal ao presidente, 28 de Outubro de 1977, Dhahran 01261; Cyrus Vance ao presidente, 4 de novembro de 1977 ("price hawk"), documentos do Departamento de Estado. Hamilton Jordan, *Crisis: The Last Year of the Carter Presidency* (Nova York: Pumam, 1982), pp. 88-89; Vance, *Hard Choices,* pp. 321-22 ("punishing impact" e "break"). Preços reais derivados do Fundo Monetário Internacional, *International Financial Statistics Yearbook,* 1988, p. 187.

6. *PIW*, 14 de abril de 1975, p. 10 ("good bye"); *MEES*, 7 de março, p. 2; 18 de julho ("Oil is everything"). Sobre as companhias de petróleo no Kuait, "Kuait: Resumo da Situação de 15 de março de 1975", 17 de março de 1975; "Encontros no Ministério do Petróleo, 12 e 15 de março de 1975", 17 de março de 1975, pp. 1, 3, 4, 8; "Reunião com o Primeiro Ministro, 29 de março de 1975", 2 de abril de 1975, documentos de Goodman; entrevista com Herbert Goodman.

7. Entrevistas com Frank Alcok, Albert Quiros e Robert Dolph; Gustavo Coronel, *The Nationalization of the Venezuelan Oil Industry: From Technocratic Success to Political Failure* (Lexington, Mass.: Lexington Books, 1983), pp. 66-71 ("feverish debate"); *Rabe, Road to OPEC*, p. 190 ("act of faith").

8. Sobre a compra da Aramco pela Arábia Saudita, Schneider, *The Oil Price Revolution*, pp. 407-8; Relatórios Anuais da Aramco; Entrevistas. Sobre vendas diretas, Vernon, *Two Hungry Giants*, p. 32 e *PIW*, 25 de fevereiro de 1980, p.3.

Capítulo XXXII

1. *Business Week*, 13 de janeiro de 1975, p. 67 ("conditions"). Sobre o Japão, entrevistas com Naohiro Amaya e Yoshio Karita; Carta de Tadahiko Ohashi, 14 de agosto de 1989; Samuels, *Business of the Japanese State*, caps. 5-6. Sobre a política e a publicidade francesa, entrevistas com Jean Blancard, Jean Syrota e Charles Mateudi.

2. Entrevista com Henry Jackson ("screwed on"); Carol J. Loomis, "Como Pensar Sobre os Lucros das Companhias de Petróleo", *Fortune*, abril de 1974, p. 99; Karalogues a Nixon, 19 de dezembro de 1973, arquivos especiais da Casa Branca, arquivos do gabinete do presidente, arquivos de Nixon ("Scoops the hell"). Sobre as audiências do Comitê Jackson, vide Congresso dos Estados Unidos, Senado, Comitê de Operaçaoes do Governo, Subcomitê Permanente de Investigações, 93º Congresso, 1ª Sessão, *Current Energy Shortages, Oversight Series: Conflicting Information on Fuel Shortages* (Washington, D.C.: GPO, 1974), pp. 113-14, 154, 399, 400, 472-73 e *New York Times*, 22-25 de Janeiro de 1974. Yergin e Hillenbrand, *Global Insecurity*, pp. 119-20; "Os Anos Oitenta: Atualização", Documento da Companhia, janeiro de 1976, p. 22 ("less certain"); Geoffrey Chandler, "A Inocência das Companhias de Petróleo", *Foreign Policy*, verão de 1977, p. 67 ("threat"); Banco Chase Manhattan, *Annual Financial Analysis of a Group of Petroleum Companies, 1970-1979*. Sobre inflação, vide Administração de Informações sobre Energia, *Annual Energy Review, 1988* (Washington, D.C.: GPO, 1989).

3. Pietro S. Nivola, *The Politics of Energy Conservation* (Washington, D.C.: Brookings Institution, 1986); Vietor, *Energy Policy*, pp. 253 ("every problem"), 256 ("refining junk"), 238 (Registro Federal), 258; Cole ao presidente, decisão sobre a Assinatura da Legislação para o Oleoduto do Alaska, 13 de novembro de 1973, arquivos especiais da Casa Branca, arquivos do gabinete do presidente, arquivos de Nixon; Entrevista com Robert O. Anderson.

4. Goodwin, *Energy Policy*, pp. 554-55 ("zeal"); Entrevistas com Stuart Eizenstat e James Schlesinger; Stuart E. Eizenstat, "O Plano para a Energia de 1977: M.E.O.W.," Anotações para a Escola de Política Kennedy, Universidade de Harvard; Jimmy Carter, *Keeping Faith: Memoirs of a President* (Londres: Collins, 1982), pp. 92-106 ("deeply resented" and "most difficult question"); James Schlesinger, "O Dilema da Energia", *Oak Ridge National Laboratory Review*,

verão de 1972, p. 13; Stobaugh e Yergin, *Energy Future,* p. 70 ("hell"); *MEES,* 11 de dezembro de 1978, p. i ("water torture").

5. *Business Week,* 3 de fevereiro de 1975, p. 38 ("Just wild"); Entrevista com Robert Dolph ("rabbits"); E. C. G. Werner, "Apresentação para a Comunidade Financeira de Frankfurt", 25 de novo de 1976, p. 3.

6. George W. Grayson, *The Politics of Mexican Oil* (Pittsburgh: University of Pittsburg Press, 1980), pp. 58, 77 ("digestion"); "Por que os Banqueiros Adoram o México", *Fortune,* 16 de julho de 1979, pp. 138, 142.

7. Anthonny Benn, *Against the Tide: Diaries, 1972-1976* (Londres: Hutchinson, 1989), p. 403 ("cross-section"); Entrevistas com Harold Wilson e Thomas Balogh; Stig S. K vendseth, *Giant Discovery: A History of Ekofisk Through the First* 20 *Years* (Tanager, Noruega: Phillips Petroleum Norway, 1988); pp. 9-31; Daniel Yergin, "A Grã-Bretanha Perfura e Reza", *New York Times Magazine,* 2 de novembro de 1975, pp. 13, 59.

8. Sobre a projeção do preço do petróleo, vide Arthur Andersen & Co. e a Associados de Pesquisa Energética de Cambridge, *The Future of Oil Prices: The Perils of Prophecy* (Houston: 1984). Sobre o grau do consenso em 1978, vide "A Luta Renhida pelo Petróleo", *Petroleum Economist,* maio de 1978, pp. 178-79; Stobaugh e Yergin, *Energy Future,* pp. 351-52, n. 34; Francisco Parra, "O Abastecimento Mundial de Energia e a Procura pelo Petróleo", *MEES,* Suplemento, 12 de abril de 1978, pp. 1-6. "Pelo consenso geral," comentou Parra, "a próxima crise de energia está programada para a década de 1980, quando ocorrerá um racionamento de petróleo que vai ameaçar o crescimento econômico, pois o abastecimento alternativo de energia não será suficiente." *MEES,* 26 de Junho de 1978, p. iv ("our own studies"); *Public Papers of the Presidents of the United States: Jimmy Carter, 1977,* livro 2 (Washington, D. C.: GPO, 1978), pp. 2220-21 ("island of stability"); entrevista ("big trouble").

Capítulo XXXIII

1. Parsons, *Pride and Fall,* pp. 10, 8, 50, 54-55; Graham, *Iran,* p. 19; *New York Times,* 5 de junho de 1989, p. A11; Rubin, *Paved with Good Intentions,* p. 176 ("A-list").

2. Bill, *Eagle and Lion,* pp. 235, 51; Sick, *Ali Fali Down,* p. 40 ("40-40"). Sick é uma importante fonte para a revolução iraniana e a política americana. *Pride and Fall,* pp. 62-64 ("no compromise"), 71 ("I was worried"); Congresso dos Estados Unidos, Câmara dos Deputados. Comite Especial Permanente de Inteligência, Subcomitê de Avaliação, *Iran: Evaluation of U.S. Intelligence Performance Prior to November* 1978, *Staff Report* (Washington, D.C.: GPO, 1979), pp. 2, 6-7 (informações); Shawcross, *Shah' s Last Ride, cap.* 14 (saúde precária do xá); entrevista com Robert Bowie.

3. Arquivos da IEA; Sick, *All Fall Down,* pp. 57 ("public opinion"), 123-25 (plano soviético), 132; Parsons, *Pride and Fall,* pp. 85 ("snow"); entrevistas com Jeremy Gilbert ("The Fields"), James Schlesinger e Harold Saunders ("first systematic meeting"); Richard Falk, "Confiando em Khomeini", *New York Times,* 16 de fevereiro de 1979, p. A27 ("entourage"); *New York Times,* 8 de fevereiro de 1979, p. A13; 9 de fevereiro de 1979, p. A17 ("saint"); William H. Sullivan, *Mission to Iran* (Nova York: Norton, 1981), pp. 200-3 ("Thinking the unthinkable"), 225 ("no policy").

4. Mohamed Heikal, *Iran, The Untold Story: An Insider's Account of America's Iranian Adventure and Its Consequences for the Future* (Nova York: Pantheon, 1982), pp. 145-46; Sick, *All Fall Down*, pp. 123 ("torrents of blood"), 108 (brincadeira), 182-83 ("Khomeini wins"); Parsons, *Pride and Fall*, pp. 114 ("dictator"), 124-26 ("I would leave"); Entrevista com Jeremy Gilbert e Jeremy Gilbert ao autor, 15 de novembro de 1989. Sobre o petroleiro americano, Robert E. Huyer, *Mission to Tehran* (Nova York: Harper & Row, 1986), pp. 96-247. Shawcross, *Shah's Last Ride*, p. 35 ("feeling tired"); Paul Lewis, "Sobre o voo de Khomeini", *New York Times*, 2 de fevereiro de 1979, p. A7.

5. Entrevista com Jeremy Gilbert.

6. Arquivos da IEA; Daniel Badger e Robert Belgrave, *Oil Supply and Price: What Went Right in 1980?* (Londres: Policy Studies Institute, 1982), pp. 106-7 (motoristas); M.S. Robinson, "A Espiral do Preço do Oleo Cru de 1970-80", fevereiro de 1982, pp. 1-2. Katz a Cooper, "A Estratégia Americana do Petróleo para com a Arábia Saudita", 12 de janeiro de 1979; Richard Cooper a John West, 15 de janeiro de 1979, State 0111064; Vance para a Embaixada, Arábia Saudita, 26 de janeiro de 1979; Cooper ao Secretário, 8 de fevereiro de 1979, 7902573; West a Vance, "Assuntos do Petróleo: Reunião com o Príncipe Herdeiro Fahd", 15 de fevereiro de 1979, documentos do Departamento de Estado. *PIW*, 19 de março de 1979, pp. 1-2 ("not to count on Exxon"); Entrevista com Clifton Garvin.

7. Entrevistas com Ulf Lantzke, J. Wallace Hopkins e outros; Estudantes Muçulmanos Seguidores da Linha do Imã, *Documents from U.S. Espionage Den*, vol. 40, *U.S. Interventions in the Islamic countries: Kuait* (2) (Teerã: Centro de Publicação de Documentos do Local de Espionagem dos E.U.A., [1986]), p. 58 ("fool"); CIA, mensagem de saída. 4 de abril de 1979, *DDRS*, 1988, doc. 1300.

8. OPEP, "Boletim: 53ª Reunião Extraordinária", 27 de março de 1977; Stobaugh e Yergin, *Energy Future*, 2ª ed, pp. 342 ("free-for-all"), pp. 346 ("short-run politics"); Entrevista com M.S. Robinson ("Nobody controlled"). Sobre os sauditas e "toda a questão da produção", vide Riád ao secretário de Estado, 25 de março de 1979, Riad 00484; Jidá ao secretário de Estado, 17 de abril de 1979, Jidá 03094; edital de Yamani em Daniels para o secretário de Estado, 23 de maio de 1979, Jidá 03960, documentos do Departamento de Estado. Arquivos do IEA; *PIW*, 14 de maio de 1979, pp. 1, 9; Departamento de Justiça dos E.U.A., Divisão Antitruste, *Report of the Justice Department to the President Concerning the Gasoline Shortage of 1979* (Washington, D.C.: GPO, 1980), pp. 153-65; Entrevistas com Richard Cooper e Clifton Garvin.

9. Entrevista com Stuart Eizenstat, James Schlesinger e Eugen Zuckert; Eliot Cutler a Jim McIntire e Stuart Eizenstat, "Materiais Sintéticos e Fornecimento de Energia", 12 de junho de 1979; Benjamin Brown e Daniel Yergin, "Synfuels 1979", projeto, Kennedy School, 1981, pp. 15 ("darts and arrows"), 46 (memorando de Eizenstat; Richard Cooper a John West, 8 de junho de 1979, State 147000, documentos do Departamento de Estado; Carter, *Keeping Faith*, pp. 111-13 ("one of the worst days"); *New York Times*, 27 de junho de 1979, p. A1 (Escola de Administração de Harvard); 12 de julho de 1979, p. A1; 19 de julho de 1979, p. A14; 20 de julho de 1979, p. A1. 21 de julho de 1979, p. A1. O editor nacional do *Washington Post* era Lawrence Stern.

10. M.S. Robinson, "Espiral do Preço do Óleo Cru", pp. 10, 12 ("cat-and-mouse"); Skeet, *OPEC*, p. 159 ("If BNOC"); Entrevistas com Ulf Lantzke, James Schlesinger e executivo da indústria;

Shell Briefing Service, "O Comércio do Petróleo", 1984; *PIW*, 27 de agosto de 1979, p. 1, Suplemento Especial (Schlesinger).

Capítulo XXXIV

1. Tim Wells, *444 Days: The Hostages Remember* (San Diego: Harcourt Brace Jovanovich, 1985), pp. 67 -69; Warren Christopher et al., *American Hostages in Iran: The Conduct of a Crisis* (New Haven: Yale University Press, 1985), pp. 35-41, 57 (Elizabeth Ann Swift), 58-60, 112 (Doutrina Carter); Terence Smith, "Porque Carter recebeu o xá", *New York Times Magazine,* 17 de maio de 1981, pp. 36, 37ff.; Sobre a Reunião da Argélia, vide Zbigniew Brzezinski, *Power and Principle: Memoirs of the National Security Adviser, 1977-1981* (Nova York: Farrar Straus Giroux, 1985), pp. 475-76. John Kifner, "Como uma Greve se Transformou em um Cerco", *New York Times Magazine,* 17 de maio de 1981, pp. 58, 63 ("Nest of spies"); Sick, *All Fall Down,* pp. 239 ("rotten brains"), 248 ("by the balls"); Steven R. Weisman, "Para a América, um Novo e Doloroso Despertar", *New York Times Magazine,* 17 de maio de 1981, pp. 114ff.; Shawcross, *Shah's Last Ride,* pp. 242-52.
2. Arquivos da IEA, Mansfield ao secretário de Estado, 14 de Dezembro de 1979, Tóquio 21956; Mansfield ao secretário de Estado, 4 de janeiro de 1980, Toquio 00125; Vance para a Embaixada; de Tóquio, 5 de fevereiro de 1980, State 031032, documentos do Departamento de Estado. *MEES* 22 de outubro, p. 6 ("losing control"); 31 de dezembro de 1979, *New York Times* p. D3 ("catastrophe"); 20 de dezembro de 1979, p. D5 ("glut"); Terzian, OPEC, p. 275 ("almighty God").
3. *PIW*, Suplemento, pp. 1, 4 ("cardinal issue"); Walter Levy, "O Petróleo e o Declínio do Ocidente", *Foreign Affairs,* verão de 1980, pp. 999-1015; Entrevistas com Rene Ortiz e outros.
4. John Oates, *Babylon* (Londres: Thames and Hudson, 1979) pp. 51-52 (poema); Georges Roux, *Ancient Iraq* (Londres: Penguin, 1985), p. 168; Ilya Gershevitch, ed. *The Cambridge History of Iran,* vol. 2, *The Medean and Achaemenian Periods* (Cambridge: Cambridge University Press, 1985), pp. 1-25.
5. Phebe Marr, *The Modern History of Iraq* (Boulder, Colo.: Westview Press, 1985), pp. 217-20 (shaqawah), 228; Christine Moss Helms, I*raq: Eastern Flank of the Arab World* (Washington, D.C.: Brookings Institution, 1984), pp. 147-60 ("infidel Ba'th Party"), 165 ("every street corner"); Anthony H. Cordesman, "Lições da Guerra Iran-Iraq: O Primeiro Round", *Armed Forces Journal International,* 119 (abril de 1982), p. 34 ("dwarf Pharaoh"); R.K. Ramazani, *Revolutionary Iran: Challenge and Response in the Middle East* (Baltimore: Johns Hopkins University Press, 1986), p. 60 ("Khomeini the rotten"); Bakhash, *Reign of the Ayatollahs,* p. 126; Entrevista com Rene Ortiz; R.M. Grye, ed., *The Cambridge History of Iran,* vol. 4, *The Period from the Arab Invasion to the Saljuqs* (Cambridge: Cambridge University Press, 1975), pp. 9-25 ("Victory of Victories"); David Lamb, *The Arabs: Journeys Beyond the Mirage* (Nova York: Vintage, 1988), pp. 287-91 (ataúdes, "a mais pura alegria" e campos minados); Samir al-Khalil, *Republic of Fear: The Politics of Modern Iraq* (Berkeley e Los Angeles: University of California Press, 1989).
6. Arquivos da IEA; M.S. Robinson, "O Mercado de Petróleo Great Bear 1980-1983" (Nyborg: Shell, 1983). Ryan para o secretário de Estado, 6 de outubro de 1980, Paris 31399; Sherman ao secretário de Estado, 7 de outubro de 1980, Tóquio 17911; Salzman ao Secretário de

Estado, 22 de outubro de 1980, Paris 33213; Muskie às embaixadas, 24 de outubro de 1980, State 283948, documentos do Departamento de Estado.

7. *PIW,* 17 de novembro de 1980 ("still someone else"); 24 de novembro de 1980, p. 2 ("deep trouble"); 17 de abril de 1981, Suplemento, p. 1 ("stabilize the price"). Mansfield ao secretário de Estado, 23 de dezembro de 1980, Toquio 22437 (funcionário do MITI sobre "compras indesejáveis"); Vance à Embaixada de Tóquio, 11 de outubro de 1980, State 277058, documentos do Departamento de Estado. Entrevistas com Ulf Lantzke, J. Wallace Hopkins, William Martin (D'Avignon) e Alfred DeCrane Jr.; Schneider, *Oil Price Revolution,* p. 453.

Capítulo XXXV

1. Entrevista com Clifton Garvin; *New York Times,* 3 de maio de 1982, p. A1; 10 de outubro de 1982, p. A33; Andrew Gulliford, *Boomtown Blues: Colorado Oil Shale, 1885-1985* (Niwot, Colo.: University Press of Colorado, 1989), caps. 4-6. Sobre automóveis, vide Marc Ross, "Veículos Particulares e o Uso do Petróleo nos E.U.A.", Relatório da Associação de Pesquisa em Energia de Cambridge, outubro de 1988.

2. *PIW:* Alirio Parra, "O Movimento da OPEP Pode Levar ao 'Mercado' Estruturado", Suplemento Especial, 12 de abril de 1982, "Mergulho Direto de Produtos de Precisão se Espalha por Toda a Parte", Suplemento Especial, 22 de fevereiro de 1982; Herbert Lewinsky, "Considera-se o Petróleo Ainda Mais Internacional", Suplemento Especial, 12 de julho de 1982, p. 3 (Executivo da Mobil); Robert Mabro, "O Papel da OPEP de Fixadora de Preços Pode Estar em Jogo", Suplemento Especial, 19 de abril de 1982; 3 de dezembro de 1982, p. 1; 4 de junho de 1982, pp. 1-3 ("punishment"). Skeet, *OPEC,* p. 178 (rejeição da proposta de embargo).

3. Entrevistas com Yahaya Dikko e Alberto Quiros; *PIW,* 14 de fevereiro de 1983 (Yamani sobre a gravidez); 21 de março de 1983 ("swing producer"); Terzian, *OPEC,* pp. 313-19.

4. *PIW,* 1 de abril de 1983, pp. 8-9 ("strategic *commodity*"); John G. Buchanan, "Como o Comércio Está Remodelando a Indústria", em Yergin e Kates-Gamick, *Reshaping of the Oil Industry,* pp. 41-44 ("light on security", "nimble" and "opportunistic"); entrevistas com P. I. Walters, George Keller e M.S. Robinson; Chevron, *Annual Report,* 1983, "Apresentação sobre a Política do Fornecimento de Petróleo", dezembro de 1983.

5. Vide New York Mercantile Exchange, *A History of Commerce at the New York Mercantile Exchange: The Evolution of an International Market Place, 1872-1988* (Nova York: New York Mercanule Exchange, 1988).

6. A.G. Mojtabai, *Blessed Assurance: At Home with the Bomb in Amarillo, Texas* (Albuquerque: University of New Mexico Press, 1986), pp. 47, 199; T. Boone Pickens, *Boone* (Boston: Houghton Mifflin, 1987), passim, e pp. 11, 31 ("mouth shut"), 34; Entrevistas com T. Boone Pickens e Taylor Yoakam ("Saturday morning"); Adam Smlth, *The Roaring '80s* (Nova York: Summit Books, 1988), pp. 193-95; T. Boone Pickens, "A Reestruturação da Indústria do Gás e Petróleo Doméstico", em Yergin e Kates-Garmck, *Reshaping of the Oil Industry,* pp. 60-61.

7. Entrevistas com Jesus Silva Herzog e Patrick Connolly ("eating our lunch"); Fausto Alzati, "O Petróleo e a Dívida: O Duplo Desafio do México", Relatório da Associados Pesquisa Energética Cambridge, junho de 1987; Phillip L. Zweig, *Belly Up: The Collapse of the Penn*

Square Bank (Nova York: Fawcett Columbine, 1986), pp. 198-99 (Mocassins de Gucci); William Greider, *Secrets of the Temple: How the Federal Reserve Runs the Country* (Nova York: Touchstone, 1989), pp. 518-25 ("bank to beat"), 628-31; Mark Singer, *Funny Money* (Nova York: Knopf, 1985).

8. *Wall Street Journal,* 15 de setembro de 1983, p. 1; 5 de dezembro de 1983, p. 60; 19 de abril de 1984, p. 1;Entrevistas com Richard Bray e P.I. Walters.

9. Thomas Petzinger Jr., *Oil & Honor: The Texaco-Penzoil Wars* (Nova York: Putnam, 1987); Steve Coll, *The Taking of Getty Oil* (Londres: Unwin Hyman, 1988); Lenzer, *Getty,* pp. 331-38; Miller, *House of Getty,* pp. 331-46.

10. Entrevistas com James Lee, George Keller, Robert O. Anderson, Philippe Michelon e M.S. Robinson; Pickens, *Boone,* pp. 182-83 ("need a touchdown"), 216; *Wall Street Journal,* 7 de março de 1984, p. 1; John J. McCloy, Nathan W. Pearson e Beverley Matthews, *The Great Oil Spill: The Inside Report-Gulf Oil's Bribery and Political Chicanery* (Nova York: Chelsea House, 1976).

11. *Time,* 3 de junho de 1985, p. 58 (Armand Hammer); Entrevistas com Robert O. Anderson e Clifton Garvin; *Time,* 17 de março de 1985, p. 46 e *Business Week,* 6 de maio de 1985, p. 82.

12. Sobre o gasoduto soviético, Entrevista com William F. Martin; Angela Stent, *Soviet Energy and Western Europe,* jornal de Washington, 90 (Nova York: Praeger, 1982); Bruce Jentleson, *Pipeline Politics: The Complex Political Economy of East-West Trade* (Ithaca: Cornell University Press, 1986), cap. 6; Anthony Blinken, *Ally Versus Ally: America, Europe, and the Siberian Pipeline Crisis* (Nova York: Praeger, 1987).

Capítulo XXXVI

1. Richard Reid, "Resistindo ao Teste do Tempo", Palestra na Universidade de Surrey, 23 de março de 1984 ("chief variable"); *PIW,* 18 de março de 1985, p. 8 ("very painful"); Arthur Andersen & Company e Pesquisa Energética de Cambridge, Associados *Future of Oil Prices,* p. iii; Joseph Stanislaw e Daniel Yergin, "O Dilema Cada Vez Maior da OPEP: O Mercado Mundial do Petróleo até 1987", Cambridge Energy Research Associates Report, outubro de 1984; I. C. Bupp, Joseph Stanislaw e Daniel Yergin, "Quanto Pode Baixar? a Dinâmica dos Preços do Petróleo", Cambridge Energy Research Associates Report, maio de 1985; *MEES,* 2 de junho de 1985, p. A6 ("draw a line").

2. "Ministros da OPEP, Taif, 2-3 de junho de 1985" (carta do Rei); Skeet, *OPEC,* p. 195; Entrevistas com Alfred DeCrane, Jr. e George Keller; *PIW,* 16 de dezembro de 1985, p. 8 (boletim).

3. *PIW,* 29 de setembro de 1986; 11 de agosto de 1986 (funcionário do governo iraquiano); Entrevista com Alfred DeCrane Jr.; Arie de Geus, "Planejar como Aprendizado", *Harvard Business Review* 66 (março-abril de 1988), pp. 70-74; *Washington Post,* 4 de abril de 1986, p. 3 (Billy Jack Mason).

4. *New York Times,* 13 de janeiro de 1989, p. D16 ("They got a president"); 21 de fevereiro de 1980, p. B10 (Reagan sobre o Alaska); George Bush com Victor Gold, *Looking Forward: An Autobiography* (Nova York: Bantam, 1988), pp. 46, 55 (sócio), 64-66, 72 ("rubbed both ways"), 78; Seymour Feedgood, "Life in Midland", *Fortune,* abril de 1962; Bush a Kennedy, 12 de novembro de 1969, Arquivos Especiais da Casa Branca, Arquivos Confidenciais, arquivos

de Nixon; Fadhill J. Al-Chalabi, "O Colapso Mundial do Preço do Petróleo de 1986: Causas e Implicações para o futuro da OPEP", Documento da energia n. 15, Programa Internacional da Energia, Escola de Estudos Internacionais Avançados, Johns Hopkins University, p. 6 ("absolute competition").

5. *New York Times,* 2 de abril de 1986, pp. A1, D5 ("seeling very hard" and "Our answer"); 3 de abril de 1986, p. D6 ("way to address"); 7 de abril de 1986, pp. A1, D12 ("stability" and "bum rap"); *Washington Post,* 10 de abril de 1986, p. A26 ("I'm correct"); 9 de abril de 1986 ("Poor George" and "couldn't care less"); 8 de abril de 1986 (editorial); *Wall Street Journal,* 7 de abril de 1986, p. 3 ("national security interest"); Entrevistas com Richard Murphy, Walter Cutler e Frederick Khedouri.

6. Entrevistas com Alirio Parra e Robert Mabro; Ise, *United States Oil Policy,* p. 123, 109. 113; "Reunião do Grupo dos Cinco Ministros do Petróleo", 24-25 de maio de 1986 (reunião de Taif); *PIW,* 22 de setembro de 1986, p. 3 ("reasonable prices"); 28 de julho de 1986, p. 4; Editores do Resumo de Informações para a Imprensa, Brioni, 1 de julho de 1986 ("Not on your life"); "O Impacto da Faixa de Preços de 17-19 Dólares/Barril sobre o Petróleo da OPEP", 24 de julho de 1986 (jornal da OPEP); Discussões em Moscou, maio de 1986 ("bananas").

7. Ahmed Zaki Yamani, "Mercados do Petróleo: Passado, Presente e Futuro", Centro de Política Energética e Ambiental, Kennedy School, Universidade de Harvard, setembro de 1986, pp. 3, 5, 11, 20; *MEES,* 25 de maio de 1987, p. A2: Entrevistas.

8. Entrevista com Richard Murphy; Thomas McNaugher, "Corda Bamba no Golfo", em Efraim Karsh, ed., *The Iran-Iraq War: Impact and Implications* (Londres: Macmillan, 1989), pp. 171-99; Anthony H. Cordesman, *The Gulf and the West: Strategic Relations and Military Realities* (Boulder, Colo.: Westview Press, 1988), caps. 10-11; *New York Times,* 21 de julho de 1988, p. A1 ("poison"); *MEES,* 23 de maio de 1988, p. A3; *MEES,* 30 de maio de 1988, p. C1 ("God willing"); *MEES,* 25 de julho de 1988, p. C1; *MEES,* 22 de agosto de 1988, p. A1; *MEES,* 29 de agosto de 1988, pp. A3. C1.

Capítulo XXXVII

1. Entrevista de Saddam Hussein para Diane Sawyer, *Foreign Broadcast Information Services,* 2 de julho de 1990, p.8.

2. Karea Elliot House, "Presidente iraquiano prevê nova guerra no Oriente Médio se os EUA não agirem", *Wall Street Journal,* junho, 28, 1990, p.A10 ("Weakness"); Marr, *Modern History of Iraq,* cap. 8; Samir al-Khall, *Republic of Fear: The Polities of Modern,* Iraq (Berkeley e Los Angeles: University of California Press, 1989).

3. H.R.P. Diction, *Kuait and Her Neighbors* (Fronteiras do Kuait); Thomes B. Allon, F. Clinton Berry, e Norman Polmar, *CNN: War in the Gulf,* (Atlanta: Turner Publishing Co., 1991) (Bush na ofensiva); *New York Times,* agosto, 16, 1990, p. A14, (Bush na liberdade).

4. Michael L. Sifry e Christopher Cerf, *The Gulf War Reader: History, Documents, Opinions* (Nova York: Times Books, 1991), p. 229 ("military option"), p. 125 ("10,000 deaths"), p. 173 ("tragic miscalculation").

5. Schwarzkopf citado em Allen, Berry, e Polmar, *CNN: War in the Gulf,* p. 211.

Epílogo

1. Banco Mundial, *The East Asian Economic Miracle: Economic Growth and Public Policy*. (Nova York: Oxford University Press, 1993).
2. Brent Scowcroft, "Don't Attack Saddam." In: *Wall Street Journal*, 15 de agosto de 2002.
3. Michael R. Gordon e Bernard Trainor, *Cobra II: The Inside Story of the Invasion and Occupation of Iraq*. (Nova York: Pantheon, 2006, Capítulos 8-9, epílogo "vitória relâmpago", p. 506).
4. Daniel Yergin e Joseph Stanislaw, *The Commanding Heights: The Battle for the World Economy*. (Nova York: Touchstone, 2002).
5. *New York Times*, 30 de outubro de 2005.
6. CERA Special Report. *Capital Costs Analysis Forum – Upstream: Market Review, 2008*.
7. Sobre o dólar, consulte Stephen P.A. Brown, Raghav Virmani e Richard Alm, *Economic Letter – Insights from the Federal Reserve Bank of Dallas*, maio de 2008, p. 6.
8. J.S. Herold, *Financial and Operational Data Base*.
9. www.cnn.com/2008/POLITICS/10/07/video.transcript/index.html.

Bibliografia

Entrevistas

Muitas pessoas se colocaram generosamente à disposição para as entrevistas, que foram fundamentais para a elaboração deste livro. Gostaria de expressar a todas elas minha gratidão por sua generosidade e consideração. Os entrevistados não têm responsabilidade alguma na interpretação e julgamentos presentes nesta obra. As entrevistas, em sua maioria, foram realizadas especialmente para serem aqui utilizadas. Algumas foram realizadas tendo como finalidade original projetos que precederam este livro.

Em alguns casos, a identificação dos entrevistados pode não ser muito familiar aos leitores. Todavia, para fins de esclarecimento, indiquei, de modo geral, o cargo que parece mais pertinente.

Frank Alcock, vice-presidente, Petróleos de Venezuela, SA.

Robert O. Anderson, presidente, ARCO.

Alicia Castillo de Pérez Alfonzo.

James Akins, embaixador dos E.U.A. na Arábia Saudita.

Naohiro Amaya, vice-ministro, Ministério do Comércio Internacional e da Indústria, Japão.

Nikolai Baibakov, ministro do Petróleo, presidente, Gosplan, URSS.

Lord Balogh, ministro de Estado, Departamento de Energia do Reino Unido.

Robert Belgrave, Departamento do Petróleo e do Oriente Médio, Ministério das Relações Exteriores do Reino Unido; Conselheiro de Planejamento da Diretoria da British Petroleum.

André Bénard, diretor administrativo, Royal-Dutch Shell.

Jean Blancard, delegado geral para a Energia, Ministério da Indústria da França; presidente, Gaz de France.

Steven Bosworth, subsecretário adjunto de Estado da Política Energética, de Recursos e de Alimentos.

Robert R. Bowie, diretor, Secretaria de Planejamento dos E.U.A., Departamento de Estado dos E.U.A; vice-diretor, Agência Central de Inteligência dos E.U.A.

Richard Bray, presidente, Standard Oil Production Company.

Jaun Pablo Pérez Castillo.

Oscar Pérez Castillo.

Fadhil Al-Chalabi, subsecretário geral, OPEC.

William Colby, diretor, Agência Central de Inteligência dos E.U.A.

Marcello Colitti, vice-presidente, ENI.

Patrick Connoly, vice-presidente e chefe do Grupo de Energia, Banco de Boston.

Richard Cooper, subsecretário de Estado dos E.U.A.

Walter Cutler, embaixador dos E.U.A. na Arábia Saudita.

Alfred DeCrane, Jr., presidente, Texaco.

Charles DiBona, vice-diretor, Secretaria da Política Energética da Casa Branca; presidente, Instituto Americano do Petróleo.

Yahaya Dikko, ministro dos Recursos do Petróleo, Nigéria.

Robert Dolph, presidente, Exxon International.

Sir Eric Drake, presidente, British Petroleum.

Charles Duncan, secretário da Energia dos E.U.A.

Robert Dunlop, presidente, Sun Oil.

Stuart Eizenstat, diretor, Gabinete de Política Interna, Casa Branca.

Chief M. O. Feyide, secretário geral, OPEP.

Clifton Garvin, presidente, Exxon.

Jeremy Gilbert, gerente, Capital Planning Oil Services Company of Iran.

Herbert Goodman, presidente, Gulf Oil and Trading.

Pierre Guillaumat, presidente, Societé Nationale Elf Aquitaine.

Armand Hammer, presidente, Occidental Petroleum.

Victor Hammer.

Sir Peter Holmes, presidente, Shell Transport and Trading.

J. Wallace Hopkins, vice-diretor executivo, International Energy Agency.

Wanda Jablonski, redatora e editora, *Petroleum Intelligence Weekly*.

Henry Jackson, senador dos E.U.A.

Yoshio Karita, diretor, Divisão de Recursos, Ministério das Relações Exteriores, Japão.

George Keller, presidente, Chevron Corporation.

Frederick Khedouri, subchefe de gabinete do vice-presidente dos E.U.A.

William King, vice-presidente, Gulf Oil.

Ulf Lantzke, diretor executivo, International Energy Agency.

James Lee, presidente, Gulf Oil.

Walter Levy, consultor para assuntos de petróleo.

John Loudon, diretor administrativo senior, Royal Dutch-Shell.

Robert Mabro, diretor, Instituto Oxford para Estudos Energéticos.

William Martin, subsecretário da Energia dos E.V.A.

Charles Mateudi.

Lord McFadzean of Kelvinside, presidente, Shell Transport and Trading.

George McGhee, secretário adjunto de Estado dos E.U.A. para o Oriente Próximo e sul da Ásia e da África.

Philippe Michelon, diretor, Planejamento Estratégico, Gulf Oil.

Edward Morse, subsecretário adjunto de Estado dos E.U.A.; editor, *Petroleum Intelligence Weekly*.

Richard Murphy, secretário adjunto de Estado dos E.U.A para o Oriente Próximo e sul da Ásia.

George N. Nelson, presidente, BP Exploration Alaska.

John Norton, sócio, Arthur Andersen & Company.

Tadahiko Ohashi, diretor, Departamento de Planejamento Corporativo, Tokyo Gas Co., Ltd.

Rene Ortiz, secretário geral, OPEP.

Alirio Parra, presidente, Petróleos de Venezuela, SA.

T. Boone Pickens, presidente, Mesa Petroleum.

James Placke, subsecretário adjunto de Estado dos E.U.A.

William Quandt, diretor, Secretaria para o Oriente Médio. Conselho de Segurança Nacional dos E.U.A. Alberto Quiros, presidente, Maraven, Lagoven, Venezuela.

Sir Peter Ramsbotham, embaixador britânico no Irã.

M.S. Robinson, presidente, Shell International Trading Company.

Gilbert Rutman, vice-presidente, Societé Nationale Elf Aquitaine.

Harold Saunders, secretário adjunto de Estado dos E. V.A. para o Oriente Próximo e sul da Ásia.

James Schlesinger, secretário de Defesa dos E.U.A.; Secretário da Energia dos E.U.A.

Ian Seymour, editor, *Middle East Economic Survey*.

Jesús Silva Herzog, ministro das Finanças, México.

Sir David Steel, presidente, British Petroleum.

Jack Sunderland, presidente, Aminoil.

Jean Syrota, diretor, Agência de Conservação de Energia, França.

Sir Peter Walters, presidente, British Petroleum.

Paul Walton, geólogo, Pacific Western.

Harold Wilson, primeiro-ministro, Grã-Pretanha.

Taylor Yoakam, Mesa Petroleum.

Eugene Zuckert.

Arquivos

Arquivos da Amoco, Chicago.

Arquivos da Chevron, São Francisco.

Arquivos da Gulf, Houston.

Arquivos da Shell International, Londres.

Secretaria de Registros Públicos, Kew Gardens, Londres (PRO).

> Ministério da Aeronáutica.
>
> Secretaria das Colônias.
>
> Ministério da Energia (incluindo o Departamento do Petróleo).
>
> Câmara de Comércio.
>
> Ministério da Guerra.
>
> Relações Exteriores.
>
> Chefia de Gabinete.
>
> Secretaria de Guerra.
>
> Conselho de Ministros.
>
> Gabinete do Primeiro-ministro.

Tesouro.

Almirantado.

Secretaria da Índia, Londres.

Arquivos Nacionais, Washington, D.C. (NA).

RG 234 Corporação de Fundos para Reconstrução.

RG 59 Departamento de Estado.

RG 218 Conjunto de Chefes de Gabinete.

Biblioteca Franklin D. Roosevelt, Hyde Park, Nova York.

Arquivo Oficial.

Agenda de Henry Morgenthau.

Agenda Presidencial de Henry Morgenthau.

Arquivo da Secretária do Presidente.

Documentos de Harry Hopkins.

Biblioteca Dwight D.Eisenhower, Abilene, Kansas.

Documentos de Christian Herter.

Documentos Presidenciais de Eisenhower (Arquivo de Ann Whitman).

Documentos de John Foster Dulles.

Biblioteca Harry S. Truman, Independence, Missouri.

Documentos de Ralf K. Davies.

Arquivo da Secretária do Presidente.

Biblioteca John F.Kennedy, Boston, Massachusetts.

Arquivos do Gabinete da Casa Branca.

Biblioteca Lyndon B. Johnson, Austin, Texas.

Arquivos da Segurança Nacional.

Documentos de Drew Pearson.

Arquivos Centrais da Casa Branca Arquivos de Assuntos.

Arquivos Confidenciais.

Arquivos de Nomes.

Documentos de Joseph Califano.

Documentos de Robson-Ross.

Documentos de Richard M. Nixon, Arquivos Nacionais.

Força-tarefa do Gabinete para Controle de Importação de Petróleo.

Arquivos Centrais da Casa Branca.

Arquivos Especiais da Casa Branca.

Arquivos Confidenciais.

Arquivos do Gabinete do Presidente.

Biblioteca Gerald Ford, Ann Arbor, Michigan.

Documentos do Conselho de Consultores Econômicos.

Documentos de Arthur F. Burns.

Documentos de Frank G. Zarb.

Arquivos Centrais da Casa Branca.

Arquivos de Manuscritos Presidenciais.

Arquivos do Gabinete da Casa Branca.

Documentos do Conselho de Recursos Energéticos

International Energy Agency, Paris.
Departamento de Energia do Reino Unido.
Entrevistas do Subcomitê Multinacional do Senado.
Documentos do Departamento de Estado dos E.U.A. (1970-80) (Liberdade de Informação).
Escola Nacional de Guerra, Washington, D.C.

Outras coleções de manuscritos

Documentos de Juan Pablo Pérez Alfonso, Caracas.
Documentos da Aramco, Centro do Oriente Médio, Oxford.
Centro de Arquivos Escritos da BBC, Reading.
Coleção de George Bissell, Dartmouth College.
Documentos de Sir John Cadman, Universidade de Wyoming.
Centro de Arquivos de Churchill, Cambridge, Inglaterra.
Coleção da Continental Oil, Universidade de Wyoming.
Documentos de Charles R. Crane, Centro do Oriente Médio, Oxford.
Documentos de Ralph K. Davies, Universidade de Wyoming.
Documentos de Everette Lee DeGolyer, Universidade Metodista do Sul.
Documentos de Henry L. Doherty, University de Wyoming.
Manuscrito do Coronel Drake, Museu Drake Well, Titusville, Penn.
Documentos de James Terry Duce, Universidade de Wyoming.
Documentos de Herbert Goodman.
Documentos de Joseph Grew, Universidade de Harvard.
Documentos de Harold L. Ickes, Biblioteca do Congresso.
Documentos de Wanda Jablonski.
Registros do caso *Joiner vs. Hunt*, Tribunal do distrito de Rusk County, Henderson, Texas.
Documentos de R.S. McBeth. Universidade do Texas em Austin.
Documentos de Philip C. McConnel, Instituição Hoover.
Documentos de A.J.Meyer, Universidade de Harvard.
Documentos das Companhias de Petróleo (caso antitruste do Departamento de Justiça),
     Biblioteca Baker, Escola de Administração de Harvard.
Coleção Pearson, Imperial College, Londres.
Documentos de H.St.J.B.Philby, Centro do Oriente Médio, Oxford.
Documentos de Mark L. Requa, Universidade de Wyoming.
Arquivos, Rockefeller Tarrytown, Nova York.
Coleção do Banco Rothschild, Arquivos Nationais, Paris.
Comissão Histórica de Rusk County, Henderson, Texas.
Documentos de W. B. Sharp, Universidade do Texas em Austin.
Documentos de Slade- Barker, Centro do Oriente Médio, Oxford.
Documentos de George Otis Smith, Universidade de Wyoming.
Agenda Stimson, Universidade de Yale.
Documentos de Ida Tarbell, Museu Drake Well, Titusville, Penn.

Documentos de James M. Townsend, Museu Drake Well, Titusville, Penn. Arquivos particulares.

Histórias orais

Winthrop Aldrich, Biblioteca Baker, Escola de Administração de Harvard.
James Doolittle, Universidade de Columbia.
Alan W. Hamill, Universidade do Taxas em Austin.
Curt G. Hamill, Universidade do Texas em Austin.
Patillo Higgins, Universidade do Texas em Austin.
James William Kinnear, Universidade do Texas em Austin.
E. C. Laster, Universidade do Texas em Austin.
Torkild Rieber, Universidade do Texas em Austin.

Outros

Middle East Economic Survey (MEES).
Petroleum Intelligence Weekly (PIW).
Grampian Television, *Oil.* Série em 8 capítulos para televisão, 1986.

Documentos do governo

Declassified Documents Reference System. Washington, D.C.: Carrollton, 1977-81, e Woodbridge, Conn.: Publicações de pesquisa, 1982-90.
Documents from the U.S. Espionage Den. Teerã: Centro para a Publicação do Documento do Refúgio de Espionagem dos E.U.A; [1986].
International Energy Agency. *Energy Policies and Programmes of IEA Countries.* Paris: IEA/OECD.
Panorama da Energia Mundial. Paris:IEA/OECD.
Japão. Ocupação Aliada. *Reports of General MacArthur: Japanese Operations in the Southwest Pacific Area.* 4 vols. Washington, D.C.: Exército dos E.U.A., 1966.
México. Secretaria de Programação e orçamento. *Antología de la Planeación en México* (1917-1985). Vol. 1, *Primeros Intentos de Planeación en México (1917-1946).* Cidade do México; Ministério do Orçamento e Planejamento, 1985.
Tribunais Militares de Nuremberg. *Trial of War Criminals.* Vols. 7-8. Washington, D.C.: GPO, 1952-53.
Pogue, Joseph E. e Isador Lubin. *Prices of Petroleum and Products.* Washington, D.C.: GPO, 1919.
Requa, Mark L. "Relatório da Divisão de Petróleo, 1917-1919." H.A. Garfield. *Final Report of the U.S. Fuel Administrator (1917-1919).* Washington, D.C.: GPO, 1921.
Reino Unido. Ministério dos Combustíveis e Energia. *Report on the Petroleum and Synthetic Oil Industry of Germany.* Londres: HMSO, 1947.

Reino Unido. Almirantado. Seção Geográfica da Divisão de Inteligência Naval. *Geology of Mesopotamia and Its Borderlands.* Londres: HMSO, 1920.

Exército dos E.U.A. Comando do Extremo Oriente. Seção de Inteligência *Militar Intelligence Series and Documentary Appendices.* Washington, D.C.: Biblioteca do Congresso, 1981. Microfilme.

Força-tarefa do Conselho para o Controle de Importação do Petróleo dos E.U.A. *The Oil Import Question: A Report on the Relationship of Oil Imports to the National Security.* Washington, D.C.: GPO, 1970.

Agência Central de Inteligência dos E.U.A. *CIA Research Reports: Middle East, 1946-1976.* Ed. Paul Kesaris. Frederick, Md.: University Publications of America, 1983. Microfilme.

Congresso dos E.U.A. Câmara dos Deputados. Comissão Parlamentar Permanente de Inteligência. Subcomissão de Avaliação. *Iran: Evaluation of U.S. Intelligence Performance Prior to November* 1978. Relatório do Gabinete. Washington, D.C.: GPO, 1979.

Congresso dos E.U.A. Comissão conjunta para Investigação do Ataque a Pearl Harbor. *Pearl Harbor: Intercepted Messages Sent by the Japanese Government Between July 1 and December* 8, 1941. 79º Cong. 1ª sess.Washington, D.C.: GPO, 1945.

_____. *Pearl Harbor Attack.* 79º Cong. 2ª sess.Washington, D.C.: GPO, 1946.

Congresso dos E.U.A. Senado. Comitê de Relação Exteriores. Subcomitê para Corporações Multinacionais. *A Documentary History of the Petroleum Reserves Corporation.* 93º Cong. 2ª sess. Washington,D.C.:GPO, 1974.

_____. *The International Petroleum Cartel, the Iranian Consortium and U.S. National Security.* 93º Cong 2ª sess. Washington, D.C.: GPO, 1974.

_____. *Multinational Corporations and United States Foreign Policy.* 93º Cong. 1ª sess. Washington, D.C.:GPO, 1975 (Audiências de Multinacionais).

_____. *Multinational Oil Corporations and U.S. Foreign Policy.* 93º Cong. 2ª sess. Washington D.C.: GPO, 1975.

_____. *U.S. Oil Companies and the Arab Oil Embargo: The International Allocation of Constricted Supply.* Gráfica do Comitê. Washington, D.C.: GPO, 1975.

Congresso dos E.U.A. Senado. Comitê de Operações do Governo. Subcomitê Permanente de Investigações. *Current Energy Shortages Oversight Series.* 93º Cong. 1ª sess.Washington D.C.: GPO, 1974.

Congresso dos E.U.A. Senado. Comitê para o Judiciário. Subcomitê para Antitruste e Monopólio. *Petroleum, the Antitrust Laws and Government Policies.* 85º Cong. 1ª sess. Washington, D.C.: GPO, 1957.

Congresso dos E.U.A. Senado. Comissão Parlamentar para Pequenas Empresas. Subcomitê para o Monopólio. *The International Petroleum Cartel: Staff Report to the Federal Trade Commission.* 82º Cong. 2ª sess.Washington, D.C.: GPO, 1952 *(FTC, International Petroleum Cartel).*

Congresso dos E.U.A. Senado. Comitê Especial de Investigação dos Recursos do Petróleo. *Investigation of Petroleum Resources.* 79º Cong. 1ª e 2ª sess. Washington, D.C.: GPO, 1946.

Congresso dos E.U.A. Senado. Comitê Especial de Investigação do Programa de Defesa Nacional. *Investigation of the National Defense Program.* Parte 11, *Rubber.* 77º Cong. 1ª sess. Parte 41, *Petroleum Arrangements with Saudi Arabia.* 80º Cong. 1ª sess. Washington, D.C.: GPO, 1948.

Congresso dos E.U.A. Senado. Subcomitês do Comitê para o Judiciário e Comitê para Negócios Internos e Insulares. *Emergency Oil Lift Program and Related Oil Problems.* 85º Cong. 1ª sess. Washington, D.C.: GPO, 1957.

Congresso dos E.U.A. Senado. Subcomitê do Comitê para as Indústrias. *High Cost of Gasoline and Other Petroleum Products.* 67º Cong. 2ª e 4ª sess. Washington, D.C.: GPO, 1923.

Departamento do Interior dos E.U.A. *An Analysis of the Economic and Security Aspects of the Trans-Alaskan Pipeline.* Washington, D.C.: GPO, 1971.

Departamento de Justiça dos E.U.A. Divisão Antitruste. *Report of the Department of Justice to the President Concerning the Gasoline Shortage of 1979.* Washington, D.C.: GPO, 1980.

Departamento de Estado dos E.U.A. *Foreign Relations of the United States.* Washington, D.C.: GPO 1948-90 (FRUS).

Administração da Cooperação Econômica dos E.U.A. Programa de Recuperação Europeia. *Petroleum and Petroleum Equipment Commodity Study.* Washington, D.C.: GPO, 1949.

Comissão Federal de Comércio dos E.U.A. *Foreign Ownership in the Petroleum Industry.* Washington, D.C.: GPO, 1923.

_____. *Prices, Profits, and Competition in the Petroleum Industry.* Washington, D.C.: GPO, 1928.

Equipe de Resposta Nacional dos E.U.A. *The Exxon Valdez Oil Spill: A Report to the President from Samuel K. Skinner and William K. Reilly.* Maio, 1989.

Conselho de Segurança Nacional dos E.U.A. *Documents of the NSC, 1947-77.* Ed. Paul Kesaris. Washington, D.C. e Frederick, Md.: University Publications of America, 1980-87. Microfilme.

_____. *Minutes of Meetings of the NSC, with Special Advisory Reports.* Ed. Paul Kesaris. Frederick, Md.:Publicações universitárias da America, 1982. Microfilme.

Secretaria de Serviços Estratégicos e Departamento de Estado dos E.U.A. *O.S.S./State Department Intelligence and Research Reports.* Ed. Paul Kesaris. Washington, D.C.: Publicações Universitárias da America, 1979. Microfilme.

Administração de Petróleo para a Guerra dos E.U.A. *Petroleum in War and Peace.* Washington, D.C.: PAW, 1945.

Presidente dos E.U.A. *Public Papers of the Presidents of the United States: Jimmy Carter, 1977.* Washington D.C.: GPO, 1978.

Levantamento do Bombardeio Estratégico dos E.U.A. Divisão de Produtos Químicos e Petróleo. *Oil in Japan's War.*Washington, D.C.: USSBS, 1946.

_____. Divisão de Petróleo. *Final Report.* 2ª ed.Washington, D.C.: USSBS, 1947.

_____. Divisão de Efeitos Econômicos Globais. *The Effects of Strategic Bombing on Japan's War Economy.*Washington, D.C.: GPO, 1946.

_____. Divisão de Efeitos Econômicos Globais. *The Effects of Strategic Bombing on the German War Economy.*Washington, D.C.: USSBS, 1945.

Levantamento do Bombardeio Estratégico (Pacífico) dos E.U.A. Divisão de Análise Naval. *Interrogations of Japanese Officials.* 2 vols. Washington, D.C.: USSBS, *[1945].*

Comissão de Tarifas dos E.U.A. *War Changes in Industry.* Relatório 17, *Petroleum.* Washington, D.C.: GPO, 1946.

Comissão de Produção Bélica dos E.U.A. *Industrial Mobilization for War: History of the War Production Board and Predecessor Agencies, 1940-1945.* Vol. I, *Program and Administration.* Washington, D.C.: GPO, 1947.

Woodward, E. L. e Rohan Butler. *Documents on British Foreign Policy, 1919-1939.* 3 séries. Londres; HMSO,1946-86.

Livros, artigos e dissertações selecionados

Abir, Mordechai. *Saudi Arabia in the Oil Era: Regime and Elites; Conflict and Collaboration*. Londres: Croom Helm, 1988.

Abrahamian, Ervand. *Iran Between Two Revolutions*. Princeton: Princeton University Press, 1982.

Acheson, Dean. *Present at the Creation: My Years in the State Department*. Nova York: New American Library, 1970.

Adelman, M. A. "O Racionamento de Petróleo é Real? Companhias de Petróleo como Coletoras de Impostos da OPEP". Foreign Policy (Inverno, 1972-73): 69-108.

_____. *The World Petroleum Market*. Baltimore: Johns Hopkins University Press, 1972.

Agawa, Hiroyuki. *The Reluctant Admiral: Yamamoto and the Imperial Navy*. Trad. John Bester. Tóquio: Kodansha International, 1979.

Ajami, Fouad. *The Arab Predicament: Arab Political Thought and Practice Since 1967*. Cambridge: CambridgeUniversity Press, 1981.

Akin, Edward N. *Flagler: Rockefeller Partner and Florida Baron*. Kent, Ohio: Kent State University Press,1988.

Akin, James E. "A Crise do Petróleo: Desta Vez o Lobo esta Aqui." *Foreign Affairs* 51 (Abril, 1973): 462-490.

Alexander, Yonah e Allan Nanes, eds. *The United States and Iran: A Documentary History*. Frederick, Md.:University Publications of America, 1980.

Alfonzo, Juan Pablo Pérez. *Hundiéndos en el Excremento del Diablo*. Caracas; Colleción Venezuela Contemporánea,1976.

_____. *El Pentágono Petrolero*. Caracas; Ediciones RevistaPolitica, 1967.

Almana, Mohammed. *Arabia Unified: A Portrait of Ibn Saud*. Londres: Hutchinson Benham, 1980.

Ambrose, Stephen E. *Eisenhower*, 2 vols. Nova York: Simon and Schuster, 1983-84.

_____. *The Supreme Commander: The War Years of General Dwight D. Eisenhower*. Garden City, N.Y.: Doubleday,1970.

American Bar Association, Seção da Lei do Minério. *Legal History of Conservation of Oil and Gas: A Symposium*. Chicago: American Bar Association, 1939.

Anderson, Irvine H. *Aramco, the United States, and Saudi Arabia: A Study of the Dynamics of Foreign Oil Policy,1933-1950*. Princeton: Princeton University Press, 1981.

_____. *The Standard-Vacuum Oil Company and United States East Asian Policy, 1933-1941*. Princeton: Princeton University Press, 1975.

Anderson, Robert O. *Fundamentais of the Petroleum Industry*. Norman: University of Oklahoma Press, 1984.

Arnold, Ralph, George A. Macready e Thomas W. Barrington. *The First Big Oil Hunt: Venezuela, 1911-1916*. NovaYork: Vantage Press, 1960.

Arthur Andersen & Co. e Cambridge Energy Research Associates. *The Future of Oil Prices: The Perils of Prophecy*. Houston: 1984.

Asbury, Herbert. *The Golden Flood: An Informal History of America's First Oil Field*. Nova York: Alfred A. Knopf,1942.

Ashworth, William. *The History of the British Coal Industry*. Vol. 5, *1946-1982: The Nationalized Industry*. Oxford: Clarendon Press, 1986.

Asprey, Robert B. *The First Battle of the* Marne. Reimpressão. Westport, Conn.: Greenwood Press, 1979.

Assiri, Abdul-Reda. *Kuait's Foreign Policy: City-State inWorld Politics.* Boulder, Colo.: Westview Press, 1990.

Bacon, R.H. *The Life of Lord Fisher of Kilverstone.* 2 vols. Garden City, N.Y.: Doubleday, Doran, 1929.

Badger, Daniel e Robert Belgrave. *Oil Supply and Price: What Went Right in 1980?* Londres: Policy Studies Institute, 1982.

Bain, Joe S. *The Economics of the Pacific Coast Petroleum Industry.* 3 partes. Berkeley: University of California Press, 1944-47.

Bakhash, Shaul. *The Reign of the Ayatollahs: Iran and the Islamic Revolution.* Nova York: Basic Books, 1984.

Bardou, Jean-Pierre, Jean-Jaques Chanaron, Patrick Fridensone James M. Laux. *The Automobile Revolution: The Impact of an Industry.* Trad. James M. Laux. Chapel Hill:University of North Carolina Press, 1982.

Barnhart, Michael A *Japan Prepares for Total War: The Search for Economic Security, 1919-1941.* Ithaca, N.Y.:Cornell University Press, 1987.

_____. "A Segurança Econômica do Japão e as Origens da Guerra no Pacífico." *Journal of Strategic Studies* 4 (Junho, 1981): 105-24.

Bates, J. Leonard. *The Grigins of Teapot Dome: Progressives, Parties, and Petroleum, 1990-1921.* Urbana: University of Illinois Press, 1963.

_____. "O Escândalo de Teapot Dome e a Eleição de 1924. "*American Historical Review* 55 (Janeiro, 1955): 303-22.

Beaton, Kendall. "O Querosene do dr. Gesner: Início da Refinação de Petróleo Americano." *Business History Review* 29 (Março, 1955): 28-53.

_____. *Enterprise in Oil: A History of Shell in the United States.* Nova York: Appleton-Century-Crofts,1957.

Beck, Peter J. "A Disputa Anglo-persa pelo Petróleo de 1932-33." *Journal of Contemporary History* 9 *(Outubro,1974):* 123-51.

Beeby-Thompson, A. *Oil Field Development and Petroleum Mining.* Londres: Crosby Lockwood, 1916.

_____. *The Oil Fields ofRussian Petroleum Industry.* 2ª ed. Londres: Crosby Lockwood, 1908.

_____. *Oil Pioneer.* Londres: Sidgwick and Jackson, 1961.

Belasco, Warren James. *Americans on the Road: From Autocamp to Motel, 1910-1945.* Cambridge: MIT Press, 1979.

Benn, Anthony. *Against the Tide: Diaries, 1973-76.* Londres: Hutchinson, 1989.

Bentley, Jerome Thomas. "Os Efeitos da Integração Vertical da Standard Oil no Sistema de Transportes sobre a Estrutura e Desempenho da Indústria Americana do Petróleo, 1872-1884." Dissertação de Doutorado, University of Pittsburgh, 1976.

Bérenger, Henry. *Le Pétrole et la France.* Paris: Flammarion, 1920.

Bergengren, Erik. *Alfred Nobel: The Man and His Work.* Trad. Alan Blair. Londres: Thomas Nelson, 1960.

Betancourt, Romuıo. *Venezuela: Oil and Politics.* Trad. Everett Bauman. Boston: Houghton Mifflin, 1979.

_____. *Venezuela's Oil*. trad. Donald Peck. Londres: George Allen & Unwin, 1978.

Betts, Richard R. *Nuclear Blackmail and Nuclear Balance.*Washington, D.C.: Brookings Institution, 1987.

Bill, James A. *The Eagle and the Lion: The Tragedy of American-Iranian Relations*. New Haven: Yale University Press, 1988.

Bill, James A. e William Roger Louis, eds. *Mossadiq, Iranian Nationalism, and Oil*. Londres: I. B. Tauris, 1988.

Blair, Clay, Jr. *Silent Victory: The U.S. Submarine War Against Japan*. Filadélfia: J. B. Lippincott, 1975.

Blair, John M. *The Control of Oil*. Nova York: Pantheon, 1976.

Blum, John Morton. *From the Morgenthau Diaries*. 3 vols. Boston: Houghton Mifflin, 1959-67.

Blumenson, Martin. *Patton: The Man and the Legend, 1885-1945*. Nova York: William Morrow, 1985.

_____. ed. *The Patton Papers*. 2 vols. Boston: Houghton Mifflin, 1972-74.

Boatwright, Mody C. e William A. Owen. *Tales from the Derrick Floor*. Garden City, N. Y.: Doubleday, 1970.

Bonine, Michael E. e Nikkie R. Keddie, eds. *Continuity and Change in Modern Iran*. Albany, N.Y.: State University of New York Press, 1981.

Borkin, Joseph. *The Crime and Punishment of I.G. Farben*. Nova York: Free Press, 1978.

Bowie, Robert R. *Suez 1956*. Londres; Oxford University Press, 1974.

Bradley, Omar N. *A Soldier's Story*. Nova York: Henry Holt, 1951.

Brady, Kathleen. *Ida Tarbell: Portrait of a Muckracker*. Nova York: Seaview Putnan, 1984.

Brands, H. W. "A Conexão Cairo-Teerã na Rivalidade Anglo-americana no Oriente Médio, 1951-1953." *International History Review* 11 (Agosto 1989): 434-56.

_____. Por dentro da Guerra Fria: *Loy Henderson and the Riseof the American Empire, 1918-1961*. Oxford: Oxford University Press, no prelo.

Brenner, Anita. *The Wind That Swept Mexico: The History of the Mexico Revolution, 1910-1942*. 1943. Reimpressão.Austin: University of Texas Press, 1971.

Brewster, Kingman, Jr. *Antitrust and American Business Abroad*. Nova York: McGraw-Hill, 1958.

Bright, Arthur A. Jr. *The Eletric Lamp Industry: Technological Change and Economic Development from 1800 to 1947*. Nova York: Macmillan, 1949.

Bringhurst, Bruce. *Antitrust and the Oil Monopoly: The Standard Oil Cases, 1890-1911*. Westport, Conn.: Greenwood Press, 1979.

Brodie, Bernard. "A Segurança Americana e o Petróleo Estrangeiro." *Foreign Policy Reports* 23 (1948): 297-312.

Brown, Benjamin e Daniel Yergin. "Synfuels 1979." Projeto, Kennedy School of Govemment, Harvard University, 1981.

Brown, Jonathan C. "Política Interna e Investimento Estrangeiro: Desenvolvimento Britânico do Petróleo Mexicano, 1889-1911." *Business History Review* 61 (Outono, 1987): 387-416.

_____. "Jersey Standard e a Política de Produção Latino-americana de Petróleo, 1911-1930." *Latin American Oil Companies and the Politics of Energy*, ed. John D.Wirth. Lincoln: University of Nebraska Press, 1985.

_____. "Por que as Companhias de Petróleo Estrangeiras Deslocaram Sua Produção do México para a Venezuela durante os anos 20". *American Historical Review* 90 (Abril, 1985): 362-385.

Bryant, Arthur. *The Turn of the Tide: A History of the War Years Based on the Diaries of Field-Marshall Lord Alanbrooke.* Garden City, N.Y.: Doubleday, 1957.

Brzezinski, Zbigniew. *Power and Principle: Memoirs of the National Security Adviser, 1977-1981.* Ed. rev. Nova York: Farrar Straus Giroux, 1985.

Bullock, Alan. *Ernest Bevin: Foreign Secretary, 1945-1951.* Londres: Heinemann, 1984.

_____. *Hitler: A Study in Tyranny.* Ed. rev. Nova York: Harper& Row, 1964.

Bupp, I.C., Joseph Stanislaw e Daniel Yergin. "Quanto pode Baixar? A Dinâmica dos Preços do Petróleo." Cambridge Energy Research Associates Report, Maio, 1985.

Busch, Briton Cooper. *Britain and the Persian Gulf.* Berkeley: University of California Press, 1967.

_____. *Britain, India, and the Arabs, 1914-1921.* Berkeley: University of California Press, 1971.

Bush, George com Victor Gold. *Looking Forward: An Autobiography.* Nova York: Bantam, 1988.

Business History Review, ed. *Oil's First Century.* Boston: Harvard Business School, 1960.

Butow, Robert J.C. *Japan's Decision to Surrender.* Stanford: Stanford University Press, 1954.

_____. *Tojo and the Coming of the War.* Stanford: Stanford University Press, 1961.

Caldwell, Martha Ann. "A Política do Petróleo no Japão: o Estado e a Indústria em um Contexto Político em Transformação". Dissertação de Doutorado, University of Wisconsin em Madison, 1981.

Cambridge Energy Research Associates. *Energy and the Environment: The New Landscape of Public Opinion.*Cambridge: Cambridge Energy Research Associates, 1990.

Carell, Paul. *Hitler Moves East, 1941-1943.* trad. Ewald Osers. Boston: Little, Brown, 1965.

Carré, Henri. *La Veritable Histoire des Taxis de La Mame.* Paris: Librairie Chapelot, 1921.

Caro, Robert. *The Years of Lyndon Johnson: The Path to Power.* Nova York: Alfred A. Knopf, 1982.

Carter, Jimmy. *Keeping Faith: Memoirs of a President.* Londres: Collins, 1982.

Chair, Somerset de. *Getty on Getty: A Man in a Billion.* Londres: Cassell, 1989.

Al-Chalabi, Fadhill. *OPEC and the International Oil Industry: A Changing Structure.* Oxford: Oxford University Press, 1980.

_____. *OPEC at the Crossroads.* Oxford: Pergamon, 1989.

Chandler, Alfred D. Jr. *Strategy and Structure: Chapters in the History of the American industrial Enterprise.* Cambridge: MIT Press, 1962.

_____. *The Visible Hand: The Managerial Revolution in American Business.* Cambridge: Harvard University Press, 1977.

Chandler, Alfred D., Jr. e Stephen E. Ambrose, eds. *The Papers of Dwight David Eisenhower.* Vol. 4, *The War Years.* Baltimore: Johns Hopkins University Press, 1970.

Chandler, Geoffrey. "A Inocência das Companhias de Petróleo." *Foreign Policy* (Verão, 1977): 52-70.

Chazeau, Melvin G. de e Alfred E. Kahn. *Integration and Competition in the Petroleum Industry.* New Haven: Yale University Press, 1959.

Chester, Edward W. *United States Oil Policy and Diplomacy: A Twentieth-Century Overview.* Westport, Conn.: Greenwood Press, 1983.

Chisholm, Archibald H. T. *The First Kuait Oil Concession Agreement: A Record of the Negotiations, 1911-1934.* Londres: Frank Cass, 1975.

Christopher, Warren, Harold H. Saunders, et al. *American Hostages in Iran: The Conduct of a Crisis.* New Haven: Yale University Press, 1985.

Churchill, Randolph S. *Winston S. Churchill.* Vols. 1-2. 1966-67.

Churchill, Winston S. *The World Crisis.* 4 vols. Nova York: Charles Scribner's Sons, 1923-29.

Cicchetti, Charles J. *Alaskan Oil: Alternative Routes and Markets.* Baltimore: Resources for the Future, 1972.

Clark, Alan. *Barbarossa: The Russian-German Conflict, 1941-1945.* 1965, Reimpressão. Londres: Macmillan, 1985.

Clark, James A. e Michael T. Halbouty. *Spindletop.* Nova York: Random House, 1952.

_____. *The Last Boom.* Fredericksburg, Tex.: Shearer Publishing, 1984.

Clark, John G. *Energy and the Federal Government: Fossil Fuel Policies, 1900-1946.* Urbana: University of Illinois Press, 1987.

Cohen, Jerome B. *Japan's Economy in War and Reconstruction.* Minneapolis: University of Minnesota Press, 1949.

Cohen, Stuart A. "Um Aspecto Ainda Mais Estranho de Suez: Planos Operacionais Britânicos para Atacar Israel, 1955-56." *International History Review* 10 (Maio, 1988): 261-81.

Cole, Hugh M. *The Ardennes: Battle of the Bulge.* Washington, D.C.: Departamento do Exército, 1965.

Colitti, Marcello. *Energia e Sviluppo in Itália: La Vicenda de Enrico Mattei.* Bari: De Donata, 1979.

Coll, Steve. *The Taking of Getty Oil.* Nova York: Atheneum,1987.

Collier, Peter e David Horowitz. *The Rockefellers: An American Dinasty.* Nova York: Holt, Rinehart and Winston, 1976.

Cone, Andrew e Walter R. Johns. *Petrolia: A Brief History of the Pennsylvania Petroleum Region.* Nova York: D.Appleton, 1870.

Continental Oil Company. *Conoco: The First One Hundred Years.* Nova York: Dell, 1975.

Cooper, Chester L. *The Lion's Last Roar: Suez, 1956.* NovaYork: Harper & Row, 1978.

Cordesman, Anthony H. *The Gulf and the West: Strategic Relations and Military Realities.* Boulder, Colo.: Westview Press, 1988.

Corley, T.A.B. *A History of the Burmah Oil Company* Vol. 1, 1886-1924. Vol. 2, 1924-1966. Londres: Heinemann,1983-88.

Coronel Gustavo. *The Nationalization of the Venezuelan Oil Industry: From Technocratic Success to Political Failure.* Lexington, Mass.: Lexington Books, 1983.

Costello, John. *The Pacific War.* Nova York: Quill, 1982.

Cotner, Robert C. *James Stephen Hogg.* Austin: University of Texas Press, 1959.

Cottam, Richard W. *Iran and the United States: A Cold War Case Study.* Pittsburgh; University of Pittsburgh Press, 1988.

_____. *Nationalism in Iran.* 2a ed. Pittsburgh Press, 1979.

Cowhey, Peter F. *The Problems of Plenty: Energy Policy and International Politics.* Berkeley: University of California Press, 1985.

Craven, Wesley Frank e James Lea Cate. *The Army Air Forces in World War II.* 7 vols. Chicago: University of Chicago Press, 1948-58.

Crowley, James B. *Japan's Quest for Autonomy: National Security and Foreign Policy, 1930-1938.* Princeton: Princeton University Press, 1966.

Cusamano, Michael A. *The Japanese Automobile Industry: Technology and Management at Nissan and Toyota.* Cambridge: Harvard University Press, 1985.

Dallek, Robert. *Franklin D. Roosevelt and American Foreign Policy, 1932-1945.* Oxford: Oxford University Press, 1981.

Dann, Uriel, ed. *The Great Powers in the Middle East, 1919-1939*. Nova York e Londres: Holmes & Meier 1988.

Darrah, William C. *Pithole: The Vanished City*. Gettysburg, Pa., 1972.

Dawidowicz, Lucy S. *The War Against the Jews, 1933-1945*. Nova York: Bantam, 1976.

Dedmon, Emmett. *Challenge and Response: A Modern History of Standard Oil Company (Indiana)*. Chicago: Mobium Press, 1984.

Delaisi, Francis. *Oil: Its Influence on Politics*. trad. C. Leonard Leese. Londres: Labour Publishing and George Allen & Unwin, 1922.

Denny, Ludwell. *We Fight for Oil*. 1928. Reimpressão.Westport, Conn.: Hyperion, 1976.

De Novo, John. *American Interests and Policies in the Middle East, 1900-1939*. Minneapolis: University of Minnesota Press,1963.

_____. "O Movimento para uma Política Americana Agressiva do Petróleo no Exterior, 1918-1920." *American Historical Review* 61 *(Julho*, 1956): 854-76.

_____. "O Petróleo e a marinha dos Estados Unidos Antes da I Guerra Mundial." *Mississippi Valley Historical Review* 41 (Março, 1955): 641-56.

Destler, Chester McArthur. *Roger Sherman and the Independent Oil Men*. Ithaca: Cornell University Press, 1967.

Deterding, Henri. *An International Oilman* (conforme relatado a Stanley Naylor). Londres e Nova York: Harper and Brothers, 1934.

Deutscher, Isaac. *Stálin: A Political Biography*. 2a ed. Nova York: Oxford University Press, 1966.

Dickson, H.R.P. *Kuait and Her Neighbors*. Londres: George Allen & Unwin, 1956.

Dixon, D.F. "Comercialização da Gasolina nos Estados Unidos-Os Primeiros Cinquenta Anos." *Journal of Industrial Economics* 13 (Novembro, 1964): 23-42.

_____. "O Aumento da Competição entre as Companhias Standard Oil nos Estados Unidos, 1911 1961." *Business History* 9 (Janeiro, 1967): 1-29.

Dower, John W. *War Without Mercy: Race and Power in the Pacific War*. Nova York: Pantheon, 1986.

Earle, Edward Mead. "A Companhia de Petróleo Turca-Um Estudo de Diplomacia Petrolífera". *Political Science Quarterly* 39 (Junho 1924): 265-79.

Eaton, S. J. M. *Petroleum: A History of the Oil Region of Venango County, Pennsylvania*. Filadélfia: J. P. Skelly & Co., 1866.

Eddy, William A. *F.D.R. Meets Ibn Saud*. Nova York: American Friends of the Middle East, 1954.

Eden, Anthony. *Memoirs*. 3 vols. Londres: Cassell, 1960-65.

Eden, Richard, Michael Posner, Richard Bending, Edmund Crouch e Joseph Stanislaw. *Energy Economics: Growth, Resources, and Policies*. Cambridge: Cambridge University Press, 1981.

Eisenhower, David. *Eisenhower at War, 1943-1945*. Nova York: Random House, 1986.

Eisenhower, Dwight D. *At Ease: Stories I Tell to Friends*. Garden City, N.Y.: Doubleday, 1967.

_____. *The White House Years*. 2 vols. Garden City, N.Y.: Doubleday, 1936-65.

_____. *Crusade in Europe*. Garden City, N.Y.: Doubleday,1948.

Eisenhower, John S. D. *The Bitter Woods*. Nova York: G. P.Putnan's Sons, 1969.

Eizenstat, Stuart E. "O Plano para a Energia de 1977: M.E.O.W." Anotações para a Kennedy School of Government, Harvard University.

Elwell-Sutton, L.P. *Persian Oil: A Study in Power Politics.Londres:* Laurence and Wishart, 1955.

Engler, Robert. *The Brotherhood of Oil: Energy Policy and the Public Interest*. Chicago: University of Chicago Press, 1977.

_____. *The Politics of Oil: A Study of Private Power and Democratic Directions.* Nova York: Macmillan, 1961.

Erickson, John. *The Road to Stálingrad.* London: Panther, 1985.

Esser, Robert. "A Corrida da Capacidade: O Futuro do Suprimento Mundial de Petróleo." Cambridge Energy Research Associates Report, 1990.

Eveland, Wilbur Crane. *Ropes of Sand: America's Failure in the Middle East.* Nova York: W.W. Norton, 1980.

Ezell, John S. *Innovations in Energy: The Story of Kerr-McGee.* Norman: University of Oklahoma Press, 1979.

Fabricus, Johan. *East Indies Episode.* Londres: Shell Petroleum Company, 1949.

Fanning, Leonard M. *American Oil Operations Abroad.* Nova York: McGraw-Hill, 1947.

_____. *The Story of the American Petroleum Institute.* Nova York: World Petroleum Policies, [1960].

Faure, Edgar. *La Politique Française du Pétrole.* Paris: Nouvelle Revue Critique, 1938.

Fayle, C. Ernest. *Seaborne Trade.* 4 vols. Londres: John Murray, 1924.

Feis, Herbert. *Petroleum and American Foreign Policy.* Stanford: Food Research Institute, 1944.

_____. *The Road to Pearl Harbour: The Coming of War Between the United States and Japan.* Princeton: Princeton University Press, 1950.

_____. *Seen from E.A.: Three International Episodes.* Nova York: Alfred A. Knopf, 1947.

Ferrier, R.W. *The History of the British Petroleum Company.* Vol. 1, *The Developing Years, 1901-1932.* Cambridge: Cambridge University Press, 1982.

Finer, Herman. *Dulies over Suez: The Theory and Practice of His Diplomacy.* Chicago: Quadrangle Books, 1964.

First, Ruth. *Lybia: The Elusive Revolution.* Londres: Penguin Books, 1974.

Fischer, Louis. *Oil Imperialism: The International Struggle for Petroleum.* Nova York: International Publishers, 1926.

Fischer, John Arbuthnot. *Fear God and Dread Nought: The Correspondence of Admiral of the Fleet Lord Fisher of Kilverstone.* 2 vols. Ed. Arthur J. Marder. Cambridge: Harvard University Press, 1952.

_____. *Memories.* Londres: Hodder and Stoughton, 1919.

_____. *Records.* Londres: Hodder and Stoughton, 1919.

Fishman, Robert. *Bourgeois Utopias: The Rise and Fall of Suburbia.* Nova York: Basic Books, 1987.

Flink, James J. *America Adopts the Automobile, 1895-1910.* Cambridge: MIT Press, 1970.

_____. *The Automobile Age.* Cambridge: MIT Press, 1988.

Flynn, John T. *God's Gold: The Story of Rockefelier and His Times.* Nova York: Harcourt, Brace, 1932.

Foley, Paul. "Problemas com o Petróleo da Guerra Mundial:Estudo de Logística Prática." *United States Naval Institute Proceedings* 50 (Novembro, 1924): 1802-32.

Forbes, R. J. *Bitumen and Petroleum in Antiquity.* Leiden: E.J. Brill, 1936.

_____. *More Studies in Early Petroleum History, 1860-1880.* Leiden: E. J. Brill, 1959.

_____. *Studies in Early Petroleum History.* Leiden: E. J.Brill, 1958.

Forbes, R. J. e D. R. O'Beirne. *The Technical Development of the Royal Dutch-Shell, 1890-1940.* Leiden: E. J. Brill,1957.

Frankel, Paul. *Common Carrier of Common Sense: A Selectionof His Writings, 1946-1980.* Ed. lan Skeet, Oxford University Press, 1989.

_____. *The Essentials of Petroleum: A Key to Oil Economics.* Nova ed. Londres: Frank Cass, 1969.

_____. *Mattei: Oil and Power Politics.* Nova York e Washington: Praeger, 1966.

_____. "O Fornecimento de Petróleo Durante a Crise de Suez: Enfrentando uma Emergência Política." *Journal of Industrial Economics* 6 (Fevereiro, 1958):85-100.

Frey, John W. e H. Chandler Ide. *A History of the Petroleum Administration for War, 1941-1945.* D.C.: GPO, 1946.

Friedman, Thomas L. *From Beirut to Jerusalem.* Nova York: Farrar Straus Giroux, 1989.

Fromkin, David. *A Peace to End All Peace: Creating the Modern Middle East, 1914-1922.* Nova York: Henry Holt &Co., 1989.

Fuller, J.F.C. *Tanks in the Great War, 1914-1918.* Londres: John Murray, 1920.

Fursenko, A.A., *Neftianye Tresty i Mirovaia Politika: 1980-egody-1918 god.* Moscou: Nauka, 1965.

Galbraith; John Kenneth. *A Life in Our Times: Memoirs.* Boston: Houghton Mifflin, 1981.

Garthoff, Raymond. *Detente and Confrontation: American-Soviet Relations From Nixon to Reagan.* Washington, D.C.: Brookings Institution, 1985.

Gasiorowski. Mark T. "O Golpe de Estado de 1953 no Irã." *International Journal of Middle Eastern Studies* 19 (1987): 261-86.

George-Picot, Jacques. *The Real Suez Crisis: The End of a Great Nineteenth Century Work.* Trad. W.G. Rogers. Nova York; Hartcourt Brace Jovanovich, 1978.

Gerretson, F.C. *History of the Royal Dutch.* 4 vols. Leiden: E. J. Brill, 1953-57.

Gesner, Abraham. *A Pratical Treatise on Coal, Petroleum, and Other Distilled Oils.* Ed. George W. Gesner. Nova York: Bailliere Bros., 1865.

de Geus, Arie P. "Planejar como Aprendizado." *Harvard Business Review* 66 (março-abril, 1988): 70-74.

Gibb, George Sweet e Evelyn H. Knowlton. *History of Standard Oil Company (New Jersey).* Vol. 2, *The Resurgent Years 1911-1927.* Nova York: Harper & Brothers, 1956.

Giddens, Paul H. *The Beginnings of the Petroleum Industry: Sources and Bibliography.* Harrisburg, Pa.: Pennsylvania Historical Commission, 1941.

_____. *The Birth of the Oil Industry.* Nova York: Macmillan, 1938.

_____. *Early Days of Oil: A Pictorial History of the Beginnings of the Industry in Pennsylvania.* Princeton: Princeton University Press, 1948.

_____. *Pennsylvania Petroleum, 1750-1872: A Documentary History.* Titusville, Pa.: Pennsylvania Historical and Museum Commission, 1947.

_____. *Standard Oil Company (Indiana): Oil Pioneer inthe Middle West.* Nova York: Appleton--Century-Crofts,1955.

Giebelhaus, August W. *Business and Government in the Oil Industry: A Case Study of Sun Oil, 1876-1945.* Greenwich, Conn.: JAI Press, 1980.

Gilbert, Martin. *Winston S. Churchill.* vols. 5-8. Boston: Houghton Mifflin, 1977-88.

Gille, Betrand. "Capitaux français et pétroles russes (1884-1894)." *Histoire des Entreprises* 12 (Novembro,1963): 9-94.

Gillespie, Angus Kress e Michael Aaron Rockland. *Looking for America on the New Jersey Turnpike.* New Brunswick: Rutgers University Press, 1989.

Gillingham, John R. *Industry and Politics in the Third Reich: Ruhr Coal, Hitler and Europe.* Londres: Methuen, 1985.

Goldberg, Jacob. *The Foreign Policy of Saudi Arabia: The Formative Years, 1902-1918.* Cambridge: Harvard University Press, 1986.

Goodwin, Craufurd D., ed. *Energy Policy in Perspective: Today's Problems, Yesterday's Solutions.* Washington, D.C.: Brookings Institution, 1981.

Goralski, Robert e Russel W. Freeburg. *Oil & War: How the Deadly Struggle for Fuel in WWII Meant Victory or Defeat.* Nova York: William Morrow, 1987.

Gould, Lewis L. *Reform and Regulation: American Politics, 900-1916.* Nova York: John Wiley, 1978.

Goulder, Grace. *John D. Rockefeller: The Cleveland Years.*Cleveland: Western Reserve Historical Society, 1972.

Graham, Robert. *Iran: The Illusion of Power.* Nova York: St. Martin's Press, 1979.

Grayson, George W. *The Politics of Mexican Oil.* Pittsburgh: University of Pittsburgh Press, 1980.

Greene, William N. *Strategies of the Major Oil Companies.* Ann Arbor, Mich.: UMI Research, 1982.

Greider, William. *Secrets of the Temple: How the Federal Reserve Runs the Country.* Nova York: Touchstone, 1989.

Gulbenkian, Nubar. *Portrait in Oil.* Nova York: Simon and Schuster, 1965.

Gulliford, Andrew. *Boomtown Blues: Colorado Oil Shale, 1885-1985.* Niwot, Colo.: University Press of Colorado, 1989.

Gustafson, Thane. *Crisis amid Plenty: The Politics of Soviet Energy Under Brezhnev and Gorbachev.* Princeton: Princeton University Press, 1989.

Halasz, Nicholas. *Nobel: A Biography of Alfred Nobel.* New York: Orion Press, 1959.

Halberstam, David. *The Reckoning.* Nova York: Morrow, 1986.

Halder, Franz. *The Halder Diaries.* 2 vols. Boulder, Colo.: Westview Press, 1976.

Halliday, W. Trevor. *John D. Rockefeller, 1839-1937: Industrial Pioneer and Man.* Nova York: Newcomen Society, 1948.

Hamiliton, Adrian. *Oil: The Price of Power.* Londres: Michaell/Rainbird, 1986.

Hamilton, Nigel. *Monty.* 3 vols. Londres: Sceptre, 1984-1987.

Hammer, Armand com Neil Lyndon. *Hammer.* Nova York: G. P. Putnan's Sons, 1987.

Hannah, Leslie. *Electricity Before Nationalization.* Londres: Macmillan, 1979.

_____. *The Rise of the Corporate Economy.* 2a ed. Londres: Methuen, 1976.

Hardinge, Arthur H. *A Diplomatist in the East.* Londres: Jonathan Cape, 1928.

Hardwicke, Robert E. *Antitrust Laws, et al. v. Unit Operation of Oil or Gas Pools.* Nova York: American Institute of Mining and Metallurgical Engineers, 1948.

_____. "Demanda do Mercado como Fator da Conservação de Petróleo." Southwestern Law Foundation. *First Annual Institute on Oil and Gas Law.* Nova York: Matthew Bender, 1949.

_____. *The Oil Man's Barrel.* Norman: University of Oklahoma Press, 1958.

Hare, Richard. *Portraits of Russian Personalities Between Reform and Revolution.* Londres: Oxford University Press, 1959.

Harris Kenneth. *The Wildcatter: A Portrait of Robert O. Anderson.* Nova York: Weidenfeld and Nicolson, 1987.

Hartshorn, J.E. *Oil Companies and Governments: an Account of the International Oil Industry in Its Political Environment.* Londres: Faber and Faber, 1962.

Havens, Thomas R. H. *Valiey of Darkness: The Japanese Peopleand World War II.* Nova York: W. W. Norton,1978.

Hawke, David Freeman. *John D.: The Founding Father of the Rockefellers.* Nova York: Harper & Row, 1980.

_____. comp. *John D. Rockefeller Interview, 1917-1920: Conducted by William O. Inglis.* Westport, Conn.: Meckler Publishing, 1984.

Hayes, Peter. *Industry and Ideology: I. G. Farben in the Nazi Era.* Cambridge: Cambridge University Press, 1987.

Heikal, Mohamed. *The Cairo Documents.* Garden City, N.Y.: Doubleday, 1973.

_____. *Cutting the Lion's Tale: Suez Through Egyptian Eyes.* Londres: Andre Deutsch, 1986.

_____. *Iran, the Untold Story: An Insider's Account of America's Iranian Adventure and Its Consequence for the Future.* Nova York: Pantheon, 1982.

_____. *The Return of the Ayatollah: The Iranian Revolution from Mossadeq to Khomeini.* Londres: Andre Deutsch, 1981.

_____. *The Road to Ramadan.* Londres: Collins, 1975.

Heilbroner, Robert L. *The Worldly Philosophers: The Lives, Times, and Ideas of the Great Economic Thinkers.* 6ª ed. Nova York: Simon and Schuster, 1986.

Hein, Laura E. *Fueling Growth: The Energy Revolution and Economic Policy in Postwar Japan.* Cambridge: Harvard University Press, 1990.

Heinrichs, Waldo. *Threshold of War: Franklin D. Roosevelt and America's Entry into World War II.* Oxford: Oxford University Press, 1988.

Helms, Christine Moss. *The Cohesion of Saudi Arabia: Evolution of Political Identity.* Baltimore: Johns Hopkins University Press, 1981.

_____. *Iraq: Eastern Flank of the Arab World.* Washington, D.C.: Brookings Institution, 1984.

Henriques, Robert. *Marcus Samuel: First Viscount Bearsted and Founder of the 'Shell' Transportand Trading Company, 1853-1927.* Londres: Barrie and Rockliff, 1960.

_____. *Sir Robert Waley Cohen, 1877-1952.* Londres: Secker & Warburg, 1966.

Henry, J. D. *Baku: An Eventful History.* Londres: Archibald Constable & Co., 1905.

_____. *Thirty-five Years of Oil Transport: The Evolution of the Tank Steamer.* Londres: Bradbury, Agnew & Co.,1907.

Henry, J. T. *The Early and Later History of Petroleum.* Filadélfia: Jas. B. Rodgers Co., 1873.

Hewins, Ralph. *Mr. Five Percent: The Story of Calouste Gulbenkian.* Nova York: Rinehart and Company, 1958.

_____. *The Richest American: J. Paul Getty.* Nova York: E. P. Dutton, 1960.

Hidy, Ralph W. e Muriel E. Hidy. *History of Standard Oil Company (NewJersey).* Vol. 1, *Pioneering in Big Business, 1882-1911.* Nova York: Harper and Brothers, 1955.

Hinsley, F.H., E.E. Thomas, e. F.G. Ranson e L.C. Knight. *British Intelligence in the Second World War.* Vol. 2. Londres: HMSO, 1981.

Hiroharu, Seki. " O Incidente na Manchúria, 1931." Trad. Marius B. Jansen. *Japan Erupts: The London Naval Conference and the Manchurian Incident, 1928-1932,* ed. James William Morley. Nova York: Columbia University Press, 1984.

Hofstadter, Richard. *The Age of Reform: From Bryan to FDR.* Nova York: Vintage, 1955.

Hogan, Michael. *Informal Entente: The Private Structure of Cooperation in Anglo-American Economic Diplomacy, 1918-1928.* Columbia, Mo.: University of Missouri Press, 1977.

_____. *The Marshall Plan: America, Britain, and the Reconstruction of Europe.* Cambridge: Cambridge University Press, 1987.

Hogarty, Thomas F. "Origem e Evolução da Comercialização da Gasolina." Estudo para pesquisa nº 022. American Petroleum Institute. 1 de outubro de 1981.

Holden, David e Richard Johns. *The House of Saud*. Londres: Pan Books, 1982.

Hope, Stanton. *Tanker Fleet: The War Story of the Shell Tankers and the Men Who Manned Them*. Londres: Anglo-Saxon Petroleum, 1948.

Horne, Alistair. *Harold Macmillan*. 2 vols. Nova York: Viking, 1988-1989.

_____. A *Savage War of Peace: Algeria, 1954-1962*. Londres: Penguin Books, 1979.

Hough, Richard. *The Great War at Sea, 1914-1918*. Oxford: Oxford University Press, 1983.

Howard, Frank A. *Buna Rubber: The Birth of an Industry*. Nova York: D. Van Nostrand, 1947.

Howard, Michael. *Grand Strategy*. V 01. 4, *August 1942-September* 1943. Londres: HMSO, 1972.

Hughes, Thomas P. *Networks of Power: Electrification in Western Society, 1880-1930*. Baltimore: Johns Hopkins University Press, 1983.

_____. "Impulso Tecnológico da História: Hidrogenação na Alemanha, 1898-1933." *Past and Present* 44 (agosto, 1969): 106-32.

Hull, Cordell. *The Memoirs of Cordell Hull*. 2 vols. Nova York: Macmillan, 1948.

Hurt, Harry, III, *Texas Rich: The Hunt Dinasty from the Early Oil Days Through the Silver Crash*. Nova York: W.W. Norton, 1981.

Huston, James A. *The Sinews of War: Army Logistics, 1775-1953*. Washington D.C.: U.S. Army, 1966.

Ickes, Harold L. *Fighting' Oil*. Nova York: Alfred A. Knopf, 1943.

_____. *The Secret Diary of Harold L. Ickes*. 3 vols. Nova York: Simon and Schuster, 1953-54.

Ienaga, Saburo. *The Pacific War*, 1931-1945: A *Critical Perspective on Japan's Role in World War II*. Nova York: Pantheon, 1978.

Ike, Nobutaka, ed. e trad. *Japan's Decision for War: Records of the 1941 Policy Conferences*. Stanford: Stanford University Press, 1967.

Inoguchi, Rikihei e Tadashi Nakajima com Roger Pineau. *The Divine Wind: Japan's Kamikaze Force in World War II*. Westport, Conn.: Greenwood Press, 1978.

Iraq Petroleum Company. *The Construction of the Iraq-Mediterranean Pipe-Line: A Tribute to the Men Who Built It*. Londres: St. Clements Press, 1934.

Iriye, Akira. *After Imperialism: The Search for a New Drder in the Far East, 1921-1931*. Cambridge: Harvard University Press, 1965.

_____. *The Origins of the Second World War in Asia and the Pacific*. Londres: Longman, 1987.

_____. *Power and Culture: The Japanese-American War*, 1941-1945. Cambridge: Harvard University Press, 1981.

Ise, John. *The United States Oil Policy*. New Haven: Yale University Press, 1926.

Ismael, Jacqueline S. *Kuait: Social Change in Historical Perspective*. Siracusa: Syracuse University Press, 1982.

Issawi, Charles, ed. *The Economic History of Iran, 1800-1914*. Chicago: University of Chicago Press, 1971.

Issawi, Charles e Mohammed Yeganeh. *The Economics of Middle Eastern Oil*. Londres: Faber and Faber 1962.

Jackson, Kenneth T. *Crabgrass Frontier: The Suburbanization of the United States*. Oxford: Oxford University Press, 1987.

Jacoby, Neil H. *Multinational Oil: A Study in Industrial Dynamics*. Nova York: Macmillan, 1974.

James, D. Clayton. *The Years of MacArthur. Vol. 2, 1941-1945.* Boston: Houghton Mifflin, 1975.

James, Marquis. *The Texaco Story: The First Fifty Years, 1902-1952.* Nova York: Texas Company, 1953.

James, Robert Rhodes. *Anthony Eden.* Nova York: McGraw-Hill, 1987.

Jensen, Robert G., Theodore Shabad e Arthur W. Wright, eds. *Soviet Natural Resources in the World Economy.* Chicago: University of Chicago Press, 1983.

Jensen, W. G. *Energy in Europe, 1945-1980.* Londres: G.T. Foulis, 1967.

_____. "A Importância da Energia na Primeira e Segunda Guerra Mundial." Historical Journal II (1968): 538-54.

Jentleson, Bruce. *Pipeline Politics: The Complex Political Economy of East-West Energy Trade.* Ithaca: Cornell University Press, 1986.

Johnson, Arthur M. *The Challenge of Change: The Sun Oil Company, 1945-1977.* Columbus: Ohio State University Press, 1983.

_____. *The Development of American Petroleum Pipelines: A Study in Private Enterprise and Public Policy, 1862-1906.* Ithaca: Cornell University Press, 1956.

_____. *Petroleum Pipelines and Public Policy, 1906-1959.* Cambridge: Harvard University Press, 1967.

Johnson, Chalmers. *MITI and the Japanese Miracle: The Growth of Industrial Policy, 1925-1957.* Stanford: Stanford University Press, 1982.

Johnson, William Weber. *Heroic Mexico: The Violent Emergence of a Modern Nation.* Garden City, N. Y.: Doubleday, 1968.

Jones, Charles S. *From the Rio Grande to the Arctic: The Story of the Richfield Oil Corporation.* Norman: University of Oklahoma Press, 1972.

Jones, Geoffrey. "O Governo Britânico e as Companhias de Petróleo, 1912-24: Em Busca de uma Política do Petróleo." *Historical Journal 20* (1977): 647-72.

_____. *The State and the Emergence of the British Oil Industry.* Londres: Macmillan, 1981.

Jones, Geoffrey e Clive Trebilcock. " A Indústria Russa e os Negócios Britânicos, 1910-1930: Petróleo e Armamentos." *Journal of European Economic History* 11 (Primavera, 1982): 61-104.

Jordan, Hamilton. *Crisis: The Last year of the Carter Presidency.* Nova York: G.P. Putnan's Sons, 1982.

Kahn, David. *The Codebreakers: The Story of Secret Writing.* Nova York: Macmillan, 1967.

Kane, N. Stephen. "Energia Corporativa e Política Estrangeira: Esforços das Companhias de Petróleo Americanas para Influenciar as Relações dos Estados Unidos com o México, 1921-28." *Diplomatic History* 1 (Primavera, 1977): 170-98.

Kaplan, Justin. *Mr. Clemens and Mark Twain.* Nova York: Simon and Schuster, 1966.

Kapstein, Ethan B. *The Insecure Alliance: Energy Crises and Western Politics Since* 1944. Oxford: Oxford University Press, 1990.

Kase, Toshikaze. *Journey to the Missouri.* Ed. David N. Rowe. New Haven: Yake University Press, 1950.

Kaufman, Burton L "Petróleo e Antitruste: O Caso do Cartel do Petróleo e a Guerra Fria." *Business History Review* 51 (Primavera, 1977): 35-56.

_____. *The Oil Cartel Case: A Documentary Study of Antitrust Activity in the Cold War Era.* Westport, Conn.: Greenwood Press, 1978.

Kazemzadeh, Firuz. *Russia and Britain in Persia, 1864-1914.* New Haven: Yale University Press. 1968.

_____. *The Struggle for Transcaucasia, 1917-1921*. Nova York: Philosophical Library, 1951.

Keddie, Nikki R., ed. *Scholars, Saints, and Sufis: Muslim Religious Institutions Since 1500*. Berkeley: University of California Press, 1972.

Kedourie, Elie. *England and the Middle East: The Destruction of the Ottoman Empire, 1914-1921*. Londres: Bowes and Bowes, 1956.

Keegan, John. *The Price of Admiralty: The Evolution of Naval Warfare*. Nova York: Viking Press, 1989.

Kelly, J. B. *Arabia, The Gulf and the West*. Nova York: Basic Books, 1980.

Kelly, W. J. e Tsureo Kano. "A Produção Je Petróleo Cru no Império Russo, 1918-1919." *Journal of European Economic History* 6 (Outono, 1977): 307-38.

Kemp, Norman. Abadan: *A First-Hand Account of the Persian Oil Crisis*. Londres: Allan Wingate, 1953.

Kennedy, K. H. *Mining Tsar: The Life and Times of Leslie Urquhart*. Boston: George Allen & Unwin, 1986.

Kennedy, Paul M. *The Rise of the Anglo-German Antagonism, 1860-1914*. Londres: George Allen & Unwin, 1982.

_____. *Rise and Fall of the Great Powers: Economic Change and Military Conflict from 1500 to 2000*. Nova York: Random House, 1987.

Kent, Marian. *Oil and Empire: British Policy and Mesopotamian Oil, 1900-1920*. Londres: Macmillan, 1976.

Kent, Marian, ed. *The Great Powers and the End of the Ottoman Empire*. Londres: Geroge Allen & Unwin, 1984.

Keohane, Robert O. *After Hegemony: Cooperation and Discord in the World Political Economy*. Princeton: Princeton University Press, 1984.

Kerr, George P. *Time's Forelock: A Record of Shell's Contribution to Aviation in the Second World War*. Londres: Shell Petroleum Company, 1948.

King, John O. *Joseph Stephen Cullinan: A Study of Leadership in the Texas Petroleum Industry, 1897 1937*. Nashville: Vanderbilt University Press, 1970.

Kirby, S. Woodbum. *The War Against Japan*. 4 vols. Londres: HMSO, 1957-1965.

Kirk, Geoffrey, ed. *Schumacher on Energy*. Londres: Sphere Books, 1983.

Kissinger, Henry A. *White House Years*. Boston: Little, Brown, 1979.

_____. *Years of Upheval*. Boston: Little, Brown, 1982.

Klein, Herbert S. "Companhias de Petróleo Americanas na América Latina: A Experiência Boliviana." *Inter-American Economic Affairs* 18 (Outono, 1964): 47-72.

Knowles, Ruth Sheldon. *The Greatest Gamblers: The Epic of America's Oil Exploration*. 2a ed. Norman: University of Oklahoma Press, 1978.

Koppes, Clayton R. "A Política da Boa Vizinhança e a Nacionalização do Petróleo Mexicano: Uma Reinterpretação." *Journal of American History* 69 (Junho, 1982): 62-81.

Koskoff, David E. *The Mellons: The Chronicle of America's Richest Family*. Nova York: Thomas Y. Crowell, 1978.

Krammer, Arnold. "Os Combustíveis do Terceiro Reich." *Technology and Culture* 19 (Julho, 1978): 394-422.

Kuisel, Richard. *Ernest Mercier: French T echnocrat.Berkeley:* University of California Press, 1967.

Kuniholm, Bruce R. *The Origins of the Cold War in the Near East: Power Conflict and Diplomacy in Iran, Turkey, and Greece*. Princeton: Princeton University Press, 1980.

Kvendseth, Stig S. *Giant Discovery: A History of Ekofisk Through the First 20 Years.* Tanager: Phillips Petroleum Norway, 1988.

Lamb, David. *The Arabs: Journeys Beyond the Mirage.* New York: Vintage, 1988.

Landau, Christopher T. "A Ascensão e o Declínio do Petro-liberalismo: As Relações dos Estados Unidos com a Venezuela Socialista, 1945-1948." Tese, Harvard University, 1985.

Landes, David. *The Unbound Prometheus: Technological Changeand Industrial Development in Western Europe from 1750 to the Present.* Cambridge: Cambridge University Press, 1969.

Lapping, Brian. *End of Empire.* Londres: Granada, 1985.

Larson, Henrietta M., Evelyn H. Knowlton e Charles S. Popple. *History of Standard Oil Company (New Jersey). Vol. 3, New Horizons, 1927-1950.* Nova York: Harper & Row, 1971.

Larson, Henrietta M. e Kenneth Wiggins Porter. *History of Humble Oil and Refining Company: A Study in Industrial Growth.* Nova York: Harper & Brothers, 1959.

Leach, Barry A. *German Strategy Against Russia, 1939-1941.* Londres: Clarendon Press, 1973.

Lear, Linda J. "Harold L. Ickes e a Crise do Petróleo dos Cem Primeiros Dias." *Mid-America* 63 (Janeiro, 1981): 3-17.

Leatherdale, Clive. *Britain and Saudi Arabia, 1925-1939: The Imperial Oasis.* Londres: Frank Cass, 1983.

Lebkicher, Roy. *Aramco and World Oil.* Nova York: Russell F. Moore, [1953].

Lezner, Robert. *Getty: The Richest Man in the World.* Londres: Grafton Books, 1985.

L'Espagnol de la Tramerye, Pierre. *The World Struggle for Oil.* trad. C. Leonard Leese. Londres: George Allen & Unwin, 1924.

Levi, Primo. *Survival in Auschwitz and the Reawakening: Two Memoirs.* Trad. Stuart Woolf. Nova York: Summit Books, 1985.

Levy, Walter J. *Oil Strategy and Politics, 1941-1981.* Ed. Melvin A. Conant. Boulder, Colo.: Westview Press, 1982.

Lewin, Ronald. *The American Magic: Codes, Ciphers and the Defeat of Japan.* Nova York: Farrar Straus Giroux, 1982.

_____. *Hitler's Mistakes.* Nova York: William Morrow, 1984.

Liddel Hart, B. H., ed. *History of the Second World War.* Nova York: G. P. Putnam's Sons, 1970.

_____. *A History of the World War, 1914-1918.* Londres: Faber and Faber, 1934.

_____. *The Other Side of the Hill: Germany's Generais; Their Rise and Fali, with their Own Account of Military Events, 1939-1945.* 2a ed. Londres: Cassell, 1973.

_____. *The Rommel Papers.* Trad. Paul Findlay. 1953. Reimpressão. Nova York: Da Capo Press, 1985.

Lieber, Robert J. *Oil and the Middle East War: Europe in the Energy Crisis.* Cambridge: Harvard Center for Intemational Affairs, 1976.

_____. *The Oil Decade: Conflict and Cooperation in the West.* Nova York: Praeger, 1983.

Lieuwen, Edwin. *Petroleum in Venezuela: A History.* Berkeley: University of California Press, 1954.

Littlefield, Douglas R. e Tanis C. Thome. *The Spirit of Enterprise: The History of Pacific Enterprises from 1886 to 1989.* Los Angeles: Pacific Enterprises, 1990.

Lloyd, Selwyn. *Suez 1956: A Personal Account.* Londres: Jonathan Cape, 1978.

Longhurst, Henry. *Adventure in Oil: The Story of British Petroleum.* Londres: Sidgwick and Jackson, 1959.

Longrigg, Stephen H. *Oil in the Middle East: Its Discovery and Development.* 3a ed. Londres: Oxford University Press, 1968.

Louis, William Roger. *The British Empire in the Middle East 1945-1951: Arab Nationalism, the United States, and Postwar Imperialism.* Oxford: Clarendon Press, 1985.

Louis, William Roger e Roger Owen, eds. *Suez 1956: The Crisis and its Consequences.* Oxford: Clarendon Press, 1989.

Love, Kenneth. *Suez: The Twice-Fought War.* Nova York: McGraw-Hill, 1969

Lowe, Peter. *Great Britain and the Origins of the Pacific War: A Study of British Policy in East Asia, 1937-1941.* Oxford: Clarendon Press, 1977.

Loewenheim, Francis L., Harold D. Langley e Manfred Jonas, eds. *Roosevelt and Churchill: Their Secret Wartime Correspondence.* Nova York: E.P. Dutton, 1975

Lubell, Harold. *Middle East Oil Crises and Western Europe's Energy Supplies.* Baltimore: Johns Hopkins University Press, 1963.

_____. "Transporte e Produção do Petróleo Mundial: Uma Autópsia de Suez." P-1274. Rand Corporation, 2 de janeiro de 1958.

Lucas, James. *War in the Desert: The Eighth Army at EI Alamein.* Nova York: Beaufort Books, 1982.

Ludendorff, Erich. *My War Memories, 1914-1918.* Londres: Hutchinson, [1945].

_____. *The Nation at War.* Trad. A.S. Rappaport. Londres: Hutchinson, 1936.

Mackay, Ruddock F. Fisher of *Kilverstone.* Oxford: Clarendon Press, 1973.

MacMahon, Arthur W. e W.R. Dittman. "A Indústria Mexicana de Petróleo a partir de sua Expropriação." *Political Science Quarterly* 57 (março, 1942): 28-50, (junho, 1942): 161-88.

Macmillan, Harold. *Riding in the Storm, 1956-59.* Londres: Macmillan, 1971

Manchester, William. *A Rockefeller Family Portrait, From John D. to Nelson.* Boston: Little, Brown, 1959.

von Manstein, Erich. *Lost Victories.* Trad. Anthony G. Powell. Londres: Methuen, 1958

Mantoux, Paul. *Paris Peace Conference, 1919: Proceedings of the Council of Four* (24 de março-18 de abril). trad. John Boardman Whitton. Genebra: Droz, 1964.

Ma'oz, Moshe. *Asad: The Sphinx of Damascus.* Nova York: Grove Weidenfeld, 1988.

Marder, Arthur I. *From the Dreadnought to Scapa Flow: The Royal Navy in the Fisher Era, 1904-1919.* Vol. 1, *The Road to War, 1904-1914.* Londres: Oxford University Press, 1961.

Marr, Phebe. *The Modern History of Iraq.* Boulder, Colo.: Westview Press, 1985

Marvin, Charles. *The Region of Eternal Fire: An Account of a Journey to the Petroleum Region of the Caspian in 1883.* Nova ed. Londres: W.H. Allen, 1891.

Maurer, John H. "Os combustíveis e a Frota de guerra: Carvão, Petróleo e a Estratégia Naval Americana, 1898-1925." *Naval War College Review* 34 (novembro-dezembro, 1981): 60-77.

May, George S. *A Most Unique Machine: The Michigan Origins of the American Automobile Industry.* Grand Rapids, Mich.: Eerdmans Publishing, 1975.

McBeth, B. S. *British Oil Policy, 1919-1939.* Londres: FrankCass, 1985.

_____. *Juan Vicente Gomez and the Oil Companies in Venezuela, 1908-1935.* Cambridge: Cambridge University Press, 1983.

McCloy, John J., Nathan W. Pearson e Beverley Matthews. *The Great Oil Spill: The Inside Report-Gulf Oil's Bribery and Political Chicanery.* Nova York: Chelsea House, 1976.

McFadzean, Frank. *The Practice of Moral Sentiment.* Londres: Shell, n.d.

McGhee, George. *Envoy to the Middle World: Adventures in Diplomacy.* Nova York: Harper & Row, 1983.

McKay, John P. "O Empresariado e o Surgimento da Indústria de Petróleo Russa, 1813-1883." *Research in Economic History* 8 (1982): 47-91.

McLaurin, John J. *Sketches in Crude Oil*. 3a ed. Franklin, Pa., 1902.

McLean, John G. e Robert Haigh. *The Growth of Integrated Oil Companies*. Boston: Harvard Business School, 1954.

McNaugher, Thomas L. *Arms and Oil: U.S. Military Strategy and the Persian Gulf*. Washington, D.C.: Brookings Institution, 1985.

_____. "Corda Bamba no Golfo." *The Iran-Iraq War: Impact and Implications*, ed. Efraim Karsh. Londres: Macmillan, 1989.

McNeill, William H. *The Pursuit of Power: Technology, Armed Force, and Society Since AD. 1000*. Chicago: University of Chicago Press, 1982.

Meadows, Donella, Dennis Meadows, Jorgen Randers e William Behrens, III. *The Limits to Growth: A Report for the Club of Rome's Project on the Predicament of Mankind*.2ª ed. Nova York: Signet Books, 1974.

Mejcher, Helmut. *Imperial Quest for Oil: Iraq, 1910-1928*. Londres: Ithaca Press, 1976.

Melby, Eric D.K. *Oil and the International System: The Case of France, 1918-1969*. Nova York: Amo Press, 1981.

Mellon, W.L. e Boyden Sparkes. *Judge Mellon's Sons*. Pittsburgh, 1948.

Meyer, Lorenzo. *Mexico and the United States in the Oil Controversy, 1917-1942*. 2ª ed. Trad. Muriel Vasconcellos, Austin: University of Texas Press, 1977.

Middlemas, R.K. *The Master-Builders*. Londres: Hutchinson, 1963.

Mierzejewski, Alfred C. *The Collapse of the German War Economy, 1944-1945: Allied Air Power and the German National Railway*. Chapel Hill: University of North Carolina Press, 1988.

Mikdashi, Zuhayr M., Sherrill Cleland e Ian Seymour. *Continuity and Change in the World Oil Industry*. Beirute: Middle East Research and Publishing Center, 1970.

Miller, Aaron David. *Search for Security: Saudi Arabian Oil and American Foreign Policy, 1939-1949*. Chapel Hill: University of North Carolina Press, 1980.

Miller, Russell. *The House of Getty*. Londres: Michael Joseph, 1985.

Moberly, F. J. *The Campaign in Mesopotamia, 1914-1918*. 4 vols. Londres: HMSO, 1923-1927.

Moncrieff, Anthony, ed. *Suez: Ten Years After*. Nova York: Pantheon, 1966.

Monroe, Elizabeth. *Britain's Moment in the Middle East, 1914-1971*. 2ª ed. Londres: Chatto and Windus, 1981.

_____. *Philby of Arabia*. Londres: Faber and Faber, 1973.

Montagu, Gilbert. *The Rise and Progress of the Standard Oil Company*. Nova York: Harper & Row, 1903.

Montgomery, Bernard. *The memoirs of Field-Marshal the Viscount Montgomery of Alamein*. 1958. Reimpressão. Nova York: Da Capo Press, 1982.

Moore, Austin Leigh. *John D. Archbold and the Early Development of Standard Oil*. Nova York: Macmillan, [1930].

Moore, Frederick Lee Jr. "Origem das Concessões Americanas de Petróleo em Bahrain, Kuait e Arábia Saudita." Tese, Princeton University, 1948.

Moran, Theodore H. "Administrando um Oligopólio de Pretensos Soberanos: A Dinâmica da Gestão Conjunta e da Autogestão no Passado, Presente e Futuro da Indústria Internacional do Petróleo." *International Organization* 41 (outono, 1987): 576-607.

Morison, Samuel Eliot. *History of United States Naval Operations* in *World War II*. 8 vols. Boston: Little, Brown, 1947-1953.

Morley, James William, ed. *Japan's Road to the Pacific War*. 4 vols. Nova York: Columbia University Press, 1976-84.

Mosley, Leonard. *Power Play: Oil in the Middle East*. Nova York: Random House, 1973.

Mottahedeh, Roy. *The Mantle of the Prophet: Religion and Politics in Iran*. Londres: Penguin Books, 1987.

Nash, Gerald D. *United States Oil Policy, 1890-1964*. Pittsburgh: University of Pittsburgh Press, 1968.

Nasser, Gamal Abdel. *The Philosophy of the Revolution*. Buffalo, N.Y.: Smith, Keynes and Marshall, 1959.

Neff, Donald. *Warriors at Suez: Eisenhower Takes the United States into the Middle East*. Nova York: Simon and Schuster, 1981.

Nevakivi, Jukka. *Britain, France and the Arab Middle East, 1914-1920*. Londres: Athlone Press, 1969.

Nevins, Allan. *John D. Rockefeller: The Heroic Age of American Enterprise*. 2 vols. Nova York: Charles Scribner's Sons, 1940.

_____. *Study in Power: John D. Rockefeller, Industrialist and Philantropist*. 2 vols. Nova York: Charles Scribner's Sons, 1953.

Nevins, Allan com Frank Ernest Hill. *Ford: The Times, the Man, the Company*. 2 vols. Nova York: Charles Scribner's Sons, 1954.

New York Mercantile Exchange. A *History of Commerce at the New York Mercantile Exchange: The Evolution of an International Marketplace, 1872-1988*. Nova York: NYMEX, 1988.

Nicolson, Harold. *Portrait of a Diplomatist*. Boston: Houghton Mifflin, 1930.

Nitze, Paul com Ann M. Smith e Steven L. Reardon. *From Hiroshima to Glasnost: At the Center of Decision-A Memoir*. Nova York: Grove Weidenfeld, 1989.

Nivola, Pietro S. *The Politics of Energy Conservation*. Washington, D.C.: Brookings Institution, 1986.

Nixon, Richard M. *RN: The Memoirs of Richard Nixon*. Nova York: Grosset & Dunlap, 1978.

Noakes, J. e G. Pridham, eds. *Nazism: A History in Documents and Eyewitness Accounts, 1919-1945*. 2 vols. Nova York: Schoken Books, 1989.

Noggle, Burl. *Teapot Dome: Oil and Politics* in *the 1920s*. Baton Rouge: Louisiana State University Press 1962.

Nomura, Kichisaburo. "O Caminho das Pedras para a Guerra." *United States Naval Institute Proceedings* 77 (Setembro, 1951): 927-31.

Nordhauser, Norrnan. *The Quest for Stability: Domestic Oil Regulation, 1917-1935*. Nova York: Garland 1979.

Nowell, Gregory Patrick. "A Realpolitick *versus*. Arrendamento Transnacional; o Mercantilismo Francês e o Desenvolvimento do Cartel Mundial do Petróleo, 1860-1939." Dissertação de doutorado, Massachusets Institute of Technology, 1988.

Nutting, Anthony. *Nasser*. Nova York: E.P. Dutton, 1972.

_____. *No End of a Lesson: The Story of Suez*. Londres: Constable, 1967.

O'Brien, Dennis J. "A Crise do Petróleo e a Política Externa da Administração Wilson, 1917-1921." Dissertação de doutorado, University of Missouri, 1974.

Odell, Peter R. *Oil and World Power: Background of the Oil Crisis*. 8a ed. Nova York: Viking Penguin,1986.

Ogata, Sadako N. *Defiance in Manchuria: The Making of Japanese Foreign Policy, 1931-32*. Berkeley: University of California Press, 1964.

Ohashi, A. Tadahiko. *Enerugi No Seiji Keizai Gaku* (A Economia Política da Energia). Tóquio: Diamond, 1988.

Olien, Roger M. e Diana Davids Olien. *Wildcatters: Texas Independent Oilmen*. Austin: Texas Monthly Press, 1984.

Owen, Edgar Wesley. *Trek of the Oil Finders: A History of Exploration for Oil*. Tulsa: American Association of Petroleum Geologists, 1975.

Pahlavi, Mohammed Reza. *Mission for My Country*. Nova York: McGraw-Hill, 1961.

_____. *The Shah's Story*. Trad. Teresa Waugh. Londres: Michael Joseph, 1980.

Painter, David S. *Oil and the American Century: The Political Economy of the US. Foreign Oil Policy, 1941-1954*. Baltimore: Johns Hopkins University Press, 1986.

_____. "O Petróleo e o Plano Marshall." *Business History Review* 58 (outono, 1984): 359-83.

Parsons, Anthony. *The Pride and the Fall: Iran, 1974-1979*. Londres: Jonathan Cape, 1984.

Passer, Harold G. *The Electrical Manufacturers, 1875-1900*. Cambridge: Harvard University Press, 1953.

Payton-Smith, D.T. Oil: *A Study of War-time Policy and Administration*. Londres: HMSO, 1971.

Pearce, Joan, ed. *The Third Oil Shock: The Effects of Lower Oil Prices*. Londres: Royal Institute of International Affairs, 1983.

Pearton, Maurice. *Oil and Romanian State*. Oxford: Clarendon Press, 1971.

Penrose, Edith T. *The Large International Firm in Developing Countries: The International Petroleum Industry*. Londres: George Allen & Unwin, 1968.

Penrose, Edith and E. F. Penrose. *Iraq: International Relations and National Development*. Londres: Ernest Benn, 1978.

Philby, H. St. J. B. *Arabian Days: an Autobiography*. Londres: Robert Hale, 1948.

_____. *Arabian Jubilee*. Londres: Robert Hale, 1952.

_____. *Arabian Oil Ventures*. Washington, D.C.: Middle East Institute, 1964.

_____. *Saudi Arabia*. Londres: Ernest Benn, 1955.

Philip, George. *Oil and Politics in Latin America: Nationalist Movements and State Companies*. Cambridge: Cambridge University Press, 1982.

Phillips Petroleum Company. *Phillips: The First 66 Years.Bartlesville*, Okla.: Phillips Petroleum, 1983.

Pickens, T. Boone Jr. *Boone*. Boston: Houghton Mifflin, 1987.

Pogue, Forrest C. *George C. Marshall*. 4 vols. Nova York: Viking Press, 1963-87.

Polster, Deborah. "A Necessidade de Petróleo Molda a Reação Diplomática à Invasão de Suez." Dissertação de doutorado, Case Western Reserve University, 1985.

Popple, Charles Sterling. *Standard Oil Company (New Jersey) in World War II*. Nova York: Standard Oil, 1952.

Potter, E. B. *Nimitz*. Annapolis, Md.: Naval Institute Press, 1976.

Prange, Gordon W. com Donald M. Goldstein e Katherine V. Dillon. *At Dawn We Slept: The Untold Story of Pearl Harbour*. Nova York: McGraw-Hill, 1981.

_____. *Pearl Harbour: The Verdict of History*. Nova York: Mcgraw-Hill, 1986.

Pratt, Joseph A. "A Indústria do Petróleo em Transição: O Antitruste e o Declínio do Monopólio do Petróleo." *Journal of Economic History 40* (dezembro, 1980): 815-37.

Prindle, David F. *Petroleum Politics and the Texas Railroad Commission.* Austin: University of Texas Press, 1981.

Quandt, William B. *Camp David: Peacemaking and Politics.* Washington, D.C.: Brookings Institution, 1986.

_____. *Decade of Decisions: American Policy Towards the Arab-Israeli Conflict, 1967-1976.* Berkeley: University of California Press, 1977.

_____. "A Política Soviética na Guerra de Outubro no Oriente Médio." *International Affairs 53* (julho, 1977): 377-389, (outubro, 1977): 587-603.

Rabe, Stephen G. *The Road to OPEC: United States Relations with Venezuela, 1919-1976.* Austin: University of Texas Press, 1982.

Rae, John B. *American Automobile Manufacturers: The First Forty Years.* Filadélfia: Chilton Cornpany, 1959.

_____. *The American Automobile: A Brief History.* Chicago: University of Chicago Press, 1965.

_____. *The Road and Car in American Life.* Cambridge: MIT Press, 1971.

Ramazani, Rouhallah K. *Iran's Foreign Policy, 1941-1973: A Study of Foreign Policy in Modernizing Nations.* Charlottesville: University of Virginia Press, 1975.

_____. *Revolutionary Iran: Challenge and Response in the Middle East.* Baltimore: Johns Hopkins University Press, 1986.

Rand, Christopher. *Making Democracy Safe for Oil: Oil Men and the Islamic Middle East.* Boston: Little, Brown, 1975.

Randall, Stephen J. *United States Foreign Oil Policy, 1919-1948: For Profits and Security.* Kingston: McGill-Queen's University Press, 1985.

Redwood, Boverton. *Petroleum: A Treatise.* 4a ed. 3 vols. Londres: Charles Griffin & Co., 1922.

Rhodes, Richard. *The Making of the Atomic Bomb.* Nova York: Touchstone, 1988.

Rintoul, William. *Drilling Ahead: Tapping California's Richest Oil Fields.* Santa Cruz, Calif.: Valley Publishers, 1981.

_____. *Spudding In: Recollections of Pioneer Days in the California Oil Fields.* Fresno: California Historical Society, 1976.

Risch, Ema. *Fuels for Global Conflict.* Washington, D.C.: Office of Quartermaster General, 1945.

Rister, Carl Coke. *Oil! Titan of the Southwest.* Norman: University of Oklahoma Press, 1949.

Ristow, Walter. "Meio Século de Mapas de Estradas de Rodagem das Companhias de Petróleo," *Surveying and Mapping 34* (dezembro, 1964): 617-37.

Roberts, Glyn. *The Most Powerful Man in the World: The Life of Sir Henri Deterding.* Nova York: Covici Friede, 1938.

Robinson, Jeffrey. *Yamani: The Inside Story.* Londres: Simon and Schuster, 1988.

Robinson, M. S. "A Espiral do Preço do Óleo Cru de 1978-80." Shell, 1982.

_____. "O Mercado de Great Beardo Petróleo 1980-1983." Shell, 1983.

Rockefeller, John D. *Random Reminiscences of Men and Events.* Nova York: Doubleday, Page & Co., 1909.

Rondot, Jean. *La Compagnie Française des Pétroles.* Paris: Plon, 1962.

Roosevelt, Kermit. *Countercoup: The Struggle for the Control of Iran.* Nova York: McGraw-Hill, 1979.

Rosenberg, David A. "A marinha dos E.U.A. e o Problema do Petróleo em uma Guerra Futura: O Esboço de um Dilema Estratégico, 1945-1950." *Naval War College Review* 29 (verão, 1976): 53-61.

Roskill, S. W. *The War at Sea, 1939-1945.* 3 vols. Londres: HMSO, 1954-61

Rostow, Eugene. V. *A National Policy for the Oil Industry.* New Haven: Yale University Press, 1948.

Rothwell, V. H. "A Mesopotâmia na Mira de Guerra Britânica." *Historical Journal* 13 (1970): 273-94.

Rouhani, Fuad. *A History of O.P.E.C.* Nova York: Praeger, 1971.

Rourke, Thomas. Gomez: *Tyrant of the Andes.* Garden City, N.Y.: Halcyon House, 1936.

Roux, Georges. *Ancient Iraq.* 2a ed. Londres: Penguin Books, 1985.

Rowland, John e Basil Cadman. *Ambassador for Oil: The Life of John, First Baron Cadman.* Londres: Herbert Jenkins, 1960.

Rubin, Barry. *The Great Powers in the Middle East, 1941-1947: The Road on the Cold War.* Londres: Frank Cass, 1980.

_____. *Paved with Good Intentions: The American Experience and Iran.* Nova York: Penguin Books, 1984.

Ruppenthal, Roland G. *Logistical Support of the Armies.* 2 vols. Washington, D.C.: Department of the Army, 1953-58.

Rustow, Dankwart A. *Oil and Turmoil: America Faces OPEC and the Middle East.* Nova York: W.W. Norton,1982.

el-Sadat, Anwar. *In Search of Identity: An Autobiography.* Nova York: Harper & Row, 1978.

Safran, Nadav. *Israel: The Embattled Ally.* Cambridge: Harvard University Press, 1978.

_____. *From War to War: The Arab-Israeli Confrontation, 1948-1967.* Nova York: Pegasus, 1969.

_____. *Saudi Arabia: The Ceaseless Quest for Security.* Cambridge: Harvard University Press, 1985.

Sampson, Anthony. *The Seven Sisters: The Great Oil Companies and the World They Created.* Ed. rev. Londres: Coronet, 1988.

Samuels, Richard J. *The Business of the Japanese State: Energy Markets in Comparative Historical Perspective.* Ithaca: Cornell University Press, 1987.

Schlesinger, James R. *The Political Economy of National Security: A Study of the Economic Aspects of the Contemporary Power for Struggle.* Nova York: Praeger, 1960.

Schmitt, Bernadotte E. e Harold C. Vedeler. *The World in the Crucible, 1914-1919.* Nova York: Harper & Row, 1984.

Schneider, Steven A. *The Oil Price Revolution.* Baltimore: Johns Hopkins University Press, 1983.

Schumacher, E. F. *Smalls Beautiful: A Study of Economics As If People Mattered.* Londres: Blond and Briggs, 1973.

Seaton, Albert. *The Russo-German War, 1941-1945.* Londres: Arthur Barker, 1971.

Seymour, Ian. *OPEC: Instrument of Change.* Londres: Macmillan, 1980.

Shawcross, William. *The Shah's Last Ride: The Fate of an Ally.* Nova York: Simon and Schuster 1988.

Sherrill, Robert. *The Oil Follies of 1970-1980: How the Petroleum Industry Stole the Show (and Much More Besides).* Garden City, N. Y.: Anchor Press/Doubleday, 1983.

Sherwood, Elizabeth D. *Allies in Crises: Meeting Global Challenges to Western Security.* New Haven: Yale University Press, 1900.

Shlaim, Avi. "Falhas nas Estimativas da Inteligência Nacional: O Caso da Guerra do Yom Kipur." *World Politics* 28 *(abril,* 1976): 348-80.

Shuckburgh, Evelyn. *Descent to Suez: Diaries, 1951-1956.* Ed. John Charmley. Londres: Weidenfeld and Nicolson,1986.

Shwadran, Benjamin. *The Middle East, Oil and the Great Powers.* 3a ed. rev. Nova York: John Wiley, 1973.

Sick, Gary. *Ali Fali Down: America's Tragic Encounter with Iran.* Nova York: Viking Penguin, 1986.

Silliman, Jr., B. *Report on the Rock Oil, or Petroleum, from Venango Co., Pennsylvania.* New Haven: J. H. Benham's,1855.

Simon, William E. *A Time for Truth.* Nova York: Berkley, 1978.

Sinclair Oil. *A Great Name in Oil: Sinclair Through 50 Years.* Nova York: F.W. Dodge/McGraw-Hill, 1966.

Singer, Mark. *Funny Money.* Nova York: Alfred Knopf, 1985.

Skeet, Ian. *OPEC-Twenty-five Years of Prices and Politics.* Cambridge: Cambridge University Press, 1988.

Sluglett, Peter. *Britain in Iraq, 1914-1932.* Londres: Ithaca Press, 1976.

Smith, Adam. *Paper Money.* New York: Surnmit Books, 1981.

_____. *The Roaring '80s.* Nova York: Summit Books, 1988.

Smith, George Otis. ed. *The Strategy of Minerals: A Study of the Mineral Factor in the World Position of America in War and in Peace.* Nova York: D. Appleton, 1919.

Smith, P. G. A. *The Shell that Hit Germany Hardest.* Londres: Shell Marketing Co., [1921].

Smith, Robert Freeman. *The United States and Revolutionary Nationalism in Mexico, 1916-1932.* Chicago: The University of Chicago Press, 1972.

Solberg, Carl E. *Oil and Nationalism in Argentina: A History.* Stanford: Stanford University Press, 1979.

Spector, Ronald H. *Eagle Against the Sun: The American War with Japan.* Nova York: Vintage, 1985.

Speer, Albert. *Inside the Third Reich.* Trad. Richard e Clara Winston. Nova York: Macmillan, 1970.

Spence, Hartzell. *Portrait in Oil: How the Ohio Oil Company Grew to Become Marathon.* Nova York: McGraw-Hill,1962.

Spender, J. A. *Weetman Pearson: First Viscount Cowdray, 1856-1927.* Londres: Cassell, 1930.

Standard Oil Company (New Jersey). *Ships of the Esso Fleet in World War II.* Nova York: Standard Oil, 1946.

Stegner, Wallace. *Discovery: The Search for Arabian Oil.* Beirute: Middle East Export Press, 1974.

Steiner Zara S. *Britain and the Origins of the First World War.* Nova York: St. Martin's Press, 1977.

Stent, Angela. *From Embargo to Ostpolitik: The Political Economy of Soviet-West German Relations 1955-1980.* Cambridge: Cambridge University Press, 1981.

_____. *Soviet Energy and Western Europe.* Jornal de Washington, 90. Nova York: Praeger, 1982.

Stivers, William. *Supremacy and Oil: Iraq, Turkey, and the Anglo-American World arder, 1918-1930.* Ithaca: Cornell University Press, 1982.

Stobaugh, Robert. "A Evolução da Politica Iraniana do Petróleo, 1925-1975." *Iran Under the Pahalavis,* ed. George Lenczowski, Stanford, Calif.: Hoover Institution Press, 1978.

Stobaugh, Robert e Daniel Yergin, eds. *Energy Future: Report of the Energy ProJect a,t the Harvard Business School.* 3a ed. Nova York: Vintage, 1893.

Stocking, George. Middle East Oil: *A Study in Political and Economical Controversy.* Knoxville, Tenn.: Vanderbilt University Press, 1970:

Stoff, Michael B. *Oil, War, and American Security: The Search for a National Policy on Foreign oil, 1941-47.* New Haven: Yale University Press, 1980.

Stokes, Raymond G. "A Indústria do Petróleo na Alemanha Nazista." *Business History Review* 59 (verão, 1985): 254-77.

Stone Norman. *Hitler.* Boston: Little, Brown, 1980.

Storry, G.R. "O Incidente de Mukden de 18 e 19 de Setembro de 1931." *St. Antony's Papers: Far Eastern Affairs* 2 (1957): 1-12.

Sullivan, William H. *Mission to Iran.* Nova York: W.W. Norton, 1981.

Suny, Ronald G. *The Baku Commune, 1917-1918.* Princeton: Princeton University Press, 1972.

_____. "Um Operário da Revolução: Stálin e o Movimento Trabalhista em Baku, junho, 1907-maio, 1908." *Soviet Studies* 23 (janeiro, 1972): 373-94.

Tait, Samuel W. Jr. *The Wildcatters: An Informal History of Oil-Hunting in America.* Princeton: Princeton University Press, 1946.

Tarbell, Ida M. *Ali in the Dai s Work: An Autobiography.* Nova York: Macmillan, 1939.

_____. *The History of the Standard Oil Company.* 2 vols. Nova York: McClure, Phillips & Co., 1904.

Taylor, Frank J. e Earl M. Welty. *Black Bonanza: How an Oil Hunt Grew into the Union Oil Company of California.* Nova York: Whittlesley House, McGraw-Hill, 1950.

Terzian, Phillip. *OPEC: The Inside Story,* trad. Michael Pallis. Londres: Zed Books, 1985.

Thompson, Craig. *Since Spindletop: A Human Story of Gulfs First Half-Century.* Pittsburgh: Gulf Oil, 1951.

Thynne, John F. "A Política Britânica para os Recursos do Petróleo, 1936-1951, com Referência Especial à Defesa do Petróleo Controlado pelos Britânicos no México, Venezuela e Pérsia." Dissertação de doutorado, London School of Economics, 1987.

Tinkle, Lon. *Mr. De: A Biography of Everette Lee DeGolyer.* Boston: Little, Brown, 1970.

Tolf, Robert W. *The Russian Rockefellers: The Saga of the Nobel Family and the Russian Oil Industry.* Stanford, Calif.: Hoover Institution Press, 1976.

Tompkins, Walker. A. *Little Giant of Signal Hill: An Adventure in American Enterprise.* Englewood Cliffs, N.J.: Prentice-Hall, 1964.

Tooley, Terry Hunt. "O Plano Alemão para a Auto-suficiência em Combustível Sintético, 1933-1942." Tese de mestrado, Texas A & M University, 1978.

Townsend, Henry H. *New Haven and the First Oil Well.* New Haven, 1934.

Trevor-Roper, H. R. *Hitler's War Directives, 1939-1945.* Londres: Sidgwick and Jackson, 1964.

Truman, Harry S. *Memoirs.* 2 vols. Garden City, N.Y.: Doubleday, 1955-56.

Tugendhat, Christopher. *Oil: The Biggest Business.* Nova York: G.P. Putnam's Sons, 1968.

Tugwell, Franklin. *The Politics of Oil in Venezuela.* Stanford: Stanford University Press, 1975.

Tumer, Henry Ashby JIr. *German Big Business and the Rise of Hitler.* Nova York: Oxford University Press,1987.

Tumer, Louis. *Oil Companies in the International System.* Londres: George Allen & Unwin, 1978.

Twitchell, Karl S. *Saudi Arabia: With an Account of the Development of its Natural Resources.* 3a ed. Princeton: Princeton University Press, 1958.

Ulam, Adam B. *Stálin: The Man and His Era.* Nova York: Viking Press, 1973.

Ullman, Richard H. *Anglo-Soviet Relations, 1917-1921*. 3 vols. Princeton: Princeton University Press, 1961-72.

Utley, Jonathan G. *Going to War with Japan, 1937-1941*. Knoxville: University of Tennessee Press, 1985.

Vance, Cyrus. *Hard Choices: Critica I Years in America's Foreign Policy*. Nova York: Simon and Schuster, 1983.

van Creveld, Martin. *Supplying War: Logistics from Wallenstein to Patton*. Cambridge: Cambridge University Press, 1977.

Vernon, Raymond, ed. *The Oil Crisis in Perspective*. Nova York: W.W. Norton, 1976.

_____. *Two Hungry Giants: The United States and Japan in the Quest for Oil and Ores*. Cambridge: Harvard University Press, 1983.

Vietor, Richard H.K. *Energy Policy in America Since 1945: A Study of Business-Government Relations*. Cambridge: Cambridge University Press, 1984.

Von Laue, Theodore. *Sergei Witte and the Industrialization of Russia*. Nova York: Columbia University Press, 1963.

Wack, Pierre. "Sinopse: Águas Inexploradas à Frente." *Harvard Business Review* 63 (setembro-outubro, 1985): 72-89.

Waley Cohen, Robert. "A Economia da Indústria do Petróleo." *Proceedings of the Empire Mining and Metallurgical Congress*, 1924.

Wall, Bennet H. *Growth in a Changing Environment: A History of Standard Oil Company (New Jersey), 1950-1972, and Exxon Corporation, 1972-1975*. Nova York: McGraw-Hill, 1988.

Wall, Bennett H. e George S Gibb. *Teagle of Jersey Standard*. New Orleans: Tulane University, 1974.

Walters, Vemon A. *Silent Missions*. Garden City, N. Y.: Doubleday, 1978.

Ward, Thomas E. *Negotiations for Oil Concessions in Bahrain, El Hasa (Saudi Arabia), the Neutral Zone, Qatar and Kuait*. Nova York: 1965.

Warlimont, Walter. *Inside Hitler's Headquarters, 1939-45*. Trad. R. H. Barry. Londres: Weidenfeld and Nicolson, 1964.

Watkins,T. H. *Righteous Pilgrim: The Life and Times of Harold L. Ickes, 1874-1952*. Nova York: Henry Holt, 1990.

Weaver, Jacqueline Lang. *Unitization of Oil and Gas Fields in Texas: A Study of Legislative, Administrative, and Judicial Politics*. Washington, D.C.: Resources for the Future, 1986.

Weinberg, Steve. *Armand Hammer: The Untold Story*. Boston: Little, Brown, 1989.

Wells, Tim. 444 *Days: The Hostages Remember*. San Diego: Harcourt Brace Jovanovich, 1985.

Wemer, M. R. e John Star. *The Teapot Dome Scandal*. Nova York: Viking Press, 1959.

Whaley, Barton. *Codeword Barbarossa*. Cambridge: MIT Press, 1973.

White, Gerald T. *F ormative Years in the Far West: A History of Standard Oil Company of California and Predecessors Through 1919*. Nova York: Appleton-Century-Crofts, 1962.

_____. *Scientists in Conflict: The Beginnings of the Oil Industry in California*. San Marino, Calif.: Huntington Library, 1968.

White, Graham e John Maze. *Harold Ickes of the New Deal: His Private Life and Public Carreer*. Cambridge: Harvard University Press, 1985.

Wilber, Donald N. *Adventures in the Middle East: Excursions and Incursions*. Princeton, N.J.: Darwin 1986.

Wildavsky, Aaron e Ellen Tenenbaum. *The Politics of Mistrust: Estimating American Oil and Gas Resources.* Beverly Hills: Sage, 1981.

Wilkins, Mira. *The Emergence of Multinational Enterprise: American Business Abroad from the Colonial Era to 1914.* Cambridge: Harvard University Press, 1970.

_____. *The Maturing of Multinational Enterprise: American Business Abroad from 1914 to 1970.* Cambridge: Harvard University Press, 1974.

_____. "O Papel das Empresas Norte-americanas." *Pearl Harbor as History: Japanese-American Relations, 1931-1941,* ed. Dorothy Borg e Shumpei Okamoto. Nova York: Columbia University Press, 1973.

Williams, Louis, ed. *Military Aspects of the Arab-Israeli Conflict.* Tel Aviv: Tel Aviv University Publishing Project, 1975.

Williamson, Harold F., Ralph L. Andreano, Arnold R. Daum e Gilbert C. Klose. *The American Petroleum Industry. Vol. 2, The Age of Energy, 1899-1959.* Evanston: Northwestem University Press, 1963.

Williamson, Harold F. e Arnold R. Daum. *The American Petroleum Industry.* Vol. 1, *The Age of Illumination, 1859-1899.* Evanston: Northwestem University Press, 1959.

Williamson, J.W. *In a Persian Oil Field: A Study in Scientific and Industrial Development.* Londres: Ernest Benn, 1927.

Williamson, Samuel. *The Politics of Grand Strategy: Britain and France Prepare for War, 1904-1914.* Cambridge: Harvard University Press, 1969.

Willmott, H.P. *Empires in the Balance: Japanese and Allied Pacific Strategies to April 1942.* Annapolis, Md.: Naval Institute Press, 1982.

Wilson, Arnold. S. *W.Persia: Letters and Diary of a Young Political Officer, 1907-1914.* Londres: Oxford University Press, 1941.

Wilson, Joan Hoff. *American Business and Foreign Policy, 1920-1933.* Boston: Beacon Press, 1971.

Winkler, John K. *John D.: A Portrait in Oils.* Nova York: Vanguard, 1929.

Wirth, John D., ed. *Latin American Oil Companies and the Politics of Energy.* Lincoln: University of Nebraska Press, 1985.

Witte, Serge. *The Memoirs of Count Witte.* Trad. e ed. Abraham Yarmolinsky. Garden City, N. Y. : Doubleday, Page, 1921.

Wohlstetter, Roberta. *Pearl Harbor: Warning and Decision.* Stanford: Stanford University Press, 1962.

Wood, Barbara. *E. F. Schumacher: His Life and Thought.* Nova York: Harper & Row, 1984.

Woodhouse, C. M. *Something Ventured.* Londres: Granada, 1982.

Woodward, Sir Llewellyn. *British Foreign Policy in the Second World War.* 5 vols. Londres: HMSO, 1970-1975.

Woolf, Henry Drummond. *Rambling Recollections.* 2 vols. Londres: MacMillan, 1908.

Wright, John. *Lybia: A Modern History.* Baltimore: Johns Hopkins University Press, 1982.

Yamani, Ahmed Zaki. "Mercados do Petróleo: Passado, Presente e Futuro." Energy and Environmental Policy Center, Kennedy School of Govemment, Harvard University, setembro de 1986.

Yergin, Daniel. *Shattered Peace: The Origins of the Cold War.* Ed. rev. Nova York: Penguin Books, 1990.

Yergin, Daniel e Martin Hillenbrand, eds. *Global Insecurity: A Strategy for Energy and Economic Renewal.* Nova York: Penguin Books, 1983.

Yergin, Daniel e Barbara Kates-Gamick, eds. *The Reshaping of the Oil Industry: Just Another Commodity?* Cambridge, Mass.: Cambridge Energy Research Associates, 1985.

Yergin, Daniel, Joseph Stanislaw e Dennis Eklof. "A Estratégica Reserva de Petróleo dos E.U.A.: Margem de Segurança." Council on Foreign Relations Paper/Cambridge Energy Research Assoclates Report, 1990.

Yoshihashi, Takehiko. *Conspiracy at Mukden: The Rise of the Japanese Military.* New Haven: Yale University Press, 1963.

Yoshitsu, Michael M. *Caught in the Middle East: Japan's Diplomacy in Transition.* Lexington, Mass.: D. C. Heath, 1984.

Young, Desmond. *Member for Mexico: A Biography of Weetman Pearson, First Viscount Cowdray.* Londres: Cassell, 1966.

Zabih, Sepehr. *The Mossadegh Era: Roots of the Iranian Revolution.* Chicago: Lake View Press, 1982.

Ziemke, Earl F. *Stálingrad to Berlin: The German Defeat in the East.* Washington, D.C.: U.S. Anny, Center of Military History, 1968.

Zimmermann, Erich W. *Conservation in the Production of Petroleum: A Study in Industrial Control.* New Haven: Yale University Press, 1957,

Zweig, Philip L. *Belly Up: The Collapse of the Penn Square Bank.* Nova York: Fawcett Columbine, 1985.

Fontes de Dados

Instituto Americano do Petróleo. *Basic Petroleum Data Book.*

———. *Petroleum Facts and Figures: Centennial Edition,* 1959. Nova York: API, 1959.

Arthur Andersen & Co. e Associação de Pesquisas Energéticas de Cambridge. *World Oil Trends.*

———. *Natural Gas Trends.*

———. *Electric Power Trends.*

British Petroleum. *Statistical Review of the World Oil Industry.* 1955-1980.

———. *Statistical Review of the World Energy.* 1981-1989.

Banco Chase Manhattan. *Annual Financial Analysis of a Group of Petroleum Companies.* 1955-79.

Darmstadter, Joel com Perry D. Teitelbaum e Jaroslav G. Paloch. *Energy in the World Economy: A Statistical Review of Trends in Output, Trade, and Consumption since 1925.* Baltimore: Resources for the Future, 1971.

DeGolyer & MacNaughton. *Twentieth Century Petroleum Statistics.*

Eurostat (Escritório de Estatística das Comunidades Europeias). *Monthly Energy Statistics.*

Agência Internacional da Energia. *Energy Balances of OECD Countries.*

Fundo Monetário Internacional. International Financial *Statistics Yearbook.*

McGraw-Hill. *Platt's Oil Price Handbook and Oilmanac.*

Associação dos Fabricantes de Veículos a Motor dos E. *U.A.MVMA Motor Vehicle F acts & Figures.*

Organização dos Países Exportadores de Petróleo. *Annual Statistical Bulletin.*

———. *Petroleum Product Prices and Their Components in Selected Countries: Statistical Time Series, 1960-1983.* OPEC, [1984].

Organização para o Desenvolvimento e Cooperação Econômica. *ODCE Economic Outlook.*

Nações Unidas. *International Trade Statistics Yearbook.*

Departamento do Comércio dos E.U.A. Agência do Censo. *Historical Statistics of the United States,* 1789 1945. Washington, D.C.: GPO, 1949.

Departamento do Comércio dos E.U.A. Agência das Minas. *Mineral Resources of the United States.* 1882-1931.

Departamento de Energia dos E.U.A. Administração de Informações sobre Energia. *Annual Energy Review.*

_____. *Annual Report to Congresso.*

_____. *International Petroleum Annual.*

_____. *Monthly Energy Review.*

Departamento do Interior dos E.U.A. Agência das Minas. *Minerais Yearbook.* 1932/33-87.

Departamento do Tesouro dos E.U.A. *Statistical Abstract of the United States*

Banco Mundial. *World Development Report.*

Agradecimentos

Durante o tempo que passa escrevendo um livro desta envergadura, uma pessoa acumula muitas dívidas e quero reconhecer aos que me ajudaram de tantas maneiras diferentes ao longo dos anos.

Em primeiro lugar, o meu agradecimento vai para o meu editor na Simon & Schuster, Frederic Hills, que mostrou grande empenho e considerável talento conceitual e percepções para este projeto e que, desde o início focou em grandes temas. Burton Beals mostrou seus dons para a linguagem, as nuances e a psicologia dos autores, viu isso como uma saga épica e dedicou-se à palavra e à história. Minha agente Helen Brann sempre deu o apoio que seu autor precisava.

Cinco pessoas foram particularmente importantes ao longo de vários anos. O compromisso de Sue Lena Thompson, seus inúmeros talentos e maestria têm sido fundamentais. Ela realmente garantiu que este livro iria acontecer. Robert Laubacher trouxe seus elevados padrões e seu rigor como historiador e detetive para esta empreitada. Ambos têm doado uma grande quantidade de tempo e energia e eu sou muito grato a ambos. Geoffrey Lumsden, um investigador intrépido, me ajudou a atravessar o labirinto de arquivos e fontes de informação britânicos.

Estou especialmente grato aos meus colegas, James Rosenfield e Joseph Stanislaw, pelo seu empenho, apoio incansável, vigor intelectual e vontade de assumir responsabilidades adicionais para garantir que o livro fosse feito. Eles realmente tornaram isso possível.

Por seus conselhos importantes e leituras cuidadosas, estou particularmente grato a Rizopoulos Nicholas, que começou como meu professor e se tornou meu amigo e me apresentou a história diplomática, quando eu ainda era um estudante; C. Napier Colyns, que insistiu que o assunto iria reunir assuntos internacionais do petróleo e energia e história narrativa e James Schelesinger, que foi extremamente gentil dando suas percepções, experiência e tempo.

Beneficiei-me enormemente das extensas leituras críticas e outras formas de assistência de John Loudon, George McGhee, Wanda Jablonski, Tadahiko Ohashi, Philip Oxley, James Placke, Ian Skeet, Ronald W. Stent, Ernst Von Metzsch, Bennett Wall, Julian West, e Mira Wilkins. Estendo minha gratidão a todos eles.

Devo reconhecer o apoio de todos da Cambridge Energy Research Associates. Algumas pessoas fizeram contribuições especiais. Welton Barker e Mary Alice Sanderson foram muito além do que poderia ter sido razoavelmente esperado, deram uma atenção extraordinária a tudo que fizeram, e foram sempre complacentes. Agradeço a Kathleen Fitzgerald, Susan Leland e Leta Sinclair, os quais trabalharam diretamente comigo e que gerenciaram dois caminhos que poucas vezes se encontram. I.C. Bupp, Dennis Eklof, e James Newcomb todos deram grande apoio. Peter Bogin ajudou muito com arquivos em Paris, e Michael Williams trabalhou habilmente comigo nos números. Gostaria também de agradecer, em Cambridge, os membros da nossa equipe de produção — Christine Marchuk, Patricia Ingalls, Roberta Klix, Mary Moineau-Riegel, e Deanna Troust — e também Steven Aldrich, Sam Atkinson, Alice Barsoomian, Jennifer Battersby, Barbara Blodgett, Laurent Hevey, Matthew MacDonald, Kathleen Moineau, Geoffrey Morgan, Jeff Pasley e Robin Weiss; em Paris, Micheline Manoncourt e James Long; em Oslo, Odd Hassel; e, em Londres, Michael Clegg. Eu também quero agradecer Barbara Kates-Garnick, Gregory Nowell e Elizabeth Michelon.

Por suas perspectivas sagazes, sou grato a Raymond Vernon, um aluno exemplar de economia e política internacional, com quem tenho aprendido muito, e Edward Jordan, que tem uma compreensão singular sobre negócios e políticas públicas.

Na Simon & Schuster, estou especialmente grato a Daphne Bien por sua coordenação essencial. E pelo cuidado e atenção com o manuscrito, eu manifesto profundo agradecimento a Leslie Ellen, Ted Landry, Gypsy da Silva, e Sophie Sorkin. E eu agradeço Irving Perkins Associates pela concepção e Karolina Harris pela direção de arte do texto. Além disso, a apreciação especial para Sydney Cohen, Ron Doucette e equipe, Robert Forget, Ursula Obst e Karen Weitzman.

A oportunidade de ser palestrante e, em seguida, Pesquisador Associado na *John F. Kennedy School of Government* da Universidade de Harvard foi das mais construtivas, e quero expressar minha gratidão a William Hogan, Henry Lee, Graham Allison, e Irwin Stelzer. Apesar de muitas bibliotecas e arquivos terem sido úteis, uma se destaca e o apreço deve ser expresso — ao maravilhoso e acessível sistema de biblioteca da Universidade de Harvard, especialmente a *Widener Library*, o *Center for International Affairs*, e a *Baker Library* na *Harvard Business School* — e aos seus funcionários.

Também quero agradecer Jay Carlson, Herbert Goodman, e Jerome Levinson por sua especial e amável ajuda.

Eu entrevistei muitas pessoas para este livro. Alguns deles leram os capítulos relevantes posteriormente. Agradeço a todos na seção de entrevistas, mas desejo acrescentar novo agradecimento aqui, também. A sua contribuição foi enorme. Em alguns casos, as pessoas preferiram ajudar anonimamente.

Além disso, gostaria de expressar minha gratidão às seguintes pessoas pelos seus comentários, leituras, ajuda e diálogos ao longo dos anos: Richard Adkerson, Frank Alcock, Fausto Alzati, Hans Bär, Joseph Barri, Robert R. Bowie, Benjamin A. Brown, Elizabeth Bumiller, Victor Burk, Scott Campbell, Guy Caruso, James Chace, Fadhil Al-Chalabi, Marcello Colitti, Chester K. Cooper, Richard Cooper, Brian Coughlin, Alfred DeCrane, Jr., Richard Fairbanks, Russell Freeburg, Vera de Ladoucette, Charles DiBona, Robert Dunlop, Margaret Goralski, David Gray, Thane Gustafson, Laura Hein, Peter Holmes, J. Wallace Hopkins, Akira Iriye, Kazuhiko Itano, John Jennings, David Jones, Yoshio Karita, Milton Katz, William Kieschnick, Leonard Kujawa, Kenjiro Kumagai, o falecido Ulf Lantzke, Kenneth Lay, Quincy Lumsden, Robert L. Maby, Jr., Phebe Marr, William F. Martin, Thomas McNaugher, Robert McClements, John Mitchell, N. Nakahara, E.V. Newland, John Newton, John Norton, Michael O'Donnell, H. Okuda, Rene Ortiz, Alirio Parra, David Painter, Wolf Petzell, George Piercy, Maria Rodriguez, William Quandt, Beatrice Rangel,

Gilbert Rutman, Peter Schwartz, Gary Sick, Robert Stobaugh, Nadir Sultan, Katsuhiko Suetsugu, Elizabeth P. Thompson, L. Paul Tempest, Robert W. Tucker, Enzo Viscusi, Hillman Walker, Barbara Weisel, Steven R. Weisman, Mason Willrich e M. Yamao.

E quero expressar meu mais profundo agradecimento à minha esposa, Angela Stent, por contribuir para este trabalho de tantas maneiras diferentes e pelas opiniões, encorajamento e carinho ao longo de tantos anos. E agradeço com felicidade a Alexander e Rebecca, que foram pacientes e curiosos além do que sua idade permitia e de sua própria maneira ajudaram muito ao seu pai.

Foram sete anos para pesquisar e escrever este livro. Tenho certeza de que deixei de fora algumas pessoas a quem eu devo reconhecer; peço a sua paciência e manifesto o meu apreço. Quando recordo todos esses nomes, eu posso ver quantos os que tão gentilmente ajudaram e como são numerosas as minhas obrigações. O trabalho não teria sido possível sem a sua contribuição e a sua cooperação e entusiasmo. No entanto, eu sou o único responsável por quaisquer erros e, claro, por todas as interpretações e julgamentos nesta empreitada.

Daniel Yergin

Agradecimentos à nova edição

NESTA NOVA EDIÇÃO, primeiramente e antes de tudo, quero agradecer a Martha Levin, da Free Press, por seu compromisso com este livro, sua nova edição e sua significação permanente. Agradeço também a Sharbari Rose, por coordenar e expedir a publicação. No CERA, minha admiração especial à Amy Kipp, por gerenciar tudo com tanta eficiência. Também agradeço a Ellen Perkins por sua ajuda constante, de tantas formas, neste projeto e além dele. Pelas conversas a respeito de questões sobre petróleo, agradeço a David Hobbs, James Burkhard, Susan Ruth, James Plocke e Ruchir Kadakia, que também me ajudaram com os gráficos. Agradeço a Bethany Genier, por seu envolvimento durante muitos anos, e a Levi Tillemann-Dick e Samantha Gross. No IHS e no CERA, gostaria de agradecer pelas importantes conversas com Jerre Stead, Ron Mobed, Jeff Tarr, Jeff Sisson, Steve Green e Jonathan Gear.

Meus agradecimentos contínuos a James Rosenfield por sua reflexão criativa e colaboração desde o início deste projeto. E minha enorme apreciação à minha colega de trabalho e amiga Vera de LaDoucette, pelas ideias inovadoras e por sua perspectiva ao longo dos anos. Com certeza desejo agradecer a Bill Cran, que enxergou no livro um filme e garantiu sua tradução para esta mídia. Meu agradecimento a Suzanne Gluck e James Wiatt por todo seu apoio.

Minha profunda gratidão à minha família — Angela, Alex e Rebecca — de cujo apoio e reflexões, ao longo de muitas estações, me beneficiei.

O petróleo tornou-se um projeto bem maior do que eu jamais imaginei. Continuo a ser muito grato a Sue Lena Thompson, que foi devotada a ele do início ao fim, ao livro e ao vídeo, e cujo espírito foi essencial para sua conclusão. E finalmente, meu último agradecimento a Fred Hills, um homem de ideias incomuns e um editor de enorme distinção, que enxergou o prêmio muito antes de mim.

Daniel Yergin

Créditos fotográficos

1. BP América.
2. Museu do Poço de Petróleo Drake.
3. Sociedade Histórica das Reservas do Oeste, Cleveland.
4. API (Associated Press Internacional).
5. BP América, cortesia da API.
6. Museu do Poço de Petróleo Drake.
7. BP América, cortesia da API.
8. L'Illustration/Sygma, Paris.
9. Shell Holanda.
10. API.
11. API.
12. British Petroleum, Londres.
13. Museu de Guerra Imperial, Londres.
14. Coleção William Higgins, Arquivos Fotográficos da Universidade de Louisville.
15. Corporação Exxon, cortesia da API.
16. Philips Petroleum.
17. Sun Oil Company, cortesia da API.
18. Corporação Amoco, cortesia da API.
19. Coleção da Standard Oil (New Jersey), Arquivos Fotográficos da Universidade de Louisville.
20. Fundação Calouste Gulbenkian, Lisboa.
21. Coleção da Standard Oil (New Jersey), Arquivos Fotográficos da Universidade de Louisville.
22. Biblioteca Fotográfica Shell, Londres.
23. George C. McGhee.
24. Secretaria de Energia, Minas e Indústria Paraestatal, Cidade do México.
25. Heinrich Hoffinan.
26. Arquivos Nacionais.
27. Marinha dos USA, cortesia da Biblioteca Topham Picture, Inglaterra.
28. Arquivos Nacionais.

29. Biblioteca Franklin D. Roosevelt.
30. Coleção Standard Oil (New Jersey), arquivos fotográficos da Universidade de Louisville.
31. Biblioteca Fotográfica Shell, Londres.
32. Coleção da Standard Oil (New Jersey), arquivos fotográficos da Universidade de Louisville.
33. Biblioteca Topharn Picture, Inglaterra.
34. Biblioteca Topham Picture, Inglaterra.
35. Keystone, Paris.
36. Wanda Jablonski.
37. Juan Pablo Perez Castillo.
38. Wide World Photos.
39. Sygma, Nova York.
40. UPI/Bettmann.
41. Corporação Zapata.
42. Fotografias da Casa Branca.
43. Agência Petrobras.

Índice remissivo

Abdullah, rei da Transjordânia, 224-225, 478
Abrahams, Joseph, 73
Abrahams, Mark, 73, 127, 128, 129, 143
A cabana do Pai Tomás, 54
Acción Democrática (Venezuela), 490-492, 737
"A cena do petróleo: pressão por todos os lados", 676-677
Acheson, Dean, 326, 356, 466, 498, 510, 515, 516-517, 534
Acordo "como está", *veja acordo* Achnacarry
Acordo Anglo-Americano do Petróleo, 452-453, 456-458
Acordo da Linha Azul, 334-335
Acordo da Linha Vermelha, 229-230, 315, 323, 463-465, 466, 468, 470, 472, 710
Acordo da Standard Oil Trust, 48
Acordo de Achnacarry, 295-297, 452, 452, 902
Acordo de San Remo, 212, 218-219
Acordo de Teerã, 657-658, 658, 661-662, 670, 678-679, 905
Acordo de Trípoli, 657-658, 658, 661-662, 670, 678-679
Acordo do Grupo, 470
Acordo Evian, 594
Acordo Sykes-Picot, 210-211
Acordos de Paz de Camp David, 768-769, 781-782, 787, 788-789, 795, 804
"A crise do petróleo: desta vez o lobo está aqui", (Akins), 668-669, 678

A crise dos reféns e a cadeia de televisão ABC, 794
Adelman, M.A., 486-487
Administração Carter:
colapso da, 785-788
OPEP e, 727, 728
política energética da, 749-753, 785, 864
xá e, 731-732
Administração de Combustível, USA, 199, 200
Administração Eisenhower, 526, 535, 554
quotas de petróleo da, 578, 604-605, 606-607, 607-608, 640, 854
Administração do Petróleo para a Defesa, 522
Administração Federal de Energia, 707, 748
Administração Ford, 728, 747, 759
Administração Johnson, 590-591, 607
quotas de petróleo da, 607-609
Administração Kennedy, 590-591, 607
Administração Nixon, 642, 666-667
embargo do petróleo árabe (1973) e, 693, 694-696, 710-712, 733-734
Administração Truman, 525, 535
acordo anglo-americano do petróleo cancelado pela, 458
Projeto Manhatan: programa de combustível sintético, 481
Tapline apoiado pela, 477

Administração Wilson, 219, 236, 240
Aeroplano, 105, 192, 394
A estrutura Minas, 398
Afeganistão, 152, 794, 890
África, 293-294, 563, 592-594
Afrika Korps, 378-379, 380, 382-383
Agadir, 11, 172
Aga Khan, 520
Agência Judaica, 478
Aghazadeh, Gholam Reza, 862
Agip, 564-565 (Azienda Generali Italiana
    Petroli), 569, 597-598
Agnew, Andrew, 412
Agnew, Spiro T., 690
Água Fresca, ilha de, 74-75
"A história de um grande monopólio"
    (Lloyd), 47-48
Ahmad, emir do Kuait, 322-323, 327-332
Akins, James, 668, 678
Alasca, XV, 642-644, 646-648, 651, 748, 754,
    760, 808, 813, 830, 839, 855, 873
Albânia, 314
Alcachofras de Jerusalém, 218
Alemanha, 169-170, 192
    na I Guerra Mundial, 187-192, 244, 343
    no Oriente Médio, 163, 313, 327
    papel da, na Companhia Turca de
    Petróleo, 207, 209-210, 212
    rivalidade da Inglaterra com a, 170-171
    vésperas da I Guerra Mundial, 11-12
Alemanha nazista, 309, 335, 345, 366-391,
    496, 690, 802
    a indústria de combustíveis sintéticos
    da, 366-370, 372, 384-389
    a indústria do petróleo da, 369
    a União Soviética invadida pela, 13-14,
    354, 357, 373
    dependência do petróleo da, em tempo
    de guerra, 13-14, 366-391
    o elo do Japão com a, 345-346, 350, 352,
    358
    regulamentação do petróleo na, 301
Alexandre o Grande, 152, 228, 635, 772
Alger, Horatio, 246
Aliança para o Progresso, 590-591
Allen, Frederick Lewis, 232
Alvarez, Luiz Echeverria, 755

Amaya, Naohiro, 741-742
Ambientalistas, 15 (questões ambientais),
    596, 647, 697
    combustível sintético e os, 748
    e o oleoduto transalasca, 646, 647
    impacto no equilíbrio energético,
    641-642
    onda ressurgente dos, 884-886
Amerada, 440, 618
American Express, 774
Amim Dada, Idi, 661
Aminoil, 493, 498, 499, 500
Amoco, *veja* Standard Oil of Indiana.
Amouzegar, Jamshid, 657, 686, 727
Anderson, Robert O., 549-550, 643-645,
    835-836, 837-838, 839
Anglo-American Oil Company, 68
Anglo-Iraniana, 412, 458, 464, 470, 471, 472,
    473, 509-510
    British Petroleum como novo nome da,
    567. *Veja também* British Petroleum.
    disputa sobre pagamento de *royalties* da,
    507-513
    no Consórcio Iraniano, 535-538
    vinte anos de contrato da, 472-473
Anglo-Persian Oil, 294, 301, 445
    a criação da, 165, 176-177
    acordo de concessão de 1933 da,
    301-303
    acordos com outras companhias e,
    297-300
    aquisição da, 194-195
    crescimento da, 166-167, 209
    na Arábia Saudita e Kuait, 313-315,
    327-332, 335, 335-337
    necessidades de petróleo da Armada
    Real Inglesa e, 178-184
    o papel da maioria do governo britânico
    na, 177, 178, 180-181, 183, 216, 293-294
    proposta da fusão de Royal Dutch-Shell
    e, 214, 215, 223
    veja também Anglo-Iraniana, British
    Petroleum
Anglo-Persian Oil Convention, 183-184
Anglo-Saxon Petroleum, 141
Angola, 813, 850
Anne, princesa da Inglaterra, 636

Antissemitismo, 66, 148, 182, 384-387
Antuérpia, 49, 390, 433, 434
Arabian-American Oil Company, *veja* Aramco
Arábia Saudita, 314-323, 323-325, 439-448, 451, 553-555
   "acordo de participação" e a, 658-660, 737-738
   ajuda Lend Lease dos USA. à, 442-443
   Companhia Arábica de Petróleo, 570-571
   consolidação de Ibn Saud da, 318-319
   descoberta de petróleo na, 335-337
   Egito e, 590
   Irã e, 591, 600-601, 721-724, 815, 856
   Iraque como ameaça potencial para a, 12, 876-877
   na Texaco dos USA, 870
   negociação do Japão com, 569-571
   negociações de concessão de petróleo na, 313, 323-326
   parcerias e não parcerias da Aramco e, 846-849
   política da solidificação dos USA e, 445-448, 458
   política do governo americana na, 478-479
   redução das ligações com a Aramco e, 820
   redução na receita da, 845
   reservas de petróleo da, 441, 563
Árabe:
   "consórcio internacional", 574
   nacionalismo, 225, 540-543, 563, 573-574, 711, 788-789
   revolta contra a Turquia, 224
Aramco (Arabian — American Oil Company), 460-467, 470, 477-479, 512, 532, 672-673, 778, 781
   cancelamento da concessão saudita, 682-83
   como novo nome da Casoc, *veja também* Casoc
   concessão saudita da, 485, 501-505, 530, 601
   embargo do petróleo árabe (1967) e a, 626-627

   embargo do petróleo árabe (1973) e a, 675, 684, 697, 702-703
   no Irã, 535-538, 601
   participação saudita e a, 659-660
   redução das ligações com a Árabia Saudita e a, 756, 820
   sócias da corporação da, 460-470, 530, 535, 566-567, 601, 684
Archbold, John, 56, 109, 110, 114, 135
   caráter de, 110-111
   começo da carreira de, 110
   como sucessor de Rockefeller, 110
   na dissolução da Standard Oil, 122
A retirada da Inglaterra de Áden, 637-638
A "roda de Nobel", 63
A Sociedade Hidrocarboneto, 14, 16, 884
American Automobile Association, 250, 785
ARCO, 123, 643-648, 754, 835-838, 839, 863, 889-890
Argélia, 383, 545, 593-594, 598, 626-627, 658, 659-660, 670, 710, 715, 798, 815-816, 861, 895
Armas químicas, 803, 867-868, 874, 880, 882
Armênia, 146, 150, 209
Arthur D. Little, estudo encomendado para o Irã de, 708
Asfalto, 23, 24
Ash, Roy, 700, 701
Ashland, 493, 537
Asiatic Petroleum, 137, 138-140, 156, 166
Asquith, Herbert, 171, 172, 175, 179
Assad, Hafez AI, 671, 675, 681-682, 715-716
Associação Americana de Estacionamentos, 624-625
Associação Independente de Petróleo da América, 250, 448
Atlantic Monthly, 47
Atlantic Refining, 123, 253, 298, 643
Atlantic Richfield, 643
Ato de Recuperação da Indústria Nacional, 284, 286, 287-288
Attlee, Clement, 474, 516, 521
Aumento súbito da produção, 34, 249, 264, 282
Auschwitz, 385-387

Austrália, 70, 151, 154, 202, 224, 313, 706, 825

Autoestrada com pedágio em New Jersey, 623-624

Autoestradas com pedágio, 623-624

Automobile Gasoline Company, 233

Automóveis (carros):
    a indústria japonesa do, 615-616
    aumento no uso do, 88, 232, 234-236, 459, 611-612.
    caravana motorizada, 231-232
    eficiência de combustível do, 749, 813, 899
    eletricidade para, 88
    epíteto "arranje um cavalo" e, 88
    impacto social do, 232-233, 621-626
    na Arábia Saudita, 325, 719
    o começo do uso do, 87-88
    posto de gasolina e, 233-236, 252, 389, 616-617, 623, 777
    primeira corrida de, 88
    serviços *drive-in* para, 622-623
    veja também gasolina, motor de combustão interna

"Aviso aos produtores de petróleo", 58

Azerbaijão, 472, 888, 896

Baba Gurgur, 228, 272

Babilônia, 24-25, 228

Bacia de Permian, 826

Bagdá, 194, 206, 225

Bahrain Petroleum Company, 315-317

Bahrain, 303, 314, 315-317, 322, 323-324, 327-329, 330, 333, 334-335, 336, 440-441, 461, 637-638

Baía de Prudhoe, 643-645, 830-831

Baibakov, Nikolai, 473

Bakhtiaris, 161

Bakr, Ahmad Hasan AI, 803

Baku, 62-63, 64, 65-68, 79, 93, 145-149, 203-204, 473
    como "estufa revolucionária", 145-146
    entreposto entre Ocidente e Oriente, 63
    epidemia de cólera em, 79
    Gulbenkian em, 209
    indústria de petróleo de, 62-69, 144-145, 146, 208

na I Guerra Mundial, 210

na II Guerra Mundial, 373, 374, 375, 376, 377, 380, 384, 397

Balfour, ArthurJames, Lorde, 197, 211

Balikpapan, 392-397, 398, 405

Balogh, Thomas, Lorde, 759

Banco Central dos Estados Unidos, 812

Banco de Desenvolvimento Japonês, 570

Banco Mundial, 542, 543

Banco Nacional Turco, 207, 209

Banco Worms, 73

Bank of Scotland, 165

Barões ladrões, 53, 59

Barran, David, 655-656, 658, 702

Baruch, Bemard, 425-426

Basra, 502, 521-522, 774, 801, 866

Batalha
    da Grã-Bretanha, 193, 429
    da Jutland, 193
    de Alan Halfa, 382
    de Amiens, 191
    de Bulge, 389-390
    de Marus, 398-399
    de Midway, 397, 401
    de Tsushima, 145, 352, 363
    do golfo Leyte, 403-404
    do Marne, 188, 190
    do Somme, 191

Batum, 66, 69, 72, 74, 79, 144, 145, 147, 271, 473

Bazargan, Mehdi, 513, 773, 793, 794-95

Beaumont, Texas, 91-96, 101, 102, 103-105

Beaverbrook, Lorde, 450, 451-452

Bedford, Alfred, 199-200

Bélgica, 184, 348, 389-390, 555-556, 807-808, 867

Bell, Alexandre Graham, 114

Belridge, 254, 826

Ben Gurion, David, 550

Benn, Anthony Wedgwood, 758-759

Berenger, Henry G., 198, 205, 206-207

Bergius, Friedrich, 368-370, 372

Berlim, 87, 170, 204-205, 346, 357, 371, 375, 378, 384-386, 412, 434-435, 496, 872

Betancourt, Romulo, 490-492, 502, 574-576

Betume, 24-25

Beverly Hillbillies, The, 625, 810

Bevin, Emest, 476, 479, 510
Biafra, 627
Bilateralismo, 300, 712-714
Birkenau, 386-387
Bissell, George, 19-22, 25-27, 29-30, 36, 89-90
Blancard, Jean, 742
Blitzkrieg, 372, 374, 377-378, 389-390, 428, 435, 804
Blumenthal, Michael, 731, 788
Bnito (Companhia de Petróleo do mar Cáspio e do mar Negro), 66, 72, 74
Bolívia, 306
Bolsa de Ações de Londres, 148
Bolsa de Petróleo de Titusville, 110-111
Bolsa de Valores de Nova York, 823
Bomba atômica, 408
"Bomba McGhee", 512
Bombaim, 70, 177, 323
BNOC, 789, 816 (British National Oil Company)
Bônus da Liberdade, 241
Bornéu, 127, 128-129, 130-131, 140, 143, 195-196, 356, 364, 392, 395, 403
Borracha, 385, 400, 425-426, 623, 624
Bosch, Carl, 369
Bosworth, Steven, 700-701
Bradford, Daisy, 275
Bradley, Omar, 433, 534
Brezhnev, Leonid, 675-676, 692-693, 785
British Dutch, 137, 141
British Petroleum (BP), 123, 195, 642
    como atacadista, 778
    como novo nome para a Companhia de Petróleo Anglo-Iraniana, 567
    concessão kuaitiana cancelada, 732-734
    descentralização da, 818-819
    efeito da Revolução Iraniana na, 776, 818-819
    joint venture na Nigéria da Shell com, 594
    na Líbia, 595-596, 656
    no Alasca, 642-648
    no mar do Norte, 758
    preço fixo reduzido pela, 556
    Sohio como afiliada Americana da, 123, 830, 839

Brooke, general Alan, 421
Brooks, Jim, 493
Brown Brothers, Harriman, 852-853
Brownell, Herbert, 535, 606
Brzezinski, Zbigniew, 793
Buckley, William F., 264, 490, 491
Bulbo de luz incandescente, 87
Bulganin, Nikolai, 546
Bullitt, William, 445
Bundy, McGeorge, 627-628
Bureau de Recherches Pétroliers (BRP), 592-594
Burmah Oil, 158, 159, 160, 163, 164, 165, 166, 167, 176-177, 215, 216, 293
Burmah, 60, 272, 348, 405
Burton, William, 124-125, 429
Bush, George, 16, 832, 852
    Arábia Saudita e, 856-859
    invasão do Kuait (1990) e, 876
    origens de, 852-854
    política energética e, 855-859
    vice-presidência de, 854, 856-859
Byrnes, James, 446-447, 457
Byron, Lorde, 23-24

Caddell, Patrick, 787
Cadman, *sir* John, 218, 291, 293-294, 297-298, 301-302, 303, 314, 328, 329, 330, 331-332, 510, 512
Cadogan, Alexander, 311
Cairo, 321, 380-382, 493, 541, 543, 578, 581, 582-584, 586, 588, 630, 674, 710, 716, 725, 776, 849
Califano, Joseph, 788
Califórnia, 125, 234, 236
    boom do petróleo da, 89, 90, 245-246
Calles, Plutarco Elias, 304-305
Caltex, 334, 335, 398, 538, 739
Caminhoneiros, 624, 785
Camp David, 769, 781, 787, 788, 795, 804
Campo de Los Angeles, 90, 245, 246
Campo de Yates, 249, 252, 826
Campo petrolífero Gigante Negro, 256, 276-278
Campos de concentração, 385-386, 434-435
Campos de Lima em Indiana, 56-58, 89, 102

Campos de petróleo de Ploesti, 203, 373-374, 388

Canal de Suez, 130, 182, 380, 453, 479, 516, 521, 653, 749
  abertura do, 70, 539
  primeiros petroleiros permitidos passar pelo, 74-75, 77, 82, 197
  propriedade do, 539
  valor estratégico do, 539-540

Canadá, 155, 202, 316, 459, 578, 608, 646, 753, 825, 826, 898

Canfeno, 23-24, 32

Cantão, 345

Cárdenas, Lázaro, 304-309, 827

Cargill, John, 167

"Carlos", 727

Carter, Jimmy, 749, 855
  combustíveis sintéticos e, 787-788
  como vítima da Revolução Iraniana, 784
  crise de energia e, 747-748, 784-788, 811
  crise dos reféns do Irã e, 792-793, 794-796, 797, 798
  direitos humanos de, 762
  Irã e, 762, 766, 784
  OPEP e, 727
  posse de, 749
  renúncia do gabinete e, 788, 790-791
  xá e, 731-732, 762, 766-767, 793, 795

Carvão vegetal como combustível, 400, 409

Carvão, 783
  combustível sintético do, 156, 190, 345, 366-370, 384-387, 400, 411-412, 480-481, 668, 787
  como fonte de energia, 367, 481, 612, 661-663, 709
  dependência da Alemanha do, 362, 616
  dependência da Europa pós II Guerra Mundial do, 474, 557, 613-614
  divergências trabalhistas e o, 612-613
  efeitos sobre o ambiente do, 15, 641-642, 667
  escassez na I Guerra Mundial de, 200
  exportação para o Japão de, 74
  gás urbano destilado do, 23, 89
  petróleo no lugar do, 12, 15, 31, 95, 129, 400, 459, 612-616, 631, 642, 712-713, 813

tolueno extraído do, 195

Casoc (California-Arabian Standard Oil Company), 333, 336, 442-443, 445, 446, 447, 448, 449-450

Catar, 333, 441, 589

CCP – Cenário de Colapso do Petróleo, 851

Chalabi, Fadhil al, 590, 855

Chamberlain, Austen, 156

Chamberlain, Neville, 347

Chandler, Alfred, 616

Charles, príncipe, 636, 863

Chase Manhattan, 651, 829

Chernobyl, 885

Chiah Surkh, 154, 156, 159

Chiang Kai-Shek, 345

Chicago Times Herald, 235

Chicago Tribune, 47, 57

China imperial, 16, 26, 70, 77, 131

China nacionalista, 344-347, 361

Chisholm, Archibald, 332

Christian Science Monitor, 675

Churchill, Jennie Jerome, 171

Churchill, Randolph S., 171

Chuva ácida, 15

Churchill, *sir* Winston S., 11-12, 16, 171, 187, 294, 303, 380, 407, 411, 450, 511, 516, 521, 523, 541, 638, 790
  como Primeiro Lorde do Almirantado nos anos 1950, 523
  como primeiro-ministro em tempos de guerra, 411, 417, 421, 427, 451
  conversão política de, 11, 171
  Faissal instalado como rei do Iraque por, 225, 573
  o encontro de Ibn Saud com, 455
  uso do petróleo pela Armada Real e, 11, 173, 174, 179, 181, 193, 194, 236
  veículo blindado defendido por, 191

"Cláusula de renúncia", 210, 223, 229-230

CIA (Agência Central de Inteligência), 526, 527, 529, 532, 535, 540, 581, 590, 679, 682, 750, 761, 767, 770, 799, 854

Cidade Negra, 65

Cingapura, 70, 74, 75, 80, 81, 127, 129, 395-396

Ciro o Grande, 151-152, 635, 636-637

Cisjordânia, 626

Citibank, 651

Cities Service, 246, 304, 620, 826, 833

Clark, Maurice, 37, 38, 39, 221

Clark, *sir* Kenneth, 208

Clausewitz, Carl Von, 671

Clemenceau, Georges, 198, 206, 211-212, 592

Cleveland, Ohio, 37, 38, 39, 43, 44, 46, 49-50, 51-52, 114, 121, 221

Clube de Roma, 641, 697

Código do Petróleo, 286

Cohen, Robert Waley, 140, 142, 167, 215-216

Colina de Signal, 245-246, 276

Colinas de Golan, 626, 715

Collier, Harry C., 447, 461-463, 467

Colony Shale Oil Project, 811

Colorado, 89
xisto das montanhas do, 217, 368, 481, 811, 840

Comando Central dos Estados Unidos, 12

Combustíveis fósseis, 15

Combustíveis sintéticos, 182-185, 411, 480-483
falta de energia dos USA e os, 668-669, 748, 785-787
Japão e os, 345, 400
produção nazista do, 366-367, 368-370, 371-373

Combustível para aviões a jato, 704

Comissão consultiva do petróleo, 584

Comissão de Energia Atômica, 749-750, 752

Comissão Federal de Comércio (Federal Trade Comission), 246, 253, 254-255, 532

Compagnie Française des Petroles (CFP), 213, 221, 533, 535, 537, 567, 592

Companhia de Produção de Petróleo Irmãos Nobel, 65, 66, 68

Companhia de Tabaco de Sumatra Oriental, 80

Companhia Venezuelana de Petróleo, 264-265

Comunidade Europeia, 702 (Econômica), 706, 711, 713, 782, 807-808

Comissão das Ferrovias do Texas (Texas Railroad Commission), 452-453, 556, 822
criação e objetivos originais da, 278-279
interesse dos produtores independentes representado na, 556, 629
mandato de regulamentação do petróleo da, 279, 600-603, 639-640, 822
Pérez Alfonzo influenciado pela, 577
pró-racionamento ordenado pela, 279, 281
quotas federais e, 287, 288

"Comitê dos 60", 780

Comissão Internacional de Juristas, 764

Comissão Internacional do Petróleo, 452-453, 456

Comissão Real de Combustível e Motores, 175, 176

Comitê Americano pela Não-Participação na Agressão Japonesa, 346

Comitê Consultivo para o Fornecimento de Petróleo, 549

Comitê de Emergência do Oriente Médio, 548, 554-555

Comitê de Fornecimento de Petróleo Estrangeiro, 628, 629

Comitê de Óleo Combustível, 156, 157

Comitê de Vigilância, 680

Comitê Interno das Forças Armadas, 483

Comitê Nacional Republicano, 241, 854

Commerce Comission, Oklahoma, 279

Companhias de petróleo, independentes, Estados Unidos, 241, 278, 279, 295-297, 416, 604-609, 656, 824, 853
a idade de ouro das, 810
influência política das, 452-453, 476, 605, 609
na zona neutra, 492-494
no consórcio iraniano, 537, 567, 602
oposição aos controles pelas, 200-201, 247, 251, 448, 476
ponto de vista doméstico das, 556, 604-607
quotas de importação buscadas pelas, 604-607
Standard Oil e, 59, 78-80, 86, 89, 114, 117

Companhia Nacional de Petróleo Iraniana, 513, 536-537, 567, 661, 768, 773

Companhias petrolíferas:
ações antitruste do Departamento de Justiça, contra as, 415-416, 423, 453, 489, 531-535, 538, 542, 557, 606
Acordo Voluntário das, 289, 542

acordos entre, 78-80, 289

antipatia pública em relação às, 47-48, 223, 745-746

as "Sete Irmãs", 566-567, 889-890

como cartel, 492

como contratadas, 737-739

competição do varejo doméstico entre as, 252

competição europeia entre as, 616-619

controle governamental das, 250-251, 255, 278-289, 300-301, 413, 415, 422-424, 445-448

crescimento no número das, 599-600

desintegração das, 814-815

disputa entre países exportadores e, 485-506, 635-664, 665-693

diversificação das, 753-754

divisão 50/50 entre países exportadores e as, 485-506, 563, 570, 571, 574, 584, 655-658

economia promovida pelas, 460

embargo do petróleo árabe (1973) e as, 701-707

fusões e aquisições de, 254-256, 645, 826-827, 839-840

lucros das, 600, 744-747

na nova ordem mundial, 887-889

na revista *Fortune* 500, 13

negociação pós II Guerra Mundial das, 459-474

no *boom* da Pensilvânia, 31-32

no *boom* do Texas, 95, 100, 102

pagamentos de *royalties* pelas, 485-506

reorganização pós-desregulamentação das, 822-823, 831-839

sinais e símbolos das, 104-105, 234, 460-461, 619-621, 743

valorização das, 660, 836

Companhia Turca de Petróleo:

Acordo da Linha Vermelha com, 230, 315, 323-324, 463-467, 710-711

acordos iraquianos com a, 225

negociações de Teagle com, 221, 224-230

o hiato da I Guerra Mundial da, 210

os alemães, 207, 209, 212

os britânicos e a, 207, 209, 212, 213, 219

os franceses e, 212, 213, 221

propriedade da, 207

ressurgimento pós-I Guerra Mundial da, 212

Comunistas (comunismo), 599

colapso do, 876, 885

na Europa Ocidental, 461, 467, 723

no Oriente médio, 473, 478, 508, 524, 527, 672

Conferência das Bermudas, 560-561

Conferência de Petróleo Interaliada, 199, 205

Conferência de Yalta, 453

Conferência naval de Washington, 342

Conferência sobre a Cooperação Econômica Internacional, 720

Conferência sobre Energia em Washington, 713, 776

Congresso Árabe do Petróleo, 581-582, 583, 586

Consolidated Edison, 624

Congresso, Estados Unidos, 219, 288, 309, 345, 418, 422, 426, 443, 452, 460, 477, 505, 541, 557, 576, 604, 695, 701

investigações sobre a indústria petrolífera pelo, 460, 744-747

racionamento de gasolina aprovado pelo, 425

Connally, John, 604

Connally, senador Tom, 287

Conselho de Petróleo do Exército e da Marinha, 430, 446 (Army Navy Petroleum Board)

Conselho de Segurança Nacional, 504, 527, 535, 553, 629, 682, 731, 770

Conselho de Segurança Nacional, 682

Conselho Federal de Conservação do Petróleo, 248

Conselho Nacional Judeu, 478

Continental Oil, Conoco, 123, 617, 826

Continental Trading, 241

Convenção Anglo-Russa, 161

Cook, Frederick, 274

Coolidge, Calvin, 239, 240, 248-249

Coreia do Sul, 511, 616

Corsicana, Texas, 91, 93, 103

Cowdray, W.D. Pearson, Lorde, 257-260, 266, 304

Cox, Archibald, 689-690

Craqueamento
  catalítico, 429-430
  técnicas de, 249
  térmico, 124, 125, 429
Crane, Charles, 321-322
Crédit Lyonnais, 65
Crise dos Mísseis Cubanos, 628, 693
Crise dos reféns iranianos, 792-793, 794-796, 797, 798
Crise energética (1973), 667-668
Crown Oil, 80, 82
Crise do Suez, 539-561, 670
  acontecimentos da, 540-545
  consequências da, 559, 567, 569, 613, 630
  origem da, 539-540
Conferência de Tóquio, 787
Cullinan, Joseph "Joe Couro de Veado", 103-105
Curdos, 225, 228, 801, 883
Curzon, Lorde, 152, 157, 159, 205, 206, 268

Daily Express (Londres), 171, 292, 556
Daisy Bradford número 3, 275-277
Dallas, 104, 108, 604, 622, 810, 837
Dalton, Hugh, 476
Dayan, Mosche, 550, 683
D'Arcy, Nina Boucicault, 151, 167
D'Arcy, Willian Knox:
  origens de, 151
  perspectiva do petróleo persa de, 151, 153, 154, 155, 155-159, 161, 163-167, 168, 207, 210, 302, 658, 732
Dario I, 151
Davies, Ralph, 416, 417, 493, 498, 499
Davignon, conde Etienne, 807-808
Davis, William, 299
Declaração de Lansdowne, 159, 795
Declaração de Potsdam, 408
"Decreto de Yamani", 781-782
Departamento de Estado, Estados Unidos, 344, 441, 533, 537, 542, 596, 640, 668-670, 679
  acordo Gulf-kuaitiano e o, 471-472
  acordo sobre o consórcio iraniano e o, 534-535, 537-538

cartel do petróleo temido pelo, 532
  Japão e o, 344, 349, 353-355
  negociações Aramco-sauditas e o, 460-465, 478, 502-503
  negociações Creole-Venezuela e o, 491
  princípio do Porta Aberta invocado pelo, 218-219
  xá e, 553
Departamento de Defesa, Estados Unidos, 695, 730, 749
Departamento de Energia, Estados Unidos, 751
Departamento do Interior, Estados Unidos, 237, 238, 283, 284, 481, 606, 628, 630
Departamento de Justiça, Estados Unidos, 468, 679
  casos antitruste das companhias de petróleo do, 415, 423, 453, 489, 531, 538, 542, 557, 606
  exceções antitruste pesquisadas pelo, 423, 554, 628, 656
De Gaulle, Charles, 465, 592, 593, 594
DeGolyer and McNaughton, 440, 562, 645, 651
DeGolyer, Everette, 306, 439-441, 442, 451, 457, 510, 562, 896
Dempsey, Jack, 494-495
Departamento de Guerra, Estados Unidos, 120
Departamento de Imprensa, Estados Unidos, 118
Departamento de Minas, Estados Unidos, 217, 742
Departamento do Tesouro, Estados Unidos, 356
Destruição da camada de ozônio, 15
Détente, 304, 325, 597, 676, 729, 750
Deterding, Henri, 16, 143, 177, 195, 232, 254, 260, 277, 279, 306, 344, 644, 650
  caráter de, 133, 222
  como sucessor de Kessler na Royal Dutch, 133-135
  contrato com a Armada Real com, 181-182
  fascínio pelos nazistas de, 412-413
  fusão e controle buscado por, 133-142

morte de, 413

nos acordos com as companhias de petróleo, 291-297, 298-299

o papel no petróleo turco de, 209, 214, 221, 223, 226-227

origem e início de carreira de, 132-133

petróleo da Rússia por, 265-272

Deterding, Lydia Pavlova, 226, 270

Deutsche Bank, 147, 195, 201, 207, 210

Dewey, George, 395

Dia da Terra, 641

Diamond, Shamrock, 830-831

Díaz Serrano, Jorge, 755-756

Diaz, Porfírio, 258, 260-261

Dikko, Yahaya, 816

Dinamarca, 411

Dinamite, 63, 68-69, 244, 280, 439

Diretrizes de Acordo para Distribuição, 298

Disraeli, Benjamim, 73, 182, 539

Doenitz, Karl, 420, 421, 422

Doheny, Edward, 238, 239, 240, 241, 243, 257, 261, 265

Doherty, Harry, 246-250, 255-256, 826

Dolph, Robert, 735-736

Dome Petroleum, 826-827

Doutrina Carter, 795

Doutrina da "ilegalidade superveniente", 464

Doutrina Nixon, 638

Doutrina Truman, 467, 505

Drake, "coronel" Edwin L., 27-31, 36, 39, 89, 113, 164, 757, 886

Drake, J.F., 471-472, 504, 521

Drake, *sir* Eric, 556, 705-707

Drexel, Burnham, 834

Driscoll, Alfred E., 623-624

Duce, Jammes Terry, 442, 449-450, 451, 478

Dulles, Allen, 225, 526, 527, 581

Dulles, John Foster, 526-527, 529-530, 531, 543, 544, 555, 606-607

crise de Suez e, 543, 544, 552, 555

Dunlop, Robert, 606

DuPont, 826-827

Economia de petróleo, 740-753, 760-761, 787, 812

na França, 742-743

no Japão, 741-742

nos Estados Unidos, 460, 749-753, 754, 812

Eden, *sir* Anthony (Lorde Avon), 16, 356, 370-371, 455, 711, 760

a crise do Suez e, 541, 545-553, 556, 558, 561

Irã e, 512, 523-524, 525, 527, 534

Edison Illuminating Company, 88

Edison, Thomas Alva, 86-87

Edmonton, 459

Eduardo VII, rei da Inglaterra, 169, 170

Efeito estufa, 15, 641-642, 885

Egito, 143, 209, 210, 378-382, 653, 781, 795, 850

Arábia Saudita e, 574

Guerra dos Seis Dias e, 626-630

nacionalismo do, 591, 673, 788

relações soviéticas com, 671, 673, 675-676, 679-680, 683, 691-693

Ehrlichman, John, 668

Eisenhower, Dwight, 16, 639, 854, 862

a crise de Suez e, 543, 544, 545, 546, 548, 549, 551, 552-553, 560

a pressão aliada final e, 431-435

eleição de, 534, 552

invasão da Normandia e, 387

na caravana motorizada, 232-232, 624

programa interestadual de autoestradas e, 625

sobre as quotas de petróleo, 604-607

Eizenstat, Stuart, 786-788

El Alamein, 379, 380-381, 382-384, 540

Elam, 800

Eletricidade, 614, 667

custo da, 87

desenvolvimento pela Edison da, 87

fontes alternativas para a, 813

El Paso Natural Gás, 483

Elf-ERAP (Enterprise de Recherches et d' Activités Pétrolières), 594

Elizabeth II, rainha da Inglaterra, 635-636, 697

Elliott, Lloyd "Shorty", 347

Embargo:

contra o Iraque (1990), 876, 878

do Iraque contra o Egito (1979), 788

na crise da nacionalização do petróleo
iraniano, 520, 522

na crise de reféns do Irã, 798

na crise de Suez, 552

na II Guerra Mundial, 350, 354-357,
370-371, 398

Emirados Árabes Unidos, 638, 724, 875, 878

Emmerglick, L. J., 535

Energia nuclear, 550, 613, 642, 646, 667, 741,
742-743, 782, 786, 813, 843-844, 884

ENI (Ente Nazionale Idrocarburi), 565-566,
567-568, 569, 572, 597-598, 661

Escândalo da Tampa do Bule, 236-243, 248,
257, 282-283

Escândalo de Watergate, 690, 884

a administração Nixon e o, 689-690

impacto do, na credibilidade do
governo, 689-691, 747, 749, 784, 833,
854, 884

impacto do, nas relações externas, 690,
691, 716

Especulação no *boom*:

do petróleo da Pensilvânia, 31-32

do petróleo texano, 94, 102-103

dos anos 20, 244-245

dos anos 70, 809

Esso-Líbia, 652

Estado de Nova York, 38, 47, 48

Estados Unidos:

acordo petróleo soviético por trigo com
os, 729

Arábia Saudita como foco dos, 480

comércio de petróleo e relações políticas
entre México e os, 257-261, 303-310

como maior consumidor de petróleo,
14, 217, 233, 610, 820, 843

como segundo maior produtor de
petróleo, 843

crescimento pós-Guerra Civil dos, 39,
107

declínio abrupto de novas descobertas
dos, 443-445

desemprego nos, 719

divisão do comércio exportador
mundial do petróleo dos, 68

economia de petróleo nos, 460, 747-753,
787

embargo árabe do petróleo (1967) e,
626-630

embargo árabe do petróleo (1973) e,
686-716

estocagem de petróleo dos, 604-605,
629, 749

estratégia para a OPEP dos, 728-732

exportação de petróleo para a Europa
dos, 32, 61-62, 98, 199

exportação de querosene para a Russia
dos, 65

fim da exploração do petróleo nos,
830

Guerra de Outubro e os, 683-686, 691,
692-693, 710

hegemonia mundial dos, 599

imigração para os, 39

importação de petróleo da Inglaterra
dos, 264-265

importação de petróleo pelos, 218, 640,
648, 669, 873

invasão do Iraque ao Kuait e os, 875-877

na I Guerra Mundial, 191, 192, 198, 199,
252, 310

negociações das armas e reféns entre Irã
e, 868-869

negociações do preço do petróleo em
1986, 859-863

negociações sobre o petróleo
mesopotamo-iraquiano dos, 220-230

no teatro de guerra do Pacífico da II
Guerra Mundial, 392-410

o petróleo do Oriente Médio e as
relações britânicas com os, 443-445,
449-451

oposição à exploração de petróleo
nos, 15

PNB dos, 719

política da Boa Vizinhança com a
América Latina dos, 308-309

política de consolidação dos, 445-448, 462

política de Porta Aberta buscada pelos, 217-220, 225

política nacional de energia dos, 749-753, 855

políticas do Oriente Médio e os, 537, 560, 785-788

políticas petrolíferas da II Guerra Mundial, 422-427

quotas para importação de petróleo dos, 580, 581, 597, 604-609, 616, 618, 630, 640, 666-668, 669

relações diplomáticas da Arábia Saudita com os, 325

relações pré-II Guerra Mundial do Japão com os, 343-344, 354-362

reservas de petróleo dos, 459, 563, 754

"Estamos ficando sem petróleo!" (Ickes), 444

Estrada de ferro Berlim-Bagdá, 327

Estrada de Ferro Sul Manchuriana, 341, 349, 570

Etiópia, 313, 370-371, 455

Europa, 49, 130

como mercado competitivo de petróleo, 616-619

consumo de petróleo na, 610

conversão de petróleo na, 613-614

crise energética do pós II Guerra Mundial da, 474-477, 613-614

exportação de petróleo dos USA para, 61-62, 95, 199, 289

exportação de querosene da Russia para, 65

importação de petróleo venezuelano da, 289

o começo da exploração de petróleo na, 25-26

preços da gasolina na, 125

regulamentação governamental do petróleo na, 299-300

tecnologia da eletricidade na, 87

European Petroleum Union (EPU), 147-148

Exército alemão, Wehrmacht, 370, 375

Exército americano, 199, 231, 433, 434, 517

Exército Panzer, Alemanha, 380

Export Petroleum Association, 296

Exxon Valdez, 906

Fahd, rei da Arábia Saudita, 727, 785, 815, 846, 856-857, 865

Faissal II, rei do Iraque, 573

Faissal, rei da Arábia Saudita, 590, 591

Faissal, terceiro filho de Hussein, 224-225

assassinato de, 727

crise de Suez, 549

embargo árabe do petróleo (1973) e, 687-688, 693, 694-697, 702-703

Yamani e, 591, 657, 671-675, 687, 707-708, 864-865

Fall, Albert B., 237, 282-283

Família Keck, 831-832

Família Mellon, 330, 833, 838

Família Rothschild, 66, 73, 84, 145, 157, 266, 296, 539

as ações de Royal Dutch-Shell de, 148, 156, 266, 298

irmãos Nobel e, 66, 67, 68

na guerra do petróleo, 78, 79, 110, 114

negociações com petróleo de Samuel com, 69, 71, 72, 73, 78, 127-128

Farish, William, 248, 250, 282

Farouk, rei do Egito, 455, 540

Federal Reserve, Estados Unidos (Banco Central), 812, 828, 829

Feis, Herbert, 444, 448

Fergusson, *sir* Donald, 520

Ferrovias, 35, 287-290, 417, 452

abatimentos, descontos e reembolsos da Standard Oil das, 41-42, 43, 47, 121

empréstimo dos Rothschild para as, 66

Flagler e as, 41

no império russo, 64, 65, 259

regulamentação das, 118

South Improvement Company e as, 43-44, 110

uso das, em tempo de guerra, 187-188, 191-192

Ferrovia Transsiberiana, 130

Filadélfia, 35, 46, 49, 50, 54, 61, 80, 98, 102, 834

Filipinas, 364, 403, 405, 834

Filosofia da Revolução (Nasser), 548, 652

"Fim de semana mexicano", 827-830

Findlay, Ohio, 56
Fisher, John Arbuthnot, 169-170, 171, 187, 412
    carreira na Armada Real de, 169-170
    Churchill aconselhado por, 172-173, 175-176, 177, 182-183, 193, 236
    como "chefão do petróleo", 169
    D'Arcy e, 168-169
    origem de, 169
    personalidade de, 169
Flagler, Henry, 40
    a Flórida desenvolvida por, 41, 116
    o papel na Standard Oil de, 41, 42, 45, 47, 48, 116, 120
    origem de, 40-41
    relacionamento de Rockefeller com, 40, 41, 52, 500, 826
Flórida, 41, 116
Foch, Ferdinand, 192, 205
Fogo grego (oleum incendiarum), 25
Follis, Gwin, 462, 467
Força Aérea Estratégica Americana, 387
Ford, Gerald R., 690, 728-730, 747, 749, 759, 790
Ford, Henry, 88
Foreign Affairs, 668, 799
Foreign Policy, 668
Formações de sal (domo), 92, 96, 244
Forrestal, James, 334, 457-458, 462, 483
Fort Sumter, 31
Fort Worth, Texas, 234
Fortune, 13, 491, 499, 576, 756, 839, 853
França, 11, 24, 66, 157, 163, 233, 461, 628, 714, 742, 841, 891
    Argélia e, 593, 598
    Comité Général du Pétrole da, 198, 205
    Compagnie Française des Pétroles (CFP) da, 213, 221, 533, 535, 567, 592
    Crise de Suez e, 543-555, 560, 593, 710
    economia de energia na, 742-743
    na I Guerra Mundial, 187-190, 193, 198
    na II Guerra Mundial, 348, 371, 372, 374, 379, 387, 411, 414, 428
    no embargo do petróleo árabe (1973), 710
    o Oriente Médio dividido pela Grã-Bretanha e, 206-215, 224-225

Pacto Triplo, 163
papel da, na Companhia Turca de Petróleo, 209-210, 213, 221
regulamentação do petróleo na, 301
substituição pelo petróleo na, 614
Francisco Ferdinando, arquiduque da Áustria, 183, 210
Frankel, Paul, 612
Fraser, *sir* William, 472, 504, 511-512, 515, 520, 521, 524, 531, 538, 656
Front Uni, 269
Fundo Monetário Internacional, 554
Funkhouser, Richard, 530

Gabão, 592
Galbraith, John Kenneth, 425-426
Galey, John, 92-93, 97, 101-102, 831
Galland, Adolph, 389
Gallieni, Joseph, 188-190
Garfield, James, 32
Garvin, Clifton, 778, 783-784, 811-812, 840
Gasolina:
    "guerra de preços" e, 619-621
    aditivos na, 619-621
    bolsa de futuros na, 821
    cartões de crédito para, 619
    cem octanas, 428-429, 469,
    de raiz de pinheiro, 406, 409
    hidrogenação e, 369
    no embargo do petróleo árabe (1973), 698-699
    os efeitos da revolução iraniana sobre, 783, 785, 786
    preço da, 124-125, 236, 481, 698
    primeiros produtos da Texaco da, 104
    processo de craqueamento térmico da, 124-125
    propaganda de, 235, 460, 619-621
    racionamento de, 414, 418-419, 424-426, 459, 522, 557-558, 700
    recipientes de cinco galões para, 427
    tarifa sobre a, 288-289
    taxação da, 624, 668, 721
    usos da, 55, 87-88
    valor antidetonante da, 125, 249
Gás natural, 15, 86, 87, 102, 164, 228, 248, 481, 565, 614, 616, 741, 843

controle de preços do, 667
na Holanda, 711, 757
na Itália, 565
na União Soviética, 843-844
Natural Gas Trust pela Standard Oil
com, 102
no Japão, 813
no lugar de gás urbano manufaturado,
102
para calefação, 482
suprimentos reduzidos de, 667
Gás urbano, 23, 87, 102
Gasolina de raiz de pinheiro, 409
Gasolina Esso, 617
Gates, John W., "Aposto Um Milhão",
104
Geleia de petróleo, 55
General American, 827
General Lee Development, 274
Genga, Giroloma, 469
Genghis Khan, 152
George V, rei da Inglaterra, 179
Gerretson, F.C., 134
Gesner, Abraham, 23-24
Getty Oil, 499, 832, 836
Getty, Gordon, 832
Getty, J. Paul, 16, 494-502, 568, 574, 606,
811, 832
Gilbert, Jeremy, 773-775
Giraud, André, 594
Giscard d'Estaing, Valéry, 742-743
Gladys City Oil, Gas and Manufacturing
Company, 91
Glasnost, 885
Glenn Pool, Oklahoma, 97, 100, 104, 238
Godber, Frederick, 279-280, 299, 490
Golfo Pérsico:
como estabilizador, 600
presença naval dos russos no, 152-153
retirada da Inglaterra do, 638-639,
666-667
Golpe de Rashid Ali, 802
Gomez, Juan Vicente, 262-265, 487-488,
574-575
Goodman, Herbert, 733-734
Gorbachev, Mikhail, 473, 650, 863,
885, 887

Grande Depressão, 265, 275, 276, 285, 289,
292, 298, 319, 416, 496, 571, 755, 812,
894
fim do crescimento da demanda do
petróleo na, 255
na Alemanha de Hitler, 370
na Europa, 319
no Japão, 342
no Oriente Médio, 319, 328
preço do petróleo na, 285-288
Grã-Bretanha, 233, 460, 467, 841
"nevoeiros assassinos" da, 613-614
a Companhia Turca de Petróleo e a,
207, 209, 212, 213, 219-220
a crise do Suez e a, 539-561, 613,
710-711
a família real da, 132, 636
acordo norueguês do mar do Norte
com a, 757
acordos de divisão de mercado na,
147-148, 295-296, 300-301
ajuda de arrendamento a, 415, 418,
442-443
Almirantado da, 155-156, 157-159,
165-167, 171, 177, 178, 179, 180, 181,
182, 195-196, 197-198, 215, 293-294,
329, 421
Companhia Petrolífera Inglesa (British
National Oil Corporation) – BNOC,
759, 789, 816, 844
companhias petrolíferas de Rothschild
na, 68
concessões árabes de petróleo e "cláusula
de nacionalidade" da, 315-317, 328-329
conversão ao petróleo da, 614, 713
crise energética pós II Guerra Mundial
da, 474
em retirada do Golfo Pérsico
(Inglaterra), 638-639, 666-667
Executiva do Petróleo da, 198, 218, 293
importação de petróleo da, 264-265
mandato do Oriente Médio da, 224,
225, 478
na I Guerra Mundial, 188, 190-192, 202,
203
na II Guerra Mundial, 347, 373-375, 377,
379, 387, 398, 405, 411-422, 427, 429

no Pacto Triplo, 163
o embargo do petróleo árabe (1967) e a, 626-630
o embargo do petróleo árabe (1973) e a, 707
o mercado de petróleo mexicano e as relações políticas com a, 303-310
o Oriente Médio dividido pela França e pela, 206-207, 210, 211, 218, 224
Petroleum Department da, 413
relações do petróleo do Oriente Médio entre os Estados Unidos e, 445-446, 449-453
relações pré-I Guerra Mundial entre o Japão e a, 342, 344, 351, 355, 357
rivalidade entre a Alemanha Imperial e a, 170-171
Pérsia e a, 151-154, 156, 161-163
Grécia, 151, 374, 467, 474, 479
Greenway, Charles, 176-178, 179, 180, 182, 194-196, 215, 217, 221, 223, 293
Grew, Joseph, 346-347, 353, 358
Grey, *sir* Edward, 178
Grimm, Paul, 771
Groningen, 80, 757
Grozny, 268, 374, 376
Grupo Oásis, 618-619
Guadalcanal, 397-398
Guam, 364, 401, 403, 404, 405
Guarantee Trust's of London, 326
Guarda Costeira, U.S.A., 460
Guarda Nacional, 280-281
Guderian, Heinz, 377
Guerra árabe-israelense:
acordos de paz de Camp David e, 769, 781, 788, 795, 804
de 1948, 478
Guerra de Outubro, 690, 691, 693, 710, 841, 869
Guerra dos Seis Dias, 626-627, 629, 630, 631, 651, 683, 695, 818
Guerra Civil dos EUA, 31-32, 37, 38, 39, 59
Guerra da Coreia, 503, 511, 522, 532, 533, 535, 600, 604, 615, 628, 702
Guerra de Outubro, 665, 670-671, 679, 681-716, 841

a Guerra Fria e, 672, 675-676, 682-683, 686, 689-690, 691-693
Assad e, 675-676
o papel de Sadat na, 670-675
Guerra de trincheiras, (luta nas) 190-191, 195
Guerra do petróleo (1872), 44, 78, 110, 114
Guerra dos *Bôeres*, 131, 139
Guerra dos Seis Dias, 626, 818
embargo do petróleo árabe (1967) e a, 694-696
Guerra de Outubro com base na, 683-686, 695
Guerra do Vietnã, 607, 627, 637
Guerra entre a França e a Prússia, 187-188
Guerra Fria, 480, 625
a crise iraniana de 1946 e, 472-474
a economia e a, 585
a Guerra de Outubro e, 672, 675-676, 682-683, 686, 689-690, 691-693
desenvolvimento da, 460-461, 481, 509
fim da, XII, XIV, 872, 888
Guerra Irã-Iraque, 856, 859, 866-870
apoio ao cessar-fogo na, 868, 869
Hussein e, 801-805, 861, 868, 874-875
impacto no mercado de petróleo da, 805-809, 814, 815, 841, 848, 861, 865, 869-871, 872
Khomeini e, 801-805, 845, 861, 868-869
origem da, 800-805
Guerras do petróleo, 127-149
entre a Royal Dutch e Shell, 136-142
entre a Royal Dutch e Standard, 142-143
grande aliança nas, 79-80
quatro rivais das, 78
tumulto na Rússia e as, 144-149
Guerra russo-japonesa, 118, 145, 146, 161, 191, 352, 363, 365
Guffey Petroleum, 97, 99, 100
Guffey, James, 92, 95, 97-98, 101, 103, 104
Guinn, Ed, 660
Gulbenkian, Calouste, 16, 207-210, 220-222, 224, 225-227, 228-230, 260, 266, 269, 463-465, 467-470, 494, 500-501, 603, 650, 660, 854
Aramco e, 463-465, 469-470
morte de, 470

origens de, 207-208, 221

papel na Companhia Turca de Petróleo de, 207, 209-212, 224, 225, 227-231

Participações e Investimentos (P&I), 464, 465

Grupo de Investidores da Gulf (GIG), 834, 838

Gulbenkian, Nubar, 209, 226, 469

Gulbenkian, Rita, 230

Gulf & Western, 645

Gulf Oil, 234, 253, 255, 298, 304, 447, 566, 643, 734, 832-839

    a quase associação da Texas Company com, 104

    acordo da Shell com, 471-472, 473

    compra pela Chevron da, 836-839, 840

    em Bahrain e na Arábia Saudita, 315-317, 327-332, 446-448, 504-505, 838

    estabelecimento da, 100-101, 833-834

    na Coreia do Sul, 616

    no consórcio iraniano, 536

    no Japão, 615, 616

    no Kuait, 447, 504, 732-734, 838

    no mar do Norte, 754,

    oferta por um circo da, 754

Guilherme III, rei da Holanda, 81

Guilherme, *kaiser*, 11, 170

Gulf Refining, 99, 100

Haig, Alexander, 690, 692, 700, 701

Hailé Selassié, imperador da Etiópia, 455

Halifax, Lorde, 450

Hall, A.W, 88

Hamaguchi, Osachi, 342

Hamill, Al, 93-94, 101

Hamilton, Lloyd, 323-324

Hammadi, Saadoun, 657

Hammer, Armand, 16, 648-651, 653-654, 656, 661, 757, 826, 839

Hammer, Julius, 649

Hammer, Victor, 649

Hankey, *sir* Maurice, 211

Harden, Orville, 301

Harding, Warren G., 219, 237, 239, 240, 642

Hardinge, *sir* Arthur, 151, 152-154, 157, 183

Harriman, Averell, 516-520, 521

Hart, Basil Liddell, 191, 385, 435

Hartley, Fred, 839

Hashemitas, 478, 573

Healey, Denis, 638

Heath, Edward, 561, 705-707, 711, 713

Henderson Daily News, 276

Henderson, Loy, 274, 537

Herrington, John, 856

Hidrogenação, 367, 368-370, 372, 385, 388, 412, 786

Higgins, Patillo, 91-93, 95, 101, 104

Hindenburg, Paul von, 191

Hiroshima, bomba atômica sobre, 480

Hirota, Koki, 407

História expositiva da Standard Oil Company, (Tarbell), 116

Hit, betume em, 24

Hitler, Adolf, 13, 16, 347, 350, 354, 358, 366-367, 370, 411, 412, 422, 434, 547-548

    ideologia e "solução final" de, 385-386

    Plano Quadrienal de, 371-372

    poder por completo de, 367

    produção de combustíveis de, 366-370, 371-373, 375-378

    Rommel e, 379, 380, 382, 383

    suicídio de, 391

    União Soviética invadida por, 373-378

Hogg, James, 103, 279

Holanda, 69, 81-82, 85, 132, 143, 196, 348, 357, 428, 694, 705-706, 711, 716, 757

holding Bunker Hunt, 661

holding companies, 109, 141

Hollyday Inn, 622

Holman, Eugene, 306

Holmes, Frank, 732-733

    o papel de, no petróleo da Arábia Saudita e do Kuait, 313-314, 315, 327, 330, 331-332, 335, 337

    origens de, 313-315

Homero, 25

Hong Kong, 70, 74, 364, 395, 638, 723

Hoover, Herbert, 220, 330, 331

Hoover, Herbert Jr., 489, 529-531, 552

    Barragens Hoover, 625

Houdry, Eugene, 429

Houston, Texas, 104, 810, 820, 824, 837, 854

Howard, Frank, 368-369

Howell, David, 782

Hughes, Charles Evans, 220
Hughes, Howard, sr., 104
Hugoton Production, 825-826
Hulha gorda, 24
Hull, Cordell, 311, 344, 346, 350-351, 355, 357, 358, 361-362, 363, 446
Humble Oil, 248, 250, 251, 280, 282, 643, 644-645
Hungria, 132, 551, 553
Hunt, H.L., 277-278, 811
Hussein Saddam, 16, 695
   a invasão do Kuait (1990) e, 12, 14, 873-874, 883
   brutalidade de, 874
   guerra Irã-Iraque e, 801-806, 814, 845, 856, 874
   o xá e, 801-802
   origens de, 802-803
   os curdos e, 801-802, 883
Hussein, *sharif* de Meca, 224
Hussein Ibn Talal, rei da Jordânia, 626

Ibn Saud, rei da Arábia saudita, 16, 317-323, 335-337, 442-443, 444, 445-447, 454-455, 461-462, 536, 579, 719, 724-725, 737-738, 795, 876
   a Aramco e, 460-462, 466-467, 469
   consolidação da Arábia Saudita por, 318-319
   encontro de Churchill com, 455
   encontro de Roosevelt com, 453-455
   morte de, 536
   negociações de concessão de petróleo e, 323-329
   origens de, 317
Icahn, Carl, 839
Ickes, Harold L., 282-285, 344, 415, 444, 456, 493, 532, 553, 562, 587, 606, 639
   demissão de, 456-457
   embargo japonês e, 353-355
   origens de, 282-283
   política de petróleo do Oriente Médio e, 445-446, 446, 447, 456, 461
   racionamento de gasolina e, 416-419, 422-426
   reformas da indústria do petróleo por, 282-285, 288-289, 300

Idris, rei da Líbia, 595, 650-651, 652, 654
Iêmen, República Democrática Popular do (Sul), 321-322, 326, 590, 637, 672
I.G. Farben, 489, 534
   ligações nazistas com, 366-367, 370-372, 384-386
   projetos de combustível sintético da, 366-370, 384-386
Igreja Batista, 43, 51-53, 91
I Guerra Mundial, 187-205, 342-343, 379, 435
   antecedentes e causas da, 11, 12, 170-171, 182, 186
   armada de táxis parisienses na, 188-190, 211-212
   armistício, 205
   como guerra de defesa, 190, 191
   escassez de óleo combustível na, 197-201
   Estados Unidos na, 192, 197-199, 252, 310
   indústria de petróleo romena destruída na, 201-203, 244, 414
   restolho da, 187
   uso do aeroplano na, 192-193
   uso do submarino na, 197, 198
   uso do tanque na, 191
II Guerra Mundial, 341-435
   a indústria alemã de combustíveis sintéticos como alvo dos Aliados na, 384-387
   Batalha do Atlântico na, 416-422
   bombardeio atômico do Japão na, 408
   campanha do norte da África, 378-384, 421, 541
   campos de concentração na, 385
   derrota da Alemanha na, 389-390
   derrota do Japão na, 406-410
   desvendamento de código na, 351, 355, 364, 380, 397, 399, 418, 420
   eclosão europeia da, 300, 310, 348-350
   importância estratégica do petróleo para o Eixo, na, 13-14, 341-410
   importância estratégica do petróleo para os Aliados na, 411-435
   invasão da Normandia na, 387, 389, 430-431
   luta soviético-japonesa na, 407, 408

pressão final dos Aliados na, 430-435
queda da indústria do petróleo do
Oriente Médio na, 439
refinaria de Balikpapan destruída na,
392-395
soerguimento da Alemanha e a, 366-391
soerguimento japonês e a, 341-365
teatro do Pacífico na, 392-410
uso do submarino na, 399, 416-422,
429, 608
uso do tanque na, 375-378, 389-390
Il Giorno (Roma), 566
Ilha Kharg, 572, 768 (Kharg Island), 801
Ilhas Falkland, batalha das, 193
Ilhas Gilbert, 401
Ilhas Kurilas, 361, 407
Ilhas Marshall, 401
Ilhas Sakhalinas, 407
Ilhas Virgens, 608
Ilíada (Homero), 25
Imperial, sucursal da Jersey, 459
Império Austro-Húngaro, 92, 163, 187
Império Otomano, 194, 207, 209, 210, 223,
229, 327, 801, 875
Império Persa Sassanida, 804
Índia, 14, 16, 74, 151-152, 157-159, 163, 181,
183, 205, 224, 271-272, 293, 337, 376,
377, 381, 444, 471, 474, 505, 516,
539-540, 779, 888, 892, 894, 897, 899
Índias Orientais Holandesas, 219
a Royal Dutch e as, 80, 81-85, 128, 137,
138
Ato de Arrendamento Mineral de 1920 e
as, 219
o Japão e o petróleo nas, 343-344,
347-348, 349, 354, 355, 356
Indochina, 343, 349, 355, 356-357, 361
Indonésia, 629, 640, 739, 807
Indústria Química, 564, 615, 746
Inflação, 786
como problema refratário, 719, 811
controle de preços e, 747
nos anos 1960, 607
preços do petróleo e, 722, 731
recuperação pós-guerra e, 474
Instituto Americano do Petróleo (IAP),
247-248, 297

International Basic Economy Corporation,
492
International Energy Agency (IEA), 713-714,
728, 740, 780, 782, 806, 878, 883, 899
Irã, 12, 14, 151, 310, 311, 327, 380, 397, 441,
442, 451, 472-474, 479, 500, 506,
507-538, 541, 567, 590, 600, 642, 655,
708, 730, 768, 775, 800, 850, 866
a queda da indústria do petróleo do,
768-769, 770-773, 775
a transação de Mattei com, 566-569,
598-599
acordos petrolíferos do pós-guerra no,
472-474
Arábia Saudita e, 590, 600-603, 709-716,
717-724, 814-815, 856
batalha dos *royalties* da Anglo-Iraniana
com, 500-538
consórcio de companhias e, 522-538,
566, 568, 602, 661
contrato de 20 anos da Anglo-Iraniana
com, 473-476
embargo do petróleo árabe e, 695,
707-708
golpes e contragolpes no, 525-529
negociação da Standard Oil of Indiana
com, 571-572
negociação pela distribuição de lucros
no, 655-658
negociações das "armas e reféns" entre
USA e, 868
Savak, a polícia secreta do, 765
União Soviética e, 472-474, 478, 498,
503, 507, 509, 515, 526-529, 542, 552,
580, 602
Iraque, 272, 293, 319, 380, 440-441, 442,
450-451, 479, 581, 589, 626, 629, 658,
660, 670, 695, 732, 788
cancelamento da concessão da CIP pelo,
603, 732
como novo nome da Companhia Turca
de Petróleo, 323
como novo nome da Mesopotâmia, 223
Companhia Iraquiana de Petróleo
(CIP), 462, 463-465, 467-468, 469, 470,
500, 533, 534, 552, 559, 562, 573, 587,
589, 592, 596, 603, 660

descoberta do petróleo no, 228-229
embargo do petróleo árabe (1973) e, 695
estatização da Companhia Iraquinana
de Petróleo pelo, 660, 732
Faissal assume como rei do, 224-225
golpe de 1958 no, 573
Kuait invadido pelo (1990), 12, 14,
873-874, 883
Kuait reclamado como propriedade
pelo, 591
nas negociações sobre a concessão do
petróleo, 323-327, 332, 335
reconhecimento pelo governo inglês da,
303
Iricon, 537
Irmãos McDonald, 622-623
Irmãos Wright, 105, 192
Ise, John, 859
Iskra, 144
Islã, 444, 764
seita *sunita wahabi* do, 318
sunitas, 154, 225, 318, 601, 765, 803
xiitas, 154, 155, 225, 318, 601, 763, 764,
765, 767, 770, 794, 803, 805, 883
Island Creek Coal, 651
Ismay, Lorde, 554
Israel, 502, 541, 543, 546
a ajuda militar dos USA a, 682-685, 689
a resolução 242 da ONU e, 687, 688
criação de, 477-478
Líbano e, 815
na crise de Suez, 550, 551, 553
na guerra de Outubro, 665, 670-671,
673-674, 676, 678-686, 690-693, 709
na guerra dos Seis Dias, 626
Itália, 309, 336, 420, 669, 805
Ente Nazionale Idrocarburi (ENI) da,
565, 566, 567-568, 569
na I Guerra Mundial, 193, 199
na II Guerra Mundial, 370, 380, 388,
391, 430
Iugoslávia, 374, 543, 635
Iwo Jima, 405

Jablonski, Wanda, 582, 583-584, 587
Jackson, Henry "Scoop", 744-745, 750
Jalloud, Abdel Salaam Ahmed, 654, 658

James, William, 751, 753
Jamieson, J. Kenneth, 653, 679, 745
Jansen, H.C., 392-395
Japão, 70, 233, 309, 341, 342-365, 392-410,
867, 892
a Alemanha Nazista e o, 345-346, 350,
352, 358
combates na ponte Marcopolo e, 344
consenso do preço do petróleo e (1986),
860-861
construção de superpetroleiros no,
560, 629
consumo do petróleo no, 610, 615-616
dependência do petróleo do, na II
Guerra Mundial, XIII, 341-365, 392-410
economia de energia no, 741
efeito da revolução iraniana sobre o,
778-779
embargo do petróleo árabe (1973) e,
698, 703, 705, 707, 711-714, 741
exportação de carvão para o, 74
guerras entre a China e o, 77, 341-347, 361
indústria do petróleo pré-II Guerra
Mundial do, 344, 353
indústria petrolífera do, 615-616
"Quarentena" e restrições americanas ao,
344-351, 353-362
Ministério do Comércio Internacional e
da Indústria (MITI) do, 571, 677-678,
705, 741, 807, 808
na Guerra Russo-Japonesa, 118,
145-146, 161-162, 191, 341, 352, 353,
363, 407
negociações com os sauditas e os
kuaitianos, 569-571, 628-629
o caso Manchuria e o, 145, 341, 343-344,
349, 400, 407, 408
Pearl Harbor atacado pelo, 13, 352-353,
362-365, 375-393, 396, 682
política de recursos energéticos do, 678,
813-814
potência econômica mundial, 614-616,
872
produção de combustíveis sintéticos do,
400
revolução automobilística do, 615
Jerusalém, 583, 626, 714

Jevons, W.S., 612, 616, 631-632
Jobert, Michel, 713-714
Joffre, Joseph Césaire, 188-189
John Birch Society, 854
John Brown (engenharia), 841
John D. Archbold (petroleiro), 197
Johnson, Lyndon B., 602, 654
    a indústria petrolífera de, 604
    embargo do petróleo árabe (1967) e, 626
Joiner, Columbus "dad", 273-278, 292, 639, 645, 748, 790
Joint Congressional Committee on Internal Revenue Taxation, 504
Jordan, Hamilton, 788
Jordânia, 478, 550, 626, 875
Jorrando, petróleo, 57, 67, 69, 94, 95, 164, 276, 292
Joseph Lyons and Company, 156
Joseph Seep Agency, 58
Judeus:
    ingleses, 70, 142
    na Alemanha nazista, 366, 372, 385-386
    na Palestina, 66
    na Rússia Imperial, 66, 144
    no Iraque, 228
    uma pátria para os, 454, 461-462
Jungers, Frank, 691-692

Kaddafi, Muammar al-, 652, 653, 654, 656, 661, 669, 728
Kalinin, Mikhail, 145
Kamikazes, 404, 405, 406, 408, 409
Kansas, 89, 92, 108, 246
Kashani, aiatolá Seyed, 508, 519, 521
Kassem, Abdul Karim, 588, 802
Keating, Kenneth, 585
Keller, George, 703, 819, 820, 836-838
Keller, Helen, 115
Kellogg, Frank, 120
Kennedy, David, 854
Kennedy, Edward, 770
Kennedy, John F., 517, 597-598, 628
Kennedy, Robert F., 679
Kerr, McGee, 482
Kerr, Robert, 607
Kessler, Jean Baptiste August, 81-83, 84, 132-133, 296

Keynes, John Maynard, 485, 614
Khalid, rei da Arábia Saudita, 727
Khomeini, aiatolá Ruhollah:
    a crise dos reféns do Irã e, 792, 794-796
    antecedentes de, 764
    ascensão ao poder de, 773
    exílio francês de, 767
    exílio no Iraque de, 763, 801-805
    guerra Irã-Iraque e, 805-809, 845, 874-875, 880
    queda do xá e, 765-767, 771-772
Khuzistão, 804
Kido, Koichi, 358
Kieschnick, William, 837
King William, 616
King, Ernest, 396-397
Kingsbury, Kenneth R., 255, 334
Kirkpatrick, *sir* Ivone, 549
Kissinger, Henry A., 16, 741, 750, 793
    antecedentes de, 687
    Brezhnev e, 676, 692-693
    embargo do petróleo árabe (1973) e, 665, 684, 686-690, 691, 709, 710, 714, 715, 720, 730
    Faissal e, 714
    papel de negociação de, 687, 709-710, 729
    plano de cessar-fogo da Guerra de Outubro e, 686-687, 689, 692
    poder crescente de, 687, 689, 701
    política do Oriente Médio e, 684, 710, 713, 714, 715, 720, 730, 731
    reabastecimento de Israel e, 684-685
    relações soviéticas e, 686-687, 692, 729
    Sadat e, 671, 682, 709-710
    Yamani e, 726
Kitabgi, Antoine, 150, 151, 209
Kitchener, Horatio Herbert, Lorde, 139, 190
Kitty Hawk, N.C., 105, 192
Knox, Frank, 446
Knox, Philander, 119
Kohlberg, Kravis e Roberts, 837
Konoye, príncipe Fumimaro, 349, 358, 360
Korda, *sir* Alexandre, 551
Krasin, Leonid, 267-269
Kroc, Ray A., 623
Kruchev, Nikita, 546, 585, 650

Kuait, 441, 637, 660, 662, 850, 861, 866-867
  a invasão do, pelo Iraque (1990), 12, 14, 873-877
  acordo do Japão com o, 571
  como fonte do petróleo britânico, 450, 479
  concessão de petróleo cancelada no, 737-739
  embargo do petróleo árabe (1967) e, 626-627
  embargo do petróleo árabe (1973) e, 686-687, 695
  exceção do Acordo da Linha Vermelha do, 230
  Gulf Oil no, 471, 504, 733-734, 833
  na crise de Suez, 557-558, 560-561
  petróleo descoberto no, 335
  rivalidade política regional e, 327
  sistema de divisão do mercado e o, 861-862
Kuait Oil Company, 332, 504
Kurita, Takeo, 404
Kutei, 127, 128, 130
Kyle, Bea, 424-425

"Lei de Feno" da energia, 761
La Follette, Robert "Bob, o lutador", 236, 238
Lamp, 223
Lâmpada incandescente, 15, 87
Landis, Kenesaw Mountain, 121
Lane e Macandrew, 71
Lane, Fred, 69, 71, 78, 135, 139, 140, 148
Lansdowne, 157
Lansing, Robert, 211, 224
Lantzke, Ulf, 677, 807
Lapham, Levis H., 103, 105
Lasker, Albert, 237
Laval, Pierre, 371
Lawrence, T.E., 224
Lee, James, 733
Lee, Jimmy, 834-836, 838, 840
Lee, Robert A., 274
Lei Antitruste Sherman (1890), 120, 122, 450, 534, 606
Lei da Indústria do Petróleo Sintético, 345
Lei das Autoestradas Interestaduais (1956), 624-625

Lei de arrendamento mineral (1920), 219
Lei de Defesa da Produção (1950), 522, 702
Lei de Defesa Nacional, (1940), 348
Lei de Recuperação da Indústria Nacional, 284, 286-287
Lei do "Petróleo Quente" de Connally (1935), 285
Lei do petróleo, 263-264, 490
Lei Industrial do Petróleo, 344
Lei Smoot-Hawley (1930), 250, 288
Lei Webb-Pomerene, 296
Lênin, V.I., 146, 204
  Nova Política Econômica (NEP) de, 268, 649
Lesseps, Ferdinand de, 539, 543, 545
Leunabenzin (gasolina de Leuna), 369-370
Levi, Primo, 386
Levitt, William, 621
Levittown, N. Y., 621
Levy, Walter, 517, 518
Lewis, John L., 612-613
Líbano, 479, 815
Libby, W.H, 67, 68, 78-79, 84
Líbia, 594-597, 598, 627, 651-656, 670, 796, 798, 815, 850, 861
  golpe de Kaddafi na, 651-652, 661, 669
  Grupo Oásis da, 618
  nacionalização da concessão de petróleo pela, 653, 654
  negociações de concessão de petróleo na, 592, 648, 651-655
  petróleo descoberto na, 594-597, 650-651
Liedtke, Hugh, 832, 853
Life, 352
Liga Árabe, 478, 584, 588
Liga das Nações, 212, 224, 225, 303, 343, 370
Limites de velocidade, 426
Limites do crescimento, Os, 641
Lincoln, Abraham, 352
Linha Siegfried, 433
Link, George, 771
Lloyd George, David, 171, 172, 206, 212, 268
Lloyd, Doc, 274-275
Lloyd, Henry Demarest, 47, 112, 115
Lloyd, Selwyn, 542, 550, 555
Lloyds Bank, 156
Lloyds de Londres, 73

Locomoção automotiva a eletricidade, 88
Locomoção automotiva a vapor, 88
Lodge, Henry Cabot, 444
Londres, 87, 125
Long, Huey, 586
Long, Russell, 609
Long, Walter, 198
Longrigg, Stephen, 323-324, 325
Lopez Portillo, José, 755-756, 827
Los Angeles, Califórnia, 89-90, 234, 246, 483
Loudon, Hugo, 132, 142, 566
Loudon, John, 538, 559, 566, 588
Louisiana, 97, 369, 482, 510
Love, John, 699
Lovett, Robert, 524
Lucas, Anthony F., 92-94, 97, 101, 102, 103, 259
Ludendorff, Erich, 191, 201, 203, 204
Luftwaffe (Força Aérea Alemã), 370, 372, 380, 387-389, 390, 496

MacArthur, Douglas, 396, 403, 409
Macmillan, Harold, 643
    a crise de Suez e, 543, 546, 547, 550, 553, 556, 558, 560, 561
MacPherson, James, 463
Magnetômetro, 244
Maidan-i-Naftan, 159
Maikop, 148, 374, 376
Majid, Hussein Kamil aI, 803
Malaia, 133, 343
Malásia, 82, 813, 850, 896
Malta, 380
Malthus, Thomas, 486
Manchuria (Manchukuo), 341, 343, 344, 349, 400, 407, 408
Manila, 395, 405
Manstein, Erich Von, 377
Manufacturers Hanover Trust, 756
Mapas rodoviários, 235, 617
Mar do Norte, 648, 747, 753, 754, 756-760, 789, 813, 814, 816, 844, 848
Maracaibo, lago e bacia de, 262, 264, 265
Marathon, 252, 618, 826, 835
Marco Polo, 62
Marcus Hook, Filadélfia, 102
Marinha dos U.S.A, 236, 350, 395, 397, 399, 404, 423, 462, 525, 749, 879

Marrocos, 11, 230, 383
Marinha Real (Grã-Bretanha), 168, 174, 355, 382, 417
    na conversão para o petróleo, 11-12, 168, 174, 175-176
    rivalidade germânica com a, 170-171
Marketing, ver marketing do petróleo
Marrocos, 11, 230, 383, 583
Marshall, George c., 363, 431, 474
Masjid-i-Suleiman, 159-160, 163, 164-165, 768
Mason, Billy Jack, 852
Massacre de Malmedy, 390
Massacre de sábado à noite, 689-691
Mattei, Enrico, 564-569, 570, 571-572, 585, 593, 597-598, 650, 889
Mauritius, HMS, 522
Mc Granery, James, 534
McAdoo, William, 240
McCloy, John J., 660, 679, 684, 793
McClure, Samuel, 112-113, 117
McClure's, 112-113, 114, 115, 116
McCollum, Leonard, 617-618
McDonald's, 623
McFadzean, sir Frank, 705, 706, 712
McGhee, George, 503, 506, 509-510, 511, 524
McKinley, William, 112, 118
McLean, Ned, 239, 240
Meca, 319, 325, 327, 442
Medina, 319
Meiji, imperador do Japão, 359
Meir, Golda, 682, 683, 684, 690
Mellon, Andrew W., 97, 99-100, 101, 329, 330, 331, 732
Mellon, Richard B., 97, 101
Mellon, Thomas, 97
Mellon, William C., 105, 291, 330
    Guffey substituído por, 97, 98, 100-101
    Gulf Oil organizada por, 100-101
    integração vertical por, 98, 100
    morte de, 102
Memorando para os Mercados Europeus, 297
Mendez, Julio, 262
"Menino de olhos de raio x", 95
"Menino de olhos de Raio-X", 95
Menzies, Robert, 642

"Mercado de Roterdã", 779
Mercados futuros, 88, 817-820, 848, 878
Mercier, Ernest, 212, 213, 221
Merrill Lynch, 837-838
Merrit Parkway, 624
Mesa Petroleum, 825, 826, 827, 832, 834, 838, 839
Mesopotâmia, 24, 194, 800
    Iraque, o novo nome da, 223
    negociações da Companhia Turca de Petróleo, 223-230
Messerschmitt, 429
Metralhadora, 190, 191, 192
Metropolitan Opera e a Texaco, 461, 619
Mexican Eagle, 257, 259, 260, 304, 306-312
México, 14, 219, 252, 257-261, 264, 265, 303-310, 445-446, 578, 832-833, 843, 854, 862
    boom petrolífero do, 249-251
    crescimento e instabilidade da indústria petrolífera do, 257-261
    exportação de petróleo do, 200, 309, 754-755
    nacionalização da indústria petrolífera do, 312, 445, 488, 491, 659
    reestruturação da dívida do, 828-829
Meyer, C.F., 271
Meyer, Eugene, 853
MI6, 527, 529
Miami, Flórida, 41, 419
Middle East Economic Survey, 676-677, 688, 712-713
Mikimoto, Kokichi, 328
Milchkuhs, 421
Milken, Michael, 834
Millerand, Alexandre, 212
Minuta de memorando de princípios, 298-299
Missouri, (encouraçado), 409
Mitterrand, François, 841
Mobil Oil, 123, 254, 448, 566, 583, 601, 620, 651, 675, 684, 737, 754, 820, 826, 832, 889
Mohammed Reza, xá Pahlavi, ver Pahlavi
Mollet, Guy, 547, 548
Molotov, Vyacheslav, 473

Moltke, Helmuth von, 190
Monowitz, 386, 387
Montgomery Ward, 754
Montgomery, *sir* Bernard Law, 381, 382, 384, 433, 434, 435, 605
Morgan, J. P., 87, 208
Morgenthau, Henry, 349, 355
Morrison, Herbert, 516
Moscou, 375
Mossadegh, Mohammed, 16, 536, 537-538, 540, 541, 546, 564, 567, 604-605, 642-643, 669-670, 772
    antecedentes de, 513-514
    caráter de, 513-514, 515
    nacionalização da Anglo-Iraniana e, 512-513, 516-520, 522-525, 567, 668-670, 706, 768
    prisão pelo xá de, 538
Máquina de combustão interna, 15
    alta compressão usada na, 125
    introdução da, 87-88, 173, 174, 231-232
    papel da, na I Guerra Mundial, 13-14, 187-197
M. Samuel & Co., 70, 71, 73-74, 79
Motéis, era da gasolina e, 622
Mubarak, Emir do Kuait, 318
Muckrakers, 112, 118-119
Muçulmanos *sunitas,* 154, 225, 318, 601, 803, 805
Muçulmanos *wahabi,* 317-318
Muçulmanos *xiitas,* 154, 155, 225, 318, 601, 763, 764, 765, 767, 770, 794, 803-804, 805
Mudanças de comandos hostis, 827, 836
Mukluk, 830-831, 836, 839, 851
Murex, 74, 77, 197
Muro de Berlim, 872
Murphy, USS, 453
Murray, "Bill Alfalfa", 280
Mussolini, Benito, 350, 370, 371, 380, 548
Muzaffar Al-Din, xá da Pérsia, 152, 153

Nações Unidas, 502
    cessar-fogo na guerra Irã-Iraque, 868-869
    crise de Suez e, 557, 626

invasão do Kuait (1990) e, 12, 876, 880
partilha da Palestina recomendada pelas, 478
Resolução 242 das, 687, 688
Nafta, 42, 54, 55, 233
Nagano, Osami, 357, 359
Nagasaki, bombardeio atômico de, 408
Naguib, Mohammed, 540
Nakasone, Yasuhiro, 678
Napoleão, imperador da França, 486
Narragansett, R.I., 88
Nasser, Gamal Abdel:
    antecedentes de, 540
    crise de Suez e, 549, 550-559, 710-711, 760
    guerra dos Seis Dias e, 626-630
    legado de, 579, 581, 587, 591, 652, 653, 670, 673, 675, 716, 802-803, 879
    pan-arabismo e, 541, 573, 670
    relações soviéticas com, 542, 544-545, 572-573
Nation, The, 33
National Audubon Society, 784
National Geographic, 218
National Petroleum News, 233
National Security Resources Board, 481
Natural Gas Trust, 102
Navios movidos a vapor, 70, 96
Nazir, Hisham, 579, 865
Nederlandshe Handel-Maatschappij (Sociedade de Comércio Holandesa), 133
Nevada, óleo de xisto na, 217-218
New Deal, 282, 284, 289, 308, 309, 415, 440, 485
New Jersey, 109, 418
New Republic, The, 240
New York Central Railroad, 50
New York Herald, 33
New York Mercantile Exchange (Nymex), 820-822, 848
New York Times, 371, 455, 481, 598, 769, 787
Newson, David, 793
Newsweek, 675
Nicolau II, czar da Rússia, 144
Nigéria, 594, 627, 640-641, 667, 696, 788-789, 798, 815-816, 818, 845, 892

Nimitz, Chester, 365, 396
Nimitz, porta-aviões, 798
"Nina", 144-145
Nissan, 719
Nitroglicerina, 63
Nitze, Paul, 334, 466
Nova Política Econômica, 268, 649
Nova York, N.Y., 24, 32, 35, 36, 44, 48, 105, 124, 252, 423
Novo México, 249
Nixon, Richard M., 672, 728, 744, 747, 748, 751, 787, 854
    ambientalismo e, 699
    Brezhnev e, 675-676, 692
    credibilidade de, 687, 699, 702
    crise energética e, 666-668, 699-701, 709, 747
    o xá e, 638-639, 667, 708-709, 730, 731
    política do Oriente Médio de, 677, 684, 685, 690, 701, 716
    proposta de ajuda militar de, 688-689
    reabastecimento de Israel e, 681-683
    vice-presidência de, 575, 635
    Watergate e, 690, 691, 700, 701, 702, 747, 787, 854
Nobel, Alfred, 63, 65, 68-69
Nobel, Immanuel, 63
Nobel, Ludwig, 63-65, 67, 68, 84
Nobel, Robert, 63, 64, 65
Nomura, Kishisaburo, 350, 351, 355, 356, 357, 360, 361, 363
norte da África, 378-384, 421, 427, 433, 442, 592-594, 627, 639-641
Norton-Griffiths, John, 202-203
Noruega, 372-373, 375, 411, 756-757, 808, 850-851, 862-863
Nubar Pasha, 209
Números da produção de petróleo:
    do boom venezuelano, 264-265
    dos países da OPEP vs. países extra--OPEP, 808, 814-815
    em 1979, 797
    em Bahrain, 334
    na Arábia Saudita, 336, 775, 781-782, 787, 809, 815, 846
    na Europa do século XIX, 65
    na I Guerra Mundial 194, 199

na II Guerra Mundial, 424
na Líbia, 596, 650-651
na Pérsia, 194
na Rússia Imperial, 64-66, 67
nas Índias Orientais Holandesas
dominada pelos japoneses, 398
no Alasca, 754
no *boom* da Califórnia, 90
no *boom* da Pensilvânia, 31-32
no *boom* de Oklahoma, 249
no campo do Gigante Negro, 276
no embargo do petróleo árabe (1967),
629-630
no embargo do petróleo árabe (1973),
688
no Irã, 522-523, 768
no México, 259, 305
nos anos 60, 639-642
nos *booms* do Texas, 91-92, 94, 276, 280
totais dos U.S.A, 563, 645
totais mundiais dos, 523, 562-563, 775
Nuremberg, 384
Nuri es-Said, 573
Nymex (Bolsa Mercantil de Nova York),
820-822, 848

"Obsessão pelo petróleo", 19, 712
O campo de petróleo de Grande Seminole,
249
O *Cartel Internacional do Petróleo,* 532
O caso Madison, 453
O embargo do petróleo árabe (1967),
626-630, 640
O estacionamento Taconic, 624
Occidental Petroleum, 596-597, 648, 651,
661, 826, 839
Ocean Viking, 757-758
O "dumping" de combustível da Stavelot, 390
O embargo do petróleo árabe (1973), 665,
686-716, 841
"penúria igual", 701-707
Arábia Saudita e, 686, 689, 695, 707-708,
710-711, 715, 716
e reações da administração Nixon,
699-701, 702, 708-709, 715-716, 730
e reações das companhias de petróleo,
701-707

bilateralismo e, 712-713
Comunidade Econômica Europeia e,
702, 706, 711, 713
impacto do, 696-699, 709-714
Irã e, 695-696, 708
Iraque e, 695
Kuait e, 686-687, 695
o Japão e, 698, 703, 705, 707, 711, 712,
719, 741
os Estados Unidos e, 694-695, 697, 698,
701, 702, 703, 704, 707, 709, 710, 715
preço do petróleo afetado, 696, 708
Sadat, 686, 687, 689, 709-710, 714-715,
716
O Grande Jogo, 39
O Homem Hidrocarboneto, 14, 15, 610-632
Ohio:
descoberta de petróleo em, 56, 57
Standard Oil processada por, 108
Ohio Oil, 252
Ohira, Masayoshi, 741
Oil and Gas Journal, 630
Oil City, Pensilvânia, 31, 36
Oil Service Company of Iran (OSCO), 768,
771-772, 773
Oil Weekly, 416
Okinawa, 401-402, 405, 407, 408
Oklahoma, 56, 104, 244, 249, 279, 280, 288,
289-290
booms do petróleo de, 97, 143, 249
Óleo betuminoso em Utah, 217, 811
Óleo betuminoso, 24,
Óleo combustível, 88-89, 251, 613
conversão da Marinha Real para, 12,
129, 130, 140, 156, 157, 158, 168, 169,
170-184, 198
dependência da Anglo-Persian do,
166
escassez na I Guerra Mundial de,
197-201
petróleo de Burmah usado como, 158
petróleo do Bornéu usado como, 129,
140, 403
petróleo do Texas usado como, 96
tarifa sobre, 288-289
Óleo de Pedra da Pensilvânia, 19, 24
Óleo de pedra, 19-23, 27-30

Óleo diesel, 376
Oleodutos, 309, 448
    Big and Little Inch, 420, 483
    controle de Standard Oil dos, 48-49
    da Iraque Petroleum, 557-558
    da Líbia, 651
    da Sun Oil, 102-103
    da Texaco, 104-105
    dinamitação dos, 280, 281
    do Irã, 801
    dos Mellons, 98-101
    dos produtores independente de Oil Region, 89
    fluxo aumentado dos, 813
    na Pérsia, 166, 194
    na Rússia Imperial, 153
    na Sumatra, 81-82
    para gás natural, 482-483
    PLUTO, 428
    portáteis, 428
    primeira longa distância atingida pelos, 46
    primeira rede de, 46
    transalasquianos, 646, 647, 748, 754
    transarábico (Tapline), 461-462, 466-467, 477, 479, 540, 549, 653, 673
Oleo incendiarum (fogo grego), 25
Oleoduto Tidewater, 46
Oleoduto Transalasquiano, 646, 647, 748, 754
O Livro Vermelho, 854
Omã, 603, 662, 850
Onassis, Aristóteles, 818-819
O'Neil, Eugene, 744, 745
Onishi, Takijiro, 408, 409
Organização do Tratado do Atlântico Norte (OTAN), 585, 597
Organization for European Economic (Organização para a Cooperação Econômica Europeia - OCEE), 549, 555
Oriente Médio, 150-167, 206-220, 315-337, 439-459
    "cláusula de renúncia" para a produção do petróleo no, 210, 223, 230
    divisão britânica e francesa do, 206-207, 211, 212, 213, 218, 219
    divisão de petróleo nos Estados Unidos – Grã-Bretanha na, 445-446, 449

    Estados Unidos na política do, 212, 537-538, 560, 786
    mandato britânico no, 226, 227, 478
    mudança para posição petrolífera de proeminência do, 439-458
    petróleo na antiguidade do, 24
    reservas de petróleo do, 12, 441, 563, 638
    rivalidade política no, 591, 600-603, 721-724, 800-801
    ver também árabes; Golfo Pérsico; países específicos
    zonas neutras do, 314, 319, 336, 492-494, 497, 498, 499, 500, 574, 598, 606, 832
Organização dos Países Exportadores de Petróleo (OPEP), 585-609, 655, 717-739, 753, 811, 843-849
    ataque de "Carlos" sobre a, 727
    como cartel, 814-815
    corte nos preços do petróleo pela, 816
    criação da, 589
    déficit da, 718-720
    divisão do mercado e a, 846-849
    embargo do petróleo árabe (1967) e a, 626-630
    embargo do petróleo árabe (1973) e a, 683-686, 686-709
    Estados Unicos e a, 728-734
    ganhos combinados da, 718
    impostos da, 719, 721, 866
    negociação da divisão de lucros da, 655-658, 678-681
    negociações do preço do petróleo e a, 859-862, 865-866
    níveis de produção reduzidos pela, 814
    preços do petróleo elevados pela, 684, 696, 708, 719-720, 728, 781-782, 789, 796, 797, 799, 807, 808,
    propriedade em participação e a, 659-661
    quotas de produção da, 815, 843-844, 862, 875
    raízes da, 573-574, 578, 584, 630
    rivalidades políticas dentro da, 590, 721-724
    Santa Bárbara (1969), 642, 647
    vigésimo aniversário da, 799
Operação Ajax, 525-529

Operação Blau, 375-376
Orla do Pacífico, 741
Os anos dourados (Mark Twain e Charles Dudley Warner), 59

Pacific Lighting, 483
Pacific Western, 497, 498, 500
Pacto Interestadual do Petróleo, 288, 290
Pacto Nazi-Soviético, 373, 374, 473, 527
Pacto Triplo, 163
Page, Howard, 530, 536, 537, 587, 588, 590, 597, 601, 602, 624, 675, 721
Pahlavi, Mohammed Reza, xá, 301, 302, 507, 763, 793
  "Operação Ajax" e, 527-529
  Acordo de Teerã e, 658, 670
  ambições do, 14, 564, 591, 600-603, 635-636, 660, 707-709, 722
  antecedentes do, 507-509
  câncer do, 766-767, 793
  Carter e, 731, 762, 763-765, 767-770, 793, 795
  celebração de Persépolis de, 635-637, 772
  companhias de petróleo e, 564, 571-572, 600-603, 660, 762
  descontentamento crescente sob regime do, 763-771
  exílio (1953) do, 528-529, 536
  exílio (1978) do, 771-773, 793, 795
  família real inglesa e o, 636-637
  fundamentalismo islâmico vs., 508, 763-773
  morte do, 795
  Mossadegh e, 512, 513, 524, 525-529
  Nixon e, 638-639, 666-667, 708-709, 729, 730
  preços do petróleo e, 591, 666, 667, 707-709, 721-723, 728-732, 762, 795
  programa de reforma da Revolução Branca de, 764
  registro de direitos humanos do, 731, 762, 764-765
  relações britânicas com o, 507-515, 517,
  relações dos Estados Unidos com, 507-513, 517, 525-529, 602, 723
  relatórios da inteligência dos Estados Unidos sobre o, 766

Sociedade ENI-Irã e, 564-566
Pahlavi, Reza xá, 214, 301-303, 310, 507, 508, 509, 514, 523, 635, 732, 763, 764, 771, 772, 773, 793, 795
Países baixos, 372, 374, 867
Palestina, 66, 337, 444, 454, 461, 477-478, 479
Pan American Petroleum, 238, 251-252, 257
Pan-arabismo, 541, 573, 670
Pânico de 1893, 109
Pantepec Oil, 490
Panther, 11, 172
Parafina, 55
Paris, 125, 188-190
Paris-Bordeaux-Paris — corrida de carro, 87-88
Parkhurst, George, 601
Parra, Alírio, 859-860
Participação nas propriedades, 658-661
  definição de, 658
Participação e Investimentos (P&I), 464, 465
Partido Ba'th, Baatismo, 800-805
Partido Bolchevique, 145, 147, 149, 204, 265-269
Partido Conservador (Grã-Bretanha), 216-217, 523, 548
Partido Democrata Cristão (Itália), 565-566
Partido Democrata, 92, 103, 108, 119, 120, 240, 496, 854
Partido Liberal (Grã-Bretanha), 171
Partido Progressista, 282
Partido Republicano, 237, 240, 282, 444, 543, 854
  Comitê Nacional do, 241
  como defensor dos interesses do petróleo, 219
  contribuições da Standard Oil para o, 108, 119
Partido Trabalhista (Grã-Bretanha), 216-217, 461, 474, 523, 759, 844
Partido Tudeh (Irã), 473, 508, 526-527, 528
Patton, George, Jr., 430-435, 605
Pauley, Edwin, 456-457
Pearl Harbor, 13, 310, 348, 351-353, 362-364, 375, 392, 396, 682
Peiper, Jochem, 390
Pemex, 312, 754-756, 827
Penn Square, 829, 830

Pensilvânia:
área do Oil Creek na, 19, 28, 29-30, 111
Assembleia Legislativa da, 47-48
boom do petróleo na, 30-36
o começo da exploração de petróleo na, 19-20
Oil Regions da, 29-33, 40, 43, 44-45, 46, 49, 56, 89, 110, 113, 115
Pennsylvania Railroad, 98
Pennzoil, 832
Peres, Shimon, 550
Perestroika, 885
Pérez, Carlos Andrés, 737
Pérez, Alfonzo, Juan Pablo, 490, 574, 735, 797, 849-850, 859
antecedentes de, 574-578
fundação da OPEP e, 581, 585-586, 588-590
Pérez Jiménez, Marcos, 574-575
Perlak, 132
Persépolis, 635
Pérsia, 12, 60, 150-167, 263, 293, 328, 450
acordo de concessão anglo-persa (1933), com, 301-303
como exceção do Acordo da Linha Vermelha, 230
criação da indústria do petróleo da, 150-167
rivalidade russo-britânica sobre a, 151-154, 157-159, 161-162
Perfuração
no mar, 481-482, 642
rotativa, 91-92, 93
Petroleiros, 82-83, 230
afundamento de, II Guerra Mundial, 399, 405, 406, 419-422
afundamento de, na I Guerra Mundial, 198
Canal de Suez aberto aos, 74, 77, 82, 197-198
desenvolvimento dos, 64, 71, 74-75
em acidentes, 460
embargo árabe do petróleo (1967), 629-630
escassez de, pós-II Guerra Mundial, 459-460
oposição aos, 73

super, 559, 560-561, 612, 629
Petróleo, 814
a ameaça inicial da eletricidade ao, 87
antigo uso do, 23-25
armazenamento nacional do, 605, 629, 746-747, 888-889
ascensão do capitalismo ligado ao, 13
campos "elefantes" do, 562
como arma, 665-716
como iluminante, 19-23, 24, 95
como lubrificante, 23, 39, 55, 122
como mercadoria, 810-820, 872
compras "indesejáveis" do, 806
dinheiro comparado ao, 13
efeitos sociais do, 54, 94, 231-232
especulação de terra e o, 29, 31, 32-33, 94, 245, 810-811
estoques do, 776-777, 783, 789, 796, 798, 799, 806, 808
exaustão assustadora do, 55-56, 246, 247, 249, 368, 443, 449, 456, 457, 631
geologia e geofísica do, 90-92, 244, 441
hidrogenação do, 369
músicas sobre, 33
níveis de enxofre do, 57, 596, 667, 708
o início da perfuração do, 25-29
para aquecimento doméstico, 460, 482, 821
participação no consumo de energia do, 233
poder político ligado ao, 12, 13, 14, 257
primeiro *boom* do, 30-33
primeiro jorro do poço do, 31
primeiro malogro do, 34
"regra da captura" e produção superabundante, 34, 246-249
Sociedade Hidrocarboneto dependente do, 14-15
uso médico do, 19, 20, 24-25, 80
Petróleo de Venezuela (PDVSA), 737, 859, 869
Petróleo do Almirantado, 179, 180
Petróleo do Texas, 102-103
Petróleo doce, 596
Petróleo Independente Americano, *veja* Aminoil.
Petróleo marketing, 585

como mercado futuro, 820-822
"disputa pelo mercado" no, 779-782, 780
"escalada de preços" no, 779-782,
   785-786, 796
importância do, 127
mercadoria, 817-822
primeiro sistema para o, 36
trading e, 696, 783, 795-796, 808, 819
Petróleo na calefação doméstica, 460, 482,
   477, 611-612, 821
Petróleo usado em medicamento, 19, 20,
   24-25, 80
Petroleum Administration For War – PAW
   (Administração do Petróleo para a
   Guerra), 422, 443-444, 449-450, 493
Petroleum Intelligence Weekly, 669
Pew, J. Edgar, 102, 456
Pew, J. Howard, 249
Pew, J. N. 102
Pew, Robert, 102
Phil Donahue Show, 784
Philby, Harold "Kim", 320, 321, 324, 337
Philby, Harry St. John Bridger "Jack", 320,
   322, 323-326, 337, 501, 724
Philip, duque de Edinburgh, príncipe, 636,
   697
Phillips Petroleum Company, 234, 252, 493,
   537, 757, 758, 824-825, 827, 839
Phillips, Frank, 252
Pickens, T. Boone, Jr., 823-827, 832-839
Piercy, George, 656, 680-681, 686
Pithole, Pensilvânia, 32, 33, 56, 113, 812
Pittsburg, Pensilvânia, 31
   primeiro gás natural usado em, 102
   primeiro posto de gasolina de, 235
Placke, James, 656, 662, 663, 664
Plano Marshall (Programa de recuperação
   europeia), 474, 475, 476, 505, 517
Plásticos, 15
Plínio, 24
Poços de extensão, 423-424
Poços de sal, 26, 28
Poincaré, Raymond, 212
Política de porta aberta, 218, 219, 225
Política Nacional para a Indústria do
   Petróleo, Uma (Rostow), 481
Polônia, 372, 374, 385, 411

Poluição do ar, 15, 613, 641, 885
Poluição, ar, 15, 613, 641, 885
Pólvora de arma de fogo, 25
Pompidou, Georges, 636, 710, 742
Port Arthur, Texas, 96, 100, 104-105, 145
Porto Rico, 608
Portofino, 568
Potrero dei Llano, 259, 439
Powell, Jody, 788
Pratt, Wallace, 489
Preços do petróleo, 843-844
   a posição da Standard Oil sobre os, 58,
   100, 106, 822
   aumento pela OPEP dos, 686, 696,
   707-709, 718-720, 732, 775-778,
   779-782, 788-790, 796-800, 805-809
   BNOC e os, 844
   campanhas da Standard Oil de redução
   e os, 78, 83, 134, 143, 847
   componentes dos, 721
   corte da OPEP nos, 814-815, 816
   corte da Standard Oil of New Jersey dos,
   586-587, 588
   corte pela BP dos, 581
   crescente controle dos países
   exportadores sobre os, 655-664
   descontos dos, 579-581, 585-586,
   815-817
   efeitos da revolução iraniana sobre os,
   770-773, 775-782, 796-799
   efeitos das quotas nos, 608
   escalada e queda em 1985 dos, 848,
   849-851, 859-863
   especulação sobre os, 36
   fixados vs. de mercado, 579-581,
   585-586, 595, 669
   fórmula da Gulf para os, 295
   guerra Irã-Iraque e os, 805-809
   guerra Shell-Socony dos, 271-272
   mercado à vista (sport), 779-782,
   788-789, 795, 797, 814-815
   na crise de Suez, 557
   na era pós-Guerra Civil, 41, 42, 45, 57, 58
   na era pós-I Guerra Mundial, 223,
   243-244, 254-256
   na era pós-II Guerra Mundial. 459-460,
   476

na era pré-I Guerra Mundial, 131
na I Guerra Mundial, 200
na II Guerra Mundial, 422
na Rússia Imperial, 66
negociação em 1986 em torno dos, 849-852, 856
no *boom* da Pensilvânia, 30-33
no *boom* de Oklahoma, 238
nos anos 60, 597
nos anos 70, 670, 697, 705, 708
nos *booms* do Texas, 96, 100, 104, 276-282
previsão dos, 760, 761
regulamentações internas e os, 285-289, 300-301, 748, 753, 754
sistema de *netback* sobre, 471, 846-849
Preço final, 471, 847
Prêmio Nobel:
criação do, 69
de Bergius e Bosch, 369
de Theodore Roosevelt, 118
Prior, Frank, 572
Procter and Gamble, 852
Produtores e Refinadores de Petróleo, 89
Produtos de petróleo russos, 295-296
Programa Compulsório de Importação de Petróleo, 666-668
cotas por, 666
OPEP e, 728, 729
teorias de conspiração sobre, 674
Programa de Arrendamento de Terras, 415, 418, 442-443, 445
Programa Obrigatório de Importação de Petróleo, 607-609, 666
Progressismo, 112-113, 118, 219
Projeto Independência, 699, 748
Pró-racionamento, 281, 285, 577, 589
Prostituição, 94, 242, 281
Proudfit, Arthur, 489, 490, 491
Prússia, 66
Publicidade, 235, 461, 619-621, 743
Pure Oil, 89, 114
Puyi, 343

Qajar, 152
"Quarto mundo", 720
Queen Elizabeth, HMS, 175

Querosene, 54, 122, 129, 146, 158, 271
custo do, 54
declínio na importância do, 233
derivação da palavra, 24
efeitos sociais do, 54
lampiões de, 25-26, 54
mortes por explosões do, 54
na Europa do século XIX, 25
na Pérsia, 166
na Rússia Imperial, 64-66, 67, 69, 72
na Sumatra, 80-83
negociações de Samuel com, 69-78
problemas do, 86
qualidade irregular, 42, 54
substituição do querosene pela eletricidade, 87
superprodução de, 42
como base inicial da indústria do petróleo, 14, 24, 29, 31, 61, 86
como base da fortuna de John D. Rockefeller, 14, 39, 49, 53-54
Quincy, USS, 453
Quotas de importação de petróleo, 604-609
extinção pela Administração Nixon das, 666-668
na Administração Eisenhower, 578, 580, 604-609, 616, 618, 630, 640, 666
na Administração Johnson, 607-609

Radar, 421-422
Raeder, Erich, 417
Rafael, 469
Rafsanjani, Ali Akbar Hashemi, 868
Ramsbotham, Peter, 515, 520
Rand Corporation, 749-750
Randall, Clarence, 606
Rangum, 158, 166, 179-180
Ratbone, Monroe "Jack", 586-588
Rayburn, Sam, 607
Razmara, Ali, 511, 512, 513, 519
Reagan, Ronald R., 808-809, 841, 844, 852, 854, 855, 867
Real Força Aérea (RAF), 382-383
Real Sociedade Geográfica, 321
Rebelião dos Boxers, 131
Recompra de estoques, 669, 704
Recessões:

de 1958, 606
de meados de 1970, 720
dos anos 80, 812
Recursos Minerais, 757
Red Jacket, chefe dos Índios Sêneca, 20
Redwood, *sir* Thomas Boverton, 155-157,
158, 159, 176, 259
Regan, Donald, 828
Régie Autonome des Pétroles (RAP), 593
"Regra da captura", 34, 246-247, 249
Barragem de Assuã, 542-543, 572
Refinaria de Abadã, 166, 179-180, 194, 473,
507, 513, 520-522, 524, 801, 805, 869
Reid, Bud, 596
Relatório Geológico da Pensilvânia, (1874),
62
Rembrandt, 498
Republic Oil, 108, 222
República Árabe Unida, 573
República da África do Sul, 789
República Popular da China, 543, 769, 813,
854
República Federal da Alemanha (Ocidental),
616, 617, 867, 883
o embargo do petróleo árabe (1967) e a,
626-630
o embargo do petróleo árabe (1973) e a,
697
programa de energia da, 676-678
Requa, Mark, 199, 200
Reserva estratégica de petróleo, Estados
Unidos, 828, 878-879
Reunificação alemã (1990), 872
Reuter, barão Julius de, 151
Revolução Industrial, 23
Revolução Russa, 199, 203-204, 265-269,
659
Reynolds, George, 154-155, 159-163, 164,
165, 176-177, 264, 772
Ricardo, David, 486, 504-505
Richfield, 537, 620, 643
Rickover, Hayman, 749
Riedemann, Heinrich, 269-270, 272, 291-292
Ringling Bros. and Barnum & Bailey Circus,
754
Rising Sun, 344
Rockefeller, David, 793

Rockefeller, John D., 14, 37-60, 62, 68, 98,
114, 118, 120, 133, 135, 154, 271, 292,
447, 644, 650, 821, 847
ação entre Clark e, 37, 221
afastamento de, 109
aparência física de, 38, 109, 117-118
atividades na Igreja Batista de, 43, 51-52,
53
caráter de, 38, 40, 46, 51-53, 58-60,
77-78, 117
casamento de, 43
começo das negociações de petróleo de,
38-39
detenção de ações da Standard Oil por,
42, 48, 50, 126
doação para a Universidade de Chicago
por, 53
filantropia de, 52-53, 111
indiciamento conseguido de, 47
integração vertical por, 39-42, 46, 58,
100, 251
legado de, 38-39
na guerra do petróleo de 1872, 44,
110-111
nascimento e infância de, 38
nos artigos de Tarbell, 116-118
o papel da South Improvement
Company de, 43, 114
poema de, 50
problemas de saúde de, 109
processos legais do Texas contra, 98, 103
querosene como a base da fortuna de,
14, 39, 49, 53-54
refinarias de, 38-45, 49, 57
relacionamento de Flagler com, 41,
42, 50
saúde de, 51, 109, 111
sob pressão pública, 45
teorias de negócios de, 44, 48-49, 57, 58,
59, 108, 292
título de presidente retido por, 111-112
visão pública de, 45, 58-60, 107-108,
111, 243
Rockefeller, John D. Jr., 53, 241-243
Rockefeller, Laura Celestia Spelman, 43
Rockefeller, Nelson A., 492, 690-691, 748, 787
Rockefeller, William, Jr., 39, 45, 50, 122

Rockefeller, William, sr. 38
Rodgers, W.S.S., 447
Rogers, H. H., 106, 111-112, 114, 116, 119
    amizade de Mark Twain com, 114, 222
    antecedentes e carreira de, 114-115
    como conexão de Tarbell, 114-118, 222
Rolls-Royce, 455
Romênia, 25, 147-148, 195, 244, 297
    a destruição na I Guerra Mundial da
    indústria de petróleo da, 201-203
    na II Guerra Mundial, 300, 373-374, 388,
    414
Rommel, Erwin, 378-384, 432, 433, 540, 594,
    595
Roosevelt, Franklin D., 308, 309, 310, 326,
    342, 370, 380, 396, 407, 415, 419, 422,
    424, 425
    a posse de, 282
    e a confiabilidade no Japão, 342-343, 345
    encontro de Ibn Saud com, 453-455
    Lend Lease e, 415, 442, 443, 446
    morte de, 456
    política do petróleo do Oriente Médio e,
    446, 447-451, 479-480
    política japonesa pré-II Guerra Mundial
    de, 344-350, 352
    regulamentação do petróleo na
    administração de, 282-289, 454, 489
Roosevelt, Kermit "Kim", 527, 529, 602
Roosevelt, Theodore, 118-120, 121, 126, 146,
    241, 282, 284-285
Rostow, Eugene V., 481
Roterdam, 196
Rothschild, barão Alphonse de, 66, 78,
    156-157
Rothschild, barão Edmond de, 66
Rothschild, barão Louis de, 496
Rouhani, Fuad, 590
Roxana Petroleum, 143
Royal Dutch, 80-83, 85
    a associação da Shell com a, 135-140
    a competição da Standard Oil com,
    83-85
    ações preferenciais da, 84-85
    começo do crescimento da, 80-85
    fonte petrolífera de Perlak da, 132
    lançamento da, 81

    o esforço de Samuel para tentar a
    compra da, 84
    pagamento de dividendos da, 140
    primeira emissão de ações da, 81
Royal Dutch-Shell Group, 195, 260, 334, 392,
    398, 460, 533-534, 566, 615, 702, 706,
    780
    a negociação da Gulf com, 471, 473-474
    ações de Rothschild na, 148, 157, 266,
    296
    afiliados japoneses da, 344
    Aramco e, 464
    conversão da Armada Real para o
    petróleo e, 176-184
    criação da, 130-131, 140-142
    em acordos com outras companhias,
    291-300
    fontes de produção da, 148
    gasolina de 100 octanas da, 429-430
    Mexican Eagle controlada pela, 260, 306,
    309, 311
    na Holanda, 757
    na I Guerra Mundial, 195, 197-198
    na II Guerra Mundial, 412, 413
    na Romênia, 147-148
    na Rússia imperial, 148-149
    na União Soviética, 265-271
    na Venezuela, 261-272, 487-492, 735
    no Irã, 535, 537, 538
    no mar do Norte, 753, 757
    no Omã, 603
    nos U.S.A., 143, 298
    o papel da Companhia Turca de
    Petróleo, 207, 209, 212, 213, 221, 226,
    227, 228
    o risco nigeriano da BP com a, 594, 789
    proposta de fusão da Anglo-Persian com
    a, 213-217, 223
    sistema de oleodutos portáteis da, 428
    subsidiária Deutsche Shell da, 617
    TCP e, 619-621
Rundstedt, Gerd von, 431
Russell e Amholz, 73
Rússia imperial, 144-147, 151, 183-184
    antissemitismo da, 66, 148
    começo do uso do óleo combustível na,
    128-130

conflitos étnicos na, 145, 204
distúrbios políticos na, 144-147, 199
exportação de querosene para a Europa da, 66
importação de querosene dos Estados Unidos pela, 66
indústria do petróleo da, 61-69, 147-149, 200-201, 204, 659
na I Guerra Mundial, 199, 201-203
no Pacto Triplo, 163
e a participação no comércio mundial de exportação de petróleo, 68, 147
produtores de petróleo independente da, 78-80
rivalidade da Grã-Bretanha com a, sobre a Pérsia, 151-154, 157
Rutheford, Watson, 182
Ryan, *sir* Andrew, 323-324, 326

Sadat, Anwar, 670-671, 691
    acordos de paz de Camp David e, 788-789
    embargo do petróleo árabe (1973) e, 686, 687, 689, 693, 709, 710, 714-716
    Guerra de Outubro e, 676, 678, 681-683
    relações sauditas com, 671-675, 676, 689, 714-716
Sadler E. J., 260, 297
Salomon Brothers, 837
Salt II, 785
Samuel, Marcus (o moço), 69-70, 75, 95, 145, 180, 181, 195-196, 209, 213-214, 296, 329, 392, 403, 650
    a competição da Standard Oil com, 71-77
    antecedentes e começo de carreira de, 69-71
    armas do Japão fornecidas por, 77-78
    as negociações sobre petróleo de Rothschild com, 69, 71, 72, 73, 78, 128, 130, 137
    caráter de, 69-71, 75, 130-131, 134, 135, 136
    como Lord Mayor de Londres, 138, 139, 182

conversão da Armada Real ao petróleo e, 130, 140, 168, 171-173, 176-178, 236-237
Deterding e, 135-136
frota de petroleiros de, 71-77, 96, 99, 130, 197-198
nas guerras do petróleo, 78-80
petróleo de Bornéu e, 127-131
tentativa de compra da Royal Dutch por, 83-85
Samuel, Marcus (pai), 69, 75
Samuel, Samuel, 70, 73, 77, 79, 84, 180, 209
Samuel Samuel & Co., 70
Santa Bárbara, Co., 481
Santa Fé Railroad, 96
Saqqaf, Omar, 686-687, 688
Sarajevo, 183, 210
Saturday Review of Literature, 440
Saud, rei da Arábia Saudita, 579, 583, 590
Sawhill, John, 698, 705
Schlesinger, James, 684, 685, 730, 749-752, 790-791
Schmidt, Helmut, 786
Schumacher, E.F., 631-632, 697
Segundo Choque do Petróleo, 775-778, 812-813, 818, 823-824
    crise dos reféns do Irã e, 792
    estágios do, 775
    preços do petróleo afetados pelo, 775-778, 809, 860
    revolução iraniana e, 775-776
Senado, Estados Unidos, 242-243, 251, 254-255, 453, 456, 543
    escândalo de Watergate e, 690
    Tampa do Bule e, escândalo investigado pelo, 236-241
Sêneca (remédio patenteado), 20
Seneca Oil Company, 28
Serviço de Receita Interna (IRS), 504
Sete Irmãs, 566-567, 889
Sexta frota, Estados Unidos, 694-695
Shangai, 345, 348, 351, 361
Sharp, Walter B., 104
Sheets, Harold, 465
Shell da Califórnia, 234, 245, 254-256
Shell Oil Estados Unidos, 839
Shell-Mex/BP, 299-300

Shell Transport and Trading, 95-97, 130
    união da Royal Dutch com, 137,
    140-142, 143
Shell Transport Royal Dutch Petroleum, 137
Shepherd, *sir* Francis, 515
Shinwell, Emmanuel, 516
Shopping centers e galerias, 622
Shultz, George, 666, 700
Sick, Gary, 731
Sidon, 479
Silliman, Benjamin Jr, 19-23, 25, 26-27
Silva Herzog, Jesús (filho), 827-830
Silva Herzog, Jesús (pai), 307
Simon, William, 699-700, 730
Sinai, 626, 693
Sinclair Consolidated Oil, 234, 237-238, 241,
    298, 304-305, 493, 620, 643, 645
Sinclair, Harry, 236-241, 283
Sindicato do Leste e Geral, 313-315
Sindicato do Tanque, 84, 130
Sindicato dos Navios Petroleiros, 84, 130
Sindicato dos Trabalhadores em Minas de
    Carvão, 613
Síria, 206, 212, 224, 477, 549, 572-573, 626
    Guerra de Outubro e a, 671, 679-680,
    681, 682, 683, 709-710, 715
    relações soviéticas com a, 675-676,
    679-680, 681-682, 693
São Petersburgo, 62, 63
Sisco, Joseph, 677
Sismógrafos, 244, 333, 439
Slade, Edmond, 179-180
Slick, Tom, 250
Small is beautiful (Schumacher), 697
Smith, Adam, 486
Smith, George Otis, 217
Smith, Walter Bedell, 528-529
Smith, William A. "tio Billy", 28
Sociedade de Comércio Holandesa, 133
Socony-Vacuum, 254, 298, 299, 448, 462,
    566-567, 601, 620
Sohio (Standard Oil of Ohio), 123, 537, 830,
    831, 839
Solidificação, 445-448, 458, 472
Solventes, 55, 88
South Improvement Company, 43, 44, 110,
    114

Southern California Gas, 483
Spaak, Paul Henri, 548
Spaatz, Carl, 387
Speer, Albert, 373, 384, 387-388, 389, 391,
    699
Spindletop, 91-97, 99, 101, 102, 103, 104,
    140, 258-259, 315, 329, 461
Spitfire, 429
SS, I. G. Farben e, 386
St. Louis, Mo., 233
Syrota, Jean, 743
Stálin, Joseph, 16, 268, 373-375, 472-474, 649
    atividades políticas iniciais de, 145-146,
    147, 149, 204
    II Guerra Mundial e, 373-375, 407, 421,
    427, 453
Stalingrado, 376, 377, 378
Standard Oil, 37-60, 62, 96, 98, 107, 126, 128,
    131-132, 156, 180-181, 822, 839
    a frota da, 122
    a participação acionária de John D.
    Rockefeller na, 42, 48, 126
    antipatia pública pela, 47-48, 223
    artigos de Tarbell sobre, 112-118, 221
    campanhas de corte de preços da, 78, 83,
    134-135, 140, 143, 847
    Código Secreto da, 45
    comitê executivo da, 49, 50, 55, 59, 68,
    109
    comitês de administração da, 49-50
    como companhia *holding*, 108-109
    como quase-monopólio, 58
    como truste, 48-50, 78-80, 107-108, 243,
    252-253
    competição da Royal Dutch, com, 83-85,
    144
    competição de Samuel com, 71-77
    competição entre as companhias
    sucessoras da, 125, 254-256, 271-272
    competição russa com, 67-69
    Conselho de Detentores de Ações, 48-49
    crescimento da, 42-45, 54
    criação da, 42
    declínio da virada do século da, 89, 105
    designação da, 42, 54
    dissolução do truste da, 109, 118-122,
    252-253, 312, 465, 746

influência política comprada pela, 108, 116

investidas legais contra o controle monopolista da, 47

jornal doméstico, 223

latas azuis de petróleo da, 75, 105

Mellons adquiridos pela, 98, 101

nas guerras do petróleo, 78-80, 146

no início como companhia multinacional, 13, 37, 67-69

o início da produção de petróleo da, 55-58

o papel de Flagler na, 40, 41, 42, 45, 47, 48, 50, 116, 120

oleodutos controlados pela, 46

os nomes das marcas comerciais da, 123

"os senhores lá de cima" da, 109, 115

pagamento dos dividendos da, 111

práticas de desconto nas estradas de ferro da, 41-42, 43-44, 47, 121

preços determinados pela, 58, 100, 106, 822

processos antimonopólio contra, 108

quartéis-generais em Nova York da, 49, 108

rede de espionagem da, 49, 67, 83, 117, 127-167

Seep Agency como braço comercial da, 58

Shell quase adquirida pela, 136

sistema de administração consensual da, 48-50

sistema de marketing da, 55

subsidiárias secretas da, 45, 108

tentativa de compra da Pure Oil pela, 89

terremoto de São Francisco (1906) e, 88

transações de gás natural da, 102

"Velha Casa" como nome familiar da, 86

Standard Oil of California (Chevron), 90-91, 123, 254, 255, 286-287, 566-567, 631

Gulf comprada pela, 832-839

no Bahrain e na Arábia Saudita, 315-317, 322-323, 330, 333-334, 336, 461

Standard Oil of Indiana, 123-125, 234, 241, 242, 251-252, 253, 255, 265, 291, 460, 571, 572

Standard Oil Of New Jersey (Exxon), 109, 117, 122, 126, 200, 219, 251, 255, 260, 262, 334, 368, 462, 488, 501, 542, 586, 596, 603, 620

ações recompradas da, 840

aquisições da, 839

Aramco e, 461-467

Colony Shale Oil Project , 811-812

como a maior sucessora da Standard Oil, 122-123

diminuição em 40% dos empregados pela, 840

duelo com os bolcheviques, 265-272

em acordo com outras companhias, 291-300

estratégia global da, 223-224

gasolina Esso da, 617

holding companies, 109

"lucros obscenos" da, 745-746

na Conferência de Petróleo Interaliada, 199-200

na Holanda, 757

na Líbia, 596

na Venezuela, 262, 265, 489-491

no Alasca, 642-648

no Comitê Nacional de Petróleo para o Serviço da Guerra, 199-200

no mar do Norte, 758

no México, 304, 306, 311-312

petroleiros afundados, 197

princípio do Porta Aberta buscado pela, 218, 219

produção na I Guerra Mundial da, 219

redução do preço tabelado pela, 586-588

símbolo da, 234, 743

sociedade da I.G Farben com, 366-369, 372, 489, 534-535

subsidiária britânica da, 412

subsidiária Creole da, 488, 491, 735-736

Standard Oil of New York, 123, 218, 253, 254, 271-272, 292

Standard Oil Ohio (Sohio), 123, 537, 830, 839

Stanvac, 344, 347, 398, 538

Sterling, Ross, 280, 281

Stettinius, Edward R., 456

Stevenson, Adlai E., 553

Stewart, Robert, 241-243, 291

Stimson, Henry L., 348, 349, 361, 446-447

Stokes, Richard, 519, 520, 521

Stowe, Harriet Beecher, 54

Strathalmond, Lorde, 656-657

Strathcona, Donald Alexander, Lorde, 157-158

Strauss, Robert, 788

Submarinos, 197-199, 398-400, 416-422, 429, 608

Subroto, dr., 807

Suburbanização, 15, 621, 622

Sucata, 595, 748, 885

Sudão, 541-542

Suleiman, Abdullah, 323, 325, 497, 498, 501

Sullivan, William, 770

Sultão de Langkat, 80-81, 131

Sulzberger, c.L., 455

Sumatra, 60, 128, 143, 154, 398
    atividades da Royal Dutch na, 80-83, 131-132, 142
    tradicional tocha de petróleo da, 80, 82

Sun Oil, 123, 234, 249, 429-430, 460, 606
    nascimento da, 102
    oleodutos da, 103
    refinarias da, 102

Superior Oil, 831-832

Supervisão Geológica, Estados Unidos, 217, 259

Suprema Corte, Estados Unidos, 118, 120, 121, 122, 219, 251, 287, 308

Sutcliffe, John, 733

Suzuki, Kantaro, 406, 407

Swift, Elizabeth Ann, 792

Swinton, Ernest, 191

Taft, Williarn Howard, 119, 236

Talfah, Adnan Khayr Alah, 802

Talfah, Khayr Allah, 802, 803

Tallasou, Marguerite, 495

Tanaka, Kakuei, 678, 712

Tanques de estocagem, 65, 74

Tanques, 191, 376, 377, 389-390

Tapline (Oleoduto Transarábico), 461-462, 466-467, 477, 479, 540, 549, 653, 673

Tarbell, Frank, 113-114

Tarbell Ida Minerva, 113-118, 242, 253, 582, 586
    antecedentes de, 113-115

    investigação de corrupção da Standard Oil de, 114-115, 222

Tarbell, William, 114

Tarifas:
    na Alemanha nazista, 366-370
    na Rússia imperial, 147

Tarifas, Estados Unidos:
    a multiplicação por dois das, na virada do século, 90
    nos anos 30, 251, 252, 288, 289
    o lobby dos anos 50 pelas, 604-605
    pedidos de 1986 por, 856-859, 862

Tariki, Abdullah, 574, 581, 591, 653, 865
    antecedentes de, 578-579
    fundação da OPEP e, 584, 588-590

Tártaros, 146

Taxas de juros, 812

Tchecoslováquia, 347, 434, 548, 877

TCP (fosfato tricresil), 619-621

Teagle, Walter, 220-224, 237, 244, 465, 469
    acordo Achnacarry e, 291-297
    antecedentes e carreira de, 220-222, 250, 251, 255, 266-267, 269-272, 280, 282, 344, 368-370
    envolvimento Estados Unidos — mesopotamo-iraquiano negociado por, 221, 223, 224, 227-230

Tecnologias intermediárias, 631

Telaga Said, 80-81, 82

Telégrafo, 70

Televisão NBC, 675

Terceiro choque do petróleo:
    consequências do, 849-851, 856-859, 861
    preço do petróleo e negociações da tarifa e o, 856-863

Terceiro Mundo, 729, 753
    descolonização do, 14, 590-591
    direitos humanos no, 764-765
    dívida do, 720
    tecnologias intermediárias para o, 631

Terebintina, 23, 32

Terremoto de São Francisco (1906), 88

Texaco, 103-105, 334, 566, 675
    Cullinan expulso da, 103-105
    fundação da, 103
    Getty Oil comprada pela, 832

holdings americanas da Arábia Saudita
da, 869-871
oleodutos da, 104-105
processo da Pennzoil contra, 832, 870
símbolo da, 104-105, 234, 461, 619
Texaco Star Theater, 619
Texas, 252, 255, 289-290, 458, 482
Assembleia Legislativa do, 104
booms do petróleo do, 91-97, 102-105,
249, 273-282
processo antimonopolista contra a
Standard Oil instituindo pelo, 108
Texas Company, 104, 252, 253, 255, 281, 299,
335
Texas Eastern Transmission, 483
Texas Geological Society, 92
Texas Instruments, 440
Thatcher, Margaret, 786, 841, 844, 846-847,
862, 870
The Economist, 74, 75, 258, 631
The Graduate, 611
The Man Nobody Knows, (Barton), 235
Thomas, Lowell, 460
Thompson, E. O., 556
Thompson, Roy Herbert, Lorde, 757
Three Mile Island, 782, 785, 786
Tidewater Oil, 495, 499
Tíflis, 66
Tikrit, Tikritis, 802
Time, 346, 526-527, 598, 635
Times (Londres), 179, 197, 559
Timurtash, Abdul Husayn, 302
Tito (Josip Broz), 543, 635
Titusville, PA, 27-29, 31, 36, 110, 113-114,
116-117, 118, 122, 164
Tobruk, 382-383
Togo, Fumihiko, 711-712
Tojo, Hideki, 349, 360, 395-396, 398,
406-407, 409, 410
Townsend, James, 27, 30
Toyoda, Soemu, 403, 405
Toyoda, Teijiro, 357
Transporte de petróleo:
práticas iniciais da Standard Oil no, 41, 43,
46, 72, 120
Trans World Airlines, 839

Transjordânia, 225
Tratado Anglo-Soviético de Comércio, 269
Tratado de Brest-Litovsk, 204
Tratado sobre o Petróleo, Um (Redwood),
155-156
Trinidad, 23-24
Trípoli, 192, 379
Truman, Harry S., 477, 481, 604, 744, 795
cartel do petróleo e, 533
Ickes demitido por, 445-446, 457
Irã e, 512, 517, 523, 524
Trustes, 107-108, 112, 113, 181, 296, 415-416,
465, 466
Tulsa, Oklahoma, 100, 143
Turquia, 66, 194, 204, 628, 635-636
disputa de fronteira iraquiana com, 224
Doutrina Truman e, 467
na I Guerra Mundial, 163, 194, 204
União Soviética e, 479
Twain, Mark, 59-60, 114-115
Twitchell, Karl, 322, 323

União Soviética, 233, 266-272, 343-344, 346,
371, 467, 665, 858-859, 872
Afeganistão e a, 794-795
ajuste trigo-por-petróleo dos Estados
Unidos com a, 729
como segundo maior produtor de
petróleo, 580
crise de Suez e a, 542, 546, 551, 559-561
desperdício dos lucros do petróleo pela,
14
Egito e a, 572-573
exportação de gás natural, 841-842, 843,
889
exportações de petróleo da, 580-581,
585, 814, 878
futuro político incerto da, 14
Guerra de Outubro e a, 681-683, 688,
693
indústria petrolífera pós-Revolução da,
265-269, 292, 295, 296, 297, 300
invasão pela Alemanha nazista, 354-355,
357, 373
Irã e a, 472-474, 478, 479, 500, 504, 508,
509, 513, 527, 529, 535, 602

negociações do preço do petróleo (1986)
e a, 862

Revolução húngara esmagada pela, 551

U.S. Leather, 103-104

U.S. Steel, 826-827

Union Club, 41

Union Oil (Unocal), 90, 234, 245, 254, 811, 839

United States Gil Policy, The, 859

Universidade de Chicago, 53

Universidade de Harvard, 863

Vaca Sagrada, 453

Vacuum Oil, 254, 271-272

Valdez, Alasca, 646, 754

Valor dos acionistas, 822-823, 839-859

Valor registrado atualizado, 660

Vance, Cyrus, 731, 788

Vanderbilt, William, 50

Vaselina, 55

Vendas "no ato", 36

Venezuela, 250-251, 289, 292, 304, 310, 311, 467, 482, 487-492, 502, 530, 629

boom do petróleo na, 261-265

como membro da OPEP, 589, 590-591, 655, 656

concessão de petróleo cancelada pela, 735-737

golpe de 1984 na, 575

propriedade em participação e a, 659

Ventura County, Calif, 90

Verdun, 198-199, 432

Viena, 25

Vincennes, 868

Vitória, rainha da Inglaterra, 539

Volcker, Paul, 828

Volkswagen, 367, 379

Voroshilov, Klementi, 145

Voz dos Árabes, 541

Walden, George, 347

Waley Cohen, Robert, 140, 142, 167, 215, 216

Wall Street Journal, 630, 830

Walter, Vernon, 517

Walters, P.I., 733, 818

Walton, Paul, 497, 498, 499, 500

War Production Board (Conselho de Produção da Guerra), 422

Warner, Charles Dudley, 59-60

Wealth Against Commonwealth, 112

Wehrmacht (exército alemão), 370, 375

Weizman, Chaim, 337

Welles, Summer, 356, 358, 450, 489

Wellings, F. E., 562

Wellington Arthur Wellesley, duque de, 486

West Palm Beach, Fla, 41

West Texas Intermediate (WTI), 820, 822, 848, 849

White, Edward, 121-122

White, Theodore H., 346

Whiting, Ind., 57

Wilcox, Claire, 458

Williamson, George, 654, 655

Willis, "Tex", 604

Wilson, Amold, 160, 164, 165, 166

Wilson, Harold, 637-638, 759-760

Wilson, Woodrow, 200, 211, 212, 217, 239-240, 262, 304

Witte, conde Sergei, 144, 145

World Almanac, 247

World Crisis, The (Churchill), 216, 790

Wright, M. A., 596

Wyoming, 236, 251

Yale, Universidade de, 19, 21

Yamamoto, Isoroku, 351-353, 365, 397, 401

Yamani, Ahmed Zaki:

acordo de Teerã e, 655-658, 661

antecedentes de, 724-728

concessão da Aramco e, 737-739, 820, 847-848

demissão de, 864

embargo do petróleo árabe (1967) e, 627, 629-680

embargo do petróleo árabe (1973) e, 674, 676, 679, 681, 685, 686, 687, 691-692, 707, 710, 711

endereço de Harvard de, 863-865

estabilidade do preço de petróleo e, 761, 780, 796-799, 808, 814-15, 847, 848, 856, 861, 863-871

Faissal I e, 591, 657, 671-675, 724-728, 865

Irã e, 602, 723

OPEP e, 657, 658, 659, 678-679, 681, 686, 761, 781, 816, 846, 850, 860, 862
propriedade em participação e, 657, 660

Yamashita, Taro, 570
Yamato, 405, 406
Yankelovich, Daniel, 700
Yazidis, 225
Yom Kipur, Guerra, 665, 894
Young Ladies Oil, 95
Young, James, 24

Ypres, 202

Zapata Company, 854
Zelten, 596
Zhukhov, Yuri, 375
Zijlker, Aeilko Jans, 80, 81, 82
Zonas Neutras:
 entre Arábia Saudita e Iraque, 319
 entre Arábia Saudita e Kuait, 314, 318, 335, 492-494, 497, 500, 504, 606
Zahedi, Fazlollah, 527

Sobre o autor

Daniel Yergin é uma das maiores autoridades em energia, política internacional e economia. É presidente da *Cambridge Energy Research Associates* (CERA) e vice-presidente executivo da *IHS*, a empresa-mãe da CERA. Atua como especialista em energia global para a rede de notícias de negócios *CNBC*. Dr. Yergin recebeu o Prêmio Pulitzer pela autoria de *The Prize: The Epic Quest for Oil, Money and Power*, que também se transformou em um documentário de oito horas da *PBS/BBC*, visto por 20 milhões de pessoas nos Estados Unidos. O livro foi traduzido em dezessete idiomas e também recebeu o prêmio Eccles de melhor livro sobre um tema econômico para um público geral.

A respeito de seu livro subsequente, *Commanding Heights: The Battle for the World Economy*, o *Wall Street Journal* publicou: "Ninguém poderia pedir uma avaliação melhor do destino político e econômico do mundo desde a Segunda Guerra Mundial." O livro foi traduzido em treze línguas. Dr. Yergin conduziu a equipe que o transformou em um documentário de seis horas da *PBS/BBC* – o mais importante documentário da rede *PBS* sobre a globalização. A série recebeu três indicações ao *Emmy*, o prêmio *CINE Golden Eagle* e o *Gold World Medal* do *New York Festival* como melhor documentário. Outros livros do dr. Yergin são *Shattered Peace*, uma história premiada sobre as origens da Guerra Fria, (em coautoria) *Rússia 2010 and What It Means for the World* e *Energy Future: The Report of the Energy Project at the Harvard Business School*.

Dr. Yergin recebeu o prêmio *United States Energy* por suas "realizações ao longo da vida no domínio da energia e pela promoção do entendimento internacional" e dirigiu o *U.S. Department of Energy's Task Force on Strategic Energy Research and Development*. É diretor do *United States Energy Association* e do *U.S. Russian Business Council*, membro do *U.S. National Petroleum Council*, conselheiro da *Brookings Institution* e diretor da *New America Foundation*. Dr. Yergin é formado pela Universidade de Yale, onde foi bolsista *Marshall*.

Este livro foi composto na tipografia
Minion Pro, em corpo 10,5/15, e impresso em
papel off-set no Sistema Digital Instant Duplex
da Divisão Gráfica da Distribuidora Record.